sadržaj • содержание • contents • inhalt • sommaire • sumario • indice • innehåll • 目 次 • المحتويات

Saradnici • Сотрудники • Contributors • Mitarbeiter • Collaborateurs • Colaboradores • Collaboratori • Medarbetare • 協力者 • المعاونون 4

Deset najboljih partija prethodnog toma • Десять лучших партий предыдущего тома • The best ten games of the preceding Volume • Die zehn besten Schachpartien aus dem vorigen Band • Les dix meilleures parties du volume précédent • Las diez mejores partidas del tomo precedente • Le dieci migliori partite del volume precedente • De tio bästa partierna i föregående volym • 前巻のベスト十局 • الأشواط العشرة الأهم الواردة في العدد السابق 6

Deset najvažnijih teorijskih novosti prethodnog toma • Десять важнейших теоретических партий предыдущего тома • The ten most important theoretical novelties of the preceding Volume • Die zehn wichtigsten theoretischen Neuerungen aus dem vorigen Band • Les dix nouveautés théoriques les plus importantes du volume précédent • Las diez novedades teóricas más importantes del tomo precedente • Le dieci importantissime novitá teoriche del volume precedente • De tio mest betydelsefulla teoretiska nyheterna i föregående volym • 前巻のベスト新手十局 • المبتكرات النظرية العشرة الأهم الواردة في العدد السابق 8

Sistem znakova • Система знаков • Code system • Zeichenerklärung • Système de symboles • Sistema de signos • Spiegazione dei segni • Teckenförklaring • 解説記号 • نظام الرموز 10

PARTIJE • ПАРТИИ • GAMES • PARTIEN • PARTIES • PARTIDAS • PARTITE • PARTIER • 棋譜 • الاشواط 13

Klasifikacija otvaranja • Классификация дебютов • Classification of openings • Klassifizierung der Eröffnungen • Classification des ouvertures • Clasificación de las aperturas • Classificazione delle aperture • Klassifikation av öppningar • 布局大分類 • تصنيف الافتتاحيات 13

A 19

B 92

C 179

D 235

E 307

Registar • Индекс • Index • Register • Registre • Registro • Registro • Register • 棋譜索引 • الفهرس 385

Komentatori • Комментаторы • Commentators • Kommentatoren • Commentateurs • Comentaristas • Commentatori • Kommentatorer • 棋譜解説 • المعلقون 397

KOMBINACIJE • КОМБИНАЦИИ • COMBINATIONS • KOMBINATIONEN • COMBINAISONS • COMBINACIONES • COMBINAZIONI • KOMBINATIONER • 手筋 • التضحيات 401

ZAVRŠNICE • ОКОНЧАНИЯ • ENDINGS • ENDSPIELE • FINALES • FINALES • FINALI • SLUTSPEL • 収局 • المرحلة النهائية 410

TURNIRI • ТУРНИРЫ • TOURNAMENTS • TURNIERE • TOURNOIS • TORNEOS • TORNEI • TURNERINGAR • 競技会 • دورات المباريات 424

Registar • Индекс • Index • Register • Registre • Registro • Registro • Register • 手筋索引 • الفهرس 440

FIDE Information 446

3

saradnici • сотрудники • contributors • mitarbeiter • collaborateurs • colaboradores • collaboratori • medarbetare • 協力者 • المعاونون

Argentina

- J. MORGADO f
- O. PANNO g
- C. SALGADO ALLARIA

Australia

- I. ROGERS g

Belgique

- R. MEULDERS f

B"lgarija

- KIR. GEORGIEV g
- J. IVANOV m
- E. MOLLOV m
- S. SEMKOV m

Brasil

- L. R. DA COSTA JUNIOR
- G. MILOS g

BRD

- V. HORT g
- R. HÜBNER g
- S. KINDERMANN g
- E. LOBRON g
- W. PRIEPKE

Chile

- R. CIFUENTES PARADA m

China

- LIN TA f

Colombia

- A. ZAPATA g

ČSSR

- P. BLATNÝ m
- L. FTÁČNIK g
- P. HÁBA m
- V. JANSA g
- K. MOKRÝ g
- J. PLACHETKA g
- J. PLCHUT
- E. PRANDSTETTER m
- J. PŘIBYL m
- I. ŠTOHL m
- M. VOKÁČ m

Cuba

- R. ALONSO f
- G. ESTEVEZ m
- P. J. GARCIA
- I. HERRERA f
- J. NOGUEIRAS g
- L. PARED ESTRADA
- AM. RODRIGUEZ g
- R. VERA g
- R. VILELA m

Danmark

- L. HANSEN m
- B. LARSEN g
- E. MORTENSEN m

DDR

- U. BÖNSCH g
- P. ENDERS
- G. GAUGLITZ m
- R. KNAAK g
- W. UHLMANN g
- L. VOGT g

England

- M. CHANDLER g
- J. LEVITT m
- AND. MARTIN m
- J. NUNN g
- N. SHORT g
- J. SPEELMAN g
- M. ŞUBĂ g

España

- OCHOA DE ECHAGÜEN m

France

- B. KOUATLY g
- J. LAUTIER m
- G. MIRALLÈS m

Greece

- V. KOTRONIAS m
- S. SKEMBRIS m

India

- V. ANAND g
- D. BARUA m
- D. PRASAD m

Íceland

- J. HJARTARSON g
- H. ÓLAFSSON g
- M. PÉTURSSON g
- K. THORSTEINS m
- TH. THORSTEINSSON

Jugoslavija

- B. ABRAMOVIĆ g
- D. BARLOV g
- D. BLAGOJEVIĆ m
- G. ČABRILO m
- M. CEBALO g
- DRAGOLJUB ĆIRIĆ g
- SR. CVETKOVIĆ m
- M. DRAŠKO m
- S. ĐURIĆ g
- S. GLIGORIĆ g
- K. HULAK g
- M. JUKIĆ m
- M. JUSTIN
- A. KAPETANOVIĆ f
- P. KOVAČEVIĆ f
- VLADO KOVAČEVIĆ g
- Z. KOŽUL g
- Z. MARTIĆ f
- D. MINIĆ m
- S. MIRKOVIĆ m
- N. NIKOLIĆ
- PR. NIKOLIĆ g
- D. PAUNOVIĆ m
- T. PAUNOVIĆ m
- P. POPOVIĆ g
- D. SERMEK f
- E. SINDIK m
- I. SOKOLOV g
- N. ŠULAVA m

Magyarország

- A. ADORJÁN g
- I. BOTTLIK
- I. CSOM g
- A. GRÓSZPÉTER g
- P. HARDICSAY m
- L. HAZAI m
- P. LUKÁCS g
- J. PÁLKÖVI m
- J. PINTÉR g
- J. POLGÁR g
- ZSÓ. POLGÁR m
- ZSU. POLGÁR g
- L. PORTISCH g
- Z. RIBLI g
- GY. SAX g
- A. SCHNEIDER m
- E. SZALÁNCZY m
- P. SZÉKELY m
- T. TOLNAI m

México

- M. SISNIEGA m

Nederland

- P. BOERSMA m
- J. PIKET g
- J. TIMMAN g
- J. VAN DER WIEL g

Norge

F. HOVDE

Österreich

H. NAGEL

Polska

J. ADAMSKI m
J. BANY m
J. BIELCZYK m
WŁ. SCHMIDT g

România

D. ANIȚOAEI f
I. ARMAȘ m
F. GHEORGHIU g
N. ILIJIN m
M. MARIN m
V. STOICA m

Schweiz

V. KORTCHNOI g

SSSR

V. AKOPJAN m
N. ANDRIANOV m
B. ARHANGEL'SKIJ
K. ASEEV m
JU. AVERBAH g
Z. AZMAJPARAŠ-VILI g
A. BABURIN
I. BADŽARANI
V. BAGIROV g
E. BAREEV g
A. BELJAVSKIJ g
I. BELOV
BERDIČEVSKIJ
I. BOJKIJ
M. BOTVINNIK g
V. ČEHOV g
M. ČETVERIK
MARK CEJTLIN m
MIH. CEJTLIN g
A. ČERNIN g
V. CEŠKOVSKIJ g
R. DAUTOV m
JU. DOHOJAN g
S. DOLMATOV g
I. DORFMAN g
A. DREEV g
M. DVORECKIJ m
I. EFIMOV m
J. EHLVEST g
V. ĖJNGORN g
A. ERMOLINSKIJ
V. GAVRIKOV g
B. GEL'FAND g
G. GEORGADZE
E. GERŠKOVIČ
I. GLEK m
A. GOL'DIN g
S. GORELOV
E. GUFEL'D g
M. GUREVIČ g
A. HALIFMAN m
AL. HASIN
I. HENKIN
I. HMEL'NICKIJ
R. HOLMOV g
A. HUZMAN m
S. IONOV
V. IVANČUK g
SE. IVANOV
JU. JAKOVIČ m
L. JUDASIN m
A. JUSUPOV g
G. KAJDANOV g
S. KALINIČEV m
O. KALININ
A. KAPENGUT
V. KARPMAN
AN. KARPOV g
G. KASPAROV g
E. KEN'GIS m
R. KIMEL'FEL'D
S. KIŠNĖV m
A. KOČIEV g
A. KOROLĖV
A. KOVALEV
V. KRAMNIK
M. KRASENKOV g
V. KUPOROSOV m
V. KUPREJČIK g
A. KUZ'MIN m
A. KVEINYS
A. LAGUNOV
Z. LANKA m
N. LĖGKIJ m
I. LENSKIJ
K. LERNER g
JU. LJUBARSKIJ
S. LPUTJAN g
A. LUKIN m
A. MAČUL'SKIJ m
E. MAGERRAMOV m
M. MAKAROV
S. MAKARYČEV g
V. MALANJUK g
E. MALJUTIN
V. MALYŠEV
A. MIHAL'ČIŠIN g
V. MOJSEEV
V. MOSKALENKO m
I. NAUMKIN m
M. NOVIK
I. NOVIKOV m
H. ODEEV
L. OLL m
A. PETROSJAN g
E. PIGUSOV g
JU. PISKOV m
L. POLUGAEVSKIJ g
B. POSTOVSKIJ
L. PSAHIS g
A. RAECKIJ
JU. RAZUVAEV g
E. ROZENTALIS m
V. RUBAN m
A. ŠABALOV m
K. SAKAEV
V. SALOV g
M. SALTAEV
L. SANDLER
S. SAVČENKO
V. SAVON g
R. ŠČERBAKOV
G. SERPER m
A. ŠIROV m
S. SMAGIN g
A. SOKOLOV g
S. SOLOV'EV
E. SOLOŽENKIN
O. STECKO
A. SUĖTIN g
E. SVEŠNIKOV g
M. TAJMANOV g
GEN. TIMOŠ-ČENKO g
GEO. TIMOŠENKO m
S. TIVJAKOV
L. TROSTANECKIJ
V. TUKMAKOV g
G. TUNIK
E. UBILAVA g
M. ULYBIN
R. VAGANJAN g
I. VAJNERMAN
A. VAJSER g
V. VARAVIN
E. VASJUKOV g
E. VLADIMIROV g
D. VOLOVIK
A. VYŽMANAVIN g
I. ZAJCEV g
G. ZAJČIK g
A. ZLOČEVSKIJ
B. ZLOTNIK
V. ZVONICKIJ

Sverige

TH. ERNST m
F. HELLERS g

USA

JOEL BENJAMIN g
R. BLUMENFELD f
W. BROWNE g
R. BYRNE g
L. CHRISTIANSEN g
M. DLUGY g
R. DZINDZI-CHASHVILI g
J. FEDOROWICZ g
A. FISHBEIN m
V. FRÍAS m
B. GULKO g
D. GUREVICH g
A. IVANOV m
A. KARKLINS f
L. KAVALEK g
E. MEDNIS g
A. MILES g
J. SEIRAWAN g

deset najboljih partija prethodnog toma • десять лучших партий предыдущего тома • the best ten games of the preceding volume • die zehn besten schachpartien aus dem vorigen band • les dix meilleures parties du volume précédent • las diez mejores partidas del tomo precedente • le dieci migliori partite del volume precedente • de tio bästa partierna i föregående volym • 前巻のベスト十局 •
الأشواط العشرة الأهم الواردة في العدد السابق

predlog redakcije
предложение редакции
editorial selection
vorschlag der redaktion
proposition de la rédaction
proposicion de la redacción
proposta della redazione
redaktionens förslag
編集部推薦局
مقترح هيئة التحرير

			ANDRÁS ADORJÁN	JURIJ AVERBAH	MIHAIL BOTVINNIK	LARRY CHRISTIANSEN	SVETOZAR GLIGORIĆ	LUBOMIR KAVALEK	OSCAR PANNO	JAN SMEJKAL	JONATHAN SPEELMAN	
1.	**AN. KARPOV** – JUSUPOV	529	6	7	–	8	8	8	10	8	8	**63**
2.	MALANJUK – **IVANČUK**	745	10	9	8	–	–	10	8	6	10	**61**
3.	**KASPAROV** – SMIRIN	825	7	8	9	7	10	–	9	10	–	**60**
4.	**U. ANDERSSON** – A. GREENFELD	40	9	–	2	9	7	9	7	9	–	**52**
5.	**HØI** – GULKO	79	8	5	4	10	2	3	–	7	6	**45**
6.	**TAL'** – SPEELMAN	73	–	10	7	3	–	4	–	4	–	**28**
7.	**KASPAROV** – CAMPORA	527	–	4	–	–	–	7	–	3	9	**23**
8.	**JUSUPOV** – A. SOKOLOV	650	–	6	–	–	–	–	4	5	1	**16**
9.	**AN. KARPOV** – L. PORTISCH	734	–	–	10	–	–	–	5	–	–	**15**
10.	**CATURJAN** – BANGIEV	341	5	–	–	6	4	–	–	–	–	**15**
11.	**TAL'** – ZAJČIK	305	3	–	6	–	5	–	1	–	–	**15**
12.	**KNAAK** – CHRISTIANSEN	765	–	2	–	–	9	–	–	–	–	**11**
13.	**MAGERRAMOV** – OLL	561	–	3	1	–	–	6	–	–	–	**10**
14.	**DE FIRMIAN** – MILES	155	–	1	–	5	1	1	–	2	–	**10**
15.	**N. SHORT** – HÜBNER	394	–	–	3	–	6	–	–	–	–	**9**
16.	EHLVEST – **KASPAROV**	28	–	–	–	1	–	2	6	–	–	**9**
17.	N. SHORT – **SPEELMAN**	165	–	–	–	4	–	–	3	–	2	**9**
18.	**VAGANJAN** – A. ČERNIN	27	–	–	5	–	3	–	–	–	–	**8**
19.	JUSUPOV – KASPAROV	628	–	–	–	–	–	–	–	–	7	**7**
20.	**SOBURA** – PIENIAŻEK	292	–	–	–	–	–	5	2	–	–	**7**
21.	**BELJAVSKIJ** – PÉTURSSON	396	–	–	–	–	–	–	–	–	5	**5**
22.	NUNN – PR. NIKOLIĆ	391	–	–	–	–	–	–	–	–	4	**4**
23.	SUĖTIN – **ŠALE**	796	4	–	–	–	–	–	–	–	–	**4**
24.	I. EFIMOV – A. MIHAL'ČIŠIN	606	2	–	–	2	–	–	–	–	–	**4**
25.	U. ANDERSSON – SPEELMAN	43	–	–	–	–	–	–	–	–	3	**3**
26.	**ENDERS** – ORGOVÁN	297	1	–	–	–	–	–	–	–	–	**1**
27.	HUZMAN – **LIN TA**	516	–	–	–	–	–	–	–	1	–	**1**
28.	SPEELMAN – **AN. KARPOV**	14	–	–	–	–	–	–	–	–	–	**0**
29.	**PSAHIS** – SMAGIN	458	–	–	–	–	–	–	–	–	–	**0**
30.	GAVRIKOV – HARITONOV	542	–	–	–	–	–	–	–	–	–	**0**

najbolju partiju nagrađuje
лучшая партия получает премию
the best game prize awarded by
die beste partie erhielt einen preis von
la meilleure partie primée par
la mejor partida premiada por
la partita migliore premiata da
det bästa partiet uppsatt av
すまし致彰表を者勝優が
افضل جولة حائزة على جائزة من :

INTERPOLIS
verzekeringen

46/529. **D 36**

AN. KARPOV 2725 – JUSUPOV 2620
SSSR (ch) 1988

1. c4 e6 2. ♘c3 d5 3. d4 ♗e7 4. ♘f3 ♘f6 5. cd5 ed5 6. ♗g5 c6 7. ♕c2 g6 8. e4 ♘e4 N [8... de4] **9. ♗e7 ♔e7** [9... ♕e7? 10. ♘d5+−] **10. ♘e4 de4 11. ♕e4 ♗e6 12. ♗c4 ♕a5 13. ♔f1!± ♕f5 14. ♕e3 ♘d7** [14... ♔f6? 15. d5 ♗d5 16. ♗d3+−; 14... ♔f8 15. ♗e6 ♕e6 16. ♕h6 ♔g8 17. g3 ♘d7 18. ♔g2±] **15. ♖e1 ♖ae8** [15... ♔f6 16. ♗e6 fe6 17. h4 △ ♕h6, ♘g5, ♖h3±; 15... ♔d6 16. ♗e6 fe6 17. ♘g5 ♖he8 18. ♘h7 e5 19. ♘g5 ♔c7∞; 16. d5!→]

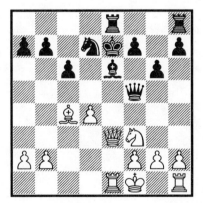

16. d5! [16. ♗e6 fe6 17. ♕a3? ♔f6 18. ♕a7? ♕b5 19. ♔g1 ♖a8−+; 16. ♕a3 ♔f6 17. ♗d3 ♕d5 18. ♕a7 ♗g4↑; 16. ♘g5 ♔d8! (16... ♔f6 17. ♗e6 fe6 18. ♘e4 ♔e7 19. h4±) 17. ♗e6 (17. ♘e6 fe6 18. ♗e6 ♕b5 19. ♔g1 ♘f8? 20. d5!; 19... ♖e7!∞) fe6 18. ♘e6 ♔c8 19. ♕b3 ♖e7↑] **cd5 17. ♗b5!** [17. ♘d4 ♕e5! 18. ♕a3 (18. ♕e5 ♘e5 19. ♗b5 ♘d7∓) ♕d6=] **a6?!** [17... ♔f8?! 18. ♕c3 △ ♘d4-e6, ♗d7; 17... d4!?± An. Karpov] **18. ♕a3 ♔d8** [18... ♔f6? 19. ♗d7 ♗d7 20. ♕c3+−] **19. ♕a5! ♔e7** [19... ♔c8 20. ♖c1 ♔b8 21. ♕c7 ♔a8 22. ♘d4 ♕f6 (22... ♕e5 23. ♕e5 ♘e5 24. ♗e8 ♖e8 25. ♖d1±) 23. ♗a6 ♖b8 (23... ba6 24. ♘c6+−) 24. ♕a5 ♕d4 25. ♗b7 ♔b7 26. ♖c7#] **20. ♕b4 ♔f6** [20... ♔d8?! 21. ♘d4 (21. ♗e2±) ♕f6 22. ♗a6! ba6 23. ♖c1! ♖eg8 24. ♖c6! (△ ♖a6-a8) ♕e5 25. ♖e6!+−] **21. ♕d4** [21. ♗d7? ♕d3!] **♔e7 22. ♗d3 ♕h5 23. h4! ♔d8 24. ♘g5 ♖hf8 25. ♗e2!** [25. ♕f4 ♗f5?! 26. ♗e2! ♖e2 27. ♖e2 ♗d3 28. g4!; 25... h6⇆] **♕h6 26. ♗f3 ♖e7□** [26... ♔c8 27. ♖c1 ♔d8 (27... ♔b8 28. ♕f4 △ ♘e6+−) 28. ♗d5 ♗d5 29. ♕d5+−] **27. ♕b4** [△ ♗d5] **♘f6 28. ♕d6 ♖d7 29. ♕f4 ♘g8** [29... ♕g7 30. ♖e6+−] **30. ♗g4 ♔c8 31. ♗e6+− fe6 32. ♖c1 ♔d8 33. ♘e6 ♔e7 34. ♕f8 ♕f8 35. ♘f8 ♔f8 36. ♖h3 ♘e7 37. h5 ♔g7 38. h6 ♔f6 39. ♖f3 ♔e6 40. ♖e1 ♔d6 41. ♖f6 ♔c7 42. g4 ♘c6 43. ♖e8** **1 : 0**
[Zajcev]

deset najvažnijih teorijskih novosti prethodnog toma • десять важнейших теоретических партий предыдущего тома • the ten most important theoretical novelties of the preceding volume • die zehn wichtigsten theoretischen neuerungen aus dem vorigen band • les dix nouveautés théoriques les plus importantes du volume précédent • las diez novedades teóricas más importantes del tomo precedente • le dieci importantissime novitá teoriche del volume precedente • de tio mest betydelsefulla teoretiska nyheterna i föregående volym •

前巻のベスト新手十局 • المبتكرات النظرية العشرة الأهم الواردة في العدد السابق

predlog redakcije *предложение редакции* *editorial selection* *vorschlag der redaktion* *proposition de la rédaction* *proposicion de la redacción* *proposta della redazione* *redaktionens förslag* 編集部推薦局 مقترح هيئة التحرير		WALTER BROWNE	MURRAY CHANDLER	ĽUBOMIR FTÁČNIK	KIRIL GEORGIEV	BENT LARSEN	JURIJ RAZUVAEV	ZOLTAN RIBLI	JAN TIMMAN	RAFAEL VAGANJAN	
1. M. GUREVIČ – A. SOKOLOV	543	9	10	5	10	10	8	3	9	6	**70**
2. KASPAROV – IVANČUK	34	5	6	10	8	7	10	6	8	10	**70**
3. U. ANDERSSON – A. GREENFELD	40	10	5	9	6	6	–	10	10	9	**65**
4. N. SHORT – PINTÉR	447	4	9	7	9	8	4	4	2	–	**47**
5. POLUGAEVSKIJ – DOHOJAN	728	7	–	3	–	9	3	–	3	8	**33**
6. AN. KARPOV – J. HJARTARSON	495	–	8	6	–	–	–	8	–	5	**27**
7. BELJAVSKIJ – **GAVRIKOV**	638	–	–	–	7	4	2	–	6	4	**23**
8. J. HJARTARSON – **KASPAROV**	284	–	–	–	5	–	7	9	–	–	**21**
9. PSAHIS – **DOHOJAN**	383	–	4	1	4	–	9	–	–	2	**20**
10. DANIILIDIS – **ADORJÁN**	296	8	1	–	–	–	–	7	4	–	**20**
11. **SAX** – EHLVEST	381	–	7	–	–	5	–	5	–	–	**17**
12. **HALIFMAN** – EHLVEST	490	6	–	2	–	–	5	–	–	3	**16**
13. H. BASTIAN – **O. MÜLLER**	197	–	–	4	–	3	–	1	7	–	**15**
14. **CATURJAN** – BANGIEV	341	–	–	8	–	–	–	–	5	–	**13**
15. BELJAVSKIJ – **SALOV**	10	–	2	–	3	–	–	–	–	7	**12**
16. JUSUPOV – **KASPAROV**	628	–	–	–	–	–	6	–	–	–	**6**
17. **BÁRCZAY** – JÓ. HORVÁTH	483	–	3	–	–	–	1	–	–	–	**4**
18. **CEŠKOVSKIJ** – FAHNENSCHMIDT	266	3	–	–	–	–	–	–	–	–	**3**
19. **BELJAVSKIJ** – J. PIKET	560	2	–	–	–	–	–	–	–	1	**3**
20. LOBRON – **AZMAJPARAŠVILI**	633	–	–	–	–	1	–	2	–	–	**3**
21. **J. ÁRNASON** – SKEMBRIS	369	–	–	–	2	–	–	–	–	–	**2**
22. I. FARAGÓ – **RAZUVAEV**	733	–	–	–	–	2	–	–	–	–	**2**
23. POLIHRONIADE – **J. POLGÁR**	236	–	–	–	1	–	–	–	–	–	**1**
24. **SAX** – JUSUPOV	407	1	–	–	–	–	–	–	–	–	**1**
25. ZAJČIK – **ZAJCEV**	(794)	–	–	–	–	–	–	–	1	–	**1**
26. D. RESENDE – **M. PEREIRA**	333	–	–	–	–	–	–	–	–	–	**0**
27. **AM. RODRIGUEZ** – STANGL	337	–	–	–	–	–	–	–	–	–	**0**
28. I. EFIMOV – **A. MIHAL'ČIŠIN**	606	–	–	–	–	–	–	–	–	–	**0**
29. **PÉTURSSON** – THORSTEINS	609	–	–	–	–	–	–	–	–	–	**0**
30. **J. PIKET** – PANEQUE	(832)	–	–	–	–	–	–	–	–	–	**0**

S.W.I.F.T. INTERNATIONAL CHESS TOURNAMENT

46/543.*** **D 37**

M. GUREVIČ 2630 – A. SOKOLOV 2600
SSSR (ch) 1988

1. ♘f3 d5 2. d4 ♘f6 3. c4 e6 4. ♗f4 ♗e7 5. e3 0–0 6. ♘c3 c5 7. dc5 ♗c5 8. ♕c2 ♘c6 9. a3 ♕a5

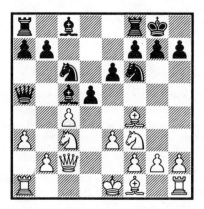

10. 0-0-0!? N [Kajdanov; 10. ♘d2; 10. ♖c1] **dc4** [10... ♗e7 – 46/544, 545] **11. ♗c4 ♗e7 12. g4! b5?!** [RR 12... ♘g4 13. ♖hg1 ♕h5 (13... e5 14. ♗g5!→; 13... ♘ge5 14. ♘e5 ♘e5 15. ♘d5!→) 14. h3 ♘f6 15. ♗e2± G. Georgadze 2410 – Haritonov 2550, Simferopol' 1988; 12... a6 13. g5 *a)* 13... ♘d7? 14. ♘e4 ♘c5 15. ♘f6! ♗f6 (15... gf6 16. gf6 ♗f6 17. ♖hg1 ♔h8 18. ♘g5 ♗g5 19. ♗g5 f6 20. ♗h6 ♖f7 21. f4! ♘e7 22. ♕g2 ♘g6 23. f5!+–) 16. gf6 g6 (Kajdanov 2535 – Konsala, Polska 1988) 17. ♖hg1 ♘d7 18. h4! ♘f6 19. h5 ♕h5 20. ♘g5! e5 21. ♖h1 ♕g4 22. f3 ♕f5 23. ♗d3+–; *b)* 13... ♘h5 14. ♗d6 ♗d6 15. ♖d6 ♘e5∞ Kajdanov; 12... e5! 13. g5 ef4 14. gf6 ♗f6 15. ♘d5 (15. ♖d5 ♕c7 16. ♖h5 g6 17. ♘d5 ♕d6∓) ♘e7!□ (15... ♗e6 16. ♘f6 gf6 17. ♖hg1 ♔h8 18. ♗e6 fe6 19. ♖d7+–; 15... ♗d8 16. h4 △ ♘g5→) 16. ♖hg1 (16. h4 ♘d5 17. ♖d5 ♕c7 18. ♘g5 ♗g5 19. hg5 g6∓) ♔h8 17. ♘e7 (17. ♘f6 gf6 18. ♕e4 ♘g6 19. ♖d5 ♕c7 20. ♕d4 ♗e6! 21. ♖c5 ♕e7∓ Šabalov 2430 – Kruppa 2435, SSSR 1988) ♗e7 18. ♖d5 ♕b6 19. ♖h5 h6∓ Kruppa] **13. ♗b5 ♗b7** [△ 14... ♘d5, 14... ♖fc8⇆] **14. ♘d2!±** [△ ♘c4] **♘b4?!** [14... ♘d5 15. ♘c4 ♕d8 16. e4!? ♗g5 17. ed5 ♗f4 18. ♔b1±] **15. ab4 ♗b4 16. ♘c4 ♕a1 17. ♔d2!+–** [17. ♘b1? ♗e4!–+; 17. ♕b1 ♕b1 18. ♘b1 (18. ♔b1? ♗h1 19. ♖h1 ♗c3 20. bc3 ♖fb8!=) ♗h1 19. ♖h1 ♘g4 20. ♗g3 ♖fc8 21. b3±] **♗c3 18. ♔e2** [18. ♔c3 ♘e4 19. ♕e4 ♕d1 20. ♕b7+–] **♕a2 19. ♖a1** [19... ♗e4 20. ♖a2 ♗c2 21. bc3+–] **1 : 0**
[M. Gurevič]

sistem znakova • система знаков • code system • zeichenerklärung • système de symboles • sistema de signos • spiegazione dei segni • teckenförklaring • 解説記号 • نظام الرموز

⩲ beli stoji nešto bolje • у белых несколько лучше • white stands slightly better • Weiss steht etwas besser • les blancs sont un peu mieux • el blanco está algo mejor • il bianco sta un po' meglio • vit står något bättre • 白や、優勢 • وضع الابيض افضل نوعا ما

⩱ crni stoji nešto bolje • у черных несколько лучше • black stands slightly better • Schwarz steht etwas besser • les noirs sont un peu mieux • el negro está algo mejor • il nero sta un po' meglio • svart står något bättre • 黒や、優勢 • وضع الاسود أفضل نوعا ما

± beli stoji bolje • у белых лучше • white has the upper hand • Weiss steht besser • les blancs sont mieux • el blanco está mejor • il bianco sta meglio • vit står bättre • 白 優勢 • الابيض في وضع مسيطر

∓ crni stoji bolje • у черных лучше • black has the upper hand • Schwarz steht besser • les noirs sont mieux • el negro está mejor • il nero sta meglio • svart står bättre • 黒 優勢 • الاسود في وضع مسيطر

+− beli ima odlučujuću prednost • у белых решающее преимущество • white has a decisive advantage • Weiss hat entscheidenden Vorteil • les blancs ont un avantage décisif • el blanco tiene una ventaja decisiva • il bianco é in vantaggio decisivo • vit har avgörande fördel • 白 勝勢 • الابيض يتمتع بافضلية حاسمة

−+ crni ima odlučujuću prednost • у черных решающее преимущество • black has a decisive advantage • Schwarz hat entscheidenden Vorteil • les noirs ont un avantage décisif • el negro tiene una ventaja decisiva • il nero é in vantaggio decisivo • svart har avgörande fördel • 黒 勝勢 • الاسود يتمتع بافضلية حاسمة

= jednako • равно • even • ausgeglichen • égalité • igual • equivalente • lika • 形勢互角 • تكافؤ

∞ neizvesno • неизвестно • unclear • unklar • incertain • incierto • incerto • oklar • 形勢不明 • غير واضح

=∞ kompenzacija za materijal • компенсация за материал • with compensation for the material • mit Kompensation für den materiellen Nachteil • avec compensation pour le matériel • con compensación por el material • con compenso per il vantaggio materiale avversario • med kompensation för materialet • 駒損不利なし • مع تعويض خسارة القطع

↻ razvojna prednost • преимущество в развитии • development advantage • Entwicklungsvorsprung • avantage de développement • ventaja de desarrollo • vantaggio di sviluppo • utvecklingsförsprång • 展開よし • افضلية للتطور

○ prostorna prednost • преимущество в пространстве • greater board room • beherrscht mehr Raum • avantage d'espace • ventaja de espacio • maggior vantaggio spaziale • terrängfördel • 模様大 • افضلية مكانية على الرقعة

→ sa napadom • с атакой • with attack • mit Angriff • avec attaque • con ataque • con attacco • med angrepp • 攻勢 • مع الهجوم

↑ sa inicijativom • с инициативой • with initiative • mit Initiative • avec initiative • con iniciative • con iniziativa • med initiativ • 主導権あり • مع المبادرة

⇆ sa protivigrom • с контригрой • with counter-play • mit Gegenspiel • avec contre-jeu • con contrajuęgo • con controgioco • med motspel • 反撃 • مع لعب مضاد

⊙ iznudica • цугцванг • zugzwang • Zugzwang • zugzwang • zugzwang • zugzwang • dragtvång • ツーク、ツワング • روغروانغ

mat • мат • mate • matt • mat • mate • matto • matt • メイト • اماتة الشاه

! vrlo dobar potez • очень хороший ход • a very good move • ein sehr guter Zug • très bon coup • muy buena jugada • buona mossa • ett bra drag • 好手 • نقلة جيدة جدا

!! odličan potez • отличный ход • an excellent move • ein ausgezeichneter Zug • excellent coup • excelente jugada • mossa ottima • ett utmärkt drag • 妙手 • نقلة ممتازة

? slab potez • слабый ход • a mistake • ein schwacher Zug • coup faible • mala jugada • mossa debole • ett dåligt drag • 疑問手 • نقلة خطا

?? gruba greška • грубая ошибка • a blunder • ein grober Fehler • erreur grave • grave error • grave errore • ett grovt fel • 悪手 • نقلة سيئة جدا

!? potez zaslužuje pažnju • ход заслуживающий внимания • a move deserving attention • ein beachtenswerter Zug • coup qui mérite l'attention • jugada que merece atención • mossa degna di considerazione • ett drag som förtjänar uppmärksamhet • 注目手 • نقلة تستحق الانتباه

?! sumnjiv potez • сомнительный ход • a dubious move • ein Zug von zweifelhaftem Wert • coup de valeur douteuse • jugada de dudoso valor • mossa dubbia • ett tvivelaktigt drag • 鬼手 • نقلة مشكوك في نتيجتها

△ sa idejom • с идеей • with the idea • mit der Idee • avec l'idée • con idea • con l'idea • med idén • 狙いは…… • يتصوّر

□ jedini potez • единственный ход • only move • der einzig spielbare Zug • le seul coup • unica jugada • unica mossa • enda draget • 絶対手 • النقلة الوحيدة

⌓ bolje je • лучше • better is • besser ist • meilleur est • es mejor • è meglio • bättre är • 正着は • الافضل هو

♔ ♕ ♖ ♗ ♘

⇔ linija • линия • file • Linie • colonne • linea • linea • linje • 横列 • الرتل

⇗ dijagonala • диагональ • diagonal • Diagonale • diagonale • diagonal • diagonal • diagonal • 斜筋 • القطر

⊞ centar • центр • centre • Zentrum • centre • centro • centro • centrum • 中央 • المركز

» kraljevo krilo • королевский фланг • king's side • Königsflügel • aile-roi • flanco de rey • lato di R • kungsflygeln • キング側 • جناح الملك

« damino krilo • ферзевый фланг • queen's side • Damenflügel • aile-dame • flanco de dama • lato di D • damflygeln • クイン側 • جناح الملكة

× slaba tačka • слабый пункт • weak point • schwacher Punkt • point faible • punto débil • punto debole • svaghet • 弱点 • نقطة ضعف

⊥ završnica • эндшпиль • ending • Endspiel • finale • final • finale • slutspel • 収局 • المرحلة النهائية

⧉ lovački par • два слона • pair of bishops • Läuferpaar • paire de fous • pareja de alfiles • la coppia degli alfieri • löparpar • 双ビショップ • الفيلان

⬒ raznobojni lovci • разноцветные слоны • bishops of opposite colour • ungleichfarbige Läufer • fous de couleurs opposées • alfiles de distinto color • alfieri di colore diverso • löpare med olika färg • 異色ビショップ • فيلان من لونين مختلفين

⬛ istobojni lovci • одноцветные слоны • bishops of the same colour • gleichfarbige Läufer • fous de même couleur • alfiles del mismo color • alfieri di colore uguale • löpare med samma färg • 同色ビショップ • فيلان من نفس اللون

oo vezani pešaci • связанные пешки • united pawns • verbundene Bauern • pions liés • peones unidos • pedoni uniti • garderade bönder • 連ポーン • بيادق مرتبطة

o..o razdvojeni pešaci • изолированные пешки • separated pawns • isolierte Bauern • pions isolés • peones aislados • pedoni isolati • isolerade bönder • 離ポーン • بيادق منفصلة

8 udvojeni pešaci • сдвоенные пешки • double pawns • Doppelbauern • pions doublés • peones dobles • pedoni doppi • dubbel bönder • 重ポーン • بيادق مزدوجة

♂ slobodan pešak • проходная пешка • passed pawn • Freibauer • pion passé • peón pasado • pedone libero • fribonde • 失ったポーン • بيدق حر

> prednost u broju pešaka • преимущество в числе пешек • advantage in number of pawns • im Bauernmehrbesitz • avantage quantitatif en pions • ventaja en el número de peones • vantaggio quantitativo dei pedoni • fördel i antal bönder • ポーン数での優勢 • الأفضلية بعدد البيادق

⊕ vreme • время • time • Zeit • temps • tiempo • tempo • tid • 時間切迫 • الوقت

♔ ♕ ♖ ♗ ♘

7/113, 47/241... Šahovski informator • Шахматный информатор • Chess Informant • Schach-informator • Informateur d'échecs • Informador ajedrecistico • Informatore scacchistico • Schack-informator • チェス新報巻/局 • دليل الشطرنج

A 30, B 17, C 92... Enciklopedija šahovskih otvaranja • Энциклопедия шахматних дебютов • Encyclopaedia of Chess Openings • Enzyklopädie der Schacheröffnungen • Encyclopédie des ouvertures d'échecs • Enciclopedia de aperturas de ajedrez • Enciclopedia delle aperture negli scacchi • Encyklopedi över spelöppningar i schack • 布局大成 • موسوعة افتتاحيات الشطرنج

♙ 3/c3, ♖ 3/d... Enciklopedija šahovskih završnica • Энциклопедия шахматных окончаний • Encyclopaedia of Chess Endings • Enzyklopädie der Schachendspiele • Encyclopédie des finales d'échecs • Enciclopedia de finales de ajedrez • Enciclopedia dei finali negli scacchi • Encyklopedi över slutspel i schack • 収局大成 • موسوعة نهائيات الشطرنج

N novost • новинка • a novelty • eine Neuerung • nouveauté • novedad • un'innovazione • nyhet • 新 手 • حديد مبتكر

♔ ♕ ♖ ♗ ♘

(ch) šampionat • чемпионат • championship • Meisterschaft • championnat • campeonato • campionato • mästerskap • 世界チャンピオン戦 • البطولة

(izt) međuzonski turnir • межзональный турнир • interzonal tournament • Interzonenturnier • tournoi interzonal • torneo interzonal • torneo interzonale • interzonturnering • インター・ゾーン • دورة مباريات للمناطق

(ct) turnir kandidata • турнир претендентов • candidates' tournament • Kandidatenturnier • tournoi des candidats • torneo de candidatos • torneo dei candidati • kandidatturnering • 挑戦者決定戦 • دورة مباريات للمرشحين

(m) meč • матч • match • Wettkampf • match • encuentro • match • match • マッチ • مباراة

(ol) olimpijada • олимпиада • olympiad • Olympiade • olympiade • olimpiada • olimpiade • olympiad • オリンピック • الاولمبياد

corr. dopisna partija • партия по переписке • correspondence game • Fernpartie • partie par correspondance • partida por correspondencia • partita per corrispondenza • korrespondensparti • 通信戦 • لعبة أو مباراة بالمراسلة

RR primedba redakcije • примечание редакции • editorial comment • Anmerkung der Redaktion • remarque de la rédaction • nota dela redacción • nota redazionale • redaktionens anmärkning • 編集部評 • تعليق هيئة التحرير

R razni potezi • разные ходы • various moves • verschiedene Züge • différents coups • diferentes movidas • mosse varie • olika drag • 変 化 手 • نقلات متنوعة

∟ sa • c • with • mit • avec • con • con • med • 以下の手順となるもの • مع

⌟ bez • без • without • ohne • sans • sin • senza • utan • 以下の手順とならないもの • بدون

‖ itd. • и.т.д. • etc • usw. • etc. • etc • ecc • o.s.v. • 等 々 • الخ

— vidi • смотри • see • siehe • voir • ved • vedi • se • 参 照 • انظر

partije • партии • games • partien • parties • partidas • partite • partier • 棋譜 • الاشواط

---

klasifikacija otvaranja • классификация дебютов • classification of openings • klassifizierung der eröffnungen • classification des ouvertures • clasificación de las aperturas • classificazione delle aperture • klassifikation av öppningar • 布局大分類 • تصنيف الافتتاحيات

A — R ⌟ 1. e4, 1. d4
— 1. d4 R ⌟ 1... d5, 1... ♘f6
— 1. d4 ♘f6 R ⌟ 2. c4
— 1. d4 ♘f6 2. c4 R ⌟ 2... e6, 2... g6

B — 1. e4 R ⌟ 1... c5, 1... e6, 1... e5
— 1. e4 c5

C — 1. e4 e6
— 1. e4 e5

D — 1. d4 d5
— 1. d4 ♘f6 2. c4 g6 ∟ 3... d5

E — 1. d4 ♘f6 2. c4 e6
— 1. d4 ♘f6 2. c4 g6 ⌟ 3... d5

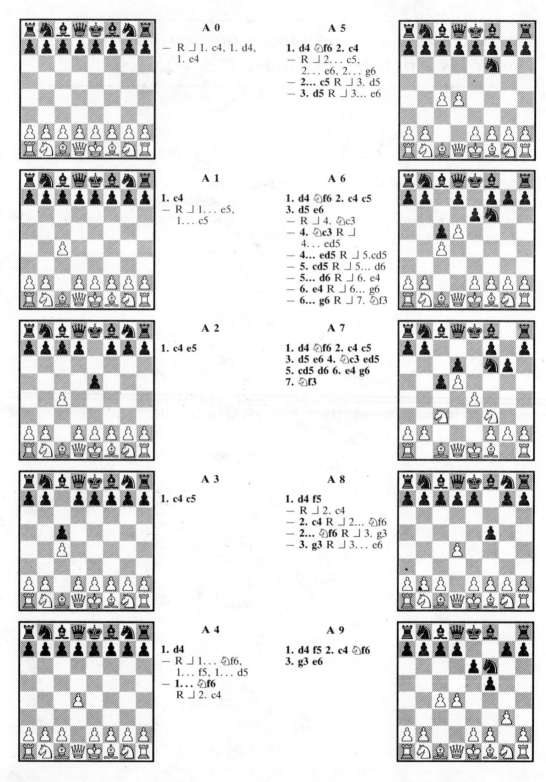

A 0

— R ┘ 1. c4, 1. d4, 1. e4

A 1

1. c4
— R ┘ 1. . . e5, 1. . . c5

A 2

1. c4 e5

A 3

1. c4 c5

A 4

1. d4
— R ┘ 1. . . ♘f6, 1. . . f5, 1. . . d5
— **1. . . ♘f6** R ┘ 2. c4

A 5

1. d4 ♘f6 2. c4
— R ┘ 2. . . c5, 2. . . e6, 2. . . g6
— **2... c5** R ┘ 3. d5
— **3. d5** R ┘ 3... e6

A 6

1. d4 ♘f6 2. c4 c5 3. d5 e6
— R ┘ 4. ♘c3
— **4. ♘c3** R ┘ 4. . . ed5
— **4... ed5** R ┘ 5.cd5
— **5. cd5** R ┘ 5... d6
— **5... d6** R ┘ 6. e4
— **6. e4** R ┘ 6... g6
— **6... g6** R ┘ 7. ♘f3

A 7

1. d4 ♘f6 2. c4 c5 3. d5 e6 4. ♘c3 ed5 5. cd5 d6 6. e4 g6 7. ♘f3

A 8

1. d4 f5
— R ┘ 2. c4
— **2. c4** R ┘ 2... ♘f6
— **2... ♘f6** R ┘ 3. g3
— **3. g3** R ┘ 3. . . e6

A 9

1. d4 f5 2. c4 ♘f6 3. g3 e6

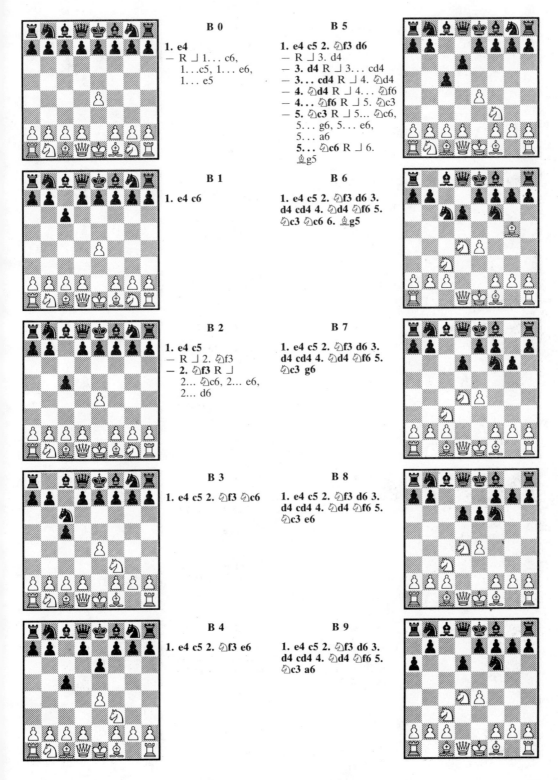

B 0

1. e4
— R ⌐ 1... c6,
1...c5, 1... e6,
1... e5

B 1

1. e4 c6

B 2

1. e4 c5
— R ⌐ 2. ♘f3
— **2. ♘f3** R ⌐
2... ♘c6, 2... e6,
2... d6

B 3

1. e4 c5 2. ♘f3 ♘c6

B 4

1. e4 c5 2. ♘f3 e6

B 5

1. e4 c5 2. ♘f3 d6
— R ⌐ 3. d4
— **3. d4** R ⌐ 3... cd4
— **3... cd4** R ⌐ 4. ♘d4
— **4. ♘d4** R ⌐ 4... ♘f6
— **4... ♘f6** R ⌐ 5. ♘c3
— **5. ♘c3** R ⌐ 5... ♘c6,
5... g6, 5... e6,
5... a6
5... ♘c6 R ⌐ 6.
♗g5

B 6

1. e4 c5 2. ♘f3 d6 3.
d4 cd4 4. ♘d4 ♘f6 5.
♘c3 ♘c6 6. ♗g5

B 7

1. e4 c5 2. ♘f3 d6 3.
d4 cd4 4. ♘d4 ♘f6 5.
♘c3 g6

B 8

1. e4 c5 2. ♘f3 d6 3.
d4 cd4 4. ♘d4 ♘f6 5.
♘c3 e6

B 9

1. e4 c5 2. ♘f3 d6 3.
d4 cd4 4. ♘d4 ♘f6 5.
♘c3 a6

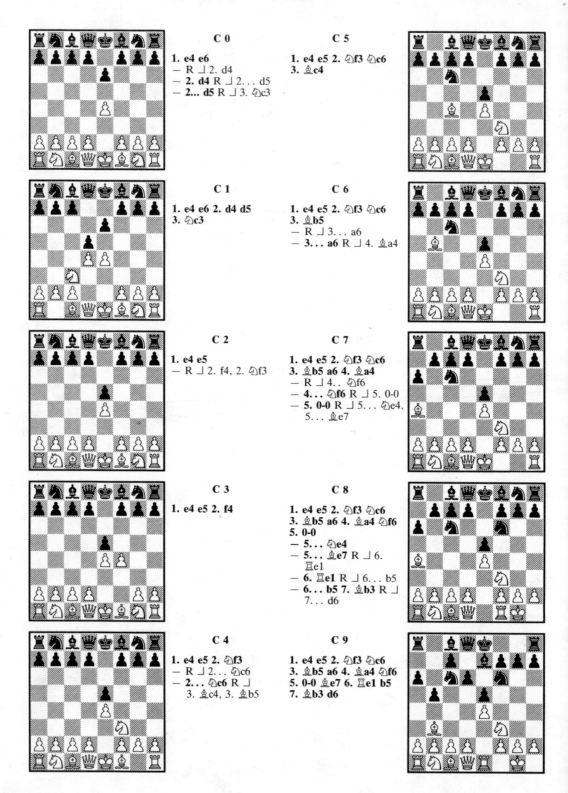

C 0

1. e4 e6
— R ┘ 2. d4
— **2. d4** R ┘ 2. . . d5
— **2... d5** R ┘ 3. ♘c3

C 1

1. e4 e6 2. d4 d5
3. ♘c3

C 2

1. e4 e5
— R ┘ 2. f4, 2. ♘f3

C 3

1. e4 e5 2. f4

C 4

1. e4 e5 2. ♘f3
— R ┘ 2. . . ♘c6
— **2. . . ♘c6** R ┘
3. ♗c4, 3. ♗b5

C 5

1. e4 e5 2. ♘f3 ♘c6
3. ♗c4

C 6

1. e4 e5 2. ♘f3 ♘c6
3. ♗b5
— R ┘ 3. . . a6
— **3. . . a6** R ┘ 4. ♗a4

C 7

1. e4 e5 2. ♘f3 ♘c6
3. ♗b5 a6 4. ♗a4
— R ┘ 4. . ♘f6
— **4. . . ♘f6** R ┘ 5. 0-0
— **5. 0-0** R ┘ 5. . . ♘e4,
5. . . ♗e7

C 8

1. e4 e5 2. ♘f3 ♘c6
3. ♗b5 a6 4. ♗a4 ♘f6
5. 0-0
— **5. . . ♘e4**
— **5. . . ♗e7** R ┘ 6. ♖e1
— **6. ♖e1** R ┘ 6. . . b5
— **6. . . b5 7. ♗b3** R ┘
7. . . d6

C 9

1. e4 e5 2. ♘f3 ♘c6
3. ♗b5 a6 4. ♗a4 ♘f6
5. 0-0 ♗e7 6. ♖e1 b5
7. ♗b3 d6

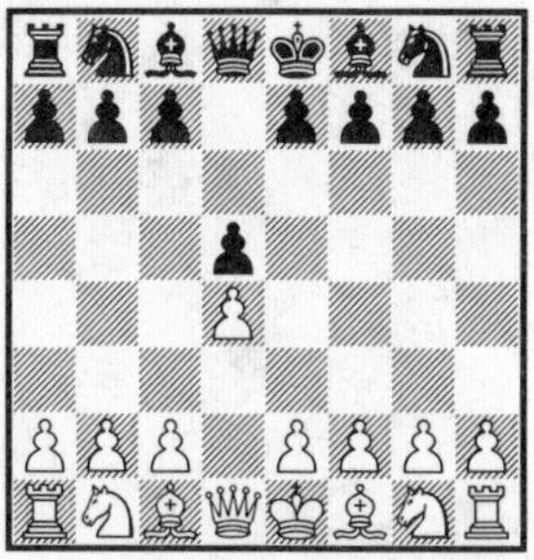

D 0

1. d4 d5
— R ⌐ 2. c4
— 2. c4 R ⌐ 2... c6,
   2... dc4, 2... e6

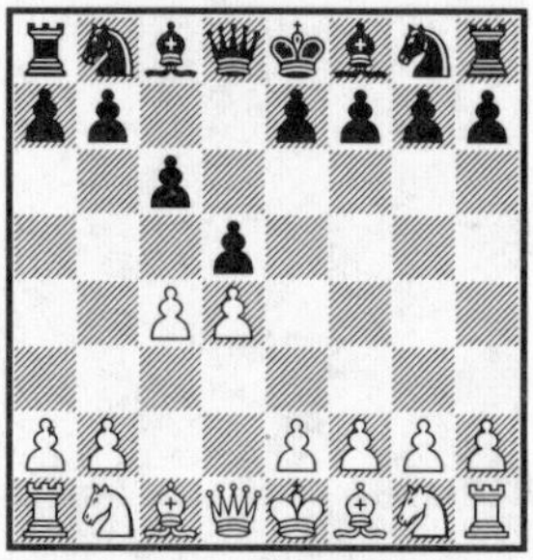

D 1

1. d4 d5 2. c4 c6

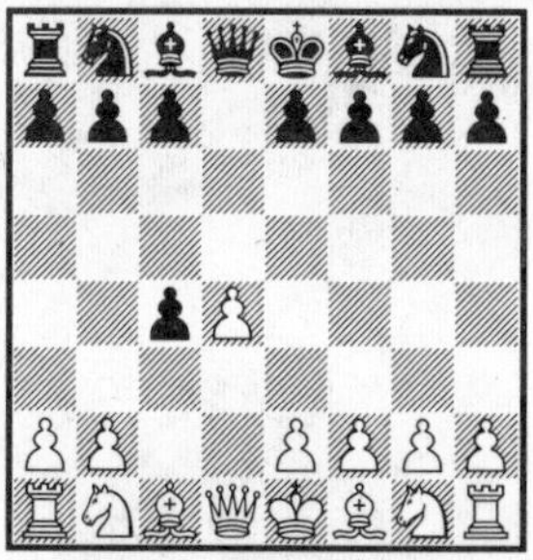

D 2

1. d4 d5 2. c4 dc4

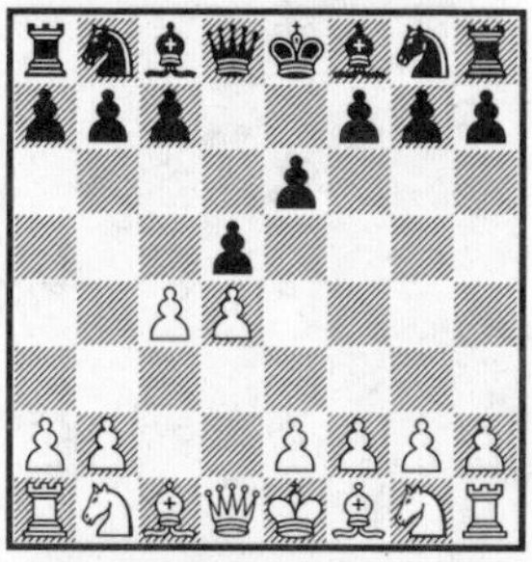

D 3

1. d4 d5 2. c4 e6
— R ⌐ 3. ♘c3
— 3. ♘c3 R ⌐
   3... ♘f6
— 3... ♘f6 R ⌐
   4. ♘f3, 4. ♗g5
— 4. ♘f3 R ⌐
   4... c5, 4... c6

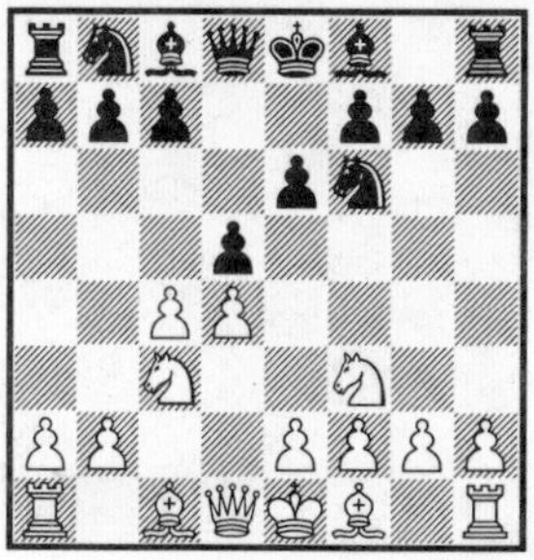

D 4

1. d4 d5 2. c4 e6 3.
♘c3 ♘f6 4. ♘f3
— 4... c5
— 4... c6

D 5

1. d4 d5 2. c4 e6 3.
♘c3 ♘f6 4. ♗g5
— R ⌐ 4... ♗e7
— 4... ♗e7 R ⌐ 5.e3
— 5. e3 R ⌐ 5... 0-0
— 5... 0-0 R ⌐ 6. ♘f3
— 6. ♘f3 R ⌐
   6... ♘bd7

D 6

1. d4 d5 2. c4 e6 3.
♘c3 ♘f6 4. ♗g5
♗e7 5. e3 0-0 6.
♘f3 ♘bd7

D 7

1. d4 ♘f6 2. c4 g6
(⌐3... d5)
— R ⌐ 3. ♘c3

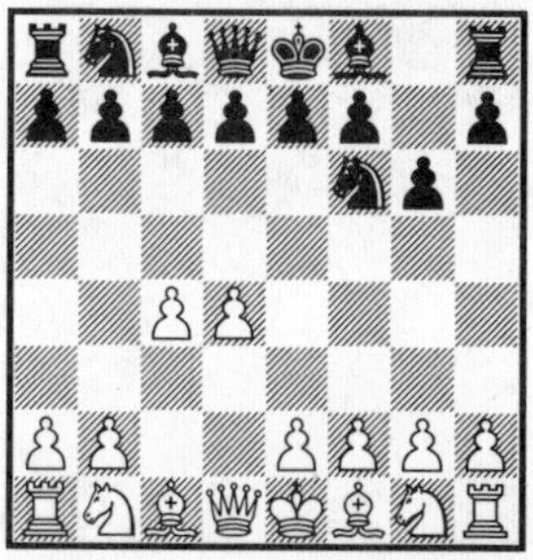

D 8

1. d4 ♘f6 2. c4 g6
3. ♘c3 d5
— R ⌐ 4. ♘f3

D 9

1. d4 ♘f6 2. c4 g6
3. ♘c3 d5 4. ♘f3

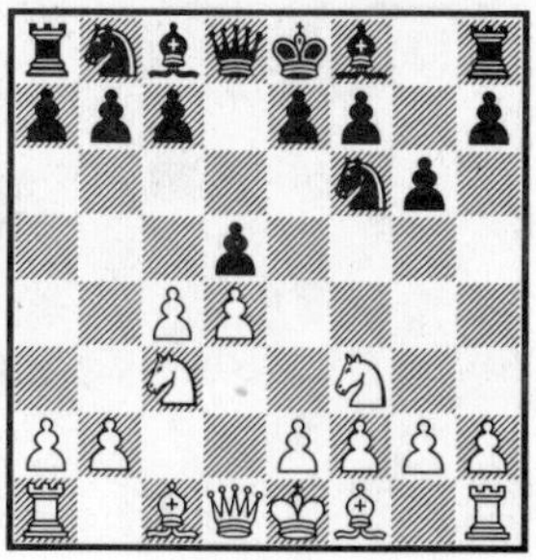

E 0

1. d4 ♘f6 2. c4 e6
— R ⌐ 3. ♘f3, 3.
♘c3

E 5

1. d4 ♘f6 2. c4 e6
3. ♘c3 ♗b4 4. e3
0-0 5. ♘f3

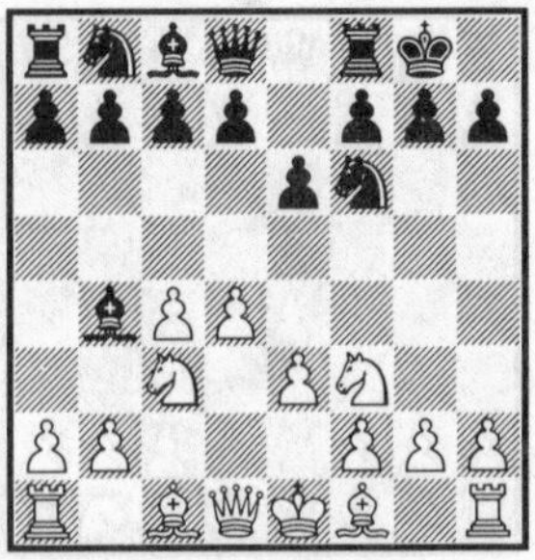

E 1

1. d4 ♘f6 2. c4 e6
3. ♘f3

E 6

1. d4 ♘f6 2. c4 g6
(⌐ 3... d5)
— R ⌐ 3. ♘c3
— 3. ♘c3 R ⌐
3... d5, 3... ♗g7
— 3... ♗g7 R ⌐
4. e4

E 2

1. d4 ♘f6 2. c4 e6
3. ♘c3
— R ⌐ 3... c5,
3... d5, 3... ♗b4
— 3... ♗b4 R ⌐
4. ♗g5, 4. ♕c2,
4. e3

E 7

1. d4 ♘f6 2. c4 g6
3. ♘c3 ♗g7 4.e4
— R ⌐ 4... d6
— 4... d6 R ⌐ 5. f3,
5. ♘f3

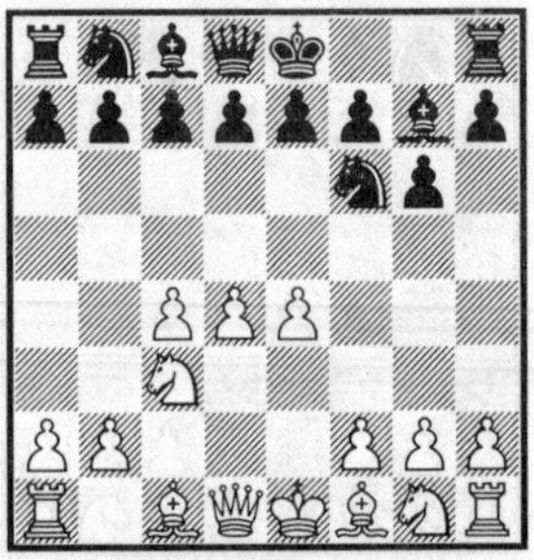

E 3

1. d4 ♘f6 2. c4 e6
3. ♘c3 ♗b4
— 4. ♗g5
— 4. ♕c2

E 8

1. d4 ♘f6 2. c4 g6
3. ♘c3 ♗g7 4. e4 d6
5. f3

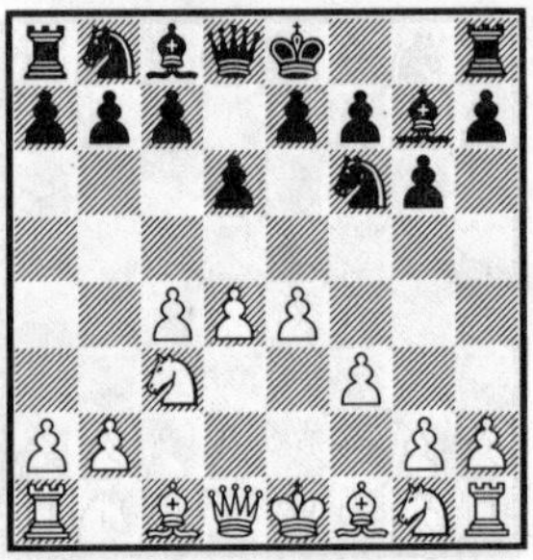

E 4

1. d4 ♘f6 2. c4 e6
3. ♘c3 ♗b4 4. e3
— R ⌐ 4... 0-0
— 4... 0-0 R ⌐ 5. ♘f3

E 9

1. d4 ♘f6 2. c4 g6
3. ♘c3 ♗g7 4. e4 d6
5. ♘f3

A

1. A 05

SPEELMAN 2645 – KORTCHNOI 2595

Hastings 1988/89

1. ♘f3 e6 2. g3 b5 3. ♗g2 ♗b7 4. 0–0 c5 [4... ♘f6! 5. d3 (5. d4 c5=) d5∞] **5. d3 ♘f6** [5... d5?! 6. e4 de4 7. ♘g5 ♘f6 8. ♘c3 ♘bd7 9. ♘ge4 ♘e4 10. ♘e4 ♗e7 11. ♕g4±○] **6. e4 d6 7. a4** [7. c3!? △ a4] **b4 8. ♘bd2 ♗e7 9. ♘c4 0–0 10. ♖e1** [10. e5 de5 11. ♘fe5 ♗g2 12. ♔g2 ♕d5 13. ♕f3 ♖c8 △ ♘c6±; 10. a5 ♘a6□ 11. ♖e1±] **♘c6 N** [10... ♘bd7 – 28/(3)] **11. a5 ♖b8** [⌓ 11... ♖c8] **12. a6 ♗a8 13. ♗f4 ♖c8 14. c3?!** [14. e5 de5 15. ♘fe5±] **d5!∞ 15. ed5** [15. ♘cd2 ♘h5∓] **♘d5 16. ♗d2** [16. ♕d2? ♘f4 17. ♕f4 bc3 18. bc3 ♕d3 19. ♖ad1 ♕c3 20. ♖d7 ♘d4 21. ♘fd2 ♗f6∓] **♗f6 17. ♕c2 ♖c7 18. h4** [18. ♘fe5 ♘e5 19. ♘e5 ♗e5 20. ♖e5 ♕d7 △ ♘e7∓] **♖d7 19. ♘g5** [19. ♘h2 ♘b6 20. ♘b6 ♕b6 21. ♘g4 ♗e7∓; 19. ♘fe5 ♘e5 20. ♘e5 ♗e5 21. ♖e5⇆; 20... ♖c7∓] **h6 20. ♘e4 ♗e7** [△ f5] **21. f4?** [21. ♗e3 *a)* 21... f5 22. ♘ed2 (22. ♘c5 ♘e3∓) f4 23. gf4 ♘f4 24. ♗f4 ♖f4 25. ♖e6 ♗h4 (∓→ Speelman) 26. ♘f3∞; 26. ♘e4±; *b)* 21... ♘e3 22. ♖e3 ♕c7∞] **♘b6! 22. ♘b6 ab6!∓** [×a6, d3, g3] **23. ♘f2 ♘a5 24. ♗a8 ♕a8 25. ♖e4** [25. cb4 cb4 26. ♖e4 ♖c8 27. ♕a4 (27. ♕b1 ♘b3–+) ♖d3–+] **♕a6?** [25... b3! 26. ♕b1 (26. ♕d1 ♖d3–+) ♕a6 27. c4 ♗f6 △ ♗d4∓] **26. cb4 cb4 27. ♗b4∓ ♕b5 28. ♗e7 ♖e7 29. ♖c1** [29. b4 f5! (29... ♘c6 30. ♕c4 ♘a7□ 31. ♖a6=) 30. ♖d4 e5! 31. ♕a2 ♔h7 32. ♖d5 ♕b4 33. ♖e5∓; 33. ♖b1∓] **♕d5** [29... ♘b3!?] **30. ♖e5?!** [30. b4 ♘b3 31. ♖e5 ♘d4 32. ♖d5 ♘c2 33. ♖d6 ♘b4 34. ♖b6 ♘d5∓] **♕f3 31. ♔h2** [31. ♘h1!? △ b4] **♘b3! 32. ♕b3 ♕f2∓ 33. ♔h3 ♖d7 34. ♖ce1 ♖fd8 35. ♖5e2!□ ♕c5** [△ ♕f5] **36. ♖e5 ♕c6 37. ♖1e3??⊕** [37. ♖5e3 ♖d4 △ ♖8d5, ♕d6, g5∓] **♖d4??** [37... ♕h1 38. ♔g4 (△ 38... f5?? 39. ♖f5) g6 △ f5–+] **38. h5??** [38. ♔h2] **♕c1??** [38... ♕h1 39. ♔g4 ♔h7–+] **39. ♖e1 ♕d2 40. ♖1e2** [40. ♕b6 ♖d3∓→] **♕d3 41. ♕d3 ♖d3** [♖ 9/q]

42. f5! ef5?! [42... ♖8d5! 43. fe6 fe6 44. ♖d5 ♖d5 45. ♖e6 ♖h5 46. ♔g4 ♖b5 47. ♖e2 h5 48. ♔h4 g6 △ ♔g7-h6, g5∓] **43. ♖f5 ♖8d5** [43... ♖b3!? △ ♖dd3∓] **44. ♖e8 ♔h7 45. ♖ee5 ♖e5 46. ♖e5 ♖b3 47. ♖e7 f6 48. ♖e2 ♔g8 49. ♖c2 ♖b5 50. ♔g4** [50. g4 ♖c5 51. ♖e2 ♔f7 52. ♔g3 f5 53. gf5 ♖f5 54. ♔g4 ♖g5 55. ♔h4 ♖b5 △ ♖b4∓] **♖g5 51. ♔h4 b5** [51... ♖c5!?] **52. ♖c7?!** [⌓ 52. g4 ♔f7 53. ♖c6] **♖e5 53. ♖c8?!** [⌓ 53. ♖c2] **♔f7 54. ♖c7 ♖e7 55. ♖c5?** [55. ♖c2] **♖e4–+ 56. ♔h3** [56. g4 ♖b4 57. ♖c2 f5] **♖e5 57. ♖c7 ♔g8 58. ♔g4 ♖e2 59. ♖b7 ♖b2 60. ♔f5 ♔h7 61. ♔g4 ♖b3 62. ♖b8 b4 63. ♔f4 ♖b1 64.**

g4 b3 65. ♔f3 b2 66. ♔g2 g5□ 67. ♖b7 ♔g8 68. ♔h2 ♔f8 69. ♔g2 ♔e8 70. ♔h2 ♔d8 71. ♔g2 ♔c8−+ [− ♖ 6/j (1294.)]
0 : 1 [Kortchnoi]

2. **A 06**

MILES 2520 − JOEL BENJAMIN 2545
Wijk aan Zee 1989

1. ♘f3 c5 2. c4 ♘c6 3. b3 ♘f6 4. ♗b2 e6 5. e3 d5 6. cd5 ed5 7. ♘e5!? N [7. ♗e2 − 16/63; 7. a3; 7. ♗d3; 7. ♗b5] **♘e5 8. ♗e5 ♗e7 9. ♗b5 ♗d7 10. ♗d7 ♕d7 11. 0−0 0−0= 12. d3 ♕f5 13. ♗b2 ♖ad8** [13... ♗d6] **14. ♕e2 ♗d6 15. ♘d2 ♖fe8 16. ♖ae1 ♕g6 17. ♘f3** [17. f4!?] **d4 18. e4 ♘d5 19. ♕d1! ♘b4** [19... ♘c3 20. ♗c3 dc3 21. ♕a1! (21. ♕c2 ♕f6 22. ♖c1 ♗f4) ♕f6 22. ♖c1] **20. a3 ♘c6 21. ♗c1 ♕h5! 22. g3 f5?!** [△ 22... f6 △ ♕f7, b5, c4↑◁] **23. ef5 ♕f5 24. ♘g5! ♗f8 25. f4 h6 26. ♘e4 b5!⇆ 27. ♕c2?** [27. g4! △ f5, g5→≫] **♔h8 28. ♗d2 ♖c8 29. ♖c1?! ♘b8! 30. ♖fe1 ♘d7∓ 31. ♕b2 ♕d5 32. ♖e2?! c4 33. bc4 bc4 34. ♕a2 ♕h5! 35. g4⊕ ♕g4 36. ♖g2 ♕f3 37. ♖g3 ♕h5 38. ♖c4 ♖c4 39. ♕c4 ♕d1 40. ♔g2 ♕e2** [41. ♔h3 ♖e4−+; 40... ♖e4 41. de4 ♕d2−+]
0 : 1 [Joel Benjamin]

3.** **A 07**

WEINDL 2385 − A. ČERNIN 2580
Lugano 1989

1. ♘f3 d5 2. g3 c6 3. ♗g2 ♗g4 [RR 3... g6 4. d3 ♗g7 5. ♘bd2 ♘f6 6. 0−0 0−0 7. e4 de4 8. de4 ♘bd7 9. e5! N (9. ♕e2) ♘d5 10. e6! fe6 11. ♕e2 ♔h8 12. ♘g5! (12. ♕e6? ♘e5) ♘c7 13. ♘df3 e5 14. ♕c4 e4□ 15. ♕e4 ♘f6 16. ♕h4 ♘e6 17. ♖e1 ♘g5 18. ♗g5± Bagirov 2460 − R. Ščerbakov 2350, Budapest (open) 1989; 3... ♘d7 N 4. 0−0 ♘gf6 5. d3 e5 6. e4 de4 7. de4 ♘e4!? 8. ♘e5 (8. ♖e1 ♘ef6 9. ♘e5 ♘e5 10. ♖e5 ♗e6 △ ♗d6=) ♘e5 9. ♕d8 ♔d8 10. ♗e4 ♗d6 11. ♘c3 ♔c7 12. ♗g2 ♗f5 13. ♘e4 ♗e4 14. ♗e4 ♖he8 15. ♖d1 h6 16. h3 ♗c5 17. ♔f1 ♖e7

1/2 : 1/2 K. Spraggett 2575 − Jusupov 2610, Québec (m/4) 1989] **4. 0−0 e6 5. d3 ♗d6 6. ♘bd2 ♘d7 7. ♖e1 N** [7. h3 − 15/13; 7. b3 − 13/19; 7. e4 − 45/3] **♘e7 8. e4 0−0 9. ♕e2 ♖e8 10. h3 ♗h5 11. g4!? ♗g6 12. e5 ♗c7 13. ♘f1** [13. h4 h5!] **c5** [13... h6!?] **14. ♗g5** [14. ♗f4 ♘c6 (△ f6) 15. ♗g3 b5∞; 15... h6!?] **h6** [△ 14... ♕b8 15. ♗e7 ♖e7 16. c4 ♕d8!] **15. ♗h4 ♕b8 16. ♗g3 ♘c6 17. ♖ad1 b5 18. c4!** **♘b4!?** **19. a3?!** [19. cd5! ♘d5 20. ♘h4 ♗h7 21. f4!] **♘d3! 20. ♖d3 ♗d3 21. ♕d3 bc4 22. ♕e2** [△ 22. ♕d2] **♕b3! 23. g5 ♕d3! 24. gh6 ♖ab8?!** [△ 24... ♕e2 25. ♖e2 ♖ab8!∓] **25. h7! ♕h7 26. ♘g5 ♕g6 27. h4! ♗d8 28. ♘h3! ♕d3 29. ♕g4 ♕d4□** [29... ♖b2 30. ♘f4 △ 31. ♗d5, 31. ♘d5] **30. ♘f4 ♖b2** [30... ♘e5 31. ♖e5 ♕e5 32. ♘h5+−] **31. h5?** [31. ♗d5! ♘e5 32. ♖e5 ♕e5 33. ♘e6 ♕f6 34. ♘g5→; 31... c3!∞] **♘e5! 32. ♖e5 ♕e5 33. ♘d3 ♕g5!!−+ 34. ♕g5 ♗g5 35. ♘b2 c3 36. ♘d3 c2 37. ♘e3** [37. f4 c4 38. ♘c1 ♗f6 △ ♗b2] **c4 38. ♘c1 d4! 39. f4** [39. ♘c2 d3 40. ♘e3 d2] **de3 40. fg5 ♖d8** **0 : 1**
[A. Černin]

4.* **A 07**

MILES 2520 − PR. NIKOLIĆ 2605
Wijk aan Zee 1989

1. ♘f3 ♘f6 2. g3 d5 3. ♗g2 c6 4. b3 [RR 4. 0−0 ♗f5 5. d3 ♘bd7 6. ♘h4!? N (6. ♘bd2 − 27/10) ♗g6 7. e4 de4 8. ♘g6 hg6 9. de4 e5 10. ♘d2 ♗c5 11. a4 0−0 12. ♘b3 ♗e7 13. ♗e3 ♕c7 14. ♕e2 ♖fe8 15. ♖fd1 ♘f8 16. f3 ♘6d7 17. ♗h3 a5 18. ♕f2± Savon 2425 − Gligorić 2505, Moskva (GMA) 1989] **♗f5 5. ♗b2 e6 6. d3 a5!? 7. a4 ♗c5 N** [7... h6 8. 0−0 − 35/5] **8. ♘bd2 0−0 9. 0−0 ♘bd7** [9... h6] **10. ♕e1** [10. ♘h4 ♗g4] **♗g6!? 11. e4 de4 12. de4** [12. ♘e4!?] **♕c7 13. ♔h1** [13. e5?! ♘d5 ∥g6-c2] **♗b4 14. ♕e2 ♖fd8 15. ♖ad1 e5 16. ♘h4 ♗h5 17. ♗f3** [17. f3!? △ ♗h3, ♘f5] **♗f3 18. ♘hf3** [△ ♘c4 ✕e5] **b5! 19. ♔g2** [19. c3 ♗f8 20. ab5 cb5 21. ♕b5 ♘c5!⊠ ✕e4, b3, d3] **♖ab8 20. ♗a1 ♖e8!∓ 21. ab5 cb5 22. c4! ♗d2?!** [22...

♛c6!∓] **23. ♘d2 b4** [×♗a1] **24. f4!⇆ ♛c6 25. ♛f3** [×f7] **♖bd8** [25... ef4 26. e5!] **26. g4! ef4 27. g5! ♘e4 28. ♖fe1 ♘f8** [28... ♘dc5 29. ♘e4 ♖d1! (29... ♘e4 30. ♖d8+−) 30. ♘f6 gf6 31. ♛c6 ♖de1 32. ♛f6 ♖a1! 33. ♛a1 ♘b3 (33... a4 34. ba4 b3 35. ♛b2 △ 35...♖b8 36. ♛e5) 34. ♛a4 ♖e3 35. c5∞] **29. ♘e4 ♖d1 30. ♛d1!** [30. ♘f6? ♛f6! 31. gf6 ♖ee1−+] **♖e4 31. ♛f3 ♖e6□ 32. ♛c6 ♖c6 33. ♖e8⊗** [×♘f8] **♖g6 34. ♔f3!** [34. ♗e5? ♖e6!−+; 34. h4? f6!−+] **♖e6** [34... ♖g5? 35. ♗e5 ♖g6 36. ♖d8 △ ♗d6+−] **35. ♖a8⊕ f6□ 36. gf6 gf6 37. ♔f4?** [37. ♗d4!±] **♔f7 38. ♖a5 ♖e1!= 39. ♖a7 ♔g6 40. ♖a6 ♘e6 41. ♔g3 ♔f5 42. ♖a5 ♔g6 43. ♖a6 ♔f5 44. ♖a5 1/2 : 1/2** [Miles]

5.* A 07

K. SPRAGGETT 2575 − A. ČERNIN 2580

Paris 1989

1. g3 d5 2. ♘f3 c6 3. b3 ♗g4 4. ♗g2 ♘d7 5. ♗b2 e6 [RR 5... f6!? N 6. d4 e6 7. ♘bd2 f5! 8. 0−0 ♗d6 9. c4 ♘h6 10. ♘e5 ♘e5 11. de5 ♗c5 12. cd5 ed5 13. ♘f3 ♗f3 14. ef3 0−0 15. f4 ♛e7 16. ♖c1 ♗a3= M. Vukić 2495 − Smagin 2540, Zenica 1989] **6. 0−0 ♘gf6 7. d3 ♗d6 8. ♘bd2 0−0 9. h3 ♗h5 10. ♛e1!? N** [10. e4 de4 11. de4 ♗e5 12. c3 ♗c7] **♖e8 11. e4 e5 12. ♘h4 ♘f8 13. ed5!?** [13. f4 de4 14. de4 ef4 15. gf4 ♘g6!∞] **♘d5** [13... cd5 14. c4↑ ⟋h1-a8] **14. ♘df3! ♛d7 15. c4!? ♘b4 16. ♛e4 ♗c7 17. ♖ad1! ♖ad8** [17... ♘a2 18. d4! ed4 19. ♛b1! ♘b4 20. ♖d4⊗↑] **18. a3 ♘c2** [18... ♘d3 19. b4!→ ×♘d3] **19. b4** [19. ♖d2! ♘d4 20. ♘d4 ed4 21. ♛f5±] **f6 20. c5** [20. ♛e2 ♘d4 21. ♗d4 ed4 22. ♛d2 g5!; 20. ♖d2 ♘d4 21. ♘d4 ed4 22. ♛f5 ♛f7!∓] **♘d4 21. ♛e3** [21. ♗d4 ed4 22. ♛f5 ♛f7 △ g6−+] **g5!∓ 22. ♘g5 fg5** [22... ♗d1 23. ♘e4] **23. ♛g5 ♗g6 24. ♘g6 ♘g6 25. h4 ♛e7 26. ♛h5⊕ ♛f6 27. ♗e4 ♖d7 28. ♗c1 ♔f7 29. ♔h1 ♛e6 30. ♔g2 ♖ef8 31. ♗h6 ♖f5! 32. ♗g5 ♗d8 33. ♖de1 ♗g5 34. hg5 ♘f3 35. ♖e3 ♖g5 0 : 1** [A. Černin]

6.* A 09

SALOV 2630 − HÜBNER 2600

Barcelona 1989

1. ♘f3 d5 2. c4 d4 3. g3 ♘c6 4. ♗g2 e5 5. d3 ♗e7 N [RR 5... ♘f6 6. 0−0 a5 7. ♘a3 N (7. e3) ♗c5 8. ♘c2 0−0 9. a3 ♖e8 10. ♗g5 h6 11. ♗f6 ♛f6 12. ♘d2 a4 13. ♘e4 ♛e7 14. ♘c5 ♛c5 15. ♛d2 ♗f5 16. ♖ab1 ♛a5 17. ♘b4 ♘d8 18. ♖bd1 c6 19. e4 de3 20. fe3 ♗g4 21. ♗f3 ♗h3 22. ♗g2 ♗g4 23. ♗f3 ♗h3 24. ♗g2 1/2 : 1/2 B. Larsen 2560 − N. Short 2665, Hastings 1988/89] **6. 0−0 ♘f6?!** [△ 6... a5±] **7. b4! e4** [7... ♘d7 8. b5 ♘cb8 9. e3 de3 10. ♗e3±] **8. de4 ♗b4 9. ♗b2 ♗c5 10. ♘bd2 ♛e7 11. ♘b3 ♘e4 12. ♘fd4 ♘d4 13. ♘c5 ♘c5 14. ♛d4 ♘e6 15. ♛e3±⊞ 0−0 16. ♖fd1 ♖e8 17. ♖ab1 c6** [17... ♛c5 18. ♛c5 ♘c5 19. ♗a3+−] **18. ♗a3 ♛c7 19. ♗d6 ♛a5 20. ♖b2** [△ 20. f4!→] **♛a4 21. ♛b3 ♛b3 22. ♖b3 f6! 23. f4 ♘d8! 24. ♗c7** [△ 24. ♔f2] **♘e6** [24... ♘f7!? △ ♖e7, ♗e6] **25. ♗d6 ♘d8 26. ♔f2 ♗e6 27. ♖d4 ♖c8** [27... ♘f7 28. ♖b7 ♘d6 29. ♖d6 ♗c4 30. ♗f3±] **28. ♖a3** [28. ♖e3? ♘f7! △ ♘h6] **c5?** [28... a6±] **29. ♖e4!!+−** [29. ♖d5? ♘f7 30. ♖a7 ♖c6! 31. ♗c5 ♗d5 32. ♗d5 ♖c5 33. ♖b7 ♖d5 34. cd5 ♘d6∓] **f5** [29... ♖c6!? (△ 30. ♖e6 ♖e6 31. ♗c6 ♘c6 32. ♗c5 b6 33. ♖e3 ♔f7) 30. ♗b8!+−] **30. ♖e6! ♖e6 31. ♗d5 a6** [31... ♖c6 32. ♗e7!] **32. ♖b3 ♔f7 33. e4 ♔g6** [33... g6 34. e5!+−] **34. ♗e6 ♘e6 35. g4! fe4 36. f5 ♔f6 37. fe6 b5 38. cb5 ♛e6 39. ♗f4 c4 40. ♖b1 ab5 41. ♖b5 ♖a8 42. ♖e5 ♔f6 43. ♖c5 ♖a2 44. ♔e3 ♖g2 45. ♗g3 1 : 0** [Salov]

7. A 10

M. VUKIĆ 2495 − A. MIHAL'ČIŠIN 2475

Zenica 1989

1. ♘f3 d5 2. g3 g6 3. ♗g2 ♗g7 4. c4 dc4 5. ♛a4 ♘d7 N [5... ♗d7!? 6. ♛c4 ♗c6 7. 0−0 e5 8. ♖d1 ♛e7 9. d4 ed4 10. ♘d4 ♗g2 11. ♔g2 0−0 12. ♘c3±] **6. ♛c4 e5 7. d3** [7. h4!? △ h5] **♘e7 8. 0−0** [8. ♘g5

0–0 9. ♕h4 h6 10. ♘e4 ♘f5∓] **0–0 9. ♘c3** [9. ♕c2 ♘c6 10. ♘c3 ♘d4∓] **♘b6 10. ♕c5 ♘c6 11. ♗e3 ♖e8** [11... h6!? △ f5] **12. ♘e4 ♗e6 13. ♖fc1** [⌓ 13. ♕c2 ♗d5 14. ♘c5 ♖b8 15. a3 a5=] **♗d5?** [13... f5! 14. ♗g5 ♕c8 15. ♘ed2 (15. ♘f6? ♗f6 16. ♗f6 ♘d7–+) h6 16. ♗e3 g5∓] **14. a3 h6** [14... a5!?] **15. ♕c2 ♖b8 16. b4 f5 17. ♘c5 f4!?** [17... ♘d4 18. ♗d4 ed4 19. a4±] **18. ♗d2** [18. gf4 ef4 19. ♗f4 ♗a1 20. ♖a1 ♕f6∓] **♗f3** [18... g5!?∞] **19. ♗f3 ♘d4 20. ♕a2 ♔h7 21. ♗b7?!** [21. ♔g2 ♘f3 22. ef3 c6 23. ♖e1 ♘d5 24. ♖ad1=] **♘e2 22. ♔g2 ♘c1 23. ♖c1 ♖b7!** [23... ♕d6 24. ♗e4 △ h4 ×g6=∞] **24. ♘b7 ♕d3 25. ♖c7 f3** [25... ♘d5 26. ♖f7 ♕e4 27. ♔g1∞] **26. ♔g1** [26. ♔h3 ♕f1 27. ♔g4 ♖f8∓] **♖c8!∓ 27. ♖c8 ♘c8 28. ♘c5 ♕e2 29. ♕c2 ♘d6 30. ♕c1** [30. ♘d3 ♘b5 31. a4 ♘d4–+] **♘c4 31. ♗c3 ♘a3** [⌓ 31... e4 32. ♗g7 e3 33. ♘e4 (33. ♕f1 ♔g7–+) ♔g7 34. ♕c3 ♔g8–+] **32. h4 ♘b5** [32... ♘c4!? △ e4] **33. ♗d2 ♘d4 34. h5 gh5 35. ♕b1 ♔h8 36. ♘e4 ♕a6 37. ♗e3 h4 38. ♔h2 ♕g6 39. ♕d3 hg3 40. fg3 ♕h5?!** [40... ♘e2 41. ♕d8 ♔h7 42. ♕h4 a6–+] **41. ♔g1 ♕h3 42. ♕f1 ♕g4 43. ♕d3 ♕h3 44. ♕f1 ♕f1 45. ♔f1 ♗f8 46. ♗d4 ed4 47. b5 ♔g7 48. ♔f2** [48. ♘d2!?] **♔f7 49. ♔f3 ♔e6 50. ♔e2 ♔d5 51. ♔d3 ♗e7 52. ♘d2 ♔c5** [52... h5?! 53. ♘b3 ♗f6 (53... ♗d6 54. ♘d4 ♗g3 55. ♘c6 h4 56. ♔e3=) 54. ♘a5 ♗e7 55. ♘c6 ♗c5 56. ♘a5 ♗b6 57. ♘b3 ♔e5 58. ♘d2 ♔f5 59. ♘e4] **53. ♘b3 ♔b5–+ 54. ♘d4 ♔c5 55. g4 ♔d5 56. ♘b5 a5 57. ♘d4 ♗g5 58. ♘f3** [58. ♘f5 ♔e5 59. ♔c4 h5 60. gh5 ♔f5 61. ♔b5 ♗d2] **♗f4** [58... a4!? 59. ♘d4 a3 60. ♘b5 ♗c1] **59. ♘d4 ♗g5 60. ♘f3 ♗f6 61. ♘d2 a4** [62. ♘c4 ♔c5] **0 : 1**
[A. Mihal'čišin]

8.** **A 11**

PIGUSOV 2525 – BAREEV 2555
Moskva (GMA) 1989

1. ♘f3 d5 2. g3 c6 [RR 2... ♗g4 3. ♗g2 ♘d7 4. c4 e6 5. ♘c3 c6 6. cd5 ed5 7. 0–0 ♘gf6 8. d3 ♗c5! 9. h3 ♗h5 N (9... ♗f3 – 11/24) 10. g4 ♗g6 11. e4 (11. ♘h4? ♘g4 12. ♘g6 hg6 13. hg4 ♕h4 14. ♗f4 g5 15. ♗c7 ♖c8–+) de4 12. de4 0–0 13. ♖e1?! ♗b4!∓ Lukov 2470 – Šabalov 2425, Moskva (GMA) 1989; 13. ♗g5!? Šabalov] **3. ♗g2 g6** [RR 3... ♗g4 4. b3 ♘d7 5. ♗b2 ♘gf6 6. 0–0 g6 7. d3 ♗g7 8. ♘bd2 0–0 9. c4 ♖e8 10. d4 ♗f3 N (10... a5) 11. ♘f3 e6 12. ♕c2 ♘e4 13. ♘e5 f5 14. e3 ♘e5 15. de5 ♕e7 16. ♖fd1 ♖ad8 17. f3 ♘g5 18. c5! ♕c7 19. f4 ♘e4 20. ♗e4 fe4 21. ♗d4± B. Larsen 2560 – Smyslov 2550, Hastings 1988/89] **4. c4 ♗g7 5. ♕a4!? N ♘d7** [5... d4 6. 0–0 e5 7. d3 ♘e7 8. b4↑⟪] **6. cd5 ♘b6 7. ♕b3** [7. ♕a3!?] **cd5 8. d3!** [8. d4 e6 9. 0–0 ♘e7=] **e6 9. ♘c3 ♘e7 10. ♕a3!± ♗d7** [10... 0–0 11. ♘b5] **11. ♗e3 0–0 12. 0–0 ♖e8 13. ♗d4! ♗f8!? 14. ♗c5 ♗c6 15. ♘d4 ♘d7 16. ♗d6 ♘f5** [16... ♘c8 17. ♗f8 ♘f8 18. e4!±] **17. ♘f5 gf5 18. ♗f8 ♘f8 19. d4!± ♕b6** [19... h5 20. h4 f4 21. e3±] **20. e3 a5! 21. ♖fc1 ♕b4 22. ♗f1 ♘d7 23. ♘b5** [23. ♕b3!?] **♖ec8 24. ♘d6 ♖d8 25. ♕b4 ab4 26. ♗b5 ♗b5!** [26... ♘b8 27. ♗c6 bc6 28. ♘b7+–; 26... ♘f6 27. ♗c6 ♖d6 28. ♗b7 ♖a7 29. ♗c6+–; 26... ♘b6 27. ♗c6 ♖d6 28. ♗b7 ♖a7 29. ♖c6 ♘c4 30. b3 ♖b7 31. ♖c8 ♔g7 32. bc4±] **27. ♘b5 ♘b6 28. ♖c7 b3!** [28... ♖a5 29. ♖b7 ♖b5 30. ♖c1 ♖a8 31. ♖cc7+–] **29. ♘a3! ba2 30. ♖b7 ♘c4 31. ♖a2 ♖a6!= 32. ♖a1 ♖da8 33. ♖c1 ♘a3 34. ba3 ♖a3 35. ♖cc7 ♖f8 1/2 : 1/2**
[Bareev]

9.* **A 11**

K. SPRAGGETT 2575 – JUSUPOV 2610
Québec (m/2) 1989

1. ♘f3 d5 2. g3 ♘f6 3. ♗g2 ♗f5 [RR 3... c6 4. 0–0 ♗g4 5. d3 e6 6. c4 ♘bd7 7. cd5 ed5 8. ♘c3 ♗e7 N (8... ♗c5 – 11/24) 9. h3 ♗f3 10. ♗f3 0–0 11. ♗g2 d4 12. ♘e4 ♘e4 13. de4 ♘c5 14. f4 ♕b6 15. ♔h2 ♖fd8 16. ♖b1 ♕a6 17. a3 d3 18. ed3 ♕d3 19. ♕d3 ♖d3 20. ♖e1 ♖b3 21. ♗f1 ♘d3 22. ♗d3 ♖d3∓ Vaganjan

2600 − van der Wiel 2560, Wijk aan Zee 1989] **4. c4 e6 5. 0−0 ≜e7 6. b3 0−0 7. ≜b2 h6 8. d3 ≜h7 9. ♘bd2 ♘c6!? N** [9... c6; 9... c5] **10. a3 a5 11. cd5?!** [11. ♘e5=] **ed5 12. ♕c2** [△ 12. ♘e5=] **♘d7?** [12... ♕d6! △ ♘d7∓] **13. ≜h3!± ♖e8** [13... ≜f6? 14. ≜d7 ≜b2 15. ≜c6 ≜a1 16. ≜b7±] **14. ♖fe1 ♘f8 15. ♖ac1** [RR △ 15. ♖ad1 K. Spraggett] **♘e6 16. ♕b1?** [16. ≜e6! fe6 17. ♘e5 ♘e5 18. ≜e5± △ 18... ≜a3 19. ♕c7!] **≜f6 17. ♕a1** [17. b4 ab4 18. ab4 ♘ed4↑] **≜b2 18. ♕b2 ♕d6∓ 19. ♖b1 ♘c5 20. ≜f1** [20. b4?! ♘a4] **≜f5?!** [△ 20... ♖e7] **21. ♖ec1 ♘a6 22. ♖c2 ♖e7 23. ♖bc1 ♖ae8 24. e3 ≜h7** [24... ♕d7 25. ♖c6!? bc6 26. ♘d4 c5 27. ♘f5 ♕f5 28. d4 cd4 29. ♕d4 c5 30. ♕a4∞] **25. ♘b1** [△ ♘c3-b5] **♖d8** [△ 25... ♕d7] **26. ≜e2** [26. ♘c3?! ♕f6 △ d4] **d4 27. e4 f5∞ 28. ef5 ≜f5 29. ≜f1 ♕d7 30. ♘bd2 ♖f8** [△ 31... ≜g4, 31... ≜h3]

31. ♖c6! bc6 32. ♘d4∞ ♘b8 [32... c5 33. ♘f5 ♕f5 34. ♘e4±] **33. ♘f5 ♕f5** [33... ♖f5 34. ≜h3 ♖e2 35. ♖f1! ♕d3 36. ≜f5±] **34. ♘e4 ♘d7?!** [34... ♕e5!?=] **35. ♖c6 ♘e5 36. ♖c5 ♘f3?** [36... ♕h5 37. h3 (37. f4 ♘d3!) ♘d3! 38. ≜d3 ♕d1 39. ≜f1 ♖e4 40. ♖c7 ♕d4 41. ♕c2 ♖e1=] **37. ♔h1 ♕g6 38. ♖a5 ♕b6 39. b4± ♘h2? 40. ♕b3!** [40. ♔h2 ♖e4] **♔h7 41. ♔h2 ♖f2 42. ≜g2!+−** [42. ♘f2? ♕f2 43. ≜g2 ♖e3] **♖f8 43. ♖c5 ♔h8 44. a4 ♕g6 45. a5 ♕g4 46. ♕c2 c6 47. a6 ♖b8 48. ♖c6 ♕h5 49. ♔g1 ♖b4 50. ♖c8 ♔h7 51. d4!**

♕f5 52. g4! ♕g6 53. ♘f6! gf6 54. ♖h8 1 : 0 [Jusupov]

10.** A 13

RIBLI 2625 − KORTCHNOI 2610
Barcelona 1989

1. ♘f3 ♘f6 2. c4 e6 3. g3 a6 4. ≜g2 b5 5. b3 c5 6. ♘c3 [RR 6. 0−0 ≜b7 7. d3 ≜e7 8. e3 N (8. ≜b2) 0−0 9. ♕e2 ♘c6 10. ≜b2 d5 11. ♘bd2 ♕b6 12. ♖ab1 ♖fd8 13. a3 dc4 14. bc4 b4 15. ab4 ♘b4 16. d4 a5 17. ♘e5 ≜g2 18. ♔g2 a4∞ Alburt 2520 − Romanišin 2555, New York 1989] **♕b6 7. 0−0 ≜b7 8. e3 d5!? N** [8... d6 − 45/(10); RR 8... ≜e7 9. ♕e2 0−0 10. ♖d1 ♘e4 11. ♘e4 ≜e4 12. d3 ≜f6 13. ≜b2 ≜b2 14. ♕b2 ≜c6 15. ♖ac1 d6 (△ ♘d7) 16. d4! bc4 17. dc5 ♕b7 18. ♘e1 ≜g2 19. ♘g2 d5 20. e4! de4 (20... ♖c8? 21. ed5 ed5 22. ♘e3 ♖c5 23. ♕d4 ♕a7 24. ♖c4! ♖c4 25. ♕c4+− U. Andersson 2620 − J. Árnason 2550, Haninge 1989) 21. ♖c4 ♘c6 22. ♖e4 e5 △ ♘d4⇆ Wedberg] **9. cd5 ed5 10. ≜b2** [10. d4 ♘bd7 11. ♘e5±] **♘bd7 11. ♖c1** [11. ♘h4!?] **≜e7 12. d3 0−0 13. ♘e2 ♖fe8 14. ♖c2** [14. h3! △ g4, ♘g3±] **a5 15. ♕d2 b4 16. ♖fc1 a4 17. h3 ♕a6 18. ♕d1?** [18. g4 △ ♘g3±] **♖ac8 19. ♘h2 ♖ed8 20. ♖d2 ♘b6 21. ♕e1!? c4 22. dc4 dc4 23. ♖d8 ≜d8 24. ≜b7 ♕b7 25. ≜f6 ≜f6 26. ♕b4 ≜e7!⊕ 27. ♕b5** [27. ♕d2 cb3 28. ab3 ab3∓] **cb3 28. ab3** [28. ♖c8 ♕c8 29. ♕b6 ♕c2∓] **♕c1 29. ♘c1 ♖c8 30. ♘a2** [30. ♕b6 ♕c1 31. ♔g2 a3∓] **♕c2 31. ba4** [31. ♕b6 ab3 32. ♕b8 ≜f8 33. ♘b4∞; 31... a3!∓] **♘c4! 32. a5!⊕ ♕a2 33. a6 ≜f8 34. ♘f3** [34. a7!? ♘e3 35. fe3 ♕a7=] **♘d6 35. ♕c6 f5 36. ♘d4! h6 37. g4!?** [37. ♔g2!? ♔h7 38. g4 ♘e4 39. ♕c2! ♕a6 40. ♘f5=] **f4! 38. a7?** [38. ♘c2! fe3 39. ♘e3=] **♕a7 39. ♕d5 ♕f7 40. ♕f7 ♔f7 41. ef4 ♘e4 42. ♘b3?** [42. f3 ♘c3 43. ♔g2 ≜d6 44. f5 ♘d5 45. h4 ≜c5 46. ♘b5 ≜e7 47. h5 ♔f6−+] **≜d6 43. f5 ♘c3 44. ♔g2 ♔f6−+ 45. ♘d2 ≜f4 46. ♘c4 ♘d5 47. ♔f3 ♔g5 48. ♔e4 ♘f6 49. ♔f3 ≜c7 50. ♘d2 h5 51. gh5 ♔f5 52. h6 ≜f4 0 : 1** [Ribli]

11.*   **A 13**

I. ROGERS 2505 − GEL'FAND 2600
Moskva (GMA) 1989

1. ♘f3 d5 2. c4 e6 3. g3 g6 4. ♗g2 ♗g7 5. 0−0 ♘e7 6. cd5!? [RR 6. d4 ♘bc6?! 7. e3! N 0−0 8. ♘c3 b6 (8... dc4 9. ♕a4) 9. cd5 ed5 10. a3 a5 11. b3 h6 12. ♘e1 ♗e6 13. ♘d3 g5 14. ♗b2 ♕d7 15. ♖c1 ♖ac8 (15... ♗h3? 16. ♗h3 ♕h3 17. ♘d5! ♘d5 18. ♖c6+−) 16. ♖e1 ♘g6 (16... ♘d8 17. ♘e5 △ 17... ♕d6? 18. ♘b5+−) 17. b4 ab4 18. ab4 ♘ce7 19. b5! f5 20. ♗a3± Dorfman 2565 − Vajser 2525, Moskva (GMA) 1989; △ 6... 0−0 △ b6, ♗b7, ♘d7 Andrianov] **ed5 7. d3 N** [7. d4 − 43/12] **♘bc6** [△ 7... 0−0] **8. ♘c3 0−0 9. ♗f4** [9. ♕a4!±] **d4! 10. ♘b5 ♘d5?!** [10... a6! 11. ♘c7? ♖a7 12. ♖c1 h6 13. h4 b6∓; 11. ♘a3=] **11. ♗g5 ♕d7 12. ♕d2± a6 13. ♘a3 ♖e8 14. ♗h6 ♗h8** [14... ♗h6 15. ♕h6 ♖e2 16. ♘g5 (16. ♖fe1!?) ♘f6 17. ♖fe1∞] **15. ♖fc1 b6! 16. ♖c4!? ♗b7 17. ♖ac1 ♖ab8!** [×♗b7] **18. ♘c2! ♘a5 19. ♖d4 ♗d4** [19... c5!? 20. ♖e4 ♗b2∞] **20. ♘cd4∞ c5 21. ♘c2 f6** [21... ♘c6 22. e4 △ ♕c3±] **22. e4 ♘c7 23. b4! ♘c6**□ [23... cb4 24. ♘b4 △ 25. ♕f4, 25. ♕c3, 25. ♕b2] **24. bc5 bc5 25. ♘e3?!** [25. ♕c3 ♕d6 26. ♘e3 ♘d4!! 27. ♘d4 cd4 28. ♕c7 ♕c7 29. ♖c7 de3 30. fe3 ♖ec8=; 25. ♕f4!? ♕f7 26. ♘e3 ♘e6 27. ♕h4∞] **♘e6 26. ♘g4** [26. ♘d5 ♕f7∓] **♕e7** [26... ♕f7? 27. ♗f4±] **27. ♖e1!?** [△ e5] **♔h8 28. h4 ♘cd4!?** [28... ♗a8∓] **29. ♘d4 cd4?** [29... ♘d4 △ 30. ♕f4 ♘f5!∓] **30. ♕a5! ♖bc8⊕** [△ 30... ♖ec8∞] **31. ♖b1 ♗a8 32. ♕a6?** [32. ♖b6! ♖c6 33. ♖c6 ♗c6 34. ♕a6±] **f5! 33. ef5??** [33. ♘h2□ ♘c5! (33... fe4 34. de4 ♘c5 35. ♕c4 ♕d7 36. ♗h3! ♘e6∞) 34. ♕c4 ♕d7 35. ef5 ♗g2 36. ♔g2 gf5∞] **gf5 34. ♘h2** [34. ♘e5 ♘c5−+] **♗g2 35. ♔g2 ♕f6!−+ 36. ♖b6** [36. ♗g5 ♘f4] **♕h6 37. ♘f3 ♖a8 38. ♕b5 ♕h5 39. ♖b7 ♘f4 40. gf4 ♕g4** [41. ♔f1 ♕h3 42. ♔g1 ♖e1]   **0 : 1**

[I. Rogers]

12.*   **A 13**

D. GUREVICH 2480 − M. GUREVIČ 2590
New York 1989

1. ♘f3 ♘f6 2. c4 e6 3. g3 d5 4. b3 a5 5. ♗g2 a4 6. ♗a3!? N [RR 6. ♘a3 ♗e7 7. ♗b2 0−0 8. 0−0 ♘bd7 N (8... c6 − 46/10) 9. d3 c6 10. ♘c2 (△ b4) a3 11. ♗c3 ♗d6 12. ♖e1 ♕e7 13. e4 de4 14. de4 e5 15. ♘h4 g6 16. ♕d2 (16. b4!? △ ♖b1-b3) ♖d8 17. ♕g5 (17. ♖ad1 ♘f8 18. ♕c1± Bagirov) ♘c5 18. ♘f5 ♗f5 19. ef5± Bagirov 2460 − Zajčik 2500, Berlin 1989] **ab3 7. ab3 ♗a3 8. ♘a3** [8. ♖a3 ♖a3 9. ♘a3 ♕d6=] **c6 9. 0−0 0−0 10. d3 ♕b6 11. d4!? ♖a5 12. ♘e5 ♘bd7 13. f4!± ♘e5 14. fe5 ♘g4 15. ♕d2 ♖a6** [15... ♘e5? 16. c5 ♕a6 17. ♘c2+−] **16. ♕c3 ♗d7 17. c5 ♕c7 18. e4 ♖fa8 19. ♘c2** [△ 19. b4±] **♕d8 20. h3 ♘h6 21. h4 ♗e8 22. ♘b4 ♖a3 23. ♖a3 ♖a3 24. ♖a1 ♕a5∞ 25. ♖a3 ♕a3 26. ed5 ed5 27. ♗h3 ♔f8!** [△ ♔e7, ♗d7] **28. ♔f2 ♕e7 29. g4 ♗d7 30. ♔g3 ♔d8!** [△ ♘g8-e7] **31. ♘c2 ♕a2 32. ♘e3 ♕b1 33. ♗g2 ♕g1 34. ♕d2 ♗e8 35. b4 ♕b1 36. ♗f3 ♘g8 37. ♗d1 ♘e7 38. h5 g6∓ 39. ♔f4?⊕ ♕e4 40. ♔g3 gh5 41. gh5 ♗e6 42. ♗c2 ♕h1 43. ♕d1 ♕h3 44. ♔f2 ♕h2?!** [44... ♕h4∓] **45. ♘g2 ♘g8!** [△ ♘h6-g4↑] **46. ♕g1!!∞ ♕h5 47. ♘f4 ♕h4 48. ♕g3 ♕g3 49. ♔g3 h6 50. ♘h5 ♘e7 51. ♔f4 ♘g6 52. ♔g3!=** [52. ♗g6? fg6 53. ♘g7 ♔e7 54. ♘e6 ♔e6−+] **♔d8 53. ♗d3 ♗d7!?** [△ ♘f8-e6] **54. ♘f6 ♘f8 55. ♗g8?** [55. ♔f4! ♘e6 56. ♔e3=] **h5! 56. ♘f6 ♗c8!∓** [56... ♘e6? 57. ♗f5 ♘c5 58. bc5=] **57. ♗e2 h4 58. ♔h4 ♘e6 59. ♗d1 ♘d4 60. ♔g3 ♗f5 61. ♔f4 ♗g6 62. ♔e3 ♘e6 63. ♗e2 d4 64. ♔d2 ♘c7!** [△ ♔e7, ♘a6] **65. ♗d3 ♔e7 66. ♗g6 fg6 67. ♔d3 ♔e6! 68. ♔d4 ♔f5−+ 69. ♘d7 g5 70. ♘b6 ♔f4 71. ♔d3 ♔e5 72. ♘c4 ♔f4 73. ♔e2 g4 74. ♔f2 ♘d5 75. ♘a5 g3 76. ♔g2 ♔g4! 77. ♘c4 ♘f4 78. ♔g1 ♔h3 79. ♘e3 ♘d3** [79... g2−+] **80. ♘c2 g2 81. ♘e3 ♘f4 82. ♔f2 ♔h2 83. ♘g2 ♘g2 84. ♔e2 ♔g3 85. ♔d3 ♘f4**   **0 : 1**

[M. Gurevič]

24

13.** **A 14**

SMAGIN 2540 – P"DEVSKI 2435

Dortmund (open) 1989

1. c4 e6 2. g3 d5 3. ♗g2 ♘f6 4. ♘f3 ♗e7 5. 0–0 0–0 6. b3 c5 7. ♗b2 ♘c6 8. d3 [RR 8. e3 *a)* 8... b6 9. ♘c3 ♗b7 10. cd5 ♘d5 11. ♘d5 ♕d5 12. d4 ♖ad8 13. ♘e5 ♕d6 14. dc5 ♕c5 15. ♕e2 ♘e5 16. ♗b7 ♕a5 N (16... ♗f6 – 1/39) 17. ♖fd1 ♖d1? 18. ♖d1 ♘g6 (18... ♕a2? 19. ♖a1 △ ♗e5+–) 19. ♕c2 ♕g5 20. ♗e4 ♖d8 21. ♖d8 ♗d8 22. ♗a3!±⊞ Damljanović 2530 – Barlov 2490, Jugoslavija (ch) 1989; 17... ♗a3 18. ♖d8 ♖d8 19. ♖d1!; 17... ♗f6!? △ ♘d7; *b)* 8... d4 9. ed4 cd4 10. ♖e1 ♘e8!? N (10... d3 – 14/47; 10... ♕b6 – 24/40; 10... ♖e8 – 39/18) 11. d3 f6 12. ♘a3 e5 13. ♕e2 ♗g4 14. h3 ♗e6 15. ♘b5 ♗c5 16. ♗a3 ♗a3 17. ♘a3 ♕d7∓ Damljanović 2565 – Ivančuk 2625, Reggio Emilia 1988/89] **d4! 9. e4** [9. e3 e5 10. ed4 ed4!∓] **e5 10. ♘e1 ♘e8 11. f4 f5 12. ef5 N** [12. ♘d2] **ef4** [12... ♗f5 13. g4!? △ f5] **13. g4 g6! 14. fg6 hg6 15. ♗c1 g5 16. ♗c6!? bc6 17. ♘d2 ♘f6 18. h3 ♔g7** [⌓ 18... ♖f7] **19. ♘e4** [19. ♘ef3! ♖h8 (19... ♗g4 20. hg4 ♘g4 21. ♘g5!±; 19... ♘g4 20. hg4 ♗g4 21. ♘g5! ♕d7 22. ♘gf3±) 20. ♘g5 ♘g4 21. hg4 ♗g5 22. ♘e4 ♖h4 23. ♗f4! ♖g4 24. ♕g4 ♗g4 25. ♗g5±] **♘e4 20. de4 ♖h8 21. ♕f3?** [21. ♖f3 △ ♘d3-f2±] **♗e6 22. ♘d3 ♕d7 23. ♖f2!□ ♖h7 24. ♖h2 ♖ah8 25. ♘f2 ♗f6 26. ♗b2 ♖h4 27. ♖d1 ♕c7 28. a4! ♕b6 29. ♖d3 ♗e5 30. ♗a3 ♖b8 1/2 : 1/2 [Smagin]**

14. **A 14**

K. SPRAGGETT 2575 – JUSUPOV 2610

Québec (m/9) 1989

1. c4 e6 2. ♘f3 d5 3. b3 ♘f6 4. g3 b6 5. ♗g2 ♗b7 6. 0–0 ♘bd7 7. ♗b2 ♗e7 8. e3 0–0 9. d3 N [9. ♘c3; 9. ♕e2] **dc4!? 10. bc4 ♘c5 11. d4** [11. ♘e5 ♗g2 12. ♔g2 ♗d6= ×d3] **♘ce4 12. a4 c5= 13. ♘a3** [⌓ 13. ♕b3 △ a5] **♖c8 14. ♕b3 cd4** [14... ♕c7] **15. ed4 ♕c7 16. ♖ac1 ♖fd8** [16... ♕b8] **17. ♖c2** [17. ♘b5 ♕b8 18. d5 ed5 19. ♗e5 dc4!? 20. ♖c4 ♗d5=∞] **♕b8 18. ♘e5 ♕a8∓** [△ ♘d2] **19. f3 ♘d6 20. g4?!** [20. ♗h3!?∓] **♘d7! 21. ♘d3** [21. f4 ♗g2 22. ♖g2 ♕e4!∓] **a6** [21... ♘f8 22. ♘b5 ♘b5 23. ab5 ♗f6 24. ♘e5 ♗e5 25. de5 ♘d7 26. ♗d4; 21... ♗f6 22. ♘b5] **22. h3 ♖c7** [22... ♗f6!?] **23. ♗c1! ♗f6 24. ♗e3 h6!? 25. ♘b1?** [25. ♘c1 △ ♘e2∓] **b5! 26. ab5 ab5 27. c5** [27. cb5? ♗d5–+] **♘c4 28. ♖a2 ♕a2!–+ 29. ♕a2 ♘e3 30. ♖c1** [30. ♕a5 ♗d4] **♗d4 31. ♔h1 ♘c5 32. ♘c5 ♖c5 33. ♖c5 ♗c5 34. ♘c3⊕ ♖d3 35. ♘b5** [35. ♘e4 ♗e4 36. fe4 ♖d1 37. ♔h2 ♗d6] **♘g2?!⊕** [35... ♗c6! 36. ♕a6 ♗b5 37. ♕c8 (37. ♕b5 ♖d1 38. ♔h2 ♗d6–+) ♗f8–+] **36. ♕c2! ♘e1 37. ♕c5 ♘f3** [△ ♖d2] **38. ♔g2□ ♖d2 39. ♔g3** [39. ♔f1 ♗e4–+] **♘g5 40. ♘d6?** [40. ♘c3 ♖d3 41. ♔h2 ♖h3–+] **♖d6 41. ♕c7 ♖d3 42. ♔f2 ♘h3 43. ♔e2 ♗e4 44. ♕b8 ♔h7 45. ♕b4 f5 46. gf5 ef5 47. ♕e7 ♘f4 48. ♔f2 ♖d2 49. ♔e1 ♖e2 50. ♔d1 ♗c2 0 : 1 [Jusupov]**

15.* **A 16**

CEBALO 2505 – KOŽUL 2490

Jugoslavija (ch) 1989

1. ♘f3 ♘f6 2. c4 g6 3. ♘c3 d5 4. cd5 ♘d5 5. g3 ♗g7 6. ♗g2 0–0 7. 0–0 ♘c6 [RR 7... c5 8. ♘d5 ♕d5 9. d4!? N (9. d3 – 14/37) cd4 10. ♗e3 d3 11. ♘e1 ♕d6 12. ♘d3 ♘c6 13. ♗c5 ♕c7 14. ♖c1 ♗g4 15. h3 ♗f5 16. e4 ♗e6 17. ♕a4 ♕a5 18. ♕a5 ♘a5 19. b3 ♘c6 20. ♘f4 ♖fd8 21. ♘e6 fe6 (Dautov 2535 – Geo. Timošenko 2530, Tbilisi 1989) 22. e5!± Kapetanović] **8. ♘g5 ♘f6!? N** [8... ♘b6 – 44/12] **9. d3 ♗d7!?** [9... h6 10. ♘ge4 ♘e4 11. ♘e4 e5; 10. ♘f3!?] **10. ♗d2** [⌓ 10. h3 △ ♗e3] **b6 11. ♖c1 h6 12. ♘f3 ♖c8 13. a3 a5 14. h3 e5 15. ♗e3** [15. ♘b5 ♖e8 16. ♖c6 ♗c6 17. ♘a7 ♗a8 18. ♘c8 ♕c8∞] **♘e8** [15... ♖e8 16. ♕d2 ♔h7 17. ♖fd1±] **16. d4!↑ ed4 17. ♘d4 ♘e5** [17... ♘d4 18. ♗d4 ♗d4 19. ♕d4 ♗e6 20. ♕f4±] **18. b3 ♘d6** [18... c5 19. ♘db5 ♗e6 20. ♕d8

(20. ♗d5!?) ♖d8 21. f4 ♘d7□ 22. ♗d5] **19. f4 c5□ 20. ♘c2** [20. fe5!? cd4 21. ed6 (21. ♗d4? ♘f5∓) de3 22. ♘d5↑♙; 21... dc3!?] **♘c6□ 21. ♕d6 ♗c3 22. ♖fd1 ♘b8** [22... ♗e8 23. ♕d8 ♖d8 24. ♖d8 ♘d8 25. ♖d1 △ ♖d6±]

23. ♗f2! [△ ♘e3 ×c4, d5] **♗e6 24. ♘e3 ♗d4⊕** [24... ♗b2?! 25. ♖b1 ♗a3 26. ♕e5 ♕c7 (26... ♕e7? 27. ♘d5+−) 27. ♕a1 ♗b4□ 28. f5!→] **25. ♘c4 ♕d6** [25... ♗c4 26. ♕d8 ♖fd8 27. bc4⩲⊥] **26. ♘d6 ♖cd8 27. ♘c4 ♗f2 28. ♔f2 ♖d1** [28... ♗c4? 29. bc4±] **29. ♖d1 a4! 30. ♘b6□ ab3** [30... ♗b3? 31. ♖c1 c4 32. ♗d5+−] **31. ♗d5! ♗h3** [31... ♖d8? 32. ♗b3+−; 31... ♗d5!? 32. ♖d5 ♘c6 (32... b2 33. ♖d1 △ ♖b1 ×b2; 32... ♘a6 33. ♖d3) 33. ♖c5 ♖b8 (33... ♘b4 34. ♖b5) 34. ♘c4 ♘d4 35. ♘b2±] **32. ♗b3 ♘c6 33. ♖d6 ♘d4 34. ♗c4 ♗e6** [34... ♔g7 35. a4± ♙a] **35. ♗e6 ♘e6 36. a4±** [♙a] **♖d8 37. ♖d8 ♘d8 38. a5 ♘c6 39. a6 ♘a7 40. ♔e3+− f5 41. ♔d3 ♔f7 42. ♔c4 g5 43. fg5 h5!?** [43... hg5 44. e3] **44. e3 ♔g6 45. ♔c5 ♔g5 46. ♘c4!** [46... ♔g4 47. ♔b6 ♘c8 48. ♔b7]
1 : 0 [Cebalo]

16.** **A 16**

KIR. GEORGIEV 2590
– I. SOKOLOV 2580
Wijk aan Zee 1989

1. ♘f3 ♘f6 2. c4 g6 3. ♘c3 d5 4. cd5 ♘d5 5. ♕a4 ♗d7 6. ♕h4 ♘f6 7. g3 [RR 7. d4 ♗g4 8. ♗g5 N (8. e4 ♗f3 9. gf3 ♕d4 10. ♘b5 ♕b6 11. ♗e3 c5! 12. b4 ♘a6∞) ♗f3 *a)* 9. gf3 ♗g7 10. ♖d1 (10. 0-0-0!?) ♘c6?! 11. d5! ♘e5 12. ♕a4 ♘ed7 (12... ♕d7 13. ♕d7 ♘ed7 14. ♘b5↑) 13. e4 0–0 14. ♗e3! (△ f4) ♘b6 15. ♕c2 ♕d7 16. a4± Pančenko 2475 – I. Sokolov 2570, Beograd 1988; ⌓ 10... c6!? 11. e4 ♘bd7 I. Sokolov; *b)* 9. ef3 ♗g7 10. ♗c4 h6 (10... ♘bd7!?) 11. ♗e3 ♘bd7 12. d5 ♘b6 13. ♗b5 ♔f8! 14. ♗b6 ab6 15. ♖d1 ♘e8 16. ♗e8 ♕e8= Vaganjan 2600 – I. Sokolov 2580, Wijk aan Zee 1989] **♗c6 N** [7... c5 — 13/33; 7... ♗g7 — 25/23] **8. ♗g2 e5?!** [⌓ 8... ♗g7] **9. 0–0 ♘bd7 10. b4! a6 11. a4 ♗e7** [11... ♗g7 12. ♗a3 b5 13. ab5 ab5 14. d4±] **12. ♕c4 h6** [RR ⌓ 12... 0–0 I. Sokolov] **13. d3** [RR 13. ♗b2 ♗d6 (13... e4 14. ♘e1 ♘b6 15. ♕b3 △ b5) 14. b5 ♘b6 15. ♕b3 ab5 16. ab5 ♗d7 17. ♖a8 ♕a8 18. ♖a1 △ ♘a4± I. Sokolov] **♘b6 14. ♕b3 ♗d6 15. ♗e3 ♘bd5?!** [15... ♘bd7 16. b5 ab5 17. ab5 ♗f3 18. ♗f3±] **16. b5! ♘e3 17. bc6! ♘f1 18. cb7 ♖b8 19. ♖f1 0–0 20. ♘d2 ♘d7 21. ♖b1 a5 22. ♗c6?!** [⌓ 22. ♕b5 ♗b4 23. ♖b4! ab4 24. ♕b4 △ a5-a6+−] **♗b4 23. ♘de4 ♔g7 24. ♕d5! ♘b6!□ 25. ♕e5 f6□ 26. ♕b5 f5 27. ♕e5 ♔h7** [27... ♔f7 28. ♘c5 ♕e7 29. ♗d5 ♔e8 30. ♘e6+−] **28. ♘c5 ♖f6 29. ♗f3 c6 30. ♘a2 ♗c5 31. ♕c5 ♘d7?** [31... ♖b7 32. ♕a5 ♕c7 33. ♖c1±] **32. ♕a7 ♕c7 33. d4 ♖d6 34. ♘c1!+− ♘f8 35. ♘d3 ♘e6 36. e3 ♖d7 37. ♗c6 ♕c6 38. ♕b8 ♘d8** **1 : 0**
[Kir. Georgiev]

17. **A 16**

D. RAJKOVIĆ 2500 –
KRASENKOV 2525
Ptuj 1989

1. ♘f3 ♘f6 2. c4 g6 3. ♘c3 d5 4. cd5 ♘d5 5. ♕a4 ♗d7 6. ♕h4 ♘c3 7. bc3 N [7. dc3 — 41/16] **c5** [7... ♗g7!? 8. ♗a3! b6!∞] **8. g3** [8. ♘e5 ♘c6 9. ♘d7 ♕d7=; 8... ♗e6!? D. Rajković] **♗g7 9. ♗g2 ♗c6 10. 0–0 ♘d7 11. d4 h6** [⌓ 11... cd4 12.

cd4 h6 (△ g5) 13. ♕f4 ♘f6∓] **12. dc5! ♗c3 13. ♖b1 ♕a5** [13... ♘c5 14. ♕c4 ♘a4?! 15. ♘e5! ♗e5 16. ♗c6 bc6 17. ♕c6 ♔f8 18. ♕a4 ♔g7 19. ♗a3±⟳↑«] **14. ♗e3 ♕a2** [14... ♘c5 15. ♕c4 ♘e6 (15... ♘a4 16. ♘e5!) 16. ♘d4! ♗g2 17. ♘e6 fe6 18. ♔g2 ♕d5 19. ♕d5 ed5 20. ♖b7 d4 21. ♗f4± ×a7, e7, ♗c3] **15. ♗d4 g5** [15... ♗d4 16. ♕d4 0–0 (16... f6 17. ♘h4!→ ×♔e8) 17. ♕e3!? (17. ♘e5 ♘e5 18. ♕e5 ♖fe8=) ♔h7 18. ♕e7± △ 18... ♖ae8 19. ♕d6 ♖e2 20. ♘d4!] **16. ♕h3!** [16. ♘g5 ♗g2 17. ♔g2 (17. ♗c3 ♗f1 18. ♖f1 ♖g8∓) ♕d5 18. ♘f3 ♗d4 19. ♕d4 ♕d4 20. ♘d4 ♘c5∓] **♗d4 17. ♘d4 ♗g2 18. ♕g2 ♘c5 19. ♖bc1!** [19. ♘b3 ♘b3 20. ♕b7 0–0 21. ♖b3 △ 21... ♕e2 22. ♖e3⩱ ×»] **♖c8?!** [19... ♘e6 20. ♕b7 0–0 21. ♘f5 ♕e2∞] **20. ♘f5!⩱→ f6?** [20... b6!□ 21. ♕f3⩱] **21. ♕f3!** [△♕e3] **♖c7** [21... b6 22. ♖c5! bc5 (22...♖c5 23. ♕a8 ♔f7 24. ♕h8 ♖f5 25. ♕h7+–) 23. ♕b7+–] **22. ♖fd1!** [△ 23. ♕h5 ♕f7 24. ♖d8] **h5** [22... ♕f7? 23. ♕e3] **23. ♖d5?⊕** [23. ♘d6!! ♔f8 (23... ed6 24. ♕f6 ♖f8 25. ♕d6+–→) 24. ♘e4! b6 (24... ♘e6 25. ♘f6!+–→) 25. ♘f6! ♕f7 26. ♖d8 ♔g7 27. ♖h8 ♔h8 28. ♕a8 ♔g7 29. ♘e8+–] **g4?** [23... b6! 24. ♖dc5 (24. ♖cd1 ♔f7 25. ♖d8 g4 26. ♕f4 ♖d8 27. ♖d8 ♕b1 28. ♔g2 ♕e4–+) ♖c5 25. ♖c5 bc5 26. ♕a8 ♔f7 27. ♕h8 ♕b1 28. ♔g2 ♕f5–+⊥] **24. ♕f4! ♕d5□** [24... ♘e6? 25. ♖c7! ♘f4 26. ♖e7 ♔f8 27. ♖d8#] **25. ♕c7 ♕f5 26. ♕b8?** [26. ♖c5 ♕b1 27. ♖c1! ♕b2 28. ♖c2! ♕a1 29. ♖c1 ♕b2 30. ♖c2 ♕b3 31. ♕c8 ♔f7 32. ♕h8 ♕c2 33. ♕h5 ♔f8 34. ♕h8! ♔f7 35. ♕h5 ♕g6 36. ♕d5=] **♔f7 27. ♕h8 ♘e4∓ 28. ♖f1 ♘g5** [⌓ 28... a5∓] **29. f3?!** [29. ♕h5? ♔g7 30. ♕h4 ♕e4!–+→; 29. h4! ♘e6 (29... gh3?! 30. ♕h5; 29... ♘h3?! 30. ♔h2) 30. ♕b8 ♕e4! 31. ♕a7 ♘d4∓] **gf3 30. ef3 ♘e6 31. ♔g2 a5 32. ♕a8 ♕d5 33. ♕a7 ♘d4 34. ♖f2 h4 35. gh4 ♘f5 36. ♕b6?** [36. ♔h3□∓] **♘h4 37. ♔g3 ♕g5 38. ♔h3 ♘g6 39. ♕b3 ♔f8 40. f4 ♘f4**
0 : 1 **[Krasenkov]**

18. **A 17**

SPEELMAN 2640 – N. SHORT 2650

Barcelona 1989

1. ♘f3 ♘f6 2. c4 e6 3. ♘c3 b6!? 4. e4 ♗b7 5. ♗d3 c5 6. e5! [6. 0–0 d6 7. ♗c2 e5!] **♘g4 7. 0–0 ♘c6 8. ♗e4 f5 9. ef6 ♘f6 10. ♗c6 ♗c6 11. d4 ♗f3 N** [11... cd4 12. ♘d4±] **12. ♕f3 cd4 13. ♘b5 ♖c8 14. ♗f4!?** [14. b3! a6 (14... ♗c5!?) 15. ♘d4 ♗c5 16. ♗e3 0–0 17. ♕e2±] **a6 15. ♘d4 ♖c4 16. ♖fd1! ♕c8** [16... ♘d5 *a)* 17. ♕h5 g6 18. ♕e5 ♕f6 (18... ♖g8?? 19. ♘e6!; 18... ♘f4!? 19. ♕h8 ♕g5 20. g3∞) 19. ♕b8 ♕d8 (19... ♔f7? 20. ♗e5) 20. ♕e5 ♕f6=; *b)* 17. ♕e2!? ♕c8 (17... b5? 18. ♘e6!) 18. ♗g5! (18. ♖ac1? b5! 19. ♗g5 ♗e7 △ 20. ♘e6 de6 21. ♖c4 ♕c4 22. ♕e6 ♘f6!; 18. ♕h5? g6 19. ♕e5 ♖g8!) ♗e7 19. ♘e6 (19. ♘f5!? ef5!? 20. ♖d5 ♖e4 21. ♕d3 ♗g5? 22. ♖f5△ 22... ♕c4?? 23. ♖e5!; 21... 0–0) de6 20. ♖d5 0–0 21. ♗e7 ed5 22. ♗f8 ♔f8 23. ♖e1!⩲] **17. ♖ac1 ♔f7** [17... ♗e7 18. ♖c4 (18. b3? ♖c5 19. b4 ♖c4!) ♕c4 19. ♕a8 ♗d8 20. b3 ♕d5 21. ♕a6 0–0 22. ♕b5!⩲] **18. ♕e2! ♖c1** [18... b5? 19. ♘f3] **19. ♖c1 ♕a8!□** [19... ♕b7?? 20. ♘e6!] **20. ♘f3 ♗c5 21. ♘e5 ♔e7** [21... ♔e8!?] **22. ♗g5 ♖f8! 23. ♖d1** [23. ♖e1 ♔e8! △ 24. ♘d7 ♔d7 25. ♕e6 ♔c7 26. ♗f4 ♔b7–+] **d6** [23... d5!?⩱] **24. b4 de5** [24... ♗b4 25. ♕g4! (25. ♕d3!?) ♗c5 (25... de5!? 26. ♕b4±) 26. ♗f6 ♔f6!□ 27. ♘d7 (27. ♕f4? ♔e7 28. ♕g5 ♔e8 29. ♕g7 ♖f2 30. ♔h1 de5! 31. ♕g8 ♗f8 32. ♕e6 ♗e7–+; 27. ♕h4 ♔e5 28. ♕g5 ♔e4=) *a)* 27... ♔f7? 28. ♖d3 ♖c8 (28... ♖d8 29. ♖f3 ♔g8 30. ♘f6 ♔h8 31. ♕g6! ♗f2 32. ♔f1 gf6 33. ♕f6 ♔g8 34. ♔f2+–) *a1)* 29. ♖f3? ♔g8 30. ♘f6 ♔h8 31. ♖g3 (31. ♕g6? ♗f2!–+) ♖c7! △ 32. ♕g6 ♕g8!!∓; *a2)* 29. h4! (△ 30. ♖f3 ♔g8 31. ♖g3!) ♕c6 (29... b5 30. ♔h2!) 30. ♖f3 ♔g8 31. ♕e6 ♔h8 32. ♕f5!+– Seirawan; *b)* 27... ♔e7! 28. ♘c5! (28. ♘f8 ♕f8∓) bc5 29. ♕g7 ♖f7 30. ♕g5 ♖f6 31. ♕g7=] **25. bc5 bc5 26. ♕c2!** [26. ♕e5 ♕c6] **♔f7! 27. ♗f6 ♔f6 28. ♖d3!?** [28. h4? ♖d8 △ 29.

♖e1 ♕d5 30. ♕h7 ♕d3!; 28. ♕c5?! ♖d8∓; 28. h3!? ♖d8 (28... ♕c6?! 29. ♕h7 c4 30. ♕h4 ♔f7 31. ♕h5!±) 29. ♖e1 h6! (29... ♕d5 30. ♕h7 ♕d3 31. ♕h4!) 30. ♖e3!? (30. ♕c5 ♕d5=) e4! (30... ♖d5? 31. ♖f3! ♔e7 32. ♕h7!) 31. ♖e4 ♖d1 32. ♔h2 ♕b8!?; 31. ♕c5∓; 28. ♕h7!? ♖h8! 29. ♕c2 (29. ♕d3? ♖h4!) ♕c6 30. g3!∞] **e4??⊕** [28... ♔f7 29. h3 ♔g8 30. ♕c5±; 28... ♕c6! 29. ♖c3 (29. h3 e4! 30. ♖c3 ♖c8!; 29. ♖f3 ♔e7 30. ♖c3 ♖d8 31. h3 e4! 32. ♖c5 ♖d1 33. ♕d1 ♕c5∓) ♖d8! 30. h3 e4! 31. ♖c5 ♕d6! (31... ♖d1 32. ♕d1=) 32. ♕c3 ♕d4 33. ♕d4 ♖d4 34. ♖a5 ♖d1 (34... ♖d6 35. ♔f1∓) 35. ♔h2 (△ 35... ♖f1!? 36. ♔g3 g5 37. ♖a6 h5 38. ♖a8!□=) ♖d6!∓] **29. ♕c3!+− ♔f5** [29... e5 30. ♖d6 ♔f7 31. ♕c4!; 29... ♔f7 30. ♖d7; 29... ♔g6 30. ♖g3] **30. ♖d7! e3!? 31. ♕c5 ♔g6 32. ♕e3 ♕c6 33. ♕g3 ♔f5 34. ♕h3 ♔e5 35. ♕g3⊕** [⌓ 35. ♕e3 ♔f5 (35... ♔f6 36. ♕f4; 35... ♕e4 36. ♕c5!) 36. ♖g7] **♔f5 36. ♖c7 ♕e4 37. h4! h6** [37... ♕e1 38. ♔h2 ♕e5 39. ♖c5!] **38. ♖g7 ♕e1 39. ♔h2 ♕e5 40. ♖a7 ♕g3 41. ♔g3 ♖g8** [41... ♖c8 42. ♖a6 ♖c3 43. f3+−] **42. ♔h3 ♖c8 43. ♖a6 ♖c3 44. g3 h5 45. ♖a5 e5 46. f4 ♔e4 47. fe5! ♔f3 48. e6 ♔f2 49. ♖f5 1 : 0 [Speelman]**

19. A 17

ILLESCAS CORDOBA 2525 − KORTCHNOI 2610

Barcelona 1989

1. ♘f3 ♘f6 2. c4 e6 3. ♘c3 ♗b4 4. ♕b3 c5 5. a3 ♗a5 6. g3 0−0 7. ♗g2 d5 N [7... ♘c6 − 45/14] **8. 0−0 d4?!** [⌓ 8... ♘c6] **9. ♘a4! ♘bd7** [9... ♕e7!? △ 10. ♕b5 ♗b6 11. ♘b6 ab6 12. ♕b6 ♘c6∞] **10. ♕c2 ♖b8 11. b4! cb4** [11... ♗c7 12. bc5 e5 13. d3±] **12. ab4?!** [12. ♘d4!± Illescas Cordoba] **♗b4 13. ♘d4± e5 14. ♘f3** [14. ♘b5!? a6 15. ♘a7!] **b5! 15. cb5 ♖b5 16. ♗b2 a6** [16... a5 17. ♕c6!±] **17. d4 e4 18. ♘e5 ♗b7 19. ♘c6! ♕c8** [19... ♕a8! 20. ♘b4 ♖b4 (△ 21. ♗a3 ♖c8) 21. e3±] **20. ♖fc1 ♕c6 21. ♕c6 ♗c6 22. ♖c6 ♘b8⊕** [⌓ 22... a5] **23. ♖c4 ♖e8 24. e3 a5 25. ♖ac1 ♘bd7 26. ♖c8 ♔f8 27. ♖e8 ♔e8 28. ♖c2!** [28. f3? ♗d2] **♔e7 29. f3 ef3 30. ♗f3 ♘d5?** [30... ♘e8! 31. e4 f6±] **31. e4± ⊞⊡ ♘5b6** [31... ♘e3 32. ♖c6] **32. ♗e2! ♖g5□** [32... ♘a4 33. ♗b5 ♘b2 34. ♖c7+−] **33. ♘b6 ♘b6 34. ♖c7 ♔d8** [34... ♔e8 35. ♖b7!+−; 34... ♘d7 35. ♗c1] **35. ♖f7 ♘a4 36. ♗c1 ♖g6 37. e5 ♘c3 38. ♗d3+− ♖c6 39. ♗g5 ♔e8 40. ♖g7 a4 41. ♖h7 a3 42. ♗f6! 1 : 0 [Ochoa de Echagüen]**

20.* A 17

RIBLI 2630 − ANAND 2555

Reggio Emilia 1988/89

1. ♘f3 ♘f6 2. c4 e6 3. ♘c3 ♗b4 4. g3 0−0 5. ♗g2 b6?! N [5... ♖e8; 5... d6; 5... c5; RR 5... d5 6. a3 ♗e7 7. d4 ♘bd7 8. ♕d3 N (8. b3 − 35/21) c6 9. 0−0 b6 10. e4 ♗a6 11. b3 c5 12. ed5 ed5 13. ♖d1 ♖c8 14. ♘b5 ♗b5 15. cb5 ♘e4 16. ♗e3 ♗f6 17. ♖ac1 ♕e7 18. a4 ♕e6 19. dc5 ♘dc5 20. ♗c5 ♘c5 21. ♕d5 ♘b3 22. ♖c8 ♖c8 23. ♕b7 ♘c5 24. ♕a7 ♕b3 25. ♖e1 ♘a4 26. ♕d7 1/2 : 1/2 Ribli 2630 − Pr. Nikolić 2605, Wijk aan Zee 1989] **6. ♘e5 c6 7. 0−0 ♗b7** [7... d5 8. d4±] **8. d4 d6 9. ♘d3 ♗c3 10. bc3 ♗a6 11. c5!?** [11. ♕b3 d5=] **bc5 12. dc5 d5** [12... dc5 13. ♗a3±] **13. ♗f4! ♘bd7 14. ♗d6 ♖e8 15. ♕a4! ♗b5 16. ♕d4!± ♕a5** [16... ♗d3 17. ed3 e5 18. ♕a4±] **17. a4 ♗d3 18. ed3 e5 19. ♕b4 ♕a6 20. d4 ed4** [20... e4 21. ♖fe1±] **21. cd4 ♘e4 22. ♖fe1 ♘df6 23. ♗e5 ♕d3 24. ♕b1! ♕d2 25. ♖a2 ♕a5 26. ♕c1** [△ f3] **♘d7 27. ♗e4 de4** [27... ♘e5 28. de5 (28. ♗h7!?±) de4 29. ♖e4 ♖ad8 30. ♖ae2 ♖d5 31. e6 fe6 32. ♖e6 ♖e6 33. ♖e6 ♖c5 34. ♕d1±] **28. ♖e4 ♖e6** [28... f6 29. ♕c4 ♔h8 30. ♕f7 ♘e5 (30... ♕d8? 31. ♗c7!+−) 31. de5 fe5±] **29. ♖ae2 ♖ae8 30. ♕c2!± ♘e5 31. ♖e5! ♖e5 32. de5! ♕b4 33. ♖e4 ♕a3 34. ♔g2 g6 35. ♕c4 ♖e6 36. ♕d4 ♕b3 37. ♖e3 ♕c2 38. ♖f3 1 : 0 [Ribli]**

21.* **A 17**

UHLMANN 2515 – I. CSOM 2545
Debrecen 1989

1. c4 ♘f6 2. ♘c3 e6 3. ♘f3 ♗b4 4. ♕c2 c5 [RR 4... 0–0 5. a3 ♗c3 6. ♕c3 b6 7. b3 ♗b7 8. ♗b2 d6 9. g3 ♘bd7 10. ♗g2 ♘e5 11. 0–0 ♘f3 12. ♗f3 ♗f3 13. ♕f3 e5 14. ♕g2 ♖e8 15. f4 e4 16. g4! N (16. f5 – 31/28) ♘d7 17. b4 a5 18. g5 ♕e7 19. f5± Vaganjan 2600 – Anand 2515, Wijk aan Zee 1989] **5. g3 ♘c6 6. ♗g2 0–0 7. 0–0 ♕e7 8. b3!? N** [8. ♖d1 – 20/30; 8. d3 – 22/29; 8. e3 – 33/19] **d5 9. a3 ♗c3 10. ♕c3 d4 11. ♕b2! e5 12. d3 a5 13. e3! de3** [13... ♗f5 14. ed4 cd4 15. ♖e1 ♗d3 16. ♘e5! ♘e5 17. ♗f4 ♘fg4 (17... ♗e4 18. ♕d4±) 18. ♗e5 ♘e5 19. ♕d4 ♖fe8 20. f4⩲] **14. ♗e3 ♗f5 15. ♖fe1! ♗d3 16. ♗g5!** [16. ♗f4 e4∓] **♖fe8** [16... e4 17. ♘d2±] **17. ♖e3! e4!** [17... ♗g6 18. ♘e5 ♘e5 19. ♖ae1±] **18. ♘d2!?** [18. ♘e1! ♕d6!? (18... ♘e5 19. ♘d3 ♘d3 20. ♕c3±) 19. ♗f6 gf6 20. ♖d1 ♕d4 21. ♘d3 ed3 22. ♕d4 ♘d4 (22... cd4 23. ♖ed3±) 23. ♗b7±] **♕e5!** [18... ♘e5 19. ♘e4±; 19. ♗e4⩲] **19. ♕e5 ♖e5! 20. ♗f6 gf6 21. ♘e4 ♗e4 22. ♗e4 ♘d4** [⌓ 22... ♖ae8 23. ♗c6 bc6 (23... ♖e3 24. ♗e8 ♖e8 25. ♖d1±) 24. ♖ae1⩲] **23. ♗b7! ♖b8 24. ♗d5! ♘c2** [24... ♖e3 25. fe3 ♘c2 26. ♖c1 ♘e3 27. ♖c3⩲] **25. ♖e5 fe5** [♖ 9/i] **26. ♖c1! ♘a3** [26... ♘d4 27. ♖e1 ♖b3 28. ♖e5 ♖a3 29. ♖e7±] **27. ♖c3 ♔g7 28. g4 ♘b1** [⌓ 28... h6] **29. ♖f3! f6 30. ♖d3 ♘a3** [30... ♖d8 31. ♔f1 ♖b8 (31... ♘a3 32. ♗e4! ♖d3 33. ♗d3 △ ♔e1-d2-c3-b2+–) 32. ♔e2±] **31. ♗e4! a4 32. ♖d7 ♔f8 33. ba4 ♘c4 34. ♗d5! ♖b4** [34... ♘b6 35. ♖h7+–; 34... ♖b1 35. ♔g2 ♘b6 36. ♖f7 ♔e8 37. ♖b7 ♖b4 38. ♗c6 ♔d8 39. a5+–] **35. ♖f7 ♔e8 36. ♖h7! ♘a5** [36... ♘b6 37. ♗c6 ♔f8 38. a5+–] **37. ♗e6! c4 38. h4 c3 39. ♖c7 ♖a4 40. ♗d7??** [40. h5!! ♔d8 (40... ♘c4 41. ♗c4 ♔d8 42. ♖c5 c2 43. ♗f1 ♖g4 44. ♗g2 ♖g5 45. ♖c2 ♖h5 46. ♖c6 ♔e7 47. ♗d5+–) 41. ♖c3 ♔e7 42. ♗f5 ♖c4 43. h6! ♔f8 (43... ♔f7 44. ♖c4 ♘c4 45. ♗e6+–) 44. ♖h3 ♖c1 45. ♔g2 ♔g8 46. ♖d3 ♘c6 47. ♖d7+–] **♔d8 41. ♗a4 ♔c7 42. h5 ♘c4!! 43. h6 ♘d6 44. h7 ♘f7 45. ♗b3 ♘h8 46. ♔f1 ♔d6 47. ♔e2 ♔e7 48. ♔d3 ♔f8 49. ♔c3 ♔g7 50. ♗c2 ♘f7 51. ♔c4 ♘g5 52. ♔d5 ♘h7 1/2 : 1/2** **[Uhlmann]**

22. **A 20**

KASPAROV 2775 – N. SHORT 2650
Barcelona 1989

1. c4 e5 2. g3 d6 3. ♗g2 g6 4. d4 ed4 5. ♕d4 ♘f6 6. ♘c3! N [6. ♗g5 – 30/36; 6. ♕e3 – 43/19] **♗g7 7. ♕e3 ♕e7** [7... ♔f8 8. ♘f3⊂] **8. ♕e7** [8. ♘b5?! ♘a6 9. ♘a7 ♗e6 10. ♗b7 ♘g4! 11. ♘c6 ♘e3 12. ♘e7 ♘c2 13. ♔d1 ♘a1 14. ♗a8 ♔e7–+] **♔e7 9. b3!**

9... a5 [9... ♘e4? 10. ♘d5 ♔d8 11. ♖b1 ♗f5 (11... ♘c3? 12. ♗b2+–) 12. g4 ♘c3 13. gf5 ♘b1 14. f6 ♗f8 15. ♗b2+–; 9... c6 10. ♗a3 (10. ♗b2±) ♘e4 (10... a5 11. ♖d1 ♖d8 12. e4 ♘e8 13. ♘ge2 ♘a6 14. 0–0 ♘b4 15. ♗c1±) 11. ♘e4 ♗a1 12. ♗d6! (12. ♘f3 c5 13. 0–0 ♗g7 14. ♖d1 ♘a6∞; 12. ♘d6 ♔f6! 13. ♘f3 ♗c3 14. ♔d1 ♔g7 15. ♔c2 ♗f6∞) ♔e8 13. ♗a3! ♗e6 14. ♘f3 ♘a6 15. 0–0 ♗g7 16. ♖d1 c5 17. ♘fg5±; 9... ♖d8!?] **10. ♗b2 c6 11. ♘a4! ♗e6 12. ♘f3 ♘bd7 13. ♘d4 ♖hc8 14. 0–0±** [○ ×d6] **♖ab8 15. ♖ac1 ♘e8 16. ♖fd1 c5?!±** [16... b5 17. cb5 cb5 18. ♘c3 ♗d4 19. ♖d4 b4 20. ♘d5±; 16... ♘c5 17. ♘c5 dc5 18. ♗a3! ♗d4 19. ♖d4±; 16... g5 17. f4!⩲; 16... ♔f8!?] **17.**

♘b5 ♗b2 18. ♘b2 ♘b6 19. ♘c3 ♘a8?! [19... ♖d8!?] **20. ♘ba4! ♘ec7 21. ♖d2** [21. ♖d3!+−] **♗d7** [21... b5 22. cb5 ♘b5 23. ♗a8 ♘c3 24. ♖c3 ♖a8 25. ♘b6+−] **22. ♘e4! ♘e8** [22... ♗a4 23. ba4 ♖d8 24. ♖b1!+−] **23. ♘ac3 ♗c6** [23... b5 24. cb5 ♗b5 25. ♘b5 ♖b5 26. ♘c3 ♖bb8 27. ♗a8 ♖a8 28. ♘d5 △ ♘b6+−] **24. ♖cd1 ♖d8 25. g4** [25. a4!±] **♘ac7** [25... a4!? 26. ♘a4 ♗a4 27. ba4 ♘b6 28. ♖c2 ♘a4 29. ♖b1! ♘c7 △ d5±] **26. a4! ♘e6 27. e3 h6 28. f4 ♖d7 29. h4 ♖bd8 30. ♘g3! ♘6g7** [30... ♘f6 31. f5! △ g5+−] **31. ♘d5 ♔f8 32. ♔f2 ♘e6 33. g5 hg5 34. hg5 ♘6c7 35. ♗h3 f5** [35... ♘e6 36. ♘e4 △ ♘ef6+−] **36. gf6 ♖h7 37. ♘c7 ♘c7 38. ♗g2 ♘e8** [38... ♖h2 39. ♔g1 ♖g2 40. ♖g2 ♗g2 41. ♔g2 ♘e8 42. ♘e4+−⊥] **39. ♗c6 bc6 40. ♔g2** [40. ♔f3 ♔f7 41. e4 ♔f6 42. e5 ♔e6 43. ♘e4 ♖h3 44. ♔g4+−] **♖b8 41. ♖d3 d5** [41... ♖hb7 42. ♘e4 ♖b3 43. ♖b3 ♖b3 44. ♔f3± ♖b4 45. ♖h1 ♔g8 46. ♖h8! ♔h8 47. f7+−] **42. cd5 cd5 43. ♖d5 ♖b3 44. ♘e4! ♖e3** [44... ♖b2 45. ♔g3 ♖bh2 46. ♘g5+−] **45. ♖e5!** [45. ♘g5 ♖e2 46. ♔f3 ♖hh2!] **♖h5! 46. ♖e6!** [46. ♘c5 ♖ee5 47. ♘d7 (47. fe5? ♘f6 48. ♖f1 ♖g5 49. ♔h3 ♖h5=) ♔f7 48. fe5 ♔e6 49. ♖f1±] **♖e2 47. ♔f3 ♖hh2 48. f7! ♖hf2** [48... ♘g7 49. ♖d8 ♔f7 50. ♘g5#] **49. ♘f2 ♖e6 50. fe8♕ ♔e8 51. ♖c1 1 : 0 [Kasparov]**

23.* **A 20**

B. LARSEN 2560 − GULKO 2590

Hastings 1988/89

1. g3 e5 2. c4 c6 3. ♘f3 [RR 3. ♗g2 d5 4. cd5 cd5 5. d4 ed4! N (5... e4 − 27/43, 33/24) 6. ♘f3!? (6. ♕d4) ♗b4! 7. ♗d2 (7. ♘bd2 d3!?=) ♗c5 8. 0−0 ♘c6 9. ♗f4 ♘ge7 10. ♘bd2 ♗b6 11. ♘b3 ♘f5 12. ♖c1 (△ ♘e5) ♕e7 13. ♕d3 0−0 14. ♕b5 ♖e8 15. ♖fe1 (15. ♕d5 ♕e2 16. ♖fe1?! ♗e6∓ I. Sokolov) h6 (△ g5) 16. h4 ♕d8 (△ a6) 17. ♘c5=∞ 1/2 : 1/2 Gulko 2590 − I. Sokolov 2570, Biel 1988] **e4 4. ♘d4 d5 5. cd5 ♕d5 6. ♘b3 ♘f6 7. ♘c3 ♕h5 8. d3!? N** [8. h3; 8. ♕c2] **ed3 9. ♕d3 ♘a6!** [×c2] **10. ♘d4□** [10. ♗g2 ♘b4 11. ♕d1 ♗h3∓] **♘b4 11. ♕e3** [⌓ 11. ♕d1 ♗h3 △ 0-0-0↑] **♗e7 12. a3 ♘bd5 13. ♘d5 ♘d5?** [13... ♕d5! 14. ♘f3 (14. f3 ♘g4! 15. ♕d3 ♗c5−+) ♘g4! 15. ♕f4 (15. ♕d4 ♗c5−+; 15. ♕d2 ♗c5−+) ♗d6! (15... g5? 16. ♕d4±) 16. e4 ♕e6−+] **14. ♕e4 0−0 15. ♗g2 ♗f6 16. ♗f3!** [16. 0−0 ♗h3∓] **♕g6 17. ♕g6 hg6 18. ♘b3 ♖e8 19. g4?!** [19. h4!?∓] **b6! 20. ♖b1 ♗a6∓ 21. ♔f1 ♖ad8 22. ♘a1!□ c5 23. ♘c2 g5 24. h4 ♘f4!** [24... gh4 25. g5⇆] **25. ♗e3 ♘e6 26. h5 ♘d4−+ 27. ♗d4** [27. ♘d4 cd4 28. ♗d2 d3 29. e3 ♖c8 △ ♖c2−+] **♗d4 28. b4 ♗f6 29. b5 ♗c8 30. ♘e3 ♖d2 31. ♔g2 ♗d4?** [31... ♗e6 32. ♖hd1 ♖ed8 △ c4−+] **32. ♘f5 ♗f5** [32... ♗b2 33. ♘g3 △ ♘e4] **33. gf5 ♖e5 34. ♖hd1!** [34. ♗g4 ♖e4 35. ♗f3 ♖f4−+] **♖a2 35. ♖d3 ♖f5 36. ♖f1!□** [36. e3 g4−+] **♖e5 37. ♔g3 ♔f8 38. e3 ♗b2 39. ♖fd1! ♖a3 40. ♖3d2 ♗c3 41. ♖d6** [41. ♖d7! (△ ♖b7) ♖e7 42. ♖d8 ♖e8 43. ♖8d7=] **c4 42. ♗d5?** [⌓ 42. ♖d7] **♖e3−+ 43. fe3** [43. ♔g2 ♖d3−+] **♗e5 44. ♔f3 ♗d6** [♖ 9/j] **45. ♗c4 ♔e7 46. ♗f7 ♗f4! 47. ♗g6 ♖e3 48. ♔g4 ♔e6! 49. ♖d3 ♖e1 50. ♖d8 ♖g1 51. ♔f3 ♗e5 52. ♔f2 ♖a1 53. ♖e8 ♔d6 54. ♗f7 ♗d4 55. ♔e2 ♖a3! 56. ♖e4** [56. ♖d8 ♔e7−+] **♗e5 57. ♖c4 ♔e7 58. ♗d5 ♔f6 59. ♖c2 g4 60. ♖a2 ♖a5! 61. ♗c4 ♔g5 62. ♔e3 ♔h5 0 : 1 [Gulko]**

24.**** **A 21**

SAVON 2425 − ŠTOHL 2455

Trnava II 1989

1. c4 e5 2. ♘c3 ♗b4 [RR 2... d6 3. d4 ed4 4. ♕d4 ♘f6 5. b3 (5. g3 ♘c6 6. ♕d2 ♗e6 7. e4 ♗e7 8. f3!? 0−0 9. b3 a5 10. ♘ge2∞) g6 6. ♗b2 ♗g7 7. g3 0−0 8. ♗g2 ♖e8 9. ♕d2 ♘bd7 10. ♘f3 ♘c5 11. 0−0 (11. ♘d4 ♘fe4 12. ♘e4 ♘e4 13. ♕c2 f5 14. 0−0∞) ♘fe4 N (11... a5 − 39/31) 12. ♘e4 ♘e4 13. ♕c2 ♗b2 (13... ♗f5? 14. ♗g7 ♔g7 15. ♘d4± △ 15... ♘g3? 16. ♕c3+−) 14. ♕b2 ♕f6 15. ♕f6 ♘f6 16. ♘d4 a6 17. e3 ♖b8 18. ♖ac1 (△ c5; 18. ♖fd1 ♔f8 19. ♖ac1 c5 20. ♘e2 ♔e7∞

Mokrý) c5!= Smejkal 2515 − Mokrý 2500, Trnava 1989] **3. g3** [3. ♕b3 ♘c6 *a*) 4. e3 ♘f6 5. ♘ge2 N (5. a3 − 41/(19)) 0−0 6. g3 e4 7. ♗g2 ♖e8 8. 0−0 ♗c3 9. ♘c3 d6 10. a3? ♗f5 11. ♕c2 ♕d7 12. b3 ♘e5∓ Anastasjan 2475 − Razuvaev 2550, Moskva (GMA) 1989; 10. ♘d5=; *b*) RR 4. ♘d5!? N ♗c5 (4... ♗a5? 5. ♕a3) 5. e3 (5. ♕g3 ♗f8 6. f4!? Miles) ♘f6 6. ♘e2 0−0 7. ♘ec3 d6 8. ♗e2 ♘d5 9. cd5 ♘e7 10. ♘a4!? ♗b6 11. ♘b6 ab6 12. d3± Miles 2520 − de la Villa García 2430, New York 1989] **♗c3 4. bc3 ♘c6** [RR 4... d6 5. ♗g2 ♘e7 6. d3 0−0 7. ♘h3! N (△ 7... f5 8. f4) ♘bc6 8. 0−0 ♗g4?! 9. f3 ♗h5? 10. e4! ♕d7 11. g4 ♗g6 12. ♖b1 b6 13. f4 f6 14. f5 ♗f7 15. g5± J. Plachetka 2450 − Psahis 2585, Paris 1989] **5. ♗g2 d6 6. d3 ♘ge7 7. ♘f3** [7. e3 0−0 8. ♘e2 ♗g4 9. h3 ♗h5 10. 0−0 ♕d7=] **0−0 8. 0−0 h6?!** N [8... f6 − 31/34; 8... ♘g6!?; 8... f5!?] **9. ♘e1 ♗e6 10. ♖b1 b6 11. f4!±** [11. ♘c2?! ♕d7 12. ♘b4 ♗h3=] **ef4?** [11... ♕d7!? 12. ♕a4 (12. e4? ef4 13. gf4 f5!∓) ♗h3 13. f5! ♗g2 (13... ♗f5 14. ♗c6 ♘c6 15. ♖f5 ♕f5 16. ♕c6±) 14. ♘g2 f6 15. e4±] **12. gf4 ♕d7 13. ♖b2! ♖ae8** [13... ♗h3 14. e4!±] **14. ♘f3 ♗g4 15. ♕e1 f5 16. ♕f2 ♘d8?** [16... ♗f3 17. ♗f3 ♔h8 △ ♘g8-f6±] **17. ♘d4!± c5** [17... ♘e6!? 18. ♘c2 ♘c5 19. ♘e3 ♗h5 20. ♘d5±] **18. ♘c2 ♗h5?** [18... d5! 19. ♘e3 dc4 20. ♘c4 ♘ec6 21. ♖d2±] **19. ♘e3 ♗f7 20. ♘d5!±** ♘e6 21. ♕g3 ♔h8 22. e4 ♘c7 23. ♗h3? [23. ♗f3! △ ♖g2±] ♗e6 24. ♖g2? [24. ♗g2!±] **♖f7 25. ♕h4 fe4 26. ♗e6 ♘e6 27. de4 ♘d5 28. cd5 ♘f8 29. f5** [29. ♖e1 ♖fe7 30. f5 (30. ♖ge2 ♕a4 31. f5 ♘h7!∞) ♕f5! 31. ef5 (31. ♗h6? ♕h7!∓) ♖e1 32. ♔f2 ♖c1 33. f6 ♖c2=] **♕e7 30. ♕h5 ♘h7 31. ♖f4?** [31. ♖e1 ♘f6 32. ♕g6 ♕f8 33. ♖ge2 ♖fe7 34. ♕g2=] **♘f6 32. ♕g6 ♕f8 33. c4 ♖e4** [33... ♘e4! 34. ♗b2 (34. ♖h4 ♖f6∓) ♘f6∓] **34. ♖e4 ♘e4 35. ♗b2 ♘f6 36. ♖e2 ♘g8** [36... ♖e7? 37. ♖e6!±] **37. ♔h1!⊕** [37. ♖e8?? ♕e8 38. ♗g7 ♖g7−+] **♘e7 38. ♕h6 ♔g8 39. ♕d6 ♖f5?** [39... ♘f5! 40. ♕e6 ♔h7=] **40. ♕e6!± ♔h8** [40... ♕f7? 41. d6! ♕e6 42. ♖e6 ♘c6 43.

d7 ♘d8 44. ♖e8 ♖f8 45. ♗c1!+−] **41. ♕e3 ♘c8?** [41... ♘g6! 42. ♕g2 ♖f1 43. ♖g1±]

42. ♗g7!! ♕g7 [42... ♔g7 43. ♖g2 ♔h7 (43... ♔f7 44. ♕e6♯)] **44. ♕h3+−] 43. ♕h3 ♕h7 44. ♖e8 ♔g7 45. ♕g3** [45... ♔f6 46. ♖e6 ♔f7 47. ♕c7+−; 45... ♔f7 46. ♖c8 (46. ♕c7+−) ♖f1 47. ♔g2+−]

1 : 0 **[Savon]**

25. A 21

R. LEV 2415 − MILES 2520

Lugano 1989

1. d4 d6 2. c4 e5 3. ♘f3 e4 4. ♘g5 f5 5. ♘c3 c6 6. ♕b3 N [6. ♘h3 − 46/20, 21] **♘a6 7. ♗d2 ♘c7 8. g4?** ♗e7 9. h4 h6 10. ♘h3 ♘e6!∓ 11. ♗e3 [11. gf5 ♘d4∓] **fg4 12. ♘f4 ♘f4 13. ♗f4 ♘f6 14. ♗g2 0−0 15. e3 ♗e6!** [△ b5; 15... ♗f5 16. ♕b7 ♖b8 17. ♕c6 ♖b2 18. 0−0∞; 15... ♕e8 (△ 16. ♘e4 ♘e4 17. ♗e4 ♗d8!−+) 16. 0-0-0∞ ×e4] **16. ♕b7 ♗c4 17. ♕c6 ♖c8 18. ♕b7** [18. ♕a4 ♕b6∓↑] **♖b8 19. ♕c6 ♖c8 20. ♕b7 ♖c7 21. ♕b4 a5! 22. ♕a5 ♕b8 23. b3 ♖a7 24. ♕f5** [24. ♕a7!? ♕a7 25. bc4 ♕a3! 26. ♘e4 ♘e4 27. ♗e4 ♕c3 28. ♔e2 ♕b2 29. ♔d3 ♖f4! 30. ef4 ♗f6∓↑] **♕b4 25. ♖c1 ♗d3!** [25... ♖a5? 26. ♕a5 ♕a5 27. bc4∞] **26. ♕e6 ♔h8 27. ♗f1 ♖c7−+ 28. ♗d3 ed3 29. a3** [29. ♔d2 ♖fc8; 29. 0−0 d2 30. ♖c2 ♖c3] **♕b7! 30. e4** [30. 0−0 d2 △ ♖fc8] **♖c3! 31. ♖c3 ♘e4 32. ♖c7** [32. ♖d3 ♘f2 33. ♔f2 ♕h1] **♕c7 33. ♕e4 ♕c3 34. ♔f1 d5**

31

35. ♕e3 ♗f6 36. ♔g2 ♗d4 37. ♕g3 ♕c2 38. ♖c1 ♕e2 39. ♗e3 d2 0 : 1
[Miles]

26.* A 22

BÖNSCH 2490 – LERNER 2535
Lugano 1989

1. c4 e5 2. ♘c3 ♘f6 3. g3 ♗b4 4. ♗g2 0–0 5. e4 ♗c3 6. dc3 [RR 6. bc3 c6 7. ♕b3 ♘a6 8. ♗a3 d6 9. ♘e2 ♘d7!! N (9... ♘c5 – 24/50; 9... ♗e6 – 43/(21)) 10. 0–0 (10. ♗d6? ♘dc5 11. ♗c5 ♘c5 12. ♕c2 ♘d3 13. ♔f1 f5!–+; 10. d4 c5!↑⟪) ♘dc5 11. ♕c2 f5! 12. f3?! ♕a5! 13. ♗c1 (13. ♗b2 fe4 14. fe4 ♗g4 15. d4 ♘a4∓) fe4 14. fe4 ♗g4∓ van Osmael – Portilho, corr. 1988/89; 12. d4 ed4 13. cd4 ♘e4 14. ♗e4 fe4 15. ♕e4 ♗f5∓ Portilho] **d6 7. ♘e2 a6!? N** [7... a5; 7... ♘bd7 – 18/53] **8. 0–0** [8. a4 a5 9. 0–0 ♘a6=] **b5 9. cb5 ab5 10. h3 ♗b7 11. ♕c2 ♘bd7 12. g4** [12. ♗e3?! ♖a6! △ ♕a8] **d5!** [12... ♖a6 13. ♘g3 ♕a8 14. g5 ♘e8 15. a3±] **13. ♘g3** [13. ed5 ♗d5 14. ♗d5 ♘d5 15. ♖d1 c6 16. c4 bc4 17. ♕c4 ♕f6=] **♕e8!?** [13... ♘e4 14. ♘e4 de4 15. ♗e4 ♗e4 16. ♕e4±] **14. f3!?** [14. g5? ♘e4 15. ♘e4 de4 16. ♗e4 ♗e4 17. ♕e4 ♕e6∓; 14. ♗e3 ♕e6] **♕e6** [14... ♘c5!? 15. ♗e3 ♘e6] **15. g5 ♘e8 16. f4!? de4** [16... ef4 17. ♗f4 de4 18. ♘e4 ♖a2 19. ♖ae1↑] **17. ♘e4 ♖a2 18. ♖a2 ♕a2 19. fe5** [19. ♕d3!? ♘d6 20. ♘d6 cd6 21. ♕d6 ♕a7=] **♘e5 20. ♖f5 ♘g6!?** [20... ♘c4 21. ♖b5 ♘ed6 22. ♘d6 ♘d6 23. ♖e5=] **21. ♖b5 ♗e4 22. ♗e4 ♘d6 23. ♖b4! ♕e6 24. ♗g2 ♕e1 25. ♔h2** [25. ♗f1 ♖e8 26. ♕d2 ♕e5↑] **♕e5** [25... ♖e8!?] **26. ♔g1 ♖e8 27. ♕f2 ♕e1 28. ♕f1 ♘f5 29. ♖g4** [29. ♗d2 ♕d2 30. ♕f5 ♕e1 31. ♗f1 (31. ♔h2? ♘h4–+) ♕e3 32. ♔h1 ♖e5∓; 29. ♗f4 ♘f4 30. ♖f4 ♕e3 31. ♕f2 ♕c1 32. ♔h2 g6∓] **♘gh4 30. ♗c6** [30. ♗f4 ♘g2 31. ♖g2 ♕e4∓; 30. ♗h1 ♘g3 31. ♕e1 ♖e1 32. ♔f2 ♖h1 33. ♖h4 ♖c1 34. ♔g3 ♖g1 35. ♔f4=; 30... ♖e2!?] **♖e6 31. ♗d5 c6! 32. ♗g2** [32. ♗e6? ♘f3 33. ♔g2 ♘5h4 34. ♖h4 ♘h4 35. ♔g1 ♕g3 36. ♔h1 ♘f3–+] **♘g2 33. ♖g2 g6∓ 34. ♗f4 ♕e4 35. ♔h2 ♘h4 36. ♖f2 ♕d5 37. ♕h1** [37. ♗g3 ♘f5 38. ♗f4 ♖e4 39. ♖d2 ♕e6∓] **♕d3 38. ♗g3 ♖e3?⊕** [38... ♘f5 39. ♗f4 ♖e4∓] **39. ♕f1??⊕** [39. ♕c6! ♘f5 40. ♗f4 ♖h3 41. ♔g1 ♕d1 42. ♖f1 ♕g4 43. ♕g2 ♕g2 44. ♔g2 ♖d3±] **♖g3 40. ♖f7 ♕f1 0 : 1**
[Lerner]

27.* A 25

LERNER 2535 – BROWNE 2535
Lugano 1989

1. c4 e5 2. ♘c3 ♘c6 3. g3 g6 4. ♗g2 ♗g7 5. ♖b1 a5 [RR 5... d6 6. b4 ♗f5 7. d3 ♕d7 8. b5 ♘d8 9. ♘d5 c6 10. bc6 bc6 11. ♘c3 ♘f6! N (11... ♘e7 – 44/18) 12. ♗a3 0–0 13. ♘e4 (13. ♘f3!?) ♘e4! 14. de4 ♗e6 15. ♕d6 ♕d6 16. ♗d6 ♖e8 17. ♖c1?! ♘b7 18. ♗a3 ♘a5 19. ♗h3 ♘c4 20. ♗e6 ♘a3 21. ♗b3 ♖ec8 22. ♘f3 a5!∓ Lerner 2530 – D. Blagojević 2445, Praha 1988; 17. ♗h3!? ♗c4 18. ♗d7 ♗f8! 19. ♗e8 ♗d6=∞C ×♗e8, a2 D. Blagojević] **6. e3 d6 7. ♘ge2 h5!?** [7... ♗f5 8. d3 (8. e4 ♗e6) ♕d7] **8. ♘d5!? N** [8. h4 ♘h6 ×g4; 8. h3 h4!?; 8. d4 h4 9. d5 ♘ce7] **h4** [8... ♘b4?! 9. ♘b4 ab4 10. ♕b3 c5 11. a3! ba3 12. ba3 ×b7] **9. d3 ♘h6 10. ♘ec3** [△ ♘b5] **♘b4!** [10... ♘e7!? 11. e4 ♘d5 12. ♘d5 c6] **11. a3 ♘d5 12. cd5 0–0** [12... h3!?] **13. 0–0 hg3 14. fg3** [14. hg3 ♘g4 15. e4 c6; 15... f5!?] **♗d7 15. b4 ab4 16. ♖b4 b6 17. a4?! f5! 18. ♕c2 ♘g4** [18... g5!?] **19. ♗f3** [19. h3? ♘f6 △ ♘h5 ×g3] **♕g5! 20. ♘d1** [20. ♕e2?? e4!–+; 20. ♖e1 e4! 21. de4 ♗e5! 22. ef5 ♘h2!! 23. ♕h2 ♗c3 24. ♖g4 ♕f5 25. ♖f4 ♕h3–+; 20. ♗g4 fg4 21. ♖f8 ♖f8 22. ♘d1 ♕f5 23. ♕e2 ♕f7 24. ♘c3 e4 25. d4] **♕h5 21. ♗g4** [21. ♖c4? ♗a4! 22. ♗g4 ♗c2 23. ♗h5 ♗d3–+] **fg4 22. ♖f8 ♖f8 23. e4! ♗f6!** [23... g5?! 24. ♗e3 ♕f7 25. ♘f2 ×g5, c7] **24. ♗e3 ♗d8 25. ♘f2** [25. ♖c4 ♔f7!? 26. ♖c7 ♗c7 27. ♕c7 ♔e7] **♖f3 26. ♕c1 ♕h7** [26... ♕h8!? △ ♕f6] **27. ♕d2 ♖f8** [27... ♕f7? 28. a5! ba5 29. ♖b8 ♕e8 30. ♗g5+–] **28. ♗h6 ♖f2!** [28... ♖e8? 29. ♗g5] **29. ♔f2 g5 30. ♗g5 ♕h2**

31. ♔e1 ♕h1 32. ♔f2 ♕f3 33. ♔e1 ♕h1 34. ♔f2 ♕f3 35. ♔e1 ♕h1 1/2 : 1/2 [Browne]

28. **A 25**

AZMAJPARAŠVILI 2560 – LERNER 2535
Berlin 1989

1. c4 e5 2. ♘c3 ♘c6 3. g3 g6 4. ♗g2 ♗g7 5. ♖b1 a5 6. a3 d6 7. b4 ab4 8. ab4 ♘f6 9. e3 N [9. b5; 9. d3 – 46/(23)] **♗g4 10. ♕c2?!** [10. ♘ge2 e4?! 11. ♕c2 ♘e5 12. ♘e4 ♘e4 13. ♗e4 0–0! 14. h3 ♗f3 15. ♗f3 ♘f3 16. ♔f1 d5 17. ♔g2±] **♕c8 11. d3 0–0 12. h3 ♗d7 13. ♘ge2 ♘e7 14. ♗b2 h5 15. b5 c6 16. bc6 bc6?!** [16... ♗c6!? 17. e4 b5 18. cb5 ♗b5 19. 0–0=] **17. c5 d5** [17... dc5 18. ♘a4 ♘fd5 19. ♘c5±] **18. ♘a4 ♕c7 19. ♘b6 ♖ae8 20. 0–0 ♗e6 21. ♗c3 ♘c8** [21... ♘d7 22. ♗a5 ♘b6 23. cb6 ♕b7 24. ♗b4±] **22. ♘a8! ♕d7 23. ♔h2 ♘a7 24. ♘b6 ♕c7 25. ♕b2 h4?!** [25... ♘h7 26. f4!? f6 27. d4 ♗f7! 28. de5 fe5 29. ♗e5 ♗e5 30. fe5 h4 31. ♔h1 hg3 32. e4 de4 33. ♘g3±] **26. ♗e5 ♘g4 27. hg4 ♗e5 28. d4 hg3 29. fg3 ♗g7 30. ♗f3 ♕e7 31. ♘f4 ♕g5 32. ♕e2 ♘b5 33. ♖b5! cb5 34. c6 ♖b8 35. ♕b5 ♗g4 36. ♗g4 ♕g4 37. c7 ♖be8 38. ♕d7! ♕d7 39. ♘d7 ♖e3** [39... ♖e7 40. ♘f8 ♖c7 41. ♘8g6! fg6 42. ♘d5+–] **40. ♘f8 ♖c3 41. ♘8g6 1 : 0 [Azmajparašvili]**

29.* **A 25**

LOBRON 2555 – PR. NIKOLIĆ 2605
Ljubljana/Rogaška Slatina 1989

1. c4 e5 2. g3 ♘c6 3. ♗g2 f5 [RR 3... ♘f6 4. ♘c3 ♗c5 5. e3 d5 6. cd5 N (6. ♘d5) ♘b4 7. d4 ed4 8. ed4 ♗e7 (8... ♗d4?? 9. ♕a4+–) 9. ♘ge2 ♗f5! (9... ♘bd5 10. ♘f4±) 10. 0–0 ♘c2 11. ♖b1 ♘b4 12. ♖a1 ♘c2 13. g4!? ♗g6! (13... ♘g4?! 14. ♘g3 ♕d7 15. ♘f5 ♕f5 16. ♗h3 h5 17. f3±) 14. g5 (14. f4!? ♘g4 15. f5 ♗d6 16. h3 ♘ge3 17. ♗e3 ♘e3 18. ♕a4 ♔f8 19. fg6 ♘f1 20. ♖f1 hg6∞; 19... hg6!? Miles) ♘d7 15. ♖b1 ♘b4= A. Černin 2580 – Miles 2520, Moskva (GMA) 1989] **4. ♘c3 ♘f6 5. e3 g6 6. d3 ♗g7 7. ♘ge2 0–0 8. 0–0 d6 9. ♗d2 N** [9. a3; 9. ♖b1 – 29/71; 9. b3 – 37/24] **♗e6 10. ♘d5 ♗f7 11. ♖c1 ♘d5 12. cd5 ♘e7 13. e4 c6 14. dc6** [14. ♗g5!? cd5 15. ef5 gf5 16. ♘c3∞̄] **♘c6** [14... bc6 15. ef5 gf5 16. ♗g5!] **15. ef5?!** [15. ♕a4=] **gf5 16. ♕a4** [16. ♗c6? bc6 17. ♖c6 f4↑] **♔h8 17. ♖fe1?!** [17. f4? ♕b6; 17. ♔h1 Δ f4∞] **f4! 18. gf4 ♕h4 19. b3** [19. ♕e4!? ♗a2 (19... ♗g6 20. ♕f3 Δ ♕g3) 20. ♖f1 ef4 21. ♘f4 ♘e5↑] **♗g6 20. ♕c4 ♗h6 21. ♖cd1** [21. f5 ♕c4 22. ♖c4 ♗d2 23. ♖d1 ♗f7 24. ♖d2 ♗c4 25. dc4 ♖f5 26. ♖d6 ♖af8∓; 21. ♖c2 ef4 22. ♗c6 (22. ♗c3 ♘e5) bc6 23. ♗c3 ♗g7 24. ♗g7 ♔g7 25. ♘d4 ♔h6 26. ♔h1 c5∓] **♖ac8! 22. ♕d5** [22. f5 ♘d4!] **ef4∓ 23. ♗c3 ♘e5 24. ♗a1** [24. ♕d6 ♖c3! 25. ♕e5 (25. ♘c3 ♘g4 26. ♘e4 ♕h2 27. ♔f1 ♕h5 Δ f3–+) ♗g7∓] **♗g7 25. ♕d6 ♖cd8** [25... ♘g4 26. ♗g7 ♔g7 27. ♕d4 ♔h6 28. h3 ♖cd8 29. ♕a7] **26. ♕c7 ♖f7 27. ♗e5** [27. ♕c5 b6 Δ ♘g4] **♖c7 28. ♗c7 ♖f8 29. ♗d6 ♖f5! 30. ♗b7** [30. ♖c1 ♗e5–+] **f3–+ 31. ♖c1 ♕h3 32. ♖c8 ♖f8 33. ♖f8 ♗f8 34. ♗e5 ♗g7 35. ♘f4 ♕g4 36. ♔f1** [36. ♔h1 ♗e5 37. ♘g6 hg6 38. ♖g1 ♕h4] **♗d3 0 : 1 [Pr. Nikolić]**

30.** **A 25**

SR. CVETKOVIĆ 2460 – V. RAIČEVIĆ 2480
Vrnjačka Banja 1989

1. c4 e5 2. ♘c3 ♘c6 3. g3 g6 4. ♗g2 ♗g7 5. e3 d6 6. ♘ge2 h5 7. d4 ed4! [7... h4 8. d5 ♘ce7 9. e4 *a)* 9... hg3 10. hg3 ♖h1 11. ♗h1 f5 N (11... ♕d7) *a1)* 12. ♗g5 ♗f6 13. ♗e3 (13. ♕d2? ♘d5) g5 14. ef5 ♘f5 (14... ♗f5 15. ♗e4!?±; 15. ♘e4!?±) 15. ♕d2=; *a2)* 12. ♗e3 ♘f6 13. ♕d2 fe4 14. ♘e4 ♘f5 15. ♗g5 ♘e4 16. ♗e4 ♗f6 17. ♗e3! ♔f7? 18. 0-0-0 ♘e3 19. ♕e3 ♗g4 20. ♖h1 ♗g7 21. f3 ♗d7 22. ♔b1Δ ♘c3, ♗c2, ♘e4-g5± Sr. Cvetković 2460 – V. Kontić 2385, Vrnjačka

Banja 1989; 17... ♕e7 △ ♗d7, 0-0-0±; *b)* 9... h3!? 10. ♗f3 N (10. ♗f1 – 36/27) f5 11. ♕d3 ♘h6! 12. 0–0 0–0 13. ♗h1 a6!? 14. a4 a5 15. f4 ♘f7! 16. ♗f3 ♗d7 17. ♗e3 b6 18. ♖ae1 ♕c8 19. b3 ♕a6 20. ♕d2 ♖ae8∞ Sr. Cvetković 2460 – Østenstad 2410, Trnava II 1989] **8. ♘d4 ♘ge7 9. ♘c6 N** [9. h3] **♘c6** [9... bc6!?] **10. h3 ♗e6** [10... ♘e5 11. f4!±; 10... 0–0!? 11. ♗d2 (11. 0–0?! ♘e5∓ ×c4) ♘e5 12. ♕e2 ♗f5 (12... ♗e6 13. b3±) 13. e4 ♗e6 14. b3 ♘c6∞; 14... c5∞] **11. ♕a4□** [11. ♘d5?! ♘e5∓] **♕d7** [⌓ 11... 0–0 (△ ♘e5) 12. ♗c6□ bc6 13. ♕c6∞] **12. ♗d2± 0–0 13. ♘d5 a6! 14. ♗c3 b5! 15. cb5 ♘e5 16. ♕h4** [△ ♘f6] **♗d5 17. ♗d5 ♕b5 18. ♗a8 ♘d3!?** [18... ♖a8 19. 0-0-0□ ♘d3 20. ♖d3 ♕d3 21. ♗g7 ♔g7 22. ♕d4 ♕d4 23. ed4=⊥] **19. ♔d2** [19. ♔f1 ♘f4! (19... ♘b2?! 20. ♔g2 ♗c3 21. ♗f3±) 20. ♔g1 g5!–+] **♗c3 20. ♔c3 ♘f2! 21. ♕c4** [21. ♗e4? g5–+] **♖a8 22. ♕b5 ab5 23. ♖hc1?⊕** [23. ♖hf1! ♘e4 (23... ♘h3 24. ♔b4 c6 25. b3 △ a4±) 24. ♔b4 c6 (24... ♖b8 25. g4±) 25. b3 ♘g3 26. ♖fc1 ♖a6 27. a4 ba4 28. ba4 △ a5, ♔c4, ♖cb1-b6±] **c5! 24. b3?!** [24. a3 △ b3, a4] **b4 25. ♔c4 ♔f8!∓ 26. h4 ♔e7 27. ♖f1?** [27. ♖c2 ♘e4 28. ♖g1∓] **♘e4 28. ♖g1 ♔e6 29. ♔d3 ♔e5 30. ♖g2 d5 31. ♖c1 c4! 32. bc4 ♘c5! 33. ♔e2** [33. ♔d2 ♖a2 34. ♖c2 b3!–+] **♖a2 34. ♔f3 ♖g2 35. ♔g2** [35. cd5 ♖f2] **♘d3! 36. ♖a1 dc4 37. ♔f3 c3 38. ♔e2 ♔e4 39. ♖a7 c2 40. ♖e7 ♔d5 0 : 1**
[Sr. Cvetković]

31. A 26

I. CSOM 2545 – KINDERMANN 2515
Debrecen 1989

1. c4 e5 2. g3 g6 3. ♘c3 ♗g7 4. ♗g2 d6 5. d3 ♘c6 6. e4 ♘d4?! 7. ♘ge2 ♗g4 8. h3 ♗e2 N [8... ♗f3 9. ♗f3 ♘f3 10. ♔f1 c6 11. ♔g2±] **9. ♘e2 ♘e2 10. ♕e2 ♘e7 11. h4± ♘c6** [11... c5 12. ♗g5±] **12. ♗g5 ♗f6 13. ♗e3 h5 14. 0-0-0 ♕e7 15. ♗h3!± a6 16. ♔b1 ♔f8 17. ♖c1 ♘d4 18. ♗d4 ed4 19. f4 c5 20. ♗g2 ♖e8 21. ♗f3 ♔g7 22. ♕g2 b5 23. ♗d1! ♖b8 24. ♗b3 ♕d7 25. ♖hf1** [△ 26. cb5 ab5 27. e5] **b4 26. ♖f3** [26. ♕c2 ♕g4!] **♗d8 27. ♕c2** [27. f5 ♗f6! △ ♗e5] **f5 28. ♗a4 ♕c8 29. ♖e1 ♖b7 30. ef5 gf5** [30... ♕f5 31. ♗c6] **31. ♕g2! ♖e7 32. ♖e7 ♗e7 33. ♖f2 ♖h6 34. ♕f3 ♖e6 35. ♖e2** [35. ♕h5 ♖e1 36. ♔c2 ♕e6 △ ♕e3∞̅] **♔h6 36. ♗d1** [△ 37. ♕h5 ♔h5 38. ♖e6#] **♖e2** [36... ♗f6 37. ♔c2!] **37. ♕e2** [♕ 8/h] **♗f6 38. ♕h5 ♔g7 39. ♗f3! ♕e6 40. ♗d5 ♕e7 41. ♔c2 a5 42. ♔b3 ♕d7 43. ♔c2 ♕e7 44. ♔d1 ♕d7 45. ♔e1** [45. g4? fg4 46. f5 ♔f8] **a4 46. ♔f1⊙ ♗d8**

47. g4!+– fg4 48. f5 ♔f6□ 49. ♔g2!! [49. ♕g5?! ♔e5 50. f6 ♕f5 51. ♕f5 ♔f5 52. f7 ♗e7 53. a3 ♔f4±; 49. ♗e6 ♕g7] **♕g7** [49... ♔e5 50. f6 ♕f5 51. ♕e8+–; 49... ♕f5 50. ♕h8+–] **50. ♕e8 ♗e7 51. ♕d7 ♕f8 52. ♕e6 ♔g7 53. ♕g6 ♔h8 54. f6! ♗f6 55. ♗e4 ♕g7 56. ♕e8 1 : 0**
[I. Csom]

32.* A 26

MIRALLÈS 2400 – TAL' 2610
Cannes 1989

1. ♘f3 g6 2. g3 ♗g7 3. ♗g2 e5 4. 0–0 ♘c6 5. c4 d6 6. ♘c3 f5 [RR 6... ♘f6 7. ♖b1 0–0 8. d3 ♗f5 9. ♘d2 N (9. e4; 9. ♘h4; 9. b4 – 20/59) ♕d7 10. ♖e1 ♗h3 11. ♗h1 ♘h5?! 12. b4 f5 (12... a6!?) 13. b5 ♘d8 14. c5! e4 (14... dc5 15. ♗a3 e4 16. de4 ♗c3 17. ♕b3±) 15. cd6 (15. de4!?) cd6 (15... e3 16. fe3 ♕d6 17. ♘c4 △ ♘d5±) 16. de4± A. Černin 2580 –

Levitt 2495, Roma 1989; ⌓ 11... ♘g4 A. Černin] **7. d3 ♘f6 8. ♘d5!?** [8. ♖b1] **♘e7 N** [8... 0—0 — 33/(32)] **9. e4** [9. ♘f6 ♗f6 10. ♗h6 e4 (10... ♘g8!?) 11. de4 fe4 12. ♘d4 ♘f5 13. ♘f5 ♗f5∞] **0—0 10. ♖e1 c5** [10... c6?! 11. ♘e7 ♕e7 12. ef5 gf5 13. c5±; ⌓ 10... ♘ed5 11. cd5 c6 12. dc6 bc6 13. b4⩲] **11. ♘e7 ♕e7 12. ef5 gf5?!** [12... ♗f5!? 13. d4 e4 14. ♗f4 ♖ad8 15. ♕c1⩲] **13. d4± e4 14. dc5 dc5 15. ♗f4 ♖d8 16. ♕c1 ♗e6** [⌓ 16... ♗d7 17. ♘h4 ♘h5?! 18. ♗g5 ♗f6 19. ♗f6 ♕f6 20. f3±] **17. ♘g5 ♗d7 18. f3 ♗c6 19. fe4 fe4 20. ♕c2 ♖d4 21. ♘f3 b6** [21... ♖ad8 22. ♘e5 ♗e8 23. ♗e4 ♘e4 24. ♖e4 ♖e4 25. ♕e4 ♖d4 26. ♕e2±] **22. ♘d4 cd4 23. c5?!** [23. ♖ad1±] **bc5?** [23... ♕c5 24. ♕c5 bc5 25. ♖ac1 ♗f8 26. ♗e5 d3 27. ♗f6 d2 28. ♖cd1 de1♕ 29. ♖e1 ♖e8⩲] **24. ♖ac1 ♗f8 25. ♗g5 ♖e8** [25... ♕e5 26. ♗f6 ♕f6 27. ♗e4 ♗h6 28. ♗c6 ♕c6 29. ♕c5 ♗e3 30. ♖e3 ♕c5 31. ♖c5 de3 32. ♖e5+−] **26. ♖f1 ♗g7 27. ♕c5+− ♕c5 28. ♖c5 ♖e6□ 29. ♗h3 ♖d6□ 30. ♗f4 ♗d7□ 31. ♗d6 ♗h3 32. ♗e5 d3** [32... ♗f1 33. ♔f1 d3 34. ♖c4 e3 35. ♖c3] **33. ♖f6 d2 34. ♖d5 ♗f6 35. ♗f6 e3 36. ♗c3 1 : 0**
[Mirallès]

33. A 27

UHLMANN 2515 — AZMAJPARAŠVILI 2560

Berlin 1989

1. c4 d6 2. d4 e5 3. ♘f3 ed4 4. ♘d4 g6 5. g3 ♗g7 6. ♗g2 ♘e7 7. ♘c3 ♘bc6 8. ♘c6 bc6 9. h4 N [9. ♗g5 — 33/33] **h6 10. ♗f4 ♗e6 11. ♕d3 ♖b8 12. b3 0—0** [12... d5? 13. ♖d1 dc4 14. ♕e3 ♕c8 15. bc4±] **13. ♖d1 c5 14. ♕d2 ♔h7∞ 15. 0—0 ♕c8 16. ♔h2 ♖b4** [△ a5-a4] **17. ♕c2 ♗f5 18. ♕c1** [18. e4 ♗e6 19. ♘b5 a6 20. a3 ab5 21. ab4 bc4! 22. bc4 cb4∓] **♗d7! 19. ♖d3** [19. ♗e4 ♗c6 20. ♗c6 ♘c6 21. ♘b5 a6! (21... ♘d4? 22. ♘d4 cd4 23. c5!±) 22. ♘c7 ♕c7 23. ♗d6 ♕a7 24. ♗f8 ♗f8∓] **a5 20. ♗d2 ♖b8 21. ♘d5** [21. ♘e4 a4 22. ♗h6? ♗h6 23. ♘f6 ♔g7 24. ♕c3 ♔h8!! 25. ♘d7 ♗g7 26. ♘f6 ♘g8−+] **♘d5 22. ♗d5 ♗f5 23. ♖e3 a4 24. ♗c3 ♗d4! 25. ♖e7□ ♕d8! 26. ♖f7 ♖f7 27. ♗f7 ♕e7 28. ♗d4 cd4 29. ♗d5 ab3 30. ab3 ♕e2! 31. c5!?** [31. ♖e1!? ♕f2 32. ♔h1 ♖g8!!□ 33. ♗g8 ♔g8 34. ♖e8 ♔f7 35. ♕e1 ♕e1 36. ♖e1 ♗c2−+] **♖d8! 32. cd6 ♖d6 33. ♕c7 ♖d7 34. ♗c4** [34. ♕c4 d3−+] **d3 35. ♕b8 ♖g7** [36. ♔g1 ♕f3−+] **0 : 1**
[Azmajparašvili]

34.* A 27

CHRISTIANSEN 2530 — BROWNE 2535

Las Vegas 1989

1. c4 e5 2. ♘c3 ♘c6 3. ♘f3 f5 4. d4 e4 5. ♘e5!? [RR 5. ♗g5 ♗e7 6. ♗e7 ♘ce7 7. ♘g1 N (7. ♘d2 — 20/55) ♘f6 8. e3 d6 9. h4 c6 10. ♘h3 ♗e6 11. ♗e2 ♗f7 12. ♘g5 0—0 13. ♕b3 ♕b6 14. f3 d5 15. fe4 fe4 16. ♕b6 ab6 17. ♖f1 h6 18. ♘f7 ♔f7 19. cd5 ♘d5 20. ♘d5 cd5 21. ♔d2⩲ Vaganjan 2600 — Pr. Nikolić 2605, Barcelona 1989] **♘e5** [5... ♘ce7?! 6. c5 △ ♕b3; 5... ♘f6; 5... ♗b4!?] **6. de5 ♘e7 N** [6... d6 7. ♗f4 g5 8. e3!?] **7. ♗g5 h6?!** [⌓ 7... c6 △ ♕a5] **8. ♗h4 c6** [8... g5 9. e3 ♗g7 10. ♕h5 ♔f8 11. ♗g3±] **9. e3 ♕a5 10. ♗g3± g6 11. ♗e2 h5** [11... ♗g7 12. ♕d6±] **12. a3?** [12. h4 ♗g7 13. ♕d6 ♖h6 14. 0—0 g5 15. ♕d4±] **h4 13. ♗f4 g5 14. ♗g5 ♕e5 15. ♗f4** [15. ♗h5 ♔d8 16. ♗h4 f4∞] **♕f6 16. 0—0 ♘g6 17. ♗c7?!** [17. ♗h5⩲] **d6 18. f3?!** [⌓ 18. ♕a4 △ ♗b6, ♖ad1] **♕e7!** [18... ♖h7 19. ♗a5 b6 20. ♕a4!±] **19. ♗a5 b6 20. ♕a4 ♕b7 21. fe4** [21. ♗b4 a5] **ba5 22. c5!∞ ♘e5** [22... dc5!? 23. ef5 ♘e5 (△ 24. ♕e4 ♕c7) 24. ♕f4=∞; 22... ♗h6!?] **23. ef5 ♕g7?** [23... ♕b2 24. ♕d4! ♗g7 25. f6 ♗f6 26. ♖f6 ♕a1 27. ♖f1+−; 23... ♗h6! △ 0—0∞] **24. f6 ♕g6?** [24... ♕f7 25. ♖ad1±] **25. f7+− ♔e7⊕ 26. ♘d5!?** [26. cd6 ♕d6 27. ♖ad1+−] **♔d7 27. ♘f6** [27. ♖ad1+−] **♔e6 28. ♖ad1 ♖b8 29. ♗c4 ♘c4 30. ♕c4 ♔e7** [30... d5 31. ♖d5! cd5 32. ♕d5 ♔e7 33. ♕e5 ♔f7 34. ♘d7 ♔g8 35. ♖f8 ♔h7 36. ♖h8#] **31. cd6 ♔d8 32. ♕c6 ♕f7 33. ♘d5 ♕b7 34. ♕c7! 1 : 0**
[Christiansen]

35.* **A 28**

UBILAVA 2515 – RAZUVAEV 2550

Moskva (GMA) 1989

1. c4 e5 2. d3 ♘f6 3. ♘f3 ♘c6 4. ♘c3 d5 [RR 4... h6 5. e3 g6!? N (5... d5) 6. ♗e2 ♗g7 7. 0–0 0–0 8. a3 a5 9. ♕c2 d6!? (9... d5) 10. b3 ♖e8 11. ♗b2 ♗e6 12. ♖fd1 ♕e7 13. ♖ac1 ♖ad8 14. ♘d2 d5 15. cd5 ♘d5 16. ♘de4 (16. ♘c4; 16. ♘ce4 f5 17. ♘c5 ♗c8∞) f5 17. ♘d5 ♗d5 18. ♘c3 ♗f7 19. ♘a4 ♘b8! 20. ♗f3 b6! 21. ♘c3 ♕e6!∓⊕ 22. b4 1/2 : 1/2 Ribli 2630 – I. Sokolov 2570, Reggio Emilia 1988/89; 9. d4!? ed4?! 10. ed4 (10. ♘d4!? ♘d4 11. ♕d4) d5 (10... d6±) 11. cd5 ♘d5 12. ♗c4↑; 9... d6!?∞ I. Sokolov] **5. cd5 ♘d5 6. e3 ♗e7 7. ♗e2 0–0 8. 0–0 ♗e6 9. a3 a5 10. ♘a4?! N** [10. ♗d2; 10. ♕c2!?] **f5 11. ♕c2 ♔h8 12. b3** [12. ♘c5 ♗c5 13. ♕c5 ♕d6!∓] **♗d6 13. ♗b2** [13. ♘c5!?] **♕e7 14. d4?!** [14. ♖ac1 ♖ad8 15. ♘c5 ♗c8∓] **ed4** [14... e4 15. ♘e5 ♕f6 16. ♘c6 bc6 (16... ♗h2!? 17. ♔h2 ♕h4 18. ♔g1 ♖f6∞ Ubilava) 17. g3 f4!⇆] **15. ed4** [15. ♘d4 ♘d4 16. ♗d4 f4 17. e4 f3! 18. ♗f3 ♖f3!∓→] **♘f4 16. ♗c4** [16. ♖fe1 ♘e2 17. ♕e2 (17. ♖e2 ♗b3∓) ♗b3 18. ♕b5 ♕f7∓] **♕f7↑⟫ 17. ♗c1 ♗d5?!** [17... ♘g2!! 18. ♗e6 (18. ♔g2 ♕g6 19. ♔h1 ♕h5 20. ♕d3 ♘d4!–+; 18. ♘g5 ♕h5 19. f4 ♗c4 20. bc4 ♘f4–+) ♕e6 19. ♔g2 ♕g6 20. ♔h1 ♕h5 21. ♕d1 ♘d4 22. ♕d4 ♕f3 23. ♔g1 ♖f6–+] **18. ♗f4 ♗f4 19. ♘c5?** [19. ♗d5=] **b6?** [19... ♕h5! 20. ♘d3 ♘d4 21. ♘f4 ♘f3 22. gf3 ♕g5 23. ♘g2 ♗f3–+] **20. ♘d3 ♗d6 21. ♘de5 ♘e5 22. de5 ♗c4 23. bc4 ♗c5 24. a4 h6 25. ♖fe1 ♕e6 26. h4** [26. ♖ad1!?] **g5!? 27. ♖ad1** [27. hg5 hg5 28. ♖ad1 (28. ♘g5 ♕g6 29. ♘h3 ♖g8 30. ♘f4 ♕g3∓) g4⇆] **gh4 28. ♘h4 ♖f7 29. ♖d3!** [29. ♔h2 ♖g8 30. f4 ♖fg7!∓] **♖g8 30. ♖f3 ♖g4 31. ♘f5 ♕g6 32. e6!** [32. g3 ♖g5!–+] **♖g2 33. ♔h1 ♗f2! 34. ♖f2□** [34. ef7 ♖g1–+; 34. ♘h4 ♖g1 35. ♔h2 ♕c2–+] **♖f2 35. ♕f2 ♖f5 36. ♕d4 ♔h7 37. ♕d7 ♔h8 38. ♕d8 ♔h7 39. ♕c7 ♔h8 40. ♕c8 ♔h7 41. ♕c7 ♔h8 1/2 : 1/2** **[Razuvaev]**

36. **A 28**

BÁŇAS 2410 – SAVON 2425

Trnava II 1989

1. c4 ♘f6 2. ♘c3 e5 3. ♘f3 ♘c6 4. e3 ♗b4 5. ♕b3 [⌓ 5. ♘d5; 5. ♕c2!? – 46/28] **e4! N** [5... a5] **6. ♘e5?!** [6. ♘g5 ♕e7!? (6... ♗c3 7. ♕c3 h6 8. ♘h3 g5!?∞) 7. ♘d5?! ♘d5 8. cd5 ♘a5! 9. ♕a4 ♕g5 10. ♕b4 ♕d5∓; 6. ♘d4 ♘d4 7. ed4 a5! (7... ♕e7? 8. ♘b5!±) 8. a3 ♗c3=] **♘e5 7. ♕b4 d6 8. ♕a4** [8. ♗e2 0–0 9. f4 ef3 10. gf3 ♘h5∓] **c6 9. h3** [9. ♕c2 ♗f5 10. f4 ♘d3 11. ♗d3 ed3∓] **0–0 10. ♕c2?** [10. b4!?∓] **♗f5 11. f4 ♘d3 12. ♗d3 ed3 13. ♕d1 d5!∓ 14. cd5 ♘d5 15. 0–0 ♘c3 16. bc3 ♖e8 17. ♕h5** [17. c4 ♖e4! 18. ♕b3 (18. g4? ♗e6 19. c5 f5!) ♕d7 19. ♖b1 b6∓] **♕d7 18. c4 f6 19. ♗b2 ♖e4 20. c5?** [20. ♖fc1 ♗e6 21. c5∓] **♖c4 21. ♖fc1** [21. ♗c3 ♖c5 22. g4 ♖c3! 23. dc3 ♗e4–+] **♖c2 22. ♗c3 b5 23. a3** [23. cb6? ab6–+] **a5 24. ♕f3 ♕e6 25. ♕g3 ♕e7 26. ♖f1 ♖c3?** [26... ♔f7! 27. ♕h4 ♕c5 28. ♕h5 ♔g8 29. g4 ♖c3! 30. dc3 ♕e3–+] **27. dc3 ♕c5 28. ♕f2! ♖e8** [28... ♕c3 29. ♖fc1 ♕b3 30. ♖c6∓; 28... ♗e4 29. ♕d2∓] **29. e4! ♕f2 30. ♖f2?** [30. ♔f2! ♖e4 (30... ♗e4 31. ♖fe1 △ g4, ♔e3∓) 31. ♖fe1 ♖c4 32. g4 ♗e4 33. ♔e3 f5 34. ♔d2∓] **♖e4 31. ♖d1** [31. g4 ♗e6 32. ♖d1 ♖e3!–+] **♖c4–+ 32. g4 ♗e4 33. ♖e1 f5 34. gf5 ♔f7 35. ♖d2 ♗f5 36. ♖e5 ♔f6 37. ♖f5 ♔f5 38. ♖d3 ♔e4 39. ♖g3 ♔f4 40. ♖g7 ♖c3 0 : 1** **[Savon]**

37. **A 29**

JOEL BENJAMIN 2545 – MIRALLÈS 2400

Paris 1989

1. c4 e5 2. g3 ♘f6 3. ♗g2 d5 4. cd5 ♘d5 5. ♘c3 ♘b6 6. d3 ♗e7 7. ♗e3 0–0 8. ♕c1 ♖e8 N [8... h6 – 31/56] **9. ♘f3 ♘c6 10. 0–0 ♗g4 11. ♖e1 ♗f8 12. ♘e4** [12. h3!?] **♗b4 13. ♗d2 f5 14. ♘c5 ♗c5 15. ♕c5 e4 16. ♘h4□ ♖e5 17. ♕a3?!** [17. ♕c1 ♕f8 18. ♗c3 ♖e7∞] **♖b5!∓ 18. h3**

♗h5 19. ♖ac1 [⌓ 19. ♗c3 ♘d4 20. ♗d4 ♕d4∓] **♘d4** [19... g5? 20. ♘f5 ♖f5 21. g4±] **20. ♗f1 ed3 21. ♕d3** [21. ed3? g5−+] **♖b2 22. ♗e3?** [22. ♗c3? ♘e2∓; 22. e3 ♘f3 23. ♘f3 ♗f3 24. ♕f5 ♕d2 25. ♕f3 ♖f8 26. ♕e2 ♕b4∓; 22. ♖cd1!? c5∓] **♘e2∓ 23. ♗e2 ♖e2 24. ♕f5 ♖e1 25. ♖e1 ♗f7 26. ♕g4 ♕d7 27. ♕g5** [27. ♘f5 ♗e6] **h6 28. ♕c5 ♗d5 29. ♔h2 ♖e8 30. ♖d1 ♕f7 31. g4?** [31. a4] **♗a2−+ 32. ♘f5 ♗e6 33. ♘d4 ♗d5 34. ♘f5 ♗e4 35. ♘g3 ♗g6 36. ♗d4 c6 37. ♖a1 ♘c4 38. f4 ♖e4 39. ♖a7 ♘d2 40. ♘e4 ♕f4 0 : 1**
[Mirallès]

38. A 29

B. LARSEN 2580 − MIRALLÈS 2400
Cannes 1989

1. g3 e5 2. c4 ♘f6 3. ♗g2 d5 4. cd5 ♘d5 5. ♘c3 ♘b6 6. d3 ♗e7 7. ♗e3 0−0 8. ♖c1 f5 [8... ♘c6? 9. ♗c6; 8... ♖e8!? − 46/22; 8... ♔h8!?] **9. ♘f3 ♘c6 10. ♕b3!? N** [10. 0−0] **♔h8 11. 0−0 f4** [11... ♗f6!?] **12. ♗b6 ab6 13. ♕d5! ♕d5** [13... ♗d6!?] **14. ♘d5 ♗d6 15. a3 ♗g4 16. ♖fe1 h6 17. ♘c3!± ♗c5? 18. ♘e4 ♗d4 19. ♘d4 ed4 20. ♘d2± ♖ae8 21. ♗e4 ♗f5 22. f3 ♗e4 23. ♘e4 fg3?** [⌓ 23... ♖f7] **24. hg3 g5 25. ♔g2 ♖e5 26. ♖c2 ♔g7 27. ♖ec1 ♖b5 28. g4+−** [×h6, f5, c7] **♖e8 29. ♘g3 ♖b3 30. ♔f2 ♖e5** [30... ♖e6 31. ♘f5 ♔h7 32. ♖b1!! △ ♖c6] **31. ♘f5 ♔f8 32. ♖h1 ♖eb5 33. ♖h6 ♖b2 34. ♖b2 ♖b2 35. ♖h8 ♔f7 36. ♖h7 ♔f6 37. ♖c7 ♘e5 38. ♔e1 ♖b1 39. ♔d2 ♖b2 40. ♔d1 ♘g6 41. ♘d4 ♘f4 42. ♘c2 1 : 0** **[B. Larsen]**

39. A 29

L. PORTISCH 2610 − TIMMAN 2610
Antwerpen (m/3) 1989

1. c4 e5 2. ♘c3 ♘f6 3. g3 d5 4. cd5 ♘d5 5. ♗g2 ♘b6 6. ♘f3 ♘c6 7. 0−0 ♗e7 8. a3 0−0 9. b4 ♗e6 10. ♖b1 f6 11. ♘e4 ♗a2 12. ♖b2 ♗d5 13. ♘c5 ♖b8?! N [RR 13... ♕c8 14. e4 ♗f7 15. d4; 13... ♗c5 14. bc5 ♘d7 15. ♖b7 e4 (15... ♘c5 16. ♖b5±) 16. ♘e1 ♘c5 17. ♖b5 ♘d4!? 18. ♖c5 ♗b3 19. ♘c2 ♘c2 20. ♖c2 ♕d4! 21. d3□ ♕a4 22. ♗e4 ♗c2 23. ♕d2±⊕⊞ Winants; 13... ♘c4 − 39/46] **14. e4! ♗f7 15. d3** [⌓ 15. ♕c2!±] **♘d7! 16. ♘b3 a5 17. b5 ♘a7** [17... ♗a3? 18. ♖a2 ♗c1 19. bc6 bc6 20. ♘c1 ♗a2 21. ♘a2±; 17... ♘d4!?] **18. a4 ♗a3 19. ♖b1 ♗c1 20. ♖c1 c6 21. bc6 bc6?!** [21... ♘c6=] **22. ♘fd2 ♖b4?** [22... c5! 23. ♗h3 ♘c6 24. ♗d7 ♕d7 25. ♘c5 ♕d6∞] **23. ♗h3!± ♘b6?** [⌓ 23... ♔h8±] **24. ♘c5+− ♕e7 25. ♕c2 ♘c4** [25... ♖d8 26. ♖b1 (26. ♖fd1!?) ♘c4 27. ♖b4 ab4 28. ♘db3 ♘a3 29. ♕b2 △ ♖c1+−] **26. ♘db3 ♘a3 27. ♕c3** [27. ♕a2? ♖fb8 28. ♖c3 (28. ♕a3 ♖b3) ♘3b5! 29. ab5 a4 30. ♘a4 ♖8b5 31. ♘ac5 ♖c5!] **♖fb8 28. ♘d2?** [28. ♘a5 ♘b1 29. ♕e1 ♖b2 30. ♕e3!+−] **♖b2?** [28... ♘c4! 29. ♘a6 ♘d2 30. ♕d2 ♖d8 31. ♘b4 ab4 △ c5, ♖d4∞] **29. ♕a3 ♖d2 30. ♖b1 ♕d6 31. ♕c3** [31. ♘d7? (△ 31... ♕a3 32. ♖b8 ♗e8 33. ♗e6+−) ♖b4!] **♖a2 32. ♕a5 ♘b5 33. ♕b4 ♖c2 34. ♘a6 c5 35. ♕a5 1 : 0** **[L. Portisch]**

40. A 29

ŞUBĂ 2515 − THORSTEINS 2430
New York 1989

1. c4 e5 2. g3 ♘f6 3. ♗g2 d5 4. cd5 ♘d5 5. ♘c3 ♘b6 6. ♘f3 ♘c6 7. 0−0 ♗e7 8. a3 0−0 9. b4 ♗e6 10. ♖b1 f6 11. ♘e4?! ♗a2! 12. ♖b2 ♗d5 13. ♘c5 e4! N 14. ♘e1 ♘c4 15. ♖b1 ♗c5 16. bc5 b6 17. d3 ed3 [17... ♘4e5!? 18. de4 (18. ♗e3 ed3 19. ♘d3 ♗g2 20. ♔g2 ♕d5∓) ♗c4 19. ♕d8 ♖ad8 20. f4 (20. ♖b2 ♘d4∓) ♘d7 21. cb6 ab6 22. ♖b2 ♘d4 23. ♖f2 ♘c5∞] **18. e4!?** [18. ♘d3 ♗g2 19. ♔g2 ♕d5∓] **♗f7 19. ♘d3 ♘d4** [19... bc5 20. ♘c5 ♕e7 21. ♘b3 ♖ad8 22. ♕c2 a5 23. ♗e3∞; 19... ♕e7 20. cb6 ab6 21. ♘f4! (21. e5?! ♘6e5 22. ♗a8 ♖a8 23. ♘e5 ♘e5∓; 21. ♘b4 ♘b4 22. ab4 ♖a2! 23. ♕f3 ♖d8∓) ♘a3? 22. ♘d5 ♕d8 23. ♗a3 ♖a3 24. ♕c1+−; 21... ♖fd8!?] **20. a4 ♕d7 21. ♗f4 ♖ad8?! 22. cb6 ab6 23. ♘b4!± c6?! 24. ♗e3** [⌓ 24. ♘d5 cd5 25. ♕d4 de4

26. ♕d7 ♖d7 27. ♗e4±] **c5** [24... ♘e3!? 25. fe3 ♘b3! 26. ♕d7 ♖d7 27. ♘c6 ♘d2 28. ♖fd1 ♗h5 29. e5!∞] **25. ♘d5 ♗d5 26. ed5 ♘f5 27. ♗f4 ♘d4 28. h4?!** [28. ♖e1 △ ♕d3±] **♖fe8 29. ♔h2? ♖e2!∓⊕** [△ 30... ♘b2 31. ♕c1 ♘d3−+] **30. ♕c1?!⊕ ♕a4 31. ♗c7 ♖de8 32. ♖a1 ♕b3 33. d6 ♘e5 34. ♖a3 ♕e6 35. ♗b6 ♘g4 36. ♔g1**

36... ♘f2!−+ 37. ♗c5 ♖c2 38. ♕e3 ♘e2 39. ♔f2 [39. ♔h2 ♘g4] **♘f4 40. ♔f3 ♕d5 41. ♔f4 g5??** [41... ♖c4 42. ♗e4 ♖ce4 43. ♕e4 ♕e4#] **42. ♔g4 h5 43. ♔h5 ♕f7 44. ♔g4 ♖e3 45. ♗e3 ♕e6 46. ♔h5 ♕e8??** [46... ♕f7=] **47. ♔h6! ♕f8 48. ♔g6 ♕f7 49. ♔f5 ♕d7 50. ♔f6 ♕d8** [50... ♕d6 51. ♔g5 ♕g3 (51... ♕a3 52. ♗d5 ♔g7 53. ♗d4 ♔h7 54. ♖f7+−) 52. ♔h5! ♕e5 (52... ♕g2 53. ♖g1+−; 52... ♖g2 53. ♖a8+−) 53. ♗g5 ♕e2 54. ♔h6 ♕g2 55. ♖f6+−] **51. ♔g6 ♖g2?** [⌓ 51... ♕e8] **52. d7!+− gh4 53. ♗c5 ♖g3 54. ♖g3 hg3 55. ♖f8 ♕f8 56. ♗f8 1 : 0**
[Thorsteins]

41. A 29

AN. KARPOV 2750
– J. HJARTARSON 2615
Seattle (m/2) 1989

1. c4 e5 2. g3 ♘f6 3. ♗g2 d5 4. cd5 ♘d5 5. ♘c3 ♘b6 6. ♘f3 ♘c6 7. 0–0 ♗e7 8. a3 ♗e6 9. b4 0–0 10. ♖b1!? f6 [△ ♘d4] **11. d3 ♕d7** [RR 11... a5!? 12. b5 ♘d4 13. ♘d2 ♘d5?? 14. ♗d5 ♗d5 15. e3+− Thorsteins] **12. ♘e4!± N** [12. ♗d2 − 45/(26)] **♘d5 13. ♕c2 b6?!** [13... a5!? 14. b5 (14. ♘c5!?) ♘d4 (14... ♘d8 15. d4±) 15. ♘d4 ed4 16. ♗b2 b6 (16... ♕b5 17. ♗d4±) 17. a4 (17. ♗d4 ♗a3±) f5 18. ♘d2±] **14. ♗b2 ♖ac8 15. ♖bc1!** [△ 15... ♘d8 16. d4 ed4 17. ♘d4 ♗f7 18. ♖fd1±] **♘d4 16. ♗d4! ed4 17. ♕c6!** [17. ♘d4 ♘b4 *a)* 18. ♕b2 ♘d5 (18... ♗d5? 19. ab4 f5 20. ♘d2 ♗f6 21. ♗d5 ♕d5 22. ♕b3+−) 19. ♘e6 ♕e6 20. ♕b5 (20. ♕b3 ♘f4=) c6 21. ♘g5 (△ 21... fg5 22. ♖c6) cb5 22. ♘e6 ♘c3 23. ♖c2 ♗a3 24. ♘f8 ♔f8∞; *b)* 18. ab4 ♕d4 19. b5±] **♕c6 18. ♖c6 ♗d7**

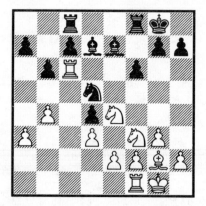

19. ♘d4!± ♗c6 20. ♘c6 ♖ce8□ 21. ♖c1 f5 22. ♘d2 [22. ♘c5!? *a)* 22... bc5 23. ♗d5 ♔h8 24. bc5 ♗f6 25. ♖c2±; 25. e3±; *b)* 22... ♘b4!? 23. ♘d7 (23. ab4 bc5 24. bc5 f4±) ♘c6 24. ♖c6 ♗d6 25. ♗d5 ♔h8 26. ♘f8 ♖f8 27. f4±] **♘f6 23. ♘a7 ♗d6 24. e3 c5 25. ♘c4** [25. ♘b5 ♖d8⇆] **♗b8 26. ♘c6 b5 27. ♘4a5** [27. ♘b6!? cb4 28. ab4±] **cb4 28. ab4 ♘d7 29. d4** [△ ♗f1; 29. h4!?] **g5!?□ 30. ♘b8!?** [30. ♔f1!? f4 31. ♔e2; 30. ♗f3!? f4 31. gf4 gf4 32. e4] **♖b8 31. ♖c7 ♘f6 32. ♘c6 ♖b6 33. ♘e7 ♔h8 34. ♘f5 ♖a6 35. ♖c1** [35. h3!?] **♖a2?!** [35... ♖a4 36. e4 (36. ♖b1? ♖a2±⇆) ♖b4 37. e5 ♘g4 38. ♗h3 (38. e6?! ♖f5 39. e7 ♘f6 40. ♗e4 ♖f2!=) ♘e5 (38... ♘f2 39. ♔f2 ♖d4 40. ♔e3+−) 39. de5 g4 40. ♘d6 gh3 41. e6+−] **36. h3! ♖b2 37. e4 ♖b4 38. g4 h5 39. e5 hg4** [39... ♘h7 40. e6+−] **40. ef6 gh3 41. ♗h3** [41. ♗e4 ♖f6 42. ♖c8 ♔h7 43. ♘e3 ♔g7

44. ♘d5+−] **♖f6 42. ♖c8 ♔h7 43. ♖c7 ♔g6** [43... ♔h8 44. ♔g2 ♖c4 45. ♖b7 b4 46. ♔g3 ♖c3 47. f3 b3 48. ♔g4+−] **44. ♖g7 ♔h5 45. f3!** [△ ♗g4#] **1 : 0**
[Zajcev]

42.** **A 29**

EHLVEST 2600 –
J. HJARTARSON 2615
Rotterdam 1989

1. c4 e5 2. ♘c3 ♘f6 3. ♘f3 ♘c6 4. g3 d5 5. cd5 ♘d5 6. ♗g2 ♘b6 7. a3 ♗e7 8. b4 0–0 9. 0–0 ♖e8 10. ♖b1 N [RR 10. d3 a5 N (10... ♘d4 – 6/59) 11. b5 ♘d4 12. ♘d2 (12. ♘e5!? ♗f6 13. f4 ♗e5 14. fe5 ♖e5 15. ♗f4 ♖e7∞) a4! 13. ♗b2 ♗f8 14. e3 ♘e6 (×d3) 15. ♕c2 ♘c5! 16. d4 ed4 17. ed4 ♕d4 18. ♘d5 ♕d3□ 19. ♕d3 ♘d3 20. ♘c7 ♘b2 21. ♘e8? ♗f5! 22. ♘c7 ♖d8!! 23. ♘e4 ♖c8 24. ♖fc1 ♘2c4 25. ♖c4 ♘c4 26. ♘d5 ♘a3!−+ J. Hjartarson 2615 – Ivančuk 2635, Linares 1989; 21. ♖fb1!∞; 10. b5!? N ♘d4 11. ♘e5 ♗f6 12. f4 ♗e5 13. fe5 ♖e5 14. e3 ♘b5 15. ♘b5 ♖b5 16. a4 ♖f5! (16... ♖a5 17. ♗b2 c6 18. ♕c2!⩱) 17. a5 (17. ♖f5 ♗f5 18. ♗b7 ♖b8 19. ♕f3 ♘c4! △ ♘d6∓ Novik) ♘c4 18. a6 (18. ♖f5? ♘e3) ♖f1 19. ♕f1 ♘d6 20. ♗a3 ♖b8 21. ♗d6 cd6 (21... ♕d6? 22. ab7 ♗b7 23. ♖b1 c6 24. ♕f4+−) 22. ab7 ♗b7 23. ♖a7 ♕b6= Serper 2435 – Novik 2380, SSSR 1989] **♗f8 11. d3 a5 12. b5 ♘d4 13. ♘d2 a4 14. ♗b2 ♖a5! 15. ♘c4□ ♘c4 16. dc4 ♗f5?** [16... ♗e6! 17. ♗d5 ♗d5 18. ♘d5 ♗c5=] **17. ♗b7! ♗b1 18. ♕b1⩱** [×c6, d5] **c6 19. bc6 ♖c5?!** [19... ♕b6 20. ♘d5 ♕c5 21. ♗d4 ed4 22. c7 ♕c4 23. ♖c1 ♖b5 24. ♕a1 ♕e2 25. c8♕ ♖c8 26. ♖c8 ♖b7 27. ♕c1!+−] **20. ♕d3!+− f5!?** [20... ♘c6 21. ♘a4+−] **21. ♖d1 ♕a5 22. ♘d5 ♘c6 23. ♕f5 ♕d8 24. ♘c3! ♘d4 25. ♕e4** [⌓ 25. ♕b1] **♔h8 26. ♗d5 ♕b8 27. ♖b1 ♖cc8 28. ♗c1 ♕a7 29. ♖b7 ♕a5 30. ♗b2 ♗a3⊕** [30... ♖b8 31. ♖b8 ♖b8 32. ♕e5 ♖b2 33. ♕e8+−] **31. ♗a3 ♕c3 32. ♕g4 ♖g8 33. ♗b4** [33. ♖g7 ♘e2 34. ♔f1!+−] **♕a1 34. ♔g2 ♘c2 35. ♖g7** **1 : 0**
[Ehlvest]

43.*** **A 29**

SPEELMAN 2645 –
M. CHANDLER 2610
Hastings 1988/89

1. c4 e5 2. ♘c3 ♘f6 3. ♘f3 ♘c6 4. g3 d5 5. cd5 ♘d5 6. ♗g2 ♘b6 7. 0–0 ♗e7 8. d3 0–0 9. a3 ♗e6 10. b4 ♘d4 [RR 10... f6 11. ♗b2!? N (11. ♗e3 – 46/31) ♕d7 (11... ♘d4 12. ♘d4 ed4 13. ♘e4 ♗d5 14. ♕c2± Vyžmanavin) 12. ♘e4 ♖fd8 13. ♖c1 ♗f8 14. ♕c2 a6 15. ♘c5 ♗c5 16. bc5 ♘d5 17. ♖fd1 △ d4± Smejkal 2515 – Vyžmanavin 2550, Moskva (GMA) 1989; 10... a5 11. b5 ♘d4 *a)* 12. ♘d2 c6 13. bc6 bc6!? N (13... ♘c6 – 41/29) 14. e3 ♘b5 15. ♘b5 cb5 16. ♗a8 ♕a8 17. e4 (C. Hansen 2545 – Züger 2445, Praha 1989) ♘a4!⩱ Ambrož; *b)* 12. ♖b1!? N ♘d5 (12... f6 13. ♘d2 ♖b8 14. e3±; 12... ♘f3!? 13. ♗f3 ♘d5) 13. ♘d5 (13. ♘a4!? ♕e8 14. ♘d4 ed4 15. ♗b2 ♖d8 16. ♗d4 ♗a3 17. ♘c5 ♘f4 18. ♘e6 ♕e6 19. gf4 ♖d4∞) ♘f3 14. ♗f3 ♗d5 15. ♗d5 ♕d5 16. ♕b3 ♕b3 17. ♖b3 a4 18. ♖c3 ♗d6= Shamkovich 2450 – Romanišin 2555, New York 1989] **11. ♗b2 ♘f3 12. ♗f3 c6 13. ♘e4 ♘d7 14. ♕c2 ♗d5 15. ♘d2** [15. ♖fd1?! △ 15... a5 16. d4 f5 17. de5 fe4 18. ♗e4⩱] **♗f3 16. ♘f3 ♗f6!? N** [16... ♗d6! – 46/32] **17. ♖ad1!? ♕e7 18. d4 ed4** [18... e4? 19. ♘e5±] **19. ♘d4 g6 20. ♖d3! ♖fe8! 21. ♖fd1 ♘e5 22. ♖e3 ♕f8 23. ♘b3!± ♘g4!□ 24. ♖e8 ♖e8 25. h3 ♗b2 26. ♕b2 ♘e5 27. ♕d4±** [△ f4; ↑⇔d ×b7] **♕e7! 28. ♘c5⊕** [28. f4? ♘d7! 29. ♕d7 ♕e3; 28. ♕a7! ♕e6 29. ♘d4! (29. ♕e3? ♕h3 30. f4? ♘g4 31. ♕e8 ♔g7−+) ♕h3 30. ♕b7± △ 30... ♘g4 31. ♘f3 h6 (31... ♖e2 32. ♕f7!+−) 32. ♕c6 ♖e2 33. ♖d8 ♔h7 34. ♕c3! g5 35. ♘g5!+−; 28... ♘c4!?] **f5!□ 29. ♖d2 b6! 30. ♘d7!?** [30. ♘b3!?] **♘d7 31. ♕d7 ♕d7 32. ♖d7 ♖e2 33. ♖a7±** [×♔g8] **b5 34. ♔g2 g5 35. ♔f3 ♖e6 36. g4 f4 37. h4!? gh4⊕** [37... h6 38. hg5 hg5 ×g5] **38. ♔f4** [♖ 7/i] **♖h6! 39. ♖d7** [39. ♔g5?? h3! 40. ♔h6 h2 41. ♖g7 ♔f8!∓] **h3 40. ♖d1 h2 41. ♖h1 ♖h3! 42. f3! ♔f7 43. g5 h5! 44. gh6 ♖h6 45. ♔g3 c5! 46. bc5** [46.

♖h2?? ♖h2 47. ♔h2 c4] **♖c6 47. ♖h2 ♖c5** [♖ 5/d] **48. ♖h7 ♔f6 49. ♖a7 ♖c3 50. ♖a6** [50. ♔f4 b4=] **♔f5 51. ♖a5 ♔f6 52. ♔g4 ♖c4** [52... b4? 53. ♖f5!+−] **53. f4 ♖a4!□= 54. ♖a4 ba4 55. ♔f3 ♔f5 56. ♔e3 ♔f6 57. ♔d4 ♔f5 58. ♔c5 ♔f4 59. ♔b5 ♔e5 60. ♔a4 ♔d6 1/2 : 1/2 [Speelman]**

44. A 29

KORTCHNOI 2610 − PÉTURSSON 2530

Lugano 1989

1. c4 ♘f6 2. ♘c3 e5 3. g3 d5 4. cd5 ♘d5 5. ♗g2 ♘b6 6. ♘f3 ♘c6 7. 0−0 ♗e7 8. d3 0−0 9. a4 a5 10. ♗e3 [△ d4] **♗g4 11. ♖c1 ♖e8!?** [11... ♖b8] **12. ♘d2! N** [12. ♘b5 ♘d5 13. ♗d2 (13. ♗c5 — 45/25) ♘db4 14. ♗b4 ♗b4∓] **♖b8 13. ♘b5 ♗b4!?** [13... ♕d7 14. ♘e4 (14. ♖e1 ♗b4!∓) ♘d5 15. ♗c5 b6 16. ♗e7 ♘ce7 17. d4 ed4 18. ♕d4 c5 (18... ♗e2? 19. ♖c7±) 19. ♕d2±] **14. ♗c6** [14. ♖c6! bc6 15. ♘a7 ♗d7 16. ♘c6 ♗c6 17. ♗c6 ♖e6 18. ♕c2=∞] **bc6 15. ♘a7 ♗h3 16. ♘c6 ♕d5 17. ♘f3** [17. ♘e4? f5; 17. f3 ♗f1 18. ♘b8 ♗e2 19. ♕e2 ♖b8 20. ♖c7 ♘a4=] **♖a8!** [17... ♗f1? 18. ♘b8 ♗e2 19. ♕e2 ♖b8 20. ♗b6! cb6 21. ♕e5±] **18. ♘b4** [18. ♗b6 ♗f1 19. ♗c7 e4! 20. ♔f1 ef3 21. ef3 ♖ac8 22. ♘b4 ab4 23. ♗f4 ♖c1 24. ♗c1 b3∓] **ab4 19. ♖e1 ♘a4 20. ♖c7 b3!** [20... ♘b2? 21. ♕d2±] **21. ♕d2 ♖ec8** [△ ♘b2] **22. ♖c8 ♖c8 23. ♖c1 ♖c1 24. ♕c1 h6! 25. ♘e1 ♕a5 26. ♗d2 ♕d5 27. ♗b4! e4 28. ♗a3 ed3 29. ed3 ♕h5 30. f3 ♕e5 31. ♔f2⊕ ♗e6 32. ♘g2** [32. ♕e3 ♕a5!∞; 32. h4!?] **♗f5!= 33. ♕e3?! ♘b2! 34. ♕e5 ♘d3 35. ♔e2 ♘e5 36. ♘e3 ♗d7 37. f4 ♗b5 38. ♔d2 ♘f3 39. ♔c3 ♘h2 40. ♔b3 ♔h7 41. ♔c3 ♘f3 42. ♘c2 1/2 : 1/2 [Pétursson]**

45.* A 29

M. GUREVIČ 2590 −
FEDOROWICZ 2505

New York 1989

1. c4 ♘f6 2. ♘c3 e5 3. ♘f3 ♘c6 4. g3 ♗b4 5. ♗g2 0−0 6. 0−0 ♖e8 [RR 6... e4 7. ♘g5 ♗c3 8. bc3 ♖e8 9. f3 e3 10. d3 d5 11. ♕b3 ♘a5 12. ♕a3 c6 13. cd5 cd5 14. f4 ♘c6 15. ♗b2 (15. ♖b1 — 44/22) ♗g4 16. ♖ae1 h6 17. ♘f3 (17. h3? hg5 18. fg5 ♗e2 19. ♖e2 ♘h5!) ♕d7?! 18. ♘e5! (△ 18... ♘e5? 19. fe5 ♖e5 20. c4 d4 21. ♖f4±) ♕f5 (Arhipov 2465 − Naumkin 2435, Moskva (GMA) 1989) 19. c4!? ♗h3 (19... dc4?! 20. ♘c6 bc6 21. ♗c6 ♗h3 22. ♖f3!±; 19... ♘e7 20. cd5 ♘ed5 21. ♕b3±) 20. ♘c6 ♗g2 21. ♔g2 bc6 22. ♗f6±; ⌓ 17... ♕c8 Naumkin] **7. ♘e1!?** [7. ♘d5 ♗f8 8. d3 h6 9. ♘f6 ♕f6 10. ♘d2 d6 11. ♘e4 ♕d8 12. ♘c3 ♗e6⩲] **♗f8 N** [7... ♗c3 — 21/40; 7... d6 — 25/54] **8. d3 d6 9. ♘c2 ♘d4 10. b4 c6** [⌓ 10... a6] **11. b5 ♗e6 12. bc6 bc6 13. ♗g5 ♗e7** [13... h6?! 14. ♗f6 ♕f6 15. e3 (15. ♘b4!?) ♘c2 16. ♕c2 △ ♕a4±] **14. e3 ♗g4!?** [14... ♘c2 15. ♕c2 d5=] **15. f3□ ♘c2 16. ♕c2 ♗e6?!** [⌓ 16... ♗d7=] **17. f4 ♘g4 18. ♗e7 ♖e7 19. ♖ae1 ef4 20. gf4** [20. ♖f4 ♘e5=] **♗d7 21. ♘d1 ♕b6 22. d4 ♖ae8 23. ♕d3 ♕a5?** [⌓ 23... f5] **24. e4 f6□ 25. h3 ♘h6 26. ♘f2** [26. ♘c3!?] **♘f7 27. ♖e3 ♖b8** [27... c5!? 28. d5 f5⇆] **28. ♕e2 c5 29. d5 ♕a6 30. ♖c1** [△ ♘d3] **f5** [⌓ 30... ♖b4!?] **31. e5 de5 32. fe5 f4 33. ♖e4⊕ ♕a3 34. ♕e1?** [34. ♖e1! ♕g3 35. ♕f3 (35. ♘h1!?) ♘g5 36. ♕g3 fg3 37. ♘d3 ♘e4 38. ♗e4 ♗h3∞] **♖e5! 35. ♖c3 ♖e4 36. ♘e4 ♕a2 37. ♘c5 ♖b1 38. ♖c1 f3 39. ♗f1?** [39. ♗f3 ♘g5!? (39... ♘e5 40. ♗h1! ♖c1 41. ♕c1 ♗h3 42. ♕g5 ♕a1 43. ♔h2 h6 44. ♕g3 ♗f5∓) 40. ♗g2 ♘h3 41. ♗h3 ♖c1 42. ♕c1 ♗h3 43. ♕g5 h6−+] **f2 40. ♕f2 ♕f2 41. ♔f2 ♖c1 42. ♘d7 ♘d6 0 : 1 [Fedorowicz]**

46. A 30

SALOV 2630 − SEIRAWAN 2610

Rotterdam 1989

1. ♘f3 ♘f6 2. c4 e6 3. g3 b6 4. ♗g2 ♗b7 5. 0−0 c5 6. ♘c3 ♘c6 7. b3! [7. e3 ♗e7 8. d4 cd4 9. ed4 ♘a5! △ 10. b3 d5] **♗e7 8. ♗b2 0−0 9. e3 a6!?** [9... d5?! 10. cd5 ♘d5 11. ♘d5 ♕d5 12. ♘e5 ♕d6 13. d4⩲; 9... d6 — 32/49; 9... ♖c8 — 38/43; 9...

h6!?] **10. d3** [10. ♕e2 d5! 11. cd5 ♘d5 12. ♘d5 ♕d5 13. ♘e5? ♕g2] **♖c8 11. ♖c1 ♗a8!?** [×♗b7; 11... ♖c7!?] **12. ♕e2 d5 13. cd5 ♘d5 14. ♖fd1 ♘c3** [14... ♘cb4!?=] **15. ♗c3 ♗f6 16. d4?!** [16. ♕b2=] **cd4 17. ♕a6!? dc3! 18. ♖d8 ♖fd8 19. ♕b6?!** [19. ♘d4□ ♘d4 20. ed4 ♗g2 21. ♔g2 ♗d4∓] **♖b8 20. ♕a6?** [20. ♕c5!□ ♖dc8! (20... ♘b4 21. ♘d4!= ♗g2 22. ♔g2 ♗d4 23. ed4 ♖dc8 24. ♕a7!) 21. ♘e1 ♘b4 22. ♕a5 ♗g2 23. ♔g2 c2∓] **♘b4 21. ♕e2 ♗f3!−+ 22. ♗f3 ♖d2 23. ♕c4 ♘a2 24. ♖f1 c2 25. ♔g2** [25. ♗e4 ♘c3! 26. ♗f3 ♘d1; RR 27. ♗e4] **♗b2 26. b4 c1♕ 27. ♖c1 ♘c1 28. ♗e4 ♘e2 29. ♕c7 ♖f8 30. ♕c5 ♖fd8 31. ♗f3 ♘c3 32. b5 ♘d1 33. ♗d1 ♖d1 34. b6 ♖1d5 35. ♕c4 ♗e5 36. b7 ♗b8 37. ♕c8 h5 38. h3 g6 39. ♔f3 ♔f8 40. g4 hg4 41. hg4 ♔e7 42. ♕c6 ♗d6!** [△ ♖c5, ♖b8, ♖c7] **43. ♔e4 ♖c5 44. ♕b6 ♖c4! 45. ♔f3 ♖b4 46. ♕c6 ♖b8 47. g5 ♖8b7 48. ♕c3 ♖7b5 49. ♕f6 ♔e8 50. ♕h8 ♗f8 51. ♕c3 ♖c5 52. ♕a1 ♗e7 53. ♕a8 ♗d8 54. ♕a3 ♖bc4 0 : 1** **[Seirawan]**

47. **A 30**

AN. KARPOV 2750 − J. HJARTARSON 2615

Rotterdam 1989

1. ♘f3 ♘f6 2. c4 c5 3. ♘c3 e6 4. g3 b6 5. ♗g2 ♗b7 6. 0−0 a6 7. b3 d6 8. ♗b2 ♗e7 9. d4 cd4 10. ♘d4 ♗g2 11. ♔g2 ♕c7 N [11... 0−0] **12. e3 ♕b7 13. ♕f3± ♖a7 14. ♕b7 ♖b7 15. f4 0−0** [15... ♖d7 16. e4 ♘g4 17. ♖ae1 ♗f6 18. ♘a4±; 15... ♘bd7 16. ♖ad1±] **16. f5!? e5** [16... ♘g4!? 17. ♖ae1 ♗g5 (17... ♗f6 18. ♘e4±) 18. fe6! ♘e3 19. ♖e3 ♗e3 20. ♘f5 ♗g5 (20... fe6 21. ♘e3 ♖f1 22. ♔f1±; 20... ♗c5 21. ♘d5 ♘c6 22. e7 ♖e8 23. ♗g7+−) 21. ♘d6±] **17. ♘c2 ♘c6** [17... ♘bd7 18. ♘b4±] **18. ♖ad1 b5 19. cb5 ab5 20. b4 ♖d8** [20... ♖c8!? 21. ♖f2 (21. ♘d5 ♘d5 22. ♖d5 ♘a5) ♘b8?! 22. ♘a3 (22. ♘d5 ♘d5 23. ♖d5 ♖c4=) ♘a6 23. ♘ab5 ♘b4 24. ♘d6 ♗d6 25. ♖d6 ♘g4 26. ♖fd2 (26. ♖e2 ♘c2!) h5 27. ♘d1±; 21... ♘a7!?] **21. ♘d5 ♘d5 22. ♖d5 ♗f6 23. ♖fd1 ♘e7 24. ♖d6 ♖d6 25. ♖d6 ♘f5 26. ♖c6 h5 27. e4** [27. ♔f3? ♘e7−+] **♘d4 28. ♖c8 ♔h7 29. ♘e3 ♘e6** [29... ♖a7 30. a3 ♗g5 31. ♘d5 ♘b3 (△ 32. ♖b8 ♘d2) 32. ♖c7!±] **30. ♘d5 ♘g5 31. ♘c3** [31. ♖c7!] **♘e6?!** [31... h4!? 32. gh4 ♘e6⩲; 31... ♖d7! 32. ♗c1 ♖d4 33. ♗g5 ♗g5→] **32. h4 g6** [32... ♗d8 △ f6] **33. ♘d5 ♗g7 34. ♖c6± g5?!** [34... ♘d4 35. ♗d4 (35. ♘f6? ♗f6 36. ♖f6 ♖c7⩲; 35. ♖c7 ♖c7 36. ♘c7 ♘c6 37. a3 ♘a7 38. ♗c1 ♗h6±) ed4 36. ♖c7 ♖c7 37. ♘c7 d3 38. ♔f3 ♗e5 39. ♘b5 d2 40. ♔e2±] **35. hg5 ♘g5 36. ♘c3 ♘e6** [36... ♖d7 37. ♗c1±] **37. ♘d5 ♘g5 38. ♖c7! ♖c7 39. ♘c7 ♘e4 40. ♘b5 ♗f8 41. ♘c3 ♘c3?!** [41... ♘d2 42. ♘d5 ♘c4 43. ♗c1±] **42. ♗c3 ♔g6 43. a4 1 : 0** **[Zajcev]**

48.* **A 30**

MILES 2520 − KINDERMANN 2515

Bad Wörishofen 1989

1. ♘f3 ♘f6 2. c4 c5 3. ♘c3 e6 4. g3 b6 5. ♗g2 ♗b7 6. 0−0 a6 7. d4 cd4 8. ♕d4 d6 9. ♗g5 ♘bd7 10. ♖ad1!? N [RR 10. ♖fd1 ♗e7 11. ♗f6!? N (11. ♘d2 − 43/(30); 11. ♕d2 − 46/38) ♘f6 12. ♘a4 ♖b8 13. c5 dc5 14. ♕e5 ♗d5 15. e4 ♘e4 16. ♕g7 ♗f6 17. ♕h6 b5 18. ♘e1 ba4 19. ♗e4 ♗d4 20. ♗d5 ♕d5 21. ♘c2 ♕f5 22. ♘d4 cd4 23. ♕g7 ♔e7 24. ♕d4± Miles 2520 − Wojtkiewicz 2460, New York 1989] **♗e7 11. ♗f6?! ♘f6 12. ♘a4 b5** [12... ♖b8 13. c5! dc5 (13... bc5? 14. ♘c5 dc5 15. ♕a4 ♘d7 16. ♘e5+−) 14. ♕e5 ♗d5 15. e4 ♘e4 (15... ♗d6? 16. ♖d5 ♘d5 17. ♕g7 ♕f6 18. ♕f6 ♘f6 19. e5) 16. ♕g7 ♗f6 17. ♕h6∞] **13. ♘b6** [13. cb5 ab5 14. ♘c3 0−0 △ ♕b8, ♖c8] **e5** [13... ♖b8?! 14. c5! △ 14... dc5 15. ♕e5 ♗d5 16. ♘d5 ed5 17. ♘h4 0−0 18. ♘f5 ♖e8 19. ♖d5+−] **14. ♘e5** [14. ♕e3? ♘g4] **♗g2 15. ♔g2 de5 16. ♕e3 ♕b8 17. ♘a8 ♕a8 18. ♔g1 e4 19. c5?!** [19. cb5 ab5 20. ♕b6 0−0 21. ♕b5 ♕a2∓] **0−0 20. b4 h5 21. ♖d4 ♖e8 22. h3 ♗d8! 23. ♖fd1 ♗c7 24. ♖4d2 ♕c8 25. ♔g2 h4**

[△ ♕f5, hg3, ♘h5] **26. gh4** [26. g4 ♘g4 27. hg4 ♕g4 △ ♗f4−+]

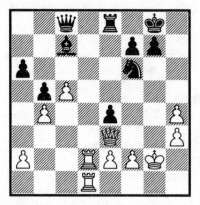

26... ♘g4!−+ 27. ♕b3 [27. hg4 ♕g4 28. ♔f1 ♕h4; 27. ♕g5 ♘f2] **♕f5** [27... ♘f2? 28. ♖d7] **28. hg4** [28. ♖f1 ♕f4] **♕g4 29. ♔f1 e3 30. ♕d5** [30. fe3 ♕h3] **ed2 31. ♖d2 ♖d8 32. ♕d8 ♗d8 33. ♖d8 ♔h7 34. e4 ♕e4 35. a3 ♕h4 36. ♖d3 ♕c4 37. ♔e2 g5 38. ♔d2 f5 39. f3 g4 40. fg4 fg4 41. ♔e3 ♕f7 42. ♔e2 ♕f4 43. c6 ♕e4 44. ♖e3 ♕c6 45. ♔f2 ♕b6 46. ♔e2 ♕f6 0 : 1** **[Kindermann]**

49.* A 30**

VAGANJAN 2600 − NOGUEIRAS 2575
Rotterdam 1989

1. c4 ♘f6 2. ♘c3 c5 3. g3 e6 4. ♘f3 b6 5. ♗g2 ♗b7 6. 0−0 ♗e7 7. d4 [RR 7. b3 d6 8. ♗b2 a6 9. e3 0−0 10. ♕e2 ♘bd7 11. ♖ad1 N (11. d4 − 31/66) b5 12. d3 b4 13. ♘a4 ♘b6 14. ♘b6 ♕b6 15. e4 ♘d7 16. d4 cd4 17. ♗d4 ♕c7= Jusupov 2610 − J. Hjartarson 2615, Linares 1989] **cd4 8. ♕d4 d6** [RR 8... 0−0 9. ♖d1 *a)* 9... d6 10. ♗g5 ♘e8 N (10... ♘bd7 − 40/45; 10... h6 − 42/(37); 10... ♘c6 − 46/(37)) 11. ♗e7 ♕e7 12. ♕h4 ♕h4 13. ♘h4 ♗g2 14. ♘g2 ♘c6 15. ♘b5 ♘a5 16. ♘e3 ♘b7 17. ♖d3 a6 18. ♖a3 f5 19. ♖d1 ♔f7 20. ♘c2 ♘a5 21. ♘d6 ♘d6 22. ♖d6 ♘c4 23. ♖d7 ♔e8 24. ♖g7 ♘a3 25. ♘a3=∞ B. Larsen 2580 − Adams 2510, Cannes 1989; *b)* 9... ♘c6 10. ♕d2 (10. ♕f4) ♘a5 11. b3 d5 12. cd5 ♘d5 13. ♘d5 ♕d5 14. ♕e1 ♕h5 15. ♖d7 ♗f6 16. ♗a3 ♗c6 17. ♗f8 ♗d7 18. ♖d1 ♖d8 19. ♗d6 ♗e8= An. Karpov 2750 − U. Andersson 2620, Marostica (m/4) 1989] **9. b3 0−0?! 10. ♖d1 ♘bd7 11. e4 a6 12. ♗a3 ♘c5 13. e5 de5 14. ♕d8!** [14. ♘e5 ♕c7!?] **♖fd8 15. ♘e5 ♗g2 16. ♔g2 ♖dc8!?** [16... ♖d1 17. ♖d1 ♖d8 18. ♖d8 (18. ♘c6!? ♖d1 19. ♘e7 ♔f8 20. ♘d1 ♔e7 21. b4 ♘a4! 22. b5 ♔d7 23. ba6 ♔c6±) ♗d8 19. ♘c6±] **17. ♘a4!** [17. b4 ♘b7? 18. ♘a4! ♗d8 19. ♖d8 ♖d8 20. ♘b6 ♖ab8 21. ♘c6+−; 17... ♘ce4!] **♖ab8 18. ♗c5 N** [18. ♘c5 − 32/(56)] **bc5?!** [18... ♗c5!? 19. ♘c5 ♖c5 20. f4 b5±] **19. ♖d3 ♖b7 20. f4 ♔f8 21. g4 ♖cc7 22. ♖ad1 ♔e8 23. ♖h3!** [23. ♔f3 ♘d7! 24. ♘d7 ♖d7 25. f5±] **g6** [23... h6!? 24. g5 hg5 25. ♖h8 ♗f8 26. fg5 ♘d7 27. ♘d7 (27. ♖d7!? ♖d7 28. ♘c5 ♖d2 29. ♔f3=∞) ♖d7 28. ♖d7 ♖d7 29. ♘c5 ♖d2 30. ♔f3±] **24. f5!** [24. g5?! ♘h5 25. ♔f3 f6!?] **ef5 25. gf5 ♘h5 26. ♖e3!± ♗g5 27. ♖ee1 ♔f8 28. ♔f3 ♗e7 29. ♘c3 ♗f6** [29... ♘f6!? 30. ♘d5!?; 30. ♖d3!?] **30. ♘d5 ♗e5 31. ♖e5 ♖c6 32. ♘e7! ♖cc7** [32... ♖e7? 33. ♖d8; 32... ♖f6 33. ♖d8 ♔g7 34. ♖g8 ♔h6 35. ♖c8+−] **33. ♖d8 ♔g7 34. ♘d5 ♖c6 35. ♖e7! ♖e7 36. ♘e7 ♖c7** [36... ♖f6 37. ♖g8 ♔h6 38. ♖c8+−] **37. ♘d5 ♖c6 38. ♘e7 ♖c7 39. ♘d5 ♖c6 40. ♔e4 gf5** [40... ♘f6 41. ♔e5 ♘g4 42. ♔f4 ♘f6 43. h3!? (△ ♔e5) ♘d5 44. cd5 ♖f6 45. ♔e5 ♖f5 46. ♔d6+−] **41. ♔f5 ♖e6 42. ♖a8! ♖e2 43. ♖a6 ♖h2 44. ♔g4!+− f6 45. a4 ♔g6 46. ♘e7 ♔h6 47. ♘f5 ♔g6 48. ♘h4 ♔h6 49. ♖c6 ♖e2 50. ♘f5 ♔g6 51. ♘h4 ♔h6 52. ♘f5 ♔g6 53. ♖c5 ♖e4 54. ♔h3** [54. ♔f3?! ♖f4 55. ♔e3 ♖f5 56. ♖f5 ♔f5 57. a5 ♘f4 58. a6 ♘e6 59. a7 ♘c7 60. b4 ♔e5! 61. b5 ♘a8 62. c5 ♔d5 63. b6 ♔c6=] **♘f4 55. ♔g3 ♘h5 56. ♔g2 ♖g4 57. ♔h2 ♖f4 58. a5 ♖f2 59. ♔g1!** [59. ♔h3? ♖f5! 60. ♖f5 ♔f5 61. a6 ♘f4 62. ♔g3 ♘e6 63. b4 ♔e5 64. b5 ♘c7 65. a7 ♘a8 66. c5 ♔d5=] **♖a2 60. ♘h4 ♔h6 61. ♘f5 ♔g6 62. ♘e7 ♔h6 63. b4 ♘f4 64. ♖f5!? ♖a1** [64... ♘e2 65. ♔g2! ♘d4 66. ♖f2+−] **65. ♔h2 ♘d3 66. ♘d5 ♔g6 67. ♖f6⊕** [67. b5! ♖a5 68. ♖f6 ♔g5 69.

♖a6+−] **♔g5 68. ♖f3 ♘e5 69. ♖c3+− ♔g4 70. ♔g2!** [70. c5? ♘f3! 71. ♖f3 (71. ♔g2 ♖a2 72. ♔f1 ♔g3 73. ♖f3 ♔f3=) ♔f3 72. c6 h6! 73. c7 ♖a2 74. ♔h3 ♖a1=] **h5 71. ♘e3 ♔f4 72. ♘c2 ♖d1 73. a6 ♘g4 74. a7 ♖d2 75. ♔f1 ♘h2 76. ♔e1 ♖d8 77. b5 ♘f3 78. ♖f3 ♔f3 79. b6**
1 : 0 **[Vaganjan]**

50. **A 30**

LOBRON 2555 — H. ÓLAFSSON 2520
New York 1989

1. ♘f3 ♘f6 2. c4 b6 3. g3 c5 4. ♗g2 ♗b7 5. 0—0 g6 6. ♘c3 ♗g7 7. ♖e1!? 0—0 8. e4 ♘c6 9. e5! N [9. d3 — 43/32] **♘e8** [9... ♘g4? 10. h3 ♘h6 11. d4±○] **10. d4 ♘d4 11. ♘d4 ♗g2 12. ♔g2 cd4 13. ♕d4 d6 14. ♗f4± de5** [14... ♘c7 15. ♕e3±] **15. ♕d8 ♖d8 16. ♗e5 f6?!** [⌓ 16... ♗e5 17. ♖e5 e6±] **17. ♗f4 e5 18. ♗e3 ♘d6?!** [⌓ 18... ♖f7 19. a4?! ♗f8 ×b4; 19. ♖ad1±] **19. b3 ♖f7 20. ♖ad1 ♖fd7 21. ♖d5! ♔f7 22. ♖ed1 ♔e6 23. a4 ♘f5** [23... ♘c8?! 24. ♘b5 ♖d5 (24... ♗f8 25. ♘a7 ♘a7 26. ♗b6+−) 25. cd5 ♔e7 26. ♖c1±] **24. ♘b5 ♘e3□ 25. fe3 a5□ 26. e4 ♗f8! 27. ♘c7 ♔e7 28. g4** [28. ♖d7 ♖d7 29. ♖d7 ♔d7 30. ♘d5 f5!□ (30... ♔c6 31. ♘f6 ♔c5 32. ♘d7) 31. ♘b6 ♔c6 32. ♘d5 ♔c5∞⇆] **♖d5⊙ 29. ♘d5** [29. cd5 ♔d7 30. ♘b5 ♖c8=; 29. ♖d5 ♖c8 30. ♘b5 ♖c6=] **♔f7□** [29... ♔e6? 30. ♘c7 ♔e7 31. ♖d8 ♔d8 32. ♘d5±] **30. ♖f1 ♔g7!?** [30... ♖d6? 31. g5 ♗g7 32. h4 ♖e6⊙ 33. ♖f3 ♖d6 34. ♔f1 ♖e6 35. ♔e2 ♖d6 36. ♔d3 ♖c6 37. ♖f1 ♖d6 38. c5 bc5 39. ♔c4±] **31. ♖f3⊕** [31. ♖f6 ♖d5 32. ♖f8 ♖d2 33. ♖f2 ♖d3 34. ♖f3 ♖d2 35. ♔g3 ♖e2 36. ♖d3 ♖e4=] **♗c5= 32. ♔f1** [32. ♘f6 ♖d2 33. ♔h3 ♗g1∞] **♖d6 33. ♔e2 ♖c6 34. ♖f1 ♖e6 35. ♘c7 ♖e7 36. ♘d5 ♖e6 37. ♖f3 ♖c6 38. h3 ♖e6 39. ♖f1 ♖c6 40. ♖f3 ♖e6 41. ♔d3 ♖c6 42. ♔c3 ♗d4 43. ♔c2 ♗c5 44. ♔b2** [44. b4? ♗b4 45. ♘b4 ♖c4−+] **♖d6 45. ♔a2 ♖c6 46. ♖f1 ♖d6 47. ♔b1 ♖c6 48. ♔c2 ♖d6 49. ♖f3 ♖c6 50. ♔d3 ♖d6 51. ♔e2 1/2 : 1/2**
[Lobron]

51. **A 30**

KORTCHNOI 2595 — GULKO 2590
Hastings 1988/89

1. ♘f3 ♘f6 2. c4 b6 3. g3 c5 4. ♗g2 ♗b7 5. 0—0 g6 6. d4 cd4 7. ♕d4 ♗g7 8. ♘c3 d6 9. ♕h4!? h6 N [9... 0—0? 10. ♗h6±; 9... ♘bd7 10. ♖d1 — 41/37] **10. ♖d1 ♘bd7 11. ♘e1** [11. ♘d4!? ♗g2 12. ♔g2 *a)* 12... ♘e5 (△ 13... g5 14. ♕h3 g4 15. ♕h4 ♘g6−+) 13. ♘f3! ♘f3 14. ef3±; *b)* 12... ♖c8!? 13. b3 ♖c5 14. g4!∞] **♕c8!?** [11... ♗g2 12. ♘g2 △ ♘e3±] **12. ♗b7 ♕b7 13. ♗e3 ♖c8 14. ♖ac1** [14. b3 d5!] **g5! 15. ♕d4 ♘h5 16. ♕g4 ♘hf6 17. ♕d4 ♘h5 18. ♕d2?!** [18. ♕g4=; 18. ♕d5=] **♖c4 19. ♘b5** [19. ♘d5 ♖c1 20. ♖c1 ♘hf6 21. ♖c7 ♕b8 22. ♕c2 ♔d8!−+] **♖c1 20. ♖c1 ♘c5 21. b4 ♘e6 22. ♘f3 ♘f6?** [22... 0—0! 23. ♘fd4 (23. h4 ♘f6 24. hg5 ♘e4 25. ♕d3 hg5∓) ♘d4 24. ♘d4 ♗d4! 25. ♗d4 ♘g7 26. h4 ♘e6 27. hg5 hg5 28. ♗e3 f6∓] **23. ♘fd4 ♘d4** [23... a6 24. ♘e6 fe6 25. ♖c7 ♕d5 26. ♘d6! ♔d8 27. ♗b6 ♕d2 28. ♖b7#] **24. ♕d4?** [24. ♖c7!±] **0—0 25. ♖c7 ♕d5!** [25... ♕a6 26. ♕d3 ♕a2 27. ♖e7±] **26. ♕d3?** [26. ♕d5 ♘d5 27. ♖a7 ♖c8 28. ♔f1=] **a5?** [26... ♕d3 27. ed3 a6 28. ♘c3 ♘e8 29. ♖c6 ♗c3 30. ♖c3 ♘f6∓] **27. ba5 ba5 28. ♖e7 ♕a2 29. ♗d4 ♖b8?⊕** [29... ♕d5±] **30. ♖a7 ♕d5 31. ♘c3 ♕b3 32. ♖a5 ♖c8 33. ♗f6?⊕** [33. ♖b5 ♕e6 (33... ♕c4 34. ♖b8!±) 34. ♗f6 ♗f6 35. ♘d5±] **♗f6 34. ♘d5 ♕d3 35. ed3 ♔g7 36. ♘e3 ♔g6 37. ♘f5?** [37. ♖a6!±] **♖c6 38. ♖d5 ♖c5= 39. ♖c5 dc5 40. g4 h5 41. h3 hg4 42. hg4 ♗e5 43. ♔g2 ♔f6 44. ♔f3 ♔e6 45. ♔e4 ♗c3 46. f3 ♗e5 47. ♘e3 ♗d4 48. ♘c4 ♗g1**
1/2 : 1/2 **[Gulko]**

52.** A 32

TUKMAKOV 2590 — ZAJČIK 2500
Moskva (GMA) 1989

1. d4 ♘f6 2. c4 e6 [RR 2... c5 3. ♘f3 cd4 4. ♘d4 e6 5. ♘c3 *a)* 5... ♗b4 6. ♘b5 0—0 7. ♗f4 d5 8. e3 ♘c6 9. a3 ♗c3 10. ♘c3 h6 11. ♗g3 N (11. cd5) d4 12. ed4 ♘d4 13. ♗e5 ♘c6 14. ♗d6 ♘e7 15. ♗e2

♗d7 16. ♗f3 ♗c6 17. ♗c6 bc6 18. ♗b4
♖e8 19. ♕d8 ♖ad8 20. ♗c5± Murey 2560
− Eperjesi 2375, Cannes (open) 1989; b)
5... d5 6. cd5 ♘d5 7. ♗d2 ♗e7 8. e4
♘b4 9. ♗e3 ♘8c6 N (9... 0−0 − 34/(60))
10. a3 ♘d4 11. ab4 e5 12. ♗b5 ♘b5 (12...
♔f8?! 13. 0−0 ♗b4 14. f4!⊙) 13. ♕d8
♔d8 14. ♘b5 ♗b4 15. ♔e2 ♗d7 16.
♖hd1 a5! 17. ♖d5 ♔e7 18. ♖e5 ♔f6 19.
f4 ♖ae8= Gorelov 2455 − Andrianov
2455, SSSR 1989; 12. ♘d5!?] 3. ♘f3 a6
4. ♘c3 [4. ♗g5] c5 5. ♗g5 [5. g3] cd4
6. ♘d4 h6 [6... ♗e7] 7. ♗h4 ♗e7 N [7...
♗b4 − 27/74] 8. e3 b6 9. ♗e2 [9. ♕f3!?
♖a7 10. ♕g3 (Zajčik) d6! 11. ♕g7 ♖g8
12. ♕h6 ♖g6 13. ♕h8 ♖g8= 14. ♗f6?
♖h8 15. ♗h8 ♔d7 16. ♗g7 ♕g8 17. ♗h6
♕g6 18. ♗f4 e5] ♗b7 10. 0−0 0−0 11.
♗f3 ♖a7!? 12. ♖c1 [12. ♗b7 ♖b7 13.
♕a4 d6 14. ♖fd1 ♕d7 15. ♕d7 ♖d7=]
♘c6 13. ♗g3 [13. h3 ♘d4 14. ed4 (14.
♗b7 ♘c6=) ♕a8 15. ♗b7 (15. d5 ♘d5!
16. ♘d5 ♗h4 17. ♘b6 ♗f3) ♕b7 16. ♕e2
♖c8=] ♘d4 14. ed4 [14. ♗b7 ♘c6 15.
♗c6 dc6=; 14. ♕d4 ♗f3 15. gf3 ♗c5 16.
♕d3 ♕a8 17. e4 ♘h5 △ f5∞] d5! [14...
♗f3 15. ♕f3 ♕a8 16. d5 ♖c8 17. ♕e2=]
15. c5? [15. cd5=] bc5! 16. dc5 ♗c5 17.
♘d5 ♗d5 18. ♗d5 [18. ♖c5 ♗a2 19. b3
♕d1 20. ♗d1 ♖b7; 18... ♕b6!] ♗f2! 19.
♗f2 ♖d7 20. ♗e6! [20. ♕a4 ♖d5 21. ♕a6
♖d2!∓] ♖d1 21. ♖cd1 ♕a5 [21... ♕c7
22. ♗b3 ♘g4 23. ♗g3 ♕c5 24. ♔h1 ♘e3
25. ♗f2; 21... ♕b8] 22. ♗b3 ♖e8?! [22...
♘g4 23. h3! (23. ♖d5? ♕c7 24. ♗g3 ♕b6
25. ♔h1 ♘e3 26. ♗f2 ♕f6−+) ♘f2 24.
♖f2=; 22... ♖d8 23. ♗d4? ♖d4 24. ♖d4
♕c5 25. ♖d1 ♘g4∓; 23. ♗e1! △ ♖d8,
♗c3∓] 23. ♗d4 ♖e2 24. ♗c4! ♖c2 25.
♗b3 ♖d2 26. ♖d2 ♕d2 27. ♗f6 ♕e3
[27... gf6 28. ♖f6=] 28. ♔h1 gf6 29. ♗c4
a5 30. a4 ♔g7 31. b3 ♕e4 32. h3 h5 33.
♖d1 1/2 : 1/2 [Tukmakov]

53.*** A 33

A. GREENFELD 2550 − TOLNAI 2480
Budapest 1989

1. ♘f3 c5 2. c4 ♘f6 3. ♘c3 ♘c6 4. d4
cd4 5. ♘d4 e6 6. g3 ♕b6 7. ♘b3 ♘e5 8.

e4 ♗b4 9. ♕e2 d6 [RR 9... 0−0 10. f4
♘c6 11. ♗g2 N (11. ♗e3 − 45/(46); 11.
e5 − 45/46) d5 12. e5 d4 13. c5 ♗c5 14.
♘a4 ♗b4 15. ♗d2 ♗d2 16. ♘d2 ♕b4
17. ef6 ♕a4 18. ♕g4 g6 19. ♕g5 ♔h8
20. h4+− Renet 2480 − Ernst 2460, Luga-
no 1989] 10. f4 [RR 10. ♗d2 N 0−0 11.
0-0-0 a5 12. f4 (J. Adamski 2435 − M.
Maciejewski 2320, Polska (ch) 1989)
♘c6!? 13. ♗e3 ♕c7 14. ♘b5∞ J. Adam-
ski] ♘c6 11. ♗g2 0−0 12. ♗d2 e5 13. f5
N [13. ♘b5?! − 45/44] ♘d4 [RR 13...
♗d7 14. ♕d3 ♘d4 15. ♖d1 ♗c6 16. ♖f1
♘b3 17. ab3 ♘d7 18. ♕c2 f6 19. ♔e2
♘c5 20. ♗e3 ♗c3 21. ♗c5 dc5 22. bc3
a5= An. Karpov 2750 − Gulko 2610, Li-
nares 1989] 14. ♘a4?! [14. ♕d1 ♗d7 △
♖ac8∓] ♗d2 15. ♕d2 ♕a6 [15... ♘b3 16.
♘b6 ♘d2 17. ♘a8 ♘de4∞] 16. ♘d4□
♕c4! 17. b3 ♕d4 18. ♕d4 ed4 19. 0-0-0
d5!? [19... b5! 20. e5 (20. ♘b2 d5 21. e5
♗f5! 22. ef6 ♖ac8∓) ♖b8 21. ef6 ba4 22.
fg7 ♔g7∓] 20. ♖d4 de4 21. ♖f1!∓ ♗d7
22. ♗e4 ♖ac8 23. ♔b2 ♗b5 24. ♖fd1
♘e4 25. ♖e4 ♖fe8 26. ♘c3 ♖e4 27. ♘e4
♗c6 28. ♘c3 f6 29. a4 a5 [△ 29... a6]
30. ♘b5!= ♖e8 31. ♘d4 ♖d8 32. ♔c3
♔f7 33. ♖e1 ♗d7 34. ♔c4 b6 35. g4 h5
36. h3 hg4 37. hg4 g6 38. ♖h1 gf5 39. gf5
♖c8 40. ♔d3 ♖c5 41. ♖h7 ♔e8 42. ♔e4
♖e5 43. ♔f4 ♖d5= 1/2 : 1/2 [Tolnai]

54.* A 33

POGORELOV 2355 − HUZMAN 2480
SSSR 1989

1. ♘f3 ♘f6 2. c4 c5 3. ♘c3 ♘c6 4. d4
cd4 5. ♘d4 e6 6. g3 ♕b6 7. ♘b3 ♘e5 8.
e4 ♗b4 9. ♕e2 d6 10. f4 ♘c6 11. ♗e3
♕a6!? N [RR 11... ♗c3 12. bc3 ♕c7 13.
♗g2 0−0 14. c5 dc5 N (14... d5 − 46/54)
15. ♗c5 ♖d8 16. e5 ♘a5 17. ♕b5 ♘b3
18. ab3 ♗d7 19. ♕c4 b5 20. ♕d4 ♗c6=
Ftáčnik 2550 − Sax 2610, Haninge 1989]
12. ♗d2 [12. ♗g2 e5 (△ ♗e6) 13. f5 ♘a5
14. ♘a5 (14. ♘d2 ♗c3 15. bc3 ♗d7∓)
♗c3 15. bc3 ♕a5∓; 12. ♕c2!? e5! (12...

44

0–0 13. c5 ♕a4 14. cd6 ♘e4 15. ♗d3 ♘c3 16. bc3 ♗d6 17. ♗h7 ♔h8 18. ♗d3±) 13. f5! (13. ♗d3 ♗e6) 0–0 14. ♗d3 (14. c5 ♕a4 15. cd6 ♘e4∓) ♘a5∞] **0–0 13. ♗g2** [13. a3?! ♗c3 14. ♗c3 e5 △ ♕b6, a5] **e5 14. f5** [14. ♘b5 ♕b6 15. ♗b4 (15. 0-0-0 ♗g4 16. ♗f3 ♗f3 17. ♕f3 a6 18. ♗b4 ab5↑) ♘b4 16. ♕d2 ef4!? 17. gf4 (17. ♕b4 a6) ♗h3! 18. ♗h3 ♘e4 19. ♕b4 ♕e3 20. ♔d1 ♘f2 21. ♔c2 ♕e4→; 14. ♘d5 ♗d2 15. ♔d2 ♗e6 16. ♘c7 ♗c4 17. ♕f2 ♕a4 18. ♘a8 ♖a8=∞] **♗d7 15. 0–0** [15. g4?! ♘d4! 16. ♘d4 ed4 17. g5 dc3 18. bc3 ♘e4!∓] **♘d4! 16. ♘d4 ed4 17. ♘d5** [17. ♘b5! ♗d2 18. ♕d2 ♗b5 19. cb5 ♕b5 20. ♕d4 ♖fe8=] **♘d5 18. ed5 ♖fe8 19. ♕d3 ♗d2 20. ♕d2 ♕c4 21. ♖ac1** [21. f6 d3 22. ♕g5 ♕g4∓] **♖e2!∓ 22. ♕f4 ♖g2! 23. ♔g2 ♕d5 24. ♕f3 ♕b5 25. ♕f2 d3 26. ♕d4?!⊕** [⌓ 26. g4∓] **♗f5–+ 27. g4** [27. a4 ♕d7] **♗g6 28. ♖fe1 ♕g5 29. ♕a7 ♕g4 30. ♔f2 ♕f4 31. ♔g1 ♕g4⊕ 32. ♔f2 ♖f8 33. ♕e3 ♕b4 34. ♖cd1 ♕b2 35. ♖d2 ♕b5 36. ♔g1 h6 37. ♔f2 ♖c8 38. ♖ed1 ♖c5 39. ♔g1 ♖g5 40. ♖g2 ♖g2 41. ♔g2 ♕d5 42. ♔g3 ♕a2 0 : 1** [Huzman, Vajnerman]

55.* **A 34**

KASPAROV 2775 – SALOV 2630

Barcelona 1989

1. ♘f3 ♘f6 2. c4 b6 3. ♘c3 c5 4. e4 d6 [RR 4... ♗b7 5. e5 ♘g8 6. ♗d3 g6 N (6... ♗f3 – 30/76; 6... e6 – A 17) 7. h4 ♗g7 8. h5 ♘c6 9. ♗e4 ♕b8! 10. ♕e2 ♘d4 (10... f5!? 11. ef6 ♘f6 12. hg6 ♘e4 13. ♘e4 hg6 14. ♖h8 ♗h8 15. d3 ♕c7 △ 0-0-0=) 11. ♘d4 cd4 12. ♘b5 a6! 13. ♘d4 (13. ♗b7 ♕b7 14. ♘d4 ♕g2 15. ♕f3 ♕f3 16. ♘f3∞ Sr. Cvetković) ♗e4 14. ♕e4 ♕e5= Sr. Cvetković 2460 – I. Marinković 2420, Jugoslavija 1989] **5. d4 cd4 6. ♘d4 ♗b7 7. ♕e2 ♘bd7 8. g3 ♖c8?!** [8... e6] **9. ♗g2 a6 10. 0–0 ♕c7?!** [10... e6] **11. b3 e6**

12. ♘d5! N [12. ♗d2 – 31/(82)] **♕b8** [12... ed5 13. ed5 ♔d8 14. ♗b2±] **13. ♖d1! g6** [13... ed5 14. ed5 ♔d8 15. ♘c6 ♗c6 16. dc6 ♘c5 17. b4±; 13... e5 14. ♘f6 ♘f6 15. ♘f5 g6 16. ♗g5 ♘d7 17. ♘h6±] **14. ♗g5!** [14. ♗h3?! ♗g7 15. ♗e6 fe6 16. ♘e6 ♔f7∞] **♗g7** [14... ed5 15. ed5 ♗e7 16. ♘c6 (16. ♖e1 0–0) ♗c6 17. dc6 ♘e5 18. f4 h6 19. fe5 de5 20. ♗e3+–] **15. ♗f6! ♘f6** [15... ♗f6? 16. ♘f6 ♘f6 17. e5! de5 (17... ♗g2 18. ef6 ♗h3 19. ♕e3 ♕b7 20. f3±) 18. ♗b7 ♕b7 19. ♕e5 ♔e7 (19... ♕e7 20. ♘c6!!) 20. ♘e6 fe6 21. ♖d6→] **16. ♘b6 ♖d8?** [16... ♖c7±] **17. e5! ♗g2** [17... de5 18. ♘c6 ♗c6 19. ♗c6 ♔e7 20. c5! ♕c7 21. ♕a6 ♖d1 (21... ♕c6 22. ♕a7 ♘d7 23. ♖d6+–) 22. ♖d1 ♕c6 23. ♕a7 (23. ♘d5) ♔e8 24. ♘c4+–] **18. ef6 ♗f6 19. ♘e6! fe6 20. ♕e6 ♗e7**

21. c5! ♗b7 22. ♖e1 ♕c7 23. c6! ♗c6 24. ♖ac1 ♖d7 25. ♘d7 ♕d7 26. ♕c4! [26.

♕e7 ♕e7 27. ♖e7 ♔e7 28. ♖c6+−⊥] **♗b7** [26... ♗b5 27. ♕c8+−] **27. ♕c7 ♖f8** [27... ♗d5 28. ♕b8 ♔f7 29. ♕h8 ♕h3 30. ♖e7! ♔e7 31. ♖c7 ♔e6 32. ♕c8+−] **28. ♕b8 ♔f7 29. ♖c7! 1 : 0** **[Kasparov]**

56.* A 34

KAJDANOV 2535 – RESHEVSKY 2450

Moskva (GMA) 1989

1. c4 ♘f6 2. ♘c3 c5 3. ♘f3 b6 [RR 3... e6 4. g3 ♘c6 5. ♗g2 d5 6. cd5 ♘d5 7. 0–0 ♘c7 8. d3 ♗e7 9. ♗e3 e5 10. ♘d2 N (10. ♖c1) ♗d7 11. ♘c4 f6 12. ♘e4! b6 13. ♘ed6 ♔f8 (Vilela 2405 – Am. Rodríguez 2515, Bayamo 1989) 14. f4! ef4 (14... b5? 15. ♘e5 fe5 16. fe5 ♔g8 17. ♘b5!) 15. ♗f4 ♘e6 (15... b5? 16. ♘b7! ♕c8 17. ♘cd6 ♕b8 18. ♘b5 ♕b7 19. ♘c7) 16. ♕d2± Vilela] **4. e4 d6 5. d4 cd4 6. ♘d4 e6 7. g3 ♗b7 8. ♗g2 a6 9. 0–0 ♕c7 10. ♗g5!? ♘bd7** [10... ♗e7 11. ♖e1 (△ 12. ♗f6 ♗f6 13. ♘db5; 11. ♗f6?! ♗f6 12. ♘db5 ab5 13. ♘b5 ♕d7 14. ♘d6 ♔e7 15. ♘b7 ♖a7⩱) 0–0 12. ♖c1∞] **11. ♖e1 ♗e7 12. ♘d5! ♘d5** [12... ed5 13. ed5 ♔f8 (13... ♘e5 14. ♘f5 0–0 15. ♖e5!! de5 16. d6 ♗d6 17. ♗f6+−) 14. ♘f5 ♖e8 15. ♗f4! △ ♖e7→] **13. ed5 ♗g5 14. de6!** [14. ♕h5 0–0 15. ♕g5 e5±] **♘e5** [14... 0–0 15. ef7! ♖f7 16. ♘e6+−] **15. ef7 ♕f7 16. ♗b7 ♕b7 17. f4** [17. ♕h5? ♕f7 18. ♕g5 0–0 △ ♕c4] **0–0 18. fe5 de5?!** [18... ♖ae8!? 19. e6±] **19. ♘e6 ♗e7 20. ♕d5! ♕d5 21. cd5 ♖fc8 22. ♖ac1 b5 23. ♔f2 ♖c4** [23... ♗d6 24. ♔f3 (△ ♔e4, ♖c6) ♔f7 25. ♔e4 △ ♖f1+−] **24. b3 ♖cc8 25. ♔f3 ♗a3 26. ♖c8 ♖c8 27. ♖e5+− h6 28. ♖e2 ♔f7 29. ♔e4 ♗d6 30. ♖f2 ♔g6 31. g4 ♖c1 32. ♖f5!** [△ 32... ♗h2 33. ♘f8#] **♖e1 33. ♔d4 ♖d1 34. ♔e4 ♖e1 35. ♔d3 ♖d1** [35... ♔h7 36. ♖f7 ♗e5 37. ♖a7+−] **36. ♔e2 ♖h1 37. ♘f8 ♗f8 38. ♖f8 ♖h2 39. ♔e3 ♖h1 40. ♔d4 ♔g5 41. d6 ♔g4** [♖ **6/h**] **42. ♔c5 ♖d1 43. ♔c6 h5** [43... ♖c1 44. ♔b7 ♖d1 45. ♔c7 ♖c1 46. ♔d8 h5 47. d7 h4 48. ♔e7 ♖d1 49. d8♕ ♖d8 50. ♖d8+−] **44. d7 h4 45. d8♕ ♖d8 46. ♖d8 h3 47. ♖h8 ♔g3** [47... g5 48. ♔b6+−] **48. ♖g8 1 : 0 [Kajdanov]**

57. A 34

DZINDZICHASHVILI 2540 – POLUGAEVSKIJ 2575

New York 1989

1. ♘f3 c5 2. c4 ♘c6 3. ♘c3 ♘f6 4. g3 d5 5. cd5 ♘d5 6. ♗g2 g6 7. ♘g5!? e6 8. ♘ge4 b6 9. d3 N [9. 0–0] **♗g7 10. ♕a4! ♗d7□** [10... ♕d7; 10... ♗b7 11. ♘d5 ed5 12. ♘c3+−] **11. ♘d5 ed5 12. ♘d6 ♔e7 13. ♘f7! ♘e5□** [13... ♘b4? 14. ♕b4; 13... ♘d4? 14. ♕d4] **14. ♗g5 ♔f7** [14... ♗f6? 15. ♗f6 ♔f6 16. ♕f4+−] **15. ♗d5** [RR 15. ♕f4 ♗f6 16. ♗d5 ♔g7 17. ♗f6 ♕f6 18. ♕f6 ♔f6 19. ♗a8 ♖a8∓ Polugaevskij] **♔e8□ 16. ♕h4! ♕b8□** [16... ♕c8? 17. ♗f6+−] **17. 0–0 h6!** [17... a5 18. ♗a8 ♕a8 19. ♗f6 ♗f6 20. ♕f6 ♘f7 21. ♕b6+−] **18. ♗f6 ♗f6 19. ♕f6 ♖f8 20. ♕g7±** [△ f4] **♗c6!□ 21. ♗c6** [RR 21. f4? ♗d5 22. fe5 ♖g8! 23. ♕f6 ♕d8 Polugaevskij] **♘c6 22. ♕g6 ♔d7 23. ♕g7 ♘e7** [RR 23... ♔e6! 24. ♕h6 ♖f6 25. ♕e3 ♔f7∞ Polugaevskij] **24. d4** [24. ♕g4 ♔e8 25. d4] **♖g8 25. ♕h7 cd4 26. ♖ad1 ♕e5 27. e3 ♖h8 28. ♕f7 ♖af8 29. ♕c4 ♘c6 30. ed4 ♕h5 31. f4!?** [31. d5 ♘e5 32. ♕a4 ♔d8! (32... ♔d6? 33. f4 ♘f3 34. ♖f3! ♕f3 35. ♕c6 ♔e7 36. d6+−) 33. f4 ♘f3 34. ♔g2 ♘h4!∞] **♖e8 32. d5?** [32. ♖c1! ♖c8 33. f5! ♕e8 34. ♖fe1 ♕g8 35. ♖e6+−] **♘a5 33. ♕b5?** [33. ♕a6! ♖e2 34. ♕a7 ♔e8 35. ♕b8 ♔f7 36. ♕c7 ♔f6 37. ♕b6 ♔f5?? 38. ♖f2 ♖f2 39. ♕e6#; 37... ♔f7=] **♔c8∓ 34. ♖d2 ♔b8 35. a4?!** [35. ♕d3 ♘b7 36. d6!? ♘c5 37. ♕f3∓] **♘b7 36. d6? ♕b5 37. ab5 ♖d8 38. d7 ♖h7 39. ♖fd1 ♘c5 40. ♔g2 ♖dd7 41. b4 ♖d2 42. ♖d2 ♘e4 43. ♖d5 ♔c7 44. ♔f3 ♖e7 45. g4 ♘c3 46. ♖h5 ♖e6 47. h4 ♔d6 48. g5 hg5 49. hg5 ♘b5 50. ♖h8 ♘d4 51. ♔g4 ♔d5! 52. ♖a8 ♖e1! 53. ♖a7 ♖g1 54. ♔h5 ♔e4 55. ♖f7 ♘e6 56. ♖e7 ♔f4! 57. ♖e6 ♖g5 58. ♔h6 ♖b5 59. ♔g6 ♖b4** [♖ **3/e**] **60. ♔f6 b5 61. ♖e5 ♖b1 62. ♖h5**

b4 63. ♖h4 ♔g3 64. ♖c4 b3! 65. ♖c3 ♔f4 66. ♖c4 ♔e3 67. ♔e5 ♔d3 0 : 1 [Dzindzichashvili]

58.* A 34

KRASENKOV 2525 –
V. N. KOZLOV 2380
Moskva (ch) 1989

1. ♘f3 ♘f6 2. c4 c5 3. ♘c3 d5 4. cd5 ♘d5 5. g3 [RR 5. d4 cd4 6. ♕d4 ♘c3 7. ♕c3 ♘c6 8. e4 ♗g4 9. ♗b5 ♖c8 10. ♗e3 a6! N (10... ♗f3? – 27/83) 11. ♖d1 ♕c7 12. ♗c6 ♕c6 13. ♕d4 f6 14. 0–0 e5∓ I. Belov 2425 – Terteranc, SSSR 1989] **♘c3 6. bc3 g6 7. ♕a4! ♘d7** [7... ♗d7 8. ♕c4 △ ♘g5] **8. ♗g2 ♗g7 9. d4 0–0 10. 0–0 a6 N** [10... ♘b6 – 30/84] **11. ♕a3 ♕c7 12. ♖d1 e5** [12... b6?! 13. ♗f4] **13. ♗e3!±** [△ 14. de5, 14. ♘e5] **c4** [13... ♘b6? 14. ♘e5!+–; 13... cd4 14. cd4 ed4 15. ♘d4±] **14. ♖ab1** [14. ♕b4!? (△ ♘d2) ed4 15. ♘d4 △ a4± Dragomareckij] **♖e8 15. de5 ♘e5 16. ♗f4 ♗f5** [⌓ 16... ♘f3 17. ♗f3 ♗e5±] **17. ♘e5! ♗b1 18. ♖d7!** [18. ♘d7 ♕d8; 18. ♘c6 ♕b6 19. ♘e7 ♖e7 20. ♕e7 ♗a2∞; 18. ♘g6 ♕b6 19. ♘e7 ♔h8 20. ♘d5 ♕g6! 21. ♕c1! (21. ♘c7 ♖ad8; 21. ♕b2 ♗e4) ♗e4! 22. ♘c7 ♗g2 23. ♔g2 ♕e4 △ ♕e2=] **♕b6** [18... ♕c8? 19. ♗b7 ♕b8 20. ♘c6+–; 18... ♕b8? 19. ♘g6 ♕a7 20. ♖b7+–] **19. ♗d5!?** [19. ♖b7 ♕e6 20. ♖b1 (20. ♘f7?! ♗e4 21. ♘g5 ♕d5!∞) ♗e5 21. ♗a8 (21. ♗e5 ♕e5 22. ♗a8 ♖a8±) ♗f4 22. ♗f3 ♗e5±] **♗f8?** [19... ♗e5? 20. ♗f7 ♔h8 21. ♕f8!!+–; 19... ♖e5? 20. ♗e5 ♗e5 21. ♖f7 △ ♖f8+–; 19... ♗e4 20. ♗f7 ♔h8 21. ♗e8 ♖e8 22. ♘f7 ♔g8 23. ♘d6 ♕b1 24. ♗c1±; 19... ♗f5 20. ♗f7 (20. ♖b7 ♕d8 21. e4 ♗e4!) ♔h8 21. ♗e8 ♕b1 22. ♔g2 ♖e8 23. ♖d2!±] **20. ♘f7!** [20. ♗f7 ♔h8 21. ♕c1 ♗f5±; 20. ♕a4 ♖e7±; 20. ♕c1 ♖e7 21. ♖e7 (21. ♗f7 ♖f7 22. ♘f7 ♗f5) ♗e7 22. ♗f7 ♔g7! 23. ♗h6 ♔h8 24. ♗c4 ♗f5±; 20. ♖f7! ♗a3 (20... ♖e6 21. ♖f8! ♖f8 22. ♘d7+–; 20... ♔h8 21. ♘g6! hg6 22. ♕f8! ♖f8 23. ♗e5 ♔g8 24. ♖b7+–) 21. ♗h6!! (21. ♖b7? ♕e6 22. ♗e6 ♖e6 23. ♖b1 ♗d6∓; 21. ♖f6 ♖e6 22. ♖e6 ♕e6 23. ♗e6 ♔g7 24. ♗c4 ♗d6∞) ♖e6 (21... ♕e6 22. ♖g7 ♔f8 23. ♖b7 ♔g8 24. ♖g7 ♔f8 25. ♖g6+–) 22. ♖g7 ♔f8 23. ♘d7 ♔e8 24. ♘b6 ♖b6 25. ♖g8 ♔d7 26. ♖a8 ♗a2 27. ♖h8 ♔d6 28. e4+–] **♗e4!** [20... ♗a3? 21. ♘d6 ♔h8 22. ♗h6!+–; 20... ♖e6 21. ♘d6+–; 20... ♗f5 21. ♕f8!! ♔f8 (21... ♖f8 22. ♘d6 ♖f7 23. ♖f7+–) 22. ♗h6 ♔g8 23. ♘d6 ♗e6 24. ♗e6 ♖e6 25. ♖g7 ♔f8 26. ♖h7 ♔g8 27. ♖g7 ♔f8 28. ♖b7 ♔g8 29. ♖b6+–] **21. ♘h6 ♔h8 22. ♘f7 ♔g8 23. ♘h6?⊕** [23. ♗c4!! ♖ac8 (23... ♗a3 24. ♘g5+–; 23... ♕b1 24. ♕c1+–; 23... ♕c6 24. ♕b3+–) 24. ♕b3! ♕b3 25. ♗b3 ♖c3 (25... ♗f5 26. ♘d6 ♔h8 27. ♘e8+–) 26. ♘h6 ♔h8 27. ♗e5! ♖e5 28. ♘f7 ♔g7 29. ♘e5 ♔f6 30. ♘g4 △ f3+–] **♔h8 24. ♘f7 1/2 : 1/2 [Krasenkov]**

59.* A 34

LERNER 2535 – THORSTEINS 2430
Lugano 1989

1. c4 ♘f6 2. ♘c3 c5 3. g3 d5 4. cd5 ♘d5 5. ♗g2 ♘c7 6. ♕b3 ♘c6 7. ♗c6 bc6 8. ♘f3 f6 9. d3 [RR 9. ♕a4 ♗d7 10. 0–0 e5 11. d3 ♗e7 12. ♗e3 (12. ♘e4 ♘e6 – 44/39) ♖b8 13. ♖fc1 ♘e6 14. ♕a7!± Dorfman 2565 – Thorsteins 2430, New York 1989] **e5 10. ♗e3 ♘e6 N** [10... ♗h3 – 46/56; RR 10... ♗e6 11. ♕a3!? (11. ♕a4 ♕d7 12. ♘e4 ♗d5 13. ♘c5 ♗c5 14. ♗c5 ♗f3 15. ef3 ♘e6$\overline{\overline{\infty}}$) c4 12. ♗c5 cd3 13. ♗f8 ♖f8 14. ♖d1 △ 0–0± Thorsteins] **11. 0–0 ♗e7 12. ♖fc1 ♘d4 13. ♗d4 cd4 14. ♘e4 ♗d7** [14... ♕d5!? 15. ♖c4 ♗d7 (15... 0–0? 16. ♖c6; 15... ♗e6 16. ♕a4 ♕b5 17. ♕b5 cb5 18. ♖c7±) 16. ♖ac1 0–0=] **15. ♘c5** [RR 15. a3!? ♖b8 (15... ♕c8 16. ♕c4±) 16. ♕a4 ♖b2 17. ♕a7 0–0 18. ♖cb1! ♕b8 19. ♕b8 ♖bb8 20. a4± Thorsteins] **♖b8 16. ♕a4 ♗c5** [16... ♖b2 *a)* 17. ♕a7 ♗c5 (17... ♖e2? 18. ♖ab1 ♗c5 19. ♖c5 0–0 20. ♔f1+–) 18. ♕c5 ♕e7!=; *b)* 17. ♘d7! ♕d7 18. ♖c6 0–0 (18... ♖e2 19. ♖b1 0–0 20. ♔f1+–) 19. ♕c4 ♔h8 20. ♖c7±] **17. ♖c5 ♖b2**

18. ♘e5 ♖e2? [18... fe5 19. ♖e5 ♔f7 20. ♕d4 ♖b5 21. ♖b5 cb5 22. ♕a7⯊] **19. ♘c6! ♗c6** [19... 0–0? 20. ♕b3 ♗e6 21. ♕d1+−; 19... ♕c7 20. ♕c4 ♗e6 21. ♘d4!+−; 19... ♕b6 20. ♖b5 ♕c7 21. ♕d1! ♗g4 22. ♘d4 ♖e4 23. ♕a4!+−] **20. ♕c6 ♔f7 21. ♖d5 ♕e8** [21... ♕b6 22. ♖d7 ♔g6 (22... ♖e7 23. ♖e7 ♔e7 24. ♖e1 ♔f7 25. ♕d7 ♔g6 26. ♖e7 ♖g8 27. ♕d5 ♖f8 28. ♕e4 f5 29. ♖e6 ♖f6 30. ♖b6 fe4 31. ♖f6 ♔f6 32. de4+−) 23. ♕d5 ♖f8 24. ♖c1+−] **22. ♖d7 ♖e7** [22... ♔g6 23. ♕b7 ♖g8 24. ♕a7+−] **23. ♖e7! ♕e7 24. ♖b1 ♔g6 25. ♖b7+−** ♕e5 26. ♕d7 f5 27. ♕f7 ♔h6 28. ♖e7 **1 : 0**
[Lerner]

60.* A 34

J. HJARTARSON 2615
− A. SOKOLOV 2605
Rotterdam 1989

1. c4 ♘f6 2. ♘c3 c5 3. g3 d5 4. cd5 ♘d5 5. ♗g2 ♘c7 6. d3 e5 7. ♘f3 ♘c6 8. 0–0 ♗e7 9. ♘d2 ♗d7 10. ♘c4 f6 11. f4 b5 12. ♘e3 ♖c8 13. a4 b4 14. ♘b5 ef4 [14... a6 15. ♘c7 ♕c7 16. ♘d5 ♕d8 17. a5±] 15. ♘c7 [15. ♗c6 fe3 16. ♗d7 ♕d7 17. ♘c7 (17. ♗e3? ♘d5 △ a6−+) ♖c7 18. ♗e3 ♕e6=; 15. ♘c4 fg3 16. ♘bd6 ♔f8∞; 15. gf4!? ♘a8 16. ♘c4 (16. ♗c6? ♖c6 17. ♘a7 ♖a6−+) ♗e6 17. ♗c6 ♖c6 18. ♘a7 ♖a6 19. ♘b5±] ♖c7 N [15... ♕c7 16. ♘d5 ♕d8 17. gf4 ♗e6 18. e4 0–0 19. ♗e3 ♗d6 20. ♖c1 ♗d5 21. ed5 ♘a5 22.

♕c2 ♖e8 23. ♖ce1 f5!∓ B. Larsen 2560 − Sax 2600, Næstved 1988] 16. gf4 [16. ♘d5 fg3 17. ♘c7 ♕c7∓] ♗e6 17. ♘c4 ♕d7 18. ♔h1 0–0 19. b3 ♘d4 [19... f5!? 20. ♗b2 ♗f6∓] 20. ♖b1 ♖e8 21. ♖b2 [21. e3? ♗g4 22. ♕e1 ♘f5∓] ♗f8 22. ♕e1 [22. e3 ♗g4 23. ♕e1 ♘f5∓] ♗f7 23. ♕f2 ♕g4 24. e3 ♘f5 25. e4 [25. ♗f3 ♕h4∓] ♘d4 [25... ♘h4? 26. ♘e3 ♕h5 27. ♗h3±] 26. ♗e3 ♖d7 27. f5?! [△ 27. ♖g1 △ ♗f1] ♕h5 28. ♖c1 [28. ♖g1? ♗c4 29. dc4 ♗d6 30. h3 ♗e5∓] g5?! [28... ♖ed8∓] 29. fg6 ♗g6 30. ♖g1 [30. ♕f6? ♗g7 31. ♕f2 ♖f8−+] ♗g7 31. ♗f4 ♘e6 32. ♗f3 ♕h3 33. ♖g3 ♕h4 [33... ♘f4 34. ♖h3 ♘h3 35. ♕f1±] 34. ♗g4 [34. ♗d6! ♖ed8 35. ♗g4 ♖d6 36. ♘d6 ♖d6 37. ♗e6 ♖e6 38. ♖g6 ♕f2 39. ♖g7 ♔g7 40. ♖f2=] ♖d3! 35. ♗e6 [35. ♖d3? ♕g4−+] ♖e6 36. ♖g6 [36. ♖d3 ♗e4−+] ♕f2 37. ♖g7 ♔g7 38. ♖f2 ♖b3 39. e5 [39. ♖g2 ♔f8 40. ♗h6 ♔e8 41. ♖g8 ♔d7−+] fe5 40. ♗e5 ♔g6 41. ♖g2 ♔h5 42. ♖g7 ♖b1 43. ♔g2 ♖c1 44. ♖h7 ♔g6 45. ♖h6 ♔h6 46. ♗f4 ♔h7 **0 : 1** [A. Sokolov]

61. A 34

J. HJARTARSON 2615
− VAGANJAN 2600
Rotterdam 1989

1. c4 c5 2. ♘f3 ♘f6 3. ♘c3 d5 4. cd5 ♘d5 5. g3 ♘c6 6. ♗g2 ♘c7 7. 0–0 e5 8. d3 ♗e7 9. ♘d2 ♗d7 10. ♘c4 0–0!? 11. ♗c6 ♗c6 12. ♘e5 ♗e8 13. ♗e3 ♘e6 14. ♖c1 ♗f6 15. ♘f3 [15. ♘g4 ♗d4!] ♗c6= 16. ♕b3 N [16. a3 − 19/55] ♗d4!? [16... ♗f3!? 17. ef3 ♕d3! (17... b6?! 18. ♘e4 ♗d4 19. f4!±) 18. ♘e4!? (18. ♕b7 ♖ab8 19. ♕a7 ♖b2 20. ♘e4 ♗d4= 21. ♖fd1 ♕e2) ♕b3 19. ♘f6 gf6 20. ab3±] 17. ♗d4 ♘d4 18. ♘d4 cd4 19. ♘e4 ♖e8?! [19... ♕d7! 20. ♖c5 ♖ae8 21. ♖fc1 ♔h8∓] 20. ♖c5! ♕d7 21. ♖fc1 h6? [21... ♖ad8!= 22. f3 ♗d5 △ f5] 22. f3!± ♖ad8 23. g4 ♗d5 24. ♕c2 ♕e6 25. a3 h5!? 26. g5! [26. h3 b6! 27. ♖c7 ♕e5 28. ♔g2 h4∓; 26. gh5 f5!] ♕g6 27. ♔h1! [27. ♕d2?! f5!] b6 28. ♖c7 ♗e4 [28... ♖e5?! 29. ♖c8 ♖c8 30. ♕c8 ♔h7 31. ♕b8!+−] 29. fe4 ♕g5 30.

48

♖a7! ♖d6!? 31. ♖g1 ♕f4 [31... ♕e3? 32. ♖f7! ♔f7 33. ♕c7+−] **32. ♕c7?!=** [32. ♕c1!± ♖f6 33. ♖d7! ♖e5 34. ♖d4 ♕c1 35. ♖c1 ♖f2 36. ♖d5!+−] **♖f6! 33. ♕d7?! ♕e5! 34. ♕c7 ♖f2 35. ♕e5 ♖e5 36. ♖g2 ♖f1 37. ♖g1 1/2 : 1/2** **[Vaganjan]**

62.**** **A 35**

RIBLI 2625 − JOEL BENJAMIN 2545
Wijk aan Zee 1989

1. ♘f3 c5 [RR 1... ♘f6 2. g3 g6 3. ♗g2 ♗g7 4. c4 0−0 5. 0−0 c5 6. d4 cd4 7. ♘d4 ♘c6 8. ♘c2 d6 9. ♘c3 ♗e6 N (9... ♕a5 − 16/62; 9... ♗d7 − 30/87) 10. b3 ♕d7 *a)* 11. ♖e1 ♗h3 12. ♗h1 ♘g4 13. ♕d2 (13. ♗b2? ♕f5 14. f3 ♕c2) a6 14. f3 ♘f6 15. ♗b2 ♖fc8 16. ♘e3 ♖ab8 17. ♘cd5 ♘d5 18. cd5 (Lautier 2450 − Koch 2390, Dortmund II 1989) ♗b2 19. ♕b2 (19. dc6 ♕e6) ♘e5=; *b)* 11. e4 ♗h3 12. ♕e2 ♖fc8 13. ♖d1 ♗g2 14. ♔g2 ♕e6 15. ♖b1 a6 16. a4 ♖ab8 17. ♗b2 b6 18. f3 ♘e8 19. ♘d5± Davies 2475 − Tolnai 2485, Budapest 1988] **2. c4 ♘c6 3. ♘c3 ♘d4!?** [RR 3... g6 4. e3 d6 5. d4 ♗g7 6. d5 ♘e5 7. ♘e5 ♗e5 8. ♗d3 ♗g7 9. 0−0 ♘f6 10. e4 0−0 11. ♗g5 h6 N (11... ♘d7) 12. ♗d2 e5 13. de6 ♗e6 14. f4 ♘g4 15. ♕e1 ♕f6 16. ♔h1 ♕d8 17. ♕g3 ♗d7 18. ♖ae1 ♖e8 19. h3 ♘f6 20. ♕f2 ♗c6 21. ♗b1 ♘d7 22. ♘d1 b5∞ Illescas Cordoba 2525 − Ljubojević 2580, Barcelona 1989] **4. e3 ♘f3 5. ♕f3 g6 6. b3 ♗g7 7. ♗b2 d6 8. g3** [RR 8. ♗e2 N ♘h6 9. h3 ♖b8 10. 0−0 ♗d7 11. ♕e4 ♗c6 12. ♕c2 0−0 13. f4 a6 14. ♗f3 ♗f3 15. ♖f3 b5∞ Pfleger 2500 − Christiansen 2530, BRD 1989] **♖b8 9. ♗g2 ♘h6 N** [9... ♗d7 10. 0−0 ♗c6 11. ♕e2 ♗g2 12. ♔g2 ♘f6 13. ♘e4!± U. Andersson 2625 − Ljubojević 2600, Bruxelles (S.W.I.F.T) 1988; 9... ♘f6 10. ♕d1 0−0 11. d4 ♗g4 12. ♕d2 ♕c8 13. 0−0 ♗h3± Ribli 2625 − Miles 2520, Wijk aan Zee 1989] **10. ♕d1 ♘f5 11. ♕c2 0−0 12. 0−0 a6 13. a4** [13. ♘d5 e6 14. ♗g7 ♘g7 15. ♘f4 b5 16. d3 ♗b7=] **♗d7 14. ♘d5 e6 15. ♗g7 ♘g7 16. ♘f4 ♘f5 17. ♕c3 ♗c6** [17... b5 18. ab5 ab5 19. ♖a6!? (19. ♖a7 ♕c8 20. ♖fa1 ♗c6 21. ♖1a6±) ♖b6 20. ♖fa1±] **18. b4!± ♗g2 19. ♔g2 cb4 20. ♕b4 ♘e7 21. ♖fc1 d5 22. d4** [22. cd5 ♘d5 23. ♘d5 ♕d5 24. ♔g1 ♖fc8=; 22. ♖ab1 dc4 23. ♖c4 b5!=] **♘c6 23. ♕c3** [23. ♕a3? dc4 24. ♖c4 g5!−+] **dc4 24. ♕c4 ♕d6 25. ♖ab1 ♖fc8 26. ♖b6** [26. h4±] **♕d8 27. ♖cb1 ♘a7 28. ♕b3 ♘b5 29. ♖e6 ♘c3!** [29... fe6 30. ♕e6 ♔g7 31. ab5+−] **30. ♖b6** [30. ♘g6 fe6 31. ♕e6 ♔g7 32. ♘e7 ♘b1 33. ♘f5 ♔f8 34. ♕h6 ♔e8 35. ♕e6 ♔f8 36. ♕h6=] **♘b1 31. ♕b1 ♕d7 32. a5 ♖c6! 33. ♖b4 g5! 34. ♘d3** [34. ♘h5 ♖h6 35. ♕d1 ♕d5 36. ♔g1 ♖c8∓] **♖h6 35. h4⊕** [35. ♘e5! ♕h3 36. ♔f3 ♕h2 (36... ♖f6 37. ♔e2 ♕h2 38. ♘g4 ♕h5 39. ♕e4∞) 37. ♕f5∞] **♕d5 36. f3 gh4 37. ♘f4 ♕a5 38. g4 ♖c8 39. ♔h3 ♕a3 40. ♖b3 ♖c1 41. ♕f5! ♖h1** [41... ♕b3 42. ♕g5 ♔h8 (42... ♖g6? 43. ♕d8 ♔g7 44. ♘h5 ♔h6 45. ♕f8 ♔g5 46. f4#) 43. ♕h6=∞] **42. ♔g2 ♕c1 43. ♕g5 ♔h8** [43... ♖g6 44. ♕d8 ♔g7 45. ♘h5 ♔h6 46. ♕f8 ♔g5 47. ♖b1!? (47. ♕c5 ♕c5 48. dc5=∞; 47. ♕e7 f6 48. ♕c5 ♕c5 49. dc5=∞) ♕b1 48. ♕c5 ♔h6 49. ♕f8=] **44. ♕d8 ♔g7 45. ♕g5 ♔h8** [45... ♖g6? 46. ♘h5 ♔h8 47. ♕d8 ♖g8 48. ♕f6] **46. ♕d8 1/2 : 1/2** **[Ribli]**

63. **A 35**

TAL' 2610 − ANAND 2525
Cannes 1989

1. c4 c5 2. ♘f3 ♘c6 3. ♘c3 ♘d4!? 4. e3 ♘f3 5. ♕f3 g6 6. b3 [6. d4! ♗g7 7. dc5 ♕a5∞; 7... ♗c3!?] **♗g7 7. ♗b2 d6 8. g3 ♖b8 9. ♗g2 ♘h6!? 10. ♕d1 0−0 N 11. 0−0 ♗d7 12. a4?! ♗c6 13. d4 ♗g2 14. ♔g2 ♖c8 15. ♕d3?** [15. d5!± Tal'] **cd4! 16. ed4 ♘f5 17. d5** [17. ♘e2 d5 18. c5 a5∓; 17. ♘d5! e6 18. ♘e3=] **♕b6 18. ♘d1 ♗b2 19. ♘b2 e5! 20. de6 fe6 21. ♖ad1 ♖f6!** [⇔f] **22. ♖d2 e5 23. ♕d5 ♔g7 24. ♕b5 ♕c7 25. c5 ♕c5 26. ♕b7 ♖c7 27. ♕d5 ♕b4 28. ♖fd1 ♖c5!** [×b3; △ 29. ♘d3? ♘e3!−+] **29. ♕a8 ♕b3 30. ♘d3 ♖c2 31. ♕e4 ♖c4! 32. ♕d5 ♕c3 33. ♖b2 ♖d4 34. ♖b7 ♔h6 35. ♕b5** [35. ♕g8 ♕c6−+]

35... ♘e3! 36. ♔g1 [36. fe3 ♕c2 37. ♔h3 ♖h4! 38. gh4 ♖f3 39. ♔g4 ♕g2#] **♕c2! 37. ♖f1 ♖d3** [38. ♕d7 ♕f2!] **0 : 1**
[Anand]

64.*** **A 36**

NOGUEIRAS 2575 – VAGANJAN 2600
Barcelona 1989

1. c4 c5 [RR 1... g6 2. ♘c3 ♘f6 3. e4 d6 4. g3 c5 5. ♗g2 ♘c6 6. ♘ge2 ♗g7 7. a3 0–0 8. ♖b1 ♗g4 N (8... ♘e5) 9. b4 (9. f3!? △ b4) cb4 10. ab4 a5 11. ba5 ♘e5 12. 0–0 ♘c4 13. ♖b5 ♘a5= Seirawan 2610 – Nunn 2620, Rotterdam 1989] **2. g3 ♘c6 3. ♗g2 g6 4. ♘c3 ♗g7 5. e3** [RR 5. a3 *a)* 5... b6 6. b4 ♖b8 7. ♖b1 ♗b7 8. ♘h3 N (8. e3) ♘h6 9. 0–0 ♘f5 10. ♘e4 cb4 11. ab4 0–0 12. ♗b2 ♘e5 13. ♕b3 ♘c4 14. ♗g7 ♘g7 15. ♕c4 d5 16. ♘f6 ef6 17. ♕a2 d4 18. ♕a7 ♗g2 19. ♔g2 ♕d5 20. f3 ♘e6= Renet 2480 – B. Larsen 2580, Cannes 1989; *b)* 5... a5 6. e4 e5 7. ♘ge2 ♘ge7 8. d3 d6 9. 0–0 0–0 10. ♖b1 f5 N (10... ♖b8) 11. ef5 ♗f5 12. ♗g5 ♕d7 13. ♗e7 ♕e7 14. ♘d5 ♕d8 15. ♘ec3 (15. b4 ab4 16. ab4 ♖a3 17. ♖b3 cb4∞) a4! (15... ♔h8 16. ♘b5 ♘a7 17. ♘a7 ♖a7 18. b3 b6 19. ♕e2 ♖af7 20. b4± Makaryčev 2500 – I. Belov 2425, Pula 1989) 16. b4 (16. ♘a4 ♖a4 17. ♕a4 ♗d3=) ab3 17. ♖b3 ♘d4 18. ♖b7 ♖a3= I. Belov] **♘h6!? 6. ♘ge2 ♘f5 7. 0–0 0–0 8. b3** [8. ♖b1!? d6 9. a3 a5!?=] **d6 9. ♗b2 ♖b8= 10. ♖b1?! N** [10. d3 ♗d7 11. ♕d2 a6 12. ♘d5=] **♗d7 11. d3 a6 12. ♕d2 b5 13. ♘d5 e6** [13... ♗b2?! 14. ♕b2 bc4 15. dc4 a5 16. ♘ec3±] **14. ♗g7 ♔g7 15. ♘dc3** [15. ♕b2 f6 16. ♘dc3 b4! 17. ♘e4 e5∓] **b4 16. ♘e4 e5∓ 17. f4** [17. g4?! ♘h4 18. ♘d6? (18. g5? ♗h3–+) ♘g2 19. ♔g2 ♗g4∓] **♕e7 18. h3 f6 19. ♖be1 a5 20. ♖f2 h5 21. ♖ef1 ♖be8 22. fe5 fe5 23. ♔h2 ♖h8!? 24. ♘g1 ♘d8!?∓ 25. ♘f3 ♘f7** [25... ♘e6?! 26. ♘h4!? ♘h4 27. ♖f7?! ♕f7 28. ♖f7 ♔f7 29. ♘d6 ♔e7 30. ♘e8 ♘g2 31. ♕g2 ♖e8 32. ♕d5; 27. gh4!? △ ♘f6∞] **26. ♕e1 ♗c8** [26... ♗c6 27. ♘h4!?] **27. ♘fd2 ♖ef8 28. ♔g1?!⊕ ♗b7⊕ 29. ♕e2?** [29. ♔h2!?] **♗e4! 30. ♘e4 ♘g5 31. ♔h2 h4!–+ 32. gh4** [32. g4 ♘e4 33. ♗e4 ♘g3–+] **♖h4 33. ♘g5 ♕g5 34. ♕f3!?□** [34. e4? ♕g3 35. ♔h1 ♖h3 36. ♗h3 ♕h3 37. ♔g1 ♘g3–+] **♖hh8!? 35. ♕b7 ♖f7 36. ♕e4 ♕g3 37. ♔g1** [37. ♔h1 ♕f2] **♖h3 0 : 1** **[Vaganjan]**

65. **A 37**

ZAJČIK 2510 – THORSTEINS 2430
Protvino II 1988

1. c4 g6 2. ♘c3 c5 3. g3 ♗g7 4. ♗g2 ♘c6 5. a3 a6 6. ♖b1 ♖b8 7. b4 cb4 8. ab4 b5 9. cb5 ab5 10. ♘f3 e5 11. d4!? ed4 12. ♘d5 ♘f6 13. ♗g5 h6 14. ♘f6 ♗f6 15. ♗f4 N [15. ♗f6 – 46/65] **d6□** [15... ♖a8 16. ♗d6±] **16. ♗h6! ♗f5** [16... ♖h6 17. ♕c1 ♖h5 18. ♕c6 ♔f8 19. 0–0±] **17. ♖c1 ♗e4 18. ♗d2 ♘e5 19. 0–0 ♘c4?!** [19... ♘f3 20. ef3 ♗b7 21. ♖e1 ♔f8±]

20. ♗g5!! ♗f3 [20... ♗g5 21. ♕d4 0–0 22. ♘g5 ♗g2 23. ♕h4+–] **21. ♗f6 ♕f6 22. ef3! 0–0 23. f4 ♖fe8 24. ♗d5 ♖bc8** [24... ♘b6 25. ♗c6+–] **25. ♕g4⊕ d3! 26. ♖cd1 ♘b2 27. ♖d2 ♖c2 28. ♖c2 dc2 29. ♗b3!** [29. ♖c1?? ♘d3 30. ♖c2 ♕a1 31. ♔g2 ♘e1 32. ♔h3 ♕h8!–+] **♘d3 30. ♗c2 ♘b4 31. ♗b3±** [△ f5] **♘d3 32. ♕d7 ♖e2 33. ♕b5 ♕f5 34. ♕b8 ♔g7 35. ♕d6 ♘f2⊕ 36. ♖f2 ♕b1 37. ♗d1 ♖e1 38. ♖f1 ♕e4 39. ♕e5 ♕e5 40. fe5 ♖e5 1 : 0**
[Zajčik, Gufel'd]

66.* **A 37**

CIFUENTES PARADA 2465 – MILOS 2510

Santiago 1989

1. c4 g6 2. ♘f3 ♗g7 3. ♘c3 c5 4. g3 ♘c6 5. ♗g2 ♘h6 [RR 5... d6 6. 0–0 ♘h6 7. e3 ♘f5 8. a3 N (8. g4?! – 9/56; 8. b3) 0–0 9. ♖b1 a5 10. ♘e1 ♗d7 11. b3 ♖b8 12. ♘b5 ♘e5 13. f4 ♗b5 14. cb5 ♘d7 15. ♘f3 d5 16. g4 ♘d6 17. a4 c4 18. ♗a3 ♘b6 19. d3 cb3 20. ♕b3 ♕c8 21. ♘e5± Lautier 2450 – Gavrikov 2535, Lugano 1989] **6. 0–0 ♘f5 7. b3 0–0 8. ♗b2 d6** [8... e6 9. ♘e1!] **9. d3 a6 N** [9... ♖b8 10. ♕d2 ♗d7] **10. ♕d2 ♖b8 11. ♘d5 ♗b2 12. ♕b2 b5 13. e3 bc4 14. dc4 ♗d7 15. ♘d2** [△ ♘e4] **♘b4 16. ♘b4 ♖b4 17. ♘e4 ♗e6 18. ♕c2 ♕c7** [△ ♖fb8, ♕c8-f8-g7] **19. ♖ad1 ♖fb8 20. h4 ♘g7! 21. ♗f3 h5** [△ ♗f5] **22. ♘c3 ♕c8 23. ♘d5?** [23. ♗d5=] **♗d5 24. ♖d5** [24. ♗d5 ♕f5∓] **♘e8! 25. ♔g2 ♘f6 26. ♖d2 a5∓ 27. ♗d1 a4 28. ♕d3 ab3 29. ab3 ♕b7 30. f3** [30. ♗f3 ♕a7 △ ♕a3] **♖a8 31. ♗c2 ♖a2 32. ♕c3 ♕a8** [△ ♕a3-b2] **33. ♗d1 ♖a1 34. ♗e2 ♖a3 35. ♖b2 ♖b6 36. ♗d1 ♖a1 37. ♗e2 ♖f1 38. ♗f1 ♕a1 39. ♗e2 ♖a6 40. ♕c2 ♘d7!** [×b4] **41. ♖b1?** [⌓ 41. f4] **♖a2! 42. ♖a1□ ♖c2 43. ♔f2 ♘e5∓ 44. ♖a4?** [44. ♖b1] **♘d3 45. ♔f1 ♘c1 46. ♗d1 ♖h2 47. ♔e1 ♘d3** [48. ♔f1 ♖f2 49. ♔g1 ♖d2 50. ♖a1 ♘b2] **0 : 1**
[Milos]

67.** **A 37**

D. GUREVICH 2480 – DLUGY 2570

New York 1989

1. c4 c5 2. ♘c3 g6 3. g3 ♗g7 4. ♗g2 ♘c6 5. ♘f3 e6 6. d4!? [RR 6. 0–0 ♘ge7 *a)* 7. e3 ♘f5 8. ♘e4 N (8. ♘e2; 8. a3; 8. b3; 8. d3) d6 9. d4 cd4 10. ed4 d5 11. cd5 ed5 12. ♘c3 ♗e6 13. ♗g5 ♕a5 14. a3 h6 15. b4 ♕b6 16. ♘a4 ♕c7 17. ♗f4 ♕e7 18. ♖e1 0–0 19. ♘c5 b6 20. ♘e6 fe6 21. ♖c1 ♖ac8 22. ♘e5∞ Ditzler 2300 – Gheorghiu 2515, Bern (open) 1989; *b)* 7. d3 0–0 8. ♗d2 d5 9. a3 b6 10. ♖b1 ♗b7 11. cd5 ed5 12. b4 c4 N (12... cb4) 13. b5 ♘a5 14. ♘a4 ♘b3 15. ♗b4 ♖e8 16. ♘d2 ♘d2 17. ♕d2 ♕c7 18. d4 ♘f5 19. e3± Ljubojević 2580 – Gulko 2610, Linares 1989] **♘d4 7. ♘d4 cd4 8. ♘e4 ♘e7 N** [8... d5 9. cd5 ed5 10. ♕a4; 8... ♕c7 – 32/91] **9. ♘d6 ♔f8 10. ♘b7 ♗b7 11. ♗b7 ♖b8 12. ♗g2± ♔g8 13. 0–0 h6 14. b3 d5 15. ♗a3!** [15. cd5?! ♘d5=] **dc4 16. bc4 ♕d7 17. ♖b1 ♔h7 18. ♕c2** [△ 19. ♖b8 ♖b8 20. ♖b1±] **♖b6 19. ♖b3** [19. ♖b6 ab6 20. ♖b1 ♘c8] **♖c8 20. ♖b6!? ab6 21. ♕b3 ♕c7 22. ♖c1** [△ c5] **♖b8 23. ♖b1** [△ ♕b5, c5] **♗f8 24. ♕b5 ♘f5 25. ♗f8 ♖f8 26. ♕c6!± ♕a7 27. a4! ♖b8 28. ♗e4 ♘e7?!** [28... h5] **29. ♕d6 ♖e8⊕ 30. c5!** [30. a5 ♕a5 31. ♕d7] **bc5** [30... ♘c8 31. cb6 ♘d6 32. ba7 ♘e4 33. ♖b8] **31. ♖b7+– ♕a8 32. ♖e7 ♕e4 33. ♖f7! ♔g8 34. ♕d7 ♕b1 35. ♔g2 ♕e4 36. ♔h3 1 : 0** **[D. Gurevich]**

68. **A 37**

A. ČERNIN 2580 – P. WOLFF 2485

New York 1989

1. c4 c5 2. g3 g6 3. ♗g2 ♗g7 4. ♘f3 ♘c6 5. ♘c3 e6 6. d4!? ♘d4 7. ♘d4 cd4 8. ♘b5!? N ♕b6 9. ♕a4 [9. e3 d5!] **a6□** [9... ♘e7 10. ♗f4 e5 11. c5! ♕c5 12. ♖c1±] **10. e3 d3!?** [10... ♘e7 11. ♘d4 0–0 12. 0–0 d5 13. b3∞] **11. ♕a3?!** [11. 0–0 ♘e7 12. ♖d1] **♗f8 12. b4□** [12. ♕c3? f6] **d5!** [12... ♖b8 13. ♕c3! f6 14.

c5! ♕b5 15. a4+−] **13. 0–0** [13. ♗b2 dc4! 14. ♗h8 ♕b5∓] **f6!** [13... dc4 14. ♕c3 f6 15. ♘a3 ♕b4 16. ♕b4 ♗b4 17. ♘c4=∞; 14... ♕b5!?∓] **14. ♘c3 dc4** [14... ♕b4 15. ♕b4 ♗b4 16. ♘a4=∞] **15. ♘a4! ♕c7 16. ♘c5** [16. ♗b2 a5 17. ♘c5 ab4 18. ♕a8 ♗c5∓] **♖a7** [16... a5!? 17. ♕a4 ♔f7∓] **17. ♗b2 b6** [17... a5!?] **18. ♘e4 a5! 19. ♕a4□ b5!** [19... ♗d7 20. b5 △ ♘f6, ♖c1=∞] **20. ♕b5 ♗d7 21. ♘f6□ ♘f6 22. ♕g5 ♗g7?⊕** [22... c3! 23. ♗c3 ♕c3 24. ♖ac1 ♗h6! (24... ♕b2 25. ♖b1 ♗h6 26. ♕c5) 25. ♕h6 ♕e5∓] **23. ♗f6 0–0** [23... ♗f6 24. ♕f6 ♖f8 25. ♕g7!? (25. ♕c3 ab4 26. ♕b4 ♖a4 27. ♕c3 ♕a5) ab4 26. ♕h7∞] **24. ♗g7 ♔g7 25. b5! ♖f5 26. ♕e7 ♖f7 27. ♕a3 ♗b5??** [27... ♕b6 28. ♕c3 ♔g8 29. a4!⩲] **28. ♕b2+− c3 29. ♕b5 ♕d6 30. ♗e4 ♖fd7 31. ♖fd1 d2 32. ♗c2⊕ ♖dc7 33. ♕e8 ♖ab7 34. ♖ab1 ♕d5 35. ♕a4 ♖b1 36. ♖b1 ♖c4 37. ♕b3 ♖b4 38. ♕d5 ♖b1 39. ♗b1 ed5 40. ♗c2 ♔f6 41. ♔f1 ♔e5 42. ♔e2 d4 43. f4 ♔d5 44. ed4 ♔d4 45. g4 1 : 0 [A. Černin]**

69.* **A 38**

A. ČERNIN 2580 – I. IVANOV 2515

New York 1989

1. c4 [RR 1. ♘f3 ♘f6 2. c4 g6 3. g3 ♗g7 4. ♗g2 0–0 5. 0–0 d6 6. ♘c3 c5 7. a3 ♘c6 8. ♖b1 d5 N (8... ♗e6; 8... ♗d7; 8... ♗f5; 8... a5; 8... ♗g4 – 34/73) 9. b3 h6 10. cd5 ♘d5 11. ♘d5 ♕d5 12. d3 ♗d7 13. ♗e3 ♕h5 14. ♕d2 a5 15. ♖fc1 b6 16. ♘e1 ♖ac8 17. ♗f3 ♕h3 18. ♗g2 ♕e6 19. ♘c2 h5 20. d4 ♘d4 21. ♘d4 cd4 22. ♗d4 ♖c1 23. ♖c1 ♕d6 24. ♖d1 ♗e6∓ U. Andersson 2625 – Ivančuk 2625, Reggio Emilia 1988/89] **c5 2. g3 g6 3. ♗g2 ♗g7 4. ♘f3 ♘c6 5. ♘c3 d6 6. 0–0 ♗d7 7. b3 ♘f6 8. ♗b2 0–0 9. e3 ♖b8 N** [9... ♕c8 – 7/48] **10. d4 ♗g4** [10... a6!? △ b5] **11. ♕d2?!** [11. h3! ♗f3 12. ♗f3±] **e5! 12. d5** [12. de5=] **♘e7 13. ♘e1 ♗d7 14. e4 ♘h5 15. ♘c2?!** [15. ♘d3 f5 16. ef5 gf5 17. f4=] **f5 16. ef5 gf5 17. a4 a6 18. ♕e2 ♕e8 19. a5 ♕g6 20. b4?** [20. ♘a4!?∓ △ 20... ♗a4 21. ♖a4 ♖bc8 22. b4 cb4 23. ♖b4] **cb4 21. ♘b4 ♖bc8 22. ♘a4 ♗a4! 23. ♖a4 f4!∓ 24. ♗e4?** [24. ♘d3□]

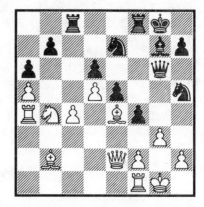

24... f3!! 25. ♕d3 [25. ♗f3 ♘f4 26. ♕d1 (26. ♕e4 ♕e4 27. ♗e4 ♖c4 28. gf4 ♖e4 29. fe5 ♘d5−+) e4! 27. ♗g7 ♘h3 28. ♔h1□ ♖f3 29. ♗d4 ♘f5 30. ♘c2 ♖d3 31. ♕a1 ♕g4−+] **♕g4 26. ♔h1 ♖f4! 27. ♗h7** [27. ♖e1 ♘f6!−+] **♔h8 28. ♘c2 e4 29. ♗g7 ♔h7 30. ♕c3 ♘f5!−+** [30... ♘g7? 31. ♘e3 △ gf4] **31. ♖g1** [31. ♘e3 ♘e3 32. ♕e3 (32. fe3 ♘g3) ♔g7] **♘hg3** [32. fg3 f2 33. ♖f1 ♖f3 △ ♘g3] **0 : 1 [Byrne, Mednis]**

70.* **A 40**

I. ROGERS 2505 – R. LAU 2475

Wijk aan Zee II 1989

1. c4 b6 2. d4 e6 3. e4 ♗b7 4. ♕c2 [RR 4. ♗d3 ♕h4?! N (4... ♘c6 – 39/(81); 4... ♗b4) 5. ♘d2 f5 6. ♘gf3 ♕g4 7. 0–0! fe4 8. h3 ♕f5 9. ♘e4! ♗e4 10. ♘h4 ♕f6 (10... ♗d3 11. ♘f5 ♗f5 12. ♗f4+−) 11. ♗e4 d5 12. cd5 ♕h4 13. ♖e1!+− (Thorsteins 2430 – Stefánsson 2395, Ísland (ch) 1988) ♘f6 (13... ♗d6 14. ♕a4 c6 15. dc6 ♗c7 16. d5 ♕d8 17. ♗f4+−) 14. g3! ♕h3 (14... ♕e4 15. ♖e4 ♘e4 16. ♕h5+−; 14... ♕h5 15. ♗f3 ♕g6 16. de6 c6 17. ♕a4+−) 15. ♗g2 ♕g4 16. ♕a4+−; ⌓ 5... ♗b4 6. ♘f3 ♕g4 7. 0–0 ♗d2 8. ♕d2± Thorsteins] **♕h4 5. ♘d2 ♗b4 6. ♗d3 f5 7. ♘gf3 ♗d2 8. ♗d2 ♕g4 9. ♘e5□ ♕g2 10. 0-0-0 fe4** [10... ♗e4!?

11. ♖hg1∞] **11. ♗e2 ♘f6 N** [11... ♘c6 – 42/50] **12. ♗e3 ♕h3! 13. ♖dg1 h6?** [13... ♘c6! 14. ♖g3 ♕f5 15. ♖g5 ♕h3=; 14. ♖g7$\overline{\overline{\infty}}$] **14. ♖g7 ♘c6 15. ♘g6! 0-0-0** [15... ♖g8 16. ♖g8 ♘g8 17. ♘f4±→; 15... ♕g2 16. ♕d1!± ×g2] **16. ♘h8 ♖h8 17. ♕c3± ♕f5 18. ♖hg1 a6 19. d5?** [19. ♗g4±; 19. a3±] **ed5 20. ♖f7 ♘e5!⩲ 21. ♖e7 ♘c6** [21... ♘c4? 22. ♗c4 dc4 23. ♖f7+–] **22. ♖eg7 ♔b8⊕** [⌓ 22... dc4! 23. ♗c4±] **23. c5! b5 24. ♖f7!? ♘e5 25. ♖gg7 ♖e8!** [25... ♘f7? 26. ♖f7+–] **26. ♗d4** [26. ♖e7∞] **♘f7! 27. ♖f7 ♕g5 28. ♔c2 ♘h5** [28... ♘g8 29. ♖d7 ♗c6 30. ♖g7 △ a4, ♕a5±] **29. ♕h3** [29. ♖d7 ♗c6 30. ♖h7 ♕g6! 31. ♗h5□ ♕h5=] **♘f4 30. ♕d7 ♖c8 31. ♗e3 d4! 32. ♗f4?!** [32. ♖f5! ♖d8! (32... de3 33. ♖g5 hg5 34. fe3! ♘e2 35. ♕g4±) 33. ♖g5 ♖d7 34. ♖g8 ♔a7 35. ♗f4 d3 36. ♔d2=] **♕c5??⊕** [32... d3! 33. ♔d2 ♕c5 34. ♗d1 ♕f2 35. ♔c1 ♕c5∞] **33. ♔b1 d3 34. ♗d1 ♗d5** [34... ♕f2 35. ♗c7+–] **35. ♖f5 ♕f2⊕** [36. ♗c7+–] **1 : 0** **[I. Rogers]**

71.* **A 40**

MAČUL'SKIJ 2450 – SMIRIN 2490
Pula 1989

1. d4 g6 [RR 1... e6 2. c4 ♗b4 3. ♗d2 a5 4. ♘f3 d6 5. g3 f5 6. ♗g2 ♘f6 7. 0–0 ♗d2 8. ♕d2 N (8. ♘bd2 – 32/(94)) ♘e4 9. ♕e3 0–0 10. ♘c3 ♘c3 11. ♕c3 ♘d7 12. ♖fe1 ♘f6 13. ♘d2 d5?! 14. ♘f3 c6 15. ♘e5 ♗d7 16. c5 ♕c7 17. b4 ab4 18. ♕b4 ♖a7 19. a4± Vajser 2525 – R. Lau 2475, Moskva (GMA) 1989; 13... e5!? Andrianov] **2. ♘f3 ♗g7 3. c3 d6 4. ♗g5!? h6 5. ♗h4 g5 6. ♗g3 f5?!** [6... ♘f6 △ ♘h5] **7. e3 ♘f6 8. ♕b3! e6 9. ♗d3 ♕e7** [9... 0–0? 10. ♗f5] **10. ♘bd2 ♕f7 11. 0-0-0 0–0 12. h4± g4 13. ♘g1 ♘c6 14. ♘e2 a5 15. a4 ♘h5** [15... ♔h8?! 16. e4!±] **16. f3 ♘g3 17. ♘g3 gf3 18. gf3 ♘e7 19. ♖dg1 ♔h8 20. e4 ♗d7 21. ef5** [21. ♖g2!? △ ♖hg1] **ef5 22. ♕f7 ♖f7 23. ♗c2 ♗c6 24. ♘h5± ♖g8 25. ♘f4 ♘d5 26. ♘g6** [26. ♗b3?! ♘f4 27. ♗f7 ♘e2 28. ♔b1!? (28. ♔d1 ♘g1 29. ♗g8 ♘f3 30. d5 ♗a4 31. b3 ♗c3!∞) ♖f8 29. ♖e1 ♘d4∞] **♔h7 27. h5 ♘e3 28. ♗b3 ♗d5!?** [28... d5 29. ♖e1+–] **29. ♖e1 f4** [29... ♗b3 30. ♘b3 ♘c4 31. ♖e6±] **30. ♘f4** [30. ♖e3 ♗b3] **♗b3 31. ♘b3 ♘c4 32. ♘g6 ♖f3 33. ♖e7± ♖f2 34. ♖c7 ♘b2 35. ♘d2! ♖e8?** [35... ♘a4±] **36. ♔b2 ♖d2 37. ♔b3 ♖ee2** [37... d5 38. ♘e7+–] **38. ♘f4! ♖b2 39. ♔c4 ♖e4! 40. ♖g1?** [40. ♘d5! ♔h8 41. ♖g1+–] **♖d4 41. cd4 ♖c2 42. ♔d5** [42. ♔b5 ♖c7 43. ♘e6 ♗d4! 44. ♘d4 ♖c5 45. ♔b6 ♖h5±] **♖c7 43. ♘e6 ♖f7 44. ♖g7 ♖g7 45. ♘g7 ♔g7 46. ♔d6 b5 47. ab5 a4 48. b6 a3 49. b7 a2 50. b8♕ a1♕** [♕ 4/b] **51. ♕c7 ♔f6! 52. ♕c5±** [52. ♕e7 ♔f5 53. ♕e6 ♔g5 54. ♕g6 ♔h4] **♕a6 53. ♔c7 ♕e2 54. d5!?** [54. ♕d6 ♔f7! 55. ♕g6 ♔e7 56. ♕g7 ♔e8] **♕h5 55. ♕f8 ♔e5!** [55... ♔g5 56. d6+–] **56. d6 ♕h2 57. d7??** [57. ♔d8 ♔d5 58. ♕f7+–] **♔e6 58. ♔c8 ♕c2 59. ♔d8 ♕h7! 60. ♕e8 ♔d6** **1/2 : 1/2**
[Mačul'skij]

72. **A 40**

AL. HASIN 2430 – MIKAC 2300
Pula 1989

1. c4 c5 2. ♘f3 g6 3. d4 ♗g7 4. e4 ♕a5 5. ♘c3!? [5. ♗d2 ♕b6 6. ♗c3] **♘c6?!** [5... d6!?] **6. d5 ♘d4 7. ♗d2 d6 N** [7... ♘f3 – 18/63] **8. ♘d4 cd4 9. ♘a4 ♕d8 10. c5!⩲ dc5** [10... ♗d7 11. ♖c1 (△ c6) ♖c8 12. b4 ♘f6 13. ♗d3 0–0 14. 0–0±] **11. ♘c5 ♘f6 12. ♕a4 ♘d7□ 13. ♗b5 a6 14. ♖c1** [14. ♗d7!? ♗d7 15. ♕d7 ♕d7 16. ♘d7 ♔d7 17. ♔e2! △ ♔d3±] **♖b8**

15. ♗a6! [15. ♗d7 ♗d7 16. ♕d7 ♕d7 17. ♘d7 ♔d7 18. ♔e2 d3! 19. ♔d3 ♗b2 20. ♖c2 ♗a3!=] **♖a8□** [15... ba6? 16. ♗a5 ♖b6 17. ♗b6 ♕b6 18. ♘d7 ♗d7 19. ♖c8+−; 15... 0−0 16. ♗b5±] **16. ♗a5 b6 17. ♗c8** [17. ♕c6? ♖a6! (17... ♗a6? 18. ♗b6±) 18. ♘a6 ♗a6∓] **♕c8 18. ♕d7 ♕d7 19. ♘d7 ♔d7!** [19... ♖a5? 20. ♘b6 0−0 21. a3 ♖b8 22. ♘c4 ♖a4 23. b4+−] **20. ♗b6 ♖hb8 21. ♖c7 ♔e8 22. ♗c5 ♔d8!** [22... ♖b2? 23. ♖e7 ♔d8 24. 0−0 ♗f8 25. ♗d4+−; 22... ♖a2? 23. ♖e7 ♔d8 24. 0−0 ♗f8 25. ♖a7+−] **23. d6!** [23. ♖e7 ♗f8] **♖a2!!** [23... ♖b2? 24. 0−0 ♖ba2 25. ♖e7 △ ♗b6+−; 23... ed6? 24. ♗d6 ♖a2 25. 0−0 ♖ab2 26. ♖f7+−] **24. 0−0 ♖ab2!= 25. ♗a7** [25. ♖e7 ♖b1! 26. g3! (26. ♖f7? d3 △ ♖f1−+) d3 27. ♗e3 ♗d4 28. ♗d2! (28. ♖f7? ♖f1 29. ♔f1 ♖b1 30. ♔g2 ♗e3 31. fe3 d2−+) ♖f1 29. ♔f1 ♖b1 30. ♔g2 ♖b2 31. ♗a5 ♗b6!=] **♖8b7□ 26. de7 ♔e8 27. ♖b7 ♖b7 28. ♗c5 d3 29. ♖d1 ♖b3 30. g3 ♗f6= 31. ♔g2 ♗e7 32. ♗e7 ♔e7 33. ♔f3 ♔e6 34. ♖d2 f5! 35. ♔e3 fe4 36. ♔e4 1/2 : 1/2**
[Al. Hasin]

73.** **A 41**

TÄGER 2365 − MILES 2520
Bad Wörishofen 1989

1. ♘f3 [RR 1. e4 d6 2. d4 g6 3. c4 e5 4. ♘c3 ed4 5. ♕d4 ♘f6 6. ♗g5 ♗g7 7. e5! N (7. ♘f3 − 34/77) ♕e7 8. ♘d5 de5 9. ♕h4 ♘d5 10. ♗e7 ♘e7 11. c5± Stefánsson 2480 − C. Hansen 2545, Moskva (GMA) 1989] **d6 2. d4 ♗g4 3. c4 ♘d7 4. g3 N** [RR 4. ♕b3 ♖b8 5. g3 N (5. h3 − 46/(69)) e5 6. ♗g2 ♗f3 (6... ♘gf6 7. ♗e3±) 7. ♕f3 ♘gf6 (7... ed4 8. ♕e4 ♗e7 9. ♕d4±) 8. e3 d5? 9. cd5 ♗b4 10. ♘c3 e4 (10... ed4 11. ed4 0−0 12. 0−0 ♘b6 13. ♗g5±) 11. ♕e2 0−0 (Dohojan 2575 − Hodgson 2545, Wijk aan Zee II 1989) 12. 0−0± △ 12... ♗c3 13. bc3 ♘d5 14. ♗e4 ♘c3 15. ♗h7; ⌓ 8... e4 9. ♕d1 c6 10. ♘c3 d5 11. cd5 cd5 12. ♕a4 a6 13. f3± Dohojan] **♗f3 5. ef3 e6 6. ♗g2 g6** [6... c6] **7. ♘c3** [7. d5!?] **♗g7 8. f4 c6 9. d5 ed5 10. cd5 c5 11. f5! ♘e7 12. fg6 hg6 13. 0−0 a6!?** [13... 0−0∞] **14. ♖e1 ♔f8** [14... 0−0] **15. ♘e4! ♕b6! 16. h4!** [×♖h8] **♘e5 17. ♗g5 ♘f5 18. ♘f6 ♕b2!□ 19. ♖b1 ♕d4! 20. ♖b7?** [20. ♕d4 ♘d4 21. ♖e5! de5 22. ♖b7=∞] **♘d3! 21. ♕e2!** [△ ♖f7, ♕e6, ♘d7#] **♗f6 22. ♗f6 ♕f6 23. ♕d3 ♔g7∓ 24. ♗h3 ♖hb8! 25. ♖b8?** [⌓ 25. ♖c7! △ 25... ♕d8? 26. ♖f7! ♔f7 27. ♗f5±→»] **♖b8 26. ♗f5 ♕f5! 27. ♕f5 gf5** [♖ 7/i] **28. ♖e7 ♔f6! 29. ♖d7 ♔e5 30. ♖f7 c4!−+ 31. ♔f1 ♔d5 32. ♖f5 ♔e4 33. ♖f6** [33. ♖f4 ♔d3 34. ♖f3 ♔d2 35. ♖f5 ♖b5−+] **d5 34. ♔e2 ♖b2 35. ♔d1 c3 36. ♖e6 ♔d3 37. ♖e3 ♔c4 38. ♖e2 ♖b1 39. ♔c2 ♖a1 40. ♖e6 ♖a2 41. ♔b1 ♖b2 42. ♔c1 ♖f2 43. h5 d4 0 : 1**
[Miles]

74. **A 41**

L. PORTISCH 2610 − TIMMAN 2610
Antwerpen (m/5) 1989

1. ♘f3 g6 2. e4 ♗g7 3. d4 d6 4. c4 ♗g4 5. ♗e2 ♘c6 6. ♗e3!? N [6. d5] **e5 7. d5 ♗f3 8. ♗f3 ♘d4 9. ♗d4 ed4 10. ♘a3 ♘e7** [10... c5?! 11. dc6 bc6 12. 0−0 ♘e7 13. c5!⩲] **11. 0−0 c6** [11... 0−0 12. ♖b1 c5?! 13. b4 b6 14. ♕a4⩲] **12. ♖b1 0−0 13. ♘c2 c5 14. b4 ♘c8?!** [14... b6=] **15. ♕d3 ♕c7 16. ♗e2 ♖e8?!** [16... b6] **17. bc5 dc5 18. f4 b5 19. ♖b5!±** [19. ♘a3 b4 20. ♘c2 ♘b6∞] **♘d6 20. e5 ♘b5 21. cb5 ♕a5 22. d6!** [22. ♕b3 g5! 23. g3 gf4 24. gf4 ♔h8⇆] **♕a2** [22... g5? 23. ♕e4!+−] **23. ♕c4 ♕b2 24. ♗f3 ♖ab8 25. ♗c6** [25. ♗d5?! ♖f8 26. ♗f7? ♖f7 27. e6 ♖fb7! 28. e7 ♔h8−+] **♖ed8 26. ♕c5?!** [26. ♘e1! ♕c3 27. ♗d5 ♕c4 28. ♗c4 a6!□ 29. ba6 ♖b4 30. ♗d5 *a)* 30... d3 31. a7 ♖d4 (31... ♖f4 32. ♘d3−+) 32. a8♕ ♖a8 33. ♗a8 d2 34. ♗f3+−; *b)* 30... ♖a4! 31. ♘d3 ♖a6 32. ♘c5 ♖a5! 33. ♘b7 ♖d6! 34. ♗f7! ♔f7 35. ♘a5 ♖d5 36. ♘c4 g5±] **d3?!** [26... ♕c3! 27. ♕c3 dc3=] **27. ♘b4!** [27. ♘d4 ♕d2=; 27. ♘e3 g5!? 28. g3 gf4 29. gf4 ♔h8⇆; 27... ♕e2!?] **d2 28. ♘d3** [28. ♗f3 a5! (28... ♕a3?! 29. ♕c4±) 29. ♘c6 a4!⇆] **♕b3 29. ♘f2 ♕a4!** [△ a6]

30. g3?! [30. ♕e3! a6 31. ♕d2 ab5 32. ♖b1 △ ♗d5-b3±] **a6! 31. b6!** [31. ba6 ♕a6∓] **♖dc8 32. b7!□ ♖c6□** [32... ♖b7 33. d7 ♖d7 34. ♗a4+−] **33. ♕a7 ♖b7 34. ♕b7 ♖c1 35. ♕f3?** [35. ♕d5 ♕a1 36. ♕d3 (36. d7? ♖f1 37. ♔g2 ♖f2 38. ♔f2 d1♘!−+) ♗f8∓; 35. d7!=] **♕d4 36. ♔g2 ♖e1 37. ♘d1?!** [37. ♕a8 ♗f8 38. ♕a6 ♕d5∓] **♗f8 38. ♕f2 ♕d5 39. ♔g1 ♖f1 40. ♔f1 f6−+ 41. ef6 ♗d6 42. ♕e3 ♔f7 43. ♔e2 ♗c5 44. ♕c3** [44. ♕d2 ♕e4 45. ♘e3 ♕e3 46. ♕e3 ♗e3 47. ♔e3 ♔f6 48. g4 ♔e6 49. ♔d4 ♔d6 △ a5-a4−+] **♕e4 45. ♔f1 ♕h1 46. ♔e2 ♕h2 47. ♔f3 ♕h1 0 : 1** **[Timman]**

75.* **A 41**

I. SOKOLOV 2570 – EHLVEST 2580

Reggio Emilia 1988/89

1. c4 g6 2. d4 ♗g7 3. ♘c3 [RR 3. ♘f3 d6 4. g3 c5 5. ♗g2 ♘c6 6. dc5 N (6. d5 — 46/71) ♕a5 7. ♗d2 (7. ♘c3!? ♗c3 8. bc3 ♕c5∞) ♕c5 8. ♗c3 ♘f6! (8... ♗c3 9. ♘c3 ♕c4 10. ♘d5! ♘b4? 11. ♘d2+−; 10... ♔f8 11. 0−0=/∞) 9. ♘bd2?! (9. b3? ♘e4−+) ♘g4! 10. 0−0 ♗c3 11. bc3 0−0∓ Lysenko 2355 − Al. Hasin 2430, Pula 1989; ⌓ 9. ♘fd2= Al. Hasin] **d6 4. ♘f3 e5 5. de5 de5 6. ♕d8 ♔d8 7. ♗g5?!** [⌓ 7. g3; 7. h3!?] **f6 8. ♖d1 ♔e8 9. ♗c1 ♗e6 10. e4 N** [10. ♘b5] **c6 11. b3 ♗f8 12. a3 a5 13. h3 ♘h6 14. ♗e2 ♘f7∓ 15. ♔d2 ♗c5 16. ♖hf1 ♘d7 17. ♔c2 ♘b6!∓** [×d4, c4] **18. ♗b2 ♔e7 19. ♘b1 ♘c8! 20. ♘e1** [△ ♘d3, f4⇆] **♘cd6 21. ♘d2 ♗a7 22. ♔c1 ♘g5?** [22... ♖hd8∓] **23. f4!⇆** [⇗a1-h8] **♘ge4 24. fe5 fe5 25. ♗e5 ♖hd8!∓ 26. ♘e4 ♘e4 27. ♘f3 ♗e3 28. ♔b2 a4** [28... ♘f2 29. ♖d8 ♖d8 30. ♗c7!] **29. b4 ♘f2 30. ♖d8?⊕** [30. ♖de1!∞] **♖d8 31. ♖e1 ♘d3 32. ♗d3 ♖d3 33. ♗c3 ♗f4!□ 34. ♘d4** [34. ♖e4 g5 35. h4 h6∓] **♖e3 35. ♖e3 ♗e3 36. ♘e6 ♔e6 37. g4 b5−+ 38. cb5 cb5 39. ♔c2 ♔d5 40. ♗b2 ♔e4 41. h4 ♗d4 42. ♗c1 ♗f6 43. h5 g5 44. h6 ♔f3 45. ♔d3 ♔g4 46. ♔e4 ♔h5 47. ♔d5 ♔h6 48. ♔c5 ♔g6 49. ♔b5 h5 50. ♔a4 h4 51. ♗e3 h3 52. ♗g1 ♗e5 0 : 1** **[Ehlvest]**

76.** **A 42**

KOŽUL 2490 – B. SCHNEIDER 2470

Ptuj 1989

1. d4 g6 2. c4 ♗g7 3. ♘c3 d6 4. e4 e5 5. ♗e3 [5. de5 de5 6. ♕d8 ♔d8 7. f4 ♘d7 8. ♘f3 c6 9. g3 N (9. fe5; 9. ♗e2) *a)* 9... ♘e7?! 10. ♗e3 ef4 11. gf4 ♘b6 12. c5 ♘d7 13. ♘g5!± Vajser 2525 − Danner 2400, Ptuj 1989; *b)* RR ♘gf6! 10. ♗h3 ♖e8 11. 0−0 h6!□ 12. fe5 ♘e5 13. ♗c8 ♖c8 14. ♘e5 ♖e5= Vajser 2530 − Širov, Beograd 1988] **♘c6 6. de5 N** [6. d5 — 45/57] **de5?** [⌓ 6... ♘e5] **7. ♕d8 ♔d8 8. 0-0-0 ♗d7 9. c5! ♗h6 10. ♗c4!± ♗e3 11. fe3 ♘h6 12. ♘f3 ♔c8** [12... ♘g4 13. ♖he1 △ h3] **13. ♖d2 ♗e6 14. ♗d5! ♖e8 15. ♘g5 ♘d8** [15... ♘g4 16. h3 ♘e3 17. b3!+−] **16. ♘h7 ♘g4** [16... c6 17. ♘f6] **17. h3 ♘e3 18. ♘f6 ♖h8 19. b3!+− c6 20. ♗e6 ♘e6** [20... fe6 21. g4!+−] **21. ♖e2 ♘g2 22. ♖g2 ♘c5 23. ♖d2 ♔c7** [23... a5 24. ♖hd1 ♔c7 25. ♖c2+−] **24. b4 ♘e6 25. ♖d7 ♔b6 26. ♖f7 a5 27. ♘d7** [27... ♔a6 28. b5! cb5 29. ♖f6 ♖ae8 30. ♖e6 ♖e6 31. ♘c5+−] **1 : 0** **[Kožul]**

77. **A 42**

LËGKIJ 2420 – VUJADINOVIĆ 2355

Vrnjačka Banja (open) 1989

1. d4 g6 2. c4 ♗g7 3. ♘c3 d6 4. e4 e5 5. ♘f3 ♘d7 6. ♗e2 ♘h6 7. h4 f6 8. h5 c6 9. d5 N [9. de5 — 23/159; 9. ♗h6 ♗h6 10. d5⩲] **♘f7 10. ♘h4! ♘f8 11. g3!? c5!?** [11... ♗h6 12. f4 ef4 (12... ♕b6 13. ♘a4 △ ♗e3±) 13. gf4 g5!∞] **12. ♗e3** [12. ♔f1 f5∞] **f5!?** [12... ♗h6!? 13. f4! ef4 14. gf4 g5 15. ♘g2 gf4 16. ♗f4 ♗f4 17. ♘f4 ♘e5 18. ♖g1±] **13. ef5** [13. ♕d2?? f4 14. gf4 ef4 15. ♗f4 g5−+] **gf5 14. ♕c2 ♕f6** [△ ♗d7, 0-0-0] **15. g4!!** [×e4] **fg4 16. ♘e4 ♕d8** [16... ♕e7?! 17. b4! b6! (17... cb4 18. c5± △ 18... dc5? 19. ♗b5 ♗d7 20. ♘f5+−; 17... ♗f6 18. ♘f6 ♕f6 19. bc5±)

18. bc5 bc5 19. ♖b1±] **17. 0-0-0** [17. b4?! cb4 18. c5 ♕a5!∞] **♗f6** [17... ♗d7 18. ♖dg1±] **18. ♘f6 ♕f6 19. ♖dg1 ♖g8 20. ♗d3 ♗d7 21. ♘f5!** [21. ♗h7?! ♘h7 22. ♕h7 0-0-0∞] **0-0-0 22. f3** [22. ♖h4? e4! 23. ♗e4 ♘g5 24. ♖hg4? ♘e4−+] **g3** [22... e4?! 23. ♗e4 ♘e5 (23... ♘g5 24. ♖g4!±) 24. fg4 ♖g4 (24... ♘g4? 25. ♗f4+−) 25. ♖g4 ♘g4 26. ♗f4 ♘e5 (26... ♗e8 27. ♕c3±) 27. ♖g1±] **23. ♖h3 g2?** [23... ♔b8! 24. ♖hg3 ♖g3 25. ♘g3! (25. ♖g3 ♗f5 26. ♗f5 ♕h4 27. ♖g1 ♕h5=) ♕f3 26. ♕d2±→] **24. ♖h2 ♔b8 25. ♖hg2 ♖g2 26. ♖g2 ♗f5 27. ♗f5 ♕h4 28. ♔b1!** [28. ♖g7?? ♕e1−+] **♕h5 29. ♖g7 ♕f3 30. ♗c1!± ♘h8□** [30... ♕h5 31. ♗e6! ♘h6 32. ♕b3+−] **31. a3!** [△ 32. ♗g5 ♖e8 33. ♕a4+−] **♘fg6□ 32. ♔a2 ♖f8** [32... ♘f4?! 33. ♗f4 ef4 (33... ♕f4 34. ♕b3+−) 34. ♕a4+− △ ♕b5] **33. ♗e6 ♕f6⊕ 34. ♗h6 ♘e7□** [34... ♘f4 35. ♕h7; 34... ♘f7 35. ♖g6] **35. ♖h7** [35. ♕h7 ♘hg6∞] **♖d8 36. ♗g7 ♕g6 37. ♕h2+−⊕ ♕d3** [37... ♘f7 38. ♗f7 ♕f7 39. ♗e5 ♕g6 40. ♖e7 de5 41. ♕e5+−] **38. ♗h8** [⌓ 38. ♖h8] **♘g6 39. ♗f6 ♖f8 40. ♗g5??** [40. ♖f7! ♖h8 41. ♕h8! ♘h8 42. ♖f8 ♔c7 43. ♗d8 ♔b8 44. ♗b6#] **♕c4 41. b3 ♕f1!= 42. ♗e3□ c4??** [42... ♕e1! 43. ♖h3□ ♖f1 44. ♕b2□ a6 (44... ♘f4?? 45. ♖h8 ♔c7 46. ♖c8 ♔b6 47. b4! ♕e3 48. bc5 ♔a6 49. ♖c6! bc6 50. ♗c8 ♔a5 51. ♕b4#; 44... a5?! 45. ♗d2 ♕e4 46. ♖e3 ♕h1□ 47. ♗a5±; 44... b5?! 45. ♗d2±) 45. b4!? (45. ♗d2 ♕e4 46. ♖e3 ♕h1□ 47. ♖e2 ♔a7=) cb4 (45... c4? 46. ♗b6! ♕e4 47. ♖h7!! c3 48. ♖c7! ♖a1 49. ♔b3!+−) 46. ♗b6 ♕d1! (46... ba3? 47. ♖a3± ♕e4 48. ♖c3 ♕a4? 49. ♕a3+−) 47. ab4□ ♕a4 48. ♕a3 ♕b5!? 49. ♕d3! ♕a4=] **43. ♖b7!!+− ♔a8** [43... ♔b7 44. ♕h7+−] **44. ♖a7 ♔b8 45. ♖b7** [45. ♕d2?! c3!; 45. ♕c2?! ♕f3!] **♔a8 46. bc4 ♕c4 47. ♖b3 ♖b8 48. ♕b2 ♘f4 49. ♗d7! ♖b3□ 50. ♕b3** [50. ♗c6?? ♖b7! 51. ♔a1 ♕c6! 52. dc6 ♖b2] **♕e2 51. ♕b2** [⌓ 51. ♔b1+−] **♕c4 52. ♔a1 ♘d5** [52... ♕d5 53. ♕c1+−] **53. ♗b5 ♕c3** [53... ♕c7+−] **54. ♕c3 ♘c3 55. ♗c6 ♔b8 56. ♗b6!** [△ a4-a5-a6-a7] **1 : 0** **[Lëgkij]**

78.*** **A 42**

KASPAROV 2775 − SPEELMAN 2640

Barcelona 1989

1. d4 d6 2. e4 [RR 2. ♘f3 g6 3. g3 ♗g7 4. ♗g2 ♘d7 5. c4 e5 6. ♘c3 ♘e7 7. 0−0 0−0 8. e4 ed4 9. ♘d4 ♘c6 10. ♘c6 bc6 11. ♕c2 ♘e5 12. b3 *a)* 12... c5 N (12... ♘f3 − 36/(77)) 13. ♗b2 ♗b7 14. ♖ad1 f5 15. ♘a4! ♕e7 16. f4 ♘c6 17. e5! ♘d4 18. ♗d4 ♗g2 19. ♕g2 cd4 20. ♕d5 ♔h8 21. ed6 ♕d6 22. ♕d6 cd6 23. ♖fe1± I. Csom 2545 − Azmajparašvili 2560, Erevan 1989; *b)* 12... g5 N 13. f4 gf4 14. ♗f4 c5 15. ♕d2 ♗e6 16. ♖ae1 a5 17. ♘d5± I. Csom 2545 − Barbero 2495, Debrecen 1989] **g6 3. c4 e5 4. ♘f3 ed4 5. ♘d4 ♗g7 6. ♘c3 ♘c6** [RR 6... ♘e7 7. ♗e2 ♘bc6 8. ♗e3 0−0 9. h4 N (9. g4 − 44/49; 9. ♕d2 − 44/(50); 9. 0−0 − 44/50) ♘d4 10. ♗d4 ♗d4 11. ♕d4 ♗e6 12. 0-0-0 ♘c6 13. ♕e3 f5 14. ef5 ♗f5 15. g4!± Vilela 2405 − Popčev 2465, Albena 1989; ⌓ 9... f5 10. ♕d2 △ 10... f4 11. ♘c6 fe3 12. ♘e7 ♕e7 13. ♕e3± Vilela] **7. ♗e3 ♘ge7 8. h4!? h6?! N** [8... f5] **9. ♗e2 f5** [9... 0−0 10. ♕d2 ♔h7 11. g4!↑] **10. ef5 ♘f5 11. ♘f5 ♗f5 12. ♕d2 ♕d7?** [12... ♕f6!?] **13. 0−0! 0-0-0?!** [13... h5 △ 0−0±]

14. b4! ♘b4?! [14... ♔b8!? 15. b5 ♘e5 16. ♘d5 ♘g4 17. ♗g4 ♗g4 18. ♖ab1 △ ♖b3↑] **15. ♘b5! ♘c2** [15... ♗a1 16. ♕b4 ♗e5 17. ♘a7 ♔b8 18. ♗f3 c5 19. ♕a3 ♕c7 20. g4 ♗c2 21. ♖c1 ♖hf8 22. ♗d5 ♕b6 23. ♘b5+−; 15... c5 16. ♖ad1±] **16. ♗f3!** [16. ♕a5 ♘e3 17. ♕a7 ♕c6 18.

♕e3 ♕c5∞] **d5** [16... ♗a1 17. ♘a7 ♔b8 18. ♖b1! c5 19. ♘c6 ♔c8 20. ♕a5 ♘b4 21. ♖b4 cb4 22. ♕a8 ♔c7 23. ♗b6! ♔b6 24. ♕a5#; 16... ♘e3 17. ♕e3 ♗a1 18. ♕a7 ♕g7 19. ♕b7 ♔d7 20. ♖e1! ♖c8 21. ♘d6+−; 16... ♘a1 17. ♘a7 ♔b8 18. ♕a5 c6 19. ♘b5!+−; 16... c5 17. ♖ad1 ♗e5 18. ♘a7 ♔b8 19. ♘b5→] **17. ♗d5 ♘a1 18. ♘a7 ♔b8 19. ♕b4 ♕d5** [19... c5 20. ♗f4! ♔a8 21. ♕a5+−] **20. cd5 ♘c2 21. ♕a5 ♘e3 22. fe3 ♖he8 23. ♘b5** [23. ♘c6 bc6 24. dc6 ♖d6 25. ♕a6+−] **♖d5 24. ♕c7 ♔a8 25. ♕a5 1 : 0**
[Kasparov]

79.* A 43

PURGIN 2285 — KANCLER 2430
Belgorod 1989

1. d4 g6 [RR 1... ♘f6 2. ♘f3 c5 3. d5 e6 4. ♘c3 ed5 5. ♘d5 ♘d5 6. ♕d5 d6 7. e4 N (7. ♗f4 — 43/53) ♗e7 8. ♗c4 0–0 9. 0–0 ♘c6 10. ♕h5!? ♕d7?! 11. ♘g5 ♗g5 12. ♗g5± Bany 2440 — Löffler 2325, Warszawa 1989; ⌓ 10... ♗e6 11. ♗e6 fe6 12. ♘g5 ♗g5 13. ♗g5± Bany] **2. e4 ♗g7 3. ♘c3 d6 4. f4 ♘f6 5. ♘f3 c5 6. d5!? 0–0 7. e5 ♘e8 8. ♗e2 N** [8. ♗e3] **♘d7 9. e6 fe6 10. de6 ♘df6 11. 0–0 ♘c7** [11... ♗e6 12. ♘g5=∞] **12. ♘g5 d5 13. f5 gf5 14. ♖f5!** [14. ♘f7 ♕e8 15. ♘h6=] **♘e6 15. ♗f3 ♘d4** [15... ♘g5 16. ♖g5 e6 17. ♗f4 △ ♗e5↑] **16. ♖f6! ♗f6** [⌓ 16... ♖f6 17. ♗d5 e6 18. ♗e4 h6 19. ♕h5!=∞↑] **17. ♗d5 ♔h8** [17... e6 18. ♕h5 ♗g5 19. ♗g5±]

18. ♘h7!!±→ ♘f3 [18... ♔h7 19. ♕h5+−] **19. ♔h1! ♔h7 20. ♕f3 ♕e8 21. g4! ♔g7** [21... e6 22. ♗e4 ♔g8 23. ♕h3 ♕f7 24. ♗e3 △ ♖f1, g5+−] **22. ♗f4 ♗d4** [22... e5 23. ♖e1] **23. ♖f1** [△ ♗h6] **♗d7 24. ♕g3 e5** [24... ♕g6 25. ♗e5! ♗e5 26. ♕e5 ♔h6 27. ♖f8 ♖f8 28. ♕e7±] **25. ♗h6!!+− ♔h6 26. ♕h4 ♔g7 27. ♕g5 ♕g6 28. ♕e7 ♔h6 29. ♕h4 ♔g7 30. ♕e7 ♔h6 31. ♖f8 ♖e8** [31... ♖f8 32. ♕f8 ♔g5 (32... ♕g7 33. g5+−) 33. ♕e7+−] **32. ♕h4 ♔g7 33. ♕h8# 1 : 0 [Bareev]**

80. A 43

PÉTURSSON 2530 — W. WATSON 2505
Reykjavík 1989

1. d4 d6 2. e4 ♘f6 3. ♘c3 g6 4. ♘f3 ♗g7 5. ♗e2 0–0 6. 0–0 c5 7. d5 ♘a6 8. ♗f4 ♘c7 9. a4 b6 10. h3 ♗b7 11. ♗c4! a6 12. ♖e1 ♕d7 13. ♕d3 N [13. e5 — 32/(170)] **♖ad8 14. ♖ab1!?** [△ b4; 14. ♖ad1] **e6 15. b4 ed5** [15... ♘e4!? 16. ♖e4□ ♗c3 17. ♕c3 ed5 18. ♗h6 d4□ 19. ♘d4 ♗e4 20. ♘f5 ♘e6 21. ♗e6 fe6 22. ♘d6 ♗d5 23. bc5 bc5 24. ♗f8 ♖f8 25. ♕c5 ♕a4±] **16. ed5 cb4 17. ♖b4 b5 18. ab5 ab5 19. ♗b3 ♘a6** [19... ♖fe8 20. ♖d1 ♘a6 21. ♖b5 ♘c5 22. ♖c5 dc5 23. ♗a4±] **20. ♖b5 ♘c5⊕** [20... ♖c8 21. ♘a4±; 20... ♖fe8 21. ♖d1±] **21. ♕c4!** [21. ♖c5 dc5 22. d6 ♘h5 23. ♗h2 ♖fe8∞] **♗a6 22. ♗d6!± ♘b3** [22... ♕d6 23. ♕c5 ♗b5 24. ♕d6 ♖d6 25. ♘b5 ♖b6 26. ♘bd4 ♘d7±] **23. ♗f8 ♘a5** [23... ♗f8 24. ♕b3±] **24. ♕a4 ♗b5 25. ♕a5 ♗f8 26. ♘b5!?** [26. ♕b5±] **♕d5 27. c4 ♕d7 28. ♕b6 ♔g7 29. ♖a1! ♖c8?** [29... ♕c8±] **30. ♖a7!+− ♕d1 31. ♔h2 ♗c5 32. ♖f7 ♔f7 33. ♕b7 ♘d7 34. ♕c8 ♗f2 35. ♕d8! ♔g7 36. ♕e7 ♔h6 37. ♘d6 ♕c1 38. ♘f7 ♔g7 39. ♘7g5 ♔g8 40. ♕f7 1 : 0 [Pétursson]**

81.* A 44

PISKOV 2400 — GHEORGHIU 2515
Moskva (GMA) 1989

1. d4 c5 2. d5 e5 3. e4 d6 4. h3!? N [4. ♘c3 ♗e7 5. ♘f3 ♗g4 6. h3 ♗f3 7. ♕f3

♗g5! 8. ♗g5 ♕g5 9. ♘b5 ♕d8 10. ♕g4 ♔f8 11. ♘d6! ♘f6 12. ♕c8 ♕c8 13. ♘c8 ♘e4 14. ♗d3 ♘d7 15. ♗e4 ♖c8 16. d6 b6! N (16... ♘f6 — 42/57) 17. 0-0-0 g6 18. g4 ♔g7 19. h4 ♖he8= Ahmylovskaja 2430 − Gheorghiu 2515, New York 1989] g6! 5. g4?! ♗h6∓ 6. ♗h6 ♘h6 7. ♕d2 ♘g8 8. ♘c3 a6 9. 0-0-0 ♘d7 [9... ♔f8; 9... ♕e7!] 10. h4 ♘gf6 11. f3 h6! [11... h5?! 12. g5 ♘h7 13. ♗h3!±] 12. ♘ce2 b5 13. ♘g3 ♘b6! 14. ♖h2 ♘fd7 15. ♔b1 c4! 16. ♗h3?! ♕h4!∓ 17. ♕f2 ♘a4!? [17... ♕g5; 17... ♕e7!∓] 18. ♘f5!∞ ♕f6 [18... ♕f2 19. ♘d6 ♔e7 20. ♘c8 ♖ac8 21. d6! △ ♖f2±] 19. g5! hg5 20. ♘d6! ♕d6 21. ♗d7 ♕d7! 22. ♖h8 ♕b4! 23. ♔c1!!= [23. c3 ♘c3−+; 23. b3 ♕a3 24. ba4 c3−+] ♕b2 24. ♔d2 ♕b4? [24... ♕c3!=] 25. ♔e2!! ♕d6! [25... ♘c3 26. ♔f1 ♘d1 27. ♕b6!!+−] 26. ♔f1 ♕f6 27. ♖g8 ♔d6! 28. ♔e1 ♘c5 29. ♕e3! ♗b7 30. ♖a8 ♗a8 31. a4?! [31. ♘h3! g4 32. fg4 ♕h4 33. ♘f2±] b4 32. a5 ♕d8! 33. ♖a1 g4!∞ 1/2 : 1/2   [Gheorghiu]

82.   A 45

TODORČEVIĆ 2535
− I. SOKOLOV 2580
Jugoslavija 1989

1. g3 e5 2. ♗g2 d6 3. d4 ♘f6 4. de5 de5 5. ♕d8 ♔d8 6. ♘c3 c6 7. f4! N [7. ♘f3] ♘bd7 8. ♘f3 ♗d6 9. ♗d2 [9. ♘g5! ♔e7 10. ♗d2±] ♔e7 [9... h6] 10. 0-0-0 [△ 10. ♘g5!±] h6 11. ♖hf1 [11. fe5 ♘e5 12. ♗f4 ♘c4] ♖e8 12. ♘h4 ♔f8 [12... ♘b6? 13. ♘b5! cb5 14. fe5 ♗e5 15. ♗b4+−] 13. ♘f5 ♗c7 14. e4 ♔g8 [14... b5!?] 15. ♘e3?! [15. a4!] b5∓ 16. ♖de1 a5 [16... ♘c5!? 17. b4 ♘cd7 △ a5] 17. ♘ed1 ♗b7 [17... ♗a6] 18. ♘f2 ♘b6 19. fe5 ♘fd7 [19... ♗e5 20. ♘d3 ♘fd7] 20. e6 ♖e6 21. ♘d3 [21. e5 ♖b8 ×e5] b4! 22. ♘e2 c5! 23. ♘ef4 ♖ee8 24. ♘d5 ♘d5 25. ed5 c4∓ 26. ♘f4 ♘b6 [26... ♘f6∓ 27. d6 ♗g2 28. ♘g2 ♗d6 29. ♗h6 ♖e1 30. ♘e1 ♘g4] 27. ♖d1 ♗e5 28. ♔b1 c3 [28... ♗b2!?] 29. bc3 bc3 30. ♗c1 ♘c4 31. ♔a1⊕ ♖ab8 32. ♖fe1 ♗c8⊕ 33. d6!?

♗d7 34. ♗d5 ♘d6 35. ♗a3 ♗g4! 36. ♖b1 [36. ♖e5 ♗b5!] ♗b5 37. ♗c5 ♗d4! [37... ♘d4 38. ♖b8 ♖b8 39. ♗d4 ♗d4 40. ♖e7⇆] 38. ♖e8 ♖e8 39. a4 [39. ♗c6 ♖e3 40. ♘d5 ♖e5; 40... ♖e2] ♗c5 40. ♖b5 [40. ab5 ♗f5] ♗b4 41. ♖b7 ♖e7 42. ♖e7 ♗e7∓⊥⌖ 43. ♔a2 ♔f8 44. ♔b3 g5! 45. ♘d3 ♗f6 46. ♘c5 ♗d4 47. ♘b7 ♔e7 48. ♘a5 ♗g1 49. h4 ♗f2 50. hg5 hg5 51. ♘c4 ♗g3 52. a5 [52. ♔c3] ♗c8 53. ♘b6 [△ 53. ♔c3] ♗a6 54. ♗c4 ♗c4 55. ♔c4 g4 56. a6 ♗b8 57. ♘d5 ♔e6 58. ♘c3 ♗a7!−+ [58... g3?? 59. ♘e2 g2 60. a7=] 59. ♘e2 [59. ♘b5! g3 60. ♘a7 g2 61. ♘b5! g1♕ 62. a7 ♕f1 63. ♔c5 ♕f2 64. ♘d4 (64. ♔b4 ♕d2) ♔e5 65. a8♕ ♕d4 66. ♔b5 ♕b2−+] ♔e5 60. ♔b5 f5 [61. c4 f4 62. c5 f3 63. ♘g3 ♔f4 64. ♘h5 ♔g5 65. ♘g3 ♔h4 66. ♘f5 ♔h3] 0 : 1 [I. Sokolov]

83.   A 45

I. CSOM 2545 − ADORJÁN 2525
Magyarország 1989

1. d4 ♘f6 2. g3 c5 3. d5 [3. ♘f3 ♕a5!? 4. ♘c3 (4. c3 cd4 5. ♘d4 ♕d5!; 4. ♗d2 ♕b6) cd4 5. ♘d4 ♘e4 6. ♗d2 ♘d2 7. ♕d2 ♘c6=] b5 4. ♗g2 d6 5. ♘f3 N [5. a4] g6 6. c4 a6!? 7. a4 b4 [7... bc4! 8. ♘fd2 a5 9. ♘c4 ♘a6=] 8. b3 ♗g7 9. ♗b2 0-0 10. ♘bd2 ♖a7 11. 0-0 e5 12. de6! [12. e4 ♘g4∓] ♗e6 13. ♖a2 [13. ♕c2? ♗f5 △ 14. e4 ♘e4] ♖e8 14. ♘g5 [14. ♕a1 d5 (14... ♘c6 15. ♘g5 ♘a5 16. ♘e6 ♖e6 17. e3±; 14... ♗f5 15. ♖e1±) 15. cd5 (15. ♘g5 d4) ♗d5 16. e3 (16. ♖e1 ♖d7! 17. e4? ♗e4 18. ♘e4 ♖e4) ♘c6 17. ♕b1 (17. ♖c1? ♘a5 18. ♖c5 ♘b3 19. ♖d5 ♕d5−+; 18... ♗b3−+) ♘a5 18. ♗a1] ♗f5 15. ♘h3 [15. ♖e1!? h6 16. ♘h3? g5; 16. ♘gf3] ♗g4! 16. ♖e1 [16. f3 ♗h3 17. ♗h3 ♘c6 18. ♖e1 ♖ae7 19. e4? ♘h5∓; △ 19. ♗g2; 16. ♘f3 ♘e4] ♖ae7 17. ♘f4 g5 18. ♗f6 [18. ♕a1 ♘bd7 19. ♘d5 ♖e2−+; 18. ♘d5 ♘d5 19. ♗g7 ♔g7 20. ♗d5 ♗e2∓; 18. h3!? gf4 19. hg4 fg3 20. f3 d5 21. ♘f1 dc4 22. ♕d8 ♖d8 23.

bc4 h5 24. g5 ♘e8 25. ♗g7 ♘g7 26. ♘g3 ♖d4∓] **♗f6 19. ♘d5 ♖e2 20. ♖e2**

20... ♗e2? [20... ♖e2 21. h3 (21. f3 ♗d4 22. ♔h1 ♕e8−+) ♗d4! 22. ♘e4□ (22. hg4 ♖f2 23. ♔h1? ♕f8−+) ♖f2! (22... ♖a2? 23. ♕g4 h6 24. h4+−; 22... ♖e4? 23. hg4 ♖e6 24. ♘b4±) 23. ♕d4 ♖g2 24. ♔g2 cd4 25. hg4 ♘c6∓ △ 26. ♖f2 d3 27. ♖f6 d2 28. ♘d2 ♘e7] **21. ♕e1** [21. ♘f6 ♕f6 22. ♘e4 ♖e4 23. ♖e2 ♖d4! △ ♘d7--e5∓] **♔g7** [21... ♔f8? 22. ♕b1!] **22. ♘e4?⊕** [22. ♘f6 ♕f6 *a)* 23. ♘f1 ♕c3 (23... ♕e7 24. ♘e3 ♗d3 25. ♖d2=∞) 24. ♕c3 bc3 25. ♖c2 (25. ♘e3 ♗d1) ♗f1 26. ♔f1 a5 27. ♖c3 ♘a6=; *b)* 23. ♘f3 ♗f3! (23... ♕e7 24. ♘g5 ♗d3 25. ♕e7 ♖e7 26. ♘f3 △ ♖d2) 24. ♕e8 ♘c6 25. ♕e3 ♗g2 26. ♔g2 ♘d4 27. ♖d2=] **♗d3 23. ♖d2! ♗e4 24. ♗e4** [24. ♖e2! ♘c6 25. ♖e4 ♖e4 26. ♗e4 ♘d4 27. ♕d1=∞] **♘c6 25. ♖e2??** [25. ♕b1 ♘d4 26. f3∓] **♘d4 26. ♖e3 ♖e4 0 : 1** **[Adorján]**

84. **A 45**

KEITLINGHAUS 2410 – ADORJÁN 2520

BRD 1988/89

1. d4 ♘f6 2. c3 d6!? 3. ♗g5 ♘bd7 4. ♘d2 e5 5. e3 ♗e7 6. ♗d3 d5 7. ♘e2 0–0 8. 0–0 N [8. ♗f5] **c6 9. ♘g3** [9. c4 ed4 10. ♘d4 ♘e5=] **h6 10. ♗f6 ♗f6 11. f4 e4! 12. ♗e2 g6! 13. c4 ♗g7 14. cd5 cd5 15. ♕b3 ♘f6 16. ♘b1 ♕d6! 17. ♘c3 ♗d7 18. ♖ac1** [18. ♖fc1] **h5 19. ♘h1** [19. f5? ♗h6] **b5!∓ 20. ♘f2** [20. ♘b5 ♗b5 21. ♗b5 ♖ab8 22. ♖c6 (22. ♕a4 ♘g4 23. ♖c6 ♕d8 24. ♖c3 ♕b6 25. ♗e2 ♘e3−+) ♕c6 23. ♗c6 ♖b3 24. ab3 ♘g4 25. ♖e1 ♘e3! 26. ♖e3 ♗d4 27. ♔f2 ♖c8 28. ♗b5 ♖c2 29. ♗e2 ♗e3 30. ♔e3 d4−+; 20. ♗b5 ♖fb8 21. ♕a4 ♖b5 22. ♘b5 ♕b6∓] **♖fb8 21. a3 a5 22. ♘a2 b4 23. a4 ♕e7! 24. ♖a1 ♕e8 25. ♘c1 ♖a7 26. ♗d1 ♗f8 27. ♕a2 b3 28. ♘b3?** [28. ♗b3 ♖c7=∞ △ 29. ♗d5? ♘d5 30. ♕d5 ♖b2 31. ♘e4 ♗g7 32. ♘d3? ♖g2! 33. ♔g2 ♗c6−+] **♖ab7 29. ♖b1 ♖b4−+ 30. ♘c1** [30. ♘c5 ♗c5 31. dc5 d4−+] **♗a4 31. b3 ♗b5 32. ♗e2 ♕c6!** [32... a4 33. ba4! ♗c4 (33... ♖a4 34. ♗b5 ♖a2 35. ♗e8 ♖b1 36. ♗f7) 34. ♗c4 ♖b1 35. ♗b3±] **33. ♗b5** [33. ♕a5? ♗e2 34. ♘e2 ♖a8 35. ♖bc1 ♕c1 36. ♕a8 ♕e3−+] **♖4b5 34. ♖e1 a4! 35. ♖e2** [35. ♕a4? ♖a8−+; 35. ♘d1 ab3 36. ♘b3 ♕c4−+] **ab3 36. ♘b3 ♖b3 0 : 1** **[Adorján]**

85. **A 45**

HODGSON 2545 – B. JONSSON 2405

Reykjavík 1989

1. d4 ♘f6 2. ♗g5 ♘e4 3. ♗f4 c5 4. d5 ♕b6 5. ♘d2 ♘d2 6. ♗d2 ♕b2 7. e4 g6 **N** [7... ♕b6 – 38/(72)] **8. ♖b1** [8. ♘e2!? ♗g7 9. ♖b1 ♕a3□ (9... ♕a2? 10. ♘c3 ♕a5 11. ♘b5 ♕d8 12. d6 ♘a6 13. ♗g5 f6 14. de7 ♕e7 15. ♘d6 ♔f8 16. ♗e3±) 10. ♖b3 ♕a4 11. c4!=∞○] **♕e5** [8... ♕a2?? 9. ♗c3 △ ♖a1+−] **9. ♗d3 ♗g7 10. c4** [10. f4!? ♕c7 11. ♘f3↑○; 10. h4!? △ h5] **♕c7 11. h4 d6 12. h5 ♘d7 13. f4 0–0** [13... ♘f6 14. h6! ♗f8 15. ♗c3↑] **14. ♘f3 ♘f6 15. hg6** [⌓ 15. f5! △ 15... ♘h5 16. ♖h5! gh5 17. ♘g5 h6 18. ♘h3→⟫] **fg6** [15... hg6?! 16. f5±] **16. ♘g5** [16. e5? de5 17. fe5 ♘g4∓; 16. f5!?] **e5!□ 17. de6** [17. f5 gf5 18. ef5 e4!] **h6 18. ♘f7?** [⌓ 18. ♘f3 ♗e6∞] **♗e6 19. ♘h6 ♗h6 20. ♖h6 ♕g7! 21. ♖h4** [21. f5? gf5 22. ef5 ♕g3−+; ⌓ 21. ♖h1 ♖ae8 22. ♗c3 ♗f5 23. ♔f1] **♖ae8↑** [△ ♘e4] **22. ♗c3 g5!** [22... ♗f5 23. ♔f1 ♗e4 24. ♗e4 ♖e4 25. ♗f6 ♕f6 26. ♕d5∞]

23. ♖b7!? [23. fg5 ♕g5−+] **♕b7 24. fg5 ♗g4!!∓** [24... ♘h7 25. ♕h5! ♗f5! (25... ♕f7? 26. g6 ♕f2 27. ♔d1 ♕g1 28. ♗e1+−) 26. g6 ♗e4 27. ♔d1!□ (27. gh7? ♗h7 28. ♔d1 ♖f1!−+) ♖f1 28. ♔d2 ♖f2=] **25. gf6** [25. ♖g4? ♘e4!!−+; 25. ♕c2? ♖e4! 26. ♗e4 ♕e4−+; 25. ♗f6? ♖e4! 26. ♔d2 ♖f6!−+; 25. ♕g4?! ♘g4 26. ♖h8 ♔f7 27. ♖h7 ♔e6 28. ♖b7 ♖f7∓] **♗d1 26. f7 ♔f7□ 27. ♖h7 ♔e6 28. ♖b7 ♗g4 29. ♖a7 ♖a8 30. ♖g7 ♖g8?!** [30... ♖a3! 31. ♖g4 ♖c3∓] **31. ♖g8 ♖g8** [**♖ 9/g**] **32. a4 ♗h5 33. ♔f2 ♗d1 34. a5 ♖b8 35. ♔e3 ♖b3 36. ♔d2 ♖a3! 37. g3 ♗b3?** [37... ♗f3! 38. ♔c2 (38. ♗c2 ♖a2 △ ♗e4−+; 38. ♗b1 ♗e2!∓) ♖a2 39. ♔b3 ♖g2∓] **38. g4! ♖a4 39. g5 ♔f7** [39... ♗c4 40. ♗c4 ♖c4 41. ♔d3 ♖a4 42. g6 △ g7∓] **40. e5!= de5 41. ♗e5 ♗c4 42. g6 ♔g8 43. ♗c4 ♖c4 44. ♔d3 ♖g4 45. a6 ♖a4 46. a7 ♖a7 47. ♔c4 1/2 : 1/2 [Minić, Sindik]**

86. A 45

ZAJČIK 2510 − GUFEL'D 2510

Tbilisi 1988

1. d4 ♘f6 2. ♗g5 ♘e4 3. ♗f4 d5 4. e3 N [4. f3 − 42/59] **c5 5. f3 ♕a5!? 6. c3 ♘f6 7. ♘d2 cd4 8. ed4 g6** [8... ♘c6!?] **9. ♗d3** [9. ♗b8!?] **♗g7** [9... ♘c6!?] **10. ♗b8!? ♖b8 11. f4 0−0 12. ♘gf3 ♕b6 13. ♖b1 ♘h5** [13... ♗f5!?∓] **14. g3 ♗g4 15. 0−0 e6 16. ♔g2 ♖fe8?!** [16... ♗f3 17. ♘f3 f5 △ ♘f6-e4; 16... ♗f5] **17. ♕b3 ♕d6** [17... ♕c7!?] **18. ♖be1 ♗f5?!** [18... b5!?∓] **19. ♗b5!? ♖ec8 20. ♘e5 ♘f6 21. ♗e2 b5 22. a3 h5 23. h3 ♕e7 24. g4 hg4 25. hg4 ♗e4 26. ♗f3∞ a5?!** [26... ♗f3 27. ♖f3 a5 28. ♕c2! b4 29. ab4 ab4 30. f5!∞] **27. ♘e4 de4 28. ♗e4 ♘e4 29. ♖e4 ♕b7** [29... b4 30. ab4 ab4 31. c4±] **30. ♖fe1 b4** [30... a4 31. ♕a2 b4 32. ab4 a3 33. ♔g1±] **31. ab4 ab4 32. c4 f5 33. c5± ♖e8 34. c6 ♕c7 35. gf5 gf5 36. ♖4e3 ♖bd8 37. ♘f3?!** [37. ♕b4! ♗e5 38. ♖e5 ♕c6 39. ♔f2±] **♕c6 38. ♖e6 ♖e6 39. ♖e6 ♕d5!± 40. ♕e3** [40. ♕d5 ♖d5±] **♔f8??** [40... ♗d4 41. ♖e8 ♖e8 42. ♕e8 ♔g7 43. ♕e7 ♔g6 44. ♕b4 ♗f6 45. b3 ♕e4 46. ♕d6 ♔h5!= 47. ♕f6 ♕f3=] **41. ♔g3 b3? 42. ♔h4!!+−** [△ ♔g5-g6, ♘g5+−] **♕b5 43. ♔g5 ♔g8** [43... ♕f1 44. ♕b3 ♕h3 45. ♔g6!! ♕h6 46. ♔f5+−] **44. ♔g6 ♕d7?!** [44... ♖f8 45. ♘g5 ♕b7 46. ♕h3? ♗d4; 46. ♕f3!+−] **45. ♖e7 ♕c6 46. ♕e6! ♕e6 47. ♖e6 ♔f8 48. ♖b6 ♗d4 49. ♖b3 1 : 0 [Gufel'd, Zajčik]**

87. A 46

S. KOVAČEVIĆ 2450 − BROWNE 2535

Lugano 1989

1. d4 ♘f6 2. ♘f3 e6 3. ♗f4 c5 4. e3 ♕b6 5. ♕c1 [5. ♘c3 a6!?] **♘c6 6. c3 ♘h5 7. ♗g5!? h6 8. ♗h4 g5 N** [8... f5? − 28/117] **9. ♗g3 ♘g3 10. hg3 ♗g7= 11. g4?!** [11. ♘bd2] **d5 12. ♗e2 e5! 13. dc5** [13. ♘e5?! ♗e5! 14. de5 ♘e5 15. f3 f5! 16. gf5 ♗f5 17. ♘d2 0-0-0∓] **♕c5 14. ♘h2 d4! 15. ♘f1 ♗e6?!** [15... e4!? 16. ♘g3! de3 17. ♕e3 ♕e3 18. fe3 ♘e5 19. ♘e4 0−0!? 20. ♘f2 f5; 15... d3! 16. ♗d3 (16. ♗f3 e4!∓) ♗g4 17. f3 0-0-0∓] **16. ♘g3 0-0-0∓ 17. 0−0 de3** [17... d3 18. ♗f3 h5!? 19. ♘h5 e4!$\overline{\infty}$] **18. ♕e3 ♕e3 19. fe3 ♗f8! 20. ♘e4! ♗d6!** [△ ♗c7-b6 ×e3] **21. ♘d6 ♖d6 22. e4 a6** [22... ♔d7?! 23. ♘a3 ♔e7 24. ♘c4 ♗c4 25. ♗c4 f6 26. ♗d5; 22... ♘b8! 23. ♔f2 ♘d7 △ 24... ♘c5, 24... ♘f6] **23. ♔f2 ♔c7 24. ♔e3 ♖hd8 25. ♖f6 ♘a5! 26. b3** [26. ♖h6?! ♘c4 27. ♗c4 ♗c4∓] **b5! 27. ♖h6 ♖c6 28. ♖h1 ♔b6 29. ♖d1?! ♖h8! 30. ♔f2 ♘b7 31. ♗f3 ♖h6** [31...

♖h4! 32. ♔g3 ♘d6 33. ♖e1 ♘e8 △ ♘f6∓] **32. ♔g3 ♖f6 33. ♖d3 ♘c5 34. ♖d1** [34. ♖e3 ♖d6 35. ♘a3 ♖d2∓] **♘b7 35. ♖d3 ♘c5 36. ♖d1 ♘d7 37. ♖d3 ♖f4 38. ♘d2 ♘f6 39. a4 ♗g4 40. ab5 ab5 41. ♖a8** [41. ♗g4? ♖g4 42. ♔f3 ♖f4 43. ♔e3 ♘g4−+] **♔b7 42. ♖a5** [42. ♖dd8 ♗c8! 43. ♖a5 ♔b6 44. ♖a8 ♗b7∓] **♔b6 43. ♖a8 ♗c8! 44. ♖b8 ♗b7 45. c4 g4 46. ♗d1 b4! 47. ♗c2 ♔c7 48. ♖f8 ♘h5 49. ♔h4** [49. ♔h2 ♖f2 50. ♖fd8 ♘f4 51. ♖3d7 ♔b6 52. ♖b8 ♖g2 53. ♔h1 ♖h6#] **♘g7 50. ♖h8 ♖g6 51. ♔g3 ♘e6 52. ♖h5 ♖g5 53. ♖g5 ♘g5 54. ♖e3 ♔b6 55. ♖e2 ♔c5 56. ♔h4? ♘e6?** [56... ♘f3!−+] **57. g3 ♖f6 58. ♗d1 ♗c8! 59. ♖e1 ♘g7 60. ♖f1 ♖h6−+ 61. ♔g5 ♖g6 62. ♔h4 f6 63. ♖f5 ♗f5 0 : 1** **[Browne]**

88. **A 46**

HODGSON 2545 – I. ROGERS 2505

Wijk aan Zee II 1989

1. d4 ♘f6 2. ♗g5 e6 3. e4 h6 4. ♗f6 ♕f6 5. ♘f3 d6 6. ♘c3 [6. ♘bd2!? △ c3, ♗d3] **♘d7 7. ♕d2 N** [7. ♗d3 c6! 8. ♕e2 e5 9. d5 ♗e7 10. 0-0-0 ♗d8!∓; 7. d5 — 34/85] **c6! 8. 0-0-0 e5= 9. h4?!** [△ g4-g5→; 9. ♔b1=; 9. ♕e3=] **♗e7 10. ♕e3 ♘f8!∓** [△ 11... ♗g4, 11... ♘e6 ×d4] **11. ♗e2** [11. d5 ♘d7! △ ♘c5, ♗d8-b6∓] **♘e6** [11... ♗g4!?∓] **12. ♗c4!? ♗d8!** [△ ♗b6 ×d4] **13. ♗e6□ ♗e6 14. de5** [14. d5 ♗d7∓] **de5 15. ♘a4 0−0 16. ♔b1** [16. ♘c5 ♗b6 17. ♕c3 ♗g4∓] **♗g4 17. ♖d3?** [17. ♕c3□ b5 18. ♘c5 ♗b6∓ ×f2] **b5! 18. ♘c5?!** [18. ♘c3 ♗b6∓] **♗b6−+ 19. ♖c3** [19. b4 a5 20. c3 ♕e7−+→] **♕e7** [△ 20... b4 21. ♖c4 ♗e6−+] **20. a3 a5 21. b4** [21... ab4 22. ab4 ♕a7−+] **0 : 1** **[I. Rogers]**

89. **A 46**

HODGSON 2545 – ĖJNGORN 2570

Reykjavík 1989

1. d4 ♘f6 2. ♗g5 e6 3. e4 h6 4. ♗f6 ♕f6 5. ♘f3 g6 6. ♘c3 ♗g7 7. ♕d2 d6 [7... a6?! — 43/59] **8. 0-0-0 ♘c6** [8... a6; 8... ♗d7!?] **9. ♗b5! N** [9. d5?! ed5 10. ed5 ♘e7∓] **0−0 10. e5** [10. ♗c6 bc6 11. e5 ♕f5] **de5** [10... ♕e7 11. ♗c6±] **11. ♗c6 ed4!∞̅ 12. ♘e4 ♕e7 13. ♗a4** [13. ♗b5!?] **c5 14. ♖he1 ♖b8 15. ♕f4! e5 16. ♘ed2 ef4 17. ♖e7 b5 18. ♗b3 c4 19. ♘c4 bc4 20. ♗c4 ♖b7! 21. ♖de1** [21. ♖e4 ♖c7↑] **♗f6□ 22. ♖7e4** [22. ♖e8; 22. ♖b7=] **d3!** [22... ♗f5 23. ♖f4 d3 24. b3!±] **23. c3 ♗f5 24. ♖e8** [24. ♖f4? ♗g5 25. ♘g5 d2 26. ♔d2 ♖b2∓] **g5 25. h3 h5 26. ♗b3** [⌓ 26. ♖f8 ♔f8 27. ♖d1 g4 28. hg4 hg4 29. ♘d4! ♗d4 30. cd4 (Hodgson) ♖c7 31. b3 ♗e6 32. ♖d3 ♗c4 33. ♖c3; 30... ♗e4=] **g4 27. hg4 hg4 28. ♘d4 ♗g6 29. ♘c6 ♖e8 30. ♖e8** [30... ♔g7∓] **1/2 : 1/2** **[Ėjngorn]**

90. **A 47**

VLADO KOVAČEVIĆ 2545 – HENLEY 2505

New York 1989

1. d4 ♘f6 2. c3 e6 3. ♗g5 h6 4. ♗h4 b6 5. ♘d2 ♗b7 6. e3 c5 7. ♘gf3 cd4 [7... d5?! 8. ♘e5!; 7... ♗e7 8. ♗d3 △ dc5, e4] **8. ed4 ♗e7 9. ♗d3 d6** [9... 0−0] **10. ♕e2** [10. 0−0 0−0 11. ♖e1 ♘bd7 12. a4 a6 13. h3±] **♘h5?!** [10... ♘bd7 11. 0-0-0 ♘d5! 12. ♗e7 ♕e7 13. g3 ♖c8=] **11. ♗e7 ♕e7 12. g3!±** [×♘h5] **♘f6 13. 0-0-0 ♘bd7 14. ♖he1 0−0 15. ♔b1!?** [15. ♘h4?! ♖fc8 16. f4 ♘d5⇆⇔c] **a6 16. ♔a1 b5 17. ♗b1 ♖fc8** [17... ♖fe8!?] **18. ♘h4! d5** [18... ♘d5 19. f4 ♘f4? 20. ♘f5 ♕f6 21. ♘h6 ♕h6 22. gf4→»] **19. f4 b4** [19... ♘b6 20. f5] **20. c4 dc4 21. ♘c4 ♗d5** [21... a5? 22. ♘f5 ♕f8 23. ♘fd6 ♖c7 24. ♘b7 ♖b7 25. f5±] **22. ♘e3 ♕d6 23. ♘d5 ♕d5 24. f5± ♖e8 25. ♕d2! a5 26. fe6 ♖e6** [26... fe6? 27. ♗g6 ♖ed8 28. ♘g2 △ ♘f4] **27. ♖e6 ♕e6 28. ♖e1 ♕b6 29. ♕g2! ♖d8** [29... ♖e8? 30. ♖e8 ♘e8 31. ♕a8 ♔f8 32. ♘f5] **30. ♘f5 ♘f8 31. ♖e7** [31. ♕c6 ♕c6 32. ♘e7 ♔h8 33. ♘c6 ♖d6] **♘e6 32. ♖b7 ♕a6 33. ♕c6! ♕e2** [33... ♕c6 34. ♘e7 ♔f8 35. ♘c6 ♖a8 36. ♖b5+−; 33... ♕f1 34. ♘e7! (34. ♕b6 ♘e4 35. ♘e7! ♔f8

36. ♘g6! ♔g8 37. ♖b8+−) ♔f8 (34... ♔h8 35. ♕b6 △ ♖b8) 35. d5 ♘g5 (35... ♘d4 36. ♕c5) 36. ♕c5 ♘ge4 37. ♕a5+−]
34. ♕b6 ♕d1 35. ♖b8 1 : 0
[Vlado Kovačević]

91. **A 47**

JUSUPOV 2620 − IVANČUK 2625
SSSR (ch) 1988

1. d4 ♘f6 2. ♘f3 e6 3. e3 c5 4. ♗d3 b6 5. 0−0 ♗b7 6. ♘bd2 ♗e7 7. ♖e1?! 0−0 N [7... cd4 − 40/81] **8. b3 ♘c6 9. a3 d5 10. ♗b2 ♕c7 11. ·♕e2?!** [11. dc5?! bc5 12. c4 d4! △ 13. ed4 ♘d4 14. ♘d4 cd4 15. ♗d4 ♕d7!; 11. c4 dc4! (11... cd4?! 12. ed4!±) 12. bc4?! ♖fd8∓; 12. ♘c4=] **♖ac8** [11... a5!? (△ a4) 12. ♗b5 ♘a7] **12. ♖ac1 ♖fd8 13. h3 ♕b8 14. ♖ed1 ♗d6!∓** [△ e5] **15. dc5?!** [△ 15. c4 cd4 16. ed4∓] **bc5 16. c4** [16. ♗f6 gf6 17. c4 d4∓] **d4!∓** [16... ♘e5 17. ♘e5 ♗e5 18. ♗e5 ♕e5 19. ♘f3=] **17. ed4 ♘d4 18. ♗d4 cd4 19. b4 ♘h5! 20. c5** [20. ♘g5? ♗h2!−+; 20. g3? ♗g3!−+] **♘f4 21. ♕f1 ♗e7 22. ♗a6?** [△ 22. g3 ♘d3 23. ♕d3∓] **d3−+ 23. ♗b7 ♕b7 24. ♖e1?!** [△ 24. ♖c4 ♘e2 25. ♔h1] **♕d5!** [△ 25... ♘e2 26. ♖e2 de2 27. ♕e2 ♕d3] **25. ♖c4 ♘e2 26. ♔h1 ♗f6!** [△ 27... ♗c3, 27... ♗b2] **27. ♖e2 de2 28. ♕e2 ♕d3 29. ♕d3 ♖d3 30. ♘e4** [30. a4 ♖c3!] **♗b2 31. c6 f5 32. ♘ed2** [32. ♘eg5 ♖d6−+] **♗a3 33. b5 ♖d5 34. ♖a4 ♗d6 35. ♖a7 ♖b5 36. ♘d4 ♖d5 37. ♘2f3 ♗c5 38. ♖d7 ♗d4 39. ♖d5 ed5 40. ♘d4 ♔f7 0 : 1** [Ivančuk]

92.* **A 52**

GAVRILOV 2370 − BERDIČEVSKIJ
SSSR 1989

1. d4 ♘f6 2. c4 e5 3. de5 ♘g4 4. ♘f3 [RR 4. ♗f4 ♘c6 5. ♘f3 ♗b4 6. ♘bd2 ♕e7 7. a3 ♘ge5 8. ♘e5 ♘e5 9. e3 ♗d2 10. ♕d2 d6 11. ♖c1 0−0!? N (11... b6 − 46/(86)) 12. c5 dc5 13. ♕d5 ♘g6 14. ♗g3 ♖d8!? (14... ♕f6 15. ♖c3?! ♕b6!⇆; 15. ♕c5!? ♕b2 16. ♗c7 △ ♕c3±⌓) 15. ♕c5

♕c5 16. ♖c5 c6 17. ♗e2 ♗e6 18. ♖c2 (Gorelov 2455 − Majerić 2310, Bela Crkva 1989) ♖d7! 19. ♖d2 ♖ad8 20. ♖d7 ♖d7± Gorelov] **♗c5 5. e3 ♘c6 6. ♗e2 0−0 7. 0−0 ♖e8 8. ♘c3 ♘ge5 9. ♘e5 ♘e5 10. a3!? N** [RR 10. b3 a) 10... d6 11. ♘a4 b6 12. ♗b2 (12. a3?! a5 13. ♗d2 ♕h4!? 14. b4 ♖e6 15. bc5 ♖h6 16. f3 ♕h2 17. ♔f2 ♖g6 18. ♖g1 ♕g3 19. ♔f1 ♗h3 20. ♗c3 ♕h4! 21. gh3 ♕h3 22. ♔f2 ♕h2 23. ♔e1 ♘f3!−+; 16. h3 ♖g6! 17. ♔h2 ♖g2! 18. ♔g2 ♕h3 19. ♔g1 ♗b7 20. f3 ♕g3 21. ♔h1 ♘g4−+) a5 13. ♘c5 bc5 14. f4 ♘d7 15. ♗f3 ♖b8 16. ♕d3! N (16. ♕d2) a4 17. ♖fe1 f6 18. ♗d5! ♔h8 19. e4 ♕e7 20. ♖e3± Agadžanjan − Nadanjan, SSSR 1989; 17... ab3!? 18. ab3 ♗b7 Nadanjan; b) 10... a5 11. ♘e4 N (11. ♗b2 − 44/65) ♗f8 12. f4 ♘g4 13. ♗g4 ♖e4 14. ♕d3 ♖e8 15. ♗b2 ♕e7 16. ♖f3 d5 17. ♗c8 dc4 18. ♕c4 ♖ac8= Salov 2630 − Illescas Cordoba 2525, Barcelona 1989; 14. ♗f3 ♖e8 15. e4± Lëgkij] **a5 11. ♖b1 N** [11. b3] **b6!** [11... d6!?; 11... ♘c6!?; 11... ♗a7!?] **12. ♕c2** [12. b4!? ♗f8 13. f4] **♗b7 13. b4 ♗f8 14. e4 ♖e6!? 15. ♖d1 ♖c6! 16. ♕b3** [16. b5 ♖g6!] **♕h4 17. f3 ♖g6→≫ 18. ♘b5?!** [18. ♘d5!? ♗d5 19. cd5 ♗d6∞] **ab4 19. ab4◻** [19. ♘c7 ♗c5 20. ♔h1 ♖a3! 21. ♗a3 ♖h6 22. h3◻ ♕g3!−+ 23. ♗f1 (23. f4 ♕h3) ♖h3] **c5 20. ♗d2 ♕h3! 21. g3◻ cb4 22. ♗f4** [22. ♗b4 ♖h6] **♗c5 23. ♔h1 ♘g4 24. fg4◻ ♗e4 25. ♗f3**

25... ♖a2!−+ 26. ♖d2 [26. ♗d2 ♖h6!] **♖d2 27. ♗d2 ♖f6! 28. ♗f4 ♖f4! 0 : 1**
[Sandler, Berdičevskij]

93. **A 53**

CHRISTIANSEN 2530 – SHIRAZI 2395

New York 1989

1. d4 ♘f6 2. c4 d6 3. ♘c3 ♗f5 4. g3 c6 [4... ♘e4? 5. ♕d3+–] **5. ♗g2 e5 6. ♘f3 ♘bd7 7. 0–0 ♗e7 N** [7... ♘e4 8. ♘h4 ♘c3 9. bc3 ♗g6 10. e4±; 7... h6 – 11/69] **8. ♘h4 ♗g4** [⌓ 8... ♗g6±] **9. h3 ed4?!** [⌓ 9... ♗h5 10. ♘f5±] **10. hg4 dc3 11. g5 ♘h5** [11... ♘g8 12. ♘f5±] **12. ♘f5 ♘e5** [12... cb2 13. ♗b2 ×d6, g7, ♘h5] **13. g4!?** [13. bc3; 13. e4; 13. ♕d4±] **cb2□** [13... ♘g4 14. e4+–] **14. ♗b2 ♘f4 15. c5** [15. ♘g7 ♔f8 16. ♘f5±] **♗f8□ 16. cd6 ♘g4 17. e3!** [17. f3?! ♘e3! (17... ♘g2 18. fg4+–) 18. ♘e3 (18. d7? ♕d7 19. ♕d7 ♔d7 20. ♘e3 ♗c5∓) ♕b6!? 19. ♕d2 ♗d6∞; 18... ♕g5∞] **♕g5□ 18. ef4 ♕f5 19. ♖e1 ♔d7** [19... ♔d8 20. ♕e2 ♗d6 (20... ♔d7 21. ♗g7! ♗d6 22. ♗h8 ♖h8 23. ♖ad1 ♔c7 24. ♖d6+–) 21. ♖ad1 ♖e8 22. ♗e5+–] **20. ♕b3 ♖b8 21. ♗c6! bc6** [21... ♔c6 22. ♖ac1 ♔d7 23. ♕a4 b5 24. ♕a7+–] **22. ♕b8 ♗d6 23. ♕a7!** [23. ♕h8? ♕f4 24. ♕e8 ♔c7 25. ♖e7 ♗e7 26. ♕e7 ♔c8=] **♔c8 24. ♕a6 ♔c7 25. ♗c3+– ♘e5?!⊕** [RR 25... ♕b5 26. ♗a5 ♔d7 27. ♕a7 ♔c8 28. ♖ab1 ♗b8 29. ♕f7 ♕a5 30. ♕b7+– Byrne, Mednis] **26. ♗a5 ♔d7 27. ♕b7 ♔e8** [27... ♔e6 28. ♖e5 ♗e5 29. ♕c6 ♗d6 30. ♖e1+–] **28. ♕c6**
1 : 0 **[Christiansen]**

94. **A 53**

FTÁČNIK 2550 – TORRE 2565

Lugano 1989

1. d4 d6 2. ♘f3 ♘f6 3. c4 c6 4. ♘c3 ♗g4 5. e4 e6 N [5... ♘bd7 – 46/88] **6. ♗e2 ♗e7 7. 0–0** [7. e5 de5 8. ♘e5 ♗e2 9. ♘e2 (9. ♕e2 ♕d4 10. 0–0 ♘bd7∓) 0–0 10. 0–0 ♘bd7=] **0–0 8. ♗e3 ♘bd7 9. d5** [9. ♘d2 ♗e2 10. ♕e2 d5 (10... e5?! 11. d5±) 11. e5 ♘e8; 9. e5 ♘e8 (9... de5 10. de5 ♘e8 11. ♗f4 ♕c7 12. ♖e1; 10. ♘e5!?) 10. ♗f4 ♕c7⇆] **cd5** [9... ♕c7 10. de6 ♗e6 11. ♘d4; 9... ed5 10. ed5 c5 11. ♘d2±] **10. ed5** [10. cd5 ed5 11. ed5 ♖e8=] **♗f3** [10... e5 11. ♘d2 ♗e2 12. ♕e2±; 10... ed5 11. ♘d5 ♘d5 12. ♕d5 ♘f6 13. ♕b7±] **11. ♗f3 e5 12. b4 b6!** [12... ♖c8 13. c5! e4 (13... dc5 14. d6±) 14. ♗e4 ♘e4 15. ♘e4 dc5 16. d6 ♗f6 17. ♘f6 ♕f6 18. bc5±] **13. ♖c1** [13. c5 bc5 14. bc5 ♕a5! (14... ♘c5 15. ♗c5 dc5 16. d6 ♕d6 17. ♗a8±) 15. cd6 ♗d6=] **♕c7** [13... ♖c8 14. ♘b5 a6 15. ♘a7! △ ♘c6±] **14. ♕b3** [14. ♘b5 ♕b7 15. ♘d6 ♗d6 16. c5 bc5 17. bc5 e4 18. c6 ♕c7] **a6** [14... ♖fc8 15. ♘b5 ♕b7 16. c5 bc5 17. bc5 ♘c5 18. ♗c5 e4!⇆; 15. ♗e2] **15. g3 ♖fc8?!** [15... ♖ac8 16. ♗e2 △ c5, ♗a6↑; ⌓ 15... ♖fe8 △ ♗f8, g6⇆] **16. ♗e2 ♕d8** [⌓ 16... ♗f8] **17. f4 ef4?** [⌓ 17... ♗f8] **18. gf4 ♗f8 19. ♗f3** [19. ♗d4 g6 20. ♕b2 ⇗a1-h8] **♕c7 20. ♘e2 ♖e8 21. ♘d4 g6?!** [21... a5 22. ♘b5 (22. a3 ab4 23. ab4 ♕a7 24. ♖a1 ♕a1 25. ♖a1 ♖a1 26. ♔g2 ♖ea8⇆) ♕b8 23. a3±; 21... ♘e4 22. ♘e6 fe6 23. ♗e4 ♘f6 24. ♗f3±; 21... ♖ac8 △ g6±] **22. ♖fe1?!** [⌓ 22. ♘e6!! *a)* 22... fe6 23. de6 ♖ab8 24. ed7 ♘d7 (24... ♕d7 25. c5 ♕e6 26. ♗d4! ♗g7 27. cb6+–) 25. c5 ♔h8 26. cb6 ♕d8 27. ♖c7+–; *b)* 22... ♕a7 23. ♘f8 ♔f8 24. ♗d4±] **a5 23. ♘e6** [23. ♘b5 ♕b8 24. a3±] **♕a7 24. ba5?** [24. ♘f8 ♔f8 25. ♗d2!? (25. a3 ab4 26. ab4 ♕a3 27. ♕a3 ♖a3 28. ♗d4 ♖e1⇆; 25. ♗d4 ab4 26. ♕b4 ♕a3!) b5 26. ♔h1 bc4 27. ♕c4 ab4 28. ♗b4 ♕a2±] **♕a5** [24... fe6!? 25. de6 (25. ab6 ♕a2 26. ♕a2 ♖a2 27. de6 ♖e6 28. ♗d4) ♘c5 (25... ♖e6 26. c5 d5 27. ab6∞̅) 26. ♗c5 (26. ab6!? ♘b3 27. ba7 ♘c1 28. ♗a8) bc5 27. ♗a8 ♕a8∞] **25. ♘c7?!** [⌓ 25. ♘f8 ♔f8 26. ♖e2=] **♖e3! 26. ♖e3** [26. ♕e3!? ♖c8 27. ♘b5 ♕a2∞̅] **♖d8! 27. ♘b5** [27. ♕b5 ♕b5 28. ♘b5 ♗h6∓] **♗h6 28. ♕b1** [28. ♕b2 ♗f4 29. ♖a3 ♗c1–+] **♕a8** [28... ♗f4? 29. ♖a3 ♕d2 30. ♖c2+–; 28... ♕d2 29. ♖ce1 △ 29... ♗f4 30. ♖3e2+–] **29. ♖a3 ♕c8 30. c5 ♘c5** [30... ♗f4 31. c6 ♗c1 32. ♕c1∞̅ ♙c; 30... dc5 31. ♖c4⇆] **31. ♖c4 ♕h3 32. ♗g2 ♕g4 33. ♖g3 ♕d7 34. f5** [34. ♘c3 ♖e8 35. ♕b6 ♕e7 36. ♕b1 ♘h5 37. ♖f3 ♘f4 38. ♖cf4 ♗f4 39. ♖f4 ♕e3 40. ♖f2 ♕c3–+] **♖e8 35. ♘d4** [35. ♘c3 ♖e5 △ ♕e7–+]

♘**h5** [⌓ 35... ♘ce4! △ ♘d2–+] **36. fg6** ♘**g3** [36... hg6 37. ♖g6 fg6 38. ♕g6 ♗g7 39. ♕h5∞] **37. gh7** [37. gf7 ♕f7 38. hg3 ♗e3 39. ♔h2 ♕h5 40. ♗h3 ♗d4–+] ♔**h8 38. hg3** ♕**g4 39.** ♕**f5** [39. ♘f5 ♕c4 40. ♕b2 (40. ♘h6 ♕d4 41. ♔h2 ♕g7–+) ♔h7 41. ♘h6 ♖e2 42. ♕f6 ♕c1 43. ♗f1 ♕e3 44. ♔h1 ♖f2–+] ♕**g3 40.** ♘**f3** ♖**e2 41.** ♕**f6** ♗**g7?** [41... ♕g7 42. ♕g7 ♗g7 (42... ♔g7 43. ♘h4 ♔h7 44. ♘f5⇆) 43. ♖b4 ♘d7 44. ♗h3 ♘e5 45. ♘e5 ♗e5 46. ♗f5!?; ⌓ 41... ♔h7! 42. ♕f5 (42. ♕f7 ♔h8 43. ♕f6 ♔g8 44. ♕d8 ♔h7! 45. ♕c7 ♗g7 46. ♖h4 ♔g6 47. ♖h2□ ♖e1! 48. ♘e1 ♗d4–+) ♕g6 43. ♕g6 (43. ♘h4 ♖g2–+) fg6 44. ♖b4 ♗e3 △ ♘d3–+→] **42.** ♕**d8** ♔**h7 43.** ♕**h4** ♕**h4 44.** ♖**h4** ♔**g6** [44... ♗h6 45. ♘d4 △ 45... ♖a2 46. ♘f5; 44... ♔g8 45. ♖b4⇆] **45.** ♖**b4** ♖**a2?!** [45... ♘d7 46. ♗h3 ♘e5 47. ♘h4 ♔g5 48. ♘f5 ♘f3 49. ♔f1 ♖h2 50. ♘g7=; ⌓ 45... ♗h6 46. ♔f1 (46. ♖b6 ♗e3 47. ♔h1 ♘e4∓) ♖a2 47. ♖b6 ♗f4∓→] **46.** ♖**b6** ♘**e4 47.** ♖**b7** [47. ♘h4 ♔g5 48. ♗e4 ♗d4–+] ♘**c3 48.** ♖**b6** ♘**e2** [48... ♗f8 49. ♘e5 ♔g7 50. ♘c4⇆] **49.** ♔**h1** ♔**f5 50.** ♖**d6** ♔**g4?!** [⌓ 50... ♘f4 51. ♗f1 ♖a1 52. ♔g1 ♔e4→] **51.** ♖**d7** ♖**a1** [51... ♔g3 52. ♘h2! ♖a1 (52... ♘f4 53. ♘f1 ♔h4 54. ♖f7) 53. ♘f1 ♔h4 54. ♖f7 ♘g3 55. ♔h2 ♗e5 56. ♖h7 ♔g4 57. ♗h3 ♔f3 58. ♖f7] **52.** ♔**h2** ♗**h6 53.** ♘**e5** ♔**h4 54.** ♘**f3** ♔**g4 55.** ♘**e5** ♔**h4** [55... ♔f5 56. ♖f7 ♔e5 57. ♖e7=] **56.** ♘**f3** ♔**h5 57.** ♖**f7** ♖**a2** [57... ♗f4 58. ♔h3 ♖a3 59. ♖f5 ♔g6 60. ♔g4] **58.** ♖**f5** ♔**g6 59.** ♘**h4** ♔**g7 60.** ♖**f1** ♘**f4** [60... ♗f4 61. ♔h3 ♖a3 62. ♗f3] **61.** ♘**f5** ♔**g6 62.** ♘**h6** **1/2 : 1/2**
[Ftáčnik]

95.* **A 53**

BÖNSCH 2490 – LERNER 2535
Berlin 1989

1. d4 ♘**f6 2. c4 d6 3.** ♘**c3** ♘**bd7 4. e4 e5 5. d5** ♗**e7** [RR 5... ♘c5 6. f3 a5 7. ♗e3 ♗e7 8. ♕d2 h6 9. 0-0-0 ♘h7 N (9... ♘fd7 – 46/89) 10. ♔b1 ♗g5 11. g4?! ♗e3 12. ♕e3 ♕h4!∓ Thorsteins 2430 – Zapata 2490, New York 1989] **6.** ♗**e3 c6 N** [6... ♘c5 – 40/(83)] **7. f3 0–0 8.** ♗**d3** [8. ♘h3 △ ♘f2] ♘**h5 9.** ♕**d2 g6 10.** ♘**ge2 f5 11. 0-0-0?!** [⌓ 11. ef5 gf5 12. 0-0-0] **f4 12.** ♗**f2 c5 13.** ♔**b1 a6 14.** ♖**hf1** ♘**g7 15.** ♘**c1** ♖**b8 16.** ♕**e2** ♘**f6 17. a4** ♘**ge8 18.** ♘**1a2 a5!** [18... ♘c7 19. b4!±] **19.** ♘**b5** ♘**c7 20. g3** ♘**b5 21. cb5! fg3 22. hg3** ♘**h5 23.** ♖**h1** ♖**f7 24.** ♖**df1** ♗**d7 25.** ♘**c3 b6 26.** ♗**e1** [26. ♘d1 ♗g5 27. ♘e3 ♗e3 28. ♕e3 ♕e7 29. f4!↑] ♗**g5 27.** ♗**c4** ♕**e7 28.** ♘**d1** ♖**bf8 29.** ♕**g2** ♗**h6!** [△ ♕g5] **30. g4!?** ♘**f4** [30... ♕g5? 31. ♕c2 ♘f4 32. ♗h4+–] **31.** ♕**g1** ♗**g5 32.** ♗**c3** ♖**g7 33.** ♖**f2** ♔**f7 34.** ♖**c2! h5** [34... ♔e8 35. ♘e3 ♔d8 36. ♗f1 ♔c7 37. ♘c4 ♔b7 (37... h5 38. ♗e5) 38. b4→] **35.** ♘**e3** ♔**e8 36.** ♔**a2** ♗**c8 37.** ♗**f1** ♕**f6?** [37... hg4 38. fg4±] **38.** ♘**c4+– ♖b7 39. gh5 gh5 40.** ♘**d6** ♕**d6 41.** ♕**g5** ♖**e7 42.** ♖**ch2** ♔**d7 43.** ♖**h5!** ♘**h5 44.** ♖**h5** ♕**f6** [44... ♖f3 45. ♕g4] **45.** ♗**h3** ♔**c7 46.** ♕**f6** ♖**f6 47.** ♖**e5!** ♖**ff7 48.** ♖**e7** ♖**e7 49. d6** **1 : 0**
[Bönsch]

96.** **A 55**

BADŽARANI – ŠUR
SSSR 1989

1. d4 ♘**f6 2. c4 d6 3.** ♘**c3** ♘**bd7 4.** ♘**f3 e5 5. e4 c6 6.** ♗**e2** ♗**e7 7. 0–0 0–0 8.** ♖**e1** ♕**c7?! 9.** ♗**f1 a6 N** [9... ♖d8 – 4/100] **10.** ♗**g5!** ♖**e8** [RR 10... b5 11. a3 ♗b7 12. ♖c1 ♕b8 13. b4 ♖e8 14. d5 cd5 15. cd5 h6 16. ♗e3 ♗d8 17. ♘d2 ♗c7 18. ♘b3 ♕d8 19. g3 ♘f8± van der Wiel 2560 – Miles 2520, Wijk aan Zee 1989] **11. d5±** [RR 11. h3 h6 12. ♗h4 b5 13. a3 ♘f8?! 14. c5!± Mollov 2375 – P”devski 2435, Starozagorski Bani 1989; 13... ♗b7 14. ♖c1 ♖ac8!?± Mollov] **h6 12.** ♗**e3** ♘**f8 13. h3** ♘**g6 14.** ♕**d2** ♗**d7 15. b4 c5 16.** ♖**ab1 b6 17.** ♖**b2?!** [17. bc5 bc5 18. ♖b3±; 17. ♖b3! △ ♕b2, ♖b1±] ♖**ec8 18.** ♖**eb1 cb4? 19.** ♖**b4 b5**

20. cb5!!+− ♕c3 21. b6!□ a5 22. ♖4b3! ♕d2 [22... ♘e4 23. ♕d1 ♕c2 24. b7 ♖ab8 25. bc8♕ ♖c8 26. ♕c2 ♖c2 27. ♗d3+−] **23. ♘d2 ♖c2!** [23... ♗a4 24. ♖a3 ♗c2 25. ♖b2+−] **24. ♖a3!□ ♖b8 25. ♗d3 ♖cc8 26. b7 ♖c7 27. ♗a6! ♖c2 28. ♘c4 ♘e4 29. ♘a5?⊕** [29. ♗a7+−] **♘c5 30. ♘c6 ♗c6 31. dc6 ♗d8 32. ♗d3 ♘d3 33. ♗a7 1 : 0** **[Badžarani]**

97.* **A 57**

KIR. GEORGIEV 2590
– ERMENKOV 2490
B"lgarija (ch) 1989

1. d4 ♘f6 2. c4 c5 [RR 2... a6 3. ♘c3 c5 4. d5 b5 5. e4 N (5. cb5 – 45/78) b4 6. ♘a4 ♘e4 (6... d6 7. e5!? de5 8. ♗e3∞̄; 7... ♘fd7 8. ♘f3 de5 9. g3!?∞̄) 7. ♗d3 ♘f6 8. ♘c5 g6? (8... e5?! 9. ♘a4±) 9. ♗e3! (×b6) ♗g7 10. ♘a4 d6□ 11. ♘b6 ♘g4 12. ♘a8 ♘e3 13. fe3 ♗b2 14. ♖b1 ♗c3 15. ♔f2 0–0 16. ♕c2!+− Levitt 2445 – Teske 2405, Polanica Zdrój 1988; 8... e6 9. ♘a4 ed5 10. ♗e3 dc4 11. ♗c4∞̄; 9. ♘b3!? Levitt] **3. d5 b5 4. ♘f3 b4 5. ♘bd2 d6 6. a3 ba3 7. ♖a3 g6 N** [7... e5? – 43/74] **8. g3** [8. e4!?; 8. b3!?] **♗g7 9. ♗g2 0–0 10. 0–0 a5 11. b3 ♘fd7! 12. ♕c2 ♘a6 13. ♗b2 ♘b4 14. ♕b1 ♗b2** [14... ♗h6!? 15. e4 f6 △ ♘b6∞] **15. ♕b2 ♘b6 16. h4 ♖a7?!** [⌓ 16... h6 △ ♗d7, a4⇆] **17. ♖fa1** [17. h5!? gh5 (17... f6 18. h6!) 18. ♖fa1 ♗d7∞] **h6 18. ♘e1!** [△ 19. ♘d3, 19. e4, f4→] **e5?** [18... ♗d7 19. ♘d3 (19. e4 e5! △ 20. de6 ♗e6 21. ♖a5? ♖a5 22. ♖a5 ♘c4 23. ♘c4 ♗c4∓) a4 20. ♕c3±] **19. de6 ♗e6** [19... fe6 20. ♖a5 ♖af7 21. ♖a7!±] **20. ♖a5 ♖a5 21. ♖a5 f5?!** [21... ♘c4 22. ♘c4 d5 (22... ♗c4 23. ♖a8+−) 23. ♖c5 dc4 24. bc4 ♘a6 25. ♖c6 ♕d1 (25... ♘b8 26. ♖e6! fe6 27. ♘d3+− ×e6, g6, h6) 26. ♕c3 ♘b8 27. ♖e6 fe6 28. ♗f3±] **22. ♖a7+− ♖f7 23. ♖f7 ♔f7 24. ♘d3 ♕f6 25. ♕c1 ♔g7 26. ♘b4 cb4 27. ♘f3 ♕c3** [27... ♘c4 28. bc4 b3 29. e3 b2 30. ♕c2 △ ♘d4+−; 27... ♗c4 28. bc4 b3 29. ♘d2 b2 30. ♕c2 ♕d4 31. ♘b1 ♘c4 32. e3+−] **28. ♕c3 bc3 29. ♘d4 ♔f6 30. ♔f1 ♘d7 31. f4! ♘c5 32. ♔e1 ♘a6 33. ♔d1 ♘b4 34. ♘c6 ♘a2 35. ♔c2 ♗d7 36. ♘d4 g5 37. hg5 hg5 38. e3 gf4 39. gf4 ♔g6 40. ♗f3 ♔f6 41. ♘e2 d5? 42. ♗d5 1 : 0** **[Kir. Georgiev]**

98.*** **A 57**

LEVITT 2445 – HEBDEN 2475
London 1988

1. d4 ♘f6 2. c4 c5 3. d5 b5 4. ♘f3 g6 5. cb5 a6 6. ♘c3 ab5 7. d6 ♕a5 [7... ♗g7 N 8. de7 ♕e7 9. ♘b5 0–0 10. e3 d5 11. ♗e2 ♘c6 12. 0–0 ♗f5 13. ♗d2 ♘e4 14. ♗c3 ♘c3 15. bc3± Levitt 2445 – Hodgson 2480, London 1988] **8. e3 ed6** [8... ♘c6 N 9. a4! (9. ♗b5 ♘e4! 10. ♗d2? ♘c3 11. ♗c3 ♕b5 12. ♗h8 f6∓; 10. ♗c6 dc6 11. de7 ♗e7∓) ♗a6 (9... b4 10. ♘b5!±) 10. ♘d2 b4 (10... c4 11. ♖b1!? ba4 12. ♖a1 Hertneck) 11. ♘b5 ♗b5 12. ♗b5!? (12. de7 ♗f1 13. ef8♕ ♖f8! 14. ♔f1 d5 15. b3∞) ed6 (Levitt 2485 – Hertneck 2435, Augsburg 1988/89) 13. b3!± ♗e7 (13... ♕c7 14. ♗b2 ♗g7 15. ♕f3) 14. ♗b2 0–0 15. ♘c4 ♕c7 16. ♘d6 ♘d4 17. ed4 ♗d6 18. 0–0!±] **9. ♗b5 ♗a6 N** [9... ♘e4!? N 10. ♗d2 ♘c3 11. ♗c3 ♕b5 12. a4?! ♕c4 13. ♗h8 ♗a6 14. ♖c1 ♕e4 15. ♕b3 ♘c6 16. ♗c3 ♗h6 17. ♕c2 ♗d3 18. ♕d2 d5 19. ♖d1 c4 20. ♖g1 f5 21. ♖a1 f4 22. ♔d1 fe3−+ Sadler 2385 – Hodgson 2480, London 1988; 12. ♗h8!∞; 9... d5 – 42/79] **10. ♗a6 ♕a6 11. a4!** [11. ♕e2=] **♗g7 12. ♘b5 0–0 13. 0–0 ♕c6 14. ♘d6 ♖a6?!** [14... ♘d5! 15. ♘b5 ♘b4±; 15.

♘c4!?] **15. ♘b5 d5 16. b3 ♘e4 17. ♖b1± ♖a8** [△ ♘a6] **18. ♕c2 ♘a6 19. ♗a3 ♖fc8 20. ♘d2 f5 21. ♖bc1 ♕e6 22. ♖fd1 ♗f8** [22... h5? 23. ♘e4 fe4 24. ♕d2+− ×c5, d5] **23. ♘e4 fe4 24. ♕c3!+−** [△ ♗b2] **♖d8** [24... ♗g7 25. ♕d2] **25. ♗b2 ♗f7 26. ♕h8 h5 27. f3** [27. b4!?] **♗e7** [27... ef3 28. ♖f1! ♕e3 29. ♔h1 d4 30. ♖f3 (30. ♖ce1? ♗g7 31. ♖f3 ♕f3 32. ♖e7 ♔e7 33. ♕g7 ♕f7−+) ♕f3 31. gf3 ♗g7 (×h8) 32. ♘d6! ♗f6 33. ♘e4 ♔f7 34. ♕h7 ♖h8 35. ♘g5 ♔f6 36. ♗d4! cd4 37. ♖c6+−] **28. ♕g7 ♔e8 29. fe4 ♕e4 30. ♕g8 ♔d7 31. ♕d5** [31. ♖d5? ♔c6!∞] **♕d5 32. ♖d5 ♔e8 33. e4 ♖ac8 34. ♖cd1 ♖d5 35. ed5 ♔d7 36. ♖f1?! ♘c7?!** [36... c4!] **37. ♘c7 ♖c7 38. ♗e5 ♖b7 39. d6 ♗d8 40. ♖f7 ♔c6 41. ♖b7 ♔b7 42. ♔f2 ♔c6 43. ♔f3 ♔d5 44. ♔f4 ♗a5 45. d7 ♔e6 46. ♔e4 ♗d8 47. h3 h4 48. ♗f4**
1 : 0   **[Levitt]**

99.**   A 57
GLEK 2475 − ANNAGEL'DYEV 2385
SSSR 1989**

1. d4 ♘f6 2. c4 c5 3. d5 b5 4. cb5 a6 5. f3 e6 [5... ab5 N 6. e4 ♕a5 7. ♗d2 b4 8. ♘a3 d6 9. ♘c4 ♕c7 10. a3 e6! (10... ba3 11. ♖a3 ♖a3 12. ba3±; 11. ♘a3!?) 11. de6 ♗e6 12. ab4 (12. ♗f4 ♗c4 13. ♗c4 ba3=) ♖a1 13. ♕a1 cb4 14. ♕a5! ♕a5 15. ♘a5 d5 16. e5 ♘fd7 17. f4 (Glek 2475 − Arbakov 2400, SSSR 1989) ♘b6!? (△ ♘c4; 17... ♗e7 18. ♘f3±) 18. b3 ♗e7∞] **6. e4 ed5 7. e5** [7. ed5 ♕e7 8. ♔f2 c4 9. ♘c3 *a)* 9.:. ab5 10. ♗e3 ♗b7 11. ♕d2! N (11. ♕d4?! − 46/98) ♘a6 12. ♖e1 0-0-0 13. ♘b5 ♘d5 14. ♗d4! (14. ♘a7 ♔b8 15. ♗f4 ♘f4 16. ♖e7 ♗e7 17. ♕f4 ♘a7=) ♕h4 (14... ♕b4 15. ♕b4±) 15. g3 ♗b4 16. ♘c3! ♘c3 (16... ♕d4 17. ♕d4 ♗c5 18. ♕c5 ♘c5 19. ♘d5 ♗d5 20. ♖e5 1 : 0 Stoljarov − Petrakov, corr. 1989) 17. bc3 ♗d4 18. ♕d4 ♗c5 19. ♗c4±; *b)* RR 9... ♕b4! N 10. ♕e2 ♔d8 11. ♕c4 ♗c5 12. ♔e1 ♖e8 13. ♔d1 ab5 14. ♕b4 ♗b4 (Akopjan 2520 − Vajser

2525, Moskva (GMA) 1989) 15. ♗b5!? ♗c3 16. bc3 ♘d5 17. ♕e2∞; 12. ♔g3!? Andrianov] **♕e7 8. ♕e2 ♘g8 9. ♘c3 ♗b7 10. ♘h3 d4 N** [10... ♕h4 N 11. g3 ♕b4 12. ♗d2 ♕b2 13. ♖b1 ♕c2 14. ba6! ♗a6 15. ♖b8± Piskov 2400 − Arbakov 2400, SSSR 1989; ○ 11... ♕d8; 10... ♕d8 43/77] **11. ♘e4 d3□** [11... ♕e5 12. ♗f4 ♕e6 13. ♘hg5+−] **12. ♕e3!** [12. ♕d3 ♕e5∞] **♕e5□ 13. ♘c5!± ♕e3 14. ♗e3 ♗c5 15. ♗c5 ab5 16. ♗d3 ♗d5 17. ♘f4** [17. ♗b5] **♗c4** [17... ♗e6 18. ♘h5!+−] **18. ♗c4 bc4 19. 0−0 f5 20. ♖fc1 ♘a6 21. ♗d4 ♔f7 22. ♖c4+− ♘e7 23. ♘d3 d6 24. b4 ♖hb8 25. ♖b1 ♖b7 26. b5 ♘c7 27. a4 ♘e6 28. ♗f2 d5 29. ♖cb4 d4!? 30. ♖c4 ♘d5 31. ♖e1! ♘b6 32. ♖c6 ♘d8 33. ♘c5! ♖c6 34. ♘b7 ♖b4 35. ♘d6! ♗f8 36. a5 ♘6d5 37. b6 d3 38. b7 ♖d8 39. ♖d1 ♘c3 40. ♖d2! ♖b1 41. ♖d3!** [41... ♘d3 42. ♗b6 ♖b8 43. a6 △ a7+−]
1 : 0   **[Glek]**

**100.*   A 57
SILMAN 2410 − CHRISTIANSEN 2530
Los Angeles 1989**

1. d4 ♘f6 2. c4 c5 3. d5 b5 4. cb5 a6 5. ♘c3 ab5 [RR 5... ♕a5 6. b6 ♗b7 7. ♗d2 ♕b6 8. e4 e6 9. ♘f3 N (9. de6 − 34/(99)) ed5 10. ed5 ♘d5! 11. ♗c4 ♕e6!□ 12. ♘e2□ ♘e3!! 13. ♗e6 ♘d1 Solomčenko − Hmel'nickij, SSSR 1989) 14. ♗d7 (14. ♗f7 ♔f7 15. ♖d1 ♗e7∓) ♘d7 15. ♖d1 ♗f3 16. gf3 ♘e5∓ Hmel'nickij] **6. e4 b4 7. ♘b5 d6 8. ♗f4 g5 9. ♗g5 N** [9. ♗e3!?] **♘e4 10. ♗f4 ♕a5 11. ♗c4 ♗g7** [11... ♗a6?! 12. ♕e2 b3 13. ♔f1 ♔d8 14. a4±] **12. ♕e2 b3 13. ♔f1 f5! 14. f3** [14. ♕h5? ♔d8∓; 14. ♘f3 0−0∞] **0−0 15. fe4 fe4 16. g3** [16. ♕e4 ♕d2!∓] **♕a2!! 17. ♖a2** [17. ♖e1 ♖a4! △ ♗a6∓] **ba2 18. ♗a2 ♖a2 19. ♘c7□ ♗f5** [19... ♘a6 20. ♘e6 ♗e6 21. de6 ♖b8! 22. ♕e4 ♖bb2 23. ♘e2 (23. ♕a8 ♘b8) ♖e2 24. ♕e2 ♖e2 25. ♔e2 ♘c7∓; 19... ♖a7 20. ♘b5 ♖a1 21. ♔g2 ♗a6∞] **20. ♘e6 ♖b2 21. ♘f8?** [21. ♘g7?! ♖e2 22. ♘f5 ♖a2 23. ♘e7 ♔g7!

24. ♘e2 e3 25. g4 ♖f4 26. ♘f4 ♖f2 27. ♔e1 ♖f4 28. ♘f5 ♔f6 29. ♘d6 ♔e5∓; 21. ♕e3! ♗e6 (21... ♖b1 22. ♔g2 ♖b2=) 22. de6 ♘c6 23. ♕e4 ♘d4! (23... ♖a8? 24. ♘e2!±) 24. ♘f3 ♖fb8⨂] ♖e2 22. ♘e2 ♔f8 23. ♔f2 ♘a6−+ [×d5] 24. ♗d2 ♘c7 25. ♘f4 ♗e5 26. ♗a5 ♗f4 27. ♗c7 ♗g5 [27... ♗d2?? 28. ♔e2 △ ♖f1] 28. h3 ♔e8 29. g4 ♗c8 30. ♔g3 ♗d2! 31. ♖b1 e3 32. ♔f3 ♔d7 33. ♗b8 ♗a6 34. h4 e2 35. ♔f2 ♗d3 36. ♖a1 ♔c8 37. ♗a7 ♔b7   0 : 1
[Christiansen]

101.**   A 58

MUREY 2560 − FEDOROWICZ 2505
Paris 1989

1. d4 ♘f6 2. c4 c5 3. d5 b5 4. cb5 a6 5. ba6 g6 6. ♘c3 ♗a6 7. f4 ♗g7 8. ♘f3 ♕a5! N [RR 8... 0−0 9. e4 ♗f1 10. ♖f1 d6 11. e5 ♘e8! N (11... de5 − 43/(80)) 12. ♔f2 ♘d7 13. ♕e2 ♘b6 14. ♖d1 ♘c7 15. ♗e3! ♕b8!? (×d5; 15... de5?! 16. ♗c5 ♘bd5 17. ♘e5±; 15... ♖a7!? △ ♕a8, ♖b8) 16. ♖d2□ ♕b7 17. ♖ad1 ♖fd8 (17... ♘a4 18. ♘e4!? ♖fd8 19. b3 ♘b6 20. ♘c3) 18. ♔g1 (18. b3 ♕a6∞) ♘a4!? 19. ♗f2 (19. ♘a4 ♖a4 20. b3 ♖a3∞; 19. ♘e4 ♘b6=; 19... de5∞) ♕a6! (Naumkin 2435 − Vajser 2525, Budapest (open) 1989) 20. ♗h4 (20. ♕e4 ♖db8↑) ♕e2! (20... ♖e8? 21. ♕a6 ♖a6 22. ♘a4 ♖a4 23. ♗e7!) 21. ♖e2? de5! (21... ♘c3? 22. bc3 de5 23. c4!±) 22. ♗e7 ♘c3! 23. bc3 ♖d5∓⊥; 21. ♘e2!∞ Naumkin] 9. ♔f2?! [9. ♗d2 0−0 10. e4 d6 11. ♗a6 ♕a6 12. ♕e2□ ♘bd7 13. ♕a6 ♖a6= Andruet 2420 − Fedorowicz 2505, Wijk aan Zee II 1989] 0−0 10. h3 [10. e4 ♘g4 11. ♔g3 ♗c3! 12. ♔g4 (12. bc3 ♘f6∓ ×e4) ♗g7 13. e5 d6 14. ♔g3 ♘d7∓] e6! 11. e4 ed5 12. e5 [12. ed5 d6∓⊙ ×d5, d3] ♘e4 13. ♘e4 de4 14. ♘g5 c4! 15. ♘e4 d5 16. ♘g5? [16. ed6 ♖e8 17. ♘g5 ♕b6 18. ♔g3 ♘d7∓; 16. ♘f6 ♗f6 17. ef6 ♘d7 (17... ♘c6!?) 18. ♕d4 ♖fe8 19. ♗d2 ♕c5 20. ♗c3 ♘f6 21. ♕c5 ♘e4 22. ♔g1 ♘c5 23. ♖d1 ♗b7∓] f6!−+ 17. ef6 ♗f6 18. ♘f3

♘c6 19. ♔g3 ♕c5 20. ♖b1 ♗c8 21. ♗e3 [21. b4 cb3 22. ♕b3 ♖b8−+] ♕e3 22. ♕d5 ♗e6 23. ♕c6 ♗h4 24. ♔h4 [24. ♔h2 ♕f4 25. ♔g1 ♕e3 26. ♔h2 ♖ac8 27. ♕d6 ♖f3 28. gf3 ♖d8] ♕f2! [25. g3 ♖f4 26. ♔g5 ♕g3 27. ♔h6 ♖h4]   0 : 1
[Fedorowicz]

102.   A 58

GAVRIKOV 2535 − LUKOV 2470
Moskva (GMA) 1989

1. d4 ♘f6 2. c4 c5 3. d5 b5 4. cb5 a6 5. ba6 ♗a6 6. ♘c3 d6 7. ♘f3 g6 8. g3 ♗g7 9. ♗g2 0−0?! 10. 0−0 ♘bd7 11. ♖b1 ♕a5 [11... ♘b6!?] 12. ♗d2 ♖fb8 13. ♕c2± ♘b6 N [13... ♘e8] 14. b3 ♕a3 15. ♗c1 ♕a5 16. ♖d1 ♗b7 17. ♗d2! ♘e8 [17... ♕a3? 18. ♘b5! ♕a2 19. ♖b2 ♕a6 20. ♘c7] 18. a4 ♘d7 19. e4± ♕d8 20. ♘b5 [20. ♗f1 ♘c7 △ ♘a6-b4] ♗a6 21. ♗f1 ♘c7 22. ♘c7 ♗f1?! [⊙ 22... ♕c7] 23. ♘a8 ♗e2 24. ♔g2 ♗d1 25. ♖d1 ♖a8 26. ♗e1! [△ ♘d2-c4] ♖b8 27. ♘d2 ♕b6 28. ♖b1 ♕a6 29. ♘c4 ♘e5 30. ♘a3! ♕d3 [30... ♘d3 31. ♘b5] 31. ♕d3 ♘d3 32. ♘b5 f5?! 33. ef5 gf5 34. ♗d2 ♔f7 [34... ♘e5] 35. ♔f3 [35. f4!?] ♘e5 36. ♔e2 ♘g4 37. ♖d1! ♘f6 38. ♗e1 ♖a8 [△ c4] 39. ♘a3?!⊕ [39. a5! △ 39... ♖b8 40. a6!+−] ♖b8 40. ♖d3 ♘g4 41. h3 ♘e5 42. ♖e3 [△ f4] f4!? 43. gf4 ♘g6 44. ♖f3 ♘h4 45. ♖d3 ♖a8 [45... ♘f5 46. ♘b5] 46. a5 [△ 46... ♘f5 47. ♘b5 ♖b8 48. a6!] ♗h6 47. ♗d2 ♔f6 48. ♘c4 ♔f5 49. b4! cb4 50. ♖b3 ♗f4 51. ♗b4! [51. ♗f4 ♔f4 52. ♖b4 ♔g5±] ♘g6 52. ♘b6 ♖a6 53. ♖c3 ♗e5 54. ♖c7 ♗d4 [54... ♘f4 55. ♔f3] 55. ♘c8 ♘f4 56. ♔f3 ♗f6 [56... ♘d5 57. ♘e7 ♘e7 58. ♖e7 h6 59. ♖h7 ♔g6 60. ♖d7 ♗c5 61. ♗d2] 57. ♖c6 ♖a8 58. ♘b6 ♖a6 [58... ♖a7 59. ♗d2 ♘h3 60. ♘c8 ♖a8 61. a6] 59. ♘d7!+− ♖a7 60. ♘f6 ef6 61. ♖d6 ♔e5 62. a6! ♘d5 63. ♗c5 ♖a8 64. a7 ♘c7 65. ♖d7 ♘e6 66. ♗b6 f5 67. ♖b7 ♘d4 68. ♗d4 ♔d4 69. ♖h7 ♔e5 70. h4 ♖c8 71. ♖c7 ♖d8 72. ♖c5   1 : 0 [Gavrikov, Čebanenko]

103. **A 58**

EHLVEST 2600 – FEDOROWICZ 2505
New York 1989

1. d4 ♘f6 2. c4 c5 3. d5 b5 4. cb5 a6 5. ba6 g6 6. ♘c3 ♗a6 7. g3 d6 8. ♗g2 ♗g7 9. ♘f3 ♘bd7 10. 0–0 ♘b6 11. ♘e1!? N [11. h3 0–0 12. ♗f4 ♘h5!? 13. ♗g5 h6 14. ♗c1 (14. ♗d2 ♘c4=) ♘f6!?=; 11. ♖e1 – 43/80] **♘c4** [11... 0–0 12. ♘c2 ♘c4 13. ♘e3 ♘e3 14. ♗e3 ♘g4 15. ♗d2±; 12. ♖b1!?] **12. ♘d3** [12. b3?! ♘d7 13. ♕c2 ♕a5!∓; 12. ♖b1 ♕a5 13. ♕c2 ♘d7=] **♘d7 13. ♕c2 0–0 14. h4?** [14. ♘e4!?] **♕a5 15. a3** [15. ♖b1?! ♘a3 16. ba3 ♕c3 17. ♕c3 ♗c3∓] **♖ab8 16. ♖a2** [△ b4] **♘ce5! 17. ♘e5** [17. b4 ♗d3 18. ba5 (18. ed3 cb4 19. ab4 ♕b4∓ ×d3) ♗c2 19. ♖c2 ♖a8∓] **♘e5∓ 18. h5?!** [18. b4 ♕c7 19. bc5 (19. ♘e4 ♗c4!) ♕c5∓; 18. ♗g5!? ♘c4 19. ♖c1 (19. ♗e7 ♖fe8 20. ♗g5 ♘b2 21. ♖b2 ♖b2 22. ♕b2 ♗c3∓ ×e2, a3) h6 20. ♗d2∓] **♕b6 19. ♕e4?! ♕b3 20. ♖a1** [20. ♕h4 ♗e2 21. ♘e2 ♕a2 22. ♕e7 ♖be8∓; 20... ♘c4!?] **♕c4! 21. ♕c2** [21. ♕c4? ♘c4 22. ♖a2 ♖b3∓] **♖b3 22. hg6 hg6 23. f4** [23. ♖d1!? ♖fb8 24. e4 ♘f3!? 25. ♗f3 ♗c3 26. bc3 ♖c3∓; 23... ♖b6!?] **♘g4 24. ♗f3 ♗d4 25. ♔g2 ♘f6!** [×d5] **26. ♕d1 ♖fb8 27. ♖h1 ♖b2!–+ 28. ♗b2 ♖b2 29. ♘a4** [29. ♘b1 ♘d5 ×e3] **♖b3 30. ♖b1 ♖b1 31. ♕b1 ♕a4 32. f5** [32. ♕b8 ♘e8!?; 32... ♕e8–+] **g5 33. ♕c1 ♘h7 34. ♕b1 ♗f6 35. ♕b8 ♘f8 36. g4 c4 37. ♖b1 c3 38. ♕d8 ♗e2! 0 : 1** **[Fedorowicz]**

104.** **A 61**

ALEKSANDRIJA 2375
– ŠABALOV 2425
SSSR 1989

1. d4 ♘f6 2. c4 c5 3. d5 e6 4. ♘c3 ed5 5. cd5 g6 6. ♘f3 d6 7. ♗f4 [RR 7. ♘d2 ♗g7 8. ♘c4 0–0 9. ♗g5 h6 10. ♗f4 ♘bd7! (10... ♘h5!?) 11. ♗d6 ♖e8 12. e3 ♘e4 13. ♘e4 ♖e4 14. ♖c1 N (14. ♗g3 – 29/134; 14. ♕c2 ♘f6 15. ♗g3 ♕d5!? 16. ♖d1 ♕c6 17. ♖d6 ♕e8 18. ♗d3 ♖e6 19. 0–0 ♗f8 20. ♖e6 ♗e6 21. e4=) b5! 15. ♘d2 ♖b4 16. b3 ♕a5 17. ♕c2 ♗b7 18. ♗e2 ♕a6 19. ♗g3 ♗d5 20. 0–0 (20. e4? ♗e6 21. a4?! c4! 22. ab5 ♕a5!∓ Andruet 2420 – I. Armaş 2455, Wijk aan Zee II 1989; ⌓ 21. 0–0 ♖c8↑) ♖c8 (20... ♗e6) 21. ♖fd1 ♘b6!?∞ △ c4 I. Armaş] **♗g7** [RR 7... a6 8. ♘d2 ♘h5?! 9. ♕a4! ♕d7 10. ♕e4 ♗e7 11. ♗h6! (11. ♗g5 f5) b5 N (11... ♘f6 – 42/(85); 11... f5!? 12. ♕c2 ♗f8) 12. ♕c2 f5?! 13. a4?! b4 14. ♘d1 ♘f6! 15. ♘e3 ♗b7?! 16. ♗g7! ♖g8 17. ♗f6 ♗f6 18. ♘ec4 ♕e7 (18... ♗d5 19. 0-0-0!=∞↑) 19. e4 ♘d7 20. ♗e2 fe4! 21. ♘e4 ♗d5 22. ♘cd6 ♔f8 23. 0–0 ♔g7 24. ♗c4 ♗c4 25. ♘c4± 1/2 : 1/2 A. Petrosjan 2475 – Judasin 2540, Moskva (GMA) 1989; 15... ♔f7! △ ♘g8∞; 13. e4!±; 12... ♗f8!? A. Petrosjan, Judasin] **8. ♕a4 ♗d7 9. ♕b3 b5 10. ♗d6 ♕b6 11. ♗e5 0–0 12. e3 c4 13. ♕d1 ♘a6 14. ♕d4!? N** [14. a3? – 43/(83)] **♖fc8** [△ b4; 14... ♘c5 15. ♗e2 b4 16. ♘d1± ×c4; 14... ♘b4 15. ♖c1! (15. 0-0-0?! ♕d8! 16. a3 ♘a6∓→ 17. ♘e4 ♘e4 18. ♗g7 ♘ac5 19. ♔b1 ♘b3 20. ♕e5 ♖e8) *a)* 15... ♕d4 16. ♘d4 ♘fd5 (16... a6 17. ♗f6! ♗f6 18. a3±) 17. ♗g7 ♔g7 18. ♘db5±; *b)* 15... ♗f5 16. ♕b6 ab6 17. a3 ♘c2 (17... ♘d3 18. ♗d3 ♗d3 19. ♘d4±; 17... ♘bd5 18. ♘b5±) 18. ♔d2 b4 19. ab4 ♘b4 20. ♗c4 ♖fd8 21. ♔e2±] **15. ♖c1! b4 16. ♘d1 ♕d4 17. ♘d4** [17. ed4!? ♘d5 *a)* 18. ♖c4 ♖e8! 19. ♖c1 (19. ♖c2? b3) ♗h6 20. ♖a1 ♘ac7=∞; *b)* 18. ♗c4 ♗h6 19. ♗d5 ♗c1 20. ♗a8 ♖a8 21. 0–0 ♗e6 22. b3 ♖c8=∞] **♘d5 18. ♗g7 ♔g7 19. ♗c4** [19. ♖c4 ♘c5 20. ♗e2 ♖ab8 (20... a5 21. ♗f3 ♘b6 22. ♖c5 ♖c5 23. ♗a8 ♘a8 24. ♔d2±) 21. 0–0 a5=∞] **♘b6 20. b3 ♘c5=∞ 21. 0–0?** [21. ♘b2 a5 22. 0–0 (22. f3 a4 23. ♔d2∞) a4 23. ♘d3 ♘c4 24. ♘c5 ♖c5 25. ♖c4 ♖c4 26. bc4 ♖c8 27. ♖c1 ♔f6 28. c5□ (28. ♔f1 ♗e6 29. ♘e6 ♔e6 30. ♔e2 ♔d6∓) ♗e6 29. ♘e6 ♔e6 30. ♖c4 b3 31. ab3 ab3 32. ♖b4 ♖c5 33. ♔f1=] **♘d3∓ 22. ♖c2 ♘c4 23. bc4 ♗a4 24. ♘b3** [24. ♖d2 ♘e5 25. ♘b2 ♘c4] **a5 25. f3?** [25. f4□ ♘c5 26. ♖b2 ♘e4 27. ♖c2 ♗b5 28. ♘b2 a4∓] **♗b5 26.**

♘d2 a4 27. ♘f2 ♘e5 28. ♖fc1 ♘c4!−+ 29. ♘c4 b3 30. ab3 ab3 31. ♖c3 ♖c4 32. ♖c4 ♖c4 33. ♘d1 ♗d3 34. ♘b2 ♗c2 35. ♘c4 ♖a4 36. ♘d2 ♖a2 37. ♔f2 ♗d3 38. ♖d1 b2 39. ♔g3 ♖a1 0 : 1 [Šabalov]

105.   A 61

BOERSMA 2390 − D. GUREVICH 2475
Groningen 1988

1. d4 ♘f6 2. ♘f3 e6 3. c4 c5 4. d5 ed5 5. cd5 d6 6. ♘c3 g6 7. ♗g5 h6 8. ♗h4 g5 9. ♗g3 ♘h5 10. e3 ♘g3 11. hg3 ♗g7 12. ♗d3 ♘d7 13. ♕c2 ♕e7! 14. a4 [14. 0−0?! h5] a6 [14... ♘e5!?] 15. a5 N [15. 0−0 h5; 15. ♖b1 0−0 16. 0−0 ♘e5! 17. ♘e5 ♕e5=; 15. ♗f5 − 33/120] ♖b8 [15... ♘e5 16. ♘e5 ♕e5 17. ♘a4 ♗d7 18. ♖b1 ♗a4 19. ♕a4 ♕e7±] 16. ♖a4! ♔f8? [16... b5 17. ab6 ♘b6 (17... ♖b6 18. ♖e4 ♘e5 19. ♘e5 ♗e5 20. g4 f5 21. gf5 ♗f5 22. ♖e5+−] 18. ♖e4 ♗e5 19. ♘e5 de5 20. f4 f6 21. fe5 fe5 22. ♖f1±; 16... ♘e5 17. ♘e5 ♗e5 18. f4 ♗d4 (18... ♗c3 19. ♕c3 ♕e3 20. ♔f1+−) 19. ♕e2! (19. ♔d1 ♗g4 20. ♗e2 ♗c3!⇆) ♗c3 20. bc3 f5 21. ♔f2±; 16... 0−0! 17. ♗h7 ♔h8 18. ♗f5±] 17. ♗f5 ♕f6 18. g4 ♘e5 [18... b5 19. ab6 ♘b6 (19... ♖b6 20. 0−0±) 20. ♖a2 ♗f5 21. gf5 ♘c4 22. 0−0±] 19. ♘e5 ♗f5 20. gf5 ♕e5 21. ♖e4 ♕f6 22. ♘a4± ♔g8 23. 0−0 ♖h7 24. ♖c4 ♖he8 25. ♖b1 ♖e5!? [25... ♖e7] 26. ♘b6! [26. e4 ♖e7] ♖d8 [26... ♕f5 27. ♘d7+−] 27. b4! [27. g4 h5∞; 27. e4 ♖e7] cb4 28. ♖c7 ♔g8?! [28... ♕f5 29. ♕f5 ♖f5 30. ♖b4±] 29. ♘d7 ♖d7 30. ♖d7 ♖d5 31. ♖b4 ♖c5 32. ♖c4 [32. ♕d3! ♖f5 33. ♖d6 ♕a1 34. ♖b1 ♕a5 35. ♖d8 ♗f8 36. ♕d6+−] ♕a1! [32... ♖a5 33. ♖c8 ♔h7 34. ♖f7! ♕f7 35. f6 ♕g6 36. fg7+−] 33. ♔h2 ♕e5 34. g3 ♖c4 35. ♕c4 ♕f5 36. ♖d8 ♔h7 37. ♔g2 ♗e5 38. g4 ♕f6 39. ♖d7 ♔g7 40. ♖b7 ♗c3 41. ♕d5 [41. ♕a6? ♗e1 42. f3 ♕e5⇆] ♗e1 42. f3 ♗c3 43. ♖a7 [43. ♖b6! ♗e5 44. ♖a6 ♕g6 45. e4 h5 46. ♖a7+−] ♗b4 44. ♕d4!+− ♕d4 45. ed4 ♗a5 46. ♖a6 ♗b4 47. ♔f2 ♔g6 [47... h5

48. gh5 ♔h6 49. ♖a7 f5 50. ♖f7 f4 51. ♔g2 ♔h5 52. ♔h3] 48. ♖b6 ♗a3 49. ♖a6 ♗b4 50. ♔e3 h5 51. ♔d3? [51. ♖b6 ♗a3 52. ♔d2!+− △ ♖b3] h4 52. ♔c4 ♗d2 53. ♖d6 [♖ 2/h] ♔g7 [53... f6! 54. ♖b6 h3 55. ♖b1 h2 56. ♖h1 ♗f4 57. ♔d5 ♔f7 58. ♔c6 ♗g3 59. d5 ♔e7 60. ♖a1 ♔f7 (60... ♗e5 61. ♖a7 △ ♖h7+−; 60... ♗b8 61. ♖e1 ♗e5 62. d6 ♔e6 63. d7 ♔e7 64. f4!+−) 61. d6 ♗e5 62. ♖d1 ♔e8 63. d7 ♔d8 64. ♖e1 ♔e7 65. f4! gf4 66. g5+−] 54. ♖b6 h3 55. ♖b1 ♗f4 56. ♖h1 h2 57. ♔c5 ♔f6 58. ♔c6 ♗g3 59. d5 [59. ♔d7+−] ♗e5 [59... ♔e7 60. d6! ♗d6 (60... ♔e6 61. ♖d1+−; 60... ♔d8 61. ♖a1+−) 61. ♖e1+−] 60. ♔d7 ♗g3 61. d6 ♗e5 62. ♖d1! [62. ♔c6 ♗g3 63. d7 ♔e7 64. ♖d1! ♔d8 65. ♖a1 ♔e7 66. ♖a8+−] ♗c3 [62... ♗d4 63. ♔e8 ♗g1 64. d7 h1♕ 65. d8♕+−; 62... ♗g3 63. ♔e8 ♗d6 64. ♖d6 ♔e5 65. ♖h6 ♔f4 66. ♖h3!+−] 63. ♔e8 ♔e5 64. d7 ♗a5 65. ♖h1 ♔f4 66. ♖h2 ♔f3 67. ♖a2 [67... ♗c7 68. ♖a7 ♗b6 69. ♖b7 ♗a5 70. ♖b5 ♗c7 71. ♖g5] 1 : 0 [Boersma]

106.   A 63

VAGANJAN 2600 − SAX 2610
Rotterdam 1989

1. d4 ♘f6 2. c4 e6 3. g3 c5 4. d5 ed5 5. cd5 d6 6. ♘c3 g6 7. ♗g2 ♗g7 8. ♘f3 0−0 9. 0−0 ♘bd7 10. h3 a6 11. ♗f4 [11. a4 ♖b8 12. ♗f4 ♕e7 13. e4 ♘h5 (13... b5 − 33/(122)) 14. ♗g5 ♗f6 15. ♗h6 (15. ♗f6 − 41/(97)) ♗g7 16. ♖e1 b5 17. ab5 ab5 18. ♔h2 b4 19. ♘a4] ♕e7 12. e4 ♘h5 13. ♗g5 ♗f6 14. ♗h6 ♘g7 [14... ♖e8!?] 15. ♖e1 b5 16. ♔h2 [△ e5; 16. e5? ♘e5 17. ♘e5 ♗e5 18. f4 ♗d4∓] b4 17. ♘a4 [17. e5? ♘e5 18. ♘e5 ♗e5 19. f4 bc3 20. fe5 cb2 21. ♖b1 ♖b8 22. ed6 ♕f6 △ ♗f5] ♖b8 18. ♕c2?! [18. e5 de5 19. ♘d2∞; 18. ♖c1±] ♘e5 19. ♘d2? [19. ♘e5 ♗e5 20. f4 ♗d4 21. e5 ♗d7 22. e6 ♗a4 23. ♕a4 ♗b2∞] ♗d7 20. ♗f1 c4 21. f4 ♗a4 [21... ♘d3 22. ♗d3 (22. ♘c4 ♘e1 23. ♖e1 ♖fc8−+) cd3 23. ♕d1 ♗a4

24. ♕a4 ♗b2 25. ♖ad1 ♕a7 26. ♔g2 ♗c3−+] **22. ♕a4 c3 23. bc3 bc3 24. ♘b3** [24. fe5 cd2 25. ef6 de1♕ 26. fe7 ♕a1 27. ef8♕ ♖f8 28. ♗g2 (28. ♕a6 f5!−+) ♕f6 29. ♗e3 ♘h5 30. ♕a6 ♕e5 31. ♗f2 f5 32. ef5 gf5! △ f4−+] **♘f3 25. ♔g2 ♘e1 26. ♖e1 ♖fe8−+ 27. h4** [27. g4 g5] **♘f5 28. ♗g5 ♗g5 29. hg5 ♕a7 30. ♕a5** [30. ♕a6 ♘e3 31. ♔f3 ♕a6 32. ♗a6 ♘d5] **♘e3 31. ♔f3 ♘c2 32. ♕c3** [32. ♖e2 ♕g1] **♖bc8 33. ♕d2 ♘e1 34. ♕e1 ♕g1 35. ♘d2 ♖c3 36. ♔g4 ♕h1 37. f5 ♕h5 38. ♔f4 h6 0 : 1** **[Sax]**

107. **A 64**

SAKAEV − KOMAROV 2350
SSSR 1989

1. d4 ♘f6 2. c4 e6 3. g3 c5 4. d5 ed5 5. cd5 d6 6. ♘c3 g6 7. ♗g2 ♗g7 8. ♘f3 0−0 9. 0−0 ♖e8 10. ♘d2 ♘bd7 11. a4 a6 12. ♕b3! ♖b8 13. ♘c4 ♘e5 14. ♘b6 ♘fd7 15. ♘c8 ♕c8 16. h3! N ± [16. ♗h3 − 32/(128)] **♘f6** [16... c4 17. ♕a2!] **17. a5 ♕c7 18. f4 ♘ed7** [18... c4!? 19. ♕d1! (19. ♕b4?! ♘ed7 20. ♖a4 b5 21. ab6 ♘b6 22. ♖a6 ♘bd5=) ♘ed7 20. ♖a4!±] **19. ♕c4 b5 20. ab6 ♘b6 21. ♕d3** [×a6, ♘b6] **c4 22. ♕d1 ♕c8 23. ♔h2 ♘bd7 24. ♖a4 ♘b6 25. ♖a5 ♘fd7 26. ♘e4 ♕c7 27. f5!±** [27. ♖a6?? ♖e4! 28. ♗e4 ♘c5∓] **♗e5 28. ♖a6 ♘c5 29. ♘c5 ♕c5 30. e4 ♘d7 31. ♖c6 ♕b4 32. ♕f3 ♖e7 33. fg6 hg6 34. ♗g5 f6 35. ♗f4 ♕b2 36. ♖c4 ♕a2 37. ♖c6 ♖b3** [37... ♖b2 38. ♔h1± △ ♗e5→] **38. ♕g4 ♖b2 39. ♖c8** [39. ♕g6 ♖g7] **♔g7 40. ♕f3⊕ ♖b3 41. ♕g4 ♖b2 42. ♖g1!+−** [42. ♗h6 ♔f7] **♗d4 43. ♕h4 ♗g1 44. ♔h1 1 : 0** **[Sakaev]**

108.* **A 65**

GERŠKOVIČ − KOZIN
SSSR 1989

1. d4 ♘f6 2. c4 c5 [RR 2... g6 3. ♘c3 ♗g7 4. e4 d6 5. ♗d3 0−0 6. ♘ge2 c5 7. d5 e6 8. 0−0 ed5 9. cd5 ♘a6 10. ♗g5 h6 11. ♗f4 ♘g4! N (11... g5±) 12. ♖c1 ♘c7 13. ♘g3?! ♘h2 14. ♗d6 ♕d6 15. ♔h2 b5 16. b3 h5 17. ♔g1 ♖b8 18. ♘ge2 f5∓ H. Ólafsson 2520 − Gel'fand 2600, New York 1989; 13. h3∞] **3. d5 e6 4. ♘c3 ed5 5. cd5 d6 6. ♘f3 g6 7. ♗f4 a6 8. e4 b5 9. ♕e2 ♘h5 10. ♗g5 ♗e7 11. ♗h6 f6 12. ♘d2! N ±** [△ g4; 12. g3 − 42/(100)] **♔f7□ 13. g4 ♘g7 14. ♗g2 ♖e8 15. 0−0 ♗f8 16. f4 ♘f5** [⌓ 16... ♔g8 17. h3 ♗b7 18. ♕f2 △ a4±] **17. gf5 ♗h6 18. fg6 hg6 19. e5! ♗f5** [19... de5 20. fe5 b4 (20... ♗d2 21. e6 ♗e6 22. ♕d2 ♗f5 23. d6 ♖a7 24. ♕h6+−) 21. e6 ♔g7 22. ♘a4 ♗d2 23. ♕d2 ♗e6 24. ♘c5 ♗f7 25. ♕f2 △ d5+−] **20. e6 ♔g8 21. a4 c4!?** [21... b4 22. ♘d1 △ ♘e3 ×f5] **22. ab5 ♘d7?** [22... ♗d3 23. ♕g4 ♗f1 24. ♕g6 ♗g7 25. ♖f1 (△ ♕f7, ♖f3+−) ♖e7 26. ♘c4±] **23. ♘de4+− ♘b6 24. ba6 ♗e4 25. ♗e4 f5 26. ♗c2 ♖e7 27. ♕g2 ♔h7 28. ♔h1 ♕c8 29. ♖f3 ♕f8** [29... ♖a6 30. ♖g1] **30. ♖g1 ♕f6 31. ♖g3 ♖g8 32. ♖h3 ♖h8 33. ♕g5 ♔g7 34. ♕f5 1 : 0** **[Gerškovič]**

109.* **A 67**

SAVČENKO 2480 − SANDLER
Belgorod 1989

1. d4 ♘f6 2. c4 e6 3. ♘c3 c5 4. d5 ed5 5. cd5 d6 6. e4 g6 7. f4 ♗g7 8. ♗b5 ♘bd7 9. e5 de5 10. fe5 ♘h5 11. e6 ♕h4 12. g3 ♘g3 13. hg3 ♕h1 14. ed7 ♗d7 15. ♕e2 N [RR 15. ♗d7 ♔d7 16. ♕g4 f5 17. ♕a4 ♔c8 18. ♗e3 ♗c3 19. bc3 ♕d5 20. ♖d1 ♕c6 21. ♕c6 bc6 22. ♗c5 ♖b8 N (22... ♖e8 − 46/(112)) 23. ♖d2 ♖d8 24. ♖e2 ♖d3 25. ♗d4 ♔d7 26. ♔f2 c5 27. ♗c5 ♖c3 28. ♗d4 ♖c1 29. ♗a7 ♖bc8 30. ♗e3 ♖1c2 31. a4 ♖e2 32. ♘e2 ♖c4 33. a5 ♖a4 34. ♗b6 h5 35. ♘d4 ♔c8 36. ♔f3 ♖d4 37. ♗d4 1/2 : 1/2 Thorsteins 2430 − Ashley 2415, New York 1989] **♔d8!** [15... ♔f8 16. ♗e3! ♗c3 17. bc3 ♗b5 18. ♕b5 (18. ♗c5 ♔g8 19. ♕b5 ♕d5∓) ♕d5 19. ♖d1!? ♕e4 20. ♕c5 ♔g7 21. ♕d4 ♕d4 22. ♗d4 f6 23. g4↑]

16. ♗g5! f6□ 17. 0-0-0! ♖e8! [17... ♗b5? 18. ♕b5 fg5 19. ♕b7+−; 17... fg5? 18. ♗d7 ♔d7 (18... ♗c3 19. ♗h3!? △ ♕e6+−) 19. ♕e6 ♔d8 20. ♕d6 ♔c8 21. ♘b5+−] **18. ♕f1 fg5** [18... ♗b5? 19. ♗f6! (19. ♕b5 ♗h6 20. ♗h6 ♕h6 21. ♔b1 ♕g7) ♗f6 20. ♕f6+−] **19. ♗d7** [19. ♕f7? ♗b5! 20. ♘b5 ♗b2!! (20... ♗e5 21. ♘f3+−) 21. ♔b2 ♕g2 22. ♔c1 (22. ♔b1 ♕e4 23. ♔a1 ♕e5 24. ♔b1 ♕f5∓) ♕g3 23. d6 ♕f4 24. ♕f4 gf4 25. ♘c7 ♔d7∓] **♔d7 20. ♕b5 ♔d6?** [20... ♔e7? 21. ♖f1!! ♖ad8 22. ♕b7 ♖d7 23. d6+−; 20... ♔c7 21. d6 (21. ♕c5 ♔d8 22. ♕d6 ♔c8 23. ♕c5=) ♔d8 22. ♘d5 ♕g2! 23. ♘c7 ♕b2 24. ♕b2 ♗b2 25. ♔b2 ♔d7 26. ♘a8 ♖a8 27. ♘f3 ♖e8 28. ♘g5 h6 29. ♘h7 ♖e2 30. ♔c3 ♖f2 31. ♖h1=] **21. ♕b7 ♗c3 22. ♕c6 ♔e7?** [22... ♔e5 23. ♕c7 ♔f5 24. ♖f1 ♔g4 25. ♕d7 ♔g3 26. ♘e2+−] **23. d6 1 : 0** **[Savčenko]**

110. **A 67**

TROSTJANECKIJ – ŠLJAPKIN

corr. 1988/89

1. d4 ♘f6 2. c4 e6 3. ♘c3 c5 4. d5 ed5 5. cd5 d6 6. e4 g6 7. f4 ♗g7 8. ♗b5 ♘fd7 9. a4 ♘a6 10. ♘f3 ♘c7 11. 0–0 ♘b5 [11... a6 – 40/113; 11... 0–0 – 40/(113)] **12. ♘b5! N** [12. ab5 0–0 13. ♗d2 ♘b6 14. b3 ♗g4 15. h3 ♗f3 16. ♕f3 ♘d7! △ ♕b6, a6= Kapengut] **♘b8** [12... ♘b6 13. e5!? (13. a5±) de5 14. fe5 ♘d5? 15. ♕d5+−] **13. f5 a6 14. ♘c3 0–0 15. ♗g5 ♕b6 16. ♕d2 gf5 17. ♘h4 c4** [17... fe4 18. ♘e4 ♕b2 19. ♕f4 ♕a1 20. ♖a1 ♗a1 21. ♗f6 ♗f6 22. ♘f6 ♔g7 23. ♕g5 ♔h8 24. ♕h6+−] **18. ♔h1 ♕d4 19. ♕f4 ♗e5** [19... fe4 20. ♗e7 ♕e5 21. ♗f8 ♕f4 22. ♖f4 ♔f8 23. ♖e4±] **20. ♕f3 fe4 21. ♕h5! e3** [21... ♘d7 22. ♗e7 f6 23. ♘f5 ♕b6 24. ♘h6 ♔h8 25. ♗f8 ♘f8 26. ♕f7+−; 21... ♗g7 22. ♗e7 f6 23. ♗f8 ♗f8 24. ♘e4 ♕e4 25. ♖f6 ♘d7 (25... ♕e7 26. ♖af1+−) 26. ♕f7 ♔h8 27. ♘g6 hg6 28. ♖g6 ♕g6 29. ♕g6 ♘e5 30. ♕e8 △ ♖f1+−; 21... f5 22. ♖ad1 ♕b6 23. ♘e4! f4 (23... fe4 24. ♖f8 ♔f8 25. ♖f1+−) 24. ♗h6 ♖f7 25. ♘g5 ♖e7 26. ♗g7!! ♗g7 (26... ♖g7 27. ♕e8#; 26... ♔g7 27. ♕h7 ♔f8 28. ♘g6+−) 27. ♕h7 ♔f8 28. ♘g6 ♔e8 29. ♘e7+−; 21... f6 22. ♖ad1 ♕b6 23. ♘e4 ♘d7 (23... fg5 24. ♖f8 ♔f8 25. ♖f1+−) 24. ♗h6 ♖f7 25. ♘g5+−; 25. ♕g4+− △ ♕e6] **22. ♘f5 ♗f5 23. ♖f5 ♘d7 24. ♗h6 ♘c5** [24... e2 25. ♕e2 ♕d3 26. ♕g4 ♔h8 27. ♖e5!!+−; 24... f6 25. ♖d1 ♕b6 (25... e2 26. ♕e2 ♕h4 27. ♖h5+−) 26. ♕g4 ♔f7 27. ♖g5+−; 27. ♖e5+−] **25. ♖af1 ♘d3 26. ♘d1!** [26. ♖1f3 ♘f2 27. ♔g1 ♘h3!!] **e2** [26... f6 27. ♕g5!!+−; 26... ♕d5 27. ♖g5 △ ♗g7+−; 26... ♘f2 27. ♘f2 ef2 28. ♖1f2 ♔h8 29. ♗f8 ♖f8 30. ♖f7 ♖f7 31. ♖f7 ♗g7 32. ♖b7+−; 26... ♘b2 27. ♘e3 (27. ♗e3 ♕d3 28. ♖f7?? ♕f1!−+) f6 28. ♕g5!!+−; 26... ♔h8 27. ♗f8 ♖f8 28. ♖f7 ♘f2 29. ♖1f2+−] **27. ♕e2 f6** [27... ♕h4 28. ♖h5 ♕d4 29. ♘e3 ♕e4 (29... ♘b2 30. ♘f5 ♕d3 31. ♕g4+−) 30. ♖f3 ♔h8 31. ♗f8 ♖f8 32. ♖fh3+−; 27... ♔h8 28. ♗f8 ♖f8 29. ♖f7 ♖f7 (29... ♖g8 30. ♖h7+−) 30. ♖f7 ♘b2 (30... ♕h4 31. g3 ♕d4 32. ♕f3+−; 30... ♕d5 31. ♖c7+−) 31. ♘b2 ♕b2 32. ♕b2 ♗b2 33. ♖b7 ♗a3 34. ♖c7 ♗c5 35. ♖c5+−] **28. ♕f3!+− ♘b4 29. ♖g5! 1 : 0** **[Trostjaneckij]**

111.*** **A 67**

POLEKSIĆ 2290 – MARTIĆ 2330

corr. 1988/89

1. d4 ♘f6 2. c4 c5 3. d5 e6 4. ♘c3 ed5 5. cd5 d6 6. e4 g6 7. f4 ♗g7 8. ♗b5

♘**fd7 9. a4 0–0 10.** ♘**f3** ♘**f6 N** [10... a6 – 46/113; RR 10... ♘a6 11. 0–0 ♘c7 12. ♗d3 (12. ♗c4 – 46/(112)) ♖b8 (12... a6 – 46/112, 114; 12... ♖e8 – 46/(112)) 13. ♕e1 a6 14. e5 ♘b6 15. f5 de5 16. fg6 fg6 17. ♗g5 ♕d6 18. ♕h4 ♘bd5! N (18... ♘cd5? – 25/141) 19. ♖ad1 ♗e6 20. ♗c4?! ♕c6 21. ♗h6 ♘c3! (21... ♘f4? 22. ♗g7 ♔g7 23. ♖f2! ♕e8 24. ♘e5 ♘h5 25. ♗e6 ♘e6 26. ♖d7 ♔g8 27. ♖e7+–) 22. bc3 ♗h6 23. ♘e5 (23. ♗e6 ♘e6 24. ♕h6 ♖f5∓) ♗e3 24. ♔h1 ♖f1 25. ♖f1 ♕d6! (25... ♕e8? 26. ♖f7+–) 26. ♘f7! (26. ♕f6?! ♖f8 27. ♗e6 ♘e6 28. ♘f7 ♗f4! 0 : 1 Seidler – Priepke, corr. 1988/89) ♕f8 27. ♗e6 ♘e6 28. ♕e4! ♖e8 29. ♕e3 ♘g5 30. ♕g5 ♕f7∓; 20. ♘e4!?→ Priepke] **11. 0–0** [11. e5!? de5 12. fe5 ♘g4 13. ♗f4 (13. ♗g5 f6 14. ef6 ♗f6) a6 14. ♗c4 (14. ♗e2 ♘d7 15. e6 ♘de5) ♘e5 15. ♘e5 ♗e5 16. 0–0 (16. ♗e5 ♕h4–+) ♗d4 17. ♔h1 ♘d7 18. ♗d6 ♖e8 (18... ♘e5 19. ♗f8 ♘c4 20. ♗h6 ♘e5=∞) 19. ♕f3 ♘f6 20. ♗c5 ♗g4 21. ♕f4 ♗c5 22. ♕f6 ♕f6 23. ♖f6 ♗f5∓ Topolsky – Martić 2330, corr. 1988; 15. ♗e5!?] ♗**g4 12.** ♗**d2** [12. h3 ♗f3 13. ♕f3 ♘bd7 14. ♖e1 ♖e8 15. ♗e3 a6 16. ♗f1 ♕b6 17. ♗f2 ♖e7 18. ♖e2 ♖ae8 19. ♖ae1 ♕b4 20. ♔h1 b5 21. ab5 ab5 22. ♗h4 c4 23. g4 ♘c5 24. e5 ♘d3 25. ef6 ♘e1–+; 12. ♗e3 ♘bd7 13. ♕d2 ♗f3 *a)* 14. gf3 a6 15. ♗e2 ♘h5 16. f5 gf5 17. f4 ♕h4 18. ♗f2 ♕f4 19. ♗e1 (19. ♗e3 ♕e3∓) ♕d2 20. ♗d2 ♗d4 21. ♔h1 ♘hf6 (21... ♘g7?! 22. ef5=∞) 22. ♖f5 ♖fe8 23. ♗d3 ♘e5 24. ♗c2 ♘c4 25. ♗h6 ♔h8 26. e5! ♗e5 27. ♖af1 b5 28. ♖f6 ♗f6 29. ♖f6 ♖e1 30. ♔g2 ♖g8 31. ♔h3 ♖e5 32. ♗f5 ♘e3∓ Gostiša 2415 – Martić 2330, corr. 1988; *b)* 14. ♖f3 ♘g4] ♘**bd7 13. h3** ♗**f3 14.** ♕**f3 a6 15.** ♗**c4** ♘**e8 16.** ♖**ae1** ♘**c7 17.** ♕**d3** ♖**b8 18. e5 de5 19. d6** ♘**e8** [19... ♘e6 20. f5→] **20.** ♘**e4** [20. f5!?] **ef4 21.** ♗**f4 b5! 22. ab5 ab5 23.** ♗**b5** ♘**e5 24.** ♗**e5** ♗**e5 25.** ♘**c5** ♘**d6 26.** ♖**e5** ♖**b5 27.** ♖**d1** ♘**b7**□ **28.** ♕**d8** ♖**d8**

1/2 : 1/2 **[Martić]**

112. **A 67**

SCHRANCZ 2270 –
MIH. CEJTLIN 2455
corr. 1985/88

1. d4 ♘**f6 2. c4 c5 3. d5 e6 4.** ♘**c3 ed5 5. cd5 d6 6. e4 g6 7. f4** ♗**g7 8.** ♗**b5** ♘**fd7 9. a4** ♘**a6 10.** ♘**f3** ♘**c7 11.** ♗**d3 0–0 12. 0–0 a6 13.** ♔**h1** ♖**b8 14. f5 b5 15. ab5** ♘**b5 16.** ♗**g5** ♕**c7 17.** ♗**b5! ab5 18. e5 f6 N** [18... ♘e5 19. f6 ♘f3 20. fg7 ♘g5 21. gf8♕ ♔f8 22. ♕d2+–; 18... de5 – 46/112] **19. ef6** [19. e6 fg5∞; 19. ed6! ♕d6 20. ♗h4 gf5 21. ♗g3 ♘e5∞] ♘**f6 20. fg6 hg6 21.** ♘**h4** ♘**h7! 22.** ♕**d2** ♗**f5!** [22... ♖f1 23. ♖f1 ♘f8 24. ♘e4+–] **23.** ♗**h6** [23. ♘f5!?] **b4! 24.** ♘**e2** [24. ♗g7 ♕g7 25. ♘e2 ♗d7 △ ♗b5] ♗**h6 25.** ♕**h6** ♕**g7 26.** ♕**d2** [△ ♘f5, ♘f4; 26. ♕g7 ♔g7 27. ♘f5 (27. ♖a7 ♔h6 28. ♘f5 ♖f5 29. ♖f5 gf5 30. ♖d7 ♖b6∓) ♖f5 28. ♖f5 gf5 29. ♘f4 ♘g5∓] ♗**e4! 27.** ♘**g3** ♖**f1! 28.** ♖**f1** ♖**e8 29.** ♘**f3** [29. ♖e1 ♕f7 (△ ♘f6) 30. ♘e4? ♖e4!] ♗**f3 30. gf3** [30. ♖f3 ♕e5 31. ♕h6 ♕g5] ♕**f7 31. f4** [31. ♘e4? ♖e4] ♘**f6 32. f5** ♕**d5 33.** ♕**d5** ♘**d5** [♖ 9/h] **34. fg6** ♘**e3! 35.** ♖**f6** [35. ♖e1 ♖e5!–+] ♖**a8! 36. h3** [36. h4? ♖a1 37. ♔h2 ♘g4–+] **c4 37.** ♖**f7!** [△ ♘h5; 37. ♖d6 c3! 38. bc3 b3 39. ♖b6 ♖a1 40. ♔h2 ♖a2 41. ♘e2! ♖e2 42. ♔g3 ♘f1∓; 41... b2! △ ♘c4, ♖a1–+]

37... ♖**f8!** [37... ♖a1 38. ♔h2 ♖a2 39. ♘h5 ♖b2 40. ♔h1 ♖b1 41. ♔h2 ♖f1 42. ♖g7 ♔f8 43. ♖b7 △ g7, ♖b8; 41...

♖b2=] **38. ♖e7** [38. ♘e4 ♖f7 39. gf7 ♔f8 40. ♘d6 c3 41. bc3 b3 42. ♘e4 ♘c4–+; 38. ♖f8 ♔f8 39. ♘e2 ♘d1–+; 38. ♖c7 ♖f3 39. ♔h2 ♖f2 40. ♔h1 c3 41. bc3 b3 42. ♘h5 b2 43. ♖b7 ♖f1 44. ♔h2 b1♕ 45. ♘f6 ♖f6 46. ♖b1 ♖g6–+; 38. ♖b7 ♖f3 39. ♔h2 ♖f2 40. ♔h1 c3 41. bc3 bc3 42. ♘h5 c2 43. ♖c7 ♖f1 44. ♔h2 c1♕ 45. ♘f6 ♖f6 46. ♖c1 ♖g6–+; 38. ♖d7 ♖f3 39. ♔h2 c3 40. bc3 bc3 41. ♖d6 ♖f2 42. ♔h1 ♖d2 43. ♖c6 c2–+] **♘f5!** [38... ♖f3? 39. ♖e8 ♔g7 40. ♖e3!+–] **39. ♘f5 ♖f5** [40. h4 c3 41. bc3 bc3 42. ♖e3 c2 43. ♖e1 ♖d5–+; 40. ♔g2 *a)* 40... d5 41. h4 d4 42. ♖e4 ♖d5 43. h5 ♔g7 44. ♖h4 ♔h6 45. ♖g4 ♖d7 46. ♔f3 c3 (46... d3 47. g7 d2 48. g8♘!) 47. bc3 dc3=; *b)* 40... ♖f6! 41. h4 ♖g6 42. ♔f3 d5 43. ♖d7 ♖f6 44. ♔e3 (44. ♔g4 ♖f2 45. ♖d5 ♖b2–+) ♖f5–+] **0 : 1** **[Mih. Cejtlin]**

113.** **A 68**

NOGUEIRAS 2575 – KASPAROV 2775

Barcelona 1989

1. d4 ♘f6 2. c4 g6 3. ♘c3 ♗g7 4. e4 d6 5. f4 0–0 6. ♘f3 c5 7. d5 e6 8. ♗e2 ed5 9. cd5 ♗g4 [RR 9... b5 10. e5 ♘g4!? N (10... de5 – 42/101) 11. h3 ♘h6 12. ♗b5 ♘f5 13. 0–0 ♕b6 14. ♗c4 ♗a6 (14... ♕b4 15. ♕d3±) 15. b3 ♘d7 16. ♘a4!? ♕b7 17. ♗a6 ♕a6 18. ♖e1 ♘b6 19. ♘b6 ♕b6 20. ♔h2 ♖ac8?! 21. ♕e2 ♖fe8?! 22. ♗b2 ♗h6 23. ♕c4 ♘d4 24. ♔g3! ♘f5 25. ♔f2± Skembris 2455 – Vuruna 2310, Vrnjačka Banja 1989; 21... c4±; 20... a5! △ a4 Skembris; 9... a6 10. 0–0 N b5 11. e5 ♘e8 12. e6 f5!? (12... fe6 13. de6 ♗e6 14. ♘g5 ♗d4 15. ♔h1 ♗f5 16. ♗f3 ♖a7∓) 13. ♘g5 ♗b7 14. ♗f3 ♕e7! 15. ♗e3 h6 16. ♘f7 ♘d7 17. ♖e1 ♖f7! 18. ef7 ♕f7 19. ♗f2 ♘c7 20. ♖e6!? ♗f8 21. a3 ♖b8 22. ♖e2 ♘b6 23. ♖c1 ♘cd5 24. ♘d5 ♘d5∓ Monin 2360 – Uhlmann 2515, Budapest (open) 1989; 12. ♗e3∞ Uhlmann] **10. 0–0 ♘bd7 11. h3 ♗f3 12. ♗f3 ♖e8 13. ♖e1 N** [13. g4!? h6 14. h4 ♘h7 (14... h5 – 43/102) 15. g5 hg5 16. hg5 c4 17. ♗e3 ♖c8∞] **♖c8** [13... a6 14. a4 c4 15. ♗e3 ♕a5 16. ♔h1±] **14. ♗e3 b5!** [14... c4 15. ♔h1 ♘c5 16. ♗c5 ♖c5 17. e5 de5 18. fe5 ♘d7 19. e6 ♘e5 20. ef7 ♘f7 21. ♖e8 ♕e8 22. ♘e4±; 20... ♔f7!?] **15. ♘b5 ♘e4 16. ♗e4** [16. ♘a7?! ♖a8 17. ♘c6 ♕b6∓] **♖e4 17. ♘d6 ♖e3 18. ♖e3 ♗d4 19. ♕f3 ♖b8 20. ♔h2 ♘f6! 21. ♘c4** [21. ♘e4 ♗e3 22. ♘f6 ♕f6 23. ♕e3 ♕b2=] **♗e3 22. ♕e3 ♕d5** [22... ♘d5 23. ♕e5 ♘b6 24. ♘d6±] **23. ♕e5 ♖e8!= 24. ♕d5! ♘d5 25. f5! ♔g7 26. ♖d1 ♘f6 27. fg6 hg6 28. ♖d2 ♖e1 29. ♘d6 ♘e4 30. ♘e4** **1/2 : 1/2**

[Nogueiras, P. J. García]

114. **A 68**

GLEK 2475 – JURTAEV 2510

Moskva (GMA) 1989

1. d4 ♘f6 2. c4 g6 3. ♘c3 ♗g7 4. e4 d6 5. f4 0–0 6. ♘f3 c5 7. d5 e6 8. ♗e2 ed5 9. cd5 ♗g4 10. 0–0 ♘bd7 11. ♖e1!? [11. a4 – 46/116] **♖e8 12. h3 ♗f3 13. ♗f3 ♕a5** [13... c4 14. ♗e3 ♕a5 (14... ♖c8 15. ♔h1!) 15. ♔h1!] **14. ♗e3 b5 15. a3 ♘b6 16. e5** [16. ♗f2!? ♘c4 17. ♕c2 ♘d7 18. e5!?∞; 18. ♗e2!? △ 18... ♘b2 19. ♘b5!, 18... ♘db6 19. e5!↑]

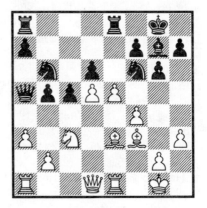

16... ♘c4! [16... ♘fd7 17. e6±; 16... de5 17. fe5 ♖e5 18. ♗c5±] **17. ef6 ♘e3** [17... ♗f6? 18. ♗d2+–] **18. ♖e3 ♖e3 19. fg7**

♖ae8⇆ 20. f5?! [20. ♕c2 ♕d8!? (20... f5!?) 21. ♘b5 ♕h4↑; 20. ♕d2!? (△ ♔f2, ♘e4) b4 21. ♘a2±] **gf5** [20... ♔g7?! 21. f6! △ 21... ♔f6 22. ♘e4 ♖3e4 (22... ♔g7 23. ♕c2 △ 24. ♘d6, 24. ♔f2) 23. ♗e4 ♖e4 24. ♕f3 ♔e5 25. b4!?=∞→] **21. ♘e2 ♕d8! 22. ♕c2 ♖8e5 23. a4?! ♕g5 24. ♔h2 b4 25. ♖f1 ♕h4 26. ♘g3** [26. g3 b3!∓] **b3 27. ♕f2?!** [27. ♕d2!? △ 27... ♕a4 28. ♘h5∞] **f4!∓ 28. ♘e2 ♕f2 29. ♖f2 ♔g7?!** [29... c4! 30. ♘f4 c3∓] **30. ♘f4 c4 31. ♘h5⊕** [⌓ 31. ♘e2 ♔g6 32. ♘c3 ♖c3!? 33. bc3 ♖e3 34. ♖b2 ♖c3 35. ♖b1 △ ♗e2∓] **♔f8 32. ♘f6 ♖f5 33. ♘g4** [33. ♘d7!? ♔g7 (33... ♔e7 34. ♘b8∞) 34. ♖d2 ♖d3! (34... c3 35. bc3 ♖c3 36. ♖d4! △ 36... b2? 37. ♖g4! ♔h8 38. ♖b4!) 35. ♖e2 c3−+] **♖d3 34. ♖e2 c3!−+ 35. bc3** [35. ♗e4 ♖d2] **♖c3 36. ♖b2** [36. ♖e1 ♖f4; 36. ♗e4 ♖f4 37. ♘f2 f5 38. g3 fe4! 39. gf4 e3!] **♖ff3! 0 : 1** **[Glek]**

115.** **A 69**

PISKOV 2400 – UTEMOV 2395
Moskva (ch) 1989

1. d4 ♘f6 2. c4 c5 3. d5 g6 4. ♘c3 d6 5. e4 ♗g7 6. f4 0–0 7. ♘f3 e6 8. ♗e2 ed5 9. cd5 ♘bd7 [9... ♖e8 10. e5 de5 11. fe5 ♘g4 12. ♗g5 *a)* 12... ♕a5 13. 0–0 ♘e5 14. d6 ♗e6 15. ♘d5 ♘bd7 16. ♘c7 ♘f3 17. ♗f3 c4! N (17... ♗b2 18. ♖b1 ♗d4 19. ♔h1 ♖ab8 20. ♘e8 ♖e8 21. ♖b7 ♗c4 22. ♖d7 ♗f1 23. ♗d5 ♗c4 24. ♖e7+−) 18. ♗c1 (18. ♗e3 ♗b2 19. ♗b7 ♖ab8 20. ♕f3 ♗a1 21. ♘e6 fe6 22. ♕f7 ♔h8 23. ♖a1 ♕c3∓) ♕b6 (18... c3 19. bc3 ♗c3 20. ♗h6∞; 18... ♘e5!?) 19. ♔h1 ♗e5 20. ♘a8 ♖a8 21. ♗d5 ♖e8 22. ♕f3 ♕d6 23. ♗e6 ♕e6 24. ♗d2 ♗b2 (24... b5!?=∞) 25. ♖ae1 ♗e5!? (25... ♘e5? 26. ♕b7± Har'kova 2190 – Bistrjakova 2235, SSSR 1989) 26. ♕b7 ♘c5 △ ♘d3∓; *b)* RR 12... f6 13. ef6 ♗f6 14. ♕d2 ♗g5 15. ♕g5 ♕g5 16. ♘g5 ♘e3 N (16... ♗f5 – 46/(116)) 17. ♔f2 ♗f5 18. h3 h6 19. ♗b5! ♖f8□ 20. ♔e3 hg5 21. g4 ♗d7 22. ♗d3± Skembris 2425 – Izquierdo 2270, Thessaloniki (ol) 1988] **10. 0–0 ♖e8 11. ♘d2 c4 12. ♔h1 ♘c5 13. e5 de5 14. fe5 ♖e5 15. ♘c4 ♖f5 16. ♗f3 ♘g4 17. ♘e3 ♘e3 18. ♗e3 b6 19. d6!** [19. ♗d4!? – 44/93] **♗a6 20. ♗c5! N ± ♗c3** [20... bc5 21. ♖e1 ♖b8 22. ♘d5 △ ♘e7-c6; 20... ♗f1 21. ♗a3 △ d7] **21. bc3 ♗f1** [21... bc5 22. ♖e1 ♖b8 23. d7 △ ♖e8+−] **22. ♗a3! ♗c4?** [22... ♗b5□ 23. c4 ♗d7 24. ♗b2 △ ♕d4, ♖e1-e7±] **23. ♗a8?** [23. d7! ♖b8 24. ♗d6+−] **♕a8** [23... ♖f1? 24. ♕f1 ♗f1 25. ♖f1 ♕a8 26. ♖d1 ♕d8 27. d7 △ ♗e7+−] **24. ♕d4** [24. d7? ♖f1! 25. ♕f1 ♗f1 26. ♖f1 ♕d5∓] **♖f1 25. ♖f1 ♗f1 26. ♕d2 ♗b5 27. c4 ♗d7 28. ♕d4 ♗h3 29. ♕d2 1/2 : 1/2** **[Piskov]**

116. **A 69**

GLEK 2475 – CEŠKOVSKIJ 2520
Budapest (open) 1989

1. d4 ♘f6 2. c4 c5 3. d5 g6 4. ♘c3 d6 5. e4 ♗g7 6. f4 0–0 7. ♘f3 a6 8. a4 e6 9. ♗e2 ed5 10. cd5 ♖e8 11. ♘d2 ♘bd7 12. 0–0 c4 13. ♔h1 ♘c5 14. e5 de5 15. fe5 ♖e5 16. ♘c4 ♖e2!? N [16... ♖e8 – 38/110] **17. ♘e2** [17. ♕e2!? ♗f5=∞] **♗g4! 18. ♘e5** [18. ♘e3 ♘ce4=∞; 18. h3 ♗h5 △ ♘ce4=∞] **♘ce4** [18... ♗h5 19. ♘f3!? △ ♘f4] **19. ♗f4!** [19. ♘g4? ♘g4 20. ♕e1 ♕b6↑] **g5?!** [19... ♗h5! △ ♕d5=∞] **20. ♗e3 ♗h5 21. d6 h6 22. ♕d3** [22. d7!?] **♕d6□ 23. ♕d6 ♘d6 24. ♘g3 ♘fe4 25. ♘h5** [25. ♘e4 ♘e4 26. g4 ♗e5 27. gh5 ♘f6∞] **♗e5 26. ♖ad1! ♗b2 27. ♗d4** [27. ♗c5!? ♘c5 28. ♖d6 ♘a4 29. ♖d7∞] **♗d4 28. ♖d4 ♖c8 29. ♘f6 ♘f6 30. ♖d6±** [♖ 9/n] **♘g4! 31. ♖b6 ♖c2 32. ♖b7 ♘e3 33. ♖fb1! ♖a2** [33... ♖g2? 34. ♖e1+−; 33... ♘g2? 34. ♖7b2+−] **34. ♖7b4 a5⊕** [34... ♘d5 35. ♖c4 ♘f4=∞] **35. ♖e4 ♘d5** [35... ♘g2? 36. ♖g1 f5□ 37. ♖e7 △ ♖b1+−] **36. ♖f1 ♔g7 37. ♖e5** [37. g3!? ♖d2!?=∞] **♘f4!= 38. g3 ♘h3! 39. ♖a5** [39. ♖ef5 g4!□] **g4□ 40. ♖af5 ♘g5 41. ♖1f4 ♔g6 42. h4!? gh3** [42... ♘f3? 43. h5!+−] **43. ♖f6 ♔g7 44. ♖6f5 1/2 : 1/2** **[Glek]**

117.   **A 70**

I. SOKOLOV 2580 − TOLNAI 2480
Dortmund 1989

1. d4 ♘f6 2. c4 e6 3. ♘c3 c5 4. d5 ed5 5. cd5 d6 6. e4 g6 7. ♘f3 ♗g7 8. ♗b5!? ♗d7 9. ♗d7 [9. a4] **♘bd7 10. 0−0 0−0 11. ♗f4** [11. ♗g5] **♕e7 12. ♘d2 N** [12. ♖e1 ♘g4!=] **a6 13. a4** [13. ♘c4!? ♘e8 (13... ♘e4 14. ♖e1±)] **14. ♖e1 b5 15. ♘a5] ♘e5 14. ♔h1!?** [14. ♗g5!?] **♖ab8** [14... ♘d3 15. ♗g5 (15. ♗e3? ♘b2 16. ♕c2 ♘g4! 17. ♕b2 ♕e5−+; 15. ♗g3 ♘h5 16. ♗d6? ♕d6 17. ♘c4 ♘b2!−+; 15. ♗d6 ♕d6 16. ♘c4 ♘f2∓) h6 (15... ♘b2? 16. ♕c2 ♕e5 17. ♘f3+−) 16. ♗h4 g5 17. ♗g3±] **15. ♗g5!± h6 16. ♗h4 g5 17. f4! gf4** [17... gh4 18. fe5 ♕e5 19. ♘c4 ♕e7 20. ♘e3 h3 (20... ♘e4? 21. ♘f5 ♕e5 22. ♕g4 ♘c3 23. ♖ae1+−) 21. ♕f3 hg2 22. ♕g2∞] **18. ♖f4 ♘g6 19. ♗f6 ♗f6 20. ♖f5 b5 21. ab5** [21. ♕g4 ba4] **ab5 22. ♕g4** [22. ♕c2!?] **b4□ 23. ♘d1 ♖a8 24. ♖b1 ♔h7** [24... ♗d4 25. ♘f3] **25. ♖h5?!** [25. ♘e3↑ ♗d4!∞ [×♘d1] 26. ♘f3 ♕f6 27. ♖f5 ♕g7 28. ♕h5 ♖a2 29. h3 b3 [29... ♗b2? 30. ♘e3 △ ♘g4, ♘g5, ♖f1] 30. ♘d4 ♕d4 31. ♘f2** [31. ♘c3 ♖b2! 32. ♖b2 ♕c3 33. ♖bf2 ♕g7] **♖b2⊕ 32. ♖f1 ♕d2!** [32... ♕g7 33. ♘g4 ♘e5 34. ♖e5! de5 35. ♖f6+−] **33. ♕f3! ♕e2?** [33... ♘e5 34. ♖e5! de5 35. ♘d3 ♖c2 36. ♘e5 ♖c1! 37. ♘d7 ♖f1 38. ♕f1 b2 39. ♘f6! ♔g7 40. ♘h5 ♔g8 41. ♘f6 ♔h8 42. ♕f5 b1♕ 43. ♔h2 ♔g7 44. ♘h5 ♔g8 45. ♘f6 ♔g7=] **34. ♖f7 ♔g8 35. ♖f8 ♘f8 36. ♕g3 ♔h7 37. ♔g1!+− ♕c2 38. ♘g4 ♘d7 39. ♖f7 ♔h8 40. ♖d7 1 : 0**   **[I. Sokolov]**

118.*   **A 70**

KOŽUL 2490 − BARLOV 2490
Kladovo 1989

1. d4 ♘f6 2. ♘f3 c5 3. d5 g6 4. c4 ♗g7 5. ♘c3 d6 6. e4 0−0 7. h3 e6 8. ♗d3 ed5 9. cd5 b5!? 10. ♘b5 [RR 10. 0−0 b4! N 11. ♘a4 ♗a6! 12. ♖e1 ♗d3 13. ♕d3 ♘bd7 14. ♗f4 ♘b6 15. ♘b6 ab6= Zsu. Polgár 2490 − J. Gdański 2395, Adelaide

1988] **♘e4 11. ♗e4 ♖e8!□** [11... ♗a6?! − 46/119; RR 11... ♕a5! Tukmakov] **12. ♘d2 ♗a6! 13. a4 ♕a5!! 14. ♘d6 ♘d7∞ 15. g4 N** [15. ♘e8 ♖e8 △ f5∓; RR 15. f3 ♗e5 16. ♔f2 ♗d6 17. ♖e1 c4 18. ♘f1 ♘c5 19. ♗e3 ♘e4 20. fe4 ♖e4 21. ♘d2 ♕e5 22. ♘f3 ♖d5 23. ♕c2 ♖d3∓ Gen. Timoščenko 2455 − Šabalov 2430, Barnaul 1988] **♖e4! 16. ♘e4 ♘e5 17. ♖a3□ ♘d3 18. ♖d3 ♗d3 19. f3** [19. ♕b3 ♗e4 20. 0−0 c4! 21. ♕c4 (21. ♘c4 ♕d5−+) ♗d5−+] **f5 20. gf5 gf5 21. ♘g5 c4!−+ 22. ♘e6 ♗f6 23. ♔f2 ♕d5 24. ♖e1 ♗h4 25. ♔g2 ♕d6!** [25... ♗e1 26. ♕e1 ♖e8 27. ♕g3 ♔f7 28. ♘g5∞] **26. ♘f1 ♗e1 27. ♕e1 ♖e8 28. ♕g3 ♖e6 29. ♕f2 f4 0 : 1**   **[Barlov]**

119.   **A 70**

VILELA 2405 − NEB. RISTIĆ 2360
Bela Crkva 1989

1. d4 ♘f6 2. c4 g6 3. ♘c3 ♗g7 4. e4 d6 5. ♘f3 0−0 6. h3 c5 7. d5 e6 8. ♗d3 ed5 9. cd5 b5 10. ♘b5 ♘e4 11. ♗e4 ♖e8 12. ♘d2 ♗a6 13. a4 ♕a5! 14. ♘d6 ♘d7?! 15. ♕c2 N f5 16. ♔d1! fe4 17. ♘2c4! ♗c4 [17... ♕d8∞] **18. ♘c4 ♕a6! 19. ♖e1!** [△ ♖e2, ♔e1-f1-g1] **♕b7** [19... ♘b6!] **20. d6 ♖ad8 21. ♗d2** [21. ♗g5? ♕d5−+] **♗d4 22. ♗a5! ♖b8 23. ♖e2 ♕a6 24. ♖b1 ♖e6 25. b3± ♖be8 26. ♗d2!** [26. ♔e1? ♘e5!] **♕c6 27. ♗e3 ♘b6 28. ♔e1?!** [28. ♘b6 ♕b6 (28... ab6 29. ♗d4+−) 29. d7 ♖d8 30. ♗d4 cd4 31. ♖e4+−] **♘d5 29. ♗d2?⊕** [29. ♖d1! ♘b4 (29... ♖f8 30. ♗d4 cd4 31. ♖d4 ♘f4 32. ♖ee4+−; 29... ♘c3 30. ♗d4 ♘e2 31. ♕e2 cd4 32. ♖d4±; 29... ♗e3 30. fe3±) 30. ♕b1 ♘d3 31. ♔f1 (31. ♖d3 ed3 32. ♕d3 ♕g2∞) ♗e5 32. ♘e5 ♖e5 (32... ♘e5 33. ♖ed2) 33. ♖d3 ed3 34. ♕d3 ♖d5 35. ♕c4 ♕d6 36. ♖d2 ♖d8 (36... ♖e5? 37. ♗f4) 37. ♗c5!∞] **♖f8 30. ♖c1 ♕d7 31. ♕a2 ♕f7 32. ♔d1 ♔g7** [32... ♗f2 33. ♗h6] **33. ♖b1?** [33. ♖c2 △ 33... ♗f2 34. ♗h6] **♗f2 34. b4 e3 35. ♕b2 ♔g8 36. ♗c3 ♖e4−+ 37. ♘e5 ♘c3 38. ♕c3 ♕d5 39. ♘d3 c4 0 : 1**   **[Vilela]**

120.** **A 70**

PÁLKÖVI 2425 – SZALÁNCZY 2400
Magyarország (ch) 1989

1. d4 ♘f6 2. ♘f3 g6 3. c4 ♗g7 4. ♘c3 0–0 5. e4 c5 6. d5 d6 7. h3 e6 8. ♗d3 ed5 9. cd5 b5 10. ♗b5 N ♘e4 11. ♘e4 ♕a5 12. ♘fd2 ♕b5 13. ♘d6 ♕a6 14. ♘2c4 ♘d7 15. 0–0 ♘b6 16. ♘b6 ab6 17. ♕b3 [RR 17. ♘c8= Hardicsay] **♗d7!∞** [17... ♕e2? 18. ♘c8 ♖fc8 19. d6 b5 20. ♗g5 ♕b2 21. d7 ♖cb8 22. ♖ad1! (22. ♕d5 ♗f6 23. ♕c5? ♗g5= Jó. Horváth 2510 – Szalánczy 2400, Magyarország (ch) 1989; RR 23. ♖ab1!+– Hardicsay) ♕b3 23. ab3 f6 24. ♗f4 ♖d8 25. ♗c7+–] **18. ♗g5 b5** [RR 18... f6 19. ♗f4 f5 20. ♖fe1 ♗f6 21. a4 ♗a4 22. ♕e3 c4 23. ♕e6 ♔g7 24. ♗e5 ♗e5 25. ♕e5 ♔g8 26. ♕d4 ♖a7 27. ♘c4 ♕b7 28. d6+– Dreev 2520 – Šabalov 2425, Tbilisi 1989] **19. ♗e7 c4?!** [19... f5!∞ ×b2, ♘d6] **20. ♕b4± ♖fb8 21. ♘e4 ♗f5 22. ♖fe1?** [22. ♘c5? ♕a5∓ ×b2; 22. ♘c3!±] **♗e4! 23. ♖e4 ♕b7!= 24. ♕d2 ♖e8 25. ♖ae1 ♖a2 26. ♗a3 ♖e4 27. ♖e4 h5 28. ♖e8?** [28. ♖e7□ c3 29. ♕c3! (29. bc3? ♕e7 30. ♕a2 ♕e1 31. ♔h2 ♗e5 32. g3 h4–+) ♗c3 (29... ♕e7? 30. ♕c8+–) 30. ♖b7 ♗b2 31. ♗b2 ♖b2 32. d6=] **♔h7 29. d6 c3 30. ♕d1 ♕c6! 31. ♖e2** [31. d7 c2! 32. ♕c2 ♕c2 33. d8♕ ♕c1 34. ♔h2 ♕f4–+]

31... b4! 32. d7 [RR 32. ♗b4 cb2 33. d7 ♕d7!–+ Hardicsay] **ba3!! 33. d8♕ ab2 34. ♖e1 c2 35. ♕e2 ♖a1 36. ♔h2 ♖e1 37. ♕e1 c1♕ 38. ♕b4 ♗e5 0 : 1**
[Pálkövi]

121.*** **A 70**

ZSU. POLGÁR 2510
– DE FIRMIAN 2570
New York 1989

1. d4 ♘f6 2. c4 e6 3. ♘f3 c5 4. d5 ed5 5. cd5 d6 6. ♘c3 g6 7. e4 ♗g7 [RR 7... a6 8. h3 b5 9. ♗d3 ♗g7 10. 0–0 0–0 11. ♗f4 (11. a3 – 45/95) ♖e8 12. ♖e1 ♕b6 N (12... ♖a7) 13. a4! (13. a3 ♘bd7 14. ♕d2 c4 15. ♗c2 ♘c5∞) c4 14. ♗f1 ♗b7 15. ♗e3 (15. ab5?! ab5 16. ♖a8 ♗a8 17. b4 ♘a6 18. ♗e3 ♕b8 19. ♕b1 ♘g4 20. ♗d2 ♘e5 21. ♘e5 ♗e5 22. ♘e2 ♗b7 23. ♗c3 ♗c8 24. ♕b2 ♗d7 25. ♘d4± Vyžmanavin 2550 – Stefánsson 2480, Moskva (GMA) 1989) ♕d8 16. ab5 ♘e4 17. ♘e4 ♖e4 18. ♕c2 ♗d5 19. ♖ad1 ♗b7 20. ♗c4± B. Arhangel'skij, Vyžmanavin] **8. h3 0–0 9. ♗d3 a6 10. a4 ♘bd7 11. ♗f4 ♕e7 12. 0–0 ♘h5** [12... ♖b8 13. ♕d2 ♘e8 14. ♖fc1± A. Černin 2565 – Sandić 2290, Beograd 1988] **13. ♗g5 N** [13. ♗h2 ♘e5 14. ♘e5 ♗e5 15. f4 ♗d4 16. ♔h1 ♗d7 17. ♕f3 b5 18. g4 ♘g7 19. ab5 ab5 20. ♖a8 ♖a8 21. e5 c4 22. ♗b1 ♖a1 23. ♘e4 ♘e8 24. ♘g5 ♗c8 25. e6 1/2 : 1/2 Nogueiras 2550 – C. Hansen 2520, Thessaloniki (ol) 1988] **♗f6 14. ♗h6 ♗g7 15. ♗g5 ♗f6 16. ♗e3 ♖b8** [16... ♘e5 17. ♗e2±] **17. ♕d2** [17. ♘d2!?] **♖e8 18. ♖fe1± ♕d8** [18... ♘e5 19. ♘e5 ♗e5 20. f4±] **19. g4! ♘g7 20. ♔g2 ♘e5 21. ♘e5 ♗e5 22. f4 ♗f6 23. g5 ♗e7 24. ♗e2!?** [24. a5! b5 25. ab6 ♕b6 26. b4! ♕b4? 27. ♖eb1+–] **♗d7 25. ♗f3 f6** [25... b5 26. ab5 ab5 27. b4!±] **26. h4 ♖f8 27. a5 ♖f7 28. ♖h1** [28. ♖eb1!? △ b4] **b5 29. b4** [29. ab6!? ♕b6? 30. b4!+–; 29... ♖b6] **cb4 30. ♘e2?** [30. ♘a2 ♕a5 31. ♘b4±] **♖c8 31. ♖hc1?! ♖c1 32. ♘c1** [32. ♖c1 ♕a5; 32. ♕c1!?] **♕c8** [△ ♗g4] **33. ♔g3 fg5?** [33... f5! 34. e5 de5 35. fe5 f4! 36. ♗f4 ♘f5∞; 35. d6] **34. hg5 ♘h5** [34... ♕c3 35. ♕c3 bc3 36. ♘a2] **35. ♗h5 gh5 36. ♘d3 ♕c4** [36... ♗e8 37. f5] **37. ♘f2 b3 38. ♖c1 ♕a4 39. ♗d4 h4□ 40. ♔h2 ♕a2?!** [40... ♖f4 41. ♖c7!+–] **41. ♗b2!+–** [△ 42. ♕c3, 42. ♖a1] **♖f4 42.**

♖a1 ♗g5 43. ♖a2 ba2 44. ♗a1 h3 45. ♛a2 ♖f3 46. ♛b2 ♗f4 [46... ♗f6 47. ♛f6] 47. ♔h1 ♗e5 48. ♛e2 ♖g3 49. ♗e5 de5 50. ♛h5 1 : 0 [Zsu. Polgár]

122.* A 70

SALOV 2630 — J. HJARTARSON 2615
Amsterdam 1989

1. d4 ♘f6 2. c4 c5 3. d5 g6 4. ♘c3 d6 5. e4 ♗g7 6. h3 0—0 7. ♘f3 a6 8. a4 e6 9. ♗d3 ed5 10. cd5 ♘bd7 11. 0—0 ♖e8 12. ♗f4 ♛c7 [RR 12... ♛e7 13. ♛d2 ♘h5 14. ♗g5 ♛f8 15. ♖ae1 ♖b8 16. ♘h2 h6 17. ♗e3 ♘hf6 18. a5 b5 19. ab6 ♖b6 20. f4 ♖b4 21. ♗f2 ♘b6 22. ♘f3 ♘fd7 23. ♗g3 c4 24. ♗b1 ♘c5 25. e5 ♘d3 26. ♗d3 cd3∞ Psahis 2585 — Minasjan 2345, Moskva (GMA) 1989] 13. ♛d2 ♘h5 [13... ♖b8!? △ c4, b5] 14. ♗h6 ♘e5 15. ♘e5 ♗h6 [15... ♗e5 16. g4±] 16. ♛h6 de5 17. ♖fc1!± ♗d7 [17... b6 18. b4! △ 18... c4 19. ♘d1+—] 18. ♗f1 [18. a5! b5 19. ab6 ♛b6 20. ♖c2 ♘f4 21. ♗f1 ♗b5 22. g3 ♗f1 23. ♖f1 ♘d3 24. ♛e3±] ♘f6 [18... b6 19. ♘b1! (19. b4 c4!) a5 (19... ♛d6 20. ♘a3!±) 20. ♘d2 ♘f6 21. ♛h4 ♔g7 22. ♘c4±] 19. ♛e3? [19. a5!±] b6! 20. ♘b1 a5!= 21. b3 ♖f8?! [21... ♖e7 22. ♘a3 (22. ♛g5 ♔g7 23. ♘a3 h6 24. ♛e3 ♘e8) ♘e8 23. ♗b5 ♘d6 24. ♗d7 ♛d7 25. ♘c4 ♛c7=] 22. ♘a3 ♘e8 23. ♗b5 ♘d6?! [23... ♗b5 24. ♘b5 ♛e7 25. ♘a3 ♘d6 26. ♘c4 ♖ab8=] 24. ♗d7 ♛d7 25. ♘c4± ♛c7 26. ♘e5 ♖ae8 27. ♘c4! [27. ♛f4? ♘e4! (27... ♘b5!?) 28. ♘g6 ♛f4 29. ♘f4 ♘d2 30. ♖c3 ♖e4=] ♘e4 [27... ♖e4 28. ♛g3 ♖d8 29. ♖e1 ♛e7 30. f3±] 28. ♖e1 ♛d8 29. ♖ad1 ♘d6 30. ♛f3 b5 [30... ♘f5 31. d6 ♘d4 32. ♛d5? ♘e2! 33. ♖e2 ♖e2 34. d7 ♔g7 35. ♘e5 ♛f6 36. ♘c6 ♛f2 37. ♔h1 h5 38. d8♛ ♖d8 39. ♘d8 h4=; 32. ♛b7!±] 31. ab5 [31. ♖e8!? ♖e8 32. ♘d6 ♛d6 33. ab5±] ♘b5 32. d6 ♘d4 33. ♛d5 ♘e2 34. ♖e2 ♖e2 35. d7 ♔g7 36. ♛c5! [36. ♘e5 ♛f6 37. ♘g4 ♛d8] ♖e7 [36... ♛f6 37. ♛f8!+—; 36... f6 37. ♛a5 ♖e7 38. ♛a7 ♖ff7 39. ♛b6! ♖f8 40. ♛d6 ♖ff7 41. ♘b6+—] 37. ♛d6! [37.

♛d5?! f6 38. ♘a5 △ ♖e5!] f6 38. ♘a5 ♖ff7 39. ♘c6 ♛d7 40. ♘e7 ♛d6 41. ♘f5 [41. ♖d6!? ♖e7 (♖ 6/f) 42. ♖d1 ♖b7 (42... ♖e2 43. ♖b1 ♔f7 44. b4 ♔e7 45. ♔f1!+—) 43. ♖b1 ♖b4 44. ♔f1 ♔f7 45. ♔e2 ♔e6 46. ♘d3 ♔d5 47. ♔c3 ♔c5 48. ♖e1+—] gf5 42. ♖d6 [♖ 6/f] ♖b7 43. ♖d3 f4 44. ♔f1 ♔g6 45. ♔e2 [45. ♖f3!? ♔f5 46. g3 ♔e5 (46... ♔g5 47. gf4 ♔f5 48. ♔e2 ♔e4 49. ♖c3 ♔f4 50. ♖c4+—] 47. ♖f4 ♖b3 48. ♖h4 ♖b7 49. ♖h5 f5 50. ♖h6!+—] ♔f5 46. ♖c3 ♖g7? [46... h5!] 47. b4+— ♖g2 48. b5 ♖g7 49. b6 ♖b7 50. ♖b3 ♔g5 51. ♔f3 f5 52. h4 ♔h4 53. ♔f4 h5 54. ♔f5 ♖f7 55. ♔g6 [55... ♖b7 56. ♖b4] 1 : 0 [Salov, Ionov]

123. A 70

VAGANJAN 2600 —
J. HJARTARSON 2615
Barcelona 1989

1. d4 ♘f6 2. c4 c5 3. d5 d6 4. ♘c3 g6 5. e4 ♗g7 6. h3 0—0 7. ♘f3 a6 8. a4 e6 9. ♗d3 ed5 10. cd5 ♘bd7 [10... ♖e8 11. 0—0 c4 12. ♗c2 ♘bd7 13. ♖e1 ♘c5 14. ♗f4±] 11. 0—0 ♘h5!? 12. ♗g5!? N [12. ♗e2 — 44/(96)] ♛c7?! [12... ♗f6!? 13. ♗e3 ♖e8 14. ♘d2 ♗d4!? 15. ♗d4 cd4 16. ♘e2 ♘c5 17. ♛c2 f5 18. ♖ae1=] 13. ♛d2 ♖e8 14. ♖fe1 ♖b8 15. ♗f1! ♘e5?! [15... c4!? 16. a5!? b5 17. ab6 ♖b6 18. ♘a4 ♖b8 19. ♘d4 ♘e5 20. ♗e3! ♘f6 21. ♘c3±] 16. ♘e5 ♗e5 17. g4! ♘f6 [17... ♘g7!?] 18. ♔g2 ♘d7 [18... ♗c3? 19. ♛c3 ♘e4 20. ♖e4! ♖e4 21. ♛f6! △ ♗h6+—] 19. ♖a3! ♗g7 20. ♗h6 ♗h8 21. f3± ♘f8 22. ♖b1 f5 23. b4 [23. gf5? gf5 24. ♛g5 ♘g6 25. ef5 ♗f5!∓ fg4 23... fe4 24. ♘e4±] 24. hg4 ♘d7 25. bc5 [25. a5 ♘e5!?] ♘c5 26. ♗e3?! [26. a5! ♗d7 27. ♖b6±] ♖f8! 27. ♗d4? [27. a5!? ♗d7 28. ♗e2!?; 28. ♖b6±] ♗d4 28. ♛d4 ♛e7!∓ 29. ♗e2 ♗d7 30. ♛e3? [30. a5!? h5!? 31. ♖h1 ♛g5 32. ♔f1? ♛c1—+; 32. ♘d1 △ ♘f2∓] ♛e5!∓ 31. a5 ♖f4 32. ♘d1? [32. ♖g1!? ♖bf8 33. ♖aa1∓] ♗g4—+ 33. ♘f2 [33. fg4 ♖e4] ♗d7 34. ♖c3 ♖bf8 35. ♖c5!? dc5 36. ♖b7 ♗c8! 37. ♖b1 ♖h4 38. ♖h1

♖h1 39. ♘h1 h5 40. ♘f2 [40. ♕c5 ♕g5 41. ♔f2 ♕h4] **h4 41. ♕c5 ♗d7 42. ♕a7 ♗h3! 43. ♘h3 ♕g3 44. ♔f1 ♕h3 45. ♔e1 ♕g3 46. ♕f2 ♖b8! 47. ♕g3 hg3 48. d6 ♔f8 49. ♗d3 ♖b3 0 : 1 [Vaganjan]**

124. **A 70**

TUKMAKOV 2590 –
D. GUREVICH 2480
Moskva (GMA) 1989

1. d4 ♘f6 2. ♘f3 e6 3. c4 c5 4. d5 ed5 5. cd5 d6 6. ♘c3 g6 7. e4 ♗g7 8. ♗d3 0–0 9. 0–0 ♗g4 10. h3 ♗f3 11. ♕f3 a6 12. a4 ♘bd7 13. ♕d1 ♕c7 14. ♖e1 N [14. ♗f4] **c4 15. ♗c2!** [×b3, e4; 15. ♗f1 ♘c5 16. ♗c4 ♘ce4 17. ♘e4 ♕c4 18. ♘d6? ♕b4–+] **♖ab8 16. a5 ♘c5?!** [16... ♖fe8] **17. ♕e2! ♘b3 18. ♗b3 cb3 19. ♕d1!** [19. ♗e3 ♘d7 20. ♖ec1 ♕d8 21. ♕c4 f5 22. ef5 gf5 23. ♕b3 f4 △ f3⩱] **b5 20. ab6 ♕b6 21. ♗e3 ♕b7 22. ♗d4 ♘d7?** [22... ♖fe8! ×e4±] **23. ♗g7 ♔g7 24. ♘e2!** [△ ♘d4-c6] **♖fe8 25. ♘d4 ♕b6 26. ♘c6 ♖bc8 27. ♖e3 ♘c5 28. ♕d4 ♔g8?** [28... f6±] **29. ♖c1!+–** [△ e5] **♖c6** [29... ♘d7 30. ♕b6 ♘b6 31. ♖b3] **30. dc6 ♕c6** [31. e5] **1 : 0 [Tukmakov]**

125. **A 72**

I. DOBREV 2335 – JAKOVIČ 2455
Starozagorski Bani 1989

1. d4 ♘f6 2. ♘f3 e6 3. c4 c5 4. d5 ed5 5. cd5 d6 6. ♘c3 g6 7. e4 ♗g7 8. ♗e2 0–0 9. ♗f4 b5 10. ♕c2 a6 11. 0–0 [11. ♘d2 ♖e8∞] **♖e8 12. ♘d2 N** [12. a3 – 38/115] **b4 13. ♘a4 ♘d5 14. ♗d6!?** [14. ♗g3? ♘c6!–+; 14. ed5 ♖e2 15. ♕d3 ♖e8 (15... ♕e8 16. ♘b6 ♗f5 17. ♕g3 ♖a7 18. ♘bc4±) 16. ♘c4 a5!! (16... ♗d7 17. ♘ab6∞) 17. ♘ab6 (17. ♘d6 ♗a6∓) ♗f5 18. ♕g3 ♖a6∓] **♕d6 15. ♘c4 ♕f4!** [15... ♕e7 16. ed5 ♕e2 17. ♕e2 ♖e2 18. ♘ab6 ♗b7 19. ♘a8 ♗a8 20. ♖ae1 ♖e1 21. ♖e1 ♔f8 22. ♘d6+–] **16. ed5 ♗f5 17. ♗d3 ♗d3 18. ♕d3 ♘d7∓** [×♘a4] **19. d6 ♖ad8?!** [19... ♖ab8! (×b6) 20. ♖ae1 ♗d4∓] **20. a3! ♖b8!** [20... ♘e5 21. ♘e5 ♕e5 22. ♕a6 ♖d6 23. ♕b5=] **21. ♖ad1 ba3! 22. g3!?** [22. ba3 ♗d4 23. g3 ♕f6∓ ×♘a4] **♕e4!** [22... ♕f6 23. ♕a3∞] **23. ba3□ ♔f8! 24. ♖fe1 ♕d3 25. ♖e8 ♔e8 26. ♖d3 ♖b1 27. ♔g2 ♗d4** [△ ♖c1-c2–+] **28. ♘a5!? ♘b6 29. ♘c3□ ♖b2!** [29... ♗c3? 30. ♖c3 ♖b5 31. ♘c4! ♘c4 32. ♖c4 ♔d7 33. a4!=] **30. ♘d1 ♖b5⊕ 31. ♘c6 ♗f6 32. ♘b8! c4! 33. d7 ♘d7!** [33... ♔d8 34. ♖d6! △ ♘c6+–] **34. ♘d7 cd3 35. ♘f6⊕ ♔e7 36. ♘e4 ♖a5 37. ♔f3 ♖a3 38. ♔e3 a5 39. ♘ec3 a4⊕** [40. ♔d3 ♖a1 41. ♔c2 a3 42. ♔b3 ♔e6 43. ♘e3 h5–+] **0 : 1 [Jakovič]**

126.* **A 73**

LUKÁCS 2465 – T. HORVÁTH 2405
Budapest (open) 1989

1. d4 ♘f6 2. c4 e6 [RR 2... d6 3. ♘f3 g6 4. ♘c3 ♗g7 5. e4 0–0 6. ♗e2 c5 7. d5 e6 8. 0–0 ed5 9. cd5 ♘a6 10. ♗f4 ♘c7 11. a4 ♘h5 N (11... b6) 12. ♗g5 f6 13. ♗e3 f5 *a)* 14. ef5 ♗f5 15. ♘g5 ♘f6 16. ♗c4?! ♘g4 17. ♘e6 ♕h4! (17... ♘e6? 18. de6 ♔h8 19. ♗f4± Karpman 2480 – Efimov 2395, Belgorod 1989) 18. ♗f4 ♗e6 19. ♗g3 ♘e3! 20. ♗h4 ♘d1 21. ♖ad1 (21. de6?! ♘b2 22. e7 ♘c4∓) ♖f4 22. ♗g3 ♖c4 23. de6 ♘e6 24. ♖d6 ♘d4∓; 16. ♕b3!?; *b)* 14. e5!? de5 (14... f4 15. ed6 ♕d6 16. ♘e4 ♕e7 17. ♗c5) 15. ♗c5∞ Karpman] **3. ♘f3 c5 4. d5 ed5 5. cd5 g6 6. ♘c3 ♗g7 7. e4 0–0 8. ♘d2 d6 9. ♗e2 ♘a6 10. 0–0 ♘e8 11. ♘c4 f5 12. ♗f4! N** [12. ef5 – 46/122] **g5** [12... fe4 13. ♕d2 ♗c3 (13... ♗f5 14. ♘b5±) 14. bc3 ♗f5 15. ♗g5 (15. g4!?) ♕d7 16. h3⩱] **13. ♗d2 f4** [13... fe4 14. ♘e4 h6 15. a4±; 13... ♗c3 14. ♗c3 fe4 15. f3! ef3 16. ♖f3!⩱] **14. ♘b5!** [14. ♗g4 ♘ac7 (14... ♗e5 15. ♘e5 de5 16. ♘b5±) 15. a4∞] **♘ac7** [14... ♕e7 15. ♖e1 ♗d7 (15... ♕e4 16. ♘cd6 ♘d6 17. ♘d6±) 16. a4 ♗b5 17. ab5 ♘ac7 18. ♕b3!± ♕e4? 19. b6! ab6 (19... ♘d5 20. ♗f3 ♕f5 21. ♗e4 ♕f7 22. ♘d6+–) 20. ♖a8 ♘a8 21. ♗h5+–] **15. a4 ♕e7** [15... ♘b5 16. ab5 *a)* 16... ♕e7

17. ♘b6! (17. ♖e1±) ♖b8 18. ♘c8 ♖c8 19. ♖a7 ♕e4 20. ♗f3 ♕e7 21. ♖e1 ♕c7 22. ♗a5 ♕b8 23. b6 ♗b2 24. ♖e7+–; *b)* 16... ♗d7 17. ♕b3±] **16. ♖e1! ♗d7** [16... ♘b5 17. ab5 ♕e4 18. ♘b6! ♖b8 19. ♘c8 ♖c8 20. ♗g4+–] **17. ♘c7** [17. ♘cd6?! ♘d6 18. ♘c7 ♗a4! (18... ♖ac8 19. ♘b5±) 19. ♕a4 ♕c7 20. ♗c3 ♘f7 21. ♗g4 ♘e5⇆] **♘c7 18. ♗c3± b5!?** [18... ♖ae8 19. e5+–] **19. ♗g7 ♔g7 20. ab5 ♗b5** [20... ♘b5 21. e5] **21. e5 ♗c4** [21... f3!? 22. ed6! fe2 23. de7 ed1♕ 24. ef8♕ ♔f8 (24... ♖f8 25. ♖ed1 ♗c4 26. ♖a7 ♖f7 27. ♖c1! ♗d5 28. ♖c5+–) 25. ♖ed1 ♗c4 26. ♖ac1 ♗b3 27. ♖d3±] **22. ♗c4 ♖f5 23. ♕a4!** [23. e6 ♕f6⇆; 23. ♕g4!? ♖af8! 24. ♖a7 de5 25. ♗d3 ♖5f7 26. h4! ♔h8! 27. hg5 ♕d6±] **♖d8!** [23... de5? 24. d6! ♕d6 25. ♖ad1+–; 23... ♖e5 24. ♖e5 de5 25. d6! ♕d6 26. ♖d1+–] **24. ♕c6!** [24. ed6 ♕d6 25. ♕a7±] **a6! 25. e6 g4 26. ♖a3?** [26. ♗a6! ♘d5 27. ♗c4 ♘b4 28. ♕b6+–] **♖b8! 27. b3 ♖bf8! 28. ♗a6! g3 29. f3 ♘d5** [29... gh2 30. ♔h1] **30. ♗c4 ♘b4?⊕** [30... gh2! 31. ♔h1 ♘e3! (31... ♕h4? 32. ♖ea1!) 32. ♖ea1 ♕g5 33. ♖3a2∞] **31. ♕b6 gh2 32. ♔h1 ♔h6 33. ♖a7 ♕h4 34. ♖f1 ♖g8 35. ♕c7! ♖g6** [35... ♔g6 36. ♕d6+–] **36. ♕h7 ♔g5 37. ♕h4 ♔h4 38. ♖h7 ♔g5□ 39. e7 ♖e5 40. ♗f7 ♖ge6 41. ♖h5 1 : 0** **[Lukács]**

127.* **A 73**

VILELA 2405 – R. VERA 2470
Matanzas (m/4) 1989

1. d4 ♘f6 2. c4 e6 3. ♘f3 c5 4. d5 ed5 5. cd5 d6 6. ♘c3 g6 7. e4 ♗g7 8. ♘d2 0–0 9. ♗e2 ♘a6 10. 0–0 ♘e8 11. ♘c4 f5 12. ef5 ♗f5 13. ♗f4 ♗d3 [RR 13... b5 14. ♘e3 ♗d7 15. ♗g3 c4 N (15... ♘ac7?! – 46/122) 16. a4 b4 17. ♘a2 (17. ♘b5 – 44/(101)) ♗b2 18. ♖b1 ♗g7 19. ♗c4 ♘c5 20. ♘b4 ♗a4 21. ♕e2 ♘f6 22. ♘c6 ♕d7 23. ♗b5 ♗b5 24. ♕b5 ♘fe4 25. ♖bc1 ♗h6 26. ♖fe1 ♖ae8 27. ♖a1 a6 28. ♕c4 ♕f7 29. ♘g4 ♗g7 30. ♗d6 ♘d6 31. ♕c5 ♗a1 32. ♖a1 ♕f4 33. g3 ♕g4 34. ♕d6 ♖f2= Polugaevskij 2575 – P. Cramling 2480, Haninge 1989] **14. ♗g3 ♗c4 15. ♗c4 ♘f6 16. ♗e2 ♘c7 17. a4 a6!? N** [17... ♖e8 – 46/(122)] **18. ♕d2 ♖b8 19. ♗f3** [19. a5 b5 20. ab6 ♖b6=] **b5 20. ab5 ab5 21. b4!?** [21. ♖fe1] **cb4 22. ♘e2 ♘h5! 23. ♗h5!?** [23. ♘d4 ♘g3 24. hg3 ♕f6 25. ♘c6 ♖a8 26. ♖a8 ♖a8 27. ♘b4 ♕c3∓] **♗a1 24. ♖a1 gh5 25. ♕b4 ♕f6 26. ♖d1 ♖a8! 27. h4?** [27. ♕d6? ♖a1! 28. ♘c1 ♕d6 29. ♗d6 ♖c8! 30. ♗e5 ♖b1 31. d6 ♘e6–+; 27. h3!∞] **♖a2 28. ♘c3** [28. ♕d6 ♕d6 29. ♗d6 ♖e2 30. ♗c7 ♖ff2 31. d6 ♖g2 32. ♔h1 ♖d2–+] **♖f2! 29. ♕d6!** [29. ♗f2? ♕f2 30. ♔h2 ♖f4–+] **♖f1 30. ♖f1 ♕f1 31. ♔h2 ♘e8!□ 32. ♕e6 ♕f7 33. ♕f7?!** [33. ♘b5 ♕e6 34. de6 ♘g7 35. ♘c7! ♖f1∓] **♔f7 34. ♘b5 ♘f6 35. d6 ♔e6∓ 36. ♘d4⊕ ♔d7 37. ♘f3 ♘e4 38. ♘g5 ♘g3 39. ♔g3 h6 40. ♘e4 ♖f5–+ 41. ♔h3 ♖e5 42. ♘d2 ♖e3 43. g3 ♔e6!⊙ 44. ♘f1 ♖d3 45. ♔g2 ♔d6 46. ♔f2 ♔e5 47. ♔e2 ♖a3 48. ♔f2 ♔e4 49. ♘d2 ♔d3 50. ♘f1 ♖a1 51. ♔g2 ♔e2 52. ♘h2 ♖a2 0 : 1** **[R. Vera]**

128.** **A 73**

LERNER 2535 – SÖ. MAUS 2400
Lugano 1989

1. d4 ♘f6 2. c4 c5 3. d5 e6 4. ♘c3 ed5 5. cd5 d6 6. ♘f3 g6 7. ♘d2 ♗g7 8. e4 0–0 9. ♗e2 ♘a6 10. 0–0 ♘c7 11. a4 b6 12. ♘c4 ♗a6 13. ♗g5 [RR 13. ♗f4 ♘h5!? N (13... ♗c4 – 45/98) 14. ♗h5 ♗c4 15. ♗e2 ♗e2 16. ♕e2 f5 17. ♕d2 fe4 18. ♘e4 ♖f5 19. ♘c3 ♕d7 20. ♖ad1 ♖e8 21. ♗g3 ♗d4∓ Lanzani 2320 – Şubă 2515, Roma 1989; 13. f3 ♕d7 N (13... ♖b8 – 46/124) 14. ♗d2 ♗c4 15. ♗c4 a6 16. ♕e2 ♖fb8 17. ♖fb1 ♕e7 18. b4 ♘h5 19. g3 f5 20. bc5 ♗d4 21. ♔g2 (21. ♔h1!? △ 21... bc5 22. ♕d3 fe4 23. ♘e4!? ♗a1 24. ♖a1∞̄) bc5 22. ef5 ♕e2 (22... ♕g7? 23. ♕d3 gf5 24. ♖b8 ♖b8 25. ♖b1 ♖b1 26. ♕b1 ♕d7 27. ♗d3 ♘g7 28. ♕b3± Ahmylovskaja 2430 – Şubă 2515, New York 1989) 23. ♗e2 gf5 24. ♗d3± Ahmylovskaja] **h6 N** [13... ♕d7 – 43/106, 107] **14. ♗f4** [14. ♗d2!?] **♘h5 15. ♗e3** [15. ♗h5 ♗c4 16. ♗e2 ♗e2 17. ♕e2=]

♕h4?! [15... f5!? 16. ef5 ♖f5! (16... gf5? 17. ♘d6! ♗e2 18. ♕e2 ♕d6 19. ♕h5 ♗c3 20. bc3 f4 21. ♗d2 ♘d5 22. c4 ♘e7 23. ♗c3±) 17. ♕d2 (17. g4? ♘f4!∓) ♗c3 18. bc3 ♖d5 (18... ♘d5 19. ♘d6! ♗e2 20. ♘f5 ♗f1 21. ♘h6 ♔h7 22. ♖f1±) 19. ♕c2 ♔h7∞] 16. ♕d2 [16. ♘d6 ♗e5 17. g3 ♘g3 18. fg3 ♗g3 19. hg3 ♕g3=; 16. g3!? ♕e7 17. ♕d2] f5 17. ♗h6! ♗c4 18. ♗c4 f4 [18... fe4? 19. ♗g5! e3 (19... ♕g4 20. ♗e2±) 20. ♗h4 ed2 21. ♗g5!±] 19. ♗g7 ♔g7 20. f3 ♖h8?! [20... ♖ae8?! 21. a5!±; 20... ♕g5!? 21. e5! ♕e5 22. ♖fe1 ♕f6 23. ♘e4 ♕d8 24. ♕c3±] 21. ♖fe1 ♘f6 [21... ♘g3? 22. hg3 fg3 23. ♔f1+−] 22. h3 ♘d7 [22... ♕g5 23. ♘e2 ♘h5 24. g4!±]

23. e5!± ♘e5 24. ♖e5 de5 25. d6 ♘e8 [25... ♖ad8 26. ♘e4 ♕h5! 27. ♖d1 ♕f5 28. d7 ♘e6 29. ♕d6 ♘d4 30. ♕e7 ♔h6 31. ♘f6±] 26. d7 ♘f6 27. ♕d6 ♔h6 28. ♕e7 ♖ad8 29. ♖d1 ♔h5? [29... ♕g5 30. ♘b5±] 30. ♕e5+− ♕g5 31. ♕e7 ♖d7 [31... ♘d7? 32. ♖d5; 31... ♕f5 32. ♗e6 ♕e5 33. ♗g4] 32. ♖d7 ♘d7 33. ♕d7 ♕e5 34. ♔h2 ♔h6 35. ♘e4! ♕b2 36. ♕d6 ♕g7 [36... ♕c1 37. ♗f7] 37. ♕f4 g5 38. ♕d6 ♕g6 39. ♘f6 ♖h7 40. ♗d3   1 : 0
[Lerner]

129.   A 77

RAJNA 2380 − HARDICSAY 2350
Magyarország 1989

1. d4 ♘f6 2. ♘f3 e6 3. c4 c5 4. d5 ed5 5. cd5 d6 6. ♘c3 g6 7. e4 ♗g7 8. ♗e2

0−0 9. 0−0 ♖e8 10. ♘d2 ♘bd7 11. a4 ♘e5 12. h3 g5 13. ♘f3 ♘f3 14. ♗f3 h6! [14... ♘d7 15. ♗g4!± ×f5] 15. ♖a3 N [15. ♖b1 b6 (15... a6±) 16. b4 ♘d7 17. ♘e2 cb4 18. ♖b4 ♘c5? 19. ♘g3+−; 18... ♗a6! △ 19... ♘c5, 19... ♘e5∓] b6 16. ♕c2 a6 17. ♘e2! ♗d7 [△ b5⇆] 18. ♘g3 b5 19. ♗e2 ♕e7 [19... g4!?∞] 20. ♖e3 ♕f8 [20... g4?! 21. ♘f5! ♗f5 22. ef5 ♕d7 23. ♗g4!±] 21. ♔h1 g4!↑ 22. hg4 [22. ♖g1 ♔h8∞] ♘g4 23. ♗g4 ♗g4 24. ♘e2 ♕e7 25. ♔g1 ♕h4 26. g3! [26. ♖g3? ♗e2−+] ♕e7 27. f3 ♗d7 28. ♔g2 ba4! 29. ♖h1 ♖ab8 30. ♘f4 f5!!∓ 31. ♖e2 [31. ♘e6 ♗e6 32. de6 (32. ef5 ♗f5−+) ♕e6 33. ef5 ♕e3! 34. ♗e3 ♖b2−+; 31. ef5 ♕e3! 32. ♗e3 ♖b2−+] ♕f7 32. ♘h5 fe4 33. fe4 ♖b3!−+ 34. ♘f4 [34. ♘g7 ♕f3] ♗g4 35. ♖f2 ♕e7 36. ♖e1 ♗d4 37. e5!? ♕h7! 38. e6 ♗f2 39. ♕f2 ♕f5 40. ♕d2 ♗f3 41. ♔f2 ♗e4 42. ♖e3 ♖e3 43. ♕e3 [43. ♔e3 ♖b8] ♗d5 44. ♕d2 ♗e6 45. ♕d6 ♕c2! 46. ♗d2 ♗f7 [46... ♕b2 47. ♘e6 ♕f6] 47. ♔f3 ♕e4 48. ♔g4 ♗e6 49. ♔h5 ♕d4⊕ [49... ♕f5 50. ♔h6 ♗f7! △ ♖e6] 50. ♕a6 ♕d2 [50... ♕e5 51. ♔h6 ♕g7] 51. ♕a4 [51. ♘e6 ♕d5] ♗f7 [△ 51... ♕h2] 52. ♔g4 ♕d4 53. ♕a6 ♕g7 [53... ♗e6!] 54. ♔h3 ♕g5 55. b3 ♖f8 56. ♕b6 ♔g7 57. ♕c7 ♔h8 58. ♕d6 ♖g8 59. ♕d3 ♕e5 60. ♕f3 ♕g7 61. ♕e3 ♗e8 62. ♔h2 ♗c6 63. ♘d3 ♖e8   0 : 1
[Hardicsay]

130.   A 77

NICKOLOFF 2420 − HULAK 2515
New York 1989

1. d4 ♘f6 2. c4 e6 3. ♘f3 c5 4. d5 ed5 5. cd5 d6 6. ♘c3 g6 7. ♘d2 ♘bd7 8. e4 ♗g7 9. ♗e2 0−0 10. 0−0 ♖e8 11. a4 ♘e5 12. ♕c2 g5 13. ♘c4 ♘c4 14. ♗c4 ♘g4 15. ♘e2 ♕f6 [15... ♕e7 − 37/118] 16. ♘g3!? N [16. f3 − 40/127] ♕g6 17. ♗e2 ♗e5?! [17... ♗d4!?] 18. ♗g4! ♗g4 19. f4 gf4 20. ♗f4 [△ ♗e5, ♖f2, ♖af1] ♗d4□ 21. ♔h1 ♖e7 22. ♖a3± ♔h8 23. ♕d2 ♖g8 24. b4! b6 25. a5 ♗d7 26. ab6 ab6 27. bc5 bc5 [27... dc5 28. ♖a7+−] 28.

♖a6 ♗e5 29. ♖b6 [29. ♗e5 ♖e5 30. ♕f4±] ♖c8 30. ♗e5 ♖e5 31. ♕f4 c4□ 32. ♖b7 ♗e8 33. ♘f5 ♕f6 34. ♕c1?! [34. ♖b6!+− ×d6] c3 35. ♖b6 ♖f5 36. ef5 c2 37. ♖b2⊕ ♗a4⊕ 38. ♖b4 ♗d7 39. ♖b2 ♕c3?! [39... ♗a4] 40. f6 ♗f5 41. ♕h6 ♖g8 42. ♖b8 ♗c8 43. ♕c1 ♕d3 44. ♖e1 ♕c4 45. ♕d2 ♕c7 46. ♖a8 ♕b7 47. ♖ea1 ♕b1 48. ♕c1 ♕c1□ [48... ♕b3 49. ♖1a2+−] 49. ♖c1 ♗f5 50. ♖g8 ♔g8 [♖ 2/h] 51. g4!+− ♗e4 52. ♔g1 h6 53. h4 ♔h7 54. h5 ♗f3 55. ♖c2 ♗g4 56. ♖g2! ♗h5 57. ♖g7 ♔h8 58. ♔f2⊙ ♗g6 59. ♔e3 ♗h5 60. ♔e4 ♗g6 61. ♔f4 h5 62. ♔g5 ♗e4 63. ♔h6 1 : 0 [Hulak]

131.* A 79

VILELA 2405 — CO. IONESCU 2485

Albena 1989

1. d4 ♘f6 2. c4 e6 3. ♘c3 c5 4. d5 d6 5. e4 g6 6. ♘f3 ed5 7. cd5 ♗g7 8. ♗e2 0—0 9. 0—0 ♖e8 10. ♘d2 ♘a6 11. f3 ♘c7 12. a4 b6 13. ♘c4 ♗a6 14. ♗g5 ♕d7 15. ♖e1 N [15. ♕d2 — 46/(127)] ♖ab8 [RR 15... ♗c4 16. ♗c4 a6 17. ♕d3± R. Vera] 16. ♕d2 ♗c4 17. ♗c4 a6 18. ♗f1 h5!? [RR 18... b5? 19. ab5 ab5 20. ♖a7 c4 21. e5! ♘h5 (21... b4 22. ef6 bc3 23. ♕c3 ♖e1 24. ♕e1 ♗f8 25. ♕a5 ♖c8 26. ♗d2 ♕d8 27. ♗c3 △ ♗c4+−) 22. g4 b4 (22... ♗e5 23. ♖e5! ♖e5 24. gh5+−) 23. ♘e4 ♖e5 24. gh5 c3 25. ♕f2! ♖be8 26. ♗f6! cb2 27. ♗g7 ♔g7 28. ♕b2 1 : 0 R. Vera 2470 — Verduga 2415, Bayamo 1989; 18... ♖ec8± R. Vera] 19. ♔h1 ♖b7 [△ b5] 20. e5! ♖e5! [20... de5? 21. d6 △ ♗a6 ×b5] 21. ♖e5 de5 22. ♗f6 ♗f6 23. d6 ♘e6 24. ♗a6 ♖a7 25. ♗b5! ♕d8 26. ♗c4!± ♕d7 [26... ♘d4? 27. ♕h6! ×g6] 27. ♖d1? [27. ♗e6 ♕e6 28. ♖d1 ♖d7±; 27. ♘b5! ♖a8 28. ♕d3! (△ ♗e6, ♘c7; 28. ♗e6?! ♕b5! 29. ♗f7 ♔g7∞) ♖d8 29. a5!±] ♘d4! 28. b3 [28. ♕h6? ♕f5!] ♔g7⊕ [28... ♕d6 29. ♘b5 ♘b5 30. ♕d6 ♘d6 31. ♖d6 ♔g7 32. ♖b6±] 29. ♘b5 ♖a8 30. ♕d3 ♖d8 31. ♕e4± ♖b8 32. ♕d5 ♕b7? [32... h4] 33. ♘d4 ed4 34. ♕b7 ♖b7 [♖ 9/j] 35. ♗b5 ♗e5? 36. d7 ♖b8 37. ♖e1 ♗f6 38. ♖e8 ♖d8 39. ♔g1+− h4 40. ♔f2 ♗g5 41. f4 ♗f6 42. ♔f3 g5 43. f5 ♔h6 44. ♔e4 g4 45. ♔d5 d3 46. ♔c6 d2 47. ♗e2 1 : 0 [Vilela]

132. A 80

ZAJČIK 2500 — KRAMNIK

Moskva (GMA) 1989

1. d4 f5 2. ♗g5 g6 3. ♘c3 d5 4. e3 ♗g7 5. h3!? N [5. h4 — 43/115] ♘f6 6. g4 [6. ♗e2 c6 7. g4 ♘e4 8. ♘e4 fe4=] c6!? [6... fg4 7. ♗f6 ♗f6 (7... ef6 8. hg4 ♗e6 9. ♘h3! ♕d7 10. f3 ♘c6 11. ♘f4 ♗f7 12. ♕d2±) 8. hg4 e5! (8... c6?! 9. f4!±) 9. de5?! ♗e5 10. ♘d5 c6!∓; 9. ♕e2!?∞ △ 0-0-0] 7. gf5 [7. ♗d3?! ♘e4!∓] ♗f5 8. ♗d3 ♗d3 9. ♕d3 ♘bd7 10. f4! [10. ♘f3?! 0—0!∓] ♘b6?! [10... b5! 11. a3 a5∞] 11. ♘ge2 [11. 0-0-0! ♘c8 12. ♘ge2 ♘d6 13. ♘g3±] ♘c4 12. 0-0-0 ♕a5 [△ ♕b4] 13. ♔b1 ♕b4 [13... b5? 14. ♘c1! b4 15. ♘b3 ♕c7 16. ♘a4 ♘e4 17. ♗h4!± △ ♘ac5] 14. b3 b5 [14... a5? 15. e4 a4 (15... ♘e4 16. ♘e4 ♘a3 17. ♔a1 de4 18. ♕e4±) 16. ♗f6! (16. e5? ab3 17. cb3 ♘e4!∓ △ 18. ♘e4? ♖a2!!−+) ♗f6 17. ed5±] 15. ♔a1 [15. ♘g3?? ♕a3!−+] ♘d6 16. ♗f6 [16. ♘g3? ♘d7!∓ △ ♘c5] ef6! [16... ♗f6?! 17. e4! de4 18. ♘e4 ♘e4 19. ♕e4 ♕d6 20. f5! gf5 (20... ♕d5 21. ♕d5 cd5 22. fg6 hg6 23. ♘c3±) 21. ♕f5 ♕d5 22. ♕d5 cd5 23. ♘c3 ♖c8 24. ♔b2±] 17. h4? [17. e4! de4 18. ♘e4 f5 19. ♘g5 0—0 20. c3 ♕a3∞] f5!∓ 18. h5 ♔f7 19. ♕d2 [19. ♖dg1 a5∓→] a5 20. ♘c1 ♘e4 21. ♘e4 de4 22. ♕b4 [22. c3 ♕d6 23. ♕g2 b4!∓] ab4 23. ♔b1 ♖hd8 24. ♘e2 c5!−+ 25. hg6 [25. dc5? ♖a2! 26. ♘d4 ♖da8 27. ♔c1 ♗d4 28. ed4 e3−+] hg6 26. ♖h7 ♖d7 27. c3 bc3 28. ♘c3 ♔g8 [28... g5? 29. ♖h5!] 29. ♖h2 cd4 30. ed4 ♖d4! [30... b4?! 31. ♘e2 ♖ad8 32. ♖g2 ♔f7 33. ♖dg1 ♖d6 34. ♔c2∓] 31. ♖d4 ♗d4 32. ♘b5 ♗e3 [♖ 9/i] 33. ♖h4 ♖d8 34. a4 ♗f2 35. ♖h1 [35. ♖h2 e3 36. ♘c3 ♖d2 37. ♔c1 e2−+] g5! 36. fg5 f4 37. ♘c3 e3 38. ♘e4 ♗g3! 39. ♖h6⊕ e2 40. ♖g6 ♔f7 0 : 1 [Kramnik, Ljubarskij]

133.*** **A 80**

DLUGY 2570 – FISHBEIN 2490

Moskva (GMA) 1989

1. d4 f5 2. ♘c3 ♘f6 [RR 2... d5 3. ♗g5 c6 4. e3 *a)* 4... ♘d7 5. ♗d3 ♘df6 6. ♘f3 ♘e4 N (6... h6) 7. ♗e4 de4 (7... fe4 8. ♘e5±) 8. ♘e5 ♗e6□ 9. g4!? ♘f6 10. gf5 ♗f5 11. ♘e2 e6 12. ♘g3 ♗e7 (12... ♗d6 13. ♘h5) 13. c3 ♕d5 14. ♖g1 0–0? 15. ♘h5 g6 16. ♘f4 ♕b5 17. b4!+– I. Sokolov 2580 – Vlado Kovačević 2545, Jugoslavija 1989; 14... g6±; 9. ♘e2! ♘f6 10. ♘f4 ♗f7 11. f3±↑ I. Sokolov; *b)* 4... ♕b6 N *b1)* 5. ♘a4 ♕a5 6. c3 ♘d7 7. b4 ♕c7 8. ♘f3 e5 9. ♗h4 e4 10. ♗g3 ♗d6∓ Gulko 2590 – N. Short 2665, Hastings 1988/89; *b2)* 5. a3 ♘d7 6. ♗d3 g6 7. ♘f3 ♗g7 8. ♗f4 ♘h6 9. b4 ♘f7 10. ♘a4 ♕d8= Krasenkov 2525 – Piskov 2400, SSSR 1989] **3. ♗g5 d5 4. ♗f6 ef6 5. e3 c6 6. ♗d3 g6 7. h4 ♗d6?! 8. h5 N** [8. ♕f3 – 45/(106)] **♔e7 9. ♕e2!?** [9. ♘f3! (△ ♘h4) g5 10. ♘e2! △ c3, ♕c2, ♘d2, ♘g3 ×f5] **♘a6 10. a3 ♘c7 11. ♘f3** [△ ♘h4] **g5□ 12. ♘d2** [△ f3, e4] **♗e6 13. 0-0-0 h6 14. f3 ♔f7 15. g4!** [15. e4 ♕d7!] **f4** [15... ♕d7 16. gf5 ♗f5 17. e4→] **16. ♗g6 ♔g7 17. ♕d3! a5 18. ef4 ♗f4?!** [18... gf4±] **19. ♘e2 ♕d6** [19... ♗d6 20. ♘f1 △ ♘e3-f5+–] **20. ♘f4 gf4 21. ♖he1 b6 22. ♖e2 ♖ad8 23. ♖de1+– c5 24. dc5 bc5 25. ♗f5! ♗f7 26. ♖e7 ♔f8** [26... ♖he8 27. ♖f7! ♔f7 28. ♗g6 ♔f8 29. ♗e8 ♖e8 30. ♖e8 ♘e8 31. ♕h7+–] **27. ♕c3** [△ ♕a5] **♖e8 28. ♖e8 ♘e8 29. ♕a5 ♔g7 30. ♘b3 c4 31. ♘d4 ♘c7 32. ♗e6! ♗e6 33. ♖e6** [33. ♕c7!+–] **♕e6 34. ♘e6 ♘e6 35. ♕d5 ♖e8 36. ♕c4 ♘g5 37. ♕c7 ♔g8 38. ♕f4 ♖e1 39. ♔d2 ♖f1 40. ♕c4 1 : 0**
[Dlugy]

134.* **A 81**

SPIRIDONOV 2390 – TUKMAKOV 2590

Lugano 1989

1. ♘f3 f5 2. g3 ♘f6 3. ♗g2 d6 4. d4 g6 5. 0–0 ♗g7 6. ♕d3 N [RR 6. c3!? 0–0 7. ♕b3 ♔h8!? N (7... e6) 8. ♘g5 d5 9. ♘d2 c6?! 10. ♘df3 ♕e8 11. ♘e5 (11. ♘e1!? h6 12. ♘gf3 ♘bd7 13. ♘d3 △ ♘fe5⩲) ♘g4?! 12. ♘d3! h6 (12... e5 13. h3! e4 14. hg4 ed3 15. gf5 de2 16. ♖e1 ♖f5 17. ♗h3±) 13. ♘h3 e5 (13... ♘d7 14. f3 ♘gf6 15. ♘hf4 △ e4±) 14. f3 e4 15. fg4 (15. ♘c5? b6!) ed3 (15... fg4 16. ♖f8 ♕f8 17. ♘hf2! ed3 18. e4!±) 16. g5!!± hg5 17. ♗g5 de2 18. ♖fe1 ♘d7 19. ♘f4± Kožul 2490 – D. Blagojević 2435, Jugoslavija 1989; ⌓ 9... c5 10. dc5 ♘c6 △ e5=∞⊞ Kožul] **0–0 7. ♘bd2 ♘c6 8. e4 ♔h8!** [8... fe4 9. ♘e4 ♗f5 10. ♕b3 ♔h8 11. ♘eg5±] **9. ef5?!** [9. c3 fe4 10. ♘e4 ♗f5 11. ♘h4 ♗e4 12. ♗e4 ♘e4 13. ♕e4 d5 (△ e5; 13... e5 14. d5 ♘b8!? △ ♘d7-f6∞) 14. ♕e6; 9... f4!?] **♗f5 10. ♕b3 ♕d7 11. c3 ♖ab8 12. ♖e1 b5!∓ 13. d5 ♘a5 14. ♕d1!** [14. ♕a3 ♘b7 △ ♘c5] **♘d5** [14... ♗g4 15. ♘f1; 14... c5!? 15. dc6 ♘c6∓] **15. ♘b3 ♘b3 16. ab3 ♘f6?** [16... c6 17. ♘d4 *a)* 17... ♗h3 18. ♗h3 (18. ♘c6? ♗g2 19. ♘b8 ♕h3) ♕h3 19. ♘e6 (19. ♘c6? ♖f2! 20. ♔f2 ♕h2–+) ♖f6 20. ♘g7? ♖f2!; 20. ♕e2!⩲; *b)* 17... ♗g4 18. f3 (18. ♕d3 e6 19. h3 ♗f5) ♗f5 19. f4 (19. g4 e5!∓) ♗g4 20. ♕d2 (20. ♕d3 e6) b4! 21. c4 c5∓] **17. ♘d4!** [17. ♖a7 e5!] **♗h3** [17... c5 18. ♘c6 ×a7, e7; 17... ♗g4 18. f3 ♗h3 19. ♗h3 ♕h3 20. ♖e7] **18. ♗c6! ♕c8** [18... ♕d8 19. ♘e6] **19. ♖e7 a6 20. f3!± ♖b6 21. ♗g5!** [21. ♗e3 ♕d8] **h6?!** [21... ♘g8 22. ♖e3; 21... ♘d7 22. ♕d2] **22. ♗f6! ♗f6 23. ♖e3 ♗d7 24. ♗d7 ♕d7 25. ♕d3 d5 26. b4± ♔h7 27. ♖ae1 ♖f7 28. ♔g2** [28. ♘e6!?] **♗d4 29. ♕d4 ♖bf6 30. h4 h5 31. ♖e8 ♕d6 32. ♖1e5 c6** [32... ♖f3? 33. ♖h8!+–] **33. f4 ♕d7 34. ♕e3?!** [34. ♖a8! (△ ♖ee8) ♖f4□ 35. ♖h8! (35. ♖h5 gh5 36. ♕h8 ♔g6 37. ♖g8 ♖g7=) ♔g7 36. ♖e4! ♖4f6 37. ♖ee8+–] **♕g4 35. ♕d4 ♕d7 36. ♖e3?!** [36. ♖a8!] **♕a7⊕ 37. ♖3e6!? ♕d4 38. cd4 ♔g7 39. ♔f3 ♖e6 40. ♖e6 ♖c7** [40... ♖f6 41. ♖f6 ♔f6 42. g4+–] **41. f5** [41. g4!?] **gf5 42. ♔f4 ♔h7! 43. ♔f5 ♖g7 44. ♖c6 ♖g3 45. ♔e5 ♖b3?!** [45... ♖g4 46. ♔d5 ♖h4 47. ♔c5±] **46. ♖c2 ♔g6** [46... ♖b4 47. ♖g2!?] **47. ♔d5 ♖b4 48.**

♔c5 a5 49. d5 ♔f7 50. ♔c6 ♖h4 [50... ♔e8 51. ♔c7!+−] **51. d6 ♖d4 52. d7 a4 53. ♔c7 ♔e7 54. d8♕ ♖d8 55. ♖e2 ♔f6 56. ♔d8 b4 57. ♔d7 a3 58. b3 1 : 0 [Tukmakov]**

135.** **A 85**

SAKAEV – KRAMNIK

SSSR 1989

1. d4 [RR 1. ♘f3 f5 2. d4 ♘f6 3. ♗g5 e6 4. c4 ♗e7 5. ♘c3 0–0 6. e3 b6 7. ♗d3 ♗b7 8. 0–0 ♘c6 N (8... ♘e4?; 8... ♕e8) 9. ♖c1 h6 10. ♗h4 ♘e4 11. ♗e7 ♘e7 12. ♗e4 fe4 13. ♘d2 d5 14. ♕g4 ♖f6 15. ♘e2 ♕d6= Nogueiras 2575 – Jusupov 2610, Rotterdam 1989] **f5** [RR 1... d5 2. c4 e6 3. ♘c3 f5 4. ♘f3 ♘f6 5. ♗f4 ♗e7 6. e3 0–0 7. ♕c2 c6 8. ♗d3 ♘e4 9. g4 N (9. 0-0-0 — 8/67) b5!? 10. cb5 cb5 11. gf5 ef5 12. ♘b5 ♘a6 13. a3 ♕a5 14. ♔e2 ♗d7 15. ♕b3□ (15. ♘c7 ♖ac8 16. ♗a6 ♖c7!−+; 15. ♗c7 ♕b5! 16. ♗b5 ♗b5 17. ♔e1 ♖ac8−+) ♗e6□ 16. ♖hc1 ♖fc8? 17. ♖c8 ♖c8 18. ♘a7 ♘ac5 19. dc5 ♘c5 20. ♘c8! (20. ♕d1 ♕a7±) ♘b3 21. ♘e7 ♔f7 (21... ♔f8 22. ♗d6 ♕d8 23. ♗b4+−) 22. ♘c6 ♕c5 23. ♘ce5 ♔g8 24. ♖d1+− Makarov 2475 – Vasenev, SSSR 1989; 16... g5 17. ♗e4 fe4 18. ♘g5 ♗g5 (18... ♗g4 19. ♔f1± ×d5) 19. ♖g1 h6 20. h4± Makarov] **2. c4 ♘f6 3. ♘c3 g6 4. f3!? d6 5. e4 ♗g7** [5... fe4 6. fe4 ♗g7 7. ♘f3±] **6. e5!? N** [6. ♗d3] **♘h5** [6... de5 7. de5 ♕d1 8. ♔d1±] **7. g4 de5 8. gh5 ed4 9. ♘d5 e5** [9... e6 10. h6 ♗e5 11. f4 ed5 (11... ♕h4? 12. ♔e2 ed5 13. ♘f3!+−) 12. fe5 ♕h4 13. ♔e2! ♕e4 14. ♔f2 ♕h1 15. ♘f3±] **10. h4!± h6!□** [10... c6 11. ♗g5 ♕d6 12. ♗e7 ♕d7 13. ♘f6+−] **11. ♕e2! 0–0** [11... c6 12. ♘f4!+−] **12. ♕g2! c6 13. ♗h6! ♗h6** [13... cd5 14. ♗g7 ♔g7 15. ♕g6 ♔h8 16. ♕h6 ♔g8 17. ♘h3→] **14. ♕g6 ♗g7 15. h6 ♖f7 16. ♘h3!+−** [16. h7 ♔h8 (16... ♔f8 17. ♕h6!!+−) 17. ♕f7 cd5 18. cd5±] **cd5 17. ♘g5 ♖e7 18. ♖g1 ♘c6 19. cd5 ♕a5 20. ♔d1 ♕d5 21. hg7 1 : 0 [Sakaev, Lukin]**

136. **A 85**

MOSKALENKO 2490 –
W. ARENCIBIA 2395

Holguin 1989

1. d4 e6 2. c4 f5 3. ♘c3 ♘f6 4. ♘f3 ♗b4 5. ♗g5 0–0 [5... h6 — 45/(109)] **6. e3 ♕e8 7. ♗f6 ♖f6 8. ♗e2** [8. ♖c1!?] **♗c3 9. bc3 b6 10. 0–0 ♗b7 11. ♘d2 e5 12. ♗f3 ♗f3** [12... e4?! 13. ♗h5!] **13. ♕f3** [↗f3-a8] **♘c6 14. a4! e4 15. ♕f4 d6 16. f3 ef3 17. ♕f3±↑ ♘a5 18. ♖ae1 ♖d8 19. ♕d5 ♕f7 20. e4! ♖e8 21. ef5** [21. e5? ♖fe6 △ c6∓] **♖e1 22. ♖e1 ♕d5 23. cd5 ♖f5 24. ♖e8 ♖f8 25. ♖f8 ♔f8 26. ♔f2±⊥ c6** [26... ♔e7 27. ♔f3 ♔f6 28. h4 △ ♔f4, g4-g5, h5±] **27. dc6 ♘c6 28. ♔e3 ♔e7** [28... d5 29. c4±] **29. ♔e4 ♔d7 30. ♘c4! ♘e7 31. ♘e3 ♔e6 32. c4 ♔d7** [32... ♘g8 33. g4!] **33. h4! ♘g8 34. g4 ♘f6 35. ♔f4 ♔e6 36. d5+− ♔f7 37. ♘f5 ♘e8 38. ♘d4 ♘c7 39. h5 ♔f6 40. ♘c6 a5** [40... a6 41. g5 ♔f7 42. ♘a7+−] **41. g5 ♔f7 42. ♘a7 ♘a6 43. ♘c8 ♘c5 44. ♘d6** [44. ♘b6?!] **♔f8 45. ♔e5 ♘a4 46. ♘e4! ♘b2 47. d6! ♘c4** [47... ♘d3 48. ♔e6 ♔e8 49. d7 ♔d8 50. ♔d6 a4 (50... g6 51. ♘f6 ♘f4 52. h6+−) 51. g6 h6 52. ♘g5!+−] **48. ♔e6 ♔e8 49. ♘f6!** [49. d7? ♔d8 50. g6 hg6 51. hg6 (51. ♘g5 ♘e5!=) ♘e5! 52. ♔e5 ♔d7=] **♔d8** [49... gf6 50. d7 ♔d8 51. g6+−] **50. ♘h7 ♘d6 51. ♔d6 ♔e8 52. ♔e6 a4 53. g6! 1 : 0 [Moskalenko]**

137.*** **A 87**

MARIN 2495 –
GEO. TIMOŠENKO 2530

Tallinn 1989

1. d4 f5 2. g3 ♘f6 3. ♗g2 g6 4. c4 ♗g7 5. ♘f3 0–0 [RR 5... d6 6. b3 0–0 7. ♗b2 ♘e4 8. 0–0 e6?! 9. ♘bd2 N (9. ♘c3) ♘d7 10. ♕c2 ♘d2?! 11. ♘d2 ♕e7 (11... e5 12. de5 de5 13. c5±) 12. f4!± Smejkal 2515 – Bareev 2555, Trnava 1989; 10... ♘df6 Bareev] **6. ♘c3 d6 7. 0–0 ♕e8 8. d5 ♘a6** [RR 8... a5 *a)* 9. ♗e3!? (△ ♕d2) h6 N (9... ♘a6 — 44/118)

10. c5 ♘a6 11. cd6 ed6 12. ♗d4 b6 (12... b5?! 13. a4 b4 14. ♘b5±) 13. ♕c2 ♘c5 14. ♖ad1 ♗d7 15. ♘h4 ♘g4 16. ♗g7 ♔g7 17. e3 b5∞ Haritonov 2520 – Piskov 2400, Moskva (GMA) 1989; 10. ♘b5!? ♘a6 11. ♕d2 ♘g4 12. ♗d4 b6⩲; *b)* 9. ♘d4 N ♘a6 10. e4!? fe4 11. ♘e4 ♘e4 12. ♗e4 ♗h3 13. ♗g2 ♗g2 14. ♔g2 ♘c5 (Cvitan 2525 – Piskov 2400, Moskva (GMA) 1989) 15. ♖e1 ♕f7 16. f4± Piskov] **9. ♗e3 c5 N** [9... h6 – 46/134] **10. ♕d2 ♗d7** [10... ♘g4 11. ♗f4 h6 12. h3 g5 13. ♗g5 hg5 14. hg4 fg4 (14... f4 15. ♘g5 fg3 16. f4±) 15. ♘g5 ♗h6 16. f4±; 16. ♘ce4 △ f4±] **11. ♗h6 ♕f7** [11... b5!?] **12. ♗g7 ♕g7 13. ♘g5±** [13. e4±] **♘c7 14. a4 h6 15. ♘h3 a6** [15... b6 16. ♘b5±; 15... g5 16. f4 g4 17. ♘f2⩲] **16. a5 ♖ab8 17. ♘a4 b5** [17... ♗a4±] **18. ab6 ♘a8 19. ♕a5! ♗a4□ 20. ♕a4 ♖b6 21. ♕c2 ♘c7 22. ♖a3 ♖fb8 23. b3 ♖f8 24. ♖e1 ♔h8** [24... e5 25. de6 ♘e6 26. e3± ⇗h1-a8, ×d6, d5] **25. e4± e5□** [25... fe4 26. ♗e4 ×e6, g6] **26. de6** [26. ef5 gf5 27. ♕f5 ♘fd5∞ ×d4] **♘e6 27. ef5 ♘d4 28. ♕a2 g5 29. ♖a6 ♖a6 30. ♕a6 ♕d7 31. f4 g4 32. ♘f2 ♘f5 33. ♕a4 h5 34. ♕d7 ♘d7 35. ♗c6 ♘f6 36. ♘e4+– ♘h7?!** [⌓ 36... ♘e4] **37. ♖a1 ♘d4 38. ♗d5 ♘f6 39. ♘d6!** [39. ♘f6] **♘d5 40. cd5** [♖ 9/h] **♖b8 41. ♘f7 ♔g8 42. ♘e5 ♖b6** [42... ♖d8 43. ♘c6+–; 42... ♖b3 43. d6+–] **43. ♖a8 ♔g7 44. ♖a7 ♔g8 45. ♖c7 h4!? 46. ♖c8 ♔g7 47. ♖c7 ♔g8 48. gh4 ♘e2 49. ♔f1 ♘f4 50. ♖c5 ♖d6 51. ♘c4?** [51. ♘g4+–] **♖f6** [51... ♖d5 52. ♖d5+–] **52. ♔g1??** [52. ♖c8 △ d6+–] **♘h3 53. ♔g2 ♖f3!= 54. ♘d2 ♖f2** [54... ♘f4 55. ♔h1] **55. ♔g3 ♖d2 56. ♔g4** [♖ 8/f3] **♘f2 57. ♔f3 ♘d3 58. ♖c8 ♔f7 59. ♔e3 ♖d1 60. ♖c7** [60. ♔e2 ♖c1 61. ♖c4 ♖c4 62. bc4 ♘b2 63. c5 ♘a4 64. c6 ♘c3=] **♔e8 61. ♔e2 ♖c1 62. d6 ♘f4 63. ♔f3 ♖f1 64. ♔e4 ♘h5 65. ♔e5 ♖f4?!** [65... ♖e1=; 65... ♔d8=; 65... ♖b1=] **66. ♖c4** [66. ♖h7 ♖b4 (66... ♖h4 67. d7 ♔d8 68. ♔d6 ♘g3!= Geo. Timošenko) 67. d7 ♔d8 68. ♔d6 ♖b6 △ ♖b3=] **♖f2 67. b4 ♖e2 68. ♔d5**

1/2 : 1/2 **[Marin]**

138.** **A 87**

GAVRIKOV 2545 – D. BLAGOJEVIĆ 2445
Praha 1988

1. ♘f3 f5 2. g3 ♘f6 3. ♗g2 g6 4. c4 ♗g7 5. ♘c3 0–0 6. 0–0 d6 7. d4 ♕e8 8. b3 e5 [RR 8... ♘c6!? N 9. d5!? ♘e4! (9... ♘e5 10. ♘e5 de5 11. a4!?; 10. ♘d4⩲) 10. ♘b5□ ♗a1 (10... ♕d8? 11. dc6 ♗a1 12. ♕d5 e6 13. cb7 ♖b8 14. bc8♕ ♕c8 15. ♕d3 ♗f6+– Baburin – Belousov, SSSR 1989; 10... ♖b8?! 11. ♗e3 ♗a1 12. ♕a1 a6□ 13. ♘c7 ♕d8 14. ♗b6! ♖f7 15. dc6 bc6 16. c5! ♘c5 17. ♘g5 ♖b6 18. ♕h8!+–; 13... ♕d7 14. ♘e6±) 11. ♘c7 ♕d8 12. ♘a8 ♘e5 (12... ♘b4 13. a3 ♘a6 14. ♗e3!) 13. ♗h6 ♗c3 14. ♗f8 ♔f8 15. ♘d4 ♗d7 16. ♗e4 fe4 17. ♘e6 ♗e6 18. de6 ♕a8 19. ♕c2∞ Baburin] **9. de5 de5 10. e4** [RR 10. ♘d5?! N ♘d5 11. ♕d5 ♔h8 12. ♗a3 ♖g8 13. e4 ♘c6 14. ef5 gf5 15. ♗b2 ♕e7 (Thorsteins 2430 – Malanjuk 2520, Warszawa 1989) 16. ♘e5 ♗e5□ 17. ♖ae1 ♗b2 18. ♖e7 ♘e7 19. ♕c5 ♘g6 20. ♕c7 ♗e5∞; 16. ♖fe1!? Malanjuk] **♘c6 11. ♘d5 ♘d5!? N** [11... ♖f7 – 44/(116)] **12. cd5** [12. ed5 e4; 12. ♕d5 ♗e6 13. ♕b5 a6! △ 14. ♕b7 ♖a7–+] **fe4** [12... ♘d4?! 13. ♘d4 ed4 14. ♗b2 fe4 15. ♗d4 ♗f5 16. ♗g7 ♔g7 17. ♕d4 △ ♖ae1± ×e4] **13. ♘g5** [13. dc6? ef3 14. ♗f3 e4] **♘d4 14. ♘e4** [14. ♗a3!?] **♔h8!?** [△ ♕d8 ×d5] **15. ♗b2** [△ f4 ×♘d4] **♗f5 16. ♖c1** [16. f4? ♗e4 17. ♗e4 ef4 18. ♖e1 ♕e5] **♖c8** [16... ♕f7 17. ♘c5! b6 18. ♘e6±] **17. ♖e1** [△ f4] **♕f7□ 18. f4 ♕d5 19. ♘c5 e4! 20. ♘e4** [20. g4 *a)* 20... ♗g4!? 21. ♕g4 ♘f3 22. ♗f3 ♗b2 23. ♘e4 (23. ♗e4? ♕d4 24. ♔h1 ♗c1 25. ♖c1 b6) ♕d4 24. ♘f2 ♗c1 25. ♖c1 c6∞; *b)* 20... b6 21. gf5 (21. ♘e4 ♗e4 22. ♖e4 c5; 21. ♘a6 ♗d7 22. ♖e4 c5; 21. ♘a4 ♗d7 22. ♖e4 c5) bc5 22. ♗e4 ♕d6∞] **♖fe8! 21. ♘c5 ♖e1 22. ♕e1 ♘f3 23. ♗f3 ♕f3 24. ♗g7 ♔g7 25. ♘e6! ♔h6□** [25... ♔g8 26. ♕e5+–; 25... ♗e6 26. ♕e6+–] **26. ♘g5** [26. ♕e5 ♗e6 27. ♕e6 ♖d8! 28. ♕h3 ♔g7 29. ♖c7 ♔f8 30. ♖c8 (30.

♕h6?? ♔e8−+) ♕e3=] **♕d5 27. ♕e7** [27. ♖d1 ♕c5] **♕d4 28. ♔f1 ♕d3 29. ♔e1 ♕d7□ 30. ♕d7 ♗d7= 31. ♔f2⊕ c5 32. ♖c3 b6⊕ 33. ♖d3 ♗f5 34. ♖e3 ♖c7 35. h3 ♔g7 36. g4 ♗c8 37. ♔g3 h6 38. ♘e6 1/2 : 1/2** **[D. Blagojević]**

139.**** **A 87**

PINTÉR 2550 − KÁROLYI jr. 2440
Budapest 1989

1. d4 f5 2. g3 ♘f6 3. ♗g2 g6 4. c4 ♗g7 5. ♘c3 0−0 6. ♘f3 d6 7. 0−0 ♕e8 8. b3 e5 9. de5 de5 10. e4 ♘c6 11. ♘d5 ♕d7 N 12. ♗a3! [12. ♘f6 ♗f6 13. ♗h6 ♖e8 14. ♖e1 ♕e7 15. ♕c1 ♘b4= Hort 2595 − Yrjölä 2455, Thessaloniki (ol) 1988; RR ⌓ 13. ♕d7 ♗d7 14. ♗b2 △ ♖fe1 ×e5; 12. ef5 e4□ (12... gf5 13. ♗b2 e4 14. ♘e5 ♘e5 15. ♗e5±) 13. ♘g5 gf5□ (13... ♘d5 14. cd5 ♗a1 15. ♗a3! ♖f5 16. ♕a1 ♖g5 17. dc6 ♕c6 18. ♖c1 ♕d7 19. ♕c3 △ ♗b2+−; 15... ♗f6 16. dc6±) *a)* 14. ♗f4 h6 15. ♘h3 (15. ♘e6? ♕e6 16. ♘c7 ♕f7 17. ♘a8 ♘h5−+) ♘d5 16. cd5 (Šabalov 2400 − Malanjuk 2520, Moskva (GMA) 1989) ♘d4! 17. ♖c1 c6 18. d6 (18. dc6 bc6 △ ♗a6∓) b6∞ Šabalov; *b)* 14. ♗e3!? ♘g4?! 15. ♗c5 ♖e8 16. f3!± Piskov 2400 − Malanjuk 2520, Moskva (GMA) 1989; 14... h6!? 15. ♘f6 ♗f6 16. ♕d7 (16. ♘h3 ♗a1 17. ♕a1 ♕g7 18. ♕c1 ♔h7∞) ♗d7 17. ♖ad1±; 14... ♘d5 15. cd5 ♗a1 16. ♕a1 ♕d5 17. ♖d1 ♕e5 18. ♕c1=∞ Piskov] **♖e8?** [⌓ 12... ♖d8!±; RR 12... ♘e4!? 13. ♗f8 ♔f8=∞ Magerramov] **13. ef5 e4** [13... gf5 14. ♘h4! ♘d4 (14... e4? 15. ♘e3!±) 15. ♗c5!] **14. ♘g5!** [14. ♘h4? g5!∓] **gf5** [14... ♕f5 15. f4 ef3 (15... ♘d5 16. cd5 ♗a1 17. ♕a1 ♕d5 18. ♖d1 ♕a5 19. ♕f6!+−) 16. ♘f3 ♘d5 17. cd5 ♗a1 18. ♕a1 ♕d5 19. ♕f6!→] **15. ♘f6 ♗f6 16. ♕h5!±→ ♗a1** [16... ♘d4 17. ♘h7!+−; RR 16... ♖d8? 17. ♖ad1 ♘d4 (△ 18. ♗c5 ♕g7 19. ♗d4 ♗d4 20. ♘h7 ♗d7! 21. ♖d4=) 18. ♖d4!! (1 : 0 Magerramov 2440 − Malanjuk 2520, Warszawa 1989) ♗d4 19. ♖d1 c5 20. ♗c5 ♗c5 21. ♖d7 ♖d7 22. ♘e6+− Magerramov] **17. ♖a1 ♖d8 18. ♗b2 ♕e7 19. ♖e1 ♘d4** [19... ♗d7 20. ♖e4!!+−; 19... ♗e6 20. ♕h6!±]

20. ♗e4!!+− fe4 [20... ♘f3 21. ♕f3 ♕g5 22. ♗d5 ♔f8 23. ♗a3 ♔g7 24. ♗e7+−] **21. ♖e4 ♘f3** [21... ♗e6 22. ♗d4+−; 21... ♘e6 22. ♖g4!] **22. ♔g2!!** [22. ♕f3 ♕g5∓; 22. ♘f3 ♕e4 23. ♕g5 ♔f7 24. ♘e5 ♔e6!∞] **♗h3** [22... ♕g5 23. ♖e8 ♖e8 24. ♕e8#] **23. ♔f3!** [23... ♕d7 24. ♕h3!+−; 23... ♕f8! 24. ♖f4 ♖d3 (24... ♗f5 25. ♘h7+−) 25. ♔e2 ♗f5 26. ♘e4 ♗e4 27. ♖f8 ♖f8 28. ♕e5+−; 27. ♖g4!+−]
1 : 0 **[Pintér]**

140.*** **A 87**

KIR. GEORGIEV 2590 − LUKOV 2470
B"lgarija (ch) 1989

1. ♘f3 f5 2. g3 ♘f6 3. ♗g2 g6 4. d4 ♗g7 5. 0−0 0−0 6. c4 d6 7. ♘c3 ♕e8 8. b3 h6 N 9. ♗a3 [9. ♘d5; RR 9... ♘d5 10. cd5 ♕f7! 11. ♗d2□ (11. ♘e1? ♘d7 12. ♘d3 g5 13. ♕c2 ♗d4 14. ♖b1 ♘b6∓ Savon 2425 − Malanjuk 2520, Moskva (GMA) 1989) c6 12. ♕c1□ g5! (12... ♔h7 13. dc6 ♘c6?! 14. d5!±; 13... bc6 14. ♖e1 ♗e6 15. e4 fe4 16. ♖e4 ♗d5 17. ♖f4 ♕e8 18. ♕c2!=∞) 13. h4 g4 14. ♘e1 (Širov 2450 − Malanjuk 2520, Moskva (GMA) 1989) ♔h7 15. dc6 (15. ♕c4 b5 16. ♕d3 cd5 17. ♕b5 e6 18. ♕d3 ♗a6 19. ♕e3 ♘c6 20. ♗c3∓) ♘c6 16. ♗c6 bc6 17. ♕c6 ♖b8! 18. ♕c3 ♗b7=∞→; 9. ♕d3! e5 10. de5 de5 11. e4 ♘c6 12. ♗b2± Širov; 9.

♗b2 g5 10. e3 ♘a6 11. d5□ ♗d7 (11... c5!?) 12. ♕e2 c6?! 13. ♘d4 ♘c7 (13... c5 14. ♘e6±) 14. f4± Čehov 2480 – Vyžmanavin 2550, Moskva 1989; 12... c5; 12... ♘c5 △ a5 B. Arhangel'skij, Vyžmanavin] **g5 10. ♖c1?!** [⌓ 10. e3 △ 10... f4 11. ef4 gf4 12. ♖e1 ×e7; 10. ♕d3!?] **f4! 11. ♕d3 ♕h5 12. c5!** [△ cd6, ⇔c] **♗h3 13. cd6 cd6 14. ♘e4** [△ 15. ♘f6, 15. ♘ed2] **♘g4** [14... ♘bd7!? 15. ♘f6 ♖f6 16. ♖c7 ♖af8→ 17. ♘d2!∞; 14... ♘c6!? 15. ♘f6 ♗f6 16. d5 ♘e5 17. ♘e5 ♗e5 18. ♖c7 ♖f7 19. ♗h3 ♕h3 20. ♕g6! ♖g7 21. ♕e6 ♕e6 22. de6±⊥] **15. ♖c7 ♘c6 16. ♗b2** [16. ♖b7 d5 17. ♘ed2 ♖f7! △ ♖af8, ♘d4] **♖f7 17. ♖b7 ♖af8 18. ♖c1 ♘d8?!** [⌓ 18... d5! 19. ♘ed2] **19. ♖b8 d5 20. ♘ed2 ♘f2** [20... ♘h2 21. ♗h3! (21. ♘h2 ♗g2 22. g4 ♕h3 23. ♕h3 ♗h3 24. ♘df3 ♘e6 25. ♖f8 ♖f8 26. ♖c6 ♔f7∓; 21. ♖d8!? ♖d8 22. ♘h2 ♗g2 23. ♔g2 fg3 24. fg3 ♖f2!! 25. ♔f2 ♕h2 26. ♔e1 ♕g1 27. ♘f1 ♖f8 28. ♔d2 ♖f1 29. ♖f1 ♕f1=) ♘f3 22. ♕f3 ♕h3 23. g4!⩲] **21. ♔f2 g4** [21... ♗f5 22. g4!?; 22. ♕b5] **22. ♗h3 fg3 23. hg3 ♕h3 24. ♖g1□ gf3 25. ♘f3 ♘e6 26. ♖f8 ♖f8 27. ♔e1 ♕g4?⊕** [27... ♘g5 28. ♘g5 hg5 29. ♕e3⩲; 29. ♔d2] **28. ♔d1 ♕e4?** [28... h5! △ ♗h6] **29. ♕e4 de4 30. ♘e5±⊥ ♖d8 31. ♘c6 ♖d7 32. e3 ♘g5 33. ♔e2 ♘f3 34. ♖c1 e5 35. d5!+– ♔f7 36. ♖c5 ♔f6 37. ♖a5 ♗f8 38. ♗c3 ♔f5? 39. ♖a7 ♖d5 40. ♖f7 ♔g4 1 : 0**
[Kir. Georgiev]

141.** **A 88**

KLINGER 2475 – BAREEV 2555
Moskva (GMA) 1989

1. c4 f5 2. ♘f3 ♘f6 3. g3 g6 4. ♗g2 ♗g7 5. 0–0 0–0 6. d4 d6 7. ♘c3 ♕e8 8. b3 ♘a6 9. ♗a3 c6 10. ♕d3 [RR 10. ♕c2 ♖b8 11. e4 N (11. b4) b5 12. e5! b4 (12... ♘d7 13. cb5 cb5 14. ♘d5±) 13. ef6 ♗f6 14. ♗b2 bc3 15. ♗c3 ♕f7 (15... e5? 16. de5 de5 17. ♘e5! ♗e5 18. ♖ae1 ♘b4 19. ♗b4 ♖b4 20. ♕e2+–; 17. ♗e5!+–; 15... ♘c7± Baburin) 16. ♕d2!?± Baburin – Grigorov 2360, Starozagorski Bani 1989] **♖b8 11. e4 N** [11. ♖ad1 – 46/(135)] **fe4 12. ♘e4 ♗f5** [12... ♘e4 13. ♕e4 ♗f5 14. ♕e3 ♕d7 15. ♘h4 ♗g4 16. f4±] **13. ♘f6 ef6?** [13... ♗f6 14. ♕e3 b5 15. ♘g5 bc4 16. bc4 ♕d7±; RR 15. ♖ac1 ♘c7 (15... ♕d7!? 16. ♖fe1 bc4 17. bc4?! ♘b4!∓; 17. ♖c4 ♘c7 18. ♖ec1 ♖b6= △ ♗e6-d5) 16. ♖fe1 ♕d7 17. ♖cd1 ♗g4?! 18. ♖d3!± Miles 2520 – Kramnik, Moskva (GMA) 1989; 17... ♕c8!∞ △ ♕a6 Kramnik, Ljubarskij] **14. ♕d2 ♖d8** [14... ♕d7 15. ♕f4 ♖bd8 16. ♘h4 ♗h3 17. ♗h3 ♕h3 18. ♗d6 g5 19. ♕f5+–] **15. ♖fe1 ♕f7 16. ♖e2 ♖fe8 17. ♖e8 ♕e8 18. ♖e1 ♕f8! 19. ♕a5** [19. ♘h4 ♗c8 20. ♕a5 f5 21. ♘f3 ♗f6 22. b4±] **♖a8!!□ 20. b4 ♕d8 21. ♕a4 ♘c7 22. d5! cd5 23. cd5 ♕d7 24. ♕d1!** [24. ♕b3 ♖e8 25. ♖c1 ♗e4=] **♗g4 25. ♕d3 ♖e8 26. ♖e8** [26. ♖c1 ♗f5 27. ♕c4 ♘b5 28. ♗b2 ♖c8=] **♕e8 27. ♕c4!± ♗f3 28. ♗f3 ♕d7 29. ♗c1 f5 30. ♗e3 a6 31. a4 ♗f6 32. ♗e2 ♕f7** [32... ♔g7 33. b5 ab5 34. ab5 ♕f7 35. ♕c1+–] **33. ♗f4! ♕e7⊕** [33... ♘d5 34. ♗d6 ♔g7 35. a5+–] **34. b5 ab5 35. ab5 ♔g7 36. b6?⊕** [36. ♗e3!+–] **♘a6= 37. ♗e3 ♘c5 38. ♕f4?! ♘e4 39. h4 ♗e5 40. ♕f3** [40. ♕h6=] **♕e8 41. ♗d3?!** [41. ♗f1=] **♘f6 42. ♗f1 ♕a4 43. ♗g5! ♘g4** [43... ♕d4 44. ♕b3!; 43... ♘e4 44. ♕d3 ♘g5 45. hg5 f4 46. g4! ♕b4 47. ♕b5 ♕b5 48. ♗b5=] **44. ♗h3! ♕c4** [44... ♕d4 45. ♗g4 fg4 46. ♕b3=] **45. ♗g4 ♕g4** [45... fg4 46. ♕d1=] **46. ♕d3 h6 47. ♗e3 g5 48. hg5 hg5 49. ♔g2 ♔g6** [49... ♔f6 50. ♗d2 ♕e4 51. ♕e4 fe4 52. f3=; 49... ♔h6 50. ♗d2 ♔h5 51. ♕f3 ♗d4 52. ♗b4=] **50. ♕b5!= ♕e4 51. f3 ♕c2** [51... ♕e3 52. ♕e8=] **52. ♗f2 ♕c8 53. ♕d3 ♔f6 54. ♗e3 ♕c3 55. ♕c3 ♗c3 56. f4**
1/2 : 1/2 **[Bareev]**

142. **A 88**

AN. KARPOV 2750 – JUSUPOV 2610
Linares 1989

1. c4 f5 2. d4 ♘f6 3. g3 g6 4. ♗g2 ♗g7 5. ♘c3 d6 6. ♘f3 0–0 7. 0–0 c6 8. b3 ♕c7!? 9. ♗a3 a5 10. ♖c1 ♘a6 11. ♕d2!

N·[11. d5] ♗d7 12. ♖fe1± ♘b4 13. ♗b2 e5?! [13... ♘e4?! 14. ♘e4 fe4 15. ♘g5±; 13... ♖ae8±] 14. a3 ♘a6 15. de5 de5 16. ♘b5! cb5□ 17. cb5 ♘c5 [17... ♕b6 18. ba6 ♗c6 19. ab7?! ♗b7 20. ♘e5 ♗g2 21. ♔g2 ♕f2! 22. ♔f2 ♘e4 23. ♔g2 ♘d2 24. ♖c7±; 19. ♘e5±] 18. ♗e5 ♕b6 19. ♗f6! ♗f6 [19... ♘e4 20. ♕d5 (20. ♕d7 ♕f2 21. ♔h1 ♖f7∞; 20. ♕d4±) ♗e6 21. ♕d4 ♕d4 22. ♗d4 ♗b3 23. ♗g7 ♔g7 24. ♘d4±] 20. ♕d5! ♘e6 21. ♕d7 ♖ad8

22. ♖c6!± ♖d7 [22... bc6 23. ♕e6±] 23. ♖b6 ♘c5 [23... ♘d8 24. e3 ♔g7 25. ♘d4±] 24. b4 ab4 25. ab4 ♘e4 26. e3 ♔f7 27. h4! ♖b8 28. ♖c1 ♔e7 29. ♘d4 ♔f7 30. ♗e4 fe4 31. ♘e6+− ♗d8 32. ♘g5 ♗g5 33. hg5 ♖e8 34. ♖c4 ♔g7 35. ♔g2 ♖f7 36. ♖d6 h6 37. gh6 ♔h6 38. b6 ♖e5 39. ♖c7 ♖f8 40. ♖b7 ♖ef5 41. ♖d2 ♖b5 42. ♖d4   1 : 0   [An. Karpov]

143.   **A 88**

H. ÓLAFSSON 2520
− DOLMATOV 2580
Moskva (GMA) 1989

1. d4 f5 2. g3 ♘f6 3. ♗g2 g6 4. c4 ♗g7 5. ♘f3 0−0 6. 0−0 d6 7. ♘c3 c6 8. b3 ♕a5 N 9. ♗b2 [9. ♗d2!? ♕c7] e5 10. de5 de5 [△ e4] 11. e4 fe4 [11... f4!? 12. gf4 ♘h5] 12. ♘d2?! [12. ♘g5] e3 [12... ♗g4?! 13. ♕e1 ♘a6 14. a3 ♕c7 15. ♘de4] 13. fe3 ♗g4= 14. ♕e1 ♘bd7 15. ♘de4 ♘e4 [15... ♘c5? 16. ♘d5! (16. ♘f6 ♖f6!) ♕e1 17. ♘df6 ♗f6 18. ♘f6 ♖f6

19. ♖ae1 ♖f1 20. ♗f1±⌷] 16. ♘e4 ♖f1 17. ♗f1 ♕c7! [17... ♕e1 18. ♖e1±] 18. c5 ♖f8 [18... ♗f5? 19. ♗c4 ♔h8 20. ♘d6] 19. b4 ♘f6 20. ♘d6 [20. ♗g2=] ♕e7 21. e4 ♘e8 22. ♘c4?! [22. ♗c4 ♔h8 23. ♕d2=; 22. ♕d2] ♘c7∓ [△ 23... ♘b5-d4, 23... ♘e6 g5] 23. ♗e2?! [23. ♘e3 ♗f3 24. ♗g2∓] ♗h3∓ 24. ♖d1 [24. g4 ♘e6 △ ♘f4→] h5 25. ♘d2 b6 26. cb6 ab6 27. ♘f3 ♘b5 [27... b5!! △ 28... ♘e6, 29... ♕a7, 29... ♘d4] 28. a3 ♘d4! 29. ♘d4 ed4 30. ♗d4 ♗d4 31. ♖d4 b5!! [△ ♕a7] 32. ♔h1□ [32. ♕c3 ♕f7 33. ♕e1□ ♕a7−+] c5 [32... ♕f6!? 33. ♖d1 ♕e5∓] 33. bc5 ♕c5 34. ♕d2 ♗h7?⊕ [34... ♕a3! 35. ♖d8 ♕a1 36. ♕d1 (36. ♗d1 ♕f6∓) ♕d1 37. ♖d1 ♖b8 38. ♖b1 b4 39. ♗c4 ♔f8 40. ♔g1 ♔e7∓ △ ♗e6] 35. ♕e3 [35. g4 ♖f7!? (35... ♗g4 36. ♗g4 hg4 37. ♖d7 ♔g8±) 36. gh5 ♕h5!] ♕c2?! [35... ♖f7=] 36. ♖d1 ♖f7∞ 37. ♖c1   1/2 : 1/2
[Dolmatov, Dvoreckij]

144.   **A 89**

SIEGLEN 2330 − WESSEIN
BRD 1989

1. d4 f5 2. ♘f3 ♘f6 3. g3 g6 4. ♗g2 ♗g7 5. 0−0 0−0 6. c4 d6 7. ♘c3 ♘c6 8. d5 ♘e5 9. ♘e5 de5 10. e4 f4 11. b3 [11. b4 g5 12. ♖e1 g4!∞] g5 12. ♗a3 g4 13. ♖e1 f3 N [13... h5!?] 14. ♗f1 h5 15. ♖c1 [△ ♖c2; 15. c5 h4∞] h4 16. ♖c2 ♘h7 17. c5 ♕e8 18. ♕d3 [18. ♘b5 hg3 a) 19. hg3 ♕h5 20. ♘c7 (20. ♗c1 ♔f7! 21. d6 ♖h8 22. de7 ♘f6−+) ♘g5 21. ♕d3 ♖f6−+; b) 19. fg3 f2 20. ♖f2 ♖f2 21. ♔f2 ♕h5 22. ♘c7 ♕h2 23. ♔e3 (23. ♗g2 ♘g5 24. ♘a8 ♘h3 25. ♔e3 ♗h6−+) ♘g5 24. ♘a8 (24. ♔d3 ♖b8−+) ♕g3 25. ♔d2 (25. ♔e2 ♘f3−+) ♘f3 26. ♔c1 ♘e1−+] ♕h5 [18... c6!] 19. ♗c1? [19. d6! ed6 20. cd6 cd6 21. ♕d6∞; 21. ♗d6∞; 21. ♗c1!?] ♗d7∓ 20. ♗e3 [20. d6 hg3 21. hg3 ed6 22. cd6 c6!∓] ♗h6 21. c6 ♗e3 22. ♖e3 [22. cb7 hg3 23. hg3 ♗d4 24. ba8♕ ♖a8 25. ♘b5 ♗b5 26. ♕b5 ♘g5 27. ♕d7 ♘h3 28. ♗h3 ♕h3 29. ♕e6 ♔h8−+; 22. cd7 hg3 23. hg3 ♗d4 24. ♘b5 ♖f6 25. ♖c7

♖h6 26. ♖c8 ♔g7−+] **bc6 23. dc6 ♗e6 24. ♘d5 ♖ad8 25. ♘e7 ♔g7 26. ♕c3 hg3 27. fg3 f2 28. ♔h1?** [28. ♖f2 ♖f2 29. ♔f2 ♕h2 30. ♔e1 ♔f6 31. ♘d5 ♗d5 32. ed5 ♖d5 33. ♖d3 ♕h1 34. ♖d5 ♕d5∓] **♖d1 29. ♖c1 ♖c1 30. ♕c1 ♘g5 31. ♘f5 ♖f5! 32. ef5 ♗d5 33. ♗g2 ♕h3! 34. ♖f3 ♘f3! 35. ♗h3 ♘e1 0 : 1 [Dragoljub Ćirić]**

145. **A 90**

KING 2500 – HORT 2580

Lugano 1989

1. ♘f3 d5 2. d4 c6 3. c4 e6 4. g3 ♘d7 5. ♘bd2 f5 6. ♗g2 ♘gf6 7. b3 a5!? 8. 0–0 ♗d6 9. ♗b2 0–0 10. ♘e5 ♕c7 11. ♘d3 b6 12. ♖c1 ♗b7 13. ♘f3 [13. c5!? bc5 14. dc5 ♗e7 15. ♘f4 ♘c5 16. ♖c5 ♗c5 17. ♘e6 ♕e7! 18. ♘f8 ♖f8⇆] **dc4! 14. ♖c4 c5 15. dc5 ♘c5 16. ♘fe5!± ♗g2 17. ♔g2 ♖fd8 18. ♕c1!** [△ ♕e3±] **♕b7 19. ♔g1 ♘fe4 20. ♖d1?!** [⌓ 20. f3!±] **♖ac8 21. f3 b5!∞⇆ 22. ♖c2 ♘d3 23. ♘d3 ♖c2 24. ♕c2 ♖c8! 25. ♕b1 ♘c3∓ 26. ♗c3 ♖c3 27. ♕b2!□** [27. ♖c1 b4∓] **♕c6 28. ♕d2 h6 29. ♔g2 ♔h7 30. ♘f4 ♗e5! 31. ♘d3 ♗f6∓ 32. ♘f4 ♗e5 33. ♘d3 ♗f6 34. ♘f4⊕ ♖c2 35. ♕e3 ♗g5 36. ♕e5! ♗f6** [36... ♗f4 37. gf4 ♖a2 38. ♔h3!=∞] **37. ♕e3 ♖a2 38. ♘e6 ♕c2 39. ♖e1 ♕c3?** [39... ♕d2! 40. ♘f8 ♔g8 41. ♕e8 ♕d8!−+] **40. ♘f8 ♔g8 41. ♕e8= ♕e1** [42. ♘g6 ♔h7 43. ♘f8=] **1/2 : 1/2 [Hort]**

146. **A 90**

KIR. GEORGIEV 2590 – DOLMATOV 2580

Slavija – MOŠK 1989

1. d4 e6 2. c4 f5 3. g3 ♘f6 4. ♗g2 c6 5. ♘f3 d5 6. ♕c2 ♗d6 7. ♗f4 ♗f4 8. gf4 0–0 9. e3 b6!? N [9... ♗d7 – 46/138] **10. ♘e5 ♗b7 11. ♘c3** [11. ♘d2] **♘bd7 12. 0-0-0 ♕e7 13. ♔b1 ♖ac8 14. ♖hg1 ♘e5 15. fe5** [15. de5 ♘d7 16. ♕d2 ♘c5 (16... ♗a6? 17. cd5 cd5 18. ♘d5) 17. cd5 cd5 18. ♘b5 ♗a6 19. ♘d6 ♖c7 △ ♘b7=] **♘e4 16. f4** [△ ♗e4±] **♘c3!= 17. ♕c3 ♖fd8** [17... ♗a6!? 18. ♗f1 dc4 19. ♗c4 ♗c4 20. ♕c4 ♖fd8 △ ♖d5∞; 18... ♕b7!?△ ♖fd8, c5] **18. c5** [18. ♖d2 c5 19. ♕a3 dc4 20. ♕a7?? ♗e4−+; 18. ♔a1!? △ 18... c5 19. ♕a3] **bc5 19. dc5** [19. ♕c5 ♕c5 20. dc5 a5 21. ♖d4 ♗a6=] **♗a6** [19... ♕c7!? △ a5] **20. ♖d2 ♖b8 21. ♔a1 ♕b7** [△ ♕b4] **22. ♖d4 ♗e2 23. b3?!** [23. ♖e1] **♕f7! 24. ♕e1 ♕h5** [△ ♗f3] **25. ♕f2 a5! 26. ♖d2 ♗b5?!** [26... ♗a6 27. ♗f3 ♕f7 28. ♖d4 ♖b4 29. ♕d2 ♖db8∓] **27. ♗f3 ♕f7 28. ♖d4** [28. ♕h4 ♕f8 29. ♖dg2 ♖d7 30. ♕h6 g6 (30... ♖e7) 31. ♕f8 ♔f8 32. h4 a4 33. h5 ♔g7 34. hg6 h6∞ △ 35... ab3, 35... d4] **♕a7** [28... a4? 29. b4 a3 30. ♗e2! △ ♖b1-b3] **29. ♖c1 ♖d7 30. ♕d2 ♖db7 31. ♖c3** [31. a3!?] **a4!? 32. b4 a3 33. ♕c1 ♖a8 34. ♗d1 ♕a6 35. ♗b3 ♗e2 36. ♕e1 ♗f3 37. ♗d1 ♗e4 38. ♗e2 ♕a7** [△ ♕b8] **39. ♕c1 h6 40. h4 ♔h7 41. b5??** [41. ♖b3=] **cb5−+ 42. c6 ♖b6 43. ♖b3** [43. c7 ♖c8 △ ♖b7] **♖c8 44. ♗b5 ♕a5! 45. ♗a4** [45. ♖db4 ♖cc6 46. ♗c6 ♖b4; 45. ♖a4 ♖bc6 46. ♗c6 ♖c6; 45. ♕f1 ♖b5] **♖bc6 46. ♗c6 ♖c6 47. ♕g1! ♕c7 48. ♖d1 ♗c2 49. h5 g5!□ 50. hg6 ♔g7 51. ♖db1 ♗b3 52. ab3 a2 53. ♖d1 ♖c3** [53... ♖c2 54. ♕e1] **54. b4 ♖c2 55. ♕e1 ♕c4 0 : 1**
[Dolmatov, Dvoreckij]

147.* **A 90**

VLADIMIROV 2550 – DOLMATOV 2580

CSKA – Lokomotiva 1989

1. d4 e6 2. c4 f5 3. g3 ♘f6 4. ♗g2 c6 5. ♘f3 d5 6. 0–0 ♗d6 7. ♘c3 0–0 8. ♗f4 ♗f4 9. gf4 b6 N [9... ♘e4?! 10. ♘e5±; RR 9... ♔h8 N 10. e3 ♗d7 11. ♕b3 b6 (11... ♕b6? 12. ♘e5 ♗e8 13. ♘a4!±) 12. ♘e5 ♗e8 13. ♖ac1 ♘g4 (13... ♘e4 14. ♘e4 fe4 15. f3!±) 14. cd5 ed5 15. ♘e2 (15. ♘d5?? ♘e5 16. de5 ♗f7−+; 15. h3 ♘e5 16. fe5? f4!; 16. de5 ♘d7=) a5 (15... ♕h4 16. h3 ♘e5 17. fe5 g5 18. f4!±) 16. ♘g3 ♘e5 17. fe5 ♘a6 (17... f4 18. ef4 ♖f4 19. ♘e2! △ f4±) 18. f4 ♖b8 19. ♖f2!

♘c7 20. ♖fc2± Savon 2425 − Ceškovskij 2520, Moskva (GMA) 1989; 9... ♗d7 10. ♕b3 b6 (10... ♕b6 − 45/(115)) 11. ♘e5 ♗e8 12. ♖ac1 ♘e4±; 9... dc4!? 10. ♘e5 ♘d5 11. e3 b5∞ Savon] 10. ♘e5 ♗b7 11. ♕a4 [11. ♖c1 ♘bd7 12. cd5 cd5= 13. ♘b5 ♘e8 14. ♕a4 a6 15. ♘c7?! ♘e5 16. ♘e6 (16. ♘a8 ♘c4∓) ♕d7 17. ♕d7 ♘d7 18. ♘f8 ♔f8∓] ♘fd7 [11... a6 12. ♕b3] 12. ♖ad1 [12. ♘d3 ♘f6=; 12. cd5 cd5 13. ♘b5 ♘e5 14. de5 ♗c6 15. ♕b3 ♗b5 16. ♕b5 ♕d7=; 12. ♖ac1!?] ♘e5 13. fe5 ♔h8! [13... f4? 14. ♗h3 ♕g5 15. ♔h1 ♕h6 16. ♗g4±; 13... ♘d7?! 14. cd5 cd5 15. ♘b5 ♗c6 16. ♕b3 ♗b5 17. ♕b5±] 14. b4?! [14. cd5 cd5 15. ♘b5 ♗a6 △ ♕d7] a6! 15. ♕b3 b5 16. cb5?! [16. c5 a5 17. a3∓; △ 16. cd5 cd5=] ab5∓ [16... cb5=] 17. a4 ba4 18. ♘a4 ♘d7 19. ♖a1 ♗a6 20. ♕c2 ♗c4 [20... ♗b5!?] 21. ♕d2 h6 22. ♘b2 [22. ♘c5 ♘c5 23. bc5 ♕h4∓] ♗b5 23. ♘d3 [23. ♖a5 ♖a5 24. ba5 c5 25. dc5 ♘e5] ♕e7 24. ♘f4 [24. ♖a5 ♘b6 25. ♖fa1 ♘c4 26. ♖a8 ♘d2 27. ♖1a7 ♖a8 28. ♖e7 ♖a1−+] ♔h7 25. h4 g5! 26. ♘h3! ♔g6! [26... gh4?! 27. ♘f4 △ ♗f3, ♔h2; 26... f4?! 27. hg5 hg5 28. ♗f3 △ ♗g4] 27. hg5? [27. ♖fb1∓] hg5∓ [⇔h] 28. f4 g4 29. ♘g5 ♖fb8! [△ ♘f8-h7−+] 30. ♔f2 [30. ♕e1 ♖a1; 30. ♖a8 ♖a8 31. ♕e1 ♖h8] ♘f8 31. ♖h1 [31. ♖a8 ♖a8 32. ♖h1 ♖a3 △ g3, ♕a7−+] ♖a1 32. ♖a1 ♘h7 33. ♖h1 [33. ♘h7 ♕h4 34. ♔g1 ♕h7→] ♘g5 34. fg5 ♕g5 35. ♕g5 ♗g5 [♖ 9/k] 36. ♖h7 ♖a8 [36... f4? 37. ♖g7 ♔h5 38. ♖f7] 37. e3 [37. ♖g7 ♔h6 38. ♖e7 ♖a2 39. ♖e6 ♔g5 40. ♗f1 f4−+] ♖a2 38. ♔g3 ♖e2 39. ♖g7 ♔h5 40. ♖h7 ♔g6 41. ♖e7 ♖e3 42. ♔h4 [42. ♔f4 ♖e2−+] f4!−+ [42... ♖e2? 43. ♖e6 ♔f7 44. ♖f6 ♔e7 45. ♗f1] 43. ♖e6 ♔g7 44. ♔g4 ♖g3 45. ♔f4 ♖g2 46. ♖f6 ♖f2 47. ♔g5 ♖f1 [47... ♖f6? 48. ef6 ♔f7 49. ♔f5=] 48. ♖g6 ♔f7 49. ♖h6 ♖g1 50. ♔f4 ♖d1 51. ♔f5 ♗d3 52. ♔g5 ♖g1 53. ♔f4 ♖f1 54. ♔g5 ♖c1 55. ♔f4 ♔e7 56. ♖h3 ♖f1 57. ♔g5 ♗f5 58. ♖h6 ♗e6 59. ♖h7 ♖f7 60. ♖h4 ♖g7 61. ♔f4 ♔d7 62. ♔f3

♖f7 63. ♔e2 ♔c7 64. ♖h6 ♗f5 65. ♔e3 ♗e4 66. ♖h3 ♖f1   0 : 1
[Dolmatov, Dvoreckij]

148.*   A 90

BELJAVSKIJ 2640 − JUSUPOV 2610
Linares 1989

1. d4 e6 2. c4 f5 3. g3 ♘f6 4. ♗g2 d5 5. ♘f3 c6 6. 0−0 ♗d6 7. ♗f4 ♗f4 8. gf4 0−0 9. e3 N ♘bd7 10. ♕e2 [10. ♘e5 ♕e7 11. ♕c2 ♘e5 12. de5! ♘g4 13. h3 ♘h6 14. ♘d2 ♘f7 15. ♘f3 h6 16. ♘d4 ♘h8 17. ♖ac1 ♘g6 18. ♔h2 ♘h4 19. ♗h1 ♗d7 20. ♖g1± A. Mihal'čišin 2490 − Tibenský 2390, Trnava II 1988] ♔h8 [10... ♘e4? 11. ♘e5 △ f3±] 11. ♘c3 [11. ♘e5!? △ ♘d2-f3] ♕e7 [11... ♘e4 12. ♖fc1!? ♕e7 13. ♖ab1 △ b4] 12. ♔h1 ♖g8 13. cd5! ed5 [13... cd5 14. ♖ac1±] 14. ♗h3 ♘g4 [14... g6 15. ♖g1 ♘e4 16. ♖g2±] 15. ♖g1 ♘df6 16. ♖g2 ♗e6 17. ♖ag1 ♖af8 18. a3!!± ♗d7 [18... a5 19. ♘a4 △ ♘c5-d3- -e5±] 19. b4 ♗e8 [19... a5 20. ♕b2 ab4 21. ab4 ♗e8 22. b5±] 20. ♗g4! ♘g4 21. ♖g3! ♖h5 22. ♕b2 ♘f6 23. ♘e5 ♘g4 [23... ♘e4 24. ♖h3 g6 25. f3±] 24. f3 ♘e5 [24... ♘e3? 25. ♕e2 ♘c4 26. ♘g6+−] 25. de5 h6 [25... g5 26. ♘e2 gf4 27. ♘f4±] 26. ♘e2 b6 27. ♘d4 c5 28. ♘b5 ♔h7 29. ♘d6 g5 30. ♕c2 ♕e6 31. ♖h3 ♕g6 [31... ♗e8 32. bc5 bc5 33. ♕c5+−] 32. fg5 hg5 33. e6 ♔h6 34. ♘f7 ♖f7 35. ef7 ♕f7 36. bc5 bc5 37. ♕c5+− ♖g6 38. ♕d4 ♖g8 39. ♖c1 ♕e6 40. ♖g3 g4 41. ♕f4   1 : 0   [Beljavskij]

149.   A 91

ADORJÁN 2525 − GLEK 2475
Moskva (GMA) 1989

1. c4 f5 2. d4 ♘f6 3. g3 e6 4. ♗g2 d5 5. ♘c3 c6 6. cd5 ed5 7. ♘h3 ♗e7 8. 0−0 0−0 9. ♘f4 ♘a6 10. ♘d3 N [10. f3] ♘c7 11. e3 g5!? 12. b3 ♘e6 13. ♘e2 ♕e8 14. ♗b2 ♗d6 [14... b6!? △ ♗a6] 15. ♕c1 ♖f7 16. ♘e5 ♖g7 17. f3 h5 18. ♕c2 h4 19. gh4 [19. ♕f5? ♘d4] gh4 20. ♔h1 ♘g5

89

21. ♘f4 ♘h5 [21... h3 22. ♗h3±] **22. ♖g1 ♗e6** [22... ♗e5 23. de5 ♘f4 24. ef4 h3 25. e6 hg2 26. ♕g2 ♖g6 27. ♕g5! ♖g5 28. ♖g5 ♔h7 (28... ♔f8 29. ♗a3) 29. ♖ag1 ♗e6 30. ♖1g3+−] **23. ♕f2 ♗e5 24. de5 ♘f4 25. ef4 ♘h7** [25... h3 26. ♗f1 (26. fg5 hg2 27. ♖g2 ♕h5) ♘h7 27. ♗h3 ♕h5 28. ♖g7 ♔g7 29. ♖g1 ♔h8 30. ♖g3±] **26. ♕h4 ♔h8 27. ♗h3 ♖g1 28. ♖g1 ♕f7?⊕** [28... c5 29. ♖g5 d4 30. ♗f5±] **29. ♖g5 ♖g8 30. ♕h6⊕** [30. ♖f5 ♕g6 31. ♕g4 (31. ♖g5 ♕b1) ♗f5 32. e6 ♖g7 33. ♗g7 ♔g7 34. ♕f5±] **c5 31. ♖f5 ♕g7 32. ♕g7 ♔g7 33. ♖h5 ♗h3 34. ♖h3 d4 35. f5 ♘g5 36. ♖g3 ♔f8 37. e6 ♘h7⊕**
1 : 0 **[Adorján]**

150. **A 93**

BELJAVSKIJ 2640 − N. SHORT 2650
Linares 1989

1. d4 e6 2. c4 f5 3. g3 ♘f6 4. ♗g2 d5 5. ♘f3 ♗e7 6. 0−0 0−0 7. b3 ♘c6 8. ♗a3!? ♗a3 9. ♘a3 ♗d7 N [9... dc4 10. bc4 ♕e7 △ ♖d8∞ A. Mihal'čišin; 9... ♕e7] **10. ♘c2** [10. ♕c1 △ ♕b2, ♖ac1, ♖fd1, b4±] **♗e8 11. ♘e5 a5** [11... ♘e5 12. de5 ♘e4 13. ♘d4±] **12. ♕d3** [12. ♕c1 ♗h5 13. f3!? △ ♖d1] **♖a6!?** [12... ♕d6!?] **13. ♖fd1 ♗g6 14. f4** [14. ♘e1!? ♘e5 15. de5 f4 16. ♕c3 ♘e4 17. ♗e4 ♗e4 18. f3 ♗g6 19. ♘g2±] **♘e4 15. a3 ♗h5 16. ♘e3** [16. b4!?; 16. ♘e1!? △ ♘1f3] **♘e5 17. de5 c6 18. g4!?** [18. ♗f3 ♗f3 19. ef3 ♘c5 20. ♕c3 a4!?∞] **♗g4! 19. ♘g4 ♕h4! 20. ♘e3 ♕f4** [20... ♕f2? 21. ♔h1 ♕f4 22. ♗e4 fe4 23. ♕c3±] **21. ♗e4** [21. ♖f1 ♕e5 △ ♘c5∞] **fe4 22. ♕c3** [22. ♕d2 ♕e5 23. ♔h1 ♖aa8 △ ♖f4∞] **♕f2 23. ♔h1 ♕e2 24. ♖d2** [24. ♕d2 ♕f3 25. ♔g1 ♕f4∓] **♕h5 25. ♖g1 ♖aa8 26. ♖dg2 ♕f3** [26... g6? 27. ♘g4 ×f6] **27. cd5 cd5** [27... ed5? 28. e6 g6 29. ♖f1±] **28. ♕c7 ♖f7 29. ♕b6 ♖e8 30. ♘c2** [30. ♘g4 ♔h8 △ ♖f4⇆] **♕f4 31. ♕d6 ♖fe7! 32. ♘d4 h5! 33. ♘b5** [33. ♖c2 (△ ♖c7) e3! △ ♕e4] **h4 34. h3** [34. ♘c7? h3 35. ♖g3 e3 36. ♖h3 ♕e4 37. ♖g2 e2−+] **♕f3 35. ♔h2 ♕f4**
1/2 : 1/2 **[Beljavskij]**

151.* **A 93**

C. HANSEN 2545 −
MAKARYČEV 2500
Moskva (GMA) 1989

1. d4 e6 2. c4 f5 3. ♘f3 ♘f6 4. g3 ♗e7 5. ♗g2 0−0 6. 0−0 d5 7. b3 ♗d7!? N 8. ♗a3 [8. ♗b2!?] **♘c6! 9. e3** [×d4] **♗e8 10. ♕c1! a5?!** [10... ♗h5!∞] **11. ♗e7 ♕e7 12. ♘c3!** [12. ♘bd2? ♗h5 13. ♘e5 ♘e5 14. de5 ♘e4 15. cd5 ed5 16. f3!□ ♘c5 (16... ♘d2 17. ♕d2 ♕e5 18. f4± ×d5) 17. ♕c3 ♘e6 18. h3 c6 19. ♖ae1 ♕b4!∓ Demina 2325 − Makaryčev 2500, Pula 1989] **♖d8 13. a3!** [13. ♘e1 dc4! 14. bc4 e5 15. d5 ♘b4 △ ♘a6-c5] **♘e4?!** [13... ♗h5!?] **14. ♘e1!± h5!?** [14... ♗h5 15. ♘d3 ♘c3 16. ♕c3 ♗e2 17. ♖fc1± △ ♘c5 ×b7, c6] **15. ♘d3!** [15. h4 g5⇆] **h4 16. f3 ♘c3 17. ♕c3 hg3 18. hg3 ♖f6 19. ♔f2 ♖h6 20. b4** [20. ♖h1 ♖h1 21. ♗h1±] **ab4 21. ab4 e5!? 22. ♘e5?** [⌓ 22. de5 d4 23. ed4 ♖d4 (23... ♘d4 24. ♖ad1±) 24. b5? ♕d8! 25. ♔e3 (25. ♖ad1 ♘e5) ♕g5=; 24. ♖ad1; 24. ♖a8!?] **♘e5 23. de5 dc4 24. ♕c4 ♗f7 25. ♕c5?** [⌓ 25. ♕c3 ♖c6 26. ♕b2 ♖b6 27. ♖fb1 (27. ♖ab1 ♖a8→《) c5 28. b5 c4 29. f4 ♕c5∞⇆] **♖d2! 26. ♔g1 ♕g5!∓ 27. ♕c3 ♖e2 28. ♖fe1 ♖c6! 29. ♕d3□** [29. ♕d4? ♖g2! 30. ♔g2 ♖c2 31. ♔h3 f4 32. ♕f4 ♗e6 33. g4 ♕h5 △ ♕h2#] **♖e1 30. ♖e1 ♕g3 31. ♕d2! ♖c2?⊕** [⌓ 31... ♖a6!∓ △ 32... ♖a2, 32... ♕e5] **32. ♕c2 ♕e1 33. ♔h2 ♕e3?!** [⌓ 33... ♕h4 34. ♗h3? f4∓; 34. ♔g1=] **34. ♕f5 ♕h6 35. ♔g3 ♕e6 36. ♕g5 ♕g6 37. ♕g6 ♗g6 38. f4± c6 39. ♔g4 ♗e8 40. f5 ♔f7 41. ♗f1 b6 42. ♔g5 ♔e7 43. ♗e2** [43. ♗c4 c5 (43... ♗f7? 44. ♗f7 ♔f7 45. e6+−) 44. b5 ♗f7 *a)* 45. ♗e2 c4 46. ♔f4 (46. e6 c3!) c3 47. ♔e3 ♗b3 △ c2, ♗a4=; *b)* 45. ♗f7=; *c)* 45. e6 ♗e8 ⊙ 46. ♗d3 (46. ♔f4 ♔f6 47. ♔e4 ♗h5=) ♔d6 47. ♗e2 ♔e7? 48. ♗c4 ♔d6 49. f6 gf6 50. ♔f6 ♗h5 51. e7 ♗e8 52. ♗e2 ♗d7 53. ♔f7 ♔d5 54. ♗f3! △ ♗c6+−; 47... ♔d5! △ c5-c4=] **♗f7 44. ♔f4** [44... c5 45. e6 (45. b5 ♗b3= ♁c) ♗e6 46. fe6 ♔e6 47. b5 ♔d5 △ c4, ♔c5=] **1/2 : 1/2** **[Makaryčev]**

152.*   **A 94**

ČEHOV 2480 − KNAAK 2465
Berlin 1989

1. d4 e6 2. ♘f3 [RR 2. c4 f5 3. g3 ♘f6
4. ♗g2 ♗e7 5. ♘f3 0−0 6. 0−0 d5 7. b3
c6 8. ♗a3 ♗d7 9. ♕c1 ♗e8 10. ♗e7 N
(10. ♘c3; 10. ♘g5) ♕e7 11. ♕a3 ♕a3
12. ♘a3 a5 13. ♘e5 ♘bd7 14. ♘d3 ♗h5
15. ♖fe1 g5 16. ♖ac1 ♘e4 17. f3 ♘d6 18.
c5 ♘f7 19. f4 ♖fe8= Salov 2630 − N.
Short 2650, Barcelona 1989] **f5 3. g3 ♘f6
4. ♗g2 d5 5. 0−0 ♗d6 6. c4 c6 7. b3
0−0 8. ♗a3 ♗a3 9. ♘a3 ♕e7 10. ♕c1
♘bd7** [△ e5] **11. ♕b2 ♘e4 12. ♘c2 N**
[12. e3] **g5!? 13. ♘ce1 g4 14. ♘e5!** [14.
♘d2?! h5 △ h4, ♔g7, ♖h8] **♘e5 15. de5
♗d7** [15... h5 16. ♘d3 (16. ♗e4!? fe4
17. ♘g2 ♖f5?! 18. ♘h4 ♖g5 19. f4 gf3

20. ef3 ef3 21. ♖f3±; 17... ♗d7∞) h4 17.
f3! ♘g5 18. gh4 ♘h3 19. ♗h3 gh3 20. e3
♕h4 21. ♕f2±] **16. ♘d3 c5!?** [16... h5!?]
**17. f3 gf3 18. ef3 ♘g5 19. h4 ♘f7 20.
f4?!** [20. cd5 ed5 21. ♖fe1 ♗e6 22. ♘f4±]
♗c6 21. cd5 ♗d5 [21... ed5? 22. ♕c3 b6
23. ♘b4±] **22. ♗d5 ed5 23. ♖fe1 ♘h6
24. ♖ad1 d4** [24... ♖ad8!?] **25. ♘f2 ♔h8
26. ♔h2 ♖g8 27. ♖d3 ♖g7 28. ♕e2** [28.
b4!? b6 29. bc5 bc5 30. ♖c1] **♕e6 29. b4
b6 30. bc5 bc5 31. ♖c1 ♖c8 32. ♕c2 ♕g6
33. ♕b3! ♘g8?** [33... ♕h5 34. ♕d1!; 33...
♕a6 34. ♕c4 ♕g6=; 34. ♖c4 △ ♕c2,
♖dd4±] **34. ♖d4! ♕h5** [34... ♖b8 35.
♖d6! ♕d6 (35... ♖b3 36. ♖g6+−) 36. ed6
♖b3 37. ab3+−] **35. ♕d1+− ♕g6 36.
♕f3 cd4 37. ♖c8 ♕a6 38. ♖c2 ♕f1 39.
♕d3 ♕b1 40. ♖d2 ♕e1 41. ♕d4 ♘e7
42. ♕d3   1 : 0**   **[Čehov]**

B

153.* B 01

LANKA 2420 – REPRINCEV 2310

Debrecen (open) 1989

1. e4 d5 2. ed5 ♕d5 [RR 2... ♘f6 3. d4 ♘d5 4. ♗e2 g6 5. ♘f3 ♗g7 6. 0–0 0–0 7. ♖e1 c5!? N (7... ♘c6 – 43/(136)) 8. dc5 ♘a6 9. ♗a6 ba6 10. c3 ♗b7 11. ♘d4 ♕c7 12. c6 ♗c8 13. ♕f3 ♖d8 14. ♘d2 e5 15. ♘c2 ♕c6 16. c4 ♘e7 17. ♕c6 ♘c6 18. ♘e4? f5 19. ♘c5 ♗f8 20. ♘a4 f4∓ Lobron 2555 – Stefánsson 2480, Moskva (GMA) 1989; 18. ♘f1; 10. c4!?] 3. ♘c3 ♕a5 4. d4 ♘f6 5. ♘f3 ♘c6 6. d5?! [6. ♗d2 – 46/143] ♘b4 7. ♗d2?! [7. ♗b5] a6! N ∓ [×d5; 7... ♗d7 – 45/(123)] 8. ♗c4 ♕c5 9. ♘e5 ♕d4! 10. ♘e2 ♕e5 11. ♗b4 ♕e4 12. ♕d4 e5! 13. ♕e4 ♗b4 14. c3 ♘e4 15. cb4 ♗d7 16. f4? [16. a4 0-0-0 17. f3 ♘d6 18. ♗b3∓] ef4 17. ♘f4 0-0-0 18. ♗d3 [△ 18. 0–0 ♘d2 19. ♖fc1 ♘c4 20. ♖c4 ♗b5∓] ♘d6 19. 0–0 g6 20. ♖ac1 ♖he8 21. ♖fe1 ♗f5!–+ 22. ♗f1 ♖e4 23. ♖e4 ♗e4 24. g3 g5 25. ♗h3 ♔b8 26. ♘h5 ♘e8 27. ♖e1 ♗g6 28. g4 f5! 29. ♘g3 f4 30. ♘f5 ♗f5 31. gf5 ♘f6 32. ♗g2 g4 33. ♖e6 ♖d6 0 : 1 [Lanka]

154.** B 02

SVEŠNIKOV 2450 – PALATNIK 2500

Beograd 1988

1. e4 ♘f6 2. e5 ♘d5 3. c4 [RR 3. ♘c3 e6 4. d4 d6 5. ♘f3 de5 6. ♘e5 ♘c3 7. bc3 ♘d7 8. ♗f4 c5 9. ♗b5! N (9. ♗d3=) a6 (9... ♗e7 10. ♗d7 ♗d7 11. ♕f3! 0–0 12. ♕b7+–) 10. ♗d7 ♗d7 11. ♕f3! ♕e7 (11... ♗e7 12. ♘f7!+–) 12. ♕b7 ♖d8 13. ♕a6 cd4 14. 0–0 ♕a3 15. ♕b7! (15. ♕a3? ♗a3 16. cd4 ♗a4!∞ Finnlaugsson) ♕a8 16. ♖ab1+– Finnlaugsson – M. Jonsson, corr. 1988/89] ♘b6 4. c5 ♘d5 5. ♘c3! ♘c3?! 6. dc3! [6. bc3 d6 7. cd6 ed6! 8. ed6 ♗d6=] d5 [6... d6 7. ♗c4 ♘c6 8. ed6 ed6 9. ♗f4± Svešnikov 2450 – Hoperija, SSSR 1988] 7. cd6 ed6 8. ♗f4! N [8. ♗c4 ♗e7 9. ♗f4 de5 10. ♕d8 ♗d8 11. ♗e5±; 8... ♘c6!=] d5 [△ 8... ♘c6 9. ed6 ♗d6 10. ♗d6 ♕d6 11. ♕d6 cd6 12. 0-0-0±] 9. ♗d3 ♗e6 10. ♘f3 ♗e7 11. ♘d4 g6?! [11... ♕d7] 12. ♘e6 fe6 13. h4 ♘c6 14. h5 g5□ 15. ♗g3 ♕d7 16. ♕c2± ♗f8 17. h6 ♕f7 18. 0-0-0 ♘e7 19. ♕a4! [19. f4 gf4 20. ♗h4 (20. ♖df1 ♘g6⇆) ♘g6 21. ♗f6 ♖g8∞] c6 20. c4 [20. ♕g4? ♖g8 21. ♕h5 ♘f5=] a6 [20... dc4 21. ♗c4 ♘d5 22. ♗d5 ed5 23. e6±] 21. ♕a5 ♖d8 [21... ♘f5 22. cd5 ♘g3 (22... ed5 23. e6±) 23. fg3 ed5 (23... cd5 24. ♗b5±) 24. ♔b1±] 22. ♗c2! ♘f5 23. cd5 cd5 24. ♕a4 ♖d7 [24... ♕d7 25. ♕g4±] 25. ♖d3! ♘h6 26. ♖c3 ♔d8 [26... ♕e7 27. ♖c8+–] 27. ♕a5 ♖c7 28. ♕b6 ♗g7 29. ♖c7 [△ 29. ♔b1+–] ♕c7 30. ♕e6 ♕c6! 31. ♕h3 ♔e7 32. ♔b1 ♘f7 33. ♕g4 ♖c8 34. ♕e2⊕ [34. ♗f5+–] h6 35. ♖d1 ♕e6 36. ♕d2 ♗e5 37. ♖e1 ♔f6⊕ 38. ♕d3? [38. ♗e5 ♘e5 39. f4+–] ♖g8 39. a3 ♖g7 40. ♕f3 ♔e7 41. ♗b3 g4 42. ♕d3 ♔f6 43. ♗d5 ♕d6 44. ♕b3 ♗g3□ 45. ♖e6 ♕e6 46. ♗e6 ♗f2 47. ♗c8 ♖g5 48. ♕b7 a5 49. ♕c6 [49. ♗g4 ♖g4 50. ♕f3 ♔g5 51. ♕f2±] ♔g7 50. ♕c3 ♔f8 51. ♗g4 [51.

♕f6! g3 (51... ♗e3 52. ♗e6 ♖g7 53. ♗f7 ♖f7 54. ♕h8 ♔e7 55. ♕e5+−) 52. ♗e6 ♖g7 53. ♗f7 ♖f7 54. ♕h6 ♔e8 55. ♕h8 ♔d7 56. ♕e5+−] **♖e5 52. ♕f3 ♗h4 53. ♕c6 ♗e7 54. ♕g6 ♖g5 55. ♕e4 ♗f6 56. ♗f5 ♔g7 57. ♕c2 h5 58. ♔a2 h4 59. ♔b3 ♗e5 60. ♔a4 ♗g3 61. ♕e4 ♔f8 62. ♕e6 ♔g7 63. ♔a5! ♗c7 64. ♔a4 ♖g2 65. ♕d7 ♗e5 66. b4 ♖f2 67. ♗e6 ♗g3 68. ♔b5 ♔g6 69. a4 ♘d6 70. ♔a6 ♖f8 71. ♗d5 ♖f6 72. a5 ♗f2 73. ♕g4** [73. b5? ♘e4 △ ♘c5] **♔h6 74. b5 ♘e8 75. ♗c6 ♘c7 76. ♔b7 ♖f7 77. b6+− ♘e6 78. ♔a6 ♖f6 79. ♗f3 ♔h7 80. ♗e4 ♔h6 81. ♗f5 ♘g5 82. ♔b5 h3 83. b7 ♖f8 84. ♕f4 ♗g3 85. ♕g3 ♖f5 86. ♔a4 1 : 0 [Svešnikov]**

155. **B 03**

ŠABALOV 2425 − KEN'GIS 2465
SSSR 1989

1. e4 ♘f6 2. e5 ♘d5 3. d4 d6 4. c4 ♘b6 5. f4 de5 6. fe5 ♘c6 7. ♗e3 ♗f5 8. ♘c3 e6 9. ♘f3 ♗g4 10. ♕d2!? ♕d7 11. ♗e2 0-0-0 12. c5! N [12. 0-0-0] **♗f3□** [12... ♘d5 13. ♘d5 ♕d5 14. b4 a6 15. a4±] **13. cb6** [13. gf3 ♘d5∓] **♗g2!** [13... ♗e2 14. ba7 ♘a7 15. ♕e2±] **14. ♗b5! a6□** [14... ♗h1 15. ba7+−] **15. ♕g2 ab5 16. bc7?** [16. a4!± b4 17. bc7 ♕c7 18. ♘b5 ♕d7 19. 0−0] **♕c7∓ 17. 0−0 b4 18. ♘e4 f5!** [18... f6?! 19. ♖ac1 fe5 20. ♘g5→] **19. ♘g5 ♕d7 20. ♖ac1** [20. d5 ♕d5 21. ♘f7 ♕g2 22. ♔g2 ♗e7∓] **♔b8 21. ♖fd1 h6?** [21... ♘e7!! 22. ♘f7 ♘d5 23. ♗g5 ♗e7 24. ♘h8 ♖h8∓] **22. ♘e6** [22. d5 hg5 23. dc6 ♕d1 24. ♖d1 ♖d1 25. ♔f2 f4−+] **♕e6 23. d5 ♕e5 24. ♕f2** [24. ♗b6 ♖d7 (24... ♖d6 25. ♖e1 ♕d5 26. ♖e8 ♘d8 27. ♗c7 ♔a7 28. ♕f2 b6 29. ♖d8+−) 25. ♖e1 ♗c5! 26. ♗c5 ♕d5∓] **♕e4!** [24... ♗d6 25. dc6 ♗c7 26. ♖e1!±] **25. dc6 ♖d1 26. ♖d1 ♕g4 27. ♕g3 ♕g3 28. hg3 bc6 29. ♖d8= ♔c7 30. ♖a8 ♔d6** [30... g5 31. ♗d4 ♗g7? 32. ♖a7] **31. ♔g2** [31. a4? ba3 32. ba3 g5 33. ♗d4 ♗g7−+] **c5** [32. ♖c8 ♔d7 33. ♖a8 ♔d6 34. ♖c8] **1/2 : 1/2 [Šabalov]**

156.** **B 05**

DORFMAN 2565 − BAGIROV 2460
Moskva (GMA) 1989

1. e4 ♘f6 2. e5 ♘d5 3. d4 d6 4. ♘f3 ♗g4 5. ♗e2 e6 [RR 5... c6 6. ♘g5 ♗f5 7. e6 fe6 *a)* 8. ♗h5 g6 9. g4 ♗c2 10. ♕c2 gh5 11. ♘e6 ♕a5! N (11... ♕d7 − 46/(149)) 12. ♗d2 ♘b4!! (12... ♕b6? 13. ♘c3 1 : 0 M. Lorenz − Göke, corr. 1988/89; 13... ♘a6 14. ♘d5 cd5 15. ♕f5→) 13. ♕e4 ♘8a6 14. a3 ♕d5 15. ♕d5 ♘d5∓ M. Lorenz; *b)* 8. g4 ♗g6 9. ♗d3 ♗d3 10. ♕d3 g6 11. ♘c3! N (11. 0−0) ♗h6 (11... ♘c3 12. ♕c3±; 11... ♘c7 12. ♕f3 ♕d7 13. ♕f7 ♔d8 14. ♘h7 ♕e8 15. ♘g5 ♔d7 16. ♕f3±; 11... ♕d7 12. ♕f3 ♘f6 13. ♕e2 ♘a6 14. ♘e6 ♘c7 15. ♘c7 ♕c7 16. ♗g5 ♗g7 17. 0-0-0±; 12. ♘d5!?±) 12. ♘h7! ♔f7 (12... ♗c1 13. ♕g6 ♔d7 14. ♖c1 ♘c3 15. bc3 ♕g8 16. ♕g8 ♖g8 17. f3 △ h4+−) 13. ♗h6 ♖h7 14. ♗d2 ♘c3 15. ♗c3 ♘d7 16. h4! (16. 0-0-0 ♕h8±) ♕h8 (16... ♘f8? 17. 0-0-0 ♔e8 18. h5+− Frolov 2445 − Minich 2225, Trnava III 1989) 17. ♕g3± Frolov, V. Gurevič] **6. c4 ♘b6 7. ♗e3 ♗e7 8. 0−0 0−0 9. ♘c3 a5!? 10. b3** [10. ed6 cd6 11. ♕b3∞] **♘a6 11. h3 ♗f5** [11... ♗h5 − 28/173] **12. g4! N ♗g6 13. h4! de5?** [13... ♗h4?? 14. g5+−; 13... h5 14. g5 ♗f5 15. ed6 cd6 16. d5 e5 17. ♘d2 g6 18. ♘de4 △ f4±; 13... h6!?] **14. h5 ♗b4 15. hg6 ♗c3 16. gf7 ♖f7** [16... ♔h8 17. ♘e5 ♗a1 18. ♔g2+−] **17. ♘e5 ♗a1 18. ♘f7 ♔f7 19. ♕a1± ♘b4 20. ♕b1 ♘d7! 21. ♔g2** [21. ♕h7 ♘f6 △ ♕h8] **♘f8 22. ♖h1 ♕d6 23. ♗f3 c6 24. ♖h5!** [△ a3+−] **g6 25. ♖h1 ♔g8 26. ♖d1 ♖e8 27. ♕b2!** [△ 28. ♕d2, 28. ♗d2] **♘a6 28. ♗d2 b6 29. c5 ♕c7** [29... bc5 30. dc5 (30. ♗a5±) ♕c5 31. ♗h6 ♕e7 32. ♗c6±] **30. cb6 ♕b6 31. ♖c1 ♘b4 32. ♗b4 ab4 33. ♖c6+− ♕a5 34. ♖c5 ♕b6 35. ♕d2** [△ ♖c4, d5] **♖b8 36. ♖c6 ♕a7 37. d5 ed5 38. ♗d5 ♔h8 39. ♕f4 ♕d7 40. ♕e5 1 : 0 [Dorfman]**

157.   **B 05**

ZSÓ. POLGÁR 2295 − PALATNIK 2470

Roma 1989

1. e4 ♘f6 2. e5 ♘d5 3. d4 d6 4. ♘f3 ♗g4 5. ♗e2 e6 6. 0−0 ♗e7 7. c4 ♘b6 8. ♘c3 0−0 9. ♗e3 d5 10. c5 ♗f3 11. gf3 ♘c8 12. f4 ♘c6 13. ♖b1 ♗h4 N [13... ♗c5 − 45/127] 14. ♔h1 ♘8e7 15. ♗d3! g6 [15... ♘f5? 16. ♗f5 ef5 17. ♕f3! ♘e7 18. ♕h3+−] 16. ♕g4 ♘f5 17. ♗f5 ef5 18. ♕f3 ♘e7 19. ♕h3 ♘c8 [19... ♘c6 20. b4±] 20. ♖g1 ♔h8□ 21. b4 a6 22. a4± c6 23. b5?! [23. ♖b3 △ b5±] ab5 24. ab5 ♖a3 25. ♖gc1 [25. ♘e2?? ♗f2−+] ♗e7 26. b6? [26. ♖a1 ♖b3 27. b6±] ♗c5! 27. dc5 d4 28. ♖d1 ♖c3 29. ♕h6 ♖c5 [29... d3 30. ♗d4] 30. ♗d4 ♖d5 31. ♔g2 [31. ♖b3 ♖g8 32. ♖h3 ♖g7−+] ♘e7 [31... c5 32. ♗a1! △ e6±] 32. ♗c5! ♖e8 33. ♖dc1 [33. ♗d6? ♘g8 34. ♕h3 ♖d1 35. ♖d1 ♕b6∓] ♖d3 34. ♗d6 ♘c8 [△ 34... ♘g8 35. ♕g5 ♕g5 36. fg5 △ ♖c6!↑; 35... ♕d7∞] 35. ♖d1 ♖d1 36. ♖d1 ♖g8 [36... ♘b6? 37. e6! f6 38. ♗f8+−; 36... ♕b6? 37. ♗f8+−] 37. ♖d3 ♘b6? [37... ♘d6 38. ♖d6 ♕b6 39. e6! fe6 40. ♖d7+−; 38... ♕e7∞] 38. e6! f6 39. e7 ♕e8 40. ♕f8! ♘d5 [40... ♘d7 41. ♕e8 ♖e8 42. ♗a3+−]

41. ♖d5!+− ♖f8 [41... cd5 42. ♕f6 ♖g7 43. ♕f8+−] 42. ef8♕ ♕f8 43. ♗f8 cd5 44. ♔f3 ♔g8 45. ♗b4 g5 46. ♔e3 ♔f7 47. ♔d4 ♔g6 [47... ♔e6 48. ♗d2 h6 49. ♔c5] 48. ♗e7! h6 [48... gf4 49. f3 ♔g5 50. ♔d5 ♔h4 51. ♗d6 ♔h3 52. ♗f4 ♔g2 53. ♔e6 ♔f3 54. ♔f5 b5 55. h4! b4 56. h5 b3 57. ♗c1] 49. ♔d5 ♔h5 50. ♗f6 ♔g4 [50... gf4 51. f3] 51. fg5 hg5 52. ♔e5 b6 53. ♗e7   1 : 0

[Zsu. Polgár, Zsó. Polgár]

158.   **B 05**

ZVONICKIJ − STEFANIŠIN

SSSR 1989

1. e4 ♘f6 2. e5 ♘d5 3. d4 d6 4. ♘f3 ♗g4 5. ♗e2 e6 6. 0−0 ♗e7 7. c4 ♘b6 8. ♘c3 0−0 9. ♗e3 d5 10. c5 ♗f3 11. gf3 ♘c8 12. f4 ♘c6 13. f5! ♗h4 N [13... ♗g5?! − 22/(172)] 14. ♗d3 ef5 15. ♕f3 [15. ♗f5?! g6 16. ♗d3 (16. ♕g4 ♔h8 17. ♗d3 f5! △ f4) ♕d7 △ ♘8e7-f5] ♘b4?! [15... ♘8e7 16. ♕h5 ♘g6 17. ♗f5 ♘ce7 18. ♗d3 ♕d7 19. ♔g2 f5 20. f4 △ ♖f3--h3±; 15... ♘e5!? 16. de5 d4 17. ♕f5 g6 18. ♕e4± △ 18... de3 19. fe3!?] 16. ♗f5 g6 17. ♗h6! ♘e7 [17... ♖e8 18. ♕g4 (△ ♗d7+−) ♔h8 19. ♗d7 ♖g8 20. a3 ♘c6 21. ♘d5+−] 18. ♗b1 ♖e8 19. ♕g4 ♘c8 [19... ♘ec6 20. a3 ♘a6 21. ♗a2+−] 20. a3 ♘a6 21. ♘d5!+− c6 22. ♘f4 ♔h8 23. ♗a2 f5 24. ef6 ♗f6 25. ♘e6 ♕d7 26. ♕f4! ♖e6 27. ♗e6 ♕d4 [27... ♕e6 28. ♖fe1 △ 29. ♕f6, 29. ♖e8] 28. ♕d4 ♗d4 29. ♖ad1 ♗f6 30. ♖d7 ♘c5 31. ♗g7! ♗g7 32. ♖d8 ♗f8 33. ♖f8   1 : 0

[Zvonickij]

159.   **B 05**

P. POPOVIĆ 2535 − BAGIROV 2460

Moskva (GMA) 1989

1. e4 ♘f6 2. e5 ♘d5 3. d4 d6 4. ♘f3 ♗g4 5. ♗e2 e6 6. 0−0 ♗e7 7. c4 ♘b6 8. ♘c3 0−0 9. ♗e3 d5 10. c5 ♗f3 11. gf3 ♘c8 12. f4 ♘c6 13. f5!? ef5□ 14. ♗f3 ♗g5 15. ♘d5 f4 [15... ♗e3 16. fe3±] 16. ♗f4! [16. ♘f4 ♗f4 17. ♗f4 ♕d4∞] ♗f4 17. ♘f4 ♕d4 [17... ♕d4 18. ♕d4 ♘d4 19. ♗b7 ♖b8 20. ♗c8 ♖fc8 21. ♘d3±] 18. ♗b7 ♖b8 19. ♗g2! [19. ♗c8 ♖c8 20. ♕g4 ♕e7∞] ♖b2 20. ♕g4! ♕e7 [20... f5

21. ♕h5! g6 22. ♕d1! (22. ♘g6? ♕e8 23. ♘f4 ♘e2) ♘e7 23. ♕a4+−] **21. ♖ae1** [△ ♘d5] **♘e6**□ [21... ♕c5 22. ♘d3+−] **22. ♘d5 ♕g5 23. ♕g5 ♘g5 24. ♘c7 ♖a2 25. f4+− ♖c2!** [25... ♘e6 26. ♗d5] **26. fg5 ♖c5 27. ♘d5 ♖e8 28. ·♖c1 ♖c1 29. ♖c1 ♘b6 30. ♘b6 ab6 31. ♗b7! ♔f8 32. ♖c8 ♖c8 33. ♗c8 f6 34. ♗f5!** [34. gf6? gf6 35. e6 ♔e7=] **♗f7** [34... g6 35. ♗g6!; 34... h6 35. gh6 gh6 36. e6] **35. ♗h7 fg5 36. ♗f5 1 : 0** [P. Popović]

160. **B 05**

GLEK 2475 − ŠABALOV 2425
Belgorod 1989

1. e4 ♘f6 2. e5 ♘d5 3. d4 d6 4. ♘f3 ♗g4 5. ♗e2 e6 6. 0−0 ♗e7 7. h3 ♗h5 8. c4 ♘b6 9. ♘c3 0−0 10. ♗e3 a5 11. ed6 N [11. b3 − 42/130; 11. g4 − 42/131] **cd6 12. ♕b3! ♘8d7** [12... a4 13. ♕b5 ♗g6 14. d5±; 14. c5±] **13. ♕b5 ♗g6 14. c5** [14. ♖fd1 ♕c7] **♘c8 15. ♖fd1!** [15. ♕b7 ♖b8 16. ♕a6 ♖b2∞] **♕c7** [15... d5 16. ♕b7!± ♔c5] **16. ♗f4!± b6 17. cd6 ♗d6** [17... ♘d6 18. ♕a4] **18. ♗e3!?** [18. ♘e5!? ♗e5 (18... ♖d8 19. ♗f3 ♘a7 20. ♕a6!±) 19. de5 ♘c5 20. ♕c4! ♘a7 21. ♖d6±] **a4** [18... ♘a7 19. ♕b3! (19. ♕a4 b5) b5 20. ♖dc1! △ 20... a4 21. ♘a4!] **19. ♖ac1 ♖a5 20. ♕c4 ♕c4 21. ♗c4 ♘a7 22. ♗e2 f5?!** [22... a3 23. b3±] **23. ♘e5!+−** [△ ♘c4] **♘e5**□ **24. de5 ♗c5 25. ♗c5 ♖c5 26. ♘a4 ♖e5 27. ♗f1 ♘c8** [27... b5 28. ♘b6 △ 29. ♘d7, 29. ♖c7] **28. ♗a6 ♗e8 29. ♗c8 ♗a4 30. ♖d6 ♔f7 31. ♖b6** [△ 31. b3] **♖d8 32. b3 ♗e8 33. a4 ♖d2 34. ♗a6 ♔f6 35. ♗c4 ♗h5 36. ♗f1** [36. f3!] **♗e2 37. b4!** [37. ♖e1? ♗f1 38. ♔f1 ♖a2∞] **♗f1 38. ♖f1** [♖ 9/q] **♖ee2 39. a5 ♖a2 40. a6 f4** [40... ♖eb2!? 41. b5 ♖a5 42. ♖e1 ♖aa2 (42... ♖bb5 43. ♖b5! ♖b5 44. ♖a1 ♖b8 45. a7 ♖a8 46. f4+−) 43. ♖be6 ♔f7 44. ♖6e2!+−] **41. b5 g5 42. ♖b7 h5 43. a7 g4 44. b6 g3 45. ♖b8 gf2 46. ♔h2 ♖e1 47. ♖f2 ♖f2 48. a8♕ ♖ff1 49. ♖f8 ♔g7 50. ♖g8 ♔f6 51. ♕f8 ♔e5 52. ♕c5 ♔e4 53. ♕c4 ♔e5 54. ♕f1! 1 : 0** [Glek]

161.**** **B 06**

E. GELLER 2480 − J. HICKL 2500
Dortmund 1989

1. e4 [RR 1. d4 d6 2. e4 g6 3. ♗e3 ♗g7 4. ♘c3 c6 5. h3 b5 6. ♗d3 N** (6. a3 − 25/167) **♘d7 7. ♘f3 ♘b6 8. 0−0 ♘f6 9. b3 0−0 10. ♕d2 ♕c7 11. ♗h6 e5 12. ♘e2 ♖e8 13. ♘g3±** Jusupov 2610 − Seirawan 2610, Barcelona 1989] **g6 2. d4 ♗g7 3. ♘c3 d6** [RR 3... ♘c6 N 4. d5 (4. ♗e3 d5!? 5. ed5 ♘b4 6. ♗b5 ♗d7 7. ♗c4 ♗f5=** de la Villa García 2430 − Christiansen 2530, New York 1989) **♘d4 5. ♗e3 c5 6. ♕d2 ♘f6 7. f3 d6 8. ♘ge2 ♘e2 9. ♗e2 ♕b6 10. 0-0-0 ♗d7 11. ♗h6 ♗h6 12. ♕h6 0-0-0 13. ♔b1 ♔b8 14. ♖he1 ♖c8 15. f4±** London 2380 − Christiansen 2530, New York 1989] **4. g3** [RR 4. f4 a) 4... c6 5. ♘f3 ♗g4 6. ♗e3 ♕b6 7. ♕d2 ♕b2 8. ♖b1 ♕a3 9. ♖b7 ♘d7 10. ♖c7! N** (10. ♘b1? − 19/147) **♘gf6 11. e5 ♘d5 12. ♘d5 cd5 13. ♗b5 ♖d8 14. h3±** Arahamija 2395 − Gligorić 2505, Moskva (GMA) 1989; b) 4... a6 5. ♘f3 b5 6. ♗d3 ♗b7 (6... e6 N 7. 0−0 ♘e7 8. ♗e3 ♘d7 9. ♕e1 0−0 10. ♖d1 ♗b7 11. f5 ef5 12. ef5 ♘d5 13. ♗g5 ♕e8 14. ♕h4±** Wedberg 2505 − Smyslov 2560, Haninge 1989) **7. 0−0 ♘d7 8. e5 c5 9. ed6 N** (9. ♘g5 − 10/165; 9. ♗e4 − 28/176) **cd4 10. ♘e2 ♕b6 11. a4 b4 12. de7 ♘e7 13. f5 0−0 14. fg6 fg6 15. ♘f4 ♘f5 16. ♘g5±** Wahls 2515 − A. Sznapik 2455, Dortmund II 1989] **♘c6 5. ♗e3 e5 6. de5 ♘e5 7. h3!** N [7. f4 − 44/(140)] **♘f6** [7... ♘e7!?] **8. f4 ♘ed7** [8... ♘c6 9. ♗g2 0−0 10. ♘ge2 ♖e8 11. ♕d2 △ 0-0-0±] **9. ♗g2 0−0 10. ♘ge2 ♖e8 11. 0−0 ♘b6** [11... ♘e4? 12. ♘e4 f5 13. ♘g5+−] **12. ♗d4! ♗e6?!** [△ 12... h5] **13. b3 c5 14. ♗f2 ♕e7?** [14... h5□] **15. g4!** [△ f5, g5] **♗d7 16. ♕d2 ♗c6 17. ♘g3 ♖ad8 18. ♖ae1 ♕c7 19. g5 ♘fd7 20. ♘d5 ♗d5 21. ed5± ♘c8 22. c4 a6 23. h4 b5 24. ♗h3 ♘cb6 25. ♕c2 bc4 26. bc4 ♘f8 27. h5 ♖b8 28. hg6 hg6 29. f5 ♖e1 30. ♖e1 ♗e5 31. ♘e4!** [31. f6?! (△ ♕e4-h4) ♘h7 32. ♘e4 ♗f4] **♘bd7 32. ♕e2 ♖b2 33. ♕g4+− ♕a5** [33... gf5 34.

♕f5 ♕a5 35. ♖f1] **34. fg6 fg6 35. ♕h4! ♖f2 36. ♔f2 ♕a2 37. ♖e2 ♗d4 38. ♔f1 ♕c4 39. ♗e6! ♘e6 40. de6 ♕c1 41. ♖e1 ♕c4 42. ♔g2 ♕a2 43. ♔h1 ♘f8 44. e7 1 : 0** **[Čabrilo]**

162.* **B 07**

KORTCHNOI 2610 – PR. NIKOLIĆ 2605

Barcelona 1989

1. e4 d6 2. d4 ♘f6 3. f3 [RR 3. ♘d2 g6 4. ♘gf3 ♗g7 5. c3 0–0 6. ♗e2 ♘c6 7. 0–0 ♖e8 8. ♖e1 e5 9. ♗b5! N (9. d5 – 10/172; 9. de5 – 11/118; 9. ♗f1 – 13/160) ed4 10. cd4 ♗d7 11. h3 h6 12. a3 ♘h7 13. ♘f1 a6 14. ♗c4 ♘g5 15. ♗g5 hg5 16. ♕d2± Langeweg 2365 – van der Wiel 2560, Nederland (ch) 1989] **e5! 4. d5** [4. de5 de5 5. ♕d8 ♔d8 6. ♗c4 ♔e8 7. ♗e3 ♘bd7 8. ♘d2 ♗c5=] **♗e7** [4... c6!? 5. c4 b5∞; 4... ♘e4!? 5. fe4 ♕h4 6. ♔d2 ♕e4 7. ♘c3 ♕g6 8. ♕f3 f5$\overline{\overline{\infty}}$ Pr. Nikolić] **5. ♗e3** [⌓ 5. c4] **0–0** [5... ♘bd7 – 45/128] **6. ♕d2** [6. c4] **c6 7. c4 b5 8. ♘c3** [8. cb5 cd5 9. ed5 e4$\overline{\overline{\infty}}$] **b4** [8... bc4 9. ♗c4 c5 10. ♘ge2 ♘fd7!? (10... ♗a6 11. ♘b5±) 11. ♘g3 ♘b6 12. ♗d3 ♗a6∞] **9. ♘d1 a5 10. ♘f2** [10. a3?! ♘a6 11. ab4 ab4 12. dc6 ♕c7∓⊂] **♕c7** [10... c5±»] **11. ♖c1 ♘bd7 12. ♘e2 ♗a6 13. ♘g3 ♖fc8** [⌓ 13... g6∞] **14. ♘f5 ♗f8 15. dc6!±** [×d5, f5] **♕c6 16. ♗e2 ♘c5 17. 0–0 ♘e8?!** [⌓ 17... ♘e6 △ ♘d7-c5] **18. ♘d3! ♘e6** [18... ♘c7?! 19. ♗c5 dc5 20. ♘e5 ♕e8 21. f4±; 18... ♘a4!?] **19. b3 ♕c7 20. ♕e1 g6** [20... f6] **21. ♘h6 ♔h8 22. ♕h4±↑» f6** [⌓ 22... ♗b7 △ 23. f4?! ♗h6 24. ♕h6 ♗e4 25. fe5 de5 26. ♘c5 ♘d6 27. ♘e6 fe6 28. g4∞; 23. ♖ce1!] **23. f4 ef4** [23... ♕e7 24. ♕h3 ♖c7 (24... ef4 25. ♘f4 ♘g5? 26. ♘g6 hg6 27. ♗g5+–) 25. f5±] **24. ♘f4 ♘f4 25. ♕f4! ♗g7** [25... g5 26. ♕g5!! fg5 27. ♖f8 ♔g7 28. ♖g8 ♔f6 (28... ♔h6 29. ♗g5#) 29. ♖f1 *a)* 29... ♔e7 30. ♖f7 ♔e6 31. ♗g4 ♔e5 32. ♖e8 ♖e8 33. ♖c7+–; *b)* 29... ♔e6 30. ♗g4 ♔e5 31. ♖g5 ♔e4 32. ♔f2 ♘f6 (32... ♗c4 33. ♖d1+–; 32... ♔d3 33. ♖d5 ♔c3 34. ♖d2+–) 33. ♗f5 ♔e5 34. ♗c8 ♔e4 35. ♖d1+–; *c)* 29... ♔e5 30. ♖g5 ♔e6 (30... ♔e4 31. ♘g4 d5 32. ♖d5+–) 31. ♗g4 ♔e7 32. ♖f7 ♔d8 33. ♖c7 ♖c7 34. ♗b6+–; 25... d5!? 26. ed5? ♕f4 27. ♗f4 g5 28. ♗g5 ♗c5∓; 26. e5 △ cd5±→] **26. ♗d4 d5** [26... g5 27. ♕g5 fg5 28. ♖f8#; 26... ♕e7 27. ♘g4 f5 28. ef5 gf5 (28... ♕e2 29. ♖ce1 ♕a2 30. ♖e8 ♖e8 31. f6+–) 29. ♗d3±→] **27. e5+– g5** [27... dc4 28. ef6; 27... fe5 28. ♗e5 ♕c5 29. ♔h1] **28. ♕f5 ♗h6 29. ef6 ♕f7** [29... ♗f8 30. f7 ♘g7 31. ♗d3+–] **30. ♗h5 ♕f8** [30... ♘d6 31. ♗f7 ♘f5 32. ♖f5 dc4 33. ♗d5 ♖ab8 34. ♖g5+–] **31. ♗e8 1 : 0** **[Kortchnoi]**

163.** **B 07**

EPIŠIN 2465 – EHLVEST 2600

New York 1989

1. d4 g6 2. e4 ♗g7 3. ♘f3 [RR 3. c3 d6 4. f4 ♘f6 5. ♗d3 0–0 6. ♘f3 c5 7. dc5 ♘bd7 N (7... dc5 – 39/165) 8. cd6 ed6 9. 0–0 ♘c5 10. ♕c2 ♖e8 11. ♘bd2 ♘d3 12. ♕d3 ♘e4 13. ♘e4 ♗f5 14. ♕d6 ♖e4 15. ♕d8 ♖d8 16. ♔f2 b5 17. a3 a5 1/2 : 1/2 R. Lau 2475 – Hodgson 2545, Wijk aan Zee II 1989] **d6 4. ♗c4** [RR 4. c3 ♘f6 5. ♗d3 0–0 6. 0–0 ♘c6 7. h3 e5 8. ♖e1 ♖e8 N (8... ♘d7; 8... h6 – 33/163; 8... ♗d7 – 35/154) 9. de5 de5 10. ♘a3 ♕e7 11. ♘c4 ♖d8 12. ♕c2 ♘h5 13. ♗g5 ♗f6 14. ♗h6 ♘f4 15. ♗f1 ♗g7 16. ♗g5 f6 17. ♗h4 ♗e6= Davies 2475 – Gavrikov 2545, Budapest 1988] **♘f6 5. ♕e2 c6 6. ♘bd2 0–0** [6... d5 7. ♗b3 de4 8. ♘e4 ♗g4=] **7. c3** [7. ♗b3] **♘h5! 8. ♘b3** [8. ♘f1 e5 9. ♗g5 ♗f6 10. h4∞] **e5 9. de5 de5 10. 0–0 ♘d7 11. ♗g5 ♕c7 12. ♖fd1 ♘b6 13. ♗d3 ♘a4!?** [13... ♘f4!∓] **14. ♕c2 ♘f4 15. ♗f1 h6 16. ♗h4 f5?!** [16... ♗g4 17. ♘bd2 b5∓] **17. ♘fd2 ♔h8 18. f3 g5 19. ♗f2∞ fe4 20. ♘e4 g4 21. ♘bd2 ♘b6 22. ♗c5 ♖g8 23. ♔h1 ♗f5 24. fg4 ♗g4 25. ♖e1** [×e5] **♖ad8 26. ♘c4 ♘c4 27. ♗c4 ♖ge8= 28. ♘g3?!** [28. ♖f1 △ ♖ae1] **b6 29. ♗e3 ♖f8 30. ♗f4⊕** [⌓ 30. ♖f1] **♖f4∓** [30... ef4 31. ♕g6!=] **31. ♗e2 ♗e6 32. ♗f3 ♖df8 33. ♖e4 ♖4f7**

34. c4 ♕e7 35. ♖ae1 b5↑ 36. b3 bc4 37. bc4 ♕c5 38. ♕c3 [38. ♕d3] ♗d5! 39. ♕e3□ ♕e3 40. ♖4e3 ♗f3 41. gf3 ♖f3 42. ♘h5! ♖e3 43. ♖e3 ♖f5 44. ♘g3! ♖f4 45. ♘h5 ♖f5 46. ♘g3 ♖f7 47. ♘h5 ♖e7 48. ♔g2 ♔h7 49. ♘g7 ♔g7 [♖ 6/f] 50. ♖d3 ♖f7!? 51. ♖d6 ♖f6 52. ♖d7 ♔g6 53. ♖e7□ ♔f5 54. ♔f3 ♖d6 55. ♖f7 ♔e6 56. ♖c7 ♖d3 57. ♔e2 ♖h3 58. ♖c6 ♔f5 59. ♖a6= ♔e4 60. c5 ♖h2 61. ♔d1 [♖ 6/d] ♔d5 62. c6 ♔d6 63. a4 h5 64. a5 h4 65. ♖a7 ♔c6 66. a6 ♔b6 67. ♖e7 h3 68. a7 ♖a2 69. ♖h7 ♖a7 70. ♖h3
1/2 : 1/2   **[Ehlvest]**

164.***   **B 07**

HUZMAN 2480 − TABOROV 2385
SSSR 1989

1. d4 d6 2. e4 ♘f6 3. ♘c3 c6 4. f4 [RR 4. ♗e2 N ♕a5 5. ♗d2 ♕b6 6. e5 ♘d5 7. ♘f3 ♗g4 8. ed6 ♘c3 9. bc3 ed6 10. ♘g5 ♗f5 11. ♗g4± Sö. Maus 2400 − Borik 2350, BRD 1989] **♕a5 5. ♗d3 e5 6. ♘f3 ♗g4 7. de5** [7. ♗e3 N ♕b6 8. fe5 de5 9. ♕d2 ♗f3 10. de5 ♕b2 11. ♖b1 ♘e4 12. ♗e4 ♕b1 13. ♘b1 ♗e4 14. 0−0 ♘d7 15. ♘c3 ♗g6 16. ♖d1 0-0-0 17. ♘b5! cb5 18. ♕c3 ♗c5 (18... ♔b8 19. ♗a7!+−) 19. ♗c5± Frolov 2445 − Taborov 2385, SSSR 1989] **de5 8. fe5 ♘fd7 9. ♗f4 ♗b4** [9... ♗f3 10. ♕f3 ♘e5 11. ♗e5 ♕e5 12. ♗c4 △ 0-0-0±] **10. 0−0 0−0** [RR 10... ♗c3 N 11. bc3 0−0 12. ♕b1 b5 13. ♕b4 ♕b6 14. ♔h1 ♘c5 15. ♗e3 ♘bd7 16. e6 fe6 17. e5 ♗f3 18. gf3 ♘d3 19. ♕f8 ♘f8 20. ♗b6 ♘e5∞ Murey 2560 − Rivas Pastor 2505, New York 1989] **11. ♘d5 cd5 12. ed5 ♗e7 13. h3 N** [13. ♔h1 − 46/(155)] **♗h5 14. ♔h1 ♗g6 15. ♗g6** hg6 16. c4 ♘b6 [16... b5 17. d6 ♗d8 18. c5±; 16... ♘a6 17. a3±] **17. b3** [17. ♕e2? ♕a6! △ ♘d5] **♘8d7 18. ♕e2 ♖ae8 19. ♕f2 ♗d8 20. ♖ae1 ♕c5** [20... ♘c5 21. ♗d2+−] **21. ♕g3± [△ e6] ♘c8 22. e6 fe6 23. ♕g6 e5?** [23... ♗f6 24. de6±] **24. ♗h6 ♕e7 25. ♘g5 ♖f1 26. ♖f1 ♘f8 27. ♖f8! ♗f8 28. ♕f5! ♕f6 29. ♘h7 ♔f7 30. ♘f6 ♗f6 31. ♗e3 e4 32. ♕d7 ♔f8 33. c5**
1 : 0   **[Huzman, Vajnerman]**

165.   **B 07**

DE FIRMIAN 2570 − UBILAVA 2515
Moskva (GMA) 1989

1. e4 d6 2. d4 ♘f6 3. ♘c3 e5 4. de5 [4. d5 − 5/134; 4. ♘f3 − C 41] **de5 5. ♕d8 ♔d8 6. ♗g5** [6. ♗c4 ♗e6! 7. ♗e6 fe6 8. ♗g5 ♗d6 9. 0-0-0 ♔e7 △ ♘c6=] ♗e6! **7. f4** [7. 0-0-0 ♘d7 8. ♘f3 ♗d6 9. ♘b5 ♔e7] **ef4 8. e5?!** [8. ♗f4 ♘bd7 9. 0-0-0 ♗b4 10. ♘b5 ♗a5] **h6 9. ♗f4** [9. ♗h4 g5 10. ef6 gh4∓ ♘g4!∓ [9... ♘fd7 10. h4!±] **10. h3 g5 11. hg4 gf4 12. 0-0-0 ♘d7 13. g5 ♗g7 14. gh6 ♖h6 15. ♖h6 ♗h6 16. ♘d5?** [△ 16. ♘f3] **f3 17. ♔b1 c6 18. ♘f6 fg2** [18... f2 19. ♘h3!] **19. ♗g2** [19. ♗c4? ♔e7 (19... ♗c4 20. ♖d7 ♔c8 21. ♖e7 b5∓) 20. ♗e6 ♘f6 21. ♗h3 ♘d5 22. ♗g2 ♘e3 23. ♖d2 ♖g8−+] ♔e7 **20. ♘d7 ♖d8** [20... ♗d7] **21. ♘f3 ♖d7 22. ♖h1** [22. ♖d7 ♗d7∓] **♖d8 23. b3 ♗f4 24. ♖e1 ♖g8 25. ♖e2 ♖g3∓ 26. ♘d4 ♗g4** [26... ♗e5 27. ♖e5 ♖g2 28. ♘e6 fe6 29. ♖e1∓] **27. ♖e4 ♗d2 28. ♗f1□ ♗d7** [28... ♖g1 29. ♔b2] **29. e6** [29. ♗d3 ♖e3∓ ♖g1!⊕ [30. ♘f5 ♔d8 31. e7 ♔c7−+; 30. ed7 ♔d7−+] **0 : 1**   **[Ubilava]**

166.**   **B 07**

JANSA 2515 − PFLEGER 2500
BRD 1989

1. e4 d6 2. d4 ♘f6 3. ♘c3 g6 4. ♗e3 c6 5. h3!? [RR 5. ♕d2 b5 6. f3 a) 6... ♗g7 7. ♗h6 ♗h6 8. ♕h6 b4 9. ♘d1 ♕a5 10. ♘e2 ♗a6 N (10... ♘bd7) 11. ♘c1 ♗f1 12. ♖f1 ♘bd7 13. ♘b3 ♕b6 14. a3 c5 15. ♕e3 0−0 16. dc5 ♘c5 17. ♘c5 dc5 18. ab4 ♕b4 19. ♕c3 a5 20. ♖f2 ♘d7 21. ♖d2 ♘b6 22. ♖d3± Hübner 2600 − Pfleger 2500, BRD 1989; b) 6... ♘bd7 7. g4 ♗b7 N (7... ♘b6) 8. h4 h5 9. g5 ♘h7 10. f4 ♗g7 11. f5 b4 12. ♘ce2 c5 13. ♘g3 ♕b6 14. ♘1e2 cd4 15. ♘d4 ♗e5 16. ♖h3 a5 17. 0-0-0 ♘hf8 18. f6 ♘c5 19. fe7 ♘fe6 20. ♘f3 ♔e7∞ Judasin 2540 − Popčev 2465, Moskva (GMA) 1989] **♗g7?!** [5...

b5? 6. e5! de5 7. de5± ♕d1 8. ♖d1 b4? 9. ef6 bc3 10. ♗d4!+−; 5... ♘bd7; 5... ♕a5!?] **6. f4! N** [6. ♘f3] **b5?!** [⌓ 6... 0–0] **7. e5± de5 8. de5 ♕d1 9. ♖d1 ♘h5?!** [⌓ 9... ♘fd7] **10. ♘ge2 g5!? 11. g3!** [11. fg5? ♗e5∞] **b4 12. ♘b5! ♘a6□ 13. ♗g2 ♗b7 14. ♘bd4** [14. ♘a7? ♘g3! 15. ♘g3 gf4∞] **gf4 15. gf4 ♗h6** [15... ♖c8 16. ♗f3] **16. ♘f5!?** [16. ♗c6!? ♗c6 17. ♘c6 ♖c8±] **♗f8 17. ♗f3 ♘g7 18. ♘g7 ♗g7 19. ♘d4 ♖c8 20. ♘f5 ♗f8 21. ♗a7 ♘c7 22. ♗d4** [22. ♗e3?! ♘d5⩲] **♘e6** [22... ♘d5 23. e6 ♖g8 24. ♗h5+−; 22... ♖g8 23. ♔f2±] **23. ♗e3 ♖a8 24. ♖a1 ♖g8 25. ♔f2 ♘c7 26. a3! e6 27. ♘d6 ♗d6 28. ed6 ♘d5 29. ab4 ♔d7 30. ♗d2+− ♔d6 31. c4 ♘e7 32. b5 ♔c5 33. ♖ac1 ♖a2 34. ♖c2 ♖ga8 35. ♗e3 ♔b4 36. ♖d1 ♔b3 37. ♖dd2 ♖b8 38. ♗c5 1 : 0**
[Jansa]

167.** B 07**

VOGT 2505 – ZAJČIK 2500

Berlin 1989

1. e4 d6 2. d4 ♘f6 3. ♘c3 g6 4. g3 ♗g7 5. ♗g2 0–0 6. ♘ge2 e5 7. h3 ♘c6 [RR 7... ed4 8. ♘d4 ♖e8 9. 0–0 ♘bd7 10. ♖e1 a5 11. ♘db5 N (11. ♗f4 — 35/157) ♘c5 12. e5 de5 13. ♕d8 ♖d8 14. ♘c7 ♖b8 15. ♖e5± Geo. Timošenko 2530 – Dorfman 2565, Moskva (GMA) 1989; 7... ♘bd7 *a)* 8. ♗e3 c6 9. a4 ♕e7 N (9... b6 — 19/151; 9... ♖e8 — 22/178; 9... ♕c7 10. 0–0 — 35/159) 10. 0–0 ♘e8 11. ♕d2 f5 12. ef5 gf5 13. de5 de5 14. a5 e4 15. ♘a4 ♘c7 16. ♘f4 ♘e5 17. ♗c5 ♖d8 18. ♕e2 ♕f7∞ P. Popović 2535 – Pfleger 2500, BRD 1989; *b)* 8. 0–0 ♖e8 9. ♖e1 N (9. ♗e3 — 32/166) a6 10. a4 ♖b8 11. ♗e3 ed4 12. ♗d4 c5 13. ♗e3 ♘e5 14. ♕c1 b5= Ceškovskij 2520 – Joel Benjamin 2545, Wijk aan Zee 1989] **8. ♗e3 ed4 9. ♘d4 ♗d7 10. 0–0 ♖e8 11. ♖e1 ♕c8 12. ♔h2 ♖e5!? 13. ♘c6?!** [13. g4 ♗g4 14. hg4 ♘g4 15. ♔g1 ♘e3 16. fe3⯹] **bc6 14. g4 N** [14. f3 ♖e8 15. ♕d2 ♖b8 16. ♖ab1 c5∓ Prandstetter 2415 – Zajčik 2510, Tbilisi 1988] **♖e8 15. f4 ♖b8 16. ♖b1 c5 17. ♗g1?!** [17. ♗f2 h6 18. e5 de5 19. fe5 ♘h7 20. ♗g3∞] **h6 18. e5?! de5 19. fe5 ♘h7 20. ♕d5 ♘g5! 21. ♕c5** [21. ♗c5 c6! 22. ♕d4 ♘e6 23. ♕f2 ♘c5 24. ♕c5 ♖e5 25. ♖e5 ♕c7 26. ♖be1 ♖e8 27. ♘d5 ♖e5 28. ♘c7 ♖c5∓] **♗g4! 22. hg4 ♕g4 23. ♗f2 ♖b4!** [23... ♖e5? 24. ♖e5 ♗e5 25. ♕e5 ♕h5 26. ♔g3+−] **24. ♖e3 ♖e5! 25. ♖e5 ♗e5 26. ♔g1** [26. ♕e5 ♕h5−+] **♘f3−+ 27. ♔f1 ♘d2 28. ♔e1** [28. ♔g1 ♕f4−+] **♗c3 29. ♕c3 ♘b1 30. ♕c6 ♖b8 31. ♗d5 ♕b4 32. c3 ♕d6 33. ♕d6⊕ cd6 34. ♗b3 a5 35. ♔d1 a4 36. ♗c2 ♖b2 37. ♔c1 a3 38. ♗d4 ♖a2 39. ♔b1 ♖b2 40. ♔c1 ♖b8 0 : 1**
[Zajčik]

168. B 07

JOEL BENJAMIN 2545
– PR. NIKOLIĆ 2605

Wijk aan Zee 1989

1. e4 d6 2. d4 ♘f6 3. ♘c3 g6 4. ♗e3 ♗g7 5. f3 c6 6. ♕d2 ♕a5 7. g4 N [7. ♗d3; 7. ♘ge2] **h5 8. g5 ♘fd7 9. f4 d5! 10. f5 de4 11. fg6 fg6 12. ♘e4** [12. ♗c4 ♘b6; 12. ♗g2 ♘b6] **♕d2 13. ♘d2** [13. ♔d2!? Fedorowicz] **0–0! 14. ♗d3?!** [14. ♘gf3 ♘b6 15. ♘h4 ♘d5 16. ♗g1 ♔h7 17. ♗d3 ♘f4 18. ♗e4 e5 19. de5 ♗h3∞] **e5 15. ♘gf3** [15. ♗g6 ed4 16. ♗f2 ♘e5 17. ♗h5 ♗g4⯹] **ed4 16. ♗d4 ♗d4 17. ♘d4 ♘e5 18. ♗e2** [⌓ 18. ♗e4 △ 18... ♗h3 19. 0-0-0 ♘bd7 20. ♖de1 ♖f2 21. ♖e3 ♖d2 22. ♔d2 ♘c4 23. ♔e2 ♘e3 24. ♔e3 ♖e8 25. ♖e1] **♖f4! 19. ♘2f3** [19. ♘c4 ♘g4 (19... ♖d4? 20. ♘e5 ♖e4 21. 0-0-0!) 20. 0-0-0 ♘f2 21. ♖hf1 ♗h3∓] **♘f3 20. ♘f3 ♗g4 21. 0–0** [21. 0-0-0 ♘a6! (21... ♘d7 22. h3!) 22. ♖hf1 ♖e8 △ 23. ♗a6 ba6 24. ♘h4 ♖fe4−+] **♗h3!** [21... ♘d7 22. ♘h4!] **22. ♖f2 ♘d7 23. ♗f1 ♗f5! 24. ♗g2 ♖f8 25. ♖d2 ♘c5 26. ♖e1?** [26. ♘e5□] **h4!−+ 27. ♖d4** [27. h3 ♗h3] **♗c2 28. ♖c1 ♗e4! 29. ♘h4 ♘d3 30. ♖a1 ♗g2 31. ♖d3** [31. ♖f4 ♘f4 32. ♘g2 ♘h3] **♗e4**
0 : 1 [Joel Benjamin]

169. B 07

VAN DER WIEL 2560 – FTÁČNIK 2550
Haninge 1989

1. e4 d6 2. d4 ♘f6 3. ♘c3 g6 4. ♗g5 c6 5. ♕d2 ♗g7 6. ♗h6 ♗h6 7. ♕h6 ♕a5 8. ♗d3 ♘a6?! 9. ♘ge2!? N [9. ♘f3; 9. ♗a6 – 46/159] **♘b4** [9... ♘c7!? 10. 0–0 △ ♕e3↑] **10. 0–0 ♕h5** [10... ♘d3 11. cd3 ♕h5 12. ♕e3; 10... ♗e6!?±] **11. ♕d2** [11. ♕f4 0–0 12. ♘g3 ♕g4 13. ♕h6 e5 14. f3 ♕e6; 11. ♕e3 0–0 (11... c5 12. ♘f4!↑) 12. h3 (12. f4 ♕h2!) c5!⇆] **♘d3** [11... 0–0 12. ♘g3 ♕h4 13. ♗e2 ♘g4 14. h3 ♘f2!? 15. ♔f2 (15. ♕e3?! ♘h3 16. gh3 ♘c2∓) f5 16. ef5 gf5 17. a3 ♘a6 18. ♗a6 ba6 19. ♔f3 f4∞] **12. cd3** [12. ♕d3 ♗d7!? (12... 0–0 13. f4 d5 14. e5 ♗f5 15. ♕d2 ♘d7 16. ♘g3 ♕g4 17. ♖f3→) 13. f4 0-0-0] **0–0 13. f4 ♕h6?** [⌓ 13... d5!? 14. f5 gf5 15. ♘g3 ♕h4 16. ♘f5 ♗f5 17. ♖f5 de4 18. ♖f4 e3!] **14. h3** [14. ♖ad1 ♗g4] **d5** [14... e5 15. de5 de5 16. ♖ad1±] **15. ♕e3 de4 16. de4 b6** [16... ♗e6 17. b3] **17. e5?!** [17. g4 ♕h4 18. ♕g3 (18. f5 h5 19. e5 ♘h7∞) ♕g3 19. ♘g3 h5!? 20. g5 h4 21. ♘ge2 ♘h5⇆; 17. ♖f2 ♗a6 18. ♘g3 ♘h5 (18... e6 19. e5 ♘d5 20. ♕d2 f5 21. ef6 ♘f6 22. ♖e1±) 19. ♘h5 ♕h5 20. f5 ♖ad8±; 17. d5 ♗b7 (17... cd5 18. e5 ♘e8 19. ♘d5) 18. dc6 ♗c6±] **♘d5 18. ♘d5** [18. ♕f3 ♗a6; 18. ♕d3 a5 19. ♘e4 ♗a6 20. ♕d2 ♗e2 21. ♕e2 ♘f4 22. ♕e3 g5 23. ♘g5 ♘e6] **cd5 19. ♕a3 ♕h4!** [19... e6 20. ♘c3 ♗d7 21. ♕e7 ♖fd8 22. ♖f2 ♕f8 23. ♕h4 ♖dc8 24. ♘d1 △ 24... ♖c4? 25. ♘e3! ♖d4 26. ♘g4+–] **20. ♖ac1** [20. ♖fc1 a5! 21. ♖c7 ♗a6] **♗d7** [20... ♗f5 21. g4 ♗e4 (21... ♗d7 22. ♕g3 ♕g3 23. ♘g3 ♖ac8 24. f5±⊥) 22. ♕g3! ♕g3 (22... ♕h6) 23. ♘g3 ♖ac8 24. ♘e4 de4 25. ♔f2 f5 26. ef6 ef6 27. f5!± van der Wiel; 20... a5!= 21. ♘c3 e6 22. ♕d6 ♕d8 23. ♕d8 ♖d8 24. ♘a4 ♗a6 25. ♖f2 ♗b5! 26. ♘b6? ♖ab8 27. a4 ♗e8–+] **21. ♖f2!** [21. ♖c7 ♗b5 22. ♕f3 ♖fc8] **♖fc8** [21... ♗b5 22. ♘c3 ♗c6 23. ♘d1 ♖fc8 24. ♘e3→] **22. ♖c8** [22. ♘c3 e6 23. ♕d6 ♕d8 △ ♖c6] **♗c8 23. ♘c3 ♗e6** [23... ♗h3? 24. ♘d5±; 23... ♗b7 24. ♘d1 △ ♘e3↑] **24. ♕a6 ♕g3 25. ♕b7 ♖c8 26. ♕a7** [26. f5 ♗f5 27. ♖f5 ♖c3 28. bc3 (28. ♕b8 ♔g7 29. ♖f7? ♔f7 30. e6 ♔g7 31. ♕g3 ♖g3–+) gf5 29. ♕e7 f4=; 26. ♕e7 ♗h3 27. ♕a7 (27. ♕g5 ♕g5 28. fg5 ♗e6=⊥) ♗g2 28. ♖g2 (28. ♘e2? ♖c1 29. ♘c1 ♗h3 30. ♔h1 ♕f2–+) ♕e1 29. ♔h2 ♕h4=] **♗h3 27. ♘e2** [27. ♕e7 ♗e6 (27... ♗g2 28. ♕g5! ♕g5 29. fg5 ♗e4 30. ♖e2±) 28. ♕b4 h5 (28... ♕e3 29. ♕b6 ♖c4⇆) 29. ♕b6 h4⇆] **♕d3!** [27... ♕g4? 28. ♕a3!+–] **28. gh3 ♖c2 29. ♕e7** [29. ♕a8 ♔g7 30. ♕d5 ♖e2 31. ♕f3 ♖e1 32. ♔g2 ♕d4∓; 29. e6 ♕d1 30. ♔g2 ♖e2=; 29. ♕b6 ♕d1 30. ♔g2 ♖e2=] **♖e2 30. ♖e2 ♕e2 31. ♕d8 ♔g7 32. ♕d5 ♕e1 33. ♔g2 ♕e2 34. ♔g3 ♕e1 35. ♔g2 ♕e2 36. ♔g3 ♕e1 37. ♔g2** [37. ♔h2 ♕f2 38. ♕g2 ♕f4] **♕e2 38. ♔g1 ♕e1 39. ♔g2**
1/2 : 1/2 **[Ftáčnik]**

170.* B 07

DREEV 2520 – AZMAJPARAŠVILI 2560
Moskva (GMA) 1989

1. d4 g6 2. e4 ♗g7 3. ♘c3 d6 4. ♗g5!? ♘f6 5. f4 0–0 6. ♘f3 [RR 6. ♕d2 c6 7. e5 ♘d5 8. ♘d5 cd5 9. 0-0-0 ♗f5 N (9... ♘c6 10. ♘e2 ♗e6 – 46/(159)) 10. ♘e2 ♘c6 11. h3 ♖c8 12. ♘g3 ♘d4∓ Adams 2460 – van Wely 2325, Arnhem 1988/89] **c6 7. ♕d2 b5 8. ♗d3 ♗g4 9. e5! b4 10. ♘e2 ♗f3 11. gf3 ♘d5 12. ♗c4! N** [12. 0-0-0?! ♕a5 13. ♗c4 (13. ♔b1 ♘d7 △ ♖ab8∞) ♘d7 △ 14... ♘7b6 15. ♗b3 ♕b5 △ a5-a4] **a5 13. 0-0-0** [△ f5] **♕d7** [13... f6 14. ef6 ef6 15. ♗h4 ♗h6 16. ♗f2! ♘d7 17. h4 △ h5↑] **14. f5! ♕f5 15. ♘g3 ♕e6** [15... ♕d7 ×♘b8; 15... ♕h3!?] **16. f4 de5**

(diagram)

17. f5! [17. de5±] **♕d6 18. fg6 hg6** [18... fg6 19. ♘e4 ♕d8 20. ♘c5±] **19. ♖dg1! ed4?!** [19... f5 20. ♗h6!? △ ♘h5±; 20. h4!?] **20. ♘f5! ♕e5 21. ♘g7 ♘e3** [21... ♕g7 22. ♗h6 ♕e5 23. ♖g5 ♕e4 (23...

♕e3? 24. ♖g6) 24. ♗d5 cd5 25. ♖e1+–] **22. ♗e3 de3 23. ♕d3+– ♔g7 24. ♗f7! ♕h5 25. ♖g6** [25... ♔f7 26. ♖f1 ♔e8 27. ♖f8 ♔f8 28. ♕d8 ♔f7 29. ♕g8#]

1 : 0 **[Dreev]**

171.**** **B 08**

I. SOKOLOV 2580 – MILES 2520

Wijk aan Zee 1989

1. d4 d6 2. e4 ♘f6 3. ♘c3 g6 4. ♘f3 ♗g7 5. h3 [RR 5. ♗e2 0–0 6. 0–0 *a)* 6... ♗g4 7. h3 ♗f3 8. ♗f3 *a1)* 8... ♘c6 9. ♘e2 e5 10. c3 ♘d7 N (10... ♖e8 – 20/181) 11. b3 ♘b6 12. d5 ♘e7 13. c4 f5 14. ♘c3 ♘d7 15. ♖b1 a5 16. a3 ♘f6 17. b4± Ivančuk 2635 – Timman 2610, Linares 1989; *a2)* 8... e5 9. de5 de5 10. ♗g5 c6 11. ♕e2 ♕e7 12. ♖fd1 ♘a6 13. ♗e3 ♘d7 14. a4 ♘dc5 15. ♕c4 ♘e6 16. ♘e2 ♕b4 17. ♕a2 ♘d4∞ Halifman 2545 – Popčev 2465, Moskva (GMA) 1989; *b)* 6... c6 7. a4 ♕c7 8. a5 e5 9. de5 de5 10. ♗e3 ♘h5 N (10... ♘g4 – 19/159) 11. ♗c4 ♘f4 12. ♕b1 ♗g4 13. ♘d2 ♕e7 14. f3 ♗e6 15. ♔h1 ♘d7 16. b4 ♖fb8 17. ♘a4 b5 18. ab6 ab6 19. b5 cb5 20. ♗b5 ♘c5∓ Wedberg 2505 – D. Gurevich 2480, New York 1989] **0–0 6. ♗e3 ♘c6!?** [RR 6... a6 7. a4 b6 8. ♗e2 ♗b7 9. ♘d2 N (9. d5) c5 10. d5 e6 11. ♘c4 ed5 12. ed5 b5 13. ab5 ab5 14. ♖a8 ♗a8 15. ♘b5 ♘d5 16. ♗c1 ♘c7 17. ♘c7 ♕c7 18. 0–0 d5 19. ♗f3 ♗c6 20. ♗d5 ♖d8 21. ♘e3 ♗d4 22. c4 ♗e3 23. ♗e3± B. Larsen 2580 – J. Fries-Nielsen 2385, Danmark (ch) 1989; 6... c6 7. a4 d5 N (7... a5 – 45/(130); 7... ♘bd7 – 46/(161); 7... ♕c7 – 46/(161)) 8. e5 ♘e4 9. ♘e4 de4 10. ♘g5 c5 11. dc5 (11. c3 ♘c6 12. ♘e4 cd4 13. cd4 ♗f5 14. ♘c3 ♕a5 15. ♗d3 ♖ad8$\overline{\overline{\infty}}$ Dončev 2505 – Joel Benjamin 2545, Cannes 1989) ♕c7 12. ♘e4 ♕e5 13. ♘c3 ♘c6 14. ♗b5 ♖d8 15. ♕e2 ♗e6 16. ♗c6 bc6 17. 0–0 ♖db8 18. ♘d1 ♕e4$\overline{\overline{\infty}}$ Smyslov 2550 – Speelman 2645, Hastings 1988/89] **7. ♗c4?! N** [7. ♕d2 – 13/182; 7. g3 – 5/137] **♘e4= 8. ♗f7** [8. ♘e4 d5 9. ♗d3=] **♖f7 9. ♘e4 d5 10. ♘c5** [10. ♘eg5?! ♖f8 △ h6; 10. ♘c3 e5∓] **e5 11. de5 ♘e5 12. ♘e5 ♗e5 13. 0–0** [13. c3] **b6** [13... ♗b2!? 14. ♖b1 ♗g7 15. ♘b7 ♗b7 16. ♖b7 d4 △ ♕d5∓] **14. ♘d3 ♗g7 15. ♕d2 d4 16. ♗f4!?** [×e5; 16. ♗h6] **♗b7 17. ♖fe1 ♕d5 18. f3 ♖af8** [×f3] **19. ♖e2 ♗a6** [19... c5?! ×d6; 19... ♕h5!? △ 20. ♗e5 ♗h6] **20. ♖e4 ♗b7 21. ♗e5!?** [21. ♖e2∓] **♖f3! 22. gf3 ♖f3 23. ♖ae1 ♖e3! 24. ♘f2?** [24. ♖1e3□ de3 25. ♖e3 ♗h6! 26. ♔f2!□ ♕g2 27. ♔e1 ♕h1 28. ♔f2 (28. ♔e2? ♗f3–+) ♕g2 29. ♔e1 ♕g1 30. ♔e2 ♕g2 (30... ♗g2?! 31. ♘e1! ♗f1 32. ♔f3) 31. ♔e1=] **♖e1 25. ♕e1 ♗e5∓ 26. ♕e2 h5! 27. b3 ♗d6 28. ♖e8 ♔f7 29. ♘e4 ♗e7!–+** [29... ♗e5! △ ♗c6] **30. ♖e7 ♔e7 31. ♘c5⊕ ♔d8⊕ 32. ♘b7 ♔c8 33. ♕e8 ♔b7 34. ♕g6 ♕f3! 35. h4 a5 36. a4 ♕e2!–+ 37. ♕g2 ♕g2 38. ♔g2 c5** [38... ♔c6–+] **39. ♔f3 b5 40. ♔e4 ♔c6!** [40... ba4? 41. ba4=] **41. ♔e5 b4!⊙ 0 : 1** **[Miles]**

172.** **B 09**

BAREEV 2555 – UBILAVA 2515

Moskva (GMA) 1989

1. d4 d6 2. e4 ♘f6 3. ♘c3 g6 4. f4 ♗g7 5. ♘f3 [RR 5. ♗d3 ♘c6 6. ♘f3 ♗g4 7. e5 N (7. ♗e3 – 45/134) ♗f3 8. gf3 ♘h5 9. ♗e3 e6 10. h4 0–0 11. ♕d2 de5 12. de5 ♘b4 13. 0-0-0 ♘d3 14. cd3 f6∞ Fedorowicz 2505 – Smyslov 2560, New York 1989; 5. a3 N (△ 5... c5 6. dc5) 0–0 6. ♘f3 ♘c6 7. d5 ♘b8 8. ♗d3 c6 9. dc6

♘c6 10. 0–0 ♕a5 11. ♗d2 ♗g4 12. ♔h1 ♖ac8 13. ♕e1 ♗f3 14. ♖f3 ♘d4 15. ♖h3 ♕c5 16. ♗e3± M. Kuijf 2485 – Cuijpers 2405, Nederland (ch) 1989; 9... bc6!?] **c5 6. ♗b5 ♗d7 7. ♗d7 ♘bd7 N** [7... ♕d7; 7... ♘fd7 – 45/135] **8. e5 ♘h5! 9. ed6** [9. g4 ♘f4! 10. ♗f4 cd4 11. ♕d4 de5 12. ♗e5 ♘e5–+; 9. e6 fe6 10. ♘g5 ♗d4 11. ♘e6 ♗c3 12. bc3 ♕c8 △ ♘f8∓] **0–0** [9... cd4 10. ♕e2±] **10. 0–0** [10. de7 ♕e7 11. ♕e2 ♖fe8∞; 11... ♕d6!?] **ed6 11. f5?!** [⌓ 11. ♗e3 ♖e8 12. ♕d2] **cd4! 12. ♘d4 ♕b6 13. ♘e2** [13. ♗e3 ♖fe8 14. ♗f2 ♕b2 15. ♘d5 ♖ac8 16. ♖b1 ♕a2–+] **♖fe8 14. c3□ ♖e4 15. ♕b3□ ♕b3 16. ab3 a6 17. ♘f4** [17. h3 ♖ae8 18. g4 ♗d4 19. ♘d4 ♘g3 20. ♖f3 ♘e2 21. ♘e2 ♖e2∓] **♘f4 18. ♗f4 ♘c5∓** [18... ♗d4 19. cd4 ♖d4 20. ♖ad1=] **19. ♖ad1** [19. ♘b5 ♖d8 20. ♘d6 ♖f4] **♗d4 20. ♖d4 ♖d4 21. cd4 ♘b3 22. fg6 hg6 23. ♖d1 ♖d8 24. ♖d3 ♘a5 25. d5** [△ ♖c3] **♘c4 26. b3** [26. ♗g5 ♖e8 27. ♗f6 ♖e3! 28. ♖d4 ♘e5 29. ♖h4 ♖e1 30. ♔f2 ♘d3 31. ♔g3 (31. ♔f3 ♖f1 32. ♔e3 ♖f6 33. ♔d3 ♖f2–+) ♖e3 32. ♔g4 ♖e4 33. ♔f3 ♖h4 34. ♗h4 ♘b2–+] **♘e5 27. ♖c3 ♖d7 28. ♗e3 f6 29. h3 ♔f7 30. ♔f2 g5 31. g4 ♔g6 32. ♗d2 f5 33. gf5 ♔f5 34. ♖g3 g4 35. ♔e3** [35. hg4 ♘g4 36. ♔f3 ♖g7] **♖e7 36. ♗c3 ♘d7?** [36... ♘g6 37. ♔d2 gh3 38. ♖h3 ♘f4 39. ♖h6 ♖d7 40. ♗b4 ♔e5–+] **37. ♔d2 gh3 38. ♖h3 ♘b6 39. ♖f3 ♔g4 40. ♖d3** [⌓ 40. ♖f6] **♖e4 41. ♗b2 ♘d7 42. ♗a3! ♘e5 43. ♖e3** [43. ♖c3 ♖d4 (43... ♘f3 44. ♔d3 ♖d4 45. ♔e3 ♖d5 46. ♖c4! ♔g3 47. ♖c7=) 44. ♔c2 ♖d5 45. ♖c7 b5 46. ♖a7 ♘d3 47. ♖a6 b4 48. ♗b2 ♔f3 49. ♖a8 ♔e2 50. ♖e8 ♘e5∓] **♘f3 44. ♔d3 ♖d4** [44... ♖e3 45. ♔e3 ♘h4 46. ♗d6! ♘f5 47. ♔e4 ♘d6 48. ♔e5 ♘c8 (48... ♘b5 49. d6) 49. d6 ♘b6 50. ♔e6 ♔f4 51. d7 ♘d7 52. ♔d7 ♔e4 53. ♔c7=] **45. ♔c3 ♖d5 46. ♖d3** [46. ♖e6 ♘g5 47. ♔c4 ♖a5 48. ♗b4 d5–+; 46. ♖e7 b5 47. ♖a7∓] **♖d3 47. ♔d3 d5 48. ♔e3□ ♘e1 49. ♗f8□= ♔f5 50. ♔d4 ♔e6 51. ♔c5 b5 52. ♔b6 ♔d7 53. ♔c5 ♔e6 54. ♔b6 d4** [54... ♘c2 55. ♔a6 b4 56. ♔b5 ♔e5 57. ♗g7 ♔e4 58. ♔c5=] **55. ♔a6 d3 56. ♗h6 b4 1/2 : 1/2** **[Ubilava]**

173. **B 09**

DOLMATOV 2580 – LEIN 2485

New York 1989

1. e4 d6 2. d4 ♘f6 3. ♘c3 g6 4. f4 ♗g7 5. ♘f3 c5 6. ♗b5 ♗d7 7. e5 ♘g4 8. e6 ♗b5 9. ef7 ♔d7 10. ♘b5 ♕a5 11. ♘c3 cd4 12. ♘d4 h5 13. h3 ♘c6 14. ♘e2 ♘h6 15. ♗e3 h4 N [15... ♘f5 – 45/137; 15... ♖af8 – 45/138] **16. 0–0! ♕f5** [16... ♖af8 17. ♘e4 △ 18. ♘g5, 18. ♘c5, 18. c4] **17. ♕d2 ♘f7 18. ♘d5** [18. ♖f2!? △ ♘d4] **e6 19. ♘dc3** [×d6] **♖ac8 20. a4 ♔e7** [20... ♔c7 21. ♘b5 ♔b8 22. ♘d6?! ♘d6 23. ♕d6 ♔a8⇆; 22. ♘ed4!±]

21. ♖f2!± [△ ♘d4; 21. ♘d4? ♘d4 22. ♗d4 ♗d4 23. ♕d4 ♕c5; 23... ♕c2] **♖hd8 22. ♖e1 ♔f8 23. ♘d4 ♘d4 24. ♗d4 ♖c4** [24... ♗d4 25. ♕d4 a6 26. ♕e3 ♖e8 27. ♘e2! △ ♘d4± ×e6, h4] **25. ♗g7 ♔g7 26. b3 ♖c7** [26... ♖c5 27. ♘e4 ♖c6 28. ♕d4; 26... ♖c6 27. ♘b5 △ ♘d4] **27. ♘b5 ♖e7 28. ♘a7+– ♕c5 29. ♘b5 ♘h6 30. ♘c3?!** [30. ♘d4!+–] **♘f5 31. ♘e4 ♕d4 32. ♕d4 ♘d4 33. ♖d2 ♘f5 34. ♔f2?** [34. c4! e5 35. ♔f2 (35. ♘c3!? ef4 36. ♖e7 ♘e7 37. ♘d5 ♘d5 38. ♖d5+–) ef4? 36. ♘d6!+–] **d5 35. ♘g5 ♖d6 36. ♔e2 ♖c6 37. ♔d3?!** [37. ♔d1 △ ♔c1-b2] **♔f6** [△ ♖ec7] **38. c4!□** [38. ♖de2 ♘g3! △ ♘h5∞] **♖ec7?** [38... dc4 39. bc4± ♖d7 40. ♔c3 ♖d2 41. ♘e4] **39. ♔c3!** [39. c5 ♖c5 40. ♖e6 ♔g7⇆] **dc4 40. ♘e4 ♔g7 41. b4+– ♖e7** [41... ♘e7 42. b5 ♘d5 (42... ♖b6 43. ♘d6 △ ♘e8) 43. ♖d5 ed5

44. bc6 de4 45. ♖e4] **42. b5 ♖c8 43. ♘g5 b6** [43... ♔f6 44. ♖de2 ♖ce8 45. ♖e5] **44. ♖e6 ♖e6 45. ♘e6 ♔f6 46. ♘g5 ♖a8 47. ♘e4** [47. ♖d7?! ♘e7] **♔e6 48. ♔b4 ♘e3 49. ♘c3 ♖e8□** [49... ♔f5 50. ♘d5 ♘d5 51. ♖d5 ♔f4 52. ♖d4; 52. ♖d6] **50. a5 ba5 51. ♔a5 ♔f5 52. ♖f2 ♔e6 53. b6 ♔d7 54. ♔b5 ♔c8 55. ♖e2 ♖e7 56. ♘d1 1 : 0** **[Dolmatov, Dvoreckij]**

174.** **B 09**

BAREEV 2555 – J. PLACHETKA 2450

Trnava 1989

1. d4 d6 2. e4 ♘f6 3. ♘c3 g6 4. f4 ♗g7 5. ♘f3 0–0 6. ♗e3 b6 [RR 6... ♘c6 7. ♗e2 a6 8. e5 ♘g4 9. ♗g1 b5 10. h3 ♘h6 11. ♗f2 ♗b7 12. a3 ♘a5 13. 0–0 ♖c8 14. b3 c5 15. dc5 ♗f3 16. ♗f3 de5 17. fe5 ♗e5 18. ♕e1 ♗g7 19. ♖d1 ♕e8 20. ♘d5± Kindermann 2515 – S. Mohr 2530, Debrecen 1989; 6... ♘bd7 7. e5 ♘g4 8. ♗g1 c5 9. e6 fe6 10. ♘g5 ♕b6! N (10... ♘df6 11. dc5±) *a)* 11. ♕g4? ♕b2 12. ♘d1 ♕a1 13. ♗c4 (13. ♕e6 ♔h8 14. ♘f7 ♖f7 15. ♕f7 ♘f6–+) ♘f6 14. ♗e6 ♔h8 15. ♕e2 cd4–+ Lanka 2420 – M. Schlosser 2440, Trnava II 1989; *b)* 11. ♖b1 ♖f4! 12. ♘e6 ♖f1 13. ♔f1 ♘df6∓; *c)* 11. ♘e6 ♕b2 12. ♘d5 ♘df6∓ Lanka] **7. ♗d3 ♗b7** [7... ♘a6!?] **8. ♕e2 N** [8. f5 – 26/187] **c5 9. 0-0-0 cd4** [9... ♘c6!] **10. ♗d4 ♘c6 11. ♗f6∞ ♗f6 12. e5 ♗g7 13. ♗e4 ♕d7! 14. h4!? ♕g4** [14... h5? 15. ♘g5+–] **15. h5 ♕f4 16. ♔b1 g5!** [16... ♗e5 17. hg6 hg6 (17... fg6 18. ♖h4 ♕f6 19. ♗c6 ♗c6 20. ♕c4 d5 21. ♘d5+–) 18. g3! ♕f6 (18... ♕g4 19. ♕h2 ♕h5 20. ♕g2+–) 19. ♕h2 ♕g7 (19... ♖fd8 20. ♕h7 ♔f8 21. ♖df1 ♕g7 22. ♘e5 de5 23. ♖f7!+–) 20. ♘e5 de5 21. ♖d7 ♖ab8 22. ♖b7 ♖b7 23. ♗c6 ♖bb8 24. ♘d5 f5 25. ♘c7+–; 16... de5 17. hg6 hg6 18. g3! ♕g4 (18... ♕f6 19. ♕h2 ♖fd8 20. ♖df1+–) 19. ♖h4 ♕e6 (19... ♕g3 20. ♕e3!+–; 19... ♕c8 20. ♖dh1 ♖d8 21. ♕h2 f5 22. ♘g5+–) 20. ♘g5 ♕f6 21. ♘h7 ♕e6 22. ♖f1 ♘d4 23. ♕h2 ♗e4 24. ♘g5 △ ♖h8+–] **17. ♘d5** [17. g3 ♕g4 18. h6 ♗e5 19. ♘e5 ♕e2 20. ♘e2 de5 21. ♖d7 ♖ab8 22. ♖b7 ♖b7 23. ♗c6 ♖c7∞; 17. h6 ♗e5 18. ♘g5 ♘d4! (18... ♕g5 19. ♖h5 ♕f6 20. ♘d5 ♕e6 21. ♗f5+–) 19. ♕h5 ♗e4 20. ♘ce4 ♕f5! △ ♕g6∓] **♕g4 18. ♘e7 ♘e7 19. ♗b7 ♖ad8!=** [19... ♖ab8 20. ♖d4+–] **20. ed6** [20. ♖d4 ♕e6 21. h6! ♗e5 (21... ♗h6 22. ♕d3 ♘f5 23. ♗e4 ♘g3 24. ♗h7 ♔g7 25. ♖h3 ♖h8 26. ♖g3 ♖h7 27. ♖g5 ♗g5 28. ♕h7+–) 22. ♘g5 ♕d7 23. ♕d3 ♘g6 24. ♗d5 ♗d4 25. ♕d4 ♘e5 26. ♖f1 ♕g4! 27. ♕g4 ♘g4 28. ♘f7 ♖de8!=] **♘f5 21. h6?!** [21. ♕e4 ♕e4 22. ♗e4 ♘d6 23. ♗d3 h6=]

21... ♗b2? [21... ♖fe8? 22. ♕b5 ♗h6 23. ♗c8+–; 21... ♗f6 22. ♕e4 ♕e4 23. ♗e4 ♘d6 24. ♗d3±; 21... ♗h6! 22. ♕b5 (22. ♖h3? ♖fe8 23. ♕b5 ♘d6!! 24. ♖d6 ♖e1 25. ♘e1 ♕d1!–+) ♖d6 23. ♖d6 ♘d6 24. ♕c6 ♖d8 25. ♖h6 ♘b7 26. b3 ♘c5∓] **22. ♘d4!± ♕e2** [22... ♕f4 23. ♘f5 ♕b4 24. ♘e7 ♔h8 25. ♘c6+–] **23. ♘e2 ♗e5 24. d7 ♘d6 25. ♗c6 ♘c4?** [25... f6 26. ♘d4! ♔f7 27. ♗d5 ♔e7 28. ♘e6±] **26. ♖h5! ♗f6** [26... f6? 27. ♗d5] **27. ♖d5! ♔h8** [27... ♘e5? 28. ♖e5] **28. ♘g3+– ♗e5** [28... ♘e5 29. ♘e4+–] **29. ♘f5 a6⊕ 30. ♗b7 b5 31. ♗a6 f6** [31... ♗f4 32. g3 ♘b6 33. ♖b5 ♗c7 34. ♖b6 ♗b6 35. ♗b5+–] **32. ♖d3 ♖b8 33. ♘g7 ♘d6 34. ♘e6 ♖fd8 35. ♘d8 ♖d8 36. ♖d6 ♗d6 37. ♗b5 ♔g8 38. a4 ♔f7 39. a5⊕ 1 : 0** **[Bareev]**

175.** **B 09**

EHLVEST 2580 – ANAND 2555
Reggio Emilia 1988/89

1. d4 d6 2. e4 g6 3. ♘c3 ♗g7 4. f4 ♘f6 5. ♘f3 0–0 6. ♗d3 ♘c6 7. e5 [RR 7. 0–0 *a)* 7... e5 8. fe5 de5 9. d5 ♘e7 10. ♘e5 ♘fd5 11. ♘f7 ♘c3 12. bc3 ♖f7 13. ♖f7 ♔f7 14. ♗c4 ♗e6 15. ♕f1 ♗f6 16. ♗e6 ♔e6 17. ♕c4 ♔d7 18. ♗f4!? N (18. ♗a3 – 41/133) ♔e8 19. ♖f1 a5 (19... ♕d7? 20. ♗g5!; 19... b5? 20. ♕e6 ♗d4 21. ♔h1!+– Nijboer 2445 – Cuijpers 2405, Nederland (ch) 1989) 20. ♗g5 (20. ♗c7? ♖c8) ♗g5 21. ♕f7 ♔d7 22. ♖d1 ♔c6 23. ♕e6 ♕d6 24. ♖d6 cd6 25. e5± Riemersma; *b)* 7... ♗g4 8. e5 de5 9. de5 ♘d5 10. h3 ♘c3 11. bc3 ♗f5 12. ♗e3 ♕d7 13. ♕e2 ♖fd8 14. ♖ad1 ♗d3 15. cd3 b5 16. ♗c5 e6 N (16... ♕d5 – 36/(164)) 17. ♘g5 b4 18. c4 ♘d4 19. ♕f2 a5 20. ♘e4 ♖ab8 21. ♖d2 a4 22. ♖b1 b3 23. ♗d4 ♕d4 24. ab3 ♖b3 25. ♖b3 ♕a1 26. ♕f1 ♕d4 27. ♕f2 ♕a1 28. ♕f1 1/2 : 1/2 Hellers 2565 – Ftáčnik 2550, Haninge 1989] **de5 8. fe5 ♘d5 9. ♘d5 ♕d5 10. c3 ♗e6 11. 0–0 N** [11. ♕e2] **♖ad8 12. ♗f4!** [12. ♕e1] **♕d7 13. ♕e1±** [×c7→»] **♗f5 14. ♗f5 ♕f5 15. ♕g3 h6 16. ♖ae1 ♕e6 17. a3 ♘a5 18. ♗g5! ♖d7** [18... hg5 19. ♘g5 △ ♕h4+–] **19. ♕h4! h5 20. b4 ♘c4 21. ♗c1 ♘b6 22. ♘g5 ♕c6 23. e6+– fe6 24. ♖f8 ♗f8** [24... ♔f8 25. ♘e6 ♔g8 26. ♘g7+–] **25. ♕f2! 1 : 0** **[Ehlvest]**

176.* **B 10**

SAX 2610 – MILES 2520
Lugano 1989

1. e4 c6 2. c4 e5 3. d4 [RR 3. ♘f3 ♕a5 N (3... ♘f6 – 43/152) 4. ♘c3 ♗b4 5. ♕c2 ♘f6 6. ♗e2 0–0 7. 0–0 d5!? 8. cd5 cd5 9. ed5 (9. ♘e5? d4 10. ♘c4 ♕d8!∞̄) ♘bd7! 10. d4 ed4 11. ♘d4 ♘d5 12. ♘d5 ♕d5 *a)* 13. ♖d1 ♘f6 14. ♕c4 ♕c4 15. ♗c4 ♗g4 16. f3 ♖ad8 17. ♗e3 ♖fe8? 18. ♘c2! (18. ♔f2?! ♘e4!) ♖d1 19. ♖d1 ♗f5 20. ♘b4 (20. ♗d3! ♗d3 21. ♖d3 ♗e7 22. ♗a7 ♖a8 23. ♗d4 ♖a2 24. ♖b3!+–) ♖e3 21. ♘d5 ♘d5 22. ♗d5! (22. ♖d5? g6= Hardicsay 2350 – Hector 2485, Budapest (open) 1989) g6 23. ♗b7 ♖e2 24. ♖d8 ♔g7 25. ♖a8 ♖b2 26. ♖a7+–; 17... ♗c8= Hardicsay; *b)* 13. ♗e3 ♘f6 14. ♕a4!↑ Hector] **♗b4 4. ♗d2 ♗d2 5. ♕d2 d6 6. ♘c3 ♕f6! N** [×d4, f4; 6... ♘f6± – 12/187] **7. ♘ge2** [7. ♘f3 ♗g4; 7. 0-0-0] **♘e7 8. 0-0-0 0–0 9. f4!? ♗g4= 10. f5!?** [10. h3 ♗e2 11. ♘e2 c5!? ×d4; 10. g3!?] **♘c8!?** [10... ed4 11. ♕d4 ♕d4 12. ♖d4 ♗e2 13. ♗e2 ♘c8 14. f6 △ ♗g4; 10... c5 11. d5 △ h3, g4○] **11. de5?!** [11. d5 ♘d7=] **de5 12. h3 ♗e2 13. ♗e2 ♘a6 14. g4 ♕e7 15. g5 f6 16. ♖hg1 ♘b6 17. gf6 ♖f6 18. ♖g3 ♔h8 19. ♖d3 ♖e8 20. ♖d8 ♖ff8 21. ♖d6 ♖f6 22. ♖d8 ♖ef8 23. ♖f8 ♖f8 24. ♕d6 ♕d6 25. ♖d6 ♔g8 26. ♖e6** [26. b4!? ♘b4 27. c5 ♘c8 28. ♖d7∞̄ △ ♗c4, a3; 26... c5!∓] **♘d7 27. ♖e7 ♖d8** [×♖e7] **28. c5?** [28. ♖e6 △ ♖d6] **♔f8! 29. f6□ ♘ac5!–+ 30. ♗c4 ♘f6 31. ♖f7 ♔e8 32. ♖g7 ♖d4 33. ♗e2 ♖d7 34. ♖g5⊕ ♖e7 35. ♗f3 ♘d3 36. ♔b1□ ♘f4 37. h4 h6 38. ♖f5 ♔f7** [⌓ 38... ♖e6 △ ♔e7, ♘e8-d6–+] **39. ♘e2 ♘e2 40. ♗e2** [♖ 9/i] **♔g7 41. ♗d3 ♘d7 42. ♖f1 ♘c5** [⌓ 42... ♖f7] **43. ♗c2 a5 44. a3 ♖f7** [44... a4 △ b5, ♘e6-d4] **45. ♖g1 ♔h7 46. b4 ab4 47. ab4 ♘a6** [47... ♘e6? 48. ♗b3 ♖g7? 49. ♖g7! ♘g7 50. ♗f7! b5!=] **48. b5 ♘c5** [×♗c2] **49. h5** [49. bc6] **cb5 50. ♖g6 ♖c7! 51. ♖b6 ♖c6 52. ♖b5 ♔g7 53. ♗b3 ♔f6 54. ♗d5 ♖c7 55. ♖b2 ♔g5 56. ♖f2 ♘d3 57. ♖f5 ♔h4 58. ♔a2 b5 59. ♔b3 ♖c1** [△ b4; 59... b4 60. ♗c4] **60. ♖f6 ♔h5 61. ♗f7 ♔g5 62. ♖g6 ♔f4 63. ♖h6 b4! 64. ♗d5 ♖c3 65. ♔a2 ♔e3 66. ♖d6 ♔d2! 67. ♗b3 ♖c7 68. ♔b1 ♔c3 69. ♗c2 ♘c5! 70. ♖d5 b3 71. ♔c1** [71. ♗b3 ♘b3 72. ♖e5 ♖a7] **♔b4** [71... bc2?? 72. ♖c5=] **72. ♗d1 ♘e4 73. ♔b2 ♘c3 74. ♖d3 ♘d1 0 : 1** **[Miles]**

177. **B 10**

LJUBOJEVIĆ 2580 –
J. HJARTARSON 2615
Rotterdam 1989

1. e4 c6 2. d3 e5 3. ♘f3 ♘f6 4. g3 d6 5. ♗g2 g6 6. 0–0 ♗g7 7. a4 N [7. ♖e1 –

45/142] **a5** [7... 0–0?! 8. a5!±] **8. ♘c3!?** [8. ♘bd2 0–0 9. ♘c4±] **0–0 9. h3 h6 10. ♗e3 d5!?** [10... ♘bd7 11. ♘d2!±; 10... ♗e6!?] **11. ed5 ♘d5!** [11... cd5 12. ♗c5! ♖e8 13. ♘b5±] **12. ♗d2 ♗e6 13. ♕c1 ♔h7 14. ♖e1 ♘d7= 15. ♘d1** [15. ♘d5 ♗d5=; 15... cd5!?] **♕c7 16. ♘e3 f5 17. ♘d5 ♗d5** [17... cd5? 18. ♘d4±] **18. ♗c3 ♖ae8 19. b3 ♗f6! 20. ♕b2** [⌓ 20. ♘h2] **e4∓ 21. de4 fe4 22. ♘d4 e3 23. f4 g5** [23... ♗g2 24. ♔g2 g5 25. f5 ♕e5∓; 25. ♘e2∞] **24. ♗d5 cd5 25. ♘b5** [25. ♘e2? gf4∓→] **♕b8?!** [25... ♕c6 26. ♗f6 ♖f6∓→] **26. ♖ad1□ gf4 27. ♖d5 ♘b6 28. ♖d6 f3∞ 29. ♗f6 f2 30. ♔f1 ♕c8! 31. g4□ fe1♕ 32. ♔e1 ♖e6 33. ♗e5 ♖d6** [⌓ 33... ♖fe8∞] **34. ♗d6 ♕d8!⊕ 35. ♔e2** [35. ♗f8?? ♕d2 36. ♔f1 ♕f2#] **♖e8 36. c4 ♕h4 37. ♕b1 ♔g7 38. ♕f1 ♘d7 39. ♘d4** [39... ♕f6 40. ♕f6 ♔f6 41. ♘f5 h5!=] **1/2 : 1/2** **[J. Hjartarson]**

178. **B 10**

LJUBOJEVIĆ 2580 – SPEELMAN 2640
Barcelona 1989

1. e4 c6 2. d3 e5 3. ♘f3 d6 4. g3 ♘f6 5. ♗g2 ♗e7 6. 0–0 0–0 7. ♖e1 [7. ♘bd2 – 9/144; 7. ♘c3 – 4/205] **♘bd7 8. d4 ♖e8 9. c4 ed4!?** [9... a6=] **10. ♘d4 ♘e5 11. ♘a3!** [11. b3 d5 12. ed5 ♗b4!; 12. f4!?] **♕b6!? 12. ♖e3!□** [12. h3? ♗h3!] **♗g4 13. f3 d5?! 14. cd5!** [14. fg4 de4! ×d4] **cd5 15. fg4! ♗c5 16. ♘ac2 ♘fg4** [16... de4 17. b4!] **17. ♖b3 ♕f6 18. h3!± ♕f2 19. ♔h1 de4!? 20. hg4 ♖ad8** [20... ♘d3 21. ♘f5 g6 22. ♗e3 ♗e3 23. ♘ce3+–] **21. ♕f1** [21. ♕g1! ♘g4 (21... ♗d4 22. ♘d4 ♕d4 23. ♕d4+–) 22. ♕f2 ♘f2 23. ♔g1 ♘g4 24. ♗h3!+–] **♗d4 22. ♘d4!? ♕d4 23. ♗e3 ♕d7 24. g5 b6 25. ♕e2 ♘g4 26. ♔g1** [⌓ 26. ♗h3] **♘e3 27. ♕e3 ♖e5 28. ♖b4!⊕ ♖de8 29. ♖e4 ♖e4 30. ♗e4+– ♕g4 31. ♖e1 g6 32. ♕f4 ♕d7 33. ♖e2 h6!? 34. gh6 ♔h7** [34... f5 35. ♗d5!] **35. ♔f2 ♕d4 36. ♕e3?? ♕f6??⊕** [36... ♖e4!=] **37. ♕f3 ♕d4 38. ♔g2! f5 39. ♗d3 ♖e2 40. ♕e2 ♕d5 41. ♔h2 ♕a2 42. g4! ♕d5 43. gf5 gf5 44. ♕e7!**
1 : 0 **[Speelman]**

179. **B 10**

LJUBOJEVIĆ 2580 – SEIRAWAN 2610
Rotterdam 1989

1. e4 c6 2. d3 d5 3. ♘d2 e5 4. ♘gf3 ♗d6 5. g3 ♘f6 6. ♗g2 0–0 7. 0–0 ♖e8 8. ♖e1 ♗g4?! N [8... ♘bd7 – 30/187] **9. h3! ♗h5 10. ♘f1 ♘bd7** [10... ♘a6!? △ 11. g4 ♗g6 12. ♘g3 de4 13. de4 ♘c7 △ ♘e6-f4] **11. g4 ♗g6 12. ♘g3 de4 13. de4 ♗c5 14. ♘d2!** [△ g5 ×♘f6] **♘f8 15. g5 ♘6d7 16. h4 h6!** [16... f6 17. h5 ♗f7 18. gf6±] **17. ♘b3** [17. h5 ♕g5! 18. ♘b3 (18. b4 ♗d4 19. ♘b3 ♕g3 20. ♘d4 ♕c3) ♕g3 19. ♘c5 ♕h4 20. hg6 (20. ♘d7 ♗h5 △ ♖ad8) ♘c5 21. gf7 ♔f7∓] **hg5 18. ♘c5 ♘c5 19. ♕d8 ♖ed8! 20. h5! ♗h7 21. ♗g5 f6 22. ♗e3±⊥ ♘fe6?!** [22... ♘ce6; 22... ♘a4] **23. b3! b6 24. ♖ad1 ♔f7 25. f3 ♘a6 26. c3 ♘ac7?!** [26... ♖d1 27. ♖d1 ♖d8] **27. ♗h3! ♘b5 28. ♘e2 ♔e7 29. ♔f2!** [⇔g] **♖d1 30. ♖d1 ♘d6 31. ♘g3 ♖d8 32. ♖g1 ♖g8?⊕** [32... ♘g5□ 33. ♗g4±] **33. ♗g4 ♘g5 34. ♗g5??** [34. a4! △ a5 ⇗g1--a7±] **fg5= 35. ♔e3** [⌓ 35. ♖d1 △ ♔e2, ♘f1-e3=] **♖d8 36. ♘h1?! ♘b5! 37. ♖c1 ♗g8 38. ♘f2 ♗f7∓** [×♗g4] **39. ♘h1?!** [39. ♘d3] **c5!∓** [△ c4, ♖d3] **40. a4 ♘d6 41. c4 ♘b7 42. ♘g3 ♘a5 43. ♖b1 ♘c6 44. ♘f5 ♔f6 45. ♔e2 ♘d4 46. ♘d4 ed4!–+** [△ a5, ♔e5, ♖h8; ♖ 9/k] **47. a5!□ ♖b8 48. ab6 ♖b6 49. ♔d2! a5!** [49... ♗c4? 50. ♖c1; 49... ♖a6 50. b4 ♖b6 (50... ♗c4 51. bc5⇆) 51. b5 ♗c4 52. ♖c1⇆] **50. ♖a1 ♖a6 51. ♗c8 ♖a7!** [51... ♖a8 52. ♗b7 ♖a7 53. ♗d5 ♗h5] **52. ♗g4 ♔e5 53. ♔d3 ♗e8! 54. ♔d2 ♖a8! 55. ♔d3 a4** [×c4] **56. ♖a3 ♗c6** [△ ab3] **57. ba4 ♖a4 58. ♖b3 ♖b4! 59. ♖a3** [59. ♖b4 cb4 60. c5 b3 61. ♔d2 ♗a4 62. ♔c1 d3] **♗a4** [△ ♖b3] **60. ♖a1 ♖b3 61. ♔d2 ♖b2 62. ♔e1 ♗b3 63. ♖a5 d3 64. ♖c5 ♔d4 65. ♖d5 ♔e3 66. ♔f1 ♗c4**
0 : 1 **[Seirawan]**

180.* **B 11**

N. SHORT 2650 – SEIRAWAN 2610
Barcelona 1989

1. e4 c6 2. ♘f3 d5 3. ♘c3 ♗g4 4. h3 ♗f3 [RR 4... ♗h5 5. ed5 cd5 6. g4 ♗g6 7.

♗b5 ♘c6 8. ♘e5 ♖c8 9. d4 e6 10. ♕e2 ♗b4 11. h4 ♘e7 12. h5 ♗e4 13. f3 0-0 14. ♘c6 ♘c6 15. ♗e3 ♕f6 16. fe4 ♘d4 17. ♗d4 ♕d4 18. ♖d1 ♗c3 19. bc3 ♕c3 20. ♔f1 de4 21. ♕e4 f5 22. ♕e6 ♘h8 23. ♔g2! N (23. ♗d3? − 42/(144)) ♕c2 24. ♕e2 fg4 25. ♖c1 ♕f5 26. ♗d3 ♖ce8 27. ♗f5 ♖e2 28. ♔g3 ♖a2 29. ♖c8 ♖a3 30. ♔g4 ♖a4 31. ♔g3 ♖a3 32. ♔f4 ♖a4 33. ♔e3 ♖a3 34. ♔d4 ♖a4 35. ♔c3 ♖c8 36. ♗c8 ♔g8 37. ♖f1 g5 38. ♗b7 ♖h4= Sikora-Lerch 2375 − Štohl 2455, Trnava II 1989] **5. ♕f3 e6 6. ♗e2 d4 N** [6... ♘f6] **7. ♘b1 ♘f6 8. d3 c5** [8... ♗d6!?] **9. ♕g3 ♘c6 10. 0-0 h5** [10... g6?! 11. f4 △ f5±; 10... ♗e7!? 11. ♕g7 ♖g8 12. ♕h6 ♕c7 △ 0-0-0‼] **11. f4 h4 12. ♕f2 ♘h5 13. ♗h5 ♖h5 14. ♘d2 ♗d6?!** [×h4; 14... ♗e7] **15. ♘f3** [15. ♘c4 ♗c7 (15... b5?! 16. ♘d6 ♕d6 17. a4±) 16. a4 a6=] **♗c7** [15... ♗e7!? △ ♕c7, 0-0-0] **16. ♗d2 ♕e7 17. ♕e2 g6** [17... ♖h8!? (△ e5) 18. e5 0-0-0] **18. a3 0-0-0?** [18... e5?! 19. f5! 0-0-0 20. ♘h2 △ ♘g4±; 18... ♔f8 △ ♔g7; 18... f6!?] **19. e5!○** [×f7, h4] **♖f8** [19... f6?! 20. ef6 ♕f6 21. ♘g5±; 19... ♕d7 (△ ♘e7) 20. ♘g5 ♖g5?! 21. fg5 ♗e5 (21... ♘e5 22. ♗f4±) 22. ♗f4!±; 19... ♕f8 20. ♘g5 (20. b4 ♘e7!? 21. bc5 ♘f5⇆) ♘e7 21. ♘e4 ♘f5 (21... ♘d5 22. c4↑) 22. b4!↑《] **20. b4 f6** [△ 20... a6] **21. b5 ♘d8 22. ef6 ♖f6 23. ♘g5 ♖f5 24. ♘e4± e5 25. ♕g4 ef4 26. ♗f4 ♕e6 27. ♖ae1 ♗f4 28. ♖f4 ♔c7 29. ♖ef1 ♔b6?!** [29... ♖f4 30. ♕f4 ♕e5 (30... ♔b6? 31. ♕f8 △ ♖f6+−) 31. ♕g4±] **30. a4** [△ 30. ♖f5 ♖f5 31. ♕h4+−] **♘f7?!** [30... ♖f4±] **31. ♖f5 ♖f5 32. ♕h4 ♖f1 33. ♔f1** [♕ 8/c] g5 **34. ♕f2** [34. ♘g5 ♕f5 35. ♘f3 ♔a5⇆] **a6 35. c4!+− ab5 36. ab5 ♘e5 37. ♕e2 ♕f5 38. ♔e1 ♕f4 39. ♔d1 g4 40. g3 ♕f5 41. h4 ♕f8 42. ♘d2! ♕f6** [42... ♕f5 43. ♕e4!? (43. ♔c2 △ ♕e4) ♕e4 44. ♘e4!] **43. ♕e4 ♘f3 44. h5 ♘e5 45. h6 ♘f7 46. h7 ♘g5 47. ♕h1 ♘h3 48. ♕d5 ♘f2 49. ♔e2! ♕e7** [49... ♘h3 50. ♕c5!] **50. ♔f2 ♕e3 51. ♔f1 ♕d3 52. ♔e1 ♕h7 53. ♕e6 ♔a5 54. ♕g4 ♔b4 55. ♕f3 d3 56. ♔d1 ♔c3 57. ♕f6 ♔b4 58. ♔c1 ♔a5 59. ♔b2**
1 : 0 [Minić, Sindik]

181.** **B 12**

N. SHORT 2650 − SEIRAWAN 2610
Rotterdam 1989

1. e4 c6 2. d4 d5 3. e5 [RR 3. f3 e6 4. ♘c3 ♗b4 5. ♗f4!? N (5. ♗e3) ♘f6 6. ♕d3 b6 7. ♘ge2 ♗a6 8. ♕e3 0-0 9. 0-0-0 ♘bd7 10. h3 ♖c8 11. a3 ♗c3 12. ♘c3 ♗f1 13. ♖hf1 b5 14. ♗d6 ♖e8 15. e5 ♘b6 16. b3 ♘fd7 17. f4± Murey 2560 − Saidy 2405, New York 1989] **♗f5 4. ♘c3** [RR 4. ♘f3 e6 5. ♗e2 c5 6. ♗e3 N (6. 0-0 − 29/178) ♕b6 7. ♘c3 *a)* 7... c4 8. b3 ♗b4 9. ♗d2 ♕a5 10. ♘a4 ♗d2 11. ♕d2 ♘c6 (11... ♕d2 12. ♔d2 cb3 13. ab3 ♘c6 14. ♗b5± △ ♘b6, ♖a7) 12. c3 (12. ♕a5 ♘a5 13. ♔d2±) ♖b8 13. 0-0 ♘ge7 14. ♘h4 (14. ♗d1 0-0 15. b4 ♕d8±) 0-0 15. ♘c5! (15. ♘b2?! b5 16. g4 ♗e4 17. f3 ♗g6∞ Ohotnik 2400 − Sapis 2395, Mariánské Lázně 1989) ♖fd8 16. g4 ♗g6 17. f4 b6 18. ♘a4±; *b)* 7... ♘c6 8. ♘a4! (8. 0-0 ♕b2 9. ♘b5 ♖c8 10. dc5 ♕c2∞) ♕a5 9. c3 cd4 10. ♘d4 ♘d4 11. ♗d4±; *c)* 7... ♕b2 8. ♘b5 ♘a6 9. dc5 ♗c2 10. ♕d4 ♕d4 11. ♘fd4 ♗a4 12. ♘d6 ♗d6 13. cd6‼ Sapis] **h5 5. ♗d3 ♗d3 6. ♕d3 e6 7. ♘f3 ♕b6 N** [7... ♘h6 − 41/136] **8. 0-0 ♕a6?!** [RR △ 8... ♘d7, 8... ♘e7 Seirawan] **9. ♕d1 ♘e7** [9... c5!? △ ♘c6] **10. ♘e2 ♘d7 11. c3 ♘f5 12. ♗g5 ♗e7 13. ♘g3! ♘g3** [13... g6 14. ♘f5 gf5 15. h4± ×h5] **14. fg3 f6□ 15. ef6 gf6 16. ♗f4 0-0-0 17. ♖e1 ♘f8 18. b4 ♕b6 19. a4 ♗d6 20. ♕d2 ♕c7 21. b5 ♖h7 22. ♗d6 ♕d6** [22... ♖d6?! (△ 23. bc6? ♖c6) 23. ♕f4±] **23. bc6 ♕c6 24. ♕f4 ♘d7 25. ♔h1 ♖e7 26. a5** [26. ♕h6 ♔b8 27. ♕h5 ♕c3] **e5 27. ♕f5** [27. de5? fe5 28. ♘e5 ♖de8 29. ♘f3 ♖e1 30. ♘e1 ♕c3! 31. ♕c1□ (31. ♖c1? ♖e1−+) ♕c1 32. ♖c1 ♔b8∓] **♔b8 28. ♕h5 ♕c3 29. ♕f5± ♖de8?!** [29... ♕c7] **30. ♖ec1 ♕e3?** [30... ♕b4 △ ♕d6] **31. ♕c2+− ♔a8 32. a6 ♘b6 33. ab7 ♖b7** [33... ♔b7 34. ♕c6 △ ♕f6] **34. de5 fe5 35. ♖e1 ♕h6 36. ♘e5 ♖be7 37. ♖eb1! ♖b7** [37... ♖e5 38. ♕c7] **38. ♘c6** [△ ♖b6] **♕e3 39. ♘a7! ♔b8 40. ♘c6 ♔c8 41. ♘e7 ♔d8 42. ♘d5!** **1 : 0**
[Čabrilo]

182.*   **B 12**

MINASJAN 2345 − MILES 2520

Moskva (GMA) 1989

1. e4 c6 2. d4 d5 3. e5 ♗f5 4. ♘c3 e6 5. g4 ♗g6 6. ♘ge2 ♗e7 7. ♗e3 ♘d7 8. ♕d2 h5 N [8... b5± − 42/(147)] **9. ♘f4 hg4 10. ♘g6 fg6 11. ♗d3** [RR 11. h3 ♘f8 12. 0-0-0 ♕a5 13. a3 b5 14. ♘a2 ♕d2 15. ♔d2 a5 16. ♘c1 ♔f7 17. ♘d3 ♖h4 18. ♗g2 ♘h6 19. hg4 ♖g4 20. ♗f3 ♖h4 21. ♖h4 ♗h4 22. ♖h1 ♗e7 23. ♔e2 ♘f5 24. ♗g4 b4 25. a4 ♘d7 26. ♖c1∞ Kamskij 2345 − Miles 2520, New York 1989] **♘f8 12. 0-0-0 ♖h4** [12... ♕a5!? 13. ♖dg1 ♖h4! (13... ♘h6 14. h3 gh3 15. ♖h3±) 14. ♗g5 (14. h3!? ♘h6∞) ♗g5 15. ♕g5 ♕d8 16. ♗g6 ♘d7 17. ♖g4 ♕g5 18. ♖g5 ♖d4 19. ♗d3 (19. ♗f7 ♘h6 20. ♖g7 ♘f5∞) g6 20. ♗g6 ♘g6 21. ♖g6 ♘e7∓] **13. ♘e2!±** [⟳, ⇱, ⤬g4, g6] **♘h6 14. c4** [14. ♘f4 g5!?] **♘f5?** [14... ♕d7 15. cd5 cd5 16. ♗g5 ♗g5 17. ♕g5 ♕e7 18. ♗g6 ♔d7∞; 16. ♕a5∓] **15. ♘f4± ♔f7** [15... g5? 16. ♘e6; 15... ♕d7 16. cd5 cd5 17. ♕e2] **16. ♔b1 ♘d7 17. cd5 cd5 18. ♘g2 ♖h8 19. ♕e2 ♘h6 20. h3** [20. ♗h6± △ ♕g4→ ⤬e6, g6] **gh3**

21. ♗g6!? ♔g6 22. ♘f4 ♔f7 [22... ♔h7 23. ♖dg1! (23. ♕d3 ♔g8 24. ♘e6?! ♕b6 25. ♕g6∞ − 22... ♔f7) ♗f8 (23... ♘f8 24. ♕d3 ♔g8 25. ♘h5; 23... ♕b6 24. ♕d3 ♔g8 25. ♖g7 ♔g7 26. ♕g6 ♔f8 27. ♘e6) 24. ♖h3 △ ♖h6] **23. ♕h5 ♔g8 24. ♘e6 ♕e8?** [24... ♕b6 a) 25. ♕g6 ♖h7

26. ♗h6 ♘f8 27. ♘f8 ♖f8 28. ♕b6 ab6 29. ♗e3∞; b) 25. ♘g7 ♔g7 26. ♖dg1 ♔f8 27. ♖g6 ♘f7 28. ♕f5 ♕c7! (28... ♕d8 29. ♗h6! ♔e8 30. e6→) 29. ♖h3! ♖h3 30. ♕h3 ♔e8 31. e6 ♘f8 32. ♖g7∞; c) 25. ♕h3!? ♘f8 (25... ♘f7 26. ♖dg1 ♗f8 27. ♕f5 ♖e8 28. ♖h8 ♘h8 29. ♘g7!) 26. ♘f4 ♘f7 27. ♕g2∞] **25. ♖dg1!+− ♗f8** [25... ♖h7 26. ♕h3] **26. ♕h3** [△ 27. ♗h6, 27. ♘g7] **♘f7 27. ♕f5 ♖c8** [27... ♕e7 28. ♗g5] **28. ♖h8 ♘h8 29. ♘g7! ♗g7 30. ♗h6 ♖c1 31. ♔c1**   **1 : 0**

[Dohojan]

183.***   **B 12**

H. NAGEL 2280 − WOUTERS

corr. 1988

1. e4 c6 2. d4 d5 3. e5 ♗f5 4. ♘c3 e6 5. g4 ♗g6 6. ♘ge2 c5 7. h4 cd4 8. ♘d4 h5 9. f4 hg4 10. ♗b5 ♘d7 11. f5 [11. ♕g4 ♘h6 12. ♕g2 ♕b6 N (12... ♗h5 − 43/(157)) 13. ♗e3 0-0-0 14. h5 ♗h7 15. ♖h3?! ♘c5 16. 0-0-0 a6 17. ♗d3 ♘d3 18. cd3 ♕c7 19. ♔b1 ♔b8 20. ♗g1! ♗b4?! 21. ♖c1 ♕e7 22. ♘b3! ♗f5? 23. ♖g3 ♗c3 24. ♖c3 ♖c8 25. ♕f2 ♖c3 26. ♕a7! ♔c8 27. ♗b6!! ♖c7 28. ♘c5! ♖c5 29. ♗c5 ♕c7 30. ♗d6+− H. Nagel 2280 − Gebhardt, corr. 1989); 13... ♗b4 14. h5 ♗e4 15. ♕g7 ♖g8 16. ♕h6 ♗h1 17. ♕h7 ♖f8 18. ♔f2!?] **♖h4 12. ♖f1 ef5 13. e6 fe6 14. ♘e6** [RR 14. ♕e2 N e5!? (14... ♕f6 15. ♗g5! ♕g5 16. ♘e6 ♕f6 17. ♗d7 ♔d7 18. ♕b5 ♔c8 19. ♕d5 ♗e8 20. 0-0-0 ♗e7 21. ♖f5+− Spitz − Walker, corr. 1988; 14... ♗f7 15. ♘e6 ♗e6 16. ♕e6 ♘e7 17. ♖f5+−; 14... ♘e7 15. ♗g5 ♖h5 16. ♘e6 ♕a5 17. ♗d7 ♔d7 18. ♘f8+−; 14... ♗e7 15. ♘e6 ♕c8 16. ♘d5 ♔f7 17. ♗g5 ♘df6 18. ♘e7 ♘e7 19. ♗h4 ♕e6 20. ♗c4 ♘ed5 21. ♕e6 ♔e6 22. ♗f6 gf6 23. 0-0-0 ♖d8 24. ♖fe1+−) 15. ♕e5 (15. ♘d5 ♗d6! 16. ♘e6 ♕c8 17. ♘g7 △ ♘f5∞; 15. ♘e6 ♕a5 16. ♘f8 ♔f8 17. ♗d7 d4 18. ♗f5 ♗f7∞) ♕e7 16. ♘e6 ♘f6 17. ♗g5 ♔f7 18. ♗h4 ♕e6 19. ♕e6 ♔e6 20. 0-0-0∞ Spitz] **♕e7 15. ♕e2 ♖h2 16. ♘c7 N** [16. ♕e5 − 42/148] **♔d8** [16... ♔f7!?] **17. ♕e7 ♗e7 18.**

♗f4! ♖c2 19. ♘a8 ♗h4 [19... ♘c5 20. ♘d5 a6? 21. ♗c7+−; 19... ♘gf6 20. ♖f2]
20. ♔d1 ♖b2 21. ♘c7 ♗f7 [21... ♘gf6!?]
22. ♔c1! ♖f2 [22... ♖b4 23. ♗d6; 22... ♖h2 23. ♘7d5] 23. ♖f2 ♗f2 24. ♘7d5 g3
25. ♔c2 ♘c5 [25... g2 26. ♗h2 g5 27. ♗g1 ♗g3 (27... ♗h4 28. ♘e3+−) 28. ♖d1!+−] 26. ♖d1 ♔c8 27. ♘e2 ♗h5 [27... ♘e4 28. ♘b6!! ab6 29. ♗d7 ♔d8 30. ♗f5+−] 28. ♘e3 ♗f3 [28... a6 29. ♖d5 ♗e3 30. ♗e3 ♘e4 31. ♗b6+−; 28... ♘f6 29. ♘f5+−; 28... ♘e7 29. ♖h1+−]
29. ♖f1 ♗e2 30. ♗e2 ♘e6 31. ♗g3! [31... ♗e3 32. ♗c4 ♔d7 33. ♗e6 ♔e6 34. ♖e1+−; 31... ♗g3 32. ♘f5 ♗e5 33. ♗c4+−] 1 : 0 [H. Nagel]

184.** B 13

ANAND 2525 − MILES 2520
Wijk aan Zee 1989

1. e4 c6 2. d4 d5 3. ed5 cd5 4. c4 ♘f6 5. ♘c3 ♘c6 6. ♘f3 ♗e6!? N [RR 6... ♗g4 7. cd5 ♘d5 8. ♕b3 ♗f3 9. gf3 e6 (9... ♘b6 − 45/146) 10. ♕b7 ♘d4 11. ♗b5 ♘b5 12. ♕c6 ♔e7 13. ♕b5 ♕d7 14. ♘d5 a) 14... ed5? 15. ♕b3!? N (15. ♕e2; 15. ♕b4) a1) 15... ♔f6 16. h4 ♖e8 17. ♔f1 g6 18. ♗g5! ♔g7 19. ♖d1 d4 20. ♕c4 f6 (20... ♗e7 21. ♖d4 ♕b7 22. ♗f4! f6 23. h5! gh5 24. ♗f6!! ♔h6 25. ♖g4+−) 21. ♖d4 ♕b7 22. ♗f6!! ♔f6 23. ♖f4 ♔g7 24. h5! h6 25. hg6 ♖e7 26. ♕d4 1 : 0 Zvonickij − Godyš, SSSR 1989; 16... h6!?; a2) 15... f6 16. 0−0 ♔f7 17. ♖d1 ♖d8 18. ♗d2 △ ♗a5± Zvonickij; b) 14... ♕d5 15. ♕d5 ed5 16. 0−0 ♔e6 17. ♖e1 ♔f5 18. ♖d1 ♖d8 19. ♗e3 ♖d7 20. ♖ac1 ♗e7 21. ♖d4 (21. ♖c4 dc4 22. ♖d7 ♗f6 23. ♖a7 ♖b8=) g5! N (21... ♗f6?! − 40/154) 22. ♖a4 ♗f6 (22... ♖b8) 23. b4!? d4 24. ♖a5 ♔g6 25. ♗d2 ♖e8 26. ♔f1 (26. ♖c6 ♔g7=) d3?! 27. ♖a6!± Arhipov 2465 − Filipenko 2370, Belgorod 1989; 26... ♖e6!∞; 21. b3!?; 18... ♔e6!?; 16. ♗f4!? Dreev, Filipenko] 7. c5 [7. cd5 ♗d5 8. ♘d5 ♕d5 9. ♗e2 e6=; 9... g6=; 7. ♗g5 ♘e4! 8. ♘e4 de4 9. d5 ef3 10. de6 ♕a5 11. ♕d2 ♕e5 12. ♗e3 ♕e6 13. gf3 g6=]

g6 [7... ♗g4 8. ♗b5±; 7... a6!? 8. h3±]
8. ♗b5! ♗g7 9. ♘e5 ♗d7 10. ♗c6 bc6 11. 0−0 0−0 12. ♖e1 ♗e8! 13. h3 ♗h8 14. ♗f4 ♘g8 15. b4 f6 [15... a5!? 16. ♖b1 ab4 (16... f6 17. ♘c6!? ♗c6 18. b5⊗) 17. ♖b4 f6 18. ♘f3∞; 16. a3! △ ♘a4-b6±]
16. ♘f3 ♕d7 17. a4 a6 18. ♗h2 g5!⇆ 19. ♕e2 h5!? 20. ♕e6 ♕e6 21. ♖e6 ♗h6 [21... ♘h6!? 22. ♖d1! (22. ♖e7? ♘f5 23. ♖ee1 g4∓) ♖f7 (22... ♘f5 23. g4 hg4 24. hg4 ♘h6 25. ♖e7 ♘g4 26. ♗d6±) 23. b5 ab5 24. ab5 cb5 25. ♘d5±; 21... ♗d7 22. ♖ee1 e6] 22. ♘d2 ♗d7 23. ♖ee1!? [23. ♖e2 g4 24. h4 ♗f5 25. ♘b3 ♗d3 26. ♖b2±; 24... e6±] g4 24. ♘b3 e6?! [24... gh3 25. b5 ab5 26. ab5 cb5 (26... ♖a1 27. ♖a1 cb5 28. ♖a7 ♖d8 29. ♖b7±) 27. ♘d5! ♖a1 28. ♘a1±] 25. hg4 hg4 26. ♖e2! ♘e7 [26... ♔g7 27. ♖ea2±] 27. ♗d6 ♖fe8 28. ♗e7 ♖e7 29. b5 ab5 30. ab5 ♖a1 31. ♘a1 cb5 32. ♘d5 ♖f7 33. ♘b6 e5 34. d5 ♗f5 35. ♖a2! [35. ♘b3? ♖a7!⇆] ♗f8 36. ♘b3 ♖b7 37. ♖a6 ♔g7 38. d6 ♖f7 39. ♘a5 b4 40. ♘bc4 ♗d3 41. ♖b6 ♖a7 42. c6 ♖a8 43. c7 ♗f5 44. ♖b8 ♖a6 45. ♘e3! ♗e6 46. ♖e8 1 : 0 [Anand]

185. B 13

SAX 2610 − MILES 2520
Wijk aan Zee 1989

1. e4 c6 2. d4 d5 3. ed5 cd5 4. c4 ♘f6 5. ♘c3 ♘c6 6. ♗g5 ♗e6?! 7. ♗f6 gf6 8. ♘f3 N ♕d7 [8... ♕a5 9. a3!? (9. c5!? △ a3, b4) dc4 10. d5 0-0-0 11. ♗c4±] 9. c5 ♗g4! 10. ♗e2 ♗f3! 11. ♗f3 e6∓ [×d4] 12. 0−0 ♗g7 13. ♗e2 [△ ♗b5; 13. ♘e2!? △ ♕d2, ♖fd1, ♕e3, ♘f4-h5⇆] a6! 14. ♕a4 0−0 15. ♖fd1 f5 16. ♖d3 ♕c7! 17. ♖ad1 b6∓ 18. b4 [18. cb6 ♕b6 19. ♘d5 ed5 20. ♖b3 ♕c7 21. ♖c1 (21. ♖c3 ♕e7!-+) ♕e7 22. ♖e3; 21... ♖fe8! △ ♖e6-+] bc5 19. dc5 [19. bc5 ♖fb8∓] a5!-+ 20. b5 ♘b4 21. ♖g3 [21. c6!?] ♕c5 22. ♕b3 [22. a3 ♖fc8] f4 23. ♖h3 ♖fc8 24. ♘a4 ♕c2 25. ♗d3⊕ [25. b6 ♖ab8] ♘d3 26. ♖hd3 ♖ab8 27. b6 ♖c4 28. ♔f1 ♗f6 29. ♖1d2 ♕b3 30. ab3 ♖c6 31. ♖f3

♗d8 32. ♖f4 ♗b6 33. ♖g4 ♔f8 34. ♖h4 [△ 34. ♘b6] ♗d8 35. ♖h3 [35. ♖h7 ♖b3] ♗g5 36. ♖d1 ♖c2 37. ♖hd3 ♔e7 38. g3 ♗f6 39. ♔g2 ♖bc8 40. ♖e1 ♖c1 41. ♖ee3 ♔f8 42. ♖f3 ♗g7 43. ♖f4 [△ 44. ♖df3, 44. b4] ♗e7 44. ♖ff3 ♖b8 45. ♖fe3 ♖c2 46. h3 h5 47. h4 ♗f6 48. ♖e1 ♖b4 [△ ♗d4] 49. ♖ed1 ♔g6 50. ♔f1 ♗g7 51. f3 [51. ♔g2 d4 △ e5, f5, e4] ♗e5 52. f4 ♗f6 53. ♖e1 ♔f5 54. ♖e2 ♖e2 55. ♔e2 ♗d4   0 : 1   [Miles]

186. **B 13**

R. MAINKA 2410 – MILES 2520
Bad Wörishofen 1989

1. e4 c6 2. d4 d5 3. ed5 cd5 4. c4 ♘f6 5. ♘c3 ♘c6 6. ♗g5 ♗e6?! 7. ♗f6 gf6 8. c5 ♕d7 N [8... ♗g7 — 43/(158)] 9. ♗b5 ♖g8!? 10. g3 0-0-0 11. ♕h5?! ♗g4! 12. ♕h7 [12. ♕f7? ♖g7-+] ♕e6!? [12... ♖g6∞] 13. ♔f1!□ [13. ♘ge2 ♘d4!∓]

13... ♘d4! [13... ♖g7 14. ♕d3∞; 13... ♖g6 14. ♖e1] 14. ♕g8!□ [14. ♖e1 ♕f5!∓ 15. ♕g8? ♗h3 16. ♘h3 ♕h3 17. ♔g1 ♘f3#] ♗h6! 15. ♗e8! [15. ♕h7? ♗h3 16. ♘h3 ♕h3 17. ♔e1 ♗d2-+; 15. ♕d8 ♔d8 16. h3 ♗h5 17. ♖e1 ♕c8∓] ♗h3 16. ♘h3 ♕h3 17. ♔e1 ♘c2 18. ♔e2 [18. ♔d1? ♕f5! 19. ♔e2□ d4!-+→] ♘d4 19. ♔e1 [19. ♔d3? ♕f5 20. ♔d4 e5#; 19. ♔d1 ♕h5 20. g4 ♕h3!-+] ♘c2 20. ♔e2 ♕h5 [20... d4?! 21. ♖ad1!□ (21. ♘e4? d3-+) a) 21... d3 22. ♖d3 ♕e6 23. ♔f1 ♕c4 (23... ♖d3 24. ♗f7+-) 24. ♗d7 ♔c7

25. ♘b5 ♕b5 26. ♕d8+-; b) 21... ♕h5 22. g4 (22. f3 d3 23. ♖d3 ♕e5 24. ♘e4+-) d3 23. ♖d3 (23. ♔f1? ♕h3 24. ♔g1 ♘e3? 25. ♗d7! ♔d7 26. ♖d3 ♗c6 27. ♖e3; 24... d2! △ ♘e1-+) ♕e5 24. ♔d1!+-] 21. g4 [21. f3? ♘d4 22. ♔e1 (22. ♔d3 ♕f3 23. ♔d4 e5#) ♕f3-+; 21. ♔f1? ♕f3 22. ♔g1 (22. ♖g1 ♘a1-+) ♗e3! 23. ♖f1 ♘e1!-+] ♕e5 22. ♔f3 ♘a1 23. ♖a1 d4 24. ♘e2?? [24. ♖d1□ ♗g5!? (24... dc3 25. ♖d8 ♔d8 26. ♗f7=) 25. ♔g2! (25. h3? ♕f4 26. ♔g2 ♗h4!∓) ♕f4 26. f3; 25... dc3=] d3 25. ♘c3 [25. ♘g3 ♕d5 26. ♘e4 f5-+] ♕h2-+ 26. ♖d1 ♕h3 27. ♔e4 ♕g2 28. f3 f5! [29. ♔e5 ♕g3 30. ♔f5 ♕f4#; 29. ♔f5 ♕f3 30. ♔e5 ♕f4#]   0 : 1   [Miles]

187.**** **B 14**

VAGANJAN 2600 –
VAN DER WIEL 2560
Rotterdam 1989

1. c4 [RR 1. d4 ♘f6 2. c4 g6 3. ♘c3 ♗g7 4. ♘f3 0-0 5. ♗g5 c5 6. e3 cd4 7. ed4 d5!? 8. ♗f6 ♗f6 9. ♘d5 (△ 9. cd5 — 8/585) ♗g7 10. ♘e3 ♘c6! N (10... ♕a5 — 31/174) 11. d5 ♕a5 12. ♘d2 (12. ♕d2 ♗b2! 13. ♕a5 ♘a5 14. ♖d1 ♗c3 15. ♘d2 b6 △ ♗a6, ♖ac8∓) ♗b2! 13. ♖b1 (13. dc6 ♖d8) ♗c3 14. dc6 ♖d8 15. ♘d5 ♗d2 16. ♕d2 ♕d2 17. ♔d2 bc6 18. ♗d3 cd5 19. c5 ♖d7 20. c6 ♖c7 21. ♖hc1 ♔f8∓ Knaak 2465 – H.-U. Grünberg 2475, DDR (ch) 1989] c6 2. e4 d5 3. ed5 cd5 4. d4 ♘f6 5. ♘c3 e6 [RR 5... g6 6. cd5 ♘d5 7. ♕b3 ♘b6 8. d5 ♗g7 9. ♗e3 0-0 10. ♖d1 ♗d7!? N (10... ♘a6 — 46/173) 11. ♘f3 ♘a6 12. ♘b5 ♘c7!∓ 13. d6 ed6 14. ♖d6 ♘b5 15. ♗b5 ♕e7 16. ♖d2 ♗e6 17. ♕d3 a6!∓ 18. ♗b6 ab5 19. ♕e3 ♖fe8 20. 0-0 ♗a2 Palac 2350 – Skembris 2455, Genova 1989] 6. ♘f3 ♗e7 7. cd5 ed5 8. ♗d3 [RR 8. ♗b5 ♘c6 9. 0-0 0-0 10. ♘e5 ♕b6 N (10... ♗d7 — 11/153, 15/184, 32/189) 11. ♗g5 ♘d8! 12. ♕d3 (12. a4 ♕d6 13. ♗f4 ♘e6 14. ♗g3 ♕b4∞) ♘e6 13. ♗e3! (13. ♗f6 ♗f6 14. ♘d5 ♕d4 15. ♘f6 gf6 16. ♘f3 ♕d3 17. ♗d3±) ♖d8 14. f4 ♘c7 15. ♗a4 ♕b2 (15... ♕a6? 16. ♕a6

♘a6 17. f5 ♔f8 18. ♗b3 ♘c7 19. g4!± Adams 2510 – B. Larsen 2580, Cannes 1989; 15... g6 16. ♕e2±) 16. ♖ab1 ♕a3 17. ♗c2 g6 18. ♖b3 ♕d6 19. f5!→; 12. ♗d3!± Adams] **0–0** [8... ♗g4 9. h3 ♗f3 (9... ♗h5 10. ♕a4± ♘bd7 11. ♘e5) 10. ♕f3 ♘c6 11. ♗e3±] **9. h3!? ♘c6 10. 0–0 ♗e6 11. ♗e3!?** [11. ♘e5 ♘d4 12. ♗h7 ♘h7 13. ♕d4=; RR 11. ♖e1 ♖c8 N (11... ♖e8; 11... ♕c8 – 29/179) 12. ♗f4 ♘h5 13. ♗h2 g6 14. ♕d2 ♖e8 15. ♖ad1 ♗f8 16. ♗f1 a6 17. ♘e5 b5 18. ♘c6 ♖c6 19. ♗e5± Salov 2630 – Nogueiras 2575, Barcelona 1989] **♘d7? N** [11... ♕c8!? 12. ♘e5 ♗f5 13. ♘c6 (13. ♖c1 ♗d3 14. ♕d3) bc6 14. ♖c1 △ ♘a4, b3±; 11... ♖c8 – 31/176] **12. ♘e2!± ♕b6 13. ♘f4 ♖ac8** [13... ♕b2 14. ♖b1 ♕a2 15. ♘e6 fe6 16. ♖b7 ♖ad8 (16... ♘f6 17. ♘e5+–) 17. ♘g5! ♗g5 18. ♗g5 ♘f6 19. ♗f6! ♖f6 20. ♕g4 g6 21. ♕h4+–] **14. ♕b1! h6** [14... g6? 15. ♘e6 fe6 16. ♗g6+–] **15. ♗h7! ♔h8 16. ♗f5 ♗f5 17. ♕f5 ♘f6 18. ♘d5 ♘d5 19. ♕d5 ♗f6** [19... ♕b2 20. ♖ab1 ♕a3 21. ♖b7+–] **20. ♖ad1!** [20. ♖fd1?! ♕b2 21. ♖ab1 ♕e2!±] **♘e7** [20... ♕b2!? 21. ♖b1 ♕a3 22. ♖b7±; 20... ♖cd8!?] **21. ♕h5 ♖c2 22. d5 ♕a6** [22... ♕d6? 23. ♗h6! gh6 24. ♕h6 ♔g8 25. ♘g5+–] **23. d6 ♘g8** [23... ♘g6 24. ♗h6 gh6 25. ♕f5+–] **24. d7+–** [24. ♘e5?! g6! 25. ♘f7 ♔g7! (25... ♖f7? 26. ♕g6+–) 26. ♗h6 ♘h6 27. ♕h6 ♔f7] **♕a2 25. ♖fe1!** [25. ♗g5 ♕a5!; 25. ♗d4 ♕e6! 26. ♖fe1 ♕d7 27. ♗f6 (27. ♗c5 ♕b5) ♘f6=] **♖d8 26. ♗g5!** [26. ♗h6? gh6? 27. ♖e8 ♔g7 28. ♕g4+–; 26... ♘h6? 27. ♖e8 ♔h7 28. ♖d8! ♗d8 29. ♘g5 ♔g8 30. ♖e1+–; 26... g6!∓] **♖c7** [26... ♕a5 27. ♗f6! ♕h5 28. ♗d8 ♕c5 29. ♗h4] **27. ♘e5! ♔h7** [27... ♖cd7 28. ♖d7 ♖d7 29. ♘d7 ♗g5 30. ♘e5] **28. ♗f6 ♘f6 29. ♕f5 ♔h8 30. ♖d6!**
1 : 0 **[Vaganjan]**

188. **B 14**

VAJSER 2525 – SVEŠNIKOV 2435
Moskva (GMA) 1989

1. c4 c6 2. e4 d5 3. ed5 cd5 4. d4 ♘f6 5. ♘c3 e6 6. ♘f3 ♗b4 7. cd5 ♘d5 8. ♗d2 ♘c6 9. ♗d3 ♗e7 10. a3 [10. 0–0 – 45/(149)] **♗f6 11. 0–0! ♗d4?! N** [11... 0–0] **12. ♘d4** [12. ♘d5!? ♕d5 (12... ♗b2? 13. ♘b4±; 12... ed5 13. ♖e1 ♔f8 14. ♘d4 ♘d4 15. ♕h5∞↑) 13. ♘d4 ♘d4 – 12. ♘d4] **♘d4 13. ♘d5 ♕d5** [13... ed5!? 14. ♖e1 ♘e6 15. ♕h5↑] **14. ♕g4!** [14. ♗c3?! ♗d7! 15. ♕g4?! e5 (15... ♗c6!?) 16. ♕g7 0-0-0→] **0–0?** [14... ♗d7?! 15. ♗e4!; 14... ♔f8 15. ♗b4 ♔g8 16. ♖ac1!↑] **15. ♗h6 ♕e5** [⌓ 15... g6]

16. f4!+– [16. ♖fe1? f5! (16... ♕f6?? 17. ♗g5 e5 18. ♕h4+–) 17. ♖e5 fg4 18. ♖g5 ♖f7 19. ♖g4 e5=] **f5** [16... ♕e3 17. ♔h1 g6 18. ♖ad1! △ 18... ♗d7 19. ♕h4 f6 20. ♖fe1] **17. fe5 fg4 18. ♗h7! ♔h7 19. ♖f8 ♔h6 20. ♖af1! ♔g6** [20... ♘c6 21. ♖h8 ♔g6 22. ♖ff8 ♘e7 23. ♖e8 ♔f7 24. ♖hf8] **21. ♖e8! a5 22. ♖ff8 ♘c6** [22... ♖a6 23. ♖c8 ♖b6 24. ♖c4 ♘e2 25. ♔f1 ♖b2 26. ♖f2 g3 27. ♖e2 gh2 28. ♖h4] **23. ♖c8** [♖ 9/n] **♖a6 24. ♖f4 ♖b6** [24... ♘e5 25. ♖c5 ♘d3 26. ♖g4 ♔f6 27. ♖c7] **25. ♖g4 ♔f5 26. ♖g7 ♖b2 27. h4 ♘e5 28. ♖f8 ♔e4 29. h5 ♖b1 30. ♔h2 ♖b5 31. h6 ♘c4 32. ♖g4 ♔d3 33. ♖f3 ♘e3 34. ♖h4**
1 : 0 **[Vajser]**

189. **B 14**

DLUGY 2570 – OLL 2510
Moskva (GMA) 1989

1. c4 c6 2. e4 d5 3. ed5 cd5 4. d4 ♘f6 5. ♘c3 ♘c6 6. cd5 ♘d5 7. ♘f3 e6 8. ♗d3 ♗b4 9. ♗d2 0–0 10. 0–0 ♘f6 11.

a3 [11. ♗g5 – 36/175] **♗e7 12. ♗e3 b6 13. ♖e1** [13. ♗c2 ♗a6!? 14. ♖e1 ♘a5] **♗b7 14. ♗c2 ♘a5?!** [14... ♕d6; 14... ♖c8; 14... a6!?] **15. ♘e5 ♖c8 16. ♕d3 ♕c7?** [16... ♘c6±] **17. ♗g5?** [17. ♗f4! (△ ♘g4) ♕d8 18. ♗g5 g6 19. ♗h6 ♖e8 20. ♕h3 ♕d6 21. ♗a4 ♘c6 (21... ♖ed8 22. ♘b5 ♕d5 23. ♘a7 ♖a8 24. ♘b5+–) 22. ♘b5 ♕d5 23. ♘f7! ♔f7? 24. ♗b3+–] **g6 18. ♕h3** [18. ♗h6 ♖fd8 19. ♕h3 (△ ♘f7!) ♕d6!∞] **♘d5!= 19. ♗h6 ♘c3 20. ♗f8 ♗f8 21. bc3 ♕c3 22. ♗d3 ♕d4?** [22... ♘b3 23. ♖ad1 ♘d4 24. ♗g6 ♕h3 25. ♗f7 ♔g7 26. gh3 ♗c5!=; 22... ♗d5!?; 22... ♖c7!] **23. ♘f7! ♔f7 24. ♖ad1!** [24. ♕h7 ♕g7 25. ♗g6 ♔f6 26. ♕h5 ♖c5 27. ♕g4 ♗c8!] **♕f6** [24... ♕g7? 25. ♕e6#] **25. ♕h7 ♗g7** [25... ♕g7 26. ♗g6 ♔f6 27. ♖e6! ♔e6 28. ♕h3 ♔f6 29. ♕f5 ♔e7 30. ♖d7#] **26. ♗g6! ♔e7** [26... ♕g6 27. ♖d7 ♔f6 28. ♖e6 ♔e6 29. ♕g6 ♔d7 30. ♕g7 △ h4+–; 26... ♔f8 27. ♖d7+–] **27. ♗f5 ♖c6** [27... ♖h8 28. ♖e6 ♕e6 29. ♕g7+–] **28. ♖e3** [△ 29. ♖g3 ♔f8 30. ♖g7!] **♕h6 29. ♕g8 ♗f8 30. ♗e4! ♖c4?** [30... ♕g7 31. ♕g7 ♗g7 32. ♗c6 ♗c6 33. h4! ♘c4 34. ♖h3!+–] **31. ♗g6!**

1 : 0 [Dlugy]

190. **B 14**

JOEL BENJAMIN 2545 – DOUVEN 2445

Wijk aan Zee 1989

1. e4 c6 2. d4 d5 3. ed5 cd5 4. c4 ♘f6 5. ♘c3 e6 6. ♘f3 ♗b4 7. cd5 ed5 8. ♗d3 N [8. ♕a4 – 24/205] **0–0 9. 0–0 ♗g4** [9... h6 10. h3±] **10. ♗g5 ♗c3 11. bc3 ♘bd7 12. ♕d2! ♗f3 13. gf3±** [⊡, ⇔g] **♖c8 14. ♔h1 ♖c6 15. ♖g1 ♔h8 16. ♖ab1 ♕c8 17. ♕f4 ♘h5?!** [17... ♖c3? 18. ♗f6 ♘f6 19. ♖g7!+–; 17... a6] **18. ♕h4 g6** [△ f5] **19. ♗b5! ♖e6** [19... ♖c3? 20. ♗d7 ♕d7 21. ♕h5! f6 22. ♕h6+–] **20. c4! ♘b6?!** [20... dc4? 21. d5; 20... ♘df6] **21. ♗e7!** [21. c5 ♘d7 22. ♗e7 ♖e8] **♖g8 22. c5± ♘d7 23. ♗d3!?** [△ f4] **♖e8 24. ♗d6 ♘hf6 25. ♕g5!** [△ ♗f5] **♕c6 26. ♗b5 ♕c8 27. ♖gc1! ♕d8 28. ♗f1 ♕a5?!** [28... b6] **29. ♖b7+– ♕a2 30. ♗g3⊕** [30. ♗e5+–] **♖e1 31. c6??** [31. ♔g2+–] **♕a6!–+ 32. ♖e1 ♖e1 33. ♖b8 ♔g7**

0 : 1 [Joel Benjamin]

191.* **B 16**

N. SHORT 2665 – B. LARSEN 2560

Hastings 1988/89

1. e4 c6 2. d4 d5 3. ♘d2 de4 4. ♘e4 ♘f6 5. ♘f6 gf6 6. c3 [RR 6. ♗e2 ♗f5 7. ♘f3 ♕c7 8. 0–0 ♘d7 9. c4 0-0-0 10. d5 (10. ♗e3 – 35/180) e5 N (10... e6 – 32/191) 11. ♗e3 ♔b8 12. ♘h4 ♗g6 13. f4?! cd5! 14. cd5 (14. f5 d4! Mih. Cejtlin) ♗c5! 15. ♗c5 ♕c5 16. ♔h1 ef4 17. ♖f4 ♖he8 18. ♘g6 hg6 19. ♗f3 f5! 20. ♖c1 ♕e3 21. ♖b4 ♖c8 22. ♖b1 ♖c2 23. ♖b3 ♕f2 24. ♕g1 ♕g1 25. ♖g1 ♘c5∓ Ljubomirov – Mih. Cejtlin 2455, corr. 1987/88; 13. ♗g4!? Veličković] **♗f5 7. ♗f4 N** [7. ♘e2 – 37/144; 7. ♘f3 – 44/(163)] **♘d7 8. ♗d3 ♗g6 9. ♘e2 ♘b6 10. 0–0 e6 11. ♗g3 ♗d6 12. b4!?** [12. ♘f4!?±] **♕c7 13. a4 ♘d5 14. ♕d2 ♖d8 15. ♖ab1** [15. c4? ♗d3∓] **0–0 16. c4±○ ♘e7 17. ♖b3** [△ ♕h6; 17. ♖fd1!?] **♔g7 18. ♗b1 b6!** [△ c5] **19. ♗d6 ♕d6 20. ♖h3 ♘g8□ 21. ♗a2** [21. f4 ♗b1 (21... ♘e7? 22. f5!+–) 22. ♖b1 f5 (22... c5? 23. bc5 bc5 24. ♕d3 f5 25. ♕g3 ♔h8 26. ♕h4 h6 27. ♖bb3+–) 23. ♕e1∞] **♖fe8** [21... c5 22. bc5 bc5 23. d5 ♖b8∞] **22. ♖h4** [22. ♖d1!?; 22. ♕c3!?] **c5!∞ 23. bc5 bc5 24. d5 ♖b8⇆ 25. ♘c3** [25. f4!?] **♕e5** [25... ♖b4!⇆⇔b; ×a4, c4, ♖h4] **26. f4 ♕d4 27. ♕d4 cd4 28. ♘b5 d3 29. d6⊕ a6 30. ♘c7 ♖ed8?⊕** [30... ♖ec8! 31. c5 (31. ♘a6 ♖b2∞) ♗e4!∞] **31. c5!± ♗f5** [31... ♖b2 32. ♗e6!; 31... ♗e4 32. ♗e6! fe6 33. ♘e6 ♔f7 34. f5!] **32. ♗c4 ♖b4** [32... a5 33. ♗b5] **33. ♗a6 ♖a4 34. ♖d1 ♖a5?!** [34... ♖d4 35. g4±] **35. ♗b5** [35. c6?! ♖c5 △ ♗e4] **h5** [35... e5 36. c6!+–] **36. c6!+– ♔f8 37. d7 ♔e7 38. g4! ♗g4** [38... hg4 39. ♖h8] **39. ♖d3 ♖a1 40. ♔f2 ♘h6 41. ♘a6! ♖a2** [41... ♘f5 42. ♖g4 hg4 43. c7] **42. ♔e1 ♖a1 43. ♔d2 ♖d1 44. ♔c3 ♖d3 45. ♗d3 ♖a8 46. ♗b5** [46... ♘f5 47. ♖g4 △ c7] **1 : 0** [Minić, Sindik]

192.**** B 17

ZAPATA 2490 – SPIRIDONOV 2390
Moskva (GMA) 1989

1. e4 c6 2. d4 d5 3. ♘c3 de4 4. ♘e4 ♘d7 5. ♘f3 [RR 5. ♘g5 ♘gf6 6. ♗d3 e6 7. ♘1f3 ♗d6 *a)* 8. c3 h6 9. ♘e4 ♘e4 10. ♗e4 0–0 11. 0–0 e5 (11... c5 12. ♗c2 b6?! 13. dc5! ♘c5 14. b4±; 12... ♘f6±) 12. ♗c2 ♖e8 13. ♖e1 ed4 14. ♖e8 ♕e8 15. ♕d4 ♕e7 16. ♗f4 ♗f4 17. ♕f4 ♘f8 18. ♖e1 ♗e6 19. ♘d4 ♖e8!? N (19... ♖d8± – 45/155) 20. g3 (20. ♘e6!? ♘e6 21. ♕e4±) ♕d8 21. ♘e6 (21. ♖d1?! ♗h3! 22. ♘f3 ♕e7 23. ♕d6! ♕e2 24. ♕d3 ♕e6 25. ♗b3 ♕f6 26. ♘d2! ♕e7 27. ♘f1 ♕f6= Smirin 2490 – Halifman 2545, Moskva (GMA) 1989) ♖e6 22. ♖e6 ♘e6 23. ♕e3± Halifman; *b)* 8. ♕e2 h6 9. ♘e4 ♘e4 10. ♕e4 ♘f6 11. ♕e2 ♕c7 12. ♗d2 b6 13. 0-0-0 ♗b7 *b1)* 14. ♖he1 0-0-0 15. ♗a6 ♖he8 N (15... ♗a6 – 45/154) 16. ♘e5 ♗e5 17. de5 ♘d5 18. ♗b7 ♕b7 19. h4 c5 20. g4 ♘e7 21. h5 ♖d7= Woda 2335 – Sapis 2395, Polska (ch) 1989; 19. ♕g4!?; *b2)* 14. ♔b1 0-0-0 15. ♗a6 N (15. c4 – 46/(180)) b5!? 16. ♗b7 ♔b7 17. c4 bc4 18. ♖c1 ♖b8 19. ♖c4 ♔a8 20. ♖hc1 ♖hc8 21. ♘e5 ♗e5 22. ♕e5 ♕d7 23. f3 ♖b6 24. ♗a5 ♖b7 25. b3± M. Chandler 2610 – Speelman 2645, Hastings 1988/89; *b3)* 14. ♘e5!? N 0-0-0 15. f4 c5 16. dc5 ♗c5 17. ♔b1 ♔b8 18. ♖he1 h5 19. h3 h4 20. ♗a6 ♗a6 21. ♕a6 ♗f2 22. ♖f1 ♗g3 23. ♕a4± de Firmian 2570 – Spiridonov 2390, Lugano 1989] **♘gf6 6. ♘g3 c5 7. ♗d3 N** [7. c3 – 37/148] **cd4 8. 0–0 g6 9. ♘d4 ♗g7 10. ♖e1 0–0 11. c3?!** [11. c4] **♘c5 12. ♗c2 ♗g4 13. ♕d2** [13. f3!? ♗d7 14. ♕e2] **♖c8 14. h3 ♗d7∓⊞ 15. ♕f4 ♘d5!** [15... e5? 16. ♖e5±] **16. ♕f3 e5!? 17. ♕d5** [⌓ 17. ♘b3] **ed4 18. ♗g5 ♕b6** [⌓ 18... ♕c7 19. cd4 (19. ♖e7 ♕c6∓; 19. ♗e7 ♗e6∓) ♘e6 20. ♗e3 ♗c6 21. ♕b3 ♗g2 22. ♔g2 ♕c2 23. ♕c2 ♖c2∓] **19. cd4□** [19. ♗e7? ♗e6∓] **♘e6 20. ♗b3 ♗c6?** [20... ♘g5 21. ♕g5 ♗d4 22. ♖e2] **21. ♖e6 fe6 22. ♕e6 ♔h8 23. ♗e3∞ ♖fe8** [23... ♗d4?? 24. ♖d1+–] **24. ♕g4 ♕a5?!** [△ ♗d5; 24... ♕d8] **25. ♖c1 ♕d8** [25... ♖cd8 26. ♖c5 ♕e1 27. ♔h2 (27. ♘f1? ♖e3 28. fe3 ♖f8–+) ♖e3 28. fe3 ♕e3∓; 26. ♔h2±] **26. d5 ♗d7 27. ♖c8 ♕c8 28. ♕f4** [△ ♘e4 ×d6, g5, f7] **♕b8** [28... ♗b2?? 29. ♗d4+–‖; 28... ♗e5?? 29. ♗d4 ♕c7 30. ♕f6!+–] **29. ♕b8 ♖b8 30. ♗a7 ♖e8 31. f3±** [△ ♘e4] **♖e1 32. ♔f2 ♖b1 33. ♘e4 ♖b2 34. ♔g3 ♔g8** [34... ♖e2] **35. f4 b5 36. ♔f3+– ♔f8 37. g4 h5?!** [×g6] **38. ♗c5 ♔e8 39. ♘d6 ♔d8 40. ♘f7 ♔e8 41. ♘e5 hg4 42. hg4 g5 43. ♘d7 ♔d7** [♖ 9/g] **44. fg5** [△ ♔e4-f5‖] **♖b1 45. ♔e4** [⌓ 45. ♗c2] **♖f1 46. ♗b4 ♖f2 47. ♔e3 ♖g2 48. ♔f3 ♖b2 49. ♗c5 ♖b1 50. ♗c2 ♖f1** [50... ♖c1 51. ♗f5 ♔e8 52. ♗e3] **51. ♔e2 ♖c1 52. ♔d2 ♖h1 53. ♗f5 ♔c7 54. d6 ♔c6 55. d7 ♖h8 56. ♗e7 ♔c7 57. ♔e3 ♖a8 58. ♔e4 ♖a4 59. ♔d5 ♖d4 60. ♔e6 ♖d7 61. ♔f7**
1 : 0 **[Zapata]**

193. B 17

N. SHORT 2665 – SPEELMAN 2645
Hastings 1988/89

1. e4 c6 2. d4 d5 3. ♘c3 de4 4. ♘e4 ♘d7 5. ♗c4 ♘gf6 6. ♘g5 e6 7. ♕e2 ♘b6 8. ♗b3 h6 9. ♘5f3 c5 10. ♗f4 ♘bd5 11. ♗e5 ♕a5 12. ♘d2 b5 13. c4 bc4 14. ♗c4 ♘b6!? N [14... cd4] **15. b4!** [15. ♗d3 c4!] **♕b4** [15... cb4?! 16. ♘b3 ♕a3 ×♕a3] **16. ♖b1 ♕a5 17. ♗b5 ♗d7 18. ♗f6! gf6 19. ♘gf3 cd4 20. 0–0** [20. ♗d7 ♘d7 21. 0–0⩱] **♖d8! 21. ♘e4!** [21. ♘c4? ♗b5 22. ♖b5 d3!; 21. ♘d4 ♗b5 22. ♖b5 ♕a2 *a)* 23. ♖c1 ♖d4! 24. ♖b6 ab6 25. ♕b5 ♖d7 26. ♘e4 (26. ♖c8 ♔e7 27. ♕b4 ♖d6–+) ♕a5!; *b)* 23. ♖b6 ab6 24. ♕b5 (24. ♖c1 ♖d4!) ♖d7 25. ♘e4 ♗e7 26. ♖c1 ♕a8!] **♗e7 22. ♘d4 ♔f8** [22... f5? 23. ♘f5! ef5 24. ♘d6 ♔f8 25. ♘b7 ♕c3 (25... ♗b5? 26. ♕b2!+–) 26. ♘d8±] **23. ♖fd1** [23. ♗d7 ♖d7 24. ♘c6 ♕f5 (24... ♕a4 25. ♘e7 ♖e7 26. ♘f6) 25. ♖fd1⩱; 23. ♖fc1!?] **f5!? 24. ♘g3?** [24. ♗d7 ♖d7 25. ♘c6 ♖d1 26. ♖d1 ♕a4 27. ♘e7 ♕e4!? (27... ♔e7 28. ♘d6 ♔f6 29. ♕b2! e5 30. ♕b1! ♕f4 31. ♘f5! ♘c4±) 28. ♕b2 e5□ (28... ♖h7? 29. ♘g6! ♔e8 30. ♕b5+–) 29. ♕a3 ♔g7 (29... ♘c4? 30. ♘f5! ♔g8

31. ♕f8!) 30. ♕a7?! ♖d8! 31. ♖f1 ♘d5=; 30. h3∞; 30. g3∞] **♗b5!∓ 25. ♘b5** [25. ♖b5 ♕a4!] **♘d5 26. ♖b3 h5!? 27. ♘d4?** [27. ♘h5!?] **♘f4! 28. ♕f1⊕** [28. ♕c2 ♖d4!; 28. ♕b2 ♖g8] **♕a2⊕ 29. ♖f3 h4?!** [29... ♘g6∓] **30. ♘gf5! ef5 31. ♖f4 ♖h6!□ 32. ♖a1??** [32. ♖f5! ♖hd6 33. ♖f4 ♖8d7!?] **♕d2 33. ♘e2?** [33. ♖a4 ♕f4! 34. ♘e6 ♖e6 35. ♖f4 ♖ed6−+; 33. ♕c4!□ ♖hd6 34. ♖f5 (34. ♘f3? ♕f4 35. ♕f4 ♖d1 36. ♘e1 ♖a1 37. ♕e5 ♗f6!−+) ♖f6 35. ♖f6 ♗f6 36. ♘b3! (36. ♘f3 ♕d1 37. ♖d1 ♖d1 38. ♕f1 ♖f1 39. ♔f1 a5−+) ♕d5∓ ♙a] **♖e6−+ 34. ♖f5 ♕e2 35. ♕c1 ♖ed6 0 : 1** **[Speelman]**

194.* B 17

MIH. CEJTLIN 2460 − H.-R. LUTZ 2250

Budapest (open) 1989

1. e4 c6 2. d4 d5 3. ♘c3 de4 4. ♘e4 ♘d7 5. ♗c4 ♘gf6 6. ♘g5 e6 7. ♕e2 ♘b6 8. ♗b3 h6 9. ♘5f3 a5 10. a4 c5 11. ♗f4 ♗d6 12. ♗g3! 0−0 [RR 12... ♕c7 N 13. dc5 (13. ♕b5 ♘fd7 14. dc5! ♕c5 15. ♕c5 ♗c5±) ♕c5 14. 0-0-0 ♗g3 15. hg3 ♗d7 16. ♖h4 ♗c6 17. ♘d4 (17. ♘e5 ♗d5 18. ♗d5 ♘fd5 19. ♘gf3 ♖c8 20. ♘d3 ♕c7 1/2 : 1/2 L.-Å. Schneider 2460 − Sapis 2395, Göteborg 1989) ♗d5 18. ♘gf3 ♖c8 19. ♘e5 0−0 20. ♘g4± Sapis] **13. ♖d1! N** [13. dc5 − 42/(155)] **♘bd5** [13... ♕c7? 14. dc5!] **14. ♘e5!** [14. dc5 ♗c5 15. c4 ♕b6∞] **cd4 15. ♘gf3 ♗b4 16. ♔f1 ♘d7** [16... ♗d7] **17. ♘d4** [17. ♖d4 ♘c5] **♘e5 18. ♗e5 ♗d7 19. h4!± ♕e8 20. ♘b5 f6 21. ♗g3!** [21. ♗d4 ♔h8 △ ♘f4, e5] **♖d8?** [21... ♖c8 22. h5] **22. ♘c7! ♕e7** [22... ♘c7 23. ♗c7 ♖c8 24. ♖d7! ♕d7 25. ♗e6+−] **23. ♘d5 ed5 24. ♕e7 ♗e7 25. ♖d5 ♔h7 26. ♗c7! 1 : 0** **[Mih. Cejtlin]**

195. B 18**

A. SZNAPIK 2480 − IZETA 2375

Salamanca 1988

1. e4 c6 2. d4 d5 3. ♘c3 de4 4. ♘e4 ♗f5 5. ♘g3 ♗g6 6. ♘f3!? [RR 6. ♘1e2 ♘f6 7. ♘f4 e5 8. ♘g6 hg6 9. de5 ♕d1 10. ♔d1 ♘g4 11. ♘e4 ♘e5 12. ♗e2 f6 13. f4!? N (13. ♗f4; 13. c3) ♘f7 14. c3 ♘d7 15. ♔c2 0-0-0 16. ♗d2 ♖e8 17. ♗f3 ♘c5 18. ♖ae1 f5 19. ♘f2 ♗d6 20. ♖e8 ♖e8 21. g3± Suėtin 2370 − Perel'štejn 2300, Warszawa 1989; 9... ♕a5=; 6. h4 h6 7. ♘h3 e6 8. ♘f4 ♗h7 9. ♗c4 ♘f6 10. c3 N (10. 0−0 − 32/195) ♗d6 (10... ♘bd7 11. ♕e2±; 10... ♗e7 11. ♗e6!?) 11. ♘fh5 0−0 12. ♗g5!? ♗e7 (12... hg5? 13. hg5 ♘d5 14. ♗d5 ed5 15. ♘f6! gf6 16. ♖h7! ♔h7 17. ♕h5 ♔g8 18. 0-0-0 ♖e8 19. ♘f5+− Ravič-Ščerba − Wystrach, corr. 1989) 13. ♗f4±; ⌓ 12... ♘bd7; 10... ♘a6!? Saplinov] **♘f6!? 7. h4 ♘h5!? 8. ♗c4! N** [8. ♘e2] **♘g3 9. fg3 e6 10. ♗f4 ♘d7** [10... ♗d6!?] **11. ♕e2! ♗h5?!** [11... ♘b6 12. h5! ♗f5 13. ♗b3±] **12. 0-0-0!± ♘b6** [12... ♗e7!?]

13. d5!! cd5 [13... ♘d5 14. g4! ♗g4 15. ♗d5 cd5 16. ♕b5 ♔e7 17. ♕b7 ♔e8 18. ♗c7+−; 13... ♗f3 *a)* 14. de6! ♗d5!□ (14... ♗e2? 15. ef7 ♔e7 16. ♗g5#) 15. ♗d5 ♘d5 16. ef7 (16. c4±↑) ♔f7 17. ♖hf1±↑; *b)* 14. gf3 ♘d5 (14... ♘c4 15. de6 ♘d6 16. ♖he1!+−) 15. ♖d5!? cd5 16. ♗b5↑] **14. ♗b5 ♔e7 15. ♖he1!+−→ ♗g4** [15... ♗f3 16. ♗g5] **16. ♕e3! ♕c8□ 17. ♘e5! ♗h5□** [17... ♗d1 18. ♕a3 ♔f6 (18... ♔d8 19. ♘f7#) 19. ♗g5 ♔f5 20. ♗d3#] **18. ♖d3 h6 19. g4 ♗g6 20. ♖c3 ♘ c4 21. ♘c4 1 : 0** **[A. Sznapik]**

196.**** **B 19**

J. HJARTARSON 2615 – TIMMAN 2610

Amsterdam 1989

1. e4 c6 2. d4 d5 3. ♘d2 de4 4. ♘e4 ♗f5 5. ♘g3 ♗g6 6. h4 h6 7. ♘f3 ♘d7 8. h5 ♗h7 9. ♗d3 ♗d3 10. ♕d3 ♘gf6 11. ♗d2 [RR 11. ♗f4 e6 12. 0-0-0 ♗e7 13. ♘e5 0–0 14. ♘e4 (14. ♕e2 – 38/(180)) ♘e4 15. ♕e4 ♘e5 16. ♗e5 ♕d5! 17. ♕g4?! N (17. ♕d5=) f6 18. ♗f4 ♕a2 19. ♗h6 ♖f7 20. c3 a5! 21. ♗d2 a4 22. ♔c2 ♕b3 23. ♔d3 ♖d8 24. ♔e2 e5! 25. de5 ♕b5 26. ♔e1 ♕e5 27. ♗e3 ♖d1 28. ♔d1 ♕d5 29. ♔e2 f5!–+ de Firmian 2570 – Kortchnoi 2610, Lugano 1989] **♕c7** [RR 11... e6 12. 0-0-0 ♗e7 13. ♕e2 0–0 14. ♘e5 (14. ♖he1 – 34/182) c5! N (14... ♖c8 15. ♔b1 c5 16. ♘d7 ♕d7 17. dc5 ♕a4 18. c4!±) 15. dc5 ♗c5 *a)* 16. ♘d7 ♕d7 17. ♗g5 ♘d5 18. c4 hg5 19. cd5 ♖ac8 20. ♔b1 ed5 21. h6 g6 22. ♕e5 f6 23. ♕d5 ♕d5 24. ♖d5 ♖fd8 25. ♖d8 ♖d8 26. ♖c1 ♗d6!∓ van der Wiel 2560 – Fette 2385, Lugano 1989; *b)* 16. f4 ♖c8 17. ♔b1 ♕c7 18. ♘d7 ♕d7 19. ♘e4 ♘e4 20. ♕e4 ♖fd8 21. ♕e2 ♕c6 22. ♗c3 (van Mil 2370 – Fette 2385, Lugano 1989) ♗f8!∞ △ b5 Gutman] **12. 0-0-0 e6 13. ♘e4 0-0-0 14. g3 ♘e4 15. ♕e4 ♗d6 16. c4 c5 17. ♗c3** [RR 17. ♔b1 ♖he8 – 44/171; 17... cd4!?∞ Tivjakov; 17. ♕e2 ♘f6 18. ♗c3 cd4 19. ♘d4 a6 20. ♔b1 (20. ♘b3 – 29/(129)) ♖d7 21. g4 N (21. ♘f3 – 5/173; 21. ♘b3 ♕c6=) ♖hd8 22. ♘b3 ♗f4 23. ♖d7 ♕d7 24. ♗f6? gf6 25. ♔c2 ♕a4 26. ♕e4 ♗e5 27. ♔b1 ♕b4 28. f4 (28. g5? ♖d2! 0 : 1 Renet 2480 – Miles 2520, Cannes 1989) ♗c7∓; 24. f3 △ ♔c2=; 20. ♖d2!? △ 21. ♖hd1, 21. ♖c2 △ c5 Miles] **cd4 18. ♘d4 ♘c5 19. ♕c2 a6 20. ♖he1 ♗e7 21. ♔b1 ♗f6 22. f4?!** [22. ♘b3=] **♖d7∓ 23. ♘f3?!** [23. ♘b3] **♖d1** [23... ♖hd8 24. ♖d7 ♕d7 25. ♗a5 ⇔d] **24. ♖d1 ♖d8 25. ♖d8 ♕d8 26. ♗f6** [26. ♘e5 ♘e4!∓] **gf6** [♕ 8/c] **27. a3** [27. b4 ♕b6 28. a3 a5∓] **f5 28. ♔a2 f6!** [28... ♕d3 29. ♕d3 ♘d3 30. ♘g5 ♘f2 31. ♘f7 ♘e4 32. ♘h6 ♘g3 33. ♘g8! ♘h5 34. ♘e7 △ ♘g6=] **29. b4 ♘e4 30. g4 ♕d6 31. gf5 ♕f4 32. ♕g2** [32. ♘d4 e5–+] **♘g5!–+ 33. ♘g5 ♕c4 34. ♔b2 fg5 35. fe6 ♕e6** [♕ 4/f] **36. ♕c2 ♔d7 37. ♕h7 ♔c6 38. ♕g6 ♔d6 39. ♕d3 ♕d5 40. ♕g6 ♕e6 41. ♕d3 ♔e7 42. ♕h7 ♕f7 43. ♕e4 ♔f8 44. ♕g4 ♔g7 45. ♔c3 ♕d5 46. ♕g3 ♔f6 47. ♕f2 ♔e6 48. ♕f8 ♕c6 49. ♔b3 ♔e5 50. ♕g7 ♔f5 0 : 1** **[Timman]**

197. **B 19**

HÜBNER 2600 – J. HJARTARSON 2615

Barcelona 1989

1. e4 c6 2. d4 d5 3. ♘d2 de4 4. ♘e4 ♗f5 5. ♘g3 ♗g6 6. ♘f3 ♘d7 7. h4 h6 8. h5 ♗h7 9. ♗d3 ♗d3 10. ♕d3 e6 11. ♗f4 ♕a5 12. ♗d2 ♕c7 13. 0-0-0 ♘gf6 14. ♘e4 0-0-0 15. g3 ♘e4 16. ♕e4 ♗d6 17. c4 c5 18. ♗c3 cd4 19. ♗d4 [19. ♕d4 ♗c5 20. ♕g7 ♗f2∞ 21. ♘d2 ♘c5] **♘f6** [19... ♕c4 20. ♔b1 ♘f6 (20... ♘c5? 21. ♕e3 ♔b8 22. ♗g7) *a)* 21. ♕e3 ♘g4 22. ♕e1 (22. ♕d2 ♔b8; 22. ♕e4 f5) ♔b8 23. ♗g7 ♖hg8; *b)* 21. ♖c1 ♘e4 22. ♖c4 ♔b8 (22... ♔d7 23. ♗g7 ♖hg8 24. ♗d4± b5 25. ♖c2 a6 26. ♖d1) 23. ♗g7 ♖hg8 24. ♖e4 (24. ♗d4 f5=∞) ♖g7 25. ♖d1±] **20. ♕e2 ♕a5 21. ♔b1** [21. a3 ♗c7 22. c5 ♕a4 ×b3] **♗c7?!** [21... ♘h5? 22. c5+–; 21... ♕f5 22. ♔a1 ♗c7 (22... ♘h5? 23. ♘e5) 23. ♗a7 ♖d1 (23... b6? 24. c5) 24. ♖d1 ♕h5∞] **22. c5 ♕a4** [22... ♖d5 23. ♗f6 ♖d1 24. ♖d1 gf6 25. ♕c4 ♖d8 (25... f5 26. c6↑) 26. ♖c1 ♖d5 (26... ♔b8 27. g4) 27. c6↑; 26. ♖d8 ♗d8 27. g4±] **23. b3 ♕c6 24. ♘e5 ♗e5 25. ♗e5 ♘e4? N** [25... ♖hg8?! – 29/189; 25... ♖d1 26. ♖d1 ♖d8 27. ♖d8 ♔d8 28. ♗f6 gf6 29. ♕d3 *a)* 29... ♔e7 30. b4 f5 (30... ♕h1 31. ♔b2 ♕h5? 32. ♕d6 ♔e8 33. ♕b8+–) 31. ♔b2±; *b)* 29... ♔e8 30. b4 ♕h1 31. ♔b2 ♕h5 32. ♕b5] **26. ♗g7** [26. f3?! f6 (26... ♘f6 27. ♖d6) *a)* 27. ♕e4 ♕e4 28. fe4 fe5 29. ♖hf1 (29. ♖d8 ♔d8) ♖d1 30. ♖d1 ♖f8∞; *b)* 27. fe4 fe5 28. ♕c4 (28. ♖hf1 ♖d4) ♖hf8∞] **♖d2** [26... f6 *a)* 27. ♕c2 *a1)* 27... ♖h7 28. ♖d8 ♔d8 29. ♖e1 ♖g7 (29... f5 30. ♗d4 ♖d7 31. ♗e3 ♕d5 32.

♗h6 ♕e5 33. ♖c1+−) 30. ♖e4 ♖g5 31. ♖d4 ♖d5 (31... ♔c8 32. ♕h7+−) 32. ♕g6+−; *a2)* 27... ♖d1 28. ♖d1 ♖h7 29. ♖d6 ♘d6 (29... ♕c5 30. ♕c5 ♘c5 31. ♗f6+−) 30. ♕h7 ♕c5 31. ♕c2+−; *b)* 27. ♔b2 ♖h7 (27... ♖d1 28. ♖d1 ♖h7 29. ♗f8+−) 28. ♖d8 ♔d8 29. ♗f8 ♘g3 (29... ♖d7 30. ♖d1+−; 29... ♘f2 30. ♖e1+−) 30. ♕d3 ♖d7 (30... ♔e8 31. ♕h7+−; 30... ♔c8 31. ♖d1+−) 31. ♕g3 ♖d2 (31... ♕h1 32. ♕b8#) 32. ♔c1 ♕d5 33. ♕d6+−] **27. ♖d2 ♘d2 28. ♔c2?!** [28. ♔b2 ♕h1 29. ♗h8 ♕b1 30. ♔c3 (30. ♔a3? ♕c2) ♕a1 (30... ♕c1 31. ♔b4? ♕c2∞; 31. ♔d3+−; 30... ♘e4 31. ♔b4 f5 32. f3+−) 31. ♔d2 ♕h8 32. ♔c2 ♕d4 33. ♕e3+−] **♖g8** [28... ♖d8 29. ♖d1 ♘e4 (29... ♕c5 30. ♔b2 ♕g5 31. ♗c3+−) 30. ♖d8 ♔d8 31. ♔b2+−] **29. ♖h4 ♕c5?!** [29... ♘b3 30. ♗h6 ♘c5 31. ♖c4 b6 (31... b5 32. ♖c3 b4 33. ♖c4 ♖d8 34. ♗e3 ♕a4 35. ♔b1 ♖d1 36. ♗c1+−) 32. ♗e3±; 29... ♖g7 30. ♕d2 ♖g5 31. ♔b2± ♖c5 32. ♕h6 ♖c2 33. ♔b1] **30. ♗c3+− ♖d8 31. ♔b2 ♕g5 32. ♖f4** [32. ♖d4 ♖d4 33. ♗d4 ♘f1] **e5 33. ♕e5 1 : 0** **[Hübner]**

198. **B 19**

TIVJAKOV − MILES 2520
Moskva (GMA) 1989

1. e4 c6 2. d4 d5 3. ♘d2 de4 4. ♘e4 ♗f5 5. ♘g3 ♗g6 6. h4 h6 7. ♘f3 ♘d7 8. h5 ♗h7 9. ♗d3 ♗d3 10. ♕d3 ♕c7 11. ♗d2 e6 12. 0-0-0 0-0-0 13. ♘e4 ♘gf6 14. g3 ♘e4 15. ♕e4 ♗d6 16. c4 c5 17. d5! N ♘f6 [17... e5 18. ♘h4±; 17... ♖he8 18. ♗c3 ed5 19. ♕d5 ♘e5 20. ♖he1!⩲; 17... ed5 18. ♕d5 (18. cd5 ♘e5 19. ♗c3 ♖he8 20. ♘e5 ♗e5 21. d6 ♗c3 22. ♕e8 ♗b2 23. ♔c2 ♖e8 24. dc7 ♗f6 25. ♖he1 ♖f8 26. ♖d5 b6 27. ♖ed1 ♗d4 28. ♖e1 ♗f6 29. ♖ed1=) ♘f6 (18... ♘b6 19. ♕f5 ♕d7 20. ♕d7 ♖d7 21. b3⩲; 18... ♘e5 19. ♗c3±) 19. ♕f5 ♕d7 (19... ♔b8?! 20. ♗c3±) 20. ♘h4!?⩲ △ 21. ♗c3, 21. ♗a5] **18. ♕c2 ed5** [18... ♖he8 19. ♗c3 △ 19... ed5 20. ♗f6 gf6 21. ♖d5± ♁ f6, f7] **19. cd5 ♖he8 20. ♗c3 ♔b8!? 21. ♖h4?!** [21. ♔b1!?; 21. ♗f6 gf6 22. ♘h4⩲] **♕d7!=** [△ ♖e7, ♖de8] **22. ♗f6 gf6 23. ♖e4 f5** [23... ♖e4!? 24. ♕e4 ♖e8 25. ♕h7∞; 24... f5!? △ f4] **24. ♖e8 ♖e8 25. ♘h4** [25. ♖e1? ♖e1 26. ♘e1 f4!] **♖e4** [25... ♖e5!?] **26. ♔b1 ♗e5** [26... a6 27. a3=] **27. ♕c5 ♖e2 28. ♕f8□ ♕c8 29. ♕c8 ♔c8 30. ♖c1 ♔d7 31. ♖c2 ♖e1 32. ♖c1 ♖e2 33. ♖c2 1/2 : 1/2** **[Tivjakov]**

199. **B 19**

TIMMAN 2610 − L. PORTISCH 2610
Antwerpen (m/2) 1989

1. e4 c6 2. d4 d5 3. ♘d2 de4 4. ♘e4 ♗f5 5. ♘g3 ♗g6 6. h4 h6 7. ♘f3 ♘d7 8. h5 ♗h7 9. ♗d3 ♗d3 10. ♕d3 e6 11. ♗f4 ♕a5 12. ♗d2 ♕c7 13. 0-0-0 ♘gf6 14. ♘e4 0-0-0 15. g3 ♘e4 16. ♕e4 ♗e7 17. ♔b1 ♖he8 18. ♕e2 ♗f8 N [18... ♗d6 − 29/188, 26/215] **19. ♗c1 ♗d6 20. ♖he1 ♕a5 21. ♘d2!± ♘f6 22. g4 ♗c7 23. ♘b3?!** [23. c4!] **♕d5 24. f3** [24. c4 ♕d7? 25. ♕f3±; 24... ♕g2!∞] **♗g3?!** [24... b5! △ 25. a4 ♕c4=] **25. ♖g1 ♕d6 26. ♘d2** [26. ♕d2!? ♘d5 (△ f4) 27. c4 ♗f4 28. ♕a5 ♗c1 29. cd5 (29. ♖c1 ♘f4) ♗e3 30. dc6 ♗g1 31. ♕a7 ♕c6 32. ♖c1 ♕c1 33. ♔c1 ♗h2! 34. ♘c5 ♖e7 35. ♘a6 ♔d7! 36. ♕b7 ♔e8∞] **♕c7 27. ♘c4 ♘d5 28. ♘e5 ♗e5 29. de5⩲ ♕b6 30. ♗d2 ♖d7 31. c4 ♕a6 32. ♖ge1 ♘b6 33. b3 ♖ed8 34. ♗b4** [34. ♔b2?! ♘c4!! 35. bc4 ♕a4∓] **♖d1 35. ♖d1 ♖d1 36. ♕d1** [♕ 8/f] **♘d7 37. ♗d6** [37. ♕d4!? c5? 38. ♗c5 ♕c6 39. ♗d6+−; 37... ♕b6⩲] **♕a5 38. ♕e2** [38. ♕c1 ♘e5? 39. b4; 38... ♘c5=] **b5?** [38... ♕c3 39. f4⩲] **39. cb5 ♕b5 40. ♕e3?** [40. ♕b5 cb5 41. ♔c2 ♔b7 42. ♔d3 ♔c6 43. ♔d4 △ f4-f5, ♗e7, f6+−] **♔b7= 41. ♕f4 ♕d3 42. ♔b2 ♕e2 43. ♔a3 ♕a6 44. ♔b2 ♕e2 45. ♔a3 ♕a6 1/2 : 1/2** **[Timman]**

200. **B 20**

GRÓSZPÉTER 2500
− KAJDANOV 2535
Budapest (open) 1989

1. e4 c5 2. g3 ♘c6 3. ♗g2 g6 4. d3 ♗g7 5. f4 d6 6. ♘f3 e5 7. 0−0 ♘ge7 8. c3

0—0 9. ♘a3 N [9. ♗e3] **b6?!** [9... ♔h8; 9... ♖b8] **10. f5!±** gf5 **11. ♘h4 fe4 12. de4 ♔h8?!** [12... f5 13. ♘f5 ♗f5 14. ef5 d5 15. ♗g5±] **13. ♘b5 ♗a6 14. a4 ♕d7 15. ♕h5!** [15. ♘d6? ♖ad8 16. ♘f7 ♔g8 17. ♕d7 ♖d7 18. ♘h6 ♗h6 19. ♗h6 ♗f1 20. ♗f8 ♗g2 21. ♗e7 ♗e4 22. ♗g5=] **f6 16. ♗h3 ♕e8 17. ♕d1 ♗b5?!** [17... ♕d8] **18. ab5 ♘a5 19. ♘f5± ♘f5 20. ♗f5 ♕f7 21. ♕g4 ♖fe8 22. ♕h4 ♗f8 23. ♗g4 ♕c4?!** [23... ♘b3 24. ♗h5 ♕d7 25. ♗e8 ♖e8 26. ♖a4±; 23... ♕g7!?] **24. ♗h5 ♖ed8 25. ♖f6 ♗e7 26. ♗g6 ♕g8 27. ♗g5+−** [△ ♗h7] **♗f8 28. ♖af1 ♖d7 29. ♗f7 ♖f7 30. ♖f7 ♗g7 31. ♖g7 ♔g7 32. ♕h6 1 : 0** [Grószpéter]

201.**   B 21

SIKORA-LERCH 2375 — SR. CVETKOVIĆ 2460
Trnava II 1989

1. e4 c5 2. f4 [RR 2. ♘f3 e6 3. d4 cd4 4. c3 dc3 5. ♘c3 d6 6. ♗c4 a6 7. 0—0 ♗e7 8. ♕e2 ♘c6 9. ♖d1 b5 10. ♗b3 ♖a7!? 11. ♗e3 ♖d7 12. ♘a4?! ba4 N (12... ♖b7 — 40/(167)) 13. ♗a4 ♗b7 14. ♖ac1 ♘b8! 15. e5!? (15. ♗a7 ♘f6 16. e5 ♘d5∓ A. Alvárez — Zapata 2490, Colombia (ch) 1989) de5 (15... ♗f3? 16. ♕f3 d5 17. ♗a7+−; 15... d5? 16. ♗a7 ♘h6 17. ♘d4+−; 16... ♘c6 17. ♖c6 ♗c6 18. ♗c6 ♘h6 19. ♕a6 0—0 20. ♗b6 ♖c7 21. ♕a5+−) 16. ♘e5?! ♘f6 (△ 0—0, ♗d5) 17. ♕d3 (17. ♗g5 ♘d5−+; 17. ♗a7 0—0−+) ♗d5 18. ♗a7 0—0 19. ♗b8 ♖b7 20. ♘c6 ♗c6−+; 16. ♗a7! ♘f6 17. ♗b8 ♕b8 18. ♘e5 ♗d6 19. ♘d7 ♘d7∓ Zapata] **e6** [RR 2... d5 3. ed5 ♕d5 4. ♘c3 ♕d8 5. ♘f3 ♘f6 6. ♘e5 e6 7. ♕f3 ♗e7 8. b3 0—0 9. ♗b2 ♘fd7! N (9... ♘bd7?! — 14/307) 10. ♗d3 (10. ♘d7 ♗d7! △ 11. ♕b7?? ♗c6−+ Veličković) ♘e5 11. fe5 ♘c6 12. ♕e4 g6 13. 0-0-0 ♗d7 14. h4 ♘b4 15. ♖h3 ♗c6 16. ♕e2 h6! 17. h5 g5 18. ♖f1 ♕a5 19. ♗e4 ♖ad8 20. a3 ♘d5∞ Campora 2540 — Veličković 2415, Beograd 1988] **3. ♘f3 ♘c6 4. ♗b5 ♘ge7 5. b3!? N** [5. 0—0 — 24/302] **d5** [5... a6 6.

♗c6 ♘c6 7. ♗b2 d5 8. ed5 (8. ♕e2!? d4∞) ed5 9. ♕e2 (9. 0—0 d4 △ ♗e7, 0—0=) ♕e7 10. ♘c3 (10. ♕e7 ♗e7 11. ♗g7 ♖g8=; 10. ♘e5 ♘e5 11. fe5 ♕h4!∞) ♕e2 11. ♔e2 d4 12. ♘a4 (12. ♘d5 ♗d6=) b5 (12... ♗d6 13. ♗a3±) 13. ♘b6 ♖b8 14. ♘c8 ♖c8=; 6. ♗e2!?] **6. ♗b2!?** [6. ♘c3 d4 △ a6=; 6... a6!?; 6. ed5!? ♘d5 7. ♘e5 ♕c7∞] **de4!?** [6... a6 7. ♗c6 ♘c6= — 5... a6] **7. ♘g5 ♗d7!** [7... f5? 8. ♕h5+−; 7... a6?! 8. ♕h5 ♘g6□ 9. ♗c6±] **8. ♘e4** [8. ♕h5 ♘g6∞] **♘f5 9. 0—0 ♗e7 10. a4 0—0= 11. ♘a3 a6 12. ♗e2** [12. ♗c4 ♘cd4 (△ b5) 13. c3 (13. g4 ♘d6 14. ♘d6 ♗d6∓) b5!∓; 12. ♗d3 ♘b4 △ ♗c6∓] **♘fd4** [12... ♘cd4 13. ♗d3!?] **13. ♘c4** [13. ♗d3 ♘b4; 13. ♗c4 ♘a5] **♘e2 14. ♕e2 ♘d4 15. ♕d1** [15. ♗d4!? cd4 16. ♘e5] **♗c6 16. d3 b5 17. ♘e5 ♗b7∓ 18. c3 ♘c6 19. ♕e2 ♘e5 20. fe5 c4! 21. bc4** [21. dc4 bc4 22. b4 (22. bc4? ♗e4 23. ♕e4 ♕b6−+; 22. ♕c4?! ♖c8 23. ♕e2 ♕b6∓) ♕d5∓] **bc4 22. d4 ♗e4!** [22... ♕d5!?] **23. ♕e4 ♖b8** [⇔b] **24. ♗a3** [△ 24. ♗c1∓] **♗a3 25. ♖a3 ♖b2 26. ♖aa1 ♕d5 27. ♕g4 ♖fb8 28. ♖ae1 h5 29. ♕g5 ♖c2 30. ♖e3** [30. ♖b1 ♖bb2 31. ♖b2 ♖b2∓] **♖bb2?** [30... h4! 31. ♖ef3 ♖bb2 32. ♖3f2 ♕e4!∓] **31. ♖g3 g6 32. ♖f7** [32. h4!?∞] **♖g2□ 33. ♖g2 ♖g2 34. ♕g2 ♕g2 35. ♔g2 ♔f7** [♙ 3/c4] **36. ♔f3** [36. h4 g5 (△ g4=) 37. hg5 ♔g6=] **g5 37. ♔e4 ♔e7 38. a5 ♔d7 39. d5 ed5 40. ♔d5 g4 41. ♔e4 ♔e6 42. ♔f4 h4 43. ♔g4** [43... ♔e5 44. ♔f3 (44. ♔h4 ♔f4 45. ♔h5 ♔e3 46. ♔g4 ♔d3 47. h4 ♔c3 48. h5 ♔b4 49. h6 c3 50. h7 c2 51. h8♕ c1♕ 52. ♕d8=) h3 45. ♔e3 ♔f5 46. ♔d4 ♔f4=] **1/2 : 1/2** [Sr. Cvetković]

202.**   B 22

SVEŠNIKOV 2435 — R. ŠČERBAKOV 2350
Budapest (open) 1989

1. e4 c5 2. c3 [RR 2. ♘f3 e6 3. c3 ♘f6 4. e5 ♘d5 5. d4 cd4 6. cd4 b6 7. ♘c3 ♘c3 8. bc3 ♗e7 9. ♗d3 ♗a6!? *a)* 10. ♗a6 ♘a6 11. ♕d3 N (11. h4 — 40/171)

♘c7 (11... ♘b8!? 12. 0–0 ♘c6 △ ♘a5, ♖c8) 12. c4 d5 13. ed6 ♕d6 14. 0–0 0–0= Beulen 2225 – Tajmanov 2480, Forli 1989; b) 10. c4 N ♗b4 (10... d5? 11. ed6 ♕d6. 12. ♗e4 ♘c6 13. ♗a3!±) 11. ♗d2 ♗d2 12. ♘d2 (12. ♕d2 d5= Tajmanov) f5!?= Vajser 2525 – Tajmanov 2480, Forli 1989] e5 3. ♘f3 ♘c6 4. ♗c4 ♕c7!? N [Filipenko; 4... ♘f6 – 46/190; 4... ♗e7 – 46/(190)] 5. d3 [5. ♘g5 ♘d8∞] ♘f6 6. a3!? ♗e7 7. b4 0–0 8. 0–0 [8. ♘bd2!? △ ♘f1-e3 Svešnikov] b6!? [△ ♗b7, ♖ad8, d5] 9. ♖e1 ♗b7 10. ♘bd2 ♖ad8 11. ♕b3 a6! [11... h6?! 12. ♘h4!] 12. ♗g5 d5 13. ed5 ♘b8 [13... ♘d5? 14. ♘f7!; 13... b5? 14. dc6 bc4 15. ♘c4 ♕c6 16. ♘f3±] 14. bc5 ♗c5 15. ♘de4 [15. ♘ge4 a) 15... ♘d5 16. ♘c5 ♕c5 17. ♖e5 b5⇆; 17. a4!?; b) 15... b5 16. ♘f6 (16. ♘c5 ♕c5 17. a4 bc4 18. ♕b7 ♖d7!=) gf6 17. ♘e4 – 15. ♘de4] b5 16. ♘f6 [16. ♘c5 ♕c5 17. a4 bc4 18. ♕b7 ♖d7=] gf6 17. ♘e4 ♘d7□ [17... ♚h8? 18. ♘c5 ♕c5 19. a4±; 17... ♗e7? 18. d6!±] 18. ♗h6 [18. d6? ♕c6] bc4 19. ♕c4 f5!□ [19... ♖fe8? 20. ♘c5 △ ♕g4+–; 19... ♚h8? 20. ♗f8 ♖f8 21. ♖ab1±; 19... ♗b6? 20. ♗f8 ♖f8 21. ♖ab1±] 20. ♘c5 [20. ♘g3?! f4! 21. ♘e4?! ♖fe8] ♕c5 21. ♕c5 [21. ♕h4 ♕d6 22. ♗f8 ♘f8 23. c4 ♘g6↑»] ♘c5 22. ♗f8 ♚f8 23. ♖e5 ♘d3 24. ♖f5 [24. ♖e3?! ♗b2! (24... ♖d5? 25. c4! ♖d7 26. ♖d1 ♘c5 27. ♖d7 ♘d7 28. ♖h3± ×h7, ♂c) 25. ♖e2 (25. ♖b1 ♖d5!) ♘c4∓] ♗d5= 25. h4 ♗e6! [25... ♗c4?! 26. ♖f6!±] 26. ♖h5! [26. ♖a5 ♗c4] ♘f4! [26... ♚g7?! 27. ♖d1] 27. ♖c5 [27. ♖h7? ♚g8 28. ♖h6 ♂g7–+; 27. ♖a5 ♖d6] ♖d2 [27... ♖d6?! 28. a4±] 28. ♖c6 a5 29. a4 ♖c2 [29... ♘d3?! 30. ♖d6 ♚e7 31. ♖d4] 30. ♖c5 ♘d3 [30... ♗d5? 31. ♖a5 ♗g2? 32. ♖f5! ♘d5 33. c4!+–; 30... ♖f2?! 31. ♚f2 ♘d3 32. ♚e3 ♘c5 33. ♖b1! ♘a4? 34. ♚d4; 33... ♘b3!±] 31. ♖a5 ♘f2 32. ♖b5 ♘e4 33. a5 ♘c3 34. ♖b8 ♚g7 35. a6 ♗d5 36. a7 ♖g2 37. ♚f1 ♖g4!?⊕ 38. ♖a5 ♗h1 [38... ♗g2] 39. ♖c8 ♘a4 [39... ♘e4? 40. ♖g8!+–] 40. h5 ♘b6 41. ♖b8⊕ [41. h6? ♚h6 42. ♖a6 ♖g6] ♘d7 42. ♖d8 ♘f6 43. ♖d6 h6 44. ♖aa6 ♗g2 45. ♚e1 ♘h5 46. ♖h6 ♖g6 47. a8♕ ♗a8 48. ♖hg6

fg6 49. ♖a8 ♚f6 50. ♚f2 ♚g7 51. ♚f3 1/2 : 1/2 [R. Ščerbakov]

203. B 22

SVEŠNIKOV 2435 – NEVEROV 2465
Moskva II 1989

1. e4 c5 2. c3 d5 3. ed5 ♕d5 4. d4 ♘f6 5. ♘f3 ♗g4 6. ♕a4!? N [6. ♗e2 – 36/194] ♘c6 [6... ♗d7; 6... ♘bd7] 7. ♗c4 ♕d7 [7... ♕e4 8. ♗e3 ♗f3 9. ♘d2 ♕g4 10. ♘f3 ♕g2 11. ♚e2±] 8. dc5 ♗f3 9. gf3 e6 10. ♗e3! ♕d5 11. ♗d5 ♕d5 12. ♕e4 ♕h5 [12... ♕d7 13. ♘d2 f5 14. ♕a4 ♗e7 15. 0-0-0±; 12... 0-0-0 13. ♕d5 ♖d5 14. b4±⊥] 13. b4 ♗e7 [13... a5] 14. ♘d2 0–0 [14... ♗f6!? 15. ♖c1 (15. b5 ♘e7 16. ♕b7 0–0 17. ♘e4 ♘d5 18. ♘f6 gf6∞) 0–0 16. ♘c4 ♖fd8 17. ♚e2! △ ♕g4±] 15. 0-0-0 ♗f6 [15... a5 16. b5 ♘a7 17. ♕c4! ♖fc8 18. ♘e4 ♕f3 19. ♖hg1±] 16. ♚c2 ♖fd8 17. ♘c4± ♖d5 [17... ♖d1 18. ♖d1 ♕h2 19. ♘d6±] 18. ♕g4 ♖d1□ 19. ♖d1 [19. ♕h5!? ♖h1 20. ♘d6 ♘d8 21. ♗g5! ♗g5 (21... ♗e5 22. ♗d8 ♗d6 23. cd6 ♖d8 24. ♕c5 ♖h2 25. ♕c7 ♖f2 26. ♚d1±) 22. ♕g5 ♖h2 (22... f6 23. ♕g2 △ ♘e8±) 23. ♕e7 h5 24. ♕e8 ♚h7 25. ♘f7 ♖f2 26. ♚b3±] ♕h2 20. f4! ♕h6 21. ♘d6 ♘d8 22. b5 [22. f5 ef5 23. ♕f5 ♕g6 (23... ♕h4 24. ♕f3±) 24. ♕g6±⊥] ♕g6⊕ [22... a6 23. a4?! ab5 24. ab5 ♖a3⇆; 23. c6?! bc6 24. b6 ♖b8∞; 23. b6! △ ♘b7±] 23. ♕g6 fg6 24. ♘e4 ♗e7 [24... h5 25. ♖d7 h4 26. ♘f6 gf6 27. ♗d4 e5 28. fe5 h3 29. ef6 h2 30. ♖g7 ♚h8 31. f7 ♘f7 (31... ♘e6 32. ♖g8 ♚h7 33. ♖a8 ♘d4 34. cd4 h1♕ 35. f8♕ ♕e4 36. ♚c3+–) 32. ♖f7 ♚g8 33. ♖g7 ♚h8 34. ♖e7 ♚g8 35. ♖e1+–] 25. ♖d7 ♚f8 26. ♖c7! h5 27. ♗d4 e5 28. ♗e5+– [28... ♘e6 29. ♖b7+–] 1 : 0 [Svešnikov]

204. B 22

SVEŠNIKOV 2435 – SUNYE NETO 2510
Moskva (GMA) 1989

1. e4 c5 2. c3 d5 3. ed5 ♕d5 4. d4 ♘f6 5. ♘f3 e6 6. ♗e2 ♘c6 7. 0-0 ♗e7 8. c4

[8. ♗e3; 8. dc5] ♕f5 N [8... ♕d8 9. dc5 ♕d1 10. ♖d1 ♗c5 11. ♘c3±⊥] 9. ♘c3 cd4 [9... 0–0? 10. ♘h4+−] 10. ♘d4 [10. ♘b5 0–0 11. ♘fd4 ♘d4 12. ♘d4 ♕e5!⇆] ♘d4 11. ♕d4 e5! [11... 0–0 12. ♗f4 △ 12... ♖d8 13. ♕e5±] 12. ♕d3 0–0 13. ♕f5 ♗f5 14. ♗e3 ♖fc8 15. ♖fd1± ♘g4? [△ 15... ♗e6±] 16. ♘d5 ♗f8 17. ♗d2 [17. ♗g5! e4 (17... ♗c5 18. b4! ♗f2 19. ♔f1±; 17... f6 18. ♗d2 ♗c5 19. b4±) 18. ♘e7 ♗e7 19. ♗e7±] ♗c5 18. ♗e1 [18. b4? ♗f2 19. ♔f1 ♗h4!□∓] ♔f8 19. h3 ♘f6 20. ♘f6 gf6 21. ♗c3 a5! 22. ♗d3 [22. ♗g4 ♗g4 23. hg4 ♔e7 △ ♖g8=] ♗e6?! [△ 22... ♗d3 23. ♖d3 ♗b4 24. ♗b4 ab4 25. ♖d7 ♖c4 26. ♖b7 ♖d8!=] 23. ♗h7 ♗c4 24. ♗e4 ♖c7 25. ♗d5 ♗d5 26. ♖d5 ♔e7 27. a4 b6 28. g4 [28. ♖ad1 ♖h8! △ ♖h4⇆] ♖d7 29. ♖d7 ♔d7 30. ♔g2 ♔e6 31. ♖d1 [31. h4 ♔d5! △ ♔c4- -b3] f5 32. g5 ♖g8 33. f4 f6 34. ♖e1 ♗b4?⊕ [△ 34... fg5! 35. ♖e5 ♔d7!=] 35. ♗b4 ab4 36. h4 ♖d8 37. h5 ♖d4 38. h6 fg5 39. h7 ♖d2 40. ♔g1 ♖d8 41. ♖e5 ♔f6 42. ♖b5 gf4 43. ♖b6 ♔g5 44. a5!+− ♔g4 45. ♖g6 ♔f3 46. a6 [46... ♖d1 47. ♔h2 ♖d2 48. ♔h1 ♖d1 49. ♖g1 ♖d8 50. a7 ♖h8 51. ♖g7 △ a8+−] 1 : 0
[Svešnikov]

205.*** B 22

SOLOV'EV − VAULIN 2370
SSSR 1988

1. e4 c5 2. c3 ♘f6 3. e5 ♘d5 4. d4 cd4 5. ♘f3 ♘c6 6. ♗c4 ♘b6 7. ♗b3 d5 8. ed6 ♕d6 [RR 8... dc3 9. ♘c3 ed6 10. ♘g5 d5! 11. 0–0! N (11. ♘d5 − 46/196) h6? 12. ♘f7! (12. ♕h5 g6 13. ♕e2 ♕e7) ♔f7 13. ♘d5 ♘d5 (13... ♗e6 14. ♕f3 ♔e8 15. ♕h5 ♗f7 16. ♖e1 ♗e7 17. ♘f6+−; 13... ♔g6 14. ♘f4 ♔h7 15. ♕c2; 14... ♔f6 15. ♕h5+−) 14. ♗d5 ♔f6 (14... ♔g6 15. ♗e4 ♔f7 16. ♕b3 △ 16... ♗e6 17. ♕b7+−; 14... ♗e6 15. ♕h5 g6 16. ♗e6 ♔e6 17. ♕g6 ♕f6 18. ♖e1 ♘e5 19. ♕e4+−) 15. b3! ♗f5□ 16. g4 (16. ♗b2 ♔g6 17. g4 ♕g5) ♗g4 17. ♗b2 (Gola 2375 − Arhipov 2465, Moskva II 1989)

♔g6 18. ♕g4 ♕g5±; 11... ♗e7!? Smagin, Gola] 9. 0–0 ♗e6 10. ♘a3 [RR 10. ♗e6 ♕e6 11. a4!? N (11. ♘d4 − 45/(169)) a) 11... ♕d7 12. a5 ♘d5 13. ♘d4 e6 14. a6 b6 (14... ♘d4? 15. ab7 ♕b7 16. ♕d4±) 15. ♘b5 ♗e7 16. ♕e2 ♖d8! (16... 0–0 17. ♖d1 △ c4±) 17. ♘1a3 (17. ♖d1? ♘f4!−+) 0–0 18. ♘c2 (Svešnikov 2450 − Levčenkov, SSSR 1988) e5 19. c4∞; 13. a6!? Svešnikov; b) 11... ♖d8! 12. a5 dc3 13. ♕c2 ♘b4! 14. ♕c3 ♘6d5 15. ♕b3 ♕c8! (15... ♕c6? 16. ♘e5 ♕c7 17. ♗f4! e6 18. ♖c1+−) 16. ♘c3 e6 17. ♗g5!? (17. ♗d2!? ♗e7 18. ♘d5 ♘d5 19. ♖ac1 ♕b8 20. ♕a4 ♔f8∞) f6 18. ♖fe1! ♗e7 (18... fg5 19. ♘g5±) 19. ♗d2 (19. ♘d4? e5!−+ Jakovič) 0–0∞ Al. Karpov 2415 − Jako-vič 2455, Starozagorski Bani 1989] dc3 11. ♕e2 ♗b3 12. ♘b5 ♕b8 13. ab3 e5 [13... a6 14. ♘c3∞; 14. ♘bd4∞; 13... g6 14. ♖d1 ♗g7 15. ♘d6 ♔f8 16. ♘f7!? ♔f7 17. ♘g5 ♔e8 18. ♕e6 ♘d8 19. ♖d8 ♕d8 20. ♕f7 ♔d7 21. ♗f4→] 14. ♘fd4! N [14. ♘bd4 ♗d6 15. bc3!? (15. ♘f5 − 42/(165)) 0–0 16. ♘f5∞] ♘d4 [14... ♗c5 15. ♘f5 0–0 (15... g6? 16. ♗e3±) 16. ♗h6!? (16. bc3∞) cb2?! 17. ♗g7 ba1♕ 18. ♕g4 ♗f2 19. ♔f2+−; 16... g6!?; 14... ♗e7!?] 15. ♘d4 f6 [15... cb2 16. ♗b2 f6 17. f4 ♗c5 18. ♕b5 ♘d7 19. fe5 a6 20. ♕c4] 16. bc3 [16. ♘b5!? cb2 (16... ♗c5 17. b4! ♗b4 18. ♗e3↑) 17. ♗b2 ♗e7] ♔f7 17. ♘b5 [17. ♘f5 ♕c8; 17. ♘c2 ♕c7 18. c4 ♗e7] a6 18. ♗e3 ab5 19. ♗b6 ♖a1 20. ♖a1 ♕e8 21. ♖a5 b4 [21... ♕c6!?∞] 22. c4 ♕c6 23. ♖b5 ♗e7 24. ♗a5 ♖a8 25. h3 ♗c5 26. ♕d2 ♗d4 27. ♕b4 [27. ♗b4 ♖a1 28. ♔h2 ♖f1!] b6 28. ♗b6 ♖a1 29. ♔h2 ♕e4 30. ♗d4 ♕f4 31. g3 ♕f3 32. ♖b7 ♔g6 33. ♖g7 ♔g7 34. ♕e7 ♔g6 35. ♕e8 1/2 : 1/2 [Kočiev, Solov'ev]

206.* B 23

P. KOVAČEVIĆ 2405 − S. ĐURIĆ 2475
Jugoslavija 1989

1. e4 c5 2. ♘c3 e6 [RR 2... d6 3. f4 g6 4. d4 cd4 5. ♕d4 ♘f6 6. e5 ♘c6 7. ♗b5 de5 8. ♕d8 ♔d8 9. fe5 ♘e5 10. ♗f4

♘ed7 11. 0-0-0 a6 12. ♗e2 N (12. ♗c4 — 28/305) ♗g7?! 13. ♘f3 ♔e8 14. ♖he1 ♔f8 15. ♗c4 b5 16. ♗d5 ♖a7 17. ♘d4± Romanišin 2550 – Ftáčnik 2590, Biel 1988; 12... e6 △ ♔e8±] **3. g3 d5 4. d3 d4** [4... ♘f6 — 44/181] **5. ♘ce2 f5!? N 6. ♗g2 fe4 7. ♘f4 ♘f6** [7... ed3 8. ♕h5 g6 9. ♘g6 ♘f6 10. ♕h4 hg6 (10... ♖g8 11. ♘f8 ♖f8 12. cd3±⊡ ×e6, ♔e8) 11. ♕h8 dc2 12. ♘f3 ♘c6 13. 0–0 △ 14. ♗g5, 14. ♗h6±] **8. de4 ♘c6 9. ♘f3 e5** [9... ♘e4 10. 0–0 △ ♖e1∞⇔e, ×e6, ○] **10. ♘d5 ♘e4** [10... ♘d5 11. ed5 ♕d5 12. 0–0 △ ♘e5∞] **11. ♘e5 ♕d5 12. ♘c6 ♗h3!?** [12... ♕c6 13. ♕e2 ♗f5 14. f3 0-0-0 15. fe4∞] **13. c4!** [13. ♗h3? ♘c3 14. bc3 ♕h1 15. ♗f1 ♕c6–+] **♕f5 14. ♕f3□ ♕f3 15. ♗f3 ♘d6 16. b3** [16. ♗f4!? ♘c4 17. 0-0-0 ♔f7 18. ♘e5 (18. ♗d5 ♗e6 19. ♗c4 bc6 20. ♗e6 ♔e6 21. ♖he1 ♔f7∓) ♘e5 19. ♗e5 ♖d8 (19... ♖e8? 20. ♗h5+–) 20. ♗b7 ♗d6 21. ♖he1±] **♔f7 17. ♘e5 ♔f6 18. ♘d3** [18. ♘g4 ♔f5–+] **♖e8 19. ♔d1 ♘e4 20. ♖e1 ♘c3 21. ♔d2 ♖e1 22. ♘e1 g5 23. ♗b2 ♗h6 24. ♗b7 ♗f5!** [24... g4 25. ♔c2 ♖e8 26. ♗c3 dc3 27. ♔c3 ♖e2 28. ♖d1 ♖f2 29. ♘d3 ♖a2 30. ♘c5± ♂c ×♗h3] **25. f3 g4 26. f4 ♖e8 27. ♗c3 dc3 28. ♔c3 ♖e2∞ 29. ♘d3 ♗g7 30. ♖c1□ ♖a2?!⊕** [30... ♔e6 31. ♘e5 ♗e5 32. fe5 ♖a2 33. ♗d5 ♔e5 34. ♖e1 ♔f6 35. ♗e4 ♗e4 36. ♖e4 ♖h2 37. ♖g4 a5=] **31. ♘c5 a5 32. ♗e4 ♖h2 33. ♔d3 ♗f8 34. ♘b7 h5 35. ♗f5 ♔f5 36. c5± ♖b2 37. ♔c4 a4 38. b4⊕** [38. c6 ab3 39. c7 ♖c2 40. ♖c2 bc2 41. c8♕+–] **a3 39. c6 ♖b4 40. ♔c3 ♖b6 41. ♔d3** [41. c7?! ♖c6 42. ♔d2 ♗b4 43. ♔d1 a2] **♖b3 42. ♔e2 ♖b2 43. ♔f1** [43... a2 44. c7 ♖c2 45. ♖c2 a1♕ 46. ♔g2 △ c8♕+–] **1 : 0** **[P. Kovačević]**

207.* **B 23**

HODGSON 2545 – PÉTURSSON 2530
Reykjavík 1989

1. e4 c5 2. ♘c3 ♘c6 3. f4 g6 4. ♘f3 ♗g7 5. ♗b5 ♘d4 6. ♘d4 [RR 6. ♗a4 N ♕a5 7. ♗b3 b5 8. ♘d4 cd4 9. ♘b1 ♗b7 10. ♕e2 ♘f6 11. e5 ♘e4 12. ♘a3 a6 13. 0–0 ♘c5 14. d3 0–0 15. ♕f2 d6 16. ed6 e6∓ Damljanović 2565 – Ribli 2630, Reggio Emilia 1988/89] **cd4 7. ♘e2 ♘f6!? N** [7... ♕b6 — 39/(194)] **8. ♗d3 d6 9. 0–0 0–0 10. c3 dc3 11. bc3 b6!** [11... ♕a5] **12. ♗c2 ♗b7 13. d3 ♕c7 14. ♔h1 ♖ac8 15. f5?[** 15. ♕e1 ♘d7 16. ♗d2 (16. ♕h4 ♗f6) b5∓**]**

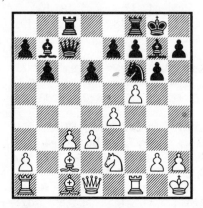

15... d5!!∓ 16. ♗f4 ♕c6! 17. ♗a4 [17. e5 d4! 18. ♖f3 ♘g4∓] **b5 18. ♘d4 ♕c5!** [18... ♕c3 19. ♘b5∞] **19. e5** [19. ♘b5 de4∓] **ba4 20. ef6 ♗f6 21. fg6** [21. ♖c1 ♗d4 22. cd4 ♕d4∓] **hg6 22. ♕g4?!** [22. ♖c1∓] **♕c3! 23. ♘f5 ♕d3 24. ♘h6 ♔g7 25. ♖ad1** [25. ♘f5 ♔h7!–+] **♕a3!–+ 26. ♘f5 ♔g8 27. h4** [⌓ 27. ♘h6 ♔h7 28. ♖f3 ♖c3 29. ♕h3 ♖f3 30. gf3 ♗c8 31. ♘g4 ♔g8 32. ♘f6 ef6 33. ♕g3 ♗b7–+] **♖c4! 28. h5 g5 29. ♖f3 ♕b4 30. ♖df1 ♗c8! 31. ♘h6 ♔h7 32. ♕g3 ♖f4 33. ♖f4 gf4 0 : 1** **[Pétursson]**

208. **B 24**

ABRAMOVIĆ 2485 – TAJMANOV 2480
Paris 1989

1. e4 c5 2. ♘c3 ♘c6 3. g3 g6 4. ♗g2 ♗g7 5. d3 ♖b8 6. f4 b5 7. ♘f3 N [7. ♘h3] **b4 8. ♘e2 e6 9. a3 a5** [9... ba3 10. ♖a3 ♗b2?? 11. ♗b2 ♖b2 12. ♕a1+–] **10. ab4 ab4 11. 0–0 ♘ge7 12. ♗e3 d6 13. d4** [13. ♕c1!? △ c3±] **cd4 14. ♘fd4 0–0= 15. ♕d3** [15. ♘c6 ♘c6 16. e5 ♗b7!?=; ⌓ 15. ♕d2] **♘d4 16. ♘d4** [16. ♗d4 e5 17. fe5 ♘c6!? 18. ed6 ♘d4 19.

♘d4· ♕d6 20. c3 ♖d8=∞↑] **e5 17. ♘b5 ef4 18. gf4** [18. ♗f4?? ♕b6–+] **♗b2 19. ♖a2 ♗g7 20. ♘d6 ♗e6 21. ♖a6 b3!? 22. f5?!** [⌓ 22. cb3 ♖b3 23. ♕e2 ♕c7↑] **b2!∓ 23. ♖b1** [23. c4? ♗c4!–+] **♗d7 24. ♗d4 ♗d4 25. ♕d4 ♘c6 26. ♕c5?!** [⌓ 26. ♕d2∓] **♕g5!–+ 27. ♔h1 ♕c1 28. ♕g1 ♕c2 29. e5 ♘e5 30. ♗e4 ♕e2 31. ♖a5 ♘g4!? 32. ♕g2 ♕g2 33. ♔g2 ♖b6 0 : 1**
[Tajmanov]

209.** **B 25**

S. MARJANOVIĆ 2490
– LPUTJAN 2610
Erevan 1989

1. e4 c5 2. ♘c3 ♘c6 3. g3 e6 4. ♗g2 g6 5. d3 ♗g7 6. f4 ♘ge7 7. ♘f3 0–0 8. 0–0 d6 9. ♗d2 [RR 9. ♗e3 ♘d4 10. ♗f2 *a)* 10... f5 N (10... ♘f3 – 45/173) 11. ♘d4 cd4 12. ♘e2 e5 13. c3 dc3 14. bc3 ef4?! 15. ♘f4 ♔h8 16. ♕b3± Abramović 2485 – Vuruna 2310, Vrnjačka Banja 1989; 14... fe4∞; *b)* 10... b6!? N 11. ♘d4 (11. ♖b1 ♗b7 12. ♘e2 ♘f3 13. ♗f3 f5∓) cd4 12. e5 dc3 13. ♗a8 cb2 14. ♖b1 de5 15. ♗g2 ef4 16. gf4 ♘d5∓; 15. fe5 ♗e5 16. d4 ♗a6∓; 12. ♘e2 e5 13. c3 dc3 14. ♘c3!? (14. bc3 ♗e6 15. d4 ♗c4 △ ♖c8, ♕c7⇆) ♗e6! (14... ♗b7 15. d4⩲; 14... ef4!? 15. gf4 d5 16. f5 de4 17. de4 ♗a6∞) 15. d4 (15. f5?! gf5 16. ef5 ♗f5 17. ♗a8 ♕a8 △ ♗h3=∞) ef4 16. gf4 (Abramović 2485 – Štohl 2455, Vrnjačka Banja 1989) ♕d7 (△ d5, ♗h3) 17. ♗h4 (17. f5 ♗c4 18. ♖e1 gf5 19. ef5 ♖ae8) f6!? (17... d5? 18. f5 gf5 19. ♗e7+–) 18. d5 ♗h3∞ Štohl] **b5 N** [9... b6 – 29/264] **10. a3** [10. ♘b5 ♖b8 11. ♘c3 ♖b2 12. ♕c1 ♖b8=] **♖b8 11. ♖b1 c4! 12. h3?** [12. dc4 bc4 13. ♕e2 d5 14. e5 ♘f5∓; 12. ♗e3 d5 (12... cd3 13. ♕d3 b4 14. ab4 ♘b4 15. ♕d2 ♕c7∞) 13. dc4 bc4 14. ♘d4 ♘d4 15. ♗d4 de4 16. ♗g7 ♕d1 17. ♖fd1 ♔g7 18. ♘e4 ♗b7∞] **b4 13. ab4** [13. ♘e2 ba3 14. ba3 ♗a6∓] **cd3 14. cd3 ♕b6** [14... ♘b4 15. ♗e3] **15. ♔h2 ♘b4 16. ♗e1** [16. ♘e1 ♗a6 17. ♖f3 d5 18. e5 ♘f5∓] **♗a6 17. ♗f2 ♕c7 18. ♘e1 ♖fc8?!** [18... ♗c3 19. bc3 ♕c3 20. ♖c1=; 18... e5!? 19. ♗e3 d5] **19. ♖c1 ♕d7 20. ♕d2 ♘ec6** [20... e5 21. h4; 20... d5 21. e5 d4 22. ♘e2∞] **21. ♖a1 ♘d4 22. ♖a3 ♖c7 23. ♗e3 ♘b5 24. ♖b3** [24. ♘b5 ♕b5] **♘c6 25. ♘b5 ♗b5 26. ♘f3?!** [26. ♘c2 ♖cb7 27. ♘a3 ♘d4∓] **♖cb7 27. ♖a1** [27. ♖b1?!] **a5 28. ♖a2 ♕c7** [28... ♗a6 29. ♖b7 ♕b7 30. e5 de5 31. ♘e5 ♗e5 32. fe5 ♕b3∓] **29. e5 de5 30. ♘e5 ♘e5 31. fe5** [31. ♗b7 ♕b7 32. fe5 ♕d5∓] **♗e5 32. ♗b7 ♗g3 33. ♔g1** [33. ♔g2 ♖b7 34. ♖c3 ♕b8 35. ♖a5 ♗e5∓] **♕b7** [33... ♖b7? 34. ♖a5] **34. ♖a5 ♕d5 35. ♖c3** [35. ♕b4 ♕f3–+] **♕d8⊕** [35... ♗d6!? 36. ♕c1 ♕f3 37. ♖c8 ♖c8 38. ♕c8 ♔g7 39. ♗d4 e5–+] **36. ♗a7?** [36. ♖b3 ♕d5] **♖b7 37. ♕g2?** [37. ♖c5!?] **♕a5–+ 38. ♕b7 ♕a1 39. ♔g2 ♕b2 40. ♔g3 ♕c3 41. ♕b8 ♔g7 42. ♗e3 ♗d3 43. ♕d6 e5 44. ♗c5 ♗c4 45. ♔f2 ♕c2 46. ♔g1 ♕c1 47. ♔h2 ♕f4 48. ♔g2 h5 0 : 1** **[Lputjan]**

210. **B 26**

KORTCHNOI 2610 – HÜBNER 2600
Barcelona 1989

1. e4 c5 2. ♘c3 ♘c6 3. ♘ge2 e5 4. g3 d6 5. ♗g2 g6 6. d3 ♗g7 7. 0–0 ♘ge7 8. f4 0–0 9. ♗e3 ♘d4 10. ♕d2 ♗e6 11. ♖ae1 ♕d7 12. ♘c1 ♖ae8 N [12... ♖ad8 13. ♘d5!? (13. ♘d1) ♘d5 14. ed5 ♗h3 (14... ♗g4 15. c3 ♘f5 16. ♗f2 ef4 17. ♕f4 h5 18. h3 ♗h6 19. ♕c4) 15. fe5 ♗e5 16. c3 ♗g2 17. ♕g2 ♘f5 18. ♗c5 ♗g3 (18... ♗c3 19. bc3 dc5 20. c4 △ ♘b3∞; 18... dc5 19. ♖e5 f6 20. ♖e6 ♕d5 21. ♕d5 ♖d5 22. g4=) 19. ♗f2∞] **13. ♘d1** [13. ♘d5 ♘d5 14. ed5 ♗g4 15. c3 (15. fe5 ♖e5) ♘f5 16. ♗f2 ef4 17. ♕f4 h5 18. h3 ♗h6 19. ♕c4 ♗c1 20. hg4 (20. ♖c1 ♗e2 21. ♖fe1 b5 △ ♗d3) ♘e3∓] **b6 14. fe5** [14. c3 ef4 15. ♗f4 ♘dc6 △ d5] **de5 15. c3 ♘dc6 16. ♗h6** [16. ♖f2!?] **c4?!** [⌓ 16... ♖d8 17. ♖f2 (17. ♗g7 ♔g7 18. ♕e2 a5 19. ♘e3 a4 20. ♖f2 f6∓) c4 18. dc4 ♕c7 19. ♕e3 ♗c4∓] **17. dc4 ♕d2** [17...

♗h6 18. ♕h6 ♗c4 19. ♖f2 ♖d8 20. ♘e3 ♗e6 21. ♖d1±] **18. ♗d2 ♗c4 19. ♖f2 ♖d8 20. ♗h3** [20. ♘e3 ♗e6 21. c4 (21. ♖ef1 b5∓) f5 22. ♗h3 ♗c8∞] **f5 21. ♘e3 ♗a6 22. ♗f1** [22. ef5 gf5 23. ♗f1 (23. ♘f5? ♘f5 24. ♗f5 ♖f5 25. ♖f5 ♖d2 26. ♖f2 ♖d7∓) ♗f1 24. ♖ef1 e4 △ ♘e5∓] **♗f1 23. ♘f1** [23. ♖ef1 fe4∓] **♖d7** [23... ♘c8 24. ♘b3 (24. ♗g5 ♖d7 25. ef5 gf5 26. ♘b3 ♖df7 27. ♖d1 h6 28. ♗c1 ♖f6 29. ♘e3 ♘d6∓) ♖d7 (24... ♘d6 25. ef5 gf5 26. ♗g5 ♖de8 27. ♘bd2∞) 25. ♗c1 ♖df7 26. ef5 (26. ♖d1 f4 27. h4 ♗f6∓) gf5 27. ♖d1 ♖f6 △ ♘d6∓] **24. ♘b3 ♖fd8?** [⌓ 24... ♘c8 – 23... ♘c8] **25. ♔g2** [25. ♗c1 ♖d1∓; 25. ♘e3 f4∓] **♖f8** [25... h6 26. ♗c1 ♖d1? 27. ♖d1 ♖d1 28. ♘e3 △ ef5] **26. ♗c1 ♘c8 27. a4 ♖df7 28. ♖d1 f4** [△ g5] **29. h4 h5?** [⌓ 29... ♗f6 30. ♔h3 ♗e7 (△ ♘d6) 31. ♖d7 ♗d6∞] **30. ♘h2 ♗f6 31. ♘f3** [31. ♖fd2 fg3 32. ♔g3 (32. ♘f3 ♗e7) g5∞] **fg3** [31... ♗e7 32. gf4 ef4 33. e5±] **32. ♖ff1** [32. ♔g3 ♗h4; 32. ♖e2 ♗e7 33. ♘g5 ♗g5 34. hg5 (34. ♗g5 ♖f2 35. ♖f2 ♖f2 36. ♔g3 ♖b2) h4] **♔g7** [32... ♗e7? 33. ♗h6] **33. ♗e3** [33. ♔g3? ♗h4] **♘d8** [33... ♗e7 34. a5 ♘d6 (34... ba5 35. ♘c5±) 35. ab6 ab6 36. ♘bd2 b5 37. ♔g3 ♖a8±; 34. ♖d7 △ ♘bd2±] **34. ♘bd2** [34. ♖d5? ♗h4 35. ♘h4 ♖f1 36. ♖d8 ♖d8 37. ♔f1 ♖d1 38. ♔g2 (38. ♔e2 ♖h1) ♖b1 39. ♗c1 ♘d6–+; 34. ♔g3 ♗h4 35. ♔h4 ♖f3 36. ♖f3 ♖f3 37. ♖d8 ♖e3 38. ♖c8 ♖e4 39. ♔g3 ♖a4=; 34. a5 ♘e6 (34... ba5 35. ♘c5) 35. ab6 ab6 36. ♘bd2 ♘d6 37. ♗b6 ♖b8∞] **♘d6 35. ♔g3 ♘e6 36. ♘g5?⊕** [36. a5?! ba5 37. ♖a1 ♗d8∞ 38. ♘e5 ♘e4; 36. ♖a1 ♗d8 37. ♖f2 △ ♖af1±] **♗g5 37. ♖f7** [37. ♗g5 ♖f1 38. ♖f1 ♘e4–+] **♘f7 38. hg5 ♘fg5 39. a5** [39. ♖a1 ♖d8 40. ♔f2 ♘f4 41. a5 b5 42. a6 ♖d3∓] **♖d8 40. ab6 ab6** [40... ♘e4? 41. ♘e4 ♖d1 42. b7 ♖d8 43. ♗a7+–] **41. ♖e1□ b5** [41... ♖d3 42. ♘c4 ♘e4 43. ♔f3 (43. ♔g2 b5 44. ♘e5 ♖d5∓) ♘4g5 44. ♔e2 ♖d8 (44... ♖d7 45. ♘b6) 45. ♗b6∞] **42. c4□ bc4 43. ♘c4 ♘e4 44. ♔g2 ♖c8 45. ♘e5 ♖c2 46. ♔f3 ♘4g5**

47. ♔g3?! [47. ♗g5 ♘g5 48. ♔f4 *a)* 48... ♔h6 (Kortchnoi) 49. b4 (49. ♖b1 ♖e2) ♖d2 (49... ♖b2 50. ♘d3 ♖b3 51. ♖d1 △ ♔e5∞) 50. ♔e3 ♖d5 51. ♘d3∞; *b)* 48... ♘e6 49. ♔g3 ♘d4 (49... ♖b2? 50. ♘g6=; 49... g5? 50. ♘f3 △ 50... ♔f6 51. ♖e6 ♔e6 52. ♘d4) 50. b4 ♖b2∓] **♖b2 48. ♖a1 ♖b5** [48... ♖b3!? 49. ♖a7 ♔g8 (49... ♔f6? 50. ♘d7 ♔f5 51. ♖a5 ♔e4 52. ♖e5 ♔d3 53. ♗g5=) 50. ♖a8 (50. ♔f2 ♘h3 51. ♔e2 ♘hf4 52. ♔d2 g5) ♔h7 51. ♖a7 ♘g7 52. ♔f2 ♘e6 53. ♘f7 ♖b5] **49. ♖a7 ♔f6 50. ♘d7 ♔f5 51. ♖a1 ♘e4** [51... ♘f4 52. ♗f4 ♖b3 53. ♔g2 ♔f4 (53... ♖b2 54. ♔g3 ♘e4 55. ♔f3 ♖f2 56. ♔e3 ♖f4 57. ♖a5 ♔g4 58. ♘e5=) 54. ♖a4 ♔e3 (54... ♘e4 55. ♖e4 ♔e4 56. ♘c5=; 54... ♔f5 55. ♖a5) 55. ♘f6∓; 51... ♔e4 52. ♖a3 (52. ♖e1 ♖b3 53. ♘f6 ♔f5 54. ♖f1 ♔e5 55. ♘d7 ♔e4–+) ♖f5 53. ♗c1 ♘d4 (53... ♖f3? 54. ♖f3 ♘f3 55. ♘f6 ♔f5 56. ♘h5=) 54. ♖a4 ♘ge6–+] **52. ♔h4 ♘d6** [52... ♘f4 53. ♗f4 ♔f4 54. ♖f1 ♔e3 55. ♖e1 (55. ♘f8? g5–+ 56. ♔h5 ♘g3) ♔f3 56. ♘f8] **53. ♖f1** [53. ♖a4 ♖b3 54. ♖a5 ♘b5–+; 53. ♗d2 ♘d4 54. ♖f1 ♔e4 55. ♘f8 (55. ♘f6 ♔d3) ♘6f5 56. ♔h3 ♖b3 57. ♔g2 ♘h4–+] **♔e4 54. ♖f6□ ♘f5 55. ♔h3 ♔e3** [55... ♔d5 *a)* 56. ♘b6 *a1)* 56... ♔e5 57. ♘d7 ♔d6 58. ♘f8 ♔e7 59. ♖e6 ♔f8 60. ♖g6 ♔f7 (60... ♘e3 61. ♔h4 △ ♖g5=; 60... ♖b3 61. ♖f6=) 61. ♖g5=; *a2)* 56... ♔d6 57. ♘c4 ♔e7 58. ♖g6 ♘e3 59. ♘e3 ♘f4–+; *b)* 56. ♖g6 ♘e3 57. ♘f6 ♔d4 58. ♘h5 (58. ♖h6 ♘f4–+) ♖h5 59. ♔g3 ♘c5–+; *c)* 56. ♗c1 ♖b1 57. ♖g6

(57. ♗d2 ♖b3 58. ♔h2 ♖b2–+) ♖c1 58. ♘f6 ♔d6 (58... ♔e5 59. ♘d7 ♔d6 60. ♘f8) 59. ♘h5 ♖h1 60. ♔g4 ♔e5–+] **56. ♖e6 ♔f2 57. ♘e5** [57. ♖g6 ♖b4 58. ♖g2 ♔f1–+; 57. ♘f8 g5–+] **♖b3** [57... g5? 58. ♘d3 ♔f3 59. ♘e1=] **58. ♔h2 ♖e3 59. ♖g6** [59. ♖e8 g5–+] **♖e5 60. ♖g2 ♔f3 61. ♖g5 h4 62. ♔h3 ♖d5 0 : 1 [Hübner]**

211.*** **B 30**

ZLOČEVSKIJ 2360 – JUFEROV 2445
SSSR 1989

1. e4 c5 2. ♘f3 ♘c6 3. ♗b5 ♕b6 [RR 3... e6 4. 0–0 ♘ge7 5. ♘c3 ♘d4 6. ♘d4 cd4 7. ♘e2 *a)* 7... ♕b6?! N 8. a4! a6 9. ♗d3 ♘c6 10. c3 ♗e7 11. a5! ♘a5 12. ♘d4 0–0 13. ♗c2± W. Watson 2505 – B. Larsen 2580, London 1989; *b)* 7... a6 8. ♗a4 (8. ♗d3 ♘c6 9. c3 ♗c5) ♘c6 N (8... b5 – 37/172) 9. d3 ♗c5 10. f4 d5! 11. ♔h1 (11. ♘g3 f5! B. Larsen) b5 12. ♗b3 de4 13. de4 ♘a5∞ King 2500 – B. Larsen 2580, London 1989] **4. ♗c6 ♕c6 5. ♘c3 N** [5. 0–0 – 41/154] **b5?!** [5... ♘f6 6. ♕e2 e6 7. 0–0 d6 8. d4 cd4 9. ♘d4 ♕c7 10. ♘db5 ♕c6 11. e5!±↑ Krasnov – V. N. Kozlov 2380, SSSR 1989; ⌓ 6... d6 7. d4 ♗g4!?±] **6. 0–0!** [6. d4 b4! 7. d5 ♕g6! △ 8. ♘b5? ♕b6! △ a6–+] **b4 7. ♘d5 e6 8. ♖e1 ♕b7** [8... ♘e7 9. ♘e5 △ ♕f3+–] **9. d4! ♘e7** [9... ed5 10. ed5 ♔d8□ 11. dc5 ♗c5 12. ♘e5!? d6 13. ♘c6=∞→; 12. d6! △ ♘e5] **10. dc5 ♘d5** [10... ed5 11. ed5+–→] **11. ed5 ♗c5 12. ♘g5!±↑ h6□** [12... 0–0 13. ♕d3] **13. ♘e4** [13. ♘f7 ♗f2! 14. ♔f2 0–0!] **♗e7 14. de6!** [14. ♕g4 ♔f8!? (14... g6 15. d6 ♗d8 16. ♕f4 △ 16... ♕b5? 17. ♘f6 ♔f8 18. ♕h6!+–) 15. d6 ♗d8∞] **de6 15. ♘d6 ♗d6 16. ♕d6 a5** [16... ♕b6 17. ♕b6 ab6 18. ♗d2±; 17. ♕g3!?] **17. a3! ♖a6 18. ♕g3 g5!?** [18... f6 19. ab4 ♕b4 20. ♗d2! ♕d2 21. ♕g7 ♖f8□ 22. ♖ad1 ♕b4 23. ♕c7+–] **19. ♗d2** [19. h4!?; 19. ♕e5] **♕d5 20. ♖ad1 ♕c5** [⌓ 20... ♖d6 21. ab4 ab4 22. ♗b4±; 22. h3!?±] **21. ♗e3 ♕c6 22. ♕e5!** [22. ♗d4 0–0!] **0–0 23. ♗g5!+– ♗b7 24. f3 ♔h7** [24... hg5 25. ♕g5 ♔h7 26. ♖d4+–] **25. ♖d4 ♖g8 26. ♖h4 ♖g6 27. ♖h6! ♖h6 28. ♗h6 f6** [28... ♔h6 29. ♕f6 ♔h7 30. ♖e5+–] **29. ♕f6 ♕d7 30. ♗f4 ba3 31. ♗e5 a2 32. ♕h8 ♔g6 33. ♕g8 1 : 0 [Zločevskij]**

212.* **B 31**

GLEK 2475 – KISELEV 2445
SSSR 1989

1. e4 c5 2. ♘f3 ♘c6 3. ♗b5 g6 4. 0–0 ♗g7 5. c3 ♘f6 6. ♖e1 [RR 6. e5 ♘d5 7. d4 cd4 8. cd4 0–0 9. ♘c3 ♘c3 10. bc3 d6 11. ed6 ♕d6 12. a4 ♖d8 13. ♗a3 ♕c7 14. ♖e1 ♗f6! N (14... e6 – 46/202) 15. ♗c6 bc6 16. ♘e5 ♗e6 17. ♕f3 ♖d5!= Bielczyk 2355 – Marinšek, Pula 1989] **0–0 7. d4 cd4 8. e5!? N** [8. cd4 – 46/203] **♘d5 9. cd4 d6 10. ♘c3! de5 11. ♗c6 bc6 12. ♘e5±** [×c6, c5] **♗b7** [12... ♕c7 13. ♕a4 ♗b7 14. ♘d5 cd5 15. ♗f4↑] **13. ♘e4 ♕c7 14. ♘c5 ♖ad8 15. ♗d2! ♘b6!?** [15... ♗a8 16. ♖c1±; 16. ♕c1!?] **16. ♗f4 ♕c8** [16... ♘d5!? 17. ♗g3 ♕c8 18. ♕a4!?±; 17. ♕d2!?] **17. ♖c1 ♗a8 18. ♕d2± ♖d5 19. ♗h6 ♖d4!?** [19... ♗h6 20. ♕h6 ♖d4? 21. ♘f3 △ ♘g5+–; 19... ♖fd8 20. ♗g7 ♔g7 21. ♘f3±; 21. ♕f4±] **20. ♕d4 ♗h6 21. ♖cd1 ♘d5 22. ♘cd7 f6□** [22... ♖d8 23. ♕a7 f6 24. ♘b6!+–] **23. ♘g4 ♕d7 24. ♘h6 ♔g7 25. ♘g4 ♖f7** [25... e5 26. ♖e5! h5□ 27. ♘f6! ♖f6 28. ♖de1±] **26. ♘e3 e5 27. ♕c5 ♕e6 28. ♘d5 cd5 29. ♖c1 ♕a6** [29... d4 30. ♕c8+–] **30. ♕c8 ♗b7 31. ♕d8 d4** [31... ♕a2 32. ♖c7 d4 33. ♖f7 ♕f7 34. ♖c1+–] **32. ♖c7!?** [32. a3+–] **♗d5□ 33. f4?!** [33. a3] **ef4 34. ♖c5!?** [34. ♖f7 ♗f7 35. ♕d4 ♕a2∞] **♗b7?⊕** [34... ♗a2□ 35. ♕d4±] **35. ♖e7!+– d3 36. ♖f7 ♔f7 37. ♖c7 ♔e6 38. ♕e7 1 : 0 [Glek]**

213. **B 31**

SAX 2610 – SALOV 2630
Rotterdam 1989

1. e4 c5 2. ♘f3 ♘c6 3. ♗b5 g6 4. 0–0 ♗g7 5. ♖e1 ♘f6 6. c3 a6 7. ♗c6 dc6 8.

h3 0–0 9. d4 cd4 10. cd4 c5 11. e5 ♘d5 12. dc5 ♗e6 N [12... ♘b4 – 29/290] **13. ♕d4 ♕c7! 14. ♘c3** [14. ♕h4 ♕c5 15. ♗h6 ♕b4!⇆ ×b2] **♖fd8 15. ♘g5! ♘c3 16. ♘e6 fe6** [16... ♘e2 17. ♖e2 fe6 18. ♕a4=] **17. ♕c3 ♖d5 18. ♗e3 ♗e5 19. ♕b4** [19. ♕c4! △ 19... ♗b2 20. ♖ab1 ♗f6 21. ♖b6∞̅ ×b7, e6] **♖ad8 20. ♖ac1 ♕c6∓** [⇔d, ⇗a1-h8] **21. ♕b3 ♖d3 22. ♕c2 ♗f6 23. ♕e2 ♕d5 24. b3 ♗c3 25. ♖f1 e5 26. ♖c2 e4 27. ♖fc1 ♕e5 28. ♗f4?⊕** [28. ♕g4!∓] **♕f4 29. ♖c3 ♖d2∓ 30. ♕c4?!** [⌓ 30. ♕e1] **♔g7 31. ♖f1 ♖8d4!–+ 32. ♕e6□ ♖f2! 33. ♕e7 ♔h6 34. ♖cc1 ♖g2 0 : 1** **[Salov]**

214.** **B 32**

ANAND 2525 – VAN DER WIEL 2560
Wijk aan Zee 1989

1. e4 c5 2. ♘f3 ♘c6 3. d4 cd4 4. ♘d4 e5 5. ♘b5 d6 6. c4 [RR 6. g3!? N ♗e7 7. ♗g2 a6 8. ♘5c3 ♗e6 9. 0–0 h5 10. ♘d5 ♘f6 11. ♘bc3 ♗d5 12. ♘d5 ♘d5 13. ♕d5 ♘d4 14. ♕b7 h4 15. ♖d1 0–0 16. ♖d2 h3 17. c3 ♗g5 18. f4 hg2 19. cd4 ef4 20. gf4 ♗f4 21. ♖g2 ♕h4 22. ♗f4 ♕f4 23. ♕d5± I. Rogers 2505 – M. Kuijf 2485, Wijk aan Zee II 1989] **♗e7 7. ♘1c3** [RR 7. ♗d3 N a6 8. ♘5c3 ♗g5 9. ♘d2 ♘f6 10. 0–0 ♘d7 11. ♖e1 ♘c5 12. ♗f1 0–0 13. ♘d5 ♗e6 14. ♘f3 ♗c1 15. ♖c1 ♗g4∓ A. Sokolov 2605 – van der Wiel 2560, Rotterdam 1989] **a6 8. ♘a3 ♗e6 9. ♗e2 ♗g5! 10. ♗g5 N** [10. 0–0 – 43/(194)] **♕g5 11. 0–0 ♖d8** [11... ♘ge7 12. f4! ef4 13. ♕d6⩲] **12. ♘d5 ♘f6!** [×e4] **13. ♘c7 ♔f8** [13... ♔e7 14. ♘d5! ♗d5 15. ed5⩲] **14. ♕d3 h5↑ 15. ♘c2 ♘e7?** [⌓ 15... ♕f4 16. f3 h4∓] **16. ♖ad1 ♘g6 17. ♘e6 fe6 18. ♕a3! ♘e4 19. ♗d3 ♘c5** [19... ♘d2? 20. f4; 19... ♘f6 20. ♗g6 ♕g6 21. ♖d6±] **20. ♗g6 ♕g6 21. ♘e3!** [21. ♖d6?! ♖d6 22. ♕c5 ♔e7∓; 21. ♕c5 dc5 22. ♖d8 ♔f7 23. ♖h8 ♕c2∓] **♔e7?!** [⌓ 21... ♔g8± △ 22. ♕a5 ♔h7 23. ♕b6 ♘d3!; 22. f3!] **22. b4 ♘e4 23. c5!→** [△ f3] **d5** [23... dc5 24. bc5 ♔f7 25. ♕b4±] **24. b5 ♔f7** [24... ab5 25. f3! (25. c6 ♘d6 26. cb7 ♖d7∞) ♘f6 (25... ♖a8?! 26. ♕b4) 26. c6 ♖d6! 27. cb7 ♖b8 28. ♕a7 ♕e8 29. ♖b1!±] **25. ba6 ba6 26. ♕a6?** [26. c6!±♙, ×♔f7] **♘c5 27. ♕a7 ♘d7 28. ♕c7** [28. ♘d5 ed5 29. ♖d5 ♔e8 30. ♖fd1 ♕f5! △ ♖f8-f7] **♖hf8!∓ 29. ♘c4 dc4** [29... ♔g8 30. ♘e5 ♘e5 31. ♕e5=] **30. ♖d7 ♖d7 31. ♕d7 ♔g8 32. ♕c6 ♕g4! 33. h3 ♕d4 34. ♕e6** [♕ 9/f] **♔h7 35. ♕e7 ♖f6 36. ♕e8 ♖f5 37. ♕e6 ♖f6 38. ♕e8 ♖f5 39. ♕e6 g6 40. ♕e7** [40. ♔h1!?] **♔h6 41. ♕a3** [△ ♕e3] **c3 42. ♕c1** [42. ♖c1? ♖f2! 43. ♕c3 ♖c2 44. ♕d4 ♖c1–+] **♔h7 43. ♕c2 e4 44. ♖e1** [44. ♖d1 ♖f2! 45. ♖d4 ♖c2 46. ♖e4 ♖a2 47. ♖c4 c2 48. ♔h2 h4! 49. ♖h4 ♔g7 50. ♖c4 ♔f6 51. ♔g3 ♔e5 52. ♔f3 ♔d5 53. ♖c8 ♔d4–+] **♖d5! 45. ♖c1** [45. ♖e2 ♔g7 △ ♔f6, ♕d1] **e3! 46. ♕e2** [46. ♕c3? ♕c3 47. ♖c3 e2–+; 46. fe3 ♕e3 47. ♔h2 ♕e5! 48. ♔h1 ♖d2 49. ♕c3? ♖d1–+] **♖e5** [△ 47... ♕d2 48. ♖c2 ♕e2 49. ♖e2 c2! 50. ♖c2 e2–+] **47. fe3** [47. ♖c2 h4!–+→] **♖e3 48. ♕f2 h4!–+** [△ 49... c2 50. ♖c2 ♖e1 51. ♔h2 ♕e5 52. g3 hg3 53. ♕g3 ♖h1–+] **49. ♕f7** [49. ♔h1? ♖h3] **♔h6 50. ♔h1 c2 51. ♖f1 ♖c3 52. ♕f8 ♔h5 53. ♖c1** [53. ♖f5 gf5 54. ♕f5 ♔h6 55. ♕e6 ♔g7–+] **♖d3 0 : 1** **[van der Wiel]**

215.* **B 32**

GEO. TIMOŠENKO 2535 – SVEŠNIKOV 2435
Moskva (GMA) 1989

1. e4 c5 2. ♘f3 ♘c6 3. d4 cd4 4. ♘d4 e5 5. ♘b5 d6 6. ♘1c3 a6 7. ♘a3 b5 8. ♘d5 ♗e7 N [8... ♘ge7 – 46/207; 8... ♘f6 – 46/(207)] **9. c4 b4 10. ♘c2!** [10. ♘b4!? ♘b4 11. ♕a4 ♗d7 12. ♕b4 d5∞̅] **a5?!** [⌓ 10... ♖b8 11. ♕d3 ♘f6 12. ♘f6 ♗f6 13. ♗e2 0–0 14. 0–0 ♗e6 15. b3 a5 16. a3 a4!?∞⇆ Bokan 2255 – Svešnikov 2435, Moskva II 1989] **11. ♗e3 ♖b8 12. ♗e2 ♘f6 13. ♕d3 ♘d7** [13... ♘g4!?] **14. ♘e7 ♔e7□ 15. ♖d1 ♕c7!** [15... ♘c5 16. ♗c5 dc5 17. ♕g3±] **16. ♗g4 ♖d8 17. ♗d7 ♗d7 18. c5?!** [18. 0–0 △ f4⩲] **♗g4! 19. f3 dc5 20. ♗c5 ♔e8 21. ♗d6?!** [21.

♕e2∓] **♕b6 22. fg4 ♖d6! 23. ♕d6 ♖d8∓ 24. ♕d5! ♖d5 25. ed5 b3?!** [⌓ 25... ♘e7 26. d6 ♕c5! 27. ♖d2 ♘d5!∓] **26. ab3 ♘b4 27. ♖d2! ♕g6 28. ♘b4 ♕e4 29. ♔f2 ♕f4 30. ♔e2 ♕g4 31. ♔d3 ab4∓**[♕ 6/e] **32. ♔c2 ♕e4 33. ♔c1 ♕e3 34. ♔c2 e4** [⌓ 34... ♕e4 35. ♔c1 f5!] **35. d6 ♔d7 36. ♖hd1 ♕c5** [36... f5 37. ♖d5!⇆] **37. ♔b1 e3 38. ♖c2 ♕e5 39. ♖c7 ♔d8 40. ♖f7 e2 41. ♖f8! ♔d7 42. ♖f7□ ♔c6** [42... ♔e8 43. d7 ♔f7 44. d8♕ ♕e4 (44... ed1♕ 45. ♕d1 ♕h2=) 45. ♔c1 ed1♕ 46. ♕d1 ♕g2∓] **43. ♖c7 ♔b6 44. ♖e1 ♕d6 45. ♖c2∓ ♕d1 46. ♖c1 ♕d2 47. g4 g5 48. ♔a2 ♕d3 49. ♖c4 ♔b5 50. ♖cc1 ♕d2 51. ♔b1 ♕d3 52. ♔a2 ♕e4 53. ♖c4 ♕a8 54. ♔b1 ♕f3 55. ♖c2 ♕b3 56. ♖ce2 ♕d3 57. ♔a1 ♕f3 58. ♖e5 ♔a4 59. ♔a2 ♕b3 60. ♔a1 h6 61. ♖5e3= 1/2 : 1/2**
[Svešnikov]

216. B 33

LANKA 2420 – KRASENKOV 2525
Moskva (ch) 1989

1. e4 c5 2. ♘f3 e6 3. d4 cd4 4. ♘d4 ♘f6 5. ♘c3 ♘c6 6. ♘db5 d6 7. ♗f4 e5 8. ♗g5 a6 9. ♘a3 b5 10. ♘d5 ♗e7 11. ♗f6 ♗f6 12. c3 0–0 13. ♘c2 ♗g5 14. a4 ba4 15. ♖a4 ♗b7!? 16. ♗c4! ♘a5 17. ♗a2 ♗c6 18. ♖a3 ♗b5 19. h4! N [19. ♘ce3?! – 45/185] **♗h6 20. ♘ce3** [△ ♘f5; RR 20. g4!? ♗f4 21. ♘f4 ef4 22. ♘d4± Krasenkov] **♗e3 21. ♘e3 ♖c8 22. ♘f5 ♘b7?!** [⌓ 22... ♘c4 23. ♗c4 ♖c4 24. ♘d6 ♖d4! 25. cd4 ♕d6 26. d5? ♕b4; 26. f3 ed4±; RR 27. ♔f2 d3!∞ Krasenkov; 24. f3!± Gorelov] **23. ♕g4 ♕f6** [23... g6? 24. h5+–] **24. ♕g5! ♖c7** [24... ♕g5? 25. hg5 ♖c7 26. c4! ♗c4 27. ♗c4 ♖c4 28. ♘e7 △ ♖h7, ♖h3#] **25. ♕f6 gf6 26. b4!±↑» a5 27. ba5 ♖a8 28. ♖h3! ♗c4 29. a6 ♖a6 30. ♖a6 ♗a6 31. ♖g3 ♔f8 32. ♖g7 ♘d8** [32... ♗c4? 33. ♖h7 ♔g8 34. ♖g7 ♔f8 35. h5! ♗a2 36. h6+–] **33. ♖h7 ♔g8 34. ♖g7 ♔h8 35. ♖g3 ♘e6 36. ♘d6 ♘f4 37. ♘e8!+– ♖c6 38. ♗f7 ♘d3 39. ♔d2 ♘f2 40. ♗d5 ♖b6 41. c4 ♔h7 42. c5 ♖b2 43. ♔c1** [43. ♔c3?? ♘d1#] **1 : 0**
[Lanka]

217. B 33**

KUKLIN 2325 – VYŽMANAVIN 2550
Budapest (open) 1989

1. e4 c5 2. ♘f3 ♘c6 3. d4 cd4 4. ♘d4 ♘f6 5. ♘c3 e5 [RR 5... ♕b6 6. ♗e3! N (6. ♘b3 – 46/208) ♘g4? (6... ♕b2? 7. ♘db5 ♘b4 8. ♔d2+–; 6... ♘d4? 7. ♗d4 ♕b2 8. ♘d5+–) 7. ♘d5+– ♕a5 (7... ♘e3 8. ♘b6 ♘d1 9. ♘a8 ♘b2 10. ♘c6 dc6 11. a4! g6 12. c3!+–) 8. ♗d2 ♕d8 9. ♘b5 1 : 0 Neelakantan 2230 – Nagendra 2270, India 1988; 6... a6± Neelakantan] **6. ♘db5** [RR 6. ♘f3 ♗b4 7. ♗c4 ♘e4 N (7... 0–0 – 6/483) 8. 0–0 ♘c3 (8... ♗c3 9. bc3 ♘c3 10. ♕e1 d5 11. ♘e5±) 9. bc3 ♗e7! (9... ♗c3 10. ♕d5 0–0 11. ♘g5 ♕f6 12. ♕d3+–; 11... ♕a5 12. ♕e4!±) 10. ♘g5?! ♗g5 11. ♕h5 d5! 12. ♗g5 ♕a5 13. ♗b3 0–0∓ London 2380 – Ochoa de Echagüen 2435, New York 1989; 10. ♕d5 0–0 11. ♘e5 ♘e5 12. ♕e5 d6∓; 8. ♗f7 Ochoa de Echagüen] **d6 7. ♗g5 a6 8. ♘a3 b5 9. ♗f6 gf6 10. ♘d5 ♗g7 11. c3 f5 12. ♗d3 ♘e7! 13. ♘e7 ♕e7 14. ♕h5 N** [14. ♘c2 – 46/211] **d5□ 15. ed5 e4 16. 0–0!** [16. ♗e2?! b4 17. ♘b1 0–0∓] **0–0 17. ♖ae1** [△ f3] **♕c5** [17... ♖d8] **18. ♗b1 ♗d7 19. ♔h1 ♖ae8 20. f4!** [20. f3?! ♖e5 21. fe4 fe4 22. ♕h4 f5∓] **♕d5 21. ♘c2 ♕e6 22. ♘e3** [△ g4] **♕g6 23. ♕e2 h5** [23... ♗e6 24. g4!±] **24. ♗c2 ♗e6 25. ♗d1** [25. ♗b3 ♖d8 26. ♖d1=] **♖d8** [25... h4 26. g4! hg3 27. ♖g1→] **26. ♕h5 ♖d2 27. ♕h4□ ♗f6 28. ♕h3 ♔g7** [28... ♖b2 29. g4 fg4 30. ♗g4→] **29. ♗h5 ♖h8! 30. ♗g6 ♖h3 31. gh3 fg6 32. ♖d1 ♖b2 33. ♖d6 ♔f7** [33... ♗a2 34. ♖a6 ♗c3? 35. ♘d1] **34. ♖a6 ♖e2** [34... ♗c3 35. ♖c1 b4 36. ♘d1] **35. ♖d1!= ♖e3 36. ♖dd6 ♗h4□** [36... ♖c3? 37. ♖e6 ♖c1 38. ♔g2 ♗d4 39. h4!±] **37. ♖e6 1/2 : 1/2**
[B. Arhangel'skij, Vyžmanavin]

218. B 33

ULYBIN 2445 – VAJSER 2525
Moskva (GMA) 1989

1. e4 c5 2. ♘f3 ♘c6 3. d4 cd4 4. ♘d4 ♘f6 5. ♘c3 e5 6. ♘db5 d6 7. ♗g5 a6 8.

♘a3 b5 9. ♗f6 gf6 10. ♘d5 ♗g7 11. ♕f3?! N f5!□ 12. ef5 ♘d4 13. ♕g4 ♘f5! [13... ♔f8!? 14. ♗d3 ♗b7=∞] **14. ♘e3?!** [14. ♗d3 h5 15. ♕f3 (15. ♕e4 ♖b8 16. c3 ♘e7∓⊞) ♘d4 16. ♘f6 ♕f6 17. ♕a8 0–0 18. 0–0! ♖d8!=∞↑] **♕f6** [⌓ 14... h5!] **15. ♘d5 ♕d8 16. ♘e3?! h5! 17. ♕f3 ♘e3 18. ♕a8**

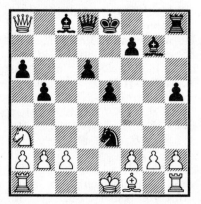

18... 0–0!! [18... ♘f1? 19. ♕c6 ♗d7 20. ♕d6] **19. ♕f3?!** [19. fe3? ♕h4 20. g3 (20. ♔d2 ♕b4 21. c3 ♕b2 22. ♘c2 ♗f5–+) ♕b4 21. ♔f2 ♕d2 22. ♗e2 ♗g4 23. ♕g2 ♗e2! 24. ♔g1 e4! 25. c3 ♕e3 26. ♕f2 ♕d3–+; 19. ♗e2? ♕h4!; 19. ♕e4! ♘f1 20. ♔f1 d5 21. ♕b4 ♕b6↑⊡⊞] **♘g4!∓ 20. ♗e2 e4** [20... ♕a5!? 21. ♕c3 (21. c3 e4 22. ♕g3 ♗e5 23. f4 ef3 24. ♕f3 ♗b7!?→) ♕c3 (21... b4? 22. ♘c4 ♕c5 23. ♕g3∞) 22. bc3 e4 23. ♘b1 b4∓] **21. ♕b3 ♕a5 22. c3 ♗e6 23. ♕c2 b4 24. ♘b1⊕** [24. ♘c4? ♗c4 25. ♗c4 bc3–+] **e3! 25. ♗g4 ef2 26. ♕f2** [26. ♔f2? ♕c5 27. ♔f1 hg4–+] **bc3! 27. ♘c3 ♗c3 28. bc3** [⌓ 28. ♔f1 hg4 29. bc3 ♕c3 30. ♖e1 ♗c4! (30... ♖b8?! 31. ♕e3 ♗c4 32. ♔f2 ♖b2 33. ♔g3) 31. ♔g1 ♖b8 32. ♕g3 ♕g3 33. hg3∓] **♕c3–+ 29. ♕d2 ♕a1 30. ♔f2 ♕f6 31. ♗f3 ♖b8 32. ♖c1 ♖b2 33. ♖c2 ♕h4 34. ♔e3 ♕g5 35. ♔e2 ♕b5 36. ♔e1 ♕e5 37. ♔f2** [37. ♔d1 ♖b1 38. ♖c1 ♖c1 39. ♕c1 ♗a2–+; ⌓ 37. ♔f1 ♖c2 38. ♕c2 ♕h2 39. ♕a4 h4!–+] **♕c5! 38. ♖c5 ♖d2 39. ♔e3 ♖g2! 40. ♖h5 ♖a2 41. ♖g5 ♔h7 42. h4 ♖a4 43. ♖h5** [43. h5] **♔g7 44. ♖g5 ♔f6 45. ♗e4 d5 46. ♗d5 ♖h4 47. ♗e6 ♔g5 48. ♗f7 ♔f6 49. ♗d5 ♔e5 50. ♗b7 a5 51. ♔d3 ♖b4 52. ♗c6 a4 53. ♔c3 a3 0 : 1** **[Vajser]**

219.* B 33**

VOGT 2505 – ČEHOV 2480
Berlin 1989

1. e4 c5 2. ♘f3 e6 3. ♘c3 ♘c6 4. d4 cd4 5. ♘d4 ♘f6 6. ♘db5 d6 7. ♗f4 e5 8. ♗g5 a6 9. ♘a3 b5 10. ♗f6 gf6 11. ♘d5 f5 12. ef5 ♗f5 13. c3 ♗g7 14. ♘c2 ♘e7 15. ♘ce3 ♗e6 16. g3 [16. ♘e7 ♕e7 17. g3 N (17. ♗e2 – 43/201) d5! 18. ♘d5 (18. ♗g2?! ♖d8 19. ♕h5 ♕f6 20. 0–0 ♕g6 21. ♕e2 0–0 22. f4 ef4 23. gf4 ♖fe8∓ Mnacakanjan 2395 – Čehov 2480, Warszawa 1989) ♕b7 19. c4 (19. ♗g2 0-0-0–+) bc4 20. ♕a4 ♔f8 21. ♕a3 ♔e8=; RR 16. a4!? N ♘d5 17. ♘d5 0–0 18. ♗e2 ba4 (18... ♖b8 19. ab5 ab5 20. 0–0 f5 21. ♖a6⩲; 18... ♕g5!? 19. 0–0 e4∞) 19. ♖a4 a5 (19... ♖b8? 20. ♘b4!±) 20. 0–0 ♔h8!? (20... ♖c8 21. b4!⩲; 20... ♖b8 21. b3! f5 22. ♗c4⩲) 21. ♕d2 ♖b8 *a)* 22. b4 ab4 23. cb4 ♕h4! (Kuporosov 2420 – Kramnik, SSSR 1989) 24. ♖a6!= Kramnik, Ljubarskij; *b)* 22. ♗c4 ♖c8 23. b3 (Kuporosov 2420 – Vyžmanavin 2550, SSSR 1989) ♗d7 24. ♖a3 a4∞; 18. g3!? Kuporosov] **♘d5 17. ♘d5 0–0 18. ♗g2 a5** [18... ♖b8 19. ♘b4! △ 20. ♘a6, 20. ♘c6] **19. 0–0 ♖b8 20. ♕e2?!** [20. ♕d2 ♕d7 21. ♖ad1 f5 22. ♘e3! △ 22... f4 23. ♕d6∞] **f5 N** [20... ♔h8 – 22/421] **21. ♖fd1 ♕d7** [△ ♕f7, ♖fd8, e4, b4] **22. b4!? e4 23. ♖ac1** [23. ba5 b4! 24. ♖ac1 ♗d5 25. ♖d5 bc3∓] **♗h6** [23... ♕f7 24. ♕d2∞] **24. ♖c2 ♕f7 25. ♘f4?!** [25. ♘e3 ♗e3 26. fe3 (26. ♕e3 ♗a2 27. ♖d6 a4) ♗c4 27. ♕f2 d5∓] **♗f4 26. gf4 ♗c4 27. ♕e3 d5?!** [27... ♗a2 28. ♖d6 a4 29. ♖cd2 ♗e6 △ a3-a2∓] **28. ba5! ♖a8 29. ♔h1 ♖a5 30. ♗f1 ♖a6** [30... ♕h5 31. ♗e2 ♗e2 32. ♖e2] **31. ♗c4 bc4 32. ♕d4?!** [32. ♖g1 ♖g6 33. ♖g3 △ ♖c1-g1, a4] **♖d8 33. ♖g1 ♖g6 34. ♖cc1 ♕g7 35. ♕c5 ♕f8** [35... ♕f6!?] **36. ♕e3 ♕f6** [36... ♖a8!?] **37. ♖cd1 ♖d7 38. a4 ♖dg7 39. ♖g3 ♖g3** [39... h5!?] **40. hg3** [♕ 9/f] **♕c6 41.**

♖a1?! [41. ♕d4 ♖d7 (41... ♕a4 42. ♕d5 ♖f7 43. ♕d8 ♖f8 44. ♕g5 ♔h8 45. ♖d8+−) 42. ♖a1±] **d4! 42. cd4 c3 43. d5** [43. a5 ♖c7 44. ♖c1 ♕b5! 45. ♖c3 ♖c3 46. ♕c3 ♕f1=] **♕d5 44. ♕c3 e3 45. ♔g1 ef2?!** [45... ♕f3! 46. ♕c8 ♔f7 47. ♕f5 ♔g8=] **46. ♔f2** [♕ 9/e] **h5 47. ♖b1** [47. ♖a3!?] **♔h7** [47... h4? 48. ♕b3 hg3 49. ♔g1 ♕b3 50. ♖b3 △ ♖a3±] **48. ♖b5 ♕a2 49. ♕b2 ♕a4 50. ♖f5** [50. ♕b1 ♕d4 51. ♔g2 ♕d2 52. ♔h3 ♕d7=] **♕a7 51. ♔g2 ♕a8 52. ♔h2 ♕f3 53. ♕g2 ♕g2 54. ♔g2** [♖ 5/b] **♔h6= 55. ♖f6 ♔h7 56. ♔f3 ♖g4 57. ♖e6 ♔g7 58. ♖e3 ♔h6 59. ♖e6 ♔h7 60. ♖d6 ♖g7 61. ♖e6 ♖g8 62. ♖d6 ♖g7 63. ♖d3 ♖g4 64. ♔e4 h4 65. gh4 ♖h4 66. ♔e5 ♔g7 67. f5 ♖h6 68. ♖d7 ♔f8 69. ♖d6 ♖d6 70. ♔d6 ♔f7 71. f6 1/2 : 1/2** [Čehov]

220. **B 34**

TORRE 2565 − N. NIKOLIĆ 2375
Lugano 1989

1. e4 c5 2. ♘f3 g6 3. d4 cd4 4. ♘d4 ♘c6 5. ♘c3 ♗g7 6. ♘b3 ♘f6 7. ♗e2 0−0 8. 0−0 e6!? N [8... a5?!; 8... d6 − B 70] **9. ♕d6** [9. ♗g5 h6 10. ♗h4 g5 11. ♗g3 d5 12. ed5 ♘d5 13. ♘d5 ed5! 14. ♖b1 (14. c3 d4=) a5 15. a4 ♗f5 16. ♗d3 ♗d3 17. ♕d3 ♘b4 18. ♕d2 d4 △ ♕d5=; 9. ♗e3 d5 10. ed5 ♘d5 11. ♘d5 ♕d5 12. ♕d5 ed5 13. c3⩲] **♘e8 10. ♕g3** [10. ♕d3 a5] **♘b4 11. ♗g5?!** [11. ♗d1!? (Veličković) d5 12. a3 ♘c6 13. ed5 ed5 14. ♗f3 △ ♖d1⩲] **f6 12. ♗f4 ♘c2 13. ♖ac1 ♘b4 14. ♖fd1 ♘c6 15. ♘b5** [15. ♗c4 ♕e7 16. ♘d5 ed5 17. ed5 ♔h8] **♔h8** [15... a6? ×b6] **16. ♘d6 e5 17. ♗e3 ♘d6 18. ♖d6 ♕e8** [18... f5?! 19. ♗g5 ♕e8 20. ♕h4=∞] **19. ♕h4 ♘d8 20. ♗c4 b6!** [×♘b3] **21. ♖cd1 ♖b8** [21... ♘b7 22. ♖6d2 d6 23. ♗d5] **22. ♗d2 ♖b7 23. ♗a6 ♖c7 24. ♗c8 ♖c8 25. ♗c3 ♖c7** [25... ♖f7!?] **26. ♘d2 ♘e6 27. ♘f1 ♘f4 28. ♖6d2 ♕e6 29. ♘e3** [29. g3?? g5; 29. a3 ♕c4] **♕a2∓ 30. g3** [30. ♖d7 ♖d7 31. ♖d7 ♕b1 △ ♕e4] **♘e6 31. ♘d5** [31. ♖d7 ♖d7 32. ♖d7 ♘c5 △ ♕b1] **♖b7 32. ♗b4** [32. ♘e7 ♖e8 33. ♖d7 ♖d7 34. ♖d7 ♘g5 △ ♕e6−+] **♘c5** [32... ♖f7!? 33. ♗e7 (33. ♖c2 h6 34. ♖c8 ♔h7 35. ♗e7 ♘g5∓) ♘g5 34. ♔g2 h6 35. ♗f6 ♗f6 36. ♘f6 ♖f6 37. ♕h6 ♘h7∓] **33. ♕h3** [33. ♗c5 bc5 34. ♘c3 ♕e6 ×b2] **d6** [33... f5!?] **34. ♗c5 dc5** [34... bc5!?] **35. ♘c3 ♕c4?** [⌓ 35... ♕b3 36. ♖d7 ♖d7 37. ♖d7 ♕b2 38. ♘d5 ♕b1 △ ♕e4−+] **36. ♖d7 ♖d7 37. ♖d7 f5?** [⌓ 37... a6 38. ♖a7 ♖d8] **38. ♕h4!= ♕e6 39. ♖a7 b5! 40. ♘b5 fe4 41. ♕e4 ♕f6 42. ♕e2** [42. ♕e3 ♕b6 43. ♕e2 c4] **e4 43. ♖a4** [43. ♘c3 ♕f3=] **1/2 : 1/2** [N. Nikolić]

221.*** **B 35**

ILIJIN 2255 − KAJDANOV 2535
Bled 1989

1. e4 c5 2. ♘f3 ♘c6 3. d4 cd4 4. ♘d4 g6 5. ♘c3 ♗g7 6. ♗e3 ♘f6 7. ♗c4 0−0 8. ♗b3 a5 9. a4 [RR 9. f3 d5 10. ♗d5 ♘d5 *a)* 11. ed5 ♘b4 12. ♘de2 *a1)* 12... e6 13. a3 ♘d5 14. ♘d5 ed5 15. ♗d4 ♗h6!? 16. 0−0 ♖e8! N (16... ♖a6 − 46/217) 17. ♘g3 ♖a6! 18. f4 ♕h4! 19. ♖e1 ♖ae6 20. ♖e6 ♗e6 21. f5 ♗f5! 22. ♘f5 gf5 23. ♗f2 ♗e3! 24. ♗e3 ♖e3 25. g3 ♕e4∓ Real − Estévez 2405, corr. 1989; *a2)* 12... ♗f5 13. ♖c1 b5 14. 0−0 ♖c8 15. ♘d4 ♗d4 16. ♕d4 ♘c2 17. ♖c2 ♗c2 N (17... e5 − 29/293) 18. ♗h6 e5 19. ♕e5 f6 20. ♕e6 ♖f7 21. ♘e4 ♗e4 22. fe4 ♕d7! 23. ♕d7 ♖d7 24. ♖f6 ♖e8! 25. ♔f2 (1/2 : 1/2 de Firmian 2570 − Pigusov 2525, Moskva (GMA) 1989) ♖de7∓ Pigusov; *b)* 11. ♘d5!? N f5!□ (11... e6 12. ♘c6 bc6 13. ♘b6 ♖b8 14. ♕d8 ♖d8 15. ♖b1! ♗a6 16. ♘a4 ♗b5 17. ♘c5 ♗f8 18. b3±) 12. ♘c6 (12. c3?! fe4 13. fe4 e6!) bc6 13. ♘b6 ♖b8 14. ♕d8 ♖d8 15. ♖d1!? (15. c3 fe4 16. fe4 ♖d3 17. ♗f2 ♗e6 18. ♘a4 ♗c4 19. 0−0 ♖d2=∞↑) ♖d1 16. ♔d1 ♗b2□ (16... fe4?! 17. ♘c8 ♖c8 18. b3±; 16... ♗e6 17. b3±) 17. ♘c8 ♖c8 (♖ **9/k**) 18. ef5 gf5 19. ♔e2 ♗e5 20. ♖b1! ♔f7! (20... ♗h2 21. g3! e5□ 22. ♗f2 f4 23. g4 ♗g3 24. ♗c5∞ Estévez) 21. ♖b6 ♗h2! 22. ♖a6 ♗d6 23. ♖a5 ♔e6 24. a4 ♖g8!= Estévez 2405 − Rom. Hernández 2435,

Holguin II 1989] **♘g4** [9... ♘b4!?] **10. ♕g4 ♘d4 11. ♕h4! N** [×e7; 11. ♕d1 – 46/(217)] **♘b3** [11... d6 12. ♘d5!; 11... ♖a6 12. 0–0 d6 13. ♘d5 e6 14. ♕d8 ♖d8 15. ♗g5 ♖f8 16. ♘e7 ♔h8 17. ♗c4 ♖b6 (17... ♖a8? 18. c3±) 18. c3 ♘c6 19. ♘c8 ♖c8 20. ♗b5! △ ♗e3±] **12. cb3 ♖a6 13. 0–0 d6 14. ♘d5 ♖e8** [14... ♗b2? 15. ♘e7 ♔h8 16. ♖ad1±] **15. ♖ac1 ♖c6 16. ♗g5 f6 17. ♗e3!±** [17. ♗d2?! ♗e6 18. ♗c3 ♗d5 19. ed5 ♖c5 20. ♖ce1?! ♕d7 21. ♕d4 b5!∞; 20. ♖fe1!] **♗d7?!** [⌓ 17... ♗e6] **18. ♖fd1 ♖f8 19. f3 ♗e6 20. ♕f2 f5 21. ♕d2 fe4 22. fe4 ♖f7 23. ♖f1 ♕c8** [23... ♖c1] **24. ♕a5 ♗b2 25. ♖cd1! ♗e5?!** [25... ♗d5 26. ♕d5 e6 27. ♕g5±] **26. ♖f7 ♔f7 27. ♖f1 ♔e8 28. ♕b5!± ♗d7 29. ♗h6 ♗d4 30. ♔h1 ♗f6 31. ♘f6! ef6 32. ♕d5 ♗e6 33. ♕d4 ♕d8 34. ♖f6+– ♕e7 35. h3** [35. ♖f8? ♕f8–+] **♖c5 36. ♗f8 ♕d7 37. ♗d6 ♖c1 38. ♔h2 ♗f7 39. ♕e5 ♔d8 40. ♗a3 ♖c6 41. ♕b8 ♖c8 42. ♕f4 ♔e8 43. ♕e5 1 : 0**
[Ilijin]

222.* **B 38**

BELJAVSKIJ 2640 –
J. HJARTARSON 2615
Barcelona 1989

1. e4 c5 2. ♘f3 ♘c6 3. d4 cd4 4. ♘d4 g6 5. c4 ♗g7 6. ♗e3 ♘f6 7. ♘c3 d6 8. ♗e2 0–0 9. 0–0 ♗d7 [RR 9... ♖e8 10. ♖b1 N (10. a3 – 40/192) a6 11. ♕d2 ♗d7 12. ♖fd1 ♖c8 13. f3 ♘d4 14. ♗d4 ♗e6 15. ♘d5 ♘d5 16. cd5 ♗d4 17. ♕d4 ♗d7 18. ♖bc1 ♕a5= Speelman 2645 – B. Larsen 2560, Hastings 1988/89] **10. ♕d2 ♘d4 11. ♗d4 ♗c6 12. ♗d3!? a5 N** [12... a6 – 22/384] **13. ♖fe1 ♘d7 14. ♗g7 ♔g7 15. ♖e3?!** [⌓ 15. ♗f1 ♘c5 16. b3 △ ♖ab1, a3, b4] **♘f6?!** [⌓ 15... ♘c5 16. ♗f1 (16. ♖h3 h5 17. ♖h5 gh5 18. ♕g5=) f6 17. b3 ♖f7 18. ♖b1 e5 19. a3 f5 20. ef5 gf5 21. b4 f4∞] **16. ♖d1** [⌓ 16. ♗f1] **♕b6 17. ♘d5 ♗d5 18. ed5 ♖fe8 19. ♗f1** [△ ♖b3] **♕b4 20. ♕d4 a4 21. b3 ♔g8** [⌓ 21... ab3 22. ♖b3 ♕c5 23. ♕c5 dc5 24. ♖b7 ♖a2 25. ♖e1 ♔f8 26. ♖c7 ♖a5 27. g3 h5±] **22. ♖b1 ♘d7 23. a3! ♕a3?** [23... ♕c5 24. ♕h4 ab3 25. ♖bb3 ♘e5 26. ♖h3 h5 27. ♖bg3 ♔f8 28. ♕g5 e6 29. de6 ♖e6 30. ♖h5 gh5 31. ♕g8 ♔e7 32. ♕a8 ♘g4 33. ♕b7 ♔f8 34. ♖f3±] **24. b4 ♕a2 25. ♕d1!+– a3 26. ♖c3** [△ ♖c2] **1 : 0**
[Beljavskij]

223.* **B 42**

FEDOROWICZ 2505 –
DORFMAN 2565
New York 1989

1. e4 c5 2. ♘f3 e6 3. d4 cd4 4. ♘d4 a6 5. ♗d3 [RR 5. ♘d2 d6! (5... ♘c6 6. ♘c6 bc6 7. e5±; 5... ♘f6 6. e5; 5... ♕c7!? B. Arhangel'skij, Vyžmanavin) 6. ♗d3 ♘f6 7. 0–0 g6 8. b3 ♗g7 9. ♗b2 0–0 10. c4 ♘bd7 11. ♖c1 ♕c7 12. ♔h1 b6 13. f4 ♗b7 14. ♕e2 e5∓ Fishbein 2490 – Vyžmanavin 2550, Moskva 1989] **♘f6 6. 0–0 e5 N 7. ♘f3** [7. ♗g5 ed4 (7... h6 8. ♗f6 ♕f6 9. ♘e2 d6 10. ♘bc3 ♗e6 11. f4±○) 8. e5 ♗e7 (8... ♕a5 9. ♗d2!±; 8... h6 9. ef6 hg5 10. ♖e1±) 9. ef6 ♗f6 10. ♗f6 ♕f6 11. ♖e1 ♔f8 12. ♗e4±] **d6 8. ♘c3 ♗e7 9. a4 b6?!** [9... 0–0 10. a5 ♘c6 11. ♘d5±; 9... ♘c6!? 10. ♘d5 ♘d5 11. ed5 ♘b4 12. ♗c4±] **10. ♘d2 0–0 11. ♘c4 ♗g4** [11... ♗b7 12. a5 ♘bd7 13. ab6 ♘b6 14. ♘a5±; 12. ♗g5!?; 12. ♘e3!?; 11... ♘bd7!?] **12. ♕e1 ♗e6 13. ♗g5! ♘bd7 14. ♗f6 ♘f6 15. ♘e3** [×d5, a6] **♕c8 16. ♕e2 ♕b7 17. f3 ♖fc8 18. ♔h1 ♖c5 19. ♖ad1 ♕c8 20. f4! ef4 21. ♖f4 ♕b7** [21... ♖c3 22. bc3 ♕c3 23. ♘d5!] **22. ♘cd5!** [△ b4] **a5** [22... ♘d5 23. ed5 ♗d5 24. b4+–; 22... ♗d5 23. ed5 ♘d5 24. ♗h7+–] **23. c3 ♗d8 24. b4 ♖cc8 25. ♗b5** [25. ♘f6?! ♗f6 26. ♖f6 gf6 27. ♘d5 ♗d5 28. ed5 ♖c3] **♖a7 26. ♖df1 ♗d5 27. ♘d5 ♘d5 28. ed5 ♗g5 29. ♗c6 ♕b8** [29... ♕e7 30. ♖e4 ♕f8 31. ♖e1+–] **30. ♖e4 ♗f6?** [30... g6±] **31. ♖f6! gf6 32. ♕g4 ♔f8 33. ♕h4 f5□ 34. ♕h6 ♔g8 35. ♖e3 f4 36. ♕g5 ♔f8** [36... ♔h8!? 37. ♕f6 ♔g8 38. ♖e4] **37. ♕f4 f6** [37... f5 38. ♕h6 ♖g7 39. ♖e7!] **38. ♕f6 1 : 0** **[Fedorowicz]**

224.*** B 42

MOJSEEV 2345 – CVITAN 2525
Šibenik 1988

1. e4 c5 2. ♘f3 e6 3. d4 cd4 4. ♘d4 a6 5. ♗d3 ♘f6 6. 0–0 ♕c7 7. ♕e2 d6 8. f4 [RR 8. ♘d2 N *a)* 8... ♗e7 9. f4 ♘bd7 (9... ♕b6? 10. ♘c4! ♕d4? 11. ♗e3) 10. ♘2f3 △ e5→; *b)* 8... g6! 9. f4 (9. a4?! ♗g7 10. a5 0–0 11. ♘c4 ♘bd7 12. c3 d5∓ E. Geller 2480 – Vyžmanavin 2550, Moskva 1989) ♗g7 10. ♘2f3 e5□ 11. ♘b3∞ B. Arhangel'skij, Vyžmanavin] **♘bd7** [8... ♕b6?! 9. ♗e3 ♕b2?? 10. ♘b3+–; 8... g6 9. f5 ♗g7 10. fe6 fe6 11. ♗c4±; 9... gf5!? 10. ef5 e5 11. ♗g5 ♘bd7] **9. c4 ♗e7 N** [9... g6?! 10. f5 e5 11. ♘e6!±; 9... b6 – 23/338] **10. b3 0–0 11. ♗b2 ♖e8?** [11... b6 12. ♘d2 ♗b7 13. ♖ae1 *a)* 13... e5 14. ♘f5 ♖fe8 15. g4 ♕c5? 16. ♔h1 ♗f8 17. g5 ef4 18. ♖f4 g6 19. gf6 (19. ♗d4? ♘h5!!∓ Mojseev 2345 – Vasjukov 2485, Šibenik 1988) gf5 20. ♖g1 ♔h8 21. ♕h5+– △ 22. ♕h7 ♔h7 23. ♖h4 ♗h6 24. ♖g7; 15... ♘c5; *b)* 13... ♖fd8 14. e5 de5 15. ♘e6! (15. fe5? ♕e5 16. ♕e5 ♘e5 17. ♖e5 ♗c5 18. ♖f4 ♘d7–+) fe6 16. fe5 *b1)* 16... ♘e8? 17. ♕h5; *b2)* 16... ♘e5?! 17. ♗e5 ♕d7 (Mojseev 2345 – Vyžmanavin 2550, SSSR 1989) 18. ♗e4! (Vyžmanavin) ♘e4 19. ♘e4 ♗e4 20. ♕e4±; *b3)* 16... ♘c5 17. ef6 ♖d3 18. fe7 (18. f7 ♔h8? 19. ♕g4 ♗f8 20. ♕g7!!+–; 18... ♔f8∓) ♕e7 19. b4 ♖ad8 20. ♗c1±] **12. ♘e6! fe6 13. e5 ♖f8 14. ef6 ♘f6 15. ♘d2± ♗d7 16. ♘f3** [16. ♘e4!?] **♕c5 17. ♔h1 ♕h5 18. ♘d4 ♖ae8** [18... ♘g4?! 19. h3 e5 20. fe5 de5 21. ♘f5! ♗f5 22. ♗f5 ♖f5 23. ♖f5 ♕f5 24. hg4 ♕g6 25. ♕e5+–; 18... ♕e2 19. ♗e2±] **19. ♖ae1 ♗d8 20. ♗a3 ♗c7 21. ♕h5 ♘h5 22. g3** [△ ♗e4] **♘f6 23. c5! e5!?** [23... d5 24. c6+–; 23... dc5 24. ♗c5 ♖f7 25. ♗c4+–] **24. fe5** [24. cd6 ♗b6! △ 25. fe5? ♗d4 △ ♗c6–+] **de5 25. ♗c4 ♔h8 26. c6 ♗h3 27. ♗f8 ♗f1 28. ♘e6!+– ♗c4 29. ♗g7 ♔g8 30. ♘c7 ♗d5 31. ♘d5 ♘d5 32. cb7! ♔g7 33. ♖e5 1 : 0** **[Mojseev]**

225.** B 42

A. KUZ'MIN 2465 – ĖJNGORN 2570
Moskva (GMA) 1989

1. e4 c5 2. ♘f3 e6 3. d4 cd4 4. ♘d4 a6 5. ♗d3 ♘f6 6. 0–0 ♕c7 7. ♕e2 d6 8. c4 g6 9. ♘c3 ♗g7 10. ♘f3 [RR 10. ♖d1 0–0 11. ♘f3 ♘bd7 N 12. ♗f4 ♘g4 13. ♖ac1 b6 14. ♗b1 ♘ge5 15. b3 ♘f3 16. ♕f3 ♘e5 17. ♕e2 ♖b8 18. h3 ♗b7 19. ♕d2 ♖fd8 20. ♗g5 f6 21. ♗e3 g5 22. ♗d3 ♗c6 23. ♘b5 ♕f7 24. ♘d4 ♗a8 25. a4 ♗f8 26. ♗b1 a5 27. f4 1/2 : 1/2 P. Wolff 2485 – Hulak 2515, Toronto 1989] **0–0 11. ♗f4 ♘g4 12. ♖ac1 ♘e5 13. ♖fd1 ♘bc6 14. b3 ♕e7 N** [14... ♘f3!? – 46/(225)] **15. ♗b1 ♖d8** [15... ♗d7 16. ♘e1 ♖fd8 17. ♕d2 ♗e8 18. ♗g5 f6 19. ♗h6 ♗h6 20. ♕h6±↑ Geo. Timošenko 2530 – Ėjngorn 2570, Tallinn 1989] **16. ♗e3 ♗d7** [16... ♘f3!? 17. ♕f3 ♘e5 18. ♕e2 ♗d7±] **17. ♘d2! ♗e8 18. f4 ♘d7 19. ♘f3 ♖ab8±** [19... ♘c5 20. ♕f2] **20. ♗f2 f6** [20... ♕f6!? 21. ♗h4 ♕f4 22. ♗g5 ♕g4 23. ♗d8 ♖d8 24. ♖d6] **21. a3 ♗f7 22. ♗e3** [22. b4 g5!⇆] **a5 23. ♕f2 ♘c5 24. ♗c2 b6** [24... f5!? 25. e5 (25. ♗c5 dc5 26. e5±; 25... fe4!∞) b6 26. ed6 ♖d6 27. ♖d6 ♕d6 28. ♖d1 △ ♘d4±; 25... ♘e4!?] **25. f5! ♘e5** [25... e5 26. ♘d5!±] **26. h3** [26. ♘e5 de5⇆] **a4 27. b4 ♘b3 28. ♘e5 de5 29. fg6 ♗g6?** [29... hg6 30. ♗b3 ab3 31. ♕b2 f5 32. ♕b3 f4 33. ♗f2 g5⇆] **30. ♗b3 ab3 31. ♕b2+– f5 32. ef5 ♗f5** [32... ef5 33. ♘d5] **33. ♕b3 ♗d3 34. ♘a4 e4 35. ♘b6 ♔h8 36. c5 ♖g8 37. ♖d3! ed3 38. ♕d3 ♕h4 39. ♕c4 ♕g3 40. ♕f4 ♕g6 41. ♘d7 ♗b2 42. ♕f2!** [42... ♗c1 43. ♗d4! ♖g7 44. ♘b8+–] **1 : 0** **[Kimel'fel'd]**

226.** B 43

ZSÓ. POLGÁR 2295 – FRIAS 2510
New York 1989

1. e4 c5 2. ♘f3 e6 3. d4 cd4 4. ♘d4 a6 5. ♘c3 ♕c7 6. ♗e2 [RR 6. g3 ♗b4 7. ♗d2 ♘f6 8. ♗g2 ♘c6 9. ♘c6 dc6 10. 0–0 0–0 11. ♕e2 N (11. f4 – 44/(202))

e5 12. ♘d5 ♘d5 13. ed5 ♗d2 14. ♕d2 cd5 15. ♕d5 ♖d8 16. ♕b3 ♖b8= Plaskett 2450 – Cvitan 2500, Genève 1988; 6. ♗d3 ♘f6 7. ♗g5 ♘c6 N (7... ♗e7 — 44/203) 8. ♘c6 dc6 9. 0–0 e5 10. a4 ♗e7 11. ♕e2?! a5 12. ♗c4 0–0 13. h3 ♕b6! 14. ♗b3 h6 15. ♗h4 ♕c7! 16. ♖ad1 1/2 : 1/2 Stoica 2445–Striković 2460, Kaštel Stari 1988; 11. a5 △ h3, ♕f3 Stoica] **b5 7. f4 b4 N** [7... ♗b7 — 41/177] **8. ♘a4 ♗b7 9. ♗f3 ♘f6 10. e5 ♘e4** [10... ♘d5 11. 0–0±] **11. ♗e3 ♘c5** [11... ♗e7 12. 0–0±] **12. ♘c5 ♗c5 13. ♘e6!? de6 14. ♗b7 ♕b7 15. ♗c5 ♘d7** [15... ♕e4? 16. ♕e2 ♕f4 17. ♖f1+–] **16. ♗d6 ♕g2 17. ♖f1 ♖c8** [17... ♘b6 18. ♕f3 ♕f3 19. ♖f3± ⊥] **18. ♕e2 ♕e2 19. ♔e2 ♘b6** [19... ♖c2 20. ♔d3 ♖b2 21. ♖fc1 ♔d8 22. ♖c6±] **20. ♖fc1 ♘c4?!** [20... ♘d5] **21. ♗b4 ♘b2 22. c4! ♘a4** [22... ♖c4? 23. ♖c4 ♘c4 24. ♖c1 ♘b6 25. ♗a5+–; 22... ♘c4 23. ♖c3 ♘b6 (23... a5 24. ♗a5+–) 24. ♖c8 ♘c8 25. ♖c1 ♔d7 26. ♗a5 ♘e7 27. ♖c7 ♔e8 28. ♖a7 ♘c8 29. ♖c7 ♘e7 30. ♗b4 ♘d5 31. ♖c8 ♔d7 32. ♖h8+–] **23. ♖ab1 ♖b8 24. c5 0–0 25. c6 ♖fc8 26. c7 ♖b5 27. ♖d1 ♖d5 28. ♖d5 ed5 29. ♗a5 1 : 0**
[Zsu. Polgár, Zsó. Polgár]

227. B 44

FISHBEIN 2490 – J. POLGÁR 2555
New York 1989

1. e4 c5 2. ♘f3 e6 3. d4 cd4 4. ♘d4 ♘c6 5. ♘b5 d6 6. ♗f4 e5 7. ♗e3 ♘f6 8. ♗g5 a6 9. ♗f6 gf6 10. ♘5c3 f5 11. ♗c4 ♕g5 12. 0–0! N [12. g3? — 12/373] **♖g8** [12... fe4 13. ♘e4! ♕g6 14. ♘bc3↑ △ ♘d5; 12... f4 13. ♘d5 ♖b8 14. ♘bc3 ♘d4 15. ♔h1 f3? 16. gf3 b5 17. ♗e2! ♖g8 18. ♖g1 ♕g1 19. ♕g1 ♖g1 20. ♖g1 b4 21. ♘f6! ♔d8 22. ♘cd5+–; 15... ♖g8 16. g3 — 12... ♖g8] **13. g3 f4 14. ♘d5 ♖b8 15. ♘bc3 ♘d4 16. ♔h1** [△ ♘f4; 16. ♗e2!?] **b5** [16... ♗h3 17. ♖e1 (△ ♗f1; 17. ♘f4?? ♕f4–+) f3 18. ♕c1∞; 16... f3 17. ♕c1! ♕g6 18. ♘d1? ♗h3!; 18. ♕e3∞] **17. ♗e2! b4 18. ♘c7 ♔d8 19. ♘3d5 ♕g6** [19... f5 *a)* 20. ♖g1? fe4 21. gf4 ♕g1 22. ♕g1 ♖g1 23. ♖g1 ♘e2 24. ♖g8 ♔d7 25. ♖f8 ef4 26. ♘e8! (26. ♘a6? ♖b5 27. ♘ab4 ♗b7! 28. c4 ♖b4 29. ♘b4 e3 30. ♘d5 ♗d5 31. cd5 ♘g3!–+) ♔c6 27. ♘e7 ♔d7 28. ♘d5=; *b)* 20. ♘a6! ♗a6 (20... f3 21. ♗c4 ♗a6 22. ♗a6± △ 22... fe4 23. c3) 21. ♗a6 fe4 22. ♘f4 ♕f6 23. ♘d5 △ ♗e2±] **20. ♕d3→ f5** [20... a5 21. ♖g1! ♗h3 22. ♘a6 △ ♘f4+–] **21. ♘a6**

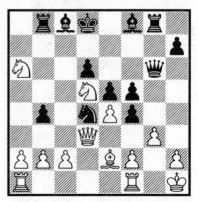

21... ♖b5? [21... fe4 22. ♕c4 ♖b7 23. ♘f4 ♕g7 24. ♖ad1 (24. ♘b4? ♖c7–+) ♘e2 (24... ♗g4? 25. ♗g4 ♕g4 26. ♖d4 ef4 27. ♘b4! ♖b4 28. ♕b4 ♕f3 29. ♔g1 fg3 30. ♖d6 ♗d6 31. ♕d6 ♔e8 32. fg3+–) 25. ♘e2 ♕g4! 26. ♘g1 e3 27. f4 (27. ♕g4? ♗g4∓⊡, ×c2; 27. ♕d3!? ef2 28. ♖f2 ♖b6 29. ♘c5 ♔c7∞ ×↗a8-h1, ×♔c7) ♖d7 28. ♘b4 ♗b7 29. ♘d5 ♗h6! 30. ♕e2 ef4 31. gf4 ♖dg7 32. ♕g4 ♖g4 33. ♘e2 ♖g2 34. ♖g1 ♖g1 35. ♘g1 ♗f4 36. c4!□ ♖f8 (36... ♗e5 37. ♘f3!) 37. ♔g2 ♗e5 38. ♘f3±] **22. a4! ♖a5** [22... ♗a6? 23. ab5 ♗b5 24. ♕b5 ♘b5 25. ♗b5 ♔c8 26. ♗c6+–; 22... ba3 23. ♖a3 fe4 24. ♕c3! ♕f7 25. ♗b5 ♘b5 26. ♕a5+–] **23. ♕c4 ♕f7** [23... ♖g7 24. ♘f4 ♕h6 25. ♕b4+–] **24. ♕b4 ♖d5 25. ♕b6 ♔e7 26. ♕c7 ♗d7** [26... ♔f6 27. ♕f7 ♔f7 28. ♗c4! ♗a6 29. ♗d5 ♔g7 30. c3! ♘c2 31. gf4! ♖h8 32. ♖g1 ♔f6 33. ♖ac1 ♗d3 34. a5+–] **27. ♘b8! ♖c5** [27... ♔e8 28. ♗h5!+–; 27... ♕e8 28. ♘d7 ♕d7 29. ♕d7 ♔d7 30. ♗c4+–] **28. ♕d7 ♔f6 29. ♕f7 ♔f7 30. ♗h5+– ♔e7 31. ef5⊕** [⌓ 31. c3] **♖c2 32. a5! ♗h6 33. ♘a6 ♘f5** [33... ♘b3 34. ♖a3 ♘d2 35. ♘b4!] **34.**

♘b4 ♖b2 35. ♘d5 ♔e6 36. a6 ♖gb8 37. ♗f3 ♘d4 38. ♗e4 ♖e2 39. a7 ♖f8 40. ♘c3 ♖e4 41. ♘e4! ♖a8 42. ♖fb1 ♘c6 43. ♖b6 [43... ♖a7 44. ♖a7 ♘a7 45. ♖d6 ♔f5 46. f3] **1 : 0** **[Fishbein]**

228.* **B 44**

MÁDL 2270 − GAPRINDAŠVILI 2435
France 1989

1. e4 c5 2. ♘f3 ♘c6 3. d4 cd4 4. ♘d4 e5 5. ♘b5 d6 6. ♗e3 ♘f6 7. ♘1c3 a6 8. ♘a3 b5 9. ♘d5 ♘d5 10. ed5 ♘e7 11. c4 ♘f5 12. ♗d2 ♕h4!? N [12... ♗b7!? N 13. ♗d3 g6? 14. 0−0 ♗g7 15. cb5 ♘e7 (15... ♗d5 16. ♗f5 gf5 17. ♗b4! ♗b7 18. ♕d6 ♕d6 19. ♗d6 e4 20. ♖ab1±) 16. ba6 ♗d5 17. ♕a4 ♔f8 18. ♗a5 ♕b8 19. ♖fc1 ♗f6 20. ♖c2± Szalánczy 2400 − Malyšev, Zalakarosz 1989; 13... ♘h4; 12... ♗e7] **13. ♗d3!** [13. ♗e2 b4! 14. ♕a4 ♗d7 15. ♕b4 ♘d4 16. ♗e3 ♘e2 17. ♔e2 ♕g4 Kasparov, Nikitin] ♗e7 14. 0−0 0−0 15. cb5 ♘d4 16. ba6 ♗a6 17. ♗a6 ♖a6 18. f4 ♗f6!? 19. ♘c4 ♖c8 20. ♗e1 ♕h6 21. ♘e3 ♕g6 22. ♘g4 ♗d8 23. f5 [23. fe5 h5!] ♘f5 24. ♕d3 ♖a4□ 25. ♘e5 de5 26. ♕f5 ♗b6! 27. ♔h1 ♕f5 28. ♖f5 ♗d4∞ 29. ♗c3 ♗c3 30. bc3 f6 [30... ♖c3!? 31. ♖e5 f6 32. ♖e2 ♖d3=] **31. ♖f3 e4 32.** ♖e3 ♖c5 33. ♖d1 ♖a2 34. g4 [34. ♖e4 ♖d5!=] ♖aa5 35. d6 ♖d5 36. ♖ee1 e3?? [36... ♔f7 37. c4 (37. d7 ♔e7 38. ♖e4 ♔d7=) ♖d1 38. ♖d1 ♔e8 39. d7 ♔d8=] 37. d7+− [37... e2 38. d8♕ ♖d8 39. ♖d8] **1 : 0** **[Malyšev]**

✓ **229.**** **B 45**

FROLOV 2445 − MALJUTIN
SSSR 1989

1. e4 c5 2. ♘f3 ♘c6 3. d4 cd4 4. ♘d4 ♘f6 5. ♘c3 e6 6. ♘db5 [RR 6. ♗e2 ♗b4 7. 0−0 ♗c3 8. bc3 ♘e4 9. ♗d3 ♘c3 10. ♕g4 0−0 11. ♘c6 a) 11... bc6 12. ♗b2 ♕f6 13. ♕b4 ♘d5 14. ♕f8 ♔f8 15. ♗f6 ♘f6 16. ♖ab1 N (16. f4 − 45/(202)) d5 17. ♖b3 ♘d7 18. ♖fb1 a1) 18... g6 19.

♖a3 (△ ♗a6±) a6 (19... a5 20. ♖b4 ♘c5 21. ♖h4 h5 22. ♖c3±) 20. h4 h5 21. f3 ♔e7 22. ♔f2 ♘c5 23. ♔e3 e5 24. ♖b6 ♗d6 a11) 25. ♗e2 ♗d7 26. ♔d2 f5 27. ♖a5 (Ma. Becker 2300 − Bangiev 2335, Budapest (open) 1989) ♖g8 28. ♔c3 ♗c8 29. ♖b8 ♘d7 30. ♖a8 ♘b6 31. ♖a7 d4 32. ♔d2 g5∞; a12) 25. ♗b5 ♗b7 26. ♗e2 ♖e8 △ ♖e7±; a2) 18... h6!? 19. ♖a3 a5 20. ♖b4 ♘c5∞; b) 11... dc6!? 12. ♗b2 (12. ♗h6 ♕f6 13. ♗g5 ♕e5 14. ♖ae1 f5 15. ♕c4 ♘e4∞) e5! 13. ♗h7 (13. ♕h5 e4!) ♔h7 14. ♕h5 ♔g8 15. ♕e5 ♕f6!= Bangiev; 6. ♘c6 bc6 7. e5 ♘d5 8. ♘e4 ♕c7 9. f4 ♕b6 10. c4 ♗b4 11. ♔e2 ♗a6 12. ♔f3 f5 13. ef6 ♘f6 14. c5 ♕a5 15. ♘f6 gf6 16. ♗a6 ♕a6 17. ♕d4 ♕b5 18. ♗e3 0-0-0 19. a3! N (19. ♖hd1 − 45/202) ♗a5 20. b4 a) 20... ♘c7 21. a4 ♕b8 22. g3! △ ♖hb1, b5+−; b) 20... e5! (1/2 : 1/2 Drozdov − Gerškovič, SSSR 1989) 21. ♕c3 ef4 22. ♗f4 ♖de8 23. ♖he1 ♗c7 24. ♗c7! (24. a4 ♕b8 25. g3 ♗e5±) ♔c7 25. a4± Gerškovič] **♗b4 7. a3 ♗c3 8. ♘c3 d5 9. ed5 ed5 10. ♗d3 d4 11. ♕e2!? N** [11. ♘e2 − 36/(235)] ♗e6 12. ♘e4 ♘e4 [12... 0−0?! 13. ♗g5 ♕a5 14. ♗d2 ♕e5 15. ♘f6 ♕f6 (15... gf6 16. 0-0-0 ♕e2 17. ♗e2±) 16. ♕e4 ♕g6 (16... g6 17. ♕f4±) 17. 0-0-0±] **13. ♕e4** [13. ♗e4 0−0 14. 0−0 (14. ♕h5?! g6 15. ♕g5 ♖e8 16. 0−0 ♗c4) ♗d5 15. ♗d3 ♖e8=] ♕d5 14. ♗f4 0-0-0 15. 0−0 g5!? [15... ♕e4 16. ♗e4±] 16. ♕d5?! [16. ♗g3?! ♕e4 17. ♗e4 f5 18. ♗c6 bc6 19. ♗e5 ♖hg8 20. f4 gf4 21. ♗f4 ♗d5=; 16. ♗d2 ♘e5 17. ♕d5 ♗d5 18. ♗f5±] ♖d5 17. ♗g3 [17. ♗d2 ♗f5= △ 18. ♗c4?! ♖c5 19. ♗f7 ♖f8∓↑] ♗f5= 18. ♗c4? [18. ♗f5=; 18. ♖fe1=] ♖c5 19. b3?! [19. ♗f7 ♖c2∓] ♖c4! [19... ♗c2 20. ♗f7∓] 20. bc4 ♗c2 21. f4 g4 22. ♗e1 d3 23. ♗c3 [23. ♗d2 ♘d4 24. ♖ae1 ♘e2 25. ♔f2 ♖e8∓] ♖d8 24. ♖f2 ♘d4 25. ♖e1 ♘b3 [25... ♘e2? 26. ♖ee2 de2 27. ♖e2=] **26. ♖e5!** [26. ♗d2 ♖d4∓] f6 [26... d2? 27. ♗d2 ♘d2 (27... ♖d2 28. ♖d2 ♘d2 29. ♖e2+−) 28. ♖c5 ♔b8 29. ♖d5+−; 26... ♖d6!? △ ♖c6∓] **27. ♖d5□** [27. ♖e7 d2 28. ♗d2 ♘d2 29. ♖ee2 ♘e4 30. ♖c2 ♘f2 31. ♔f2 ♖d3∓] ♖d5 28. cd5 [♖ 9/e]

♔d7?! [28... f5! 29. ♖f1 (29. ♔f1 ♘c5
30. ♔e1 ♘e4 31. ♗d4 ♘f2? 32. ♗f2 b6
33. ♗d4 ♔d7 34. ♗e5=; 31... b6 △ ♔d7-
-d6-d5-+) b5! (29... ♘c5? 30. ♖e1 ♘e4
31. ♖e4! fe4 32. ♔f2 ♔d7 33. ♔e3 ♔d6
34. ♔d4=) 30. ♖e1 ♔d7 31. ♖e5 a5 32.
d6 d2 33. ♗d2 ♘d2 34. ♖b5 (34. ♖e2?
b4 35. ab4 ab4 36. ♖d2 b3-+) ♘c4! 35.
♖c5 ♗b3! 36. ♖f5 a4 37. ♖f7 ♔d6 38.
♖h7 ♘a3 △ ♘c2, a3-+] 29. f5! ♔d6
[29... ♘c5 30. ♖f4] 30. ♔f1 ♔d5 31. ♔e1
♘c5 32. ♗f6? [32. ♖f4 ♘e4 33. ♗d2
h5∓]

32... g3!! [32... ♘e4 33. ♗h4 ♘f2 34.
♗f2=] 33. hg3 [33. ♖f4 gh2 34. ♖d4 ♔c6
35. ♖h4 ♘e4!-+] ♘e4 34. ♗c3 ♘c3 35.
f6 ♘e4 36. f7□ ♘f2 37. f8♕ ♘e4!-+ 38.
♕d8 ♔c4 39. ♕g8 ♔c3 40. ♕g7 ♔b3
41. ♕f7 ♔b2 42. ♕b7 ♔c1   0 : 1
[Kimel'fel'd, Maljutin]

230.**   B 47
MOKRÝ 2500 − S. MARJANOVIĆ 2490
Trnava 1989

1. e4 c5 2. ♘f3 e6 3. d4 cd4 4. ♘d4 ♘c6
5. ♘c3 ♕c7 6. g3 a6 7. ♗g2 d6 [RR 7...
♘f6 8. 0-0 ♗e7 9. ♖e1 0-0 10. ♘c6 dc6
11. e5 ♖d8 12. ♕f3 ♘d5 13. h4 ♗d7 N
(13... ♘c3 − 44/(211)) 14. ♗g5 ♗g5
(14... ♗e8 15. ♘e4±) 15. hg5 ♘c3 16.
♕c3 ♗e8 17. ♗e4! ♖d7 (17... c5 18.
♖ad1!±) 18. ♔g2 ♖ad8 19. ♖h1 (19. ♕c5
g6! △ 20. ♖h1? b6 21. ♕c6 ♕e5∓) g6
20. ♖ae1! ♖d4 21. ♕f3! ♕e5 (21... ♕e7
22. ♕f4! ♕f8 23. ♕f6± Jakovič) 22. ♗g6

♕g5 23. ♗h7 ♔g7 24. ♗d3± Jakovič
2455 − Kalegin 2360, SSSR 1989] 8. 0-0
♗d7 9. ♖e1 ♗e7 10. ♘c6 ♗c6 11. ♕g4
h5 12. ♕e2 b5 [RR 12... h4 13. ♗d2 N
(13. b3 − 14/379; 13. a4) hg3 14. hg3
♘f6 15. a4 ♖c8 16. a5 e5?! 17. ♖ec1 ♗d7
18. ♘a4 ♗g4 19. ♗f3 ♗f3 20. ♕f3 ♕c6
21. ♘c3 ♖d8 22. ♖e1± Nunn 2620 − van
der Wiel 2560, Rotterdam 1989; 16...
♖h5∞ van der Wiel] 13. ♗d2 h4!? N
[13... ♕b7 − 20/397] 14. a4 ba4 [14...
b4?! 15. ♘d1 ♕b7 (15... a5 16. c3±) 16.
c3 b3 (16... bc3 17. ♘c3 △ b4-b5±) 17.
c4±] 15. ♘a4 hg3 16. hg3 ♘f6 [16...
♗a4? 17. ♖a4 ♕c2 18. ♖a6 ♖a6 19. ♕a6
♕d2 20. ♕c6 ♔d8 21. ♖a1 ♗g5 22. e5!
de5□ 23. ♖a7 ♕e1 24. ♗f1+-; 18...
♖b8±] 17. c4 ♖b8 18. b4 ♘d7 19. ♘c3
♗b7 20. c5 [20. ♘d5? ed5 21. ed5 ♘e5
22. c5 0-0-+; 20. b5!?] dc5 [20... 0-0!?
21. cd6 ♕d6 (21... ♗d6 22. b5±) 22. ♗f4
e5 23. ♗e3∞] 21. ♘d5 ♕d8□ [21... ed5?
22. ed5 △ ♗f4+-] 22. ♘e7 ♕e7 23. bc5
♕c5 [23... ♘c5? 24. ♗b4 △ ♖a5+-] 24.
♗f4 e5 25. ♗e3 [25. ♗c1!?] ♕e7 26.
♖ab1∞⊕ [26... 0-0? 27. ♗a7; 26... ♗c8
a) 27. ♖b8 ♘b8 28. ♖c1 (28. ♕c4 0-0
29. ♗c5 ♕c7) ♕b7! △ ♗e6, ♘d7, f6∞;
b) 27. ♕c2 0-0 28. ♗c5 (28. ♕c7 ♖b1
29. ♖b1 ♕e6∞) ♖b1 29. ♗e7 ♖e1 30.
♔h2 ♖e8 31. ♗b4 ♖a1 32. ♗c3 ♖a3 33.
♗b4 ♖a1=] 1/2 : 1/2   [Mokrý]

231.**   B 47
PARED ESTRADA 2220 − POLLAN
Cuba 1989

1. e4 c5 2. ♘f3 e6 3. d4 cd4 4. ♘d4 a6
5. ♘c3 ♕c7 6. ♗e2 ♘c6 7. 0-0 ♘f6 8.
a4 [8. a3 ♘d4 9. ♕d4 ♗d6 10. h3 ♗h2
11. ♔h1 ♗e5 12. ♕d3 b5 13. ♘b5 ab5
14. f4 ♗d6! N (14... b4 − 42/210) 15. e5
♗e7 16. ef6 ♗f6 17. ♕b5□ (17. f5 b4;
17. ♖b1 ♖b8 △ b4) ♕c2! 18. ♗d3 (18.
♗f3 ♗a6 19. ♕a5 ♗b7∓) ♕c7! 19. ♕h5
g6 (Pared Estrada 2220 − Pecorelli García
2325, Cuba 1989) 20. ♕e2 0-0 △ ♗b7∓;
RR 8. ♔h1 ♘d4 9. ♕d4 ♗c5 10. ♕d3
h5 11. f4 ♘g4 12. e5 d6 13. ♗g4 N (13.

ed6 – 46/(237)) hg4 14. ♗e3 ♗e3 15. ♕e3 de5 16. fe5 f5 17. ♖ad1 ♗d7 18. ♘e4! 0-0-0 (18... fe4? 19. ♕g5) 19. ♘d6 ♔b8 20. ♘f7 ♗b5 21. ♘d8 ♗f1 22. ♘b7 1/2 : 1/2 van der Wiel 2560 – P. Cramling 2480, Haninge 1989] **♗b4 9. ♗g5 ♗c3 10. ♗f6 gf6 11. bc3 ♘e7 12. c4 b6 13. ♕d3 ♗b7 14. ♖fb1 ♖g8 15. g3 ♘g6 16. ♕e3 ♘e5 17. ♖a3 ♖c8 18. ♖ab3 ♘c4 19. ♗c4 ♕c4 20. ♖b6 ♗a8 21. ♖1b4 ♕c5! N** [21... ♕a2? – 43/231] **22. ♘f5 ♕e3 23. ♘d6 ♔e7! 24. ♘c8 ♖c8 25. fe3** [♖ 9/0] **♖c2 26. ♖a6** [26. ♖b8 ♗c6 △ ♖a2] **♗c6 27. ♖a7?** [27. ♖c6=] **♖e2∓ 28. a5 ♖e3 29. ♖b1** [29. a6 ♗e4∓] **♖a3 30. ♖e1 ♔d6–+ 31. ♔f2 ♔e5 32. h4 f5! 33. ef5 ♔f5 34. ♖c1 ♖f3 35. ♔e2 ♖g3 36. ♖f1** [36. ♖a1? ♖g8–+] **♔g6 37. ♖a1 ♔f6!! 38. ♖a6** [38. a6 ♖g8! 39. ♖c7 ♔e7 40. a7 ♖a8 41. ♖d1 f5–+] **♖g8□ 39. ♖b6 ♖a8! 40. a6 ♖a7 41. ♖b4 ♔e7 42. ♖d4** [42. ♖g4 ♔f8 43. ♖b4 f5–+] **f5 43. ♔e3 e5 44. ♖b4 f4 45. ♔e2 ♔e6 0 : 1**
[Pared Estrada]

232.* B 48**

ANAND 2555 – GOBET 2405
Biel II 1988

1. e4 c5 2. ♘f3 e6 3. d4 cd4 4. ♘d4 ♘c6 5. ♘c3 a6 6. ♗e3 ♕c7 7. ♕d2!? ♘d4 [7... ♘f6 8. f3 (8. 0-0-0 ♘g4 9. ♗f4 e5 10. ♘c6 dc6=) *a)* 8... ♗b4 9. a3 ♗c3 10. ♕c3 d5 11. ♘c6 ♕c6 12. ♗d4 ♕c3 13. ♗c3 de4 14. ♗f6 gf6 15. fe4± Ramon Mateo; *b)* 8... b5 *b1)* 9. 0-0-0 b4 10. ♘a4 ♘e5 11. ♘b3?! ♖b8 12. ♗c5?! ♗c5 13. ♘ac5 d5!∓ Anand 2555 – Plaskett 2450, Great Britain (ch) 1988; 11. g4 Anand; *b2)* 9. g4 b4 10. ♘a4 *b21)* 10... ♘d4 11. ♗d4 (Saltaev – Iševskij, B"lgarija 1988) ♖b8 12. g5 ♘h5 13. ♗e3 ♗d6 14. 0-0-0 ♗f4 15. ♗f4 ♕f4 16. ♕f4 ♘f4 17. ♘c5 a5±; *b22)* 10... d6!? 11. g5 ♘d7 12. b3 ♘de5 13. ♗e2 ♘d4 14. ♗d4 ♖b8 15. f4 ♘c6 16. ♗e3 ♗e7 17. ♘b2 0–0 18. 0-0-0∞ Saltaev; *c)* 8... d5!? 9. ed5 ♘d5 10. ♘d5 ed5 11. ♗d3 ♗d6 12. 0-0-0 0–0 13. g3 ♗e5 14. ♕f2 ♗d7 15. c3= 1/2 : 1/2 Saltaev – Lalev 2425, B"lgarija 1988] **8. ♗d4 ♘e7 9. ♕g5! h6** [9... ♘c6? 10. ♗g7 ♖g8 11. ♗e5±] **10. ♕e3 d6?!** [10... b5∞] **11. ♗b6!± ♕b8 12. f4 ♗d7 13. f5** [⌓ 13. 0-0-0 ♘c8 14. ♗d4±] **♘c8 14. fe6 fe6 15. ♗e2?** [15. ♗d4 e5 16. ♗b6 ♘b6 17. ♕b6 ♕a7 18. ♘d5 ♕b6 19. ♘b6 ♖d8 20. ♗c4±] **♘b6 16. ♕b6 ♕a7!∓ 17. ♗h5** [17. ♕b3!? 0-0-0 18. 0-0-0∓] **♔e7 18. ♕b3** [18. ♕a7 ♖a7 19. 0–0] **g6! 19. ♗g4 h5 20. ♗e2 ♗h6** [20... ♗g7 21. 0-0-0 ♗e5∓] **21. e5 d5 22. ♕b4 ♔e8 23. ♘d1 ♖f8 24. ♗d3 ♖f4!↑ 25. ♗g6 ♔d8 26. ♕a5□ b6** [×♕a7] **27. ♕c3 ♖g4! 28. ♗h5 ♖e4 29. ♔f1 ♗b5** [29... ♖c8! 30. ♕g3 ♖c2∓] **30. ♔g1 ♖c8 31. ♕g3 ♕g7?** [31... ♕e7!∓→△ 32. ♕g8? ♔d7 33. ♕f7 ♖e1–+] **32. ♕g7 ♗g7 33. ♘c3 ♖e5 34. ♗f3 ♖e1!?** [34... ♗d7=∞; 34... ♗c4=∞] **35. ♔f2 ♖h1 36. ♖h1 ♗c3 37. bc3 ♖c3 38. ♗d1 e5 39. ♖e1 e4 40. h4 ♔e7 41. ♖e3 ♖c8 42. h5 ♔f6 43. ♖g3 d4 44. ♖g6 ♔e5 45. ♖e6 1/2 : 1/2 [Anand]**

233. B 48**

A. SZNAPIK 2480 – GHEORGHIU 2485
Thessaloniki (ol) 1988

1. e4 c5 2. ♘f3 e6 3. d4 cd4 4. ♘d4 a6 5. ♘c3 ♕c7 6. ♗d3 ♘f6 7. 0–0 ♘c6 8. ♗e3 ♗d6 [RR 8... ♘e5 *a)* 9. ♘f3 ♘fg4 N (9... d6 – 28/358) 10. ♗f4 ♗d6 11. ♘d4 ♘d3 12. ♗d6 ♕d6 13. ♘f3 b5 14. cd3 ♗b7 15. h3 ♘e5 16. ♘e5 ♕e5 17. d4 ♕f4 18. a3 ♖c8 19. ♕d3 0–0 20. ♖ad1 f5 21. e5 ♖c7 22. ♖fe1 ♖fc8 23. ♖e3 ♕h4 24. ♖g3 h6 25. d5 ♖c3 26. bc3 ♗d5=∞ Timman 2640 – Ribli 2630, Reykjavík 1988; *b)* 9. h3 ♗c5 10. ♕e2 d6 11. f4 ♘g6 12. ♘b3 ♗e3 13. ♕e3 b5 14. ♖f2 (14. a3 – 45/215) 0–0 15. a3 ♖b8!? N 16. ♗f1 ♗d7 17. ♖d1 a5 18. ♕d4 b4 19. ab4 ab4 20. ♘a2 e5 21. ♕d6 ♕a7 22. ♘c5□ (22. ♕a6? ♕a6 23. ♗a6 ♘f4∓ 24. ♖f4 ef4 25. e5 ♗f5 26. ♘d4 ♗c2! 27. ♘c2 b3 28. ef6 bc2 29. ♖e1 ♖a8! 30. ♘b4 ♖fb8–+ Balašov 2530 – Tunik 2435, Moskva (GMA) 1989) ♖fd8 (22... ♕a2? 23.

fe5!; 22... ♘f4 23. ♕e5 ♘g6 24. ♕d4±; 22... ♖b6 23. ♕d2 ♕a2 24. ♘d7 ♘d7 25. ♕d7 ef4!∓; 24. f5!∞) 23. fe5 ♗e8 24. ♕d8 (24. ♕a6? ♕c5 25. ♖d8 ♖d8 26. ef6 ♖d2−+) ♖d8 25. ♖d8 ♘e5 26. ♘d3! (26. ♖f6 gf6 27. ♖e8 ♔g7 28. ♖c8 ♕a2 29. b3 ♕b2∓) ♘c6 27. ♖e8 ♘e8 28. ♘ab4∞ Tunik] **9. ♘c6 bc6 10. f4 e5 11. f5 ♗b4 12. ♘a4 d5!? N** [12... ♖b8 13. a3 ♗e7 14. c4±] **13. ♕f3!?** [13. ♘b6! ♖b8 14. ♘c8±] **♖b8! 14. c4 d4□ 15. ♗g5 ♘d7! 16. a3 ♗d6 17. f6! g6 18. c5!?** [18. ♗h6! c5 19. ♕g3! △ ♕h4±] **♘c5 19. ♘c5 ♗c5 20. b4 ♗d6 21. ♖fc1 a5 22. b5** [22. ba5!?∞] **c5 23. ♗c4** [23. a4!? ♗e6 24. ♗c4 ♗c4 25. ♖c4∞] **a4! 24. ♖ab1 ♗e6 25. ♗e6 fe6 26. ♕d3 ♔f7 27. ♕c4 ♕b7 28. ♖e1 ♖hc8 29. h4 h5 30. ♔h1!∞ ♕a8 31. ♗h6 ♖b6 32. ♗g7 ♖c7 33. ♖e2 ♖a7 34. g4!↑ hg4 35. ♖g1 ♕e8 36. ♖b2 ♖a5 37. ♕e2!± ♕g8** [37... ♖ab5 38. ♕g4 ♔g8 39. ♖b5 ♖b5 40. h5+−] **38. ♖g4!** [38. ♕g4?! ♕h7 △ ♕h5∞] **♕h7 39. ♔g2! ♖a8 40. ♔h3 ♕h5 41. ♕c4! g5 42. ♕f1!!+− ♖ab8** [42... gh4?? 43. ♖h4 ♕g6 44. ♖g2+−] **43. ♖g5 ♕h7 44. ♖g4 ♖8b7 45. ♕c4 ♕h5 46. ♖b1!** [46. ♕a4? c4 47. ♕c4 ♖c7∞] **♖c7** [46... ♖b8 47. ♕a4 c4 48. ♕c4+−] **47. ♖f1 ♖cb7 48. ♗h6! ♕h6 49. ♖g7 ♔e8** [49... ♔f8 50. ♕e6+−] **50. ♕e6 ♔d8 51. ♕g8 1 : 0** **[A. Sznapik]**

234.** **B 49**

PSAHIS 2585 − ZAPATA 2490
Moskva (GMA) 1989

1. e4 c5 2. ♘f3 e6 3. d4 cd4 4. ♘d4 ♘c6 5. ♘c3 ♕c7 6. ♗e3 [RR 6. f4 a6 7. ♗e2 b5 8. ♘c6 ♕c6 9. ♗f3 ♗b7 10. ♗e3 ♖c8 11. a3 ♕c4 12. ♕d3 ♘f6 13. 0−0 ♗c5 14. ♗c5 ♕d3 15. cd3 ♖c5 16. ♖ac1 0−0 17. ♘d5 d6 18. b4 ♖c1 19. ♘e7!? (19. ♘f6 − 45/(217)) ♔h8 20. ♖c1 ♖d8! (Gulko; 20... ♘e8 21. ♘c6 △ ♘a5) 21. e5 Edelman] **a6 7. ♗e2 ♘f6** [RR 7... ♘d4 8. ♗d4 N b5 9. 0−0 ♗b7 10. ♗f3 e5 11. ♘d5 ♕d6 12. ♗c3 ♘f6 13. a4 ♘d5 14. ed5 f6 15. ab5 ab5 16. ♖a8 ♗a8 17. ♕d3 b4 18. ♖a1 ♕b8 19. ♗e1 ♗d6 20. ♗e4 g6 21. ♗g6 hg6 22. ♕g6 ♔d8 23. ♕f6 ♔c7 24. ♖a6 ♗c5 25. c4 1/2 : 1/2 E. Geller 2480 − Bischoff 2505, Dortmund 1989] **8. 0−0 ♗b4 9. ♘c6** [RR 9. ♘a4 ♗e7 10. c4 0−0 11. ♘c3 N (11. ♘c6 − 23/(368)) ♘e5 12. ♖c1 d6 13. f4 ♘g6 14. ♕e1 (14. g4 h6 15. ♕e1 ♖e8 16. h4 e5! 17. fe5 de5 18. ♘f5 ♗c5 19. ♕f2 ♘f4∞) b6 15. ♕g3 *a)* 15... ♗b7? 16. f5 ef5 17. ef5 ♘e5 18. ♘d5 ♗d5 19. cd5+−; *b)* 15... ♔h8! (Stefánsson 2325 − Meulders 2480, S.K. Reykjavík − Anderlecht 1989) 16. f5± Meulders] **bc6 10. ♘a4 ♗e7 11. ♘b6 ♖b8 12. ♘c8 ♕c8 13. e5 ♘d5 14. ♗c1 ♗c5 15. c4 ♘e7 16. b3 ♕c7 17. ♗b2 0−0** [17... ♘g6!? 18. ♔h1 △ 18... ♘e5 19. f4] **18. ♕d3 ♘g6 19. ♕e4 f5 20. ef6 gf6 21. ♖ad1 f5!? N** [21... ♕f4 − 45/218] **22. ♕d3 ♖f7 23. ♗h5! ♗f8 24. ♕e3 ♗g7 25. ♗g6 hg6 26. ♗g7 ♖g7 27. ♖d3 g5! 28. ♖fd1 ♖f8 29. ♖d6** [29. b4! △ a4, b5±] **a5! 30. ♖1d3 g4 31. ♕d2 ♖ff7 32. g3 ♖h7** [△ c5, ♕b7, ♖h2] **33. c5 ♕a7 34. ♕g5 ♖hg7 35. ♕e3 ♔h7!?** [△ ♔g6, ♖h7] **36. a3 ♔g6 37. b4 ab4 38. ab4 ♖h7 39. ♖d1 ♕a2?⊕** [39... ♕b7=] **40. b5!+− cb5□ 41. c6 dc6 42. ♖e6 ♖f6□** [42... ♔h5 43. ♖dd6 ♕a1 44. ♔g2 ♕g7 45. f3; 45. h3] **43. ♖f6 ♔f6 44. ♖d6 ♔f7**

45. h4! [45. ♖d7 ♔g6 46. ♕e8 ♖f7 47. ♖d6 ♔h7] **gh3□ 46. ♔h2! ♖g7 47. ♕d4! ♔g8 48. ♖d8 ♔h7 49. ♕h4 ♔g6 50. ♖d6 ♔f7 51. ♕f6 ♔g8 52. ♖d8 ♔h7 53. ♕f5 ♖g6 54. ♖d7** [54... ♔h6 55. ♕f8 ♔g5 56. ♕f4 ♔h5 57. ♕h4#] **1 : 0** **[Psahis]**

235.*   **B 50**

TIMMAN 2610 − A. SOKOLOV 2605
Rotterdam 1989

1. e4 c5 2. ♘f3 e6 [RR 2... d6 3. c3 ♘f6 4. ♗e2 ♘c6 5. d4 cd4 6. cd4 ♘e4 7. d5 ♕a5 8. ♘c3 ♘b8 (8... ♘c3 − 45/(219)) 9. 0−0 ♘f6 (9... ♘c3 10. bc3 ♕c3 11. ♗d2+−⊂→) 10. b4! N ♕d8 (10... ♕b4 11. ♘b5 ♘a6 12. ♗d2 ♕e4 13. ♖e1 △ ♘d6+−) 11. ♗g5 a6? 12. ♖e1 ♗f5 13. ♘d4 ♗g6 14. ♖c1 ♘bd7 15. ♕a4 ♘e4 (15... b5 16. ♗b5 ab5 17. ♘cb5 ♕b8 18. ♕a8+−) 16. ♘e4 ♗e4 17. ♗g4! ♗d5 18. ♘f5! 1 : 0 Koronghy 2235 − Paksa 2300, Magyarország 1989; △ 11... ♘bd7 △ g6, ♗g7± Koronghy] **3. ♘c3 d6 4. d4 cd4 5. ♕d4!? ♘c6 6. ♗b5 ♗d7 7. ♕d3 a6 N** [7... ♘f6 − 45/223] **8. ♗c6 ♗c6 9. ♗f4 ♕c7** [9... ♘f6] **10. 0-0-0 0-0-0 11. ♘d2!?** [11. ♘d4 ♗e8∞] **b5 12. a4 b4 13. ♘e2** [13. ♘a2?! ♕b7 14. ♕c4 d5 15. ed5 ed5∓] **♕b7 14. ♘c4!?** [14. b3 ♘f6 15. f3 d5⇆] **♗e4 15. ♕d4 ♘f6 16. ♗d6 ♕c6!□ 17. ♖d2 ♗d5** [17... ♗g2 18. ♖g1 ♗d5 19. ♘b6 ♔b7 20. ♗f8 ♖hf8 21. ♖g7±] **18. ♘b6 ♔b7 19. ♗f8 ♖hf8 20. ♘d5 ♘d5 21. ♕g7 ♕a4= 22. b3 ♕a5 23. ♔b2 ♕a3 24. ♔b1 ♕a5 25. ♔b2 ♕a3 26. ♔b1 ♕a5 27. ♖hd1 ♖c8?** [27... h5] **28. ♕h7 ♖c7 29. ♕e4?!** [29. ♖d5! ed5 30. ♘d4±] **♖d8 30. ♘f4 f5 31. ♕f3 ♖c3 32. ♘e6 ♖f3 33. ♘d8 ♕d8 34. ♖d5 ♖b3?⊕** [34... ♕d5! 35. ♖d5 ♖f2±] **35. cb3 ♕h4 36. ♖5d4+−⊕ 1 : 0** [Timman]

236.*   **B 51**

SMAGIN 2540 − P. POPOVIĆ 2535
Zenica 1989

1. e4 c5 2. ♘f3 d6 [RR 2... ♘c6 3. ♗b5 d6 4. 0−0 ♗d7 5. ♖e1 ♘f6 6. c3 a6 7. ♗f1 ♗g4 8. h3 ♗f3 9. ♕f3 g6 10. ♘a3 ♗g7 11. ♘c4 N (11. ♘c2 − 32/251) 0−0 12. d3 b5 13. e5 de5 14. ♘e5 ♘e5 15. ♖e5 ♘d7 16. ♖e1 e6. 17. a3 ♘b6 18. ♗e3 ♘a4 19. ♕e2± Ljubojević 2580 − Kortchnoi 2610, Barcelona 1989] **3. c3 ♘f6 4.**

♗b5 ♘bd7 **5. d3 N** [5. ♕e2 − 33/264] **a6 6. ♗a4 g6 7. 0−0 ♗g7 8. ♖e1 0−0 9. d4 b5 10. ♗c2** [10. ♗b3!?] **e5 11. a4?!** [△ 11. ♘bd2] **♗b7 12. d5 c4 13. b3∞** [13. ♘bd2=] **cb3 14. ♗b3 ♘c5 15. ♗c2 ♘fd7 16. ♘a3** [16. ab5!? ab5 17. ♘a3 △ ♖b1±] **ba4! 17. ♖b1 ♕c7 18. c4 ♗c8!∓ 19. ♗d2 f5 20. ♘g5** [△ 20. ef5 gf5 21. ♘h4 e4 22. f3!∞] **♘f6 21. ef5 gf5 22. ♗b4 e4** [22... ♗d7?! 23. ♘e6! ♗e6 24. de6 e4 25. ♗a4 ♘d3 26. ♖e2! ♘b4 27. ♖b4 ♕c5 28. ♘c2∞] **23. f3** [23. ♗a4!? ♘d3 24. ♖e2 ♘b4 25. ♖b4 ♕c5 26. ♘c2∞] **♗d7! 24. ♕d2** [24. fe4 fe4 25. ♘e4 ♘fe4 26. ♗e4 a5! 27. ♗d2 ♘e4 28. ♖e4 ♕c5−+] **♖ae8 25. ♔h1 ♖e7** [25... ♗h6!? 26. f4 ♗g7!∓] **26. ♗a5 ♕c8 27. ♖b6! ♗h6 28. f4 ♘b7?** [28... ♘g4! △ e3∓] **29. ♗b4 ♕c7 30. ♖b7 ♕b7 31. ♗d6 ♖fe8 32. ♖b1 e3?** [32... ♕c8 33. c5! e3 34. ♕d4 e2 35. ♗e7 ♖e7 36. ♘f3±; 32... ♕a8!?] **33. ♕c3 e2 34. ♗e7 ♖e7 35. ♘f3!+− ♘d5 36. cd5 ♕d5 37. ♗d3 ♕d6 38. ♗c4 ♗e6 39. ♗e2 ♗f4 40. ♗c4 ♖c7 41. ♗e6 ♕e6 42. ♕d4 ♕d6 43. ♕a4 1 : 0** [Smagin]

237.   **B 53**

KOBAŠ 2305 − VOGT 2505
Budapest (open) 1989

1. e4 c5 2. ♘f3 e6 3. ♘c3 d6 4. d4 cd4 5. ♕d4 ♘c6 6. ♗b5 ♗d7 7. ♗c6 ♗c6 8. ♗g5 ♘f6 9. 0-0-0 ♗e7 10. ♖he1 0−0 11. e5 de5 12. ♕h4 ♕c7 13. ♘e5 ♖ac8!? N [13... ♖fe8 − 33/(266)] **14. ♘g4 ♘d5□ 15. ♖d5 f6□ 16. ♘h6?!** [16. ♗f6 ♖f6 17. ♖dd1 ♖g6 18. ♕h3 ♕f4 19. ♘e3 ♗g2−+; 16. ♘f6 ♗f6 17. ♖d3 (17. ♖d2 ♗c3 18. bc3 ♗d5∞→) ♗g5 18. ♕g5 ♖f2∞; 16. ♖de5 fg5 17. ♕h5 ♗d5 18. ♖5e2 ♗c4∞ **♔h8** [16... gh6 17. ♗h6 ♗d5 18. ♕g4 ♔f7 19. ♕h5=] **17. ♗f4□ e5 18. ♖d3** [18. ♘f5? ♗d5 19. ♘e7 ♕e7 20. ♘d5 ♕c5−+] **ef4 19. ♘f5 ♗c5 20. ♖h3** [20. ♘d5 ♗d5 21. ♖d5 g6 22. ♘h6 ♗e3−+] **g5□** [20... g6?? 21. ♖e7+−] **21. ♕h6 ♕f7 22. ♖e6** [△ ♖f6] **♖c7 23. ♘d6 ♗d6 24. ♖d6 ♗g2 25. ♖hd3 ♗c6 26. h4 ♕g7 27.**

♕h5⊕ g4 28. ♖d8 ♖cf7 29. ♖8d4 f5 [29... g3? 30. fg3 fg3 31. ♖g4 g2 32. ♖g7 ♖g7 33. ♘e2±] **30. ♖f4 ♕g6 31. ♕g6 hg6∓ 32. b4 a6 33. a4 ♖h7** [⌓ 33... ♔g7] **34. b5 ab5 35. ab5 ♗g2 36. ♖d6 ♖c8 37. ♔b2 ♖hc7∓ 38. ♖d3 ♔g7 39. ♔b3** [39. h5 gh5 40. ♖f5 ♖c5∓] **♔h6 40. ♘d5?!** [40. ♖fd4 ♔h5 41. ♖d6 ♗f1 42. ♖e3 f4∓] **♗d5 41. ♖d5 ♖c2–+ 42. ♖d7 ♖8c7 43. ♖fd4 ♖d7** [44. ♖d7 ♖f2 45. ♖b7 g3 46. ♖c7 g2 47. ♖c1 ♖f1–+] **0 : 1** **[Vogt]**

238.* **B 54**

LUTHER 2415 – STOICA 2440

Eforie-Nord 1989

1. e4 c5 2. ♘f3 e6 [RR 2... d6 3. d4 cd4 4. ♘d4 e5!? 5. ♗b5 ♘d7 6. ♘f5 a6 7. ♗d7 ♕d7 8. ♘c3 (8. 0–0 ♘f6; 8. c4 ♕c6) ♕c6! (8... ♘f6?! – B 56) 9. ♘e3 ♘f6! (– B 56) 10. ♕d3 ♗e6 11. 0–0 ♖c8 12. ♘cd5 N (12. a4! – 44/226) ♗d5 13. ed5 (Zieliński 2345 – Z. Sęk 2310, Warszawa 1989) ♕c7!∞ Z. Sęk] **3. d4 cd4 4. ♘d4 ♘c6 5. ♘c3 d6 6. g4!? ♗e7!? N** [6... ♘ge7!? – 45/227] **7. ♗e3 a6 8. ♕e2!? ♘d4 9. ♗d4 e5 10. ♗e3 ♘f6 11. ♖g1 ♗e6!? 12. g5 ♘d7 13. 0-0-0 ♕a5=** [13... ♘b6!?] **14. ♔b1 ♘b6** [14... ♗d8!? 15. ♖d6 ♘b6⩱] **15. ♗b6 ♕b6 16. ♘d5 ♕d8 17. ♕d2 ♖c8!** [17... 0–0 18. ♘e7? ♕e7 19. ♕d6? ♖fd8–+; 18. ♗c4!±] **18. ♖g3!?** [18. ♘e7? ♔e7∓] **0–0 19. h4 ♗d5!? 20. ♕d5 ♕b6! 21. ♕d2 ♖c5 22. ♖d3 ♖fc8 23. c3 ♕c6∞ 24. f3 b5 25. a3 g6 26. ♗e2 a5 27. ♖d5! ♕b6 28. ♖c5 ♖c5** [28... ♕c5 29. ♕d5±] **29. ♖h1!?** [△ ♗d1-b3] **♕c6?** [29... ♕b7∞] **30. b4!± ♖c3□ 31. ♔b2! ab4 32. ab4 ♖c4□ 33. ♗c4 bc4** [33... ♕c4? 34. ♖c1+–] **34. ♕d5!** [34. ♖c1 ♕b5 35. ♕c3 d5!⩲] **♕b6□ 35. ♔c3! ♕e3 36. ♔c4 ♕f3 37. ♖a1 ♕e2 38. ♔c3 ♕e3 39. ♕d3 ♕b6 40. ♖a8 ♔g7 41. ♕d5 ♗d8!** [41... h6 42. ♖e8! ♗d8 43. gh6 ♔h6 44. ♕f7±] **42. ♔c4!? h6! 43. gh6 ♔h6 44. b5 ♗c7□** [44... ♗h4? 45. ♖h8 ♔g5 46. ♕d2+–] **45. ♖a2?!** [45. ♖c8! ♕a5 46. ♖c7! ♕c7 47. ♕c6±] **♕g1!⩲ 46. ♖c2 ♔g7 47. ♕d3 ♗b6! 48. ♕d6 ♗d4!⩱ 49. ♔d5 ♕b1! 50. ♕c6□ ♕d1!** [△ 51... ♗f2 52. ♔e5 ♗g3#] **51. ♖c1□ ♕d2 52. ♕c2 ♕a5 53. ♔c4 ♕a3! 54. ♖b1 ♕h3! 55. ♕d3** [55. b6 ♕e6] **♕h4 56. ♔b3** [56. b6 ♕f6 57. ♕b3 ♕e6 58. ♔d3 ♕h3=] **♕f2 57. ♔c4 ♕a2= 58. ♕b3 ♕e2 59. ♕d3** [59. ♔d5!? ♕g4! 60. ♔d6! ♕c8! (60... ♕e4? 61. b6 ♕b7 62. ♕d5±) 61. b6 ♕d8 62. ♔c6 ♕c8 63. ♔b5 ♕e8 64. ♔c4 ♕e6 65. ♔d3 ♕h3=] **♕a2 1/2 : 1/2** **[Stoica]**

239.* **B 56**

KOSTEN 2510 – B. LARSEN 2560

Hastings 1988/89

1. e4 c5 2. ♘f3 d6 3. d4 ♘f6 [RR 3... cd4 4. ♘d4 e5 5. ♗b5 ♘d7 6. ♘f5 a6 7. ♗d7 ♕d7 8. ♘c3 ♘f6 9. ♗g5 ♘e4 10. ♘g7 ♗g7 11. ♘e4 0–0 12. ♕d6 ♕f5 13. ♘f6 ♗f6 14. ♕f6! (14. ♗f6= – 44/(226)) ♕e4 15. ♔f1 ♗h3 (15... ♕c4 16. ♔g1±) 16. f3 ♕c4 17. ♔e1 ♕b4 18. ♗d2± Z. Sęk] **4. ♘c3 cd4 5. ♘d4 ♘bd7?!** [RR 5... ♘c6 6. ♗e3 ♘g4 7. ♗b5 ♘e3 8. fe3 ♗d7 9. 0–0 e6 10. ♗c6 bc6 11. e5 d5 12. ♕f3 ♕e7 13. e4 N (13. b4 g6 14. b5 ♗g7! 15. bc6 ♗c8 16. e4 ♗e5 17. ♖ad1 0–0 – 40/220; 17... de4!∞ Novik) g6 14. ed5 ed5! 15. b4□ ♗g7 16. b5 ♗e5 17. ♖ad1⩱ Novik 2380 – R. Ščerbakov 2350, SSSR 1989] **6. ♗c4 g6!?** [6... ♘b6 7. ♗b3 e5⩲; 6... ♘c5 7. 0–0 g6 8. ♖e1 ♗g7 9. ♗g5⩲; 6... a6!? △ b5] **7. f3 a6!? N** [7... ♗g7 8. ♗e3 – B 75] **8. ♗e3 b5 9. ♗b3 ♗b7 10. ♕d2 ♘c5!?** [10... ♗g7 11. ♗h6± – B 75] **11. ♘d5!?** [11. ♗h6?! ♗h6 12. ♕h6 ♕b6; 11. 0-0-0] **♘fd7** [11... ♗g7 12. ♗h6!; 11... ♘d5 12. ♗d5±; 11... e5 12. ♘f6 ♕f6 13. ♗g5±; 12. ♗g5±; 11... ♘b3 12. ♘f6 ef6 13. ♘b3±] **12. ♗g5! h6 13. ♗h4 g5 14. ♗g3 e6 15. ♘c3 ♕b6** [15... b4!?] **16. a4 ♗g7!?** [△ 17. ab5 0–0] **17. ♗f2 0–0!?** [17... b4 18. ♘a2±; 17... ba4⩲]

18. ♘e6!? [18. h4 g4; 18. 0–0] **fe6 19. ♗e6 ♖f7 20. ♗f7** [20. b4 ♘e6; 20. ab5!?; 20. h4!?] **♔f7 21. b4** [21. ab5!? ♗c3] **♕c6! 22. bc5** [22. ab5 ab5 23. ♖a8 ♘d3] **b4 23. ♗d4 bc3 24. ♕c3 ♗d4 25. ♕d4 ♕c5∞** [×a4, d6] **26. ♖d1 ♔e6 27. 0–0 a5! 28. c3 ♗c6 29. ♖f2 ♕d4 30. cd4! ♗a4 31. ♖b1** [31. ♖a1? ♗b3 32. ♖b2 a4 33. ♖b3?? ab3 34. ♖a8 b2] **d5 32. e5 ♖c8 33. f4 gf4 34. ♖f4 ♖c4 35. ♖h4 h5! 36. ♖e1 ♗c2 37. ♖h5 ♖d4** [37... a4 38. ♖h6 ♔e7 39. e6? ♘f6 40. ♖f6=; 39... ♘f8!; 39. ♖a6!; 37... ♗e4!?] **38. ♖h6 ♔e7 39. ♖a6 ♗e4 40. e6 ♘f6?⊕** [40... ♘e5–+] **41. ♖c1!** [41. ♖f1? ♗d3] **♖c4** [41... ♘e8 42. ♖cc6] **42. ♖c4 dc4** [♖ 8/b5] **43. ♔f2 ♘d5∓ 44. g4?!** [44. ♖a5 ♔e6 △ ♔e5-d4; 44. g3!] **c3! 45. ♖a5?** [45. ♔e2? ♘f4; 45. ♔e1!? ♘b4 46. ♖a5 ♔e6∞ △ ♘c2-d4] **c2 46. ♖a1** [46. ♖c5 ♔d6 47. ♖c4 ♗d3] **♘c3! 47. ♔e3** [47. ♖e1 ♘d1; 47. ♖c1 ♘a2] **♘b1 48. ♖a7 ♔d6 49. ♔e4 c1♕ 50. e7 ♕c8 51. ♔d3 ♘c3 52. e8♕ ♕e8 53. ♔c3 ♕e3 0 : 1** **[B. Larsen]**

240. **B 57**

VAN DER WIEL 2560 – TIMMAN 2610

Rotterdam 1989

1. e4 c5 2. ♘f3 ♘c6 3. d4 cd4 4. ♘d4 ♘f6 5. ♘c3 d6 6. ♗c4 ♕b6 7. ♘b3 e6 8. 0–0 a6 9. a4 ♕c7 10. a5 ♗e7 11. ♗e2 ♘d7! N [△ 12. ♗e3 ♘c5∓; 11... ♗d7 – 38/243] **12. ♗f4 0–0 13. ♕d3 ♘de5 14. ♕g3 ♗d7 15. ♖fd1 ♘b4 16. ♗h6** [16. ♖d2 ♗f6∞] **♘g6 17. ♗g5 ♗g5** [17... f6 18. ♗e3 ♘c2 19. ♗b6 ♕b8 20. ♖ac1 ♘b4 21. ♘d4=∞] **18. ♕g5 ♖fd8 19. ♕d2 ♗e8 20. ♘a4?** [20. ♘d4=] **♕c2∓ 21. ♕b4 ♕e2 22. ♘b6 ♖ab8 23. ♖d2 ♕g4 24. f3 ♕g5 25. ♖ad1?!** [25. ♔h1] **h5!–+ 26. ♔h1 h4 27. ♕c3 ♕f4?!** [27... h3 28. g3 ♕b5 29. ♘d4 ♕c5–+] **28. ♘d4 h3 29. g3 ♕f6 30. ♘e2?!** [30. f4□ ♘e7∓] **♘e5 31. ♘g1 ♗c6?** [31... ♗b5! △ 32. ♘h3 (32. ♖d6 ♖d6 33. ♖d6 ♗f1–+) ♕f3 33. ♕f3 ♘f3 34. ♖d6 ♖d6 35. ♖d6 ♗c6–+; 35... ♘e5–+] **32. ♖d6!□ ♖d6 33. ♖d6 ♘g4** [33... ♘f3 34. ♖c6! ♘g1 35. ♕f6 (35. ♖c8? ♖c8 36. ♕c8 ♔h7 37. ♔g1 ♕b2–+) gf6 36. ♖c8 ♖c8 37. ♘c8 ♘f3 38. ♘d6=] **34. ♘h3 ♕h6 35. ♔g2 ♘e3 36. ♔g1!□= ♘g4 37. ♔g2 ♘e3 38. ♔g1 ♘g4 1/2 : 1/2** **[Timman]**

241.* **B 58**

SMAGIN 2540 – DAMLJANOVIĆ 2530

Zenica 1989

1. e4 c5 2. ♘f3 d6 3. d4 cd4 4. ♘d4 ♘f6 5. ♘c3 ♘c6 6. ♗e2 e5 7. ♘f3 h6 8. 0–0 ♗e7 9. ♖e1 0–0 10. h3 a6 11. b3!? N [11. ♗f1 ♕c7 12. a4 N (12. b3 – 44/231; 12. ♗e3 – 44/232) ♗e6 13. ♘d5 ♗d5 14. ed5 ♘b4 15. c4 a5= Smagin 2550 – Damljanović 2565, Soči 1988] **♗e6 12. ♗b2 ♖c8 13. ♗f1 ♘b8 14. ♘d5** [14. a4!?] **♘d5 15. ed5 ♗f5 16. c4 ♘d7 17. b4 e4! 18. ♘d4** [18. ♘d2!? ♗f6 19. ♗f6 ♘f6 20. ♘b3 △ ♕d4±] **♗g6 19. ♘b3 ♗f6 20. ♗d4 ♗d4 21. ♕d4 ♘e5 22. ♖e3?!** [⌓ 22. c5 ♕g5 23. ♔h1∞] **f5! 23. c5 f4 24. ♖e4! ♗e4** [24... ♕g5!? 25. ♖e5 de5 26. ♕c3∞] **25. ♕e4 f3 26. g3 ♕f6 27. ♖e1! ♖fe8! 28. ♖e3!** [28. ♘d4? ♘d3!–+] **♘d7?** [28... ♕f7!=] **29. ♕e8 ♖e8 30. ♖e8 ♔f7 31. ♖e6+– ♕b2 32. cd6 ♘f6 33. ♖e7 ♔f8 34. ♘c5 ♕b4 35. ♘e6 ♔g8 36. ♖g7 ♔h8 37. d7 1 : 0** **[Smagin]**

242. **B 63**

SARINK – HOVDE 2285

corr. 1989

1. e4 c5 2. ♘f3 d6 3. d4 cd4 4. ♘d4 ♘f6 5. ♘c3 ♘c6 6. ♗g5 e6 7. ♕d2 ♗e7 8.

0-0-0 ♘d4!? 9. ♕d4 0–0 10. e5 de5 11. ♕e5 ♕e8 12. h4 [12. ♗d3?! ♘g4 13. ♕f4 e5 14. ♕d2 ♘f2! 15. ♗h7□∞] **♗d7 13. ♗d3 N** [13. ♖h3 – 45/235] **♗c6 14. ♖h3 ♘d7! 15. ♕e2 ♘c5 16. ♗c4 a6** [16... ♖d8!?] **17. ♖g3 ♔h8 18. ♗e3** [△ 19. ♗c5 ♗c5 20. ♕e5] **♖g8□ 19. h5 h6 20. ♗d4** [△ ♕e3] **♘d7 21. ♘e4!? b5** [21... ♘f6!? 22. ♘f6?! ♗f6 23. ♗f6 gf6 24. ♕e3 ♔h7∞; 22. ♗d3!] **22. ♗b3□** [22. ♗d3? e5 △ f5] **a5 23. ♕e3□ e5 24. ♗c3 a4!** [24... f5? 25. ♘d6 ♗d6 26. ♖d6 f4 27. ♕d2 △ 27... fg3 28. ♖h6+–] **25. ♘d6! ab3 26. ♘e8 ba2 27. ♘g7!□** [27. ♔d2 ♖ge8! 28. b3 (28. ♖a1 b4) ♘f6 29. ♔e1 (29. ♔e2 ♘h5 30. ♖g4 f5–+) ♗b4! (△ ♘d5) 30. ♗b4 a1♕ 31. ♖a1 ♖a1 32. ♔e2 ♘h5 33. ♖g4 ♘f4 34. ♔d2 ♖d8 35. ♔c3 ♘d5–+; 27. b3 a1♕ 28. ♗a1 ♖a1 29. ♔d2 ♖d1 30. ♔d1 ♖e8∓] **♗g5!□ 28. ♖g5 a1♕ 29. ♔d2 ♕a7□ 30. ♖e5 ♕e3 31. ♖e3 ♖g7 32. ♗g7 ♔g7± 33. ♔e2 ♘f8 34. ♖d6 ♗d7 35. ♔d2 ♖b8! 36. g4 ♗e6 37. f3 ♖b7 38. b3 ♘d7 39. ♖c3 ♘e5 40. f4!? ♘g4 41. ♖e6 ♖d7! 42. ♔e2 fe6 43. ♖g3 ♖d5 44. ♖g4 ♔f7 45. ♖h4 ♔f6= 46. ♔e3 e5 47. fe5 ♖e5 48. ♔d4 ♖g5 49. ♔c3 ♔e6 50. ♔b4 ♔d6 51. ♔a5 ♔c6 52. ♖f4 ♖h5 53. ♖f6 ♔c7 54. b4 ♖h2 55. ♔b5 ♖c2 56. ♖h6 ♔b8 57. ♔b6**

1/2 : 1/2 **[Hovde]**

243.* **B 63**

GLEK 2475 – BAJKOV 2345
Moskva (ch) 1989

1. e4 c5 2. ♘f3 d6 3. d4 cd4 4. ♘d4 ♘f6 5. ♘c3 ♘c6 6. ♗g5 e6 7. ♕d2 ♗e7 8. 0-0-0 0–0 9. ♘b3 d5 [RR 9... a5 10. a4 d5 11. ♗b5 ♘a7 12. ♗f6 N (12. ♗e2 – 45/(236)) ♗f6 13. ed5 ♗c3 (13... ♘b5 14. ♘b5 ed5 15. ♕d5 ♕e7 16. ♖he1 ♗e6 17. ♕d6±) 14. ♕c3 ♘b5 15. ab5 *a)* 15... a4?! 16. de6! *a1)* 16... ab3 17. ♖d8 (17. ef7? ♔f7 18. ♖d8 ♖a1∓) ♖d8 (17... ♖a1? 18. ♔d2 ♖d8 19. ♔e2 ♖h1 20. ♕c7! ♖f8 21. e7 ♖e8 22. ♕d8+–) 18. ef7 ♔f7 (18... ♔h8 19. ♔b1±) 19. ♕c7 (19. ♕b3? ♗e6 20. ♕f3 ♔g8 21. ♔b1 ♗a2 22. ♔c1 ♗d5–+) ♖d7 20. ♕c4 ♔f8 21. ♔b1 bc2 22. ♔c2±; *a2)* 16... ♕g5 17. ♕d2 ♕f6 18. ♘d4 ♗e6 (18... fe6 19. f4!±) 19. ♔b1± 1/2 : 1/2 M. Hoffmann 2320 – Gen. Timoščenko 2460, Budapest (open) 1989; *b)* 15... ed5 16. ♘d4 ♕b6 17. ♖he1 ♗d7 18. ♖e7 ♗b5 19. ♘e6± Gen. Timoščenko] **10. ed5 ♘d5 11. ♗e7 ♘de7 N** [11... ♕e7 – 45/(236)] **12. ♕e3 ♕c7 13. g3!? b6** [13... e5?! 14. ♗g2 △ 14... ♗e6 15. ♘c5, △ 14... ♘f5 15. ♕c5±] **14. ♘b5 ♕b8 15. ♗g2 ♗b7 16. ♖d7 ♗c8** [16... ♖d8 17. ♖hd1± △ 17... ♘d5?! 18. ♖d8 ♕d8 (18... ♘d8? 19. ♗d5 ♗d5 20. ♖d5) 19. ♗d5±] **17. ♖d2 ♗b7 18. ♖hd1± ♘f5 19. ♕e2 ♘a5?!** [19... ♖c8!?] **20. ♗b7 ♘b3 21. ab3 ♕b7 22. ♖d7** [22. ♘d6!?; 22. f4!?↑] **♕g2□ 23. ♔b1** [23. ♘a7!?±] **a5** [23... ♕h2? 24. ♕f3!+– △ 25. ♕a8, 25. ♖h1] **24. g4!?** [24. ♘d6; 24. ♖7d2!? △ f4] **♘h6 25. h3! ♕h3 26. f3 ♕g3 27. ♕e4 ♖ab8 28. ♘a7 ♔h8 29. ♘c6 ♖be8 30. ♘e5 ♕h4 31. ♕d4 b5 32. ♕b6?!⊕** [32. ♕g1! (△ g5) *a)* 32... ♕g5 33. ♕h2! (△ ♖h1, f4, g5) ♖d8 (33... f6 34. f4 ♘g4 35. ♕g3+–) 34. ♖d8 ♖d8 35. ♖d8 ♕d8 36. ♕h6+–; *b)* 32... f6 33. ♘c6 a4 34. b4!±] **♕g5∞ 33. ♕d6 f6 34. ♘c6 ♘f7 35. ♕c7** [35. ♕d3!? △ 35... ♘e5 36. ♘e5 ♕e5 37. ♖h1→] **♘e5 36. f4?!** [⌓ 36. ♘e5] **♕f4 37. ♖g7 ♕h6□ 38. ♖e7 ♘c6?⊕** [38... ♖c8–+] **39. ♖e8 ♖e8 40. ♕c6 ♖g8** [40... ♕f8 41. ♕b5±] **41. ♕e6± ♕g6 42. ♖d6! b4 43. ♖a6 ♕g4 44. ♕f6 ♕g7 45. ♕d6! ♕g3 46. ♕d4 ♕g7 47. ♕c4! ♕g4 48. ♖a5** [48. ♕c7+–] **♕c4 49. bc4** [♖ 6/c] **♖c8 50. c5 ♔g7 51. ♔a2 h5 52. ♔b3 h4 53. ♔b4** [♖ 6/i] **♖b8** [53... h3 54. ♖a1 ♖b8 55. ♔c4! ♖b2 56. c3 ♔f6 57. c6 ♔e7 58. ♖d1 h2 59. c7+–] **54. ♔c3 h3 55. ♖a1** [55. c6! ♔g6 (55... h2 56. ♖h5 ♖h8 57. ♖h8 ♔h8 58. c7+–; 55... ♖c8 56. ♖g5! ♔h6 57. ♖g3+–; 55... ♔h6 56. ♖a1 ♔g5 57. ♖h1 ♔g4 58. b4 ♖b6 59. b5! ♖b5 60. ♔c4+–) 56. ♖a1 ♔f6 57. ♖h1 ♖h8 58. ♔c4 ♔e7 59. ♔c5+–] **♔f6!? 56. b4?** [56. ♖e1! ♔f5!? (56... h2 57. c6+–) 57. b4 h2 58. c6 ♖b6 59. b5 ♖b5 60. ♔c4 ♖b2 61. c3 ♖e2!?

62. ♖d1!! (62. c7 ♖e1 63. c8♕ ♔g5=) ♖d2 63. c7 ♖d1 64. c8♕ ♔g5□ 65. ♕g8 ♔h4 66. ♕h7 ♔g3 67. ♕g6 ♔h4 (67... ♔f2 68. ♕c2; 67... ♔h3 68. ♕h5) 68. ♕e4 ♔g3 69. ♕e3+−] **h2= 57. ♖f1⊕** [57. ♖e1 ♖g8=] **♔e6 58. ♖e1 ♔d7 59. ♖d1 ♔c7⊕** [60. ♖h1 ♖h8 61. ♔c4 ♔c6 62. b5 ♔c7=] **0 : 1** **[Glek]**

244. **B 63**

PSAHIS 2585 − KOTRONIAS 2505

Dortmund 1989

1. e4 c5 2. ♘f3 ♘c6 3. ♘c3 d6 4. d4 cd4 5. ♘d4 ♘f6 6. ♗g5 e6 7. ♕d2 ♗e7 8. 0-0-0 0−0 9. ♘b3 a6!? 10. ♗f6 gf6 11. ♕h6 ♔h8 12. ♕h5 ♕e8 13. f4 ♖g8 14. g4 b5 15. ♗d3 ♖g7 16. h4 b4 17. ♘e2 a5 18. g5 a4 19. ♘bd4 b3!? N [19... ♘d4 − 41/207] **20. ab3** [20. cb3 ab3 21. a3!?∞] **ab3 21. ♘b3 ♗b7 22. ♘c3 ♘b4 23. ♖hg1 ♕c6! 24. ♖g3! ♕b6 25. ♕e2 d5!□** [25... e5?! 26. fe5 de5 27. ♗c4 fg5 28. ♖d7±] **26. ed5?!** [26. ♕e3! *a)* 26... ♕e3 27. ♖e3 d4 28. ♘d4 ♗c5 29. gf6! (29. ♘ce2? e5 30. gf6 ♖g2!−+) ♖g4 (29... ♖g2 30. ♖e2!+−) 30. ♘ce2±; *b)* 26... ♘d3!!□ 27. ♖d3 ♕e3 28. ♖de3 ♗d6! 29. e5 fe5 30. fe5 ♗e7 △ h6⩱] **♗d6! 27. ♖f3 ♖c8!↑ 28. gf6** [△ ♗e4; 28. ♗e4? f5] **♖g4 29. ♗e4 ♗f4 30. ♖f4?** [30. ♔b1 ♕a7 31. ♖d4 (△ 31... ♖c3 32. ♖f4!∞) ♖g1 32. ♖d1 ♖d1 33. ♕d1 ♗e3! (33... ♖c3 34. ♖f4; 33... ♗h6 34. ♕d4) 34. ♖e3 ♕e3 35. ♕h5 ♕g1 36. ♘c1 ♕g8; 31. ♖f4!?] **♖f4 31. ♗h7 ♕f2−+ 32. ♕e5 ♖h4 33. ♗e4 ♗d5 34. ♕g5 ♖g8 35. ♕d2⊕ ♘a2??⊕ 36. ♘a2 ♗e4?? 37. ♘c3?? ♕d2 38. ♘d2 ♗g6 39. ♘f3 ♖h3 40. ♘e5 ♖h2 41. ♘e2? ♗h5 42. ♘f4 ♗d1 0 : 1** **[Kotronias]**

245.*** **B 63**

ANAND 2525 − JOEL BENJAMIN 2545

Wijk aan Zee 1989

1. e4 c5 2. ♘f3 d6 3. d4 cd4 4. ♘d4 ♘f6 5. ♘c3 ♘c6 6. ♗g5 e6 7. ♕d2 ♗e7 8. 0-0-0 0−0 9. ♘b3 ♕b6 10. f3 [RR 10. h4 ♖d8 11. h5 *a)* 11... a5 N (11... d5?! − 37/(212)) 12. a4 ♕b4 13. h6 d5 14. ed5 ♘d5 15. ♗e7 ♕e7 16. hg7 ♘c3 17. ♕c3 ♖d1 18. ♔d1 e5⩱ Psahis 2585 − Mirallès 2400, Paris 1989; *b)* 11... h6 N 12. ♗e3 ♕c7 13. ♕e2 d5 14. ed5 ♘d5 15. ♘d5 ♖d5 16. ♖d5 ed5 17. ♕d2 ♗f5 18. ♗f4 ♕d8∓ J. Árnason 2550 − Wilder 2540, Haninge 1989] **♖d8 11. ♔b1 d5?! N** [11... a6 *a)* 12. h4 d5 13. ed5 ♘d5 14. ♘d5 ♖d5 15. ♗d3⩲; *b)* RR 12. ♗e3 ♕c7 13. ♕f2 ♘d7 14. h4 N (14. ♘a4; 14. g4; 14. f4 − 39/237) b5 15. h5 ♗b7 16. ♕g3 ♗f8 17. ♗g5 ♖e8 18. ♗d3 b4 19. ♘e2 ♘ce5 20. f4 ♘d3 21. cd3 a5 22. ♘bd4 d5 23. e5 ♗a6 24. ♖hf1 ♖ac8 25. ♖c1 ♘c5 26. ♖f3 ♕d7 27. ♖d1 b3 28. a3 ♘a4 29. ♖d2 ♕c7 30. ♕g4 ♘c5 31. ♗f6⊕ g6± 1/2 : 1/2 Sax 2610 − Wilder 2540, Lugano 1989] **12. ♗f6! de4?** [12... ♗f6 13. ed5 ♗c3 14. ♕c3 ed5 15. ♗d3±; 15. ♕c5±] **13. ♗e7! ♖d2 14. ♘d2+− ef3** [14... ♘e7 15. ♘c4 ♕c7 16. ♘b5] **15. gf3?!** [15. ♘c4! ♕c7 (15... ♕f2 16. ♘e4) 16. ♗d6 fg2 17. ♗g2 ♕d8 18. ♗g3 ♕e7 19. ♖he1] **e5 16. ♗h4** [⌓ 16. ♗a3±] **♗e6 17. ♘de4** [17. ♗c4? ♗c4 18. ♘c4 ♕b4] **♘d4 18. ♗g2?!** [18. ♗f2±] **♖c8 19. ♗f2 f5! 20. f4** [20. ♘g5? ♖c3! 21. ♘e6 ♕e6 22. ♗d4□ (22. bc3 ♕b6−+) ed4 23. bc3 dc3 24. ♔a1 ♕e2! (24... ♕b6 25. ♖b1 ♕f2 26. ♗f1 ♕c2 27. ♗c4 △ ♖b7+−) 25. ♖hg1 ♕c2 26. ♖b1 ♕d2 27. a3□∓] **fe4 21. fe5 ♖c4** [⌓ 21... ♖d8! *a)* 22. ♘e2? ♗a2∓; *b)* 22. ♖he1?! ♗g4! 23. ♖d2 ♕h6! 24. ♗e3 (24. ♖d4 ♖d4 25. ♗d4 ♕d2∓) ♕h4 25. ♗f2=; *c)* 22. ♖d2! ♗f5 (22... ♘b3? 23. ab3+−) 23. ♗e3!±] **22. ♖he1** [22. ♘e2! ♖a4 (22... ♕b2 23. ♔b2 ♖c2 24. ♔a1 ♘e2 25. ♗e1+−) 23. b3! ♖a2 (23... ♗b3 24. ab3+−) 24. ♗d4+−] **♖b4!? 23. ♔c1** [23. b3! ♗b3 24. ab3 ♖b3 25. ♔c1± Joel Benjamin] **♗g4? 24. ♘d5 ♕c5 25. ♘b4 ♗d1 26. ♔d1!** [26. ♖d1? ♘e2] **e3** [26... ♕b4 27. ♖e4+−] **27. ♖e3 ♘f5 28. ♗d5!** [28. ♖f3 ♕b4 29. ♖f5 ♕g4] **♔f8** [28... ♔h8 29. ♖c3+−] **29. ♖f3 ♕b4 30. ♖f5 ♔e8**

31. e6 [31... ♕b2 32. ♗c5] **1 : 0**
[Anand]

246. **B 63**

MOKRÝ 2500 – CONQUEST 2490
Gausdal 1989

1. e4 c5 2. ♘f3 d6 3. d4 cd4 4. ♘d4 ♘f6 5. ♘c3 ♘c6 6. ♗g5 e6 7. ♕d2 ♗e7 8. 0-0-0 0–0 9. ♘b3 ♕b6 10. f3 ♖d8 11. ♔b1 d5 12. ♗f6 ♗f6□ N 13. ed5 a5?! [13... ♘b4? 14. ♘a4 ♕d6 15. de6 ♕d2 16. ♖d2 ♗e6 17. ♗d3±; 13... ♗c3! 14. ♕c3 ♘b4 (14... ♖d5 15. ♖d5 ed5 16. ♕c5±) 15. d6 (15. ♗c4 ed5 16. a3 ♘c2!) ♖d6 16. ♗c4⩲] **14. ♘a4 ♕a7 15. d6 b6!?** [15... ♗e5 16. ♗b5 ♖d6 17. ♕e2±; 15... e5!? △ 16. ♗b5 ♘d4] **16. ♕e3!** [16. ♗b5 ♕b7 △ ♘a7] **♖b8 17. ♗b5 ♕b7 18. ♘c3 ♘a7 19. ♗e2 ♗c3** [19... ♗d7? 20. ♘e4] **20. ♕c3 ♗d7 21. ♕c7! ♗b5!** [21... ♕a8? 22. ♗d3 ♗c6 (22... ♖b7 23. ♗e4 ♖c7 24. dc7+–) 23. ♘d4 *a)* 23... ♗d5 24. c4 ♖b7 25. cd5 ♖c7 26. dc7 ♖d7 (26... ♖d5 27. ♗e4) 27. ♖c1! ♕d5 (27... ♘c8 28. ♗b5) 28. c8♕ ♘c8 29. ♖c8 ♖d8 30. ♖d8 ♕d8 31. ♖d1+–; *b)* 23... ♖d7 24. ♘c6 ♖c7 25. dc7 ♖e8 (25... ♖c8 26. ♗e4 ♘c6 27. ♗c6+–; 25... ♖f8 26. ♘e7 ♔h8 27. ♗a6+–) 26. ♘a7 ♕a7 27. ♗b5 ♖f8 28. ♖d7 ♕b7 29. ♖hd1 △ ♖e7+–] **22. c4□ ♗a4 23. ♗d3 ♖dc8** [⌓ 23... ♖d7 24. ♕b7 ♖bb7 25. ♗c2! ♖d8 26. c5 ♗b3 27. ♗b3 bc5 28. ♖c1±⊥] **24. ♕b7 ♖b7 25. c5± ♖bb8** [25... ♗b3 26. ♗a6 ♗d1 (26... ♖bb8 27. ♗c8 ♖c8 28. d7+–) 27. ♗b7 ♖b8 (27... ♗a4 28. cb6+–) 28. ♖d1 ♖b7 29. d7+–] **26. cb6 ♖b6 27. d7 ♖d8** [27... ♗d7 28. ♗h7 ♔h7 29. ♖d7 ♘b5 30. ♖c1+–] **28. ♗c2 ♘b5?!** [△ 29... ♗b3 30. ♗b3 a4; ⌓ 28... ♘c6±] **29. ♖d3!+– e5 30. ♖e1 ♖e6** [30... f6 31. ♖e4 ♗b3 32. ♖b3] **31. ♖e4 ♗b3 32. ♗b3 ♖e7 33. ♗a4 ♘c7 34. ♖c4 ♘e6 35. ♖d5⊕** [35. ♖c8 ♔f8 36. ♖dc3 △ ♖d8+–] **f6 36. ♖c8 ♔f7 37. ♖d8 ♘d8 38. ♖a5 e4 39. fe4 ♖e4 40. ♖a8 ♔e7 41. ♗b5 ♖e1 42. ♔c2 ♖g1 43. a4 ♖g2 44. ♔b3 f5 45. a5 f4 46. ♖d8**
1 : 0 **[Mokrý]**

247. **B 63**

HÜBNER 2600 – J. PIKET 2500
Lugano 1989

1. e4 c5 2. ♘f3 d6 3. d4 cd4 4. ♘d4 ♘f6 5. ♘c3 ♘c6 6. ♗g5 e6 7. ♕d2 ♗e7 8. 0-0-0 0–0 9. ♘b3 ♕b6 10. f3 ♖d8 11. ♘b5!? ♖d7□ [11... d5 12. ♗e3 de4 13. ♗b6 ♖d2 14. ♘d2 ab6 15. ♘e4±] **12. ♕e1!? a6** [12... d5 13. ♗f6?! ♗f6 14. ed5 a6!=∞; 13. e5!±] **13. ♗e3 ♕d8 14. ♘5d4 ♘d4 15. ♗d4 e5!? 16. ♗c3 d5! 17. ♗e5** [17. ed5 ♘d5 18. ♗e5 ♗g5 19. ♔b1 ♘c3–+] **de4 18. ♖d7 ♗d7! N** [18... ♘d7 – 46/(257)] **19. fe4** [19. ♗f6 ♗f6 20. ♕e4 ♗c6 21. ♕d3 ♕b6=∞] **a5!□ 20. ♔b1** [20. ♗d3; 20. a3] **a4 21. ♘c1 a3 22. b3 ♘g4 23. ♗c3?** [23. ♗a1□ ♗f6 24. e5 ♕e7 25. ♗b5! (25. ♘d3? ♖e8) ♗e5 (25... ♗b5 26. ef6 ♕e1 27. ♖e1 ♘f6=) 26. ♗d7 ♕d7 27. ♗e5 ♖e8 28. ♘d3 ♘e5 29. ♘e5 ♕d4 30. ♕c1 ♕e5 31. ♕a3 ♕e2=] **♕c7 24. ♗d4** [24. ♗d3? ♘f2!] **♖c8 25. ♗d3 ♗f6** [25... ♗c5! 26. ♗a1 ♗b6!→ Hübner] **26. ♗f6 ♘f6 27. e5!** [27. ♕b4 ♕e5 28. ♕a3 ♘e4 29. ♕b2 ♘c3 30. ♔a1 ♕g5 31. g3 ♕d2∓] **♘g4 28. ♕b4! ♘e5** [28... ♘f2? 29. ♗h7 ♔h7 30. ♕h4 ♔g8 31. ♕f2 ♕c3 32. ♘d3 ♗b5 33. ♖d1±] **29. ♗e4 ♘g4! 30. ♖e1 ♘f6 31. ♗d3 ♕h2 32. ♕b7** [32. ♕a3 ♕g2 △ h5-h4-h3–+] **♕h4! 33. ♖d1!□** [33. ♖e2? ♕d4 34. c4 ♖e8 35. ♕f3 ♖e2 36. ♕e2 ♗g4 37. ♕c2 ♗d1! 38. ♕d2 ♘e4–+] **♕h5! 34. ♖d2?** [34. ♗e2 ♕e5 35. ♕c8 ♗c8 36. ♖d8 ♘e8–+; 34. ♖e1□ ♕a5! (34... ♕c5 35. ♗c4 ♕d4 36. ♘d3 ♗f5 37. ♕f7 ♔h8 38. ♖e7 ♖g8 39. ♔c1! ♗d3 40. ♗d3 ♕g1 41. ♔d2 ♕g2 42. ♔d1=) 35. b4 ♕g5∓] **♕a5! 35. b4 ♕e5 36. c4 ♖b8–+ 37. ♕f3 ♗g4! 38. ♕c6** [38. ♕f1 ♘e4–+] **♖b4 39. ♘b3 ♖b8 40. ♕a6 ♘e4** [41. ♗e4 ♕e4 42. ♔c1 ♕e1 43. ♔c2 ♗f5 44. ♔c3 ♕e3] **0 : 1**
[J. Piket]

248.*** **B 66**

BELJAVSKIJ 2640 – SALOV 2630
Barcelona 1989

1. e4 c5 2. ♘f3 ♘c6 3. d4 cd4 4. ♘d4 ♘f6 5. ♘c3 d6 6. ♗g5 e6 7. ♕d2 a6 8. 0-0-0 h6 9. ♗e3 [RR 9. ♗f4 ♗d7 10. ♘c6 ♗c6 11. f3 d5 12. ♕e1 ♗b4 13. a3 ♗a5 14. ♗d2 ♕e7 15. e5 ♘d7 16. ♔b1 d4 N (16... ♗c7 – 38/262) 17. ♘e4 ♗d2 18. ♘d2 0–0 19. f4!? (19. ♘b3 ♕g5⩲ Holmov 2510 – Širov 2450, Budapest (open) 1989) ♘c5 (19... f6 20. ♘b3 fe5 21. fe5 ♖f5 22. ♘d4 ♖e5 23. ♘c6 bc6 24. ♕g3±) 20. ♘c4 ♖fd8 21. ♘d6± Holmov] **♗e7 10. f4 ♘d4 11. ♗d4 b5 12. ♗e2?!** [RR 12. ♗d3 ♗b7 13. ♕e2 ♕a5 14. e5 de5 15. fe5 ♘d5 16. ♔b1 0–0 17. ♖hf1 ♖ad8 N (17... ♖ac8 – 33/(281)) 18. ♘d5 ♗d5 19. b3 ♗c6 20. ♕e3 ♖d7 21. c3 1/2 : 1/2 Sax 2610 – van der Wiel 2560, Rotterdam 1989; 20. ♖f4⩲ Sax] **b4 13. ♘a4 ♘e4 14. ♕e3 ♘f6 15. ♗f3 ♖b8** [RR 15... d5 16. ♔b1 ♗d7 N (16... 0–0 – 43/253) 17. ♘b6 ♖b8 18. g4 ♗b5 19. h4 ♔f8 20. g5 ♘e8 21. f5 e5 22. ♕e5 ♖b6 23. ♗b6 ♕b6 24. ♗d5=/∞ M. Chandler 2610 – Kosten 2510, Hastings 1988/89] **16. ♔b1?! N** [16. ♗a7 ♗d7 17. ♗b8 (17. ♘b6 – 45/(241)) ♕b8 18. ♘b6 ♗b5 19. b3 0–0 20. ♘d5? ed5 21. ♕e7 ♖e8–+; ⌓ 16. g4] **♗b7** [⌓ 16... 0–0!∓] **17. g4 ♗f3 18. ♕f3 ♕d7**

19. ♘c5!□ [19. b3 ♕b7 20. ♕e2 ♕b5∓] **dc5** [19... ♕b5 20. a4! ba3 21. c4 ♕a5 (21... ♕c4? 22. ♕c6+–) 22. ♕c6 ♔f8 23. ♘a6 ab2!? (23... ♖b3 24. ♔c2 ♖h3 25. b4±) 24. ♘b8 ♕a1 25. ♔c2 b1♕ 26. ♖b1 ♕d4 27. ♕c8 ♘e8 28. ♘d7 ♔g8 29. ♕e8 ♔h7 30. ♕e7 ♕c4=] **20. ♗f6 ♕b7 21. ♕b7 ♖b7 22. ♗g7 ♖g8 23. ♗h6 ♖g4 24. ♖dg1!=** [24. ♖hg1? ♖d7!∓] **♖h4 25. ♖g8 ♔d7 26. ♗g5 ♗g5 27. fg5 ♔c6** [27... ♔e7? 28. g6! △ g7∞] **28. g6?⊕** [⌓ 28. ♖e1! ♖h2 29. g6 fg6 30. ♖g6=] **fg6 29. ♖g6** [29. ♖e1!?=] **♖e4!∓ 30. b3 ♖h7 31. ♖g2** [31. h4 ♖h5 32. ♔b2 ♔d5 △ ♖eh4∓] **a5 32. ♖d2 ♖h5 33. ♖hd1 ♖d5 34. ♖d5** [34. ♔b2 ♖h4 (△ ♖h2∓) 35. ♔c1 ♖h3∓] **ed5 35. ♖g1** [35. ♖d2? a4! 36. ba4 ♖e1 37. ♔b2 c4 38. c3 bc3 39. ♔c3 ♔c5 △ d4∓] **♖h4 36. ♖g6 ♔b5 37. ♖g5 d4 38. ♖g8** [38. ♖g2 a4 39. ba4 ♔a4 △ c4] **a4 39. ♖b8 ♔c6 40. ba4 ♖h2** [♖ 7/h] **41. a5 ♖h3** [41... ♖h7 42. ♖b6 ♔d5 43. a6=] **42. ♖b6 ♔d5 43. a6 ♔c4 44. ♔b2 ♖a3 45. ♔b1 ♖g3 46. ♔b2 ♖h3 47. ♖b8** [47. ♔c1 ♔c3 48. ♔d1 ♖h1 49. ♔e2 ♖h2 50. ♔f3 ♖c2 51. ♖b5 ♖a2 52. ♖c5 ♔b3–+] **♖a3 48. ♖b6 ♖a5 49. ♔b1□ ♖a4** [49... ♔c3 50. ♖h6 c4 51. ♖h3 d3 52. cd3 cd3 53. ♖h6 d2 54. ♖c6 ♔d3 55. ♖d6=] **50. ♔b2 ♖a3 51. ♔b1 d3** [51... ♔c3 52. ♖c6 c4 53. ♖h6 ♖a5 54. ♖h3 d3 55. cd3 cd3 56. ♖h6=] **52. cd3 ♔d3 53. ♔b2 ♔c4 54. ♔b1 ♖g3 55. ♖h6 ♖g7 56. ♖h3 ♖g6 57. a3 1/2 : 1/2** **[Beljavskij]**

249.*** **B 66**

ŠABALOV 2425 – RUBAN 2420
Tbilisi 1989

1. e4 c5 2. ♘f3 ♘c6 3. d4 cd4 4. ♘d4 ♘f6 5. ♘c3 d6 6. ♗g5 e6 7. ♕d2 a6 8. 0-0-0 h6 9. ♗e3 ♘d4 10. ♗d4 b5 11. ♕e3 [RR 11. f3 ♗e7 *a)* 12. ♗f6 gf6 13. ♘e2 N (13. f4) ♕b6 14. ♘f4 h5 15. g4!? hg4 16. fg4 ♗b7 17. ♗g2 (17. ♗d3!? Tringov) ♖g8 18. h3 b4 19. ♔b1 a5 20. ♖hf1 a4 21. ♘h5 ♖g6 22. ♕d4 (Tringov 2425 – Ermolinskij 2480, Forli 1989) ♕c5∓ Ermolinskij; *b)* 12. ♕f2 ♗d7 13. ♔b1 b4 N (13... ♕c7 – 30/395) 14. ♘e2 e5 15. ♗e3

♗e6 16. ♘c1 ♕b8 (16... d5? 17. ed5 ♘d5 18. ♗c4±) 17. ♗d3 a5 (17... d5?! 18. ed5 ♘d5 19. ♗c5 △ ♗e4) 18. g4 a4 19. h4 h5 (Dončev 2495 – Ruban 2395, Šibenik 1988) 20. ♗g5∞ Ruban] **e5** [11... b4? 12. e5! N (12. ♘a4 — 35/268) *a)* 12... bc3 13. ef6 cb2 14. ♔b1 g6 (14... gf6 15. ♕f3) 15. f4 △ g4, f5+–; *b)* 12... ♘g4 13. ♕f3 bc3 14. ♕a8 cb2 15. ♔b1 de5 16. ♗a6 ed4 (16... ♗a6 17. ♕a6 ed4 18. ♕a4+–) 17. ♗c8 ♘f6 18. ♕a4 ♔e7 19. ♕a7 ♔e8 20. ♗b7 1 : 0 Šabalov 2425 – Dautov 2535, Tbilisi 1989; *c)* 12... ♘d7 13. ♘e4 d5 14. ♘d6 ♗d6 15. ed6 0–0 16. f4±] **12. ♗b6 ♕d7** [12... ♘g4 13. ♗d8 ♘e3 14. fe3 ♔d8 15. a4!±⊥] **13. f4! N** [13. ♗e2?! ♗e7 △ 0–0, ♕b7; 13... ♗b7 — 32/270] **ef4** [RR 13... b4 14. ♘d5 ♘d5 15. ed5 ♗e7 16. h4⩲ Ruban] **14. ♕e1!?** [RR ⌓ 14. ♕f4 ♗e7 15. ♔b1 ♕b7 16. ♗d4 ♗e6! 17. ♗d3 (17. ♗f6 ♗f6 18. ♕d6 ♖d8=∞) b4 18. ♘d5 ♘d5 19. ed5 ♕d5 20. b3 ♕g5 21. ♕g5 hg5! 22. ♗g7± Ruban] **♕b7!□ 15. ♗d4** [15. ♘d5 ♘d5 16. ed5 ♗e7 17. ♗d4 0–0 18. ♗d3 ♗g4 19. ♖d2 ♗h5 △ ♗g6∓; 15. e5!? ♕b6 16. ef6 ♕e3 17. ♕e3 fe3 18. ♘d5 ♖a7 19. ♘e3∞] **♗e7 16. ♗d3** [16. e5!? de5 17. ♕e5 ♕b8!; 17. ♗e5] **♗g4!** [RR 16... 0–0?! 17. e5 de5 18. ♕e5 △ ♗e4 Ruban] **17. ♖d2?!** [17. e5 de5 18. ♕e5 *a)* 18... ♗d1 19. ♘e4! ♔f8 (19... 0–0 20. ♘f6 ♗f6 21. ♕f5+–) 20. ♖d1±↑; *b)* 18... 0–0! 19. ♖de1 △ ♕f4∞] **0–0 18. e5 de5 19. ♕e5 ♖ad8!** [RR 19... ♖ac8 20. ♕f4 ♗e6 21. h4 b4 22. ♘e4⩲ Ruban] **20. ♕f4 ♗e6 21. h4 b4 22. ♗f6 ♗f6 23. ♘e4 ♗e7** [RR 23... ♗d4?! 24. ♘d6! ♕b6 (24... ♖d6? 25. ♕d6 ♗e3 26. ♗h7+–) 25. ♗h7 ♔h7 26. ♕d4⩲ Ruban] **24. g4 ♕d5 25. b3 ♕d4 26. ♔b1 ♗d6 27. ♕f2□ ♗e5 28. ♕d4 ♖d4∓ 29. g5 ♗d5 30. ♖e2 h5! 31. ♖g1 g6 32. ♘c3 ♖d3?⊕** [32... bc3 33. ♖e5 ♗a8 △ ♖h4-h1–+] **33. ♖e5 ♖c3 34. ♖d5 ♖e8 35. ♖d4⊕** [35. ♖g2 ♖e4 36. ♖f2=] **♖e2 36. ♖c1 a5 37. ♔b2 ♖c5 38. ♖f4 ♔g7 39. ♖d4 ♖f2 40. ♖e4 ♖g2 41. ♖f4** [41... ♖f5 42. ♖c4 ♖g4 43. c3!⇆]
1/2 : 1/2 **[Šabalov]**

250.* **B 66**

OLL 2510 – RUBAN 2420
Tbilisi 1989

1. e4 c5 2. ♘f3 ♘c6 3. d4 cd4 4. ♘d4 ♘f6 5. ♘c3 d6 6. ♗g5 e6 7. ♕d2 a6 8. 0-0-0 h6 9. ♗e3 ♘d4 10. ♗d4 b5 11. ♕e3! ♗d7!? [RR 11... ♘g4!? 12. ♕g3 e5 13. ♗e3 ♗e6 Ruban] **12. f4** [12. e5 N *a)* 12... ♘g4? (Šabalov 2425 – Judasin 2540, SSSR 1989) 13. ♕f3! ♘e5 (13... de5 14. ♗b6) 14. ♗e5 de5 15. ♖d7+–; *b)* 12... de5 13. ♕e5 (13. ♗e5 ♘g4 14. ♖d7 ♕d7 15. ♕e4 ♖d8–+) ♕b8=] **b4 13. ♘e2 ♕c7 N** [13... e5 14. fe5 ♘g4 15. ♕f4 ♗e7 16. ♔b1±; 13... ♗e7 — 44/(248)] **14. ♗f6 gf6 15. ♔b1 ♖c8 16. ♕d2!** [16. ♖d2 ♕c5!∞] **h5 17. ♘d4 ♕b6 18. b3! ♗h6 19. ♗c4 ♔e7?** [19... ♖c5!] **20. ♕f2!± ♕a5** [20... ♕c5 21. e5?! de5 22. fe5 fe5 23. ♖hf1 ed4; 21. ♖hf1!]

21. e5!? [21. ♖hf1! △ e5±] **fe5** [RR 21... de5 22. fe5 ♕e5 23. ♖he1 △ ♘f5 Ruban] **22. fe5 ♕e5 23. ♖hf1!** [23. ♖he1 ♕f6 24. ♘f5 ♔f8 25. ♖d6 ♗g7!] **♕g7□ 24. ♕e1 ♕e5 25. ♕f2 ♕g7 26. ♕e1 ♕e5 27. ♕b4 ♖b8 28. ♕c3 ♗e3 29. g3** [RR 29. ♗a6!± Ruban] **♖hc8 30. ♖fe1 ♗d4 31. ♖d4 ♕c5** [RR 31... ♕g5; 31... ♕h8! Ruban] **32. ♖f4 ♕g5 33. ♕d3** [⌓ 33. ♕d2] **♕g7 34. ♖d1 ♖b6 35. ♗a6!± ♖c3** [35... ♖cc6 36. ♗c4 d5 37. ♕d2±] **36. ♕e2 e5 37. ♗c4 ♗e6!?** [37... ♗g4 38. ♕e1!±] **38. ♖h4** [38. ♗e6 fe6] **♗g4 39. ♕f2! ♗d1** [39... ♖c4 40. ♕b6; 39... ♖c6 40. ♕a7+–; 39... ♖b7 40. ♕d2+–] **40. ♕b6 ♗c2 41. ♔b2 e4 42. ♕c7 1 : 0** **[Oll]**

251.* **B 66**

GEO. TIMOŠENKO 2530 – ŠIROV 2450

Tbilisi 1989

1. e4 c5 2. ♘f3 d6 3. d4 cd4 4. ♘d4 ♘f6 5. ♘c3 ♘c6 6. ♗g5 e6 7. ♕d2 a6 8. 0-0-0 h6 9. ♗e3 ♗e7 10. f4 ♗d7 11. ♗d3?! [RR 11. h3 b5 12. ♗d3 ♘d4 13. ♗d4 ♗c6 14. ♕e3 N (14. ♖he1 — 22/441; 14. ♖de1 — 26/416) b4 15. ♘e2 ♕c7 16. e5 de5 17. ♗e5 ♕b7 18. f5 ♘d5 19. ♕g3± Geo. Timošenko 2530 – Širov 2450, Moskva (GMA) 1989] **♘g4! N** [11... b5 — 22/442] **12. ♘c6** [12. ♗g1 ♘d4 13. ♗d4 e5 14. ♗g1 ef4 15. ♘d5 ♘e3 16. ♘e3 fe3 17. ♗e3 ♗e6=] **bc6!?** [12... ♗c6 13. ♗g1 ♕c7 (13... b5?! 14. e5!) 14. ♕e2 ♘f6 15. g4=] **13. ♗g1 ♕c7∞ 14. h3 ♘f6 15. g4 c5 16. g5 hg5 17. fg5 ♘g4!** [17... ♘h7? 18. ♗e3±; 17... ♘h5 18. h4±] **18. ♗e2 ♘e5 19. h4 g6?!** [19... ♖b8 20. h5 ♗c6∞] **20. ♗e3 ♕b6** [20... ♖b8!?] **21. ♗f4 0-0-0 22. ♕e3 f6 23. ♘b1! ♘f7** [23... fg5 24. ♗e5 de5 25. hg5±] **24. ♕a3 ♗c6?!** [24... ♗b5 25. gf6 ♗f6 26. ♗g4±] **25. ♗d2 ♗e4** [25... ♖d7 26. ♗a5 ♕b7 27. ♘d2±] **26. ♗a5 ♕c6 27. ♗d8 ♔d8 28. ♖h3!± fg5 29. ♖b3 gh4 30. ♘c3 ♗g5 31. ♔b1 ♗f5** [31... ♔e7 32. ♘e4 ♕e4 33. ♗f3 ♕e5 34. ♕a6± δa] **32. ♗a6! ♕g2** [32... ♔e7 33. ♗b7 ♕c7 34. ♗h1 ♖b8 35. ♘b5 ♕d7 36. ♘d6!+–] **33. ♖b7 ♗c2** [33... ♕c2 34. ♔a1 ♔e8 35. ♗b5 ♔f8 36. ♕a7! (36. ♕a8 ♔g7 37. ♖f7? ♔f7 38. ♕h8 ♗c1=) ♘d8 37. ♗a4 ♕g2 38. ♖d7+–] **34. ♔a1 ♗d1 35. ♖f7!+–** [35. ♕a5 ♔e8 36. ♕c7 ♕b7 37. ♗b7±; 36... ♖h7!?∞] **♔e8 36. ♗f1 ♔f7** [36... ♕c6 37. ♕a7 ♗a4 38. ♖c7 ♖f8 39. ♗g2+–] **37. ♗g2 h3⊕ 38. ♘d1 hg2 39. ♕f3 ♗f6 40. ♕g2 d5**

1 : 0 **[Geo. Timošenko]**

252. **B 66**

SAX 2610 – LJUBOJEVIĆ 2580

Rotterdam 1989

1. e4 c5 2. ♘f3 ♘c6 3. d4 cd4 4. ♘d4 ♘f6 5. ♘c3 d6 6. ♗g5 e6 7. ♕d2 a6 8. 0-0-0 h6 9. ♗e3 ♗d7 10. f4 b5 11. ♗d3 ♕c7 12. ♗b5 N [12. ♖he1 ♘d4 — 24/399; 12... ♘a5!] **ab5 13. ♘db5 ♕b8 14. ♘d6 ♗d6 15. ♕d6 ♕d6** [15... ♘a5 16. b3 ♕d6 17. ♖d6 ♖c8 18. ♗d4 ♘c6 19. ♗f6 gf6 20. ♖hd1±; 17... ♗c6=] **16. ♖d6 ♘e7?!** [16... ♘a5] **17. ♗c5 ♗c6 18. ♖e1 0–0** [18... ♘d7 19. ♗b4] **19. f5 ♖fc8** [19... ♖a5 20. b4 (20. ♗b4 ♖e5) ♖c5 21. bc5 e5 22. g4 △ ♘d5±] **20. fe6 ♘e4 21. ef7 ♔f7 22. ♖e4 ♗e4 23. ♘e4 ♘f5?** [23... ♖a2 24. ♔b1 ♖aa8 25. ♖d7 ♖e8 26. ♖b7 ♔e6=] **24. ♖d5 ♔e6 25. ♖f5 ♔f5 26. ♘d6 ♔e5 27. ♘c8 ♖c8** [♖ 2/m] **28. b4?** [28. ♗b4] **♔d5 29. a4 ♔c4 30. ♔b2 ♖c6?** [30... ♖e8] **31. ♗f8 ♖a6 32. ♔a3 ♖g6 33. b5** [33. g3 ♖f6] **♖g2 34. b6 ♖g1?** [34... ♖c2? 35. ♗g7+–; 34... ♖g6! 35. a5 ♖g5=] **35. ♔b2?⊕** [35. c3! ♔c3 36. ♗b4 ♔c2 37. ♗d6 ♖b1 38. a5 g5 (38... ♔d3 39. ♗e5 ♖b5 40. ♔a4 ♔c4 41. ♗d4! ♖b4 42. ♔a3 ♖b3 43. ♔a2 ♖b5 44. a6+–) 39. ♗e5 ♔d3 (39... ♖b5 40. ♔a4 ♖e5 41. b7+–; 39... h5 40. ♗d4 ♔d3 41. a6 ♔d4 42. a7+–) 40. ♗b2 ♔c2 41. a6+–] **♖g6 36. a5 ♖g5 37. ♗g7 ♖a5 38. ♗h6 ♖b5 39. ♔c1 ♖b6 40. ♗g5 ♖e6**

1/2 : 1/2 **[Sax]**

253.** **B 70**

JOEL BENJAMIN 2545 – GUFEL'D 2490

New York 1989

1. e4 c5 2. ♘f3 d6 3. d4 cd4 4. ♘d4 ♘f6 5. ♘c3 g6 6. ♗c4 [RR 6. ♗e2 ♗g7 7. 0–0 0–0 8. ♘b3 *a)* 8... ♘c6 9. ♗g5 ♖b8 10. a4 ♗e6 11. ♔h1 ♘a5 12. ♘a5 (12. f4 — 44/254) ♕a5 13. f4 ♕b4 14. f5 ♕b2 15. ♗d2 ♗d7 16. ♖b1 ♕a3 17. ♕e1 ♕c5 18. ♗d3 d5 19. ed5 ♘d5 20. ♘e4 ♕c8 21. fg6 fg6 22. ♖f8 ♗f8 23. ♕h4∞ Kosten 2505 – Koch 2390, Cannes (open) 1989; *b)* 8... ♘bd7 9. ♔h1 a6 N (9... b6 — 35/278) 10. a4 b6 11. f4 ♗b7 12. ♗f3 b5 13. ♕e1 ♕c7 14. e5 de5 15. fe5 ♘e5 16. ♗b7 ♘eg4!∓ Henao 2420 – Kudrin 2555, New York 1989] **♗g7 7. h3 0–0 8. ♘f3?! N** [8. ♗e3 — B 72; 8. 0–0 — 46/269; 8. ♗b3 — 45/245] **♘bd7!? 9. 0–0 a6 10. a4**

b6 11. ♕e2 ♗b7 12. ♗f4 ♕c7 13. ♖fe1 [13. e5? ♗f3] **e6! 14. ♖ad1 ♘e5 15. ♗b3** [15. ♘e5?! de5∓] **♘fd7 16. ♘d2** [16. ♖d2?! ♘f3 17. gf3 ♘e5∓] **♘c5 17. ♗e3 ♖ad8∓ 18. ♗g5?!** [18. f4!?] **♖d7 19. ♕e3?! d5!∓ 20. ed5 ed5 21. ♕g3 ♘e6! 22. h4 ♘g5 23. hg5 ♖fd8 24. ♘f1 ♔f8!! 25. ♕h4 ♘c4! 26. ♗c4 ♕c4 27. ♕h7?** [27. ♕c4 dc4∓⊡] **♕g4 28. ♖d3 ♕g5** [28... d4 29. ♖g3 ♕f5 30. ♘e2 ♕c2 31. ♘f4 △ ♘h5∞] **29. ♖h3 d4! 30. ♘e4 ♕e5 31. ♘fd2 d3! 32. ♘f3 ♕b2 33. cd3 ♖d3 34. ♘eg5 ♖d1 35. ♖d1 ♖d1 36. ♔h2 ♕f2–+ 37. ♘f7** [37. ♘e6 fe6 38. ♕g6 ♗e5! 39. ♘e5 ♕g1 40. ♔g3 ♕g2 41. ♔h4 ♕h3! 42. ♔h3 ♖h1 43. ♔g4 ♖g1–+] **♗f3! 38. ♖f3 ♕g1 39. ♔g3 ♕e1 40. ♔g4 ♖d4 41. ♔g5 ♕e7 42. ♔g6 ♕e6 43. ♔g5 ♕g4# 0 : 1** **[Gufel'd]**

254. **B 71**

VAN DER WIEL 2560 – J. PIKET 2500
Wijk aan Zee 1989

1. e4 c5 2. ♘f3 d6 3. d4 cd4 4. ♘d4 ♘f6 5. ♘c3 ♘c6 6. f4 g6 7. ♘c6 bc6 8. e5 de5 9. ♕d8 ♔d8 10. fe5 ♘g4 11. ♗f4 ♗e6 12. h3 [12. ♘e4±] **♗h6 13. ♘e2! N** [13. ♗h6] **♗f4** [13... ♘e3!? 14. ♗h6 (14. ♔d2?! ♘c4! 15. ♔c3 ♗g7 16. ♘d4 ♘e5 17. ♘e6 fe6∞) ♘c2 15. ♔d2 ♘a1 16. ♘c1! (16. ♘d4?! ♗a2 17. ♘c6 ♔c7 18. ♘b4 ♗e6 19. ♘a6!∞↑; 16. b3!?) ♔c7 17. ♔c3 ♖hb8 18. b3± △ 18... a5 19. ♗d3 a4 20. b4; 18. ♗g5!?] **14. ♘f4 ♘e5 15. ♘e6 fe6 16. 0-0-0 ♔c7 17. ♖e1 ♔d6 18. ♖e3!±** [△ ♗e2, ♖d1; 18. ♗a6 ♘d7!∞] **♘d7 19. ♗c4 e5 20. ♖d1 ♔c7 21. ♗e6 ♖hd8** [21... ♖ad8? 22. ♖a3] **22. ♖de1 ♖ab8 23. ♗d7** [23. b3! ♖b5 24. a4 ♖a5 25. ♔b2±; 23... ♖b7] **♖d7 24. ♖e5 ♔d8 25. b3 ♖bb7 26. ♖5e4 ♖d6 27. ♖f1! ♔e8 28. ♖ef4 ♖b5** [28... h5] **29. ♖f8 ♔d7 30. ♖a8 ♖a5 31. a4 ♖f6 32. ♖d1** [32. ♖f6 ef6 33. ♖g8! ♔c7!? (33... ♖g5 34. ♖g7 ♔d6 35. ♖h7 ♖g2 36. ♖a7 f5±) 34. ♖g7 ♔b6 35. ♖h7 ♖g5 36. g4 f5±] **♖d6 33. ♖d6 ♔d6** [♖ 7/h; 33... ed6?! 34. ♖g8±] **34. g4!** [△ 34... h5 35. ♖g8 ♖g5 36. gh5] **e6!** [34... ♖g5 35. ♖a7 h5 36. gh5 ♖h5 37. a5] **35. ♖d8?⊕** [35. h4! *a)* 35... h5 36. g5 ×a7, g6; *b)* 35... ♔e5 36. g5! (36. ♖f8?! h5 37. g5 ♖d5 38. ♖f6 ♖d4 39. ♖g6 ♖h4±) ♔f4 37. ♖h8 e5 38. ♖h7 ♖d5! 39. ♖f7! ♔g4 40. ♖a7±; *c)* 35... h6!? (△ 36. ♖h8 h5) 36. ♖d8! ♔e7 (36... ♔e5 37. ♖h8) 37. ♖h8 ♔f6!? (37... h5 38. g5 ♖f5 39. ♖h7 ♖f7? 40. ♖f7 ♔f7 41. b4+–) 38. ♖h6 ♔g7 39. g5±] **♔e7 36. ♖c8** [36. ♖h8!?] **♔d6 37. ♖g8** [37. h4 h5 38. g5 ♖f5±] **♖g5! 38. ♖g7 h5 39. ♖a7?!** [⌓ 39. gh5 ♖h5 40. ♖a7 ♖h3 41. ♖g7⩲] **hg4 40. hg4 ♖g4** [♖ 7/j] **41. ♖b7?!** [41. a5 *a)* 41... ♔c5 42. ♖b7; *b)* 41... ♖f4 42. ♖g7! ♖f5 43. b4 ♖b5 44. c3 c5 45. a6 cb4 46. a7 ♖a5 47. cb4+–; 42... ♖f6±; 42... ♔c5!?; *c)* 41... c5! 42. ♖a6 ♔d7± △ 43. ♖b6 ♖b4; *d)* 41... ♖b4!?] **c5!⩲** [△ 42. a5 ♖b4] **42. ♔d2 g5 43. a5** [43. ♖g7 ♖g1] **♖b4 44. ♖g7 ♖b5 45. a6 ♖a5 46. a7 ♔c6 47. ♔c3 ♔b6 48. ♔c4** [48. ♖e7 ♖a7 49. ♖e6 ♔b5 50. ♖e5 g4= 51. b4 ♖a3!] **♖a7 49. ♖g6** [49. ♖g5 ♖h7=] **♖e7 50. c3 ♖e8 51. ♖g5 ♖h8 52. ♖e5 ♖h4 53. ♔d3 ♖h3 54. ♔d2** [54. ♖e3 c4] **♖h2 55. ♖e2 ♖h6 56. ♔d3**
1/2 : 1/2 **[van der Wiel]**

255.** **B 72**

KUPREJČIK 2520 – PIGUSOV 2525
Moskva (GMA) 1989

1. e4 c5 2. ♘c3 ♘c6 3. ♘f3 g6 4. d4 cd4 5. ♘d4 ♗g7 6. ♗e3 ♘f6 7. ♗c4 0–0 8. 0–0 [RR 8. ♗b3 d6 9. h3 ♘d4 10. ♗d4 b5 11. 0–0 ♗b7 12. ♗d5 N (12. ♕d3 – 10/492) ♕d7 13. a3 ♖ac8 14. ♕d3 ♗d5 15. ed5 ♖c4 16. a4 a6 17. ab5 ab5 18. ♖a7 ♕f5∞ Ye Jiangchuan 2505 – Pétursson 2530, Thessaloniki (ol) 1988] **d6 9. h3 ♘e4** [RR 9... ♘a5 10. ♗b3 b6 11. ♕d3 ♘b3 12. ab3 ♗b7 13. ♖ad1 N (13. ♖fd1) ♖c8 14. ♖fe1 a6 15. ♗g5 ♖e8 16. ♕e3 ♖c5 17. b4 ♖c3 18. ♕c3 ♘e4 19. ♕e3 ♘g5 20. ♕g5 ♗f6∞̄ Gavrikov 2545 – A. Schneider 2435, Debrecen 1988] **10. ♗f7 ♖f7 11. ♘e4 h6 N** [11... ♘d4 – 45/(239)] **12. c3 ♔h7 13. ♕b3** [13. f4!?] **d5 14.**

♖ad1?! [14. ♘c5!?] **♘a5** [14... ♗d4 15. ♗d4 ♘a5 16. ♕b5 de4 17. ♗e5 ♕b6 18. ♕e8+−] **15. ♕b4 b6 16. ♘b3 ♗a6 17. ♖fe1 ♘c4 18. ♗c1 e6 19. ♘bd2 ♘e5∓ 20. ♘d6?** [20. ♕a4 ♗d3! 21. ♘g3 b5 22. ♕b3 ♕b6 23. ♘h1∓] **♖f2−+ 21. ♘2c4 ♘c4 22. ♘c4 ♕h4! 23. ♘e3 ♕b4 24. cb4 ♖e2 25. ♖e2 ♗e2 26. ♖e1 ♗d3 27. ♘g4 ♗f5 28. ♘e5 ♖c8 29. ♘f7 ♖c2 30. ♘d6 e5 31. g4 ♗d3 32. g5 hg5 33. ♘f7 e4 34. ♘g5 ♔g8 35. ♘e6 ♗e5 36. ♘f4 ♖c1 37. ♘d3 ♖e1 38. ♘e1 ♗b2 39. ♔f2 ♔f7 40. ♘g2 ♗c1 41. ♔e2 ♔f6 42. b5 ♗g5 43. ♔d1 ♔e5 44. ♘e1 d4 45. ♘c2 ♗e7**
0 : 1 **[Pigusov]**

256.* **B 72**

W. WATSON 2500 − B. LARSEN 2560
Esbjerg 1988

1. e4 c5 2. ♘f3 g6 3. d4 cd4 4. ♘d4 ♗g7 5. ♘c3 ♘c6 6. ♗e3 ♘f6 7. ♗c4 0−0 8. 0−0 d6 9. h3 ♗d7 10. ♗b3 a6 N [10... ♖c8; 10... ♘a5; 10... ♘d4; 10... ♕a5] **11. ♖e1 ♖c8** [11... b5!? 12. ♘d5 ♘d5 13. ed5 ♘e5 14. ♕e2 ♕c7 15. c3 ♗f6!? 16. ♖ad1 ♖fc8 17. ♘f3 a5= Wedberg 2510 − Lindemann 2345, Næstved 1988] **12. ♘d5 ♘a5 13. ♕d3 ♘d5 14. ed5 ♖e8 15. c3 ♕c7 16. ♗g5 ♘b3** [16... ♔f8 17. ♖e4!] **17. ab3 ♕c5! 18. ♘f3 e5= 19. de6 ♖e6 20. ♗e3 ♕b5 21. c4** [21. ♕d2 ♕b3 22. ♘d4 ♗d4 23. ♗d4 ♖ce8] **♕b4 22. ♘d4 ♗d4 23. ♕d4 ♖ce8 24. ♖ed1** [24. ♕d3 ♗c6 25. ♖ed1 (25. ♔h2 d5) ♗e4] **♕b3 25. c5 d5 26. ♖d3 ♕c2 27. ♖d2⊕ ♕f5⊕ 28. ♕d5 ♕d5 29. ♖d5 ♗c6 30. ♖d3 h5 31. ♖ad1 f6 32. ♖d8 ♔f7 33. ♖e8 ♖e8 34. h4 a5 35. ♖d6 ♖e4 36. ♖d4 ♖d4**
1/2 : 1/2 **[B. Larsen]**

257.** **B 74**

KINDERMANN 2515 − CEBALO 2505
München 1989

1. e4 c5 2. ♘f3 ♘c6 3. d4 [RR 3. ♘c3 g6 4. d4 cd4 5. ♘d4 ♗g7 6. ♗e3 ♘f6 7. ♘b3 0−0 8. ♗e2 d6 9. 0−0 ♗e6 10. f4 ♘a5 11. ♔h1 (11. g4; 11. ♗d4; 11. ♘a5; 11. f5) ♗c4 12. e5 ♗e2 13. ♕e2 de5 14. fe5 ♘d5 15. ♖ad1 ♘c3 16. ♖d8 ♘e2 17. ♖a8 ♖a8 18. ♘a5 ♗e5 19. c3 ♖d8 20. ♘b7 ♖d3 21. ♗h6 f6 22. ♘c5 ♖d5 23. ♗e3 ♗h2 24. ♖e1 ♗d6 25. g4 ♖e5 1/2 : 1/2 Timman 2660 − J. Hjartarson 2610, Reykjavík 1988] **cd4 4. ♘d4 g6 5. ♗e2 ♗g7 6. ♘b3 ♘f6** [RR 6... d6 7. 0−0 ♗e6 8. ♘c3 ♖c8 9. f4 ♘f6 10. ♔h1 a6 N 11. ♗e3 0−0 12. ♗f3 ♘d7 (12... ♗c4 13. ♖f2 △ ♖d2) 13. ♗g4 ♗g4 (13... ♗c4 14. ♖f2 △ e5) 14. ♕g4 ♘b6 15. ♕e2 ♘d7 16. ♖ad1 ♘a5 17. ♘a5 ♕a5 18. e5 ♖fe8 19. ♕g4 ♘b6 (19... ♘c5 20. ♘d5 Kuprejčik) 20. ed6 ed6 21. ♗b6 ♕b6 22. ♘d5 ♕c5 23. c3± Kuprejčik 2445 − B. Larsen 2560, Esbjerg 1988] **7. ♘c3 d6 8. 0−0 0−0 9. ♔h1 ♗e6 10. f4 ♖c8 11. ♗e3 ♘a5!? 12. f5 ♗c4 N** [12... ♘c4] **13. ♗d3** [13. e5 ♘e8] **a6 14. ♕e1** [14. ♕d2!?] **♗d3 15. cd3 ♘b3 16. ab3 d5!= 17. ♗g5 d4** [17... de4?! 18. de4±] **18. ♗f6** [18. ♘e2 ♘d7!∞] **dc3** [18... ♗f6?! 19. ♘d5±] **19. ♗g7 ♔g7 20. bc3 ♕d3 21. ♖f3 ♕c2 22. ♕h4?!** [22. c4 ♖cd8 23. ♖c3 ♕d2 24. h3∓]

22... ♖c3!∓ 23. ♖f2 [23. f6 ♔g8 24. fe7 ♖e8] **♕b3 24. ♕e7 ♕b6! 25. f6 ♔g8 26. ♖d2 ♖c6!** [26... ♖c7? 27. ♕f8; 26... ♕c7?! 27. ♖ad1 ♖c1□ 28. e5∞] **27. ♖d7⊕** [27. e5!? ♖e6 28. ♖ad1! ♖e7 29. fe7 ♕e6 (29... ♖e8? 30. ♖d8) 30. ef8♕ ♔f8∓⊥] **♖f6 28. ♖b7 ♕d4 29. ♖bb1** [29.

♖ab1 ♖e6] **♖d8 30. h3 ♖e6 31. ♕b7 ♖dd6** [31... ♕e4? 32. ♕e4 ♖e4 33. ♖a6∓] **32. ♖f1 ♖f6 33. ♖fe1 ♖de6 34. ♖ad1 ♕e5 35. ♖d8 ♖e8** [35... ♔g7 36. ♕a8] **36. ♖e8** [36. ♖d5 ♕g3] **♕e8 37. e5 ♖e6 38. ♖c1 ♕b5−+ 39. ♖c8 ♔g7 40. ♕a8 ♕f1 41. ♔h2 ♕f4 42. ♔h1 ♖e5 43. ♖g8 ♔h6 44. ♖e8** [44. ♕f8 ♔h5 45. g4 ♔h4] **♖e8 45. ♕e8 ♔g7 46. ♕c8 ♕f6**
0 : 1 **[Cebalo]**

258. **B 76**

MOTWANI 2490 – B. LARSEN 2580

London 1989

1. e4 c5 2. ♘f3 ♘c6 3. d4 cd4 4. ♘d4 g6 5. ♘c3 ♗g7 6. ♗e3 ♘f6 7. ♗c4 0–0 8. ♗b3 d6 9. f3 ♗d7 10. h4 ♘d4?! 11. ♗d4 b5 12. h5 e6!? N [12... a5 – 38/277; 12... ♘h5 13. ♗g7 ♔g7 14. ♕d2± ♖h8 15. g4 ♘f6 16. e5!; 12... e5!?] **13. hg6 hg6** [13... fg6 14. e5] **14. ♕d2 a5 15. a4 ba4 16. ♘a4 ♗c6 17. 0-0-0 ♖b8 18. ♗c3 d5 19. e5 ♘d7 20. g4??⊕** [20. ♖h3 ♗a4!? (20... ♕c7 21. ♖dh1 ♖fc8? 22. ♖h8!) 21. ♖dh1 ♗b3 22. ♖h8 ♗h8 23. ♕h6 ♕g5∞] **♕c7∞ 21. ♗a5? ♕a7−+ 22. ♗b4 ♖fc8 23. ♗d6 ♗a4! 24. ♕h2 ♘f8 25. ♗b8 ♖b8 26. ♗a4 ♕a4 27. ♔b1 ♕b4 28. c3 ♕c3 29. f4 ♕f3 30. g5 ♕e4 31. ♕c2 ♕f4 32. ♖d2 ♕e5 33. ♕c1 ♕g5 34. ♖f2 ♕c1 35. ♖c1 f5 36. ♖c7 g5 37. ♔a2 ♖a8 38. ♔b1 g4 39. ♖e2 g3 40. ♖b7 ♗f6** **0 : 1**
[B. Larsen]

259. **B 76**

PSAHIS 2585 – TOLNAI 2480

Dortmund 1989

1. e4 c5 2. ♘f3 d6 3. d4 cd4 4. ♘d4 ♘f6 5. ♘c3 g6 6. ♗e3 ♗g7 7. f3 ♘c6 8. ♕d2 0–0 9. g4 ♗g4! N [Szalánczy; 9... h5 – 38/(279); 9... e5 – 45/251; 9... ♗e6 – 46/(273)] **10. fg4 ♘g4 11. ♗g1?!** [11. ♘c6? bc6 12. ♗e2 ♘e3 13. ♕e3 ♖b8 14. 0-0-0 e6!⩱; 11. ♘b3] **e6!** [△ ♕h4] **12. h4** [12. ♘c6 bc6 13. h4 ♖b8 14. h5? ♖b2∓] **h5 13. ♘c6 bc6 14. ♗e2 ♗h6! 15. ♕d3 ♘e5 16. ♕g3 ♖b8 17. b3□** [17. ♖b1 ♕a5! 18. ♗h5 (18. ♗e3 ♖b2−+) ♘c4∓] **♕a5 18. ♖d1** [18. ♔f1 f5⩱; 18. ♗d4 ♗g7 △ c5] **♗g7 19. ♖d6?** [19. ♔f1□] **♖bd8!−+ 20. ♖d8 ♖d8 21. ♔f1□ ♖d2 22. ♖h3 ♘g4 23. ♕b8** [23. ♗g4 hg4] **♔h7 24. b4** [24. ♕a7 ♗c3 25. ♕f7 ♗g7] **♕a3 25. ♕a7 ♕c1 26. ♔g2 ♗c3 27. ♖c3 ♖e2 28. ♔g3 ♕e1 29. ♔f3 ♕f1** **0 : 1**
[Tolnai, Szalánczy]

260. **B 76**

DOLMATOV 2580 –
KIR. GEORGIEV 2590

MOŠK – Slavija 1989

1. e4 c5 2. ♘f3 d6 3. d4 cd4 4. ♘d4 ♘f6 5. ♘c3 g6 6. ♗e3 ♗g7 7. f3 0–0 8. ♕d2 ♘c6 9. g4 e6?! 10. ♖g1!? N [10. ♘db5 – 18/424; 10. 0-0-0 – 41/232] **d5 11. g5 ♘d7** [11... ♘h5 12. ed5 ×♘h5] **12. ed5 ed5 13. 0-0-0 ♘b6** [13... ♘de5 14. ♗e2 ♘d4 (14... ♘a5 15. b3! △ f4±) 15. ♗d4 ♗e6 16. f4 ♘c4 17. ♗c4 dc4 18. ♕e3±; 13... ♖e8 14. f4 (14. ♘d5 ♘de5) ♖e3 15. ♕e3 ♘d4 16. ♖d4 ♗d4 (16... ♕b6 17. ♖d3) 17. ♕d4 ♕b6 18. ♕b6 ♘b6 19. ♗g2 ♗e6 20. ♖d1±] **14. f4 ♖e8 15. ♖g3 ♗d7** [15... ♖e3 16. ♕e3!? (16. ♘c6 bc6 17. ♕e3 ♗f5⩱) ♘d4 17. ♖d4 ♗d4 18. ♕d4 ♗f5 19. b3 ♖c8 20. ♔b2 △ ♗d3±; 17... ♗e6!?] **16. ♗f2 ♖c8** [16... ♘a5 17. b3±] **17. ♔b1 ♘e7 18. b3!± ♘f5** [18... ♗d4 19. ♗d4 ♘f5 20. ♗f6] **19. ♘f5 ♗f5 20. ♗h3! ♗h3 21. ♖h3 ♕d7 22. ♖d3 ♕g4** [22... ♖c3 23. ♖c3 ♗c3 24. ♕c3 ♕g4 25. ♖e1! ♖e1 26. ♕e1 ♕f4 27. ♕e8 ♔g7 28. ♗c5+−] **23. ♗d4 h5 24. ♗g7** [24. gh6?! ♗h6 25. ♗b6 ab6 (25... ♗f4? 26. ♘d5+−) 26. ♘d5 ♗g7±; 24. a4 ♗d4 25. ♖d4 ♖c5±] **♔g7 25. a4 ♖c5 26. ♕f2** [26. ♖g3!? ♕c8 27. ♕d4 ♔g8 28. f5→] **♖ec8 27. ♕d4 ♔g8 28. ♖e1 ♕d7 29. ♔b2?!** [29. ♘b5! a6 (29... ♖c2 30. ♘a7+−) 30. ♘a7! ♖8c7 31. ♖de3+−] **♕c6 30. ♖de3??** [30. f5!? gf5 31. g6! △ 31... fg6 32. ♖e7+−; 30. ♖e7! △ ♖de3+−]

30... ♘c4! 31. bc4 ♖c4 32. ♕d5 [32. ♕f6 d4 33. ♕c6 dc3 34. ♖c3 ♖8c6 35. ♖c4 ♖c4∓] ♖c3 33. ♕c6 ♖3c6 34. ♖e8 ♖e8 35. ♖e8 ♔g7 36. ♔b3= ♖b6 37. ♔c4 ♖b1 38. ♖e7 [38. a5!?] a5 39. c3 b6 40. ♖e2 ♔f8 41. f5 gf5 42. ♖f2 ♔g7 43. ♖f5 ♔g6 44. ♖b5 ♖h1 [45. ♖b6 ♔g5 46. ♖b2=] **1/2 : 1/2**
[Dolmatov, Dvoreckij]

261.* **B 76**

P. POPOVIĆ 2535 — KOŽUL 2490
Jugoslavija (ch) 1989

1. e4 c5 2. ♘f3 d6 3. d4 cd4 4. ♘d4 ♘f6 5. ♘c3 g6 6. ♗e3 ♗g7 7. f3 0–0 8. ♕d2 ♘c6 9. 0-0-0 ♘d4 10. ♗d4 ♗e6 11. ♔b1 ♕c7 12. g4 [RR 12. h4 ♖fc8 13. g4 ♕a5 14. a3 ♖ab8 15. h5 b5 16. h6 b4 N (16... ♗h8) 17. ♘d5! ♘d5□ 18. hg7 ♘c3 19. ♔a1 f6! 20. ♖e1 (20. ♖c1 ba3) ♘b5 (20... ba3 21. b3! △ ♖e3±) 21. ♗b5 ♕b5 (Maljutin — Al'terman, SSSR 1989) 22. b3! ba3 23. ♕h6! ♔f7 24. ♕h7 ♖g8 25. g5 ♖g7 26. ♕h6△ gf6, ♕f4±→ Maljutin, Kimel'fel'd] ♖fc8 13. g5!? ♘d7? [13... ♘h5 — 28/417] 14. ♗g7 ♔g7 15. ♘d5! ♗d5 [15... ♕d8 16. h4↑] 16. ed5± ♘b6□ [16... ♘e5 17. f4 ♘c4 (17... ♘f3? 18. ♕f2 ♕c5 19. ♕c5 ♖c5 20. h4!+−) 18. ♕c3 ♔g8 19. ♗h3] 17. ♗h3 ♖h8! 18. ♗g4! h5?! [18... h6 19. h4 hg5 20. hg5 ♕c5 21. ♖he1 ♖ae8 22. ♖e4±] 19. ♗h3 ♖he8 20. ♖he1 ♘d7 21. ♖e3 f5⊕ 22. ♖de1 ♘f8 23. ♕e2 ♔f7 24. f4 ♖ac8 25. c3 [△ ♗f5] ♕d7? [25... ♕c4! 26. ♖e7 ♖e7 27. ♕e7

♔g8 28. ♕e3 ♕d5 29. ♕e2! △ ♗g2] 26. ♖e6+− ♔g8 27. ♗f5! gf5 28. ♕h5 ♖c3 29. ♖h6 **1 : 0** **[P. Popović]**

262. **B 76**

ULYBIN 2445 — SAVČENKO 2480
Tbilisi 1989

1. e4 c5 2. ♘f3 d6 3. d4 cd4 4. ♘d4 ♘f6 5. ♘c3 g6 6. ♗e3 ♗g7 7. f3 ♘c6 8. ♕d2 0–0 9. 0-0-0 d5 10. ♕e1!? e5 11. ♘c6 bc6 12. ed5 ♘d5 13. ♗c4 ♗e6 14. ♘e4 h6 N [14... ♕b8?! — 46/273] 15. ♗c5

15... f5! [15... ♖e8 16. g4±] 16. ♗f8 ♕f8 17. ♘f2 [RR 17. ♘c3± Savčenko] ♕e7 18. h4 [18. ♔b1? e4! 19. fe4? ♘c3! 20. bc3 ♗c4−+] ♘b6! 19. ♗e6 ♕e6 20. ♔b1□ [20. ♕b4 c5! 21. ♕c5 ♖c8 22. ♕a5 e4→] ♘d5?! [20... e4 21. fe4 ♘c4 22. e5!! (22. ef5 ♕f5 23. ♕e4 ♘a3! 24. ♔c1 ♕f2 25. ba3 ♖b8→) ♖b8 23. ♘d3 ♗e5 (23... ♘b2 24. ♘b2 ♕e5 25. ♕e5 ♗e5 26. c3! ♗c3 27. ♔c2 ♗b2 28. ♖b1 ♗e5 29. ♖b8 ♗b8 30. ♖d1 ♗g3 31. h5+−) 24. ♘e5 ♘b2 25. ♘d7!! ♗d3 26. ♘b8 ♘e1 27. ♖he1+−; 20... ♘c4! 21. ♕b4 (21. ♖d3 e4 22. ♘d1 ♖b8 23. ♖b3 ♖d8⊙⊙) e4 22. b3 e3! (22... ♘a3? 23. ♕a3 ♕e5 24. c3! ♕c3 25. ♖d7! ♕a1 26. ♔c2 ♕c3 27. ♔d1 e3 28. ♕c1! ef2 29. ♖f1+−) 23. ♘d3 ♘d2 24. ♖d2 ed2 (24... ♕f6?! 25. c3 ed2 26. ♕c4 ♔h7 27. ♔c2 ♖d8 28. ♔d2±) 25. ♕d2 ♕f6 26. c3 ♖d8 27. ♔c2 c5⊙⊙] 21. g4! [21. ♖d3 ♘f4 22. ♖b3 ♘g2∞] ♖b8?! [21... fg4 22. fg4 e4!? 23.

♕e4 ♕f6 24. ♘d3 ♘c3! 25. bc3 ♖b8 26. ♔c1 ♕c3 27. ♕e6 ♗h7 28. ♕b3=] **22. gf5 gf5 23. ♖g1 e4 24. ♖g7! ♕g7 25. fe4 fe4?** [25... ♕f6 26. ♘d3!! (26. e5 ♕h4∞) ♘c3 27. ♔c1! ♘e4 (27... ♘d1 28. ♕g3 ♕g6 29. ♕b8 fe4 30. ♕a7 ♔g8 31. ♘e1+−; 27... ♘a2 28. ♔d2 ♖b2 29. e5! ♕d8 30. ♕g3 ♔h8 31. ♕g6+−) 28. ♕g1 ♔h8 29. ♕a7 ♖g8 30. ♕c7±] **26. ♘e4! ♕e5** [26... ♕e4 27. ♕g3] **27. ♕g1 ♔h8 28. ♕d4+− ♖e8 29. a3 ♔h7 30. ♘c5 ♕d4 31. ♖d4 ♔g6 32. c4 ♖e1 33. ♔c2 ♘e7 34. ♖d7 ♔h5 35. ♖a7 ♔h4 36. ♔d2 ♖e5 37. b4 h5 38. ♘d3 ♖e6** [38... ♖e4 39. b5 ♖c4 40. b6 ♘c8 41. b7] **39. ♘f4 ♖e4 40. ♖e7! ♖f4 41. b5 cb5 42. cb5 ♖a4 43. ♖e3 ♔g4 44. b6 ♖a8 45. b7 ♖b8 46. ♖b3 h4 47. ♔e2** [47... h3 48. ♔f2 h2 49. ♔g2 ♔f4 50. a4 ♔e5 51. a5 ♔d6 52. a6 ♔c7 53. a7 ♖b7 54. ♖c3+−] **1 : 0**
[Ulybin, Volovik]

263.** **B 76**

PODLESNIK 2415 − JUSTIN 2330
Jugoslavija 1989

1. e4 c5 2. ♘f3 d6 3. d4 cd4 4. ♘d4 ♘f6 5. ♘c3 ♘c6 6. f3 g6 7. ♗e3 ♗g7 8. ♕d2 0−0 9. 0-0-0 d5 10. ed5 ♘d5 11. ♘c6 bc6 12. ♘d5 cd5 13. ♗h6 ♗h6 [RR 13... e6 N 14. h4 ♖b8 15. ♗g7 ♔g7 16. h5 ♕f6 17. c3 g5 18. ♕e3 ♖b6 19. h6 ♔h8 20. ♖d4 △ ♖h5, ♖g4± Zagrebel'nyj 2345 − Basin 2455, Belgorod 1989] **14. ♕h6 ♕a5** [RR 14... ♖b8 N 15. h4 ♗f5 a) 16. g4? ♗c2! 17. ♔c2 ♕c7 18. ♔d3 (18. ♔b1 ♖b2) ♖b2∓; b) 16. h5 ♗c2 17. ♔c2 ♕c7 18. ♔d3 ♖b2=; 16... ♕b6∞; c) 16. ♗d3 ♕b6 17. b3 ♕f6 18. ♔b1 e6 19. h5 ♖b7!= A. Kuz'min 2465 − Tivjakov, Belgorod 1989; 18... ♖b4∞ Tivjakov, Postovskij] **15. ♔b1 ♖b8 16. h4 e5! N** [16... ♗f5 − 46/(273)] **17. ♗d3** [17. h5 ♗f5 18. ♗d3 ♕c3 19. ♕c1 (19. b3 e4 20. fe4 de4 21. ♗e2 ♖fc8 22. ♖c1 e3−+) e4 20. fe4 de4 21. ♗e2 ♖fc8 22. g4 ♗e6 23. hg6 hg6 24. b3 a5∓] **e4 18. fe4 ♕b4 19. b3** [19. ♕c1 de4 20. c3 ♕b7 21. ♗c2 h5 △ ♗f5∞] **de4 20. ♗e2 ♕c5! 21. h5 g5 22.**

♖hf1?! [22. ♕f6 ♖b6 23. ♕d4 ♕d4 24. ♖d4 f5; 22. ♖d6 ♗e6 23. ♕f6 ♖fc8 24. ♖e6=; 22. ♗c4 ♖b6 23. ♗f7 ♖f7 24. ♖d8 ♖f8 25. ♖f8 ♕f8 26. ♕g5=] ♖b6 23. ♖f6 ♗e6! 24. c4? [24. ♖df1∓] ♕e3−+ [△ ♖b3] **25. ♗d3 ed3 26. ♖df1 d2 27. ♖g6 hg6 28. hg6 ♖b3 0 : 1** [Justin]

264. **B 76**

P. POPOVIĆ 2535 − SMIRIN 2490
Moskva (GMA) 1989

1. e4 c5 2. ♘f3 d6 3. d4 cd4 4. ♘d4 ♘f6 5. ♘c3 g6 6. ♗e3 ♗g7 7. f3 ♘c6 8. ♕d2 0−0 9. 0-0-0 d5 10. ed5 ♘d5 11. ♘c6 bc6 12. ♗d4 e5 13. ♗c5 ♗e6 14. ♘e4 ♖b8?! **15. ♗c4! ♕c7?** N [15... ♔h8 − 35/286; 15... ♖e8 − 43/268] **16. ♗f8 ♗f8 17. ♔b1!?** [17. ♗d5 cd5 18. ♘f6 ♔h8 19. ♘d5 ♕b7 20. b3 (20. c4?? ♗h6) ♖d8 21. c4±] **♕b6** [17... a5!? 18. ♗d5 (18. c3 ♕b6 △ ♗h6) cd5 19. ♘f6 ♔h8 20. ♘d5 ♕b7 21. b3 (21. c4 ♗a3) ♖d8 22. c4 a4⇆; 18. ♗b3! △ ♘g5] **18. ♗b3 a5 19. c4! ♘e3□ 20. c5 ♗c5 21. ♘c5 ♕c5 22. ♖c1 ♗f5** [22... ♕d4 23. ♕d4 ed4 24. ♗e6 fe6 25. ♖c6+−] **23. ♔a1 ♕d4 24. ♕d4** [24. ♕a5! ♘c2 (24... ♗c2 25. ♕c7+−; 24... ♗e6 25. ♕c7 ♖c8 26. ♕b7!+−) 25. ♖c2! ♗c2 26. ♕c7+−] **ed4 25. g4! ♗d3** [25... ♗d7 26. ♖c5] **26. ♖c6 ♗e2 27. ♖hc1! ♗f3 28. ♖c8 ♖c8 29. ♖c8 ♔g7 30. ♖c7 ♔h6 31. ♖f7 ♗g4 32. ♖f4!+− ♔g5** [32... d3 33. ♖e4 ♘c2 34. ♗c2 dc2 35. ♖c4 △ b3+−] **33. ♖d4 h5 34. ♖a4 h4 35. ♖a5 ♗f5 36. a4 h3 37. ♖e5 ♔f4 38. ♖e8 ♘g4 39. a5 ♘h2 40. a6 ♘f3 41. ♗d5 h2 42. ♖h8 ♗g4 43. a7 ♗h5 44. ♖h5 1 : 0**
[P. Popović]

265. **B 76**

KVEINYS 2345 − SAVČENKO 2480
Belgorod 1989

1. e4 c5 2. ♘f3 d6 3. d4 cd4 4. ♘d4 ♘f6 -5. ♘c3 g6 6. ♗e3 ♗g7 7. f3 ♘c6 8. ♕d2 0−0 9. 0-0-0 d5 10. ed5 ♘d5 11. ♘c6 bc6 12. ♗d4 e5 13. ♗c5 ♖e8 14. ♘e4 f5 15.

♘d6 ♗f8 **16. ♘e8** N [16. ♗c4; 16. c4 – 30/(417)] **♗c5 17. c4 ♕e8** [17... f4!? 18. ♔b1 ♗f5 19. ♗d3 ♘e3 20. ♗f5 ♘d1 21. ♖d1 ♕d2 22. ♗e6 ♔f8 23. ♖d2 ♖e8 24. ♗d7±; 17... ♕b6!?] **18. cd5 cd5 19. ♗b5!!** [19. ♕d5 ♗e6∞̅] **♕b5 20. ♕d5 ♔g7 21. ♕a8 ♗e6 22. ♔b1 ♕a6 23. b3 f4 24. ♕d8 ♗f5 25. ♔a1 ♕b7 26. ♕d5 ♕e7** [26... ♕c7 27. ♖c1 ♗d4 28. ♕d4+–] **27. a4! ♗d4 28. ♔a2 ♗e6 29. ♕b5 a6 30. ♕a6 ♕c5 31. ♕b7□+– ♔h6 32. ♖d2 ♕a5 33. ♖d4 ed4 34. ♔a3 ♕d2 35. g4 d3 36. h4 1 : 0** **[Kveinys]**

266.****** **B 78**

HAZAI 2460 – TOLNAI 2480
Magyarország 1989

1. e4 c5 2. ♘f3 d6 3. d4 cd4 4. ♘d4 ♘f6 5. ♘c3 g6 6. ♗e3 ♗g7 7. f3 0–0 8. ♕d2 ♘c6 9. ♗c4 ♗d7 10. h4 [RR 10. 0-0-0 *a)* 10... ♕b8 11. h4 b5 12. ♗d5 ♖c8 13. ♗c6 N (13. ♔b1 – 46/(274)) ♗c6 14. h5 b4 15. ♘ce2 ♘h5 16. ♖h5 gh5 17. ♘f5 ♖c7 18. ♗h6± Wahls 2515 – Nen. Ristić 2465, Dortmund II 1989; *b)* 10... ♘e5 11. ♗b3 ♖c8 12. ♗g5 ♘c4 13. ♗c4 ♖c4 14. e5 de5 15. ♘de2 N (15. ♘b3 – 37/237; 15. ♘db5 – 40/252) ♖c7 16. ♘b5 ♗f5 17. ♘c7 ♕c7 18. ♘c3 ♖c8 19. ♔b1 ♕b6 20. ♖he1 e4 21. ♗e3 ♕c7 22. ♗d4 e5 23. ♗g1 ef3 24. gf3 ♕c6∞̅ Wahls 2515 – Koch 2390, Dortmund II 1989] **♘e5 11. ♗b3 ♖c8 12. 0-0-0** [RR 12. h5 ♘h5 13. 0-0-0 ♘c4 14. ♗c4 ♖c4 15. g4 ♘f6 16. ♔b1 (16. ♘d5 ♘d5 17. ed5 ♕b6 18. b3 ♖c5 19. ♕h2 h5 20. gh5 ♖fc8 21. ♔b1 ♖d5 22. hg6 fg6 23. ♕h7+–) ♕c7 (16... b5 – 40/(254)) 17. ♘d5 ♘d5 18. ed5 ♖c8 19. ♕h2 h5 20. gh5 ♗f5 21. ♘f5 ♖c2? 22. hg6 ♖h2 23. ♖h2 fg6 24. ♘g7 ♔g7 25. ♖c1+– Tolnai 2480 – Riemersma 2380, Caorle 1989; 21... gf5! Čabrilo] **♘c4** [RR 12... ♕a5 13. ♔b1 ♘c4 14. ♗c4 ♖c4 15. h5 (15. g4 ♖fc8 16. ♘b3 ♕a6 – 46/278) ♖c3 16. h6!? ♖fc8 17. hg7 ♖3c5 18. c3 ♕a4 19. ♗g5± Šabalov 2425 – Jurtaev 2510, Moskva (GMA) 1989] **13. ♗c4 ♖c4 14. g4** [RR 14. h5 ♘h5 15. g4 ♘f6 16. ♗h6 ♘e4 17. ♕e3 ♖c3 18. bc3 ♘f6 19. ♗g7 ♔g7 20. ♖h4 N (20. ♘e2; 20. ♕h6 – 43/(272); 20. ♖h2 – 46/276) ♖g8 21. ♘b3 b6 22. ♔b2 ♔f8 23. g5 ♘h5 24. f4 f5∞ Ceškovskij 2520 – Miles 2520, Wijk aan Zee 1989; 23. ♖h6± Ceškovskij] **b5** [RR 14... h5 15. gh5 ♘h5 16. ♔b1 N (16. ♖dg1; 16. ♘de2) b5 17. ♘de2 b4 18. ♘d5 e6 19. ♗g5 ♕a5 20. ♘e7 ♔h7 21. ♕d6 ♖c7 22. ♘d4 ♕b6 23. e5 ♖e8 24. ♗e3 ♗a4 25. ♘e6+– de Firmian 2570 – Ernst 2460, Lugano 1989] **15. h5 b4 16. ♘ce2 ♕a5 17. ♔b1 ♖fc8 18. hg6 fg6 19. ♘f4 g5! N** [19... ♖d4? – 33/(306)] **20. ♘fe2** [20. ♘h5 ♘h5 21. ♖h5 h6] **h6 21. ♘g3 ♕e5!∓ 22. ♘gf5** [22. ♕f2 ♖c2! 23. ♘c2 ♘e4 24. ♗d4 ♘f2 25. ♗e5 ♗e5–+] **♗f5 23. gf5 d5 24. ♖hg1 ♘h5! 25. ♖g4 a5** [25... ♖c2 26. ♕b4] **26. ♕d3 ♘f6 27. ♖g2 de4–+ 28. f4 ed3 29. fe5 ♘d5 30. ♗g1 ♗e5! 0 : 1** **[Tolnai]**

267. **B 78**

HAZAI 2460 – TOLNAI 2480
Magyarország (ch) 1989

1. e4 c5 2. ♘f3 d6 3. d4 cd4 4. ♘d4 ♘f6 5. ♘c3 g6 6. ♗e3 ♗g7 7. f3 0–0 8. ♕d2 ♘c6 9. ♗c4 ♗d7 10. h4 ♘e5 11. ♗b3 ♖c8 12. 0-0-0 ♘c4 13. ♗c4 ♖c4 14. g4 b5 15. ♔b1 b4 N [15... ♕b8 – 2/418; 15... h5] **16. ♘ce2 ♕c7 17. ♗h6 ♗h6 18. ♕h6 e5!□** [18... ♖c8 19. h5 ♖c2 20. hg6 fg6 21. g5 ♘h5 22. ♖h5 gh5 23. g6+–] **19. h5! ed4□** [19... ♖d4 20. ♘d4! ed4 21. hg6 fg6 22. g5 ♘h5 23. ♖h5 gh5 24. g6 ♗g4□ (24... ♗e8 25. gh7 ♕h7 26. ♖g1+–) 25. fg4 ♕g7 26. ♕h5±] **20. g5! ♘g4!□** [20... ♘h5? 21. ♖h5! gh5 22. ♘f4 △ 23. ♘d5, 23. ♘h5+–] **21. fg4 ♗a4!□=** [21... ♗g4? 22. ♘f4+–] **22. b3 ♖c2 23. ♘d4** [23. hg6?? fg6 24. ♘d4 ♖ff2–+]

(diagram)

23... ♗b3! [23... ♖g2 (△ ♕c3) 24. hg6 fg6 25. ♕f8!+–] **24. ab3 ♕c3 25. ♘c2 ♕b3 26. ♔c1 ♖c8 27. ♖h2** [27. ♖d2?

♕a2! 28. ♔d1 ♕b1 29. ♔e2 ♕h1−+] **♕a3 28. ♔b1** [28. ♔d2 ♕c3] **♕b3 29. ♔c1 ♕a3 1/2 : 1/2** **[Tolnai]**

268.*** **B 78**

ANAND 2525 – TIVJAKOV
Moskva (GMA) 1989

1. e4 c5 2. ♘f3 d6 3. d4 cd4 4. ♘d4 ♘f6 5. ♘c3 g6 6. ♗e3 ♗g7 7. f3 ♘c6 8. ♕d2 0–0 9. ♗c4 ♗d7 10. h4 h5 11. 0-0-0 ♘e5 12. ♗b3 ♖c8 13. ♗g5 [RR 13. ♗h6 ♗h6 14. ♕h6 ♖c3 15. bc3 ♕a5 16. ♔b1 ♖c8 17. g4 ♕c3 18. gh5 ♘c4 19. ♗c4 ♖c4 20. ♖d3 ♕b4 21. ♘b3 ♘h5 22. ♖g1 N (22. ♖d5 – 44/(262)) ♕b6 23. ♖g2 ♗h3 24. ♖gd2 ♗e6 25. ♕e3 ♕e3 26. ♖e3 ♔g7 27. ♖d4± R. Mainka 2410 – Koch 2390, Dortmund II 1989] **♖c5 14. f4** [14. ♔b1 b5 15. g4 hg4 16. h5 ♖c3 17. bc3 ♘f3! N (17... ♘h5? – 44/265) 18. ♘f3 ♘e4 19. ♕h2 ♘c3 20. ♔c1 ♕a5! 21. hg6 (21. ♖d4!? g3∞) ♘a2 22. ♗a2 ♕a3 23. ♔d2 ♕c3 24. ♔c1 (24. ♔e2 ♕f3 25. ♔e1? ♕e4 △ ♕g6∓ Lanka) ♕a3 1/2 : 1/2 Lanka 2420 – Smirin 2490, SSSR 1989] **♘c4 15. ♕d3 ♘g4!? 16. ♗c4 ♘f2 17. ♕e2 ♘h1 18. ♗b3!? N** [18. ♘d5?! – 45/(259)] **♕b6** [18... a5!? 19. a4 ♕b6∞] **19. ♘f3** [19. ♘d5? ♖d5 20. ed5 ♗d4 21. ♖h1 f6 22. ♗h6 (22. ♕e7 ♖f7 23. ♕e4 ♗f5 24. ♕e8 ♖f8−+) ♖f7∓] **♖g5** [19... ♘g3? 20. ♕e1±; 19... ♖c3?! 20. bc3 ♕f2 (20... ♘f2 21. ♖d2! ♘g4 22. e5±) 21. ♕e1! ♕e1□ 22. ♖e1 ♘g3 (22... ♘f2 23. ♖e2 ♘g4 24. ♗e7±) 23. ♗e7 ♖e8 (23... ♗c3 24. ♖e3! ♖e8 25. ♗d6 ♘e4 26. ♗e5+−) 24. ♗d6 ♘e4 25. ♗e5!±; 19... ♗c3!? 20. bc3 ♖g5∞] **20. hg5** [20. ♘g5 ♗g4!? 21. ♘f3 ♗c3 22. bc3 ♕f2!∞ 23. ♕f2 (23. ♔d2? ♗f3! 24. gf3 ♕h4∓; 23. ♗c4 ♕e2 24. ♗e2 ♘g3 25. ♗d3 f5!∓; 23. ♖e1 ♗f3 24. ♕f2 ♘f2 25. gf3 ♘h3=) ♘f2 24. ♖e1 ♗f3 25. gf3 ♘h3 26. f5 ♔g7=] **♗c3 21. ♖h1** [21. bc3!? ♘f2 22. ♖f1 ♘g4∞] **♗b5! 22. ♕d1□ ♕e3! 23. ♔b1 ♗g7** [23... ♗e2? 24. ♕g1! ♗d2 25. ♘d2 ♕d2 26. ♕f2!+−] **24. ♘h4 ♗e2** [24... ♕e4? 25. ♖e1 △ ♘g6+−; 24... e6 25. f5→] **25. ♕e1** [25. ♕c1!? ♕c1 26. ♔c1 ♔h7 27. f5 gf5 28. ♗f7 fe4! 29. g6 ♔h8∞; 28. ef5 1/2 : 1/2 Anand 2555 – Kir. Georgiev 2595, Reggio Emilia 1988/89] **♕d4** [25... ♕e4 26. ♘g6 ♖e8 27. ♘h4!?±] **26. c3 ♗d3!** [26... ♕e4 27. ♗c2! ♕c4 (27... ♕e6 28. f5) 28. ♘g6±] **27. ♔a1!? ♕e4 28. ♕d2 ♗c4! 29. ♖e1 ♕c6 30. f5?!** [⌓ 30. ♖e7 ♗b3 31. ab3 ♖e8!=] **♗e5 31. fg6** [31. ♗c2 ♕d5∓] **♗b3 32. ab3 ♗g3! 33. g7! ♖e8 34. ♖h1 ♗h4 35. ♖h4 ♔g7 36. ♕d4?** [⌓ 36. ♖h5= △ 36... ♖h8 37. ♖h8 ♔h8 38. g6 fg6 39. ♕h6=] **e5 37. ♕f2?** [⌓ 37. ♕d1 d5 38. ♕h5 ♕g6! 39. ♕d1 ♖d8∓] **d5!−+ 38. ♕f3** [38. ♖h5 ♕a6 39. ♔b1 ♕g6; 38. ♕e2 ♕a6] **e4 39. ♕h5** [39. ♕d1 e3] **♕a6! 40. ♔b1 ♕g6 41. ♕h6 ♕h6 42. gh6 ♔g6 43. ♔c2** [43. c4 ♔g5 44. g3 e3 45. ♖h1 dc4 46. bc4 e2 47. ♖e1 ♔h6; 43. h7 ♖h8 44. c4 ♖h7 45. ♖h7 ♔h7 46. cd5 ♔g6 47. ♔c2 ♔f5 48. ♔c3 ♔e5 49. ♔c4 f5 50. g3 a5] **f5! 44. ♖h3** [44. ♔d2 ♖h8] **♖h8 45. ♖g3 ♔h6 46. ♔d2 ♖h7 47. ♔e3 ♖g7 48. ♖h3 ♔g5 49. ♖h8** [49. ♔d4 ♔f4] **f4 50. ♔f2 ♔g4 51. ♖d8 e3 52. ♔f1 f3 53. ♖e8 fg2 54. ♔g2 ♔f4 55. ♔f1 ♔f3 56. ♖f8 ♔e4 57. ♖e8 ♔d3 58. ♖e5 d4 0 : 1** **[Tivjakov]**

269.** **B 79**

TOLNAI 2485 – TATAI 2365
Budapest (open) 1988

1. e4 c5 2. ♘f3 d6 3. d4 cd4 4. ♘d4 ♘f6 5. ♘c3 g6 6. ♗e3 ♗g7 7. f3 ♘c6 8. ♕d2 0–0 9. ♗c4 ♗d7 [RR 9... ♕a5 10. 0-0-0 ♗d7 11. ♗b3 ♘e5 12. g4 ♖fc8 13. h4

♘c4 14. ♕d3 ♘e3 15. ♕e3 ♕c5 16. ♕d3 N (16. h5) ♕e5 17. ♔b1 b5 18. ♘cb5 ♖ab8 19. ♘a3 a5 20. c3 a4 21. ♗c4 ♗e8 22. ♔a1 ♘d7 23. ♕d2 ♕a5 24. h5 ♘e5 25. ♗e2 ♘c6 26. hg6 hg6 27. ♘c4 ♕a7 28. ♘f5!+− Renet 2480 − Velimirović 2530, Zenica 1989] **10. ♗b3** [RR 10. h4 ♕a5 11. ♗b3 ♖fc8 12. 0-0-0 ♘e5 13. ♔b1 ♘c4 14. ♗c4 ♖c4 15. ♘b3 ♕e5 16. ♗d4 ♕e6 17. g4 N (17. h5 − 46/(279)) ♖ac8 18. ♖he1 ♗c6 19. ♘d5 ♗a4 20. c3 (20. ♘e3? ♗b3 △ ♘e4) b5 21. ♕h2± Koch 2390 − Nen. Ristić 2465, Dortmund II 1989; 20... ♘d5!?] **♖c8 11. 0-0-0 ♘e5 12. g4 ♕a5** [△ 12... b5] **13. h4 ♘c4 14. ♗c4 ♖c4 15. h5 ♖fc8 16. ♘b3 ♕a6 17. hg6 ♖c3!? N** [17... fg6 − 30/423; 17... ♗e6 − 35/(290); 17... hg6 − 38/(289)] **18. bc3** [18. gf7 ♔f8 19. bc3 ♕a2∞] **♕a2 19. e5!** [19. g5 ♘e8□ 20. gf7 (20. ♖h7 fg6) ♔f7 21. ♖h7 ♗e6!∞] **de5□ 20. ♗g5** [20. g5? ♗f5! 21. gf6 ♕a3 22. ♔b1 ♕b3−+] **fg6** [20... hg6 21. ♗f6 ♗f6 22. ♕d7+−; 20... ♗e6 21. ♕d8 ♘e8□ 22. gh7 ♔h8 23. ♕c8 ♗c8 24. ♖d8 ♕a4 25. ♖c8±; 20... ♗c6∞; 20... ♗e8∞] **21. ♗f6 ♗f6 22. ♕d7 ♖c3** [22... ♗g5 23. f4!+−] **23. ♕e6?** [23. ♕e8 ♔g7 24. ♖h7! ♔h7 25. ♖h1 ♔g7 26. ♕h8 ♔f7 27. ♖h7 ♗e6 28. ♕g8 ♔d6 29. ♕d8 ♔e6 30. ♘c5!+− ♖c5 31. ♕g8 ♔d6 32. ♕a2] **♔g7 24. ♖d2 ♖c6** [△ 24... ♖f3∞] **25. ♖h7! ♔h7 26. ♕f7 ♔h6 27. f4 ♕a3 28. ♔b1 ef4 29. ♖h2 ♗h4□** [29... ♔g5 30. ♖h5 ♔g4 (30... gh5 31. ♕h5#) 31. ♕g6 ♔f3 32. ♖h3+−] **30. ♕f4 ♔g7 31. ♖h4⊕ ♕d6⊕ 32. ♕h6 ♔f7 33. ♕h7 ♔e8 34. ♕h8 ♔d7 35. ♖h2?** [35. ♖h1±] **♕d1 36. ♔b2 ♕g4 37. ♕b8 ♕b4 38. ♖d2 ♖d6 39. ♖d6 ed6 40. ♕a7 g5 41. ♕d4?** [41. ♕e3 △ ♔c1, ♘d4±] **♕d4= 42. ♘d4 g4 43. ♘e2 ♔c6 44. ♔c3 ♔d5 45. ♔d3 ♔c5 46. ♘c3 d5 47. ♘e2 ♔b4 48. ♔d4 b5 49. c3 ♔b3 50. ♔d5 g3 51. ♔d4 1/2 : 1/2** [Tolnai]

270. **B 80**

SUHANOV − NIKOLENKO 2405
corr. 1988

1. e4 c5 2. ♘f3 d6 3. d4 cd4 4. ♘d4 ♘f6 5. ♘c3 a6 6. ♗e3 e6 7. a4 b6 8. a5!? N

[8. ♗d3 − 16/414, 35/(312); 8. f4 − 33/309] **b5** [8... ba5!?]

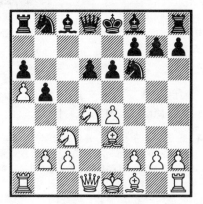

9. ♘db5! ab5 10. ♗b6 ♕e7□ [RR 10... ♕d7 11. ♗b5 ♘c6 12. ♘d5! (12. e5!? △ 12... de5 13. ♗c6+−) ed5 13. ed5 ♗b7 14. a6!+−] **11. ♗b5 ♘fd7** [11... ♘bd7 12. ♗c6+−; 11... ♗d7 12. ♕d3±] **12. ♕d3 ♗b7 13. 0-0 ♘c6** [RR 13... ♘a6 14. ♘d5!+−] **14. a6! ♗b6 15. ♘d5! ed5 16. ab7 ♕b7 17. ed5 ♘d5 18. ♕d5 1 : 0** [Korolëv]

271. **B 80**

N. SHORT 2650 − RIBLI 2625
Barcelona 1989

1. e4 c5 2. ♘f3 d6 3. d4 cd4 4. ♘d4 ♘f6 5. ♘c3 a6 6. ♗e3 e6 7. f3 b5 8. g4 h6 9. h4!? N b4!? [9... ♗b7] **10. ♘ce2 e5 11. ♘b3 d5 12. ♘g3! d4** [12... de4 13. ♕d8 ♔d8 14. 0-0-0 ♘bd7 15. g5 hg5 16. hg5 ♖h1 17. ♘h1 ♘h5 18. fe4 △ ♗c4±] **13. ♗f2 ♗e6 14. ♗d3 h5?** [14... ♘c6 15. ♕e2 a5±] **15. g5 ♘fd7 16. f4± ♗g4□ 17. ♗e2 ef4 18. ♘h5 ♗e2 19. ♕e2 d3!? 20. cd3** [20. ♕d3!? (Speelman) ♖h5 21. ♕d5 ♘c6 22. ♕c6 ♖c8 23. ♕a6 ♖c2 24. ♖d1±] **f3 21. ♕f3 ♘e5 22. ♕e2 ♘d3 23. ♔f1 ♘f2 24. ♔f2 ♘c6 25. ♔g2 ♕b8 26. ♖ac1 ♘e5** [26... ♕b5 27. ♕b5 ab5 28. ♖c6 ♖h5 29. ♘d4 △ 29... ♖a2 30. ♖c8; 26... ♘e7! (△ ♘g6) 27. ♕g4 ♘g6 28. ♘g3±] **27. ♘f4 ♗d6 28. ♘d4 0-0 29. ♘d5 ♖e8 30. ♘f5 ♘g6?!** [30... ♖a7 △ ♗f8] **31. ♖cf1 ♘f4?!** [31... ♖a7] **32. ♘f4 ♗f4 33. ♕f3 ♗e5**

34. ♘g7 [34... ♗g7 35. ♕f7 ♔h8 36. ♕h5 ♔g8 37. g6 ♗h6 38. ♕h6 ♕b7 39. ♖f4 ♖e4 40. ♕h7+−; 34... ♔g7 35. ♕f7 ♔h8 36. ♕h5 ♔g8 37. ♖f7 ♗g7 38. g6+−]
1 : 0 **[N. Short]**

272.** **B 80**

CAMPORA 2500 − JUDASIN 2540
Moskva (GMA) 1989

1. e4 c5 2. ♘f3 d6 3. d4 cd4 4. ♘d4 ♘f6 5. ♘c3 a6 6. ♗e3 e6 7. ♕d2 b5 8. f3 ♗b7 9. 0-0-0 ♘bd7 10. g4 ♘b6 [RR 10... h6 11. ♗d3 *a)* 11... ♖c8 12. ♖he1 ♘e5 13. f4!? N (13. ♔b1 − 44/(269)) ♘d3 14. ♕d3 ♘d7 15. ♘e6! fe6 16. e5 ♔f7 17. ed6 b4 18. f5! bc3 19. fe6 ♔g8 20. e7 ♕a5 21. ♗d4 ♕g5 22. ♔b1 ♖e8 23. ♗c3 ♗c8 24. h4! ♕g4 25. ♖g1 ♕h5 26. ef8♕ ♔f8 1 : 0 Prié 2335 − Brenninkmeijer 2415, Lugano 1989; *b)* 11... ♘e5 12. ♖he1 ♘fd7 13. f4 ♘g4 N (13... b4 − 45/(263)) 14. ♗g1 e5 15. ♘f5 g6 16. ♘d6 ♗d6 17. ♗e2 ♗b4! 18. ♗g4 ♘f6 19. ♕e2 ♕e7 20. fe5 ♘g4 21. ♕g4 ♗c3 22. bc3 ♗c8!∓ Cs. Horváth 2390 − van Wely 2325, Arnhem 1988/89; 17. ♗b5!? van Wely] **11. ♕f2** [11. g5 ♘fd7 △ 12... b4, 12... ♘e5] **♘fd7 12. ♗d3 ♖c8!** [12... ♕c7 (△ ♘c4) 13. ♔b1 △ f4, f5∞] **13. h4 N** [13. ♔b1!? ♖c3!?; 13. ♘ce2 − 45/(262)]

13... ♖c3!! 14. bc3 ♕c7! 15. ♘e2 [15. ♗d2 d5 △ ♗a3, ♘de5-c4, 0−0→] **d5!** [△ ♗d6, de4, ♘e5=∞→] **16. e5** [16. ed5 ♘d5 17. ♗d2 ♗c5 △ 0−0, ♖c8→; 16... ♗d5!? △ ♗a2, ♗a3, 0−0→] **♘a4** [16... ♘c4!?=∞] **17. f4□** [17. ♗d4? ♘e5−+] **b4!** [17... ♘c3 18. ♘c3 ♕c3 19. ♗d4 ♗a3 20. ♔b1± △ f5→; 17... d4 18. ♗d4 ♗h1 19. ♖h1 △ f5, g5∞] **18. cb4** [18. f5 bc3 19. fe6 (19. ♖dg1 ♗a3 20. ♔d1 ♘b2 △ ♘d3−+) ♗a3 20. ♔b1 fe6 △ ♘e5, ♖f8, d4∓→] **♗b4=∞→ 19. ♗d4 0−0 20. c3** [20. ♖h3 ♘dc5! △ 21... ♖c8→ ×c2, 21... ♘e4] **♘dc5!** [△ ♗a3, ♘b2−+] **21. ♗c2 ♘e4 22. ♗e4 de4 23. ♖h3** [23. ♔d2 ♗a5 △ 24... e3, 24... ♖d8, 24... ♕c4→] **♕c4 24. ♔d2□ ♗a5!** [24... ♕a2 25. ♔e1 ♗a5 (25... ♘b2? 26. cb4 ♘d1 27. ♔d1 △ ♖c3+−) 26. ♘c1∞] **25. ♖a1** [25. ♔e1 ♘b2 △ ♘d3∓; 25. ♘c1 ♖c8!→ △ ♕b5] **♖d8** [△ ♘c3] **26. ♔e1□ ♗c6! 27. ♔f1□ ♗b5 28. ♖b1!? ♗c3!?** [28... ♕a2!?∓→] **29. ♖b5!! ab5!!** [29... ♗d4 30. ♕d4!! ♕d4 31. ♘d4 ab5 32. ♘b5=⊥; 29... ♕b5 30. ♖c3!? (30. ♗c3 ♖d3 31. ♖d3 ed3 32. ♘d4! d2□ 33. ♘b5 d1♕ 34. ♗e1∓) ♘c3 31. ♗c3 ♖d3 32. ♔g2 (32. ♕a7 ♖f3 33. ♔g1 ♕b1) ♖f3 33. ♕e1∞] **30. ♗c3** [30. ♖c3 ♘c3 31. ♗c3 ♖d3 32. ♕b6 h5!−+] **♖d3! 31. ♖d3□** [31. ♕a7 h5!−+] **ed3 32. ♗d2** [32. ♕d4? de2 33. ♔f2 e1♕!−+; 32. ♗e1 h6!] **de2 33. ♕e2 ♕d5∓ 34. ♕g2⊕ ♕d3 35. ♔e1** [35. ♕e2 ♕b1 △ 36... h6, 36... ♘b6] **h6 36. g5** [36. h5 ♘b6 △ 37... ♘c4, 37... ♘d5−+] **h5 37. ♕b7?!** [37. a3∓] **♕b1 38. ♔e2 ♕a2−+ 39. ♕a8 ♔h7 40. ♕e4 g6 41. ♕b4** [41. ♕b7 ♕c4 △ ♔g7, ♘c5] **♕c2!** [△ ♔g7, ♘c5] **42. ♕f8?! ♘c3!** [43. ♔f1 ♕d1 44. ♗e1 ♕e2; 43. ♔e3 ♕e4 44. ♔f2 ♕e2 45. ♔g3 ♕d3; 43. ♔f3 ♕d3 44. ♗e3 ♕e2] **0 : 1**
[Judasin]

273. **B 80**

PRIÉ 2335 − PSAHIS 2585
Paris 1989

1. e4 c5 2. ♘f3 e6 3. d4 cd4 4. ♘d4 ♘f6 5. ♘c3 d6 6. ♗e3 a6 7. ♕d2 ♗e7 8. f3 0−0 9. g4 ♘c6 10. 0-0-0 ♖b8 11. g5 ♘d7 12. f4 N [12. h4 ♘d4 13. ♗d4 − 46/281] **♘d4** [12... ♕c7!? △ b5] **13. ♗d4 b5 14. h4 b4 15. ♘e2 ♕a5 16. ♔b1 ♘c5 17.**

♗g2! [17. ♘g3 ♘a4!] **♗b7?!** [17... e5!? 18. ♗c5 dc5 19. f5±] **18. ♘g3 ♘a4** [△ ♘c3] **19. ♔a1! ♖fc8** [△ ♘c3] **20. ♖b1! ♖c4 21. ♗f1 ♖c7 22. h5→ ♖bc8 23. ♗d3 ♘c5□ 24. g6 ♘d3 25. gh7!? ♔h7 26. ♕d3** [△ e5→] **♕b5□ 27. ♕f3** [△ 28. ♕g4 ♗f8 29. h6 g6 30. f5→] **f5!? 28. ♖hg1 ♗f8 29. ♕e3 e5!⊕ 30. fe5 de5 31. ♕g5 ed4 32. ♕g6 ♔g8?** [32... ♔h8! 33. h6 ♕e8 34. hg7 ♖g7−+] **33. ♕e6 ♔h8** [33... ♖f7 34. ♘f5 △ ♘h6] **34. h6⊕ g5 35. ♘f5?** [35. ♕f6! ♔h7 36. ♕g5 △ 37. ♘f5, 37. ♘h5+−] **♕c6! 36. ♕e5 ♔h7 37. ♖g5 ♕e4!** [37... ♕c2!] **38. ♕f6 ♕c6 39. ♕d4 ♕c2 40. ♕g1** [40. ♖gg1 ♕f5−+] **♗e4! 0 : 1** **[Psahis]**

274.* **B 80**

N. SHORT 2650 — EHLVEST 2600
Rotterdam 1989

1. e4 c5 2. ♘f3 d6 3. d4 cd4 4. ♘d4 ♘f6 5. ♘c3 a6 6. ♗e3 e6 7. f3 ♘c6 8. g4 ♗e7 9. ♕d2 0–0 10. 0-0-0 ♘d4 11. ♗d4 ♘d7 12. h4 b5 13. g5 ♖b8 14. ♗h3?! N [×c4; RR 14. ♔b1 b4 15. ♘e2 ♗b7 N (15... ♕c7 16. h5 — 46/281; 15... ♘e5 — 46/282) 16. ♘g3 a5 (16... ♕c7!?) 17. f4 *a)* 17... e5?! 18. fe5 ♘e5 (18... de5 19. ♗a7 ♖a8 20. ♕d7 ♖a7 21. ♗a6! ♕b8 22. ♗b7 ♖b7 23. ♕a4±) 19. ♕g2!± Soloženkin 2405 — Sakaev, SSSR 1989; *b)* 17... ♘c5 18. ♗g2 ♕c7 △ ♘a4∞; 16. ♘c1!? Soloženkin] **♕c7** [14... ♘e5] **15. g6?! hg6 16. h5 ♘e5!** [16... b4? 17. ♘d5 ed5 18. hg6 (△ ♗d7, ♖h8, ♕h6) fg6 19. ♗e6 ♖f7 20. ♖h8! ♔h8 21. ♗f7+−; 16... g5? 17. h6 gh6 (17... g6 18. h7+−) 18. ♗g4+−; 16... gh5? 17. ♖dg1 ♗f6 18. ♗f6 ♘f6 19. ♖g7+−] **17. hg6 fg6** [17... ♘f3! *a)* 18. ♗e6? *a1)* 18... ♘d2? 19. ♖h7!! ♘b3 20. ♔b1□ (20. ab3 ♗g5 △ ♗h6−+) ♘d4 21. ♖dh1+−; *a2)* 18... ♗g5! 19. ♖h7 ♗d2 20. ♔b1 (20. ♖d2 fe6−+) ♘d4 21. ♖dh1 ♗h6−+; *b)* 18. ♕g2 fg6 △ 19. ♕g6 ♘d4∓] **18. ♗g4 b4** [18... ♘f3? 19. ♖h8!+−] **19. ♗e5** [19. ♘e2 ♘g4 20. fg4 e5 △ ♗g4-h5∓] **de5 20. ♘e2 ♖b6** [⌓ 20... ♖d8] **21. ♔b1 a5?** [21... ♖d8 22. ♕e3 ♖d1 △ a5-a4∓] **22. ♘c1! ♖d8 23. ♘d3 a4?!** [23... ♗a6!?] **24. ♕h2± ♗f6** [24... b3 25. cb3 ab3 26. ♖c1 ♕a7 27. a3 ♖d3 28. ♖c8 ♔f7 29. f4 ♕d7 30. ♕h8 ♖d2 (30... ♗d8 31. fe5+−) 31. ♕g8 ♔f6 32. ♖f8+−] **25. f4! ef4** [25... b3 26. cb3 ab3 27. fe5 ♕c2 28. ♕c2 bc2 29. ♔c2±] **26. e5+− ♗g5** [26... ♖d3 27. ef6 ♖d1 28. ♗d1] **27. ♕h7 ♔f7 28. ♗h5 gh5 29. ♕h5 ♔g8 30. ♖dg1! ♗b7 31. ♕h7 ♔f8 32. ♖g5 ♕f7 33. ♖h4 ♖d4 34. ♖hg4 g6 35. ♕h8 ♕g8 36. ♕h4 b3** [36... ♔f7 37. ♖h5] **37. ♖g6 bc2 38. ♔c1 1 : 0** **[N. Short]**

275.* **B 80**

TIMMAN 2610 — L. PORTISCH 2610
Antwerpen (m/6) 1989

1. e4 c5 2. ♘f3 e6 3. d4 cd4 4. ♘d4 ♘c6 5. ♘c3 ♕c7 [RR 5... a6 6. g3 d6 7. ♗g2 ♗d7 8. 0–0 ♘f6 9. a4 ♗e7 10. b3 0–0 11. ♗b2 ♕c7 12. ♘de2 N (12. ♖e1 — 16/362) ♖ab8 13. h3 b5 14. ab5 ab5 15. ♕d2 ♖fd8 16. ♘f4! ♘e5 17. ♘a2± Sisniega 2425 — Illescas Cordoba 2495, Thessaloniki (ol) 1988; ⌓ 16... ♗e8; ⌓ 12... ♖fd8 △ ♗e8, d5 Frías, Sisniega] **6. g3 d6 7. ♗g2 ♘d4 8. ♕d4 ♘f6 9. ♗g5 ♗e7 10. 0-0-0 ♗d7 N** [10... a6] **11. f4 ♗c6 12. ♗f6** [12. ♖he1!?] **♗f6 13. ♕d6 ♕d6 14. ♖d6 ♗c3 15. bc3 ♔e7 16. ♖d4⩲ ♖hc8 17. ♖hd1 ♖c7 18. ♗f1 ♖ac8 19. c4 h6 20. e5 ♗f3 21. ♖1d2** [21. ♖1d3!] **♖c5 22. ♖2d3 ♗c6 23. ♖a3 a6 24. ♔d2 f6 25. ♖e3 fe5 26. ♖e5 ♖e5 27. fe5** [♖ 9/k] **♗h1!= 28. ♖d3** [28. ♗d3 ♖c5 29. ♗e4 ♗e4 30. ♖e4 ♔f7 △ ♔g6-f5] **♖f8** [28... ♖c4 29. ♖d7] **29. ♔e1 ♗e4 30. ♖e3 ♗h1** [30... ♗c2 31. ♗g2±] **31. ♗e2 ♗g2 32. a3 g5 33. ♔d2 ♖f2 34. ♔e1 ♖f8 35. ♗g4 ♖f1?!** [35... ♖c8=] **36. ♔d2 ♗c6 37. ♔c3 ♗e8 38. ♗f3 b6 39. ♗b7 a5 40. ♖e2 ♖a1 41. ♔b2 ♖d1 42. ♗f3?!** [42. ♗e4 ♗h5 43. ♖e3±] **♗g6 43. ♖f2 ♖e1 44. ♗e2 h5 45. ♔c3 ♖c1** [45... ♖a1!=] **46. ♗f1 ♗f5 47. c5!⩲ bc5 48. ♗b5 g4?!** [48... h4] **49. ♖d2 ♔f7?!** [49... ♖e1±] **50. ♔b3 ♔g6 51. c4 ♗e4 52. ♔a4 ♔f5 53. ♔a5 ♔e5**

54. ♔b6 ♗f3 55. a4+− ♔e4 56. a5 ♔e3 57. ♖a2 ♖d1 58. ♔c7 ♗a8 59. a6 e5 60. ♗c6 ♗c6 61. ♔c6 ♖d8 62. a7 ♖a8 63. ♔c5 ♔d3 64. ♖a3 1 : 0 [Timman]

276. **B 81**

ANAND 2555 – SAX 2600
Reggio Emilia 1988/89

1. e4 c5 2. ♘f3 e6 3. d4 cd4 4. ♘d4 ♘f6 5. ♘c3 d6 6. g4 h6 7. ♖g1 ♘c6 8. ♗e3 g5 9. ♕d2 ♘d7 10. 0-0-0 ♘de5 11. ♗e2 a6 12. h4 ♗e7 [12... ♖g8?! 13. hg5 hg5 14. ♘f5! ef5 15. ♘d5 ♘d7 16. gf5=∞] **13. hg5 hg5 14. ♖h1 ♖g8 15. ♖h7 N ±** [×♔e8, f7; 15. ♔b1 ♗d7 – 34/293] **♗d7** [15... b5 16. ♘c6 ♘c6 17. ♘d5! ed5 18. ♕d5 ♗b7 19. e5!+−] **16. ♖dh1 ♘d4 17. ♗d4 ♕c7 18. ♕e3 ♕c6 19. ♔b1 0-0-0 20. ♗e5 de5 21. ♖f7 ♗c5 22. ♕g3 ♗d4 23. ♖hh7 ♖gf8 24. ♕f3! ♕d6 25. a3 ♗c6 26. ♗c4± ♔b8 27. ♕d3** [27. ♗e6? ♖f7 28. ♗f7 ♗c3→] **b5 28. ♗b3 ♖f7 29. ♖f7 ♖h8 30. ♔a2!** [30. ♘e2?! ♖h1 31. ♔a2?? ♖a1−+ △ ♕a3] **♗e8 31. ♖f6 ♗d7 32. ♘e2 ♕e7 33. ♕f3 ♗c5 34. ♖f7 ♕d6 35. ♕f6 ♖c8 36. ♘c1! a5?⊕ 37. ♘d3!+− ♗d4 38. ♕e7 ♕e7 39. ♖e7 ♗c6 40. f3 ♖f8 41. ♖e6 ♔c7 42. ♘e5 ♗e5 43. ♖e5 ♖f3 44. ♖g5 ♖g3 45. ♗d5 ♗d7 46. e5 ♖e3 47. e6 ♗e8 48. ♖g8 ♔d6 49. ♖e8 ♔d5 50. e7 1 : 0 [Anand]**

277. **B 81**

KIR. GEORGIEV 2595 – SAX 2600
Reggio Emilia 1988/89

1. e4 c5 2. ♘f3 d6 3. d4 cd4 4. ♘d4 ♘f6 5. ♘c3 e6 6. g4 h6 7. h4 ♘c6 8. ♖g1 h5 9. gh5 ♘h5 10. ♗g5 ♘f6 11. ♖g3 a6 12. ♘c6 bc6 13. ♕f3 ♗d7 N [13... ♖b8 – 43/(282); 13... ♕b6!?] **14. 0-0-0 ♗e7 15. e5!** [⇔d ×d7] **de5□ 16. ♘e4 ♖b8** [16... ♘e4 17. ♕e4 ♗g5 (17... f6? 18. ♕g6 ♔f8 19. ♗h6+−) 18. hg5 ♕c7 19. ♖gd3 ♖d8 20. ♖d6±] **17. ♗f6 gf6** [17... ♗f6? 18. ♖g7!+−] **18. ♕g2!!** [△ 19. ♖g8, 19. ♖gd3, 19. ♗c4] **♖f8□ 19. ♗c4! ♕b6** [19... ♕a5 20. ♖a3!! ♗a3 21. ♘f6 ♔e7 22. ♖d7 ♔f6 23. ♕g5#; 19... f5 20. ♗e6!! ♗e6 (20... fe6 21. ♖g7 ♕b6 22. ♖e7 ♔e7 23. ♕g5+− △ ♘d6) 21. ♖d8 ♖d8 22. ♘g5± △ ♘h7] **20. ♖b3 ♕a7 21. ♖bd3 ♖b7 22. ♕g7 f5 23. ♘d6! ♗d6 24. ♖d6+−** [△ h5, ♕e5] **♕f2 25. ♗e6! fe6 26. ♖d7 ♕f4 27. ♔b1 ♖b2 28. ♔b2 1 : 0 [Kir. Georgiev]**

278. **B 81**

NUNN 2620 – EHLVEST 2600
Rotterdam 1989

1. e4 c5 2. ♘f3 e6 3. d4 cd4 4. ♘d4 ♘f6 5. ♘c3 d6 6. g4 h6 7. h4 ♘c6 8. ♖g1 h5 9. gh5 ♘h5 10. ♗g5 ♘f6 11. ♗e2 ♗d7!? [11... ♗e7] **12. h5** [12. ♘db5 ♕b8∞; 12. ♕d2 ♘d4 13. ♕d4 ♕b6!? △ 14. ♗f6? gf6 15. ♕f6 ♖h6∓] **a6 13. ♕d2 N** [13. ♘b3 – 39/280] **b5!?** [13... ♕b6] **14. 0-0-0?!** [14. ♘c6 ♗c6 15. ♕e3∞] **♗e7?!** [14... b4! *a)* 15. ♘d5 ♘d4 (15... ♘e4 16. ♗d8 ♘d2 17. ♘c6 ♗c6∓ – 15. ♘c6) 16. ♕d4 ed5 17. h6 de4∓; *b)* 15. ♘c6 *b1)* 15... bc3 16. ♕c3 ♕c7 17. ♗f6 (17. h6!?∞) gf6 18. ♘d4 (18. ♕f6? ♖h6−+) ♕c3 19. bc3⩲; *b2)* 15... ♗c6 16. ♘d5 *b21)* 16... ed5 17. ed5 ♗b5 18. ♗b5! ab5 19. ♕e2 ♗e7 (19... ♕e7 20. ♕b5 ♕d7 21. ♕b4± △ 21... ♖h5? 22. ♖de1! ♔d8□ 23. ♕b6 ♔c8□ 24. ♗f6 gf6 25. ♖g8+−) 20. h6±; *b22)* 16... ♘e4! 17. ♗d8 (17. ♕e3 ♕a5!∓) ♘d2 18. ♘b4 (18. ♘c7 ♔d8 19. ♘a8 ♘f3∓) ♗f3! 19. ♖d2 ♗e2 20. ♗c7 ♔d7!∓] **15. ♕e3?!** [15. ♘c6! ♗c6 16. ♕e3±] **♕b6! 16. a3** [16. ♔b1 (△ ♘e6) ♘d4 17. ♖d4 b4∓] **♖c8 17. ♔b1 ♘d4 18. ♖d4 ♗c6?!** [18... e5 19. ♖d3 ♕e3 20. ♖e3 ♗c6⩲] **19. ♕d2!** [△ ♗e3] **♕c7 20. ♖g3** [20. f4 e5!; 20. ♗f6 ♗f6 21. ♖d6 ♗e5 22. ♖d3 ♗f4 23. ♕d1 ♕e5∞] **♖d8** [20... ♘h5?! 21. ♗e7 ♕e7 22. ♗h5 ♖h5 23. ♖g7±] **21. f4!** [△ ♖gd3] **e5!? 22. fe5 de5 23. ♖d8 ♕d8 24. ♖d3 ♕b6?!** [24... ♕c7⩲] **25. ♗f6 ♗f6 26. ♘d5 ♗d5 27. ♖d5± 0−0 28. ♖d6 ♕f2 29. h6!** [29. ♖a6?? ♖d8−+] **♖a8** [29... g6 30. ♖a6 ♖d8 31. ♖d6+−] **30. ♕d5 ♖a7 31. hg7**

♔g7 [31... ♗e7 32. ♖g6! △ 32... ♕e2? 33. ♕f7] **32. ♗d3 b4 33. ab4?⊕** [33. a4± ×a6] **♕e1 34. ♔a2 ♕b4 35. ♗c4⩲**
1/2 : 1/2 **[Nunn]**

279.* **B 81**

NUNN 2620 – SAX 2610
Rotterdam 1989

1. e4 c5 2. ♘f3 e6 3. d4 cd4 4. ♘d4 ♘f6 5. ♘c3 d6 6. g4 h6 7. h4 ♘c6 8. ♖g1 h5 9. gh5 ♘h5 10. ♗g5 ♘f6 11. ♗e2 a6 12. ♕d2 ♗d7?! N [RR 12... ♕b6 13. ♘b3 ♗d7 14. h5 ♘h5 15. ♖h1 g6 16. ♗h5 N (16. 0-0-0 – 41/246, 44/(277)) ♖h5 17. ♖h5 gh5 18. 0-0-0 ♘e5 19. ♕f4 ♖c8 20. ♕g3 ♘g4 21. ♖d2 a5 22. a4 ♖c4 1/2 : 1/2 N. Short 2650 – Sax 2610, Rotterdam 1989] **13. 0-0-0 b5 14. ♘c6! ♗c6 15. ♕e3±** [△ 16. e5, 16. ♘d5] **♕c7** [15... ♕a5 16. ♔b1! (16. e5 b4∞) b4? 17. ♘d5 ♘d5 18. ed5 ♗d5 19. ♖d5 ♕d5 20. ♗f3+–] **16. ♘d5 ♗d5□ 17. ed5 e5** [17... ♖c8 18. ♔b1 ♕c2 (18... e5 19. c4! bc4 20. ♗c4±) 19. ♔a1 ♕e4! (19... e5 20. ♖c1 ♕f5 21. ♕a7±) 20. ♕b6 ♕e2 21. ♖c1 ♖d8∞; 18. c3!±] **18. ♔b1?!** [18. f4!±] **♘h7! 19. f4 ♘g5** [19... f6 20. fe5 de5 21. ♗h5 ♔d8 22. d6 ♗d6 23. ♖d6 ♕d6 24. ♖d1 ♕d1 25. ♗d1 fg5 26. ♕e5±] **20. ♖g5** [20. hg5 g6 21. f5!?⩲; 20. fe5 de5 21. ♖g5 0-0-0 22. ♖e5 ♗d6±] **♖c8** [20... 0-0-0 21. a4±] **21. c3 ♕c5 22. ♕g3** [22. ♕h3 ef4 23. ♗h5∞] **ef4 23. ♕f4 ♖c7!□** [23... g6 24. ♕f6 △ ♖e1] **24. a4! ♖e7 25. ♗d3 g6 26. ab5 ab5** [26... ♗h6 27. ♕f6+–] **27. ♕d4 ♕d4 28. ♗b5 ♔d8 29. ♖d4 ♖e1 30. ♔a2 ♗e7 31. ♖gg4 ♖h1 32. ♖a4 ♖8h4 33. ♖h4 ♖h4** [♖ 9/j; 33... ♗h4 34. ♖a7±] **34. ♖a8?** [34. ♖a7! ♖e4 (34... g5 35. ♖d7 ♔e8 36. ♖d6 ♔f8 37. ♖c6±) 35. ♗c6± △ 35... g5 36. b4 g4 37. b5 g3 38. b6+–] **♔c7 35. ♗c6** [35. ♖a7 ♔b6 36. ♖e7 ♔b5 37. ♖f7 ♔c5=] **♖e4!= 36. b4** [36. ♖a7 ♔b8] **♗f6 37. ♖a7** [37. ♔b3 ♖e3] **♔b8 38. ♖f7 ♗c3 39. b5 ♖b4 40. ♔a3 ♖b1 41. ♖b7 ♔c8 42. b6 ♗d4 43. ♖c7 ♔b8 44. ♖b7**
1/2 : 1/2 **[Nunn]**

280. **B 81**

TIMMAN 2610 – SALOV 2630
Amsterdam 1989

1. e4 c5 2. ♘f3 d6 3. d4 cd4 4. ♘d4 ♘f6 5. ♘c3 e6 6. g4 h6 7. g5 hg5 8. ♗g5 ♘c6 9. ♕d2 ♕b6 10. ♘b3 a6 11. 0-0-0 ♗d7 12. h4 [12. f4 ♘g4!?] **♖c8 N** [12... ♗e7 – 46/296] **13. ♖h3 ♕c7 14. f4 b5 15. ♗g2** [15. a3?! b4 16. ab4 ♘b4 17. ♔b1 a5↑] **b4 16. ♘e2 e5!** [16... a5 17. ♘bd4!±] **17. ♖d3** [17. ♖g3? ♘h5 △ f6] **♗e6?!** [17... a5∞ △ 18. ♔b1 a4 19. ♘c5 dc5 20. ♗f6 ♗g4!] **18. ♔b1 a5 19. ♘bc1 a4 20. b3 ♘h7** [20... ♘g4 21. ♖g3! f6 22. f5 fg5 23. ♖g4±; 20... ♘a7 21. c4! bc3 22. ♖c3↑] **21. f5 ♗d7 22. ♖g3 ♘f6 23. ♘d3 ♖b8 24. ♗f3 ♕b7 25. h5 ♘a7 26. h6 ♖h6!□** [26... ♘e4 27. ♗e4 ♕e4 28. ♗e3+–] **27. ♗h6 gh6 28. ♘f2 ♘b5 29. ♘g4?!** [29. ♖c1!?⩲] **♘g4 30. ♖g4 ab3 31. cb3 ♗f5 32. ef5 ♕f3 33. ♖g3** [33. ♖g8? ♕e2–+; 33. ♖b4?! ♘a3∓; 33... d5∓] **♕f5 34. ♔a1** [34. ♔b2!?] **e4?!** [34... ♘a3 35. ♖c1∞] **35. ♕b4!± ♕e5 36. ♔b1 f5 37. a4 d5** [37... f4 38. ♖g8 ♔f7 39. ♖f8 ♔f8 40. ♘d4 f3 41. ab5 f2 42. ♕c4 e3 43. ♘e6→] **38. ♖g8 ♔f7?** [38... ♕d6! 39. ♕d6 ♘d6 40. ♔a2 ♔f7 41. ♖g2 ♔e6 42. ♘f4 ♔e5 43. ♘g6 ♔e6 44. ♖gd2±] **39. ♖f8 ♖f8 40. ♕b5+– ♖b8 41. ♕d7 ♔f6 42. ♘d4 e3 43. ♖g1 ♕e4 44. ♔a2 ♔e5 45. ♕g7 ♔d6 46. ♕f6 1 : 0** **[Timman]**

281. **B 81**

DONČEV 2505 –
KIR. GEORGIEV 2590
B"lgarija (ch) 1989

1. e4 c5 2. ♘f3 d6 3. d4 cd4 4. ♘d4 ♘f6 5. ♘c3 a6 6. h3!? e6 7. g4 d5! 8. ed5 ♘d5 9. ♗d2! N [9. ♗g2 ♘c3 10. bc3 ♕c7∓; 9. ♘de2 – 13/494, 495] **♘c6** [9... ♗e7 10. ♗g2 ♘c3 11. ♗c3±] **10. ♘c6 bc6 11. ♗g2 ♗e7 12. ♘e4 ♕c7!** [×f4] **13. c4** [13. ♕f3 0–0 14. c4 f5!∞] **♘f4 14. ♗f4 ♕f4 15. ♕d2!** [15. ♘d6?! ♗d6! 16.

♗c6 ♔e7 17. ♗a8 ♗d7 18. ♗g2 ♕c4 19. a3 ♖c8∓] **♕d2** [15... ♕c7 16. c5 0–0 17. ♘d6 ♖d8 18. ♖d1 a5 19. 0–0 ♗a6 20. ♖fe1 ♖ab8∞] **16. ♘d2 ♗b7 17. 0-0-0 0-0-0 18. ♘b3 c5** [18... ♔c7!? 19. ♘a5 ♗a8 20. ♖d8 ♖d8 21. ♖d1 ♖b8∓] **19. ♗b7 ♔b7 20. ♖d8 ♖d8 21. ♖d1 ♔c6 22. ♖d8 ♗d8 23. ♘d2! ♗g5 24. ♔c2 f5=** [24... ♗d2 25. ♔d2 a5 26. b3 △ a3, ♔c3=] **25. ♘f3 ♗f4 26. ♘e1 g6 27. ♘d3 ♗h2 28. f4 ♔d6 29. ♔d2 h6 30. ♔e3 g5 31. ♔f3! ♗g1** [32. ♘e5 ♔e7 33. ♘c6 ♔d6=; 31... ♗f4? 32. ♘f4 gf4 33. ♔f4 fg4 34. hg4 a5 35. b3 ♔d7 36. ♔e5! ♔e7 37. a3 ♔d7 38. ♔f6 ♔d6 39. ♔g6+−] **1/2 : 1/2**
[Kir. Georgiev]

282. B 81

BADŽARANI – RYBINCEV
SSSR 1989

1. e4 c5 2. ♘f3 d6 3. d4 cd4 4. ♘d4 ♘f6 5. ♘c3 a6 6. ♗e3 e6 7. g4 e5 8. ♘f5 g6 9. g5 gf5 10. ef5 d5 11. ♕f3 d4 12. 0-0-0 ♘bd7 13. gf6!? N [13. ♖d4?! ed4 14. ♗d4 ♗c5 15. ♗c5 ♘c5 16. ♗c4 ♘fe4! (16... ♕d4? – 46/297) 17. ♘e4 ♘e4 18. ♕e4 ♕e7∓] **dc3 14. ♗c4! ♕f6 15. ♖hg1!=∞** [15. ♕h5?! ♖g8∓] **h6** [15... ♗h6 16. ♗f7! ♕f7 (16... ♔f7? 17. ♕h5±) 17. ♗h6 ♕a2 18. bc3=∞→] **16. ♕h5 ♗c5 17. ♗c5 ♘c5 18. ♗f7□ ♔e7!** [18... ♕f7? 19. ♖d8+−] **19. ♗g6□** [×f5] **cb2?! 20. ♔b1 ♗d7** [20... b6 21. f4 e4 22. ♖d5=∞→] **21. ♕f3! ♗c6?** [21... ♖ac8 22. ♖ge1=∞] **22. ♕c3 b6** [22... ♘d7 23. ♕b4 △ ♖d6→] **23. ♖ge1± e4 24. ♕f6 ♔f6 25. ♖d6 ♔e5 26. ♖c6 ♖hc8** [⌓ 26... ♖ab8] **27. ♖b6+− ♖ab8 28. ♖b2 ♘a4 29. ♖b3 ♘c3 30. ♔b2 a5?? 1 : 0**
[Badžarani]

283. ** **B 81**

TOLNAI 2480 – GAVRIKOV 2535
Budapest 1989

1. e4 c5 2. ♘f3 d6 3. d4 cd4 4. ♘d4 ♘f6 5. ♘c3 a6 6. ♗e3 e6 7. g4 e5 8. ♘f5 g6

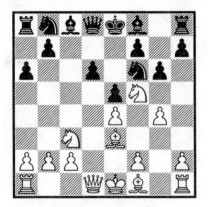

9. ♗g2!? N gf5 10. ef5 h6 [10... h5 11. h3 hg4 12. hg4 ♖h1 13. ♗h1=∞ Szalánczy 2400 – M. Orsó 2345, Magyarország (ch) 1989] **11. ♕e2 ♖g8 12. h3 ♕c7** [12... ♗d7 13. ♗b7 ♗c6 14. ♗a8 ♗a8∞] **13. 0-0-0 ♗d7 14. f4 ♗c6? 15. fe5 de5 16. ♗b6!!+− ♕b6□ 17. ♕e5 ♗e7 18. ♖he1 ♗e4!** [18... ♔f8 19. ♕e7 ♔g7 20. ♖e6 ♘bd7 21. ♖d7 ♘d7 22. ♖g6 (22... ♔h8 23. ♖h6 ♔g7 24. ♖g6 ♔h8 25. ♕h4#) 1 : 0 Tolnai 2485 – Milo. Vujović 2290, Zürich 1988] **19. ♘e4!?** [19. ♖e4! ♘e4 20. ♕e7! ♔e7 21. ♘d5 ♔f8 22. ♘b6 ♖a7 23. ♗e4 ♔g7 24. ♖d6+−] **♔f8□ 20. ♘d6?** [20. ♘c3! *a)* 20... ♕c5 21. ♖d8 ♔g7 (21... ♘e8 22. ♖e8!+−) 22. ♖g8 ♔g8 23. ♕e7+−; *b)* 20... ♗d8 21. ♖d6 ♕c7□ 22. ♗b7! ♘bd7 (22... ♖a7 23. ♖d8 ♕d8 24. ♕c5+−) 23. ♖d7 ♕e5 24. ♖d8 ♖d8 25. ♖e5 h5 26. ♗a6 hg4 27. hg4 ♖g4 28. b3+−] **♕c7 21. ♘f7 ♕e5 22. ♘e5 ♔g7□ 23. ♗b7 ♖a7± 24. ♗f3 ♘h7! 25. ♔b1 ♗f6 26. ♘d3 ♗h4! 27. ♖f1** [⌓ 27. ♖e6] **♖d8 28. ♘f4 ♖d1 29. ♖d1 ♖d7! 30. ♖d7 ♘d7= 31. ♗e2 a5 32. c3 ♘hf6 33. ♔c2 ♗g3 34. ♘e6 ♔f7 35. b4 ab4 36. cb4 ♗e1 37. a3 ♔e7 38. ♔b3 ♔d6 39. ♘d4 ♘e5 40. ♘f3 ♘f3 41. ♗f3 ♘d7 42. a4 ♘e5 43. ♗e4 ♘f7 44. a5 ♔e5 45. ♗d3 ♘d6 46. ♗c4 ♔f6 47. ♗e6 ♔g5 48. ♔a4 ♗f2 1/2 : 1/2 [Tolnai, Szalánczy]**

284. B 81

ANKA 2400 – NOVIKOV 2490
Budapest II 1989

1. e4 c5 2. ♘f3 d6 3. d4 cd4 4. ♘d4 ♘f6 5. ♘c3 a6 6. ♗e3 e6 7. g4 e5 8. ♘f5 g6

9. ♗g2!? gf5 10. ef5 h6 [10... d5!? 11. ♘d5 ♘d5 12. ♗d5$\overline{\overline{\infty}}$; 11. ♕e2!?] **11. ♕e2 ♖g8 12. h3 ♕c7 13. f4 N** [13. 0-0-0!? *a)* 13... ♗d7 14. f4 ♗c6 15. fe5 de5 16. ♗b6!! ♕b6 17. ♕e5 ♗e7 18. ♖he1 ♔f8 19. ♕e7 ♔g7 20. ♖e6! ♘h7 21. ♖g6 ♔h8 22. ♘d5 ♕d8 (22... ♕a5 23. ♕e5 f6 24. ♘f6!+−) 23. ♘f6!+−; *b)* 13... ♘c6 14. f4 — 13. f4] **♘c6 14. 0-0-0 ♘e7?!** [14... ♗d7!? 15. g5 hg5 16. fg5 0-0-0 17. gf6 ♗f5 18. ♘d5± ♕a5 19. ♔b1 ♗e6 △ 20. ♗b6? ♖g2! 21. ♕g2 ♗d5∞] **15. ♖d2?!** [15. fe5!? de5 16. ♕f2 ♗d7 17. ♗b6 ♕c8 18. ♖d6! ♗g7 19. ♖hd1+−] **♗d7 16. ♖hd1 d5?!** [16... 0-0-0 17. ♖d6 ♘f5 (17... ♘e8 18. fe5 ♘d6 19. ed6 ♕a5 20. de7 ♗e7 21. ♘d5±) 18. ♖f6 ♘e3 19. ♕e3 ♗c5 (19... ef4 20. ♕a7+−) 20. ♕e5±; 16... ♘f5! 17. gf5 0-0-0±] **17. ♗d5 0-0-0** [17... ♘fd5 18. ♘d5 ♘d5 19. ♖d5 0-0-0 20. fe5±] **18. ♗f7 ♖g7 19. ♗e6 ♘c6** [19... ♘eg8 20. ♘a4+−] **20. fe5 ♕e5 21. ♗h6 ♕e2 22. ♘e2 ♗e6?!** [22... ♖h7 23. ♗f8 ♖f8 24. ♘f4±] **23. ♖d8 ♘d8 24. ♗g7 ♗g7 25. fe6 ♘e6 26. ♘d4+− ♗h6 27. ♔b1 ♘f4 28. ♘f5 ♗f8 29. h4 ♗c5** [29... ♘g4 30. ♖d4] **30. ♖f1 ♘e6 31. ♘d6** [31. ♘g7] **♗d6 32. ♖f6** [♖ 8/b5] **♔d7 33. ♖f7 ♗e7 34. g5 ♔e8 35. g6 ♗h4 36. ♖b7 ♔f8 37. ♖a7 ♘c5 38. b4 ♘e4 39. ♖a6 ♔g7 40. a4 ♗f6 41. b5 ♔g6 42. b6 ♘c5 43. ♖a8 1 : 0** **[Novikov]**

285. **B 81**

LJUBOJEVIĆ 2580 –
J. HJARTARSON 2615
Barcelona 1989

1. e4 c5 2. ♘f3 d6 3. d4 cd4 4. ♘d4 ♘f6 5. ♘c3 e6 6. g4 ♘c6 7. g5 ♘d7 8. ♖g1 ♗e7 9. ♖g3 [9. ♗e3 — 45/272] **0–0 10. ♗e3 a6 11. ♕e2!? N** [11. ♕h5 ♖e8 12. 0-0-0 — 25/487, 494] **♘d4?!** [11... ♕c7 12. 0-0-0 b5∞; 11... ♘de5 12. f4 (12. 0-0-0? ♘d4 13. ♗d4 ♗g5) ♘d4 13. ♗d4 ♘c6 14. ♗e3 b5∞] **12. ♗d4 ♖e8?** [12... ♗g5? 13. ♗g7±; 12... g6! 13. h4 (13. 0-0-0? ♗g5) b5 14. a3 (14. 0-0-0?! b4 15. ♘a4 ×♘a4) ♖b8∞] **13. ♕h5!± ♘f8** [13... b5? 14. ♖f3! g6 (14... ♖f8 15. ♖h3+−) 15. ♕h7+−] **14. 0-0-0 b5 15. ♖dd3! b4 16. ♖df3 e5** [16... g6 17. ♕h6 e5 18. ♘d5 ed4 19. ♘f6 ♔h8 20. ♗h3 (20. ♘h7? ♘h7 21. ♖f7 ♗g5−+; 20. ♖h3? ♗h3 21. ♖h3 ♗f6 22. gf6 ♕f6−+; 20. ♘h5 ♘e6□ 21. ♘f6 ♘f8) b3! 21. ab3 ♕a5⇆ Züger; 20. ♔b1!!+− △ ♘h7 Ljubojević] **17. ♕f7 ♔h8 18. ♗b6! ♗g5 19. ♔b1 ♕e7 20. ♘d5 ♕f7 21. ♖f7+− ♘e6 22. ♗c4 h6 23. ♖d3** [23. ♘b4 ♗f4 △ ♘g5⇆] **♖b8 24. ♗a7 ♖b7 25. ♖b7 ♗b7 26. ♘b4 ♗f4 27. ♖d6 ♘g5 28. ♗a6⊕ ♘e4 29. ♖d7 ♗a6 30. ♘a6 ♗h2 31. ♘c7 ♖g8** [31... ♖c8 32. ♘e6] **32. a4 ♗g1 33. a5 h5 34. a6 h4 35. ♖e7?** [35. f3 ♘f6 36. ♗g1 ♘d7 37. a7+−; 35. ♖d1 ♗f2 36. ♗f2 ♘f2 37. ♖f1 ♘e4 38. ♔c1+−] **h3 36. ♖e5 g5! 37. ♗d4 ♘d2?** [37... ♔h7 38. ♖e4 h2 *a)* 39. ♘d5? h1♕ 40. ♘f6 ♔g6! (40... ♔g7?? 41. ♘g8 ♔g8 42. ♖e1+−) 41. ♘g8 ♕e4−+; *b)* 39. ♖e7 ♔h6 40. ♖e6 *b1)* 40... ♖g6? 41. ♖e8+−; *b2)* 40... ♔h7 41. ♘d5 (41. ♘e8? ♖g6!; 41. ♖e7=) ♖f8! (41... h1♕? 42. ♘f6 ♔h8 43. ♘g8 ♔g8 44. ♖e1! ♕d5 45. a7+−) 42. ♖e7 ♔g6 43. ♖e6 (43. ♖g7? ♔h6) ♔h7 (43... ♔h5? 44. ♗g7+−) 44. ♖e7=; *b3)* 40... ♔h5 41. ♖e7 (41. ♘d5? h1♕ 42. ♘f6 ♔h4! 43. ♘g8 ♗f2 44. ♔a2 ♕d5−+) ♔h6=] **38. ♔c1 ♘f3?** [38... ♔h7 *a)* 39. ♔d2 h2 40. ♖e7 ♔h6 41. ♖e6 *a1)* 41... ♔h5?! 42. ♘d5 *a11)* 42... h1♕? 43. ♘f6 ♔h4 (43... ♔g6 44. ♘g8 ♔f7 45. ♖d6 ♔g8 46. ♖d8 ♔f7 47. a7+−) 44. ♘g8+− ♕d5 45. ♖h6 ♔g4 46. ♘f6; *a12)* 42... ♖f8!? 43. ♗g7±; *a2)* 41... ♔h7! 42. ♘d5?! (42. ♖e7 ♔h6 43. ♖e6=) *a21)* 42... h1♕ 43. ♘f6 ♔h8 (43... ♔g7? 44. ♖e7+−) 44. ♘g8 (44. ♘h5 ♔h7□=) ♔g8 45. a7 ♔f7∞; *a22)* 42... ♖f8!? 43. ♘f6?! ♖f6 44. ♖f6 h1♕ 45. a7 ♕d5 46. c3 ♗h2!⇆; 43. ♖e7=; *b)* 39. ♖e3!! g4 40. ♖e7 ♔h6 41. ♖e6±] **39. ♖g5+− ♘d4 40. ♖g8 ♔g8 41. a7 h2 42. a8♕ ♔f7 43. ♕d5 1 : 0** **[J. Hjartarson]**

286.*   **B 81**

NUNN 2620 — THORSTEINS 2430

Lugano 1989

**1. e4 c5 2. ♘f3 e6 3. d4 cd4 4. ♘d4 ♘f6
5. ♘c3 d6 6. g4 ♗e7 7. g5 ♘fd7 8. h4
0—0 9. ♗e3 ♘c6 10. ♗c4!?** [RR 10. ♕d2
a6 11. 0-0-0 ♘d4 12. ♕d4 b5 13. ♖g1
♖b8 14. h5 b4 15. ♘a4 N (15. ♘e2 —
42/270) ♕a5 16. b3 ♗b7 17. ♔b1 ♖bc8
18. f3 ♖fd8 19. ♗h3 ♘e5 20. ♖g3 ♘c4
21. bc4 ♕a4 22. h6 ♗f8 23. g6 hg6 24.
♖g6! e5 25. ♕d2 fg6 26. ♗e6 ♔h7 27.
♖h1 ♕e8 28. ♕h2 (28... ♕e6 29. hg7
♔g7 30. ♕h7 ♔f6 31. ♗g5!) 1 : 0 Wed-
berg 2510 — Sandström 2265, Malmö
1988/89] ♘d4 N [10... ♘b6 11. ♗b3 d5∞]
11. ♕d4 [11. ♗d4!? a) 11... d5?! 12. ed5
ed5 13. ♘d5 ♖e8 14. ♘e3! ♘b6 (14...
♕c7 15. ♗f7!±) 15. ♗b3 △ ♕h5±; b)
11... ♘e5 12. ♗b3 ♕a5 △ b5∞] **a6?!**
[11... ♘e5 12. ♗e2 ♘c6 13. ♕d2 a6±]
12. 0-0-0 b5 13. ♗b3 ♘c5 [13... ♖b8 14.
h5 ♗g5 15. f4 ♗e7 16. h6 e5 17. fe5 de5
18. ♕d5 g6 19. ♖hf1 ♕e8 20. ♖d2 △
♖df2±] **14. f4 ♕a5 15. h5! b4 16. h6 e5**

17. ♘d5!+− [17. fe5? de5∞] **♘b3** [17...
ed4 18. ♘e7 ♔h8 19. hg7 ♔g7 20. ♗d4
f6 21. gf6 ♖f6 22. ♖dg1 ♔f8 23. ♖g8 ♔e7
24. ♖h7 ♖f7 25. ♖f7#] **18. ab3 ♗g5**
[18... ed4 19. ♘e7 ♔h8 20. ♗d4 f6□
(20... ♖g8 21. hg7 ♖g7 22. ♖h7) 21. g6!
(△ 22. hg7 ♔g7 23. ♖h7#) ♖g8 (21...
gh6 22. ♖h6; 21... hg6 22. ♘g6 ♔g8 23.
h7 ♔f7 24. ♘f8) 22. hg7 ♔g7 (22... ♖g7

23. ♖h7 ♖h7 24. ♗f6) 23. ♖h7 ♔f8 24.
♖f7 ♔e8 25. ♘g8] **19. fe5** [19. fg5?? ed4
20. ♘e7 ♔h8 21. ♗d4 ♕g5] **♗e3** [19...
de5 20. ♕e5 ♗e3 21. ♔b1] **20. ♕e3 g6
21. ♕g5 f6 22. ♘e7 ♔f7** [22... ♔h8 23.
♘g6 hg6 24. ♕g6 ♖a7 25. ef6 △ ♕g7]
23. e6 1 : 0   **[Nunn]**

287.   **B 81**

SAX 2600 — EHLVEST 2580

Reggio Emilia 1988/89

**1. e4 c5 2. ♘f3 e6 3. d4 cd4 4. ♘d4 ♘f6
5. ♘c3 d6 6. g4 ♗e7 7. g5 ♘fd7 8. h4
♘c6 9. ♗e3 0—0 10. ♕h5 d5?!** N [10...
a6 — 46/299] **11. 0-0-0!** [11. ed5 ed5 12.
0-0-0 ♘de5∞] **de4!?** [11... ♘d4 12. ♖d4
♗c5 13. ♖d2! (13. ed5!? ♗d4 14. ♗d4
e5∞) ♗e3 14. fe3± ; 11... ♘c5 12. f4!→≫]
12. ♘e4 ♕a5 13. ♘c6 bc6 14. ♗d4! e5
[14... ♕a2? 15. ♘f6! ♗f6 (15... gf6 16.
gf6+−) 16. gf6 e5 17. fg7+−] **15. ♗c3
♕a2** [15... ♕c7?! 16. ♖d7! ♗d7 17. ♗d3
g6 18. ♕h6+−]

16. ♖d7! ♗d7 17. ♘f6! ♗f6 [17... gf6?
18. gf6 ♗f6 19. ♖g1 ♗g7 (19... ♔h8 20.
♗d3+−) 20. ♕h6+−] **18. gf6 ♕a1?** [18...
gf6? 19. ♖g1 ♔h8 20. ♕h6+−; 18...
♖fd8?! a) 19. ♕g5?? ♕a1 20. ♔d2 ♕d1!!
21. ♔e3 (21. ♔d1 ♗g4−+) ♕g4 22. ♕g4
♗g4 23. ♖g1 ♗h5 24. ♖g7 ♔h8 △ ♗g6;
b) 19. ♗d3! h6 (19... e4 20. ♕g5+−) 20.
b3 ♕a3 21. ♗b2 ♕d6 22. ♖g1 ♕f6 23.
♗e5+−; 18... ♕e6! 19. ♗h3! ♕f6 20.
♗d7±] **19. ♔d2 ♕a4 20. b4!+−** ♖fd8 21.

♗d3 gf6 **22. ♖a1 ♕b5 23. ♕h7 ♔f8 24. ♕h6** [24. ♗b5?? ♗f5] **♔e7 25. ♗b5 cb5 26. ♕e3 1 : 0** **[Sax, Hazai]**

288. **B 81**

SAX 2610 – POLUGAEVSKIJ 2575
Haninge 1989

1. e4 c5 2. ♘f3 d6 3. d4 cd4 4. ♘d4 ♘f6 5. ♘c3 e6 6. g4 ♘c6 7. g5 ♘d7 8. ♗e3 ♗e7 9. h4 0–0 10. ♕h5 ♖e8 N 11. 0-0-0 a6 [11... ♗f8 12. ♘c6! (12. f4 ♘d4 13. ♗d4 e5) bc6 13. f4 d5 14. ♗d3 g6 15. ♕f3→; 11... ♘d4 12. ♗d4 ♗f8 13. ♗d3 a6 14. e5 g6 15. ♕g4 ♗g7 (15... de5 16. ♗e3→⟫; 15... ♘e5 16. ♗e5 de5 17. ♗g6!) 16. f4 de5 17. fe5 *a)* 17... ♗e5 18. ♗e5 (18. h5→) ♘e5 19. ♕e2±; *b)* 17... ♘e5 18. ♗e5 ♗e5 19. ♗g6!] **12. f4** [12. ♘c6 bc6 13. f4] **♘d4** [12... ♗f8 13. ♘c6 bc6 14. ♗d3] **13. ♗d4 b5** [13... e5 14. fe5 de5 15. ♗e5 ♘e5 (15... ♕a5 16. ♖d5±) 16. ♖d8 ♗g4 (16... ♖d8 17. ♗h3±) 17. ♖a8 ♖a8 18. ♗e2 ♗h5 19. ♗h5±] **14. f5 ♗f8** [RR 14... b4? 15. fe6 fe6 16. ♗c4 bc3 17. ♗e6 ♔h8 18. ♗g7! ♔g7 19. ♕h6 ♔h8 20. g6+– Polugaevskij] **15. ♗h3** [15. fe6 fe6 (15... ♖e6 16. ♗h3 ♖e8 17. ♖hf1±) 16. ♗h3 b4 – 15. ♗h3] **b4 16. fe6 fe6**

17. g6 [17. ♘e2 ♗b7 18. ♘f4 e5 19. ♗e6 ♖e6 20. ♘e6 ♕e7 21. ♘f8 ♘f8 22. ♗e3 ♗e4$\overline{\overline{\infty}}$; 17. ♘d5!! *a)* 17... ed5? 18. g6!+–; *b)* 17... g6 *b1)* 18. ♕g4 ♘e5! (18... ed5?? 19. ♕e6! ♖e6 20. ♗e6#) 19. ♘f6 ♕f6 20. gf6 ♘g4∞; *b2)* 18. ♕f3! ed5 19. e5! de5 (19... ♗b7 20. e6 ♘e5 21. ♗e5 de5 22. ♕f7 ♔h8 23. ♕b7 d4 24. ♕e4±) 20. ♕d5 ♔h8 21. ♗e5? ♘e5 22. ♕d8 ♗h3!; 21. ♗e3!±; *c)* 17... ♖b8 18. ♘c7! g6 19. ♘e6!; *d)* 17... ♗b7 18. ♘f6!] **h6!** [17... hg6? 18. ♕g6 bc3 19. ♗g7! ♗g7 20. ♖hg1 ♕f6 (20... ♕e7 21. ♗e6 ♔f8 22. e5!!+–; 20... ♖e7 21. ♗e6+–) 21. ♕e8 ♘f8 22. ♖df1 ♗b7 23. ♕h5 ♕e7 24. ♖g4! e5 25. ♖fg1 ♘e6 26. ♕h6!+–] **18. ♘d5** [18. ♘e2 ♗b7 (RR 18... e5 19. ♗e3 ♘f6 20. ♕f3 ♕c7 △ ♕c4∓ Polugaevskij) 19. ♘g3 ♘f6!] **♖b8** [18... ♗b7 19. ♕f3! ed5 20. ♕f7 ♔h8 21. ♗d7 ♖e7 22. ♕f4! ♔g8 23. ♗e6+–] **19. ♖hf1** [RR 19. ♘e3 e5∓; 19. ♘f4 e5! 20. ♘e6 ♘f6! 21. ♘d8 ♘h5 22. ♘c6 ♗h3∓ Polugaevskij] **ed5 20. ♕d5 ♔h8 21. ♖f7?** [21. ♗d7! *a)* 21... ♗d7? 22. ♖f7 ♖e6 (22... ♖b5 23. ♖g7!+–; 22... ♗e6 23. ♕h5 ♔g8 24. ♕h6!! gh6 25. ♖h7+–) 23. ♕h5 ♔g8 24. ♖df1 ♖e8 25. ♖f8! ♖f8 26. ♕d5 ♔h8 27. ♗g7 ♔g7 28. ♖f7 ♔g6 29. h5#; *b)* 21... ♕d7! 22. ♖f7 ♕e6 23. ♕c6 ♔g8 24. ♖df1 ♖b5 25. ♖c7 ♖c5 (25... ♖e5 26. ♖ff7 ♕g6 27. ♗e5 ♕g1 28. ♔d2 ♕g2=) 26. ♖f8! ♔f8 27. ♕d6! ♕d6 28. ♖f7=; RR 21. ♕h5 ♘f6!! (21... ♘e5? 22. ♖f8! ♖f8 23. ♗e5) 22. ♖f6 gf6 △ ♗g7–+ Polugaevskij] **♘e5!∓** [21... ♖b5? 22. ♖g7!] **22. ♗e5 ♖e5 23. ♕e5 ♗h3 24. ♕d5 ♕e8! 25. ♖d2** [25. ♖d3 ♗g4 26. ♖g3 ♗e6!] **♕e6 26. ♖df2 ♕d5** [26... ♔g8! 27. ♕b7 ♖e8] **27. ed5 ♔g8∓ 28. ♖a7⊕** [28. ♖2f4 ♗g2] **♗g4 29. ♔d2** [⌓ 29. ♖a6] **♗h5 30. ♖g2 ♖b5 31. ♖a6 ♖d5 32. ♔e3 ♖e5 33. ♔d4 ♖f5** [33... ♖e6] **34. ♖b6 d5 35. ♖b8 ♖f6 36. a4 ba3 37. ba3 ♗g6 38. a4 ♖a6** [RR 38... ♗f7! 39. a5 ♖f4 40. ♔c3 ♖a4 41. ♖b5 d4–+ Polugaevskij] **39. a5 ♗f7 40. ♖b5 ♗e7 41. ♖e2 ♗h4 42. ♔c5 ♗f6** [42... ♔h7 43. ♖b7] **43. ♖b8 ♔h7 44. ♔b5 ♖a7 45. a6 d4 46. ♖b7** [46. ♔b6 ♖a6; 46. ♖f2!] **♖a6 47. ♖f7** [♖ 9/o] **♖a3 48. ♔c4?** [48. ♖f6! gf6 49. ♔c4 ♖a4 50. ♔d5; RR 50. ♔b5 ♖a8!–+ Polugaevskij] **♔g6–+ 49. ♖f8** [49. ♖b7] **♖g3 50. ♖f2 ♖g4 51. ♔d3** [RR 51. ♖2f6 gf6 52. ♖g8 ♔f5 53. ♖g4 ♔g4 54. ♔d4 ♔f5! 55. ♔d5 h5 Polugaevskij] **h5 52. ♔e2 h4 53. ♔f3** [RR 53. ♔f1 ♔g5

54. ♖g2 ♖g2 55. ♔g2 ♔g4 Polugaevskij] **♔g5 54. ♖g2 ♖g2 55. ♔g2 [♖ 2/k] ♔g4 56. ♖e8** [RR 56. ♖f7 ♔f5! △ g5 Polugaevskij] **g5 57. ♖g8 h3 58. ♔g1♔f5 59. ♖f8 g4 60. ♔f2 ♔g5 61. ♖g8 ♔f4 62. ♖f8 g3 63. ♔g1 ♔g5 64. ♖e8 ♔g4** [64... d3?? 65. ♖g8 ♔f4 66. cd3=] **65. ♖g8 ♗g5 0 : 1** **[Sax, Hazai]**

289.* **B 82**

SMIRIN 2490 — RAZUVAEV 2550
Moskva (GMA) 1989

1. e4 c5 2. ♘f3 e6 3. ♘c3 d6 4. d4 cd4 5. ♘d4 ♘f6 6. f4 [RR 6. ♗d3 ♗e7 7. 0—0 0—0 8. ♕e2 ♘c6 9. ♘b3 a6 10. f4 ♕c7 11. ♗d2 b5 12. ♖ae1 b4 13. ♘d1 e5 N (13... a5 — 39/(288)) 14. ♘e3 ef4 15. ♖f4 a5 16. ♔h1 ♖b8 17. c3 ♕a7 18. ♘d5 ♘d5 19. ed5 ♘e5 20. cb4 ab4 21. ♗b1 ♕a4 22. ♘d4 ♗g5 23. ♖ff1 ♗d2 24. ♕d2 ♕a8 25. ♘c6 ♘c6 26. ♕c2 g6 27. dc6 ♖b5! 28. ♖e7 ♖f5! 29. ♖fe1 ♖c5 30. ♕d2 ♕c6 31. ♕b4 ♗e6 32. ♕f4 ♖e5! 33. ♖g1 ♕b5∓ Zapata 2490 — J. Polgár 2555, New York 1989; 25. ♘f3!?; 16... ♗e6!? 17. ♘d5 ♗d5 18. ed5 ♘e5 J. Polgár] **a6 7. ♗d3 ♕b6** [7... ♕c7 — 46/304] **8. ♘b3 ♘c6 9. a4!? ♕c7 10. a5 b5 11. ab6 ♕b6 12. ♕e2 ♘b4! 13. ♘a5! d5?!** [13... ♗e7!?=] **14. ed5 ♘fd5 15. ♘d5 ♘d5 16. ♘c4! ♕c7 17. 0—0 ♗c5 18. ♔h1 0—0 19. ♗d2** [19. b3!?] **♖b8 20. f5** [20. b3!±] **ef5 21. ♗f5 ♗b7 22. ♖ae1 ♗a8□** [22... ♗b4 23. c3 ♗e7 24. ♘e5±] **23. b3** [23. ♗d3!⩲] **♗b4!= 24. ♗b4** [24. c3 ♗e7⇆] **♘b4 25. ♘e5** [25. ♕e5 ♕e5 26. ♘e5 g6!∓] **♖be8□ 26. ♗h7!** [26. ♖f4? f6!∓] **♔h7 27. ♕h5 ♔g8 28. ♘f7 ♗g2□** [28... ♕f7 29. ♕f7+−] **29. ♔g2** [29. ♔g1 ♗f1−+] **♕c2 30. ♔h1 ♕h7 31. ♕f3 ♕d3 32. ♖e8 1/2 : 1/2** **[Razuvaev]**

290.* **B 82**

VAN DER WIEL 2560 — SAX 2610
Wijk aan Zee 1989

1. e4 c5 2. ♘f3 d6 3. d4 cd4 4. ♘d4 ♘f6 5. ♘c3 e6 [RR 5... a6 6. ♗e3 e6 7. f4 b5 8. ♕f3 ♗b7 9. ♗d3 ♘bd7 10. g4 b4 11. ♘ce2 e5 12. ♘b3 ef4!? 13. ♗f4 h5 14. gh5 ♘h5 15. 0-0-0 ♘f4 16. ♘f4 ♘e5 17. ♕g3!? N (17. ♕e3 — 38/311) ♕h4!? (17... g6 18. h4↑) 18. ♘a5 ♘d3! 19. cd3 ♖c8 20. ♔b1 ♕g3 21. hg3 ♖h1 22. ♖h1 ♗a8 23. ♖c1 ♖c1 24. ♔c1 d5! 25. ♘d5 (25. e5? ♗c5 26. ♘e2 ♗e3 27. ♔c2 ♔e7 28. d4 f6! 29. ♔d3 ♗f2∓ R. Martin del Campo 2455 — R. Vera 2470, Bayamo 1989) ♗d5 26. ed5 f5! 27. ♘c4 ♔d7 28. ♔d2 ♗d6 29. ♘d6 ♔d6 30. ♔e3 ♔d5 31. ♔f4 g6 32. ♔g5 ♔e5 33. ♔g6 f4 34. d4 ♔e4 35. gf4 ♔f4 36. ♔f6 ♔e4 37. ♔e6 ♔d4 38. ♔d6 a5 39. ♔c6= R. Vera] **6. f4 a6 7. ♕f3 ♕b6 8. ♘b3 ♕c7 9. g4 b5 10. g5 ♘fd7 11. ♗d3** [11. ♗e3 ♗b7 12. 0-0-0 ♘c5 (12... b4 13. ♘e2 ♘c5 14. ♘c5 dc5 15. f5→) 13. ♘c5 dc5 14. f5↑⊞] **♗b7 12. ♗e3!?** [12. ♕h3 ♘c6? 13. g6!±; 12... g6] **♘c5! N** [12... ♘c6 13. ♕h3 g6 (13... ♘c5 — 46/(307); 13... b4 — 46/307) 14. f5!→ ×e6] **13. f5?!** [13. 0-0-0 ♘d3 14. ♖d3 ♘d7∞] **b4 14. ♘e2 ♘bd7 15. ♘c5 ♘e5!** [15... ♘c5?! 16. fe6 fe6 17. ♕h3 ♕d7 (17... ♕e7 18. ♘f4!) 18. ♗c5 dc5 19. ♗c4] **16. ♕h3** [16. ♕g3 dc5 17. ♗f4 ♗d6] **dc5 17. fe6?!** [17. ♗f4 ♗d6 18. ♗e5 ♗e5 19. fe6 0—0!→; 17. b3 ef5 18. ♕f5 ♗d6] **c4! 18. 0—0 cd3 19. cd3** [19. ef7 ♘f7 20. cd3 (20. ♕e6 ♕e7−+) ♗d6] **fe6 20. ♕e6** [20. ♘f4 ♕d7!; 20. d4 ♘g6 21. ♕e6 ♕e7] **♕e7 21. ♕b3** [21. ♕h3 ♕d7] **♕d7 22. ♖f5** [22. d4 ♘g4 (22... ♕g4? 23. ♘g3 ♘f3? 24. ♖f3 ♕f3 25. ♖f1±) 23. ♗f4 ♗e4 24. h3; 23... h6!∓] **♗d6 23. ♗d4** [23. d4 ♗e4 24. ♖e5 ♗e5 25. de5 a5!] **♘c6 24. ♗b6 ♗c7 25. ♗c7 ♕c7 26. ♖c1 0-0-0 27. d4 ♔b8 28. ♖fc5 ♕e7!** [28... ♕b6 29. ♕g3 ♔a8 30. d5] **29. ♕g3 ♔a8 30. ♖c6 ♕e4−+ 31. ♕g2** [31. ♖c7 ♕h1 32. ♔f2 ♖hf8 33. ♘f4 ♖f4! 34. ♕f4 ♕g2 35. ♔e3 ♖e8] **♕g2 32. ♔g2 ♖d6 33. d5 ♗c6 34. dc6 ♖c8 35. ♖c4 ♖dc6 36. ♖b4 ♖c2 37. ♔f3 ♖b8 38. ♖a4 ♔a7 39. b3 ♖f8 40. ♘f4 ♖h2 41. ♖d4 ♖f7 42. a4 ♖h3 0 : 1** **[Sax, Hazai]**

291. **B 82**

VAN DER WIEL 2560
– B. LARSEN 2580
Lugano 1989

1. e4 c5 2. ♘f3 ♘c6 3. d4 cd4 4. ♘d4 d6 5. ♘c3 e6 6. ♗e3 ♘f6 7. f4 ♗e7 8. ♕f3 e5 9. ♘c6 bc6 10. f5 ♕a5 11. 0-0-0 ♗b7 12. ♗c4 ♖d8 13. g4 d5 14. g5 N [14. ed5 cd5?!±; 14... ♘d5!?] **dc4** [14... ♘e4?! 15. ♘e4 dc4 16. ♖d8±→; 14... d4 15. gf6 ♗f6 16. ♗d2 dc3 17. ♗c3⩲] **15. gf6 ♗f6 16. ♖d8 ♔d8?!** [16... ♗d8 *a)* 17. ♕f2 ♗b6 18. ♖g1⯹; *b)* 17. ♕e2 ♕a6?! 18. ♗c5→; ⌓ 17... 0–0⩲; *c)* 17. ♖d1!?⯹ △ 17... 0–0? 18. ♖d7±; *d)* 17. ♕g3!?] **17. ♕e2! ♕a6?!** [17... ♔e7 18. ♕d2 ♖d8 19. ♘d5 ♖d5 20. ed5 ♕d2 21. ♔d2 cd5 22. ♗a7 d4∞; 18. ♕c4±; 17... ♗a6 18. ♕d2! (18. ♕f2!?) ♔c8 19. ♕d6 ♔b7 20. ♕d7 ♕c7 21. ♕c7 ♔c7 22. ♗a7± ×♗a6, ♙a] **18. ♖d1± ♔c8** [18... ♔c7 19. ♕h5 g6 20. ♕f3] **19. ♕h5 g6 20. ♕h3 ♔b8 21. ♖d7 ♗d8! 22. fg6!** [22. ♖f7 ♗b6!±⇆] **fg6 23. ♕e6 ♕a5□** [23... ♔a8 24. ♕e5 ♖f8 25. ♕d6 ♖f1 26. ♔d2 ♗a5 (26... ♗h4 27. ♖h7+–) 27. ♔e2!+–] **24. ♕f7! ♕a6** [24... ♗c7 25. ♖c7! ♕c7 26. ♗a7 ♔c8 27. ♕e6 ♕d7 28. ♕e5+–] **25. ♕g7 ♖e8 26. ♕f7 ♖h8 27. ♗c5 ♔a8 28. ♗f8! ♗g5 29. ♔b1 ♗c8 30. ♕e8!□** [30. ♖d6 ♕b7 31. ♕e8? ♖f8! 32. ♕f8 ♗e7–+; 30. ♖c7 ♗d8] **h5** [30... ♗h6 31. ♖a7! ♔a7 (31... ♕a7 32. ♕c8 ♕b8 33. ♕c6+–) 32. ♗c5 ♔a8 33. ♕h8+–] **31. ♖c7 ♔b8 32. ♕e5!** [32... ♗f6 33. ♕d6+–; 33. ♖c8+–; 32. ♖c8 ♕c8 33. ♕e5 ♔b7 34. ♕h8] **1 : 0**
[van der Wiel]

292. **B 82**

ULYBIN 2445 – P. POPOVIĆ 2535
Moskva (GMA) 1989

1. e4 c5 2. ♘f3 ♘c6 3. d4 cd4 4. ♘d4 ♘f6 5. ♘c3 d6 6. ♗c4 ♕b6 7. ♘b3 e6 8. ♗e3 ♕c7 9. f4 a6 10. ♗d3 b5 11. ♕f3 ♗b7 12. 0–0 ♗e7 [12... g6!?] **13. ♖ae1 0–0 14. ♕h3 ♖fe8! N** [14... ♘b4 – 24/382] **15. g4!?** [15. ♔h1 ♖ad8⇆] **♘b4!** [15... ♗f8 16. g5 ♘d7 17. f5 △ ♖f4↑] **16. g5 ♘d7 17. ♘d4 ♗f8 18. a3?!** [18. f5 ef5 19. ♘f5 ♘e5 20. ♗d4∞] **♘d3 19. cd3 ♘c5 20. ♖d1 g6! 21. b4□ ♘d7 22. ♖c1 ♕d8 23. ♘b3 ♖c8 24. ♘a5?!** [24. ♘e2∓] **♗a8 25. ♘e2 ♖c1 26. ♖c1 e5!↑ 27. f5** [27. ♘c6 ♗c6 28. ♖c6 d5!∓] **d5 28. ♕g4 de4 29. de4 ♘b6 30. ♘c3□ ♘c4 31. ♘c4 bc4 32. ♖d1?!** [32. fg6 hg6 33. ♖d1∓] **♕c8 33. h3 ♖d8 34. ♖d8 ♕d8 35. ♕e2?!** [35. fg6] **gf5 36. ef5 ♕c8–+ 37. ♕g4 ♕c6** [37... a5] **38. ♔f2 a5! 39. b5 ♕d7 40. a4 ♕d3 41. ♘e2 ♗b7!** [△ ♗c8] **42. b6 ♗b4!** [△ ♕d1] **43. f6 ♕d1 44. ♕g1 ♕a4 45. h4 ♕d7 46. ♕g3 ♕f5 47. ♔g1 ♕b1 48. ♘c1 ♕c2** [△ ♕d1] **49. ♕g4 a4 50. h5 a3 51. g6 hg6 52. hg6 ♕g6 53. ♕g6 fg6 54. ♘a2 ♗f8 55. ♔f1 ♔f7 56. ♗g5 ♗c5 0 : 1** **[P. Popović]**

293. **B 83**

SMIRIN 2500 – VOGT 2485
Saltsjöbaden 1988/89

1. e4 c5 2. ♘f3 e6 3. ♘c3 d6 4. d4 cd4 5. ♘d4 ♘f6 6. f4 ♘c6 7. ♗e2 ♗e7 8. ♗e3 0–0 9. ♕d2 e5 10. ♘b3 [10. ♘f5 ♘e4?! 11. ♘e7 ♕e7 12. ♘e4 ef4 13. ♗f4 ♕e4 14. ♗d6 ♖d8 15. 0-0-0±] **a5 11. a4 ef4 12. ♗f4 ♗e6 13. ♘d4 N** [13. 0-0-0 ♗b3 14. cb3 ♕b6∞] **♘d4 14. ♕d4 d5 15. e5 ♘e4 16. ♘e4 de4 17. ♕e4** [17. 0-0-0 ♕d4 18. ♖d4 ♗c5 19. ♖dd1=] **♗d5 18. ♕f5 ♗g2 19. ♖g1 ♗h4 20. ♗g3 ♗g3** [20... g6?? 21. ♖g2+–] **21. hg3 ♗c6 22. ♗d3 g6 23. ♕f4 ♕c7** [23... ♕d5 24. 0-0-0 ♕a2 25. ♕h6 ♕a1 26. ♔d2 ♕b2 27. ♖h1→] **24. 0-0-0 ♖ae8 25. ♖de1 f6?!** [25... ♖e7] **26. ♕c4 ♔h8** [26... ♕f7 27. ef6±] **27. ♗g6! ♖e5** [27... hg6 28. ♖h1 ♔g7 29. ef6 ♔f6 (29... ♖f6 30. ♖e8 ♕f7 31. ♖h7! ♔h7 32. ♕h4 ♔g7 33. ♕h8#) 30. ♕d4 ♖e5 31. ♖e5 ♕e5 32. ♖f1+–] **28. ♕h4 ♖e1 29. ♖e1 ♕g7 30. ♗d3± ♕g5 31. ♕g5 fg5** [♖ 9/k] **32. ♖e5** [32. ♖e7 ♖f3 33. g4 ♖f4 34. ♗f5 ♔g8=] **g4** [32... h6 33. ♖e6+–] **33. ♗e4! ♗a4** [33... ♖e8 34. ♖e8 ♗e8 35. ♗b7 ♗a4 36. c4 ♗b3 37. c5 h5 (37... ♔g7 38. ♔d2 ♔f6

39. ♔c3 ♗e6 40. c6 ♗d5 41. ♔d4 ♔e6 42. ♔c5 ♗f3 43. ♗c8 ♔e7 44. c7+−) 38. ♔d2 ♔g7 39. ♔c3 ♗e6 40. c6 ♗d5 41. ♔d4 ♗f3 42. ♗a8 ♗e2 43. c7 ♗a6 44. ♔e5+−; 33... ♗e4 34. ♖e4 ♖f1 35. ♔d2 ♖f2 36. ♔d1 h5 37. ♖e5±] **34. ♖a5 ♗e8** [34... ♗c6 35. ♗c6 bc6 36. ♖g5 ♖g8 37. ♖g8 ♔g8 38. ♔d2 ♔f7 39. ♔e3 ♔f6 40. ♔f4 h5 41. b4+−] **35. ♗b7+− ♖f1 36. ♔d2 ♗g6** [36... ♖f2 37. ♔e3 ♖c2 38. ♖a8] **37. c4 ♖f2 38. ♔c3 ♔g7 39. ♖g5⊕ 1 : 0** [Vogt]

294.** B 83**

PRANDSTETTER 2415
− C. HANSEN 2545

Praha 1989

1. e4 c5 2. ♘f3 e6 3. d4 cd4 4. ♘d4 ♘f6 5. ♘c3 d6 6. ♗e2 ♗e7 7. 0−0 0−0 8. f4 ♘c6 9. ♗e3 ♗d7 [RR 9... e5 10. fe5 de5 11. ♘f5 ♗f5 12. ♖f5 ♕d1 13. ♖d1 g6 14. ♖f2 ♘d4 15. ♗g5 N (15. ♖df1 − 37/255) ♔g7 16. ♗f6 ♗f6 17. ♘d5 ♗g5 18. c3 ♘e6 19. g3 h5 20. h4 ♗d8 21. ♔g2 ♖c8 22. b4?! ♘c7!= Barua 2490 − Murugan 2460, India (ch) 1989; 22. ♗d3 △ ♗c2, b4, ♗b3± Barua] **10. ♘b3 ♕c7** [RR 10... a6 11. a4 ♘a5 12. e5 ♘e8 13. ♘a5 ♕a5 14. ♘e4 ♕c7 15. a5 ♗c6 (15... d5 − 27/434) 16. ♗b6 ♕d7 N (16... ♕b8) 17. ♗f3 ♖c8 18. ♖f2 ♗e4!? 19. ♗e4 f5 20. ♗f3 d5 21. b3! ♖c3! 22. ♗d4 ♖c7 a) 23. ♖a4? ♕c8 24. ♖d2 (24. c4 dc4 25. ♖c4 ♖c4 26. bc4 ♖f7!= Dzindzichashvili) g5! 25. g3 ♘g7 26. h3 ♕e8 27. ♗e3∞ Fishbein 2490 − Dzindzichashvili 2525, Boston 1988; b) 23. ♔h1! ♕c8 24. c4 dc4 25. ♗b6 ♗c5? 26. ♖d2 △ ♖d8 Fishbein] **11. ♗f3 ♖fd8 12. g4! ♗e8** N [12... ♘a5± − 18/458] **13. g5 ♘d7 14. ♕e1 ♘b6?!** [14... a6] **15. ♘b5 ♕b8 16. ♘a7!± ♘c4** [16... ♕a7 17. ♕f2] **17. ♘c6 ♗c6** [17... bc6 18. ♗c1!? d5 19. ♗e2!] **18. ♘d4! d5 19. e5 ♘b2□ 20. ♖b1 ♗a3** [20... ♖a2 21. ♕c3 ♘a4 22. ♕b3 ♖a3 23. ♘c6! ♖b3 24. ♘e7 ♔f8 25. cb3 ♘c3 26. ♗c5 ♕c7 27. b4 ♔e8 28. ♖bc1 d4 29. ♖a1! ♘b5 30. ♖fd1±] **21. ♕c3**

♖c8□ **22. ♖b2 ♗b5 23. ♕c8! ♕c8 24. ♖b5 ♗c5 25. ♖fb1 b6 26. ♖1b2 ♖a4 27. c3 ♕a8 28. ♖c5!! bc5 29. ♘c6! ♖a3□ 30. ♖b8** [30. ♗d2? ♖a2!] **♕b8 31. ♘b8 ♖c3 32. ♔f2 ♖c2** [⌓ 32... d4 33. ♗d4! cd4 34. a4 ♖c2 35. ♔e1 ♖a2 36. ♗d1 ♔f8 37. ♘c6 d3 38. ♘b4] **33. ♔e1 d4 34. ♗d2** [34. ♗f2! d3 35. ♗d1 ♖b2 36. ♗c5!+−] **c4 35. ♗d1?** [35. ♗e4 ♖a2 (35... d3 36. a4! c3 37. ♗c3 ♖c3 38. a5 ♖b3 39. a6!+−) 36. ♘c6 ♖a1 (36... c3 37. ♗c1+−) 37. ♔e2 c3 38. ♘d4! cd2 39. ♔d2±] **♖a2 36. ♘c6 c3 37. ♘d4□ ♖d2 38. ♘e2 ♖d3= 39. h4 ♔h8 40. ♗c2 ♖h3** [40... ♖d2? 41. ♗e4!] **41. h5 ♖h1 42. ♔f2 ♖h5 43. ♗e4** [△ ♔g3, ♗f3+−] **h6!** [43... ♖h2 44. ♗g2 △ ♔g3] **1/2 : 1/2** [Prandstetter]

295. B 84

ZAGREBEL'NYJ 2345 − HENKIN 2415

Belgorod 1989

1. e4 c5 2. ♘f3 d6 3. d4 cd4 4. ♘d4 ♘f6 5. ♘c3 a6 6. ♗e2 e6 7. f4 ♕c7 8. ♗e3 ♗e7 9. g4?! d5!? N [9... b5± − 20/485, 12/460] **10. ed5** [10. e5 ♘fd7 11. ♕d2 ♘c6 △ g5∞; 10... ♘e4!?] **♗b4! 11. de6□ ♗c3 12. bc3 ♕c3 13. ♔f2 fe6 14. ♗f3** [14. ♕d3 ♕c7!∓↑] **0−0 15. g5 ♘d5 16. ♗d5 ed5 17. ♕d3 ♕c7 18. ♘f3 ♗e6 19. ♖he1 ♘d7!∓** [19... ♘c6?! 20. ♗c5! ♖f4? 21. ♖e6 ♘e5 22. ♕d5!± ♖f3 23. ♔g2!] **20. ♖e2 ♖ac8** [20... ♘e5 21. ♘e5 (21. fe5? ♗g4 22. ♕d5 ♔h8 23. ♕d6 ♕f7−+) ♕e5 22. ♖g1!□∓] **21. ♖b1 b5 22. a4?!⊕ ba4 23. ♕a6 ♘c5 24. ♗c5 ♖c5 25. ♔g3 ♗f5−+ 26. ♖e5 ♗e4 27. ♖f1□ ♕e3 28. ♕e6 ♔h8 29. f5 a3! 30. ♕d5** [30. f6 gf6 31. gf6 ♖g8; 30. g6!? a2 31. f6 a1♕ 32. fg7 ♔g7 33. ♕e7 ♔g6 34. ♖e6 ♔f5−+; RR 34. ♖g5! ♔h6 35. ♕e6! ♗g6 (35... ♕f6 36. ♕h3#) 36. ♖g6! hg6 37. ♕e3 △ ♖a1+−; 31... ♕h6!−+ Veličković] **♗f3! 31. ♖f3** [31. ♖e3 ♗d5 32. ♖a3 ♖c2] **♕g5⊕ 32. ♔h3 ♖c2 33. ♖a3 ♕h5 34. ♔g3 ♕h2 35. ♔g4 ♖g2 0 : 1** [Henkin]

160

296.** **B 84**

ILLESCAS CORDOBA 2525 – KASPAROV 2775

Barcelona 1989

1. e4 c5 2. ♘f3 e6 3. d4 cd4 4. ♘d4 ♘f6 5. ♘c3 d6 6. ♗e2 ♗e7 7. f4 0–0 8. 0–0 a6 9. ♔h1 [RR 9. ♗e3 ♕c7 10. ♕e1 b5 11. a3 ♗b7 12. ♗f3 ♘bd7 N (12... ♘c6 – 37/259) 13. ♕g3 ♘c5 14. f5 e5 15. ♘b3 ♘a4 16. ♘a4 ba4 17. ♘d2 ♖fc8 18. c4 ♗c6 19. ♗h6 ♗f8= Zsó. Polgár 2295 – Şubă 2515, Roma 1989; ⌓ 18... ♔h8 Şubă] **♕c7 10. ♕e1** [RR 10. a4 ♖d8 11. ♗e3 b6 12. ♗f3 ♗b7 13. e5!? N (13. ♕e2 – 46/311) de5 14. fe5 ♘fd7 15. ♗b7 ♕b7 16. ♕h5 g6 17. ♕h3 ♘e5 18. ♖ae1 ♘bc6 19. ♘e6 fe6 20. ♕e6 ♔g7 21. ♗f4 ♘f7 22. ♘d5 ♗c5 23. ♗c7 ♖f8 24. ♕d7 ♗d6 25. ♖f7 ♖f7 26. ♕d6 ♖e8∓ Kuczyński 2450 – Wojtkiewicz 2460, Polska (ch) 1989; 23. ♘c7!? △ ♕f6=; 18. ♘e6!?] **b5 11. e5?! de5 12. fe5 ♕e5 13. ♘b3 ♕c7 14. ♗f4** [14. ♗d3=∞ – 42/281] **e5 15. ♗f3**

15... ♘c6! N [15... ef4 16. ♗a8±] **16. ♗g5** [16. ♗e5 ♘e5 17. ♗a8 ♘eg4 18. ♕h4 b4∓] **♗e6! 17. ♕g3** [17. ♗f6 ♗f6 18. ♘c5 ♗c4 19. b3 e4∓] **♔h8 18. ♗c6 ♕c6 19. ♕e5 ♗d6!** [19... ♘g4 20. ♕e4] **20. ♕d4 ♘g4 21. ♗f4 ♗e7 22. ♕e4** [22. ♘a5 ♕c5∓] **♕e4 23. ♘e4 ♗d5!** [23... ♗c4 24. ♖fe1 f5 25. ♗d6!=] **24. ♘c3 ♗c4 25. ♖fe1 ♗h4! 26. g3 ♗f6 27. h3 ♗c3 28. bc3 ♘f6** [28... ♘f2?! 29. ♔g2? ♘e4–+; 29. ♔h2!] **29. ♔h2 ♖fe8 30. ♗e5 ♘d7 31. ♗d4 h5 32. a3** [△ ♘c5] **♖ac8 33. ♘d2?!** [33. ♔g2!?] **♗d5 34. ♘f1 f6 35. ♖e8 ♖e8 36. ♘e3 ♗c6 37. ♔g1 ♘e5 38. ♔f2 ♘f3 39. h4 ♘d2 40. ♘f1 ♘c4?!** [40... ♘e4! 41. ♔g1 ♖c8 42. ♖d1 ♗e8 43. ♖d3 ♗g6 44. ♖e3 ♖c4–+] **41. ♘e3 ♘d6 42. ♖g1!** [△ g4] **♗d7 43. ♔e2 ♗f5 44. ♔f3** [44. ♔d2 ♗g6!∓] **♗c8! 45. ♔e2** [45. g4 hg4 46. ♘g4 ♖e4!∓] **a5! 46. ♗c5 ♘e4 47. ♗d4 ♗a6 48. ♔f3 ♘d2 49. ♔f2 ♗b7 50. ♔e2?!** [50. g4!?] **♘c4 51. ♖a1 a4 52. ♔f2 ♘d6 53. ♖g1 ♗c8 54. ♔f3 ♔g8 55. ♔f2** [55. g4!?] **♔f7 56. ♔f3 ♗b7 57. ♔e2 ♖e6 58. ♔f2 g5! 59. hg5 fg5 60. ♔e2 ♔g6 61. ♔f2?!** [61. ♖b1 g4 62. ♖b4 ♗f3–+; 61. ♔d3 ♗a6! 62. ♔d2 ♖e7 63. ♖f1 ♘e4 64. ♔c1 ♗c8 65. ♖f8 ♗e6–+; 61. ♔d2! ♖e7 62. ♔d3 (62. ♖f1 ♘e4 63. ♔c1 ♖e6 64. ♘f5 ♗d5–+) ♖f7 63. ♖f1 ♖f1 64. ♘f1 b4! 65. ♘e3 (65. c4 ♗e4–+) ba3 66. c4 ♘e4! 67. ♘f1 a2 68. ♗a1 ♘g3 69. ♘g3 h4 70. ♘e4 g4–+] **♗a6⊙ 62. ♖d1 ♘e4 63. ♔g2 ♗b7 64. ♔h2 ♘c3 65. ♗c3 ♖e3** [♖ 9/j] **66. ♖d3 ♖e2 67. ♔g1 ♖g2 68. ♔f1 ♖c2 69. ♗b4 ♔f5 70. ♖c3 ♖b2 71. ♖c5 ♔g4 72. ♔e1 ♖b3 73. ♖b5** [73. ♗d2 ♖a3 74. ♖g5 ♔f3 75. ♖f5 ♔g2–+] **♗e4 74. ♖a5** [74. ♖e5 ♗f5 75. ♔f2 ♖f3] **♖g3 75. ♗e7 ♗f5 76. ♖a4 ♔h3 77. ♗f6 ♖g1 78. ♔f2 ♖g2 79. ♔e1 h4 80. ♖a8** [80. ♖a5 ♔g4 81. ♖a4 ♔h5–+] **♔g4 81. ♖a4 ♔f3 82. ♗g5** [82. ♖a5 ♗e4!–+] **♖e2 83. ♔f1 ♗h3 84. ♔g1 ♖g2 85. ♔h1 ♖g5 86. ♖h4 ♔g3** [87. ♖d4 ♗g2 88. ♔g1 ♖h5 89. ♖d3 ♗f3] **0 : 1**
[Kasparov]

297. **B 84**

IVANČUK 2625 – M. GHINDA 2455

Thessaloniki (ol) 1988

1. e4 c5 2. ♘f3 d6 3. d4 cd4 4. ♘d4 ♘f6 5. ♘c3 e6 6. ♗e2 a6 7. 0–0 ♗e7 8. a4 ♕c7?! [8... ♘c6 – B 85] **9. ♗e3?!** [9. f4; 9. a5!± – B 85] **b6! 10. f4 ♗b7 11. f5?!** [11. ♗f3 ♘bd7 12. f5 e5 13. ♘b3 – 13. ♗f3] **e5 12. ♘b3 ♘bd7** [12... ♘e4!? 13. ♘d5 ♕c6!□ 14. ♘e7 (14. ♘b6?? ♘c5!–+) ♔e7 15. ♗f3 ♘d7 16. ♘d2 d5?

17. c4!±; 16... ♘df6∞; 14. c4!?] **13. ♗f3 ♖c8 N** [13... 0–0 – 41/264] **14. ♖f2 ♕b8?!** [14... 0–0 15. g4 h6 16. g5!? (16. h4?! d5!) hg5 17. ♗g5 ♘c5!∞; 14... h6!? 15. g4 ♕b8 △ ♖c3] **15. ♘d5!⩲ ♘d5 16. ed5 ♘f6 17. ♕d3** [17. ♗b6? ♗d5∓] **♕c7 18. c3 0–0** [18... ♕c4 19. ♕c4 ♖c4 20. ♘d2 ♖c8 21. c4±] **19. ♘d2 ♖fe8 20. ♖e2!** [20. g4?! e4! 21. ♘e4 ♘d5 22. ♗d2 ♘f6∞] **h6 21. ♗f2 ♘d7** [△ 22... ♘c5 23. ♗c5 (23. ♕c2 b5) ♕c5 24. ♔h1 b5] **22. ♖ee1!** [22. ♘e4 ♕c4 (22... ♘f6!?) 23. ♕c4 ♖c4 24. b3 ♖c7 25. c4 a5=] **♔f8** [22... ♘c5 23. ♕f1 ×b5] **23. h3 ♘c5 24. ♕f1 a5?** [24... ♘d7!⩲] **25. ♘e4! ♗a6** [25... ♗d5 26. f6! (26. ♘c5? ♗f3 27. ♘a6 ♕b7 28. gf3 ♖a8–+) gf6 27. ♗e3!→] **26. ♗e2 ♗e2** [26... ♘e4 27. ♗a6 ♘f2 28. ♕f2! (28. ♗c8? ♘h3 29. gh3 ♕c8∓) ♖b8 29. ♗b5 ♖ed8 30. ♗c6+–] **27. ♕e2** [27. ♖e2!?] **♘e4 28. ♕e4 ♗d8** [△ ♕c4] **29. ♕c2!!** [29. ♖ac1? ♕d7! △ b5∓; 29. ♖ad1? ♕d7! △ b5∓; 29. ♖ec1?! ♕c4 30. ♕c4 ♖c4 △ 31... ♖f4 32. g4 h5] **♕c4** [29... ♕d7 30. ♕d3±] **30. ♖ad1 ♕c7** [30... b5? 31. ♖e4+–] **31. g4!** [×f5] **♕d7 32. ♕b3!± e4??** [32... ♖b8±] **33. ♖d4+– e3 34. ♖e3 ♖e3 35. ♗e3 ♕e7 36. ♗f2 ♕e2 37. ♕b5 ♕e5 38. ♕d3⊕ ♖c5 39. c4 ♗f6 40. b3 ♖c7 41. ♖e4 ♕b2 42. ♖e2 ♕a3 43. ♔g2 ♕b4 44. ♗e1 ♕a3 45. ♗f2 ♖b7 46. ♗g3 ♕b4?! 47. ♕d2! ♕b3** [47... ♕a3 48. b4!] **48. ♗d6 ♔g8 49. ♕c2! ♕c2 50. ♖c2 ♖d7 51. ♗a3 g6 52. ♔f3 gf5 53. gf5 ♗e5 54. ♖g2 ♔h7 55. ♔e4 1 : 0**
[Ivančuk]

298. B 84

KVEINYS 2345 – TONČEV 2275
Starozagorski Bani 1989

1. e4 c5 2. ♘f3 e6 3. d4 cd4 4. ♘d4 a6 5. ♘c3 ♕c7 6. ♗e2 ♘f6 7. 0–0 ♗e7 8. ♗e3 d6 9. f4 h6!? N [△ g5] **10. ♔h1 g5 11. e5! de5 12. fe5 ♕e5 13. ♕d2 ♕c7 14. ♗f2!** [↗h2-b8] **0–0** [14... ♘bd7 15. ♗g3 ♕d8 16. ♖ad1±] **15. ♗d3 ♘bd7 16. ♗g3 ♕d8** [△ ♘h5] **17. ♕e2 ♘c5 18. ♖ad1 ♘d3 19. ♖d3 ♕e8 20. ♗d6!! ♘h7□** [20... ♗d6 21. ♖f6 ♔g7 22. ♕h5 ♔f6 23. ♕h6 ♔e7 24. ♘f5 ef5 25. ♕d6#] **21. ♗e7 ♕e7 22. ♘f5 ♕f6 23. ♘e4+–** [23. ♘d5+–] **♕b2 24. ♘h6 ♔g7 25. ♕h5 f5 26. ♖h3 fe4 27. ♖f7** [27... ♔h8 28. ♖h7 ♔h7 29. ♘f5 ♔g8 30. ♕h7#] **1 : 0**
[Kveinys]

299. B 85

VELIMIROVIĆ 2530 – DAMLJANOVIĆ 2530
Zenica 1989

1. e4 c5 2. ♘f3 ♘c6 3. d4 cd4 4. ♘d4 e6 5. ♘c3 ♕c7 6. ♗e2 a6 7. 0–0 ♘f6 8. ♔h1 ♗e7 9. f4 d6 10. f5 ♘d4 N [10... 0–0] **11. ♕d4 0–0 12. g4 d5!?** [12... ♖e8 13. g5 ♘d7∞] **13. ed5** [13. e5? ♗c5 14. ♕f4 ♘d7∓; 13. g5? ♗c5 △ ♘e4∓] **ef5 14. gf5 ♗d6 15. ♗f4 ♖e8 16. ♗d3 b5 17. a4!?** [17. ♖g1 ♗f4 18. ♕f6 ♗e5□ (18... g6 19. fg6 hg6 20. ♗g6+–; 18... ♕e5 19. ♖ae1! ♔f8 20. ♖e5 gf6 21. ♖g8 ♔g8 22. ♖e8±) 19. ♖ae1 (△ ♕g7; 19. ♖g7? ♔f8–+) ♔f8! (19... g6? 20. fg6! hg6 21. ♖g6! fg6 22. ♕g6+–; 19... ♔h8? 20. ♕g7!+–) 20. ♕h4 h6; 17... ♗e5!?∞] **b4! 18. ♕b4 ♗b4 19. ♗c7 ♗b7=∞ 20. ♗g3 ♗c3** [20... ♘d5? 21. ♘d5 ♗d5 22. ♔g1 ♗c5 23. ♗f2±] **21. bc3 ♘d5 22. ♔g1 ♘c3 23. ♖fe1 ♗e4!** [23... ♘e4?! 24. ♖ab1!±] **24. ♔f2 ♗d3 25. ♖e8 ♖e8 26. cd3 g6! 27. a5** [27. fg6] **gf5 28. ♖g1!? ♘d5??⊕** [28... ♔f8? 29. ♗d6+–; 28... ♔h8!□ 29. ♖c1 ♘d5=] **29. ♗e5!+– ♔f8 30. ♗d6 ♘e7 31. ♖e1 f6 32. ♔f3 ♔f7 33. ♗e7 ♖e7 34. ♖e7 ♔e7 35. ♔f4 ♔e6 36. h4 h5 37. d4 ♔d5 38. ♔f5 ♔d4 39. ♔f6 1 : 0**
[Čabrilo]

300. B 85

VAN DER WIEL 2560 – EHLVEST 2600
Rotterdam 1989

1. e4 c5 2. ♘f3 e6 3. d4 cd4 4. ♘d4 ♘f6 5. ♘c3 d6 6. f4 a6 7. ♗e2 ♗e7 8. 0–0 0–0 9. ♔h1 ♘c6 10. ♘c6 bc6 11. e5 ♘e8

12. ♗d3 g6 13. ♕e2 ♕c7 14. b3 N [14. ed6 – 40/288] **c5** [14... d5?! 15. ♘a4 △ c4↑«; 14... de5!?] **15. ed6** [15. ♗b2?! d5=] **♘d6 16. ♗b2 ♖b8?** [16... ♗f6!? 17. ♘a4 (17. ♘b5 ab5 18. ♗f6 c4 19. bc4 bc4 20. ♗e4±) ♗b2 18. ♘b2±; 16... c4!?] **17. f5! c4?!** [17... ♘f5 18. ♗f5 (18. ♖f5!?) gf5 19. ♖f5 f6□ 20. ♖f3!± △ ♖af1, ♘e4] **18. fg6 cd3** [18... hg6 19. ♗g6 fg6 20. ♕e5+– △ 20... ♘e8 21. ♘d5! ♕e5 22. ♘e7 ♔h7 23. ♗e5] **19. gh7!!** [19. ♕h5! hg6 (19... fg6 20. ♕e5+–→) 20. ♕h6 ♗g5! (Nunn) 21. ♕g5 ♘c4! *a)* 22. ♘e4?! ♘b2 23. ♘f6 ♔g7 24. ♘h5 ♔h7□ (24... ♔g8 25. ♕f6+–) 25. ♕h4 ♖h8!; *b)* 22. ♘d5!! (Speelman) ed5 23. ♗d4!+–] **♔h8□ 20. ♘d5 f6 21. ♕g4! e5** [21... ed5 22. ♖f6! ♗g4 (22... ♗f6 23. ♗f6 ♔h7 24. ♕h5 ♔g8 25. ♕g6+–) 23. ♖f7!+–; 21... ♕d8 22. ♘e7 ♕e7 23. ♗f6+–; 21... ♖b4 22. ♖f6?! ♖g4 23. ♖f7 ♖g7∞; 22. c4+–; 22. ♕g6+–] **22. ♕g8! ♖g8 23. hg8♕ ♔g8 24. ♘c7+– d2!** [24... dc2 25. ♘d5] **25. ♘d5 ♗d8 26. ♖ad1** [26. ♘f6?! ♗f6 27. ♖f6 ♘e4! △ ♗g4; 26. ♖f2! ♘e4 27. ♖e2 ♗g4 28. ♖e4 d1♕ 29. ♖d1 ♗d1 30. ♘e3+–; 30. ♖c4+–] **♗g4! 27. ♖d2 ♘e4 28. ♖d3 ♗e2 29. ♖df3!** [29. ♖f5 ♗g4; 29. ♔g1 ♖b5!?] **♗f1 30. ♖f1 a5!⊕ 31. ♖e1 ♘d6 32. g4! ♖c8 33. c4 a4 34. g5** [34. ♗a3 ♘f7 35. ♗e7 ♔g7] **ab3 35. ab3 ♖b8** [⌓ 35... fg5] **36. ♗a3 ♘f5 37. gf6 ♖b3 38. ♗e7 ♗a5 39. ♖f1! ♘h6 40. f7 ♘f7 41. ♖g1 ♔h8□ 42. ♗f6 ♔h7 43. ♖g7 ♔h6 44. ♖f7 1 : 0**
[van der Wiel]

301.* **B 85**

GEO. TIMOŠENKO 2530
– RUBAN 2420
Tbilisi 1989

1. e4 c5 2. ♘f3 d6 3. d4 cd4 4. ♘d4 ♘f6 5. ♘c3 e6 6. ♗e2 ♗e7 7. 0–0 a6 8. f4 [RR 8. a4 ♕c7?! 9. a5! ♘c6 10. ♘b3 b5 (10... 0–0 11. ♗e3±) 11. ab6 ♕b6 12. ♗e3 ♕c7 13. f4 0–0 14. ♗f3± Ivančuk] **0–0 9. a4 ♘c6 10. ♗e3 ♖e8 11. ♔h1 ♕c7 12. ♗f3** [RR 12. ♗d3 ♘b4 13. a5 ♗d7 14. ♕f3 ♗c6 15. ♕g3 N (15. ♕h3?! – 34/320) ♘d3 16. cd3 ♘d7 17. ♘f3 ♗f6 18. ♕f2 g6 19. ♘d2 ♗g7 20. ♘c4 ♗b5 21. ♘b5 ab5 22. ♘b6 ♘b6 23. ♗b6 1/2 : 1/2 J. Árnason 2550 – Polugaevskij 2575, Haninge 1989] **♖b8 13. ♕d2 ♘a5!? N** [13... ♗d7 – 46/(314)] **14. ♕f2** [14. b3!?] **♘c4 15. ♗c1 e5! 16. ♘de2** [16. ♘f5?! ♗f5 17. ef5 ef4∓] **♗d7= 17. b3 ♘a5 18. f5?!** [18. ♗b2 b5 19. ab5 ab5 20. ♕g3! b4? 21. fe5! △ ♘d5+–; 20... ♗f8; 20... ♗d8!?] **d5!∓** [18... b5!? 19. ab5 ab5 20. ♗g5 ♗c6∓] **19. ♗g5!?** [19. ed5 ♗f5 20. ♘g3! ♕c3?! 21. ♘f5 ♕a1 22. ♗h6→; 20... ♗g6!∓] **de4** [19... d4?! 20. ♗f6 ♗f6 21. ♘d5 ♕d6=] **20. ♗f6**

20... ef3! 21. ♘d5 fe2 22. ♘c7 [22. ♘e7? ♖e7 23. ♕g3 ef1♕ 24. ♖f1 g6 25. ♕h4 ♕c6–+] **ef1♕ 23. ♖f1 ♗f6 24. ♘d5!?** [24. ♕d2 ♘c6! 25. ♕d7?? ♖ed8–+; 24. ♘e8 ♗e8∓] **♘c6?!** [24... ♗g5! 25. f6 ♗e6 26. ♕g3 ♗h6∓] **25. ♘f6 gf6 26. ♕h4 ♔g7! 27. ♖f3 ♖bd8 28. h3** [28. ♖g3? ♔f8 29. ♕f6 ♗f5–+] **♘d4** [28... ♘e7!? 29. ♖g3 ♘g6 30. fg6 hg6∓] **29. ♖g3 ♔f8 30. ♕f6 ♘f5 31. ♖g5** [31. ♕h8 ♔e7 32. ♕e5 ♗e6 33. ♕c5 ♖d6∓] **♗e6□ 32. ♕e5** [32. ♖f5 ♗f5 33. ♕f5 h6! 34. ♕f6 ♖d1 35. ♔h2 ♖e6∓] **♖d5 33. ♕h8 ♔e7 34. ♕h7 ♖ed8 35. ♔h2⊕ ♖e5** [△ ♖d1, ♖ee1] **36. ♖g8 ♖d2?⊕** [36... ♖g8 37. ♕g8 ♖e2∓] **37. ♕h8!⇆ ♖ee2 38. ♖e8 ♔d6 39. ♖d8 ♗d7 40. ♕f6! ♔c5□=** [40... ♔c7? 41. ♖d7 ♔d7 42. ♕f5±] **41. ♕c3** [41. b4 ♔b4 42. ♕b6 ♔a4] **♔d6 1/2 : 1/2**
[Ruban]

302. **B 85**

FISHBEIN 2490 – DORFMAN 2565

New York 1989

1. e4 c5 2. ♘f3 d6 3. d4 cd4 4. ♘d4 ♘f6 5. ♘c3 a6 6. ♗e2 e6 7. 0–0 ♗e7 8. f4 ♕c7 9. a4 ♘c6 10. ♗e3 0–0 11. ♔h1 ♖e8 12. ♗f3 ♖b8 13. g4 ♘d7 14. g5 ♗f8 15. ♗g2 g6 16. ♖f3! N [16. ♕e2 – 42/(286)] **♗g7 17. ♖h3 ♘b6!?** [17... ♘f8 18. ♖h4!⩲ △ 18... ♘b4 19. ♕d2 b6 20. ♖f1; 17... ♘b4 18. f5 △ ♕e1-h4→] **18. ♘de2 ♘c4** [18... d5 19. e5 ♘c4 20. ♗c1 b5 21. b3 ♘4e5!? (21... ♘4a5 22. ♕d3⩲) 22. fe5 ♗e5 23. ab5 ab5 24. ♖b1⩲] **19. ♗c1 d5 20. b3! d4?** [20... ♘4a5] **21. bc4 dc3 22. e5 ♘e7** [22... ♘a5 23. ♕e1!±; 22... ♘b4!? *a)* 23. ♖c3? b6 △ ♖d8, ♗b7⇆; *b)* 23. ♘c3? ♕c4 24. ♘e4 ♕c2 25. ♗a3 ♕d1 26. ♖d1 ♘d5! (26... ♘c6? 27. ♘d6 ♖d8 28. ♖hd3±; 26... a5? 27. ♗b4 ab4 28. ♖b3±) 27. ♘d6 ♖d8 28. ♗d5 ed5 29. ♖b3 h6 30. h4 ♗e6; *c)* 23. ♗a3! ♖d8 (23... a5 24. ♘c3 ♕c4 25. ♘e4±) 24. ♗b4! ♖d1 25. ♖d1±○] **23. ♗a3 ♘f5 24. ♘c3! ♗d7 25. ♘e4 ♖bd8 26. ♗d6 ♕a5 27. c5!± ♗c6 28. ♕e1 ♕e1 29. ♖e1 ♗a4 30. ♘c3 ♗c6 31. ♗c6 bc6 32. ♖b1 ♖a8** [32... h6±] **33. ♖b6 ♖ec8 34. ♖b7 a5 35. ♘a4 ♖a6 36. ♖hb3 h6 37. ♖d7 hg5 38. fg5 ♘d4 39. ♖bb7 ♘c2 40. ♖f7 ♗h8 41. ♘b6 ♖e8 42. ♘d7! 1 : 0** **[Fishbein]**

303. **B 85**

BELJAVSKIJ 2640 – KASPAROV 2775

Barcelona 1989

1. e4 c5 2. ♘f3 e6 3. d4 cd4 4. ♘d4 ♘f6 5. ♘c3 d6 6. ♗e2 ♗e7 7. 0–0 0–0 8. f4 a6 9. ♔h1 ♕c7 10. a4 ♖e8 11. ♗e3 ♘c6 12. ♕d2 ♗d7 13. ♘b3 b6 14. ♗f3 ♖ab8 15. g4 ♗c8 16. g5 ♘d7 17. ♕f2 ♗f8 18. h4! N [18. ♗g2 – 40/300, 41/266] **♗b7?!** [18... g6 19. h5 ♗g7 20. hg6 hg6 21. ♔g2 ♘a5 22. ♖ae1 ♘c4 23. ♗c1 b5 24. ab5 ab5 25. ♖h1; 23... ♘b2; 22... ♗c3!?; 20. ♖ad1∞] **19. h5 ♘a5 20. ♖ad1** [20. ♗b6 ♘b6 21. ♘a5 ♗a8$\overline{\overline{\infty}}$ △ d5, ♗b4] **♘c4 21. ♗c1 ♖bc8?** [21... ♗a8 △ b5; 21... g6] **22. ♗g2** [RR 22. ♕g2 g6 23. ♕h3 ♘c5 24. ♘d4 d5 25. e5 ♘e4 26. ♘ce2 T. Georgadze] **♘c5 23. ♘d4 d5?!** [23... e5 24. ♘f5 ♘e6! 25. fe5 de5∞] **24. e5 ♘e4 25. ♘e4 de4 26. b3??** [26. g6→; 26. ♕e2! e3 (26... ♖ed8 27. ♗e4 ♗e4 28. ♕e4 ♖d5 29. g6; 29. ♖d3; 29. ♘e2!± △ ♘g3-e4) 27. b3 ♘d2 28. ♗d2 ed2 29. ♖d2] **♘a5 27. ♗e3?** [RR 27. ♖fe1 ♗c5 *a)* 28. ♗e4? ♗e4 29. ♖e4 ♕b7 30. ♕g2 ♗d4 31. ♖ed4 (31. ♖dd4 ♘b3!) ♕g2 32. ♔g2 ♖c2; *b)* 28. ♗e3 ♗d4 T. Georgadze] **g6!!∓ 28. ♖d2⊕ ♖ed8⊕ 29. hg6 hg6 30. ♕h4 ♘c6! 31. c3 ♘e7! 32. c4**

32... ♖d4! 33. ♗d4 ♘f5 34. ♕h3 ♔g7! [△ ♗b4, ♖h8] **35. ♕c3 a5! 36. c5 ♘d4 37. ♖d4 ♗c5 38. ♖c4 ♖h8 39. ♗h3 e3 40. ♔h2 ♕c6 41. ♕c2 ♗a6 42. ♔g3 ♗c4 43. ♕c4 ♕d7 44. ♗g4 ♕d2 45. ♗e2 ♖d8–+ 46. ♖c1 ♖d4 47. ♕c2 ♕b4 48. ♕c3** [48. ♖f1 ♖d2 49. ♕c4 ♕a3 △ ♕a2, ♖b2] **♖f4 49. ♕b4 ♖b4** [♖ 9/j] **50. ♗c4 ♗e7! 51. ♔f3** [51. ♔f4 b5! 52. ab5 a4] **♗g5 52. ♖a1 ♔f8 53. ♖a2 ♔e7 54. ♖g2 e2 55. ♖e2 b5 56. ♗b5 ♖b3 57. ♔g4 ♗e3 58. ♖c2 ♗d4 59. ♔f4 ♖h3! 60. ♖c8 ♖h4 61. ♔g3 ♖h8! 0 : 1** **[Seirawan]**

304. **B 85**

VAN DER WIEL 2560 – POLUGAEVSKIJ 2575

Haninge 1989

1. e4 c5 2. ♘f3 d6 3. d4 cd4 4. ♘d4 ♘f6 5. ♘c3 e6 6. f4 a6 7. ♗e2 ♗e7 8. 0–0

0-0 9. ♔h1 ♕c7 10. a4 ♘c6 11. ♗e3
♖e8 12. ♗f3 ♗d7 13. ♘b3 ♘a5 14. ♘a5
♕a5 15. ♕d3 ♖ad8 16. g4! N [16. ♕d2
− 45/279; 16. ♖fd1!?] ♗c6 [16... h6!?]
17. b4 [17. g5 ♘d7∞] **♕c7 18. g5 d5**
[18... ♘d7 19. ♘d5! (19. b5 ♘c5!∞) ed5
20. ed5 ♗a4! 21. ♖a4 ♘b6 22. ♖aa1±]
19. gf6 [19. e5?! ♘e4 20. ♗e4 de4 21.
♕c4 b5?! 22. ♘b5!; 21... ♕c8∞] **de4 20.**
♕c4□ ef3 [20... b5? 21. ab5 ab5 22. ♘b5
♕b7 23. fe7 ef3 24. ed8♘!+−] **21. b5**
♗f6 22. bc6 ♖c8!± 23. ♖a3 [23. ♗d4?
♕f4 24. ♘e2 ♕e4−+; 23. ♗d2 ♖ed8↑;
23. ♖f3 ♕a5 24. ♗d2□ ♖c6 (24... ♖ed8
25. ♗e1; 25. ♘e4!?) 25. ♕b3 ♕h5∞;
25... ♖b6∞; 23. ♖ab1!? (Polugaevskij)
♕c6 24. ♕c6 ♖c6 25. ♘e4 ♗h4 26. c3!?
(26. ♖f3 ♖c2 27. ♖b7 ♖c4±) f5 (26...
♖c4 27. ♖b4) 27. ♘c5 ♗e7! 28. ♘d7!
♖d8 29. ♖b7 ♖c3 30. ♖f3±; 25... ♗e7!?;
25. ♘d1!?] **♕c6 24. ♕c6 ♖c6 25. ♗d2**
♖d8 26. ♗e1 b5!±⊕ 27. ab5 ab5 28. ♖b3
[28. ♘e4 ♗e7 29. ♖a7 ♗f8 a) 30. c3
♖d1∞; 30... ♖c4∞; b) 30. ♘g5 f6 31. ♘f3
♖c2 32. ♖b7=; 28. ♘b5! ♖c2 29. ♖af3±]
b4 29. ♘e4 ♗e7 30. ♗b4 ♗b4 31. ♖b4
♖c2 32. ♘g5 h6 33. ♘f3 ♖e2 34. ♔g1
♖d3 35. ♖f2 ♖f2 36. ♔f2 [♖ 8/f6] **♖d7!**
[△ g6] **37. ♖b8 ♔h7 38. ♖f8! ♖a7 39.**
♘e5 f6 40. ♘f3 ♖a2 41. ♔g3 ♖a3 42.
♖e8 ♖e3 43. ♖e7! [43. f5?! e5 44. ♔f2
♖e4=; 43. h4 h5; 43. h3 g5±] **♔g8** [43...
♔g6 44. ♔f2 ♖e4 45. ♘h4 ♔h5 46. ♔f3
f5 47. ♘g2 g5 48. ♖g7 e5=; 44. h3!?⊙]
44. h4 h5 [44... g5?! 45. h5±] **45. ♖d7!**
[△ 46. ♔f2 ♖e4? 47. ♖d4] **♖e4** [45...
♖a3] **46. ♖d4 ♖e2 47. ♖b4** [△ 48. ♖b5,
48. ♘d4] **♔h7!** [47... ♔f7 48. ♖b5 ♔g6
49. ♘d4 ♖e3 50. ♔g2 ♖e4 51. ♘e6!+−]
48. ♘d4 [48. ♖b5 ♔h6] **♖e1** [48... ♖e4
49. ♔f3 ♖e1 (49... f5?! 50. ♘c2!) 50.
♔f2] **49. ♔f2 ♖h1** [49... ♖e4 50. ♘c2
♖b4 51. ♘b4 g5 52. ♘c2! (52. ♔f3?! ♔g6
△ 53... e5, 53... gh4=) ♔g6! (52... gf4?
53. ♔f3 e5 54. ♔e4+−) 53. ♘d4 gf4
(53... e5? 54. f5+−) a) 54. ♘e6?! ♔f5
55. ♘d4 ♔g4 56. ♘f3 ♔h3=; 56... f5!=;
b) 54. ♔f3 e5 55. ♘b3!? f5!□=] **50. ♘f3**
[50. ♘e6 ♖h4 51. ♖b7 ♖g4±] **♖a1 51.**
♖e4 [51. ♖b6 ♖a4 52. ♔g3 (52. ♔e3 ♖a3

53. ♔e2 ♖a2 54. ♘d2 ♔g6 55. ♖e6 ♔f5
56. ♖e7 g5!=) ♖e4±] **♖a6⊕ 52. ♘d4?!**
[52. ♖e3! ♔g6 53. ♘d4 ♔f7 54. ♖c3±]
♖a4! [52... ♔g6 53. ♖e6 ♖e6 54. f5+−]
53. ♔f3 [53. ♔e3 ♖a3 54. ♔d2 ♖h3=]
f5□ 54. ♘f5 ♖e4 55. ♔e4 ef5 56. ♔f5
♔h6 57. ♔e5 ♔h7! 58. ♔e6 ♔g6 59. f5
♔h6 60. ♔e7 ♔h7 61. ♔f7 ♔h8 [62.
♔g6 ♔g8 63. ♔h5 ♔h7 64. ♔g5 ♔h8
65. ♔g6 ♔g8 66. h5 ♔f8 67. ♔h7 ♔f7=]
1/2 : 1/2 [van der Wiel]

305.*   **B 85**

ZSÓ. POLGÁR 2295
− A. ČERNIN 2580
Roma 1989

1. e4 c5 2. ♘f3 e6 3. d4 cd4 4. ♘d4 ♘c6
5. ♘c3 ♕c7 6. ♗e2 ♘f6 [RR 6... a6 7.
0-0 ♘f6 8. ♗e3 ♗e7 9. f4 d6 10. ♕e1
0-0 11. ♖d1 ♗d7 12. ♕g3 ♔h8 13. ♘f3
N (13. a3 − 2/452) ♖ae8 14. e5 ♘g8 15.
ed6 ♗d6 16. ♘e4 ♗e7 17. ♘e5 ♗c8 18.
♘c4 b5 19. ♘cd6 ♖d8 20. f5 e5 21. ♘c8
♕c8 22. c3 ♘f6 23. ♘f6 ♗f6 24. ♕f3±
Gallagher 2405 − Damljanović 2530, Bern
1989] **7. 0-0 ♗e7 8. ♗e3 0-0 9. f4 d6**
10. ♔h1 a6 11. ♕e1 ♘a5 12. ♕g3!? N
[12. ♖d1 ♘c4 (12... b5±) 13. ♗c1±] **♘c4**
13. ♗c1 b5 14. a3 ♕b6 15. ♖d1 ♗b7?
[15... e5! 16. ♗c4! (16. fe5 de5 17. ♗h6?
♘h5 18. ♗h5 ♕h6−+) bc4 (16... ed4 17.
♘d5 ♘d5 18. ♗d5±) 17. fe5 de5 18. ♕e5
♖e8 19. ♕g3 ♗d6∞] **16. b3 ♘a5 17. ♗f3**
♖ac8 18. ♗b2 ♖fd8? [18... ♖fe8±]

165

19. ♘d5! ♘d5 [19... ed5 20. ♘f5+−; 19... ♗d5 20. ed5+−] **20. ♘e6!** [20. ♘f5 g6] **g6 21. ♘d8 ♕d8** [21... ♘e3 22. ♗d4+−] **22. ed5 ♖c2 23. ♖ab1+−** ♗h4 [23... ♘b3? 24. ♗e4] **24. ♕h3 ♗c8 25. ♗g4** ♗g4 [25... f5 26. ♗f3 ♘b3 27. g3 ♗e7 28. ♕f1 ♘d2? 29. ♕d3] **26. ♕g4 ♘b3 27. g3?!** [27. f5!] ♗e7 **28. f5 a5?** [28... ♕d7!?] **29. fg6 hg6 30. ♕h3 ♖b2 31. ♖b2 a4 32. ♖f2 ♘c5 33. ♖df1 f5 34. g4! ♘e4 35. ♖g2 1 : 0** [Zsó. Polgár]

306. B 85

IVANČUK 2625 − SAX 2600
Reggio Emilia 1988/89

1. e4 c5 2. ♘f3 e6 3. d4 cd4 4. ♘d4 ♘f6 5. ♘c3 d6 6. ♗e2 ♘c6 7. 0−0 ♗e7 8. ♔h1 0−0 9. f4 a6 10. ♗e3 ♕c7 11. ♕e1 ♘d4 12. ♗d4 b5 13. ♕g3 ♗b7 14. a3 ♗c6 15. ♖ae1 ♖fd8?! N [15... ♕b7 − 43/305] **16. ♗d3 ♘e8** [16... ♖ac8 17. e5 de5 18. ♗e5 ♕b7 19. f5 ef5 20. ♗f5±; 16... ♕b7 17. ♕h3 h6 (17... ♘e8 18. ♘d5! g6 19. ♖e3!±; 17... g6 18. f5!) 18. ♖e3 b4 19. ab4 ♕b4 20. ♘e2→≫] **17. ♖e3!** ♗f6 [17... ♗f8 18. ♕h3 a) 18... e5 19. ♘d5 ♕b8 20. fe5 de5 21. ♕h5 g6 (21... f6 22. ♖h3 ed4 23. ♖f6!+−) 22. ♕f3±; b) △ 18... g6 19. e5 ♗g7 20. ♕h4] **18. ♗f6 ♘f6 19. e5 ♘e8** [19... ♘d5 20. ♘d5 ♗d5 21. ♕h4 g6 (21... h6 22. ♖g3 ♔h8 23. f5 ef5 24. ♖f5 de5 25. ♖fg5 ♕e7 26. ♖g7! ♕h4 27. ♖h7#) 22. ♖h3±; 19... ♘h5 20. ♕g5 g6 21. ♖h3±] **20. ♕h3?!** [20. f5! ef5 (20... de5 21. fe6?! f6!; 21. ♖e5! △ 21... ef5? 22. ♖e8+−) 21. e6! fe6 22. ♖e6 g6 23. ♗f5 ♘g7 24. ♖g6! hg6 25. ♕g6 ♕f7 26. ♕h7 ♔f8 27. ♗d3±] **g6** [20... h6? 21. ♖g3 ♔h8 22. f5] **21. ♕h6** [△ 21. ♕h4] **♕e7 22. ♗e4** [22. ♖h3 f5] **d5** [22... ♗e4? 23. ♘e4±] **23. ♗f3 ♖ac8!** [23... d4? 24. ♗c6 de3 25. ♗e8! ♖e8 26. ♘e4 e2 27. ♖e1 f5 28. ef6 ♕f8 29. ♕h4⊠] **24. ♖d3 f5** [24... ♘g7?! 25. ♗g4!] **25. ef6 ♘f6 26. ♕g5** [26. ♖e1 d4!] **♖e8! 27. ♘e2** [27. ♖e1 a5 28. ♘e2 (28. f5 ♘e4!) ♘e4 29. ♕e7 ♖e7 30. ♗e4 de4 31. ♖d6 e5 32. fe5 ♖e5 33. ♘d4 ♗a8

34. ♖e3 b4=] **♘e4! 28. ♕e5** [28. ♕e7 ♖e7 29. ♘d4] **b4! 29. ab4 ♗b5 30. ♗e4 de4 31. ♖d2 ♕b4= 32. ♖fd1 ♖c5 33. ♕d6 ♖c4 34. c3 ♕d6 35. ♖d6 ♖cc8 36. ♘d4 e5 37. ♘b5 ab5 38. fe5 ♖e5 39. ♔g1 e3 40. ♖d8 ♖d8 41. ♖d8 ♔f7 42. ♔f1 ♖f5 43. ♔e2 1/2 : 1/2** [Sax, Hazai]

307. B 86

FEDOROV 2405 − SAKAEV
SSSR 1989

1. e4 c5 2. ♘f3 e6 3. d4 cd4 4. ♘d4 ♘f6 5. ♘c3 d6 6. ♗c4 ♗e7 7. ♗e3 0−0 8. ♗b3 ♘a6 9. f4 ♘c5 10. ♕f3 a5 11. a4 N [11. 0−0∓ − 20/(466); 11. 0-0-0!? a4 12. ♗c4 a3 13. e5!∞] **e5 12. ♘f5** [12. fe5 de5 13. ♘f5 ♗f5 14. ♕f5 ♘b3 15. cb3∞] **♗f5 13. ef5 e4!?** [13... ♘b3 14. cb3 ef4 15. ♗d4 d5=] **14. ♕h3** [14. ♕e2 ♘b3 15. cb3 d5∞] **d5 15. 0-0-0** [15. ♖d1 ♘b3 16. cb3 ♖c8 17. 0−0 h5!∓ △ ♗c5] **♘b3 16. cb3 ♖c8 17. ♔b1** [17. ♗d4 ♗c5∞]

17... ♖c3!? 18. bc3 b5! 19. ab5 a4! 20. b6? [20. b4 ♕c7∞∞] **ab3 21. ♔b2 ♘d7!→ 22. f6** [22. ♖d5? ♕a8−+] **♗f6 23. ♔b3** [23. ♕f5 ♘b6 24. ♗b6 ♕b6 25. ♕d5 ♕a7! 26. ♖a1 (26. ♔b3 ♖b8 27. ♔c2 ♕a4 28. ♔d2 ♖d8−+) ♕f2 27. ♔b3 (27. ♔a3 ♗c3−+) ♖b8 28. ♔c4 ♕e2−+] **♘b6 24. ♗c5 ♕c7!−+** [24... ♖e8∓] **25. ♗f8 ♕c4 26. ♔b2** [26. ♔c2 ♕a2 27. ♔c1 ♘c4! 28. ♖d5 ♕b2 29. ♔d1 ♕b1 30. ♔e2 ♕c2 31. ♔f1 e3 32. ♕g3 ♗c3] **♗c3! 27. ♔c2 d4** [27... ♗d4!] **28. ♖d3 ♕a2 29.**

♔d1 ♕b1 30. ♔e2 ♕c2 31. ♔f1 ed3 32. ♕g3 ♕e2 33. ♔g1 ♔f8 34. f5 ♕e3 0 : 1 **[Sakaev, Lukin]**

308.* **B 86**

EHLVEST 2600 – L. PORTISCH 2610

Rotterdam 1989

1. e4 c5 2. ♘f3 d6 3. d4 cd4 4. ♘d4 ♘f6 5. ♘c3 a6 6. ♗c4 e6 7. ♗b3 [RR 7. 0–0 b5 (7... ♗e7 – 46/320) 8. ♗d3!? N (8. ♗b3) ♗b7 9. a4 b4 10. ♘a2 ♘e4 11. ♘b4 ♘f6 12. c3 ♗e7 13. a5 0–0 14. ♕e2! ♖e8 15. ♖e1 ♕c8 16. ♗g5 ♘bd7 17. ♗c2! ♘c5 18. ♕e3 h6 19. ♗h4 ♕c7 20. ♕h3! d5 21. ♘d3! ♘d3 22. ♕d3 ♘e4 23. ♗g3 ♗d6 24. ♗d6 ♕d6 25. f3 ♘f6 26. b4 ♗c8 27. ♘b3± Carev 2430 – Anastasjan 2475, Belgorod 1989; 20... ♘fe4!?; 17... ♕c5!?∞ Glek] **♗e7 8. f4 0–0 9. f5?!** [9. ♗e3] **ef5 10. ♘f5** [⌓ 10. ef5] **♗f5!** [10... ♘e4 11. ♘h6 gh6 12. ♘e4 ♗h4 13. ♔f1±] **11. ef5 ♕b6 12. ♕f3 N** [12. ♕e2?! – 10/532; 12. ♕d3] **d5⇆ 13. ♗e3** [13. ♘d5 ♘d5 14. ♕d5 ♘c6∓] **d4 14. ♗f2 ♗c5 15. ♘d5 ♕a5 16. ♔f1 ♘bd7∞ 17. ♖e1 ♘d5 18. ♕d5 ♘f6 19. ♕b7!?** [19. ♕f3∓] **d3! 20. cd3 ♗f2 21. ♔f2 ♕d2** [21... ♕c5 22. ♔g3!=] **22. ♖e2 ♘g4 23. ♔f1 ♕c1 24. ♖e1 ♕f4 25. ♕f3 ♘h2 26. ♖h2 ♕h2 27. ♗f7?** [27. f6 ♕h1 28. ♔f2 ♕h4 29. ♔f1 ♕f6 30. ♕f6 gf6 31. ♗c4 △ ♖e7=/∞; 27. ♖e7!=/∞] **♔h8?** [27... ♔f7! 28. ♕d5 ♔f6 29. ♕d4 ♔f5 30. ♕g7 ♖ac8–+] **28. ♗e6 ♖ad8 29. ♕e4 ♕b8 30. b3 ♕b6∓** [×d4] **31. ♖e3 ♕c5 32. ♖h3 ♕c1 33. ♔f2 ♕b2 34. ♔g1 h6 35. ♔h2 ♕f6 36. ♖g3 ♕c3 37. ♕c4 ♕e5 38. ♕e4= ♕d6 39. ♕g4 g5!? 40. ♔h1** [40. fg6 ♔g7 41. ♗f7 h5! 42. ♕h4 ♖c8⇆] **♕e5 41. ♕h3 ♕f6?** [41... ♔g7=] **42. ♖g4! ♔g7 43. ♕e3±** [△ d4-d5] **♖d6 44. d4 ♖fd8 45. d5 ♖d5□ 46. ♗d5 ♖d5** [♕ 9/e] **47. ♕a7 ♔f8 48. ♕b8 ♖d8 49. ♕c7 ♖d4⊕ 50. ♕c5 ♖d6 51. ♖e4 ♔f7 52. ♕c7 ♔f8 53. ♕c5 ♔f7 54. ♔h2 h5 55. ♕c7⊕** [55. ♖b4±] **♔f8 56. ♕c8 ♖d8 57. ♕e6? ♔g7 58. ♖a4 ♖d6 59. ♕f6 ♔f6 60. ♖a5 h4= 61. g4 1/2 : 1/2** **[Ehlvest]**

309. **B 86**

AKOPJAN 2520 – ANASTASJAN 2475

Tbilisi 1989

1. e4 c5 2. ♘f3 d6 3. d4 cd4 4. ♘d4 ♘f6 5. ♘c3 a6 6. ♗c4 e6 7. ♗b3 ♘bd7 8. f4 ♘c5 9. f5 ♗e7 10. ♕f3 0–0 11. ♗e3 e5 12. ♘de2 ♘b3 13. ab3 b5! N [13... d5 – 44/(290)] **14. ♘b5?** [14. 0-0-0 ♗b7 △ 15. b4? a5!∓; 14. 0–0 ♗b7 △ b4, d5∓; 14. ♗g5 ♗b7 15. ♕d3 ♖c8 △ b4 ×c2] **d5!=/∞↑ 15. ed5 ♘d5 16. ♘g3□** [16. ♘bc3 ♘e3 17. ♕e3 ♗f5∓; 16. 0–0 ♗b7 17. ♘a3□ ♕c7! △ 18... ♘e3, 18... ♘f4–+] **♗b7 17. ♘c3 ♘e3 18. ♕e3 ♖c8** [18... ♗g2? 19. ♖g1 ♗b7 20. ♖d1! △ ♘h5→»; 18... ♕d4!?] **19. ♖d1?!** [19. ♖a4 ♗c5 △ ♗d4∓; 19. f6! ♗f6 20. 0–0∓] **♕a5 20. ♖d7 ♕b4!** [20... ♕a1? 21. ♔d2! ♕b2 22. ♖b1!□ ♗g5□ 23. ♖b2 ♗e3 24. ♔e3 ♖c3 25. ♔d2 ♗c8 26. ♖d5±] **21. ♘h5?** [21. f6! ♗f6 22. 0–0∓] **♗h4!–+ 22. ♔f1 ♕g4 23. ♖b7** [23. ♘g3 ♗g3 24. hg3 ♕f5] **♖c3! 0 : 1** **[Akopjan]**

310. **B 87**

JA. MEJSTER 2400 – KUPOROSOV 2435

SSSR 1989

1. e4 c5 2. ♘f3 d6 3. d4 cd4 4. ♘d4 ♘f6 5. ♘c3 a6 6. ♗c4 e6 7. ♗b3 b5 8. ♗g5 ♗e7 9. ♕f3 ♕c7 10. 0-0-0 0–0?! [10... ♘bd7!?] **11. e5 de5 12. ♗f6! N ±** [12. ♘db5 – 42/289] **ed4** [12... ♗f6 13. ♘e6! fe6 (13... ♗e6 14. ♕a8) 14. ♕a8 ♘c6 15. ♘d5!±; 12... gf6 13. ♘f5±; 12... ♗b7 13. ♗e5 ♗f3 14. ♗c7 ♗d1 15. ♖d1±] **13. ♗e7 ♕e7 14. ♕a8 ♗b7 15. ♘d5! ed5** [15... ♕g5 16. f4+–] **16. ♕a7 ♘c6 17. ♕b6 ♖b8 18. ♖he1+– ♕g5 19. ♔b1 h6 20. g3 ♕f5 21. ♕c7 a5 22. ♖d4! ♕f2 23. ♖dd1 1 : 0** **[Kuporosov]**

311.** B 87

A. SOKOLOV 2605
– L. PORTISCH 2610
Rotterdam 1989

1. e4 c5 2. ♘f3 d6 3. d4 cd4 4. ♘d4 ♘f6 5. ♘c3 a6 6. ♗c4 e6 7. 0–0 b5 8. ♗b3 ♗e7 9. ♕f3 [RR 9. f4 ♗b7 10. ♗e3 b4 11. e5 bc3 12. ef6 ♗f6 13. ♗a4 ♘d7 14. f5 0–0! N (14... ef5 – 37/(266)) 15. fe6 ♘c5 16. ♘c6 ♕c7 17. ♖f6 cb2 18. ♖b1 ♘a4 19. e7 ♕c6 20. ef8♕ ♖f8 21. ♕g4 h5 22. ♕g3 ♘c3 23. ♖f2 h4 24. ♕g4 ♗c8 25. ♕d4 ♘b1 26. ♕b2 ♘c3–+ Borkowski 2420 – Wojtkiewicz 2460, Polska (ch) 1989; 9. ♗e3 ♗b7!? N (9... 0–0 – 45/(283)) 10. ♗e6 fe6 11. ♘e6 ♕c8 12. ♘g7 ♔f7 13. ♘f5 ♕e6 14. ♖e1 ♘bd7 (14... ♗f8!? Blumenfeld) 15. ♘e7 ♕e7 16. ♗d4 ♖hg8 17. ♘d5 ♕e6! 18. ♘f6 ♘f6 19. ♕f3 ♖g6 20. ♗f6 ♖f6 21. ♕h5 ♔g7 22. ♖e3 ♖g6 23. a4 ♖f8!∓ J. West – Blumenfeld 2365, New York 1989] **♕c7 10. ♕g3 ♘c6 11. ♘c6 ♕c6 12. ♖e1 0–0 13. ♗h6 ♘e8 14. ♖ad1 N** [14. ♘d5!? ♗d8 15. ♘f4±; 15. ♖ad1±] **♗b7 15. a3 ♖d8 16. ♖d3 ♔h8** [16... ♗f6 17. ♗g5 ♗g5 18. ♕g5 ♘f6 19. ♖g3+–] **17. ♗g5 ♗g5 18. ♕g5 ♘f6 19. ♕d2** [19. ♕e3?! ♘d7∞] **♖d7 20. f3 ♖fd8 21. ♖d1 ♕c5 22. ♕f2 ♔g8 23. ♘e2 ♕e5** [23... ♕f2 24. ♔f2 ♔f8 25. c4 bc4 26. ♗c4±] **24. ♕d4 ♕g5 25. a4 h5 26. ♕e3 ♕e3** [26... ♕e5!?] **27. ♖e3 b4** [27... ba4 28. ♗a4 ♖c7 29. ♖ed3±] **28. a5 e5** [28... ♗c6 29. ♘d4 △ ♘e6±] **29. c3± bc3** [29... d5 30. ed5 ♗d5 31. cb4±] **30. ♘c3 ♔f8 31. ♗c4 ♖c7 32. ♗f1 ♔e7** [32... ♗c6 33. ♖a1! (33. ♗a6 ♖a7 34. ♗b5 ♗b5 35. ♘b5 ♖a5 36. ♖d6 ♖b8=) ♖a8 34. ♘a4±] **33. ♘a4 ♖c2?** [33... ♘d7 34. ♖b3 ♗c6 35. ♘b6±] **34. ♖b3 ♖c7 35. ♘c3 ♘d7 36. ♗a6!+– ♗a8** [36... ♖c3 37. ♖b7; 36... ♘c5 37. ♖b7 ♘b7 38. ♘d5] **37. ♗f1 ♘c5 38. ♖b6 ♘e6 39. ♘b5 ♖c2 40. b4** [40. ♘c3] **d5 41. ed5 ♗d5** [41... ♖d5 42. ♖d5 ♗d5 43. a6 ♖c1 44. ♘a3 ♖c3 (44... ♖a1 45. ♘c2 △ ♘e3) 45. ♖b5] **42. a6 ♗c4 43. ♘d6 ♗f1 44. ♔f1 ♘d4 45. ♖a1 ♘b3 46. ♖a3 ♘d2 47. ♔e1 ♘b1 48. ♖d3 g6 49. ♘f5 gf5 50. ♖b7 1 : 0** **[A. Sokolov]**

312.* B 89

JAKOVIČ 2455 – FILIPENKO 2370
Belgorod 1989

1. e4 c5 2. ♘f3 ♘c6 3. d4 cd4 4. ♘d4 ♘f6 5. ♘c3 d6 6. ♗c4 e6 7. ♗e3 ♗e7 8. ♕e2 0–0 9. ♗b3 a6 10. 0-0-0 [RR 10. ♖g1! N ♕c7 (10... e5 11. ♘c6 bc6 12. g4 ♗e6 13. g5 ♘e8 14. 0-0-0±) 11. g4 ♘d7 12. g5 ♘c5 13. ♖g3! ♘b3 (13... g6 14. 0-0-0±) 14. ab3 f5! *a)* 15. ♘cb5? ♕b8! 16. ♘c6 (16. ♖h3 ab5 17. ♖a8 ♕a8 18. ♖h7! ♕a1 19. ♔d2 g6!! 20. ♘c6 ♗g5! 21. ♗g5 ♔h7 22. ♘e7 ♕g1!–+ Hector 2485 – Širov 2450, Torcy 1989) bc6 17. ♘d4 f4 18. ♖h3 ♗g5 19. ♗d2 c5 20. ♘f3∓; *b)* 15. ef5 ♘d4 16. ♗d4 ♖f5∓; *c)* 15. gf6 ♗f6 16. 0-0-0 b5 17. f3 ♖b8∞; *d)* 15. ♕c4! d5□ 16. ed5 f4 17. dc6 fg3 18. hg3 b5 (18... ♖f7 19. cb7 ♕b7 20. 0-0-0±) 19. ♕d3 b4! 20. ♘e4 (20. ♘cb5? ♕b8 21. c7 ♕b7) a5 21. 0-0-0 a4∞ Širov; 10. f4 – 29/380] **♘d7!? 11. f4 N** [11. g4 ♘c5; 11. ♔b1 – 18/384] **♘c5 12. ♖hf1 ♗d7 13. f5 ♘e5!? 14. ♘f3!** [14. ♔b1 b5!? (14... ♘b3±) 15. ♘e6 fe6 16. ♗c5 dc5 17. ♗e6 (17. fe6? c4–+) ♔h8 18. ♗d7 (18. ♖d5 ♕c7∓) ♘d7 19. e5 ♕e8 20. ♘d5 ♖a7∞] **♘b3 15. ab3 ♘g4!** [15... ♕c7? 16. ♘e5 de5 17. f6! ♗f6 18. ♖f6 gf6 19. ♗h6 ♔h8 20. ♕f3 ♕d8 21. ♖d7+–; 15... ♘f3 16. ♕f3 △ ♗d4±] **16. fe6** [16. ♗f4 ef5! 17. ef5 (17. ♗d6? ♗b5! 18. ♘b5 ab5∓) ♗f5∓] **fe6 17. ♗d4 ♕a5!** [17... e5 18. ♗g1±] **18. h3 ♘h6** [△ ♗b5] **19. ♕e1!** [△ ♘d5] **♕h5** [19... ♕a1 20. ♔d2 ♕b2 21. ♖a1!! (21. ♘d5? ♗g5! 22. ♔d3 ♗b5–+; 21. ♕g3 e5) e5 (21... ♖fe8 22. ♖a2+–) 22. ♘a4 ♗g5 23. ♔d1+–] **20. ♕g3 g6?** [20... ♕g6 21. ♕g6 hg6= 22. ♗c5? ♘f7 23. e5 ♘e5 24. ♘e5 ♖f1 25. ♖f1 ♗g5 △ de5∓] **21. ♘e2!** [△ ♘f4-g6] **♘f7□ 22. ♘f4 ♕h6 23. ♔b1 ♘g5 24. ♘h2! ♘e4** [24... e5 25. ♘d5; 24... ♖f4 25. ♕f4 e5 26. ♗e5 de5 27. ♕e5] **25. ♘g4! ♕g5 26. ♕e3 e5□** [26... d5? 27.

♘d5! ed5 (27... ♕e3 28. ♘e7#) 28. ♘h6+—] **27. ♕e4 ♗g4 28. ♕d5! ♔h8** [28... ♔g7 29. hg4 ♖f4 30. ♗e3+—] **29. hg4 ed4** [29... ♖f4 30. ♗e3] **30. ♕b7!± ♕g4** [30... ♖ab8 31. ♕a7!] **31. ♘g6⊕ ♕g6⊕ 32. ♕e7 ♖f1 33. ♖f1 ♕g2 34. ♖f7 ♕g1 35. ♔a2 ♕g6 36. ♖f6! ♕g7** [36... ♕c2 37. ♖f8] **37. ♕d6 a5 38. ♕d4+—⊕**
1 : 0   [Jakovič]

313.   **B 89**

DE FIRMIAN 2570 —
GOMEZ ESTEBAN 2460
New York 1989

1. e4 c5 2. ♘f3 ♘c6 3. d4 cd4 4. ♘d4 ♘f6 5. ♘c3 d6 6. ♗c4 e6 7. ♗e3 ♗e7 8. ♕e2 0-0 9. 0-0-0 ♕c7 [RR 9... ♗d7 10. f4 ♕c8 11. ♘f3 ♕c7 N (11... a6 — 45/287) 12. ♔b1 a6 13. ♗d3 e5 14. f5 ♘b4 15. ♖hg1 d5 16. ed5 ♘fd5 17. ♗d2 ♗c5 18. ♘d5 ♘d5 19. ♖ge1 ♖ae8 20. ♘g5 e4 21. ♘e4 ♗f5 22. ♕f3 ♗g6∞ P. Wolff 2485 — Dlugy 2570, Toronto 1989] **10. ♗b3 a6 11. g4 ♘d4 12. ♖d4 b5** [RR 12... ♘d7 13. g5 ♘c5 a) 14. ♖g1 b5 15. ♖g3 g6 16. e5?! de5 17. ♖h4 f5 18. gf6 ♘b3 19. ab3 ♗f6 20. ♖hg4 N (20. ♗g5? — 45/(288)) a1) 20... ♗g7 21. h4 ♖f5 22. ♖g5! ♗d7 23. h5 ♗e8 24. ♘e4 ♖c8 25. c3 ♕c6 (Prié 2335 — Lanka 2420, Debrecen (open) 1989) 26. f3 △ ♕g2∞; a2) 20... ♗b7!? 21. h4 ♔h8∓; b) 14. f4 f5!⇆ Lanka] **13. g5 ♘d7 14. ♖g1 ♗b7 15. f4 ♘c5 16. f5 ♖fc8 N** [16... ♘b3] **17. ♔b1 ♘b3 18. ab3 ♗f8 19. ♖g3 g6 20. f6 ♗c6 21. e5!? b4! 22. ♖b4 ♕a5 23. ♖h4 ♕e5 24. ♖gh3 h6** [24... h5? 25. ♖h5! gh5 26. ♕h5] **25. ♖h6!?** [25. gh6? ♔h7∓] **♗h6 26. ♖h6 ♕f5!∞ 27. ♖h4** [27. ♕e1?! ♗f3 △ ♗h5] **e5!** [27... ♗f3!? 28. ♕f2 e5! 29. ♔a2!∞] **28. ♔a2 d5 29. ♗c1** [29. ♕e1? ♕f3!∓] **d4 30. ♘e4 ♗d5??** [30... ♗e4□ 31. ♖e4 ♖c5∞] **31. ♕e1! ♕f3** [31... ♗e4 32. ♖h8+—; 31... ♖c2 32. ♖h8! ♔h8 33. ♕h4 ♔g8 34. ♕h6 ♗b3 35. ♔a3+—] **32. ♘d2!+— ♗b3 33. cb3 ♖c1 34. ♘f3 ♖e1 35. ♘e1 ♖e8 36. ♖e4**   **1 : 0**
[Byrne, Mednis]

314.*   **B 90**

M. CHANDLER 2610
— B. LARSEN 2560
Hastings 1988/89

1. e4 c5 2. ♘f3 d6 3. d4 cd4 4. ♘d4 ♘f6 5. ♘c3 ♘bd7?! 6. ♗e3 a6 7. g4 ♘c5 N [7... d5 — 33/367] **8. f3 e5 9. ♘b3 ♗e6 10. g5 ♘h5 11. ♕d2 ♗e7 12. 0-0-0 0-0 13. ♔b1 b5 14. ♖g1 ♕c7** [14... g6!?] **15. ♘d5! ♗d5 16. ed5± ♘b3 17. cb3 ♕d7 18. ♗d3 ♖fc8 19. ♖c1 ♖c1?** [19... g6! 20. ♖c6 ♖c6 21. dc6 ♕c6 22. ♗e4 ♕c8∞; 20. a3 M. Chandler] **20. ♖c1 ♖c8 21. ♖c8 ♕c8 22. a4± g6 23. ♔a2 ♕h3 24. ♗e4 f5 25. gf6 ♘f6 26. ♗b6 ♘e4** [26... ♔f7!?] **27. fe4 ♕f1 28. ♕b4** [28. ♕a5! ba4 29. ♕a4!] **♕d3 29. ♗c7 ♕d4! 30. ♕d4** [30. ♔a3 ♕g1!] **ed4 31. e5** [31. ♔b1 ♔f7 (31... d3? 32. e5!) 32. ♔c2 g5=] **de5 32. d6 ♗g5 33. d7 ♔f7 34. d8♕ ♗d8 35. ♗d8 ♗e6 36. ♔b1 ♔f5!** [36... e4?? ✕d4, ⊙] **37. ♔c2 g5 38. ♔d3 h5 39. ♗a5 h4 40. ♗e1 ♔f4 41. ♗d2 ♔f5 42. ♗e1 ♔f4 43. ♗d2   1/2 : 1/2**   **[B. Larsen]**

315.*   **B 90**

NUNN 2620 — LJUBOJEVIĆ 2580
Rotterdam 1989

1. e4 c5 2. ♘f3 d6 3. d4 cd4 4. ♘d4 ♘f6 5. ♘c3 a6 6. ♗e3 [RR 6. a4 e5 7. ♘f3 h6 8. ♗c4 ♗e7 9. ♘h4 N (9. 0-0 — 33/364) ♕c7 10. ♗a2 ♘c6 11. 0-0 g5 12. ♘f5 ♘b4 13. ♘e7 ♕e7 14. ♗b1 ♗e6 15. ♖e1 ♖c8 16. ♘e2 ♘h5 17. c3 ♘c6 18. b3 ♘f4 19. ♘g3 h5 20. ♖a2 ♗g4 21. f3 h4 22. ♘f5 ♗f5 23. ef5 ♖h6 24. ♗a3 ♔f8 25. ♖d2 ♖d8 26. ♕c2 ♖f6 27. ♕e4 ♔g7 (van der Wiel 2560 — Marinelli 2260, Lugano 1989) 28. g3± van der Wiel] **e5 7. ♘f3 ♕c7 8. a4 h6 9. a5 ♗e6 10. ♘d5 ♗d5** [10... ♘d5 11. ed5 ♗f5 a) 12. ♗b6 ♕e7! (12... ♕c2 13. ♕c2 ♗c2 14. ♖c1 ♗f5 15. ♖c7±; 12... ♕c8 13. ♖a3 ♘d7 14. ♖c3 ♕b8 15. ♘h4 ♗h7 16. ♕g4±) 13. c4 ♘d7 14. ♕a4∞; b) 12. ♗d3! ♗d3

169

(12... e4 13. ♘d4 ed3 14. ♘f5 ♕c2 15. ♕c2 dc2 16. ♖c1±) 13. ♕d3±] **11. ed5 ♘bd7 12. ♗e2** [12. c4 ♗e7 13. ♗e2 ♘g4 14. ♗d2 ♕c5 15. 0—0 e4 △ ♘f2∞; 12... ♘g4!?] **g6** [12... e4 13. ♘d4 ♘d5 14. ♘b5 ab5 15. ♕d5 ♖a5 16. ♕e4 ♗e7 17. 0—0±] **13. 0—0 N** [13. c4 — 37/281] **♗g7 14. c4 0—0** [14... ♘g4 15. ♗b6! (15. ♗c1 0—0) ♘b6 16. ab6 ♕d7 (16... ♕b6 17. c5 ♕b2 18. ♕a4 ♔f8 19. ♖a2±) 17. b4 0—0 18. c5±] **15. ♘d2 ♘h7 16. b4 e4** [16... f5 17. f3! (17. c5 f4 18. cd6 ♕d6 19. ♗c5 ♘c5 20. ♘c4 ♕f6! 21. bc5 e4∞) f4 (17... e4 18. fe4 ♗a1 19. ♕a1±) 18. ♗f2 e4 19. ♘e4 ♗a1 20. ♕a1 ♘hf6 21. ♘f6 ♖f6 (21... ♘f6 22. ♗d4 △ ♗d3±) 22. ♗d4 ♘e5 23. ♗e5 (23. c5 ♖e8!) de5 24. c5±] **17. ♖c1** [17. ♘e4? f5 18. ♘d2 f4 19. ♗b6 ♘b6 20. ab6 ♕b6∓] **f5 18. f4 ef3 19. ♘f3 ♖ae8?!** [19... ♖fe8±] **20. ♗f2 ♘g5** [20... ♘hf6 21. c5 ♘e4 22. c6 ♘e5 (22... ♘f2 23. cd7 ♘d1 24. de8♕+—) 23. ♗b6 ♕f7 24. cb7 ♕b7 25. ♖c7±] **21. c5** [21. ♘d4 ♖f7∞] **dc5 22. ♘g5 hg5 23. d6 ♕c8** [23... ♕d8 24. bc5 ♕a5 25. ♗f3+—] **24. bc5 g4** [△ ♘e5] **25. ♗a6! ba6 26. c6** [△ 27. cd7 ♕d7 28. ♖c7] **♗e5** [26... ♖e6 27. ♕b3 ♖e8 28. ♖fe1 ♔f7 29. cd7 ♕d7 30. ♖c7+—; 26... ♖d8 27. ♖e1! (27. ♗b6 ♘b6 28. ab6 ♕e6 29. d7 f4 30. ♖e1 ♕f5 △ f3∞) ♖fe8 (27... ♘f6 28. ♗b6) 28. ♖e7+—; 26... ♖f7 27. ♕b3 ♘e5 28. ♖fd1 ♖f8 29. d7 △ ♗b6+—] **27. ♖e1** [△ 28. ♕d5 ♔h8 29. cd7] **♗f6** [27... ♗d6 28. ♕d6 ♖e1 29. ♖e1 ♘f6 30. ♗d4+—; 27... ♔h8 28. cd7 ♕d7 29. ♖c7 ♕d6 30. ♕d6 ♗d6 31. ♗d4+—] **28. ♕d5 ♔g7** [28... ♔h8 29. ♖e8 ♕e8 (29... ♖e8 30. ♕f7! ♖d8 31. ♗e3 ♗e5 32. ♕e6+—) 30. ♖e1 ♕c8 (30... ♕d8 31. ♕e6+—) 31. ♗d4 ♗d4 32. ♕d4 ♘f6 33. d7 ♕c6 (33... ♕b8 34. ♖d1 ♕d8 35. c7+—) 34. d8♕+—] **29. ♖ed1** [△ cd7] **♖e5 30. ♕d3 ♘c5** [30... ♕d8 31. ♕a6 ♖a5 32. ♕b7+—; 30... ♖a5 31. cd7 ♕b8 32. ♖e1+—] **31. ♗c5+— ♕c6 32. ♗b6** [32. ♗d4? ♕d6] **♕b5 33. ♕b5 ♖b5 34. d7 ♗d8 35. ♗d8 ♖d8 36. ♖c8 1 : 0** [Nunn]

316.**** **B 92**

HUZMAN 2480 — DE FIRMIAN 2570
Moskva (GMA) 1989

1. e4 c5 2. ♘f3 d6 3. d4 cd4 4. ♘d4 ♘f6 5. ♘c3 a6 6. ♗e2 e5 7. ♘b3 ♗e7 8. ♗e3 [RR 8. 0—0 0—0 a) 9. ♕d3 ♗e6 10. ♘d5 ♗d5 11. ed5 ♘bd7 12. a4 N (12. c4 — 40/(315)) ♖c8 13. a5 ♘c5 14. ♘c5 dc5 15. c4 e4 1/2 : 1/2 Hübner 2600 — Ljubojević 2580, Barcelona 1989; b) 9. ♔h1 ♗e6 10. f4 ef4 11. ♘d4 N (11. ♗f4 — 30/478) ♕c7 12. ♗f4 ♘bd7 13. ♘f5 ♗f5 14. ef5 ♘e5 15. ♕d4 ♖ac8 16. ♖ad1 ♕c5 17. a3 h6 18. h3± van der Wiel 2560 — van der Sterren 2500, Nederland (ch) 1989] **♗e6 9. f4** [RR 9. 0—0 0—0 10. ♕d2 ♘bd7 11. a4 a) 11... ♘b6 12. a5 ♘c4 13. ♗c4 ♗c4 14. ♖fd1 h6 15. ♘c1 ♖c8 16. ♘d3 ♗e6 17. ♗b6 ♕e8 18. f3 ♘d7 19. ♗e3 f5 20. ef5 ♖f5 21. ♘b4 ♘f6 22. ♘bd5 ♘d5 23. ♘d5 ♗f8 24. b3 ♕g6 a1) 25. ♔h1?? — 46/333; a2) 25. ♕e2 ♗d5 26. ♖d5 e4! 27. ♖f5 (27. fe4 ♖d5 28. ed5 ♖c2∓) ♕f5∞; a3) 25. ♘b6 ♖c6 26. ♕d3∓ △ c4, ♘d5; 25... ♖d8!∞ △ d5; a4) 25. ♕d3!? ♗d5 26. ♕d5 ♕f7 27. c4 ♕d5 28. ♖d5± da Costa Júnior; b) 11... ♖c8 12. a5 ♕c7 13. ♖fd1 ♖fe8 14. ♕e1 ♗f8 15. ♘c1 h6 16. ♗f3 d5 17. ed5 ♗f5 18. ♕d2 ♗d6 19. h3 e4 20. ♗e2 ♗e5 21. ♘a4!? N (21. ♘b3 — 42/303) ♕c2 22. ♘b6 ♕d2 23. ♗d2 ♖c2 24. b4± Baškov — Endžievskij, SSSR 1988] **ef4 10. ♗f4 ♘c6 11. ♕d2 0—0 12. 0-0-0 ♘e5 13. ♘d4 ♕d7! N** [RR 13... ♕a5 14. ♘f5 ♗f5 15. ef5 ♖ac8 16. ♔b1 N (16. ♘d5 — 46/(331)) ♘c4 (16... ♖c5 17. ♗e3 ♖c6 18. ♘d5 ♕d5 19. ♕d5 ♘d5 20. ♖d5±; 17. h4!? ♖fc8 18. ♖h3 △ g4→≫] 17. ♗c4 ♖c4 18. ♖he1 ♕f5□ 19. ♖e7 (19. ♗g5 ♗d8! 20. ♕d6 ♗c7⇆) ♖f4 (19... ♕f4 20. ♕d6±) 20. ♕d6 (Lanka 2420 — Đ. Popović, Pula 1989) ♖f2 21. ♖e2 ♖e2 22. ♘e2 ♕e4 23. ♘f4± Lanka] **14. ♘e6 ♕e6 15. ♔b1 ♖ac8 16. ♕d4** [△ 17. ♘d5 ♘d5 18. ♕d5] **b5** [16... ♖c5!? a) 17. h3 ♖fc8 18. g4 ♘c6! 19. ♕e3 (19. ♕a4 ♖c3!∓) ♘b4→; b) 17. ♘d5 ♘d5 18. ed5 ♕f5∓] **17. h3?!** [17.

♘d5 ♘d5 18. ♕d5 ♕g6∞] **♘c4 18. ♖he1** [18. g4!? b4 19. ♘d5 ♘d5 20. ♕d5 ♘b2! 21. ♔b2 ♕f6 22. e5 ♕f4 23. ed6 ♗f6 24. ♔b1 b3! 25. cb3 ♕b4 26. g5 ♕c3 (26... ♖c5 27. ♕d2 ♗c3 28. ♕e3±) 27. gf6 ♕c2 28. ♔a1 ♕c3=] **h6 19. ♘d5** [19. g4 ♖fe8 20. g5 hg5 21. ♗g5 ♘b2 22. ♔b2 ♖c3→ de Firmian; 19. ♗c1!? △ ♘d5] **♘d5 20. ed5** [20. ♕d5? ♘b2!] **♕d7 21. ♕e4 ♗f6 22. ♗g4?** [22. ♗c1 ♕c7 23. ♗c4 bc4 24. c3] **♕c7 23. ♗c8 ♖c8 24. c3** [24. ♗c1 ♘a3! 25. ba3 ♕c3] **♘a3! 25. ♔a1** [25. ba3 ♕c3−+] **♕c3! 26. ♗c1 ♕c2!!−+⊙ 27. ♕c2 ♘c2 28. ♔b1 ♘e1 29. ♖e1 ♗e5 30. b3 f6 31. ♖d1 ♖c3 32. ♗b2 ♖g3 33. ♖d2 ♔f7 34. ♖c2 ♖d3 35. ♖c6** [⌓ 35. ♖c7] **♖d5 36. ♖a6 ♔e6 37. g4 ♖d3 38. ♖b6 ♖h3 39. ♗e5 fe5 40. ♖b5 g5** [40... ♖h1! 41. ♔b2 ♖h2 42. ♔b1 e4] **41. a4 h5 42. gh5 ♖h5 43. ♔c2** [43. ♖b8!? g4 44. ♖g8 ♔f5 45. a5 ♖g5 46. ♖g5 ♔g5 47. a6 g3 48. a7 g2 49. a8♕ g1♕−+] **g4 44. ♔d2 ♖h2 45. ♔e1 d5 46. a5 ♖a2 47. b4 d4 48. ♖b6 ♔d5 49. a6 ♔e4 50. b5 ♔e3 51. ♔f1 d3** **0 : 1**
[Huzman, Vajnerman]

317. **B 92**

DOLMATOV 2580 – UBILAVA 2515
Moskva (GMA) 1989

1. e4 c5 2. ♘f3 d6 3. d4 cd4 4. ♘d4 ♘f6 5. ♘c3 a6 6. ♗e2 e5 7. ♘b3 ♗e7 8. ♗e3 ♗e6 9. f4 ef4 10. ♗f4 ♘c6 11. ♕d2 0–0 12. 0-0-0 ♘e5 13. ♘d4 ♕d7 14. ♘e6 ♕e6 15. ♔b1 ♖ac8 [15... ♘g6 16. ♗g3 ♘e4 17. ♘e4 ♕e4 18. ♗f3±] **16. ♗d3?! N** [16. ♖he1! (△ ♗d3, ♘e2-d4) b5 17. ♗d3 ♘c4?! 18. ♗c4 ♖c4 19. e5±] **♘c4 17. ♕e1** [17. ♗c4? ♖c4 ×e4] **b5 18. ♘e2?!** [18. ♖f1!? △ ♘e2; 18. h3!? △ 19. ♘e2, 19. g4] **d5! 19. e5!** [19. ♘d4 ♕g4!] **♘e5** [19... ♘e4!? 20. ♘d4 ♕g6] **20. ♗h7 ♘h7 21. ♘d4 ♕g6 22. ♗e5 ♗f6 23. ♕g3± ♕g3 24. ♗g3 ♖c4 25. ♘f5** [25. ♘b3!?] **♖b4! 26. b3 ♖e4! 27. ♖d5** [27. ♖he1 ♖fe8 28. ♘d6 ♖e1 29. ♖e1 ♖e1 30. ♗e1±; 27... ♘g5!?] **♖e2 28. ♖e1 ♖fe8 29. ♖dd1** [29. ♖e2!? ♖e2 30. c4!] **♘g5 30. ♘d6 ♖8e6 31. ♖g1! ♘e4** [31... b4!? 32. ♗h4!] **32. ♘e4 ♖6e4 33. a3! ♗d4** [33... ♖e6 34. ♗d6; 33... ♖e8 (△ ♖c8) 34. ♖ge1; 33... a5 34. ♖d5] **34. ♖ge1 ♗c3 35. ♖e2 ♖e2** [♖ 9/k] **36. ♖d8 ♔h7 37. ♖d3 ♗f6 38. c4! bc4** [38... ♗e7] **39. bc4 ♖g2?** [39... ♗e7 40. ♖c3±] **40. c5 ♖b2 41. ♔c1 ♖b5 42. ♗d6 ♔g6?** [42... g5□ 43. ♖d2 (43. c6?! ♗e5) ♗e5 44. ♔c2±] **43. c6+− ♖b6** [43... ♗e5 44. c7 ♗d6 45. ♖d6] **44. c7 ♖c6 45. ♔b1 ♗c3** [45... ♔f5 46. ♖e3!] **46. ♖d5** **1 : 0**
[Dolmatov, Dvoreckij]

318.* **B 93**

ULYBIN 2445 – H. ODEEV
SSSR 1989

1. e4 c5 2. ♘f3 d6 3. d4 cd4 4. ♘d4 ♘f6 5. ♘c3 a6 6. f4 ♘bd7 [RR 6... ♕c7 7. ♗d3 g6 8. 0–0 ♗g7 9. ♘f3 0–0 10. ♕e1 b5 11. ♕h4 ♗b7 12. a3 ♘bd7 13. f5 ♖ae8 14. ♗h6 e6?! 15. ♘g5 d5?! 16. fe6 fe6 17. ♗g7 ♔g7 18. ♖ae1 h6 19. ed5 ♕b6 20. ♔h1 ed5 21. ♘f3 (van der Wiel 2560 – Ljubojević 2580, Rotterdam 1989) ♕d6±; 14... ♘e5∞ van der Wiel] **7. ♘f3 e5 8. a4**

8... d5!! N 9. fe5 [9. ed5 e4 10. ♘g5 (10. ♘d4 ♗b4) ♗b4! 11. ♕d4 ♕b6 12. ♕b6 ♘b6 13. ♗d2 ♗f5 14. g3 h6 15. ♘h3 ♘bd5∓; 9. ♘e5 ♗b4! 10. ♘d7 ♗d7 11. ed5 0–0 12. ♗e2 ♕b6∓; 9. ♘d5 ♘e4 10. fe5 ♗c5∓] **♘e4 10. ♕d5** [10. ♘d5 ♗c5∓] **♘c3 11. bc3 ♕c7 12. ♗d2 ♘c5** [△ ♗f5]

13. ♗d3 ♗g4 14. 0–0? [14. ♕d4 ♗f3 15. gf3 ♖d8 16. ♕e3 ♗e7 △ ♕d7, ♘a4∓] ♗e6! 15. ♕d4 ♘b3∓ 16. ♕f4 ♗c5 17. ♔h1 ♘a1 18. ♖a1 h6! 19. ♖b1 0-0-0 20. ♘d4 [20. ♗e4 g5! 21. ♕g3 b6∓] ♗d5 21. ♕g4 ♔b8 22. ♗f4?! g5!–+ 23. ♗e3 [23. ♗g3 h5 24. ♕g5 h4 △ ♖dg8] ♕e5 24. ♗f2 ♔a8 25. ♗g3 ♕f6 26. ♘b5?⊕ ab5 27. ab5 ♗d6 28. ♕a4 ♔b8 29. ♖a1 ♗g3 30. ♕a7 ♔c8 31. ♕c5 ♗c7 32. ♖a8 ♔d7 33. ♕d5 ♔e7 34. ♕c5 ♗d6 35. ♕e3 ♕e5
0 : 1   [H. Odeev]

319.*   B 93

ULYBIN 2445 – ZAGREBEL'NYJ 2345
Budapest (open) 1989

1. e4 c5 2. ♘f3 d6 3. d4 cd4 4. ♘d4 ♘f6 5. ♘c3 a6 6. f4 e5 7. ♘f3 ♘bd7 8. a4 ♗e7 9. ♗d3 0–0 10. 0–0 ♘c5 11. ♕e1 ef4 [11... d5! N 12. fe5 ♘fe4 13. ♘e4 (13. ♗e4 de4 14. ♘e4 ♗f5 15. ♘c5 ♗c5 16. ♗e3 ♗e3 17. ♕e3 ♗c2=) de4 14. ♗e4 ♗e6 15. b3 f5! 16. ef6 ♗f6 17. ♗a3! (17. ♖b1 ♘e4 18. ♕e4 ♗f5! 19. ♕c4 ♔h8∞) ♘e4 18. ♕e4 ♖e8 19. ♖ae1 ♕b6 20. ♕e3 (1/2 : 1/2 Ulybin 2445 – Neverov 2430, Tbilisi 1989) ♕e3 21. ♖e3 ♗f5 22. ♖e8 ♖e8 23. ♖f2 ♖c8 24. c4 ♖d8 25. ♖d2 ♖d2 26. ♘d2 ♗c3=] 12. ♗f4 ♗e6 [12... ♘d3 13. cd3 ♕b6 14. ♗e3 ♕b2 15. ♘d4! (15. ♖b1 ♕c2∞) ♕b4 16. a5! ♗d7 17. ♖b1 ♕a5 18. ♘d5 ♕d8 19. ♘e7 ♕e7 20. ♖b7±; 12... ♗d7!?] 13. ♔h1 ♖e8 N [13... ♖c8 – 38/(362)] 14. ♘d4 ♕b6 15. ♘e6 [15. a5 ♘d3] fe6?! [15... ♘d3 16. cd3 fe6=] 16. ♗c4 ♔h8 17. b3 ♕c6 18. e5 ♘h5 [18... ♘g4 19. ed6 ♗d6 20. ♖d1! ♗f4 21. ♖f4 ♘f6 22. ♕e5±] 19. ♗d2 de5 [19... d5? 20. ♗e2+–] 20. ♕e5 ♖ad8 21. ♖ad1 ♘f6 22. ♕e2!± ♖d7? [22... ♘fe4 23. ♘e4 ♘e4 24. ♗e1! ♖d1 25. ♕d1± △ 25... b5 26. ab5 ab5 27. ♗d3 ♘c5? 28. ♗h7! ♔h7 29. ♕h5 ♔g8 30. ♕f7 ♔h8 (30... ♔h7 31. ♖f3 ♗g5 32. ♖h3 ♗h6 33. ♗d2+–) 31. ♗c3! e5 32. ♖f5+–] 23. b4! ♘ce4?! [23... ♘a4 24. b5 ab5 25. ♗b5 ♘c3 26. ♗c3 ♖d1 27. ♖d1! (27. ♗c6 ♖f1 28. ♕f1 bc6 29. ♕c4 ♖d8! 30. g3 ♖d6±)

♕c3 28. ♗e8 ♘e8 29. ♕e6 ♕c2 30. ♖e1±] 24. b5 ab5 25. ♗b5 ♖d2 26. ♕d2! [26. ♖d2 ♕c3 27. ♖d3 ♕c8 28. ♗e8 ♕e8=] ♘d2 [26... ♕c3 27. ♕c3 ♘c3 28. ♗e8 ♘d1 (28... ♘e8 29. ♖d8!) 29. ♖d1 ♘e8 30. ♖d7 ♗f6 31. ♖b7 ♔g8 32. a5 ♘d6 33. ♖d7 ♘b5 34. a6+–] 27. ♗c6 ♘f1 28. ♗e8 ♘e3 29. ♖b1! ♘e8 30. ♖b7 ♗d6 31. a5 ♘g4 32. ♘e4   1 : 0
[Ulybin, Volovik]

320.   B 93

GEO. TIMOŠENKO 2530
– UBILAVA 2515
Moskva (GMA) 1989

1. e4 c5 2. ♘f3 d6 3. d4 cd4 4. ♘d4 ♘f6 5. ♘c3 a6 6. f4 e5 7. ♘f3 ♘bd7 8. a4 ♗e7 9. ♗d3 0–0 10. 0–0 ♘c5 11. ♕e2 [11. ♔h1 ef4 12. ♗f4 d5 (12... ♗d7 – 46/(336)) 13. e5 ♘fe4] ef4 12. ♗f4 ♗g4!? N [12... ♕b6 13. a5! ♕b2 14. ♖fb1 ♕c3 15. ♗d2 ♕a1 16. ♖a1±; 12... d5 – 37/287] 13. ♔h1 ♘e6 14. ♗d2 d5?! [14... ♗h5=] 15. ed5 [15. e5 ♘e8 △ ♘8c7, ♗h5=] ♘c7☐ [15... ♘d5 16. ♗h7! ♔h7 17. ♕e4 f5 18. ♕e6+–; 15... ♘d4 16. ♕e5 ♘f3 17. gf3 ♗d6 18. ♕d4±] 16. ♖ad1 ♖e8! [16... ♘cd5 17. ♘d5 ♘d5 18. ♗e4 ♗e6 19. ♘d4±] 17. ♗c4 ♗a3! [17... ♗c5? 18. ♕d3 ♗h5 19. ♗f4+–] 18. ♕f2 ♗b2 19. ♕b6 [19. d6 ♘e6∞] ♗a3☐ [19... ♗c3 20. ♗c3 ♘e4 21. ♗b4±] 20. ♕b7 ♖b8 21. ♕a7 ♗d6 22. ♕f2 ♕c8!☒ 23. ♗b3 [23. ♗g5? ♘a8] ♕f5 24. ♕h4?! [24. ♖de1 ♘cd5 25. ♘d5 ♘d5 26. ♖e8 ♖e8 27. ♖e1] ♖b4! 25. ♕f2? [25. ♕g5 ♕d7 △ h6∓; 25. ♘d4!☐ ♕g6! 26. ♘c6 ♖b3 27. cb3 ♗d1 28. ♖d1 ♘cd5 29. ♘d5 ♘d5∓] ♕h5 26. g3 ♘e4!–+ 27. ♘e4 ♖be4 [△ ♖e2] 0 : 1   [Ubilava]

321.   B 93

W. WATSON 2505
– GRÓSZPÉTER 2500
Budapest 1989

1. e4 c5 2. ♘f3 d6 3. d4 cd4 4. ♘d4 ♘f6 5. ♘c3 a6 6. f4 e5 7. ♘f3 ♘bd7 8. a4

172

♗e7 9. ♗d3 0–0 10. 0–0 ef4 11. ♗f4 ♘c5 12. ♕d2! N **♗d7 13. ♔h1 ♗c6?!** [13... ♖c8] **14. ♕e2 ♘e6 15. ♗d2 ♖c8 16. b4 d5 17. e5** [17. ed5!?] **♘h5 18. b5?!** [18. ♘d4 ♘g3 19. hg3 ♘d4 20. ♕g4 ♘e6 21. ♖f7 ♖f7 (21... ♔f7 22. ♗f5) 22. ♕e6 ♗e8 23. ♕d5±] **ab5 19. ab5 ♗e8 20. ♘d4 ♘d4 21. ♕h5 f5 22. ♕h3 g6 23. ♖a4?!** [23. ♖a7∞] **♘e6 24. ♕f3 ♖c5 25. ♖a7 ♗g5 26. ♗e1 ♕b8 27. b6 ♕e5?!** [27... ♗c6!∓] **28. ♖b7 ♗c6 29. ♖a7 d4?!** [29... ♖c3 30. ♗c3 ♕c3 31. ♕e2!=/∞] **30. ♕h3 h5 31. ♘e2 ♖c2?!**⊕ [31... ♖b5!∞] **32. ♗c2 ♕e2 33. ♗d3 ♕e5 34. ♗c4 ♔h8 35. ♗g3 ♘f4 36. ♗f4 ♗f4 37. ♖c7 ♗e4 38. ♕h4?!** [38. ♕a3± △ 38... ♖a8 39. ♕e7 ♕e7 40. ♖e7 d3! 41. b7 ♖d8 42. ♖a1 d2 43. ♗b3 (43. ♗e2 ♗c2) h4 44. h3 g5 △ g4, h3] **♗h6 39. ♕e7** [39. ♖e7 ♕c5∞] **♕e7 40. ♖e7 ♖b8 41. ♖e6** [41. ♖a1 ♖b6] **d3 42. ♖g6** [42... ♗e3 43. ♖d6 d2 44. ♖d1 ♗c2 45. ♖1d2=] **1/2 : 1/2**
[Grószpéter]

322.* **B 93**

VOGT 2505 – WOMACKA 2370
DDR 1989

1. e4 c5 2. ♘f3 d6 3. d4 cd4 4. ♘d4 ♘f6 5. ♘c3 a6 6. f4 e5 7. ♘f3 ♘bd7 8. a4 ♗e7 9. ♗d3 0–0 10. 0–0 ef4 11. ♗f4 ♕b6 12. ♔h1 ♕b2 13. ♕e1 ♕b4 [RR 13... ♘c5 14. ♖b1 ♘d3 15. cd3 ♕c2 16. e5 N (16. d4 – 35/351) ♘h5 17. ♘d5 ♗d8 18. ♗g5 f6 19. ef6 ♘f6 20. ♘f6 ♗f6 21. ♗f6 gf6 22. ♕g3 ♔h8 23. ♕d6 ♗g4 24. ♘e5 ♗e2 25. ♖fc1 ♕d2∞ Nijboer 2445 – I. Armaş 2455, Wijk aan Zee II 1989] **14. ♖b1 ♕c5 15. ♘d5 ♘d5 16. ed5 ♗f6 17. c4!** N [17. ♕e4 – 37/(287)] **♕c7** [×d6] **18. ♕g3 ♘e5 19. ♗g5! ♗g5** [19... ♘g6 20. ♗f6 gf6 21. ♘d2±] **20. ♗h7!± ♔h7 21. ♘g5 ♔h6** [21... ♔g8 22. ♕h4 ♖e8 23. ♖be1 f5 (23... ♔f8 24. ♕h8 ♔e7 25. ♖f7 ♔d8 26. ♕e8+–; 23... f6 24. ♕h7 ♔f8 25. ♖f6 ♔e7 26. ♖f7+–) 24. ♕h7 ♔f8 25. ♕h8 ♔e7 26. ♖e5 de5 27. ♕g7 ♔d6 (27... ♔d8 28. ♘f7 ♔d7 29. d6+–) 28. ♕g6 ♔e7 29. d6 ♕d6 30. ♕g7 ♔d8 31. ♘f7+–] **22. ♕h4 ♔g6 23. ♖b3! f5** [23... ♕c4 24. ♕h7 ♔g5 25. ♖g3 ♗g4 26. h4#] **24. ♖g3 ♘g4 25. ♖g4+– fg4 26. ♖f8 ♕e7** [26... ♕c4 27. ♕h7 ♔g5 28. ♕g7 ♔h5 29. ♖h8#] **27. ♖f7 ♕e8** [27... ♕g5 28. ♖g7; 27... ♕e5 28. ♕h7 ♔g5 29. ♖g7 ♔f4 30. g3 ♔f3 31. ♖f7 ♔e3 32. ♖e7] **28. ♕h7 ♔g5 29. ♖g7 ♔f6 30. ♕h6 ♔f5 31. ♕g5 ♔e4 32. ♖e7 1 : 0** **[Vogt]**

323.** **B 96**

OLL 2510 – GEL'FAND 2600
Debrecen 1989

1. e4 c5 2. ♘f3 d6 3. d4 cd4 4. ♘d4 ♘f6 5. ♘c3 a6 6. ♗g5 e6 7. f4 ♘c6!? 8. ♘c6 N [8. ♗e2 – 29/391] **bc6 9. e5 h6 10. ♗h4** [10. ef6 hg5 11. fg5 gf6 12. ♕f3 d5 13. 0-0-0 fg5 14. ♗c4 g4!∓ Hector 2485 – Oll 2510, Debrecen 1989] **g5** [10... de5 11. ♕d8 ♔d8 12. fe5 g5 13. 0-0-0±] **11. fg5 ♘d5 12. ♘e4** [12. ♘d5 cd5 13. ♕h5 ♕b6! 14. ♗e2 ♗g7 15. ♖f1 ♖a7 16. ♗f2 d4 17. 0-0-0 de5∓ Šakarov – H. Odeev, corr. 1989] **♕b6!?** [12... de5 13. ♘f6 ♘f6 14. ♕d8 ♔d8 15. gf6±] **13. c3 de5 14. ♗g3** [14. g6!? fg6 15. ♕g4∞] **hg5** [14... ♗g7 15. ♘d6 ♔e7 16. ♘c4 ♕c7 17. ♕g4→; 14... ♘f4 15. ♕f3 ♕b2 16. ♖d1=/∞] **15. ♗e5 ♖h4!? 16. ♗d3!** [16. ♕f3?! f5! 17. ♘f6 ♘f6 18. ♗f6 ♖f4 19. ♕h5; 17... ♔f7!?∞] **f5!?** [16... ♕b2? 17. 0–0! ♘e3 18. ♕f3! ♘f1 19. ♖f1±→; 16... ♕e3 17. ♕e2 ♕e2 18. ♔e2 ♘f4 19. ♗f4 gf4 20. g3!±; 16... ♗b7!? 17. ♕f3 0-0-0 18. 0-0-0 f5!; 17. ♕e2∞] **17. ♘d2!?** [17. ♘f6 ♔f7∞; 17. ♘d6 ♗d6 18. ♗d6 ♕b2 19. 0–0 ♘e3 20. ♕f3; 19... ♕c3!∓] **♗c5** [17... ♘f4 18. ♕f3±; 17... ♕b2!? 18. 0–0 (18. ♖b1 ♕a2 19. 0–0 ♘e3 20. ♕f3 ♕d5!∓) *a)* 18... ♘e3 19. ♕f3 ♕d2 (19... ♘f1 20. ♕c6 ♔f7 21. ♖f1 ♕d2 22. ♖f5 ef5 23. ♕f6 ♔e8=) 20. ♕c6 ♔f7 21. ♕a8 ♘f1 22. ♕a7 ♔g6 23. ♗f1=; *b)* 18... ♕b6!? 19. ♔h1 ♘e3 20. ♕e2 ♘f1 21. ♖f1=/∞] **18. ♕e2 ♕b2 19. ♖b1 ♕a2 20. g3 ♖h7?** [20... ♖h6! 21. c4 ♘b4 22. ♖b2 (22. ♗f5? ef5 23. ♗d6 ♖e6–+) ♘d3 23.

♕d3 ♕a5∓ **21. c4!** ♘e3 [21... ♘b4 22. ♗f5! ef5 23. ♗d6+−] **22. ♕f3 ♗d7 23. ♔e2 ♕a3!□⊕** [23... ♘c2 24. ♖b2+−; 23... g4 24. ♕f4 △ ♕g5+−] **24. ♖a1 ♕b4 25. ♖ab1 ♕a3** [25... ♕a5 26. ♘b3+−] **26. h4?** [26. ♖a1=; 26. h3 g4□ 27. hg4 ♖h1 28. ♕h1 ♘g4 29. ♕h8±; 26. ♗b2! ♕a2 27. ♗c3 ♕a3 28. ♖b3 ♕a2 29. h4 e5 30. ♖a1 e4 31. ♗e4 ♕a1 32. ♗a1 fe4 33. ♘e4!+−; 33. ♕e4+−] ♘g4! [26... g4 27. ♕f4+−] **27. ♗b2 ♕a5 28. hg5 ♖h1 29. ♕h1 0-0-0! 30. ♘b3 ♕b6 31. ♘c5?!** [31. ♗c3 ♘f2 32. ♕f3 ♘d3 33. ♕d3 ♗e8∓; 33. ♗a5!±] **♕c5 32. ♕g1** [32... ♕g1 33. ♖g1 ♖g8 34. c5!⇆] **1/2 : 1/2** **[Gel'fand]**

324.   **B 96**

LUTHER 2415 − JUDASIN 2540
Budapest (open) 1989

1. e4 c5 2. ♘f3 d6 3. d4 cd4 4. ♘d4 ♘f6 5. ♘c3 a6 6. ♗g5 e6 7. f4 ♕c7 8. ♕f3 b5 9. 0-0-0?! [9. ♗f6 − 43/322; 9. f5 − 44/(307)] **b4!** [9... ♗b7 10. a3 △ f5] **10. ♘ce2 ♘bd7** [10... ♗b7 11. ♗f6 gf6 12. f5 e5 13. ♘b3 a5 14. ♔b1∞; 11. ♘g3!?] **11. g4!? N** [11. ♘g3 ♗b7 12. ♗d3 h6∞] **♗b7 12. ♘g3 d5! 13. ♗d3** [13. e5 ♘e4 14. ♘e4 (14. ♗h4 g5!↑) de4 15. ♕e3 h6 16. ♗h4 g5!↑; 13. ♗f6 de4! (13... ♘f6 14. e5 ♘e4 15. f5!?; 15. ♗d3∞) 14. ♘e4 ♘f6 15. ♗d3 ♗e7!∓] ♗c5! **14. ♘b3 de4 15. ♘e4** [15. ♗e4 ♘e4 16. ♘e4 ♗e7 (16... f5? 17. gf5 ef5 18. ♖d7! ♕d7 19. ♘bc5 fe4 20. ♕h5 g6 21. ♕h6±→) 17. ♗e7 ♔e7 18. ♕e2 ♘f6∞] ♗e7 **16. ♖he1** [16. ♗f6 ♘f6 17. ♘f6 ♗f6 18. ♗e4 ♖c8! △ 19... ♕c2!, 19... ♗b2, ♕c3-f3; 16. ♖hf1!?] ♖c8! [△ ♘e4, ♕c2!] **17. ♖e2 0-0** [17... ♘e4 18. ♗e4 ♗e4 19. ♕e4 ♗g5 20. fg5 △ ♕b4±] **18. ♗f6!** [18. ♕h3? ♗e4! (18... ♘e4 19. ♗e7 ♕f4 20. ♘d2!±) 19. ♖e4□ ♘e4 a) 20. ♗e4 f5! 21. gf5 (21. ♗e7 ♕f4 22. ♘d2 ♖f7∓; 21. fe4!−+) ♗g5 22. fg5 ef5−+; b) 20. ♗e7 ♕f4 21. ♔b1 ♘df6 b1) 22. ♗f6? ♘f6 23. ♖f1 ♕g4!∓; b2) 22. ♗f8?! ♘f2 23. ♕f1 ♔f8∓; b3) 22. ♖f1!?∞] ♘f6 **19. f5! a5!**

20. ♔b1 a4 21. ♘bd2 [21. ♘d4 e5 22. ♘b5 ♘e4! 23. ♗e4 ♗e4 24. ♕e4 ♕b6−+ ×♘b5; 21. ♘c1 a3! 22. b3 ♘e4 23. ♗e4 ♗e4 24. ♕e4 ♗f6−+→; 22... ♕c3!?] ♖fd8!? [21... ef5?? 22. ♘f6 ♗f6 23. ♕f5+−; 21... a3 a) 22. b3? ♘e4 23. ♗e4□ ♖fd8−+→; b) 22. ♘f6 ♗f6 23. ♘e4 ♗b2∓; c) 22. ♕h3!∞; 21... ♘e4 22. ♘e4 b3 23. f6!∞] **22. fe6 fe6 23. ♕h3?** [23. ♘f6! ♗f6 24. ♘e4 ♗e5 25. ♕h3 △ ♘g5∞⇆ Luther, Judasin]

23... ♖d3!! 24. ♕d3 ♗a6! 25. ♕a6□ [25. ♘f6 ♗f6 26. ♕a6 ♕c2; 25. c4 bc3 26. ♕a6 c2−+] **♕c2 26. ♔a1 ♕d1 27. ♘b1** **♖c1!** [27... ♕d7 28. ♘f6 ♗f6−+] **28. ♘d2** [28. ♘f6 gf6 29. ♕e6 ♔h8 30. ♕e4 ♖b1 31. ♕b1 ♕e2−+] **a3! 29. ♕e6** [29. ba3 ♘e4!! 30. ♕e6 ♔f8 31. ♖e4 (31. g5 ♗g5) ♗f6 32. ♖e5 ♖b1 33. ♘b1 ♕d4 34. ♘c3 ♕c3 35. ♔b1 ♗e5−+] **♔h8 30. ba3** [30. ♕e7 ab2 31. ♔b2 ♕c2 32. ♔a1 ♕c3!#] **♘g8!** **0 : 1** **[Judasin]**

325.   **B 96**

B. ATANASOV − PASEV
corr. 1989

1. e4 c5 2. ♘f3 d6 3. d4 cd4 4. ♘d4 ♘f6 5. ♘c3 a6 6. ♗g5 e6 7. f4 b5 8. e5 de5 9. fe5 ♕c7 10. ♕e2 ♘fd7 11. 0-0-0 ♗b7 12. ♕g4 ♕b6 13. ♗e2 ♘e5 14. ♕h3 ♘bd7 15. ♖he1 h6 16. ♗h4 g5 17. ♘e6! [17. ♗g5 − 21/435] **fe6 18. ♗f2! ♕f2** [18... ♗c5? 19. ♗c5 ♕c5 (19... ♘c5 20. ♗h5 ♘f7 21. b4 0-0 22. bc5 ♕c5 23.

♖e6 ♖ac8 24. ♗f7 ♖f7 25. ♖g6 ♖g7 26. ♕e6+−) 20. ♕e6 ♔d8 (20... ♕e7 21. ♗h5+−) 21. ♗f3 ♗f3 22. ♖e5 ♗d1 23. ♖c5 ♘c5 24. ♕d5+−] **19. ♕e6 ♔d8 20. ♗b5 ♕e1! N** [20... ab5 21. ♖e5 ♗c8 (21... ♖h7 22. ♖f5+−) 22. ♕e8 ♔c7 23. ♖b5→] **21. ♖e1 ab5 22. ♖e5 ♘e5 23. ♕e5!!** [23. ♕f6 ♔d7 24. ♕h8 b4!∞⇆] **♖g8□** [23... ♖h7 24. ♕f5+−] **24. ♘d5! ♖g7□** [24... ♖c8 25. ♕f6+−] **25. ♕f6 ♔e8 26. ♕e6 ♔d8** [26... ♗e7? 27. ♘c7 ♔d8 28. ♘a8 ♗a8 29. ♕e5+−; 26... ♖e7!? 27. ♕g6 (27. ♘c7?! ♔d8 28. ♕d6 ♔c8 29. ♘e6 ♖e6!∞) a) 27... ♔d7 28. ♕f5 ♔d6 (28... ♔c6 29. ♘e7 ♗e7 30. ♕e4+−) 29. ♘e7 ♗e7 30. ♕b5± △ 30... ♗g2? 31. ♕b4 ♔e6 32. ♕e1+−; b) 27... ♔d8 28. ♕f5 ♗g7 (28... ♔e8 29. ♘e7 ♔e7 30. ♕h7+−) 29. ♘e7 ♗e7 30. ♕b5 ♖b8□ 31. a4±] **27. ♕b6 ♔c8** [27... ♔e8 28. ♘f6+−] **28. ♕f6!+− ♖d7 29. ♕f8 ♖d8 30. ♕c5 ♔d7 31. ♘b6 ♔e8 32. ♘a8 ♗a8 33. ♕b5 1 : 0** [J. Ivanov]

326.* B 96

HELLERS 2565 −
POLUGAEVSKIJ 2575
Haninge 1989

1. e4 c5 2. ♘f3 d6 3. d4 cd4 4. ♘d4 ♘f6 5. ♘c3 a6 6. ♗g5 e6 7. f4 b5 8. e5 de5 9. fe5 ♕c7 10. ef6 ♕e5 11. ♗e2 ♕g5 12. ♕d3 ♕f6 13. ♖f1 ♕e5 14. ♖d1 [RR 14. ♘f3 ♕d6 15. ♕e4 ♖a7 16. ♖d1 ♕b4 N 17. ♕e3 ♖d7 18. ♘e5 ♗c5 19. ♕g3 0−0 20. ♘d3 ♖d3 21. ♗d3 ♘d7 22. ♖f4 ♕b2 23. ♗h7 ♔h7 24. ♖h4 ♔g8 25. ♖g4 g6 26. ♖g6 fg6 27. ♕g6= W. Watson 2505 − Hodgson 2545, Reykjavík 1989] **♖a7 15. ♘f3 ♕c7 16. ♘g5 f5 17. ♕d4 ♕e7 18. ♗h5!? N** [18. ♘ge4 − 40/324] **g6 19. ♕h8 ♕g5 20. ♗f3 ♘d7!?** [20... ♖g7?! (×♕h8) 21. ♖f2! b4 (21... ♔f7 22. ♘e4!; 21... ♘d7 22. ♗c6!) 22. ♘d5!±; 20... b4 21. ♘e2 (21. ♕e5 bc3 22. ♕b8 ♕e3 23. ♗e2 ♕c5∞; 21. ♕d4 ♖c7 △ ♗g7∞) ♖g7?! 22. ♖f2 (22. ♘d4!? e5 23. ♖f2!) ♘d7 23. ♘d4 ♘f6 24. ♘c6 ♖g8 25. ♖d8 ♔f7 26. ♘e5=; 23. ♗c6!±; 21... ♕e7!?

△ ♕g7] **21. ♖f2** [21. ♕h7! ♕e3 22. ♘e2 ♘e5 23. ♕h4 ♖d7 24. ♖d7 ♗d7 25. ♕d4±] **♕h6??** [21... ♘f6! 22. ♗c6 ♔f7 23. ♖d8 ♕e3! 24. ♔d1 (24. ♔f1!? ♗g7 25. ♗e8 ♔e7 26. ♕g7 ♔d8 27. ♕f6 ♔e8 28. ♖e2) ♗g7 25. ♗e8 ♔e7 26. ♕g7 ♔d8 27. ♕f6 ♔e8 28. ♕h8 ♔d7 29. ♖d2 ♔c7 30. ♕h7 ♔b8 31. ♕g6 ♕g1 32. ♔e2 ♕h2 33. ♖d3∓] **22. ♖d6!!+− ♘b6** [22... ♔f7 23. ♖e6! ♔e6 24. ♕e2 ♔f7 25. ♗d5♯] **23. ♖e2 ♘c4 24. ♕f6!! ♗e7** [24... ♘d6 25. ♗c6 ♗d7 26. ♖e6] **25. ♗c6 ♗d7 26. ♖de6 1 : 0** [Hellers]

327.* B 97

VAN DER WIEL 2560
− L. PORTISCH 2610
Rotterdam 1989

1. e4 c5 2. ♘f3 d6 3. ♘c3 a6 4. d4 cd4 5. ♘d4 ♘f6 6. ♗g5 e6 7. f4 ♕b6 8. ♘b3 ♗e7 9. ♕f3 [RR 9. ♗e2 ♕e3 10. ♕d3 a) 10... ♘g4?! 11. ♗e7 a1) 11... ♕f2 12. ♔d1 ♕f4 (12... ♕g2 13. ♕d6+−; 13. ♔d2 △ ♖ag1+−) 13. ♕d6 ♘f2 14. ♔e1 ♕d6 15. ♗d6 ♘h1 16. ♗f3 △ ♔e2+−; a2) 11... ♔e7 12. g3! ♕d3 13. cd3±; b) 10... ♕d3 11. cd3 h6 (11... ♘bd7!?) 12. ♗f6! N (12. ♗h4 − 46/(338)) ♗f6 13. d4 ♘c6?! (13... ♘d7; 13... 0−0) 14. 0-0-0 0−0 (14... b5?! 15. ♗f3 △ d5±; 14... g5?! 15. d5; 15. g3; 15. f5) 15. d5! ed5□ 16. ♘d5± Judasin 2540 − H.-U. Grünberg 2475, Moskva (GMA) 1989; 10. ♕d4!? Judasin] **♕c7 10. 0-0-0 ♘bd7 11. ♗d3 b5 12. ♖he1 ♗b7** [12... b4!?] **13. a3 h6 14. ♕h3 N** [14. ♗h4 g5∞; 14. ♗f6 ♘f6] **0-0-0** [14... 0−0?! 15. ♗h6; 14... ♖g8 15. ♗f6] **15. ♗f6 ♘f6** [15... ♗f6!? 16. ♗b5! ♗c3 17. ♗d7 ♖d7 18. ♕c3 ♕c3 19. bc3 g5! 20. g3 gf4 21. gf4 ♖g8⇆ 22. e5 de5 23. ♖d7=; 18. bc3!?] **16. ♘d5! ♘d5 17. ed5 ♗d5 18. ♗b5 ♗b7□ 19. ♗f1** [△ ♖d4-a4→] **♔b8?!** [19... ♗f6!⊞ 20. ♕e3∞ △ ♔b1, ♕d2, ♘a5] **20. ♖d4!** [↑≪] **♖c8 21. ♕d3 d5 22. ♕d2!** [22. ♖a4?! ♕c6] **♕b6** [22... ♖hd8 23. ♘a5 ♖d6 (23... ♗f6? 24. ♖b4) 24. ♖b4 ♖b6 25. ♖b6 ♕b6 26. ♖e3 ♖c7±] **23. ♘a5 ♖c7 24. ♖a4** [24. ♖d3? ♖hc8 25. ♖b3 ♖c2 26.

♔b1 ♕b3!−+; 24. ♘b7? ♖hc8! (24... ♖b7∓) 25. c3 ♗a3 26. ba3 ♖c3 27. ♔d1 ♖c1 28. ♔e2 ♖1c2 29. ♖b4 ♖d2 30. ♔d2 ♕f2 31. ♖e2 (31. ♗e2 ♖c4!) ♕f1 32. ♘d6 ♔c7 33. ♘c8 ♔c8∓] **♖hc8 25. ♗d3 ♗a8 26. ♔b1 ♔a7?!** [26... g6; 26... ♖a7!?] **27. f5!↑** [×e6, a6] **e5?** [27... ♗f6 28. ♘b3! (28. ♖b4? ♕a5 29. ♖b7 ♖b7 30. ♕a5 ♖b2 31. ♔c1 ♖b6!∓) ♗b7 (28... ♖c4 29. ♗c4 dc4 30. ♖b4 cb3 31. ♖b6 bc2 32. ♔a1! ♔b6 33. ♖c1+−) 29. ♖b4±; 27... ♖b8 28. ♘b3 ♗b7 29. fe6 fe6 30. ♘d4!±; 27... ef5±] **28. ♘b3!+−** [28. ♖e5? ♗f6] **♖c4 29. ♗c4 dc4 30. ♘a5 c3 31. ♕e3 cb2** [31... ♗c5 32. ♕c3 ♗d4 33. ♕b4+−] **32. ♕b6 ♔b6 33. ♘c4! ♔a7** [33... ♔b5 34. ♖e5 ♗c5 (34... ♔a4 35. ♖a5#) 35. ♖b4+−] **34. ♘e5 ♗f6 35. ♖c4⊕ ♖d8** [35... ♖e8 36. ♖c7 ♔b6 37. ♘d7! ♔c7 38. ♖e8+−; ⌓ 35... ♖c4 36. ♘c4 ♗g2] **36. ♖c7 ♔b6 37. ♖d7 ♖c8 38. ♖d3 ♔a7 39. ♘g4 ♗g5 40. ♖d7 1 : 0**
[van der Wiel]

328.* **B 97**

TIMMAN 2610 −
J. HJARTARSON 2615
Linares 1989

1. e4 c5 2. ♘f3 d6 3. d4 cd4 4. ♘d4 ♘f6 5. ♘c3 a6 6. ♗g5 e6 7. f4 ♕b6 8. ♕d2 ♕b2 9. ♖b1 ♕a3 10. f5 ♘c6 11. fe6 fe6 12. ♘c6 bc6 13. e5 [RR 13. ♗e2 ♗e7 14. 0−0 0−0 15. ♖b3 ♕c5 16. ♗e3 ♕e5 17. ♗f4 ♕c5 18. ♔h1 ♘g4 19. h3 e5 (19... ♘e5!? △ 20. ♗e3?! ♖f1 21. ♗f1 ♘c4) 20. ♘a4 ♕a7 21. hg4 ef4 22. ♗c4 ♔h8 23. ♘b6 ♖b8 24. ♖f4 ♗d7 25. ♘d7 ♕d7 26. ♗a6!? N (26. ♖f5 − 45/300) ♕e6 (26... ♖a8 27. ♗c4 △ 27... ♖a2 28. ♖f8 ♗f8 29. ♖b8 ♖a1 30. ♔h2 ♕e7 31. ♕f2+−) 27. g3□ ♖a8 (27... ♗g5?! 28. ♖f8 ♖f8 29. ♕e2□ d5 30. ed5 ♕d5 31. ♔h2±) 28. ♖f8 (Enders 2490 − Štohl 2455, Kecskemét 1989) ♖f8 29. ♕e2 d5 30. ♗d3 (30. ed5?! ♕d5 31. ♔h2 ♗c5 32. ♗d3 g6 33. ♕e4 ♖f2? 34. ♔h3 ♕g5 35. ♖b8 ♔g7 36. ♖b7 ♔h6 37. ♕c6! ♕d2? 38. ♖h7; 33... ♕g5!→; 30. e5 c5=∞) ♕e5 (30... ♗c5 31. ed5 ♕d5 32. ♕e4) 31. ed5 (31. ♔g2? ♗d6) ♕g3 32. ♕e7 ♕h3= Štohl] **de5 14. ♗f6 gf6 15. ♘e4 ♗e7 16. ♗e2 h5 17. ♖b3 ♕a4 18. ♘f6 ♗f6 19. c4 ♖a7 20. 0−0 ♖d7 21. ♕e3 ♕a2** [RR 21... ♖f7 22. ♖f6!? (22. ♕c5 − 30/491) ♖f6 23. ♕e5 *a)* 23... ♖hf8? 24. ♗h5 ♔e7 (24... ♔d7 25. ♖d3+−) 25. ♖b7! ♗d7 26. ♕c5 ♔d8 27. ♖b8 ♔c7 28. ♕e5#; *b)* 23... ♔e7 24. ♖d3! c5 (24... ♔f7 25. ♕c7) 25. ♕c5 ♔f7 26. ♗h5 ♖h5□ 27. ♕h5 ♔e7 28. ♕c5 ♔f7 29. ♕c7 (29. ♕c8) ♔g6 30. ♖g3 ♔f5 31. ♕c5 e5 32. ♕c8+−; *c)* 23... ♖fh6 24. ♕c7! ♗d7 25. ♕d6! ♗c8 26. ♗f3! ♗d7 (26... ♕c4 27. ♗c6 ♔f7 28. ♖f3 ♔g6 29. ♕g3 ♕g4 30. ♗e4! ♔g7 31. ♕c7+−) 27. ♖b8 ♔f7 28. ♕d7 ♔f6 29. ♕d4 e5 30. ♕d6 ♔f5 31. ♖f8 ♖f8 32. ♕f8 ♔g5 33. h4+−; *d)* 23... 0−0 24. ♕g5! ♔h7 (24... ♔f7 25. ♗h5 ♔e7 26. ♕c5 ♔d7 27. ♕a7 ♔d6□ 28. ♖d3 ♔e5 29. ♕e3 ♔f5 30. g4#) 25. ♕h5 ♖h6 26. ♗d3 ♖f5 27. ♗f5 ef5 28. ♕f7 ♔h8 29. ♕f8 ♔h7 30. ♕e7 ♔h8 (30... ♔g8 31. ♖g3+−) 31. ♕d8 ♔h7 32. ♕c7 ♔h8 33. ♕c8+−; *e)* 23... ♕a2!? Boto] **22. ♖f6 ♕a1 23. ♗f1 ♕d4** N [23... ♖g7 − 33/390] **24. ♖e6 ♔d8 25. ♖c6 ♖f8 26. ♕d4 ♖d4 27. ♗e2± h4?** [27... ♔d7] **28. ♖b8 ♔d7 29. ♖c5!+− ♖e4 30. ♗f3 ♖ef4 31. h3 e4 32. ♗g4 ♖g4 33. hg4 e3 34. ♖e5 ♖f4 35. c5 ♖g4 36. ♖b6** [△ 36... h3 37. ♖d6 ♔c7 38. ♖e7 ♔b8 39. ♖b6 ♔a8 40. ♖e8+−] **♖c4 37. ♖b3 ♖c1 38. ♔h2 ♔c6 39. ♖be3 ♖c2 40. ♖e2 ♖e2 41. ♖e2 ♗d7 42. ♖d2 a5 43. ♖d6 ♔c7 44. ♖a6 a4 45. ♖a7 ♔c8 46. ♔g1 ♗b5** [46... h3 47. gh3 ♗h3 48. ♖a4 ♔b7 49. ♖h4 △ ♖h6+− ♖ **2/b2 (637.)**] **47. ♖h7 ♗d3 48. ♖h4 ♗c2 49. ♖c4 ♗b3 50. ♖c3 ♗e6 51. ♔f2 ♔c7 52. ♔e3**
1 : 0 **[Timman]**

329.* **B 99**

P. WOLFF 2485 − DE FIRMIAN 2570
New York 1989

1. e4 c5 2. ♘f3 d6 3. d4 cd4 4. ♘d4 ♘f6 5. ♘c3 a6 6. ♗g5 e6 7. f4 ♗e7 8. ♕f3

♕c7 9. 0-0-0 ♘bd7 10. g4 b5 11. ♗f6 gf6 12. f5 ♘e5 13. ♕h3 0–0 14. ♖g1 ♔h8 15. ♘ce2 ♖g8 16. ♖g3 ♗d7 N [16... ♕b7 17. ♘f4! ♗d7 18. fe6± – 41/(299); RR 17. ♗g2 N ♗d7 18. ♘f4 ♖ae8 19. ♕h4 (19. fe6 fe6 20. ♘de6 ♗e6 21. ♘e6 ♕d7±) ♕c8?! 20. ♘h5 ♖g5 21. ♗f3± Am. Rodríguez 2515 – R. Martin del Campo 2455, Holguin 1989; 19... ♗d8 Am. Rodríguez] **17. ♘f4 ♖ac8!** [17... ♕c8 18. ♗e2 △ ♕h6±] **18. ♔b1 ♕b7 19. ♗g2 ♕b6!? 20. ♕h4** [20. fe6 fe6 21. ♘de6 (△ ♕h7) ♗e6□ 22. ♘e6 ♕f2 23. ♖c1□ ♘c4! (23... ♘g4? 24. ♖g4 ♖g4 25. ♕g4 ♖g8 26. ♕h5 ♕g2 27. ♕f7+–) 24. a3 (24. ♕h5 ♘d2 25. ♔a1 ♖c2!) f5! △ ♗f6↑] **♖c4 21. ♖h3** [21. ♘de2!?] **♖g7 22. ♘de2** [22. c3 b4!] **♘g4 23. ♘h5 ♖g8 24. ♗f3** [24. ♘hf4 ♖g7 25. ♘h5=] **ef5 25. ♖g1?** [25. ♘hf4 ♖g7 26. ♘d5 (26. ♘h5 ♖g6!∓) ♕d8 27. b3 ♖c5 (27... fe4?! 28. ♗g4 ♗g4 29. bc4 ♗e2 30. ♖e1±; 27... ♖e4 28. ♗e4 fe4 29. ♖g1 △ ♘ef4↑) 28. ♘ef4∞]

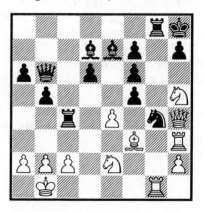

25... ♕e3!!–+ 26. ♘hg3 [26. ♗g4 ♕e2!–+; 26. ♘hf4 ♖g7 27. ♘d5 ♕d2 28. ♖c1 (28. ♘e7 ♖c2–+) fe4–+] **♖g7 27. ♖f1** [27. ♘h5 ♖g6!; 27. ♘f5 ♗f5 28. ♗g4 ♕e2!] **♕c5** [27... fe4! *a)* 28. ♘h5 ef3! 29. ♘g7 ♕e4! 30. ♘c3 ♕g6 △ ♘e3–+; *b)* 28. ♘f5 ♗f5 29. ♗g4 ♖g4 30. ♕g4 (30. ♖f5 ♖g1!) ♕h3–+; *c)* 28. ♘e4 ♖e4 29. ♗g4 ♖eg4 30. ♖e3 (30. ♕g4 ♕h3) ♖h4 31. ♖e7 ♗e6–+] **28. ♘h5 ♖g6 29. ♘ef4 ♖h6 30. ♘d3 ♕c8 31. ♖g3 fe4 32. ♗g4 ed3 33. ♗d7 dc2 34. ♔c1 ♖h4** [⌓ 34... ♕d7 35. ♖fg1 (35. ♘f6 ♖f6 36. ♖fg1 ♖f1–+) ♖g6 36. ♘f6 ♖h4 37. ♘d7 ♖h2–+] **35. ♗c8 ♖6h5 36. ♖fg1 ♖g5 37. h3** [37. ♗a6 ♖h2 38. ♗b5 ♖g3 39. ♖g3 ♗f8!] **♔g7 38. ♗g4** [38. ♗a6 ♖h3] **h5 39. ♗f3 ♔g6** [39... ♖h3 40. ♖h3 ♖g1 41. ♔c2 △ ♗h5] **40. ♔c2 a5 41. ♗b7 f5 42. ♗a6 b4 43. ♔b3 ♖f4 44. ♗d3 h4 45. ♖g5 ♗g5** [♖ 9/j] **46. ♔a4 ♖d4 47. ♗f1 ♖d1 48. ♔a5 d5 49. ♔b4 d4 50. ♖h1 ♗e3 51. a4 ♖c1 52. ♗g2 ♗g1! 53. a5 d3 54. ♔b3 d2 55. ♗f3 ♔g5 56. a6 ♔f4 57. ♗h5 ♔g3 58. ♔a2 ♗b6 59. ♖d1 ♖d1 60. ♗d1 ♔h3 0 : 1** **[Minić, Sindik]**

330.**** **B 99**

CASTELLANOS – I. HERRERA 2295
Cuba 1989

1. e4 c5 2. ♘f3 d6 3. d4 cd4 4. ♘d4 ♘f6 5. ♘c3 a6 6. ♗g5 e6 7. f4 ♗e7 8. ♕f3 ♕c7 9. 0-0-0 ♘bd7 10. g4 b5 11. ♗f6 ♘f6 12. g5 ♘d7 13. f5 ♘c5 14. f6 [RR 14. h4 b4 *a)* 15. ♘ce2 e5 16. ♘b3 ♘e4 17. ♘d2!? N (17. ♗g2 – 38/376) *a1)* 17... d5 18. ♘e4 de4 19. ♕g4 0–0 (19... ♗b7 20. ♘g3 ♖c8 21. ♖h2±) 20. ♗g2 ♔h8! 21. ♗e4 ♖b8 22. ♗d5 (22. h5?! b3 23. ab3 ♖b3 △ 24. h6? g6∓) a5 23. ♕e4 f6 24. g6 h6 25. ♖d2 ♗a6∞ Kruppa 2435 – Serebrjanik, SSSR 1988; *a2)* 17... ♘d2!? 18. ♕a8 0–0 19. ♗g2 ♗f5 20. ♕c6 ♕c6 21. ♗c6 ♘c4 22. ♘g3 ♗e6 23. ♖he1∞ Serebrjanik; *b)* 15. fe6 fe6! (15... bc3? – 46/(341)) 16. ♘ce2 e5 (16... g6 17. ♗h3 ♖f8 18. ♕e3 e5 19. ♘b3±) 17. ♘f5 0–0∞ da Costa Júnior] **gf6 15. gf6 ♗f8 16. ♖g1** [RR 16. ♕h5 ♖g8 17. e5 ♗d7 N (17... de5 – 46/341) 18. ♕h7 *a)* 18... de5? 19. ♘b3 0-0-0 (19... ♗c6? 20. ♘c5 ♗h1 21. ♖d7 ♕d7 22. ♘d7 ♔d7 23. ♕f7 ♔c6 24. ♕e6 ♗d6 25. f7 ♖gf8 26. ♗h3+–) 20. ♘c5 ♗c5 21. ♗d3 Pared Estrada; *b)* 18... 0-0-0 19. ♔b1! de5 20. ♘b3± J. A. González 2310 – E. Rodríguez, Cuba 1989] **♗d7 17. ♖g7 ♗g7 18. fg7 ♖g8 19. e5 0-0-0 20. ed6 ♕b6 21. ♕f7 N** [21. ♘e4 ♗c6 (21... ♘e4 – 44/312) 22. ♘c6 ♕c6 23. ♕f7 ♘e4 24. ♕e6 ♔b8 25. ♗g2 ♕e8! 26. ♕e8 ♖ge8 27. d7 ♖g8 28. ♗e4 ♖g7 29. ♗f5∞ H.

Leyva 2280 − I. Herrera 2250, Holguin 1988] **b4 22. ♘ce2 ♘e4** [22... ♘b7!? 23. ♗h3 ♘d6 24. ♕f3 ♖g7 25. ♘e6 ♗e6 26. ♗e6 ♔b8 27. ♘d4 ♖c7 28. ♗d5! (28. ♗h3? ♘b7−+ Fonseca 2240 − I. Herrera 2250, Nicaragua 1988) ♖dc8 29. ♗e6 ♖d8 30. ♗d5=] **23. ♘e6 ♘d6 24. ♖d6 ♕d6 25. ♘d8 ♕h6 26. ♘f4!** [26. ♔b1 ♕g7 27. ♕c4 ♔d8 28. ♕b4 (28. ♕a6 ♕g5!) ♗b5!] **♕g7 27. ♕d5!□ ♕g5□ 28. ♘e6□ ♕d5 29. ♘d5 ♖g1 30. ♘b6 ♔b7 31. ♘d7 ♖f1** [♖ 8/a] **32. ♔d2 ♔c6** [32... ♖f2 33. ♔d3 ♖h2 34. ♘e5 h5 35. ♘d4 ♔b6 36. ♔c4 a5 37. a3! ba3 38. ba3 ♖g2 39. ♔d5 h4 40. c4 h3 41. c5 ♔c7 42. ♘ef3 h2 43. ♘h2 ♖h2 44. ♘b5 ♔c8 45. c6=] **33. ♘b8□** [33. ♘dc5 ♔d6−+] **♔b7 34. ♘d7 ♔c6 35. ♘b8 1/2 : 1/2 [I. Herrera]**

331.　　　　　　　　　　　　　**B 99**

MANN − BODOR
corr. 1988

1. e4 c5 2. ♘f3 d6 3. d4 cd4 4. ♘d4 ♘f6 5. ♘c3 a6 6. ♗g5 e6 7. f4 ♗e7 8. ♕f3 ♕c7 9. 0-0-0 ♘bd7 10. g4 b5 11. ♗f6 ♘f6 12. g5 ♘d7 13. a3 ♖b8 14. h4 b4 15. ab4 ♖b4 16. ♗h3 ♕b6 17. ♘f5 ♗f8 [17... ef5 18. ♘d5 ♕b7 (18... ♕c5 — 11/407) a) 19. ef5 ♘b6 20. f6 ♗h3!! 21. fg7 ♖g8 22. ♘f6 ♖f6 23. ♖de1 (23. ♕b7 ♗b2 24. ♔b1 ♗e5 25. ♔c1 ♗f4 26. ♖d2 ♗d2 27. ♔d1 ♗g4 28. ♔d2 ♘c4−+; 23. ♖he1 ♔d8 24. ♖d6 ♔c7−+) ♔d8 24. ♕b7 ♗b2 25. ♔d1 ♗g4 26. ♖e2 ♗c3 27. ♕e7 ♔c8 28. ♔c1 (28. ♕f8 ♔c7 29. ♕f7 ♔c6 30. ♕a2 ♖a4−+) ♖a4 29. ♕f8 ♔b7 30. ♕f7 ♔c6−+; b) 19. ♕c3! ♖e4 (19... ♖a4 20. b3+−; 19... ♖b5 20. ♕g7 ♖f8 21. ♘e7 ♔e7 22. ef5+−) 20. ♗f5 ♖e6 (20... ♖e2 21. ♗g4 ♖e4 22. ♗f3) 21. ♘c7 ♔d8 22. ♗e6 (22. ♘e6 fe6 23. ♕g7) ♕c7 23. ♕g7 ♖f8 24. ♗f7+− Bottlik, Négyesy] **18. ♖he1** [△ 18. ♕d3±] **♖b2 19. ♕d3!? N** [19. ♘e3] **d5!?** [19... ef5 20. ef5 ♔d8 a) 21. ♘d5? ♖b1 22. ♔d2 ♕a5 23. c3 (23. ♔e2 ♖d1 24. ♔d1 ♘b6) ♖b2 24. ♔e3 ♕c5−+; b) 21. ♕e2! b1) 21... ♗b7 22. ♕e8 ♔c7 23. f6 ♗c6 (23... ♘c5 24. ♘d5! ♗d5 25. ♕c8#) 24. ♘d5! ♗d5 25. ♕d7 ♔b8 26. ♖e8; b2) 21... ♕b8 22. ♘d5 (22. ♕e8 ♔c7 23. ♘d5 ♔c6 24. ♗g2) ♖b1 23. ♔d2 ♖d1 24. ♔d1 ♕b1 25. ♔d2+−] **20. ed5 ♗a3 21. ♕e3 ♖c2! 22. ♔c2 ♕b2 23. ♔d3 ♘c5 24. ♕c5** [24. ♔d4? ♕b4 25. ♔e5 ♘d7#] **♗c5 25. ♖e2 ♕b8 26. ♘g7 ♔f8 27. ♘h5 a5?** [27... h6∞] **28. ♔c2 ♗a6** [△ 28... h6] **29. ♖e4 h6 30. ♘f6 ♕c7 31. de6 ♗c8** [31... fe6 32. ♗e6] **32. ♖d7! ♗d7 33. ed7 hg5 34. ♖e8 ♔g7 35. ♖c8** [35... ♕f4 36. ♘e8 ♔g6 37. d8♕ ♕h2 38. ♔b3 a4 39. ♔a4 ♕f4 (39... ♕c2 40. ♔b5) 40. ♔b3 ♕b4 41. ♔c2] **1 : 0 [Bottlik]**

C

332.* C 02

KUPREJČIK 2520 – VLADO KOVAČEVIĆ 2545

Ljubljana/Rogaška Slatina 1989

1. e4 e6 2. d4 d5 3. e5 c5 4. c3 ♘e7 5. ♘f3 ♘ec6 6. ♗e3!? N [6. h4 – 46/343; RR 6. ♗d3 N b6 7. ♗g5 ♕d7 8. 0–0 ♗a6 9. dc5 bc5 10. ♗a6 ♘a6 11. c4 h6 12. ♗h4 ♘c7 13. ♘c3 ♗e7 14. ♗e7 ♘e7 15. ♖c1 ♖c8 16. ♕e2 0–0 17. ♖fd1 ♕c6 18. b3± Svešnikov 2435 – Lputjan 2610, Moskva (GMA) 1989] **♘d7** [6... b6] **7. ♗d3 a5** [7... ♗e7] **8. ♘bd2** [8. ♘g5!? cd4 9. cd4 ♗e7 (9... h6?! 10. ♕h5 hg5 11. ♕h8 ♘b4 12. ♕h7 g6 13. ♗g6+–) 10. h4!? (10. ♕h5? ♗g5! 11. ♗g5 ♕b6∓) ♕b6 (10... h6 11. ♕h5) 11. ♘c3±] **cd4 9. cd4 a4 10. a3** [10. ♘g5!] **♗e7 11. h4** [11. 0–0] **h6 12. h5 ♘b6∞ 13. ♘h2 ♘a5 14. ♕g4 ♗f8** [14... ♔f8 15. ♖c1 △ 0–0, f4-f5↑] **15. ♖c1** [⌓ 15. ♕e2 ♗d7 16. f4] **♗d7 16. 0–0 ♘bc4! 17. ♘c4 ♘c4 18. ♕e2** [18. ♗c4 dc4 19. d5 ed5 20. ♕d4 ♗f5! 21. g4 ♗d3∓; 19. f4!?] **b5** [18... ♖c8!?] **19. f4 ♗e7 20. f5!?** [20. ♗c4 dc4 (20... bc4 21. g4↑) 21. f5!? (21. d5 ed5 22. f5 d4! 23. ♗d4 ♗f5∓; 22. ♗d4!?⩱) ef5 22. d5∞] **ef5** [20... ♗g5? 21. ♗c4 bc4 (21... dc4 22. d5↑) 22. ♗g5 ♕g5 23. f6±] **21. ♗f5 ♘e3 22. ♕e3 ♗g5 23. ♕g3 ♗f5 24. ♖f5**

(diagram)

24... ♖c8? [24... ♗c1! 25. ♕g7 ♖f8 *a)* 26. ♘g4 ♖a6 (26... ♗g5 27. e6 ♖a7 28. ♘e5 ♕d6 29. ef7 ♔d8 30. ♘c6±) 27. ♘f6 ♖f6 (27... ♔e7 28. ♘g8 ♔d7 29. ♖f7 ♖f7 30. ♕f7 ♔c8 31. e6 ♗e3 32. ♔f1∞) 28. ef6 ♕d6□ 29. ♖e5 ♔d8 30. ♖e7 ♖e8 31. ♖e8 ♔e8 32. ♕g8 ♕f8 33. ♕g3! ♔d7 34. ♕h3 ♔d8 35. ♕g3=; *b)* 26. e6!? ♕d6! 27. ef7!? (27. ♖f7 0-0-0 28. e7 ♖f7 29. ♕f7 ♗b2! 30. e8♕ ♗d4 31. ♔h1 ♖e8 32. ♕e8 ♔c7∓) ♔d7 28. ♘f3 (28. ♘g4!? △ ♖d5) ♔c7 29. ♖f6! ♕e7 30. ♕g6∞] **25. ♖cf1 0–0 26. e6!± ♕c7** [26... f6 27. ♕f3±] **27. ♕e1! ♕e7** [27... ♗f6 28. ♖f6 gf6 29. ♘g4 fe6 30. ♕e6 ♔g7 31. ♖f6±; 27... f6 28. ♖d5±] **28. ♖f7 ♖f7 29. ♖f7 ♖c1** [29... ♕d6 30. ♖d7 ♕b6 31. ♕e5 ♗f6 32. ♕d5+–] **30. ♕c1 ♕e6 31. ♖f4 1 : 0** **[Kuprejčik]**

333.** C 02

KUPREJČIK 2520 – KOSTEN 2505

Torcy 1989

1. e4 e6 2. d4 d5 3. e5 c5 4. c3 ♘c6 5. ♘f3 ♗d7 6. ♗e2 [RR 6. ♗d3 ♘ge7 7. 0–0 cd4 8. cd4 ♘c8 N 9. ♘c3 ♗e7 10.

♘a4 ♘b6 11. ♘c5 ♘d4 12. ♘b7 ♘f3 13. ♕f3 ♕b8 14. ♘d6 ♗d6 15. ed6 ♕d6 16. ♗f4 ♕e7 17. ♕g3∞ Kindermann 2515 − Bischoff 2505, München 1989] ♘ge7 7. 0−0 ♘f5 [RR 7... ♘g6 8. ♗e3 ♗e7 9. ♘e1 N (9. g3 − 43/332) 0−0 10. f4 ♕b6 11. ♕d2 cd4 12. cd4 f6 13. ♘f3 fe5 14. fe5 ♖ac8 15. ♘c3 ♘a5= Kuprejčik 2520 − Pr. Nikolić 2605, Ljubljana/Rogaška Slatina 1989] 8. ♗d3!? cd4 9. ♗f5 ef5 10. ♘d4 ♗e7 [10... ♗e6] 11. ♕b3!? N [11. ♘f3 − 44/318] ♗c8 [11... ♘d4 12. cd4 ♗c6 13. ♕g3±] 12. f4 0−0 13. ♗e3 f6 14. ef6 [14. ♘d2 fe5 15. ♘c6 bc6 16. fe5∞] ♗f6 15. ♘d2 ♖e8 16. ♖ae1 ♖e3?! [16... ♔h8±] 17. ♘c6 ♕e8 18. ♘e5 ♖e1 [18... ♗e5 19. ♖e3 ♗d4 20. cd4+−] 19. ♖e1 ♗e6 20. ♕b7 [20. ♘df3] ♖b8 21. ♕a7 [21. ♕c6 ♕c6 22. ♘c6 ♖b2=] ♖b2 22. ♘df3 ♕c8! 23. ♕a3 ♖c2 24. ♖e3 [△ ♘d4] d4□ 25. ♘d4 ♖a2 26. ♕d6 ♖a6 27. ♕b4 ♗d5 28. ♘f5 h6 [28... ♖a1 29. ♔f2 ♖a2 30. ♗e2 ♖e2 31. ♔e2± ♗g2? 32. ♕b3+−; 28... ♖a2 29. ♕b5 ♖g2 30. ♔f1 ♗b7 31. ♘f3+−] 29. ♕b5 ♕a8? [29... ♖a1 30. ♔f2 ♖a2 31. ♖e2 (31. ♔e1 ♖a1=) ♖e2 32. ♔e2 ♗g2 33. ♘e3±; 33. ♕d3!?] 30. ♘g4!+− ♖a1 31. ♔f2 ♖a2 32. ♔g3 ♖g2 33. ♔h3⊕ 1 : 0 [Kuprejčik]

334.*** C 02

FEDOROWICZ 2505 − DOHOJAN 2575
Wijk aan Zee II 1989

1. e4 e6 2. d4 d5 3. e5 c5 4. c3 ♘c6 5. ♘f3 ♕b6 6. a3 [RR 6. ♗e2 a) 6... ♘h6 7. ♗h6 gh6 8. ♕d2 ♗g7 9. ♘a3 N (9. 0−0 − 44/319) cd4 10. cd4 0−0 11. 0−0 f6 12. ef6 ♖f6 13. ♘c2 ♗d7 14. b4± Lein 2485 − Ehlvest 2600, New York 1989; b) 6... cd4 7. cd4 ♘h6 8. ♘c3 ♘f5 9. ♘a4 ♕a5 10. ♗d2 ♗b4 11. ♗c3 b5 12. a3 ♗c3 13. ♘c3 b4 14. ab4 ♕b4 15. ♗b5 ♗d7 16. ♕a4 N (16. ♗c6) ♕b2 17. ♘d5!? ed5 18. 0−0 ♘fd4 19. ♖fb1 ♘f3 20. gf3 ♕c3 21. ♖c1 ♕b4 22. ♗c6 ♕a4 23. ♖a4 ♗c6 24. ♖c6± Kuprejčik 2520 − Ulybin 2445, Moskva (GMA) 1989] ♘h6

7. b4 cd4 8. cd4 N [8. ♗h6 gh6 9. cd4 ♗d7 − 44/320; 9... ♖g8! △ ♖g4⇆] ♘f5 9. ♗b2 ♗e7?! [9... a5 10. b5 a4!⇆; 9... ♗d7!?] 10. ♗d3! ♗d7 [10... 0−0!?; RR 10... a5!? 11. ♗f5 (11. b5!?) ef5 12. ♘c3 ♗e6 13. b5 a4! 14. 0−0 ♘b8 15. ♗c1 ♘d7 (Campora 2500 − Dohojan 2575, Wijk aan Zee II 1989) 16. ♗g5∞] 11. 0−0 g5 [11... 0−0 12. ♘c3 ♘cd4 13. ♘d4 ♕d4 (13... ♘d4 14. ♘d5 ed5 15. ♗d4±) 14. ♗f5 ♕d1 15. ♖fd1 ef5 16. ♘d5±; 11... ♘fd4 12. ♘d4 ♘d4 13. ♕g4!] 12. ♗f5 ef5 13. ♘c3 ♗e6 14. ♘a4 ♕b5 15. ♘c5 g4 16. ♘e1 ♗c5 17. dc5 [△ ♘d3, a4] a5 18. ♘c2!? [18. ♕d3! ♕d3 19. ♘d3± △ b5 Joel Benjamin] a4□ 19. ♘d4 ♘d4 20. ♗d4 ♖c8 21. ♗c1 ♔d7 22. ♕d2 ♔c6 23. ♖c3 h5 24. ♖d1 hg8 25. ♖d3 ♖g6 26. ♗e3 [△ ♖d5] ♖d8 27. ♗g5! ♖d7 28. ♗f6 ♖g8□ 29. ♕h6! ♕c4 30. ♖d4 ♕b3 [30... ♕b5 31. ♕h7 ♖e8 32. ♕h5+−; 30... ♕e2 31. b5!+−→] 31. ♕c1! [×b3] g3 32. hg3 [32. f3!] ♕g4 33. ♖4d3 ♕c4 [33... ♕c4 34. ♕h6! (△ ♕f8) ♖g8 35. ♖d4 ♕b5 36. ♕h7+−] 34. ♕d2! [34. ♕h6!? ♖c3!] ♕c2 35. ♕h6 ♖c3 36. ♖3d2 ♕e4 37. ♕f8 ♖c2 38. b5 ♔b5 39. ♖b1⊕ [39... ♔c6 40. ♕c8 ♖c7 41. ♖b6+−] 1 : 0 [Fedorowicz]

335. C 05

JUDASIN 2540 − GLEJZEROV 2400
SSSR 1989

1. e4 e6 2. d4 d5 3. ♘d2 ♘f6 4. e5 ♘fd7 5. c3 c5 6. f4 ♘c6 7. ♘df3 ♕b6 8. h4!? cd4 9. cd4 ♗e7! N [9... f6?! − 46/350] 10. a3!? [△ 10... 0−0 11. ♗d3 △ ♘e2, ♕c2→»] ♘a5!? 11. ♖h3!? [11. ♖b1 ♗a3; 11. ♗d3? ♘b3 △ ♘d4; 11. h5!?] ♘b3 12. ♖b1 ♘c1 [12... ♘b8 13. ♗e3] 13. ♕c1 h5 [13... ♕c6!?] 14. ♗d3 ♘f8 [14... ♕d8!? △ ♘b8-c6±] 15. ♘e2 ♗d7 16. ♘c3 ♖c8 17. ♕d2 g6 [17... ♕b3 18. ♔f2!? ♗a3 19. ba3 ♕c3 20. ♖b7 ♕a3 21. ♖h1!?±; 21. f5!?→]18. ♖h1! ♕b3! [△ ♗a3] 19. ♔e2 [19. ♔f2!? ♗a3 20. ba3 ♕c3 21. ♖b7±↑; 20. ♘d5!?±; 19... ♗c6] ♗c6 20. ♖hc1 a6□ [20... ♘d7? 21. ♘b5] 21. ♕e3!? ♘d7 22. ♔f2 [22. g3!?] ♔f8!

[22... 0–0? 23. ♖g1 △ g4→] **23. g3 ♔g7 24. ♘d2 ♕b6 25. b4! ♕a7** [25... ♕d8 26. ♘b3 ♘b6 27. ♘a5!± △ b5; △ a4, b5; △ ♖c2, ♖bc1] **26. ♘b3 ♘b6** [26... b5 27. ♘c5] **27. ♘c5!** [27. ♘a5 ♖hd8 △ ♖d7-c7±⇆] **♘c4** [27... ♖cd8 28. a4! ♗c5 29. bc5 ♘a4 30. ♘e2! △ f5→; 28... ♘c4] **28. ♗c4 dc4 29. f5!?** [29. d5!? ♗c5□ 30. bc5 ed5! (30... ♗d5 31. ♘d5 ed5 32. ♖b6 △ 33. f5, 33. e6→) 31. f5 ♖he8!?∞] **gf5□ 30. d5!** [△ ♘e6] **b6?!** [30... ♗c5! 31. bc5 ed5! 32. ♖e1!∞→] **31. dc6□ bc5 32. b5!± ♕b6?!⊕** [32... ab5 33. ♘b5 ♕b6 34. ♘d6 ♕c6 35. ♘c8±] **33. ba6! ♕c6** [33... ♕a6 34. ♖b7 ♗d8 (34... ♔f8 35. ♖e7! ♔e7 36. ♕c5 ♔e8 37. c7! △ ♘b5+–) 35. ♖d1! ♕c6 36. ♖d8! ♖hd8 37. ♕g5+–] **34. ♖b7 ♖c7** [34... ♔f8 35. ♖d1 ♕a6 36. ♖dd7 ♖e8 37. ♘b5! △ 38. ♘d6, 38. ♘c7+–; 34... ♗d8 35. ♖d1 △ 36. ♖d8, 36. ♖dd7+–] **35. ♕f3!! ♕f3** [35... ♗d8 36. ♕c6 ♖c6 37. a7 ♖a6 38. ♘b5+–; 35... ♕d7 36. ♖d1 ♕c8 37. ♘b5+–] **36. ♔f3 ♗d8?** [36... ♖b7 37. ab7 ♖b8 38. ♖b1 ♗d8 39. ♖b5 f6 40. ef6 ♔f6 41. a4 △ 42. a5 ♗a5 43. ♖a5 ♖b7 44. ♖c5+–⊥] **37. a7 1 : 0** [Judasin]

336. C 06

P. POPOVIĆ 2535 – B. MAKSIMOVIĆ 2425

Jugoslavija (ch) 1989

1. e4 e6 2. d4 d5 3. ♘d2 ♘f6 4. e5 ♘fd7 5. c3 c5 6. ♗d3 ♘c6 7. ♘e2 cd4 8. cd4 f6 9. ef6 ♘f6 10. 0–0 ♗d6 11. ♘f3 0–0 12. ♗f4 ♗f4 13. ♘f4 ♘e4 14. ♘e2 ♖f3?! 15. gf3 ♘g5 16. ♔h1! N [16. f4 – 46/(352)] **e5** [16... ♘f3 17. ♗h7 ♔h8 (17... ♔h7 18. ♕d3+–) 18. ♘g1! ♘g1 19. ♕h5+–; 16... ♕f6 17. f4 ♘h3 18. ♕d2] **17. de5 ♘e5 18. ♘g1!** [18. f4?? ♗g4 19. f3 ♗f3 20. ♖f3 ♘gf3 21. fe5 ♕h4 22. ♔g2 ♖f8 23. h3 ♘g5–+] **♘e6?** [18... ♕f6 19. ♗e2 ♗e6 20. ♕d4!±] **19. ♗c2 a5?!** [19... ♘f4 20. ♘e2!] **20. ♖e1 ♘c6 21. ♗b3 ♘ed4 22. ♖c1!+– ♖a6 23. ♖c5 ♘b3 24. ♖d5 ♕f8 25. ♕b3 a4 26. ♕c4 ♔h8 27. ♖d3 h6 28. ♖de3 ♗d7 29. ♕d5 ♕f5**

[29... ♕c8 30. ♕f7 ♔h7 31. ♖e7!+–] **30. ♖e8 ♔h7 31. ♕g8 ♔g6 32. ♖f8 ♕g5 33. ♖f7 ♔h5 34. ♖d7 ♘e5 35. ♖g7 1 : 0** **[P. Popović]**

337.* C 07

CAMPORA 2500 – DREEV 2520

Moskva (GMA) 1989

1. e4 e6 2. d4 d5 3. ♘d2 a6 4. ♘gf3 c5 5. dc5 ♗c5 6. ♗d3 ♘f6 7. ♕e2 [RR 7. 0–0 de4 N (7... 0–0 – 21/166) 8. ♘e4 ♗e7 9. ♕e2 ♘bd7 10. c4 0–0 11. ♗g5 h6 12. ♘f6 ♘f6 13. ♗h4 ♗d7 14. ♖ad1 ♕c7 15. ♘e5 ♗c6 16. b4! ♖fd8 17. a3 ♗e8 18. ♗g3 ♕c8 19. ♖c1± Gel'fand 2600 – Dolmatov 2580, Moskva (GMA) 1989] **♘c6 8. 0–0 ♕c7 9. a3 ♗a7 10. ed5 ♘d5 11. g3 N** [11. ♘e4 – 44/336] **0–0 12. c4 ♘f6** [12... ♘de7] **13. ♘e4 ♘e4 14. ♗e4 ♘d4?** [14... e5!? △ 15. ♗c6 ♕c6 16. ♘e5 ♕f6 17. ♗f4 g5 18. ♗d2 ♗h3 19. ♖fe1 ♖fe8 20. ♗c3 ♕f5 21. ♕f3? ♖e5–+] **15. ♘d4 ♗d4 16. ♗h7?** [16. ♕d3 ♖d8 17. ♗h7? ♔h8 18. ♕e4 ♗f6!–+; 16. ♗e3!±] **♔h7 17. ♕d3 ♔g8 18. ♕d4 e5∞ 19. ♕e4 ♗e6 20. ♖e1 f6 21. b3 b5 22. cb5** [22. ♗e3=] **ab5 23. f4?** [23. ♗e3 ♗b3 24. ♖ec1=] **♖ad8!** [23... ♗b3 24. fe5±] **24. fe5 ♗d5 25. ♕e2** [25. ♕g6? ♗a8!–+] **fe5** [25... ♗a8? 26. ♕b5 ♖b8 27. ♕c4] **26. ♗g5?** [△ 26. ♗e3]

26... ♗a8! 27. ♕b5 [27. ♕e5 ♕b7–+; 27. ♗d8 ♕c6 28. ♕e4 ♕c5 29. ♕e3 ♕d5

30. ♕e4 ♕d8! 31. ♕e5 ♕b6 32. ♕e3 (32. ♖e3 ♕b7 33. ♕e6 ♖f7−+) ♕b7−+; 27. h3□ ♕c5 28. ♗e3 ♕c6 29. ♔h2 ♖d3 30. ♗g5□ (30. ♖ac1 ♖e3!−+) ♖ff3!? (30... ♖df3 31. ♖f1□) 31. ♖ac1 ♕b7∓] **♖b8!** [28. ♕c4 ♕c4 29. bc4 ♖b2 30. h4 ♖g2 31. ♔h1 ♖ff2!−+; 28. ♕a6 ♖b6−+]
0 : 1 **[Dreev]**

338. **C 07**

BELJAVSKIJ 2640 − PR. NIKOLIĆ 2605
Barcelona 1989

1. e4 e6 2. d4 d5 3. ♘d2 c5 4. ♘gf3 ♘f6 5. ed5 ♘d5 6. ♘b3 ♘d7 7. c4 ♘5f6 8. dc5 ♕c7 9. g3!? N [9. ♗e2] **♘c5 10. ♗g2** [10. ♗f4?! ♕c6 11. ♗g2 ♕e4] **♘b3 11. ♕b3 ♗d6!? 12. 0−0 0−0 13. ♖d1 e5** [13... h6 14. ♕d3±] **14. ♗g5 ♘e4 15. ♕d3 f5□ 16. ♕d5** [16. ♗e3 ♗e6 17. ♘g5 ♗c4] **♕f7 17. ♕f7 ♔f7** [17... ♖f7? 18. ♖d6! ♘d6 19. ♘e5 ♖c7 20. ♖d1] **18. ♗e3** [18. ♖d6!? ♘d6 19. ♘e5 ♔e6 20. ♖e1 ♘e4 21. ♗e4 fe4 22. ♖e4 ♔d6∞] **♗c7 19. ♖d5 ♖e8 20. ♖ad1 h6 21. ♖b5 ♘f6 22. ♘h4 a6 23. ♖b3 e4 24. ♗h3!? g6?!** [24... g5 25. ♘f5 g4 26. ♘h6 ♔g6 27. ♗g2 (27. ♘g4 ♘g4∞) ♖h8 28. c5 ♖h6 29. ♗h6 ♔h6∞] **25. ♗h6 b5!? 26. cb5 ♗e6 27. ♖c3 ♗e5 28. ♖c5** [28. ♖c2 ab5$\overline{\overline{\infty}}$] **♘d7 29. ♖c2?** [29. ♖c6! ab5 30. ♘g6 ♔g6 31. ♖d7 ♖a2 32. ♖d5!±] **ab5$\overline{\overline{\infty}}$ 30. b3 ♗f6 31. ♗e3 ♘e5 32. ♖c7 ♖e7 33. ♖e7 ♗e7 34. ♖c1 ♖a2 35. ♖c7 ♖a1 36. ♗f1 ♖d1 37. ♗g5 ♖d7 38. ♖d7 ♗d7 39. ♗e7 ♔e7 40. ♗e2 ♔d6 41. f4!** [41. ♔f1 ♔c5−+] **ef3 42. ♘f3 ♘f3 43. ♗f3 ♔c5 44. ♔f2 ♗e6** [44... ♔d4!? 45. ♔e2! (45. b4? ♔c3 46. ♔e3 ♔b4 47. ♔d4 ♔a3 48. ♔e5 b4 49. ♔f6 b3 50. ♗d1 b2 51. ♗c2 ♗c6 52. ♔g6 ♗e4−+) ♗e6 (45... ♔c3 46. ♗d5) 46. b4 ♔c3 47. ♗c6! ♔b4 48. ♗e8 g5 49. h4 gh4 50. gh4=] **45. ♔e3 ♗b3 46. h4 b4** [46... ♗e6!? 47. ♔d3 ♗c4 (47... b4 48. h5) 48. ♔d2! b4 49. g4 f4 50. h5 gh5 51. gh5 ♔d4 52. h6 ♗d3 53. ♗d1! ♗h7 54. ♗c2 ♗g8=] **47. g4!= fg4 48. ♗g4 ♗f7 49. ♔d3 ♔d5 50. ♗f3 ♔e5 51. ♗e4 b3 52. ♗c6 ♔f4 53. ♔c3 ♔g4 54. ♗e4 ♔h5** [54... ♔h4 55. ♗g6] **55. ♗d3 ♗e6 56. ♗e4 ♗f5 57. ♗d5 ♔h4 58. ♗b3 ♔g3 59. ♔d2 ♔f2 60. ♗f7**
1/2 : 1/2 **[Pr. Nikolić]**

339. **C 07**

KOTRONIAS 2505 −
VLADIMIROV 2550
Moskva (GMA) 1989

1. e4 e6 2. d4 d5 3. ♘d2 c5 4. ♘gf3 ♘f6 5. ed5 ♘d5 6. ♘b3 ♘d7!? 7. c4 ♘5f6 8. dc5 ♕c7 [8... ♘c5 9. ♕d8 ♔d8 10. ♘e5 ♘b3 11. ab3 ♗b4 12. ♗d2 ♗d2 13. ♔d2 ♔e7=] **9. ♗d3 N ♘c5 10. ♘c5 ♗c5 11. 0−0 ♗d7** [11... b6 12. b4!± △ 12... ♗b4? 13. ♕a4 ♕d7 14. ♕b4 ♕d3 15. ♗a3 ♕d7 16. ♖ad1±] **12. ♕e2 ♗c6 13. ♘e5 ♖d8! 14. ♗f4 ♖d4 15. ♗g3** [15. ♘g6? ♖f4 16. ♘h8 ♖g4−+] **♘e4 16. ♗e4 ♖e4 17. ♕h5 ♗d6□ 18. ♘c6** [18. ♘f7 ♕f7 19. ♕f7 ♔f7 20. ♗d6 ♖c4=] **♕c6** [18... ♗g3? 19. ♘a7!±] **19. ♗d6 ♕d6 20. ♖ad1 ♕e5 21. ♕e5** [21. ♕f3 ♖c4 22. ♕b7 0−0=] **♖e5** [♖ 9/s] **22. ♖d2 ♔e7 23. ♖fd1 ♔f6!** [23... ♖c8? 24. f4! ♖e4 25. ♖d7±] **24. ♖d7 ♖e2 25. b4!?** [25. ♖b7 ♖d8 26. ♔f1 ♖b2 27. ♖b2 ♖d1 28. ♔e2 ♖d4=] **♖a2?** [25... ♖b2! 26. a3 a5=] **26. h4!±** [×f7] **♖c2?! 27. ♖1d4 ♖c8 28. c5 a5⊕ 29. ♖b7 ab4 30. ♖f4 ♔e5 31. ♖ff7 ♖c4 32. g3 ♖g4 33. ♔g2 ♖c5 34. ♔h3 h5 35. f3 ♖d4** [35... ♖g6 36. ♖b4±] **36. ♖g7 ♖c3 37. ♖g5 ♔d6 38. ♖h5 ♖f3 39. ♖b6?!** [39. ♖g5! b3 40. h5±] **♔c7 40. ♖e6 b3$\overline{\overline{\infty}}$ 41. ♖h7 ♖d7 42. ♖d7 ♔d7** [♖ 5/h] **43. ♖b6 ♔c7 44. ♖b4 ♔d6?!** [44... ♔c6 (Kotronias) 45. h5 (45. ♔g4 ♔c5 46. ♖b8 ♖d3 △ ♖d4=) ♖f5 46. ♖b3 ♖h5 47. ♔g4 ♖h8!=] **45. h5 ♖e3⊙ 46. ♔h4** [46. h6 ♖e6 47. ♖b6 (47. h7 ♖h6 48. ♖h4 ♖h4 49. ♔h4 b2 50. h8♕ b1♕±) ♔e5 48. h7 ♖e8 49. ♖b3 ♖h8 50. ♖b7 ♔f6 51. ♔g4 ♔g6 52. ♖a7 ♖f8=; 46. ♔g2!?] **♔c5 47. ♖b8 ♖e4 48. g4 ♖b4 49. ♖c8 ♔d6 50. ♖c1 b2 51. ♖b1 ♔e6 52. ♔g5 ♔f7 53. ♔h6 1/2 : 1/2** **[Vladimirov]**

340.   **C 07**

I. ARMAȘ 2455 − I. ROGERS 2505
Wijk aan Zee II 1989

1. e4 e6 2. d4 d5 3. ♘d2 c5 4. ed5 ♕d5
5. ♘gf3 cd4 6. ♗c4 ♕d6 7. 0−0 ♘f6 8.
♘b3 ♘c6 9. ♘bd4 ♘d4 10. ♘d4 ♗d7 11.
c3 ♕c7 12. ♗d3 N [12. ♕e2 − 44/337]
a6 13. ♗g5 [13. ♕e2 ♗d6 14. h3 ♗h2=]
♗d6 14. h3 h6 15. ♗h4! [15. ♗f6 gf6 16.
♕h5 (16. ♕f3 ♗e5; 16... f5!?) ♖g8! (16...
♕c5?! 17. ♕f3 ♕e5 18. g3 0-0-0 19. ♖fe1
♕g5 20. h4 ♕g7 21. ♗a6±→; 16... ♗e5
17. ♖ac1 ♕b6!?) 17. ♕h6 ♗c6∞] ♘d5
[15... g5 16. ♗g3 ♗g3 17. fg3 ♘d5 18.
♕f3↑] 16. ♕f3 [△ ♘f5] ♘f4 17. ♗e4±
♖b8 18. ♖ad1 0−0 19. ♗g3 ♖fd8?! [19...
f5 20. ♗c2 △ 21. ♘e6 ♗e6 22. ♖d6; △
21. ♗b3; ⌓ 19... ♗e5] 20. ♖d2 ♗e5 21.
♖fd1 ♗a4?! 22. b3 ♗d7□ [22... ♗e8 23.
♗f4 ♗f4 24. ♘e6!] 23. ♔h1!± [△ 24.
♘e2 ♘e2 25. ♗e5] g5 24. ♘e2 f5

25. ♘f4! ♗f4□ [25... gf4 26. ♗h4 fe4 27.
♕e4 ♗c3. 28. ♖d6+−; 25... fe4 a) 26.
♕e4 ♗f4 27. ♕g6 ♔f8 28. ♕h6 ♔e8
(28... ♔g8 29. ♗f4 gf4 30. ♕g6 ♔f8 31.
♕f6 ♔g8 32. ♕e7+−) 29. ♕h8 ♔e7 30.
♕g7 ♔e8 31. ♗f4 gf4 32. ♖d7 ♖d7 33.
♖d7 ♕d7 34. ♕g8 ♔e7 35. ♕b8+−; b)
26. ♘e6! ♗e6 (26... ♕b6 27. ♕e4; 26...
ef3 27. ♘c7 fg2 28. ♔g1+−) 27. ♕e4
♖d2 28. ♖d2 ♕c3 29. ♗e5 ♕d2 30. ♗b8
♗f7 31. ♕b7 ♕a2 (31... ♕f2 32. ♕a6)
32. ♕c8 ♔h7 33. ♗e5 ♔g6 34. ♕c6 ♔f5
35. ♕f6 ♔e4 36. f3 ♔d5 37. ♕d6#] 26.

♗f4 gf4 27. ♗c2 [△ ♖d6, ♕f4] ♗c6 28.
♖d8 ♖d8 29. ♖d8 ♕d8 30. ♕f4 [♕ 8/i]
♕f6 31. ♕b8 ♔f7 32. ♕c7 ♔g6 33. ♕g3
♔f7 34. ♕c7⊕ ♔g6 35. ♕g3 ♔f7 36. f4
♕d8 37. ♕d3□ [37. ♕e3 ♕d5 38. ♕e2
♕a5] ♕h4 38. ♕e3 ♕d8 [38... e5 a) 39.
fe5?! f4 40. ♕d3 f3 41. gf3 (41. ♕f5?!
♔e7 42. gf3 ♕e1 43. ♔g2 ♕e2 44. ♔g3
♕e1 45. ♔f4 ♕d2=) ♕h3 42. ♔g1 ♕g3
43. ♔f1 ♕e5±; b) 39. ♗f5 ef4 (△ f3) 40.
♕e2 (△ ♗e4) ♕g3 41. ♕e6!+− ♔f8
(41... ♔g7 42. ♕e7+−) 42. ♕h6 ♔e7 43.
♕e6 ♔f8 44. ♕f6 ♔e8 45. ♕g6] 39. ♕d3
[39. c4] ♕b6 40. ♕d2 ♕a5 41. ♗d1 ♔e7
42. ♔h2 ♗e4 [42... e5 43. fe5 (43. b4
♕c7 44. ♕e1) ♕e5 44. ♔g1 ♕g3 45.
♗f3!] 43. ♔g3 ♕c5 44. b4 ♕g1 [△ ♗g2]
45. ♗b3 h5 46. h4 ♗d5 47. c4 [47. ♗d5
ed5 48. ♕e2 △ ♕e5±] ♗c6 48. c5 ♗d5
49. ♗d1 [49. ♗d5] a5 [49... ♗g2 50. ♕d6
♔f6 (50... ♔f7 51. ♗h5) 51. ♕f8 ♔g6
52. ♕g8 ♔h6 53. ♕h8 ♔g6 54. ♗h5# I.
Rogers; 49... b6 50. cb6 ♗g2 51. ♕g2
♕d1 52. b7 ♕d6 (52... ♕e1 53. ♔h3
♕b4 54. ♕g7 ♔d8 55. ♕g8 ♔c7 56.
♕c8) 53. ♕c2 ♔f6 (53... ♔f7 54. ♕e2
♕b4 55. ♕h5 ♔e7 56. ♕f3) 54. ♕e2
♔g6 55. b8♕ ♕b8 56. ♕e6 ♔g7 57.
♕e7+−] 50. ba5 ♕c5 51. ♗h5+− b6
[51... ♕a3 52. ♗f3 (52. ♔h2 ♔f6!?) ♗f3
(52... ♗a2 53. ♔h2) 53. gf3 ♕c5 54.
♔g2+−] 52. ab6 ♕b6 53. ♗f3 ♕c5 54.
♗d5 ed5 55. ♕e2 ♔f7 [55... ♔d7 56.
♕e5] 56. ♕h5 ♔g7 57. ♕g5 ♔h8 58.
♕h6⊕ [58. h5 d4 59. h6 ♕a3 60. ♔h2
♕f8 61. ♕g7+−] ♔g8 59. ♕g6 ♔h8 60.
♕f6 ♔g8 61. ♕g6   1 : 0   [I. Armaș]

341.   **C 07**

LANKA 2420 − GLEK 2475
Moskva (ch) 1989

1. e4 e6 2. d4 d5 3. ♘d2 c5 4. ♘gf3 cd4
5. ed5 ♕d5 6. ♗c4 ♕d6 7. 0−0 ♘f6 8.
♘b3 ♘c6 9. ♘bd4 ♘d4 10. ♘d4 ♗d7 11.
b3 0-0-0! 12. ♗b2 ♕c7 13. ♕e2 h5 14.
♘f3 ♘g4 15. h3 [15. ♖ad1 ♗d6 16. h3
♗c6 (△ ♗f3!?) 17. ♖fe1 ♗c5∞] ♗c6 16.
♖fd1 ♗c5 17. ♖d8 ♕d8 18. hg4 N [18.

183

♖f1 — 42/344] **hg4 19. ♗e6 fe6 20. ♕e6 ♗d7!?** [20... ♔b8!? *a)* 21. ♕e5? ♔a8! 22. ♕c5 gf3 23. ♗d4 (23. g3 ♕d7 △ ♖h1−+; 23. ♗g7 fg2! 24. f3 ♖h1 25. ♔g2 ♕d2! 26. ♔g3 ♕h2−+) ♕b8 24. g3 ♖h3! △ ♖g3−+; *b)* 21. ♕g4 ♗f3! 22. ♕f3 (22. gf3 ♗f2!=) ♖f8!=] **21. ♕c4 gf3 22. ♕c5 ♗c6 23. ♕d4?** [23. ♕f5! ♕d7 (23... ♔b8!? 24. ♗g7!? ♖g8 25. ♗e5 ♔a8=∞) 24. ♕d7 ♔d7 25. g3 ♖g8=∞■] **♕d4 24. ♗d4** [♖ 9/j] **fg2 25. f3 ♗f3 26. ♗g7 ♖h1 27. ♔f2 ♔d7 28. ♖g1?!** [28. ♗d4 a6 29. ♖e1!∓] **♗e4∓ 29. ♗d4 a6 30. c3 ♔e6 31. a4 ♔f5 32. b4 ♖h3! 33. b5!? a5 34. ♖e1 ♖d3!** [△ 35... ♖d2 36. ♔g1 ♖a2] **35. ♔g1 ♖d2 36. ♖a1 ♔g4! 37. ♗b6 ♖d6!−+ 38. ♗a5 ♖h6⊕ 39. ♔f2 ♖f6 40. ♔g1 ♖h6 41. ♔f2 b6! 42. ♖e1** [42. ♗b4 ♖f6 43. ♔g1 ♔f3! 44. ♖a2 ♔g3!−+] **♖f6 43. ♔g1 ♔f3! 0 : 1** **[Glek]**

342. **C 07**

CANDA 2340 − VILELA 2405

Sagua la Grande 1989

1. e4 e6 2. d4 d5 3. ♘d2 c5 4. ♘gf3 cd4 5. ed5 ♕d5 6. ♗c4 ♕d6 7. 0−0 ♘f6 8. ♘b3 ♘c6 9. ♘bd4 ♘d4 10. ♘d4 a6 11. ♖e1 ♗d7 12. c3 ♕c7 13. ♕e2 ♗d6 14. ♗g5 0−0 15. ♗f6 N [15. g3 — 46/356] **gf6 16. ♕g4 ♔h8 17. ♕h4 ♖g8** [17... ♕c4? 18. ♕f6 ♔g8 19. ♖e4] **18. ♕f6 ♖g7 19. ♖e4! ♖g8?!** [19... ♕c4? 20. ♘f5+−; 19... ♔g8!∞ △ 20. ♘f3? ♗c6!∓] **20. ♘f3?!** [20. ♗d3! (△ ♖h4-h7#) ♕d8 (20... ♗e7? 21. ♕e7 ♖g2 22. ♔f1 ♖g1 23. ♔e2 ♖a1 24. ♕f6 ♖g7 25. ♖g4) 21. ♕d8 ♖d8±] **♕c5!** [20... ♗c6? 21. ♖h4! ♗e7 (21... ♕e7 22. ♖h7!+−; 21... ♗f3 22. ♗d3!+−) 22. ♖h7! ♔h7 23. ♗d3 ♖g6 24. ♘g5 ♔h6 25. ♘f7 ♔h5 (25... ♔h7 26. ♗g6 ♖g6 27. ♕h8#) 26. ♗e2+−] **21. ♗f1** [21. ♖h4 ♗e7 22. ♖h7 ♔h7 23. ♗d3 ♖g6 24. ♕f7 ♔h6 25. ♗g6 ♖g6∞] **♗e7** [21... ♗c6 22. ♖e5!?] **22. ♕e5** [22. ♕d4 ♕h5→⟫] **♗c6! 23. ♖e3 ♕e5** [23... ♗f3? 24. ♕c5 ♗g2 25. ♕e5!+−; 23... ♗d6 24. ♕d4!] **24. ♘e5 ♗g2 25. ♘f7??** [25. ♖g3!□ ♗f1 26. ♔f1∓⊥] **♖f7 26. ♗g2 ♗c5!−+** [26... ♖fg7? 27. ♖g3] **27. ♖d3 ♖f2 28. ♖g3 ♖f6!** [29. ♔h1 ♖g3 30. hg3 ♖h6−+] **0 : 1** **[Vilela]**

343. **C 07**

HÜBNER 2600 − NOGUEIRAS 2575

Barcelona 1989

1. e4 e6 2. d4 d5 3. ♘d2 c5 4. ed5 ♕d5 5. ♘gf3 cd4 6. ♗c4 ♕d6 7. 0−0 ♘f6 8. ♘b3 ♘c6 9. ♘fd4 ♘d4 10. ♘d4 a6 11. ♖e1 ♕c7 12. ♗b3 ♗d6 13. ♘f5! ♗h2 14. ♔h1 ♔f8 N [14... h5?! 15. ♘g7 ♔f8 16. ♕d4±] **15. g3 ef5 16. ♗f4 ♕c6 17. ♔h2 ♗e6!□ 18. ♕d6** [18. ♗d6 ♔e8□ 19. ♕d4 ♖d8 20. ♖ad1 ♕f3!∞; 19. c4!?] **♕d6 19. ♗d6 ♔e8 20. ♖ad1± ♘e4 21. f3 ♘d6 22. ♖d6 ♖c8!** [22... ♖d8?! 23. ♖b6 ♖d2 24. ♔h3±] **23. c3 ♖c7 24. ♗e6 fe6 25. ♖ee6 ♔f7 26. ♔h3 ♖e8!= 27. ♖e8 ♔e8** [♖ 7/g] **28. ♔h4 h6□ 29. ♖b6 ♔f7 30. f4 g6 31. a4 ♔g7 32. a5 ♔f7 33. ♔h3** [33. g4 fg4 34. ♔g4 h5 35. ♔g5 ♖c5 36. ♔h6 ♖b5=] **♔g7 34. c4 g5! 35. b3 ♖d7 36. c5 g4 37. ♔g2 ♖e7 38. b4 ♖c7 39. c6** [39. ♔f2 ♖d7 40. c6 bc6 41. ♖a6 ♖d2 42. ♔f1 ♖d3=] **♖c6 40. ♖b7 ♔g6! 41. ♖b6 ♔h5! 42. b5 ♖c2 43. ♔f1 ab5 44. ♖b5 ♔g6 45. ♖b6 ♔g7 46. ♖b7** **1/2 : 1/2**
[Nogueiras, P. J. García]

344.* **C 07**

SPEELMAN 2640 − NOGUEIRAS 2575

Barcelona 1989

1. e4 e6 2. d4 d5 3. ♘d2 c5 4. ed5 ♕d5 5. ♘gf3 cd4 6. ♗c4 ♕d6 7. 0−0 ♘f6 8. ♘b3 ♘c6 9. ♘bd4 ♘d4 10. ♘d4 a6 11. ♖e1 ♕c7 12. ♕e2!? N [12. ♗d3 — 31/347] **♗c5 13. c3 0−0** [13... b5! 14. ♗b3 0−0 (14... ♗b7? 15. ♗e6) 15. ♗g5 ♗b7!=] **14. ♗g5 ♗d4** [14... b5 15. ♗f6 gf6 16. ♗d3!] **15. cd4 ♘d5 16. ♖ac1** [16. ♗d5 ed5 17. ♗e7 ♖e8 18. ♗d8 ♖e2 19. ♗c7 ♖e1 20. ♖e1 ♗e6 21. ♖c1 1/2 : 1/2 Tal' 2630 − Kortchnoi 2640, Bruxelles (S.W.I.F.T.) 1988] **♕b6?** [16... ♕d6! (△ 17. ♕g4 f6 18. ♗h6?! ♖f7) 17. ♕f3 (17.

♕e5!? ♕e5 18. de5 ♗d7) ♗d7 (17... f6!? 18. ♗d2 ♖d8) 18. ♗d5!? ♕d5=] **17. ♕g4 f5??** [×g7; 17... ♔h8□] **18. ♕f3 ♕d4 19. ♗d5 ed5** [19... ♕d5 20. ♕d5 ed5 21. ♖c7+−] **20. ♖c7 f4!□** [20... h6 21. ♖ee7! hg5 22. ♕d5!] **21. ♖ee7 ♗f5 22. ♕c3! ♕c3 23. bc3 ♖ae8 24. ♖g7+− ♔h8 25. h4!?** [×⇔h; 25. h3 △ f3, ♗h4-f2-d4] **♗g6** [25... ♗d3; 25... ♗b1] **26. f3 b5 27. ♖a7** [△ ♖gc7, ♗e7-c5-d4; 27. h5] **♖e1 28. ♔h2 ♖e6 29. ♖gc7?!** [29. h5] **♔g8!□ 30. ♗h6? ♖f5! 31. ♖g7 ♔h8 32. ♗g5 ♖f8?!** [32... ♖e8] **33. h5! ♗b1?!** [33... ♗d3□ 34. ♖gd7 ♔g8 35. ♗h4 ♖h6 36. ♖g7 ♔h8 37. ♗f2 ♖h5 38. ♔g1 ♖e8! 39. ♗d4?? ♖e1; 35. ♖d5+−] **34. ♖gd7** [△ ♗f4] **♔g8 35. ♗h4!** [△ ♗f2-d4] **♖e2** [35... ♖h6 36. ♖g7 ♔h8 37. ♗f2+−; 35... d4 36. ♖g7 ♔h8 37. ♗f2!] **36. h6! ♖e6** [36... ♗g6 37. ♖g7 ♔h8 38. ♗e7!+−] **37. ♖g7 ♔h8 38. ♗f2 ♖h6 39. ♔g1** [39... ♖a8 40. ♗d4 ♖a7 41. ♖g5!] **1 : 0** **[Speelman]**

345. **C 07**

VAN DER WIEL 2560 – NOGUEIRAS 2575

Rotterdam 1989

1. e4 e6 2. d4 d5 3. ♘d2 c5 4. ♘gf3 cd4 5. ed5 ♕d5 6. ♗c4 ♕d6 7. 0–0 ♘f6 8. ♘b3 ♘c6 9. ♘bd4 ♘d4 10. ♘d4 a6 11. ♖e1 ♕c7 12. ♕e2 ♗d6 N 13. ♗g5 0–0! [13... ♗h2 14. ♔h1 ♗d6 15. ♗e6 fe6 16. ♘e6 ♗e6 17. ♕e6 ♗e7 18. ♖e3→] **14. g3** [14. ♗f6 gf6 15. ♕g4 ♔h8 16. ♕h4 ♗e7=] **♘e4! 15. ♕e4 ♕c4= 16. ♗f4** [16. ♖ad1 e5 17. ♘c6 ♕e4 18. ♖e4 ♗f5∓] **♗f4 17. gf4?!** [17. ♕f4 f6! 18. b3 ♕c3 19. ♕d6 e5 20. ♘e6 ♗e6 21. ♕e6=] **♗d7∓ 18. b3 ♕c7 19. ♖ad1 ♖ae8!?** [19... ♖ad8! 20. ♖d3 (20. ♕e5 ♕b6 △ ♗c8) ♗c8 △ b5∓] **20. ♕e5 ♕b6 21. ♕e3 ♕c7** [21... f6 22. ♘f5!] **22. ♕e5 ♖c8 23. ♕c7 ♖c7 24. c4 ♖fc8?!** [24... b5 25. cb5 ab5∓] **25. a4! ♔f8 26. ♖d3 g6 27. ♔g2 ♗e8 28. ♔g3 ♖c5 29. ♖e5 ♔e7 30. ♘f3 h6 31. h4 ♖e5 32. fe5 ♖c5 33. ♔f4 ♗c6** [33... b5!? 34. ab5 (34. cb5 ab5 35. a5 b4∓) ab5 35. ♘d2 bc4 36. ♘c4=] **34. ♖e3 b6 35. ♘e1 1/2 : 1/2** **[Nogueiras]**

346. **C 07**

ERNST 2460 – I. ROGERS 2505

Lugano 1989

1. e4 e6 2. d4 d5 3. ♘d2 c5 4. ed5 ♕d5 5. ♘gf3 cd4 6. ♗c4 ♕d6 7. 0–0 ♘f6 8. ♘b3 ♘c6 9. ♘bd4 ♘d4 10. ♘d4 ♗d7 11. b3 a6 12. ♗b2 ♕f4!? N [12... ♕c7 – 34/368; 12... ♗e7 – 42/343] **13. ♕e2** [13. g3 ♕c7∞; 13. ♘f3 ♗c6 14. ♘e5 ♖d8∞] **♗d6! 14. g3** [14. ♘f3?! ♗c6 15. ♘e5 ♘d7! △ 16. g3 ♘e5!] **♕g4 15. ♕g4!** [15. f3 ♕h3∓] **♘g4 16. ♖ad1 ♗c5 17. ♗e2?!** [17. ♘f3! f6 (17... ♗c6?! 18. ♗e2 0–0 19. ♘d4!±) 18. h3 ♘h6±] **e5! 18. ♘f3 e4!?** [18... f6 19. ♘d2 ♗f5!=] **19. ♘g5!** [19. ♘d2? e3∓; 19. ♘e5 ♘e5 20. ♗e5 f6=]

19... ♘e3!! 20. ♖d7?! [20. ♘e4?! ♘d1∓; 20. fe3! ♗e3 21. ♔g2 ♗g5 22. ♗g7 ♖g8 23. ♗f6±] **♔d7 21. ♖e1!** [21. ♘e4 ♘f1 22. ♘c5 ♔c6 23. ♘e4 f5∓] **f5!** [21... ♘c2? 22. ♖c1±; 21... ♖he8!? 22. ♘f7 ♘f5 23. ♗g4⩱] **22. ♘f7 ♖hc8!** [22... ♘g4?! 23. ♗g4 fg4 24. ♘h8 ♖h8 25. ♖e4±; 22... ♘d5?! 23. ♘h8 ♖h8 24. ♗g7±] **23. fe3 ♗e3 24. ♔f1 ♖c2∓ 25. ♘e5 ♔e7 26. ♘c4 ♗c5 27. ♗g7?!** [27. ♖c1 ♖c1 28. ♗c1 b5 29. ♘e3 ♔e6 30. ♘g2∓] **f4! 28. ♗h6□** [28. gf4? ♖g8−+; 28. ♗e5? f3−+] **f3 29. ♗d1 ♖f2 30. ♔g1 ♖e2 31. ♔f1 ♖f2** [31... ♖h2? 32. ♖e4 ♔f6 33. ♗e3 ♖h1 34. ♔f2 ♗e3 35. ♘e3±; 31... ♖e1 32. ♔e1 ♔e6∓] **32. ♔g1 ♖a2 33. ♔h1** [33. ♗e3?? f2−+] **♔f6! 34.**

♖e4 ♖a1 35. ♖e1 ♖d8 36. ♗d2□ [36. ♘b2 ♗a3−+; 36. ♘d2 ♗b4−+] **♗b4! 37. ♗f3□** [37. ♗b4 ♖dd1 38. ♗c3 ♔g5!□ (38... ♔f7 39. ♘e5+−; 38... ♔f5 39. ♘e3+−) 39. h4 ♔h5−+] **♖e1 38. ♗e1 ♗e1** [♖ 9/e] **39. ♗b7 a5∓ 40. ♗c6 ♖d3 41. ♗a4 ♖f3! 42. ♔g1 ♔e6 43. ♔g2 ♖f2 44. ♔h3 ♗c3 45. ♗c6 ♖a2 46. ♗e4 h6 47. ♗c6 ♔f5!?** [△ ♔g5, ♗d4-g1−+; 47... ♗d4 48. ♔g4 ♖h2 49. ♘a5 h5∓] **48. ♘e3 ♔g5 49. ♘g2!?** [△ ♘h4-f3∓] **♖b2 50. ♗d5 ♔f6! 51. ♘h4 ♔e5 52. ♗g8 ♔e4! 53. ♗h7 ♔d5 54. ♗g8 ♔c5 55. ♘g6** [55. ♘f5 ♔b4 56. ♘h6? ♖b3−+] **♔b4 56. ♘e7□ ♔a3** [56... ♖b3? 57. ♘c6 ♔a3 58. ♗b3 ♔b3 59. ♘a5=] **57. ♘c6 ♖d2 58. ♗c4 ♖d6 59. ♘a7** [59. ♘e7 ♖b6! 60. ♘d5 ♖b3−+] **♔b4 60. ♗g8 ♖g6 61. ♗d5 ♖d6 62. ♗g8 ♗d4 63. ♘c8 ♖d8 64. ♗e6** [64. ♘e7 ♖g8−+] **♗c5!−+ 65. ♔g4 ♖d3 66. ♔h5 ♖b3 67. ♗b3 ♔b3 68. ♔h6 a4 69. g4 a3 70. g5 a2 71. g6 ♗d4 0 : 1**
[I. Rogers]

347.* **C 07**

KOTRONIAS 2505 − KINDERMANN 2515
Debrecen 1989

1. e4 e6 2. d4 d5 3. ♘d2 c5 4. ♘gf3 cd4 5. ed5 ♕d5 6. ♗c4 ♕d6 7. 0−0 ♘f6 8. ♘b3 ♘c6 9. ♘bd4 ♘d4 10. ♘d4 a6 11. b3 [⌓ 11. c3 ♕c7 12. ♕e2↑] **♕c7 12. ♕e2 ♗c5 N** [12... b5 − 32/380; 12... ♗d6] **13. ♗b2** [13. ♘f5 0−0 14. ♘g7?! ♔g7 (14... ♗d4 15. ♗h6 ♗a1 16. ♖a1→) 15. ♗b2 e5? 16. ♗e5 ♗d6 17. ♗b2→ E. Geller 2480 − Kindermann 2515, Dortmund 1989; 15... ♖g8!−+] **0−0 14. ♖ad1** [14. ♘f3 b5 15. ♗d3 ♗b7 16. ♘g5 ♕c6!; 14. a4!?] **b5 15. ♗d3 ♗b7 16. ♘f3** [16. ♘b5? (△ 16... ab5 17. ♗f6 gf6 18. ♕g4 ♔h8 19. ♕h4 f5 20. ♕f6=) ♕c6−+] **♕f4!? 17. ♘e5** [17. ♗e5 ♕g4 18. h3 ♕h5 19. ♗f6 ♗f3 (19... gf6 20. ♗e4) 20. ♕f3 ♕f3 21. gf3 gf6∓⊥; 17. ♕e5!? ♕e5 18. ♘e5 ♖fd8 19. a3 △ b4, c4=] **♕g5 18. g3** [18. ♘f3] **♖ad8 19. a3?** [19. a4 ba4 20. ♗c1 (20. ♗a6 ♖d1 21. ♖d1 ♗f2! 22. ♔f2 ♕f5 23. ♔e1 ♗a6 24. ♕a6 ♕c2 25. ♕e2 ♕b3∓→) ♕h5 21. ♕h5 ♘h5 22. ba4; 19. ♗c1! ♕h5□ 20. ♕h5 ♘h5=] **♘d5 20. ♗c1** [20. ♗e4 ♘f4 21. ♕f3 ♘h3 22. ♔g2 ♗e4 23. ♕e4 ♖d1 24. ♖d1 ♘f2−+] **♕e7 21. ♕e4** [21. c4 ♘c3 22. ♗h7 ♔h7 23. ♕c2 ♘e4−+; 21. b4 ♘c3 22. ♕h5 (22. ♗h7 ♔h7 23. ♕h5 ♔g8 24. ♖d8 ♕d8 25. bc5 ♕d5 26. f3 f6−+) g6 23. ♘g6 fg6 24. ♕c5 ♕c5 25. bc5 ♘d1−+] **f5** [21... g6!? 22. ♕e1 f6 23. ♘f3 ♘f4 24. ♗f4 ♗f3 △ ♗a3∓] **22. ♕e1 ♗a8!** [22... ♗a3 23. ♘c6! ♗c6 24. ♗a3 ♕a3 25. ♕e6 ♔h8 26. ♕c6=] **23. ♗e2** [23. c4? ♘c3! 24. ♕c3 ♕b7−+; 23. b4 ♗d4! 24. ♘f3 ♗c3 25. ♗d2 ♖c8∓] **♗a3 24. ♗a3 ♕a3 25. c4 ♘f6?!** [25... bc4 26. bc4 (26. ♗c4 ♕d6) ♘c3 27. ♖d8 ♘e2 28. ♕e2 ♖d8∓] **26. cb5 ab5 27. ♖d8 ♖d8 28. ♗b5 ♕b3 29. ♗c4 ♕b7 30. f3** [30. ♗e6? ♔f8 31. f3 ♕b6 32. ♔g2 ♕e6 33. ♘g6 ♔f7−+] **♕b6 31. ♕f2 ♕f2 32. ♖f2 ♗d5 33. ♖d2 ♖c8 34. ♖d4?!** [34. ♗e2∓⊥] **♔f8 35. ♔f2 ♔e7 36. ♗d3** [36. ♗d5 ♖c2 37. ♔g1 ♘d5∓→] **♖a8! 37. g4?⊕ ♔d6 38. ♘f7** [38. f4 fg4−+] **♔c5 39. ♖f4** [39. ♔e3 e5! 40. ♘e5 ♖e8 41. f4 ♘g4−+] **fg4 40. fg4 ♖f8** [41. ♘e5 g5!−+; 41. ♘g5 e5 42. ♖f5 g6−+; 41. g5 ♖f7 42. gf6 gf6−+⊥]
0 : 1 **[Ftáčnik]**

348.*** **C 08**

I. ARMAŞ 2455 − DOHOJAN 2575
Wijk aan Zee II 1989

1. e4 e6 2. d4 d5 3. ♘d2 c5 4. ed5 ed5 5. ♗b5 [5. ♘gf3 *a)* 5... a6 6. dc5 ♗c5 7. ♘b3 ♗a7 8. ♗d3 ♕e7 9. ♕e2 ♘c6 10. ♗g5! f6 N (10... ♕e2 − 37/(316)) 11. ♗e3!? (11. ♗d2±) ♗e3 12. fe3 ♘h6 13. e4 ♘b4!⇆ 14. 0-0-0! ♘d3 15. ♕d3 de4 16. ♕d5=∞ f5□ (16... ♗e6?! 17. ♕e4 ♗b3 18. ♖he1!±) 17. ♘fd4 ♕f7□ 18. ♕e5 1/2 : 1/2 Nijboer 2445 − Dohojan 2575, Wijk aan Zee II 1989; *b)* RR 5... ♘f6 6. ♗b5 ♗d7 7. ♗d7 ♘bd7 8. 0−0 ♗e7 9. dc5 ♘c5 10. ♘d4 0−0 11. ♘f5 ♖e8 12. ♘b3 ♘e6 13. ♘e7 ♕e7 14. ♗e3 a6 15. ♖e1 N (15. ♘d4) ♖ad8 16. c3 ♕c7

17. f3 ♘h5 18. ♕d2 g6 19. ♘d4 ♘hg7 20. ♗f2 ♘d4 21. ♕d4 ♕c4 22. ♕b6 ♕c6 23. ♕b4± A. Sokolov 2605 – N. Short 2650, Linares 1989] **♗d7 6. ♕e2 ♗e7 7. dc5 ♘f6 8. ♘gf3 0–0 9. 0–0 ♗c5** [RR 9... ♖e8 10. ♘b3 ♗c5 11. ♕d3 ♗b6 12. ♗g5 ♘c6 13. a4 h6 14. ♗h4 a6 15. ♗c6 bc6 N (15... ♗c6 – 24/223) 16. a5 ♗a7 17. ♖ae1 g5 18. ♖e8 ♗e8 19. ♗g3 ♘e4 20. ♘fd2 ♘g3 21. ♕g3 (Timman 2610 – N. Short 2650, Linares 1989) ♕b8∓ Timman] **10. ♗d7 ♘bd7 11. ♘b3 ♖e8 12. ♕d3 ♗b6 13. ♗f4** [⌓ 13. ♗d2; 13. a4] **♖e4 14. ♗g3 ♕e7 15. c3 N ♖e8 16. ♘bd4 ♘c5 17. ♕c2 ♘h5?!** [17... h6!∓ △ ♘h5] **18. b4?** [18. ♗h4! ♖h4? 19. ♘f5 ♕e4 20. ♖ae1; 18... f6=] **♘g3 19. hg3 ♘d7∓** [×c3, ⇔e] **20. ♖ad1 ♘f6 21. ♕b3 g6?!** [21... ♕c7!? △ ♖c8] **22. a4! a6 23. a5 ♗a7 24. b5 ♗c5 25. ba6 ba6 26. ♘d2 ♖g4□ 27. ♘2f3 ♕c7!** [×a5, c3] **28. ♖de1 ♖ge4 29. ♖b1 ♖4e7!** [×c3, ⇔c; 29... ♕a5? 30. ♖a1] **30. ♖fc1 ♖c8 31. ♕a2 ♕a7∓ 32. ♖e1 ♖ec7 33. ♕b3 ♘e4 34. ♖e3 ♕a8!–+ 35. ♖b2⊕ ♗f8 36. ♘e2 ♗h6 37. ♘f4 ♘c3 38. ♖d3 ♗g7 39. ♖c2 ♖c5?⊕** [39... ♖b8 40. ♕a3 ♘b5! (40... ♗f8? 41. ♕c1 ♖b1 42. ♕b1) 41. ♕c1 ♖c2 42. ♕c2 d4–+] **40. ♔h2 ♕c6??** [40... ♘e4–+] **41. ♘d5!** [41... ♘d5 42. ♖c5 ♕c5 43. ♖d5 ♕f2 44. ♖d7∞]
1/2 : 1/2 **[Dohojan]**

349. **C 10**

EHLVEST 2600 – LJUBOJEVIĆ 2580
Rotterdam 1989

1. e4 e6 2. d4 d5 3. ♘c3 ♗e7 4. ♗d3 de4 5. ♘e4 ♘f6 6. ♘f3 ♗d7 7. 0–0 [7. ♘g3 ♗c6 8. 0–0 ♗f3 9. ♕f3 c6±⊞] **♘e4 8. ♗e4 ♗c6 9. ♗d3** [9. ♖e1±○] **♘d7 10. ♖e1 0–0 11. ♗f4** [⌓ 11. c4 ♗d6 12. d5!±] **♗d6 12. ♘e5 ♘e5 13. de5** [13. ♗e5 ♕g5=] **♗c5 14. ♕g4 ♕d4⇆ 15. ♕h4 h6** [15... g6 16. b3±] **16. ♖ad1 g5□ 17. ♗g5 ♕f2 18. ♕f2 ♗f2 19. ♔f2 hg5 20. b4!? b5! 21. ♖e3 a5** [⇆⇔a] **22. a3 ab4 23. ab4 ♖a4 24. ♖b1 ♔g7 25. ♖g3 f6 26. ef6 ♔f6 27. ♔e3 ♖h8= 28. h3 ♖h4 29. ♖f1 ♖f4 30. ♖f4 gf4 31. ♔f4 ♖b4** [♖ 9/k] **32. ♔e3 ♗d5 33. ♖g8 ♔f7 34. ♖c8 ♗g2 35. ♖c7 ♔g8⊕** [35... ♔f6=] **36. ♖h7 ♗f1 37. ♗g6± ♖c4 38. h4 ♗h3 39. ♗d3 ♖b4 40. ♖h5 ♗f5 41. ♗f5 ef5 42. ♖f5 ♖h4 43. ♖b5 ♔f7 44. ♖e5 ♖c4** [44... ♖h8=] **45. ♔d3 ♖c8 46. c3** [♖ 3/c5] **♔f6 47. ♖e3 ♖d8 48. ♔c2 ♔f7??** [48... ♖c8=] **49. ♔b3 ♖b8 50. ♔c4 ♖c8 51. ♔b5 ♖b8 52. ♔c6 ♖c8 53. ♔d7 ♖c4 54. ♔d6 ♖c8 55. ♖e7!+– ♔f6 56. ♖c7 ♖d8 57. ♔c6 ♔e6 58. c4 ♔e5 59. c5 ♔d4 60. ♔b7 ♖d5 61. ♔b6 ♔c4 62. ♖h7 1 : 0** **[Ehlvest]**

350.* **C 11**

SÖ. MAUS 2400 – KINDERMANN 2515
Bad Wörishofen 1989

1. e4 e6 2. d4 d5 3. ♘c3 ♘f6 4. e5 ♘fd7 5. f4 c5 6. ♘f3 ♘c6 7. ♗e3 a6 8. ♕d2 b5 9. dc5 ♗c5 10. ♗c5 ♘c5 11. ♗d3 b4 12. ♘d1?! N [RR 12. ♘e2 ♕b6 13. ♘ed4 ♘d4 14. ♘d4 a5 15. ♗b5 N (15. ♕e3 – 46/(364)) ♗d7 16. ♗d7 ♘d7 17. 0–0 0–0 18. ♖ae1 ♖ac8 19. f5 ef5 20. ♔h1 g6 21. e6 fe6 22. ♖e6 ♕c5 23. ♖fe1 ♘f6 △ ♘e4∓ Rohde, M. 2540 – Gulko 2610, New York 1989] **f6 13. 0–0 0–0 14. ♘f2 fe5?!** [14... f5!∓ ×e4] **15. fe5 ♗d7 16. ♕e3 ♕e7 17. a3?** [17. ♘g4 ♗e8!? (17... ♘d3 18. cd3± ×c5, ⇔c) 18. ♗h7 ♔h7 19. ♘g5 ♔g8 20. ♖f8 ♕f8 21. ♖f1 ♕e7 22. ♘f6 gf6 23. ef6 ♕a7!□ (Bischoff) 24. f7? ♗f7 25. ♖f7 ♘d7–+; 24. ♔h1→] **ba3 18. ♖a3 ♖ab8∓↑« 19. ♖a2** [19. b3? ♘d3 △ ♕a3] **♘b4 20. ♖a5 ♘cd3 21. cd3 ♗b5 22. ♖c1** [22. ♘d4 ♕c5 23. ♖c1 ♕b6 24. ♖aa1 ♘c6 25. ♘c2 ♕e3 26. ♘e3 ♘e5∓] **♖bc8∓** [△ 23... ♖c1 24. ♕c1 ♘d3] **23. ♖c3** [23. d4 ♘c2 24. ♕d2 ♘d4!! 25. ♘d4 ♕b4 26. ♖d1 ♕d2 27. ♖d2 ♖c1 28. ♖d1 ♖d1 29. ♘d1 ♖f1#; 23. ♖c8 ♖c8∓⇔c] **d4!–+ 24. ♘d4** [24. ♕d4 ♘c6] **♘d5 25. ♕c1** [25. ♕d2 ♘c3 26. bc3 ♕c5 27. ♘e6 ♕c3–+] **♘c3 26. bc3 ♖f2!** [27. ♔f2 ♕h4 28. ♔g1 (28. ♔e3 ♕g5) ♕d4; 27. ♘b5 ♖cf8 28. ♘d6 ♕g5!] **0 : 1** **[Kindermann]**

351.   C 11

NUNN 2620 − NOGUEIRAS 2575
Rotterdam 1989

1. e4 e6 2. d4 d5 3. ♘c3 ♘f6 4. e5 ♘fd7 5. f4 c5 6. ♘f3 ♘c6 7. ♗e3 a6 8. ♕d2 b5 9. dc5 ♗c5 10. ♗c5 ♘c5 11. ♕f2!? N ♕b6 [11... ♘e4 12. ♘e4 de4 13. ♘d2 ♗b7 (13... ♕d4 14. c3±; 13... ♕d5 14. c4±) 14. 0-0-0 ♕a5 15. ♘e4±; 11... d4 12. 0-0-0 b4 13. ♘e2 (13. ♘d4 bc3 14. ♘c6 ♕d1! 15. ♔d1 cb2 16. ♕c5 b1♕ 17. ♔d2 ♕b7∞) ♕a5! (13... ♘e4 14. ♕e1 ♕a5 15. ♘ed4+−) 14. ♔b1 (14. ♘ed4? ♕a2 15. ♘c6 ♕a1 16. ♔d2 ♘e4−+) ♘e4 15. ♕e1 ♘c3∞; 13. ♘b1!±] **12. ♗d3 b4 13. ♘e2 a5 14. 0−0 ♗a6 15. ♔h1** [15. f5 ♗d3 16. cd3 ef5 17. ♘f4 ♘e7∞] **♗d3 16. cd3** [△ ♖ac1] **♖b8 17. f5?** [17. ♖ad1! 0−0 18. ♕h4 △ ♘g3±→] **ef5!** [17... ♘d3 18. ♕g3 ♕e3 (18... g6 19. fe6 fe6 20. ♘g5±) 19. ♕g7 ♖f8 20. ♘g3 (20. ♘g5 ♕e5 21. ♕e5 ♘ce5 22. fe6∞) ♘f2 (20... ♘ce5 21. ♖ae1±) 21. ♖f2 ♕f2 22. ♖f1∞] **18. ♘f4** [18. ♘h4 g6 19. ♘f5 gf5 20. ♕f5 ♘d8∓; 18. ♘g3 ♘e7] **♘e6!** [18... ♘e7 19. ♕h4!∞] **19. ♕g3** [19. ♕b6 ♖b6 20. ♘d5 ♖b5∓] **0−0** [19... ♘f4 20. ♕f4=] **20. ♘d5 ♕d8∓ 21. ♘f6 ♔h8 22. ♘h5 ♕d3 23. ♖ad1 ♕e3** [23... ♕e2 24. ♖fe1 ♕b2 25. ♖d6 ♘cd8 26. ♘g5∞] **24. ♖d6 ♘cd8□ 25. ♕h3** [25. ♖e1 ♕h6; 25. ♕h4 ♘b7 26. ♖dd1 ♕e4] **♘b7** [25... ♕e4? 26. ♘g7! ♔g7 27. ♘g5 ♘g5 28. ♕h6=] **26. ♖dd1 ♕e4 27. ♘g3** [27. ♘g7 ♔g7 28. ♘h4 ♔h8 29. ♘f5 ♕e5−+] **♕g4 28. ♘f5 ♕h3 29. gh3 ♘bc5 30. ♘3d4 g6 31. ♘d6 ♔g7 32. ♘c6 ♖a8 33. ♘c4 b3 34. ab3 ♘b3 35. ♖f3 ♖a6!** [35... a4 36. ♘b6 ♖a6 37. ♘a4∓] **36. ♖b3 ♖c6 37. ♘a5 ♖c5 38. ♘b7 ♖e5 39. ♘d6 ♖e2 40. ♖b7 ♘f4?** [40... ♔g8! (△ ♖d8) 41. ♖f1 f5 42. ♖e7 ♖d8 43. ♖d1 f4−+; 43. ♘c4∓] **41. ♖f1= g5 42. h4 h6 43. hg5 hg5 44. ♖f7! ♖f7 45. ♘f7 ♔f7 46. h4 ♕g6 47. hg5 ♔g5** [♖8/f3] **48. ♖g1 ♔h4 49. ♖g8 ♔h3 50. ♔g1 ♘d3 51. ♖h8 ♔g3 52. ♖g8 ♔f3 53. ♖f8 ♘f4 54. ♔f1 ♖e7 55. b4 ♔e3 56. b5 ♖d7 57. ♔e1 ♘d3 58. ♔f1 ♘c5 59. ♖e8 ♘e4 60. ♔e1 1/2 : 1/2** [Nunn]

352.**   C 11

ABRAMOVIĆ 2485 − VLADO KOVAČEVIĆ 2545
Jugoslavija (ch) 1989

1. e4 e6 2. d4 d5 3. ♘c3 ♘f6 4. e5 ♘fd7 5. f4 c5 6. ♘f3 ♘c6 7. ♗e3 cd4 8. ♘d4 a6 9. ♕d2 ♗c5 [RR 9... ♗b4 10. ♗d3 N (10. a3 − 46/364) 0−0 11. 0−0 ♘d4 12. ♗d4 ♗c5 13. ♘e2 ♕b6 14. c3± N. Short 2650 − Timman 2610, Amsterdam 1989] **10. 0-0-0** [RR 10. ♗e2 N ♗d4 11. ♗d4 b5 12. ♗f2 0−0 13. 0−0 ♕c7 14. ♗d3!? (14. ♖ae1 b4 15. ♘d1 a5 16. ♗d3 ♗a6∓ Zajcev 2390 − Huzman 2480, Moskva (GMA) 1989) b4 15. ♘e2 a5 16. ♘d4± Huzman, Vajnerman] **0−0 11. ♔b1** [11. ♘b3!? − 46/368] **♘d4!? N** [11... ♗d4 − 45/321, 322] **12. ♗d4 b5 13. g4?!** [13. h4!? b4 14. ♘a4 ♗d4 15. ♕d4 ♕a5!? (15... a5 16. ♗b5 ♖b8±) 16. b3 ♗b7 △ ♖fc8, ♘c5] **b4 14. ♘e2** [14. ♘a4 ♗d4 15. ♕d4 f6!⇆f, ✕f4] **a5 15. ♗g2** [15. f5?! ♗d4 16. ♕d4 ♕c7; 15. ♗c5 ♘c5 16. ♘d4 f6!⇆⇔f] **♗a6 16. ♗c5 ♗e2!?** [16... ♘c5?! 17. ♘d4 ♕c7 18. ♕e3 △ f5±] **17. ♗f8?!** [17. ♕e2 ♘c5 18. ♕e3 ♕c7 19. ♖he1 ♖fc8 20. f5 ♘d7 21. ♖d2 ♕d8∞] **♗d1 18. ♗g7 ♗c2 19. ♕c2 ♖c8! 20. ♕d2 ♔g7 21. h4?!** [21. ♖c1! h6 △ ♖c1, ♕b6∓] **♕c7** [21... ♕b6!? 22. h5 h6 △ ♖c3!!] **22. h5 h6 23. ♗f3** [23. ♖c1 ♕c1 24. ♕c1 ♖c1 25. ♔c1 f6 26. ef6 ♔f6 27. ♔d2 ♘c5! 28. b3 (28. ♔e3 ♘a4 29. b3 ♘c3) d4! △ e5−+] **a4 24. g5** [24. ♖c1 ♕c1 25. ♕c1 ♖c1 26. ♔c1 f6 27. ef6 ♔f6 28. ♔d2 ♘c5 29. ♔e3□ a3! 30. ba3 ba3 31. ♔d4 (31. ♔d2 d4 △ e5; 31. ♗d1 e5 32. g5 hg5 33. fe5 ♔e5 34. h6 d4 35. ♔f3 ♔f6 36. ♔g4 ♘e4!−+) ♘b3! 32. ♔c3 ♘c1 33. ♔b4 ♘a2 34. ♔a3 ♘c1 △ ♘d3−+] **hg5 25. ♖g1 b3 26. ♖g5** [26. f5? ♕c2 27. ♕c2 bc2 28. ♔c1 ♘e5−+] **♔h8 27. ♖g2** [27. ab3 ab3 28. ♗d1 ♕c4 29. ♖g3 ♘c5−+]

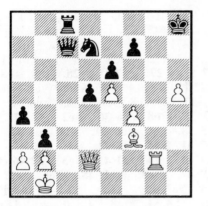

27... ♛c1! [28. ♕c1 ♖c1 29. ♔c1 ba2 △ a1♕] **0 : 1** [Vlado Kovačević]

353.   C 11

NUNN 2620 − TIMMAN 2610
Rotterdam 1989

1. e4 e6 2. d4 d5 3. ♘c3 ♘f6 4. e5 ♘fd7 5. f4 c5 6. ♘f3 ♘c6 7. ♗e3 cd4 8. ♘d4 ♗c5 9. ♕d2 0–0 10. 0-0-0 a6 11. ♔b1 ♘d4 12. ♗d4 b5 13. ♗c5 N ♘c5 14. ♕f2 [14. ♕e3!? ♕c7 15. ♗d3 ♗b7 16. ♕h3 ♘e4 17. ♗e4 de4 18. ♕e3 f6 19. ♖d6!±] **♕c7 15. ♗d3 ♗b7!?** [15... b4 16. ♘e2 a5?! 17. ♕h4 g6 (17... h6? 18. g4 △ g5→⇔g; 17... ♘d3 18. ♖d3 ♗a6 19. ♖h3 △ ♘d4±⊥) 18. ♕h6 ♗a6 19. h4 ♖fc8 20. ♘d4! ♘d3 21. cd3 ♕c5 22. h5! ♕d4 (22... ♖a7 23. hg6 △ ♘e6) 23. hg6 ♕d3!? 24. ♖d3 ♗d3 25. ♔a1 ♗g6 26. g4 ♖c2 27. ♖g1 △ f5+−] **16. ♕h4** [16. a3?! f6 17. ef6 ♖f6 △ e5↑⇔f; 16. ♖he1 b4 17. ♘e2 ♖ac8] **♘e4** [16... ♘d3? 17. cd3 b4 18. ♘e2 △ ♘d4±⊥] **17. ♘e2?!** [17. ♗e4!? de4 18. ♕e1 △ 18... f6 19. ♖d6!] **b4 18. ♖he1?!** [△ 18. ♕e1 a5 19. ♘g3] **♖ac8 19. ♖c1 f6! 20. ef6 ♖f6∓** [×♕h4] **21. ♗e4 de4 22. c3 ♕c4! 23. ♖cd1** [23. cb4?! ♕d3 24. ♔a1 ♖c1 25. ♘c1 ♕d2∓; 23. ♕f2 ♗d5 24. b3 ♕d3 25. ♔b2 e3 26. ♕f1 bc3 27. ♘c3 ♖c3! 28. ♖c3 ♕d2 29. ♖c2 ♕d4 30. ♔a3 ♖f4 31. ♕g1 (31. ♕a6 ♕b4 △ ♕e1) ♖f2 32. ♖d1 (32. ♖ec1 ♗e4 33. ♖f2 ef2 △ ♗d3) ♕b6!∓ △ 33. ♖f2 ef2 34. ♕f1 ♗c6 △ ♗b5, △ 33. ♔b2 a5 △ a4] **a5 24. ♖d4** [24. ♕f2 e5 25. g3 a4

26. ♕e3 ♗d5→≪| ♕c5 25. ♕g5?! [△ 25. ♕f2 △ ♖d8] ♕g5 26. fg5 ♖f2 27. cb4 e5!∓⊥ 28. ♖d7 ♗a6 29. ♘c3 [29. ♘c1 ab4 30. ♖d5 (30. ♖e4? ♖f1) ♖cc2 31. ♖e5 ♖b2 32. ♗a1 ♗d3 33. ♘d3 ♖a2 34. ♔b1 ed3−+] ♗d3 30. ♔a1 ab4 31. ♘d5 ♖cc2 32. ♘b4 ♖b2 33. a3 ♖b3 34. ♖a7 [34. ♘d3 ♖a3 35. ♔b1 ♖d3 36. ♖e7 ♖dd2 37. ♖e5 ♖b2 38. ♔c1 ♖a2 39. ♖b5 (39. ♔b1 ♖fb2 40. ♔c1 ♖g2) ♖a1 40. ♖b1 ♖b1 41. ♔b1 ♖g2 42. ♖e4 (42. h4 ♖g4 43. ♖h1 ♔f7 △ ♔g6-h5) ♖g5! (42... ♖h2? 43. g6!=) 43. ♖e2 ♖c5−+] ♗c4?⊕ [34... e3! △ e2−+] 35. ♖c1 ♖f1 36. ♖f1 ♗f1 [△ ♖ 9/i] 37. ♘c6 [37. ♘c2!? ♗g2 38. ♔a2 (38. ♖a5 ♗f1 △ ♗d3) ♖h3 39. ♖a5 ♖h2 40. ♖e5∓] e3 38. ♘e5 ♗g2 39. ♖c7 ♔f8 40. ♖c2 ♗d5 41. ♖e2 ♗e6 42. ♖e1 [42. h4 ♔e7 43. ♘c6 ♔d6 44. ♘d4 ♖a3 45. ♔b1 (45. ♔b2 ♖a2 46. ♔c3 ♖e2 47. ♘e2 ♔e5 48. ♔d3 ♖g4) ♗g4 46. ♖e1 ♖d3 47. ♘c2 e2−+] ♔e7 43. ♘c6 ♔d6 44. ♘d4 ♖a3 45. ♔b2 [45. ♔b1 ♔e5 46. ♘c2 ♖b3 △ ♔e4] ♖d3 46. ♘c2 ♖d2 47. ♔c3 ♖h2 48. ♖e3 [48. ♖e3 ♖g2 49. ♘d4 ♗d7 50. ♘f3 ♗c6 51. ♘d4 ♖g5! 52. ♖e6 ♔d5 53. ♖c6 ♖g3 △ ♔d4−+] ♖h5 49. g6 [49. ♖g1 ♔e5 h6 50. ♘g2 [50. ♖g1 ♔e5 △ ♔f6, ♖g5] ♖f5 51. ♘d4 [51. ♖e2 ♖f6 52. ♘h4 ♖f4 53. ♖h2 ♗d5! 54. ♔d3 ♔e5 55. ♔e3 ♗e4 56. ♖h3 ♖g4−+] ♖f2 52. ♖g1 ♖f6 53. ♘e3 ♖f4 54. ♔d3 ♔e5 55. ♖a1 ♗f5−+ 56. ♔c3 ♔e4 [56... ♗g6? 57. ♖g1] 57. ♘g2 ♖f3 58. ♔c4 ♖f2 59. ♘h4 ♗h3! 60. ♖a7 ♗e6 61. ♔c5 ♖f4 62. ♔d6 ♗c4 63. ♔e7 h5 64. ♖c7 ♗d5 65. ♘g2 ♖g4 66. ♘e1 ♖g6 67. ♔f8 h4 68. ♖a7 ♖f6 [69. ♔g7 ♖f7; 69. ♔e8 ♗c6 70. ♔e7 h3 71. ♖a2 ♖h6 72. ♖h2 g5] **0 : 1** [Vlado Kovačević]

354.*   C 11

HØI 2460 − SAX 2610
Lugano 1989

1. d4 ♘f6 2. ♘c3 e6 3. e4 d5 4. ♗g5 de4 5. ♘e4 ♗e7 6. ♗f6 gf6 7. ♘f3 f5 8. ♘g3! c5 N [8... h5 9. ♗c4! (9. ♘e5 h4 10. ♘h5 ♘d7∞) ♗f6 10. ♕e2 ♔f8 11.

189

0-0-0 h4 12. ♘f1⩲] **9. ♕d2** [9. ♗b5! ♗d7 (9... ♘c6 10. ♕d2 cd4 11. ♘d4 ♗d7 12. 0-0-0⩲) 10. ♗d7 ♘d7 (10... ♕d7 11. d5! ed5 12. ♕d3 ♘c6 13. 0-0-0 f4 14. ♘h5 ♕g4 15. ♕d5 ♖d8 16. ♕f5!± Šabalov 2425 – Savčenko 2480, Tbilisi 1989) 11. d5 ♕b6 12. ♕e2!⩲] **cd4 10. 0-0-0 h5!?** [10... ♘c6 11. ♗b5 ♗d7 12. ♘d4⩲] **11. h4** [11. ♗b5 ♘c6 (11... ♗d7?! 12. ♕d4 ♗f6 13. ♕a4 h4 14. ♘f5!→) 12. ♖he1 h4 13. ♘e2 ♕b6 14. ♘ed4⩲] **♘c6 12. ♗b5 ♗d7 13. ♘d4 ♗f6?** [⌓ 13... ♕c7 △ 0-0-0] **14. ♘gf5?** [14. ♗c6 bc6 15. ♖he1⩲; 14. ♘df5!! ef5 15. ♕d6 ♗e7 (15... ♖c8 16. ♖he1 ♗e6 17. ♖e6+–) 16. ♖he1 ♖c8 17. ♘f5! ♗f5 18. ♗c6 bc6 19. ♕e5!+–] **ef5 15. ♖he1 ♔f8 16. ♘c6 bc6** [16... ♗c6? 17. ♕b4] **17. ♕d6 ♔g7 18. ♗c4** [18. ♕g3 ♔h7! (18... ♔f8 19. ♕d6=) 19. ♗c4 ♖f8 20. ♕d6 ♗c8 21. ♕c5 ♕b6! 22. ♕f8 ♕b2 23. ♔d2 ♗e6! 24. ♕a8 ♕b4∓] **♕b6 19. ♗b3 ♗e8 20. ♖e3** [20. ♕g3 ♔h7 21. ♖d6 ♖g8 22. ♕f3 ♖g6 23. ♕f5 ♔g7 24. ♖f6 ♖f6 25. ♕g5 ♖g6 26. ♕e5 ♔g8–+] **♖h6!–+ 21. ♕f4 ♖g6 22. ♖de1 ♗d7 23. c3 ♕c5 24. ♖d1 ♗e8⊕ 25. ♕c7** [25. ♖de1 ♔f8] **♕f8 26. ♕b7 ♖d8 27. ♖d8 ♗d8 28. ♕c8 f4 29. ♖d3 ♖d6 30. ♕f5 ♕e7 31. ♖d6 ♕d6 32. ♗c2 ♕h6 33. ♕e4 ♔f8 34. ♕d4 ♗b6⊕ 0 : 1** **[Sax, Hazai]**

355. C 11

ERNST 2460 – BORGES MATEOS 2535
Tallinn 1989

1. e4 e6 2. d4 d5 3. ♘c3 ♘f6 4. ♗g5 de4 5. ♘e4 ♗e7 6. ♗f6 gf6 7. ♘f3 b6 8. ♗d3 ♗b7 9. ♕e2 ♘d7 10. 0-0-0 c6 11. ♔b1 ♕c7 12. c4! 0-0-0 13. d5!? ♘f8 N [13... ed5 14. cd5 cd5 15. ♘g3=/∞ △ 16. ♕e7, 16. ♖c1; 13... ♘e5! – 16/186] **14. de6?** [14. ♘d4! ed5 15. cd5 ♖d5 16. ♗c4 ♖d8 17. ♗f7±] **♘e6! 15. g3 ♔b8 16. ♘c3 ♗b4 17. ♕c2 ♗c3!? 18. ♕c3 c5! 19. ♕f6□ ♘f4** [19... ♘d4!? 20. ♘d4 ♗h1 21. ♘b5 ♕c6 22. ♕f7 ♖d7 23. ♕f4 ♔b7 24. ♗e2!∞] **20. ♗c2!□ ♗f3** [20... ♘h5 21. ♕c3] **21. ♖d8 ♖d8 22. ♖e1 ♘g2** [22... ♘d3? 23. ♗d3 ♖d3 24. ♖e8 ♔b7 25. ♖e7 ♖d7 26. ♕f3] **23. ♖e7=/∞ ♕d6** [23... ♕c6 24. ♕f7] **24. ♕f7 ♗c6 25. ♕h7 ♕f6?** [25... ♖e8 26. ♖e8 ♗e8 27. ♔c1±] **26. ♖a7 ♕d6 27. ♖e7 ♖e8 28. ♖e8 ♗e8 29. ♕e4?** [29. ♔c1+–] **♗c6 30. ♕e2 ♕f6 31. h4 ♗f3 32. ♕e8 ♔c7 33. a3 ♗c6 34. ♕e2 ♗f3 35. ♕e8 ♗c6 36. ♕e2 ♗f3 37. ♕d2 ♕e5 38. ♗g6 ♕e6 39. ♗d3 ♘e1 40. ♕f4 ♔b7 41. ♕f5 ♕c6 42. ♔a2 ♔a6 43. ♗b1 ♕a4 44. ♕f4 ♕d1 45. ♕e3 ♗e2 46. ♕e4 ♗f3 47. ♕e8! ♕c1 48. ♕e6 ♘c2? 49. ♕c8 ♔a7** [49... ♗b7 50. ♕e8+–] **50. ♕d7 ♔b8 51. ♕e8 1 : 0 [Ernst]**

356. C 11

AM. RODRIGUEZ 2515 – BORGES MATEOS 2535
Holguin 1989

1. e4 e6 2. d4 d5 3. ♘c3 ♘f6 4. ♗g5 de4 5. ♘e4 ♗e7 6. ♗f6 gf6 7. ♘f3 b6 8. ♗c4 ♗b7 9. ♕e2 c6 10. 0-0-0 ♕c7 11. ♖he1 ♘d7 12. ♔b1 0-0-0 13. ♗a6 ♖hg8 14. ♗b7 ♔b7 15. g3 f5 16. ♘ed2 h5!? N [△ h4, f4⇆⇔g, ×g3; 16... ♘f6?! – 16/185] **17. ♘c4 h4 18. ♖d3!** [18. gh4?!; 18. ♘ce5 ♘e5 19. ♘e5 ♗d6=] **♖g4** [18... hg3 19. hg3 f4 20. gf4 ♕f4 21. ♘fe5! ♘e5 22. ♘e5± △ ♖f3; 19... ♖g4] **19. ♘e3 hg3□** [19... ♖g6 20. ♘f5 ♗b4 21. ♘5h4+–] **20. hg3** [20. ♘g4?! fg4 21. ♘e5 ♘e5 22. de5 gh2!∞ △ 23. ♕g4 ♕e5!] **♖gg8?** [20... ♖e4? 21. ♘d2+–; 20... ♖g6! △ 21. ♘f5 ♗b4 22. c3 (22. ♘5h4 ♗e1 23. ♘g6 ♗f2 24. ♕f2 fg6=) ♗c3 23. ♖c3 ef5∞] **21. ♘f5! ♗b4 22. c3 ef5?!** [22... ♗c3 23. ♖c3 ef5 24. ♖ec1 ♖g6 25. ♕c2±] **23. cb4 f4 24. gf4 ♘f6 25. ♖a3 ♘d5 26. b5+– c5?** [⌓ 26... cb5 27. ♕b5 f6] **27. ♘e5 ♖ge8 28. ♕d1!?** [28. ♘c6 ♖e2 29. ♖a7 ♔c8 30. ♖c7 ♔c7 31. ♖e2 ♖d7 32. dc5+–⊥] **♘b4 29. ♕f3?!** [29. ♕a4 △ dc5+–] **♔b8 30. ♖ae3 ♖e6 31. d5!?⊕** [31. dc5 ♕c5⇆⇔d] **♘d5□** [31... ♖d5? 32. a3+–] **32. ♖d3 ♘e7 33. ♖ed1 ♖ed6 34. ♖d6?** [34. ♘f7! ♖d3 35. ♖d3 ♖d3 36. ♕d3 ♕f4 37. ♕d6+–⊥] **♖d6 35. ♖d6** [35. ♘f7!? ♖f6!?] **♕d6 36. ♕d3?** [36. ♘f7?? ♕g6–+; 36. ♔c2⩲] **♕d3 37. ♘d3 ♔c7**

38. ♘e5 f6 39. ♘g4 f5 40. ♘e3 ♔d6 41. ♔c2 ♔e6 42. ♔d3 ♘d5! 43. ♘d5 ♔d5 44. b3   1/2 : 1/2   [Am. Rodríguez]

357.   **C 11**

DOLMATOV 2580 − LEIN 2485
Moskva (GMA) 1989

1. e4 e6 2. d4 d5 3. ♘c3 ♘f6 4. ♗g5 de4 5. ♘e4 ♗e7 6. ♗f6 ♗f6 7. ♘f3 ♗d7 8. ♕d2 ♗c6 9. ♘f6 gf6 N [9... ♕f6 − 9/169] 10. ♗e2 ♕d6 11. 0−0?! [11. 0-0-0?! ♘d7 △ 0-0-0∞; 11. c4! ♖g8 (11... ♘d7 12. ♖d1± △ d5) 12. 0−0 ♘d7 13. ♖fd1± △ d5] ♘d7 12. c4 0-0-0 13. ♖fd1 ♗f3!? [13... ♘f8] 14. ♗f3 ♘e5 15. ♗e2 c5 [15... ♘c6 16. d5 ed5 (16... e5 17. ♗h5!) 17. cd5 ♘e7 18. ♗f3±] 16. d5 ed5 [16... ♘c6 17. ♗h5!] 17. cd5 h5?! [17... ♔b8 18. a4!? (18. ♕c3 ♖hg8 19. ♖ac1) ♘c6 19. ♖a3 ♘d4 20. ♗c4 △ 21. ♖h3, 21. ♖g3±] 18. b4!? [18. ♖ac1 ♔b8 19. ♕c3] c4 [18... cb4 19. ♖ab1 ♔b8 (19... ♘g4 20. g3) 20. ♖b4 △ ♖h4±] 19. ♖ac1 ♔b8 [19... b5 20. a4 a6 21. ab5 ab5 22. ♖a1→] 20. ♗c4? [20. f4 ♘d3 21. ♗d3 cd3 22. ♕d3 ♕f4 23. d6±; 20. ♕d4!? △ f4] ♘g4 21. f4☐ [21. g3 h4 (△ ♘h2) 22. ♕f4 ♕f4 23. gf4 ♖hg8] ♖he8 22. ♕d4☐ f5 [△ ♗e4] 23. ♗d3 [23. ♖e1 ♖e1 24. ♖e1 ♕b4 25. ♖c1 (25. ♖d1? ♖c8 26. d6 ♖c4-+) b5! (25... ♖d5? 26. ♕h8; 25... ♖e8 26. d6 ♖e1 27. ♖e1 ♕e1 28. ♗f1 ♕e3 29. ♕e3 ♘e3 30. ♗b5!?±) 26. h3 bc4 27. hg4 hg4∞] ♘e3! [23... ♕d5 24. ♕d5 ♖d5 25. ♗b1!±] 24. ♖e1 ♕d5 25. ♕d5 ♘d5! [25... ♖d5? 26. ♗c4±] 26. ♖e8 ♖e8 27. ♖c4 [27. ♗f5] ♖e1! [27... ♘e3 28. ♖c5! (△ ♖e5; 28. ♖d4? ♘g4) ♘g4 29. ♖c1±] 28. ♔f2 ♖a1 29. ♗f5 ♖a2 30. ♔f3 [30. ♔g3? ♖g2] a6 31. ♖d4 ♘e7 32. ♖d8 ♔a7 33. ♗e4 [33. ♗h7!? ♖b2 (33... ♖a3 34. ♖d3) 34. ♖d7 ♖b3 35. ♔f2 ♘c6⇆] f5☐ 34. ♗b7 ♖a3 35. ♔f2 ♔b7 36. ♖d7 ♔b6 37. ♖e7 ♖b3? [37... h4!± △ 38. ♖f7 ♖a2, △ 38. g3 h3] 38. ♖f7 ♖b4 [△ 38... h4] 39. ♖f6!+− ♔b5 40. ♖f5 ♔c4 41. ♖h5 ♖b8 42. ♖a5 ♖a8 43. h4 ♔b4 44. ♖a1 a5 45. h5   1 : 0

[Dolmatov, Dvoreckij]

358.   **C 11**

SAX 2610 − EHLVEST 2600
Rotterdam 1989

1. e4 e6 2. d4 d5 3. ♘c3 ♘f6 4. ♗g5 de4 5. ♘e4 ♗e7 6. ♗f6 ♗f6 7. ♘f3 0−0 8. ♕d2 b6 9. 0-0-0 ♗b7 10. ♕f4 ♘d7 11. ♗d3 ♗e7 N [11... g6] 12. h4 [12. ♖he1] ♘f6 13. ♘eg5 ♕d6!? [13... ♗f3 14. ♘f3 ♕d6 15. ♘e5 c5=] 14. ♘e5 ♖ad8 [14... c5? 15. dc5 ♕c5 16. ♘d7±] 15. ♖h3?! [15. ♔b1; 15. ♘e4=] c5 16. ♖g3

16... ♕d4!! [16... cd4? 17. ♗h7 ♘h7 18. ♘gf7 △ ♘h6, ♘g6#] 17. ♗h7 ♘h7 18. ♖d4 ♖d4 19. ♕e3 [19. ♘gf7 ♘g5!☐∓] ♘g5 20. hg5 ♖e4 21. ♕c3 ♗d6 22. f4 ♖f4∓ [⌐, ×g2, g5] 23. ♖d3 ♗d5 24. ♘f3 ♖g4!-+ [×g2] 25. ♕e1 c4 26. ♖d4 ♖g2 27. ♕d1⊕ ♖d8 28. b4 ♖g3 29. ♘e1 ♖g5 30. a3 ♖g1 31. ♕e2 c3 32. ♕f2 ♖h1 33. ♖d1 ♖h2 34. ♕d4 ♖c8 35. ♘d3 ♖c4 36. ♕e3 ♖g4 37. ♖f1 f5 38. ♘e1 ♖h1 39. ♕e2 ♖e4 40. ♕d3 ♖e1   0 : 1

[Ehlvest]

359.   **C 14**

AM. RODRIGUEZ 2515
− MOSKALENKO 2490
Holguin 1989

1. e4 e6 2. d4 d5 3. ♘c3 ♘f6 4. ♗g5 ♗e7 5. e5 ♘fd7 6. ♗e7 ♕e7 7. f4 a6 8. ♘f3 c5 9. dc5 ♕c5 10. ♕d2 ♘c6 11. 0-0-0 N [11. a3] b5 [11... ♘b6!? △ ♗d7, ♖c8] 12. ♘e2! b4 13. ♘ed4 ♘d4 14. ♘d4 0−0

[14... a5 15. f5!?→] **15. ♔b1 a5 16. h4± ♕b6 17. ♗d3** [17. ♖h3 f6! 18. ef6 ♘f6∞] **♗a6** [△ 18... ♗d3 19. ♕d3 ♘c5 ×e4] **18. ♕e3! ♗d3 19. cd3 b3 20. a3 ♖fc8** [20... ♖ac8!? △ ♘b8] **21. ♖he1!± ♘c5 22. f5→» ♘a4** [△ ♖c2!] **23. ♖d2!** [23. ♖c1 ef5!] **♖ab8** [23... ef5 24. ♘f5 ♕e3 25. ♖e3 (△ ♘e7) ♖c7 26. d4! (×b3, ♘a4) ♖b8 27. ♖dd3 ♖cb7 28. ♖g3 g6 29. ♘d6 ♖b6 30. ♖df3 △ h5+−] **24. f6! ♕d8** [24... ♖c2? 25. ♕g5+−] **25. ♕f4+− ♘c5 26. ♖e3 ♘d7 27. ♖g3 g6 28. ♖d1!** [28. h5 ♕c7!] **♔h8 29. h5 ♕c7 30. ♕h6 ♕c2** [30... ♖g8 31. hg6 fg6 32. ♕h7!] **31. ♘c2 bc2 32. ♔c1 cd1♕ 33. ♔d1 ♖g8 34. hg6** [34... fg6 35. ♕h7!] **1 : 0**
[Am. Rodríguez]

360.*** **C 14**

SAX 2610 – TIMMAN 2610
Rotterdam 1989

1. e4 e6 2. d4 d5 3. ♘c3 ♘f6 4. ♗g5 ♗e7 5. e5 ♘fd7 6. ♗e7 ♕e7 7. f4 0–0 8. ♘f3 c5 9. ♕d2 ♘c6 10. 0-0-0 ♘b6 [RR 10... cd4 N 11. ♘d4 ♘b6 12. ♕e3 ♕c5? 13. h4 ♗d7 14. ♖h3 ♖ac8?! 15. ♖g3! ♘d4 16. ♖d4 ♕e7 17. h5 f5 18. ef6 ♕f6 19. ♖g5!± N. Short 2665 – Gulko 2590, Hastings 1988/89; ⌓ 12... ♗d7 △ f6; 10... a6 N 11. h4 b5 12. ♖h3 f6 13. dc5 ♕c5 14. ♖g3 ♘b6 15. ♗d3 f5∞ de Firmian 2570 – Dreev 2520, New York 1989] **11. dc5 ♕c5 12. ♔b1** [12. ♘d4 – 45/325] **♗d7 13. ♗d3 ♖ac8 N** [13... ♖fc8 14. ♘b5!± Sax 2600 – Kortchnoi 2595, Rotterdam 1988] **14. ♗h7!? ♔h7 15. ♘g5 ♔g8 16. ♕d3 ♖fe8□ 17. ♕h7 ♔f8 18. ♕h5** [18. ♘ge4 de4 19. ♘e4 △ ♕h8-h4=] **♔e7 19. ♘f7 ♘a5!□ 20. ♘d6** [20... ♔d8 21. f5! ef5 22. ♘e8 ♗e8 23. ♕f5∞] **1/2 : 1/2** **[Timman]**

361.* **C 14**

J. PLACHETKA 2450 – BAREEV 2555
Trnava 1989

1. e4 e6 2. d4 d5 3. ♘c3 ♘f6 4. ♗g5 ♗e7 5. e5 ♘fd7 6. ♗e7 ♕e7 7. f4 0–0 8. ♘f3 c5 9. dc5 ♘c6 [RR 9... ♘c5 10. ♗d3 ♘d3 N (10... f6 – 46/372) 11. cd3 (11. ♕d3!? ♕b4?! 12. ♘g5 g6 13. ♕h3 h5 14. 0–0±; 11... f6!?) d4 12. ♘e4 ♘c6 13. a3 (13. 0–0!?) f6 14. ef6 (14. 0–0 fe5 15. fe5 ♖f5 16. ♕a4 ♘e5 17. ♘e5 ♖e5 18. ♕d4 ♖d5 19. ♕e3 ♗d7=) gf6 15. 0–0 e5 (Bagirov 2460 – Knaak 2465, Berlin 1989) 16. ♕e1! f5 (16... ♗f5 17. ♘h4 ♗g6 18. f5±) 17. ♘g3 ef4 18. ♕e7 ♘e7 19. ♘h5 ♘d5 20. ♘d4± Bagirov] **10. ♗d3 f5?! N** [10... f6] **11. 0–0!? ♘c5 12. ♘e2 ♗d7 13. ♘ed4 ♗e8 14. ♕d2 ♘e4 15. ♕e3 ♗h5 16. a3** [16. c4!?] **♗f3 17. ♘f3 a5 18. c4!± ♕c5□ 19. ♕c5 ♘c5 20. cd5!** [20. ♗e2? d4∓] **♘d3 21. dc6 bc6 22. ♘d4 ♖fe8 23. ♖f3! ♘b2 24. ♖b1?!** [24. ♘c6! ♖a6 25. ♖c1±] **♘a4!** [24... ♘c4? 25. ♖c3 ♘d2 26. ♖b2 ♘e4 27. ♖c6± ×e6] **25. ♘c6 ♖a6 26. ♖c1 ♘b6 27. g3 ♘d5 28. ♘d4± ♖d8** [28... ♖b8 29. ♖d3 △ 30. ♘e6, 30. ♘f5]

29. ♖c6?! [29. ♘e6! ♖e6 30. ♖d3 ♖b6 (30... ♖e7 31. ♖cd1 ♖ed7 32. e6 ♖d6 33. e7 ♖e8 34. ♖d5 ♖d5 35. ♖d5 g6! 36. ♖a5 ♖e7±) 31. ♖c5 ♖b1 32. ♔f2 ♖b2 33. ♔f3 a4□ (△ ♖b3; 33... ♖h2? 34. ♖cd5 ♖d5 35. ♖d5+−) 34. ♖cd5 ♖d5 35. ♖d5 ♖b3 36. ♔f2 ♖a3 37. e6 ♔f8□ 38. ♖f5 ♔e7 39. ♖f7 ♔e6 40. ♖g7 ♖a2 41. ♔f3 (41. ♔g1? a3 △ 42. ♖h7?? ♖b2−+) ♖h2 42. ♖a7±] **♖c6 30. ♘c6 ♖c8!⇆** [30... ♖a8? 31. ♖b3!±] **31. ♘a5 h6 32. h4 ♖c1 33. ♔f2 ♘c3! 34. ♘b3 ♘e4 35. ♔e2 ♖c2 36. ♔e1 ♖a2= 37. ♘d4 ♖a1 38. ♔e2 ♖a2**

39. ♔e1□ [39. ♔f1? ♘d2; 39. ♔d1? ♖d2–+] ♖a1 40. ♔e2   1/2 : 1/2
[J. Plachetka]

362.   C 15

S. ĐURIĆ 2475 − TATAI 2395
Forli 1989

1. e4 e6 2. d4 d5 3. ♘c3 ♗b4 4. ♗d3 ♘c6?! N [4... de4; 4... c5!=] 5. a3 ♗a5 [5... ♗c3 6. bc3±] 6. ♘f3 ♘f6 7. ed5 ♘d5 [7... ed5 8. 0–0±] 8. ♗d2 ♘c3 9. bc3 h6 10. 0–0 0–0 11. ♖e1 ♘e7 12. ♘e5 ♘d5 13. ♕h5 f5 [13... ♗c3 14. ♗h6 f5 15. ♗g5 ♕e8 16. ♘g6+−] 14. ♗h6 gh6 15. ♕g6 ♔h8 16. ♕h6 ♔g8 17. ♕g6 ♔h8 18. c4!! ♗e1 19. ♖e1 ♘f6 20. ♖e3?! [20. ♕f7! ♖g8 (20... ♖f7 21. ♘f7 ♔g7 22. ♘d8+−) 21. ♖e3 ♘h7 22. ♖h3 ♖g7 23. ♘g6+−] ♘h7 21. ♖g3 ♕e7 22. ♕h5 ♖f6 23. ♕h4 ♕f8 24. ♗e2 ♗d7⊙ [24... b6 25. ♗h5 ♖h6 (25... ♗b7 26. ♗g6+−) 26. ♘g6 ♖g6 27. ♗g6 ♕g7 28. ♗h7+−] 25. ♘d7 ♕h6 26. ♕h6 ♖h6 27. ♘e5 ♖f6 28. ♗h5 ♘f8 29. c5 ♔h7 [△ 29... f4] 30. f4 ♖d8 31. c3 c6 32. ♗f7 ♖d5? [32... ♔h6] 33. ♗g8 ♔h6 34. ♘f7 ♔h5 35. ♖g5 ♔h4 36. ♔f2 ♖g6 37. g3   1 : 0   [S. Đurić]

363.*   C 15

HAWEŁKO 2455 − WŁ. SCHMIDT 2460
Polska (ch) 1989

1. e4 e6 2. d4 d5 3. ♘c3 ♗b4 4. ♘e2 de4 5. a3 ♗c3 6. ♘c3 ♘c6 7. ♗e3 ♘f6 8. ♕d2 b6!? N [8... ♘e7 9. ♗g5 ♘ed5 10. 0-0-0 ♗d7 11. f3 ♘c3 12. ♕c3 ♗c6?! N (12... ♘d5 − 44/(347)) 13. d5!!± Wojtkiewicz 2460 − Wł. Schmidt 2460, Polska (ch) 1989] 9. 0-0-0 ♗b7 10. ♗g5 h6!? 11. ♗f6 ♕f6 12. ♘e4 ♕e7∞ 13. ♕c3 0-0-0 14. ♗b5 ♘d4! 15. ♖d4 ♗e4 [15... ♖d4?? 16. ♕d4 ♖d8 17. ♕e3 ♗e4 18. ♕e4 ♕g5 19. f4 ♕b5 20. ♕a8 ♔d7 21. ♖d1+−] 16. ♗a6 ♗b7 17. ♖d8 [17. ♕c6? ♖d4 18. ♕b7 ♔d7 19. ♗b5 ♔d6 20. ♕c6 ♔e5 21. ♖e1 ♔f6 22. ♕f3 ♔g6 23. ♗d3 ♖d3

24. ♕d3 f5∓] ♖d8 18. ♗b7 ♔b7 19. ♕g7 ♕h4!? [19... ♕g5 20. ♕g5 hg5 21. ♖d1 ♖h8 22. h3 ♔c6=] 20. ♕f7 [20. g3 ♕c4 21. ♕f6] ♕g5 21. ♔b1 ♕g2 22. ♖e1 ♕h2 23. ♕f3!? ♔b8 24. ♖e6 ♕g1 25. ♔a2 ♕g8 26. ♕b3 h5 27. f4 ♕f8 [27... ♕g4 28. ♖h6 h4 29. ♕f7] 28. ♕f3 ♕f5 29. ♕e4⊕ [29. ♖e5!? ♕c2 30. ♖h5 ♕c4 31. ♔b1=] ♕e4 30. ♖e4 [♖ 7/i] ♔c8 31. ♗b3 [31. f5?! ♖d5 32. ♖f4 ♔d7∓; 31. ♖e5! ♖h8 32. f5 ♔d7 33. f6 h4 34. f7 h3 35. ♖h5 ♖f8=] ♔d7 32. ♔c4?! [△ 32. ♖e5 ♖h8 33. f5 h4 34. f6 h3 35. f7 h2 36. ♖e1=] ♖h8 33. ♔d5 c6 34. ♔d4 [34. ♔e5 ♖e8–+] h4 35. ♖e2 h3 36. ♖h2 ♔e6 37. ♔e4 a5 38. a4 b5 39. b3 [39. ab5 cb5 40. c3 b4] ba4 [39... b4!?] 40. ba4 ♖h4 41. c3 c5?! [△ 41... ♔f6 42. c4 ♔e6 43. ♔d4 ♔f5] 42. c4 ♔f6 43. ♔d5 ♖h5 44. ♔d6 ♔f5 45. ♔c5 ♔f4 46. ♔b6 ♔g3 47. ♖h1 ♔g2 48. ♖a1 h2 49. c5 h1♕ 50. ♖h1 ♖h1 51. ♔a5 ♖c1   1/2 : 1/2
[Wł. Schmidt]

364.*   C 16

NUNN 2620 − L. HANSEN 2540
Lugano 1989

1. e4 e6 2. d4 d5 3. ♘c3 ♗b4 4. e5 ♘e7 [RR 4... b6 5. ♕g4 ♗f8 6. ♕g3 N (6. ♘h3 − 44/349) ♘e7 7. ♗g5 ♘f5 8. ♗d8 ♘g3 9. hg3 ♔d8 10. 0-0-0 ♗e7 11. f4 ♗d7 12. ♘f3 c5 13. g4 ♘c6 14. g5± Ljubojević 2580 − L. Portisch 2610, Linares 1989] 5. a3 ♗c3 6. bc3 b6 7. ♘h3! [△ ♘f4-h5±] ♘g6!□ 8. a4 ♗a6?! [8... c5 9. a5 (9. ♗b5 ♗d7 10. ♗d3 ♘c6=) ♗a6 10. ♗a6 ♘a6 11. 0–0±] 9. ♗a6 ♘a6 10. 0–0 ♘b8 11. f4 N [11. ♕g4 − 33/422] ♕d7 [11... ♘e7 12. g4! g6 (12... h5 13. f5! hg4 14. fe6 gh3 15. ♖f7! △ ♕g4, ♗g5+−) 13. f5! gf5 14. ♗g5 ♖g8 15. ♔h1! fg4 16. ♕g4 h6 (16... ♕d7 17. ♕h5 ♘g6 18. ♖f3 △ ♖af1+−) 17. ♗e7 ♖g4 18. ♗d8 ♔d8 19. ♖f7± Nunn] 12. f5!± ef5 13. ♕h5 ♘f8□ 14. g4 g6 15. ♕h6 [15. ♕h4! fg4 16. ♘g5 ♘e6 17. ♘f7! (17. ♖f7?? ♘g5) ♖f8 (17... 0–0 18. ♘h6 ♔h8

19. ♖f8 ♘f8 20. ♕f6 ♕g7 21. ♗g5+−) 18. ♕h7! ♖f7 19. ♕g6 ♘f8 20. ♕h5 ♘c6 21. ♗a3 ♘d8 22. e6 △ ♖ae1+−] **♖g8! 16. ♗a3 ♘c6 17. ♗f8 ♖f8 18. gf5 0-0-0 19. ♔h1?** [19. ♘g5 gf5□ 20. ♔h1!±] **♘e7 20. f6□ ♘f5 21. ♕f4 ♘d4!∓ 22. cd4 ♕h3 23. a5 b5!** [23... ♔b7? 24. ab6 ab6 25. e6! ♕e6 26. ♖a7! ♔a7 27. ♕c7 ♔a6 28. ♖a1 ♔b5 29. ♖b1=] **24. ♖f3 ♕e6 25. a6!** [25. ♕d2 a6−+] **c6 26. ♕d2 ♔b8 27. ♕b4 ♖fe8!** [27... ♔a8 28. ♕e7!] **28. ♖c3 ♔a8 29. ♖b1 ♖c8?⊕** [29... ♖b8! △ ♖b6−+] **30. ♖c5 ♕g4** [30... ♖b8!] **31. ♕c3! ♕e4 32. ♔g1 ♕g4 33. ♔h1 ♕d7 34. ♖b3⊕ h5 35. h3 ♕f5?!** [35... ♖g8! △ g5-g4∓] **36. ♖c6 ♕f1 37. ♔h2 ♕f2**
1/2 : 1/2 **[L. Hansen]**

365.* **C 17**

AN. KARPOV 2750 – NOGUEIRAS 2575

Rotterdam 1989

1. e4 e6 2. d4 d5 3. ♘c3 ♗b4 4. e5 ♘e7 5. ♗d2 c5 [RR 5... 0−0 6. ♗d3 c5 7. dc5 ♘ec6! N (7... ♘d7) 8. f4 (8. ♘f3 f6 9. ef6 ♕f6=; 8. ♕h5 g6 9. ♕e2 ♘d4!∞; 8. a3 ♗c3 9. ♗c3 d4 10. ♗d2 ♘e5 11. ♗h7 ♔h7 12. ♕h5 ♔g8 13. ♕e5 ♘c6=/∞ A. Černin) ♘d7 9. ♘f3 f6 10. ♕e2 ♘c5 11. 0−0 ♘d3 12. cd3 fe5 13. fe5 (13. ♘e5 ♘e5 14. ♕e5 ♗c5! 15. ♔h1 ♖f5∓) ♗d7= Hort 2580 − A. Černin 2580, Lugano 1989] **6. ♘b5 ♗d2 7. ♕d2 0−0 8. dc5 ♘d7 9. f4! ♘c5 10. ♘d4 N** [10. ♘d6? − 8/186] **♕b6=** [10... b6 11. ♘gf3 ♗a6 12. ♗a6 ♘a6 13. 0-0-0 ♘c5 14. g4±] **11. 0-0-0 ♗d7 12. ♘gf3 ♖fc8 13. ♕e3 ♖c7** [13... ♘a4! 14. ♕b3 (14. ♕a3 ♖c7! 15. ♖d2 ♖ac8=) ♕c5! 15. ♔b1 (15. ♕b7 ♗c6 16. ♕a6 ♕b4!) b5!=] **14. ♔b1 ♖ac8** [⌓ 14... ♘a4 15. ♕b3 ♕a5] **15. ♖c1 a6 16. g4 ♘c6 17. h4 ♘e4 18. ♖h2 ♘a5 19. ♗d3 ♘c5** [19... ♘c4!? 20. ♗c4 ♖c4∞] **20. c3± ♘a4 21. ♔a1 ♗b5 22. ♗b1?!** [22. ♗b5 ab5 23. f5 b4 (23... ♘c4 24. ♕f4 b4 25. f6±) 24. f6! bc3 25. b3±] **♘c4= 23. ♕e1 ♘cb2! 24. ♖b2 ♘b2 25. ♔b2 ♗e2! 26. ♔a1 ♗f3 27. ♘f3 ♕a5 28. ♘d4** [28. ♔b2=] **♕a3! 29. ♘b3 b5?!** [29... a5! 30. f5 a4 31. ♘d4 ♖c3 32. ♖c3 ♕c3 33. ♕c3 ♖c3 34. fe6 fe6 35. ♘e6 ♖e3∓] **30. f5 b4 31. ♖c2! ♖c3?** [31... bc3∞] **32. ♖b2! a5 33. ♕d2 a4?** [33... ♖g3!? 34. ♖c2 ♖cc3∞] **34. ♘d4+− ♖3c4 35. fe6 fe6 36. ♘e6 ♕c3 37. ♕d5! ♔h8 38. ♘g5 ♖f4 39. ♘e4! ♕c1 40. ♖b4 a3 41. ♖b3** **1 : 0**
[Nogueiras]

366.*** **C 17**

N. SHORT 2650 − VAGANJAN 2600

Rotterdam 1989

1. e4 e6 2. d4 d5 3. ♘c3 ♗b4 4. e5 c5 5. a3 ♗a5 6. ♕g4!? [6. dc5 ♗c3 7. bc3 ♕c7!? N (7... ♘e7 − 45/329) 8. ♘f3 ♘d7 9. ♗b5 ♕c5 10. a4 a6 11. ♗d7 ♗d7 12. 0−0 ♕c3 13. ♗d2 ♕c4!? 14. ♖b1!? ♕c7! (14... ♗a4?! 15. ♖b4 ♕c2? 16. ♖a4+−; 15... ♗c2 16. ♕a1! △ 17. ♖c1, 17. ♖b7±) 15. c4!? ♘e7 16. ♗b4 ♗c6∓ N. Short 2650 − Vaganjan 2600, Barcelona 1989; RR 6. b4 cd4 *a)* 7. ♘b5 ♗c7 8. f4 ♘e7 9. ♗d3 ♗d7 10. ♘c7! N (10. ♕g4 − 46/377) ♕c7 11. ♗b2 ♘bc6 12. ♘f3 ♘f5 13. ♕e2 ♖c8 14. 0−0 0−0 15. ♖f2 a6 16. g4 ♘e3 17. ♘d4 ♘c4 18. ♘c6! ♗c6 19. ♗d4± Lanč 2410 − Wł. Schmidt 2460, Praha 1989; *b)* 7. ♕g4 ♘e7 8. ba5 dc3 9. ♕g7 ♖g8 10. ♕h7 ♘bc6 11. f4 ♕a5 12. ♖b1 ♘d4 13. ♕d3 ♘ef5 14. ♘f3 ♘f3 15. ♕f3 ♗d7 16. ♖b7 ♗c6 N (16... ♖c8? − 40/366) 17. ♖b4 ♕c5! 18. ♕f2 d4 19. ♖g1 a5 20. ♖b1 ♕d5=/∞ Sax 2610 − Vaganjan 2600, Wijk aan Zee 1989] **♘e7 7. dc5!? ♗c3 8. bc3 ♕a5** [8... 0−0 − 45/329; 8... ♘d7] **9. ♗d2 ♘g6 10. ♘f3 ♘d7** [10... ♘c6?! 11. ♗d3 △ h4-h5±] **11. c4 ♕a4 12. h4!?±** [12. ♕d4! dc4 13. ♗c4 0−0 14. ♗c3! (14. 0−0 ♘de5 15. ♘e5 ♘e5 16. ♕e5 ♕c4=) b6 15. cb6 ab6 16. 0−0 ♗a6±] **♕c2!? 13. cd5** [13. h5? ♕b2 △ ♘ge5∓] **♕b2!** [13... ed5?! 14. e6 ♘f6 15. ef7 ♔f7 16. ♘g5 ♔f8 17. ♕d4±] **14. ♖c1!?** [14. ♕d4 ♕d4 15. ♘d4 ed5!? (15... ♘c5=) 16. e6 ♘c5 17. ♗b5 ♔e7 18. ♘f5

♔e6 19. ♘g7∞] ♘ge5 [14... ♘de5? 15.
♕a4±] **15. ♘e5 ♕e5 16. ♗e2 h5 17.
♕g5!?** [17. ♕b4!? ♕d5 18. ♗f3 ♕e5 19.
♗e3 0-0 20. 0-0 ♘f6 △ ♘d5=] **ed5 18.
♖h3!? 0-0 19. ♖d3 d4!?** [19... ♖e8?? 20.
♖e3+−] **20. ♗f4** [20. ♕h5?! ♕h5 21.
♗h5 ♖e8 22. ♔d1 ♖e4!=] **♕g5 21. hg5
b6!= 22. cb6** [22. ♗f3? ♘c5! 23. ♖c5 bc5
24. ♗a8 ♗f5−+] **ab6 23. ♖d4 ♘c5 24.
♖c3 ♖e8 25. ♗e3** [25. ♖e3 ♖e3? 26. ♖d8
♔h7 27. ♗e3±; 25... ♗f5=] **g6 26. ♗b5
♖f8 27. f3 ♗a6 28. ♖b4 ♖fd8 29. ♔f2
♗b5 30. ♖b5 ♖d5 31. ♗c5** [31. ♖b6?
♘a4−+] **1/2 : 1/2** [Vaganjan]

367.* C 18**

OLL 2510 − ULYBIN 2445

Tbilisi 1989

**1. e4 e6 2. d4 d5 3. ♘c3 ♗b4 4. e5 c5
5. a3 ♗c3 6. bc3 ♘e7 7. ♕g4 0-0** [RR
7... ♔f8 8. a4 N (8. h4 − 46/379) ♕c7
9. ♘f3 cd4 10. ♕d4 ♘bc6 11. ♕e3 ♘f5
12. ♕f4 g5? 13. ♕g5 ♘e5 14. ♕f6 ♘f3
15. gf3 ♖g8 16. ♗a3 ♔e8 17. 0-0-0± Oll
2510 − Ėjngorn 2570, Debrecen 1989] **8.
♗d3 ♘bc6 9. ♕h5! h6?!** [9... ♘g6 10.
♘f3 ♘ce7 11. dc5±] **10. ♗h6! N** [10. g4
− 46/382] **gh6 11. ♕h6 ♘f5□ 12. ♗f5
ef5 13. ♘h3** [△ 14. ♘g5, 14. ♘f4] **f6?!**
[13... ♕e7 a) 14. 0-0-0 cd4 15. ♖d3 ♘e5
16. ♖g3 ♘g4∞; b) 14. ♖d1! (△ 15. ♖d3,
15. ♘f4) cd4 15. cd4 ♘d4 16. ♖d4 ♕e5
17. ♕e3 ♕e3 18. fe3±; c) RR 14. ♘f4
cd4 15. cd4! ♘d4 16. 0-0 f6 (16... ♕e5
17. ♘h5+−) 17. ♘d5 (Novik 2380 −
Brodskij, SSSR 1989) ♕e5! 18. ♕g6= No-
vik] **14. ♕g6 ♔h8 15. ♕h6 ♔g8 16. ♕g6
♔h8** [1/2 : 1/2 Oll 2475 − Dohojan 2520,
Klajpeda 1988] **17. 0-0-0 fe5** [17... c4 18.
♖de1; 17... cd4 18. cd4; 17... ♕e7 18.
♕h6 ♔g8 19. ♖d3 ♔f7 20. ♘f4!; 17...
♕d7 18. ♕h6 ♔g8 19. ♖d3 ♔f7 20. e6!]
18. ♕h6 ♔g8 19. ♕g6 ♔h8 20. ♖d3 f4
[20... ♕h4 21. ♖g3 ♕h7 22. ♕d6 △
♘g5+−] **21. ♕h6 ♔g8 22. ♕g6 ♔h8 23.
♕h6 ♔g8**

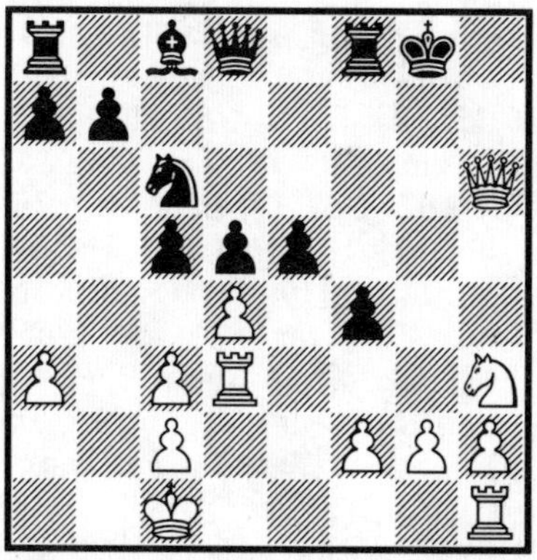

24. ♖g3!!+− fg3 25. ♕g6 ♔h8 26. hg3
♕h4□ 27. gh4 ♗f5 28. ♕h6 ♔g8 29. ♘g5
ed4 30. ♖h3 ♘e5 31. ♖g3 ♗g6 32. ♘e6
♔f7 33. ♘f8 ♖f8 34. ♕f4 **1 : 0** [Oll]

368. ** C 18**

VOGT 2505 − UHLMANN 2515

Berlin 1989

**1. e4 e6 2. d4 d5 3. ♘c3 ♗b4 4. e5 c5
5. a3 ♗c3 6. bc3 ♘e7 7. ♕g4 0-0 8.
♗d3 ♘bc6 9. ♕h5 h6?** [9... g6!?] **10.
♗h6 gh6 11. ♕h6 ♘f5 12. ♗f5 ef5 13.
0-0-0! N c4** [13... f4 14. ♘h3 ♗f5 (14...
♘e7 15. ♘g5 ♗f5 16. g4 ♗e4 17. ♖he1
♕b6 18. e6 ♗g6 19. ♖d3 1 : 0 Sö. Maus
2400 − Hübner 2600, Lugano 1989) 15.
♘f4 f6 16. ♘g6 fe5 17. de5 ♕a5 18. ♕h8
♔f7 19. ♕h7 ♔e8 20. e6 ♕a3 21. ♔d2
♗e6 22. ♘f8 d4 1 : 0 Kindermann 2515
− Psahis 2585, Dortmund 1989] **14. ♘h3
f6 15. ♕g6** [15. ♖he1 ♖f7] **♔h8 16. ♖he1
fe5 17. de5 f4** [17... ♕e7 18. ♕h6 ♔g8
19. ♖e3 ♖f7 20. ♘f4+−] **18. ♕h6 ♔g8
19. ♘f4 ♕e7 20. ♖e3 ♗g4** [20... ♖f7 21.
♖g3 ♖g7 22. ♘g6+−] **21. ♘d5 ♕a3** [21...
♕g7 22. ♕g7 ♔g7 23. ♖g3 ♘e5 24. f4
♔f7 25. ♖d2+−] **22. ♔b1 1 : 0**
[Vogt]

369. C 18

CEŠKOVSKIJ 2520 −
PR. NIKOLIĆ 2605

Wijk aan Zee 1989

**1. e4 e6 2. d4 d5 3. ♘c3 ♗b4 4. e5 c5
5. a3 ♗c3 6. bc3 ♘e7 7. ♕g4 0-0 8.**

♗d3 ♘bc6 9. ♕h5 ♘f5!? 10. ♘f3 [10. g4 ♕h4 11. ♕h4 ♘h4 12. ♗g5 ♘g6 13. ♘f3 c4!?] **f6 11. g4 c4! 12. ♗e2** [12. gf5 cd3∞] **♘fe7 13. ef6 ♖f6 14. ♘g5 h6 15. ♘f3 ♕a5 16. ♗d2 ♗d7 17. g5 ♗e8!? N** [17... ♖f5 — 46/382] **18. ♕g4 hg5 19. h4!** [19. ♘g5 ♘f5∞] **♖h6** [19... gh4?! 20. ♖b1 (20. ♕h4 ♖h6 21. ♗h6 ♘f5! △ ♕c3) ♘f5 (20... ♕c7 21. ♕h4 ♘g6 22. ♕h7 ♔f8 23. ♘g5→) 21. ♘h4 ♕c7 (21... b6 22. ♖g1!) 22. ♗g5→] **20. h5 ♗g6!?** [20... ♘f5 21. ♘g5 ♖f6] **21. ♕e6 ♔h8 22. ♘g5 ♖f8 23. ♖g1!?** [23. ♖h4 ♗f5 24. ♘f7 ♔h7 25. ♘g5=; 23. ♕g4 ♗f5 (23... ♗c2 24. ♘e6) 24. ♕g2 ♗c2∞] **♖f6?** [23... ♗h5 24. ♕h3! ♗g6! (24... ♗e2 25. ♘f7 ♖f7 26. ♗h6 ♔g8 27. ♔e2±) 25. ♘f7?! ♖f7 26. ♗h6 gh6 27. ♕h6 ♗h7; 25. ♕g2∞] **24. ♕d7+− ♗h7** [24... ♗f5 25. ♕e8 ♘g8 26. ♘f7] **25. ♘h7 ♖h7 26. ♖g3 ♘g8 27. ♕b7 ♘d8 28. ♕c8 ♘f7 29. ♕c5 ♕d8 30. ♖b1 ♖b6 31. ♖b6 ab6 32. ♕c6 ♘f6 33. ♕e6 ♕f8 34. ♖h3 ♘d6 35. h6 gh6 36. ♗f4 ♘de4 37. ♗e5 ♖f7 38. ♕d5 ♕g7 39. ♕e4 ♘e4 40. ♖h6 1 : 0 [Pr. Nikolić]**

370. C 18

P. BLATNÝ 2450 – VLADIMIROV 2550

Alma-Ata 1989

1. e4 e6 2. d4 d5 3. ♘c3 ♗b4 4. e5 c5 5. a3 ♗c3 6. bc3 ♘e7 7. ♕g4 0–0 8. ♗d3 ♘bc6 9. ♕h5 ♘f5!? 10. ♘f3 f6! [10... c4 11. ♗f5! (11. g4 f6 — 10... f6) ef5 12. ♘g5 h6 13. ♘f3 △ h3, g4⩲] **11. g4 c4□ 12. ♗e2** [12. gf5 cd3 13. fe6 (13. cd3 fe5 14. ♘g5 h6 15. ♘e6 ♗e6 16. fe6 ♕f6∓) ♗e6 14. cd3 ♕e8∓] **♘fe7 13. ef6 ♖f6 14. ♘g5!?** [14. g5 g6!; 14. ♘e5] **h6** [14... ♖h6 15. ♕f7 ♔h8 16. ♕f3+−] **15. ♘f3** [15. ♘h3 e5!? 16. de5 g6 17. ♕h4 (17. ♕h6 ♘e5∞̅) g5 18. ♗g5 hg5 19. ♘g5 ♘e5 20. ♕h7 ♔f8 21. ♕h8 ♘g8 22. ♘h7 ♔f7 23. ♘f6 ♕f6 24. ♕h7 ♔f8∞] **♕f8 N 16. g5 g6! 17. ♕h3** [17. ♕h6?? ♖f3−+; 17. ♕g4 h5∓] **e5 18. ♕g2 ♖e6** [18... hg5 19. ♗g5 ♖e6 20. de5 ♘e5 21. ♘d4⩲] **19. gh6** [19. de5? h5∓] **ed4 20. cd4 ♖e2!?** [20... ♕f5 21. ♗e3□ ♕c2 22. h7! ♔h8 23. ♖d1∞] **21. ♔e2 ♕f5 22. ♔d2□ b5** [22... ♕h5 23. ♖e1 ♗g4 24. ♘e5!±; 23... ♗f5 △ ♖f8, ♗e4∞] **23. ♖e1! c3 24. ♔c3 b4! 25. ab4** [25. ♔b2? ♖b8 26. a4□ b3! 27. cb3 ♕d3 28. ♖a3 ♘a5−+] **♘b4 26. ♖e2** [26. ♔b4 ♕c2 △ ♖b8−+] **♗a6** [26... ♗b7? 27. ♔b4 ♖b8 28. ♕g3 △ h7+−] **27. ♖a6□ ♕c8!** [27... ♘a6 28. h7 ♔h8 29. ♔d2! ♖c8 30. ♔d1 ♘b4 31. ♕g5! ♕f3 32. ♕e5 ♔h7 33. ♕e7 ♔h8 34. ♕b4+−] **28. ♔b2 ♕a6** [28... ♖b8? 29. ♖g6 ♔h8 30. ♖g8!+−; 28... ♘d3 29. cd3 ♖b8 30. ♔a2 ♕a6 31. ♗a3 ♕d3 32. ♖b2 ♕c4=] **29. h7! ♔h8**

30. ♗f4!= [30. ♗g5? ♖c8−+] **♕a2** [30... ♕e2?? 31. ♗e5 ♔h7 32. ♕h3 ♔g8 33. ♕h8 ♔f7 34. ♘g5#] **31. ♔c1 ♘d3!□ 32. ♔d1!!⊕** [32. ♔d2 ♖c8 33. ♔d3 ♕c4+−] **♖c8?** [32... ♕b1 33. ♔d2 ♘f4 34. ♕g5□ ♕b4 35. ♔d1 ♘e2 (35... ♕b1 36. ♔d2=) 36. ♕f6 ♔h7 37. ♘g5 ♔h6 38. ♘f7 ♔h7 39. ♘g5=; 32... ♘b2 33. ♔d2□ ♘c4 (33... ♕a5 34. c3□ ♘c4 35. ♔d3? ♕b5 △ ♘e5−+; 35. ♔d1 ♕a4! 36. ♖c2 ♘b2 37. ♔d2□ ♘c4=) 34. ♔d1 ♕a1 (34... ♖b8? 35. ♕g5! ♖b1 36. ♗c1+−) 35. ♗c1 ♘b2 36. ♔d2 ♕a5 (36... ♘c4=) 37. c3 ♘c4 38. ♔d1 ♕a4 39. ♔e1 ♕a1 40. ♔d1 (40. ♕g5? ♕c3 △ ♕f3; 40. ♖c2? ♘a3) ♕a4=; 32... ♕a1 33. ♔d2 ♖c8!? 34. ♗e5! (34. ♕g5? ♕a5! 35. ♔d1 ♘b2 36. ♔c1 ♕a1 37. ♔d2 ♕d1 38. ♔e3 ♘c4#) ♘e5 35. ♘e5 ♕d4 36. ♘d3=] **33. ♕g5!** [△ ♕f6+−] **♕b1 34. ♗c1 ♖c6□** [34... ♕c1 35. ♕c1 ♘c1 36. ♖e7+−; 34... ♘b2 35. ♔e1 ♘d3 36. ♔f1! ♕c1 37. ♕c1 ♘c1

38. ♖e7+−] **35. ♕h6** [35. cd3? ♕d3] **♖c8 36. ♕g5 ♖c6 37. ♘e5+− ♘c1 38. ♘f7!** [38. ♕c1?! ♕c1 39. ♔c1 ♖c7±⊥] **♔h7 39. ♕h6 ♔g8 40. ♕h8 ♔f7 41. ♕h7 ♔f8 42. ♕e7 ♔g8 43. ♕d8 ♔h7 44. ♖e7 ♔h6 45. ♕h8 ♔g5 46. ♕e5! ♔h6** [46... ♔g4 47. h3] **47. ♕e3 g5 48. ♕h3 1 : 0**
[P. Blatný]

371.* C 18

RUBAN 2420 – UHLMANN 2515
Budapest (open) 1989

1. e4 e6 2. d4 d5 3. ♘c3 ♗b4 4. e5 c5 5. a3 ♗c3 6. bc3 ♘e7 7. ♕g4 0–0 8. ♗d3 f5 9. ef6 ♖f6 10. ♕h5 g6 [RR 10... h6 N 11. g4! ♕f8 (11... c4 12. g5 ♖f8 13. gh6! cd3 14. hg7 ♔g7 15. ♗h6+−) 12. g5 g6!? 13. ♕h4 (13. gf6?! gh5 14. fe7 ♕e7 15. ♘f3 e5!; 13. ♕e2 ♖f7 △ c4; 13. ♕h6 ♖f2∞) ♘f5 14. ♗f5 ♖f5 15. gh6 e5! 16. h7! (16. ♘e2?! ♘c6 17. ♖g1 ♔h7 18. ♗e3 ♗e6 19. dc5?! b6!=∞ Kovalev 2475 – Naumkin 2435, Budapest (open) 1989) ♔h8 17. ♗h6 ♕e8 18. 0-0-0 (18. de5 ♕e5 19. ♔f1 ♕f6!=) ♘d7! 19. ♖e1! e4 (19... ♖h5? 20. ♖e5!! ♖e5 21. de5 ♕e5 22. ♘f3 ♕f6 23. ♗g5 ♕f3 24. ♖e1+−) 20. ♗e3 b6 21. ♘h3±↑ Kovalev] **11. ♕d1 ♕a5 12. ♗d2 ♘bc6 13. ♘f3 c4 14. ♗e2 ♘f5! N** [14... ♗d7 – 46/381] **15. 0–0 ♘d6 16. ♕e1! ♘e4 17. ♘g5 ♘d4!□** [17... ♘d2 18. ♕d2 ♗d7 19. f4±] **18. ♘e4 ♘e2 19. ♕e2 de4 20. ♕e4 ♕f5!⩲** [20... ♗d7? 21. ♕b7; 20... ♕d5 21. ♕h4] **21. ♕d4!** [21. ♕c4 ♗d7=] **♖f7! 22. ♗h6** [22. ♕d8 ♖f8 23. ♕c7 ♖f7=] **♗d7 23. ♖ad1 ♕h5** [23... ♕c2!? 24. ♖d2 △ ♖fd1] **24. ♕e3 ♗c6 25. f3! ♖e8?** [25... ♕f5; 25... ♕a5] **26. ♗g5!** [△ h4, g4 ×♕h5] **h6□ 27. ♗h6± ♕a5 28. ♖d4 ♖f5! 29. ♖fd1 ♕b6** [29... ♕a3 30. ♖c4 ♕a5 31. ♕d4 ♕b6 32. ♕b6±] **30. ♖c4! ♕e3 31. ♗e3 ♖a5 32. ♖a1 e5 33. ♖b4 ♔f7 34. c4!** [×♖a5] **e4 35. f4 ♖d8 36. ♔f2 ♖a4 37. ♔e2 a6 38. ♗b6 ♖h8 39. h3 ♔e6 40. ♔e3 ♖h7 41. ♗d4 ♖h5 42. c5 ♖h7 43. c4 ♖d7 44. ♖a2!+−⊙ ♖a5 45. ♖b3 ♖a4 46. ♖c3 ♖a5 47. ♖d2 ♖a4 48. ♔e2** [△ ♔d1-c2-b3] **♖a5** [48... ♖c4 49. ♖c4 ♗b5 50. ♔e3 ♗c4 51. ♔e4+−] **49. g4 ♖a4 50. ♗e3 ♔e7 51. ♖d4** [51. ♖d7 ♗d7 52. ♗d4 ♗e6 53. ♔e3] **♖d4 52. ♗d4 ♖c4 53. ♖c4 ♗b5 54. ♔e3 ♗c4 55. ♔e4 ♔e6** [55... ♗f1 56. h4 ♗e2 57. f5 ♗g4 58. fg6 ♗h5 59. ♔f5!+−] **56. f5 gf5 57. gf5 ♔f7 58. h4 ♗e2 59. ♔f4 ♔g8 60. ♔g5 ♔h7 61. h5 ♗d1 62. h6 ♗a4 63. ♗e3 ♗d7 64. ♔f6 a5 65. ♔e5 ♗c8 66. f6 ♔g6 67. ♔d6** [67. ♗g5] **♔f6 68. ♔c7 ♗f5 69. ♔b7 a4 70. c6 ♗e4 71. ♔b6 ♔e7 72. c7 1 : 0 [Ruban]**

372. C 18

N. SHORT 2650 – HÜBNER 2600
Barcelona 1989

1. e4 e6 2. d4 d5 3. ♘c3 ♗b4 4. e5 c5 5. a3 ♗c3 6. bc3 ♘e7 7. ♕g4 0–0 8. ♗d3 ♘d7 N 9. a4 f5 10. ♕g3 ♕c7 11. ♗d2 [11. ♘f3 cd4 12. cd4 ♕c3 13. ♔e2 ♘c6∞] **♘b6 12. ♘h3 ♘c4 13. ♗c4** [13. ♘f4 cd4 (13... ♘d2 14. ♔d2 ♗d7∞) 14. cd4 ♘e5∓ N. Short] **dc4 14. ♘f4 ♖d8** [14... ♘c6?! 15. 0–0 cd4 16. cd4 ♘d4 17. ♗b4 ♖f7 (17... ♘c2? 18. ♗f8 ♘a1 19. ♗d6+−) 18. ♗d6±; 14... ♘d5 15. ♘d5 ed5 16. dc5 ♕c5 17. ♗e3 ♕a5 18. ♗d4⩲; 14... cd4 15. cd4 ♘d5 16. ♘d5 ed5 17. ♗b4⩲] **15. 0–0** [15. ♕e3 ♘d5 16. ♘d5 ♖d5∓; 15. ♘e2 ♘d5∓] **cd4 16. cd4 ♖d4 17. ♖ad1?!** [17. ♗b4 ♕e5 18. ♗e7 ♕f4 19. ♕f4 ♖f4 20. ♖fd1 ♔f7∓; 17. ♗c3 ♖d8 18. ♗b4 (18. ♖ad1 ♘d5 19. ♘d5 ed5 △ ♗e6∓) ♘d5 19. ♗d6 ♕f7 20. ♖fb1= b6 21. ♘d5 ed5 22. a5] **♕d7** [17... ♕d8? 18. ♗a5 b6 19. ♕f3; 17... c3? 18. ♗c3 ♖f4 19. ♕f4 ♕c3 20. ♖d8 ♔f7 21. ♕h4 h6 (21... b6 22. ♕h5 ♘g6 23. ♕h7+−) 22. ♕h5 ♘g6 23. f4 ♕c2 (23... b6 24. ♖d3 ♕c5 25. ♖f2 △ ♖g3) 24. h3 △ ♖f3+−] **18. ♕e3?!** [18. ♕c3!? ♕d8 (18... b6 19. ♘e6 ♖d2 20. ♖d2 ♕e6 21. ♖d8 ♔f7 22. ♖d6 ♘d5 23. ♕d4+−; 18... ♘c6 19. ♘e2 ♖d5 20. ♘f4 ♖e5?! 21. ♗c1±) 19. ♕e3 (19. ♘e2 ♖d7 20. ♘f4 ♘d5 21. ♕c4 ♘f4 22. ♕f4 b6∓) *a)* 19... c3 20. ♕c3 b6 (20... ♘c6 21. ♘d3) 21. ♕f3 ♖d2 22. ♘e6 ♗e6 23. ♖d2±; *b)* 19...

b6 20. ♕f3 (20. ♕e2 ♘d5 21. ♘d5 ♖d5 22. ♕c4 ♗b7∓; 20. c3 ♖d3 21. ♘d3 cd3 22. c4 ♗a6∞) ♖d2 21. ♖d2 (21. ♘e6 ♗e6 22. ♖d2 ♕d2 23. ♕a8 ♔f7 24. ♕a7 ♕c2∓) ♕d2 22. ♕a8 ♕f4 23. ♕a7∞; *c)* 19... ♘c6 20. ♕e2 ♕c7 — 18. ♕e3] ♘c6?! [18... ♘g6? 19. ♘e6 ♖d2 (19... ♖e4 20. ♘c5) 20. ♖d2 ♕e6 21. ♖d8 ♔f7 22. f4±; 18... b6!? *a)* 19. ♘e6? ♖e4−+; *b)* 19. ♕e2 ♘d5 (19... ♗b7 20. ♗c3 ♖d1 21. ♖d1 ♘d5 22. ♕c4 ♖c8 23. ♕d4 ♕c7 24. ♘d5 ♗d5 25. ♖d3 ♗e4∓) 20. ♘d5 ♖d5 21. ♗b4 (21. ♕c4 ♖d2? 22. ♖d2 ♕d2 23. ♕c6+−; 21... ♗b7−+) ♗b7 22. ♖d5 ♗d5∓; *c)* 19. c3 *c1)* 19... ♖e4 20. ♕g3 ♘d5 (20... ♘c6?! 21. f3 ♖e5 22. ♘h5 f4 23. ♘f6 ♘h8 24. ♘d7 fg3 25. ♘e5 gh2 26. ♔h2 ♘e5 27. ♗f4 ♘c6 28. ♖d6+−; 22... ♕f7 23. ♗h6 g6 24. ♖d6 ♖c5 25. ♖fd1+−) 21. ♘h5 (21. f3 ♖e5 22. ♘h5 f4∓) ♖g4 22. ♕h3 ♗b7 23. f3 ♖g6 24. ♘f4 ♘f4 25. ♗f4 ♗d5 26. ♖a1 ♕e7 27. ♗e3±; *c2)* 19... ♖d3 20. ♘d3 cd3 21. c4 (21. ♕d4 ♕d4 22. cd4 ♗a6 23. ♖c1 ♘d5∓) ♗a6 22. ♖c1 ♖d8 (22... ♖c8 23. c5∞ ♘d5 24. ♕d4; 22... ♘c6 23. ♖fd1 ♖d8 24. ♗e1 △ ♖c3) 23. a5 ba5 24. ♖fd1 (24. ♗a5 ♖c8 25. c5 d2) ♘c6 25. ♗e1∞] 19. ♕e2 [19. c3 ♖e4 20. ♕g3 ♕f7∓] ♕c7 [19... ♕e7 *a)* 20. ♗e3 ♖e4 (20... ♖d1 21. ♖d1 ♘e5 22. ♗d4 ♘f7 23. ♕c4∞) 21. ♕d2 ♖e5 22. ♕c3∞; *b)* 20. ♗c1 ♖e4 21. ♕d2 (21. ♗e3 b6∓) ♖e5 22. ♕c3∞] 20. ♗e3 [20. ♗c1 c3; 20. c3 ♖e4 21. ♗e3 ♕e5] ♖d1 [20... ♖e4 21. ♕d2 ♖e5 22. ♕c3∞] 21. ♖d1 ♘e5 22. ♗c1? [22. ♗d4 ♘f7 (22... ♘g4 23. g3±) 23. ♕f3 (Speelman) *a)* 23... ♗d7 24. ♗g7 △ 24... ♔g7 25. ♕g3+−; *b)* 23... ♘g5 24. ♕h5; *c)* 23... e5 24. ♘d5 ♕a5 (24... ♕d6 25. ♗e3 △ ♘b6) 25. ♗c3 ♕a4 26. ♘c7 ♖b8 (26... ♕c2 27. ♘a8 e4 28. ♖e1+−) 27. ♗e5 ♗d7 28. ♗c3 ♕c6 29. ♕g3↑; *d)* 23... ♕e7 24. ♗b2 (24. ♕g3 e5 25. ♘d5 ♕d6∓) ♗d7□ 25. ♕b7 ♖d8 (△ ♗a4) 26. h3 ♕e8 △ e5∞] ♗d7 23. ♖e1 [23. ♗b2? c3] ♘f7 24. ♘e6 ♕d6? [24... ♕c6 25. ♘d4 (25. ♘f4 ♖e8−+) ♕a4 26. ♕f3 ♖e8 (26... ♕b4 27. c3 ♕b6 28. ♕d5↑) 27. ♖e8 ♗e8 28. ♕b7 ♕a1 29.

♕b2=; 25... ♕d5 △ ♗a4∓] 25. ♘f4 ♗a4 [25... ♖e8? 26. ♕e8+−; 25... ♖c8 26. ♖d1 △ ♘d5; 25... ♕c6 26. a5 ♖e8 27. ♕d1∓] 26. ♕c4 ♕c6 [26... b5 27. ♕a2↑] 27. ♕d4 ♖d8 [27... ♕c2? 28. ♗b2+−; 27... ♗c2? 28. ♗b2 ♕f6 (28... ♕h6 29. ♕c3 ♗e4 30. f3 ♗c6 31. ♖e6 ♕g5 32. ♖g6+−) 29. ♕a7 ♕d8 30. ♕b7 ♖b8 31. ♕c6±] 28. ♕a7 ♕c3 [28... ♗c2 29. ♗b2±] 29. ♕e3 ♕e3 30. ♗e3 ♗c2 31. ♗b6= ♖d1 32. ♖d1 ♗d1 33. f3 ♘e5 34. h4 ♔f7 35. ♔f2 ♘c4 36. ♗d4 g6 37. ♘d3 ♔e6 38. ♘b4 b5 [38... ♘a3 39. ♔e3 ♘b5 40. ♗g7 △ 40... ♔d6 41. ♗f8; 38... f4 39. ♘d3 ♔f5 40. ♘b2=] 39. ♔g3 ♘a3 40. ♔f4 ♘c2 41. ♘c2 ♗c2 42. ♔e3 [42. ♔g5? b4 43. ♔h6 ♗d3 44. ♔h7 f4 △ ♔f5−+] ♔d5 43. f4 ♗c4 1/2 : 1/2 [Hübner]

✓373.   C 18

KINDERMANN 2515
− L. HANSEN 2540
München 1989

1. e4 e6 2. d4 d5 3. ♘c3 ♗b4 4. e5 c5 5. a3 ♗c3 6. bc3 ♘e7 7. ♕g4 0−0 8. ♗d3 ♘d7! 9. ♘f3 N [9. ♕h4 f5 10. ♗g5 ♕a5 △ 11. ♘e2? ♘g6 △ c4−+; 9. ♗h6 ♘g6 10. ♗g6 fg6 11. ♕e6 (11. ♗e3 cd4 12. cd4 ♘b6 13. ♘f3 ♘c4 14. 0−0 ♗d7∓) ♔h8 12. ♗e3 cd4 13. cd4 (13. ♗d4 ♘e5) ♘b6 14. ♕d6 ♕d6 15. ed6 ♘c4=] f5 10. ♕h3 [△ ♘g5; 10. ef6? ♘f6 11. ♕h4 c4 12. ♗e2 ♘f5∓] ♕a5 [10... ♘b6!? (△ ♘c4) 11. dc5 ♘c4?! 12. ♗c4 dc4 13. ♗g5 ♕c7 14. ♗e7 ♕e7 15. 0−0 ♕c5 16. ♖fd1 ×d6, d4, e6; 11... ♘a4!?∞] 11. ♗d2 c4? [11... ♘b6 (△ ♘c4) 12. c4 ♕a4 13. cd5 c4! (13... ♘ed5? 14. dc5 ♘c4 15. ♕h4! ♘b2 16. ♕a4 ♘a4 17. c6!±) 14. d6 ♘ed5 15. ♗e2 ♕c2∞] 12. ♗e2± [⊔⇄] ♘b6 13. 0−0 ♕a4 14. ♖a2 ♕e8 15. ♔h1 h6? [×h6; △ 15... ♗d7 16. ♖g1 ♘g6 (△ 17. g4? f4∞) 17. ♘g5 h6 18. ♘f3 △ g4; 17. ♕g3!? △ h4-h5] 16. ♖g1 [△ 17. g4 f4 18. g5 h5 19. g6+−] ♕g6 17. g4 fg4 [17... f4 18. g5 h5 19. ♘e1 △ 19... ♕e4 20. ♗f3+−] 18. ♖g4 ♕h7 19. ♖a1 ♘f5 20.

♖ag1 ♗d7 21. ♘h4 g5 22. ♗g5 hg5 23. ♖g5 ♔f7 24. ♖h5 [24. ♗h5?! ♔e7 25. ♘f5 ♔d8!±] **♖h8** [24... ♘h6 25. ♖g6] **25. ♘f5 1 : 0** **[Kindermann]**

374.* **C 18**

MALJUTIN – PISKOV 2400

SSSR 1989

1. e4 e6 2. d4 d5 3. ♘c3 ♗b4 4. e5 ♘e7 5. a3 ♗c3 6. bc3 c5 7. ♕g4 0–0 8. ♗d3 ♘bc6 9. ♘f3 f5 10. ef6 ♖f6 11. ♗g5 e5! 12. ♕g3 ♖f3 13. gf3 c4 14. ♗e2 N [14. ♗e7?! – 46/(383)] **ed4 15. ♗f6** [RR 15. cd4?! ♘d4 *a)* 16. ♕e5? ♕a5! (16... ♘ec6? 17. ♕d4! ♕g5 18. ♕e3±) 17. ♔d1 (17. ♗d2 ♘c2 18. ♔d1 ♕a4 19. ♖c1 ♗f5 20. ♕e7 ♖e8–+; 17. ♔f1 ♗h3 18. ♔g1 ♕c3–+) ♕c3 18. ♖c1 ♗f5–+ Vasenev – O. Efimov, SSSR 1989; *b)* 16. ♗d1 ♕a5 17. ♗d2 c3 18. ♗e3 ♘df5∓ O. Efimov] **♕f8 16. ♗d4 ♘f5 17. ♕g5** [17. ♕f4 ♘fd4 18. ♕f8 ♔f8 19. cd4 ♘d4∓] **♘fd4 18. cd4 ♗f5⩱ 19. c3 ♖e8 20. ♖a2 ♖e6! 21. h4 b5 22. h5 h6 23. ♕f4 a5 24. 0–0 ♕f7 25. ♕h4 ♔h7!?** [△ b4; 25... b4 26. ab4 ab4 27. cb4 ♘d4 28. ♕d4 ♕h5 29. ♕d5 ♔h7 30. ♕e6⩱; 25... ♕e8!? 26. ♖e1 (26. ♗d1 ♗d3) ♗d3 27. ♕g4∞] **26. ♖fa1!□ ♖f6?!** [26... b4 27. ab4 ab4 28. cb4 ♘d4 29. ♗d1∞] **27. ♖b2 b4 28. ab4 ab4 29. cb4 c3 30. ♖b3**

30... g5! 31. hg6 ♖g6 32. ♔h2□ [32. ♔f1 ♕g7 33. ♕h2 ♗h3–+] **c2 33. ♖ba3 ♖g7** [△ ♕g6] **34. f4 ♘d4 35. ♖a6 ♘e6 36. b5 d4 37. b6 ♕b7 38. f3 d3 39. ♕f6 ♕d5□ 40. ♖a7!=** [40. ♖6a5 ♘c5 41. ♖a7 ♘b7∓] **de2 41. ♖g1 ♗g4□ 42. ♖g4 ♕h5 43. ♔g2 ♕g4 44. fg4 e1♕ 45. ♕f5 ♔h8 46. ♖a8 ♖g8 47. ♕f6 1/2 : 1/2** **[Piskov]**

375. **C 18**

VĂSIEȘIU 2250 – ANIȚOAEI 2345

România (ch) 1989

1. e4 e6 2. d4 d5 3. ♘c3 ♗b4 4. e5 c5 5. a3 ♗c3 6. bc3 ♘e7 7. ♕g4 0–0 8. ♗d3 f5 9. ef6 ♖f6 10. ♗g5 ♖f7 11. ♕h5 g6 12. ♕h4 ♘bc6 13. ♘f3 c4 14. ♗e2 ♕a5 15. ♗d2 ♘f5 16. ♕g5 ♗d7 17. g4 ♘d6 18. h4 ♘e4 19. ♕e3 e5! N [19... ♖af8 – 39/371] **20. ♘e5** [20. de5 ♘d2 21. ♔d2 (21. ♕d2 ♖e8 22. ♘g5 ♘e5! 23. f4 ♖f4! 24. ♕f4 ♕c3 25. ♔f2 ♖f8–+; 21. ♘d2 ♘e5!∓ △ 22. ♕e5 ♖e8 23. ♘c4 ♖e5 24. ♘a5 ♗g4) ♗g4 22. ♘d4 ♘d4 23. ♗g4?! ♘f5 24. ♗f5 d4!∓; 23. ♕d4∞; 20. h5!? ♘d2 21. ♕d2! ed4 22. hg6 hg6 23. ♘d4 ♖f4!∞; 23... ♖af8!?] **♘e5 21. de5 ♖f2 22. h5** [22. ♗c4 ♖d2 23. ♕e4 ♕c3 24. ♗d5 ♖d5; 22. ♗f3 ♖f8 23. ♗e4 ♗g4!] **g5! 23. ♗f3 ♖f3□ 24. ♕f3 ♖f8 25. ♕e3 ♗g4 26. ♖f1 ♖f1 27. ♔f1 ♕c7!⩱ 28. ♔g2** [28. ♕d4 ♕f7 29. ♔g1 ♗h5 30. ♖f1 ♕e6] **♕e5 29. ♖h1 h6 30. ♗e1 b6 31. a4 ♗d7 32. a5 ♗c6! 33. ♕f3?!** [33. ♔g1] **d4 34. cd4 ♕e8** [34... ♕e6!] **35. d5 ♗d5 36. ♕f5?⊕ ♘c3 37. ♔h2 ♕e2 38. ♗f2 ♕h5 39. ♔g3 ♘e2# 0 : 1** **[Aniţoaei]**

376. **C 18**

N. SHORT 2665 – KOSTEN 2510

Hastings 1988/89

1. e4 e6 2. d4 d5 3. ♘c3 ♗b4 4. e5 c5 5. a3 ♗c3 6. bc3 ♘e7 7. ♕g4 ♕c7 8. ♕g7 ♖g8 9. ♕h7 cd4 10. ♘e2 ♘bc6 11. f4 ♗d7 12. ♕d3 dc3 13. ♕c3 ♖c8 [⌓ 13... ♘f5 △ 0-0-0] **14. ♖b1 ♘f5 15. ♗d2 a6 16. ♖g1!? N** [16. g3 – 45/(340)] **b5**

[16... ♕d8 17. ♕h3 ♘cd4 18. ♘d4 ♘d4 19.♗d3 △ 19... ♘c2? 20. ♗c2 ♖c2 21. ♕h7! (×c2) ♖g6 22. ♕h8 ♔e7 23. ♗b4+−] **17. g4 ♘h4?** [17... ♕b6!? 18. gf5 ♖g1 19. ♗e3! (19. ♘g1 ♕g1 20. fe6 ♗e6$\overline{\infty}$) ♖f1 20. ♔f1 d4 21. ♗d4 ♘d4 22. ♕d4 ♕b7 (22... ♕d4 23. ♘d4±) 23. ♔f2!± △ 23... ♖c2 24. ♖g1+−; 17... d4 18. ♕d3 ♘e3 19. ♗e3 de3 20. ♕e3 ♘e7 21. ♖b2±] **18. ♖g3+− ♕b6 19. ♕d3** [△ ♕h7] **♖h8 20. ♖h3 ♘e7 21. ♘d4 ♖c4 22. c3 ♖a4 23. ♕g3 ♘hg6 24. ♖h8 ♘h8 25. ♗d3 ♘hg6** [25... ♖a3 26. f5 ×♘h8] **26. h4** [26. ♘c2] **♖a3 27. h5 ♘f8 28. h6 ♘eg6 29. f5 ♘e7 30. ♕h2 ef5 31. h7 ♘eg6 32. gf5 ♘h8 33. ♕h5?!** [33. ♕g3 △ ♕g7+−] **♕c7! 34. ♔f1** [34. e6!? ♕g3 35. ♔e2] **♖c3 35. e6□ ♖d3 36. ef7 ♔d8** [36... ♘f7 37. h8♕] **37. ♕g5 ♔c8 38. ♖c1! ♖d4 39. ♖c7 ♔c7 40. ♗a5 ♔b7 41. ♕d8 ♖f4 42. ♔g1 ♖g4 43. ♔h2** [43... ♘f7 44. ♕c7 ♔a8 45. ♗b6] **1 : 0**
[N. Short]

377.* **C 18**

B. NIKOLIĆ – PLCHUT

corr. 1989

1. e4 e6 2. d4 d5 3. ♘c3 ♗b4 4. e5 c5 5. a3 ♗c3 6. bc3 ♘e7 7. ♕g4 ♕c7 8. ♕g7 ♖g8 9. ♕h7 cd4 10. ♘e2 ♘bc6 11. f4 ♗d7 12. ♕d3 dc3 13. ♕c3 ♘f5 14. ♖b1 d4 15. ♕d3 0-0-0 16. ♖g1 f6! [16... ♘a5!? – 45/342] **17. g4** [17. ef6 e5 18. g4 ♘d6 (18... ♘h4!?) 19. h3 (19. f5 e4!) ♗e6! 20. fe5 ♘e5 21. ♕d1 d3! 22. cd3 ♘e4! 23. ♗g2 ♘d3 24. ♕d3 ♖d3∓ Bryson 2275 – Handel, corr. 1988] **♘h4! N** [17... ♘h6? – 42/366] **18. ef6 e5 19. f5** [19. f7!? ♖g4 20. ♖g4 ♗g4 21. ♕g3 ♘f3 22. ♔f2 ♕d7 △ e4, d3$\overline{\infty}$] **e4! 20. ♕e4 ♖ge8 21. ♕d3 ♘e5 22. ♕b3 d3!−+ 23. cd3** [23. ♗f4 ♘ef3 24. ♔f2 ♕c5 25. ♔g3 ♘f5!−+; 23. f7 ♘ef3 24. ♔f2 ♕h2 25. ♖g2 ♖e2−+] **♗a4!** [24. ♕c3 ♕c3 25. ♘c3 ♘d3 26. ♔d2 ♘f3#; 24. ♕a4 ♘d3 25. ♔d2 ♘c5−+] **0 : 1** **[Plchut]**

378* **C 18**

TIMMAN 2610 – N. SHORT 2650

Rotterdam 1989

1. e4 e6 2. d4 d5 3. ♘c3 ♗b4 4. e5 c5 5. a3 ♗c3 6. bc3 ♘e7 7. ♕g4 ♕c7 8. ♕g7 ♖g8 9. ♕h7 cd4 10. ♘e2 ♘bc6 11. f4 ♗d7 12. ♕d3 dc3 13. ♘c3 a6 14. ♘e2 [RR 14. ♖b1 ♖c8 15. ♘e2 ♘a7! N (15... ♘f5?! – 45/343) 16. ♕b3 ♗b5 17. ♘d4 ♗f1 18. ♔f1 ♘ac6 19. ♘c6 ♕c6 20. ♖b2 ♘f5$\overline{\infty}$ 21. ♕d3? ♖g2! 22. ♔g2 d4 23. ♔g1 ♔e7−+ J. Árnason 2550 – Timman 2610, S. K. Reykjavík – Anderlecht 1989] **♘f5** [14... ♖c8 15. ♗d2 N ♘f5 16. h3? ♕d8? 17. ♖b1 b5 18. ♖g1 ♕b6 19. g4 ♘fd4 20. ♖g3 ♘e2 21. ♗e2 ♘d4 22. ♗d1± N. Short 2650 – Nogueiras 2575, Barcelona 1989; 16... ♘e5!−+ Nogueiras] **15. h3 N** [15. ♖b1 – 45/344] **♘a5□ 16. g4 ♗b5 17. ♕c3□ ♕c3 18. ♘c3 ♗f1 19. ♖f1 ♘d4 20. ♖a2** [20. ♔d2?! ♘db3 21. cb3 ♘b3 22. ♔c2 ♘a1 23. ♔b2 ♖c8 24. ♗d2 ♘c2!∓] **♖c8!** [20... ♖h8?! 21. ♖h1 ♖c8 22. ♘e2! ♖c2 23. ♖c2 ♘c2 24. ♔d1 ♘a1 25. h4⩲] **21. ♗d2** [21. ♘e2 ♖c2 22. ♖c2 ♘c2 23. ♔d1 ♘a1 24. ♘g3 ♔e7∞] **♖h8 22. ♘e2 ♖c2! 23. ♖c2 ♘c2 24. ♔d1 ♘a3 25. ♗a5 ♘c4 26. ♗d2 ♖h3$\overline{\infty}$ 27. ♗c1** [27. ♘d4!? △ 27... ♖d3 28. ♘f3] **b5 28. f5 b4?** [28... ef5 29. gf5 ♘e3 30. ♗e3 ♖e3 31. ♔d2 ♖e5 32. ♘d4 ♔e7 33. ♖a1 ♖e4 △ ♔f6-e5=] **29. ♘f4 ♖h2 30. fe6 fe6 31. ♘e6 b3 32. ♘g7!+− ♔d8 33. e6 b2 34. ♖f8! ♔c7** [34... ♔e7 35. ♖f7 ♔d6 36. ♗b2 ♘b2 37. ♔e1+−] **35. ♗b2 ♘b2 36. ♔e1 ♘d3** [36... d4 37. e7 d3 38. ♖c8 ♔b7 39. ♖b8 △ ♖b2+−] **37. ♔f1 ♖h1 38. ♔e2 ♘c1 39. ♔d2 ♘b3 40. ♔c3 ♖h3 41. ♔b2 ♘a5 42. e7 ♘c4 43. ♔c2 ♖h2 44. ♔c3 ♘d6 45. ♖f7 ♔c8 46. e8♕ ♘e8 47. ♘e8 ♖g2 48. ♘f6 a5 49. ♖a7 ♔d8 50. ♖d7 ♔c8 51. ♖d5 a4 52. ♔b4**
1 : 0 **[Timman]**

379.** **C 19**

DOLMATOV 2580 – HENLEY 2505

New York 1989

1. e4 e6 2. d4 d5 3. ♘c3 ♗b4 4. e5 ♘e7 5. a3 ♗c3 6. bc3 c5 7. ♘f3 [RR 7. h4

♕c7 8. ♘f3 b6 9. h5 h6 10. a4 ♗a6 11. ♗b5 ♗b5 12. ab5 ♘d7 N 13. ♕d3 0–0 14. ♗d2 f6 15. ♗f4 fe5 16. ♗e5 ♘e5 17. ♘e5 ♖f5 18. f3 cd4 19. cd4 ♖e5 20. de5 ♕e5 21. ♔f2 ♘f5 22. ♖he1 ♕d6 23. ♔g1 ♕c5 24. ♔h2 ♕d6 25. ♔g1 1/2 : 1/2 Ljubojević 2580 – N. Short 2650, Rotterdam 1989] **♘bc6** [RR 7... b6 8. ♖b1 ♕c7 9. ♗b5 N (9. ♗d3 – 28/243) ♗d7 10. ♗d3 ♗a4 11. h4 h6 12. h5 ♘d7 13. g3 a6 14. ♖h4 cd4 15. cd4 ♖c8 16. ♖b2 ♗b5 17. ♗b5 ♕c3 18. ♔e2 ab5 19. ♕d3 ♖c4 20. ♕c3 ♖c3 21. ♖a2± Ljubojević 2580 – Vaganjan 2600, Rotterdam 1989] **8. ♗e2 ♕a5 9. ♗d2 cd4 10. cd4 ♕a4 11. ♖b1!? ♘d4 12. ♗d3 ♘dc6 13. 0–0 ♕a3 14. ♖b3** [14. ♖a1!? ♕c5 15. ♗c1] **♕c5 15. ♗c1!? N** [15. ♖b5 – 46/389; 15. ♕a1!? a6!? 16. ♗e3 d4!] **♘a5 16. ♗a3 ♕c7** [16... ♘b3!? 17. ♗c5 ♘c5∞] **17. ♗d6 ♕d8 18. ♖b4!** [18. ♖c3?! ♘ac6 19. ♘g5? h6 20. ♕h5 g6! 21. ♕h3 ♘f5] **f5□** [18... ♘ac6 19. ♖g4±] **19. c4! ♘ac6** [19... dc4 20. ♗c4 ♘c4 21. ♖c4 0–0 (21... ♘d5 22. ♘d4 △ 23. ♘f5, 23. ♘b5, 23. ♕h5) 22. ♘d4 ♖f7 23. ♖c7 △ 23... ♘d5 24. ♖f7 ♔f7 25. ♘f5→; 19... ♘ec6 20. ♖a4 ♘c4 21. ♗c4 dc4 22. ♖c4 ♔f7 23. ♘d4!?∞̅→] **20. ♖b2 0–0 21. cd5 ed5** [△ h6, b6, ♗e6] **22. ♗b1! b6** [22... h6!? 23. ♗a2 ♖e8 24. h4! (24. ♗d5? ♘d5 25. ♕d5 ♗e6∓) ♔h7 25. h5 b6 26. ♘h4!? (26. ♗d5!?) ♗e6 27. ♗b1→] **23. ♗a2 ♗e6 24. ♘g5 ♕d7 25. ♖d2 ♔h8** [△ ♗g8] **26. ♘e6 ♕e6 27. ♗d5!** [27. ♖d5 ♘d5 28. ♗d5 ♕d7 29. ♗f8 ♖f8 30. e6 ♕d6 31. ♗c6 ♕c6 32. ♖e1 ♖e8∞] **♘d5 28. ♗f8 ♘c3 29. ♖d6!** [29. ♕f3? ♘e4] **♕e5□** [29... ♕c4? 30. ♗g7! ♔g7 31. ♖d7 ♔g8 32. ♕h5 ♘e2 33. ♔h1 ♘g3 34. hg3 ♕f1 35. ♔h2+–] **30. ♕f3** [30. ♗g7?! ♔g7 31. ♖d7 ♔h8 (31... ♔g8? 32. ♕b3! ♔h8 33. ♕f7+–) 32. ♕h5 ♘e7 △ ♘cd5∞] **♖f8?** [30... ♘e2 31. ♔h1 ♘ed4 32. ♕e3!□ ♖f8 33. ♕e5 ♘e5 34. ♖d4±] **31. ♕c6+–** [31. ♖c6?? ♘e2 32. ♔h1 ♘d4] **♘e4?! 32. ♖e6 ♕c5 33. ♖e8 ♕a3 34. ♕c8** [34... ♔g8 35. ♕e6 ♔h8 36. ♕f7] **1 : 0**

[Dolmatov, Dvoreckij]

380.* **C 19**

EHLVEST 2600 – TIMMAN 2610

Rotterdam 1989

1. e4 e6 2. d4 d5 3. ♘c3 ♗b4 4. e5 c5 5. a3 ♗c3 6. bc3 ♘e7 7. ♘f3 ♗d7 8. dc5 [RR 8. h4 ♗a4 N (8... ♕a5 – 30/229; 8... ♘bc6 – 35/393) 9. h5 h6 10. ♖b1 ♕c7 11. ♗d3 ♘d7 12. 0–0 a6 13. ♖e1 ♖c8 14. ♖b2 ♗b5 15. ♗b5 ab5 16. ♕e2± Ehlvest 2600 – Nogueiras 2575, Rotterdam 1989] **♗a4 9. ♖b1 ♕c7 10. ♗d3 ♘d7 11. 0–0** [11. ♖b4] **♘c5 N** [11... ♗c6 – 24/233] **12. ♖b4 a6 13. ♕e2!± ♗b5!? 14. ♗b5 ab5 15. ♘d4** [15. ♕b5 ♕c6 16. ♗e3±] **0–0 16. ♘b5 ♕c6 17. c4 dc4 18. ♘d6 c3 19. ♖c4 ♘d5 20. ♘e4?** [20. ♖h4 ♖a4 21. ♖h3 g6∞; 20. ♘b7 ♕b7 21. ♖c5±] **♖a4!= 21. ♘c3** [21. ♘c5 ♖c4 22. ♕c4 ♖c8∓] **♖c4 22. ♕c4 ♘d7! 23. ♕c6 bc6 24. ♘d5?!** [24. ♗b2=] **cd5** [♖ 9/i] **25. ♗b2 ♖c8 26. ♖c1 ♖c4∓⊥ 27. ♔f1 h5 28. ♔e2 ♔h7 29. ♔d3 ♘c5 30. ♔e3 ♔g6 31. f3 ♔f5 32. g3 g5 33. h3 g4 34. fg4 hg4 35. ♖f1! ♔g6 36. ♖f6 ♔g7 37. h4 ♖c2 38. ♗d4 ♘e4 39. ♖f4 ♖a2 40. ♖g4 ♔h7 41. ♖e4!□= ♖a3 42. ♔f4 de4 43. g4 ♖a4 44. ♗e3 ♖c4 45. h5 ♔g7 46. ♔g5 ♔f8 47. ♔f4 ♔e7 48. ♔g5 ♖c2 49. ♔f4 ♖c4 50. ♔g5 ♔e8 51. ♗a7 ♔f8 52. ♗b6 ♔g7 53. ♗e3 ♖b4 54. ♔f4 ♔h6 55. ♔g3 ♔h7 56. ♔f4 ♔h6 57. ♔g3 ♔h7 58. ♔f4 ♔g7 59. ♗c5 ♖a4 60. ♗e3 ♔h6 61. ♔g3 ♔h7 62. ♔f4 ♔g8 63. ♔g5 ♖c4 64. ♗b6 ♔f8 65. ♗a7 ♔e8 66. ♗e3 ♖c2 67. ♔f4 ♖g2 68. g5! ♖h2 69. h6 ♖c2 70. ♔e4 ♔f8 71. ♗b6 ♖c8 72. ♔d4! ♔g8 73. ♗c5 ♖d8 74. ♔e4 ♖d7 75. ♗d6 ♖a7 76. ♔f4 ♔h7 77. ♗f8 ♔g6 78. ♗g7 1/2 : 1/2**

[Ehlvest]

381. **C 19**

J. PLACHETKA 2450 –
WŁ. SCHMIDT 2460

Praha 1989

1. e4 e6 2. d4 d5 3. ♘c3 ♗b4 4. e5 c5 5. a3 ♗c3 6. bc3 ♘e7 7. ♘f3 ♗d7 8. a4 ♕a5 9. ♕d2 ♘bc6 10. ♗e2 f6 11. 0–0 N

[11. ef6 — 46/(387)] **fe5 12. ♘e5!?** [12. de5] **♘e5** [12... cd4 13. ♘d7 ♔d7 (13... dc3?! 14. ♕e3 ♔d7 15. ♗g4) 14. ♖b1; 14. ♗g4=∞] **13. de5 0—0 14. c4 ♕c7** [14... ♕d2 15. ♗d2±⧉] **15. cd5 ♘d5 16. f4 ♖ad8 17. ♖a3 ♗c6?!** [17... ♗e8! △ ♗g6=] **18. ♕e1 ♕e7 19. ♖h3!→ ♗a4 20. ♗d3 g6 21. ♕g3** [△ 22. ♗g6, 22. f5] **♘c3!⇆ 22. f5?!** [22. ♗c4 b5!=; 22. ♔h1!=∞]

22... ♗c2? [22... ef5 23. ♗c4 ♘d5 24. ♗g5+—; 22... c4! 23. ♗g5!? (23. ♗c4 ♕c5 24. ♕e3 ♕c4 25. ♕c3=) cd3! (23... ♖d3 24. ♕d3! cd3 25. ♗e7 ♖f7 26. ♖d3 ♘e2 27. ♔f2 ♖e7 28. f6 ♖c7 29. ♔e2 ♗b5 30. ♔e3±⊥) 24. ♕h4!□ ♕c5 (24... ♕c7 25. ♗e7; 24... ♕d7 25. ♖d3) 25. ♔h1 ♖d7 26. ♗f6!! (△ 27. fg6, 27. fe6) ♕d4 (26... ef5 27. e6) 27. ♕d4 ♖d4 28. fg6 ♖d7 (28... d2 29. ♖h7! ♖f6□ 30. ef6 ♗e8 31. ♖g7! ♔f8 32. f7+—) 29. gh7 ♖h7 30. ♖g3 ♔f7 31. ♗g7 ♔e8 32. ♖f8±] **23. ♗c4!+— ♘e4** [23... b5 24. ♕c3; 23... ♗f5 24. ♗g5+—] **24. ♕g4 ♘d2 25. f6! ♕c7 26. ♕e6 ♔h8 27. f7 ♕b6 28. ♕b6 ab6 29. e6! ♘c4 30. ♗g5 1 : 0**

[J. Plachetka]

382.* C 19**

PRASAD 2380 — RAVI 2355

India (ch) 1989

1. e4 e6 2. d4 d5 3. ♘c3 ♗b4 4. e5 ♘e7 5. a3 ♗c3 6. bc3 c5 7. ♘f3 ♕a5 8. ♗d2 ♘bc6 9. a4 [RR 9. ♗e2 cd4 10. cd4 ♕a4 11. ♖b1 ♘d4 12. ♗d3 ♘dc6 13. ♕c1 N (13. 0—0 — 46/389) ♕g4 14. 0—0 f5 15. ♗b4 ♘g6 16. h3 ♕h5 17. c4 d4 18. ♗d6 ♕h6 19. ♕h6 gh6 20. ♖fd1 ♖g8 21. ♗f1 b6 22. ♘d4± de Firmian 2570 — I. Rogers 2505, Moskva (GMA) 1989] **♗d7 10. ♗b5 c4** [RR 10... f6 11. 0—0 fe5 12. c4 ♕c7 13. cd5 ♘d5 N (13... ed5 — 43/382) 14. dc5 0—0 15. ♖e1 ♖ad8 16. ♘g5 h6 17. ♘e4 ♘d4 18. ♗f1 ♗c6∞ Stefánsson 2480 — Carleson 2355, New York 1989] **11. 0—0 h6** [RR 11... f6 12. ♖e1 0-0-0 N (12... f5 — 42/(375)) 13. ♗c1 fe5 14. de5 h6 15. ♗a3 ♖he8 16. ♕d2 ♔b8 17. ♘d4 ♘d4 18. ♗b4 ♘f3 19. gf3 ♕b6 20. ♗d6 ♔a8 21. ♕e3± Stefánsson 2480 — Dolmatov 2580, New York 1989] **12. ♕e1 a6 N** [12... ♘b8 — 45/348] **13. ♗c6 ♗c6 14. ♗c1 ♗a4 15. ♗a3 b5** [⌓ 15... ♕b5 △ ♕d7, ♗c6] **16. ♕d2 ♕c7 17. ♗d6 ♕d7 18. h4 ♘f5 19. ♗c5 ♕d8 20. g3!** [△ ♔g2, ♖h1, g4, h5↑] **♔d7 21. ♔g2 g5 22. hg5 hg5 23. ♖h1** [23. ♘g5 ♗c2 △ 24. ♘f7? ♘h4!! 25. gh4□ (25. ♔g1 ♘f3 26. ♔g2 ♗e4!—+) ♕h4—+] **♖h1** [23... g4 24. ♘g5 ♗c2!? (24... ♖h1 25. ♖h1 ♗c2 26. ♖h7+—) 25. ♖h8 (25. ♘f7? ♗e4 26. f3 ♗f3! 27. ♔f2 ♖h1 28. ♖h1 ♕g8 29. ♖h8□ ♕f7 30. ♖a8 ♕h5—+; 25. ♕f4± ×g4) ♕h8 26. ♕c2 ♕h5 27. ♕d2□ ♖h8! (27... ♖g8 28. ♖a6 ♖g5 29. ♖a7 ♔e8 30. ♖a8 ♔d7 31. ♕a2+—) 28. ♖g1 ♖g8 29. ♖h1 ♕g5 30. ♕g5 ♖g5 31. ♖a1± ×a6, b5, f7] **24. ♖h1 ♕g8 25. ♘g5 ♗c2 26. g4 ♘e7□ 27. ♕f4 ♗g6** [27... ♕g7 28. ♕f6!±; 27... ♕g6 28. ♖h7±] **28. ♕f6 ♘c6 29. ♖h6 ♖e8 30. f4 ♗e4 31. ♔f2 ♘d8 32. f5 ♘b7 33. ♗a3 a5 34. ♖h7+— ♘d8 35. fe6 ♘e6 36. ♘e6 ♕h7 37. ♘c5 1 : 0** **[Prasad]**

383.* C 25

HECTOR 2485 — SKEMBRIS 2455

Genova 1989

1. e4 e5 2. ♘c3 ♘c6 3. f4 ef4 [3... ♗c5 4. ♘f3 (4. fe5±) d6 5. ♘a4 ♗b6 6. ♘b6 ab6 7. ♗e2!? ♘ge7 8. d3 ♗g4 9. 0—0± ⧉] **4. ♘f3 ♗e7** [RR 4... g5 5. d4 g4 6.

♗c4 gf3 7. 0–0 d5 8. ed5 ♗g4 9. ♕d2 ♘a5! (9... ♘ce7!? 10. ♕f4 ♕d7 11. d6 0-0-0!∓) 10. ♗b5 c6 11. ♕f4 ♘f6! 12. ♘e4 (12. ♖e1 ♔d7 13. ♘e4 f2∓) ♗g7!! 13. ♘d6 (13. ♘f6 ♕f6 14. ♕g4 ♕d4–+) ♔f8 14. gf3 ♗h5∓ Lepeškin] **5. ♗c4** [5. d4 N ♗h4 6. ♔e2 d6 7. ♗f4 ♗g4 8. ♕d3 ♘ge7 9. ♔d2 ♘g6 10. ♗e3 (Hector 2485 – Veingold 2435, Budapest (open) 1989) ♗f3 11. gf3 ♗g5!?∓] **d6 6. d4** [6. 0–0 ♘e5!∓] **♗h4 7. ♔f1 ♗g4 8. ♗f4 ♘ge7 9. ♕d2!? N** [9. h3∓] **♗f3 10. gf3 ♕d7** [10... ♕c8!?] **11. ♖d1 ♘g6?!** [11... f5?! 12. d5 ♘e5? 13. ♗e5 de5 14. ♗b5 c6 15. dc6+–; 12... ♘a5±; 11... 0-0-0! (△ f5) 12. ♗f7 ♘g6 13. ♗g6 hg6⩱ ×♔f1] **12. ♗g3!** [12. ♗e3 f5⇆] **♗f6** [12... f5!?] **13. ♕f2 ♕h3 14. ♔g1** [△ ♗f1, f4±○] **0–0 15. ♘d5** [15. f4 ♖ae8 16. f5 ♘ge7∞ △ ♔h8, g6] **♗d8 16. f4 ♘ge7!** [16... ♘ce7 17. ♘e3±] **17. ♘e3 ♔h8 18. f5±○ ♘g8 19. ♗f1 ♕h6 20. h4** [20. ♗f4 ♗g5∓] **g6 21. e5?!** [⌓ 21. ♖h2±○] **de5 22. d5** [22. de5 gf5 23. ♘f5 ♕e6⩱] **♘ce7!** [×f5] **23. ♗e5** [23. fg6 ♕g6∓] **f6 24. ♗f4** [24. ♗c3 ♘f5 25. ♘f5 gf5 △ ♗e7-d6∓ ×♔g1] **♕g7 25. ♖h3** [25. fg6∓] **♘f5?!** [25... ♘h6!?] **26. ♘f5 gf5 27. ♖g3 ♕d7** [△ c6, ♗b6] **28. c4!** [△ c5 ×♗d8, ♘g8] **b6** [△ ♗e7-d6] **29. d6!±** [29. b4 a5⇆] **cd6 30. ♗g2** [30. ♗d6?! ♗e7∓; ⌓ 30. ♖d6±] **♖c8∞ 31. ♗d5?!⊕** [31. ♖d6∞] **b5!∓ 32. ♕g2 ♗b6 33. ♔h2 bc4 34. h5** [△ h6, ♖g7] **♕e8 35. ♕f3?** [35. h6 ♘e7∓; 35. ♖g8!? ♖g8 36. ♕g8∓] **c3!∓ 36. ♗d6** [36. bc3 ♖c3 37. ♕c3 ♕h5 38. ♔g2 ♕d1 39. ♖g8 ♖g8 40. ♗g8 ♕g1 41. ♔h3 (41. ♔f3 ♕f2#) ♕g4–+] **♘h6∓ 37. ♔g2** [⌓ 37. ♗f8∓] **cb2 38. ♗f8 ♕f8 39. ♕e2 f4!–+ 40. ♖b3 ♕g7 41. ♔h1□ ♘g4** [41... ♘f5? 42. ♕e6] **42. ♖e1** [42. ♕e6 ♖f8 43. ♖b2 ♕g5!–+; 42. ♖b2 ♘f2–+; 42. ♗e6 ♘f2 43. ♕f2 ♗f2 44. ♗c8 ♕c7! 45. ♗g4 (45. ♖b2 ♕c6 46. ♔h2 ♗g3–+; 45. ♔g2 ♕c8 46. ♔f2 ♕c2 47. ♔e1 f3–+; 45. ♗f5 ♕c1 46. ♖bd3 ♗b6 △ b1♕–+) ♕c1 46. ♔g2 ♗b6 47. h6 ♕c2 48. ♔h3 ♕g6–+] **b1♕ 43. ♖eb1** [43. ♖bb1 ♘f2 44. ♔h2 ♕g3#] **♘f2** [44. ♔h2 f3! △ 45... ♗c7#, 45... ♕g2#] **0 : 1**
[Skembris]

384. **C 26**

N. SHORT 2650 – NUNN 2620

Rotterdam 1989

1. e4 e5 2. ♘c3 ♘f6 3. g3 d5 4. ed5 ♘d5 5. ♗g2 ♘c3 6. bc3 ♗d6 7. ♘f3 0–0 8. 0–0 ♘d7 9. d4?! N [9. ♖b1= – 20/261; 9. d3=] **ed4 10. cd4 ♘b6** [△ c6, ♗e6-d5] **11. ♘g5 ♗e7 12. h4 h6 13. ♘e4 c6 14. a4 ♗e6** [△ ♗d5] **15. ♘c5 ♗c5 16. dc5 ♘c4 17. ♖b1 ♕e7?!** [17... ♕a5 18. ♖b7 ♕c5∓] **18. ♕h5 ♖ad8 19. ♗f4?!** [19. ♖e1=] **♖d7?** [19... ♗d5 20. ♖fe1 ♕c5 21. ♖b7 ♕a5! 22. ♖a1 (22. ♖ee7? ♗g2 23. ♕a5 ♘a5 24. ♖a7 ♗f3–+) ♕c3∓] **20. ♖fe1 ♕f6 21. ♗e4! ♖fd8?** [21... ♘d2 22. ♗d2 (22. ♗e5 ♕d8=) ♖d2 23. ♕f3 ♕f3 24. ♗f3 ♖c2 25. ♖b7=] **22. ♗d3** [22. ♗g5? hg5 23. hg5 g6] **♖d5 23. ♗g5!?** [23. ♕e2 ♖c5 24. ♖b7±] **♕c3□ 24. ♖e6 fe6 25. ♖b7 ♖f8□** [△ ♕e1] **26. ♔g2 ♕d4?+–⊕** [26... ♘b2 27. ♗g6 (27. ♗e4!?) ♘d1 28. ♖f7!± △ 28... ♘f2 29. ♖f8 ♔f8 30. ♕e2!+–; 26... ♘a5 27. ♖a7 ♖d3 28. cd3 hg5 29. ♕g5 ♘b3 30. h5 ♕f6 31. ♕e3±; 26... ♖d3! 27. cd3 hg5! (27... ♘a5 28. ♖g7! ♕g7 29. ♗h6±) 28. dc4 (28. ♕g5 ♘d2 29. h5 ♘e4 30. de4 ♕f3=; 29... ♘f3!∓) ♕d2 29. ♔h3 ♕f2 30. ♕g5=] **27. ♕g6! ♖f2 28. ♔h3 ♕g4□ 29. ♔g4 ♘e5 30. ♔h5 ♘g6 31. ♔g6 hg5 32. ♖g7 ♔f8 33. h5** [33. hg5?? ♖g5] **g4 34. h6 a5 35. h7??⊕** [35. ♖c7 ♖h2 36. h7 ♖dh5 37. ♖c8 ♔e7 38. ♔g7 ♖g5 39. ♗g6+–] **♖g5= 36. ♔g5** [36. ♔h6 ♖h2 37. ♔g5 ♔g7∓ △ ♖h1] **♔g7** [♖ **2/l**] **37. ♔g4 e5?** [37... ♖d2? 38. ♔f4 ♖d1 39. ♔e5 ♖a1 40. ♔d6 ♖a4 41. ♔c6 ♖a3 42. ♔b5+–; 37... ♖f8! 38. ♗e4 ♖b8 39. ♗c6 ♖b4 40. ♔f3 ♖c4 41. ♗d7 e5 42. ♗e6 ♖c2 43. ♔e4 ♖c5 44. ♗d5 ♔h7 45. ♔e5=] **38. ♗e4 ♖d2 39. ♔f5 ♖d4 40. ♔e5?** [40. ♗c6 ♖c4 41. ♗d5! ♖c2 (41... ♖c5 42. c4+–; 41... ♖a4 42. c6 ♖a3 43. ♔e5 ♖c3 44. ♔d4 ♖c2 45. ♗c4+–) 42. c6 ♖e2 43. ♗e4+–] **♖a4= 41. ♗c6 ♖c4 42. ♔d5** [42. ♔d6!? a4 43. ♗a4 ♖a4 (♖ **0/h**) 44. ♔d5 ♖g4 45. c6 (45. c4 ♖g5 46. ♔c6 ♖g6 47. ♔b5 ♖g5 48. ♔b6

♖g4=) ♖g5 46. ♔d6 ♖g6 47. ♔c5 ♖g5 48. ♔b6 ♖g4 49. ♔b5 ♖g5 50. ♔b4 ♖g6=] **♖c2 43. ♗b5 ♖d2 44. ♔e5** [44. ♔c4 ♖g2 45. c6 ♔h7=] **♖g2 45. c6 ♖g3 46. ♗c4 ♖e3 47. ♔d6 ♖e8 48. ♔d7 ♖a8 49. ♗g8 1/2 : 1/2** **[Nunn]**

385. **C 28**

MAKARYČEV 2500 – RAZUVAEV 2550
Moskva (GMA) 1989

1. e4 e5 2. ♗c4 ♘c6 3. ♘c3 ♘f6 4. d3 ♘a5 5. ♘ge2 ♘c4 6. dc4 ♗c5! 7. h3 N [7. ♗g5 ♗f2; 7. 0–0] **h6 8. ♘g3 d6 9. 0–0 ♗e6 10. ♕d3 0–0 11. ♗d2** [11. ♘f5 ♗f5 12. ef5=] **a6!** [⇗c5-a7] **12. a4** [12. ♖ad1 b5!? △ 13. cb5 ab5 14. ♕b5 ♖b8; 12. b3=] **c6** [△ d5] **13. ♖ad1 ♕e7!** [13... ♕c7?! 14. ♔h1 △ f4±] **14. ♔h1?!** [14. b3 ♖ad8 △ d5∓] **♖ad8 15. f4 ef4 16. ♗f4 ♘g4!□** [16... ♘d7? 17. ♘f5±→»] **17. ♘f5!** [17. ♕e2 ♕h4!∓] **♗f5 18. ef5 ♘f2 19. ♖f2 ♗f2 20. ♘e4 ♕h4□** [20... ♗c5 21. f6 gf6 (21... ♕e6 22. ♕g3 g6 23. ♕h4! h5 24. ♕g5 △ ♕h6+–) 22. ♗h6±] **21. ♕f3 ♗e1!!□** [21... ♗c5 22. ♗g3! ♕e7 23. f6 ♕e6 (23... gf6? 24. ♗h4+–) 24. fg7 ♔g7 25. ♗h4 f6 26. ♘g3!?±→»] **22. f6!?** [22. ♘d6 ♗b4; 22. ♗d6 ♖fe8; 22. ♔h2 d5! 23. cd5 cd5 (23... ♖d5? 24. g3!) 24. ♘d6 ♗b4 25. ♘b7 ♖d7 26. c3 ♗e7∓; 22. c3 d5 23. ♘d6 (23. cd5 ♖d5! ×f5) dc4∓] **g5!** [22... g6?! 23. ♘d6 ♗b4 24. c3 (24. ♗g3 ♕h5 25. ♕h5 gh5 26. ♖d3! ♗d6 27. ♗d6 ♖fe8 28. ♗e7 ♖d3 29. cd3 ♖c8 △ ♖c7-d7∓) ♗d6 25. ♗d6 ♖fe8 26. ♗e7 ♖d1 27. ♕d1 ♕c4 28. ♕d7 ♕f1 29. ♔h2 ♕f4 30. ♔h1 ♕b8! (30... ♖b8 31. ♗d6 ♕d2! 32. ♕e7! ♖c8 33. ♗c7!⇆) 31. b4!? ♕c8 32. ♕d2 ♔h7 33. ♕a2! ♔g8□ 34. ♕d2; 32... g5! △ 33... ♕e6, 33... ♕f5∓] **23. ♗h2** [23. ♗d6 ♖fe8 24. g4!□ h5! (24... ♖e4?! 25. ♕e4 ♕h3 26. ♗h2! ♕f1 27. ♗g1=) 25. ♔g2 hg4 26. hg4 ♕h7! 27. ♖e1 ♖d6∓ ×c2] **♖fe8** [23... d5? 24. ♘d6 △ ♘f5±] **24. ♘d6** [24. g4 h5!∓ △ hg4, ♕h7] **g4!□ 25. hg4?!** [25. ♕g4 ♕g4 26. hg4 ♗b4 △ ♖e6∓] **♖d6! 26. ♖d6 ♗d2!** [26... ♗b4? 27. g3! (27. ♖d1 ♖e1 28. ♖e1 ♕e1 29. ♗g1 ♗c5) ♕h3 28. ♖d1±; 26... ♗g3?! 27. ♕g3 ♖e1∓] **27. ♕h3** [27. g3 ♕h3–+] **♕e1** [27... ♖e1 28. ♗g1 ♕h3 (28... ♕f2?? 29. ♖d8 ♔h7 30. ♕d3) 29. gh3 ♗e3] **28. ♗g1 ♗e3–+ 29. ♕h2 ♗g1** [30. ♕g1 ♕h4 31. ♕h2 ♖e1#] **0 : 1** **[Makaryčev]**

386. **C 28**

B. LARSEN 2580 – DAVIES 2485
London 1989

1. e4 e5 2. ♗c4 ♘f6 3. d3 ♘c6 4. ♘c3 ♗b4 5. ♘f3 d6 6. 0–0 ♗c3 7. bc3 ♗g4!? N [7... h6; 7... 0–0; 7... ♘a5] **8. h3 ♗h5 9. ♗b3** [9. g4 ♘g4∞] **♘d7 10. ♗e3** [10. g4!?] **♕e7 11. ♖b1?!** [△ 11... 0-0-0 12. ♗d5; 11. ♔h2!?] **♘d8 12. ♔h2 f6 13. ♕d2!? ♗f7** [13... ♗f3 14. gf3 g5 15. h4 h6 16. ♖h1±] **14. ♘h4 g6 15. f4 ♗b3 16. ab3 ♘f7** [16... f5 17. ♘f3±] **17. ♘f3 0–0 18. ♖f2± a6 19. ♖bf1 ♔h8 20. ♔h1 ♖ae8 21. ♘h2 ef4?! 22. ♗f4 ♘fe5 23. c4+–** [⇔f, ×f6, ⊞] **♖f7 24. ♕a5! ♖c8 25. ♘f3 ♘c6?! 26. ♕c3 ♔g8 27. ♘h2 h5 28. ♗c1 ♕f8 29. ♘f3 ♕g7 30. b4 ♘ce5 31. ♘d4 ♖e8 32. c5 dc5 33. bc5 c6 34. ♘b3 g5? 35. ♘d4 ♕f8 36. ♘f5 ♘c5 37. ♗a3 ♘ed7** [37... b6 38. ♕a1!] **38. ♕a1! b5 39. d4 ♖e4 40. ♗c5 1 : 0** **[B. Larsen]**

387.* **C 42**

SERPER 2435 – AKOPJAN 2520
Tbilisi 1989

1. e4 e5 2. ♘f3 ♘f6 3. ♘e5 d6 4. ♘f3 ♘e4 5. d4 d5 6. ♗d3 ♗d6 7. 0–0 0–0 8. c4 c6 9. cd5 [RR 9. ♖e1 ♗f5 10. ♕b3 ♘a6 11. ♘c3 dc4! N (11... ♘ec5?! – 45/351) 12. ♗c4?! ♘c3 13. bc3 b5 14. ♗f1 ♘c7 15. ♗a3 (15. a4 a6 16. ♗a3 ♗e6 17. ♕c2 ♗d5 18. ♗d6 ♕d6 19. ♘g5 g6 20. ♘e4 ♗e4 21. ♕e4 ♖fe8=) ♗e6 16. ♕b2 ♗d5 17. ♘e5 ♖e8 18. ♗d6 1/2 : 1/2 Serper 2435 – Akopjan 2455, Adelaide 1988; 12. ♕c4! ♗e6 13. ♕a4 ♘ac5 (13... ♘c3 14. bc3 ♘c7 15. ♘g5±⊡) 14. dc5 ♘c5

15. ♗h7 ♔h7 16. ♕c2 ♔g8 17. ♘g5!± △ 17... ♘d3? 18. ♖d1 ♗f5 19. ♘ge4 ♘c1 20. ♕c1+− Serper, Al. Hasin] **cd5 10. ♘c3 ♘c3 11. bc3 ♗g4 12. ♖b1 ♘d7 13. h3 ♗h5 14. ♗b7 ♘b6 15. ♗d2! N** [15. ♗a6 − 42/382] **h6!?** [15... ♕c8 16. ♗h7! *a)* 16... ♔h7 17. ♘g5 ♔g6 18. g4! ♗g4 (18... ♕b7 19. gh5 ♔f6 20. ♖e1+−) 19. hg4! ♕b7 20. ♖e1!! △ ♕c2+−; *b)* 16... ♔h8 17. ♖b6 ab6 18. ♗b1±; 15... ♗g6!?] **16. ♖e1 ♕c8 17. ♗a6 ♕c6** [17... ♕f5? 18. ♘h4!+−] **18. ♘e5 ♕b7 19. ♗b7 ♗d1 20. ♗a8 ♗e5! 21. de5** [21. ♖d1 ♗d4 22. ♗d5 ♘d5! (22... ♗f2 23. ♔f2 ♘d5 24. c4±) 23. cd4 ♖b8=] **♗a4** [21... ♖a8 22. ♖d1 ♖c8 23. ♗e1! ♖c5 (23... ♖c4 24. ♖d4) 24. f4 ♖b5 (24... ♖a5? 25. c4) 25. ♔f2 △ ♔f3, ♗f2±] **22. ♗b7 ♗b5! 23. ♖b1** [23. ♗e3 ♖b8 24. ♗b6 ♖b7 25. ♗d4 ♗d7!=] **♗c4 24. a3** [24. ♗e3 ♘a4! (24... ♖b8 25. ♗c6 ♖c8 26. ♗b6 ♖c6 27. ♗a7 ♗a2 28. ♖b8 ♔h7 29. ♗d4±) 25. ♗d4 (25. ♗a7 ♘c3 △ ♘a2=) ♖b8! 26. ♗a7 ♘c3 27. ♗b8 (27. ♖b2 ♖e8! 28. a3 ♖e5=) ♘b1 28. a4 d4=] **♖b8 25. ♗c6 ♖c8 26. ♗b5 ♖c5! 27. ♗c4** [27. a4 ♗b5 28. ab5 ♘c4 29. ♗c1 ♘e5 30. ♗e3 ♖c7 31. ♖d1 ♖d7 32. ♖a1 ♖b7=] **♘c4 28. ♗f4 ♖a5! 29. h4⊕** [29... ♖a3 30. h5 ♖c3 31. ♖b8 ♔h7 32. ♖b7=; 29... h5! 30. ♖b8 ♔h7 31. ♖d8∓] **1/2 : 1/2** **[Akopjan]**

388.   C 42

N. SHORT 2650 − SALOV 2630
Amsterdam 1989

1. e4 e5 2. ♘f3 ♘f6 3. ♘e5 d6 4. ♘f3 ♘e4 5. d4 d5 6. ♗d3 ♗d6 7. 0−0 0−0 8. c4 c6 9. ♘c3 ♘c3 10. bc3 ♗g4 11. cd5 cd5 12. ♖b1 b6?! N [△ 12... ♘d7 − 46/ 397, 398] **13. ♖b5! ♗c7**□ [13... ♘c6? 14. ♖d5 ♗h2 15. ♘h2 ♗d1 16. ♖d8 ♖fd8 17. ♖d1±] **14. c4** [14. h3 a6! (14... ♗h5? 15. c4+−) 15. ♖d5!? ♕d5 16. hg4∞] **♕d6 15. ♖e1!** [15. g3? ♕f6] **♗f3** [15... dc4 16. ♗e4 ♘c6 17. ♖d5 ♕b4 (17... ♕f6 18. ♗g5; 17... ♗f3 18. ♖d6 ♗d1 19. ♖c6) 18. a3! ♕b3 (18... ♗f3 19. ♗f3 ♕b3 20. ♖d7+−) 19. ♗h7 ♔h7 (19... ♔h8 20.

♗c2) 20. ♘g5 ♔g8 21. ♕g4±→≫] **16. ♕f3 ♕h2 17. ♔f1 ♘c6 18. ♖d5± ♖ae8 19. ♗e3??** [19. ♖e8 ♕h1 (19... ♖e8? 20. ♖h5) 20. ♔e2 ♖e8 21. ♗e3 *a)* 21... ♖e7 22. ♖d7!! (22. ♖h5?? ♘d4) ♖d7 23. ♕c6 ♕h5 24. f3+−; *b)* 21... ♕a1 22. ♕f5 ♖e6 (22... g6 23. ♕d7+−; 22... ♘d4 23. ♖d4 ♕d4 24. ♕h7 ♔f8 25. ♕h8 △ ♕e8+−) 23. ♕h7 ♔f8 24. ♕h8 ♔e7 25. ♕g7+−] **g6??** [19... f5!□∓ △ 20... ♘b4, 20... ♘e7, 20... f4] **20. a3!± ♕h1** [20... f5 21. ♕h3 ♕h3 22. gh3 f4 23. ♗d2 ♖d8 24. ♗c3±] **21. ♔e2 ♕h4 22. g4** [△ ♖h1→≫] **f5 23. ♖d7 f4** [23... fg4 24. ♕d5 ♔h8 25. ♕c6 ♕f2 26. ♔d1 ♖e3 27. ♖h7+−] **24. ♖h1 ♕f6** [24... ♘d4!? 25. ♖d4 ♕f6 26. ♖d7 fe3 27. ♕f6 ♖f6 28. f3!+− △ 28... ♗f4 29. ♖hh7 △ c5] **25. ♕d5 ♖e6 26. g5+− ♘d4 27. ♔d1   1 : 0** **[N. Short]**

389.***   C 42

BELJAVSKIJ 2640 − JUSUPOV 2610
Barcelona 1989

1. e4 e5 2. ♘f3 ♘f6 3. ♘e5 d6 4. ♘f3 ♘e4 5. d4 d5 6. ♗d3 ♘c6 7. 0−0 ♗e7 8. c4 [RR 8. ♖e1 ♗g4 9. c3 f5 10. ♕b3 *a)* 10... ♕d6 11. ♘fd2 0-0-0 12. f3 ♗h4 13. ♖f1 ♗h3 N (13... ♗h5 14. fe4 fe4 15. ♗e4! de4 16. ♘e4 ♕g6 17. ♘c5 b6 18. ♕e6±; 13... ♗f2 − 46/(401)) 14. ♕c2 ♕g6 15. ♘b3 ♖hf8 16. ♘a3 ♖de8 (Ivančuk 2625 − Anand 2555, Reggio Emilia 1988/89) 17. ♗f4! ♗g5 18. ♗g5 ♘g5 19. gh3 ♘e6 20. ♔h1 ♘f4 (△ ♖e2) 21. ♖ae1+−; *b)* 10... ♕d7 N 11. ♘fd2 0-0-0 12. f3 ♘d2 13. ♘d2 ♗h5 14. ♕a4 ♖he8 15. ♘b3 a6 16. ♗d2 ♗g6 17. ♗f4 ♘b8 18. ♕d7 ♘d7 19. ♔f2 ♗f6 20. g3 ♖f8 21. a4 ♖f7 22. a5 h6 23. ♘c5± Ehlvest 2600 − Jusupov 2610, Rotterdam 1989] **♘b4** [RR 8... ♗e6 9. ♖e1 ♘f6 10. c5 0−0 11. ♘c3 ♗g4 12. ♗e3 ♗c5!? N (12... ♖e8 13. h3 ♗h5 14. g4±) 13. dc5 d4 14. ♗d4 ♘d4 15. ♗h7 ♘h7 16. ♕d4 ♗f3 17. ♕d8 ♖fd8 18. gf3 ♘g5 19. ♖e7 ♖ac8 20. ♖e3 ♗d2 21. ♘e4 1/2 : 1/2 N. Short 2665 − Smyslov 2550, Hastings 1988/89] **9. ♗e2 0−0 10. ♘c3 ♗e6 11. ♗e3 f5 12. a3 ♘c3 13. bc3 ♘c6 14. cd5 ♗d5 15. ♕c2 N** [15. c4 − 46/402] **♔h8 16.**

205

♖fd1 ♕d7!= [16... ♗f6? 17. ♘e5±] 17. ♗f4 ♗d6 [17... ♖ae8!? 18. ♕d2=] 18. ♘e5 [⌓ 18. ♗d6=] ♗e5 19. de5 ♕e6 20. c4 ♗e4 21. ♕c3 ♘e7 22. ♖d4 ♖ae8!∓ [×e5] 23. f3 ♗c6 24. ♗g3 g5! 25. ♗d3! f4 26. ♗f2 ♘f5 [26... ♕e5?! 27. ♖e1=∞] 27. ♗f5 ♖f5 28. ♖ad1 ♔g8 [28... ♖e5?! 29. ♖d8 ♔g8 30. ♖e8 ♕e8 31. h4=∞] 29. ♖d8 ♖ff8 30. ♖e8 ♖e8 31. ♕d4 ♕e5? [⌓ 31... b6∓] 32. ♕e5 ♖e5 33. ♗a7 ♖e8 [33... ♖a5 34. ♗b8 ♖a3 35. ♗c7 ♖c3 36. ♖d4 b5 37. cb5 ♗b5 38. ♗f4!=] 34. ♗c5 ♔f7= 35. ♔f2 ♔f6 36. ♗b4 h5?! 37. h4! gh4 38. ♖d4 ♔g5 39. ♗a5 b6 [⌓ 39... h3=] 40. ♗d2± ♖f8 41. c5 ♖f5 42. cb6 cb6 43. ♖c4 ♗d7 44. ♔g1 b5 45. ♖d4 ♗e6 46. ♔h2 ♗c8 47. ♗a5 h3! 48. ♖d6 ♖c5□ 49. ♗d8 ♔f5 50. ♖h6 ♖d5!=⊞ 51. ♖h5 ♔e6 52. ♖d5 ♔d5 53. gh3 ♗f5 54. ♗c7 ♗b1 55. ♗f4 ♔e6 56. ♔g3 ♗f5 57. ♗g5 ♗b1 58. ♔f4 ♗f5 59. h4 ♗b1 60. h5 ♔d5 1/2 : 1/2 [Jusupov]

390.* **C 42**

TIMMAN 2610 –
J. HJARTARSON 2615
Rotterdam 1989

1. e4 e5 2. ♘f3 ♘f6 3. ♘e5 d6 4. ♘f3 ♘e4 5. d4 d5 6. ♗d3 ♘c6 7. 0–0 ♗e7 8. c4 ♘b4 9. ♗e2 0–0 10. ♘c3 ♗e6 [RR 10... ♗f5!? N 11. a3 ♘c3 12. bc3 ♘c6 13. ♖e1 dc4 14. ♗c4 ♗d6 15. ♗g5 ♕d7 16. ♘h4 ♘a5 17. ♗a2 ♗g4 18. ♕c2 ♖ae8 19. h3 ♗e6 20. c4 ♗e7 21. ♗e7 ♕e7 22. ♘f3 1/2 : 1/2 Ljubojević 2580 – Jusupov 2610, Barcelona 1989] **11. ♗e3 ♗f5 12. ♕b3 dc4?** [⌓ 12... c6] **13. ♗c4 a5 14. a3 ♘c3 15. ab4! N** [15. bc3 – 39/390] **b5 16. ba5!±** [16. ♗f7 ♖f7 17. bc3 a4=∞] **bc4 17. ♕c3 ♗d3 18. ♖fe1 ♖b8 19. ♗d2 c5 20. dc5 ♗f6?** [20... ♗c5 21. ♕e5! (21. ♖e5 ♗d6) ♖b5 (21... ♗a7? 22. ♗c3+–) 22. ♗e3 (22. ♕g3? ♖b2 23. ♗c3? ♗f2) ♖e8 23. ♕e8! (23. ♕h5? c3! 24. ♗c5 cb2⇆) ♕e8 24. ♗c5 ♕a8 25. ♗d4 △ ♗c3±] **21. ♘e5 ♕d5 22. ♗f4!** [22. b4? cb3 23. ♕d3 ♕d3 24. ♘d3 ♗a1 25. ♖a1 ♖bd8–+] **♖fe8 23. b4+– cb3 24. ♕d3 ♕d3 25. ♘d3 ♗a1 26. ♖a1 b2 27. ♘b2!** [27. ♖b1 ♖b3! △ 28. ♘e5?? ♖a3] **♖b2 28. h3 ♖c2 29. a6 g5** [29... ♖c5 30. a7 ♖a8 31. ♖b1 ♖cc8 32. ♖b8 △ ♖a8, ♗b8+–] **30. ♗d6 ♖a8 31. a7 f5 32. ♖a6 ♔f7 33. c6 ♔e6 34. ♗b8 1 : 0** **[J. Hjartarson]**

391.* **C 43**

AM. RODRIGUEZ 2515
– SARIEGO 2380
Holguin 1989

1. e4 e5 2. ♘f3 ♘f6 3. d4 ♘e4 4. ♗d3 d5 5. ♘e5 ♗d6 [5... ♘d7 6. ♕e2 ♕e7 7. ♗e4 de4 8. ♗f4 ♘e5 9. ♗e5 ♗f5 10. ♘c3 0-0-0 11. 0-0-0 ♕e6 12. ♕e3 h5 13. h3 f6 14. ♗c7! N (14. ♗h2 – 30/235) ♔c7 15. d5 ♕d7 16. ♕a7 ♔d6 17. ♕a3 ♔c7 (17... ♔e5 18. d6+– Svec – Wason, corr. 1989) 18. ♕a5 ♔d6 (18... ♔b8 19. ♘b5+–) 19. ♕b4 ♔c7 20. ♘b5+– Svec] **6. ♘c3 0–0?! N** [6... ♘c3 – 35/405] **7. ♘e4! de4 8. ♗e4 ♗e5** [8... f6? 9. ♕h5 g6 10. ♗d5+–; 8... c5 9. 0–0 (9. ♕d3!? △ ♗f4, 0-0-0) cd4 10. ♘f3±; 8... ♕e7 9. f4!? (9. 0–0 ♗e5 10. de5 ♕e5 11. ♖e1±⊞) f6 10. 0–0 fe5 11. fe5 △ 11... ♗b4 12. c3 ♖f1 13. ♕f1 ♗a5 14. ♗g5!→] **9. de5 ♕e7** [△ ♕b4] **10. ♕e2 ♘c6** [10... ♖e8 11. f4 f6? 12. 0–0 fe5 13. fe5 △ 13... ♕e5? 14. ♗d5+–] **11. f4 ♘d4 12. ♕f2** [12. ♕d3!? ♖d8 13. 0–0 ♗g4 14. ♕e3] **♘b3!? 13. ♗h7 ♔h7 14. cb3± f6! 15. ♕h4** [15. ♕c2!? ♔g8 16. 0–0 fe5 17. ♖e1 ♖f5 18. ♗d2±] **♔g8 16. 0–0 ♕c5 17. ♕f2 ♕f2 18. ♖f2 fe5 19. fe5 ♖f2 20. ♔f2** [♖ 9/j] **♗e6 21. ♗f4± ♖d8 22. ♖c1 c6 23. h3** [23. ♖c2 △ ♖d2] **♖d5!** [△ ♖a5] **24. ♖c3 ♖d1 25. ♔e2 ♖g1 26. ♔f2 ♖d1** [26... ♖a1? 27. a3 △ b4, ♗c1+–] **27. g4!? ♖h1 28. ♔g3 ♖g1 29. ♔f2 ♖h1 30. ♔g3 ♖g1 31. ♔h4! ♖g2 32. ♗c1 ♔f7 33. ♔g5 ♗d5 34. a3 a5 35. b4!? ab4 36. ab4 ♖e2 37. ♖e3 ♖c2 38. ♖e1 ♖f2 39. ♗e3! ♖b2 40. ♗c5 ♖h2 41. ♖f1! ♔e6** [41... ♔g8 42. e6! ♗e6 43. ♔g6+–] **42. h4+–** [×g7] **♔e5 43. h5 ♗e6 44. ♗f8 ♔d5 45. ♖f4! b6 46. ♗g7 c5 47. bc5 ♔c5 48. ♗d4 1 : 0** **[Am. Rodríguez]**

392. C 47

SALGADO ALLARIA – NUNEZ

corr. 1986/88

1. e4 e5 2. ♘f3 ♘c6 3. d4 ed4 4. ♘d4 ♘f6 5. ♘c3 ♗b4 6. ♘c6 bc6 7. ♗d3 d5 8. e5 ♘g4 9. ♗f4 d4?! [9... f6! 10. h3 ♘e5 11. ♗e5 fe5 12. ♕h5 ♔f8 13. ♕e5 ♕e8 (13... d4?! 14. 0-0-0 dc3? 15. ♕f4±; 13... ♗d6 — 4/257) 14. ♕e8 ♔e8 15. 0–0∞] **10. ♕f3 dc3 11. 0-0-0 cb2 N** [11... 0–0? 12. ♗h7 ♔h7 13. ♖d8 ♖d8 14. ♕e4+–; 11... ♕d5?! 12. ♗e4 ♕a2 13. ♗c6 ♔f8 14. ♖d8 ♔e7 15. ♗g5 f6 16. ef6 gf6 17. ♖e1 ♗e6 18. ♖e6!+–; RR 18... ♕e6 19. ♖d7 ♔f8 20. ♕g4!! ♕g4 (20... ♕e1 21. ♖d1 cb2 22. ♔b1 h5 23. ♕d4+–; 20... ♕c6 21. ♕b4 ♔g8 22. ♕b3+–) 21. ♗h6 ♔e8 (21... ♔g8 22. ♗d5+–) 22. ♖g7 ♔d8 23. ♖g4 cb2 24. ♔b1 ♖b8 25. ♗g7 ♖e8 (25... ♖f8 26. ♖b4+–) 26. ♗f6 ♗e7 27. ♗e7 ♔e7 28. ♖e4 ♔f7 29. ♖e8 ♖e8 30. ♗e8 ♔e8 31. ♔b2+– Veličković; 11... ♖b8!? 12. ♗c4 ♕e7 13. h3 ♗a3! 14. ♗b3! ♗b2? — 14/256; 14... ♘f2∞] **12. ♔b1 ♘f2!□**

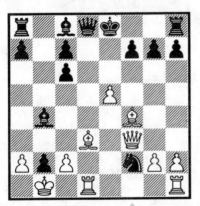

13. ♗e4!! [13. ♕f2 ♕e7 14. ♗e4 (14. ♖hf1 ♗e6 15. ♗e4 0–0 16. ♗c6 ♖ad8∓) ♗d7 15. ♖hf1 0–0!? 16. ♕g3=∞] **♘d1 14. ♗c6 ♗d7 15. ♖d1 0–0** [15... ♖b8 16. ♖d7 ♕d7 17. ♕d5 ♖d8 18. e6! (18. ♗d7 ♖d7 19. ♕a8?! ♔e7 20. ♕h8?? ♗c3–+; 19. ♕b5∞) ♕c6 19. ♕c6 ♔e7 20. ♕c7+–] **16. ♖d7!** [16. ♗a8 ♕a8 17. ♕a8 (17. ♖d7 ♕f3 18. gf3 ♗a3! 19. ♖d3 ♗e7 20. ♔b2 ♖d8=) ♖a8 18. ♖d7 ♗a3! 19. ♖d3 ♗e7 20. ♔b2 ♖d8=] **♕c8□ 17. ♕g4! ♖d8** [17... h5 18. ♕h5 △ ♗e4] **18. e6 ♖d7 19. ed7 ♕d8 20. ♗a8 ♕a8 21. ♗c7+– ♗e7 22. ♕d4! ♗d8 23. ♕e5! 1 : 0** **[Morgado, Salgado Allaria]**

393. C 50

SARIEGO 2380 – S. ĐURIĆ 2475

Holguin 1989

1. e4 e5 2. ♘f3 ♘c6 3. ♗c4 ♗e7 4. d4 ed4 5. ♘d4 ♘f6 6. ♘c3 0–0 7. 0–0 d6 8. ♖e1 ♗g4!? N [8... ♘d4 — 9/196; 8... ♖e8 — 39/395] **9. ♗e2** [9. f3 ♗d7] **♘d4 10. ♕d4 ♗e2 11. ♖e2 ♖e8 12. ♗d2 c6= 13. a4** [⌓ 13. ♖ae1] **a6 14. a5?!** [×a5] **♕c7 15. ♕c4** [△ ♘d5] **♖ac8 16. h3 ♗f8 17. ♗f4 ♖e6 18. ♖d2 ♖ce8∓ 19. ♖a4?!** [19. f3 ♘h5 20. ♗h2 ♕e7∓ △ ♕g5] **h6?!** [19... ♘e4! 20. ♘e4 ♖e4 21. ♕e4 ♖e4 22. ♖e4 ♕a5 23. ♖e8 g5! 24. ♗e3 (24. ♖d6 gf4 25. ♖dd8 ♕a1–+) f6 25. ♖d6 ♔f7 26. ♖dd8 ♗e7 27. ♖c8□ ♕a1 28. ♔h2 ♗d6 29. g3 ♕b2–+] **20. ♖b4** [20. f3 ♘h5 21. ♗h2 ♕e7 (△ ♕g5) 22. f4 d5 23. ♕e2 ♕h4 24. f5 (24. ♕g4?? ♕e1#) ♗c5 25. ♔h1 ♖e5!–+→⟫; 20. ♕d3 ♘d7! (20... ♕e7? 21. ♖d4!) 21. ♕g3 (21. ♕c4? b5!–+) ♘c5 22. ♖ad4 ♖g6∓] **♘e4 21. ♘e4 ♖e4 22. ♕e4 ♖e4 23. ♖e4 g5 24. ♗e3 ♕a5 25. ♖e8 d5** [25... ♕c7 26. ♗c5 dc5 27. ♖dd8 ♔g7 28. ♖f8 ♕e5∓; ⌓ 25... f6] **26. c4! f5 27. cd5 f4 28. d6** [28. dc6 fe3 29. cb7 ed2 30. ♖f8 ♔f8 31. b8♕ ♔e7 32. ♕b7 ♔d8 33. ♕b8 ♔d7 34. ♕b7 ♕c7 35. ♕d5 ♕d6–+] **fe3 29. d7 ♕d2 30. d8♕ ♕f2?⊕** [30... ef2 31. ♔f1 ♕c1 32. ♔f2 ♕b2∓] **31. ♔h2= ♕f4** [31... e2 32. ♕e7] **32. ♔h1 ♕f1 33. ♔h2 ♕f4 34. ♔h1 1/2 : 1/2** **[S. Đurić]**

394.*** C 54

EHLVEST 2600 – SALOV 2630

Rotterdam 1989

1. e4 e5 2. ♘f3 ♘c6 3. ♗c4 ♗c5 4. c3 ♘f6 5. d3 a6 [RR 5... d6 6. 0–0 ♗b6 7.

♗b3 ♘e7 8. ♘bd2 ♘g6 9. ♘c4 0—0 10. ♖e1 ♗e6 11. h3 N (11. d4 — 46/(409)) h6 12. d4! ♗c4 (12... ♖e8 13. d5! ♗d7 14. a4±) 13. ♗c4 ♖e8 (13... ed4 14. cd4! d5 15. ed5 ♘d5 16. ♗d2 c6 17. ♕b3 ♕d7 18. a4±; 14... ♘e4 15. ♗d5±) 14. ♕b3 (14. ♗b3? d5!) ♕d7 15. a4 a5 (15... c6!? 16. a5 ♗d8) 16. ♗e3! (16. ♗b5!? c6 17. ♗d3 ♗c7 18. ♕c2±) ♘e4?! 17. ♗b5! c6 18. ♗d3 ed4 19. ♗d4 ♘d4 20. ♗e4 (20. ♖e4? ♗e5!) ♖e4 21. ♖e4 ♗f6 22. ♖ae1± Kramnik — Jakovič 2455, Belgorod 1989]; 16... ed4 17. ♗d4 ♗d4 18. cd4 c6! (18... ♘e4?! 19. ♕b7 ♖ab8 20. ♗b5! ♕f5 21. ♕c7 ♘h4 22. ♗e8 ♘f3 23. gf3 ♕g5 24. ♔f1 ♘d2 25. ♔e2 ♖e8 26. ♔d3+—) 19. e5 de5 20. de5 ♘d5 21. ♗d5 cd5 22. ♖ad1 ♖ad8 23. ♖d4± Kramnik] 6. 0—0 ♗a7 7. ♘bd2 0—0 8. ♖e1 d6 9. ♗b3 ♘g4 [RR 9... ♘e7 10. h3 ♘g6 11. ♘f1 ♗h5!? N (11... ♖e8 — 30/249; 11... ♗e6 — 46/409) 12. d4 (12. ♗g5 ♕e8 13. ♘h4?! ♘gf4!) ♘hf4 13. ♘g3 (13. de5?! de5 14. ♕d8 ♖d8= △ 15. ♘e5? ♘h3!∓; 13. ♗f4!? ef4 14. e5±) ♕e7?! (13... ♕f6?! 14. ♘h5!±) 14. ♗e3 ♖d8 (14... h6!?) 15. ♗c2 h6 16. ♘f5! ♕f6 17. g3!± Kramnik — Campora 2500, Moskva (GMA) 1989; ◯ 13... h6 Kramnik; 9... ♘h5!? N 10. ♘f1 ♕f6 11. ♗g5 ♕g6 12. ♕d2 h6 13. ♗e3 ♗e3 14. ♘e3 ♘f4 15. g3 ♗e6 16. ♘h4 ♕g5 17. ♘hf5 ♖ae8 18. h4 ♕g6 19. ♔h2 ♘h5 20. ♕e2 ♘f6 21. ♕f3 ♘h8 22. ♖g1 ♗b3 23. ab3 ♘d8 24. ♖ad1 ♘e6 25. b4 ♕h7 26. ♘d5 1/2 : 1/2 Ehlvest 2600 — An. Karpov 2750, Rotterdam 1989] 10. ♖e2 ♔h8 11. h3 ♘h6 12. ♘f1 f5 13. d4 N [13. ♗h6 — 45/366] ♕f6 14. de5 ♘e5 15. ♘e5 ♕e5?! [15... de5∞] 16. ef5 ♕f5 17. ♗e3 ♗e3 18. ♘e3 ♕g5 19. ♕d5!±◯ ♕f6 20. ♖d1 ♘g8 21. ♗c2 g6□ [21... ♘e7 22. ♕c4! c6 23. ♕d3+—] 22. ♕c4 c6 23. ♕b4 d5 24. c4!± d4 [24... dc4 25. ♘c4+—] 25. ♖d4 ♗h3 26. ♖d6 ♕g5 27. ♔f1 ♗f5□ 28. ♕c3 ♖f6 29. ♘f5 gf5 30. ♖d7+— b5 31. ♖e3 [31. cb5! ab5 32. ♖f7 ♕g6 33. ♗b3+—] ♖f8 32. ♗d3 ♕h5 33. ♔g1 b4⊕ 34. ♕e5 [34. ♕b4+—] ♘h6 35. ♗e2 ♕g6 36. ♖g3 ♘g4 37. ♕d4 h5 [37... ♕h5 38. ♗g4 fg4 39. ♖g4 △ ♕f6+—] 38.

f3 f4 39. ♗d3 ♕e8 [39... ♕g5 40. ♖h7 ♔g8 41. ♖h5 ♕h5 42. ♖g4 ♔h8 43. ♗g6 ♕h6 44. c5+—] 40. ♖h3 ♕e1 41. ♗f1 ♘e3 42. ♖h5 ♔g8 43. ♖g5 ♔h8 44. ♕e5 ♕f1 45. ♔h2 ♕b1 46. ♖h5 ♔g8 47. ♕e7 [47... ♕g6 48. ♖g5+—] 1 : 0 [Ehlvest]

395.   C 54

JUDASIN 2540 — MIH. CEJTLIN 2460
Moskva (GMA) 1989

1. e4 e5 2. ♘f3 ♘c6 3. ♗c4 ♗c5 4. c3 ♘f6 5. b4 ♗b6 6. d3 d6 7. a4 a6 8. 0—0 0—0 9. ♗g5 h6 10. ♗h4 g5 11. ♗g3 ♗g4 12. a5 N [12. h3 — 46/408] ♗a7 13. h3 ♗h5 [13... ♗e6] 14. ♘bd2 ♗g6! 15. ♕b3 [15. ♖e1] ♘h5 16. ♗h2 ♘f4∓ 17. b5 ab5 18. ♕b5 [18. ♗b5 ♕e7 19. a6 ♖ab8]

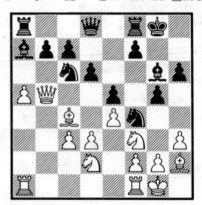

18... ♘a5! [18... ♘e2 19. ♔h1 ♘c3 20. ♕b7 ♘d4 21. ♘d4 ♗d4 22. ♘f3 c5 23. ♘d4 cd4∞] 19. ♗f4 [19. ♖a5 c6 △ ♕a5] gf4 [19... c6? 20. ♗g5!] 20. ♕a5 ♗f2 21. ♔f2 ♖a5 22. ♖a5 c6 23. ♖fa1 d5?! [23... b6! 24. ♖a6 d5 25. ♗b3 (25. ed5 cd5 △ e4∓) de4 26. de4 ♕d3∓] 24. ed5 [24. ♗b3 de4 25. de4 (25. ♘e4? ♗e4 △ ♕b6) ♕b6 26. ♔f1 ♗e4∓] b5 25. ♗b3 ♕b6 [25... ♗d3 26. ♖a6 e4 27. ♘e5∞] 26. d4 e4 27. ♖a6 ♕d8 28. dc6! [△ c7] ef3 29. ♘f3 ♗e4 [29... ♗h5? 30. ♗d1 b4 31. cb4 ♗f3 32. ♗f3 ♕d4±] 30. ♖a8! ♕a8 [30... ♕d6 31. ♘e5 b4 32. ♘f7+—; 30... ♕f6 31. ♖f8 ♔f8 32. ♖a8 ♔g7 33. c7+—] 31. ♖a8 ♖a8 32. ♘e5? [◯ 32. d5] ♔f8 33. ♘d7 [33. ♗f7 ♗c6] ♔e7 34. ♘b6 ♖a3

[34... ♗c6=; 34... ♖a6 35. c7 ♗b7 36. ♗d5 ♔d6 37. ♗b7 ♖a2 38. ♔f3 ♔c7 39. ♗d5 ♖a3∓] **35. c7** [35. ♗d5 ♗d5 36. ♘d5 ♔d6 37. c7 ♖a8 38. c4 ♖h8−+] **♗f5?** [35... ♗b7! 36. ♗d5 ♔d6 37. ♗b7 ♔c7−+] **36. ♗d1!** [△ ♗g4] **♖a2⊕** [36... ♖a6 37. ♗c2 (37. c8♕ ♗c8 38. ♘c8 ♔d8 39. ♗g4 h5∞) ♗d7 38. c8♕ ♗c8 39. ♘c8 ♔d8 40. ♗f5 ♖f6 (40... ♖c6? 41. ♘a7 ♖c3 42. ♘b5±) 41. ♗d3 ♔c8 42. ♗b5∞] **37. ♔f3** [37. ♔e1 ♖a1=] **♔d6?⊕** [37... ♖a6! 38. c8♕ ♗c8 39. ♘c8 ♔d8 40. ♗e2 ♗c8 41. ♗b5 ♖a3=] **38. c8♕ ♗c8 39. ♘c8 ♗d7** [39... ♔c7 40. ♘e7 ♔d7 41. ♘d5 (41. ♘f5 ♖a3∞) ♔d6 42. ♘f4 ♖a3 43. ♘e2 b4 44. ♔e4 (44. ♔e3 b3 45. ♔d3 b2 46. ♔c2 ♖a1) b3 45. c4 b2 46. ♗c2 ♖b3 (46... ♖a1 47. ♘c3 ♖c1 48. ♔d3+−) 47. ♗b1 ♖a3 48. h4+−] **40. ♘b6 ♔c6 41. ♘d5! ♖a3** [△ 41... ♔d6] **42. ♔e4! ♔d6 43. ♗f3! 1 : 0** [Mih. Cejtlin]

396. C 54

LJUBOJEVIĆ 2580 −
J. HJARTARSON 2615
Linares 1989

1. e4 e5 2. ♘f3 ♘c6 3. ♗c4 ♗c5 4. c3 ♘f6 5. b4 ♗b6 6. d3 d6 7. a4 a6 8. ♘bd2 0−0 9. 0−0 ♘e7 10. ♗b3 ♘g6 11. ♘c4 ♗a7 12. ♗e3 N [12. ♖a2 − 19/232] **♗e6 13. ♗a7 ♖a7 14. ♖e1 ♖a8 15. ♖a2 h6 16. ♖d2 ♘h7?!** [16... ♖e8! 17. ♘e3 d5=] **17. ♘e3 ♘g5 18. ♘g5 ♕g5** [△ 18... ♗b3±] **19. ♗e6± fe6 20. ♕g4 ♕f6** [20... ♕g4 21. ♘g4 a5 22. b5 c6 23. ♖b1 c5 24. d4 cd4 25. cd4 ♖ac8 26. ♘e3±] **21. g3 ♔h7 22. h4! ♖f7 23. ♕h5 ♖af8 24. d4 ♕e7** [24... ♕f3 25. ♕f3 ♖f3 26. h5 △ de5] **25. ♕g4** [△ h5] **♕f6 26. ♕d1** [△ ♘g4, h5, de5] **ed4 27. cd4** [⇔c⊞] **e5 28. ♘d5 ♕e6** [28... ♕d8 29. h5 ♘h8 (29... ♘e7 30. de5+−) 30. de5 de5 31. ♘e3±] **29. h5 ♘e7** [29... ♘h8 30. de5 ♕e5 (30... de5 31. ♘e3±) 31. f4 ♕e6 32. f5 ♕e5 33. ♖e3±] **30. ♘c7 ♕h3 31. de5 de5 32. ♖e3+− ♘c6 33. ♘d5 g6 34. hg6 ♔g6 35. f4 ♔h7 36. ♖h2 ♕e6 37. f5 ♕d6 38. g4 ♖g8 39. ♖eh3 ♘d4 40. ♔f2 ♖g5 41. ♕h1 1 : 0** [Abramović]

397.*** C 55

LOBRON 2555 − TORRE 2565
New York 1989

1. e4 e5 2. ♗c4 ♘f6 3. d3 [RR 3. ♘f3 ♘c6 4. d4 ed4 5. e5 d5 6. ♗b5 ♘e4 7. ♘d4 ♗c5 8. 0−0 0−0 9. ♗c6 bc6 10. f3 f6! N (10... ♘g5 − 38/429) 11. ef6 ♕f6 12. ♗e3 ♗a6 13. ♖e1 ♖ae8 14. c3 ♗d6 15. g3 ♕g3 16. hg3 ♗g3 17. ♘a3 ♗e1 18. ♕e1 c5 19. ♘dc2 d4 20. cd4 ♕g6 21. ♔f2 ♕g4 22. ♕h1 cd4 0 : 1 Čiburdanidze 2520 − Mark Cejtlin 2430, Moskva (GMA) 1989] **♘c6 4. ♘f3 ♗e7 5. ♗b3** [RR 5. 0−0 0−0 *a*) 6. c3 d5 7. ed5 ♘d5 8. ♖e1 ♗g4 9. h3 ♗h5 10. ♘bd2 ♘f4! 11. ♘f1 ♘a5 12. ♗b5 a6! N (12... c6 − 46/410) 13. ♗f4 ef4 14. ♗a4 b5 15. ♗c2 c5∓ Kobaš 2305 − A. Mihal'čišin 2505, Budapest (open) 1989; *b*) 6. ♗b3 d5 7. ed5 ♘d5 8. ♖e1 ♗g4 9. h3 ♗f3!? N (9... ♗h5 − 36/(395)) 10. ♕f3 ♘d4!! 11. ♕d5 ♕d5 12. ♗d5 ♘c2 13. ♗d2 (13. ♖e5 ♗f6 14. ♖e2 ♘a1∓) ♘a1 14. ♖c1 ♖ad8 (14... c6 15. ♗f3 ♖fd8 16. ♗e4! g6 17. g4±) 15. ♘c3 (15. ♗c4? c6 16. a4 b5! 17. ab5 cb5 18. ♗b5 ♘b3−+) c6 16. ♗f3 ♖d3 17. ♗e3 ♗b4 (17... ♖fd8!?) 18. ♗e2 (18. ♖a1 ♗c3 19. bc3 ♖c3 20. ♗a7 ♖a8∓) ♖d7 19. ♖a1 ♗a5!! (19... b5 20. a4!±) 20. ♖d1 (20. ♘a4!? b6 21. ♘c3 b5 △ ♗b6) ♖d1 21. ♗d1 (S. Dizdar 2325 − A. Mihal'čišin 2505, Zenica 1989) ♗b6 △ f5∓; 11. ♕e4 ♘b3 12. ab3 ♗f6= A. Mihal'čišin] **d6 N** [5... 0−0 − 31/376; 5... d5] **6. c3 ♗g4 7. ♘bd2 ♘d7! 8. h3 ♗h5 9. ♘f1 ♘c5 10. ♗c2 ♘e6** [10... ♗f3?! 11. ♕f3 ♗g5 12. ♘e3±] **11. ♘g3 ♗f3! 12. ♕f3 ♗g5= 13. ♗g5 ♕g5 14. h4 ♕h6** [14... ♕f4 15. ♕d1! (△ ♘f5, g3) ♕f6 16. ♘f5±] **15. ♘f5 ♕f6 16. ♕g4 ♕g6** [△ 16... h5=] **17. ♘e3 ♕g4 18. ♘g4 ♘e7?** [18... h5 19. ♘e3 ♘e7 20. 0-0-0 △ d4, ♗b3±] **19. h5! 0-0-0 20. 0-0-0** [△ d4, ♗b3±] **c5 21. ♗b3?** [21. h6 g6 22. ♘f6 ♘g8 23. ♘d5 △ g3-f4±] **h6! 22. g3 ♔d7?!** [△ 22... ♖hf8 △ ♘c7, d5, f5] **23. ♗e6! ♔e6** [23... fe6 24. d4 cd4 25. cd4 ed4 26. ♖d4± ⨯d6, e6, ♘e7] **24. d4± cd4** [24...

ed4 25. cd4 f5 26. ef5 ♘f5 (26... ♔f5 27. ♘e3 ♔f6 28. ♖h4±) 27. ♖he1 ♔f7 28. dc5 dc5 29. ♖e5±] **25. cd4 ♖c8 26. ♔b1 ♖c4 27. d5! ♔d7 28. f3 ♖f8** [28... f5 29. ♘e3 ♖b4 30. a3 ♖a4 31. ♘f5 ♘f5 32. ef5 ♖f8 33. g4 ♖f4 34. ♖d3 e4 35. fe4± ×♔d7] **29. ♘e3 ♖c5 30. g4 f6?!** [×g7; 30... ♖fc8 31. ♖hg1 △ g5±] **31. ♖c1 ♖fc8 32. ♖c5 ♖c5** [♖ 9/h] **33. ♖d1!** [△ ♖d3, b3, ♔b2] **♖c7 34. ♖d3 ♔c8 35. b3 ♔d7 36. ♔b2 ♖c8 37. ♖d1 ♖c7 38. a4 ♖c8** [38... a5? 39. ♘c4+−] **39. ♖g1⊕ ♖c7 40. ♖a1! ♖c8 41. a5 ♖c7** [41... a6 42. b4 ♖c7 43. ♖a3 ♘c8 (43... ♖c8 44. ♖b3 △ b5+−) 44. ♘f5 ♔e8 45. ♖b3 ♔d8 46. b5 ab5 47. ♖b5 ♔e8 48. ♖b4 ♔d8 49. ♖a4 ♔e8 50. a6+−] **42. ♘c4 ♘c8 43. a6!+− ba6** [43... b6 44. ♘a3 ♔d8 45. b4 △ ♘b5] **44. ♖a6 ♖b7 45. ♘e3 ♘e7 46. ♔a2⊙ ♖c7 47. ♔a3 ♖b7 48. b4 ♖c7 49. ♔a4 ♘c8 50. ♔b3 ♖c1** [50... ♖b7 51. ♖a1 ♖c7 52. b5 ♖b7 53. ♔b4 ♖c7 54. ♘c4 △ ♖a6-c6] **51. ♖a3!** [△ ♘f5] **♔e7** [51... ♖c7 52. ♘f5] **52. ♘f5 ♔f8 53. ♔a4 ♔f7 54. ♔b5 g6 55. hg6 ♔g6 56. ♖a6 ♖c3 57. ♖c6 ♖c6 58. dc6 ♔g5 59. ♔a6 ♔f4 60. ♔b7 1 : 0** **[Lobron]**

398.*** C 60**

GEL'FAND 2600 − DREEV 2520

Moskva (GMA) 1989

1. e4 e5 2. ♘f3 ♘c6 3. ♗b5 ♘ge7 [RR 3... ♗b4 4. 0−0 ♘ge7 5. c3 ♗a5 6. ♘a3 0−0 7. ♘c4 d5 8. ♘a5 ♘a5 9. d4 de4 N 10. ♘e5 f6 11. ♘g4 ♕d5 12. ♗a4 ♗g4 13. ♕g4 f5 14. ♕g3± Kindermann 2515 − Hector 2485, Debrecen 1989; 3... g6 4. d4 ed4 5. ♗g5 ♗e7 6. ♗e7 ♕e7 7. 0−0 (7. ♗c6 dc6 8. ♕d4 ♘f6 9. ♘c3 ♗g4! 10. ♕e5 ♗f3 11. ♕e7 ♔e7 12. gf3 ♘h5∓) ♘f6 8. e5 ♘h5 9. ♖e1 0−0 10. ♘bd2 ♖d8 11. ♕c1 (Geo. Timošenko 2530 − G. Georgadze 2440, Tbilisi 1989) ♔g7 12. h3 a6 13. ♗c4 d5∓ G. Georgadze] **4. 0−0** [RR 4. ♘c3 g6 5. d4 ed4 6. ♘d5 ♗g7 N (6... ♘d5) 7. ♗g5 h6 8. ♗f6 ♗f6 9. ♘f6 ♔f8 10. 0−0 ♔g7 11. ♘d5 ♖e8 12. ♖e1 d6 13. ♕d2 a6 14. ♗c6 ♘c6 15. ♘d4±

Lanka 2420 − Báñas 2410, Trnava II 1989] **g6 5. c3 ♗g7 6. d4 ed4 7. cd4 d5 8. ed5 ♘d5 9. ♖e1 ♗e6 10. ♗c6 bc6 11. ♗g5 ♕d6 12. ♘bd2 0−0 13. ♕c1 ♖fe8 14. ♘e4** [14. ♘c4!?] **♕b4 15. ♗d2 ♕b5!? N** [15... ♕b6 − 46/412] **16. ♘e5 ♗f5 17. ♘g3?!** [△ 17. ♘c5!?±] **♘e7!□** [17... ♗c8 18. ♗h6±] **18. ♗h6?!** [18. b3±] **♗h6** [18... ♗f8 19. ♘f3 △ ♗g5] **19. ♕h6 f6** [19... ♕b2? 20. ♘c6 ♘c6 21. ♘f5 gf5 22. ♕c6+−]

20. ♖e3!? [20. ♘f3 ♕b2∓; 20. ♖e4 ♗e4 21. ♘e4 ♘d5!; 20. ♕h4 fe5 (20... ♔g7 21. ♘g4±) 21. ♖e5 ♘d5 22. ♘f5 (22. ♖f5 gf5 23. ♘f5 ♔h8 24. ♕g3 ♘e7∓) gf5 23. ♖ae1 ♖e5 (23... c5!?) 24. ♕g3 ♔f7 25. ♖e5 (25. ♕e5 ♖f8!−+) ♘e8 26. ♖f5 ♘f6!! 27. ♕c7∓; 20. ♖ac1 ♕d5! ⫮a2-g8; 20. b3! fe5 (20... ♕d5 21. ♘f3=) 21. ♖e5] **fe5 21. ♖e5 c5** [21... ♘d5 22. ♖f5!±] **22. ♕g5** [22. ♖ae1 ♘d5!? (22... ♕d7) 23. ♘f5 gf5 24. ♕g5 ♔h8 25. ♕f5 ♖f8!?∓] **♕d7 23. ♖ae1** [23. ♘h5 h6!! 24. ♕h6 gh5 25. ♕g5 ♔f7 26. ♖ae1 ♕d6−+; 23. d5 h6! 24. ♕h6 ♘d5 25. ♘f5 ♖e5 26. ♕g6 ♔h8−+] **♘c6!∓ 24. ♘f5 ♘e5 25. ♘h6 ♔g7 26. de5 ♕d8! 27. h4□** [27. ♕c1 ♕h4−+] **♕g5 28. hg5 ♖ab8⊕** [28... ♖ad8!?] **29. ♖e2 ♖b4 30. f3 ♖d4 31. ♘g4 ♖ed8?!** [31... ♔f7!? 32. ♖e3 (32. ♘f6 ♖ed8 33. ♖c2 c4 34. b3 ♔e6!−+) ♖b8∓] **32. e6! ♖e8 33. ♖e5 ♖e7 34. ♖c5 ♖d1 35. ♔h2 ♖d6 36. ♘e5! ♖de6 37. f4= ♖d6 38. ♖a5 c6 39. ♖a6** [39. b4!? ♖d5!?] **♖c7 40. b3 h6 41. gh6 ♔h6 1/2 : 1/2** **[Gel'fand]**

399.**** C 61

P. BLATNÝ 2450 – MALANJUK 2520

Warszawa 1989

1. e4 e5 2. ♘f3 ♘c6 3. ♗b5 ♘d4 4. ♘d4 ed4 5. 0–0 [RR 5. ♗c4 ♘f6 6. ♕e2 ♗c5! N (6... d6 – 45/(370)) 7. e5 0–0 8. 0–0 d5 9. ef6 dc4 10. ♕h5 b6 11. fg7 ♖e8 12. d3 cd3 13. cd3 ♗a6 14. ♕f3 ♕e7 15. ♗f4 ♕e2∓ N. Short 2650 – Ivančuk 2635, Linares 1989] **♗c5 6. d3** [RR 6. ♗c4 d6 7. d3 ♕h4 N (7... c6 – 37/351; 7... ♘f6 – 44/(390)) 8. ♘d2 ♘f6 9. f4 ♗e6 10. ♘f3 ♕h5 11. ♗b3 ♗b3 12. ab3 ♗b6 13. h3 0-0-0 14. ♘g5 ♕d1 15. ♖d1 ♖de8 16. ♗d2 a6 17. ♘f7 ♖hf8 18. ♘g5 h6 19. ♘f3 d5⩱ Ceškovskij 2520 – Klarić 2445, Moskva (GMA) 1989; 6. e5 N c6 7. ♗c4 d5 8. ed6 ♗d6 9. d3 ♘e7 10. ♘d2 0–0 11. ♘e4 ♘d5 12. ♖e1 ♗f5 13. ♕f3 ♗g6 14. ♘d6 ♕d6 15. ♗d2± Jurtaev 2510 – Klarić 2445, Moskva (GMA) 1989] **c6 7. ♗a4 ♘e7 8. f4** [8. ♕h5 d5 9. ♘d2 0–0 10. ♘f3 f6 N (10... a5 – 42/(398)) 11. ed5 ♘d5 12. ♖e1 ♗d7 13. ♗b3 ♗e8 14. ♕h4 ♗f7 15. ♗d2 ♘e7 16. ♖e4 ♗b3 17. ab3 ♘g6 18. ♕h3± R. Lau 2475 – Anand 2525, Moskva (GMA) 1989] **f5 N** [8... d5 – 44/391] **9. ♕h5** [9. g4?! fe4 10. de4 d5 11. e5 h5↑] **g6 10. ♕h6 ♘g8!=** [10... ♔f7?!] **11. ♕g7□** [11. ♕h3? fe4 12. f5 d5 13. fg6 ♗h3 14. g7 e3! 15. gh8♕ ♕g5–+] **♕f6 12. ♕f6 ♘f6 13. e5□ ♘g4** [13... a5!? 14. ef6! (14. a3? b5 15. ♗b3 a4 16. ♗a2 ♘g4∓) b5 15. ♗b3 a4 16. ♖e1 ♔f8 17. ♗d5! cd5 18. ♘d2 ♔f7 19. ♘f3=] **14. ♗b3!** [14. h3? ♘e3 15. ♖e1 d6! 16. ed6 ♔d7 17. ♗e3 de3 18. c3 ♖e8!∓] **d6 15. ed6 ♔d7 16. ♘d2 ♖e8!= 17. ♘f3 ♔d6 18. ♗d2 ♗e6 19. ♗e6?!** [19. ♖ae1 ♗b3 20. ab3 ♔d7=] **♖e6 20. ♖fe1 ♖ae8 21. ♔f1 ♔d5 22. ♖e6 ♖e6 23. ♖e1 ♖e1 24. ♔e1 b6∓ 25. g3 a5 26. ♔e2 a4 27. h3 ♘f6 28. ♗e1 ♗e7** [28... ♗d6? 29. ♘d4!] **29. ♘g5 c5 30. b3 ab3 31. ab3 h6 32. ♘f3** [32. ♘f7 ♔e6 33. ♘e5 g5∓] **♘d7 33. ♘d2⊕ ♗d8 34. ♔f3 ♘b8 35. ♘f1 ♘c6 36. g4? ♗e7 37. ♗d2 ♗h4 38. ♘g3 ♗g3 39. ♔g3 ♔e6 40. ♔f3 ♘e7?** [40... b5!∓] **41. ♗e1 ♘d5 42. ♗d2?** [42. b4!=] **♔f6?** [42... b5! 43. ♗c1 (43. b4 c4–+) b4 44. ♗d2 ♘c7 45. ♔e2 fg4 46. hg4 h5–+] **43. ♗e1 ♔e6 44. b4! ♘b4 45. ♗b4 cb4 46. ♔g3= ♔d5 47. ♔h4 ♔c5 48. gf5 gf5 49. ♔h5 b3 50. cb3 ♔b4 51. ♔g6! ♔c3 52. ♔f5 ♔d3 53. ♔g6 ♔c3 54. f5 d3 55. f6 d2 56. f7 d1♕ 57. f8♕ ♕d3 58. ♕f5! 1/2 : 1/2** **[Malanjuk]**

400. C 61

LJUBOJEVIĆ 2580 – SALOV 2630

Rotterdam 1989

1. e4 e5 2. ♘f3 ♘c6 3. ♗b5 ♘d4 4. ♘d4 ed4 5. d3 c6 6. ♗c4 d5 7. ed5 cd5 8. ♗b5 ♗d7 9. ♗d7 ♕d7 10. 0–0 ♗c5 11. ♘d2 ♘e7 12. ♘b3 ♗b6 13. ♗g5 f6 14. ♗d2 a5 15. ♕h5 g6 16. ♕f3 0–0 17. ♖fe1 ♘f5 [17... a4 18. ♗b4 ♖f7 19. ♖e7 (19. ♗e7 ab3 20. ♗a3 ♖a3! 21. ba3 b2⩱) ♖e7 20. ♗e7 ab3 21. ♕f6 bc2∞] **18. a4 ♘h4 19. ♕g3 ♘f5 20. ♕g4 N** [20. ♕f3 ♘h4 21. ♕g3 g5 – 42/397] **♔g7 21. ♘c1 ♖ac8 22. c3 ♖f7 23. ♕h3** [23. ♘e2 h5!] **h5 24. ♘e2 g5!** [×f4] **25. ♘g3!** [25. ♕h5 ♖h8 26. ♕f3 ♘h4 (26... ♔g6!? △ ♖fh7⩱) 27. ♕g3 ♘f5 28. ♕f3 ♘h4=] **♘g3 26. ♕d7 ♖d7 27. hg3 ♔f7= 28. ♔f1 ♖h8 29. cd4** [29. ♖ac1!? g4 △ h4=] **♗d4 30. ♗a5 ♗b2 31. ♖ab1 ♗d4 32. ♖b5 h4 33. gh4 ♖h4 34. ♖eb1 ♖e7** [34... ♖h1 35. ♔e2 ♖e7 36. ♔f3 ♖h4 37. ♗d2!] **35. ♔g1 ♖f4 36. ♗b6 ♗b6 37. ♖b6 ♖a4 38. ♖b7 ♖a3 39. d4 ♖d3 40. ♖e7 ♔e7 41. ♖b4 ♖c3 42. g4= ♖c4 43. ♖c4 dc4 44. ♔f1 ♔e6 45. ♔e2 ♔d5 46. ♔e3 c3 1/2 : 1/2** **[Salov]**

401.*** C 63

HALIFMAN 2545 – INK'OV 2470

Moskva (GMA) 1989

1. e4 e5 2. ♘f3 ♘c6 3. ♗b5 f5 4. d3 [RR 4. ♘c3 fe4 5. ♘e4 *a)* 5... ♘f6 6. ♘f6 ♕f6 7. ♕e2 ♗e7 8. ♗c6 bc6 9. ♕e5 (9. d4 ♕g6! 10. de5 0–0 11. 0–0 d6! 12. ed6 ♗h3 △ ♗d6⩱ Am. Rodríguez) d6 N (9...

♕f7) 10. ♕f6 ♗f6 11. d3 ♗f5 12. 0—0 ♔d7 13. ♖b1 ♖hb8 14. b3 a5 15. a4 c5 16. ♗d2± Am. Rodríguez 2515 − Antunes 2445, Holguin 1989; *b)* 5... d5 6. ♘e5 de4 7. ♘c6 ♕g5 8. ♕e2 ♘f6 9. f4 ♕f4 10. ♘a7 ♗d7 11. ♗d7 ♔d7 N (11... ♘d7) 12. ♕b5 ♔e6 13. ♕c4 ♔d7 14. ♘b5 c6 15. ♕d4 ♔c8 16. g3 ♕f5 17. ♘d6 ♗d6 18. ♕d6 ♖e8 19. ♕f4 ♕f4 20. gf4 ♘d5∓ Schmittdiel 2425 − Ink'ov 2470, Gausdal 1989] **fe4 5. de4 ♘f6 6. 0—0 ♗c5 7. ♘c3** [RR 7. ♕e2 N d6 8. ♕c4 ♕e7 9. ♘c3 (9. b4 ♗e6 10. ♕c3 ♘e4 11. ♕d3 ♘f2∞) ♗d7 10. ♘d5 (10. ♗g5 a6) ♘d5 11. ed5 ♘d4 12. ♗d7 ♕d7! 13. ♘d4 (13. ♘e5 ♕f5! 14. b4 b5 15. ♕d3 ♕e5 16. ♗b2 0—0 17. bc5 dc5 18. ♗d4 ♕d4 19. ♕b5 ♕d5= And. Martin) ♗d4= And. Martin 2415 − Ink'ov 2470, Gausdal 1989] **d6** [7... 0—0 8. ♗c4 ♔h8 9. ♘g5 ♕e8 10. ♘b5 ♗b6 11. ♗e3!±] **8. ♗e3!? ♗b6** [8... ♗e3 9. fe3 0—0 (9... ♗g4 10. ♕d3±) 10. ♗c4 ♔h8 11. ♘g5 ♗g4 12. ♕e1!±] **9. ♘d5 0—0** [9... ♘e4] **10. ♗g5 N** [10. ♗c4] **♔h8 11. a4!?** [11. ♗f6 gf6 12. ♘h4 ♘d4 13. ♗d3 c6∞] **♗g4?!** [11... ♘e7! 12. a5 ♗c5 13. ♖a4!?∞] **12. ♗e2 ♗f3** [12... ♘e7 13. ♗f6 gf6 14. ♘e7 ♗f3! (14... ♕e7 15. ♘h4 ♗e6 16. ♗g4±) 15. ♗f3 ♕e7 16. ♗g4±] **13. ♗f3 ♘e7 14. ♘f6!** [14. ♗f6] **gf6 15. ♗h6 ♖g8 16. a5 ♗c5 17. c3 a6 18. ♗h5!** [18. g3 c6 △ d5, f5] **♘g6** [18... f5 19. ♗f7±] **19. ♔h1±** [19. ♕d5 c6? 20. ♕f7!±; 19... ♖b8 △ ♕e7, ♘f4] **♕e7 20. g3 c6 21. ♕f3 ♘f8?!** [21... ♖ad8 22. ♖ad1 △ ♖d2, ♖fd1±] **22. ♖ad1 ♘e6?** [22... ♖d8]

23. b4! ♗a7 24. ♖d6 ♖ad8 [24... ♕d6 25. ♕f6+−; 24... ♘g5 25. ♕f6 ♕f6 26. ♖f6 ♘e4 27. ♖f7+−; 24... ♘f4 25. ♖d2+−] **25. ♖fd1!** ♘g7 [25... ♘d4 26. ♕f6+−; 25... ♘g5 26. ♗g5! fg5 27. ♖d8 ♖d8 28. ♖d8 ♕d8 29. ♕f7+−] **26. ♖d8 ♖d8 27. ♖d8 ♕d8 28. ♗f7+−** ♕e7 29. ♗c4 f5 [29... c5 30. ♕g4] **30. ef5 ♕f6 31. ♗g7 ♔g7 32. ♔g2 ♔f8 33. ♕d3 ♕e7** [33... ♔e7 34. ♗e6] **34. ♕d2! ♔g7 35. ♕e2 e4 36. ♗e6 ♕f6 37. ♕g4 ♔h6 38. ♕e4 ♕c3 39. ♕h4 ♔g7 40. ♕g5 ♔f8 41. f6 1 : 0** [Halifman]

402.** **C 64**

BELJAVSKIJ 2640 − IVANČUK 2635
Linares 1989

1. e4 e5 2. ♘f3 ♘c6 3. ♗b5 ♗c5 4. c3 [RR 4. 0—0 ♘d4 5. ♘d4 ♗d4 6. c3 ♗b6 7. ♘a3 c6 8. ♗a4 d6 9. d4 ed4 10. cd4 ♘e7 11. d5! N (11. ♗g5 − 21/225) 0—0 12. dc6 bc6 13. ♗g5 f6 14. ♗f4 ♗a6 15. ♖e1 (Veličković 2435 − Osterman 2295, Jugoslavija (ch) 1988) d5 16. ed5 cd5 17. ♕g4± Veličković] **♘f6 5. d4 ♗b6 6. ♘e5 ♘e5 7. de5 ♘e4 8. ♕g4 ♗f2 9. ♕e2 ♕h4 10. ♕g7 ♖f8 11. ♘d2 ♗c5** [RR 11... ♘d2 12. ♗d2 ♗c5 13. ♖af1 c6 14. ♗d3 d6 15. ♗h6 ♗g4 16. ♔d2 0-0-0 17. ♖f4 ♖g8 18. ♕f6 ♕f6 19. ef6± N. Short 2650 − Gulko 2610, Linares 1989] **12. ♘f3 ♕f2 N** [12... ♕h5 − 10/284] **13. ♔d1** [△ ♖f1+−; 13. ♔d3?! c6 △ d5→] ♗e7! **14. ♖e1 ♕b6 15. ♖e4?!** [15. ♗a4? ♘f2 16. ♔c2 ♕a6−+; △ 15. ♗c4 ♕c6 16. ♗b3 d5 17. ed6 ♕d6 18. ♕d4 Beljavskij] **♕b5 16. c4** [16. ♔c2 d5 △ ♗f5] **♕c6 17. ♕h7 d5 18. ed6 ♕d6 19. ♖d4** [19. ♔e2 ♗e6 20. ♗f4 ♕c5∓ △ 21... ♗f5, 21... 0-0-0] **♕b6 20. ♕e4 ♖g8!⩱ 21. ♗e3** [21. ♗g5 ♖g5! 22. ♘g5 ♗f5! 23. ♕e3 ♕b2 24. ♖c1 ♕g2∓; 21. ♘g5 ♗f5!∓] **♕b2 22. ♖b1 ♕g2∓ 23. ♖b5?** [23. ♖b7 ♕f1 24. ♔c2 ♖g2 25. ♗d2 ♗b7 26. ♕b7 ♖d8 27. ♕c6 ♔f8∓] **♗g4!** [24. ♖f5 ♕f1 25. ♔c2 (25. ♔d2 ♗f5 △ ♖g2−+) ♕e2] **0 : 1** [Čabrilo]

403.*   **C 64**

HÜBNER 2600 − R. HESS 2330

Lugano 1989

1. e4 e5 2. ♘f3 ♘c6 3. ♗b5 ♗c5 4. c3 f5 5. d4 fe4 6. ♗c6 dc6 7. ♘e5 ♕d5 [RR 7... ♗d6 8. ♕h5 g6 9. ♕e2 ♕h4 10. ♘d2 ♗f5 11. g4! N (11. h3) ♗e5 (11... ♗e6 12. ♘e4 ♗e5 13. h3!±) 12. gf5 ♗f6 13. fg6 hg6 14. ♕e4± Davies 2450 − Speelman 2625, Hastings 1987/88] **8. ♕h5 N** [8. 0−0 ♘f6 9. ♗f4 ♗b6 △ c5∞; 8. ♘d2 ♘f6 (8... e3!?) 9. ♘ec4 (9. ♘dc4 ♗d6 10. 0−0 0−0 11. ♘e3 ♕e6 12. f4 ef3 13. ♘f3 ♕f7 △ ♕h5∓) ♗e6=; 8. ♗f4 − 41/(383)] **g6 9. ♕e2 ♗d6** [9... ♘f6 10. ♗h6; 9... ♗f5 10. ♘d2 △ g4; 9... ♗b6 10. ♘d2 ♘f6 11. ♘b3 (△ c4-c5) c5 12. ♗h6 (12. ♘g6? hg6 13. dc5 ♗c5 14. ♕b5 ♘d7) cd4 (12... ♖g8 13. dc5±) 13. ♗g7 ♖g8 (13... ♕e5 14. cd4; 13... d3 14. ♘d3 ♖g8 15. ♘b4±) 14. ♗f6 d3 15. ♖d1 (15. ♘d3 ♕d3=; 15. ♕d2 ♖f8 16. ♕g5 ♕e6) ♕e5 16. ♗e5 de2 17. ♖d2±] **10. 0−0 ♗f5** [10... ♗e5 11. de5 ♕e5 12. ♗e3 c5 13. b4±; 10... ♘f6 11. ♗h6 ♗e5 12. de5 ♘g4 13. ♗g7 ♖g8 14. ♗f6 ♘e5 15. ♗e5 ♕e5 16. ♘d2±] **11. ♘c4 0-0-0?!** [11... ♘f6 12. ♘d6 cd6 13. ♗h6 ♘g4 14. ♗g5 0−0 △ ♖ae8=] **12. ♘d6 ♕d6?!** [△ 12... cd6 13. ♗g5 ♖e8 14. ♘d2 ♕e6 15. ♘c4 ♘f6 16. ♗f4 ♖d8; 13... ♖d7!?] **13. ♗g5 ♖e8 14. ♘d2 ♘f6** [14... h6 15. ♗h4 g5 16. ♗g3 ♕g6 17. ♗e5±] **15. ♘c4 ♕e6 16. ♗f6 ♕f6 17. b4±** [×e5; 17. ♘e5? c5] **h5 18. ♘e5 g5?** [18... h4 19. h3 ♕e6 20. a4] **19. f3+− ef3 20. ♕f3** [20. ♖f3 ♕e6 21. ♕f2 ♗g4 22. ♖f6 ♕d5 △ ♗e6∞] **♗ef8 21. ♖f2 ♕h6** [21... ♕e6 22. ♖af1 ♖f6 23. ♕e3 ♖g8 24. ♖f3 g4 25. ♖f4 ♖gf8 (25... h4 26. ♕f2 g3 27. ♕f3) 26. ♕f2; 21... ♕g7 22. ♖af1 ♖h6 23. ♕e3 ♖hf6 24. d5 cd5 25. ♕a7 ♖a6 26. ♕d4; 21... g4 22. ♕f4 ♕g7 (22... ♕h6 23. ♖af1; 22... ♕e6 23. ♖af1 ♖f6 24. ♕g5) 23. ♖af1 ♖h6 24. ♕e3 ♖hf6 25. d5] **22. ♖af1 a6** [22... g4 23. ♕f4 ♕g7 24. ♕e3 ♗h7 (24... ♗e6 25. ♘c6) 25. ♖f7 ♖f7 26. ♖f7 ♕g8 27. ♕f4] **23. ♕e3 ♗e6 24. d5 ♖f2 25. ♖f2 cd5** [25... ♗d5 26. ♕a7 ♔d8 27. ♖f7] **26. ♕a7 c6 27. ♘f7 1 : 0** [Hübner]

404.   **C 66**

SAX 2610 − TORRE 2565

Lugano 1989

1. e4 e5 2. ♘f3 ♘c6 3. ♗b5 ♘f6 4. d3 d6 5. 0−0 ♗e7 [5... g6 6. d4! ed4 (6... ♗g4?! 7. d5 a6 8. ♗a4 b5 9. dc6 ba4 10. ♘c3±; 6... ♗d7 7. d5 ♘b8 8. ♗d7 ♘bd7 9. ♗g5 ♗e7 10. ♗f6 ♗f6 11. ♕e2 △ c4±) 7. e5 de5 8. ♘e5 ♕d5 9. ♖e1 ♗e6 10. ♗c4 ♕c5 (10... ♕d6 11. ♗f4→) 11. ♗e6 ♘e5 12. ♗f4] **6. c3 0−0 7. ♘bd2 ♘d7!?** N [7... ♗d7 − 20/284] **8. d4!** [8. ♖e1 a6 9. ♗c6 bc6 10. ♘c4 ♘b6 11. ♘a5 c5=] **♗f6 9. ♘b3** [9. d5 ♘e7∞] **♘e7** [9... ♖e8 10. ♗c6 bc6 11. ♘a5 ♘b8; 10. ♖e1±] **10. ♖e1 c6 11. ♗f1 ♖e8 12. ♗e3 ♘g6 13. ♘bd2 ♘h4** [13... ♘b6 14. c4! ed4 (14... ♗g4 15. d5±) 15. ♘d4±] **14. ♘c4 ♘b6** [14... ♘f3 15. ♕f3 ♘b6 16. de5!] **15. ♘h4 ♗h4 16. de5 ♘c4?!** [16... de5 17. ♘d6 ♖f8 18. ♘c8 ♕c8 19. ♕b3±⌷; 18. c4!? △ c5] **17. ♗c4 de5 18. ♕h5 ♗e6** [18... g6 19. ♗f7! ♔f7 20. ♕h7 ♔e6 21. ♖ad1 ♕f6 22. ♗c5 ♖d8 23. ♕c7!+−] **19. ♖ed1! ♗c4⌷** [19... ♕e7? 20. ♗e6 △ ♕e5+−; 19... ♕f6? 20. ♗e6 △ g3+−] **20. ♖d8 ♗d8 21. b3± g6 22. ♕h6 ♗e6 23. h4! ♗f6 24. h5 ♗g7** [24... b6 25. hg6 hg6 26. ♗g5 ♗g7 27. ♕h4 △ ♗f6] **25. ♕g5 h6** [25... b6 26. h6] **26. ♕g3 g5 27. ♖d1 b6 28. ♖d6 c5 29. ♕f3! ♗f8** [29... ♖ad8 30. ♕d1 ♗f6 31. ♕d3 c4 32. bc4 ♗e7 33. ♖d5!] **30. ♖d2 ♖ad8** [30... ♗e7 31. ♕e2 △ ♕a6, c4, a4-a5] **31. ♕e2 c4** [31... ♖d2 32. ♕d2 ♗e7 33. ♕d3 △ ♕a6] **32. b4** [32. bc4? ♖d2 33. ♗d2 ♖c8] **♗e7 33. ♖d8 ♖d8 34. ♕c2 ♗d7⊕** [△ 34... ♖d7] **35. a4 ♖b8?!** [35... ♗g4 36. f3 ♗h5 37. a5±; 35... ♗e6] **36. ♕a2 ♗g4 37. a5! ba5 38. ♕a5+− ♖d8 39. f3 ♗e6 40. ♕e5 ♖d1 41. ♔f2 1 : 0** [Sax, Hazai]

405.   **C 66**

P. POPOVIĆ 2535 − B. IVANOVIĆ 2530

Jugoslavija (ch) 1989

1. e4 e5 2. ♘f3 ♘c6 3. ♗b5 ♘f6 4. 0−0 ♗e7 5. ♖e1 d6 6. d4 ed4 7. ♘d4 ♗d7 8.

♗c6 bc6 9. ♕f3 0—0 10. ♘c3 c5 11. ♘f5 ♗f5 12. ♕f5 ♘d7 13. ♘d5 ♘b6 14. ♘e7 N [14. ♘e3 — 7/236] ♕e7 15. ♗d2! ♖fe8 16. b3 ♕e6 17. ♕e6 ♖e6 18. ♗a5!± f6 19. f3 ♔f7 20. ♔f2 ♗e8?! 21. g4! h5!? 22. gh5 [22. ♖g1! hg4 (22... ♔f7 23. g5) 23. ♖g4 ♔f7 24. ♖ag1±] ♔f7 23. h6 ♖h8! 24. ♗d2! g5 25. h4 ♖h6 26. ♖h1! ♖h4 27. ♖h4 gh4 28. ♖h1 ♘d7 29. ♖h4 ♘f8 30. ♖h1 ♖e7 31. c4 ♘g6 32. ♗c3 ♘f8 33. ♖h8! ♖e8 34. ♖h6?!⊕ [34. a3! ♔g7 35. ♖h1 ♘g6 (35... ♘d7 36. ♔e3!±) 36. b4±] ♖e6 35. ♖h5 ♔g6 36. ♖h1 ♖e8 37. ♖g1 ♔f7 38. ♖h1 ♔g6 39. ♖h8 ♔g7 40. ♖h2 ♘e6 [40... ♔g6!±] 41. ♔e3! ♔g6 42. f4 f5 43. ♖g2 ♔f7 44. ef5 ♘d4 45. ♔d3 ♘f5 46. ♖g5 ♔e6 47. ♔e4 ♖f8 48. ♖g6 ♔e7 49. a3 ♖f7 50. b4 cb4 51. ab4 ♔d7?! [51... a6? 52. ♖g1 △ ♖a1; 51... c6□ 52. b5! ♔d7 53. ♗f6 ♘e7 54. ♗e7 ♖e7 55. ♔f5±] 52. ♖g5! ♘e7? [52... ♔e6□ 53. b5 ♘e7 54. ♗d4 c5 55. bc6 ♘c6 56. f5 ♖f5!=; 54. ♖g1!±] 53. f5+— ♘c8 54. f6 c6 55. ♔f5 ♘b6 56. ♖g7 1 : 0 [P. Popović]

406. C 67

NUNN 2620 — SMEJKAL 2515
BRD 1989

1. e4 e5 2. ♘f3 ♘c6 3. ♗b5 ♘f6 4. 0—0 ♘e4 5. d4 ♘d6 6. ♗g5 ♗e7 7. ♗e7 ♕e7 8. ♗c6 dc6 9. de5 ♘f5 10. ♘c3 ♗e6 11. ♕d2 ♖d8 12. ♕f4 0—0 13. ♘e4 ♘h8 14. c3 c5 N [14... b6 15. ♘eg5 (15. ♖fe1 — 45/(373)) c5 16. ♖ad1 h6 (16... ♖d1 17. ♖d1 ♖d8 18. ♖d8 ♕d8 19. g4±) 17. ♘e6 fe6 18. ♕c4±; 15... ♗c8!?] 15. ♘eg5 h6 [15... ♗c8!? 16. g4 ♘h6 17. h3 (17. ♕e4 g6 18. h3 f6 19. ef6 ♕f6 20. ♖ae1; △ 17... f5!) f6 18. ef6 gf6 19. ♘e6∞; 18... ♖f6!?] 16. ♘e6 fe6 [16... ♕e6!? △ ♘e7] 17. ♕e4± c6 18. ♖ad1 ♖d5 19. c4 ♖d1 20. ♖d1 ♖d8 21. ♖d3 ♖d3 22. ♕d3 ♘d4! 23. g3 ♕c7 24. ♘d4 ♕d7 25. ♔f1 b6! [25... ♕d4? 26. ♕d4 cd4 27. c5+—; 25... cd4? 26. ♕a3! ♕c7 (26... ♕f7 27. ♕a7 d3 28. ♕e3) 27. ♕d6 ♕b6 28. ♕e6 ♕b2 29. ♕c8 ♔h7 30. ♕f5 ♔h8 31. e6+—]

26. ♕f3 ♕d4= 27. ♕e2 b5 28. cb5 [28. b3 bc4 29. bc4 a5 △ a4-a3] cb5 29. ♕b5 ♕d1 30. ♔g2 ♕d5 31. ♔g1 ♕e5 32. ♕b7 ♔h7 33. h4 a5 34. ♕b3 ♕e4 35. a3 a4 36. ♕c3 c4 37. ♕b4 1/2 : 1/2 [Smejkal]

407.* C 67

CEŠKOVSKIJ 2520 — MALANJUK 2520
Alma-Ata 1989

1. e4 e5 2. ♘f3 ♘c6 3. ♗b5 ♘f6 4. 0—0 ♘e4 5. d4 ♘d6 6. ♗c6 dc6 7. de5 ♘e4 [RR 7... ♘f5 8. ♕d8 ♔d8 9. ♘c3 h6 10. ♘e2 ♗e8 11. ♘f4 ♗e6 N (11... ♘e7) 12. b3 ♗c5 13. ♗b2 a5 14. ♖ad1 a4 15. g4 ♘e7 16. h3 ♘d5 17. ♘d3 ♗e7 18. c4 ♘b4 19. ♘b4 ♗b4 20. ♘d4± Geo. Timošenko 2530 — Psahis 2585, Tallinn 1989] 8. ♕e2 ♗f5 9. ♗e3 [RR 9. ♖d1 ♕c8 10. ♘d4 N (10. ♘h4 — 45/373; 10. ♖d4 — 46/(417)) ♗c5 11. g4 ♗g4 12. f3 ♗f5 13. ♕g2 ♗h3 14. ♕g7 ♕f5 15. ♗e3 0-0-0—+ Jansa 2515 — Westerinen 2400, Gausdal 1989] ♕e7 10. ♖e1 N [10. ♖d1 — 46/418] ♗g6 11. ♘bd2 ♘d2 [11... ♕b4 12. a3 ♕b5 (12... ♕b2? 13. ♗d4+—) 13. c4±] 12. ♕d2± ♕e6 13. ♕a5 ♗e7□ 14. ♕c7 ♕c8 15. ♕c8?! [△ 15. ♕a5! ♗c2 16. e6 0—0 (16... fe6? 17. ♕c3+—) 17. ♕c3 ♗g6 18. ♗d4±↑] ♖c8 16. c3?! [16. c4; 16. ♗a7] c5± 17. ♖ad1?! ♗f5 18. ♗g5 ♗g4= 19. ♗e7 ♔e7 20. ♔f1 ♗f3 21. gf3 ♖hd8 22. ♔e2 ♖d1 23. ♖d1 ♖c6 24. ♖g1 g6 [24... ♖b6 25. ♖g7 ♖b2 26. ♔e3 ♖a2 27. f4±] 25. ♔d3 ♗e6 26. f4 ♖b6 [26... c4] 27. b3 ♖a6 28. a4 ♔f5 29. ♔c4 ♖c6 30. ♖d1⊕ ♖c7 31. ♖d6 ♔f4 32. ♔d5 ♔g4 1/2 : 1/2 [Ceškovskij]

408. C 67

HÜBNER 2600 — SPASSKY 2580
Venezia (m/1) 1989

1. e4 e5 2. ♘f3 ♘c6 3. ♗b5 ♘f6 4. 0—0 ♘e4 5. d4 ♗e7 6. ♕e2 ♘d6 7. ♗c6 bc6 8. de5 ♘b7 9. ♘c3 0—0 10. ♖e1 ♖e8?!

11. ♕c4 ♘c5 **12.** ♗g5 N [12. ♘g5 ♘e6 (12... ♗g5) 13. ♘e6 fe6 14. ♗e3 ♖b8 15. b3 ♖b4 16. ♕d3 d6 (16... d5 17. ♘a4±) 17. ♘e4±] ♗a6?! [⌂ 12... d5 13. ed6 cd6 14. ♗e7 ♖e7 15. ♖e7 ♕e7 16. ♘d4 (16. b4 ♗e6 17. ♕d4 ♘b7=) ♕b7 17. b4 ♗e6 18. ♘e6 ♘e6=] **13.** ♗e7 [13. ♕g4 d5] ♗c4 [13... ♕e7 14. ♕g4±] **14.** ♗d8 ♖ad8 **15.** ♖ad1 [15. ♘d4!? a) 15... f6 16. ef6 gf6 17. b4 (17. ♘f5 ♗e6; 17. b3 ♗f7 △ ♗g6) ♘e6 18. ♘f5 ♘f4 (18... ♔f7 19. ♖e4 d5 20. ♖g4 h5 21. ♖g3 d4 22. ♘e4 ♗d5 23. ♖e1 ♗e4 24. ♖e4 ♘g5 25. ♖e8 ♖e8 26. ♔f1±; 18... d5 19. ♖e3 ♔f8 20. ♖ae1 d4 21. ♖e4 dc3 22. ♖c4 ♘d4 23. ♘e3±) 19. ♘e4 ♘d5 (19... ♔f7 20. ♘ed6) 20. a3±; b) 15... ♘e6 16. ♘f5 (16. ♖ad1 ♘d4 17. ♖d4 ♗e6 △ ♗f5±) g6 (16... d5? 17. ed6 cd6 18. ♘e4 d5 19. ♘ed6±) 17. ♘e3 ♗a6 18. ♖ad1 ♔g7 19. ♘e4 ♘f4 20. ♘c5 ♗c8 (20... ♗e2? 21. ♖d4) 21. ♘c4±] f6 [15... ♘e6 16. b3 ♗a6 17. ♘e4±; 15... d6 16. ed6 ♖e1 17. ♖e1 cd6 18. ♘d4±] **16.** ef6 ♖e1?! [16... gf6!? 17. ♖e8 ♖e8 18. b4 ♘e4 19. ♘e4 ♖e4 20. ♖d7 ♗a2 21. ♖c7 (21. c3 ♗d5 △ ♖c4) ♖b4 22. h3 ♗d5=; 17. ♘d4±] **17.** ♖e1 gf6 **18.** ♘d4 ♔f7 [18... ♗f7!? △ ♘e6, ♗g6] **19.** b3 ♗a6 [19... ♗e6? 20. f4; 19... ♗d5!?] **20.** f4 ♖e8 **21.** ♖e8 ♔e8 **22.** ♔f2 ♔f7 **23.** g4?! [⌂ 23. f5 ♘b7 24. g4 (24. ♘e4 c5 25. ♘f3 d5 26. ♘c3 c6 △ ♘d6, c4) c5 25. ♘f3 c6 26. ♘a4 d5 27. ♘d2±] ♘e6 **24.** ♘e6 ♔e6 **25.** ♘e4 d6 [25... ♗c8 26. ♔e3 h6 27. f5 (27. ♘g3 d6 28. ♘f5 h5 29. ♘g7 ♔f7 30. ♘h5 ♗g4) ♔e7 (27... ♔e5 28. ♘f2 c5 29. ♘d3 ♔d6 30. ♔f4 △ h4±) 28. c4 d6 29. c5±] **26.** g5 fg5 **27.** ♘g5 ♔f5 **28.** ♘h7 ♔f4 **29.** ♘f6 ♗c8 [29... ♔e5 30. ♘g4 (30. ♘e8 ♔d4 31. ♘c7 ♗c8 32. ♘e8 ♗f5 33. c4 d5=) ♔f4 (30... ♔d4 31. h4 ♔c3 32. ♘e3±) 31. ♘e3±] **30.** ♘e8 ♗f5 **31.** c3 ♗b1? [31... ♗g4= 32. ♘c7 ♔e4 33. ♘e8 ♔d3 34. ♘d6 ♔c3 35. ♘c4 c5 36. h4 ♗h5 37. ♔e3 ♔c2] **32.** a3 ♗a2 [32... ♗c2!?] **33.** b4 c5 [33... ♗c4 34. h4 ♔e4 (34... ♔g4 35. ♘c7 ♔h4 36. ♘e8 d5 37. ♘d6 ♗b3 38. ♔e3 ♔g5 39. ♔d4+−) 35. h5 ♔d3 36. h6 ♗g8 37. ♘f6+−] **34.** ♘c7 ♗c4 **35.** h4 cb4 **36.** ab4 ♔e4 [36... ♔g4 37. ♘e8 d5 38. ♘d6 ♗b3 39. ♔e3 ♗h4 40. ♘b5 a6 (40... ♔g5 41. ♘a7 ♔f6 42. ♔d4 ♔e7 43. ♔c5 ♔d7 44. b5 ♔c7 45. ♘c6 ♔b7 46. ♘b4+−) 41. ♘c7 ♗c4 42. ♔d4 ♔g5 43. ♘d5 ♗f1 44. c4 ♔f5 45. ♘c7+−] **37.** ♘e8 ♔e5 [37... ♔d3 38. ♘d6 ♗e6 39. c4+−; 37... ♔d5 38. ♔e3 ♗a2 39. h5 ♗b1 40. h6 ♗g6 (40... ♔c4 41. ♘d6 ♔c3 42. ♘e4) 41. ♔d2 ♔e5 42. ♘c7 ♔f6 43. ♘b5+−] **38.** ♔e3 ♗f7 **39.** ♘c7 ♗g6 **40.** ♘b5 ♔d5 [40... a6 41. ♘c7 ♗f7 42. ♘a6 ♔d5 43. b5 ♗g6 44. c4+−] **41.** ♘a7 ♔c4 **42.** ♘c6 [42... ♗e8 43. ♘d4 △ b5]
1 : 0 [Hübner]

√409.** C 69

NUSSLE − E. ROTH
corr. 1986/88

1. e4 e5 **2.** ♘f3 ♘c6 **3.** ♗b5 a6 **4.** ♗c6 dc6 **5.** 0−0 f6 **6.** d4 ed4 [RR 6... ♗g4 7. de5 ♕d1 8. ♖d1 fe5 9. ♖d3 ♗d6 10. ♘bd2 ♘f6 11. b3 0-0-0 12. ♗b2 ♗f3 13. ♘f3 ♘e4 14. ♘e5 N (14. ♖e3) ♖hf8 15. f3 ♘c5 16. ♖dd1 ♘e6 17. ♔f1 g5 18. ♖e1 ♘f4 19. ♖e4 ♗c5 20. g3 ♘g6 21. ♔e2± Lautier 2365 − Dolmatov 2550, Marseille 1988] **7.** ♘d4 c5 **8.** ♘b3 ♕d1 **9.** ♖d1 ♗g4 **10.** f3 ♗e6 **11.** ♗e3 b6 **12.** a4 ♔f7 **13.** ♘c3 ♗d6 **14.** a5 c4 **15.** ♘d4 b5 **16.** f4 [RR 16. ♘e6 N ♔e6 17. ♘e2 ♘e7 18. ♗f4 ♗e5 19. ♘d4 ♔f7 20. ♗e5 fe5 21. ♘f5 ♘f5 22. ef5 ♖ad8= Mališauskas 2500 − Psahis 2585, Moskva (GMA) 1989] ♘e7 **17.** e5?! fe5 **18.** fe5 ♗e5 **19.** ♖f1 ♗f6 **20.** ♖ae1 ♗d7 **21.** ♗g5 ♖he8! N [21... ♖ae8? − 41/386] **22.** ♖e5 ♔g6! **23.** ♗f6 gf6 **24.** ♖c5 c6 **25.** ♘de2 ♗g7 **26.** ♘f4 f5 **27.** ♖d1 ♖ad8∓ **28.** ♖e5 ♔f6! **29.** ♖ee1 [29. ♖de1 ♘g6!] b4 **30.** ♘b1?! [30. ♘a4 ♘d5 31. ♖e8 ♗e8∓] ♘d5! **31.** ♖e8 ♖e8 **32.** ♘d5 cd5 **33.** ♖d5 ♖e1 **34.** ♔f2 ♖b1 **35.** ♖d7 ♖b2 **36.** ♖d6 ♔e5 **37.** ♖a6 ♖c2 **38.** ♔f3 b3 **39.** ♖b6 ♖a2 **40.** a6 b2 **41.** ♔e3 ♖a3 **42.** ♔d2 ♖b3 [43. ♖b3 cb3 44. a7 b1♕ 45. a8♕ ♕a2] **0 : 1** [Bottlik]

215

410. C 72

S. MARJANOVIĆ 2490 – SERMEK 2300

Bled 1989

1. e4 e5 2. ♘f3 ♘c6 3. ♗b5 a6 4. ♗a4 d6 5. 0–0 ♗g4 6. h3 h5 7. d4 b5 8. ♗b3 ♘d4 9. hg4 hg4 10. ♘g5 ♘h6 11. g3 ♕f6! N [11... ♘b3; 11... ♗e7 – 23/278] **12. c3!?** [12. f4 gf3 13. ♘f3 ♕g6! 14. ♔g2 ♘g4 15. ♘d4 (15. ♖h1 ♖h1 16. ♕h1 ♕e4∓) ♕e4! 16. ♘f3 ♖h2 17. ♔g1 d5! 18. ♘h2 ♗c5 19. ♖f2 ♗f2 20. ♔f1 ♕h1 21. ♔e2 ♕h2 22. ♕d5 ♗e1!□ 23. ♔e1□ ♕f2 24. ♔d1 ♖d8 25. ♕d8 ♔d8∓] **♘b3 13. ♕b3 ♗e7 14. a4** [14. ♕d5!? 0–0∞] **♕g6 15. ab5 ♗g5 16. ♖a6 ♖d8 17. b6?** [17. ♕c4!? ♗e7! △ ♕h5∞] **♕h5!!–+ 18. ♗g5□** [18. bc7 ♘f5 19. cd8♕ ♗d8] **♘f5 19. ♕b5 ♔f8 20. ♗h4 ♘h4 21. ♖d1** [21. f4 ♘f3 22. ♔f2 ♕h2 23. ♔e3 ♕g3] **♘f5 22. ♔f1 ♘g3! 23. ♔e1** [23. fg3 ♕h1 24. ♔e2 ♖h2 25. ♔d3 ♕d1 26. ♔c4 ♕f1] **♕g5!** [24. fg3 ♕e3 25. ♔f1 ♖h1 26. ♔g2 ♕f3#] **0 : 1** **[Sermek]**

411. C 73

ANAND 2525 – I. SOKOLOV 2580

Wijk aan Zee 1989

1. e4 e5 2. ♘f3 ♘c6 3. ♗b5 a6 4. ♗a4 d6 5. ♗c6 bc6 6. d4 f6 7. ♘c3 ♘e7 8. ♗e3 a5!? 9. ♕e2 ♗g4 N [9... ♗a6 10. ♕d2 △ 0-0-0±; 9... ♘g6 – 43/409] **10. 0-0-0 ♕c8 11. h3 ♗h5 12. g4 ♗f7 13. de5** [⌓ 13. ♘h4±] **fe5 14. ♘g5 ♗g8?** [14... ♗e6 15. f4 ef4 16. e5! (16. ♗f4 ♘g6∞) d5 (16... de5 17. ♗f4→; 16... fe3 17. ed6 $\overline{\infty}$) 17. ♗f4 ♘g6⇆] **15. f4 ef4 16. ♗f4 ♘g6 17. ♗g3 ♗e7 18. ♘f3 ♗e6 19. e5! d5 20. ♘d4± ♕d7 21. ♖hf1 ♗c5?** [21... ♖f8 (△ ♖f7, ♔f8) 22. ♘f5 ♖f7 (22... ♗g5 23. ♔b1 △ ♘e4±) 23. ♘e4!±] **22. ♘a4?** [22. ♘e6 ♕e6 23. ♘d5!+–] **♗e7?!** [⌓ 22... ♗d4 23. ♖d4 ♕e7 △ ♖f8, ♖b8] **23. ♘b3 ♖f8 24. ♘ac5 ♗c5□** [24... ♕c8? 25. ♘e6 ♕e6 26. ♘d4+–] **25. ♘c5 ♕e7 26. ♕e3 a4** [⌓ 26... ♖f7] **27. ♕c3 ♖f1 28. ♖f1 ♘f8** [28... a3 29. b3 ×a3] **29. ♗f2 ♕f7 30. ♕d3** [⌓ 30. ♕e1] **♕g6 31. ♕c3 ♕f7 32. ♕e1! ♘d7?!** [⌓ 32... g5] **33. ♗h4!+– ♕g6 34. ♕b4! ♕h6 35. ♔b1 ♘b6** [35... ♕h4 36. ♘e6; 35... ♘c5 36. ♕c5 ♕h4 37. ♕c6 ♔e7 38. ♕c7 ♔e8 39. ♕c6 ♔e7 40. ♕d6 ♔e8 41. ♖f8#] **36. ♘a6! ♕h4** [36... ♔d7 37. ♕e7 ♔c8 38. ♕c7#] **37. ♕f8 ♔d7 38. ♘c5# 1 : 0** **[I. Sokolov]**

412. C 74

KARKLINS 2310 – NANCE

USA 1989

1. e4 e5 2. ♘f3 ♘c6 3. ♗b5 a6 4. ♗a4 d6 5. c3 f5 6. ef5 ♗f5 7. d4 e4 8. d5 ef3 9. dc6 b5 10. ♕f3 ♗b1 11. ♗b3 ♗g6 [11... ♕e7 12. ♔d1! ♗e4 13. ♕h3 △ ♖e1] **12. 0–0 ♘f6**

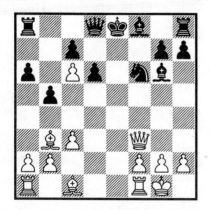

13. ♗h6! N [13. ♗g5; 13. ♖e1] **d5** [13... gh6? 14. ♖fe1 ♗e7 15. ♕f6 ♖f8 16. ♕g7+–] **14. ♖fe1 ♗e4** [14... ♘e4? 15. ♖ad1+–] **15. ♖ad1 ♗e7** [15... gh6? 16. ♗d5! ♘d5 17. ♕h5+–; 15... ♕e7!? 16. ♕h3 gh6 17. f3 *a)* 17... ♗g7 18. fe4 de4 (18... 0–0 19. e5 ♘e8 20. ♖d5 ♔h8 21. ♕d3 △ ♗c2+–) 19. ♖d4! ♖d8 (19... ♖f8 20. ♖de4 ♘e4 21. ♖e4+–) 20. ♖ee4! ♘e4 21. ♕h5 ♔f8 22. ♖d8+–; *b)* 17... ♕c5 18. ♔h1 ♕c6 (18... ♗g7 19. fe4 0–0 20. e5 ♘e8 21. ♖d5 ♕a7 22. ♕d3+–)

19. fe4 de4 20. ♖d4! ♖d8 (20... ♗g7 21. ♕f5! △ ♖ee4!+−) 21. ♖ee4! ♘e4 22. ♕h5 ♕g6 23. ♕e5 ♗e7 24. ♕h8 ♗f8 25. ♕e5 ♗e7 26. ♖e4±] **16. ♖e4 de4 17. ♖d8 ♗d8** [17... ♖d8 18. ♕g3 gh6 19. ♕c7!+− δc] **18. ♕g3 gh6 19. ♕e5 ♗e7** [19... ♔f8 20. ♕e6+−] **20. ♕c7+− ♖d8 21. ♕b7 ♘d5 22. c7 ♘c7 23. ♕c7 ♖d6 24. ♕b8 ♖d8 25. ♕e5 ♖f8 26. ♕h5 ♔d7 27. ♕h6 ♖f6 28. ♕h7 ♖df8 29. ♕e4 ♖f2 30. ♕b7 ♔e8 31. ♕c8 ♗d8 32. ♕c6 1 : 0**
[Karklins]

413. C 78

ULYBIN 2445 − MALANJUK 2520
Budapest (open) 1989

1. e4 e5 2. ♘f3 ♘c6 3. ♗b5 a6 4. ♗a4 ♘f6 5. 0−0 b5 6. ♗b3 ♗b7 7. c3 ♘e4 8. d4 ♘a5 9. ♗c2 ed4 10. b4 ♘c4 11. ♗e4 ♗e4 12. ♖e1 d5 13. ♕d4 N [13. ♘d4 − 45/382] **♗e7□ 14. ♕g7 ♗f6 15. ♕h6** [15. ♕g4 h5 16. ♕f4 ♖g8∓] **♖g8 16. a4** [16. ♕h7 ♔d7! 17. ♖e4 (17. ♕f7 ♕e7 18. ♕e7 ♗e7 19. ♖e4□ de4 20. ♘fd2 ♘d6∓) de4 18. ♕e4 ♕e7 19. ♕d5 ♘d6∓] **♔d7?!** [16... ♕e7 17. ♘bd2 (17. ab5 0-0-0! 18. ♖a6 ♖g2!−+) ♘d2 18. ♗d2 0-0-0 19. g3∞; 16... ♖g6 17. ♕h5 ♔f8 18. g3! ba4 19. ♘d4 ♗b1 20. ♖b1 ♗d4 21. cd4 ♔g8 22. ♖a1 ♕d7 23. ♕d1∞̄] **17. ♕f4 ♕e7** [△ ♖g2] **18. ♘bd2 ♘d2 19. ♗d2 ♕e6 20. g3 ♖g4 21. ♕e3 ♕f5 22. ♘d4 ♗d4 23. cd4 ♖ag8 24. ♕c3!?** [24. ab5 ♕h5! (24... ♖h4? 25. f3! ♕f3 26. ♕f3 ♗f3 27. ♖f1!±) 25. ♕h6□ (25. ♖a6 ♕h3!) ♕h6 26. ♗h6 ab5 27. f3! ♖4g6! 28. fe4 ♖h6 29. ed5 ♖g4 30. ♖f1 f6=] **♖4g6 25. ab5 ♖f6!** [25... ab5 26. ♖ec1 ♖c8 27. ♖a7±] **26. f3 ♕f3 27. ♕f3 ♖f3 28. ba6 ♖d3 29. ♗e3 ♖b3 30. a7 ♖a8 31. ♖a4 ♖c3** [31... ♔c6 32. ♖c1 ♔b7 33. ♗f4 c6 34. ♗b8±] **32. ♔f2 ♖c2 33. ♖e2 ♖c4 34. ♖b2 ♔c8 35. g4 ♔b7 36. ♖ba2 ♖c2** [37. ♖c2 ♗c2 38. ♖a5 c6! (38... ♗e4 39. ♗f4 ♖a7 40. ♖a7 ♔a7 41. ♗c7 ♔b7 42. ♗d6 ♔c6 43. ♗c5±) 39. b5 ♔b6! 40. ♖a2 ♗d1! 41. bc6 ♖a7 42. ♖a7 ♔a7=] **1/2 : 1/2**
[Ulybin, Volovik]

414.* C 78

M. CHANDLER 2600 − D. KNOX 2260
England 1989

1. e4 e5 2. ♘f3 ♘c6 3. ♗b5 a6 4. ♗a4 ♘f6 5. 0−0 b5 6. ♗b3 ♗b7 7. c3 ♘e4 8. d4 ♘a5 9. ♗c2 ed4 10. b4 ♘c4 11. ♗e4 ♗e4 12. ♖e1 d5 13. ♘d4 ♗d6 14. f3 ♕h4 15. h3 ♕g3 16. ♘f5 ♕h2 17. ♔f2 0-0-0 18. fe4 de4 19. ♕g4 ♘e5 [RR 19... ♔b8 20. ♕e4 ♖he8 21. ♕e8 ♖e8 22. ♖e8 ♔b7 23. ♖e4! N (23. ♘d6 − 45/382) g6 24. ♘d6 ♘d6 25. ♘d2 ♘e4 26. ♘e4 ♕e5 27. ♘c5± Klinger 2475 − R. Mainka 2410, Dortmund II 1989] **20. ♕e4 ♖he8**

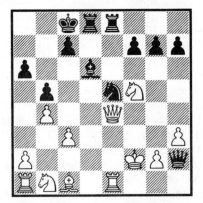

21. ♘d2! N [21. ♘d6? − 41/391; 21. ♗g5! − 42/408] **♕f4!** [21... ♗c5 22. bc5 (22. ♘d4) ♘d3 23. ♕d3 ♖e1 24. ♘d6+−] **22. ♘f3!□** [22. ♕f4 ♘d3−+] **♕e4 23. ♘d6!** [23. ♖e4? ♘d3 24. ♔e3 ♗f4−+] **♖d6 24. ♖e4± ♘d3 25. ♔e3 ♖e4 26. ♔e4 ♘f2 27. ♔f4!?** [27. ♔e3 ♘d1 28. ♔f4 ♘c3] **♖d1** [△ 28. ♗b2 ♘d3 29. ♔e3 ♘b2] **28. ♘e5** [△ ♗b2] **f6 29. ♔e3 ♘h3?!** [⌓ 29... fe5 30. ♔f2 ♔d7 31. ♔e2 ♖g1] **30. ♘d3 ♘g5 31. ♗b2 ♖a1 32. ♗a1 ♘e6 33. ♔e4 ♔d7 34. ♗b2 g6 35. ♗c1 c6 36. ♗e3 h5 37. ♗d4 ♔e7 38. ♘b2 ♘f8? 39. ♗c5 ♔f7 40. ♗f8 ♔f8 41. ♘d3 ♔g7 42. ♘c5 ♔h6 43. ♔f4 h4 44. ♘d7 f5 45. ♘e5 ♔h5 46. ♘f7 1 : 0** **[M. Chandler]**

415.* C 78

ANAND 2525 – A. MIHAL'ČIŠIN 2475
Moskva (GMA) 1989

1. e4 e5 2. ♘f3 ♘c6 3. ♗b5 a6 4. ♗a4 ♘f6 5. 0–0 b5 6. ♗b3 ♗b7 7. c3 ♘e4 8. d4 ♘a5 9. ♘e5 N [9. ♗c2] **♘b3 10. ♕b3 ♕f6** [10... ♘d6!? 11. c4 bc4? 12. ♘c4 ♖b8 13. ♖e1 ♗e7 14. ♘d6 cd6 15. ♗g5 f6 16. ♗f4± Zajcev 2390 – Vreeken 2165, Moskva (GMA) 1989; 11... f6!?∞; 11. ♗f4⩲] **11. f3** [11. c4!? ♕e6!=; 11. ♘d2!? ♘d2 12. ♗d2 △ ♖ae1] **♘c5** [11... ♘d6!? 12. a4 ♗e7 13. ab5 ab5 14. ♖a8 ♗a8 15. ♕a2⩲] **12. ♕d1** [12. ♘g4 ♘b3 13. ♘f6 gf6 14. ♖e1 ♗e7 15. ab3 d6 16. ♘d2 f5∞] **♘e6 13. a4** [13. f4 ♕f5! △ d6∞] **♗d6 14. ♕e2** [14. f4 ♗e5 15. de5 ♕f5 △ ♕e4⇆] **c5!** [14... ba4!? 15. ♘c4 0–0 16. ♘d6 cd6 17. ♖a4 ♖ae8∞; 14... b4!?∞ Anand] **15. ab5** [15. ♘g4 ♕e7 16. ♖d1 cd4 17. cd4 b4!∓] **cd4 16. ♘c4 ♗c5 17. cd4 ♗d4 18. ♔h1 0–0 19. b6** [19. ♘d6 ab5 20. ♖a8 ♗a8 21. ♘b5 ♗c5∓] **♗c6** [19... d5!? 20. ♘a5 ♖ab8; 19... ♖ab8!?] **20. ♗e3?** [⌓ 20. ♘ba3 ♖ab8∓] **d5!∓ 21. ♘ca3** [21. ♘d6 ♖ad8–+] **♗e3 22. ♕e3 ♕b2 23. ♘d2 d4 24. ♕f2 ♕b6 25. ♘ac4 ♕d8 26. ♖fd1 ♗b5 27. ♘e5 ♕d5** [27... f6!?] **28. ♕g3 ♘c5 29. ♖ac1 ♖ae8 30. ♖e1 ♕d6!–+ 31. f4 f6 32. ♘g4 ♔h8 33. ♘f2 d3 34. ♕f3 ♘e6 35. f5 ♘d4 36. ♕g4 ♘e2 37. ♖b1 ♘c3⊕ 38. ♖a1 ♖e5 39. ♘h3 ♖fe8 40. ♖f1 ♘e2 41. ♘f3 ♖e4 42. ♕h5 ♘f4 0 : 1** **[A. Mihal'čišin]**

416. C 79

JANSA 2515 – DARGA 2470
BRD 1989

1. e4 e5 2. ♘f3 ♘c6 3. ♗b5 g6 4. c3 a6 5. ♗a4 d6 6. d4 ♗d7 7. 0–0 ♗g7 8. ♖e1 b5 9. ♗b3 ♘f6 10. de5 N [10. a4; 10. ♘bd2 0–0 11. ♘f1 ♗g4!?; 10. ♗g5!?] **♘e5 11. ♘e5 de5 12. ♗g5 0–0 13. ♘d2 h6 14. ♗h4 ♕e7 15. ♕e2** [⌓ 15. ♘f1⩲] **c5!?** [15... ♗e6 16. ♘f1 c5 17. ♗e6 ♕e6 18. ♗f6! △ ♘e3-d5±] **16. ♗d5 ♖ab8 17. ♗f6** [17. ♘f1? g5 18. ♗g3 ♘d5 19. ed5 ♖be8∓] **♗f6 18. b3! ♗e6! 19. a4** [19. ♗e6?! ♕e6 20. ♘f1 ♕c6 (20... ♗g5? 21. ♘e3 ♗e3 22. ♕e3±) 21. f3 ♗g5=; 19. c4] **♖fd8 20. ab5 ♗d5?** [20... ab5 21. c4 bc4 22. bc4 ♖b2 23. ♖eb1 ♖db8⩲] **21. ed5 ab5 22. ♘e4! ♗g7** [22... ♖d5? 23. ♕f3 ♗g7 24. ♘f6+–] **23. ♖ed1± ♕c7** [23... f5? 24. d6 ♕f8 25. ♘c5 ♖d6 26. ♘d7+–] **24. ♖a6!** [△ ♖c6] **♖b6□ 25. ♖b6 ♕b6 26. ♕e3! ♗f8 27. b4 ♕a6!** [27... ♖c8 28. d6+–] **28. bc5** [28. ♘c5?? ♖d5!∓] **f5** [28... ♖d5? 29. ♘f6+–] **29. ♘d6!?** [29. d6!? fe4 (29... ♕a4?! 30. ♘f6 ♔f7 31. ♖e1 ♔f6 32. ♕e5 ♔f7 33. d7!+–) 30. ♕e4∞̅] **e4** [29... ♗d6 30. cd6 ♕d6 31. ♕h6 ♔f7 32. h4±] **30. ♕g3 ♔h7□ 31. ♕h4! ♖d7** [31... g5 32. ♕h5 ♗d6 33. ♕f7 ♔h8 34. ♕f6+–] **32. ♕f6 ♗d6 33. ♕e6! ♕c8** [33... ♖d8? 34. ♕f7+–; 33... ♗h2? 34. ♔h2 ♕e6 35. de6 ♖d1 36. e7+–; 33... ♖e7□ 34. ♕d6 ♕d6 35. cd6 ♖d7 36. ♖b1 ♖d6 37. ♖b5 ♔g7 38. g3! ♔f6 39. c4 ♔e5 40. ♖b8 ♔d4 41. ♖c8±] **34. cd6 ♕d8 35. ♖a1!** [△ ♖a6+–; 35... ♖d6 36. ♖a7+–] **1 : 0** **[Jansa]**

417. C 80

SMAGIN 2540 – A. MIHAL'ČIŠIN 2475
Moskva (GMA) 1989

1. e4 e5 2. ♘f3 ♘c6 3. ♗b5 a6 4. ♗a4 ♘f6 5. 0–0 ♘e4 6. d4 b5 7. ♗b3 d5 8. de5 ♗e6 9. ♗e3 ♘c5!? [⌓ 9... ♗e7] **10. ♘c3!? N** [10. ♕e2 – 40/410; 10. c3 – 42/410] **♘b3 11. cb3!** [11. ab3 ♗e7 12. ♕d2 0–0 13. ♖fd1 ♘b4∞] **♗e7** [11... ♘a5 12. a3!? c5 13. ♗c5! ♗c5 14. b4 ♗b4 15. ab4 ♘c6 16. ♘d4!±; 11... ♘b8!? △ c5] **12. ♖c1 ♕d7** [12... 0–0 13. ♘b5 ab5 14. ♖c6 ♖a2 15. ♕b1 ♖a8 16. ♘d4 ♕d7 17. ♕c2±] **13. ♘e2 ♖c8** [13... ♗g4 14. ♘f4 d4?! (14... 0-0-0 15. ♕d5 ♕d5 16. ♘d5 ♖d5 17. ♖c6 ♗f3 18. gf3 ♖e5 19. ♖fc1±) 15. h3!! de3 16. hg4 ef2 17. ♔f2!±] **14. ♘f4 0–0 15. ♗c5 ♖fd8** [15... ♗c5 16. ♖c5 d4 17. ♕c1 △ ♖d1±] **16. ♗e7 ♘e7 17. ♕d4 ♗g4 18. ♘e1** [18. ♘d2 c5! 19. ♖c5 ♖c5 20. ♕c5 g5 21. h3 gf4

22. hg4 ♘g6⇆] **c5!!□ 19. ♖c5 ♘f5** [19... ♘c6 20. ♕e3 d4 21. ♕g3±] **20. ♕c3** [20. ♕d5 ♖c5 21. ♕c5 ♘d4 22. ♘ed3? ♗e2 23. ♖c1 ♗d3 24. ♘d3 ♘e6−+; 20. ♕b4!? a5 21. ♕b5 ♕b5 22. ♖b5 ♘d4 23. ♖a5 ♘e2∞] **d4 21. ♕c1 ♖c5 22. ♕c5 g5! 23. f3** [23. h3 gf4 24. hg4 ♘g7! 25. ♘d3 ♕g4 26. ♕b6 ♘e6 27. f3 ♕f5=] **gf4 24. fg4 ♘e3 25. e6! fe6 26. ♕g5 ♔h8 27. ♖f4 d3 28. ♕f6** [28. ♖f7!? ♕d4!□ 29. ♘d3 (29. ♘f3? d2) ♘g4 30. ♘f2 ♖c8! 31. h3 ♘f2 32. ♖f2 ♖c2=] **♔g8 29. ♘d3 ♕d3 30. ♕e6 ♔h8 31. h3 ♕d2** [31... ♕d1 32. ♔h2 ♘f1 33. ♖f1 ♕f1 34. ♕e5 ♔g8 35. ♕g5±] **32. ♕f6 ♔g8 33. ♖f2?!** [33. ♕f7=] **♕d1 34. ♔h2 ♕d6 35. ♕d6 ♖d6 36. ♖e2 ♘d5 37. ♔g3 ♔f7 38. h4 ♘b4?⊕** [38... h6!∓] **39. a3 ♘d3 40. g5 ♖e6 41. ♖d2 ♘c5** [41... ♖e3 42. ♔g4 ♘e5 43. ♔f4 ♖d3 44. ♖d3 ♘d3 45. ♔e4 ♘b2 46. ♔d4!±] **42. ♔g4 ♘b3 43. ♖d7 ♔g8** [43... ♖e7 44. ♖d6=] **44. h5 1/2 : 1/2**
[A. Mihal'čišin]

418.**** **C 80**

N. SHORT 2650 − BELJAVSKIJ 2640

Barcelona 1989

1. e4 e5 2. ♘f3 ♘c6 3. ♗b5 a6 4. ♗a4 ♘f6 5. 0−0 ♘e4 6. d4 b5 7. ♗b3 d5 8. de5 ♗e6 9. ♘bd2 ♘c5 10. c3 d4 11. ♗e6 ♘e6 12. cd4 ♘cd4 13. ♘e4 [13. a4 ♗e7 14. ♘d4 *a)* 14... ♘d4 15. ♘e4 0−0 N (15... ♘e6 − 32/433) 16. ab5 ♘b5 17. ♗e3 ♕c8 18. ♕c2 ♕e6 19. f4 f6 20. ef6 ♗f6 21. f5 ♕e5 22. ♗c5± Ivančuk 2635 − Jusupov 2610, Linares 1989; *b)* 14... ♕d4 15. ab5 ♕e5 16. ba6 0−0 17. ♕a4! N ♖fb8 18. a7 ♖b7 19. ♘f3!? ♕d5 20. ♗e3 ♗c5 21. ♖ad1 ♕b3 22. ♕b3 ♖b3 23. ♗c5 ♘c5 24. ♘d4± Ehlvest 2600 − Marin 2495, Tallinn 1989] **♗e7 14. ♗e3 ♘f5 15. ♕c2 0−0 16. ♖ad1 ♘e3 17. fe3 ♕c8 18. ♖d3!?** [18. ♘d4 ♘d4 19. ed4 ♕e6 20. ♘g3 c6 21. ♘f5 ♖fe8 22. ♘e7 N (22. ♖d3 − 40/(411)) ♖e7 23. ♖f3 ♖d7 24. ♖c3 ♕a2 25. ♖c6 ♖ad8 26. ♖c8 ♕d5= Smirin 2500 − A. Mihal'čišin 2480, Klajpeda 1988; RR 18. ♘g3!? N ♖d8! 19. ♘d4 ♘d4 20. ed4 c6! (20... ♕e6? 21. ♘f5 ♗f8 22. ♕c7 ♖ac8 23. ♕a5) 21. ♘f5 ♗f8 22. ♖d3 ♕e6 23. ♕d2 (△ 23... c5 24. d5 ♕e5 25. d6!) ♖d7 (23... ♖a7? 24. ♕g5 ♖ad7 25. ♖g3 g6 26. ♘h6 ♗h6 27. ♕h6 ♖d4 28. ♖h3 ♖d1 29. ♕h7 ♔f8 30. ♕h8 ♔e7 31. ♕f6!+− Hellers) 24. ♖g3 ♔h8 25. ♕g5 ♕g6! 26. ♕h4 ♕e6 27. ♖h3 ♕g6 28. ♖f4 ♖ad8 29. ♖g3 ♕e6 30. ♖h3 ♕g6 1/2 : 1/2 Sax 2610 − Hellers 2565, Haninge 1989] **c5** [18... ♖d8!?] **19. ♘d6 ♕c7 N** [19... ♕c6? 20. ♘f5 ♖a7 21. ♘3d4! ♘d4 22. ed4±; 19... ♕b8 − 46/(434)] **20. ♖fd1 ♖fd8 21. ♖d5 ♗f8 22. b3⩲** [22. h3 c4 23. b3 cb3 (23... c3 24. b4 ♕c6 25. ♖5d3±) 24. ♕b3 ♘c5 25. ♕c2 ♘e6=] **♖a7** [22... ♕b8? 23. ♕f5 ♖a7 24. ♘f7+−] **23. ♕f2?!** [23. ♖1d2!? △ ♕d1] **♕c6 24. e4 ♖ad7 25. h3?** [25. ♕g3 c4 26. bc4 bc4⇆] **f6!?** [25... ♗d6? 26. ed6 ♖d6 27. ♘e5+−] **26. ♕g3 c4! 27. bc4 bc4 28. ♕g4** [28. ♖c1 ♗d6 29. ed6 ♖d6 30. ♖d6 ♖d6 31. ♖c4? ♖d1−+] **♘c7 29. ♘d4 ♕a8 30. ♘4f5?** [30. ♘e6!? h5 31. ♕f5 ♘d5 32. ♘d8 ♖d6!? (32... ♕d8!? 33. ♕e6 ♔h7 34. ♖d5 c3! △ c2) 33. ed6 ♘e3 34. ♕e6 ♔h7 35. ♕e8 ♘d1 36. ♕h5=] **♕a7 31. ♖5d4 ♗d6 32. ed6** [32. ♘d6 fe5−+] **♘b5 33. ♘e7 ♔h8 34. ♘c6 ♕b6 35. e5** [35. ♘d8 ♖d8 36. e5 fe5−+] **♕c6** [35... ♘d4 36. ♘d8 ♘b5 37. ♔h2 ♕d8 38. e6 ♖d6 39. e7 ♕e8−+] **36. e6 ♖d6 37. e7 ♖e8?** [37... ♘d4−+] **38. ♖d6 ♘d6 39. ♕e6 ♕c5 40. ♔h1** [40. ♔h2 h6!? 41. ♖d6 ♕c7 42. ♕d7 ♖e7 43. ♕c7 ♖c7−+] **♘b7** [40... c3 41. ♕d6 ♕d6 42. ♖d6 ♔g8 43. ♖a6 ♖e7 44. ♖c6 ♖e3 45. a4!=] **41. ♖d7 ♕e5** [41... ♕c8 42. ♕d5 c3 43. ♕b7 ♕b7 (43... c2? 44. ♕c8+−) 44. ♖b7 ♔g8 45. ♖a7 ♔f7 46. ♖a6 ♖e7∓] **42. ♕f7 ♖g8 43. ♖b7 c3 44. ♖c7 ♕e1 1/2 : 1/2 [Beljavskij]**

419.**** **C 82**

VAN DER WIEL 2560 −
J. HJARTARSON 2615

Rotterdam 1989

1. e4 e5 2. ♘f3 ♘c6 3. ♗b5 a6 4. ♗a4 ♘f6 5. 0−0 ♘e4 6. d4 b5 7. ♗b3 d5 8.

de5 ♗e6 9. ♘bd2 [RR 9. c3 ♗c5 10. ♘bd2 0-0 11. ♗c2 ♗f5 12. ♘b3 *a)* 12.∹. ♗f2 13. ♖f2 ♘f2 14. ♔f2 ♗c2 15. ♕c2 f6 16. ef6 ♕f6 17. ♔g1 ♘e5 18. ♕d1!? N (18. ♘bd4) ♖ae8! (18... ♘f3 19. ♕f3 ♕f3 20. gf3 ♖f3 21. ♗d2 ♖af8 22. ♗e1±) 19. ♕d5 ♔h8 20. ♗d2 ♘f3 21. gf3 ♖e2 22. ♗e1 ♖b2 23. ♘d4? ♕f4! 24. ♗g3 ♕d2 25. f4 c5!—+ Seirawan 2610 — Zak 2335, Lugano 1989; 23. ♕e4∞ Gutman; *b)* 12... ♗g6 13. ♘fd4 ♗d4 14. cd4 a5 15. ♗e3 a4 16. ♘d2 f6! N (16... a3 — 46/(438)) 17. ♖c1 (17. ♘e4 de4 18. ef6 ♕f6 19. d5 ♖ad8; 17. ef6!?) fe5 18. ♘e4□ (18. ♗e4 de4 19. ♖c6 ed4∓) de4 19. d5 ♘e7 20. ♗g5 ♖f7 21. ♖e1 (21. ♗e7 ♕e7 22. ♖e1 ♕b4) ♕d5 22. ♕d5 ♘d5 23. ♗e4 ♗e4 24. ♖e4 (Ernst 2460 — Marin 2495, Tallinn 1989) ♖f5 25. ♗h4 a3 26. b3 ♖e8∓ Marin] **♘c5 10. c3 ♗g4 11. ♗c2 ♗e7** [RR 11... ♕d7 12. ♖e1 ♖d8 *a)* 13. ♘f1 ♗h5?! N (13... d4) 14. ♘g3 ♗g6 15. ♘d4 ♘e6 16. ♗e3 ♘cd4 17. cd4 ♗b4 18. ♖e2 c5 19. ♘f5 0-0 20. a3 cd4 21. ♘d4 ♗e7 22. f4± Kotronias 2505 — I. Sokolov 2580, Dortmund 1989; *b)* 13. ♘b3! N ♘e6 (13... ♗e7 14. ♘c5 ♗c5 15. a4 0-0 16. ab5 ab5 17. b4± △ ♕d3) 14. a4 ♗e7 15. ab5 ab5 16. ♕d3! ♖b8?! 17. ♘fd4 ♘cd4 (17... ♘ed4 18. ♘d4 △ 19. ♘c6 ♕c6 20. ♕g3!+−) 18. cd4!± Am. Rodríguez 2515 — Haritonov 2520, Bayamo 1989; 16... ♗h5 17. ♕b5 (17. ♘fd4 ♘cd4 18. cd4 ♗g6 19. ♕e2 0-0 20. f4! ♗c2 21. ♕c2 f5 22. ♖a6! ♖c8±) ♗f3 (17... ♘e5? 18. ♕d7 ♘d7 19. ♘fd4!±) 18. gf3 ♘e5 (18... 0-0 19. ♕d3 g6 20. ♗h6 △ ♖ad1±) 19. ♕d7 ♘d7+♔↑⇔e Am. Rodríguez] **12. ♖e1 ♕d7 13. ♘f1 ♖d8 14. ♘e3 ♗h5 15. ♘f5 0-0 16. ♘e7 ♘e7 17. ♗e3 ♘a4 18. ♕d3 ♘g6 19. b3** N [19. e6?! — 44/406] **♗f3 20. gf3 ♕h3!** [20... ♘c3 21. ♗c5! (21. ♕c3 d4∓) d4 22. ♗f8 ♖f8∞; 22... ♘f8!?] **21. ♗d2** [21. ba4 ♘e5 22. ♕h7□ ♕h7 23. ♗h7 ♔h7 24. ♔g2 ♖fe8∓] **♘c5 22. ♕f5 ♕f5 23. ♗f5 ♖fe8∓ 24. ♗e3** [24. ♗g5?! ♘e5 (24... ♖a8∓) 25. ♗d8 (25. ♖e5? ♖e5 26. ♗h7 ♔h7 27. ♗d8 ♘e6∓) ♘f3 26. ♔f1 ♘e1 27. ♖e1 ♖d8 28. ♖e7 g6 29. ♖c7

♘b3 30. ab3 gf5∓] **♘e6 25. ♗g6 hg6** [25... fg6!?∓] **26. a4 c5 27. ab5 ab5 28. f4 d4 29. cd4 cd4 30. ♗d2 d3** [△ 30... ♘c5 31. ♖ab1 ♖a8∓; 30... ♖d5!?] **31. ♗e3 ♖d5?!** [31... ♘d4∓] **32. ♖ed1= ♖c8 33. ♔g2 ♖c3 34. ♖a8 ♔h7 35. ♖a6! ♖d8** [35... ♖b3? 36. ♖d6 ♖d6 37. ed6±] **36. b4 ♔g8 37. ♖d6 ♔f8 38. ♖d8 ♘d8 39. ♔f3 ♘e6 40. ♖a1 ♖c4 41. ♖d1 ♖c3 1/2 : 1/2** **[J. Hjartarson]**

420.* C 83

N. SHORT 2650 — LJUBOJEVIĆ 2580
Linares 1989

1. e4 e5 2. ♘f3 ♘c6 3. ♗b5 a6 4. ♗a4 ♘f6 5. 0-0 ♘e4 6. d4 b5 7. ♗b3 d5 8. de5 ♗e6 9. ♗e3 ♗e7 10. c3 ♕d7 [RR 10... 0-0 11. ♘bd2 ♕d7 12. ♗c2 f5 13. ef6 ♘f6 14. ♗f4 N (14. ♕b1 — 34/409) ♘h5! 15. ♗g3 ♗g4 16. ♖e1 ♘f4!→ 17. ♕b1 h6 18. ♘e5 ♘e5 19. ♖e5 ♘e2 20. ♔h1 c6! (20... ♘g3 21. fg3 c6 22. ♕g1∓) 21. f3 ♘g3 22. hg3 ♗d6 23. ♖e3 (Mortensen 2470 — I. Sokolov 2570, Thessaloniki (ol) 1988) ♗g3! 24. ♘f1 (24. fg4 ♕g4 25. ♖g3 ♕g3 △ ♖f2—+) ♗f3! 25. ♖f3 ♖f3 26. gf3 ♕h3 27. ♔g1 ♗c7—+; ○ 15. ♘e5 ♕e8 16. ♘c6 ♘f4 17. ♘e7 ♕e7 △ ♕g5↑ I. Sokolov] **11. ♘bd2 ♖d8 12. h3 ♘d2 N** [12... 0-0 — 38/(441)] **13. ♕d2 ♘a5 14. ♗g5 c5 15. ♖fe1** [15. ♗e7 ♕e7 16. ♘g5!? △ f4±] **♘c6 16. ♖ad1 h6 17. ♗e7 ♕e7** [17... ♘e7!? 18. ♕e3 ♕c8 △ ♗f5] **18. ♗c2 0-0 19. ♕d3 g6 20. ♕e3 ♔g7 21. a3± a5 22. ♕f4 ♖d7** [22... b4?! 23. ♗a4 ♖c8 24. ♗c6 ♖c6 25. ab4 ab4 26. cb4 ♖b8 (26... cb4 27. ♘d4±) 27. bc5 ♖b2 28. ♖c1± △ 28... ♖c5?? 29. ♕f6+−] **23. ♖d2 a4 24. h4 f5** [24... ♘a5!? △ ♘c4⇆《] **25. ef6 ♖f6 26. ♕g3 ♕d6 27. ♘e5 ♘e5 28. ♖e5 ♗f5?!** [○ 28... ♗f7 △ ♖e7] **29. ♖dd5 ♕d5 30. ♖d5 ♖d5 31. c4!± bc4** [31... ♖d2 32. ♗f5 ♖d1 (32... ♖f5 33. ♕c3) 33. ♔h2 ♖f5 34. cb5+−] **32. ♗a4 h5 33. ♗b5 ♗e6 34. f3 ♖ff5** [34... ♗f7 35. a4 △ a5-a6+−] **35. ♗c6 ♖d1** [35... ♖d2 36. ♕c7 ♔h6 37. ♕b8 ♔g7 38. ♗e4 ♖f6 39. a4+−] **36. ♔h2 ♗d5 37. ♕c7

⬚h6 38. ♕d8!+− ⬚g7 39. a4 ♖d4 40. ♕e7 ⬚h6 41. ♗e8 ♖df4 42. ⬚g3! [△ ♕e3] ♗f3 43. ♕e3 ♗g2 44. ♕f4 ♖f4 45. ⬚f4 ⬚g7 46. ⬚g5 ♗e4 47. a5 ♗d3 [△ 48. a6? c3] 48. ♗c6 ⬚f7 49. ♗b7 1 : 0 **[Vlado Kovačević]**

421.* C 85

CHRISTIANSEN 2530 − NUNN 2620
BRD 1989

1. e4 e5 2. ♘f3 ♘c6 3. ♗b5 a6 4. ♗a4 ♘f6 5. 0−0 ♗e7 6. ♗c6 dc6 7. ♕e1 [RR 7. d3 ♕d6! 8. b3 N (8. ♘bd2 ♗e6) ♗e6 9. ♗b2 ♘d7 10. d4 (10. ♘bd2 b5=) ed4 11. ♕d4 (11. ♘d4?! ♗f6 12. f4 0-0-0 13. e5? ♘e5; 11. ♗d4 0-0-0!? 12. ♗g7 ♖hg8∞↑ I. Sokolov) ♗f6= 12. ♕d6 cd6 13. ♗f6 ♘f6 14. ♘c3 0-0-0 15. ♘d4 1/2 : 1/2 Sax 2600 − I. Sokolov 2570, Reggio Emilia 1988/89] c5 8. ♘e5 ♕d4 9. ♘f3 ♕e4 10. ♕e4 ♘e4 11. ♖e1 ♘d6 N [11... ♘f6 12. b3! △ ♗a3, d4±] 12. ♘c3 ⬚d8 [12... ♗e6 13. d4±] 13. d4 c4 14. ♗f4 ♖e8 15. b3 cb3 16. ab3± ♗g4? [16... ♗e6! 17. ♘a4! (△ 18. ♘c5, 18. c4; 17. d5? ♗g4 18. ♘e5 ♗f5 △ ♗f6=) ♗d5 18. ♘e5 f6 19. c4!] 17. ♘e5 ♗f5 18. ♘d5 ♗c2?? [18... f6 19. ♘c4 ♗c2 20. ♗d6 cd6 (20... ♗d6 21. ♖e8 ⬚e8 22. ♘d6 cd6 23. ♘c7+−) 21. ♘cb6 ♖b8 22. ♖ac1 ♗b3 23. ♖c7 ♗d5 24. ♖d7#; 18... ♗e6 19. ♘f7! ♗f7 20. ♘e7±; 18... ♗g6 19. c4±; 19. ♘f7!?] 19. ♖ac1 ♗b3 [19... f6 20. ♖c2 fe5 21. de5 ♘b5 22. ♖d1+−] 20. ♘f7! [20... ♘f7 21. ♗c7 △ ♘b6#] 1 : 0 **[Christiansen]**

422.* ✳ C 88

VASJUKOV 2485 − RANTANEN 2370
Beograd 1988

1. e4 e5 2. ♘f3 ♘c6 3. ♗b5 a6 4. ♗a4 ♘f6 5. 0−0 b5 6. ♗b3 ♗b7 7. d3 ♗e7 8. ♖e1 0−0 9. ♘bd2 [RR 9. a4 ♖e8 10. ab5 ab5 11. ♖a8 ♕a8 12. ♘c3 b4 13. ♘d5 ♘d5 14. ♗d5 d6 15. ♗d2 ♘a5 16. ♗b4 ♗d5 17. ed5 ♕d5 18. ♕d2 N (18. c4 ♕a8

19. ♗c3 c5=) ♘c6 19. c4 ♕e6 20. ♗c3 f6 (△ d5; 20... ♕g6!? 21. b4 ♘d8 △ ♘e6-f4∞ I. Sokolov) 21. b4 d5 22. b5 ♘d8 23. ♗a5 (23. ♕a2 dc4∓) ♕d7 24. ♕a2 ♘f7= (24... ♘b7!?) 25. ♕b3 dc4 26. ♕c4 ♗d6 1/2 : 1/2 E. Geller 2480 − I. Sokolov 2580, Dortmund 1989] ♖e8 10. ♘f1 ♗f8 N [△ d5; 10... h6 − 35/434] 11. c3 [11. ♗g5!? ♘a5 12. ♗d5] ♘a5 12. ♗c2 d5 13. ♕e2 c5 14. ♘g3 d4 [14... h6!?] 15. cd4 cd4 [15... ed4∞] 16. ♗d2 [△ b4] ♖c8 17. ♖ec1! [△ 18. ♕e1 ♘c6 19. b4 △ ♗b3] b4 18. ♕e1 ♕b6 19. a3! ♘c6 20. ♗a4 a5 21. ♕d1 ♘d7 [21... g6!?] 22. ab4 ab4 23. ♘f5 ♘c5 24. ♘g5 ♖c7?! [24... ♘a4? 25. ♕h5 h6 26. ♘h6!+−; 24... h6?! 25. ♖c5! a) 25... ♗c5 26. ♘f7! ⬚f7 27. ♗b3 ⬚f8 (27... ♖e6 28. ♕h5 g6 29. ♕h6!+−) 28. ♗h6! ♖e7 29. ♕h5! gh6 30. ♕g6+−; b) 25... ♕c5 26. ♘f7! ⬚f7 27. ♗b3 ⬚g6 (27... ♖e6 28. ♖c1 ♕b6 29. ♕f3!+−) 28. ♕h5!! ⬚h5 (28... ⬚h7 29. ♗h6! g6 30. ♗g8! ⬚h8 31. ♗g7 ⬚g8 32. ♕g6 △ ♘h6#) 29. ♗f7 g6 30. h3 △ g4#; 24... ♘e6 25. ♘e6 ♖e6 26. ♗b3 ♖f6 27. h4↑; 24... g6!?∞] 25. ♕h5 h6

26. ♘f7!! ♖f7 [26... ♘a4? 27. ♕g6! (△ ♘5h6#) ♖f7 28. ♘h6 ⬚h8 29. ♘f7 ⬚g8 30. ♘g5+−] 27. ♖c5! ♗c5 [27... ♕c5 28. ♗b3 ♘d8 29. ♕g6!+− △ ♘h6!] 28. ♕g6! ⬚f8 [28... ♖f5 29. ef5 ♖f8 30. ♗h6 ♕c7 31. ♗b3 ⬚h8 32. ♗g5+−] 29. ♗h6 ♖ee7 [29... gh6 30. ♕h6 ⬚g8 31. ♗b3 (△ ♕g7#) ♗f8 32. ♕g6 ⬚h8 33. ♗f7+−] 30. ♕h7! ⬚e8□ [30... ♖f5 31. ♕h8 ⬚f7 32. ef5+− △ ♗b3] 31. ♕g8 ⬚d7 [31...

♖f8 32. ♘g7 ♖g7 33. ♕g7+——] 32. ♘e7 ♔e7? [32... ♖e7 33. ♗g7 △ h4-h5+—] 33. ♗g5 1 : 0 **[Vasjukov]**

423.* **C 89**

SMAGIN 2540 — E. GELLER 2480

Moskva (GMA) 1989

1. e4 e5 2. ♘f3 ♘c6 3. ♗b5 a6 4. ♗a4 ♘f6 5. 0—0 ♗e7 6. ♖e1 b5 7. ♗b3 0—0 8. c3 d5 9. ed5 ♘d5 10. ♘e5 ♘e5 11. ♖e5 c6 [RR 11... ♗b7 12. d4 ♕d7 13. ♘d2 ♘f4 14. ♘e4 ♗d6 15. ♘d6 cd6 16. ♖g5 ♘g6 17. ♖g3! N (17. ♗e3 — 45/395) ♖ae8 18. ♗g5 ♕f5 19. ♗c2 ♗e4 20. ♗e4 ♖e4 21. a4 ba4 22. ♖a4 ♕e6 23. ♖e3 d5 24. ♖e4 ♕e4 25. ♖a6 ♖e8 26. h3± Kudrin 2555 — Hebden 2455, Las Palmas 1989] **12. d3 ♗d6 13. ♖e1 ♗f5** [RR 13... ♕h4 14. g3 ♕h3 15. ♖e4 a) 15... ♕f5 16. ♘d2 ♕g6 17. ♖e1 h5! N (17... ♗b7 — 42/(426); 17... f5 — 41/397; 17... ♗c7 — 41/398) 18. ♘f3 ♗g4 19. ♘h4 ♕f6 20. f3 ♗h3 21. ♕d2! ♖ae8 (21... ♘f4 22. ♔h1! g5 23. ♖g1 ♔h7 24. gf4 ♗f4 25. ♖g5!! ♗d2 26. ♗d2±→) 22. ♖e4 ♘f4 23. ♕e3! (23. ♖f4? ♗f4 24. ♕f4 ♖e1 25. ♔f2 ♖fe8 Weill) ♗d7 24. ♗d2 ♘h3 25. ♔h1± Koch 2390 — Pintér 2550, France 1989; b) 15... ♕d7! N 16. ♕f3 (16. ♖h4 ♗e7) ♗b7 17. ♖e2? ♗b6!! (17... ♘f6?! 18. ♘d2 △ ♘e4) 18. ♘d2 c5 19. ♕h5 (19. ♘e4 c4 △ f5—+) c4 20. dc4 bc4 21. ♗c2 f5—+ Woodford — P. Smith, corr. 1989; ◯ 17. ♖e1 P. Smith] **14. ♕f3 ♕d7?! N** [14... ♖e8] **15. ♗d5! cd5 16. ♗f4 ♗f4 17. ♕f4 ♗d3 18. ♘d2 ♖ae8 19. ♖e3?!** [19. ♘b3!± △ ♘c5] **♖e3 20. ♕e3 ♗g6 21. ♖e1** [21. ♘b3!?] **h6?** [21... b4! 22. cb4 d4⹁] **22. ♘b3 ♖c8 23. a3 ♕c7 24. ♘d4 ♕c4 25. h4! a5** [25... h5 26. ♕g5! △ g4±] **26. h5! ♗h5** [26... ♗d3 27. ♕f4 b4 28. ♖e7 ♖f8 29. ♖c7±] **27. ♘f5 ♖f8□ 28. ♕e5 ♕g4 29. ♘g7** [29. f3 ♕g5 30. ♘e7 ♔h8! (30... ♔h7? 31. ♕g5 hg5 32. ♔f2!+—) 31. ♕g5 hg5 32. ♔f2 ♗g6! 33. ♘g6 fg6 34. ♖e5 b4!±] **♗g6?⊕** [29... ♕g7 30. ♕h5 ♖d8 31. ♖e3±] **30. ♘e8! ♕g5 31. ♕g7#** 1 : 0 **[Smagin]**

424.* **C 89**

A. SOKOLOV 2605 — NUNN 2620

Rotterdam 1989

1. e4 e5 2. ♘f3 ♘c6 3. ♗b5 a6 4. ♗a4 ♘f6 5. 0—0 ♗e7 6. ♖e1 b5 7. ♗b3 0—0 8. c3 d5 9. ed5 ♘d5 10. ♘e5 ♘e5 11. ♖e5 c6 12. d4 ♗d6 13. ♖e1 ♕h4 14. g3 ♕h3 15. ♗e3 ♗g4 16. ♕d3 ♖ae8 [RR 16... f5 17. f4 ♔h8 18. ♗d5 cd5 19. ♘d2 g5 20. ♕f1 ♕h5 21. fg5 f4 22. ♗f4 ♖f4 23. gf4 ♖f8 24. ♖e5 ♗e5 25. de5 h6 26. ♖e1 hg5 27. f5 ♖f5 28. ♕d3 ♖f2!? N (28... ♗h3 — 35/441) 29. h3 ♕h4 30. ♖f1 ♗f5 31. ♕e3 ♖f1 32. ♘f1 ♗h3 33. e6 ♕g4 1/2 : 1/2 A. Sokolov 2605 — Ehlvest 2600, Rotterdam 1989] **17. ♘d2 f5 18. ♕f1 ♕h5 19. f4 ♔h8 20. ♗d5 cd5 21. ♕g2 g5 N** [21... ♖e4!?] **22. ♕d5 ♖d8** [22... gf4 23. ♕d6 fe3 24. ♖e3+—] **23. ♕c6 gf4 24. ♗f4 ♗f4 25. gf4 ♗e2** [25... ♖c8 26. ♕d5 (26. ♕d6 ♖g8 27. ♕f6 ♖g7 28. ♖e7 ♖g8 29. ♘f1 ♗h3 30. ♖g7 ♕g7 31. ♘g3 ♕f3=) ♖g8 27. ♔h1±] **26. ♔h1** [26. ♘f1 ♕g4 27. ♘g3 ♖de8∞] **♖de8 27. ♖g1 ♕h4 28. ♕g2?** [28. ♘f3! ♕f4 (28... ♕h5 29. ♖g3 ♗e3 30. ♘h4!+— Ljubojević) 29. ♘g5 ♗g4 (29... ♗c4 30. ♘f7!+—; 29... ♖e7 30. ♖ae1 △ ♖e2+—) 30. ♘f7 ♔g7 31. ♖af1+—] **♖g8 29. ♕c6 ♖gf8 30. ♕g2? ♖g8 31. ♕c6** 1/2 : 1/2 **[A. Sokolov]**

425.* **C 89**

SAX 2610 — I. SOKOLOV 2580

Haninge 1989

1. e4 e5 2. ♘f3 ♘c6 3. ♗b5 a6 4. ♗a4 ♘f6 5. 0—0 ♗e7 6. ♖e1 b5 7. ♗b3 0—0 8. c3 d5 9. ed5 ♘d5 10. ♘e5 ♘e5 11. ♖e5 c6 12. d4 ♗d6 13. ♖e1 ♕h4 14. g3 ♕h3 15. ♗e3 ♗g4 16. ♕d3 ♖ae8 17. ♘d2 ♖e6 18. a4 ♕h5 19. ab5 ab5 20. ♕f1 [20. ♗d1 N ♗d1 21. ♖ad1 f5 22. ♘f1 f4 23. ♗c1 (△ 23... f3 24. ♖e6 ♕h3 25. ♕f3 ♖f3 26. ♖d6∞) ♖ef6∓] **24. ♕e4 ♔h8 25. ♖d3 h6** (25... g5!?) **26. b3 b4 27. cb4 fg3 28. fg3 ♗b4 29. ♘d2** (29. ♗d2 ♕f7! 30. ♕g2 ♖f2 31. ♕h3 ♖d2!) **♖f2**

30. h4 ♘c3 0 : 1 Hellers 2565 – I. Sokolov 2580, Haninge 1989] **♗h3 21. ♗d1** [21. ♕e2 ♗g4=] **♕f5 22. ♕e2 c5!**$\overline{\overline{\infty}}$ **N** [22... ♘f4±] **23. ♘f1** [23. ♕h5 cd4 24. cd4 ♗b4] **cd4 24. cd4** [24. ♗c2? ♘c3! 25. bc3 ♕d5] **♘b4** [24... ♗b4?! 25. ♗c2] **25. ♖a3!** [△ ♖b3, ♕f3] **♘c6! 26. ♖d3 ♗b4! 27. d5 ♖d6** [27... ♗e1!? 28. de6 fe6; 27... ♗g4!? 28. ♕g4! (28. ♕c2 ♘e5! 29. ♗g4 ♕g4 △ ♘f3–+) ♕d3 29. de6 ♗e1 30. ef7$\overline{\overline{\infty}}$⊡] **28. ♗d2 ♖d5 29. ♗b4** [29. ♖d5 ♕d5 30. ♕f3] **♘b4 30. ♖f3 ♕d7 31. ♗b3 hg4! 32. ♗d5 ♕d5 33. ♘e3! ♕f3**
1/2 : 1/2 **[I. Sokolov]**

426. C 90

ZAPATA 2490 – ZAJCEV 2390
Moskva (GMA) 1989

1. e4 e5 2. ♘f3 ♘c6 3. ♗b5 a6 4. ♗a4 ♘f6 5. 0–0 ♗e7 6. ♖e1 b5 7. ♗b3 0–0 8. a4 b4 9. c3 d6 10. h3 ♖b8 11. d4 bc3! 12. bc3 ed4 13. cd4 N [13. ♘d4] **d5 14. e5** [14. ♘e5? ♘a5∓; 14. ed5!? ♘d5 15. ♘e5∞] **♘e4 15. ♗a3!?** [15. ♘bd2?! ♘a5∓] **♘b4!** [△ c5] **16. ♘bd2!** [16. ♖e3 (△ ♘c3) c5 17. ♘c3 c4 18. ♗c2 ♘c2 19. ♕c2 ♗a3 20. ♖a3 ♗f5∓] **♘d3** [16... ♗f5] **17. ♗e7 ♕e7 18. ♖e3□ ♘df2 19. ♕e2 ♗e6 20. ♖f1** [20. ♕a6?! c5!∓] **♘h1?** [20... ♘d2□ 21. ♘d2 ♘e4 22. ♘e4 de4 23. ♗e6 (23. d5? ♖b3! 24. ♖b3 ♗d5∓) ♕e6 24. ♖e4 ♖b4 25. ♖g4=] **21. ♘e4 ♖b3** [21... de4 22. ♘d2+–] **22. ♘f6±→»** [22. ♖b3? de4] **gf6 23. ♖b3 ♘g3 24. ♕a6** [RR 24. ♕e1! ♘f1 25. ♕h4 △ 25... ♗f5 26. ef6 ♕d6 27. ♕h6 ♕g3 28. ♕f8+– Zajcev] **♘f1 25. ♕f1 ♖a8** [25... fe5 26. ♘e5 ♕h4 27. ♔h2 △ ♖g3, a5+–; 25... c5!?±] **26. ♕c1!** [△ ♕h6] **fe5 27. ♘e5 ♕h4** [27... ♖a4? 28. ♖g3 ♔h8 (28... ♔f8 29. ♕h6+–) 29. ♕h6+–] **28. ♔h2!** [28. ♕c7?! ♕d4 29. ♔h2 ♔h8 30. ♘f7 (30. ♖g3 ♖g8) ♗f7 31. ♕f7 ♖g8±] **♔h8** [28... ♖a4? 29. ♖g3 ♔h8 30. ♕c6+–] **29. ♖g3 ♖g8 30. ♖g8 ♔g8 31. ♘f3 ♕d8 32. ♕c6+–** [♙a] **♕d7 33. ♕d7 ♗d7 34. a5 ♗b5 35. ♔g3 f6 36. ♘d2!** [△ ♘b3-c5] **♔f7 37. ♘b3 ♔e7 38. ♘c5 ♔d6 39. a6 ♗c6 40. ♔g4 ♗a8 41. h4** **1 : 0**
[Zapata]

427. C 90

N. SHORT 2650 – AN. KARPOV 2750
Linares 1989

1. e4 e5 2. ♘f3 ♘c6 3. ♗b5 a6 4. ♗a4 ♘f6 5. 0–0 ♗e7 6. ♖e1 b5 7. ♗b3 d6 8. c3 ♗g4 9. d3 0–0 10. ♘bd2 ♘a5 11. ♗c2 c5 12. ♘f1 [⌓ 12. h3 ♗h5 13. ♘f1±] **♘e8 N** [⌓ 12... ♘d7] **13. ♘e3 ♗h5** [13... ♗f3!? 14. ♕f3 ♗g5] **14. g4 ♗g6 15. d4 ed4** [15... ♘c6 16. d5±] **16. cd4 h5?!** [16... ♘c6! 17. d5 ♘e5 18. ♘d2 (△ f4) ♗g5 19. ♘g2 ♕f6! 20. f4 ♗f4 21. ♖f1 ♗d2! 22. ♖f6 ♗c1$\overline{\overline{\infty}}$ △ 23. ♖g6? ♗b2 24. ♖g5 ♗a1 25. ♕a1 ♘f3; ⌓ 17. ♘d5] **17. dc5 dc5** [17... hg4 18. cd6±] **18. ♘e5⩲ ♕d1□ 19. ♖d1 hg4!□** [19... ♘f6 20. g5!] **20. ♗d2!** [20. ♘d7 ♘c6! △ ♘d4$\overline{\overline{\infty}}$] **♘b7?** [20... ♘c4!□ 21. ♘3c4 bc4 22. ♘g6 (22. ♘g4? ♘f6!=; 22. ♘d7 ♘d6 23. ♘f8 ♔f8 24. ♖e1 ♘b5$\overline{\overline{\infty}}$) fg6 23. e5 △ ♗g6±] **21. ♘g6! fg6 22. e5± ♔h7?!** [⌓ 22... ♘c7 23. ♗g6±] **23. ♘d5 ♗d8 24. ♘f4+– ♖f5 25. ♗f5 gf5 26. ♗e3 ♗c7 27. ♖d5 ♘a5 28. ♗c5 ♘c4 29. ♘d3 ♘d2 30. ♔g2 ♘e4 31. ♖c1 ♗d8 32. ♗e3 ♘c7 33. ♖d7** [33. ♖d8? ×♘d3] **♘e6 34. ♘f4 ♘f8 35. ♖b7** [35. ♖f7?! ♔g8! △ 36. ♖f5? g6] **♗g5 36. ♖cc7 ♗f4 37. ♖g7 ♔h8 38. ♗f4 ♘e6 39. ♖h7 ♔g8 40. ♗h6 f4 41. ♖he7 f3 42. ♔f1 ♘4c5 43. ♖b6** [43. ♖a7?? ♖d8] **♖d8 44. ♖d6** **1 : 0** **[N. Short]**

428.* C 91

VAN DER WIEL 2560 –
I. SOKOLOV 2580
Haninge 1989

1. e4 e5 2. ♘f3 ♘c6 3. ♗b5 a6 4. ♗a4 ♘f6 5. 0–0 ♗e7 6. ♖e1 b5 7. ♗b3 0–0 8. d4 d6 9. c3 ♗g4 10. d5 [RR 10. ♗e3 ed4 11. cd4 ♘a5 12. ♗c2 c5 13. dc5 dc5 14. ♘bd2 ♘c6 15. ♖c1 c4 16. h3 ♗h5!? N (16... ♗h3) 17. g4 ♗g6 18. ♘h2 ♘b4

19. f4 ♘c2 20. ♕c2 ♘d5! 21. f5 ♘e3 22. ♖e3 ♗c5 23. ♖e1 ♗f5 24. ef5 ♗e3 25. ♖e3 ♕b6⊡ Morović Fernández 2540 − Spassky 2580, Viña del Mar (m/3) 1989] ♘a5 11. ♗c2 ♕c8 12. h3 ♗d7 13. ♘bd2 c6 14. b4 ♘b7 [14... cd5?! 15. ba5 ♕c3 16. ♘b3±; 14... ♘c4 15. ♘c4 bc4 16. dc6 ♗c6 17. a4±] 15. dc6 ♗c6 [×f5; △ 15... ♕c6] 16. ♘f1 ♖e8 N [16... ♘d8 — 46/452] 17. ♘g3 h6?! [17... g6 18. ♗g5±]

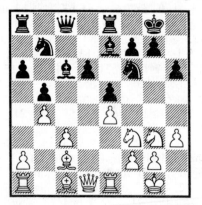

18. ♘h4! [△ ♕f3 ×h6, ♘f6; 18. ♘f5 ♗f8=] ♘e4! 19. ♖e4! [19. ♘e4 ♗h4 20. ♕h5 ♗d8 21. ♗h6 gh6 22. ♕h6 ♕e6 23. ♘f6 ♕f6 24. ♗h7 ♔h8 25. ♗g6=] ♗e4 20. ♗e4 ♗h4 21. ♘f5 d5!? [21... ♗f6 22. ♗h6! a) 22... gh6 23. ♕h5 (23. ♕f3!?) ♘d8 24. ♕h6! ♕e6 25. ♖d1! (△ 26. ♖d6, 26. ♖d3) ♗h8 26. ♘e7! ♖e7 27. ♗h7#; b) 22... g6 23. ♕f3! (M. Kuijf; 23. ♗b7?! ♕b7 24. ♘d6 ♕c6 25. ♘e8 ♖e8± ×c3) d5 (23... gf5 24. ♗b7+−; 23... ♖b8 24. ♘d6+−) 24. ♘d6! ♕e6□ 25. ♘e8+−; 21... ♗g5 22. ♗g5 hg5 23. ♕h5 (△ ♘e7!) g6 24. ♕g5 ♕d8 25. ♘h6 ♔g7 (25... ♔f8?! 26. ♕d8 ♖ad8 27. ♗b7 f5 28. ♗d5±) 26. ♘f5 ♔g8 27. ♕g4!? ♕f6 (27... ♔f8 28. ♘h6→) 28. ♗b7 ♕f5 29. ♕f5 gf5 30. ♗a8 ♖a8 31. ♖d1± ♔h] 22. ♕g4 [22. ♕d5?! ♕c3! ×♖a1, f2] ♗g5 23. ♗g5 hg5 24. ♕g5 g6 25. ♘h6 ♔f8 [25... ♔g7 26. ♘g4!+−] 26. ♗g6!! [26. ♗d5?! ♕d8! 27. ♕d8 ♖ed8! 28. ♗b7 ♖a7 29. ♗f3 f5 30. g4 ♔g7 31. g5 ♖c7∓↑] ♕d8□ 27. ♕g4! [27. ♘f7 ♕g5 28. ♘g5 ♖ec8∓] ♕f6!? [27... fg6 28. ♕g6 ♘d6□ 29. ♖d1!!+−; 27... ♖e6 28. ♘f7 ♕e7! (28...

♕f6 29. ♘g5!+−) 29. ♗h5±] 28. ♗f7 ♕h6 29. ♕g8?!⊕ [29. ♗d5!! ♖a7 (29... ♘d6 30. ♗a8+− △ ♕f3) 30. ♕g8 ♔e7 31. ♕f7 ♔d8 32. ♗b7 ♕d6 33. ♕h5!+−] ♔e7 30. ♗e8 ♖e8 31. ♕d5± ♘d6 32. ♕e5 ♔f8 33. ♕d4 ♖e4⊕ [33... ♘f7!?±] 34. ♕b6! ♕e6 35. ♕a6 ♖e1 36. ♖e1 ♕e1 37. ♔h2 ♕e4? [37... ♕e5□ 38. g3 ♘e4 39. ♕h6!? ♔e7 40. ♕e3±; 39. h4!?] 38. ♕e6!+− [△ ♕e5, f3] ♕b1 39. f3! [39. ♕f5 ♔g7 40. f3 ♕h1□ 41. ♔h1 ♘g3] ♘f2□ 40. ♕c8 ♔f7 41. ♕b7 [41... ♔g6 42. ♕b6; 41... ♔g8 42. ♕a8 △ ♕a7]
1 : 0 [van der Wiel]

429.* **C 92**

N. SHORT 2650 − VAN DER WIEL 2560
Rotterdam 1989

1. e4 e5 2. ♘f3 ♘c6 3. ♗b5 a6 4. ♗a4 ♘f6 5. 0-0 ♗e7 6. ♖e1 b5 7. ♗b3 0-0 8. c3 d6 9. h3 ♗e6 10. d4 ♗b3 11. ♕b3 d5 12. ed5 ♘a5 13. ♕c2 ed4 14. cd4 ♘d5 15. ♘c3 c6 16. ♘e4 ♖c8 17. b3 ♘b7 N = 18. ♗g5! [18. ♗d2 c5] f6 [18... ♗g5?! 19. ♘eg5 (19. ♘fg5?! h6 20. ♘c5? ♕g5 21. ♘b7 ♘f4∓) ♘f6 20. ♖ad1↑] 19. ♗d2 ♖e8 [19... c5?!± ×e6] 20. ♖ad1 [20. a4! ♘b4 21. ♗b4 ♗b4 1/2 : 1/2 Sax 2610 − van der Wiel 2560, Haninge 1989] ♕d7 21. ♖e2 ♗f8 22. ♖de1 ♖e7 [22... ♖ed8 23. ♘c5! ♘c5 24. dc5± ×e6, c6] 23. ♕d3 [23. ♘c5 ♘c5 24. dc5 ♖ce8=] ♖ce8 24. ♔f1 g6! [24... ♕f5 25. g4; 24... ♘d6 25. ♘c5 ♕c8 26. a4±] 25. g4!? [25. ♘g3=; 25. ♘c3=] ♗g7 [25... f5 26. ♘g3! fg4 27. ♘e5 ♕c8 28. ♗g5↑] 26. ♘h4?! [26. ♘g3=] ♕c7 [△ 27. ♕f3 ♕b6; 26... ♘c7!?] 27. ♘c3! ♕d7 28. ♘g2 [28. ♘e4] ♖e2 29. ♖e2 ♖e2 30. ♕e2?! [×d4; △ 30. ♔e2] ♘c3! [30... f5 31. ♘d5=] 31. ♗c3 f5 32. gf5 ♕f5 [32... c5 33. fg6 hg6 34. ♘f4!=] 33. ♕e8 ♗f8 34. ♕c6 [34. ♗b4 c5 35. dc5 ♘c5∓ ♘d8! 35. ♕a8?! [35. ♕e8 ♘e6!? (35... ♕d3 36. ♔g1 ♕c3 37. ♕d8 ♕a1 38. ♔h2 ♕a2 39. ♕d5! ♔g7 40. ♕e5=) 36. ♘e3! (36. ♔g1 ♘g5! 37. d5 ♕d5∓; 36. ♗b4 ♘d4∓) ♕h3 37.

♔e1∓] **♘e6! 36. ♕c8!** [36. ♕a6 ♘g5!−+→; 36. ♗b4 ♘d4 37. ♕f8□ ♕f8 38. ♗f8 ♔f8∓] **♕h3 37. ♔g1?!** [37. ♗b4!! ♕d3 (37... ♕f5 38. ♘e3!; 37... ♕h1 38. ♔e2 ♕h5 39. ♔f1=) 38. ♔g1 ♕b1! 39. ♔h2 ♕f5∓] **♘g5 38. ♕h3 ♘h3∓ 39. ♔f1 ♔f7** [39... ♗g7?! 40. ♔e2 ♔f7 41. ♔e3 △ f4∓] **40. ♔e2** [40. ♗d2!? △ ♗e3] **g5 41. d5?** [41. ♔f3 h5 42. ♔g3 ♘g1!−+; 41. ♗d2∓] **♗c5!−+ 42. ♗d2** [42. ♗e1 ♔f6; 42. ♘e3 ♘f4] **♔f6** [42... ♘f2?! 43. ♗g5 ♘e4 44. ♗e3! ♘c3 (44... ♗e3 45. ♔e3 ♘c3 46. ♔d4 ♘a2 47. ♔c5⇆) 45. ♔d3 ♗e3 46. ♔c3 ♗c5 47. ♘f4 ♗d6 48. ♘e6∓] **43. f4□ ♘f4 44. ♘f4** [44. ♗f4 gf4 45. ♘f4 ♔e5 46. ♔f3 ♔d4? 47. ♘e6 ♔d5 48. ♘c7 ♔c6 49. ♘a6 ♗d6 50. a4 b4 51. ♘b4=; 46... a5−+] **gf4 45. ♗f4 ♔f5! 46. ♔f3 ♗d4** [△ ♗e5] **47. d6** [47. ♗c7 ♗e5 48. d6 ♔e6−+; 47. ♗b8 ♗e5 48. d6 ♔e6 49. d7 ♗f6−+] **♗c5?** [47... ♔e6 48. ♔g4 (48. a4 b4!−+) ♗c5 49. ♔g5 ♗d6 50. ♗d2 ♗f8−+; 50... ♔e5−+] **48. d7 ♗b6 49. a4! ♗d8** [49... b4? 50. ♗d6=; 49... h5 50. ab5 ab5 51. ♗g3 ♔e6 52. ♔e4 ♔d7 53. ♔d5 ♗c7 54. ♗h4 ♗d6 55. ♗g5 ♔c7 56. ♗h4 ♗f8 57. ♗f2 ♗e7 58. ♗g3 ♔b6 59. ♗f2 ♔a5 60. ♗e1 ♗b4 61. ♗h4 ♗d2 62. ♔c6=] **50. ab5 ab5 51. ♗h6 ♔e6 52. ♔e4 ♔d7 53. ♔d5 ♗e7 54. ♔e5?** [54. ♗f4! h5 55. ♗g3=] **♔d8?⊕** [54... ♔c6! 55. ♔e6 ♗d6 56. ♔f6 ♔c5 57. ♗d2 (57. ♔g7 ♔b4 58. ♔h7 ♔b3 59. ♔g6 ♔c4 60. ♗d2 ♗e5−+) ♔d4 58. ♗e1 ♗f4! 59. ♔e6! h6!!−+⊙] **55. ♔d5 ♔d7 56. ♔e5? ♔e8? 57. ♔d5** [57. ♔e6 ♗f8 58. ♗g5 h5 59. ♗h4 ♗b4 60. ♔d5 ♗e7 (60... ♔d7=) 61. ♗e1 ♔f7 62. b4=; 62. ♔c6=] **♔f7□** [57... ♗f8 58. ♔c6! ♗h6 (58... b4 59. ♗d2=) 59. ♔b5=] **58. ♔c6?⊕** [58. b4! (Timman) ♗b4 (58... ♔g6?! 59. ♗d2 h5 60. ♗e1=) 59. ♔c6 ♔g6 60. ♗c1!□ ♔f5 (60... h5 61. ♔b5 ♗e1 62. ♔c4 h4 63. ♔d3 h3 64. ♗f4 ♔f5 65. ♔e2! △ ♔f1=) 61. ♔b5 ♗d6 62. ♔c4 ♔e4 (62... ♗f4 63. ♔d3=) 63. ♗g5=] **b4 59. ♔d5 ♔g6 60. ♗d2 ♔f5−+ 61. ♔d4** [61. ♗h6 ♗g5 62. ♗f8 h5! 63. ♗b4 h4; 61. ♔c4 ♔g4] **♔g4□ 62. ♔d3 ♔f3 63. ♗h6 ♗d6 64. ♔d4** [64. ♔c4 ♗f4 65. ♗f8 h5 66. ♗e7 ♗d2] **♗f4 65. ♗f8 h5 66. ♗e7 ♗g3 67. ♔c5** [67. ♔c4 ♗e1 68. ♗d8 ♔g3 69. ♔d3 ♔g2!] **♗e1 68. ♔c4 ♔g2!** [68... ♔g3 69. ♔d3 h4 70. ♔e2=] **69. ♗d8** [69. ♔d3 h4; 69. ♗f6 ♔g3 70. ♔d3 h4 71. ♔e2 ♗c3! 72. ♗e7 h3] **♔h3! 70. ♔d3 ♗h4 71. ♗a5 ♗e7 72. ♔e2 ♔g2** **0 : 1**
[van der Wiel]

430. **C 92**

KOTRONIAS 2505 − GOL'DIN 2535
Moskva (GMA) 1989

1. e4 e5 2. ♘f3 ♘c6 3. ♗b5 a6 4. ♗a4 ♘f6 5. 0−0 ♗e7 6. ♖e1 b5 7. ♗b3 d6 8. c3 0−0 9. h3 ♗b7 10. d4 ♘d7 11. ♘bd2 ed4 N [11... ♘a5; 11... ♗f6 − 15/276] **12. cd4 ♘b4 13. ♘f1 c5 14. ♗f4!?** [14. a3] **c4 15. ♗c2 ♘c2 16. ♕c2 ♘f6?!** [16... f5!? 17. ef5 (17. e5? de5 18. de5 ♗e4∓ △ ♘c5-d3) ♗f3 18. gf3 ♘f6 19. ♘e3 ♖a7!? (19... ♘h5? 20. ♘d5; 19... ♕d7 20. b3! ♕b7 21. d5!± ×♗e7) 20. ♖ad1 ♕a8 21. d5 ♖c8 22. ♔h2±↑] **17. d5!** [17. ♘g3? d5 18. e5 ♘e4∓] **♘d7 18. b4! cb3 19. ab3 ♖c8 20. ♕d1 ♗f6 21. ♗d6!± ♗a1 22. ♕a1 ♖e8 23. ♘g3 g6 24. ♖e3 ♕f6 25. e5 ♕f4 26. ♘e4 ♗d5 27. e6 ♕e3□ 28. fe3 ♖e6 29. ♘fg5 ♖e4 30. ♘e4 ♗e4 31. ♕d4! ♗f5** [31... ♖c1 32. ♔f2 ♖c2 33. ♔e1 ♗g2 34. ♗f4 ♗h3 35. ♗h6 f6 36. ♕d5 ♔h8 37. ♕f7+−] **32. ♗a3 ♖e8 33. g4 ♘e5 34. ♔g2 ♗c8 35. ♗b2 ♗b7 36. ♔g3 ♗h1 37. ♕d6 ♘c6 38. e4! ♖e6 39. ♕d7 ♔f8 40. ♗c1 ♔g7?⊕** [40... g5□ 41. ♗g5 ♗e4] **41. ♗h6!+−** [41... ♔f6 42. g5 ♔e5 43. ♕d5#; 41... ♔h6 42. ♕f7 ♖e7 43. ♕f8 ♖g7 44. g5] **1 : 0**
[Kotronias]

431. **C 92**

SAX 2610 − AN. KARPOV 2750
Rotterdam 1989

1. e4 e5 2. ♘f3 ♘c6 3. ♗b5 a6 4. ♗a4 ♘f6 5. 0−0 ♗e7 6. ♖e1 b5 7. ♗b3 d6 8. c3 0−0 9. h3 ♘d7 10. d4 ♗f6 11. ♗d5

♗b7 12. de5 de5 13. ♗e3 ♘a5 14. ♗b7 ♘b7 15. ♕c2 ♕e7= N [15... ♘dc5 – 46/(460)] **16. ♘bd2 ♖fd8 17. ♖ed1** [17. ♘f1 ♘dc5 18. ♖ed1 ♕e6] **♕e6** [17... ♘dc5 18. b4 ♘a4 19. ♘b3±] **18. ♘f1 ♗e7 19. a4 f6 20. b4 c6** [20... c5? 21. ab5 ab5 22. ♖a8 ♖a8 23. ♕d3] **21. ♘3d2 ♘d6** [21... c5=] **22. f3 ♖dc8 23. ♗f2 ♘b7** [23... c5!?] **24. ♕b3 ♔f7 25. ♘e3 ♕b3 26. ♘b3 ♔e6** [26... ♔e8!?] **27. f4!± ♗f8□ 28. f5 ♔e7 29. c4 bc4** [29... ♔e8 30. c5±] **30. ♘c4 ♔e8 31. ♖ac1!** [31. ♘c5 ♘bc5 32. bc5 ♖ab8 33. ♘b6 (33. ♘d6 ♗d6 34. ♖d6 ♖b4 35. ♖ad1 ♘f8∓) ♘b6 34. cb6 a5!∓ △ ♗b4] **♖ab8** [31... ♗b4?! 32. ♖d7! ♔d7 33. ♘b6 ♔e8 (33... ♔c7 34. ♘d5±) 34. ♘a8 ♖a8 35. ♖c6±] **32. ♗a7 ♖a8 33. ♗f2 ♖c7 34. ♖d7 ♖d7□ 35. ♘b6 ♖b8! 36. ♘d7 ♔d7 37. ♗a7□ ♖a8 38. ♖d1?!** [38. ♗c5=] **♔c7 39. ♘c5?!** [⌓ 39. ♗c5!?] **♗c5! 40. ♗c5** [♖ 9/i] **a5! 41. ♖c1** [41. ♖d3 ab4 42. ♗b4 c5∓; 41. ♖a1!? △ 41... ♘c5 42. bc5 ♖d8 43. ♖a3 ♖d4 44. ♖g3=] **ab4 42. ♗b4 ♖a4 43. ♗f8 ♘d6! 44. ♗g7 ♘e4 45. g4 ♔d6 46. ♖c2 ♔d5 47. h4** [47. ♔h2 c5 48. h4 ♖a7! △ c4, ♔d4-d3] **♖a3 48. ♖g2 ♖f3!–+ 49. ♗h6 c5 50. ♔h2 c4 51. ♖g1 c3** [⌓ 51... ♘f2 52. ♔g2 e4] **52. ♖d1 ♔c4 53. ♖d7 ♖g3 54. g5 ♖g4 55. ♔h3 ♘f2 56. ♔h2 c2 57. ♖c7 ♔d3 58. ♗f8 fg5 59. f6 ♖h4 60. ♔g2 ♖f4 61. ♗e7** [61. f7 ♖f7] **♘e4 62. ♖d7 ♔e2 63. ♖c7 ♔d1 64. ♖d7 ♘d2 0 : 1**
[An. Karpov]

432. C 92

NUNN 2620 – AN. KARPOV 2750
Rotterdam 1989

1. e4 e5 2. ♘f3 ♘c6 3. ♗b5 a6 4. ♗a4 ♘f6 5. 0–0 ♗e7 6. ♖e1 b5 7. ♗b3 d6 8. c3 0–0 9. h3 ♘d7 10. d4 ♗f6 11. a4 ♖b8 12. ab5 ab5 13. ♗e3 [13. d5! ♘e7 14. ♘a3±] **♘e7 14. d5** [14. ♘g5 h6 (14... c5? 15. dc5 dc5 16. ♘f7 ♖f7 17. ♗c5±; 14... ♘g6 15. ♕h5 ♗g5 16. ♗g5±; 14... g6 15. f4!?) 15. ♗f7 ♖f7 16. ♘e6=] **♘c5 N** [14... g6 – 37/(377)] **15. ♗c2 c6 16. b4 ♘a6 17. dc6 ♘c6= 18. ♘a3 ♘c7 19. ♕e2 ♕e8!?** [19... ♕e7 20. ♗d3 ♗a6 △ ♖fc8=] **20. ♖ed1** [20. ♗d3 ♘d8 21. c4 ♗d7 22. c5 d5!∓] **♗e7 21. ♗d3 ♘d8 22. c4!? ♗d7!** [△ ♘de6; 22... bc4 23. ♘c4 ♖b4 24. ♕d2 ♖b7 (24... ♖b3 25. ♗c2±; 24... ♘c6 25. ♘b6! △ ♖dc1±) 25. ♗c2 f6 (25... ♘b5 26. ♘b6 △ ♗a4±) 26. ♘d6 ♗d6 27. ♕d6 ♘f7 28. ♕a3⩲] **23. c5?** [23. ♕d2 ♘de6 24. cb5 ♘b5 25. ♘c4=] **dc5!** [23... f6 24. cd6 ♗d6 25. ♗b5 ♘b5 26. ♘b5 ♗b4=] **24. bc5** [24. ♘e5 cb4 25. ♘d7 ♕d7∓] **f6∓ 25. ♗c2?** [25. ♕c2 ♘de6 26. ♘d2∓ △ 26... b4 27. ♘ac4 ♘c5 (27... ♗c5? 28. ♗c5 ♘c5 29. ♘d6) 28. ♗c5 ♗c5 29. ♘b3 ♗e7 30. ♘e5∞] **♗e6?!** [25... ♘de6 26. ♗b3 ♔h8 27. ♕c2 b4 28. ♘c4 ♘c5 29. ♗c5 ♗c5 30. ♘ce5∞; 25... ♔h8! 26. ♗b3 ♘a6 △ ♘b7∓] **26. ♖ab1 ♕c6?!** [26... ♗f7 △ ♘de6∓] **27. ♗d3∞ b4** [27... ♗d7 (△ ♘de6) 28. ♘d2∞] **28. ♖dc1!** [28. ♘c4? ♗c5 29. ♘a5 ♕b6∓] **♔h8 29. ♘c4 ♗c4?!** [29... ♘b7=] **30. ♖c4± ♘a6 31. ♘d2 ♘e6 32. ♘b3 ♖fd8 33. ♖bc1** [△ 34. ♖4c2 ♘c7 35. ♘a5] **♘ac7 34. ♖4c2 ♘b5 35. ♗b5** [35. ♘a5 ♕a8] **♕b5?!⊕** [35... ♖b5 36. ♕c4±] **36. ♕b5 ♖b5 37. c6±** [×♖b5] **♔g8 38. ♖a2 ♔f8 39. ♖a7 ♔e8?** [39... ♗d6 40. ♔f1±] **40. ♖b7 ♖b7 41. cb7 ♗d6** [41... ♔d7 42. ♗a7 ♗d6 43. ♖d1+–] **42. ♗a7!+– ♖d7** [42... ♔d7 43. ♖d1; 42... ♘d4 43. ♖c8 (△ ♗b6) ♔d7 44. ♘c5 ♔e7 45. ♗b6 (45. ♖d8 ♔d8 46. b8♕ ♗b8 47. ♗b8 b3 48. ♘d3) ♖e8 46. ♗c7 ♗c7 47. ♖c7 ♔d6 48. ♖c8] **43. b8♕** [43. ♖c6 ♖b7 44. ♖d6 ♘g5] **♗b8 44. ♗b8 h5 45. ♖a1 ♖d3 46. ♖b1 ♖d7 47. ♘a5 ♖d4 48. ♘c6 ♖e4 49. ♘b4 ♖d4 50. ♗a7 ♖d7 51. ♗e3 ♔f7 52. ♖a1 ♔g6 53. ♖a6 ♘g5 54. ♘c6 ♔f5 55. ♖a7 ♖a7 56. ♘a7 ♘e6 57. ♔f1 ♔e4 58. ♔e2 ♔d5 59. ♘c8 ♘d8 60. ♘b6 ♔e6 61. ♔d3 ♘f7 62. ♔c4 ♘d6 63. ♔c5 ♘f5 64. ♘c4 ♘h4 65. g3 ♘f5 66. ♘d2 ♘e7 67. ♘e4 ♔f5 68. ♘d6 ♔e6 69. ♘e8 ♔f7 70. ♘c7 ♘f5 71. ♔d5 ♘e7 72. ♔d6 ♘f5 73. ♔d7 ♘e7 74. ♗c5 ♘g6 75. h4 ♘h8 76. ♘e6 g5 77. hg5 ♘g6 78. gf6 ♔f6 79. ♘f8 ♘h8 80. ♗e7 ♔f5 81. ♔e8 1 : 0**
[Nunn]

433.** C 92

BELJAVSKIJ 2640 – SPASSKY 2580
Barcelona 1989

1. e4 e5 2. ♘f3 ♘c6 3. ♗b5 a6 4. ♗a4 ♘f6 5. 0–0 ♗e7 6. ♖e1 b5 7. ♗b3 d6 8. c3 0–0 9. h3 ♘d7 10. d4 ♘b6 11. ♘bd2 ♗f6 12. d5 [RR 12. ♘f1 ♖e8 13. ♗c2 *a)* 13... g6 14. ♘e3 ♗g7 15. d5 ♘e7 16. b3 ♖f8 17. a4 ba4 18. ba4 f5?! 19. a5 ♘d7 20. ef5 gf5 21. ♗a3 ♔h8 22. ♘g5 ♘f6 23. c4 ♗h6 24. ♘e6 ♗e6 25. de6 e4 26. ♗a4 ♖b8 27. c5! d5 28. c6!! ♘fg8 (28... d4 29. ♘c4 △ ♘e5±) 29. ♖b1±⊞ Fedorowicz 2505 – Razuvaev 2550, New York 1989; 18... a5!? Dragoljub Ćirić; *b)* 13... ed4 14. cd4 ♘b4 15. ♗b1 c5 16. a3 N (16. ♘e3) ♘c6 17. e5 de5 18. dc5 ♕d1 19. ♖d1 ♘a4 20. ♗e4 ♗b7 21. ♗e3 ♖ad8 22. b4 1/2 : 1/2 Ljubojević 2580 – Spassky 2580, Barcelona 1989] **♘a5 13. ♗c2 g6 N** [13... c6 – 3/335] **14. ♘f1?** [14. a4! ba4 15. ♗a4 ♘a4 16. ♕a4 ♘b7 17. ♕c6 ♖a7 18. b4 ♗d7 19. ♕c4 ♗b5 20. ♕b3 ♗g7 21. c4 ♗d7 22. ♕e3 △ c5±] **♗g7 15. ♗g5 f6 16. ♗e3 ♗d7 17. b3 ♘b7 18. a4!? ba4 19. b4 a5 20. ♗b6 cb6 21. ♗a4 b5 22. ♗c2 ♕c7 23. ♖a3 ♗h6?!** [23... ab4 24. ♖a8 ♖a8 25. cb4 ♕c3 26. ♕b1 ♗h6 27. ♘3h2 ♘d8 28. ♘g4 ♗g4 29. hg4 ♘f7 △ ♗g5, ♘h6∓] **24. ♕a1 f5?!** [⌓ 24... a4 △ ♘d8-f7-g5] **25. ♕a2 ♔h8** [25... a4? 26. ♘e5±] **26. ♖a1 ♖ac8 27. ♗d3** [27. ba5 fe4 (27... b4 28. cb4 ♕c2 29. ♕c2 ♖c2 30. a6 ♖b8 31. ab7 ♖b7 32. ♖a8 ♔g7 33. ♖1a7 ♖cc7 34. ♖b7 ♖b7 35. ♖a6±) 28. ♗e4 ♘c5 29. ♘3d2 (29. ♗c2 ♗h3∓) ♕a7∓ ×f2] **a4 28. ♕e2 ♕b6 29. ♘1d2 ♖c7?!** [⌓ 29... ♘d8] **30. ♖e1 ♖fc8 31. ♘b1 ♖f8** [31... ♘d8? 32. ef5 gf5 33. ♘h4 e4 34. ♕h5 ♔g7 35. ♗e4 fe4 36. ♖e4 ♘f7 37. c4 ♖c4 38. ♖g3+–] **32. ♖a2 ♘d8 33. ♖c2 ♘f7 34. ♘a3 fe4?!** [⌓ 34... ♖b8] **35. ♗e4 ♕b8 36. h4! ♔g7 37. ♕d3 ♖b7 38. g3 ♕d8 39. ♔g2 ♕f6 40. ♖h1 ♖fb8?!** [⌓ 40... ♖h8; 40... ♖bb8] **41. ♘h2** [△ f3, ♘g4±] **g5 42. ♘f3 ♖h8!? 43. hg5 ♗g5 44. ♗h7 ♗g4 45. ♘g1!? ♖bb8 46. c4! ♗h6 47. ♗e4 bc4 48. ♖c4 ♗g5 49. ♗h7 ♗c8 50. b5 ♖b7** [50... e4 51. ♕e4! (51. ♖e4 ♗h6∓; 51. ♗e4 ♖h1 52. ♔h1 ♕f2 53. ♕d4 ♕d4 54. ♖d4 ♖a8↑) ♗h6 52. ♕c2 (×♗c8) ♗b7 53. ♗e4±] **51. ♘f3 ♗h6 52. ♗e4 ♘g5?! 53. ♘g5 ♕g5 54. ♖c6 ♖f8 55. ♖d6 ♖bf7 56. f3±** [56. ♖g6? ♕g6 57. ♗g6 ♖f2 58. ♔g1 ♖2f3 59. ♘c4□ ♖d3 60. ♗d3 ♖f3 61. ♗e4∓] **♖f6 57. ♖f6 ♕f6 58. ♘c4 ♗d7 59. b6 ♗b5 60. ♖b1 ♗a6 61. b7 ♖b8 62. d6** [62... ♗c4 63. ♕c4 ♕d6 64. ♕b4 ♕d7 65. ♕b6+– ×g6] **1 : 0** **[Beljavskij]**

434. C 92

J. HJARTARSON 2615
– AN. KARPOV 2750
Seattle (m/5) 1989

1. e4 e5 2. ♘f3 ♘c6 3. ♗b5 a6 4. ♗a4 ♘f6 5. 0–0 ♗e7 6. ♖e1 b5 7. ♗b3 d6 8. c3 0–0 9. h3 ♖e8 10. d4 ♗b7 11. a4 h6 12. ♘bd2 ♗f8 13. ♗c2 ed4 14. cd4 ♘b4 15. ♗b1 ba4 16. ♖a4 a5 17. ♖a3 ♖a6 18. ♘h2 g6 19. ♘g4 ♘g4 20. ♕g4 c5 N [20... ♗g7 – 43/440] **21. dc5** [21. d5? ♗d5] **dc5 22. e5↑ ♕d4!⇆** [×e5] **23. ♕g3! ♖ae6 24. ♖ae3** [24. ♘b3? ♕d5 25. ♘a5 ♖e5 26. ♖e5 ♖e5 27. ♘b7 ♖e1 28. ♔h2 ♖c1–+] **c4!□ 25. ♗f5! ♘d3 26. ♗d3** [26. ♗e6 ♖e6∞̄; 26. ♘b3 ♕d5 27. ♗e6 ♖e6⇆] **cd3 27. ♖d3**

27... ♖e5!□= 28. ♖d4 ♖e1 29. ♔h2 ♖c1 30. ♘f3 [⌓ 30. ♘b3=] **♖c5!!∓ 31. ♖d7 ♗f3 32. ♕f3 ♖f5** [33. ♕g3 ♗g7! (33... ♗c5 34. ♖d2! ♗a7 35. ♕a3=; 33... ♖e2

34. f4 ♗g7 35. b3 ♖f4 36. ♕f4 ♗e5 37. ♖f7=) 34. f4 ♖f4 35. ♕f4 ♗e5 36. ♖f7=; 34... ♗b2!∓] **1/2 : 1/2** [Zajcev]

435. **C 92**

IVANČUK 2635 — AN. KARPOV 2750
Linares 1989

1. e4 e5 2. ♘f3 ♘c6 3. ♗b5 a6 4. ♗a4 ♘f6 5. 0—0 ♗e7 6. ♖e1 b5 7. ♗b3 d6 8. c3 0—0 9. h3 ♗b7 10. d4 ♖e8 11. ♘bd2 ♗f8 12. a4 h6 13. ♗c2 ed4 14. cd4 ♘b4 15. ♗b1 ba4 16. ♖a4 a5 17. ♖a3 ♖a6 18. ♘h2 g6 19. f4 **N** d5! [19... c5?! 20. d5 ♗g7 21. ♘hf3±] **20. e5 ♘e4 21. ♘g4** [21. ♘e4 de4 22. ♗e4 ♗e4 23. ♖e4 c5∓ /a7--g1; 21. ♘hf3 c5 22. ♗ae3 cd4 (22... c4!?) 23. ♘d4 ♗c5 24. ♘2f3 (24. ♘2b3 ♗a7 △ a4) f6!?∞] **c5 22. ♘e4 de4 23. dc5** [23. ♘f6? ♖f6 24. ef6 cd4—+; 23. ♗e4? ♗e4 24. ♖e4 f5!∓; 23. d5?! ♗d5 (23... ♘d5 24. ♗e4 c4!?) 24. ♘f6 ♖f6 25. ef6 c4 26. ♗e4! ♘d3 (26... ♗e4? 27. ♕d8 ♖d8 28. ♖e4 ♖d1 29. ♔h2 ♖c1 30. ♖a5±) 27. ♗d3 ♖e1 28. ♕e1 ♗a3 29. ba3 cd3=] **♗c5 24. ♗e3 ♗f8** [△ ♘d3; 24... ♗e3? 25. ♖ae3± ×f6, e4] **25. ♘f6 ♖f6 26. ♕d8** [26. ef6?! ♕d1 (26... ♘d3? 27. ♗d3 ♗a3 28. ♗b5±) 27. ♖d1 ♘d5 28. ♖b3 (28. ♖a5 ♘e3 29. ♖d7 ♗c6∓) ♘e3 29. ♖e3 ♗c5 30. ♔f2 ♖e6∓] **♖d8 27. ef6 ♘d3** [27... ♘d5 28. ♖a5 ♘e3 29. ♖e3 ♖d1 30. ♔f2 ♖b1 31. ♖b3 ♗c6 32. ♖b8±] **28. ♖d1** [28. ♗d3 ♗a3∓] **♗a3 29. ba3 ♗d5** [30. ♗d3 ♗b3 31. ♖b1 ♖d3 32. ♔f2=] **1/2 : 1/2** [An. Karpov]

436.* **C 92**

A. SOKOLOV 2605 — AN. KARPOV 2750
Rotterdam 1989

1. e4 e5 2. ♘f3 ♘c6 3. ♗b5 a6 4. ♗a4 ♘f6 5. 0—0 ♗e7 6. ♖e1 b5 7. ♗b3 d6 8. c3 0—0 9. h3 ♖e8 10. ♘g5 ♖f8 11. ♘f3 ♗b7 12. d4 ♖e8 13. ♘g5 ♖f8 14. ♘f3 ♖e8 15. ♘bd2 ♗f8 16. a4 h6 [RR 16... ♕d7 17. ab5 ab5 18. ♖a8 ♗a8 19. d5

♘e7 20. ♘f1 N (20. c4 — 39/427) h6 21. ♘3h2 c5 22. dc6 ♘c6 23. ♘g4 ♘g4 24. hg4 b4 25. g5 hg5 26. ♗g5 ♘a5 27. ♗a4 ♗c6 28. ♗c6 ♘c6 29. ♘e3 bc3 30. bc3 ♗e7 31. ♗e7 1/2 : 1/2 A. Sokolov 2605 — An. Karpov 2750, Linares 1989] **17. ♗c2 ed4 18. cd4 ♘b4 19. ♗b1 c5 20. d5 ♘d7 21. ♖a3 c4 22. ♘d4 ♕f6 23. ♘2f3 ♘c5 24. ♖ee3 N** [24. ab5 — 46/465] **ba4 25. ♖ac3☐ ♘bd3** [25... a5 26. ♖c4 ♗a6 27. ♖cc3±] **26. ♖c4 ♘c1 27. ♕c1 ♖ac8** [27... g6 28. ♘c6 ♗c6 29. dc6 △ e5±] **28. ♗c2 g6 29. ♘c6 ♗c6 30. dc6 h5 31. ♖ec3?!** [△ 31. ♕a1!?] **♖c6= 32. ♗a4** [32. e5 de5 33. ♗a4 ♘a4 34. ♖c6 ♘c3=] **♘a4 33. ♖a4 ♖b6 34. b3 ♗h6 35. ♕c2 ♕e6 36. h4 d5 37. ed5 ♕d5 38. ♖d4 ♕b5 39. ♖c8 ♖b8 40. ♖e8 ♕e8 41. ♖c4 ♕e6 42. ♖c6 1/2 : 1/2** [A. Sokolov]

437.* **C 93**

J. HJARTARSON 2615 — AN. KARPOV 2750
Seattle (m/3) 1989

1. e4 e5 2. ♘f3 ♘c6 3. ♗b5 a6 4. ♗a4 ♘f6 5. 0—0 ♗e7 6. ♖e1 b5 7. ♗b3 d6 8. c3 0—0 9. h3 ♗b7 10. d4 ♖e8 11. ♘bd2 ♗f8 12. a3 h6 13. ♗c2 ♘b8 14. b4 ♘bd7 15. ♗b2 a5 16. ♗d3 [RR 16. de5 de5 17. ♘b3 (17. ♕e2!? c6 18. ♘b3) ab4 18. cb4 c5! 19. bc5 (19. ♘a5? cb4 20. ♘b7 ♕b6) ♘c5 20. ♕d8 ♖ed8! N (20... ♖ad8 21. ♘c5 ♗c5 22. ♗e5 ♖e5 23. ♘e5 ♖d2 24. ♖ec1☐±) 21. ♘c5 ♗c5 22. ♖ab1 ♖ac8! 23. ♖bc1 b4 (23... ♗b6!?) 24. a4 ♗d4 25. ♘d4 ed4 26. e5 ♘h5 27. ♗f5!± Šabalov 2425 — Klovans 2355, SSSR 1989; 24... ♗b6! 25. ♗e5 ♘e4= Šabalov] **c6 17. ♘b3!? ab4 N 18. cb4** [18. ab4 ♘b6 19. ♘a5 ♕c7=] **ed4 19. ♘fd4** [19. ♗d4 c5 20. ♗f6 ♘f6 21. ♗b5 ♖e4∓; 19. ♘bd4 c5 20. bc5 dc5 21. ♘b5 ♘e4 22. ♘e5 ♘e5 23. ♗e4=] **c5!=** [×e4] **20. bc5** [20. ♘b5!? cb4 21. ab4 ♖a1 22. ♗a1 d5 23. ed5 (23. e5? ♗b4) ♖e1 24. ♕e1 ♘d5 25. ♕e4 ♘7f6 26. ♗f6 ♘f6 27. ♕b7 ♕d3∞] **dc5 21. ♘b5 ♘e4! 22. ♕c2?!** [22. ♕f3!? (Sei-

rawan) *a)* 22... ♕b6 23. ♗e4 ♗e4 24. ♖e4 ♕b5 25. a4∞ Kimel'fel'd, A. Kuz'min; *b)* 22... ♖b8!? 23. ♗e4?! ♗e4 24. ♖e4 ♖e4 25. ♕e4 ♖b5 26. ♕d5 ♕b8 27. ♕d7 ♖b3 28. ♗c1 ♖b1 29. ♖b1 ♕b1 30. ♕d2 c4 31. ♔h2 ♕b3∓; 23. ♗c4∞; *c)* 22... ♘df6!? (An. Karpov) 23. ♗f6 ♘f6 24. ♖e8 (24. ♕b7 ♕d3) ♗f3 25. ♖d8 ♖d8=] **♘df6∓ 23. ♘c3** [23. ♖ad1 ♕b6 24. ♘c3 ♘f2!∓] **♘g5! 24. ♗b5?!** [24. ♘d2 △ ♘ce4∓] **♖e1 25. ♖e1 ♕c7∓ 26. ♗f1** [26. ♘d2 ♕f4∓; 26. ♖e3!?] **♕c6→»** [△ 27... ♘h3, 27... ♘f3] **27. ♖e3 ♗d6 28. h4 ♘e6 29. ♘d1?!** [29. ♘b5!? ♗f4 30. ♖h3 ♘e4∓→; 29. ♖e6 fe6 30. ♕g6 ♕e8∓] **♘g4! 30. ♖e6 ♗h2! 31. ♔h1 ♕e6 32. f3 ♕e1!** [33. fg4 ♕h4−+; 33. ♕c4 ♖a4−+] **0 : 1** **[Zajcev]**

438. **C 93**

TIMMAN 2610 – L. PORTISCH 2610
Antwerpen (m/4) 1989

1. e4 e5 2. ♘f3 ♘c6 3. ♗b5 a6 4. ♗a4 ♘f6 5. 0–0 ♗e7 6. ♖e1 b5 7. ♗b3 d6 8. c3 0–0 9. h3 ♗b7 10. d4 ♖e8 11. ♘g5 ♖f8 12. ♘f3 ♖e8 13. ♘bd2 ♗f8 14. a3 h6 15. ♗c2 ♘b8 16. b4 ♘bd7 17. ♗b2 g6 18. ♖b1 ♖b8!? N [18... ♗g7 – 44/(425); 18... ♖c8 – 46/(467)] **19. ♖c1 ♗a8 20. ♗b1 ♖c8 21. c4 ed4** [21... bc4 22. de5] **22. cb5 ab5 23. ♘d4 c6 24. ♘f1** [24. ♕b3!? △ ♗a2] **♘e5?!** [⌓ 24... ♕b6 △ c5] **25. ♘e3 ♘h5 26. ♖f1!± ♕g5 27. ♘e2! ♘f4□ 28. ♘f4 ♕f4 29. g3 ♕f3□ 30. ♘g4! ♕d1 31. ♘f6 ♔h8 32. ♖fd1 ♖ed8 33. ♗a2?!** [33. ♗e5 de5 34. ♘d7 ♗g7 35. ♖d3 △ ♖cd1±] **♗g7 34. ♗e5 de5 35. ♘d7 ♖c7!□ 36. ♘c5?!** [36. ♘e5 ♖d1 37. ♖d1 ♗e5 38. ♖d8 ♔g7 39. ♖a8 c5±; 36. ♘b6! ♖d1! (36... ♖b8 37. ♖d7 ♖d7 38. ♘d7 ♖d8 39. ♘b6±) 37. ♖d1 ♗b7 38. ♖d8 ♔h7 39. ♘d7 ♖c8 40. ♖c8 ♗c8 41. ♘b8 c5! 42. bc5 ♗f8±] **♖d4□ 37. ♘b3 ♖d1 38. ♖d1 ♗f6 39. ♘c5 ♔g7 40. ♗e6 ♗e7 41. ♖d7** [41. ♘a6 ♖a7 42. ♗c8 (△ 42... ♗b7 43. ♖d7) c5!=] **♖d7 42. ♗d7 ♔f8 43. ♘d3 ♗d6 44. f4 f6** [44... ef4 45. gf4 △ ♔f2-e3-d4] **45. f5 g5!** [45... gf5 46. ♗f5±] **46. h4 ♔e7 47. ♗e6 ♗b7 48. ♔f2 ♔d8 49. ♔f3 ♔e7 50. ♔e3 ♔d8 51. ♔e2 ♔e7 52. ♔f3 ♔f8 53. ♔g4 ♔g7 54. ♗d7 ♗e7 55. ♔f3 ♔f8 56. ♔e3 ♗d8 57. ♘c5 ♗b6 58. ♔d3 ♗c5 59. bc5 ♔e7 60. ♗e6 ♔d8 61. ♔e3 ♔e7 62. ♔d2 1/2 : 1/2** **[Timman]**

439. **C 93**

J. HJARTARSON 2615 – AN. KARPOV 2750
Linares 1989

1. e4 e5 2. ♘f3 ♘c6 3. ♗b5 a6 4. ♗a4 ♘f6 5. 0–0 ♗e7 6. ♖e1 b5 7. ♗b3 d6 8. c3 0–0 9. h3 ♗b7 10. d4 ♖e8 11. ♘bd2 ♗f8 12. a3 h6 13. ♗c2 ♘b8 14. b4 ♘bd7 15. ♗b2 g6 16. ♖b1 c6! N 17. ♘b3 [17. ♗a1!? a5 18. ba5 ♕c7 (18... ♖a5?! 19. a4 ♕c7 20. ab5 ♖b5 21. ♖b5 cb5 22. ♗d3±) 19. a4 ba4 20. ♗a4 ♖a5=; 17... ♕c7!?] **♖c8 18. de5** [18. ♘a5 ♗a8] **de5** [18... ♘e5?! 19. ♘e5 de5 20. ♕f3±] **19. c4 c5!= 20. ♘c5** [20. cb5 cb4 (20... ab5 21. bc5 ♘c5 22. ♕d8 ♖ed8 23. ♘c5 ♖c5 24. ♖bc1 ♖dc8 25. ♗d3=) 21. ba6?! ♗a6 22. a4 (22. ab4 ♗b4∓) ♕c7 23. ♖c1 ♕a7∓; 21. ♗d3=] **♘c5 21. ♕d8** [21. bc5 ♕d1 22. ♖bd1 ♖c5∓] **♖ed8 22. bc5 ♖c5 23. ♗e5** [23. ♖bd1 ♖d1?! 24. ♖d1 bc4 25. ♗e5⇆; 23... ♖e8∓; 23. ♘e5 bc4 △ 24. ♘g6? c3] **♘d7 24. ♗d4** [24. ♖bd1 *a)* 24... ♗e7 25. ♗d6 ♗d6 26. ♖d6↑; *b)* 24... ♖cc8 25. cb5 ♖c2 26. ♗f6! (26. ba6 ♗c6∓; 26. b6 ♘e5 27. ♖d8 ♘f3 28. gf3 ♖b2∓) ♘f6 27. ♖d8 ab5 28. e5∞; *c)* 24... ♖c4! 25. ♗b3 ♖cc8∓] **♖c4 25. ♗b3 ♖c7∓ 26. ♘h4?** [26. ♖bd1 (△ ♗b6) ♖e8!∓; 26. a4!? ♘c5 27. ♗c5 ♖c5 28. ab5 ab5 29. e5∓; 26. e5!? ♗f3 27. gf3 ♗c5 28. ♗b2 ♘f8 29. e6 fe6 30. ♗e6∓] **♘c5! 27. ♗e5?!** [27. ♗c5 ♗c5 28. ♘g6 ♖d2 29. ♔h1∓] **♖cc8 28. ♗f6** [28. ♘g6? ♘b3 29. ♘f8 ♘d2−+] **♖d3 29. ♗c2 ♖d2 30. ♖b2 ♘d7!−+ 31. ♗b1 ♖d6 32. e5 ♖b6 33. a4 ♘f6 34. ef6 b4 35. ♗a2 ♖f6 36. ♖d1 ♖c3 37. ♘f3 ♗c6 0 : 1** **[An. Karpov]**

440. **C 95**

J. HJARTARSON 2615
– BELJAVSKIJ 2640
Linares 1989

1. e4 e5 2. ♘f3 ♘c6 3. ♗b5 a6 4. ♗a4 ♘f6 5. 0–0 ♗e7 6. ♖e1 b5 7. ♗b3 d6 8. c3 0–0 9. h3 ♘b8 10. d4 ♘bd7 11. c4 c6 12. ♕c2 ♗b7 13. ♘c3 b4 14. ♘e2 ed4 15. ♘ed4 ♖e8 N [15... g6 – 16/265] **16. ♘f5 ♗f8 17. ♗g5?!** [⌓ 17. ♗f4 ♘c5 18. e5⩲] **h6! 18. ♗f4** [18. ♗h4? g6 19. ♘e3 g5 20. ♗g3 ♘e4∓] **♘c5 19. e5 de5** [19... ♘h5?! 20. ♗h2 de5 21. ♘e5⩲] **20. ♗e5!?** [20. ♘e5 a5 (20... ♘b3 21. ♖ad1 ♕b6=) 21. ♖ad1 ♕b6 22. ♕c1∞] **♘fd7 21. ♖ad1 ♘e5! 22. ♘e5** [22. ♖d8?? ♘f3 23. gf3 ♖e1–+] **♕c7** [22... ♕f6 23. ♘g4 ♕g5=] **23. ♘g4 ♖e1 24. ♖e1 ♖d8 25. ♖e3!** [25. ♘fh6? gh6 26. ♘f6 ♔g7 27. ♘h5 ♔h8 28. ♘f6 ♖d3] **♗c8! 26. ♘fh6 ♔h8** [26... gh6? 27. ♘f6 ♔g7 28. ♖f3! ♘d3 (28... ♗d6 29. ♕h7 ♔f8 30. ♕g8 ♔e7 31. ♘d5+–) 29. ♘h5 ♔g8 (29... ♔g6 30. ♘f4+–) 30. ♖g3 ♔h8 31. ♖d3+– △ 31... ♗f5 32. ♖d8] **27. ♖f3** [27. ♖g3!?] **♗e6 28. ♘f5 g6=∞ 29. ♘h4 ♗g7** [29... ♗e7? 30. ♘g6! fg6 31. ♕g6 (△ ♗c2) ♘b3 32. ♕h6 ♔g8 33. ♕e6+–] **30. ♕e2** [30. ♘g6?? fg6 31. ♕g6 ♘b3–+] **♕d6** [30... ♕e7 31. g3 △ 31... ♕g5 32. ♖f4!±] **31. ♕e3 ♕d4?!** [31... ♘b3 32. ab3∞; 31... a5∞] **32. ♕g5 ♘e4?** [32... ♘b3 33. ab3=] **33. ♘g6!± fg6** [33... ♔g8 34. ♘h6+–] **34. ♕g6 ♘d2** [34... ♗g8 35. ♖f5!+–; 34... ♗c4 35. ♗c2+–] **35. ♗c2! ♘f3 36. gf3 ♔g8 37. ♕e6 ♔f8 38. ♕c6 ♕b2?** [38... ♕d6 39. ♕e4±] **39. ♗h7!+– ♕e2 40. ♘e3 ♕e1 41. ♔g2** [41... ♕d2 42. ♕e6] **1 : 0** **[J. Hjartarson]**

441. **C 95**

ANAND 2525 – SPASSKY 2580
Cannes 1989

1. e4 e5 2. ♘f3 ♘c6 3. ♗b5 a6 4. ♗a4 ♘f6 5. 0–0 ♗e7 6. ♖e1 b5 7. ♗b3 d6 8. c3 0–0 9. h3 ♘b8 10. d4 ♘bd7 11. c4 c6 12. a3 bc4 13. ♗c4 d5?! [13... ♘e4! 14. ♖e4 (14. de5? d5 15. ♗d5 cd5 16. ♕d5 ♖b8 17. ♕e4 ♘c5=∞) d5 15. ♘e5! (Spassky; 15. ♖e1 dc4 16. ♕e2 ♖e8=) de4 16. ♘c6 ♕e8 17. ♗d5 ♗d6 18. ♘e7 ♕e7 19. ♗a8 ♘b6 20. ♗c6 ♗c7∞] **14. ed5! N** [14. de5 – 1/224] **cd5 15. ♗a2 e4 16. ♘e5 ♗b7 17. ♘c3 ♘b6 18. f3 ♖c8 19. ♗b3?!** [19. ♗g5 △ 19... ♗a3 20. ba3 ♖c3 21. ♗d2!±] **♗a8 20. ♗g5 ♖c7** [20... ef3 21. ♕f3 ♘c4=] **21. ♖c1 ♘fd7 22. ♗f4! ♗g5 23. ♗g5 ♕g5 24. fe4 de4 25. ♕g4 ♕g4 26. ♘g4 g6?** [26... ♔h8 27. ♘e3 f5⩲] **27. ♘f2!± ♖e8 28. d5 ♔g7 29. ♘fe4 ♘d5□ 30. ♘d6 ♖e1 31. ♖e1 ♘5f6 32. ♖e7 ♖c6 33. ♖f7 ♔h6 34. ♘c4 ♖e6!± 35. ♔f2 ♔g5 36. ♗c2 ♗c6 37. ♘d2 h5 38. ♘b3 ♘e5! 39. ♖a7 ♘eg4 40. hg4 ♘g4 41. ♔f1□ ♘e3 42. ♔g1 ♘c2 43. ♖a6 ♗d7 44. ♖e6?** [44. ♖a5! △ ♖d5-d2±] **♗e6 45. ♘c5 ♗c4!⩲ 46. a4 ♔f4?** [46... ♔f5 47. a5 ♘b4 48. b3 ♗f7 49. ♘d3 ♘d3□ (49... ♘a6 50. b4 ♗c4 51. ♘b2±) 50. a6 ♗e8 51. ♘d5 ♔e6 52. ♘c7 ♔d6 53. ♘e8 ♔c6=; 47. ♔f2⩲] **47. a5 ♘b4 48. b3 ♗f7**

49. ♘d3!! [49. a6?? ♘a6=] **♘d3 50. a6 ♗e8 51. ♘d5** [51... ♔e5 52. ♘e7+–] **1 : 0** **[Anand]**

442.***** **C 95**

HÜBNER 2600 – SMEJKAL 2515
BRD 1989

1. e4 e5 2. ♘f3 ♘c6 3. ♗b5 a6 4. ♗a4 ♘f6 5. 0–0 ♗e7 6. ♖e1 b5 7. ♗b3 d6 8.

c3 0−0 9. h3 ♘b8 10. d4 ♘bd7 11. ♘bd2 ♗b7 12. ♗c2 ♖e8 13. a4 ♗f8 [RR 13... c5 N 14. d5 c4 15. b4 cb3 16. ♘b3 ♕c7 17. ♗d2 ♘b6 18. ♘a5 ♘a4 19. ♗a4 ♕a5 20. c4 ♕c7 21. cb5 ab5 22. ♗b5 ♖a1 23. ♕a1 ♖a8 24. ♕b1 ♖b8 25. ♕d3± 1/2 : 1/2 A. Sokolov 2605 − Beljavskij 2640, Linares 1989; 13... ♖b8!? N 14. ♘f1 (14. ♗d3 ♗a8 15. ab5 ab5 16. ♘f1 ♗f8 17. ♘g3 c5 18. d5 c4=) ♗f8 15. ♘g3 c5 16. ♗d3 ♕b6 17. b3 ed4 18. cd4 cd4 19. ab5 ab5 20. ♗b2 ♘e5 21. ♘d4 ♘d3 22. ♕d3 d5 23. e5 ♘e4 24. ♕b5 ♕b5 25. ♘b5 ♘g3 26. fg3 d4! 27. ♘d6 ♖ed8 28. ♗d4 ♗d5 29. ♖a5 ♗b3 30. ♖b1 ♗e6 31. ♖b8 ♖b8 32. ♗c5 ♗e7 33. ♖a7 1/2 : 1/2 Timman 2610 − Beljavskij 2640, Linares 1989] 14. ♗d3 c6 [RR 14... ed4 15. cd4 c5 16. ab5 ab5 17. ♖a8 ♗a8 18. d5! N (18. ♗b5 − 36/ (429)) c4 19. ♗b1 ♘c5 20. b4 cb3 21. ♗b2 ♗b7 22. ♖e3 g6 23. ♘b3 ♘a4 24. ♗a1 ♗g7 25. ♗d3 ♗a6 26. ♗d4 ♘d7 27. ♗g7 ♔g7 28. ♘fd4 ♘e5 29. ♗b5± N. Short 2650 − J. Hjartarson 2615, Amsterdam 1989] 15. ♕c2 [RR 15. ♘f1 d5 16. ♗g5 de4 17. ♖e4 ed4?! N (17... h6 − 43/446; 17... ♗e7!?) 18. ♖d4 ♕c7 19. ♗f4 ♕b6 (Hübner 2600 − Spassky 2580, Venezia (m/5) 1989) 20. ♖d7! ♘d7 21. ♗h7 ♔h7 22. ♘g5 ♔g8 (22... ♔g6 23. ♕d3 f5 24. g4) 23. ♕d7± △ 23... ♗e7 24. ♖e1! ♔f8 25. ♗d6! ♕d8 26. ♕f5+−] g6 16. b3 ♖c8!? N [16... ed4 17. cd4 d5?! 18. e5 ♘h5 19. e6! (19. ♘f1 − 45/(418)) ♖e6 (19... fe6 20. ♗g6 hg6 21. ♕g6 ♘g7 22. ♘g5 ♘f6 23. ♕f7+−; 19... ♘df6 20. ef7 ♔f7 21. ♘e5 △ ♗g6+−) 20. ♖e6 fe6 21. ♗g6±; 16... ♘h5!? N 17. ♗f1 ♕b6 18. ♗b2 ♖ac8 19. ♖ad1 ed4 20. cd4 d5= Hübner 2600 − Spassky 2580, Venezia (m/3) 1989] 17. ♗b2 ♘h5 18. ♗f1 ♘f4 19. g3 ♘e6 20. h4 [20. b4!? ♗g7 21. ♘b3] ♕b6 [20... ♗g7!? 21. ♗h3 ed4 22. cd4 c5 23. d5 ♘d4∞] 21. ♗h3 ♖cd8 22. ♖ad1 ♗g7 23. ♘f1 ♘df8 24. ab5 [24. ♘e3?! ed4 25. cd4 c5 26. d5?! ♘d4 27. ♘d4 cd4 28. ♘g2 ba4 29. ba4 d3] ab5 25. ♘e3 h5 [25... ed4?! 26. cd4 d5 27. e5 (27. ed5 cd5 28. h5) b4 28. h5±] 26. ♗f1 [26. d5!? ♘c7 (26... cd5? 27. ♘d5 ♗d5 28. ♖d5

♘c7 29. ♖d3±) 27. c4±] ed4 27. cd4 ♘c7 28. ♖c1?! [△ 28. ♘g2 (△ 28... d5 29. e5 b4 30. ♘f4±) ♘a6!? △ c5] ♘a6 29. ♘g2 ♘b4 30. ♕d2 c5 31. d5□ ♗b2 32. ♕b2 ♖a8 33. ♘g5 ♘d7 [33... ♖a2? 34. ♕f6+−] 34. ♖a1 ♘e5= 35. ♕c3 ♖a1 36. ♖a1 ♗c8 37. ♗e2 f6 38. ♘f3 ♔g7 39. ♘d2 ♖e7 40. ♘f4=⊕ 1 : 0 [Smejkal]

443.*   C 95

JOEL BENJAMIN 2545
− DORFMAN 2565
Cannes 1989

1. e4 e5 2. ♘f3 ♘c6 3. ♗b5 a6 4. ♗a4 ♘f6 5. 0−0 ♗e7 6. ♖e1 b5 7. ♗b3 d6 8. c3 0−0 9. h3 ♘b8 10. d4 ♘bd7 11. ♘bd2 ♗b7 12. ♗c2 ♖e8 13. ♘f1 ♗f8 14. ♘g3 g6 15. a4 c5 16. d5 c4 17. ♗g5 h6 18. ♗e3 ♘c5 19. ♕d2 [RR 19. ♔h1! N ♖b8 20. ♕d2 h5 21. ♘g5 ♗h6 22. ab5 ab5 23. f4 h4 24. fe5 ♖e5 25. ♘f3 ♗e3 26. ♕e3 ♖e8 (26... ♘d5 27. ♕h6 hg3 28. ♘e5 de5 29. ♖ad1! ♕f6 30. ed5 ♕f4 31. ♕f4 ef4 32. d6± Lin Ta) 27. ♘h4 ♘g4 (27... ♘fe4 28. ♘g6 fg6 29. ♘e4 ♘e4 30. ♗e4+−) 28. ♕f4! ♕h4 29. ♖f1! ♘d7 30. ♗d1 ♘de5 31. ♗g4 ♗c8 (31... ♘g4 32. ♕f7 ♔h8 33. ♕f4 ♗c8 34. ♔g1+−) 32. ♗c8 ♕f4 33. ♖f4± Ye Jiangchuan 2505 − van der Sterren 2475, Thessaloniki (ol) 1988] h5 20. ♗g5 ♗e7 21. ♗h6 [21. ♖a3 ♖b8 22. ab5 ab5 23. ♖a7 ♘h7 24. ♗e3 ♕b6 25. ♖ea1 ♖a8=] ♘fd7 22. ♗e3 ♗f8 [22... ♘b6!?] 23. ♗f8 ♖f8 24. ♖f1 ♖b8 25. ♘d2 ♗c8 26. f4 ef4 27. ♕f4 ♘e5 28. ♘f3 ♕e7 29. ab5 ♖b5?! N [29... ab5 − 44/430] 30. ♖ab1 ♘f3 31. ♖f3 ♕e5 32. ♕h6 [32. ♕h4!?] ♖b7 [32... ♕g7 33. ♕g5 (33. ♕e3!? △ ♘h5) ♘d7 (33... ♕e5 34. ♘f5) 34. ♗a4! ♘e5 35. ♖f6±] 33. ♖e3! [△ 34. ♘f5, 34. ♘f1] ♖e8 [RR ⌐ 33... ♘d7 Dorfman] 34. ♘f1± [×c4] ♘d7 35. ♘d2 ♖c7 36. ♗a4 ♖c5 37. ♘f3 ♕f6 [37... ♕g7 38. ♕f4 ×d6] 38. ♖f1 ♖f8 [△ ♘e5] 39. e5! de5□ [39... ♕g7 40. ♕g7 ♔g7 41. e6 ♘b6 42. e7 ♘a4 43. ef8♕ ♔f8 44. ♘g5+−] 40. ♘e5 ♕e5□ [40... ♕d6 41.

231

♘f7! (41. ♘c6+−) ♖f7 42. ♖f7 ♔f7 43. ♕h7 ♔f8 44. ♕h8 ♔f7 45. ♕e8 ♔g7 46. ♖e7 ♔h6 47. ♖e6! ♕g3 48. ♕h8 ♔g5 49. ♖g6+−] **41. ♖e5+− ♘e5 42. ♖d1 ♖d8 43. ♖d4** [⌓ 43. d6 ♘d3 44. ♕e3 ♖d5 45. b3!] **♖cd5 44. ♕e3** [△ ♕e5] **♗e6 45. ♗c2** [△ 46. ♗e4, 46. ♖e4] **♖d4?!** [⌓ 45... ♖8d7] **46. cd4 ♘d3 47. b3!** [47. ♗d3? cd3 48. ♕d3 a5=] **♘b4 48. ♗g6 cb3 49. ♕h6!** [×♖d8] **♖d6** [49... b2 50. ♗h7 ♔h8 51. ♗b1 ♔g8 52. ♕g5] **50. ♗h7 ♔h8 51. ♗f5⊕ ♔g8 52. ♗h7 ♔h8 53. ♗e4 ♔g8 54. ♕g5 ♔h8 55. ♕c5**

1 : 0 **[Joel Benjamin]**

444.**** **C 96**

PRANDSTETTER 2415 –
J. PLACHETKA 2450
ČSSR 1989

1. e4 e5 2. ♘f3 ♘c6 3. ♗b5 a6 4. ♗a4 ♘f6 5. 0–0 ♗e7 6. ♖e1 b5 7. ♗b3 d6 8. c3 0–0 9. h3 ♘a5 10. ♗c2 c5 11. d4 ♗b7 [11... cd4 12. cd4 ♗b7 13. ♘c3 ♖c8!? N (13... ♕c7) 14. ♗d3 (14. d5!?) ♘c4 15. b3 ♘b6 16. ♗b2 b4 17. ♘a4 ♘a4 18. ba4 d5! 19. ed5 (19. ♘e5? de4∓; 19. de5 ♘e4∞ Blumenfeld) e4! 20. ♗e4 ♘e4 21. ♖e4 ♗d5⩱ Anand 2525 – Ceškovskij 2520, Wijk aan Zee 1989] **12. ♘bd2 cd4 13. cd4 ed4!? N** [13... ♖c8 *a)* 14. ♘f1 d5! 15. ed5 ed4 16. ♘d4 ♗c5! N (16... ♘d5 – 36/431; 16... ♕d5 17. ♘e3↑) 17. ♘e3 ♘c4 (17... ♘d5=) 18. ♘c6! ♗c6 19. dc6 ♗e3 (19... ♕d1 20. ♘d1! ♖c6 21. a4±) 20. ♗e3 ♕d1 21. ♖ad1 (Kir. Georgiev 2590 – Ceškovskij 2520, Wijk aan Zee 1989) ♘b2 22. ♖c1 ♘c4 23. ♗c5 ♖fd8! 24. ♗e7 ♖d2 25. ♗f6 (25. ♗f5? ♖c6∓) gf6 26. ♗e4 ♖a2 27. ♗d5 ♖d2= Kir. Georgiev; *b)* 14. d5 ♘h5 15. ♘f1 N (15. ♗d3?! ♘f4 16. ♗f1 ♕d7 17. b4 ♘c4 18. ♘c4 bc4 19. ♗f4 ef4 20. ♘d2 c3 21. ♘c4 ♗d8=) ♘f4 16. b3! g6 17. ♗d2 ♗a8 18. a4 ♘b7 19. ab5 ab5 20. b4± Mačul'skij 2450 – Ceškovskij 2520, Alma-Ata 1989] **14. ♘d4 ♖e8 15. ♘f1** [RR 15. b4 ♘c6 16. ♘c6 ♗c6 17. ♗b2 ♖c8 18. a3 ♘d7 19. ♘f1 ♗f6 20. ♗f6 ♕f6 21. ♘e3 ♘e5= Kotronias 2505 – Romanišin 2555, Moskva (GMA) 1989] **♗f8 16. ♘g3 ♖c8 17. ♗f4!** [△ 17... d5 18. e5] **♘c4?!** [⌓ 17... g6] **18. b3 ♘e5 19. ♘df5! d5** [19... g6 20. ♘h6 ♔g7 21. ♕d2 △ 22. ♘gf5 gf5 23. ♗e5 ♖e5 24. ♕g5] **20. ed5 ♕d5□ 21. ♕d5 ♘d5** [21... ♗d5 22. ♗e5 ♖c2 23. ♗f6 ♖e1 24. ♖e1 gf6 25. ♖e8! ♗e6 26. ♘e7 ♔g7 27. ♘gf5 ♗f5 28. ♘f5 ♔g8 (28... ♔g6 29. g4!) 29. g4! ♖a2 30. h4 ♖c2 (30... ♖b2 31. h5 h6 32. ♘h6 ♔h7 33. ♖f8 ♔h6 34. ♖f7 ♔g5 35. ♖g7) 31. h5 ♖c7 32. ♖a8±] **22. ♗e5 ♖c2 23. ♗g7!± ♖e1 24. ♖e1 ♗g7 25. ♖e8 ♗f8 26. ♘h6 ♔g7** [26... ♔h8 27. ♖f8 ♔g7 28. ♖f7 ♔h6 29. ♖b7 ♖a2 30. ♖d7 ♘f4 31. ♖d4 ♘g6 32. h4!] **27. ♘gf5 ♔g6 28. ♖f8 ♘f4** [28... ♖c7 29. ♖g8 ♔f6 30. ♘d6±] **29. ♖f7 ♗g2 30. ♘e3! ♖c1 31. ♔h2 ♗c6□** [31... ♘h3 32. ♔g2 ♘g5 33. ♖e7! ♔h6 34. f4!; 31... ♖h1 32. ♔g3 ♖h3 33. ♔f4 ♖h6 34. ♖a7] **32. ♖f4 ♔h6** [♖ 9/i] **33. ♔g3 ♔g5 34. ♖g4 ♔f6 35. ♖h4 ♔g5! 36. f4** [36. ♖h7? ♖g1=] **♔g6 37. f5 ♔g5 38. ♖g4 ♔f6 39. ♔f4 ♗d7 40. ♖h4 ♔g7 41. ♔g5 ♖a1** [41... ♖e1 42. ♖d4! ♗e8 43. ♘g4; 41... ♖g1 42. ♔f4! ♖a1 43. ♖g4 ♔f6 44. ♖g2] **42. ♖e4 ♔f7 43. ♘g4 ♖a2 44. ♘e5 ♔e8 45. ♔f6 ♗c8□ 46. ♖g4 ♔f8** [46... ♔d8 47. ♖g7 ♖f2 48. ♘c6 ♔e8 49. ♘d4 ♖f4 50. ♖e7 ♔f8 51. ♖c7] **47. ♖d4 ♔e8 48. ♘c6 ♗d7 49. ♘e5 ♗c8 50. ♘f7 ♗d7 51. ♖e4 ♔f8 52. ♘g5 h6** [⌓ 52... ♖f2 53. ♘h7 ♔g8 54. ♖g4 ♔h8! (54... ♔h7 55. ♖g7 ♔h6 56. ♖d7 ♖f3 57. ♖d8) 55. ♖g5 ♖f5! 56. ♖f5 ♗f5 57. ♔f5 a5! (57... ♔h7 58. b4! ♔h6 59. ♔e5) 58. ♘f6 a4 59. ♘e4!! (59. ba4? ba4 60. ♘e4 a3 61. ♘c3 ♔g7 62. ♔g5 ♔h7 63. h4 ♔g7 64. h5 ♔h7 65. h6 ♔g8! 66. ♔g6 ♔h8 67. ♘e4 a2 68. ♘g5 a1♕ 69. ♘f7 ♔g8 70. h7 ♔f8=) ab3 60. ♘d2 b2 61. ♔e4 ♔g7 62. ♔d3 ♔f6 63. ♔c2 ♔g5 64. ♘f3 ♔f4 65. h4+−] **53. ♘h7 ♔g8 54. ♖e7 ♖d2 55. ♔g6! ♖g2 56. ♔h6 ♗f5 57. ♘g5!+− ♖g5** [57... ♔f8 58. ♖f7] **58. ♔g5 ♗h3 59. b4 ♔f8 60. ♔f6**

1 : 0 **[Prandstetter]**

445.   **C 96**

DOLMATOV 2580 −
HARITONOV 2520

Moskva (GMA) 1989

1. e4 e5 2. ♘f3 ♘c6 3. ♗b5 a6 4. ♗a4 ♘f6 5. 0−0 ♗e7 6. ♖e1 b5 7. ♗b3 d6 8. c3 0−0 9. h3 ♘a5 10. ♗c2 c5 11. d4 ♘d7 12. ♘bd2 cd4 13. cd4 ♘c6 14. d5 ♘b4 15. ♗b1 a5 16. ♕e2 ♖b8 17. a3 N [17. ♘b3] **♘a6 18. ♗d3 ♘ac5** [18... ♕b6 19. ♘b3 a4 20. ♗e3±] **19. b4!** [19. ♗b5? ♖b5 20. ♕b5 ♗a6 21. ♕c6 ♗b7=; 21... ♕b8!−+] **♘d3 20. ♕d3 ♘b6** [20... ♖a8!? 21. ♘b3 ab4 22. ab4 ♖a1 23. ♘a1 f5! 24. ef5 ♘b6 25. ♕b5 (25. g4 ♗b7∞; 25. ♗e3 ♘c4 26. g4 g6 27. ♗h6 gf5! 28. ♗f8 ♕f8∞) ♗d7! 26. ♕a5 ♗f5 27. ♗e3 ♘c4∞] **21. ♕b5 ♗d7 22. ♕d3** [22. ♕e2 ♕c7!? (22... ♘a4?! 23. ♘c4! ab4 24. ab4 ♖b4 25. ♗a3 ♖b8 26. ♗d6±) 23. ♘b3 ab4 24. ab4 ♕c3⇆] **♘a4 23. ♕b3** [23. ♘c4 ab4 24. ab4 ♖b4 25. ♗a3 ♘c5 △ ♖b5=] **♕c7?!** [23... ♘c5!? 24. ♕b1 ♘a6! 25. ♖e3! ab4 26. ab4 ♖b4 27. ♕c2± △ ♗a3] **24. ♘f1 ♖fc8 25. ♗d2± ab4 26. ab4 ♕c4 27. ♖e3 ♗d8 28. ♕d1 ♘b2?** [28... ♖a8] **29. ♕b1 ♘a4 30. ♖ea3 ♘b6?!** [△ 30... ♖a8 31. ♘e3 ♕b5] **31. ♘e3 ♕e2** [31... ♕c7] **32. ♗e1** [△ 33. ♖1a2 ♕b5 34. ♖a5] **♖a8 33. ♖1a2 ♕b5 34. ♖a5 ♖a5 35. ♖a5 ♕e2 36. ♔h2** [△ ♘g1] **♘a8?** [36... ♘a4!□ 37. ♘g1 ♕b2 38. ♕b2 ♘b2 39. ♖a7 ♖c7 40. ♖a3±] **37. ♘g1+− ♕h5 38. ♖a7 ♘b6 39. ♕d3 g6 40. b5! ♖c5 41. ♗b4 ♗b5 42. ♕b1 ♖c8 43. ♗d6** [43. ♗a5+−] **♗e8 44. ♘f3**   **1 : 0**

[Dolmatov, Dvoreckij]

446.**   **C 99**

DOLMATOV 2580 −
ZSU. POLGÁR 2510

New York 1989

1. e4 e5 2. ♘f3 ♘c6 3. ♗b5 a6 4. ♗a4 ♘f6 5. 0−0 ♗e7 6. ♖e1 b5 7. ♗b3 d6 8. c3 0−0 9. h3 ♘a5 10. ♗c2 c5 11. d4 ♕c7 **12. ♘bd2 cd4 13. cd4 ♖d8?!** [RR 13... ♘c6 14. d5 ♘b4 15. ♗b1 a5 16. a3 ♘a6 17. b3 ♘c5 N (17... ♗d7) 18. ♗b2 g6 19. ♗c2 ♘h5 20. ♔h2 ♘f4 21. ♘f1 f5 22. ♖c1 fe4 23. ♗e4 ♕a7 24. ♖c5!? ♕c5 25. ♕d2∞ M. Chandler 2600 − Conquest 2490, BRD 1989] **14. b3!?± ed4 15. ♗b2 ♘c6 16. ♘d4 ♘d4 17. ♗d4 ♗b7!? N** [RR 17... ♗e6 18. ♖c1 ♕a5 19. ♗b1 d5 20. ♗c3 ♕a3!? N (20... b4 − 46/475) 21. e5 d4 22. ♗a1 ♘d5 23. ♗d4 ♗g5 24. ♕c2 g6 25. ♖cd1 ♘b4 26. ♕c3 ♘a2 27. ♕a1 ♖d4 28. ♕d4 ♖d8 29. ♕b6 ♘c3 30. ♘f3 ♖d1 31. ♖d1 ♘d1 32. ♘g5= Ernst 2460 − Wedberg 2505, Lugano 1989] **18. ♖c1 ♕a5 19. ♗b1** [19. ♘f1!? ♖ac8 20. ♘e3; 19. ♖e3!?] **♖ac8 20. ♖c8 ♖c8 21. ♘f1 ♖e8 22. ♖e3! ♕d8 23. ♘g3 g6 24. ♕d2** [△ ♕b2] **♗f8** [24... ♘d7 25. ♘f5! ♗g5 26. ♘d6] **25. ♕b2 ♗g7 26. f4!** [26. ♖f3?! ♖e6; 26. b4 ♖e6 △ ♘e8] **♖f8?!** [△ ♘e8; 26... ♖e6 27. f5→; 26... ♘d5 27. ♗g7 ♘e3 28. ♗h8 f6□ 29. ♗f6→; 26... h5!?] **27. ♔h2** [27. b4!?] **h5!** [27... ♘e8 28. ♖d3±] **28. b4 h4 29. ♘h1 d5?! 30. e5± ♘e4** [30... ♘h5 31. ♖f3±] **31. ♘f2 ♘g3 32. ♖f3 ♗c8 33. ♘g4 ♘e4** [33... ♗f5 34. ♗f5 ♘f5 35. ♗c5 ♖e8 36. ♕d2± ×d5] **34. ♘e3 ♗h6 35. ♗d3 ♗e6 36. ♘g4 ♗g7 37. ♕e2** [△ ♕e1 ×h4] **♕d7 38. ♘e3 ♖c8 39. ♕e1 ♘g3 40. ♖g3!? hg3 41. ♕g3** [△ h4-h5+−] **♖c4!□ 42. ♗c4 dc4 43. ♗c3 ♕d3 44. ♘g4 ♕e2 45. a3 ♗f5!** [45... ♗d5? 46. ♕f2] **46. ♕h4! ♕c2** [46... ♕d3 47. ♕e1 △ ♕d2, ♘e3] **47. ♕d8** [47. ♕e1!? △ ♘e3] **♔h7 48. ♕d2 ♕b1 49. ♘e3 ♗e4 50. h4 ♗h6 51. ♔g3** [△ e6+−] **♗a8!** [△ 52... ♕e4 53. ♘g4 ♗f4!] **52. ♕d4** [52. e6? ♕e4; 52. ♕d7? ♗f4] **♗g7 53. ♔h2! ♕b3?!** [△ 53... ♗c6] **54. ♗b2 ♕a2 55. h5?** [55. f5+−] **gh5 56. ♘f5 ♗h8?** [56... ♕b1! (△ 57. ♘g7? ♕c2!∓) 57. ♘h4∞] **57. ♕d1!+− ♔g6** [57... ♕b2 58. ♕h5 ♔g8 59. ♕g5 ♔h7 60. ♕h6 ♔g8 61. ♘e7#] **58. ♘g3 ♗e4 59. ♕h5 ♔g7 60. ♘e4 ♕b2 61. ♘d6**   **1 : 0**

[Dolmatov, Dvoreckij]

447. **C 99**

SAX 2610 – CEŠKOVSKIJ 2520
Wijk aan Zee 1989

1. e4 e5 2. ♘f3 ♘c6 3. ♗b5 a6 4. ♗a4 ♘f6 5. 0–0 ♗e7 6. ♖e1 b5 7. ♗b3 0–0 8. c3 d6 9. h3 ♘a5 10. ♗c2 c5 11. d4 cd4 12. cd4 ♗b7 13. ♘bd2 [13. ♘c3 ♕c7 14. d5 ♗c8 (14... ♘h5? 15. ♗d3! g6 16. ♗h6 ♖fc8 17. ♖c1 ♘c4 18. ♘a4!±) 15. ♘e2 ♗d7 16. ♘g3 ♖fc8 17. ♗d3 ♘c4! 18. b3 ♘b6=] **♖c8 14. d5! ♕c7** [14... ♘d7!?] **15. ♗d3 ♘d7 16. ♘f1 ♘c5** [16... f5 17. ef5 (17. ♘e3 f4 18. ♘f5) ♗d5 18. ♘g5 ♗g5 19. ♗g5 ♗a8!? 20. ♘g3 ♘c5 21. ♗f1 ♘c4 22. b3 ♘b6 23. ♖c1±] **17. b3! N** [17. ♘g3 – 39/442] **f5** [17... ♘d3 18. ♕d3 ♗a8 19. ♗d2 ♘b7 20. b4±] **18. ef5 ♗d5?** [18... ♗f6? 19. ♗e4 ♘e4 20. ♖e4 ♕c2 21. ♕c2 ♖c2 22. ♘e3±; 18... e4 19. ♗e4 ♗f6 20. ♖b1 ♘e4 21. ♖e4 ♕c2 22. ♕c2 ♖c2 23. ♘e3 ♖a2 24. ♗d2 ♖a3 25. ♗a5 ♖a5 26. g4±] **19. ♗e2!± ♗f3 20. ♗f3 ♘c6 21. ♘e3 ♔h8** [21... ♗f6? 22. ♘d5 ♕d8 23. ♘f6+–; 21... ♘d4 22. ♘d5 ♘f3 (22... ♕d8 23. ♘e7 ♕e7 24. ♕d4+–) 23. ♕f3 ♕d8 24. ♗e3±] **22. ♘d5 ♕d8 23. ♗e3 ♗f6** [23... e4 24. ♗e4! ♘e4 25. ♗b6 ♕d7 26. ♖e4 ♖f5 27. ♕g4±] **24. ♖c1 e4** [24... ♘d4 25. ♗d4 ed4 26. b4; 24... ♗g5 25. ♗c5 ♗c1 26. ♗b6] **25. ♗e4! ♘e4 26. ♗b6 ♘f2?!** [26... ♕e8? 27. f3; 26... ♕d7 27. ♖e4 ♕f5 28. ♖f4± ♕e5 29. ♕f3 ♘d4? 30. ♗d4 ♖c1 31. ♔h2 ♕d4 32. ♖d4 ♗e5 33. ♘f4 g5 34. ♖e4+–] **27. ♗d8 ♘d1 28. ♗f6 gf6 29. ♖ed1+– ♘e5 30. ♖c8 ♖c8 31. ♘f6 ♘f7 32. ♘e4 ♔g7 33. ♖d2 ♖d8 34. ♔f2 ♔f8 35. ♔e3 ♔e7 36. ♖c2 d5 37. ♖c7 ♔f8 38. ♘c5 d4 39. ♔d2 ♖d5 40. ♘e6 ♔e8 41. f6** **1 : 0**
[Sax, Hazai]

D

448.   **D 01**

SMYSLOV 2560 − GUFEL'D 2490
New York 1989

1. d4 ♘f6 2. ♘c3 d5 3. ♗g5 ♘bd7 4. ♘f3 g6 5. ♕d3 N [5. ♕d2; 5. e3] **♗g7 6. e4 de4 7. ♘e4 0−0 8. ♘f6** [8. 0-0-0!?∞] **♘f6 9. ♗e2 c5 10. dc5 ♕a5 11. c3 ♕c5 12. 0−0 ♗e6! 13. ♕d4 ♕a5 14. a3 h6! 15. ♗f6!** [15. ♗f4 ♘d5! 16. ♗e5 f6 17. ♗g3 ♗f7 △ e5∓; 15. ♗h4 ♘d5∓] **♗f6 16. ♕e3 ♗g7 17. ♘d4 ♗d5⊒ 18. ♖fd1?!** [◯ 18. ♖ad1] **♖ad8 19. ♖d2** [19. c4? ♗c4! 20. ♗c4 ♕c5 21. ♗f7 ♖f7 22. ♘e6 ♖d1 23. ♖d1 ♕e3 24. fe3 ♗b2∓] **e5 20. ♘f3 ♗b3 21. ♖e1 a6 22. ♗f1 ♕c7 23. h3?! ♖d2 24. ♘d2 ♗d5 25. c4 ♗c6 26. c5 f5↑ 27. ♘c4 e4∓ 28. b4 ♗h7 29. ♘d6 ♗e5! 30. ♖d1 ♕e7!** [30... ♖d8?! 31. ♕b3] **31. ♕b3 f4→ 32. a4 e3!−+ 33. b5** [33. fe3 fe3−+] **ef2 34. ♔h1** [34. ♔f2 ♕h4 35. ♔g1 f3 36. bc6 ♕g3−+] **ab5 35. ab5 ♗d7?⊕** [35... ♗g2! 36. ♗g2 f3 37. ♗f3 (37. ♗f1 ♕g5; 37. ♘e4 fg2 38. ♔g2 ♗d4 39. ♕c2 ♗c5−+) ♗d6 (37... ♕g5−+) 38. cd6 ♕e1−+] **36. ♕f3!** [36. ♘b7? f3−+] **♗d6 37. ♖d6!** [37. cd6 ♕e1!] **♗b5! 38. ♕f2□ ♗f1?** [38... ♗c6∓ 39. ♗d3 ♖f6] **39. ♕f1 f3?! 40. gf3 ♖f7** [40... h5!∓] **41. ♕g1! ♖g7 42. ♕d4! ♕e2 43. f4= ♕f1 44. ♔h2 h5 45. ♖d7 ♖d7 46. ♕d7 ♔h6 47. ♕d4 ♔h7 48. ♕d7 1/2 : 1/2**   **[Gufel'd]**

449.**   **D 02**

POLUGAEVSKIJ 2575
− I. SOKOLOV 2580
Haninge 1989

1. d4 [RR 1. ♘f3 d5 2. g3 ♘f6 3. ♗g2 *a)* 3... e6 4. 0−0 ♗e7 5. d4 b5! 6. b3 N (6. ♗g5 − 30/111) ♗a6! 7. a3 ♘bd7 8. b4 ♗b7 9. c3 a5 10. ♗b2 ♗d6 11. ♘bd2 0−0 (11... e5 12. de5 ♘e5 13. ♘e5 ♗e5 14. ♘f3 ♗d6 15. ♘d4±) 12. ♘b3 a4 13. ♘c5 (Dorfman 2520 − J. C. Díaz 2485, La Habana 1988) ♘c5 14. bc5 ♗e7±; 7... c5!= Dorfman; *b)* 3... c5 4. 0−0 ♘c6 5. d4 ♗g4 6. ♘e5 cd4 7. ♕g4 ♘g4 8. e4 ♘f6 9. ed5 ♘d5 10. c4 N (10. c3 − 31/411) ♘f6 11. b4 e6 12. b5 ♘e5 13. ♗f4 ♗g6 14. ♗g5 ♖b8 15. ♘d2 ♗c5 16. ♘b3 ♕d6 17. h4 ♘d7 18. h5 ♘ge5 19. h6 g6 20. ♖e1 △ ♗f4, ♖e4∞ Romanišin 2555 − Pétursson 2530, New York 1989] **♘f6 2. ♘f3 g6 3. g3 d5 4. ♗g2 ♗g7 5. 0−0 c6 6. ♘bd2 0−0 7. b3 N c5!?** [7... ♗f5 8. ♘h4 ♗e6 9. ♗b2±] **8. c4!** [8. e3 cd4 9. ed4 ♘c6 10. ♗b2 ♗f5=; 8. ♗b2 cd4 9. ♘d4 e5 10. ♘4f3 e4 11. ♘d4 e3!↑] **cd4** [8... ♘e4!?] **9. ♗b2 d3** [9... dc4! 10. ♘c4 d3∞] **10. ed3 ♘c6 11. d4 ♗f5 12. ♘e5±** **dc4?!** [12... ♖c8!] **13. ♘dc4 ♖c8 14. ♘c6 bc6 15. ♘e5 ♘d5** [15... ♗e4!?] **16. ♖c1± ♘b4 17. ♖c4! ♕b6 18. a3 ♘d5 19. ♕f3 ♖fd8 20. ♖fc1 ♗h6 21. ♖e1** [21. ♖c6? ♗c1! ♗e6 22. h4** [22. ♗h3! ♗h3 23. ♕f7 ♔h8 24. ♘g6! hg6 25. ♖e7+−] **♖d6 23. ♖c5! [△ ♘c4] ♘f6 24. ♘c6 ♘d5** [24... ♔f8 25. ♘e7!+−; 24... ♗f8 25. ♘e7! ♗e7 26. ♖c8 ♗c8 27. ♖e7+−] **25. ♘a5!! ♕b8** [25... ♖c5 26. dc5 ♕a5 (26... ♕c5 27. ♘b7+−) 27. b4 ♕b4 28. ♕c3!+−] **26. b4+− ♘b6 27. ♕b7 ♖d7** [27... ♘a4 28. ♖c8 ♕c8 29. ♕c8 ♗c8 30. ♗c1+−] **28. ♕b8 ♖b8 29. ♘c6 ♖e8 30. ♘e5** [30. d5!] **♖d6 31. ♖c7 a6 32. ♖a7 ♘a4** [32... ♖c8 33. ♖a6 ♖c2 34. ♗a1+−] **33. ♗c1! ♗c1** [33... ♗g7 34. ♗c6+−] **34. ♖c1 f6** [34... ♖d4 35. ♖a6 ♘b2 36. b5+−] **35. ♘c6 ♗d7 36. ♖a6 1 : 0**   **[Polugaevskij]**

450.* D 02**

VLADO KOVAČEVIĆ 2545 – PR. NIKOLIĆ 2605

Ljubljana/Rogaška Slatina 1989

1. d4 d5 2. ♘f3 ♘f6 [RR 2... c5 3. dc5 e6 4. ♗e3 N (4. e4 – 45/427) ♘a6 5. c4 ♘f6 6. ♘c3 ♗c5 7. ♗c5 ♘c5 8. cd5 ed5 9. g3 0–0 10. ♗g2 ♘ce4 11. 0–0 ♘c3 12. bc3 ♗d7 13. ♕b3 b6 14. ♘d4 ♖c8= Pr. Nikolić 2605 – Seirawan 2610, Barcelona 1989] **3. g3** [3. ♗f4 c5 4. e3 ♘c6 5. c3 ♕b6 6. ♕b3 c4 7. ♕b6 ab6 8. ♘a3! N (8. a3 – 37/399) ♖a5 (8... e5!? 9. ♘b5 ♖a5 10. ♘c7 ♔d8 11. de5 ♘h5 12. ♘d5! ♖d5 13. ♗c4⩱) 9. ♗c7 *a)* 9... e5?! 10. ♘c2 e4 11. ♘d2 ♖a6 12. a4!± Vlado Kovačević 2515 – B. Kristensen 2400, Thessaloniki (ol) 1988; 11... ♔d7!?; *b)* 9... e6 10. ♘c2 (10. ♗b6?! ♖a6 11. ♗c5 ♗c5 12. dc5 ♖a5!) ♔d7 11. ♗f4 b5 12. a3±; *c)* RR 9... ♗f5! 10. ♗b6 ♖a6 11. ♗c7 (11. ♗c5 b6∓) ♔d7 12. ♘b5 (12. ♗g3 e6 13. ♘b5 ♗e7 △ ♖ha8∓ Sr. Cvetković) e6 13. ♗e2 ♗e7 14. ♗d1 ♖ha8 15. a4 ♘a7!∓ Lëgkij 2420 – Sr. Cvetković 2460, Vrnjačka Banja 1989] **g6 4. ♗g2 ♗g7 5. 0–0 0–0 6. ♘bd2** [6. ♗f4 ♘h5!?] **c6 7. c3 ♕c7 N** [7... ♗f5 8. ♘h4 ♗e6 9. ♖e1 ♘bd7 10. e4 de4 11. ♘e4 ♗d5 12. ♗f4⩲] **8. ♖e1 c5 9. dc5 ♖d8!?** [9... ♕c5 10. ♘b3 ♕c7 11. ♗f4 ♕d8 12. ♕c1 △ ♖d1↑⇔d; 9... ♘a6 10. ♘b3 ♘c5 11. ♗f4] **10. ♕a4 ♕c5 11. ♘b3 ♕c6** [11... ♕c7?! 12. ♗f4 ♕c6 13. ♕a3 ♕e8 14. ♗b8 ♖b8 15. ♕a7] **12. ♕h4 ♕e8 13. ♗h6** [13. ♗g5? ♕f8! △ h6] **♘c6 14. ♖ad1 b6** [14... ♕f8 15. ♗g7 ♕g7 16. ♘bd4 ♗d7 17. ♘c6 ♗c6 18. ♘e5 △ ♕d4±] **15. ♗g7 ♔g7 16. ♘bd4 ♗b7 17. ♘c6 ♕c6 18. ♘e5 ♕c7 19. ♕f4!⩲ ♖d6** [19... h6? 20. ♘g6] **20. h4 ♖f8 21. ♖d4** [⌓ 21. ♖d2 △ ♖ed1] **♘h5?!** [21... ♘g8! △ f6, e5∞] **22. ♕d2 f6 23. ♘g4 ♖fd8** [23... e5? 24. ♗d5! ed4 25. ♕h6] **24. ♕h6 ♔g8 25. ♖ed1 e5 26. ♖4d2 ♖8d7?!** [26... ♕f7?! 27. ♕h5 gh5 28. ♘h6 ♔g7 29. ♘f7 ♔f7 30. ♗f3 ♔g6 31. c4±; ⌓ 26... d4 27. ♗b7 ♕b7 28. ♘h2 △ cd4±⊥] **27. ♘e3 d4 28. ♗b7 ♕b7** [28... de3 29. ♗d5] **29. cd4** [29. ♘f5?! gf5 30. ♕h5 f4⇆] **♖d4** [29... ed4? 30. ♘f5+–] **30. ♖d4 ed4** [30... ♖d4 31. ♖d4 ed4 32. ♘c2 ♕a6 (32... ♕e4? 33. ♕d2) 33. ♘d4 ♕a2 34. ♕c1!±⊥ ×♘h5] **31. ♘c2 ♕a6 32. ♘d4 ♕a2 33. ♖c1!+– ♕a6** [33... ♕d5 34. ♘e6! ♕e6 35. ♖c8] **34. ♕e3 ♘g7 35. ♕b3 ♔f8** [35... ♔h8 36. ♕a3! ♕a3 37. ♖c8] **36. ♖c6! ♘e8** [36... ♖d4 37. ♖f6 ♔e7 38. ♕f7 ♔d8 39. ♕g7 △ ♖f8] **37. ♘e6 ♔e7 38. ♕e3 ♔f7 39. ♕b3⊕** [39. ♕h6! ♘d6 (39... ♖d6 40. ♕f8 ♔e6 41. ♕e8 ♔d5 42. e4; 39... ♖d1 40. ♔g2 ♘d6 41. ♘f4! ♔g8 42. ♖c7) 40. ♘f8! ♖d8 (40... ♕b7 41. ♖d6) 41. ♖c7+–] **♔e7 40. ♘f4 ♕a1** [40... ♔f8 41. h5! g5 (41... gh5 42. ♘e6 ♔e7 43. ♕e3 ♔f7 44. ♕e4) 42. ♘e6 ♔e7 43. ♕e3 ♔f7 44. ♘g5 △ ♕e6] **41. ♔g2 ♕d1 42. ♕g8 1 : 0** **[Vlado Kovačević]**

451. D 02

MAČUL'SKIJ 2450 – DRAŠKO 2505

Pula 1989

1. d4 e6 2. ♘f3 d5 3. ♗f4 ♗d6 4. ♗g3 b6 5. e3 ♘f6 6. ♘bd2 0–0 7. ♗d3 ♗a6 8. ♗a6 [8. c4!?] **♘a6 9. c3 c5 10. ♕e2 ♘c7 11. e4! ♘e4 12. ♘e4 de4 13. ♕e4± cd4 14. ♘d4 f5!? 15. ♕c6 f4 16. ♗h4 ♕h4 17. ♕d6 f3!** [17... ♖f7 18. ♘f3±] **18. gf3** [18. ♘f3 ♕e4⩱] **e5 19. ♘c6**

19... ♕f4!! 20. 0–0 [20. ♕c7 ♕f3 21. ♖f1 ♕e4 22. ♔d2 ♕f4 23. ♔c2 ♕e4 24. ♔b3 ♕d5 25. ♔a4∞; 21... ♔h8!⩱] **♖ae8!** [20... ♕f3? 21. ♘e5+–; 20... ♖f6? 21.

♘e7 ♔h8 22. ♕c7 ♖e8 23. ♖ae1 ♕f3 24. ♖e3+−] **21. ♘e7?** [21. ♕c7 ♖f6 22. ♖fe1 ♖g6 23. ♔f1 ♕c4 24. ♖e2=] **♔h8!∓** [21... ♖e7 22. ♕e7 ♕f3 23. ♕c7 ♖f6 24. ♕e5 ♖g6 25. ♕g3±] **22. ♕c7 ♕g5 23. ♔h1 ♖e7 24. ♕c4 ♖ef7 25. ♖ae1 ♖f3 26. ♕d5 ♖3f5∓ 27. ♖e2 h6 28. f3! ♕h5 29. ♖e3 ♕g5 30. ♕d3 ♕f6** [30... ♖d8 31. ♕e2 e4!? 32. ♖g1!] **31. ♕e2 ♖d8 32. ♖e1 ♕c6 33. ♔g2 ♖g5 34. ♔h1** [34. ♔f2 ♕a4!] **♖f5 35. ♔g2 ♖g5 36. ♔h1⊕**
1/2 : 1/2 **[Mačul'skij]**

452.* **D 03**

SALOV 2630 – VAGANJAN 2600
Barcelona 1989

1. d4 ♘f6 2. ♘f3 g6 3. ♗g5 ♗g7 4. ♘bd2 d5 [RR 4... 0–0 5. c3 d5 6. e3 ♘bd7 7. ♗e2 ♖e8 8. 0–0 e5 9. b4 c6 10. ♘b3 h6 N (10... ♕b6 – 17/103) 11. ♗f6 ♕f6 12. ♖c1 1/2 : 1/2 Vaganjan 2600 – Nunn 2620, Rotterdam 1989] **5. e3 0–0 6. ♗e2 c5 7. c3 cd4!? N** [7... ♕b6] **8. ed4 ♘c6 9. 0–0 ♕c7 10. ♗d3 ♗f5!= 11. ♕e2** [11. ♗f5?! gf5 12. ♖e1 e6 △ ♔h8, ♖g8, ♘e4∓] **♗d3 12. ♕d3 e6 13. ♖fe1 ♘d7!?** [13... b5!? 14. ♗f6!? ♗f6 15. b4!? ♖ab8 16. ♘b3=] **14. ♕e3 b5 15. ♗f4 ♕b6 16. h4?!** [16. ♗h6!?=] **h5 17. ♗d6?** [17. ♗h6!? ♘e7=] **♖fe8 18. ♕f4 ♘e7!∓ 19. ♗c7** [19. ♘e5?! ♘f5! (19... ♕d6? 20. ♕f7 ♔h7 21. ♘d7 ♕d7 22. ♖e6+−) 20. ♘d7 ♕d6∓] **♕c6 20. ♘b3 ♖ac8** [20... ♘f5? 21. ♘a5] **21. ♗a5 ♘f5 22. ♕d2?** [22. ♕c1!? ♘d6 23. ♗b4 ♘c4 24. ♘a5∓] **♘d6∓ 23. ♗b4 ♘c4 24. ♕c2 ♕c7! 25. a4 a5 26. ♗c5 ♖b8! 27. ♖e2 ♖b7 28. ab5 ♖b5 29. ♗a3 ♖eb8 30. ♘bd2** [30. ♘fd2 a4!−+] **♘b2 31. ♘g5 ♕f4!−+ 32. ♖b1** [32. ♘df3 ♘c4−+] **♕f5! 33. ♘ge4 de4 34. ♖b2 ♖b2 35. ♗b2 e3!?** [35... ♘f6!? 36. ♗a3 e3−+] **36. ♕f5 gf5 37. ♘c4 ef2 38. ♔f2 a4 39. ♔e3 ♗f6!? 40. g3 ♔h7 41. ♗a3** [41. ♔d3 ♖g8!−+] **e5! 42. ♔d2** [42. ♗d6 ed4 43. cd4 ♖e8 44. ♘e5 ♘e5 45. de5 ♗e5 46. ♔f3 f6−+; 42. d5 ♖c8−+] **ed4 43. cd4 ♖b3!** [43... ♗d4 44. ♖e7! ♘f6 45. ♖f7 ♔g6 46. ♖c7 ♖b3 47. ♖c6] **44. ♗d6** [44. ♖e3 ♗d4 45. ♖b3 ab3−+] **♗d4 45. ♖e7 ♘f6 46. ♗e5 ♘e4 47. ♔d1** [47. ♔e1 ♗e5 48. ♘e5 ♖e3 49. ♔d1 ♘d6−+] **♔g6 48. ♖d7** [48. ♗d4 ♖d3 49. ♔e2 ♖d4−+] **♗e5 49. ♘e5 ♔f6 50. ♘f7 a3 51. ♖a7 a2 52. ♔c2 ♖b7**
0 : 1 **[Vaganjan]**

453. **D 03**

MALANJUK 2520 – ČEHOV 2480
Warszawa 1989

1. d4 ♘f6 2. ♘f3 g6 3. ♗g5 ♗g7 4. ♘bd2 d5 5. e3 0–0 6. b4 ♘bd7 7. h3 N [7. ♗e2 h6!? 8. ♗h4 g5 9. ♗g3 ♘h5∞; 7. c4 – 33/(498); 7. c3 – 46/479] **♖e8 8. ♗e2 e5 9. 0–0** [9. c3!?] **h6 10. ♗h4 e4?!** [10... ed4! 11. ♘d4 (11. ed4? ♕e7) c5 12. bc5 ♘c5 13. c4 ♘e6 14. ♘e6 ♗e6 15. ♖b1=] **11. ♘h2± ♘b6?!** [11... ♘f8] **12. a4! ♗f5** [12... a5 13. b5 ♗e6 14. ♘b3±] **13. a5 ♘c8 14. a6! b6 15. c4 ♘e7 16. ♘g4! ♘h7□** [16... ♘g4 17. hg4 ♗e6 18. cd5 △ ♕c2±] **17. cd5 g5 18. ♗g3 ♘d5 19. ♖c1 ♗e6 20. ♗b5 f5 21. ♘e5!?** [21. ♗e8 ♕e8 22. ♘e5±] **♖f8?!** [21... f4 22. ♗h2 ♘hf6] **22. ♗h2± ♘hf6 23. ♖e1** [23. ♕a4!?] **♘b4 24. ♘c6 ♘c6 25. ♖c6 ♗d5** [25... ♗d7 26. ♕b3 ♔h8 27. ♖c7±] **26. ♖c7 ♖f7 27. ♖f7 ♔f7** [27... ♗f7 28. ♗c6 ♖c8 29. ♗b7 ♖c3 30. ♘b1±] **28. ♘c4 ♗f8 29. ♕a4 ♔g7 30. ♖c1 ♖c8 31. ♖c2 ♗c4?!⊕** [31... ♗e7±] **32. ♖c4 ♖c4 33. ♕c4?!** [⌓ 33. ♗c4 ♗d6 34. ♕c6] **♗d6 34. ♕e6?⊕** [34. ♕c6!+−] **♗h2 35. ♔h2 f4?** [35... ♕c7! 36. g3 (36. ♔g1 f4∞) f4 37. ♗c4±] **36. ♕c6!+− ♔g6 37. ♗c4 h5 38. ♕b7 fe3 39. fe3 ♕d6 40. ♔h1 h4 41. ♕a7 ♘h5 42. ♗f7 ♔h6 43. ♗h5 ♕b4 44. ♕c7**
1 : 0 **[Malanjuk]**

454.* **D 10**

JUSUPOV 2610 – TIMMAN 2610
Linares 1989

1. d4 d5 2. c4 c6 3. cd5 cd5 4. ♘c3 [RR 4. ♗f4 ♘c6 5. e3 e6 6. ♘c3 ♗d6 7. ♗d6 ♕d6 8. ♗d3 ♘f6 9. f4 0–0 10. ♘f3 ♘b4 N (10... ♘e7; 10... b6) 11. ♗b1 b6 12.

a3 ♘c6 13. ♗d3 ♗b7 14. 0-0 ♘e7 15. ♘b5 ♕d8 16. ♖c1 a6 17. ♘c3 ♘e4 18. ♕e2 ♘f5 19. ♖c2 f6 20. ♘d2 ♘ed6 21. ♖fc1± Gulko 2610 − Timman 2610, Linares 1989] ♘c6 5. ♗f4

5... e5!? N [5... ♘f6 6. ♗e5 [6. de5?! d4→] ♘e5 7. de5 d4 8. ♘e4 [8. ♕a4? b5! 9. ♘b5 ♗d7∓] ♕b6 9. ♘f3!? [9. ♘d6 ♗d6 10. ed6 ♕b2∓] ♕b2 10. ♖b1 ♗b4 [10... ♕a2? 11. ♘d4→; 11. e3!?→] 11. ♘ed2 ♗d2 [11... ♕a3? 12. ♘d4±] 12. ♘d2 ♕a2 13. e3 de3 14. fe3! [14. ♗b5? ♔f8 15. fe3 ♗e6∓] ♗e6! [14... ♘e7? 15. ♗c4! ♕a5 16. ♗f7! ♔f7 17. ♕h5→ g6?? 18. e6+−] 15. ♖b7 ♖d8!? [15... g6!? 16. ♘e4!? (16. ♗b5?! ♔f8 17. 0-0 ♖d8∓) ♕a5 17. ♕d2↑] 16. ♕c1! [16. ♗b5?! ♔f8 17. 0-0 g6!∓] g6! 17. ♕c3! [17. ♗c4? ♗c4 18. ♘c4 ♕g2−+] ♔f8□ [17... ♘h6? 18. ♕b4±] 18. ♗d3 ♖c8! 19. ♕b4 ♔g7 20. 0-0 ♘h6 21. ♘e4 [△ ♘g5] ♖hd8! 22. ♘d6 ♗d5 23. ♗e4!⊕ ♗b7 24. ♕b7 ♖b8 25. ♕e7= ♖f8 [25... ♕e6?? 26. ♖f7+−] 26. ♕f6 ♔g8 27. ♕g5 ♔g7 [27... ♕e6 28. ♖f6!→] 28. ♕f6 [28. h3 ♕e6? 29. ♖f6 ♕d7 30. ♗c6! ♕c7 31. ♕h6!! ♔h6 32. ♘f5+−; 28... ♘g8!] ♔g8 29. ♕g5 ♔g7 30. ♕f6 1/2 : 1/2 [Jusupov]

455. **D 10**

UHLMANN 2515 − HECTOR 2485

Debrecen 1989

1. c4 c6 2. d4 d5 3. ♘c3 e5?! 4. cd5 cd5 5. ♘f3 e4 6. ♘e5 ♗e7 [6... f6 7. ♕a4

♔e7 8. ♕b5! fe5 9. ♗g5 ♘f6 10. de5±; 6... ♘c6 7. ♕b3! ♘f6 (7... ♘e5 8. de5 ♘e7 9. ♗f4±; 7... ♘d4 8. ♕a4 ♘c6 9. ♘c6 bc6 10. ♕c6±) 8. ♗g5 ♗e7 9. ♗f6 gf6 (9... ♗f6 10. ♕d5±) 10. ♘c6 bc6 11. e3±] 7. ♕a4! N [7. e3 − 46/(481)] ♔f8 8. h3! f6 9. ♗g4 ♘c6 10. ♗f4 ♗e6 11. ♘e3 a6?! [11... h5!? 12. f3 f5 13. fe4 fe4 14. g3!± △ ♗g2, 0-0] 12. g4! ♕b6? [12... ♗d6 13. ♗d6 ♕d6 14. ♗g2± ×d5] 13. ♘ed5 ♗d5 14. ♘d5 ♕b2 15. ♖d1 ♖d8 [15... ♗b4? 16. ♘b4 ♘b4 17. ♗d6+−; 15... ♘b4 16. ♘b4 ♗b4 17. ♗d2 ♗d2 18. ♖d2 ♕c3 19. ♕c2± ×e4] 16. ♗c1! ♕b5 [16... ♗b4 17. ♘b4 ♕b4 18. ♕b4 ♘b4 19. ♗a3±; 16... ♕b1 17. ♗a3 ♕b5 18. ♕b5 ab5 19. ♘e7 ♘ge7 20. d5 ♘e5 21. ♗g2±] 17. ♕b5 ab5 18. ♘e7 ♘ge7 19. e3 h5 [19... ♘d5 20. ♗b5 ♘c3 21. ♗a3 ♔e8 (21... ♔f7 22. ♗c4 ♔g6 23. ♖c1+−) 22. ♗c6 bc6 23. ♖c1±] 20. ♗g2 ♘d5 21. ♗d2 ♖e8 [21... ♘cb4? 22. ♗e4 ♘a2 23. ♗d5 ♖d5 24. ♖a1+−] 22. ♔e2 f5 [22... g6 23. ♖c1 △ ♖c5±] 23. gf5 ♖h6 24. ♖b1 b4 25. a3! ba3 26. ♖b7 ♖f6 27. ♖a1 ♖f5 28. ♖a3 ♔g8 29. ♗e1 ♖g5 30. ♔f1 h4 31. ♖a6! ♖g6 32. ♗d2 [32. ♖d7 ♗b8] ♖f6 33. ♔g1 ♖ee6 [33... ♘d8 34. ♖a8+−; 33... ♖ef8 34. ♗e4+−] 34. ♗d7 ♖f5 35. ♖c6! ♖c6 36. ♗e4 ♖g5 37. ♔f1 1 : 0 [Uhlmann]

456.* **D 12**

PR. NIKOLIĆ 2605 − NOGUEIRAS 2575

Barcelona 1989

1. d4 d5 2. c4 c6 3. ♘f3 ♘f6 4. e3 ♗f5 5. cd5 cd5 6. ♕b3 ♕c8 [RR 6... ♕c7 7. ♗d2 N ♘c6 8. ♗b5 e6 9. ♗b4 ♗b4 10. ♕b4 1/2 : 1/2 Vaganjan 2600 − Timman 2610, Rotterdam 1989] 7. ♗d2!? N [7. ♘c3] ♘c6 8. ♘e5 e6 9. ♗b5 ♗d6 [9... ♘d7!?] 10. ♗b4! ♗e5 [10... ♗b4 11. ♕b4 ♘d7 12. ♗c6 bc6 13. ♘d7 ♕d7 14. ♘c3±] 11. de5 ♘d7 12. ♗d6 ♕a5! [12... a6 13. ♗c6 ♕c6 14. 0-0±] 13. ♕a4! [13. ♕c3 ♗b1! 14. ♖b1 ♕c3 15. bc3 a6 16. ♗d3 (16. ♗d7 ♔d7 17. ♖b6 ♖a7 △ ♘c4)

♖c8] **♘c4!** [13... ♕c1 14. ♔e2 ♕b2 (14... ♕h1? 15. ♗d7 ♔d8 16. ♕a5 b6 17. ♕c3 ♗g4 18. f3 ♕g2 19. ♔d3 ♕f1 20. ♔d4+−) 15. ♘d2 ♘c4 16. ♗d7 (16. ♗c4!? dc4 17. ♕c4) ♔d8 17. ♖ad1 ♗c2 (17... ♘b6 18. ♕b5 ♕a2 19. ♖a1) 18. ♕b5 ♗d1 19. ♖d1 ♕b5 20. ♗b5 ♘d6 21. ed6 a6 22. ♗a4 b5 23. ♗b3 ♔d7 24. e4±] **14. ♗c4 ♕c4 15. ♕c4 dc4 16. ♘c3 ♗d3∞ 17. ♘b5 ♔d8 18. f3** [18. ♔d2] **a6 19. ♘d4 ♘b6 20. ♔d2 ♔d7 21. a4 ♘c8** [21... f6 22. ♗c5 fe5 23. ♗b6 ed4 24. ♗d4±] **22. ♗a3 ♘a7?!** [22... ♘e7] **23. ♘b3! cb3** [23... ♖hd8 24. ♘c5 ♔c6 25. ♔c3] **24. ♔d3± ♖hc8 25. ♖hc1 ♘c6 26. f4 b5 27. ♗c5 ♘a5 28. ab5 ab5 29. ♗d4 ♖c1** [29... ♘c6 30. ♖a8 ♖a8 31. ♖c5±] **30. ♖c1** [♖ 9/i] **♘c4 31. ♔c3 ♖c8?!** [31... ♔c6 32. ♔b3 ♔d5!] **32. ♔b4! ♔c6 33. ♔b3 ♖a8⊕** [⌓ 33... ♔d5] **34. ♔c3 ♖a2 35. b3 ♘a5 36. ♔b4 ♔b7 37. g3+− h5 38. h3 g6 39. ♖c3 ♘c6 40. ♔b5 ♘e7 41. e4 ♘c8 42. ♖f3** [△ f5] **♘e7 43. ♗c5 ♘c6 44. ♖d3 ♖a5 45. ♔c4 ♖a2 46. b4 ♔c8 47. ♔b5 ♘b8 48. ♖c3 ♘d7 49. ♗e7 1 : 0** [Pr. Nikolić]

457.* **D 12**

U. ANDERSSON 2620 − VAN DER WIEL 2560
Haninge 1989

1. ♘f3 d5 2. d4 ♘f6 3. c4 c6 4. e3 ♗f5 5. ♗d3 [RR 5. ♘c3 e6 6. ♗d3 ♗e7 7. ♗f5 ef5 8. cd5 N (8. ♕b3) ♘d5 9. ♕b3 ♕b6 10. ♕c2 g6 11. 0−0 ♘d7 12. e4 fe4 13. ♕e4 ♘7f6 14. ♘d5 ♘e4 15. ♘b6 ab6= Tal' 2610 − Timman 2640, Hilversum (m/1) 1988] **♗d3 6. ♕d3 e6 7. 0−0 ♘bd7 8. ♘c3 ♗b4 9. ♗d2 ♗c3 10. ♗c3** [10. bc3?! ♘b6] **0−0 11. ♘d2 ♖c8 N** [11... c5?! 12. dc5 ♘c5 13. ♕d4!±] **12. ♖ac1** [12. e4 de4 (12... c5?! 13. cd5 ed5 14. e5±) 13. ♘e4 ♘e4 14. ♕e4 b5 15. cb5 cb5 16. ♗b4 (16. ♕b7 ♕b6!) ♖e8 17. ♕b7 a5!=; 12. ♖fd1!?] **c5** [△ 13. dc5 ♘c5 14. ♕d4 e5!; 12... ♕e7 13. b4!?] **13. ♖fd1 ♕e7** [13... b6!?] **14. cd5!? ♘d5 15. e4 ♘c3** [15... ♘f4?! 16. ♕e3! (16. ♕f3?! cd4 17. ♗d4 e5∞) cd4 (16... ♕g5 17. g3 ♘h3 18. ♔g2 ♕e3 19. fe3 ♘g5 20. h4+−) 17. ♗d4 e5 18. ♗a7±] **16. ♕c3!** [△ ♕a3; 16. bc3 ♖fd8=] **cd4!?** [16... b6 17. ♕a3 a5?! 18. ♘c4!; 17... ♖c7±] **17. ♕c8!** [17. ♕d4 ♘b6=] **♖c8 18. ♖c8 ♘f8 19. e5! ♕b4!** [19... g6? 20. ♘e4; 19... h6 20. ♘f3±; 19... f6 20. ♘f3 (20. f4±) fe5 21. ♘e5 ♕d6 22. f4±] **20. b3** [20. ♘b3 d3 ×e5; 20... g5!?] **♕a5 21. ♘f3 ♕a2 22. h4** [22. ♘d4 g5! △ ♔g7, ♘g6] **d3 23. ♖c3** [23. ♖d8 ♕b3 (23... g6 24. ♖1d3 h6 25. g3 ♔g7 26. ♔g2±) 24. ♖1d3 ♕c2 25. ♖3d6 ♕c1!∞] **h6 24. h5?** [24. ♖dd3! ♘g6 25. g3! ♔h7 (25... ♘e7?! 26. ♖d8 ♔h7 27. ♖c7→) 26. ♔g2 ♘e7 27. ♖c7 ♘d5 28. ♖f7 ♕e2 29. ♖d5□ ed5 30. ♖b7±⊥] **♘d7!** [24... g6?! 25. ♖dd3 △ ♘h4!→] **25. ♖cd3** [25. ♖dd3 ♔h7!∞ △ ♘c5 ×♖c3, ♖d3] **♘c5!** [×f2] **26. ♖d8 ♔h7 27. ♖f8 ♘d3** [27... ♘e4?! 28. ♖dd8 ♕f2 29. ♔h2 ♕g3=] **28. ♖f7** [28. ♖d2? ♕a1 29. ♔h2 ♘e5] **♕f2 29. ♔h2** [29. ♔h1 ♕e3] **♕e2! 30. ♖d2 ♕e3 31. ♖c2 ♘e5 32. ♘e5 ♕e5 33. ♔g1** [♕ 6/b] **♕d4⊕ 34. ♔h2 ♕h4 35. ♔g1 ♕d4 36. ♔h2 ♕e5 37. ♔g1 ♕e3 38. ♔h2 ♕b3 39. ♖cc7 ♕b2 40. ♖b7 ♕e5 41. ♔g1 a5 42. ♖a7 ♕d4 43. ♔h2 ♕h4 44. ♔g1 ♕d4 45. ♔h2 a4 46. ♖fd7 ♕e5 47. ♔g1 a3** [47... ♕c5]

48. ♖a4!!□ [48. ♖a8 ♕c5 49. ♔h2 ♕h5 50. ♔g1 ♕c5 51. ♔h2 ♕e5 52. ♔g1 ♕e3 53. ♔h2 ♕f4!−+] **♕c5 49. ♔h2 ♕h5 50. ♔g1 ♕c5 51. ♔h2 ♕h5 52. ♔g1 ♕c5 53. ♔h2 ♕e5?** [53... e5! 54. ♖aa7! (54.

♖da7 e4) ♕f8 (54... ♔g6!?) 55. ♖f7 ♕g8 56. ♖f3 e4 57. ♖fa3 ♕b8!∓] **54. ♔h1 ♕a1 55. ♔h2 ♕e5 56. ♔h1 ♕g5 57. ♔h2! ♕c1** [57... e5 58. ♖a3 e4 59. ♖g3=] **58. ♖da7 ♕c5?!⊕ 59. ♖a3?!** [59. ♖d7=] **e5 60. ♖7a5 ♕c7 61. ♖a7 ♕c5 62. ♖7a5 ♕d6 63. ♖a6 ♕d8 64. ♖6a4!∓ ♕d6?!** [⌓ 64... ♕g5 65. ♖g3 ♕h5 66. ♖h3 ♕f5∓] **65. ♖a7 h5 66. ♖g3 ♕f6 67. ♖gg7! ♕g7 68. ♖g7 ♔g7 69. g4=** [69. ♔g3? ♔f6 70. ♔h4 e4−+; 69. ♔h3 ♔f6 (69... e4 70. ♔g3=) 70. g4=] **hg4 70. ♔g3 1/2 : 1/2**
[van der Wiel]

458. **D 13**

JAKOBSON − BOJKIJ

corr. 1989

1. d4 d5 2. c4 c6 3. cd5 cd5 4. ♘f3 ♘f6 5. ♘c3 ♘c6 6. ♗f4 ♗g4 7. ♘e5 ♕b6 8. ♘g4 ♘g4 9. e4 e5 10. ♗d2!? N [10. ♗b5 ♘f6!? (10... ♗b4 − 42/(469)) *a)* 11. de5 ♘e4 12. ♗e3 ♘c3 13. ♗b6 ♘d1−+; *b)* 11. ♗e5 ♗b4 *b1)* 12. ♗f6 ♕b5 13. ♗g7 ♖g8 14. ♗f6 ♕c4 15. ed5 ♕d5 16. ♕e2 (16. ♕f3 ♕f3 17. gf3 ♖g6 18. ♗e5 ♖e6∞) ♔d7 17. 0-0-0 ♗c3 18. bc3 ♖ae8 19. ♕c2 ♖g2∞; *b2)* 12. 0−0 ♗c3 13. ♗c6 ♕c6 14. bc3 ♘e4 15. ♗g7 (15. ♖e1 0−0=) ♖g8 16. ♗e5 ♘c3 17. ♕h5 ♕g6∓; *c)* 11. ed5 ef4 12. ♕e2 ♗e7 13. d6 0−0 14. de7 ♘e7 15. ♕e7 ♖fe8 16. ♗e8 ♖e8 17. ♕e8 ♘e8 18. 0−0 g5∞̅; *d)* 11. 0−0 ef4 12. ed5 0-0-0! 13. dc6 bc6 14. ♗e2 ♖d4 15. ♕c2 (15. ♘a4 ♕b4) ♗d6 16. ♖fd1⩲] **f5** [10... ♘f6?! 11. ♘d5±] **11. ef5** [11. ♘d5 ♕d4 12. ♘c7 ♔d7−+; 11. ed5 ♘d4 12. ♕a4 ♔f7 13. ♕d7 ♔g6∓; 11. f3 ♘f6 12. de5 ♘e5 13. ♘d5 ♘d5 14. ed5 ♗c5 15. ♕e2 ♔f7∓; 11. h3 ♘f6 12. ♘d5 ♘d5 13. ed5 ♘d4∞; 11. ♗e2 ♘f6 12. de5 (12. ed5 ♘d4 13. ♕a4 ♔f7∞) ♘e4 13. 0−0 ♗c5 14. ♘d5 ♗f2 15. ♔h1 ♕d8 16. ♗f4 ♗d4∞] **♕d4 12. ♕f3 ♗c5 13. ♗e3** [13. 0-0-0 ♘f2 14. ♕h5 (14. ♘b5 ♕a4 15. ♘c3 ♕d4=) g6! 15. fg6 0-0-0 16. g7 ♖hg8∓] **♘e3 14. fe3 ♕e3 15. ♕e3 ♗e3 16. ♘d5 ♗b6** [16... ♗d2? 17. ♔d2 ♖d8 18. ♗c4 ♘e7 19. ♔e3 ♘d5 20. ♗d5 ♖d5 21. ♖ac1± ×e5] **17. 0-0-0 ♘d4?** [17... 0-0-0 (△ ♗d4) 18. ♘b6 ab6 19. ♗d3⩲ Jakobson] **18. ♖e1± ♔d7 19. ♗d3! ♔d6 20. ♘e3** [20. ♘b6? ab6 21. ♔b1 b5∓ △ ♖a5, ♖ha8, b4] **♖he8 21. ♗e4 ♖ac8 22. ♔b1 ♖c7** [22... ♗a5 23. ♖ef1 (23. ♗b7 ♗e1 24. ♗c8 ♗f2 25. ♘g4 ♖c8 26. ♘f2 ♘f5∓) ♖c7 (23... ♗d2 24. ♘c2!± △ f6) 24. f6 gf6 25. ♖f6 ♖e6 26. ♖f8±] **23. ♖hf1 ♗a5 24. ♖d1 ♖f8 25. g4 b5 26. g5 ♖d7 27. ♘d5 ♗d8 28. ♖g1 ♖df7 29. h4± ♖h8 30. h5 h6 31. g6 ♖ff8 32. b4 ♗h4?** [32... ♖f5 33. ♗f5 ♔d5 34. ♖ge1±] **33. ♖g4+− ♗d8 34. ♖g3 ♗h4** [34... ♖f5 35. ♖a3+−] **35. ♖a3 1 : 0** **[Bojkij]**

459. **D 15**

MOROVIĆ FERNANDEZ 2540
− MILOS 2510

Santiago 1989

1. c4 c6 2. ♘c3 d5 3. d4 ♘f6 4. ♘f3 dc4 5. e4 b5 6. e5 ♘d5 7. a4 e6 8. ♘g5 h6 9. ♘ge4 b4 10. ♘b1 ♗a6 11. ♘bd2 c3 12. ♘c4 ♗c4 13. ♗c4 cb2 14. ♗b2 ♗e7 15. 0−0 0−0 16. ♕g4 ♘d7 17. ♖ad1?! N [17. ♖ae1 ♕c8! 18. ♘g3 f5□ 19. ef6 ♘7f6 20. ♕e6 ♔h8±; 17. ♘g3! (△ 17... ♕c8 18. ♘h5!) ♔h8 − 43/462] **♕c8! 18. ♖fe1 f5 19. ef6 ♘7f6 20. ♘f6 ♖f6 21. ♖e4 ♕d7 22. ♖de1 ♖e8 23. g3** [23. ♖e6? ♗f8−+] **♗d8!∓** [×d4, f2] **24. ♕d1** [⌓ 24. f4 △ ♔h1, ♕d1, ♗f1-h3] **♗b6 25. ♗f1 ♔h8 26. ♕c2 ♖ef8 27. ♖1e2?** [⌓ 27. f4] **♘c3! 28. ♗c3 bc3 29. ♕c3 e5!−+ 30. ♖d2 ♗d4 31. ♖ed4** [31. ♖e5 ♗e5!] **ed4 32. ♖d4 ♕e7 33. f4 ♖b8 34. ♕d2 ♖ff8 35. ♖d7 ♖fd8 36. ♖e7 ♖d2 37. ♗e2 ♔g8! 38. ♔f2 ♔f8 39. ♖e5 ♖e8 0 : 1** **[Milos]**

460. **D 16**

AN. KARPOV 2750 −
LJUBOJEVIĆ 2580

Rotterdam 1989

1. d4 d5 2. c4 c6 3. ♘f3 ♘f6 4. ♘c3 dc4 5. a4 ♘a6 6. e3 ♗e6 N [6... ♗g4] **7. a5!**

♗d5 [7... ♘b4 8. ♘g5±; 7... g6 8. ♘g5 ♕d7 9. ♕a4±] **8. ♘d2 g6 9. e4 ♗e6 10. ♘c4 ♗g7 11. ♘e5!± ♖c8** [11... ♕c7 12. ♕a4!? (12. ♘c6 ♘e4!) 0–0 13. ♗a6 ba6 14. ♕c6] **12. ♕a4 0–0** [12... ♕c7 13. ♗a6 ba6 14. ♘d3±] **13. ♗e2** [13. ♗a6?! ba6 14. ♘c6 ♕e8! 15. ♘a7 (15. ♘b4 ♕a4 16. ♖a4 ♘e4; 15. ♘e5 ♕a4 16. ♖a4 ♘e4) *a)* 15... ♗d7?! 16. ♕b4! (16. ♕b3 ♖b8 △ ♖b7) ♖a8 17. ♕c5; *b)* 15... ♕a4 16. ♖a4 ♖c7 17. d5 ♗d5 18. ed5 ♘d5] **♘d7 14. ♘d3 ♘c7 15. ♗e3** [15. 0–0 b5 16. ab6 ♘b6] **f5** [15... b5 16. ab6 ♘b6 (16... ab6 17. 0–0±) 17. ♕b4±] **16. e5! ♗f7 17. ♖d1 ♕e8 18. h4 h6 19. ♗f3 ♔h7 20. ♘f4 ♖b8 21. ♕c2 ♔g8 22. g4 e6 23. ♖g1+– ♔h8 24. ♕d2?!** [24. ♕e2] **♖d8 25. ♕e2 ♕e7 26. gf5** [26. g5 hg5 (26... h5 27. ♗h5 gh5 28. g6+–) 27. ♖g5 ♔h7 28. ♖g1+–] **gf5 27. ♗h5 ♖g8□ 28. ♗g6 ♘f8□ 29. ♕h5 ♖d7□** [29... ♘g6 30. ♘g6 ♔h7 31. ♘e7 ♗h5 32. ♘g8 ♗d1 33. ♘f6 ♗f6 34. ef6 △ ♖g7+–] **30. ♖d3?** [30. ♖g3! ♕e8 31. ♗f7! ♕f7 32. ♔e2 ♘e8 33. ♕f7 ♖f7 34. ♖dg1+–] **♕e8**

31. ♗d2?? [31. ♗f7!±] **♘g6 32. ♘g6 ♔h7 33. ♖dg3 ♖d4–+ 34. ♕e2** [34. f3 ♖g4!] **♗g6 35. ♖g6 ♕g6 36. ♖g6 ♔g6 37. ♗e3?** [37. h5] **♖h4 38. f4 ♖d8 39. ♕f3 ♘d5 40. ♗a7 ♖f4 41. ♕d3 ♗e5 42. ♘e2 ♖e4 43. ♔f2 ♖g8 44. ♕c2 ♔h7 45. ♔f3 ♖h4 46. ♗g1 ♖h3 47. ♔f2 ♗h2 48. ♕c5 ♗g1 49. ♘g1 ♖h2 50. ♔f3 e5 0 : 1**
[An. Karpov]

461.*** **D 17**

BELLON LOPEZ 2470
– SKEMBRIS 2455
Genova 1989

1. d4 d5 2. c4 c6 3. ♘f3 ♘f6 4. ♘c3 dc4 5. a4 ♗f5 6. ♘h4 ♗c8 [RR 6... e6 7. ♘f5 ef5 8. e3 ♗d6 9. ♗c4 0–0 10. ♕f3 ♕d7!? N (10... g6 – 46/(488)) 11. ♗d3 g6 12. h3 c5 13. ♗b5 ♕e7 14. 0–0 a6 15. ♗c4 ♘c6 16. ♖d1 ♖fe8= P. Cramling 2480 – Romero Holmes 2445, Tarrasa 1989; 11. a5!?; 6... ♗d7 7. e3 N (7. e4 – 39/463) b5 8. ♗e2 a6 9. 0–0 e6 10. ♘f3 ♗e7 11. ♘e5 0–0 (Ubilava 2515 – Komarov 2350, Warszawa 1989) 12. ♗f3 ♖a7 13. e4 △ ♗e3, d5± Komarov, Nesis] **7. e3 e6!? N** [×b4; RR 7... e5 8. ♗c4 ed4 9. ed4 ♗e7 10. 0–0 0–0 11. ♖e1 ♘a6 12. ♗g5 N (12. ♕b3 – 46/(488)) ♘c7 13. ♕b3 ♘fd5 14. ♗e7 ♘e7 15. ♘f3 ♘cd5 16. ♖e5 ♘g6 17. ♖e4 1/2 : 1/2 Kasparov 2775 – Hübner 2600, Barcelona 1989] **8. ♗c4 c5 9. ♘f3 ♘c6 10. 0–0** [10. dc5 ♕d1=; 10. d5 ed5=] **cd4 11. ed4 ♗e7 12. ♕e2!?** [12. d5=] **0–0** [12... ♘d4?! 13. ♘d4 ♕d4 14. ♖d1 (14. ♗b5±) ♕g4 15. ♗b5± ×♔e8] **13. ♖d1 ♘b4 14. ♗g5** [14. ♘e5 ♗d7 15. d5 ♘bd5 16. ♘d5 ♘d5 17. ♗d5 ed5 18. ♖d5 ♗g4! 19. ♕e4 ♕d5! 20. ♕d5 ♖ad8∓ ×a4; 14. ♗f4!?] **♘fd5!? 15. ♘d5 ♘d5 16. ♗e7** [16. ♗d5 ♗g5 17. ♗e4 ♗f6±] **♘e7 17. ♖a3!?** [17. ♘e5 ♕d6!?] **♗d7 18. ♘e5 ♗c6 19. ♖h3** [19. ♘f7?! ♖f7 20. ♗e6 ♗d5∓] **♗d5 20. ♕h5** [20. ♗d3 f5 21. ♕h5 h6 △ ♕e8∓] **h6□ 21. ♘g4!?** [21. ♖g3 ♘f5∓] **♘f5□** [21... ♗c4?? 22. ♘h6 gh6 23. ♕h6+–] **22. ♗d5** [22. ♗d3?! ♕g5 23. ♕g5 (23. ♗f5 ef5 24. ♘h6?? ♕h6 25. ♕f5 ♗e6–+) hg5 24. ♗f5 ef5 25. ♘e3 g4!∓] **♕d5** [△ ♖ad8 ×d4, a4, b2∓] **23. ♘f6! gf6 24. g4** [24. ♖dd3 ♖ac8–+] **♔h7!** [24... ♘d4?! 25. ♕d5! (25. ♕h6?? ♘e2 26. ♔f1 ♕d1 27. ♔g2 ♘f4 28. ♕f4 ♕d5 29. f3 ♕g5–+; 25. ♖d4 ♕d4 26. ♕h6 ♕g4 27. ♖g3 ♕g3∓) ♘e2 26. ♔f1 ed5 27. ♔e2±] **25. gf5 ♖g8 26. ♔f1□** [26. ♖g3?! ef5 △ ♖g5∓] **♕c4∞** [26... ♕h1 27. ♔e2 ♕e4 28. ♖e3?! ♕c2 29. ♖d2 ♕c4∓; 28. ♔f1=]

27. ♖dd3 [27. ♖hd3 e5∓] **♕c1 28. ♖d1 ♕c4⊕** [28... ♕g5!?⩱] **29. ♖dd3 ♕c1 30. ♔e2!? ef5 31. ♕f7** [31. ♕f5 ♖g6∓ ×♔e2] **♖g7 32. ♕e6! ♕c2!** [32... ♕b2 33. ♔f3± ×f5, h6; 32... ♕f4±] **33. ♖d2** [33. ♔e3 f4−+] **♕a4 34. ♕f5 ♔g8 35. ♕e6 ♔h7 36. ♕e4 ♔g8 37. ♕d5 ♔h7 38. ♕f5⊕ ♔g8 39. ♕d5** [39. ♖h6? ♖e8 40. ♔f3 ♕c6! 41. ♔f4 (41. d5 ♕c1∓) ♕g2∓ △ ♖e4−+] **♔h7 40. ♖e3 ♖e8 41. ♕f5 ♔g8 42. ♖d3?!** [42. ♕d5 ♔h7 43. ♕f5=] **♕c2∓ 43. ♔f3□** [43. ♔f1 ♕b1! 44. ♔e2 ♖e3 45. ♔e3 (45. fe3 ♖g2−+) ♕e1∓] **♖e3 44. ♔e3□** [44. fe3?? ♕g2 45. ♔f4 ♕f2 46. ♔e4 ♖e7−+] **♖e7 45. ♔f3 ♕e2 46. ♔g3!** [46. ♔g2 ♕e4 47. ♕e4 ♖e4∓] **♖g7 47. ♔h4!=** [47. ♔h3?? ♖g5 48. ♕c8 (48. ♖g3 ♕h5 49. ♔g2 ♖g3−+) ♔h7 49. ♕b7 ♖g7 50. ♕f3 ♕e6 51. ♔h4 f5 △ ♖g4−+] **♖g5 48. ♕c8 ♔g7 49. ♕b7 ♔g6 50. ♕f3** [50. ♖f3 h5∓ (50... ♖h5=) 51. ♖f6 ♔f6 52. ♕c6 ♔g7 53. ♔g5?? ♕g4#; 53. ♕d7∓] **♖h5 51. ♔g3□ ♖g5 52. ♔h4□ ♖h5⊕ 53. ♔g3 ♖g5=** [53... ♕e6? 54. h4±] **1/2 : 1/2** **[Skembris]**

462. **D 17**

GEL'FAND 2600 – DRAŠKO 2505
Tallinn 1989

1. d4 d5 2. ♘f3 ♘f6 3. c4 dc4 4. ♘c3 c6 5. a4 ♗f5 6. ♘e5 ♘bd7 7. ♘c4 ♘b6?! 8. ♘e5 e6 9. f3! [9. a5!?] **♗b4 N** [9... ♘fd7±] **10. e4± ♗g6** [10... ♗e4? 11. fe4 ♘e4 12. ♕d3] **11. ♗e3** [11. ♗g5!?] **a5 12. ♕b3** [12. h4!? ×♗g6] **♘fd7 13. ♘d3 ♗e7** [⌓ 13... ♗d6] **14. ♗e2 0–0 15. 0–0 ♖e8 16. ♖ad1 ♕c7 17. f4 ♗d6 18. ♘e5 f5** [18... f6 19. ♘g6 (19. f5?! fe5 20. fg6 ed4 21. ♗d4 hg6 22. ♗g4 ♘c5; 19. ♘d7!?) hg6 20. ♗g4 ♔f7 (20... ♘f8? 21. d5) 21. h4 ♖ad8 22. f5 gf5 23. ef5 ♘f8 24. fe6 ♘e6 25. ♗e6 ♖e6 26. ♘e4 ♔e7 (26... ♗h2 27. ♔h1 ♔e7 28. ♘c5±) 27. ♘d6 ♕d6 28. ♗f4 ♕b4 29. ♕b4 ab4 30. ♗c7 ♘a4 31. ♗d8 ♔d8 32. d5±] **19. ef5** [19. h4!? fe4 20. h5 ♗f7 21. ♘f7 ♔f7 22. f5 ♘f6 23. fe6 ♔g8 24. h6 ♘bd5 △ 25. ♗g5? ♗h2 26. ♔h1 ♕g3∓; 21. ♘e4!↑] **♗f5 20. ♗h5** [20. g4?! ♗g6 21. f5 ♗e5 22. de5 ♗f7 23. ♖d6 ♘d5□ 24. ♘d5 ed5□ 25. ♖d7∞] **g6 21. g4 ♘d5□ 22. gf5 ♘e3 23. fg6** [23. ♘e4 ♗e5 24. de5 *a)* 24... ♕b6? 25. ♘f6+−; *b)* 24... ♘d1 25. fg6 (25. ♖d1 ♕b6∞) ♕b6 (25... ♖e7 26. ♕d1 △ ♕g4↑) 26. ♕b6 ♘b6 27. gh7 ♔g7 28. ♗e8 ♖e8 (28... ♘b2 29. ♘f6 △ ♖f3-g3+−) 29. ♖d1±; *c)* 24... ♘f1!?; 23. fe6!?] **♘e5⊕ 24. fe5 ♗e5 25. de5 ♕e5 26. ♗f3?⊕** [26. gh7 *a)* 26... ♔h7 27. ♖d7 ♔h6 28. ♗e8 ♖e8 (28... ♕g5 29. ♔f2 ♖e8 30. ♘e4+−) 29. ♖f3 ♖g8 30. ♔h1 ♘g4 31. ♖h3 ♔g5 32. ♕c2+−; *b)* 26... ♔h8 27. ♗e8 ♕g5 28. ♔f2 ♘g4 (28... ♖e8 29. ♘e4+−) 29. ♔e1!! ♕e3 30. ♘e2 ♕b3 31. ♖f8 ♔h7 32. ♖d7 ♔h6 33. ♖h8 ♔g5 34. ♖h5 ♔f6 35. ♖f7 ♔g6 36. ♘f4#] **♘f1 27. gh7?!** [⌓ 27. ♖f1; ⌓ 27. ♕b7] **♔h8 28. ♖f1 ♕e3 29. ♔g2** [⌓ 29. ♔h1] **♖ad8 30. ♖d1?** [30. ♕b7 ♖d2 (30... ♖f8 31. ♕e7 ♕h6 32. ♘e2) 31. ♔h1 ♖f2 32. ♖f2 ♕f2 33. ♗e2 ♖f8∞] **♖f8 31. ♗e2 ♖d5!−+ 32. ♖d5 ed5 33. ♕d1 d4 34. ♗f3 dc3 35. bc3 ♕c3 36. ♗e4 ♕g7 37. ♔h1 ♕e5 38. ♕b1 ♖e8 39. ♗g6 ♕e1 40. ♔g2 ♕b1 0 : 1** **[Draško]**

463.****** **D 17**

A. KUZ'MIN 2465 – HALIFMAN 2545
Moskva (GMA) 1989

1. d4 ♘f6 2. c4 c6 3. ♘c3 d5 4. ♘f3 dc4 5. a4 ♗f5 6. ♘e5 e6 7. f3 ♗b4 8. e4 [RR 8. ♕d2?! N c5! 9. dc5 ♘d5 10. e4 ♕f6 11. ♕d4 ♘d7 12. ♗f4 ♗e4 13. fe4 ♕f4 14. ♘d7 0-0-0 15. g3 ♕e3 16. ♕e3 ♘e3 17. ♘e5 ♘c2 18. ♔e2 ♘a1 19. ♘f7 ♘b3 20. ♘h8 ♖h8 21. ♗h3 ♘d4 22. ♔d2 ♖d8∓ Azmajparašvili 2560 – Ivančuk 2635, Erevan 1989] **♗e4 9. fe4 ♘e4 10. ♗d2 ♕d4 11. ♘e4 ♕e4 12. ♕e2 ♗d2 13. ♔d2 ♕d5 14. ♔c2 ♘a6 15. ♘c4 0–0!?** [RR 15... 0-0-0 16. ♕e5 f6 17. ♕e3 ♕f5 N (17... c5 — 46/495; 17... ♘b4 — 46/496) 18. ♔b3 ♘c5 19. ♔b4 ♖d5 20. ♕c5 ♖c5 21. ♘d6 ♔c7 22. ♘f5 ♖f5 23. ♖d1 ♖f2 24. b3 e5 25. g3 ♖e8 26. ♗c4± Gel'fand 2600 – Hector 2485, Debrecen

1989] **16. ♕e5 ♖fd8** [RR 16... ♖ac8!? N 17. ♗e2 f6 18. ♕e3 *a)* 18... b5? 19. ♖ad1! ♕f5 20. ♗d3 ♕g4 (20... ♘b4 21. ♔b1 ♘d3 22. ♘d6 ♕g6 23. ♖d3+–) 21. ♘d6 ♖cd8□ (21... ♖b8?! 22. ♔b1+– Novikov 2490 – Rosić 2280, Tuzla 1989) 22. ♗f5!? ♕a4 (22... ♕g2 23. ♖d2+–) 23. ♔b1 ♖d6□ 24. ♗e6 ♖e6 25. ♕e6 ♔h8 26. ♕e7 ♕b4 27. ♖he1±; *b)* 18... ♕f5! 19. ♔b3 ♘c5 (19... b5 20. ab5 ♘c5 21. ♔a2 cb5 22. ♖hf1±) 20. ♔a2 ♘a4 21. ♘d6!? (21. ♖ad1±) ♕d5 22. ♗c4 ♕d6 23. ♕e6 ♕e6 24. ♗e6 ♔h8 25. ♗c8 ♖c8 26. ♔b3 b5 27. ♖he1± Novikov] **17. ♗e2 f6 18. ♕e3?! N** [RR 18. ♕d5 cd5 *a)* 19. ♘d2 N ♖ac8 20. ♔b3 ♘c5 21. ♔b4 ♔f7 22. ♖hc1 ♘e4 23. ♘e4 de4 24. ♖c8 ♖c8 25. ♔b3 f5 26. ♖d1 ♔e7 27. ♗b5 ♖c7= Vaganjan 2600 – Ribli 2625, Wijk aan Zee 1989; *b)* 19. ♘a5 ♖ac8 20. ♔b1!? N (20. ♔b3 – 46/492) ♘c5 21. ♖c1 d4 22. ♗f3 b6 23. b4 d3 24. bc5 ba5 25. c6± Malanjuk 2520 – Pein 2405, Budapest II 1989] **♕f5 19. ♔c3?!** [RR 19. ♗d3? ♖d3; 19. ♔c1 ♘b4; 19. ♔b3 b5 20. ab5 ♕b5 21. ♔c3 ♖ab8 22. ♖a3 ♘b4! 23. ♕e6 (23. ♕a7 ♕f5!) ♔h8→ 24. ♖d1 (24. ♘d6 ♘d5∓) ♖d1 25. ♗d1 ♘d5 26. ♔d4 ♖d8∓ A. Černin] **♘c7!∓ 20. ♕f3** [20. ♔b3 b5!→; RR 20. ♕g3 ♘d5 21. ♔b3 ♘f4 22. ♕f3 (22. ♘e3 ♕e4–+ Birnboim 2390 – A. Černin 2580, Lugano 1989) ♘e2 (22... b5!?) 23. ♕e2 ♖d3 24. ♔a2 ♕d5 25. b3 b5∓ A. Černin] **♕c5 21. ♔b3□ b5 22. ab5 ♘b5!** [22... cb5 23. ♘a3 △ ♖ac1∞] **23. ♔a2 ♘d4 24. ♕f2 ♖ab8 25. ♖ac1 ♖b4 26. ♖hd1 e5 27. ♖d2?** [27. ♗f1 ♖db8∓ △ 28. ♖d2 ♘b3!] **♖a4** [28. ♔b1 ♖a1! 29. ♔a1 ♘b3 30. ♔a2 ♘c1 31. ♔b1 ♕f2 32. ♖d8 ♔f7 33. ♗d1 ♘e2 34. ♖d2 ♕e1–+] **0 : 1**
[Halifman]

464. **D 18**

JUSUPOV 2610 – SPEELMAN 2640

Barcelona 1989

1. d4 d5 2. ♘f3 ♘f6 3. c4 dc4 4. ♘c3 c6 5. a4 ♗f5 6. e3 e6 7. ♗c4 ♗b4 8. 0–0 ♘bd7 9. ♘h4 ♗g6 10. ♕b3 a5 11. g3 ♗h5 12. f3 0–0 13. e4 ♘b6 14. ♗e3 ♘c4 15. ♕c4 ♘e8?! N [15... ♘d7 – 41/(438)] **16. ♘g2 ♘d6 17. ♕b3** [17. ♕d3?! f6=] **b5!?** [×c4] **18. ♘a2** [18. ab5!? ♗c3 19. ♕c3 cb5 20. b3±] **♘c4?** [18... ba4! 19. ♕a4 ♘c4 20. ♕b3 ♘e3 21. ♕e3 ♕b6⇆] **19. ab5 cb5 20. ♘b4± ab4 21. ♖a8 ♕a8 22. ♕b4 ♕d8** [22... ♕a4 23. ♕c3+–; 22... f5 23. ♕b5+–] **23. ♕c3** [⌓ 23. b3 ♘e3 24. ♘e3 f5 25. ♕c5±] **f6 24. ♘f4?** [24. b3±] **♗f7 25. ♗f2 e5 26. ♘d3 ed4 27. ♗d4 ♘d2!=∞ 28. ♖f2 ♘b3 29. ♗e3 ♗c4 30. ♘c1 ♕d1 31. ♔g2 ♘c1 32. ♕c1 ♖d8 33. ♕d1 ♖d1** [♖ 9/j] **34. ♗d2± ♔f7?!** [34... h5!?; 34... ♗d3!? △ 35... ♖b1 36. ♗c3 ♖c1 △ ♖c2] **35. g4! g6?!** [⌓ 35... ♗d3] **36. h4 ♔e6 37. ♗c3 h5 38. gh5 gh5 39. ♔g3± ♖g1 40. ♔f4 ♖h1 41. ♖d2** [41. ♖g2!? ♖h4 42. ♔e3 ♔f7 43. ♖d2 △ ♖d6± ×f6, b5] **♖h4 42. ♔g3 ♖h1 43. ♖d8 h4 44. ♔f4!** [44. ♔f2 h3 45. ♖f8 ♖f1 46. ♔g3 ♗e2 47. ♖f6 ♔e7=] **♗e2** [44... ♖f1 45. ♔e3!±] **45. ♔e3 ♗d1 46. ♖f8 h3 47. ♖f6 ♔e7 48. ♖h6 ♔f7** [48... h2? 49. ♔f2!+–] **49. ♔f2?** [⌓ 49. e5] **b4?** [49... ♖h2!] **50. ♗e5 b3 51. ♗c3?** [51. ♗f4±] **♖h2!± 52. ♔g3 ♖h1** [△ ♖f1] **53. f4⊕ ♖g1 54. ♔h2 ♖f1 55. f5 ♗c2 56. ♖h7 ♔g8 57. ♖h8 ♔f7 58. ♖h7 ♔g8 59. ♖h4** [59. ♖e7 ♖f2 60. ♔h3 ♖f3 61. ♔g4 ♖c3 62. bc3 b2 63. ♖b7 b1♕ 64. ♖b1 ♗b1=] **♖f2 60. ♔g3 ♖e2 61. ♖h8= 1/2 : 1/2** **[Jusupov]**

465.*** **D 20**

ŠABALOV 2425 – DRAŠKO 2505

Pula 1989

1. d4 d5 2. c4 dc4 3. e4 ♘f6 [RR 3... c5 4. d5 b5!? N (4... e6 – 46/(503)) 5. a4 ♘f6 *a)* 6. ♕c2?! ♘a6!□ 7. ♗d2 (7. ab5 ♘b4 8. ♕c4 e6∓) ♘b4 8. ♗b4 cb4 9. ab5 e6 10. ♗c4 (10. de6 ♗e6 11. ♗c4 ♗c4 12. ♕c4 ♖c8–+) ed5 11. ♗d5 ♘d5 12. ♕c6 ♗d7 13. ♕d5 ♖c8!∓ Löffler 2375 – I. Efimov 2405, Hradec Králové 1988/89; *b)* 6. ♘d2!? b4 7. ♗c4 g6 8. e5!? ♘fd7□

(8... ♘d5 9. ♘e4 ♗b7 10. ♗g5!+−; 9... ♗e6 10. ♗b5 ♘d7 11. ♘c5+−) 9. e6 fe6 10. de6 ♘e5 11. ♗b5 ♘bc6 12. ♕e2 (12. f4 a6∓; 12. ♘c4 ♕d1 13. ♔d1 a6 14. ♘e5 ab5 15. ♘c6 ♗b7∓) ♗g7 13. ♗c6! (13. ♘gf3? 0–0∓ Iašvili – I. Efimov 2405, SSSR 1989) ♘c6 14. ♕f3 ♕d6 15. ♕f7 ♔d8 16. ♕g7 ♕e6 17. ♔d1□ ♖g8 18. ♕h6 ♗a6 19. ♕e3 ♕d5 △ ♔c7, ♖ad8⩱↑; 18... ♘d4 I. Efimov] **4. e5 ♘d5 5. ♗c4 ♘b6 6. ♗d3 ♘c6 7. ♘e2 ♗g4 8. f3 ♗e6 9. ♘bc3 ♕d7** [9... ♘b4 N 10. ♗b1 c6 11. a3 ♘4d5 12. ♘e4 ♕c8 13. 0–0 f5 14. ♘g5 h6 15. ♘e6 ♕e6 16. g4 g6 17. ♘g3 ♖g8 18. ♔h1 f4 19. ♘e4 ♕f7 (Šabalov 2425 – Grinfeld 2180, Pula 1989) 20. g5!± △ 20... 0-0-0 21. ♕e2 △ b4-b5] **10. ♘e4 ♗d5 11. 0–0 N** [11. ♘c5 – 44/458] **e6 12. ♗g5! ♘b4** [12... ♗e7 13. ♗e7 ♕e7 14. a3 △ ♖c1, ♗b1, ♕c2↑] **13. ♗b1 ♗c4 14. ♖e1 ♘c6 15. ♘4c3 ♗e7 16. ♗e7 ♘e7 17. ♗e4 0-0-0 ?! 18. a4 f5** [18... a5 19. ♕d2 △ ♘b5 ×a5] **19. a5!** [19. ♗d3 ♗d3 20. ♕d3 a5 △ ♘ed5-b4 ×d4] **♘bd5 20. ♗d3 ♗d3 21. ♕d3± ♘c6 22. ♘a4 ♘db4 23. ♕c3 b6** [23... ♕d5!? △ 24. ♘c5 b6] **24. ♖ac1!** [△ 25. ab6 ab6 26. ♘b6 cb6 27. ♕b4] **♔b7 25. ♖ed1 ♕d5 26. ab6 ab6 27. ♕e3 ♖he8 28. ♘f4 ♕a2** [28... ♕d7 29. ♖c4! △ 30. ♕b3, 30. ♖dc1, ♘d3 ×c6] **29. b3! g5** [29... ♘c2 30. ♖c2 ♕c2 31. ♖c1 ♕a2 32. ♕c3+−] **30. ♘d3 ♘d5 31. ♕e1 ♘d4?⊕** [31... ♕a3] **32. ♘dc5 ♔c8** [32... bc5 33. ♘c5 ♔b8 (33... ♔c8 34. ♖a1) 34. ♖a1 ♘c2 (34... ♕e2 35. ♕a5 ♘f3 36. ♔h1) 35. ♕f1 ♘a1 36. ♖a1 ♕a1 (36... ♕b2 37. ♖a8) 37. ♕a1 c6 38. ♕a6 ♖e7 39. ♕c6+−] **33. ♖d4 ♘f4 34. ♖f4 gf4 35. ♘b6 cb6 36. ♘a4 ♔b7** [36... ♔d7 37. ♕b4 ♖g8 (37... ♖e7 38. ♕b5#) 38. ♕b5 ♔e7 39. ♖c7 ♔f8 40. ♕b4+−] **37. ♕b4 ♖c8** [37... ♕d2 38. ♕b6 ♔a8 39. ♕a6 ♔b8 40. ♕b5 ♔a8 41. ♘b6+−] **38. ♕b6 ♔a8 39. ♕a5 ♔b8 40. ♕b5 ♔a7 41. ♕d7 ♔b8 42. ♕d6 ♔b7 43. ♕b4 ♔a7 44. ♖d1!+− ♖ed8 45. ♕b6 ♔a8 46. ♖d8 ♕a1 47. ♔f2 ♕a2 48. ♔e1 ♕a1 49. ♔e2 ♕e5 50. ♔d3 ♖d8 51. ♕d8 ♔b7 52. ♕b6 1 : 0** [Šabalov]

466. **D 20**

PR. NIKOLIĆ 2605 – HÜBNER 2600

Barcelona 1989

1. d4 d5 2. c4 dc4 3. e4 e5 4. ♘f3 ed4 5. ♗c4 ♗b4 6. ♘bd2 ♘c6 7. 0–0 ♘f6 8. e5 ♘d5 9. ♘b3 ♘b6 10. ♗g5 ♗e7 11. ♗e7 ♘e7 12. ♗d3 ♗f5?! [⌓ 12... ♗g4 13. ♘bd4 ♘g6 14. h3 ♗f3 15. ♘f3 0–0±] **13. ♘fd4 ♗d3 14. ♕d3 0–0 15. ♖ad1 ♕d5 16. ♕e2 ♘c6 N** [16... ♖ad8 17. ♘f5+− ♕e6 18. ♘bd4 ♕d7 19. e6 ♕e8 20. ♕g4 ♘g6 21. e7; 16... ♕c4 – 46/507] **17. ♘c6** [17. f4 ♖ad8 18. e6 ♘d4 19. ♘d4 ♖fe8 20. f5 ♕c5 21. ef7 ♔f7 22. ♕h5 ♔g8 23. ♔h1 ♘d7 24. ♕g5 ♘f8=] **♕c6 18. ♘a5 ♕a4 19. ♘b7 ♕a2 20. ♘c5?!** [×d8; 20. ♖d4 ♖fe8 21. ♖c1 ♖ac8 (21... ♖e7 22. ♘d8 △ ♘c6+−) 22. f4±; 20. ♖c1 ♖ac8 21. ♖c5±] **♕c4** [20... ♖fe8 21. ♘a6 ♖e7 22. ♖c1 △ ♘b4-c6] **21. ♕e3 ♖fe8 22. b3 ♕b5 23. f4 ♖ad8□** [23... a5 24. f5 a4 25. f6 ab3 (25... gf6 26. ♖f6 ab3 27. e6+−) 26. e6 △ ♕g5+−] **24. ♖d8** [24. f5 ♘d5 25. ♕d4 ♕b4 26. ♕b4 ♘b4 27. ♖d8 ♖d8 28. ♖a1 ♘c6=; 24. h3 ♘d5 25. ♕d4 ♕b4] **♖d8 25. h3!** [25. f5 ♖d5] **a5** [△ a4=] **26. ♖c1** [26. e6 ♘d5 (26... fe6 27. ♕e6 ♔f8 28. ♕e5; 27... ♔h8 28. ♕e7 ♖e8 29. ♕c7 ♖c8 30. ♖d1+−; 26... ♖e8 27. f5±) 27. ef7 (27. ♖d1 ♕f1 28. ♖f1 ♘e3=) ♔f7 28. ♕e6 ♔f8 29. ♕f5 ♔g8= 30. ♘e6? ♕f1 31. ♔f1 ♘e3 32. ♔f2 ♘f5 33. ♘d8 ♘d4] **♘d5□ 27. ♕e4?!** [⌓ 27. ♕d4 ♕e2 (27... ♕b4 28. ♖c4 ♕e1 29. ♔h2 c6 30. ♘d3 ♕e3 31. ♕e3 ♘e3 32. ♖c6 g5 33. ♖d6± ♖b8 34. fg5 ♖b3 35. ♘f4 △ ♘h5) 28. ♘e4 (28. ♘d3 ♕e3 29. ♕e3 ♘e3 30. ♖c7 g5=) ♖b8 29. ♘g3 ♕e3 30. ♕e3 ♘e3 31. ♖c7 h6 (31... g6 32. ♘e4 ♖b3 33. ♘f6 ♔g7 34. g4 ♖b8 35. g5 △ e6+−) 32. ♖c3 ♘d5 33. ♖f3 ♖b4 34. f5 g6±] **♕b4= 28. ♖c4** [28. ♕b4 ab4 29. ♖c4 f6=] **♕d2 29. e6?** [29. ♖d4? ♕c1 30. ♔h2 ♕c5−+; 29. ♕d4? ♘e3 30. ♕d2 ♖d2∓; ⌓ 29. ♘b7= ♖b8 (29... ♘e3 30. ♘d8 ♕e1 31. ♔h2 ♘f1 32. ♔g1 ♘e3) 30. ♖d4 ♕c1 31. ♔h2 ♘e3 (31... ♕f4 32. ♕f4 ♘f4 33. ♘a5=; 31... ♘f4 32.

♘a5=) 32. ♕d3=] **♘e3 30. e7** [30. ef7 ♔f7 31. ♔h2 ♖e8 (31... ♘c4 32. ♕e6 ♔f8 33. ♕c4∞) 32. ♖d4 ♖e4 33. ♖d2 ♘f1 34. ♔g1 ♘d2−+; 30. ♔h2 f5 31. ♕f3 (31. e7 fe4−+; 31. ♕c6 ♘c4 32. bc4 ♕f4−+) ♘c4 32. bc4 ♖e8 (△ ♕d6) 33. ♕c6 ♕f4 34. ♔h1 ♖b8 35. ♘b7 ♕e4−+] **♕e1 31. ♔h2 ♘g4 0 : 1 [Hübner]**

467. D 24

ĖJNGORN 2570 − GEL'FAND 2600

Tallinn 1989

1. d4 ♘f6 2. c4 e6 3. ♘f3 d5 4. ♘c3 dc4 5. ♗g5 a6 6. a4 ♘c6!? N [6... ♗b4 − 45/462] **7. e3!?** [7. e4 ♘a5 8. e5 h6 9. ♗h4 g5 10. ♘g5 hg5 11. ♗g5 ♗e7 12. ef6 ♗f6∞] **♘a5 8. ♘e5 c5** [8... ♗e7 *a)* 9. ♘c4 ♘c4 10. ♗c4 c5 11. ♗f6 (11. 0−0 cd4 12. ed4 0−0=) ♗f6 12. dc5 ♗c3 13. bc3 ♕d1 14. ♖d1 ♗d7=; *b)* 9. ♗c4 ♘d7!? (9... c5± − 8... c5) 10. ♗e7 ♕e7 11. ♘d7 (11. ♗a2 ♘e5 12. de5 ♕c5=) ♘c4 12. ♘c5⩲] **9. ♗c4 ♗e7** [9... ♕b6? 10. 0−0 ♕b2 11. ♖c1±→; 9... cd4 10. ed4 ♘c4 11. ♘c4 ♗e7 12. a5!±] **10. 0−0** [10. ♗d3!?] **cd4 11. ed4 ♘c4?!** [11... 0−0 12. ♗d3 ♘c6 13. ♖e1 ♘d4 14. ♖e3 ♘f5∞; 13. ♘f3⩲] **12. ♘c4 a5□**

13. d5! [13. ♖c1 0−0 14. ♘e5⩲] **ed5** [13... ♘d5 14. ♗e7±] **14. ♗f6 ♗f6 15. ♘d5 ♗e6** [15... 0−0 16. ♘cb6 (16. ♕f3 ♗e6 17. ♖fd1±) ♖a6 17. ♘c8 ♕c8 18. ♕b3±] **16. ♘f6 ♕f6 17. ♘d6 ♔f8 18. ♘b7?!** [18. ♕c2 h5 (18... g6 19. ♕c5→) 19. ♘b7 h4

20. ♘c5⩲; 18. ♕d2!? h5 (18... ♖d8 19. ♖a3!?±) 19. f4!±] **♕e7 19. ♕d6□ ♕d6 20. ♘d6 ♔e7! 21. ♘b5 ♖hd8 22. ♘c7** [22. ♖fd1 ♖ab8 (22... ♖d1 23. ♖d1 ♖b8=) 23. ♘d4 ♔f6 24. ♘e6 ♖d1 25. ♖d1 ♔e6=] **♖ab8= 23. ♘e6 fe6 24. ♖ab1 ♖d2 25. b3 ♖d3 26. ♖fe1 ♖bb3 27. ♖b3 ♖b3 28. f4! ♖b4 1/2 : 1/2 [Gel'fand]**

468. D 24

ARBAKOV 2400 − KIŠNËV 2375

Moskva (ch) 1989

1. ♘f3 d5 2. d4 ♘f6 3. c4 e6 4. ♘c3 dc4 5. e4 ♗b4 6. ♗c4!? N ♘e4 7. 0−0 ♘c3 [7... ♗c3?! 8. bc3 ♘c3 9. ♕d3 ♘d5 10. ♗a3=∞↑] **8. bc3 ♗e7!** [8... ♗c3 9. ♖b1 (9. ♗a3?! ♗a1 10. ♕a1 f6) c5!? (9... 0−0?! 10. ♖b3 ♗a5 11. ♘g5↑) 10. ♗g5 f6 11. ♕b3] **9. ♘e5 0−0 10. ♕e2** [10. f4!? ♘d7 11. ♕f3!? (11. ♖f3 ♘f6 12. g4) ♘b6 12. ♗b3=∞] **♘d7 11. ♗b3** [11. ♖d1!? △ ♖d3] **♘e5 12. de5 ♗d7** [12... f5!?] **13. ♖d1 ♕e8** [13... ♕c8!? 14. ♕g4 ♖d8 15. ♗h6 (15. ♗g5!? ♗g5 16. ♕g5 ♗e8 17. h4 ♖d7 18. ♖d7 ♕d7 19. ♖d1 ♕c6 20. h5 h6 21. ♕e3∞) g6 16. ♗g5!? (16. ♖d3?! c5 17. ♖ad1 ♕c7! △ ♗c6) ♗g5 17. ♕g5 ♗e8 18. h4 ♖d7 19. ♖d7 ♕d7 20. ♖d1 ♕c6∞] **14. ♕g4** [14. ♗c2?! ♗a4] **♔h8** [14... f5 15. ef6 ♖f6 (15... ♗f6?? 16. ♖d7+−) 16. ♗g5! ♖g6 17. h4 h6 18. ♗c2 ♗c6 19. ♕h5+−] **15. ♗c2 ♗c6** [15... f5?! 16. ef6 ♗f6 (16... gf6 17. ♕h4! f5 18. ♕d4+−) 17. ♕e4 g6 18. ♕b7 ♗c3 19. ♗b2 ♗b2 20. ♕b2 ♔g8 21. ♕e5=∞] **16. ♖d3 ♖d8?** [16... f5! 17. ef6 gf6 18. ♖g3 (18. ♕e6 ♗d6) ♖f7 (18... ♕f7? 19. ♗h7!+−; 18... ♖g8?! 19. ♕e6± ×f6) 19. ♗h6 f5 20. ♗g7 (20. ♕d4?! ♗f6 21. ♕f6 ♖f6 22. ♗g7 ♔g8 23. ♗f6 ♔f7 24. ♗e5 ♕f8) ♔g8 21. ♕d4 ♗h4!! 22. ♕h4 (22. ♗e5?! ♗g3 23. hg3 ♖d7∓) ♖g7 23. ♖g7 ♔g7 24. ♕g3 ♕g6 25. ♕c7 ♔g8 26. ♕g3∓] **17. ♖h3 g6 18. ♗g5!?** [18. ♖h6 ♔g7!□ 19. ♖h3=; 18. ♗e3!?=∞] **♗g5□ 19. ♕g5 ♖g8 20. ♕f6 ♖g7 21. ♖h4** [21. ♖d1 ♖d1 22. ♗d1 ♕d7⇆] **♖d2□ 22. ♖d4** [22. ♖d1? ♖c2 23. ♖hd4 ♗d5 24. c4 c6∓]

♖d4 23. cd4∞ **h5** [23... ♔g8? 24. f3 ♔f8? 25. ♖c1 ♕e7 (25... ♕d7 26. ♔h1) 26. ♗e4±; 23... h6?! 24. h4; 23... ♕d7!? 24. ♔h1!? (24. ♗b3) ♕d5 25. f3∞] **24. h4 ♔h7** [24... ♕d7!?] **25. ♕g5 ♖g8** [25... ♕d7?! 26. ♕h5 ♔g8 27. ♕g5 ♖h7 28. ♖d1±; 25... ♔h8!?] **26. ♕h5 ♔g7 27. ♕g4** [27. ♕g5 ♕d8⇆] **♖h8 28. ♔h2!** [28. ♖d1? ♕d8 29. g3 ♕d5∓] **♕d8 29. ♔g3 ♗g2!?** [29... ♕d5?! 30. f3 ♖d8 31. ♖d1 ♕a2 32. ♖d2! △ ♕g5, h5±; 29... ♖h5 30. f3 △ ♖d1, ♗e4±] **30. ♔g2 ♖h4 31. ♕f3** [31. ♕g3?! ♕d5! 32. f3 ♖d4↑] **♕d4** [31... ♕g5!? 32. ♔f1 ♖d4 33. ♖e1 b5∞] **32. ♖e1 ♖f4 33. ♖e4 ♖e4 34. ♕e4 ♕d2 35. ♗b3** [35. a4!?⩲] **b5 36. ♕h4 g5** [36... c5?! 37. ♕f6 ♔g8 38. ♗e6!±] **37. ♕e4 c5 38. ♗c2 c4?**⊕ [38... ♕d5 39. ♔g3 ♕e4 40. ♗e4±; 38... ♔f8!∞] **39. ♕h7 ♔f8 40. ♗e4 ♕f4 41. ♕h8 ♔e7 42. ♗c6**+− **♕g4 43. ♔h2 ♕f4 44. ♔h1 ♕h4**□ **45. ♕h4 gh4 46. ♗b5 c3 47. ♗a4 f6 48. ♔g2 fe5 49. ♔h3 ♔d6 50. ♗c2 e4 51. ♔h4!** [51. ♗e4? ♔e5 52. ♗c2 ♔f4=] **♔c5 52. a3 ♔d4 53. ♔g3 ♔e5 54. ♔g2 ♔f4 55. ♔f1 e3 56. ♔e2 ef2 57. ♔f2 e5 58. ♔e2 e4 59. ♔f2 e3 60. ♔e2 a6 61. ♗b1 1 : 0 [Kišnëv]**

469. **D 24**

KIR. GEORGIEV 2595 − EHLVEST 2580

Reggio Emilia 1988/89

1. d4 d5 2. c4 dc4 3. ♘f3 ♘f6 4. ♘c3 c5 5. e4 cd4 6. ♕d4 ♕d4 7. ♘d4 ♗d7?! N [7... e5 − 41/447] **8. e5 ♘g4 9. e6 fe6 10. ♗c4 ♔f7**□ **11. ♘e4 ♘c6 12. ♘e6 ♗e6 13. ♘g5 ♔f6 14. ♘e6 ♘ge5 15. ♗b3 ♘a5**□ **16. ♗g5 ♔f5 17. ♗d5 ♘d3 18. ♔e2 ♘b4 19. ♖ad1! ♘d5 20. ♖d5 ♔e6 21. ♖a5**±⊥ **b6!**□ **22. ♖a4 g6 23. ♖c1 h6 24. ♗e3 ♗g7 25. ♖c7** [25. b3 ♗e5=] **♗b2 26. ♖e4 ♗e5!**□ **27. ♗f4** [27. f4?? ♔d6!] **♔f5 28. ♗e5** [28. ♖e5 ♔f4 29. ♖ce7 ♖ac8=] **♔e4 29. ♗h8 ♖h8 30. ♖e7 ♔f4 31. ♖a7** [♖ 6/e] **♖e8= 32. ♔d2 ♖d8 33. ♔c3 ♖c8 34. ♔b3 ♖c1 35. h4 g5! 36. ♖a4 ♔f5 37. f3 ♖g1 38. g4 ♔e5 39. hg5 hg5** [♖ 6/a] **40. ♖e4 ♔d5 41. ♖e8 ♔d4 42. ♖f8 ♖b1 43. ♔c2 ♖a1 44. ♔b2 ♖f1 45. ♖f6 b5 46. a3 ♔c4 47. ♖c6 ♔d4 48. ♖f6 ♔c4 49. ♖f5 ♖f2 50. ♔b1 ♖f1 51. ♔c2 ♖f2 52. ♔d1 ♖a2 53. ♖g5 ♖a3** [♖ 5/h] **54. ♔e2 b4 55. ♖g8 b3 56. ♖b8 ♔c3 57. ♖c8 ♔d4 58. ♖d8 ♔c3 59. ♖c8 ♔d4 60. ♖d8 ♔c3 1/2 : 1/2 [Ehlvest]**

470.* **D 24**

JUSUPOV 2610 − SEIRAWAN 2610

Rotterdam 1989

1. d4 d5 2. ♘f3 ♘f6 3. c4 dc4 4. ♘c3 c5 5. d5 e6 6. e4 ed5 7. e5 ♘fd7 8. ♗g5 ♗e7 9. ♗e7 ♕e7 10. ♘d5 ♕d8 11. ♕c2 [RR 11. ♗c4 ♘c6 12. ♕e2! N (12. 0−0 − 44/(465); 12. ♕a4 − 44/465) 0−0 13. 0-0-0 ♖e8 14. ♘f4!± T. Paunović 2425 − Mirković 2385, Pula 1989; 12... ♕a5!? T. Paunović, Mirković] **b5!! N** [11... ♘a6 − 44/(465); 11... ♘e5 − 44/(465)] **12. 0-0-0** [12. ♕e4!? ♗b7 13. e6 (13. ♘f6?? ♕f6 14. ♕b7 ♕c6) 0−0 14. ed7 ♕a5$\overline{\overline{\infty}}$] **♗b7 13. h4!** [△ 13... 0−0? 14. ♘g5+−; 13. ♕e4 ♘b6 14. e6 ♗d5 15. ef7 ♔f8−+] **♗d5** [13... ♘c6∞ Jusupov] **14. ♖d5 ♕e7 15. ♕e4 ♘b6**

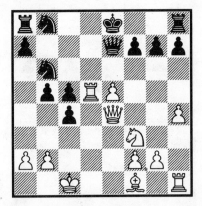

16. e6!!□ [16. ♖d6 ♘8d7 △ 0−0, ♖fe8∓; 16. g3!? Jusupov] **f6**□ **17. h5!?** [△ ♘h4-f5+−; 17. ♖h5!? ♘a6 (17... g6 18. ♕g6 hg6 19. ♖h8 ♕f8 20. ♖f8 ♔f8 21. h5= Jusupov) 18. ♕c6 ♔f8 19. ♕b5 g6!? (19... ♘c7=) 20. ♕a6 gh5∞] **0−0**□ **18. ♘h4**□ **♘d5!** [18... ♕b7? 19. e7 ♕d5 20. e8♕]

19. ♘f5! [19. ♕d5 ♖e8!! 20. ♕a8 ♕e6] **♕c7!** [19... ♕b7? 20. e7 ♖e8 21. ♕e6 ♔h8 22. ♕f7+−] **20. ♕d5 ♘c6!□** [△ ♘e7] **21. ♕c6!** [21. e7 ♖f7 22. ♖h4 ♖e8 23. ♖g4 ♖e7 24. ♖g7 ♔h8! 25. ♘e7 ♖g7 26. ♘c6 ♖d7 27. ♕e4 ♕d6−+] **♕f4 22. ♘e3⊕ ♕f2 23. ♘d5!** [23. ♕f3? ♕e1 24. ♔c2 ♖ad8 25. ♕e2 ♕e2 26. ♗e2 ♖fe8∓] **♕e1 24. ♔c2 ♕e4 25. ♔c1 ♕e1 26. ♔c2 ♕e4 27. ♔c1 1/2 : 1/2** **[Seirawan]**

471. **D 27**

PÉTURSSON 2530 − N. NIKOLIĆ 2375
Lugano 1989

1. d4 d5 2. c4 dc4 3. ♘f3 a6 4. e3 ♘f6 5. ♗c4 e6 6. 0−0 c5 7. ♗d3 cd4 8. ed4 g6!? N [8... ♗e7 − 45/458; 8... ♘c6 − 45/(458)] **9. ♘c3 ♗g7 10. ♗g5 h6** [10... ♘c6 11. ♘e4 h6 12. ♗f6 ♗f6 13. ♘f6 ♕f6 14. ♖e1 0−0=] **11. ♗h4 ♘c6 12. ♖c1!?** [12. ♘e4 g5; 12. d5!? ed5 13. ♖e1 ♗e6 14. ♗g6; 13... ♔f8∞] **♘d4 13. ♕a4** [13. ♘d4 ♕d4 14. ♗b5 ♘d7] **♘c6 14. ♖fd1⩱ ♕b6** [14... ♕a5 15. ♕a5 ♘a5 16. ♘e4 g5 (16... ♘e4? 17. ♗b5±) 17. ♘d6 ♔e7 18. ♖c7 ♗d7 19. ♗g3⩱ ♘d5 20. ♘f7; 14... ♗d7!? 15. ♘e4 0−0 16. ♘f6 ♗f6 17. ♗f6 ♕f6 18. ♗g6 ♘e5 19. ♕e4 ♘f3 20. ♕f3 ♕f3 21. gf3 ♗c6 22. ♗e4 ♗e4 23. fe4 ♖ac8=; 16. ♗b1⩱] **15. ♗f6 ♗f6 16. ♕f4 ♗g7 17. ♘a4** [17. ♗g6?! fg6 18. ♘e4 ♖f8 19. ♘d6 ♔e7 Pétursson] **♕a5□** [17... ♕b4? 18. ♕b4 ♘b4 19. ♘b6; 17... ♕a7 18. ♕d6] **18. ♖c5 ♕d8 19. ♖c6! bc6 20. ♗c2 ♕e7** [20... ♕a5 21. ♕d6 ♖a7 22. ♗e4!+−; 20... ♗d7 21. ♘c5 ♖a7 22. ♘e5 ♗e5 23. ♕e5 0−0 24. ♕d6+−] **21. ♘b6 0−0** [21... e5 22. ♕c4 0−0 23. ♘a8 ♕b7 24. ♕c5 ♕a8 25. ♘e5±] **22. ♘a8 ♕b7∓ 23. h4?!** [⌓ 23. ♘c7 e5 24. ♘e5 ♕b2 25. ♘g6 ♕c2 26. ♘e7 ♔h8 27. ♖c1 ♕a2 28. ♖c6 ♕a1 29. ♖c1 ♕e5∓] **♕a8 24. h5 gh5 25. ♖d3 ♕b7 26. b3 ♕b5∓ 27. ♕e4** [27. ♕d6!?] **f5 28. ♕h4 e5?** [28... ♕c5; 28... ♕a5!] **29. ♖d8 ♕c5 30. ♗d3?!** [30. ♖f8 ♗f8 (30... ♕f8 31. ♕c4) 31. ♕d8 ♕c2 32. ♕c8 ♕c1 33. ♔h2 ♕f4 34. ♔g1⩱] **♗e6** [30... e4 31. ♗c4 ♔h7 32. ♘g5! hg5 (32... ♔g6 33. ♗f7) 33. ♕h5 ♗h6 34. ♗f7] **31. ♖f8 ♕f8 32. ♗a6 e4 33. ♘d2 ♕a3 34. ♕h5?!⊕ ♕c1??⊕** [34... ♗f7! 35. ♕e2 (35. ♗c4 ♕c1 36. ♔h2 ♕c4!−+) ♕a2 36. ♗c4 ♗d5 37. ♕e3 ♕a1 △ ♕d4∓] **35. ♘f1 ♔f8 36. ♕g6 ♗d5 37. ♕f5 ♔g8 38. ♗c8 ♕d1 39. ♕g6 ♕d4 40. ♕e8 ♗f8 41. ♗e6 ♗e6 42. ♕e6 ♔h7 43. ♕c6 1 : 0**
[N. Nikolić]

472.* **D 27**

SPASSKY 2580 − HÜBNER 2600
Venezia (m/2) 1989

1. d4 d5 2. c4 dc4 3. ♘f3 ♘f6 4. e3 e6 5. ♗c4 c5 6. 0−0 a6 7. dc5 ♗c5 [RR 7... ♕d1 8. ♖d1 ♗c5 9. b3 N (9. ♘bd2 − 5/493) b5 10. ♗e2 ♗b7 11. ♗b2 ♘bd7 12. a4 ba4 13. ♖a4 0−0= Spassky 2580 − Pr. Nikolić 2605, Barcelona 1989] **8. ♕d8 ♔d8 9. b3 N** [9. a3; 9. ♘bd2] **b5?!** [⌓ 9... b6] **10. ♗e2 ♗b7 11. ♗b2 ♔e7 12. a4 b4** [12... ba4 13. ♖a4 ♘bd7 14. ♘bd2 *a)* 14... ♗d6 15. ♘c4 (15. ♗a3 ♗a3 16. ♖a3 ♖hb8 17. ♖fa1 ♘c5 18. ♘e5 ♘fd7=) ♘c5 16. ♖a3±; *b)* 14... ♖hb8 15. ♖fa1 ♗d5 16. ♗c4 ♗c4 (16... ♘b6 17. ♗d5 ♘a4 18. ♗f6+−) 17. ♖c4 a5 18. ♗c3±] **13. a5! ♘bd7 14. ♘bd2 ♖hd8 15. ♖fc1 g6?!** [15... ♔e8 △ ♗e7; 15... ♔f8!?] **16. ♖c4?!** [⌓ 16. ♘e1 ♘e4 17. ♘c4 (17. ♘e4 ♗e4 18. ♘d3 ♗d6=) ♔e8 18. ♘d3 ♗e7 19. ♗d4 (19. ♗f3 ♘dc5 20. ♘c5 ♘c5 21. ♗b7 ♘b7 22. ♘b6 ♖ab8 △ ♘a5) ♘dc5 20. ♘c5 ♘c5 (20... ♗c5 21. ♘b6 ♗d4 22. ed4 ♖ab8 23. ♖c4±) 21. ♖ab1 ♘d7 22. f4⩲] **♗d5 17. ♖h4** [△ g4; 17. ♖c2 ♘e4 18. ♖ac1 ♘d2 19. ♘d2 ♗d6 20. ♘c4 ♖ac8 21. ♘d6 ♖c2 22. ♖c2 ♔d6=] **h5 18. ♘g5?** [18. h3?! ♔e8 19. e4 (19. g4 ♗e7) ♗b7 20. e5 ♘d5 21. ♖c4 ♗e7 22. ♘e4 ♖ac8=; ⌓ 18. ♗d4 *a)* 18... ♗d6 19. e4 ♗b7 20. e5 ♘e5 21. ♘e5 (21. ♗e5 ♗e5 22. ♘e5 ♖d2 23. ♖b4 ♗d5∞ 24. ♗f1 ♘e4 △ 25. f3 ♘c5) ♗e5 22. ♗e5 ♖d2 23. ♖b4 ♗c6 (23... ♗g2 24. ♔g2 ♖e2 25. ♖b7 ♘d7 26. ♖d1 ♖e5 27. ♖dd7+− ♔f6 28. ♖f7 ♔g5 29. f4) 24.

♗f6 ♔f6 25. ♗f1 ♖b2 26. ♖b6 ♗d5 27. b4±; *b)* 18... ♖db8 19. ♗a4 (19. ♗c5 ♘c5=; 19. e4 ♗d4 20. ♘d4 ♗b7=; 19. ♖c1 ♗d4 20. ♖d4 e5 21. ♖h4 ♘e8∞) ♗d6 20. e4 ♗c6 21. e5 (21. ♖a1 e5=) ♗a4 22. ed6 ♔d6 23. ba4 ♘d5∞] ♔e8 **19. ♖f4** [19. e4 ♗b7 20. ♖f4 ♗d6 (20... ♗e7 21. ♘c4 ♘d5 22. ♖f7 ♗g5 23. ♘d6#; 20... e5 21. ♖f3 △ ♗c4+−) 21. ♖f6 (21. ♖f3 ♗e5 22. ♗e5 ♘e5 23. ♖f6 ♖d2∓ 24. f4 ♘d7) ♘f6 22. ♗f6 ♗e7 23. ♗e7 ♖d2∓] **e5 20. ♖c4□** [20. ♗e5 ♘e5 21. ♖f6 ♗e7−+] **♗e7□** [20... ♗c4? 21. ♗c4 ♘f8 22. ♗f7 ♔e7 23. ♘df3 e4 24. ♘e5 ♖d2 25. ♘c6 ♔d6 26. ♗f6 ♔c6 27. ♘e4+−] **21. e4** [21. ♖c7 ♘c5] **♗c4 22. ♗c4 ♘c5 23. ♘df3** [23. ♗f7? ♔f8 24. ♘df3 ♘fe4−+] **♘fe4 24. ♘f7 ♘d2** [24... ♖dc8? 25. ♘7e5±; 24... ♘d6 25. ♘d6 ♖d6 26. ♘e5] **25. ♘d8** [25. ♘d2 ♖d2 26. ♗e5 ♘d3 27. ♗d4 (27. ♗g7 ♖c8 28. ♗a6 ♖c1 29. ♖c1 ♘c1−+) ♘c5 28. ♗c5 ♘c5 29. ♖e1 (29. ♘e5 ♖ad8) ♔f8 30. ♘e5 ♖ad8 31. ♘c6; 30... ♖d6∓] **♘c4 26. bc4 ♖d8 27. ♗e5 ♘b3?** [△ 27... ♘d3 28. ♗d4 ♗c5 (28... g5 29. ♗e3 b3 30. ♖b1 b2 31. ♔f1 g4 32. ♘d2 ♗f6 33. ♔e2∞) 29. ♗c5 ♘c5 30. ♔f1 ♖d3 31. ♔e2 ♖c3 (31... ♖a3 32. ♖b1 b3 33. ♘d2 ♖a2 34. ♔e3 b2 35. ♔d4 ♘a4 36. c5 △ ♔c4∞) 32. ♘d2 ♔e7 33. ♖b1 b3 34. f4 (34. f3 ♔d6 35. ♘e4 ♘e4 36. fe4 ♔c5 37. e5 ♔b4 38. e6 ♖c4 39. ♔f3 ♗a3 40. e7 ♖c8 41. ♖e1 b2−+) ♔e6 35. g3 ♗f5∓] **28. ♖e1 ♔d7?!** [28... ♘a5? 29. ♗c7 ♘c4 30. ♗d8 ♔d8 31. ♘d4±; △ 28... ♖d7 29. ♔f1 ♘a5 30. ♖a1 ♘c4 31. ♖a6 b3 (31... g5 32. ♖c6) 32. ♗h8 (32. ♖g6 ♘e5 33. ♘e5 b2−+; 32. ♔e2 ♘e5 33. ♘e5 ♖b7 34. ♖a1 ♗f6−+) g5 (32... b2 33. ♗b2 ♘b2 34. ♖g6=; 32... ♔f7 33. ♘e5 ♘e5 34. ♗e5 ♖b7 35. ♗b2=) 33. h3 (33. ♖h6 g4 34. ♘e1 ♗b4−+) b2 34. ♗b2 ♘b2 35. ♖h6 h4 36. g3] **29. ♔f1** [29. h4!?] **♘a5 30. ♖a1 ♘c4 31. ♖a6 g5** [31... b3 32. ♖g6= ♘e5? 33. ♘e5 ♔c7 34. ♖c6 ♔b7 35. ♖c3] **32. ♗g7□= ♔e8** [32... g4 33. ♘e5 ♘e5 34. ♗e5=; 32... ♖b8 33. ♘e5 ♘e5 34. ♗e5 ♖b5 35. ♗b2=] **33. ♖c6! ♘d2 34. ♔e2 ♘f3 35. ♔f3 ♔f7 36. ♗e5 ♖d2 1/2 : 1/2** **[Hübner]**

473.* **D 27**

SMEJKAL 2515 − A. ČERNIN 2580
Moskva (GMA) 1989

1. c4 ♘f6 2. ♘c3 e6 3. ♘f3 d5 4. d4 dc4 5. e3 a6 6. a4 c5 7. ♗c4 ♘c6 8. 0−0 ♗e7 9. dc5 ♕d1 10. ♖d1 ♗c5 11. ♗d2 ♘a5! N [RR 11... b6 12. ♖ac1 N (12. ♘g5) ♗b7 13. ♘a2 0−0 14. ♗e1 a5 15. ♘c3 ♖fd8 16. ♔f1 ♔f8 17. ♗b5 ♖d1 18. ♖d1 ♔e7 19. h3 h6 20. ♘d2 ♖d8 21. ♖c1 ♘b4 22. ♘b3 ♗d6 23. ♘d4 ♖c8 24. ♘ce2 ♖c1 25. ♘c1 ♘fd5= An. Karpov 2750 − J. Hjartarson 2615, Seattle (m/4) 1989] **12. ♗a2 b6 13. ♘e2** [13. b4 ♗b4 14. ♘b5 ab5 15. ♗b4 ba4 16. ♖d6 0−0] **♘c6 14. a5 ♗b7 15. ♖dc1!** [15. ♖ac1 ♖d8] **♘d7! 16. ♘ed4** [16. ab6 ♗b6 (16... ♔e7 17. ♗c3! f6 18. ♘fd4) 17. ♘ed4 ♘d4 18. ♘d4 ♘f6! (18... 0−0 19. ♘e6!±) 19. ♗b4 ♗d4 20. ♖c7!; 19... ♗d5!?; 19... ♘d5!] **♘d4 17. ♘d4** [17. ed4 ♗d6] **b5! 18. ♘c2!= ♔e7 19. ♗b4 ♖hc8 20. f3! ♘e5 21. ♗c5 ♖c5 22. ♘b4 ♖ac8 23. ♖c5 ♖c5 24. ♗b3 ♘c4 25. ♖c1 ♔d6** [25... ♖c8 26. ♗c4 ♔c4 27. ♘d3=] **26. ♖d1 ♔e7 27. ♖c1 ♔d6 28. ♖d1 1/2 : 1/2** **[A. Černin]**

Ending 2Bs v B+N

474.* **D 27**

LIN WEIGUO 2465 − LIN TA 2390
China (ch) 1989

1. d4 d5 2. c4 dc4 3. ♘f3 ♘f6 4. e3 e6 5. ♗c4 c5 6. 0−0 a6 7. a4 ♘c6 8. ♕e2 ♕c7 9. ♘c3 ♗d6 [RR 9... ♗e7 10. ♖d1 0−0 11. e4 N (11. d5 − 46/(515)) ♘g4! (11... cd4 12. ♘d4 ♘d4 13. ♖d4 e5!? 14. ♖d1 ♗g4 15. f3 ♖ac8 16. ♘d5 ♘d5 17. ♗d5 ♗e6 18. ♗e6 fe6±) 12. e5□ (12. d5? ♘d4!−+ cd4 13. ♘d4 ♘ge5 (13... ♘ce5?! 14. ♗b3 ♘h2? 15. ♗f4 ♘hg4 16. ♕g4+−; 14... ♘f6 15. ♗f4↑ Huzman, Vajnerman) 14. ♗f4 ♕a5 15. ♘c6! ♘c6 16. ♖ac1∞ Serebrjanik − Vajnerman 2400, SSSR 1989] **10. ♗d3 N** [△ ♘e4; 10. ♖d1 − 46/515] **0−0** [10... ♗d7!?] **11. dc5 ♗c5 12. ♘e4 ♗e7** [12... ♘e4 13. ♗e4 ♘e5 14. ♗d2±] **13. b3! ♘d5** [13... ♘b4 14. ♗b2! ♘d3 15. ♘f6 ♗f6 16. ♗f6±]

14. ♗b2 ♗d7 15. ♖fc1 ♕b6 16. ♘d4 ♘e5 [16... ♖ac8!?] **17. a5 ♕a7** [17... ♕d8? 18. ♘e6+−] **18. ♗c2** [18. ♘b5 ♕b8 19. ♘c7 ♘d3 20. ♕d3 ♘c7 21. ♕d7 ♘d5=] **♘g6 19. ♕h5! ♖ac8 20. ♘f3** [△ ♘eg5] **f6 21. ♘g3 ♗e8 22. ♕h3 ♗f7 23. ♘d4 f5 24. ♘h5 ♘f6 25. g4!?** [25. ♘f6 ♗f6=] **fg4□ 26. ♘f6 ♗f6 27. ♕g4 ♖c5! 28. ♗g6 hg6!** [28... ♖g5 29. ♗f7 ♔f7 30. ♖c7+−] **29. ♖c5** [29. ♘e6 ♖c1−+] **♕c5 30. ♖a4** [30. ♘e6? ♕c8 31. ♗f6 ♗e6−+] **♕d5 31. ♕g2 e5** [31... ♕g2 32. ♔g2 e5] **32. ♕d5 ♗d5 33. e4! ♗e4 34. ♘e6 ♗c6 35. ♘f8 ♗a4 36. ♘g6 ♗b3 37. ♗e5** [⌓ 37. ♘e5] **♗d8 38. ♗c3 b6 39. ab6 ♗b6 40. ♘e7 ♔f7 41. ♘c6 ♗d5 42. ♘b4 ♗b7 43. ♘d3 ♗c7!** [43... a5? 44. ♘e5 △ ♘c4=] **44. f4 a5 45. ♘e5 ♔e6 46. ♘c4 a4 47. ♗g7 ♔d5 48. ♘a3 ♗f4 49. ♔f2 ♗a6 50. ♔e1 ♔e4 51. ♔d1 ♔d3 52. ♘c2 ♗b7 53. ♘e1 ♔c4 54. ♔c2?** [⌓ 54. ♘c2] **a3! 55. ♔d1 ♔b3** [△ ♗e4−+] **56. ♘d3 ♗f3 57. ♔e1 ♗e3 58. h4 a2 59. ♗f6 ♗e4** [59... ♗h5 △ ♔c4, ♗d4−+] **60. ♔e2!** [60. ♘f2 ♗c2! 61. ♘d1 ♗c1−+] **♗h6!** [60... ♗d3? 61. ♔e3=] **61. ♘c5 ♔c2 62. ♘e4** [62... ♗c1 63. ♘f2 ♗b2 64. ♘d3 a1♕−+] **0 : 1**
[Lin Ta]

475.* D 27

AN. KARPOV 2750 − TIMMAN 2610
Linares 1989

1. d4 d5 2. c4 c6 3. ♘f3 ♘f6 4. e3 e6 5. ♗d3 dc4 6. ♗c4 c5 7. 0−0 a6 8. a4 ♘c6 9. ♕e2 ♕c7 10. ♘c3 [RR 10. ♗d2 N ♗d6 11. dc5 ♗c5 12. ♗c3 0−0 13. ♘bd2 e5 14. ♖ac1 ♕e7 15. ♗a2 ♗f5 16. e4 ♗g4 17. h3 ♗d7 18. ♘c4 ♗e6 19. ♘ce5 ♗a2 20. ♘c6 ♕e4 21. ♕e4 ♘e4 22. ♗b4 ♖fc8 1/2 : 1/2 Speelman 2640 − Hübner 2600, Barcelona 1989] **♗d6 11. ♖d1 0−0 12. h3 b6 13. d5 ♘e5!? N** [13... ed5 − 38/507] **14. ♘e5** [14. de6!? (△ 14... ♘c4 15. ef7 ♕f7 16. ♘g5) ♗e6±] **♗e5 15. de6 ♗e6 16. ♗e6 fe6 17. ♕c4 ♕c6** [17... ♕f7!?] **18. ♗d2 ♘d5 19. ♗e1 ♖fd8 20. ♖ab1 ♗c3 21. ♗c3** [21. bc3 ♖db8! △ b5=] **b5 22. ♕h4! ♖d7?!** [22... ♕c7!⩲] **23. ♗e5!± ♖f8 24. ♖bc1 c4 25. ♕g3 ♘f6 26. ab5 ab5 27. f3 ♖d5 28. ♗c3?!** [28. ♖d5! ♕d5 (28... ed5 29. b4±) 29. ♖a1±] **♕c5! 29. ♗d4?!** [29. ♕e1!⩲] **♕d6!= 30. ♕d6 ♖d6 31. ♗f6 ♖d1 32. ♖d1 gf6 33. ♖d6 ♖a8! 34. ♖b6 ♖a1 35. ♔h2 ♖b1 36. ♖b5 c3! 37. ♖c5 cb2 38. ♖b5 ♔f7 39. ♖b7 ♔g6 40. e4 f5 41. ef5 ♔f5 42. ♔g3 ♔e5 43. ♖b4 ♔d5** **1/2 : 1/2**
[Timman]

476. D 27

HÁBA 2470 − PEKÁREK 2455
ČSSR 1988

1. d4 d5 2. c4 dc4 3. ♘f3 ♘f6 4. e3 e6 5. ♗c4 a6 6. a4 c5 7. 0−0 ♘c6 8. ♕e2 cd4 9. ♖d1 ♗e7 10. ed4 ♘b4 N [10... 0−0 − 44/473] **11. ♘e5 0−0 12. ♖a3!? ♘fd5 13. ♕h5** [13. ♖h3 ♗g5 14. ♕h5 h6 15. ♖g3 ♘f6 (15... ♗c1? 16. ♖c1+−; 15... ♘f4 16. ♕g4 f5 17. ♕f3±) 16. ♕f3 ♗c1 17. ♖c1 ♔h8=] **f6** [13... ♘f6!? 14. ♕h3 (14. ♕e2 ♘fd5=) ♘bd5] **14. ♖h3 fe5 15. ♕h7 ♔f7 16. ♗h6 ♖g8?** [16... ♗f6 17. ♖g3 (17. de5 ♖h8; 17. ♖f3 ♘f4) ♔e8 18. ♗g7 *a)* 18... ♕c7 19. ♗d5 ♘d5 20. de5 ♗g7 21. ♖g7 ♕e5 22. ♘c3 ♕f4 (22... ♕f5 23. ♕h4 ♕f6 24. ♘d5! ♕g7 25. ♘b6+−) 23. ♘e4→; *b)* 18... ♗g7 19. ♕h5 ♖f7 20. ♖g7 ♕f6 21. ♖g8 ♔d7 22. de5 ♕f2 23. ♔h1∞] **17. ♖g3 ♗f6 18. de5 ♗e5 19. ♕g6 ♔f8 20. ♖f3 ♔e7** [20... ♗f6 21. ♗d5 ♘d5 22. ♖d5+−] **21. ♗d5 ♘d5 22. ♖f7 ♔d6**

23. ♖d5! ♔d5 24. ♗e3 ♗d4□ [24... ♕a5 25. ♕d3 ♔c6 26. ♕c4 ♔d6 27. b4 ♗h2 28. ♔f1+−] **25. ♘d2! ♔c6?** [25... e5 26. ♕c2! ♔d6 (26... b5 27. ♕e4; 26... ♔e6 27. ♕c4 ♕d5 28. ♖e7 ♔e7 29. ♕d5 ♗e6 30. ♕b7+−) 27. ♗g5!! (27. ♘e4 ♔d5 28. ♕b3 ♔c6 29. a5 ♕a5 30. ♕c4 ♗c5∞; 27. ♕c4 ♗f5 28. ♖f5 ♖f8! 29. ♗g5 ♖f5∞) ♗f5□ (27... ♕e8 28. ♕c7) 28. ♘c4 ♔c5 29. ♖f5+−; 25... ♗e3 26. ♕e4 ♔d6 (26... ♔c5 27. b4) *a)* 27. ♘c4 ♔c5 28. ♕e3 ♔c4 29. ♖f4 ♔d5∞; *b)* 27. b4!? ♗d7 (27... e5? 28. ♘c4 ♔e6 29. ♕f5 ♔d5 30. ♘e3 ♔d4 31. ♕c2 e4 32. ♕c4+−) 28. ♘c4 ♔c7 29. ♕e5 ♔c8∞; *c)* 27. ♕e3 (△ ♘e4) e5 (27... b5 28. ♘e4 ♔d5 29. ♘c3 ♔c4 30. ♖f4 ♔b3 31. ♘d5 ♔a2 32. ♘b4+−) 28. ♘e4 ♔e6 29. ♕b3 ♕d5 30. ♖e7±] **26. ♕c2 ♔b6** [26... ♔d5 27. ♕c4 ♔e5 28. f4 ♔d6 29. ♘e4#] **27. ♘c4 ♔a7** [27... ♔c5 28. ♕c3! (28. ♘e5 ♔d5 29. ♕c4 ♔e5 30. ♗f4 ♔e4 31. ♔f1 ♕f6□ 32. ♖f6 gf6 33. f3+−) e5 (28... ♗e3 29. b4) 29. ♘e5+−] **28. ♘e5** [28... ♔b8 29. ♘c6 bc6 30. ♕b3 ♕b6 31. ♗d4 ♕b3 32. ♗e5#; 28... ♔b6 29. ♕b3]
1 : 0 **[Hába]**

477. D 28

JUSUPOV 2610 − HÜBNER 2600
Barcelona 1989

1. d4 d5 2. ♘f3 ♘f6 3. c4 dc4 4. e3 e6 5. ♗c4 c5 6. 0−0 a6 7. ♕e2 b5 8. ♗d3 ♘c6 9. ♘c3 N [9. dc5 − 33/513] **♕c7?!** [⌓ 9... cd4 10. ed4 ♘b4 (10... ♘d4? 11. ♘d4 ♕d4 12. ♕f3) 11. ♗b1 ♗e7; 9... ♗b7 10. dc5 ♗c5 11. e4 ♘d4 12. ♘d4 ♗d4=] **10. dc5 ♗c5 11. ♘e4** [11. e4?! ♘g4] **♘e4?!** [⌓ 11... ♗e7] **12. ♗e4 ♗b7 13. ♗d2** [13. b3 ♘b4 14. ♗b1 ♘d5 15. ♗b2 ♘f6 16. ♖c1 ♕e7=; 13. a3 ♗d6 △ ♘e5=] **f5□** [13... ♘b4 14. ♖fc1 ♗e4 15. ♗b4+−; 13... ♘d8 14. ♗d3 0−0 (14... ♕e7 15. ♘e5±) 15. ♘g5 h6 16. ♖ac1 ♕b6 (16... ♕e7 17. ♘e4±) 17. ♘e4 ♗e7 18. ♗c3±; 13... ♘e7 14. ♘g5 h6 15. ♕h5 g6 (15... 0−0 16. ♖ac1) 16. ♕h3±; 13... ♕e7 14. ♖ac1 ♖c8 15. ♖c2±] **14. ♗c2** [14. ♗c6 ♕c6 15. ♖ac1 ♕b6 (15... ♕d6 16. ♖fd1 ♕e7 17. ♘e5 0−0 18. ♗a5 ♗d6 19. ♘c6 ♗c6 20. ♖c6 ♗e5 21. ♕c2±) 16. ♘e5 (△ ♕h5) 0−0 17. b4 (17. ♘d7 ♕c6) ♗d6 18. ♘d7 ♗h2 19. ♔h1 (Jusupov) ♕d8∓] **0−0 15. ♗b3 ♕e7** [15... ♖f6 (Jusupov) 16. ♘g5 ♕e7 17. ♕h5 ♖h6 (17... h6 18. ♘e6 ♖e6 19. ♕f5 ♘d8 20. ♗a5+−; 17... g6 18. ♕h4 △ 19. ♘h7, 19. ♗c3+−) 18. ♗e6 ♔f8 (18... ♕e6 19. ♘e6 ♖h5 20. ♘c5+−) 19. ♘h7 ♖h7 20. ♕f5+− ♔e8 (20... ♕f6 21. ♕c5) 21. ♕h7 ♕e6 22. ♕g7] **16. ♗c3** [16. ♖ac1 ♖f6 17. ♘g5 (17. ♗c3 ♖g6 18. g3 ♔h8∞; 17. ♖c2 ♘b4 18. ♗b4 ♗b4 19. ♖fc1 ♗d6∞) ♗d6 18. f4 (18. ♕h5? ♖h6 19. ♗e6 ♕e6−+) h6 19. ♘f3 ♔h8 20. ♔h1 (20. e4?! fe4 21. ♕e4 ♗c5 △ ♘d4) ♖af8∞] **♔h8** [16... b4 17. ♗e5 (17. ♗d4 ♗d6∞) ♔h8 18. ♖ac1±] **17. a3** [17. ♖ac1 e5 (17... b4 18. ♗e5) 18. ♖fd1 (18. ♗d5 e4 19. ♗c6 ♗c6=; 18. a3 e4=) b4 △ e4; 17. ♖ad1 e5 18. a3 − 17. a3] **e5 18. ♖ad1 e4** [18... ♖ad8 19. ♖d8 ♖d8 20. ♖d1 e4 (20... ♖d1 21. ♕d1 e4 22. ♕d5 ♕f8 23. ♘g5+−) 21. ♘e5 ♘e5 22. ♗e5±] **19. ♘d4 ♘d4□** [×e6] **20. ♗d4 f4?** [20... ♗d4 21. ♖d4 ♖ad8 22. ♖fd1 ♖d4 23. ♖d4 ♖d8 24. ♕d1 ♖d4 25. ♕d4 ♕c7 (25... ♗c8 26. ♕d5; 25... h6 26. ♕b6) 26. h4±; 20... ♖ad8 21. ♗c5 ♕c5 22. ♖d8 ♖d8 23. ♖d1 ♕c7 (23... ♖d1 24. ♕d1 ♕c7 25. h4±) 24. h4±; ⌓ 20... ♗d6 21. g3 h6 22. ♖d2 ♖ad8 23. ♖fd1 (23. ♗b6 ♗c7) ♗c7 △ ♗c8; 21... a5 △ a4, b4] **21. ef4 ♖f4** [21... ♗d4 22. ♖d4 ♖f4 23. ♕d2 (23. ♖fd1? ♖af8 24. ♖d7 ♕f6 25. ♖b7 ♖f2 26. ♕e1 ♕b2−+; 23. ♕e3 ♖af8∞) ♕f8 (23... ♕f6 24. ♖d7+−) 24. ♖c1+−] **22. ♕e3?!** [⌓ 22. ♗c5 ♕c5 23. ♕e3 ♕e3 (23... ♕e5 24. ♕b6; 23... ♕c7 24. ♖c1) 24. fe3 ♖f1 25. ♔f1 ♖e8 26. ♖d7 ♗c8 27. ♖c7 g6 28. ♗d5+−] **♗d6?!** [⌓ 22... ♖f5 23. ♗c5 ♖c5 (23... ♕c5 24. ♖d7+−) 24. ♖d2 h6 25. ♖fd1 ♗c6 (25... ♖c7 26. ♕b6) 26. ♖d6 ♕g5 (26... ♕e5 27. ♖h6) 27. ♕g5 hg5 28. h3±] **23. ♕g3!** [23. ♗c5 ♖f6 24. ♖d6 ♖d6∞] **♗e5□** [23... ♖d8 24. ♗g7 ♕g7 25. ♕f4 e3 26. f3 e2 27. ♖d6+−; 23... ♗c7 24. ♗g7 ♕g7 25. ♕g7 ♔g7 26. ♖d7+−] **24. ♗e5 ♕e5 25. ♖d7 ♗c6 26. ♖f7⊕** [26. ♖g7 ♕g7 27. ♕f4 ♕b2∞ 28.

♕g3 (28. ♗e6 ♖e8 29. ♖c1 e3) ♖e8 △ e3] **g5?!**⊕ [⌓ 26... ♖f5 27. ♕e5 ♖e5 28. ♖c7 (28. ♖c1 ♗d5 29. ♖a7 ♖ae8 30. ♗d5 ♖d5 31. ♖a6 h6 △ ♖d2∞) ♗e8 (28... ♗d5 29. ♖c5+−) 29. ♖d1±] **27. h4!** [27. ♕h3 ♖h4; 27. ♖c1 ♕b2] **♕b2** [27... ♖e8 28. ♕g5 (28. ♖c1 ♖f7 29. ♗f7 ♕g3 30. fg3 ♖e7∞) ♕g5 29. hg5 ♖f7 30. ♗f7 ♖e7 (30... ♖e5 31. ♖c1 ♗d7 32. ♖d1 ♗g4 33. ♖d5 ♖e7 34. ♖d8 ♔g7 35. ♗d5 ♔g6 36. ♖d6 ♔g5 37. ♖a6 ♔f4 38. g3 ♔e5 39. ♗c6+−) 31. ♖c1 ♗b7 32. ♗a2 ♔g7 (32... ♖g7 33. ♖c5; 32... e3 33. fe3 ♖e3 34. ♖c7+−) 33. ♔f1 ♔g6 34. ♖c5+−] **28. hg5?** [28. ♖c7 e3□ 29. ♕e3 (29. ♖c6 ♕b3 30. ♕g5 ef2=) ♖e8 30. ♖e7! (Speelman; 30. ♕a7 (Speelman) ♖h4∞; 30. ♕d3 ♗e4 31. ♕d7 ♖ef8∞; 30. ♕g3 ♗f3 31. ♗f7 ♖f8 32. gf3 ♖4f7 33. ♖f7 ♖f7 34. hg5 ♕a3∞) ♖e7 (30... ♖ef8 31. hg5 ♗g2 32. ♔g2 ♖f3 33. ♕f3 ♖f3 34. ♖e8 ♔g7 35. ♖g8#) 31. ♕e7 ♕g7 (31... ♕b3 32. ♕e5 ♔g8 33. ♕g5+−; 31... ♕f6 32. ♕f6 ♖f6 33. hg5+−) 32. ♕d8 ♖f8 33. ♕g5+−] **♖f7 29. ♗f7 ♖f8** [29... ♕g7 30. ♗b3 (30. g6 ♗e8 31. ♗d5 ♖d8=) ♖d8 31. ♖c1±] **30. g6?!** [⌓ 30. ♗e6 (△ ♕d6) ♕d4 31. ♖c1±] **♕g7 31. ♖c1?!** [31. ♕d6 hg6=; ⌓ 31. ♕h4 ♗e8 32. ♗e8 ♖e8 33. gh7 ♕c3 (33... ♕h7 34. ♕f6± ♕g7 35. ♕a6 ♖g8 36. g3 e3 37. ♔g2) 34. ♔h1 (Jusupov; 34. ♖d1 e3=) ♕g7 35. ♕f4 ♔h7 36. ♔g1 ♕f8 37. ♕g3↑] **♗e8 32. ♗e8** [32. ♖c8 ♗f7 33. ♖f8 ♕f8 34. ♕e5 ♔g8 (34... ♕g7? 35. gf7+−) 35. gf7 ♕f7=] **♖e8 33. ♖c7** [33. ♖c6 ♕a1 34. ♔h2 ♕e5 35. ♖a6 ♕h5 36. ♕h3 ♕h3 37. ♔h3 hg6 38. ♖g6 e3 39. fe3 ♖e3 40. ♖g3 ♖e4=] **♕g6 34. ♕c3 ♔g8 35. ♕b3** [35. ♖c6 ♕g7 36. ♕b3 ♕f7 37. ♕g3 ♕g7] **♕e6 36. ♕g3 ♕g6 37. ♕b3 ♕e6 38. ♕g3 ♕g6 1/2 : 1/2** **[Hübner]**

478. **D 28**

GAUGLITZ 2410 – ŠULAVA 2390

Szeged 1989

1. d4 d5 2. c4 dc4 3. ♘f3 a6 4. e3 ♘f6 5. ♗c4 e6 6. 0−0 c5 7. ♕e2 ♘c6 8. ♖d1 b5 9. ♗b3 ♗b7 N [9... c4 — 43/(480)] **10. dc5 ♕c7 11. e4?!** [11. ♘c3 ♗c5 12. h3 △ e4 Gauglitz] **♗c5 12. h3** [12. ♘c3? ♘g4 13. ♖f1 ♘d4−+] **h5! 13. ♔f1** [13. ♗e3 ♘e4 14. ♘bd2 ♘d2 15. ♖d2 (15. ♗c5? ♘f3 16. ♕f3 ♘d4∓) ♗e3 (15... ♗e7 16. ♖c1±) 16. ♕e3 ♖d8!□ (16... ♘a5 17. ♗e6!; 16... ♘e7 17. ♘e5 ♘f5 18. ♕e2↑) 17. ♖ad1 (17. ♗e6 fe6 18. ♕e6 ♔f8? 19. ♖ad1 ♖h6 20. ♘g5! △ 20... ♖d2 21. ♖d2 ♕f4 22. ♕h6!+−; 18... ♘e7∓) ♖d2 18. ♖d2 0−0 19. ♕g5 ♖d8∓ 20. ♕h5 (20. ♖d8 ♘d8 21. ♕h5 ♕c1) ♖d2 21. ♘d2 ♘d4] **♘g4 14. hg4 hg4 15. ♘g1 ♖h1 16. e5□** [16. g3? ♕g3!; 16. ♕g4 ♕h2] **g3 17. ♗e3 ♕e5 18. ♘c3** [18. ♗c5? ♖g1−+; 18. ♘d2 ♘d4 19. ♗d4 (19. ♕d3 ♘f5 20. ♗c5 ♗g2!! 21. ♔g2 ♘h4! 22. ♔h1 g2#; 19. ♕g4 gf2 20. ♗f2 ♘f5 21. ♖e1 ♘g3! 22. ♕g3 ♖g1−+) ♖g1 20. ♔g1 ♕e2 21. ♗c5 gf2 22. ♗f2 ♕g4 23. ♔f1 (23. g3 ♕h3) ♗g2∓] **♘e7!** [△ ♘f5, ↗b7-g2] **19. ♗c5** [19. ♖d2 ♘f5 (19... ♗g2? 20. ♔g2 ♖h2 21. ♔f1 g2 22. ♔e1 ♖h1 23. ♕f3) 20. ♗c5 ♗g2! 21. ♔g2 ♘h4 22. ♔h1 g2#; 19. ♕d3 ♘f5! (19... ♗e3?? 20. ♕d7 ♔f8 21. ♕d8+−) 20. ♕d7 ♔f8 21. ♕b7 ♘e3 22. fe3 ♖g1! 23. ♔g1 ♕e3−+; 19. ♖e1 ♗g2! 20. ♔g2 ♖h2 21. ♔f3 ♕h5 22. ♔g3 ♘f5−+; 19. ♖d3 ♘f5 20. ♗c5 ♗g2 21. ♔g2 ♘h4 22. ♔f1 g2 23. ♔e1 ♖g1 24. ♔d2 ♕e2 25. ♘e2 ♖a1 26. f4 (26. ♖g3 ♖d8 27. ♔c3 ♖e1) ♖f1−+] **♕c5 20. ♕e3** [20. ♖ac1!? ♘f5 21. ♘d5 gf2 22. ♕f2 ♕f2 23. ♔f2 ♗d5 24. ♗d5 ed5 25. ♖d5∞; 20... ♕f5!?] **♕e3** [20... ♗g2!? 21. ♔g2 ♖h2 22. ♔g3 ♕h5 23. ♗c2□ f5∞; 23... ♖c8!? △ b4, f5, g5] **21. fe3 b4 22. ♗a4** [22. ♘b1 ♘f5 23. ♖e1 ♗e4 24. ♗c4 (24. ♔e2 ♖h2) ♖c8 25. b3 (25. ♗a6 ♖c2; 25. ♘d2 ♖c4) ♖c4−+; 22. ♘a4 ♘f5 23. ♔e2 (23. ♖d3 ♗e4 24. ♖ad1 ♗d3 25. ♖d3 ♖d8−+; 23. ♖e1 ♗c6! 24. ♘b6 ♗b5 25. ♗c4 ♖b8 26. ♗b5 ab5−+) ♖h2∓] **♔f8 23. ♖d7** [23. ♘e2 ♘f5 24. ♖d3 ♗e4] **bc3 24. ♖b7 ♖d8! 25. e4??** [25. bc3 ♖d2−+; 25. ♖d1 ♖d1 26. ♗d1 ♘f5−+; 25. ♔e2 ♖d2 26. ♔f3 ♘f5 27. ♖f1 (27. bc3 ♖f2 28. ♔e4 ♘d6; 27. ♖b8 ♔e7 28. bc3 ♘h4) c2 28. ♖c7 ♖d1−+; 25. ♖d7 ♖d7 26. ♗d7 cb2 27. ♖b1 ♘d5 28. ♖b2

♘e3 29. ♔e2 ♘g2∓; 25. ♗d7! (Gauglitz) cb2 26. ♖b2 (26. ♖b1 ♘d5) ♘f5 27. ♗c6 ♘e3 28. ♔e2 ♘f5 29. ♗b7 ♖b8; 29. ♗e4∞; 25... ♘f5!?] **♖d2!−+ 26. ♖b8 ♘c8 27. ♖c8 ♔e7 28. ♖c7 ♔f6 29. e5 ♔g6 0 : 1** **[Šulava]**

479. **D 29**

SALOV 2630 – RIBLI 2625

Barcelona 1989

1. d4 d5 2. c4 c6 3. e3 ♘f6 4. ♗d3 e6 5. ♘f3 dc4 6. ♗c4 c5 7. 0–0 a6 8. ♕e2 b5 9. ♗b3 ♗b7 10. ♖d1 ♘bd7 11. ♘c3 ♕b6 12. ♘e5 N [12. a4 – 42/499; 12. d5 – 42/(499)] **♖d8 13. f4 ♗e7** [13... cd4? 14. ed4 ♘e5 15. fe5 ♖d4 16. ♗e3 ♖d1 17. ♘d1+−] **14. a4 b4 15. a5 ♕a7** [15... ♕c7 16. ♘a4 0–0 17. ♗d2 △ ♖ac1±] **16. ♘a4 0–0** [16... cd4 17. ed4 ♘e5 18. fe5 ♖d4 19. ♗e3 ♖e4 20. ♗a7! (20. ♖e1 ♖e3 21. ♕e3 ♕e3 22. ♖e3⩲) ♖e2 21. ef6 ♖g2 22. ♔f1 gf6 23. ♘c5±] **17. ♗c4 cd4 18. ed4 ♘d5 19. ♗e3 ♘7f6= 20. ♖ac1 ♖c8 21. ♗b3 ♖c1 22. ♖c1 ♗d8! 23. ♘c6 ♗c6 24. ♖c6 ♘e3 25. ♕e3 ♗a5∓ 26. ♕d3** [26. ♗c4? ♕d7−+] **♖d8 27. ♖a6 ♕c7 28. g3 h5?** [28... ♕c1! 29. ♔g2 ♗c7∓] **29. ♗d1! g6 30. ♗f3 b3!⊕ 31. ♖c6 ♕a7 32. ♘c5 ♗b6 33. ♘b3 ♗d4 34. ♔g2 ♘g4! 35. ♖a6!** [35. ♗g4 ♗f6!∓] **♕d7 36. ♗c6 ♕c8** [36... ♕d6!∓] **37. ♘d4 ♖d4 38. ♕d4 ♕a6 39. ♗f3= ♘h6 40. ♕d8 ♔h7 41. ♕f6 ♕b6 42. f5 gf5 43. ♗h5 ♕c6 44. ♔h3 ♕c4 45. ♔g2 1/2 : 1/2** **[Ribli]**

480.* **D 30**

PR. NIKOLIĆ 2605 –
ILLESCAS CORDOBA 2525

Barcelona 1989

1. d4 d5 2. c4 e6 3. ♘f3 c5 4. cd5 ed5 5. ♗g5 ♗e7 6. ♗e7 ♘e7 7. dc5 ♘a6 [7... ♕a5?! 8. ♘bd2 ♕c5 9. ♘b3 ♕d6 10. e3 ♘bc6 11. ♗e2 0–0 12. 0–0⩲ Seirawan 2610 – Illescas Cordoba 2525, Barcelona 1989] **8. ♕d4 N** [8. e3 ♘c5 9. ♘c3 0–0=] **0–0** [8... ♕a5 9. ♕c3 ♕c5 10. e3 ♕c3 11. ♘c3⩲] **9. e3 ♘c6 10. ♕c3 ♗g4! 11. ♘d4** [11. ♗a6 ♗f3! (11... ba6? 12. ♘d4) 12. ♗b7 d4 13. ♕d2 ♗g2 14. ♖g1 ♖b8∓] **♘ab4 12. ♘a3! ♖e8** [12... ♘d4? 13. ♕b4; 12... ♖c8!?] **13. ♗b5 ♕g5** [13... ♘d4 14. ♗e8] **14. ♗c6 ♘c6 15. ♘ac2 ♖e4 16. h3!** [16. f3?! ♘d4! 17. fe4 ♘c2 18. ♕c2 ♕e3 19. ♔f1 de4 20. ♖e1 ♕f4 21. ♕f2 ♕e5$\overline{\overline{\infty}}$] **♘d4 17. ♘d4 ♗d7** [17... ♕h4 18. ♖f1 ♗h5 19. ♔d2 ♖ae8 20. ♖ae1±] **18. 0-0-0 ♕g2 19. f3!** [19. ♖hg1 ♕f2 20. ♖g7 ♔h8! (20... ♔g7 21. ♘e6 ♔g6 22. ♕g7 ♔f5 23. ♕f7) 21. ♘f5 d4 22. ♖d4 ♖d4 23. ♕d4 ♕e1 24. ♔c2 ♗f5] **♖e5** [19... ♖e7 20. ♖hg1 ♕f2 21. ♘f5!] **20. f4 ♖e4 21. ♖hg1 ♕h3** [21... ♕f2 22. ♖g7 ♔f8 (22... ♔h8 23. ♖f7; 22... ♔g7 23. ♘e6 ♔g6 24. ♕g7 ♔f5 25. ♕f7#) 23. ♖h7+−] **22. ♖g7! ♔f8** [22... ♔g7 23. ♘e6 ♔g6 24. ♖g1 ♔h5 25. ♘g7 ♔h4 26. ♕f6#] **23. ♖dg1 ♖c8** [23... ♖e3 24. ♕b4 a5 25. ♕b7+−] **24. c6! ♖c6** [24... ♕e3 25. ♕e3 ♖e3 26. ♖g8 ♔e7 27. ♖c8 ♗c8 28. cb7 ♗b7 29. ♘f5+−; 24... ♗c6 25. ♔b1 ♖e3? 26. ♖g8 ♔e7 27. ♕e3 ♕e3 28. ♘f5+−] **25. ♘c6 ♗c6 26. ♕f6! 1 : 0** **[Pr. Nikolić]**

481. **D 30**

SMEJKAL 2515 – TUKMAKOV 2590

Moskva (GMA) 1989

1. c4 e6 2. ♘f3 d5 3. d4 ♘f6 4. ♗g5 dc4 5. ♕a4 ♘bd7 6. e3 [6. ♘c3!?; 6. e4!?] **♗e7 N** [6... c5 – 38/507] **7. ♗c4 0–0 8. ♗e2** [8. 0–0 ♘b6 9. ♕c2 ♘c4 10. ♕c4=] **h6 9. ♗h4 c5 10. ♘c3** [10. 0–0=] **a6! 11. 0–0 b5 12. ♕c2 ♗b7 13. dc5 ♗c5** [13... ♘c5 14. ♗f6 ♗f6 15. ♘b5] **14. ♖fd1** [△ ♗f6] **♕b8** [14... ♕b6 15. a4! b4 16. a5 b3 17. ab6 bc2 18. ♖d2=] **15. ♗f6?** [15. a3; 15. h3] **♘f6 16. ♘d5 ♘e4!** [16... ♗d5 17. ♕c5=] **17. ♕e4 ♗d5 18. ♕h4 ♕b7! 19. ♕h3** [⌓ 19. ♘d4] **♗e7 20. ♘d4 ♗f6 21. ♗f3 ♖ad8 22. ♖ac1 e5!** [22... ♗f3 23. ♕f3 ♕f3 24. gf3 ♖d5 25. ♘b3 ♖d1 26. ♖d1 ♗b2 27. ♖d6∓] **23. ♘b3** [23. ♘f5 e4−+; 23. ♗d5 ♕d5] **e4 24. ♘c5**

♕e7 25. ♗g4 ♗b2 [25... ♗a2 26. ♘d7 ♖fe8] 26. ♖c2 ♗a2 27. ♖b2 ♕c5 28. ♖a2 ♖d1 29. ♗d1 ♖d8 [29... ♕c1 30. ♕d7] 30. ♗e2□⊕ [30. ♖a1 ♕c3−+; 30. ♕g4 ♕c1] b4! [30... ♕c1 31. ♗f1 ♖d1 32. g3 b4 33. ♖a6 g6□ 34. ♖b6] 31. g3 b3 32. ♖a1 b2 33. ♖b1 ♕c2? [33... ♕c1 34. ♕f1 ♖c8 35. ♔g2 (35. ♗a6 ♕b1 △ ♖c1) a5 36. ♗b5 a4! 37. ♗a4 ♕f1 △ ♖c1−+] 34. ♕f1 a5?!⊕ [34... ♖c8 35. ♔g2 a5 36. ♗b5 ♖c5] 35. ♗c4 a4⊕ [36. ♗a2 ♖d2 △ ♕d3∓] 0 : 1 [Tukmakov]

482.*   **D 31**

A. SCHNEIDER 2390
− Z. VARGA 2425
Magyarország (ch) 1989

1. d4 d5 2. c4 c6 3. ♘c3 e6 4. ♘f3 dc4 5. a4 ♗b4 6. e3 b5 7. ♗d2 ♕e7 8. ab5 ♗c3 9. ♗c3 cb5 10. d5! ♘f6 11. de6 fe6 12. ♘d4 0−0 13. ♘b5 ♘e4 14. ♗c4! ♕h4!? N [14... ♘f2? − 46/(517)] **15. g3 ♘g3**

16. ♕d4!! [16. fg3?! ♕c4 17. ♕d4 ♕d4 18. ♗d4 ♘c6 19. ♗c3 ♖b8! 1/2 : 1/2 Csonkics 2290 − Z. Varga 2425, Budapest (open) 1989] **♕d4□ 17. ♘d4! ♘h1□ 18. ♘e6+− ♗e6** [18... ♗b7 19. ♘c7 ♔h8 20. ♘a8 ♘c6 21. ♘c7 △ ♘e6+−; 18... ♖f2 19. ♘c7 ♔h8□ 20. ♘a8 △ 0-0-0+−; 18... ♘c6 19. ♘f8 ♔f8 20. ♗d5 ♗b7 21. ♗h1+−; 18... ♘d7 19. ♘f8 ♔f8 20. ♗d5 ♖b8 21. ♗h1+−] **19. ♗e6 ♔h8 20. ♗d5**

♘f2 [20... ♘d7 21. ♗a8! ♖a8 22. f3! △ ♔e2, ♖h1+−] **21. ♗a8 a6 22. ♔e2 ♘g4 23. h3 ♘f6 24. ♗b7! ♖f7 25. ♗f3+− h6 26. ♖a4! ♔h7 27. ♖b4 ♘bd7 28. ♖b7 ♔g6 29. ♗d4 ♖e7 30. ♗c6** [△ ♗f6] **♔f7 31. ♗a4 g5 32. ♖a7 ♘b8 33. ♗b3 ♔e8 34. ♖a8** [34... ♖b7 35. ♗f6 ♖b3 36. ♗e5+−; 34... ♘d7 35. ♗a7+−] **1 : 0**

[A. Schneider]

483.*   **D 31**

BAREEV 2555 − A. PETROSJAN 2475
Moskva (GMA) 1989

1. d4 d5 2. c4 e6 3. ♘c3 ♗e7 4. cd5 ed5 5. ♗f4 c6 6. ♕c2 [RR 6. f3!? (Murey) ♗d6 7. ♗d6 ♕d6 8. e4 ♘e7 9. ♕d2 ♗e6 10. ♘ge2 ♘d7 11. ♘f4 ♘b6 12. e5! ♕d7 13. ♘h5 ♖g8 (13... 0−0 14. ♕g5 ♘g6 15. h4!?→) 14. g4! (14. ♗d3 ♗f5=) 0-0-0 15. b3 ♖df8 16. ♗d3 ♘g6 17. 0-0-0 ♕e7 18. h3 (△ f4) c5□ 19. dc5 ♕c5 20. ♔b1 ♘e5 21. ♖c1 ♔b8 (21... ♘d3? 22. ♘d5+−) 22. ♗h7! (22. ♘b5? ♘bc4!) ♖h8 (J. Plachetka 2450 − Abramović 2485, Paris 1989) 23. ♕h2!±; 6... ♘f6!? △ 7. e4 de4 8. fe4 ♗b4∞ J. Plachetka] **♗d6!? N** [6... h5 − 46/517; 6... g6] **7. ♗g3** [RR 7. ♘d5 ♗f4 (7... ♕a5? 8. ♘c3 ♗f4 9. ♕e4+−) 8. ♘f4 (8. ♕e4?! ♘e7 9. ♘f4 ♕a5∞↑) ♕d4 9. e3 ♕b4= A. Petrosjan; 7. ♗d6 ♕d6 8. e3 ♕g6 9. ♕d2 ♘e7 10. ♘ge2 0−0 11. ♘g3 ♕d6 12. ♗d3 ♗e6 13. 0−0 ♘d7 14. ♖ad1± Azmajparašvili 2560 − A. Petrosjan 2475, Erevan 1989] **♘e7 8. e3 ♗f5 9. ♕b3 ♗g3 10. hg3 ♕b6 11. f3 ♘a6! 12. g4 ♗g6** [12... ♗e6±] **13. ♔f2** [13. ♕b6!? ab6 14. a3 △ ♘h3±] **♕b3= 14. ab3 ♘b4 15. ♘h3 ♗c2! 16. ♖a3 0−0 17. ♗e2 b6! 18. ♖ha1! a5 19. ♘a4 ♖ab8 20. ♖c1 ♖fc8 21. ♔e1 c5?** [21... ♗d3! 22. ♔d2 ♗e2 23. ♔e2=] **22. dc5 bc5 23. ♔d2 d4 24. ed4!±** [24. ♖c2 de3 25. ♔c1 ♘c2 26. ♔c2 ♖d8−+] **cd4 25. ♗c4 ♗g6** [25... d3 26. ♘g5] **26. ♘f4 ♘ec6** [RR ◯ 26... h6! △ ♗h7 A. Petrosjan] **27. ♘c5! ♖e8** [27... ♘c2 28. ♖c2 ♗c2 29. ♘a6 ♖b6 (29...

253

♗g6 30. ♘b8 ♖b8 31. ♗d5+−) 30. ♔c2 ♖a6 31. ♗a6 ♘b4 32. ♔d2 ♘a6 33. ♖a5+−] **28. ♘a6! ♘a6 29. ♗a6 ♘b4** [29... ♖b6 30. ♘d5! ♖a6 31. ♘c7+−] **30. ♗c4 ♖e5** [30... ♖a8±] **31. ♖ca1 ♘c6** [RR 31... ♖a8 32. ♖a4!+− A. Petrosjan] **32. ♗d5+− ♘b4 33. ♖a5 ♘d5⊕ 34. ♖d5 ♖d5 35. ♘d5 ♔f8 36. ♖a4! ♖c8 37. ♖c4 ♖b8 38. b4 f6 39. ♖d4 ♖a8 40. b5 ♖b8 41. b6 ♗f7 42. ♔c3 ♗d5 43. ♖d5 ♖b6 44. b4 ♔e7 45. b5 ♔e6 46. ♔c4 ♖b8 47. f4 g6 48. ♖c5 ♔d7 49. ♖c6 ♖e8 50. ♖f6 g5 51. f5 ♖e4 52. ♔d5 ♖g4 53. ♖f7 ♔e8 54. ♖h7 ♖g2 55. b6 1 : 0** **[Bareev]**

484. **D 31**

GULKO 2610 − BELJAVSKIJ 2640

Linares 1989

1. c4 e6 2. ♘c3 d5 3. d4 ♗e7 4. cd5 ed5 5. ♗f4 c6 6. ♕c2 g6 7. e3 ♗f5 8. ♕d2 ♘f6 9. f3 c5!? 10. ♗h6 cd4 11. ed4 ♘c6!? N [11... a6 − 46/518] **12. g4** [12. ♗b5!± Kasparov] **♗e6 13. ♗b5** [13. ♘h3!? △ ♘f4±] **♘d7 14. 0-0-0** [14. ♘ge2 ♗h4 15. ♔f1 g5!? (15... ♕f6 16. ♕f4∞) 16. ♗g7 ♖g8 17. ♗e5 ♘de5 18. de5 ♕c7∞] **♖c8 15. ♘ge2 a6 16. ♗c6** [16. ♗d3 b5 17. ♔b1 ♕a5→] **♖c6 17. ♔b1 ♘b6 18. b3 ♗b4 19. ♖c1** [19. ♕d3!?] **♕e7 20. ♘f4?** [⌓ 20. ♖he1 △ ♘f4] **♗g4! 21. fg4 ♗c3 22. ♕d3** [22. ♖c3 ♕e4−+] **♔d7!∓ 23. ♘e2 ♗b4 24. ♖c6 ♔c6 25. ♖f1 ♘c8?** [25... ♘d7!?; 25... ♖e8!?] **26. ♗g7 ♖e8 27. ♗e5 ♔b6** [27... ♗d6? 28. ♖f6 ♔c7 29. ♕f3±] **28. ♕f3 ♕d7 29. ♕f7 ♖e7 30. ♕f3= ♔a7 31. h3 ♖e8 32. ♘f4?** [32. ♕d3=] **♖f8!∓ 33. ♖c1** [33. ♕d3 ♗a3 34. ♘g2 ♕c6 35. ♘e3? ♖f1 36. ♕f1 ♕c3−+] **♘e7 34. h4** [34. ♕e3 ♗a3 35. ♖d1 ♘c6 △ ♘b4∓] **♗a3 35. ♖d1 ♘c6 36. ♕g3** [36. ♕d5 ♕g4 37. ♖f1 ♖f4! 38. ♗f4 ♕e2−+] **♘b4 37. ♘d3** [37. ♕g2 ♖c8 38. ♕e2 ♖c2−+] **♘d3 38. ♖d3 ♖f1 39. ♔c2 ♖c1 40. ♔d2 ♖a1 41. ♔e3 ♕c8** [41... ♖a2 42. ♖c3 ♕b5 43. ♗b8 ♔a8 44. ♖c8 ♖e2 45. ♔f4 ♕d7−+] **42. ♕g2 h5!−+ 43. ♔f4 ♖f1!** [44. ♔g5 ♗c1 45. ♔g6 ♕e8 46. ♔h7 ♕f7 47. ♗g7 ♖f6!−+] **0 : 1** **[Beljavskij]**

485. **D 31**

AN. KARPOV 2750

− L. PORTISCH 2610

Linares 1989

1. d4 d5 2. c4 e6 3. ♘c3 ♗e7 4. cd5 ed5 5. ♗f4 c6 6. e3 ♗f5 7. g4 ♗g6 8. h4 h5 9. g5 ♗d6 10. ♘ge2 N [10. ♕f3? − 39/484] **♘a6!?** [△ 11... ♘b4, 11... ♘c7] **11. ♗d6 ♕d6 12. ♘f4 ♘c7 13. ♗e2 ♕b4!? 14. ♕d2±** [14. ♘g6 fg6 15. a3 ♕d6=; 14. 0−0 ♘e7 15. a3 ♕d6∞] **♘e7 15. ♗f3 ♘e6 16. ♘ce2!± ♘f4 17. ♘f4 ♕d2 18. ♔d2 ♗e4 19. ♗e4 de4 20. ♖ac1** [20. ♖hc1 ×h4] **0-0-0 21. ♖c5** [△ ♖e5] **♘d5 22. ♘d5 ♖d5** [♖ 9/s] **23. ♖hc1 ♖hd8** [23... ♖c5? 24. ♖c5 ♔d7 (△ 25. ♖e5 ♖e8) 25. ♖f5!+−] **24. b4 ♔c7?!** [24... ♖c5!? 25. bc5 (25. ♖c5 ♖d5=) *a)* 25... f5 26. g6! (△ ♖g1-g5; 26. gf6 ♖f8!=) f4 27. ef4 ♖d4 28. ♔e3 ♖a4 29. ♖d1+−; *b)* 25... ♖d5 26. f3!? ef3 27. ♖f1 (27. ♔e1 ♖f5 28. ♔f2 ♔d7 29. ♖b1 ♔c7 30. ♖b3 b6 31. e4 ♖f4=) ♖f5 28. e4 ♖f4 29. ♔e3 ♖h4 30. ♖f3 ♖g4 31. ♖f7 ♖g5⇆] **25. ♔e2! a6** [25... ♖c5!? 26. dc5! (26. ♖c5 ♖d5=; 26. bc5±) ♖d3 27. a4! (27. ♖c4 ♖a3 28. ♖e4 ♖a2 29. ♔f1 ♔d7⇆) ♖a3 28. a5 f5 29. gf6 gf6 30. ♖c4 f5 31. ♔f1? ♔d7 32. ♔g2 ♔e6=; 31. ♖d4!±] **26. f3 ef3 27. ♔f3 ♖5d6 28. ♖f5 ♖8d7 29. ♖cc5 ♖e7 30. ♖ce5 ♔d8 31. a4 g6 32. ♖e7 ♔e7** [♖ 7/g] **33. ♖e5± ♔f8** [33... ♔d7 34. ♔e4±] **34. ♔e4 f6 35. gf6 ♖f6 36. b5! ab5** [36... cb5 37. ab5 a5 38. ♖c5±] **37. ab5 ♔f7 38. ♖c5 ♔e7 39. ♖g5 ♔f7 40. ♖g2 ♖f5** [40... cb5+− ∞] **41. bc6 bc6 42. ♖c2 ♖f6 43. ♖a2 ♔e7 44. ♖a7 ♔d6 45. ♖g7!+− ♔e6 46. ♔d3 ♔d6 47. e4 ♖f4 48. e5 ♔e6 49. ♖g6 ♔d7 50. ♔c4 ♖f1** [50... ♖h4 51. ♔c5+−] **51. ♖h6 ♖c1 52. ♔d3 c5 53. d5 c4 54. ♔d2 ♖h1 55. ♖h7 ♔e8 56. ♖h5 ♖h3 57. ♔c2 1 : 0** **[An. Karpov]**

486.* **D 32**

MIH. CEJTLIN 2460 – LPUTJAN 2610
Moskva (GMA) 1989

1. ♘f3 d5 2. d4 c5 3. c4 e6 4. cd5 ed5 5. ♘c3 ♘c6 6. ♗g5 [RR 6. ♗f4 ♘f6 7. e3 cd4 8. ♘d4 ♗b4 9. ♗e2 ♘e4 10. ♖c1 0–0 11. 0–0 ♗c3 12. bc3 ♕a5 N (12... ♕f6) 13. c4 ♘c3! (13... dc4?! 14. ♗c4 ♘d4 15. ♕d4 ♘d2 16. ♗d6!± Speelman 2640 – Illescas Cordoba 2525, Barcelona 1989) 14. ♖c3 ♕c3 15. ♘b5=∞ Speelman] **♗e7 7. ♗e7 ♘ge7 8. e3 cd4 9. ♘d4 ♕b6 10. ♗b5 N** [10. ♘b3] **0–0 11. 0–0** [11. ♕d2 ♘d4 12. ed4 ♘f5 13. ♖d1 ♗e6 14. 0–0 ♖ad8 15. ♖fe1 a6 16. ♗d3 ♕d4 17. ♖e6! fe6 18. ♗f5±] **♖d8** [11... ♘d4 12. ♕d4 ♕d4 13. ed4 ♗e6 14. ♖fe1⩲] **12. ♖c1 ♘e5 13. ♕c2 ♕f6** [13... ♕g6 14. ♕g6 △ ♖fd1⩲] **14. ♗e2⩲ a6 15. ♖fd1 b5 16. ♕b3** [△ a4; 16. a4 b4 17. ♘b1 ♗d7] **♘g4 17. ♘f3** [17. ♗g4 ♗g4 18. ♖d2⩲] **♗e6 18. ♕b4** [△ ♕d4] **♘c6 19. ♕c5 ♖ac8** [19... ♘ce5 20. h3 ♘f3 21. ♗f3 ♘e5 22. ♗d5 ♖ac8 23. ♕b6±] **20. h3 d4?!** [20... ♘ge5 21. ♘d5 ♗d5 22. ♖d5 ♘a7 23. ♖cd1!!±; 20... ♘ce5 21. ♘d5!±] **21. ♘e4!** [21. hg4 dc3⇆] **♕f5** [21... ♕g6 22. ♘d6 ♘e3 23. fe3 ♗h3 24. ♘h4 ♕d6 25. ♕d6 ♖d6 26. gh3±] **22. ♕f5 ♗f5 23. ♘c5!** [23. ♘g3 ♘h6; 23. hg4 ♗e4 24. ♘d4 ♘d4 25. ed4±] **♘ge5 24. ♘e5 ♘e5 25. ♖d4** [25. ed4 ♘c6 26. ♘a6 ♘d4⇆] **♖d4 26. ed4± ♘c6 27. ♘b3?!** [27. ♘a6 ♘d4 28. ♖e1 (28. ♖c8 ♗c8) ♖e8 29. ♔f1 ♖e2! 30. ♖e2 ♗d3∓; 27. ♖d1! ♖d8 28. ♘a6 ♘d4 29. ♔f1±] **♔f8! 28. ♖c5** [28. ♗g4 ♗g4 29. hg4 ♔e7] **g6 29. g4 ♗d7 30. f4 ♔e7 31. ♔f2 ♔d6 32. ♖c3 ♘b4 33. ♖c8 ♗c8 34. a3 ♘d5 35. ♔g3?** [35. ♔f3] **♘b6 36. ♘d2 ♔d5 37. ♘f3 ♘c4⊕** [37... f6!] **38. ♗c4 ♔c4 39. d5?!** [39. ♘e5! ♔b3 (39... ♔d4 40. ♘f7) 40. ♘f7 ♔b2 41. ♘d6 ♗e6 42. f5 gf5 43. gf5 ♗d5 44. ♔f4 ♔a3 45. ♔e5±] **♔b3 40. d6 ♔b2 41. ♘e5 ♔a3∓ 42. ♘f7 b4 43. ♘e5 b3 44. ♘d3** [44. h4!? ♔a4! (44... b2? 45. ♘c4 ♔a2 46. ♘b2 ♔b2 47. f5 gf5 48. g5 a5 49. h5 a4 50. g6 hg6 51. h6 a3 52. h7 a2 53. h8♕±) 45. ♘c4 (45. ♘d3 ♔b5 46. f5 ♔c6∞) ♔b4 46. ♘b2 a5 47. f5 gf5 48. g5 a4∓] **♗d7!** [44... b2 45. ♘b2 ♔b2 46. h4 a5 47. f5 gf5 48. g5 a4 49. h5 a3 50. g6 hg6 51. h6 (51. hg6 a2 52. g7 a1♕ 53. g8♕ ♕g1∓) a2 52. h7 a1♕ 53. h8♕ ♔a2∓] **45. h4 ♗b5!** [45... b2 46. ♘b2 ♔b2 47. f5 gf5 48. g5 a5 49. h5 a4 50. g6 hg6 51. h6 a3 52. h7 a2 53. h8♕±] **46. f5 gf5 47. gf5 ♗d3 48. d7 b2 49. d8♕ b1♕ 50. ♕e7 ♔a2 51. f6 ♗c4 52. h5 ♕f5 53. ♕e8 ♕g5 54. ♔h2 ♕f4** **0 : 1**
[Mih. Cejtlin]

487. **D 32**

INK'OV 2470 – LOBRON 2555
Moskva (GMA) 1989

1. d4 ♘f6 2. ♘f3 e6 3. c4 c5 4. e3 d5 5. ♘c3 a6! 6. cd5 ed5 7. ♗e2 ♘c6 8. 0–0 ♗d6 9. dc5 ♗c5 10. b3 0–0 11. ♗b2 ♗a7 12. ♖c1 [12. ♕d3] **♕d6 13. ♘b1?! N** [13. ♕d3; 13. ♘a4; 13. ♖c2] **♖d8 14. ♘d4 ♘e4 15. ♘d2** [15. ♘c3 ♗d4 16. ed4 ♗f5∓; 15... ♗b8!] **♘d4 16. ♗d4** [16. ed4 ♗b8∓] **♗d4 17. ed4 ♗f5∓** [×c3, a3, ♘d2] **18. ♘b1!□** [18. ♘e4 de4∓ ×d4] **♖ac8 19. f3 ♘g5 20. ♕d2** [20. ♘c3 ♕f4∓] **♘e6 21. ♘c3 b5!○« 22. ♖fd1 ♖c6 23. ♗f1 ♖dc8** [△ ♕b4] **24. ♘e2□** [24. ♕e3 ♕f4–+] **♗c2! 25. ♖e1 h6 26. g3 ♕a3 27. ♖a1□ ♗g6 28. ♕e3 ♔h7?** [28... ♖c2 29. ♗h3 ♖8c6 30. ♕e5 (30. ♘f4 ♘f4 31. ♕f4 ♖a2–+) ♖a2 31. ♖a2 ♕a2 32. ♕d5 ♕d2! 33. ♕c6□ (33. ♔f1 ♖c2 △ ♗d3) ♕e1 34. ♗f1 ♗d3–+] **29. h4! ♖c2 30. ♗h3 ♖a2 31. ♖a2 ♕a2 32. f4!?** [32. ♗e6 fe6 33. ♘f4 ♗f7 34. ♘e6 ♖e8–+] **♗c2!** [32... ♗e4 33. f5 △ f6, fg7∞ ×»] **33. f5 ♘c7! 34. ♕e7** [34. f6 ♖e8 35. ♕f4 ♘e6 36. ♗f5 g6–+] **f6! 35. ♕d7 ♖e8 36. ♕c7 ♗d3 37. ♗g4** [37. ♗f1 ♗e2 38. ♕f7 ♗h5–+] **♗e2 38. ♕f7 ♖e4 39. ♕g6?** [39. ♕d5? ♗f3–+; 39. ♗e2 ♖e2 40. ♖e2 ♕e2 41. ♕d5 ♕d3∓; 41... a5!?] **♔h8** [△ ♗f3] **40. ♖c1 ♗c4□ 41. ♗f3□** [41. bc4? ♕a3–+] **♕b3! 42. ♗e4 ♕e3 43. ♔h2 ♕e4–+ 44. ♖g1** [44. ♖a1 b4–+] **b4 45. ♖g2 b3 46. g4 ♗b5 47. ♕f7 ♕d4 48. g5 ♕h4 49. ♔g1 ♕e1 50. ♔h2 ♕e5 51.**

♖g3 fg5 52. ♕e6 ♕f4 53. ♕d5 b2 54. ♕b3 ♕f2 0 : 1 [Lobron]

488. D 34

IVANČUK 2635 –
S. MARJANOVIĆ 2490
Erevan 1989

1. d4 d5 2. ♘f3 c5 3. c4 e6 4. cd5 ed5 5. g3 ♘f6 6. ♗g2 ♗e7 7. 0-0 0-0 8. ♘c3 ♘c6 9. dc5 ♗c5 10. ♗g5 d4 11. ♗f6 ♕f6 12. ♘d5 ♕d8 13. ♘d2 ♗h3 14. ♗h3 ♕d5 15. ♕b3!? N [15. ♗g2 — 38/515] ♕h5 [15... ♕b3 16. ♘b3 ♗b6 17. ♖fd1 ♖fe8 18. ♔f1±] 16. ♕b7 ♘e5 [16... ♘b4!?] 17. ♕e4 ♖ae8 18. ♔g2 ♘c4? [18... ♗b6 19. ♖fd1! (19. ♘f3? ♘f3 20. ♕f3 ♕b5!=) ♘c4 (19... ♘g6 20. ♗g4! ♕g5 21. ♕f5 ♕f5 22. ♗f5 ♖e2 23. ♗d3 ♖ee8 24. ♘c4 ♗c5 25. ♖ac1±; 19... ♔h8 20. ♘f3 f5 21. ♕d5 ♘f3 22. ♕f3 ♕f3 23. ♔f3 g5 24. ♗f1 g4 25. ♔g2 f4 26. ♖d3±; 19... d3 20. e3! ♕e2 21. ♔g1 △ ♗f1±; 19... g5 20. ♕f5?! ♕g6! 21. ♘e4 g4 22. ♘f6 ♔g7 23. ♕g6 fg6 24. ♘g4 ♘f7∓ ×♘g4; 20. ♗f5!±) 20. ♕f3 ♕f3 21. ♔f3 ♘b2 22. ♖db1 ♘a4 23. ♗d7 ♘c3 24. ♗e8 ♘b1 25. ♖b1 ♖e8 26. ♘c4±; 18... ♔h8! 19. ♘f3 f5 20. ♕c2 ♘f3 21. ef3 ♗b6 22. ♖fe1 ♖d8 23. ♕d3 ♕f7±] 19. ♕f3 ♕f3 20. ♘f3+− ♘b2 [20... ♖e2 21. ♖fc1 d3 (21... ♘e3 22. ♔g1 ♘c2 23. ♗f1!+−) 22. ♖c4 ♖f2 23. ♔h1+−] 21. ♖ac1 ♗e7 [21... ♗b6? 22. ♖c2 ♘a4 23. ♗d7+−] 22. ♖c2 ♖b8 23. ♘d4 ♗f6 24. ♘c6 ♖b7 25. f4 ♖e8 26. ♔f3 g6 27. e4 ♗g7 28. e5 ♘a4 29. ♖fc1 ♘b6 30. ♘a5 ♖be7 31. ♗f1 f6 32. ♗b5 ♖a8 33. ♘c6 ♖e6 34. a4 a5 [34... a6? 35. a5!] 35. ♘d4 ♖e7 36. ♘c6 ♖e6 37. ♖b1 ♔h8 [37... fe5 38. ♗d3+−] 38. ♗d3 ♘a4 39. f5 gf5 40. ♗f5 ♖ee8 41. ♖c4 1 : 0 [Ivančuk]

489. D 34

JUSUPOV 2610 – K. SPRAGGETT 2575
Québec (m/3) 1989

1. d4 d5 2. ♘f3 c5 3. c4 e6 4. cd5 ed5 5. ♘c3 ♘c6 6. g3 ♘f6 7. ♗g2 ♗e7 8.

0-0 0-0 9. ♗g5 ♗e6 10. dc5 ♗c5 11. ♗f6 ♕f6 12. ♘d5 ♕b2 13. ♘c7 ♖ad8 14. ♕c1 ♕c1 15. ♖ac1 ♗e7 16. ♘e6 fe6 17. ♖c4 ♗f6 18. e3!? N [×d4; 18. ♖b1 — 25/577] ♖d6 19. h4 h6 20. ♖e4 ♖fd8 21. ♗h3!± ♔f7 [21... e5?! 22. ♔g2 ♖d1 23. ♖d1 ♖d1 24. ♗c8±] 22. ♔g2 ♖e8 23. ♖c1!? [△ ♖c2, ♘d2] ♖e7 24. ♖c2 b6? [△ 24... ♖d5] 25. ♖f4!± [△ ♖c6] ♔g6□ [25... ♔g8? 26. ♘d2 △ ♘e4 ×f6] 26. g4! ♗a1!□ [26... ♘e5? 27. g5 (27. ♘e5 ♗e5 28. ♖f8→) hg5 (27... ♘d3 28. h5!) 28. hg5 ♘d3 29. gf6 ♘f4 30. ef4 gf6? 31. f5!+−] 27. ♖c1 ♗b2 28. ♖c2 ♗a1 29. a4!? [29. h5 ♔h7 30. g5 g6!; 29. ♖fc4 ♘e5± ♘e5 30. ♘e5 ♗e5 31. ♖f8 [△ f4→⌐] ♖dd7?!⊕ [31... ♔h7 32. f4 ♗a1 33. g5 g6±] 32. f4 ♖c7 [32... ♗c7? 33. f5 ef5 34. gf5 ♔h7 35. f6+−] 33. ♖d2 ♗c3 34. ♖d6 ♔h7 35. g5 hg5 36. hg5+− ♗b4 37. ♖dd8?!⊕ [37. g6!! ♔h6 38. ♗f5+−] ♔g6 [△ 37... g6 38. ♖f6→] 38. ♔f3 ♖f7 39. ♖h8 e5 40. ♗g4 [40. ♗e6+−] ef4 41. ♖d5! [△ ♗h5#] fe3 42. ♔g3 [42... ♗e1 43. ♔h3+−] 1 : 0 [Jusupov]

490.* D 35

M. GUREVIČ 2630 –
U. ANDERSSON 2625
Reggio Emilia 1988/89

1. d4 ♘f6 2. c4 e6 3. ♘c3 d5 4. ♘f3 ♘bd7 5. cd5 ed5 6. ♗f4 c6 7. ♕c2 ♗e7 [RR 7... ♘h5 8. ♗g5 ♗e7 9. ♗e7 ♕e7 10. g3 0-0 N (10... ♘b6 — 41/464) 11. ♗g2 ♘hf6 (×♘h5) 12. 0-0 ♖e8 13. ♘d2 ♘f8 14. ♖fe1 g6 (△ ♗f5=) 15. e4! de4 16. ♘de4 ♗f5 17. ♘f6 ♕f6 18. ♕b3 ♘e6!□ 19. ♕b7 (19. d5 ♘c5! 20. ♕c4 ♘d3∞ Sr. Cvetković) ♘d4 20. ♖e8 (20. ♖ad1!?) ♖e8 21. ♕a7 ♘e2!⊠ Miles 2520 – Sr. Cvetković 2460, Seefeld 1989] 8. h3 0-0 9. e3 ♖e8 10. ♗d3 ♘f8 11. g4 ♗d6!? N [11... ♗e6 — 33/520] 12. ♗d6 [12. ♘e5?! ♕e7 △ ♘6d7=] ♕d6 13. 0-0-0 ♗e6 14. ♔b1 ♖ac8 15. ♖c1 ♕b8!? 16. g5 [16. ♘g5!? ♗d7 17. ♖ce1 △ f4↗] ♘6d7 17. ♕d2 ♖c7 18. h4 ♘b6 [△ ♘c4-d6] 19. ♕c2 ♘c4 20. ♘d2 ♘d6!= 21.

♘e2 b6 [△ c5-c4↑«] **22. e4 de4 23. ♘e4 ♖cc8 24. f3 ♘e4 25. ♗e4 ♗d5 26. ♘c3 ♗e4 27. fe4 ♘e6 28. ♖cd1 ♖ed8** [28... c5!∓] **29. d5 cd5 30. ed5 ♘c5 31. ♖hf1 ♘b7 32. h5 ♕g3 33. g6! fg6 34. ♖g1 ♕h3 35. hg6 hg6! 36. ♕g6** [36. ♖g6 ♖d6! 37. ♖dg1 ♖g6 38. ♕g6 ♕h7=] **♕h7 37. ♘e4 ♕g6 38. ♖g6 ♘c5 39. ♘g3 ♖c7 40. ♘h5 ♔h7 41. ♖dg1?!⊕** [41. ♘f4!? △ ♖h1, ♘h5±] **♖d5 42. ♖g7** [42. ♘g7 ♖cd7=] **♖g7 43. ♘f6 ♔h6 44. ♖h1 ♔g6 45. ♘d5** [♖ 9/h] **♖d7 46. ♘b4 ♔f5 47. ♖h8 a5 48. ♘c6 ♔e6 49. ♖b8 ♔d5?!⊕** [49... ♔d6 50. ♖b6 ♔c7=] **50. ♖b6 ♖d6?** [50... ♘a4 51. ♖a6 ♘c5 52. ♘b8 ♖b7=] **51. ♘e7 ♔e6 52. ♖b5 ♘e4 53. ♘g6 ♔f6 54. ♘f4 a4 55. a3 ♖d2 56. ♘d5 ♔e6 57. ♘b6 ♖d4 58. ♖a5+– ♘d2 59. ♔a2 ♔d6 60. ♖a4⊕ 1 : 0** **[M. Gurevič]**

491. **D 35**

BELJAVSKIJ 2640 – LJUBOJEVIĆ 2580
Linares 1989

1. d4 ♘f6 2. c4 e6 3. ♘c3 d5 4. cd5 ed5 5. ♗g5 ♗e7 6. e3 ♘bd7 7. ♗d3 ♘f8 8. f4!? N [8. ♘f3; 8. ♕c2] **c6 9. f5 ♘e4 10. ♗e7 ♕e7 11. ♕f3! ♕b4 12. ♘e2 ♕b2 13. ♗e4 ♕a1 14. ♗b1 ♘d7**

15. 0–0? [15. ♕g3 0–0 16. f6 g6 (16... ♘f6 17. 0–0 △ 18. ♖f6, 18. ♗h7±) 17. 0–0 ♕b2 18. h4! ♖e8 19. h5 ♕d2 20. ♖f3 ♘f6 21. hg6 hg6 22. ♗g6±] **♕b2 16. ♕g3 ♕a3!∓ 17. e4** [17. ♕g7 ♕f8 18. ♕g3 ♖g8 19. ♕h4 ♕g7 20. ♘f4 ♕g5 21. ♕h7 ♘f6 22. ♕h3 ♗d7 △ 0-0-0∓] **de4 18. f6 g6! 19. ♕f4 ♘b6 20. ♗e4?** [20. ♘e4 ♘d5 21. ♕e5 ♗e6 22. ♘d6 ♔d7 23. ♘b7 ♕e3 24. ♔h1 ♕e5 25. de5 ♔c7 26. ♘c5 ♖ae8 27. ♘d4 ♗c8 28. e6! ♗e6 29. ♘ce6 fe6 30. f7 ♖ef8 31. ♘e6 ♔d6 32. ♘f8 ♖f8 33. ♗e4 ♔e7∓] **♗e6 21. ♖f3 ♖d8!–+ 22. ♕c7** [22. ♘b5 ♕b4 23. ♘c7 ♔d7 24. ♘e6 fe6 △ ♔c8–+] **♕d6 23. ♕b7 0–0 24. ♕c6 ♗c4 25. ♕c5 ♖fe8 26. ♖f4 ♕c5 27. dc5 ♘d7 28. c6 ♘c5 29. ♗f3 ♗e2 30. ♘e2** [30. ♗e2 ♖c8 31. ♔f1 (31. ♘d5 ♖e2 32. ♘e7 ♖e7 33. fe7 ♘e6 34. ♖a4 f6 35. ♖a7 ♔f7–+) ♖c6 32. ♗b5 ♘d3! 33. ♘e2 ♖c1–+] **♖d1 31. ♔f2 ♘d3 32. ♔g3 ♘f4 33. ♘f4 ♖d6 34. c7 ♖c8 35. ♘d5 ♖d5 36. ♗d5 ♖c7 37. ♔f4 ♖c2 38. a4 ♖c5 39. ♔e5 ♖a5 40. ♔d6 ♔f8 41. ♗c6 ♖f5 42. ♔c7 ♖f6 43. a5 0 : 1** **[Beljavskij]**

492. **D 35**

SEIRAWAN 2610 – LJUBOJEVIĆ 2580
Barcelona 1989

1. d4 ♘f6 2. c4 e6 3. ♘c3 d5 4. ♗g5 ♘bd7 5. e3 c6 6. cd5 ed5 7. ♗d3 ♗d6!? 8. ♘ge2 ♘f8?! 9. f3! N [9. ♕c2] **♘g6 10. e4! de4 11. fe4 ♗e7 12. 0–0** [△ ♕b3○; 12. ♕d2?! △ 0-0-0] **0–0!** [12... ♘e4 13. ♗e7 ♘c3 14. ♗d8 ♘d1 15. ♖ad1 ♔d8 16. ♖f7+–] **13. ♕b3** [△ h3, ♖f3, ♖af1→»] **c5!□** [13... ♖b8? 14. h3 ♗e6 15. ♕c2; 13... ♕b6 14. h3 (14. ♕b6 ab6 15. h3 ♗e6 16. a3 b5⇆; 14. e5 ♕b3 15. ab3 ♘d5 16. ♘d5 ♗g5 17. ♘b6 ♖b8 18. ♖a7 ♘e5!) ♕b3 15. ab3 c5 16. ♗f6 gf6 17. ♘d5 cd4 18. ♘e7 ♘e7 19. ♖f6±⊥] **14. e5□** [14. d5? ♘d5; 14. ♗f6 ♗f6 15. d5 ♘e5∓] **♘g4 15. ♗g6!** [15. ♗e7 ♘e7! 16. ♗c4 cd4 17. ♗f7 ♔h8 18. ♖ad1 ♘e5 19. ♖d4 ♕c7∓] **hg6** [15... ♗g5 16. ♗f7 ♔h8 17. e6 ♗e3 (17... ♕d6?! 18. ♘g3 ♕d4 19. ♔h1 ♘f2 20. ♖f2 ♕f2 21. ♘ce4 ♕e3 22. ♘g5 ♕g5 23. ♖e1±) 18. ♔h1 ♕h4 19. h3 ♘f2 20. ♖f2 ♕f2 21. e7 ♗h3 22. ef8♕ ♖f8 23. gh3 (23. ♗d5? ♗g2–+) ♕f3=; 21. ♘g1!! △ 22. e7, 22. ♘e4±] **16. ♗e7 ♕e7 17. ♘f4!?** [17. ♘d5 ♕d8

18. h3 ♗e6 19. ♘ef4 ♗d5 20. ♘d5 ♘h6 21. dc5±] **♕h4□** [17... cd4? 18. ♘g6 ♕g5 19. ♘f8 ♕e3 20. ♔h1 ♘f2 21. ♖f2 ♕f2 22. ♘d5! ♔f8 (22... ♗f5 23. ♘d7 ♗d7 24. ♕b7 ♖d8 25. ♕c7 ♕h4 26. ♘f6+−) 23. ♕a3 ♔g8 24. ♘e7 ♔h7 25. ♘c8 △ ♕h3+−; 17... ♕d8 18. ♘b5! cd4 19. ♘g6 ♗e6 20. ♕e6 fe6 21. ♖f8 ♕f8 22. ♘f8 ♔f8 23. ♘d4+−⊥] **18. h3 ♘e3 19. ♖f2!** [19. ♖f3 cd4 20. ♘g6 ♕g5] **♗e6! 20. d5** [20. ♘e6? fe6 21. ♕e6 ♔h7−+→] **g5 21. ♘fe2 c4!** [21... ♗f5 22. ♕b7 ♖ab8 (22... g4 23. g3!) 23. ♕a7 ♖b2 24. ♕c5+−] **22. ♕b5??** [△ ♕c5; 22. ♕b7! ♖ab8 23. ♕c6 ♖fc8 24. ♕d6 ♖d8 25. de6 ♖d6 26. ef7 ♔f8 27. ed6 ♕h6 (27... ♖b7 28. ♖f3 ♖f7 29. d7 g4 30. ♖e3+−) 28. ♘g3 ♕d6 29. ♘ce4 ♕g6 30. ♖e1 ♘d5 31. ♘f5! ♘f6 32. ♘ed6 g4 33. ♖fe2+−] **♗h3!⊕ 23. gh3 ♕h3 24. ♖h2??⊕** [24. d6 ♕g4 25. ♔h1 ♕h3 26. ♖h2 ♕f3 27. ♔g1 ♘g4 (27... a6? 28. ♕d7 (△ ♕h3) g4? 29. ♖f2 ♕h3 30. ♘e4+−; 27... g4? 28. ♖f2 ♕h3 29. ♕b7 g3 30. ♖g2+−) 28. ♖f1 ♕e3 29. ♖hf2 ♖ae8 30. ♕c4 ♘f2 31. ♖f2∞] **♕g4!** [24... ♕f3? 25. ♕b7 ♖ab8 26. ♕e7 ♖b2 27. ♕g5+−; 25... ♖ae8!?] **25. ♔f2 ♕f5!** [25... ♘c2 26. ♖ah1 ♕f5 27. ♔g1 ♕g4 28. ♖g2] **26. ♔e3?** [26. ♔g1 ♕g4=] **♕e5 27. ♔d2 ♕h2 28. ♕c4 ♖ae8 29. ♖d1 ♖e5 30. ♔c2 ♕h7 31. ♔b3 ♕h3! 32. ♘d4?** [⌓ 32. ♘g1] **♖c8 33. ♕b5 ♖e3! 34. ♔a3? ♕g4! 35. ♖d2 ♕f4! 36. ♖d1 ♕d6 37. ♔b3 a6 38. ♕b4? ♕d5−+ 39. ♔a3 ♖c4!⊕** [40. ♘f5 ♖cc3 41. bc3 ♕d1 42. ♘e3 ♕c1−+] **0 : 1** **[Seirawan]**

493.* **D 35**

ŠTOHL 2455 − SR. CVETKOVIĆ 2460

Vrnjačka Banja 1989

1. d4 ♘f6 2. c4 e6 3. ♘f3 d5 4. ♘c3 ♘bd7 5. ♗g5 c6 6. cd5 ed5 7. e3 ♗d6 8. ♗d3 ♘f8 9. ♕c2 ♘g6 10. ♘h4!? 0−0 11. 0-0-0 [11. ♘f5 N ♗f5 12. ♗f5 h6 13. ♗f6 ♕f6 14. g3 ♖fe8 15. 0−0 1/2 : 1/2 Šahović 2410 − Sr. Cvetković 2460, Vrnjačka Banja 1989] **h6 12. ♘g6 fg6 13. ♗h4 g5 14. ♗g3 ♗g3 15. hg3 ♘g4 16. ♖d2 ♗d7 N** [16... ♕d6?! − 24/525] **17. ♖e1 ♕a5!?** [17... ♖c8! △ c5∞] **18. f3 ♘f6 19. e4 ♖ae8 20. e5 ♖e7** [△ ♘e8-c7-e6∞; 20... ♘h5? 21. ♗g6] **21. f4! gf4 22. gf4 ♘e4! 23. ♘e4 de4 24. ♗c4 ♗e6!□ 25. ♖e4** [⌓ 25. g3 ♗c4 26. ♕c4 ♕d5 27. b3 ♖e6!□ (△ ♖g6⇆) 28. ♖e4 ♕e4! 29. ♕e6 ♔h7 30. ♕e7 ♖f5∞̄⇆] **♗c4 26. ♕c4 ♕d5 27. b3 ♖ef7 28. ♕d5** [28... cd5 29. ♖e3 ♖c7! △ ♖f4∞⊥] **1/2 : 1/2** **[Sr. Cvetković]**

494.* **D 35**

KASPAROV 2775 − SPASSKY 2580

Barcelona 1989

1. d4 ♘f6 2. c4 e6 3. ♘c3 d5 4. cd5 ed5 5. ♗g5 c6 6. e3 ♗e7 [RR 6... ♕b6 7. ♕c2! (7. ♗f6 ♕b2 8. ♕c1 ♗a3 9. ♘d5 ♕c1 10. ♖c1 gf6 11. ♖c4 (△ ♖a4) ♘a6!=) ♘e4 8. ♗f4 ♘a6 9. f3!? N (9. ♗a6 − 38/524) ♘d6 10. 0-0-0! ♗e7 (10... ♗f5?! 11. e4 de4 12. fe4 ♗g4 13. ♘f3 ♗e7 14. h3 ♗e6 15. d5! cd5 16. ed5 ♗f5 17. ♕a4 ♗d7 18. ♕d4± Semkov 2460 − Kelečević 2385, Cannes (open) 1989) 11. g4 (11. e4!?) h5 12. gh5 ♖h5 13. ♘ge2 △ ♘g3± Semkov] **7. ♗d3 ♘bd7 8. ♘ge2! ♘h5** [8... ♘e4 9. ♗e7 ♘c3 10. bc3 ♕e7 11. ♕b3 △ c4] **9. ♗e7 ♕e7 10. g4 N** [10. ♕c2] **♘hf6 11. ♘g3** [11. h3] **h6** [11... g6 12. g5 ♘g8 13. h4 h6 14. gh6 △ h5∞; 12. ♕f3!?] **12. h3 ♘b6 13. ♕d2 ♗d7 14. b3 g6 15. a4 a5** [15... ♘c8 16. f3⩲] **16. f3 h5** [16... 0−0 17. 0−0⩲] **17. g5 ♕d6** [17... ♘h7 18. h4 0−0 19. ♘ce2±] **18. ♘ge2 ♘g8 19. e4! ♘e7 20. ♕f4! ♕f4** [20... ♕b4?! 21. ♔f2±] **21. ♘f4 0−0 22. ♘ce2 h4** [22... ♔g7 23. h4] **23. ♘g2 ♔g7 24. ♔d2 de4?** [24... f6?! 25. gf6 ♖f6 26. e5! ♖f3 27. ♘h4 ♖h3 28. ♖h3 ♗h3 29. ♘g6 ♘g6 30. ♖g1±; 24... ♖ac8 25. e5 ♘a8 26. ♘e3 ♘c7 27. f4 ♗f5 28. ♗f5 gf5 △ ♘e6⩲] **25. fe4± ♖ad8 26. ♖af1** [△ ♖f4 ×h4] **♖h8 27. ♘e3** [27. ♖f4 ♖h5] **♖h5 28. ♖fg1 ♗c8 29. ♔c3 ♖hh8 30. ♘f4 ♖d6?!** [30... ♘a8 31. ♘c4 b6] **31. ♗c2?** [31. ♘c4 ♘c4 32. ♗c4±] **♘a8??** [31... ♖hd8 32. ♖d1 f6 (32... f5) 33. ♖hg1 (33. ♘c4 ♘c4 34. bc4 fg5 35. e5 gf4 36. ed6

♖d6⨀) f5 34. ♘c4 ♘c4 35. bc4 fe4 36. ♗e4 ♖f8 37. ♖gf1 ♗f5 38. ♗g2±; 31... f5!?] **32. ♘c4 ♖dd8 33. ♘a5 ♘c7 34. ♖f1** [34. ♘c4! b5 35. ♘e3+−] **b5! 35. ♖f3 ♖hf8** [35... b4? 36. ♔b4 ♖d4 37. ♔c3] **36. ♖hf1 ba4 37. ba4 f6**

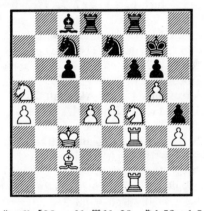

38. ♘g6! [38. gf6 ♖f6 39. ♘h5? gh5 40. ♖f6 ♘cd5 41. ed5 ♘d5 42. ♔b2 ♘f6 43. ♘c6 ♖d6 44. ♖g1 ♔f8⨀; 38. ♗b3 fg5 39. ♘h5 gh5 40. ♖f7 ♖f7 41. ♖f7 ♔h6 42. ♖e7 ♖d7 43. ♘c6 ♖e7 44. ♘e7 ♗h3∞] **♘g6 39. gf6 ♔h6 40. ♘c6 ♖d6 41. d5 ♖c6!** [41... ♗a6 42. ♘e7 ♗f1 (42... ♘e7 43. fe7 ♖e8 44. ♖f6 ♖f6 45. ♖f6 ♔g7 46. ♖c6 ♖e7 47. d6+−) 43. ♘f5 ♔g5 44. ♘d6 ♗g2 (44... ♖f6 45. ♘f7+−) 45. ♖f5 ♔h6 46. ♗d1! ♔h7 47. ♗g4+−] **42. dc6 ♘e6** [42... ♘e5 43. ♖3f2 ♘c6 44. f7+−] **43. e5! ♘e5** [43... ♘g5 44. ♖e3 ♗h3 45. ♖h3! ♘h3 46. e6 ♘g5 (46... ♘hf4 47. ♗g6 ♘g6 48. e7 ♖c8 49. f7+−) 47. e7 ♖c8 48. ♗f5 ♖c6 49. ♔b4+−] **44. ♖e3 ♘g6** [44... ♘c6 45. ♖e4+−] **45. f7! ♘gf4** [45... ♔g7 46. ♖g1 ♘f4 47. ♖f3!+−] **46. ♗b3 ♔g7 47. ♖e4+− ♖f7 48. ♗e6! ♘e6 49. ♖f7 ♔f7 50. ♖h4 ♔e7 51. ♖h8 ♗a6 52. h4!** **1 : 0**
[Kasparov]

495.* ✓ **D 36**

AN. KARPOV 2750 − JUSUPOV 2610
Rotterdam 1989

1. c4 e6 2. d4 d5 3. ♘c3 ♗e7 4. ♘f3 ♘f6 5. cd5 ed5 6. ♗g5 c6 7. ♕c2 ♘a6 8. e3

[RR 8. a3 g6 9. e3 ♗f5 10. ♗d3 ♗d3 11. ♕d3 ♘c7 N (11... 0−0) 12. 0−0 ♘e6 13. ♗h4 0−0 14. b4 ♖c8 15. ♖ab1 a6 16. a4 b5 17. ♖fe1 ♖e8 18. ♘d2 ♘d7 19. ♗e7 ♕e7 20. a5 ♘g5= L. Portisch 2610 − Jusupov 2610, Rotterdam 1989] **♘b4 9. ♕d1 ♗f5 10. ♖c1 a5** [10... ♕a5!?] **11. ♗e2 N** [11. a3] **0−0 12. 0−0 ♘d7!? 13. ♗e7** [13. ♗f4 ♘b6 △ ♗d6] **♕e7 14. ♕b3 ♖fb8□** [14... ♖a7 15. a3 ♘a6 16. ♗a6±; 14... ♘f6 15. ♘a4±] **15. ♘a4 ♘a6 16. ♗a6 ♖a6 17. ♘c5 ♖b6!?** [17... ♘c5 18. dc5±] **18. ♕c3 ♖b5 19. ♖fe1 h6 20. b3 ♗e4 21. ♘d2 ♗g6 22. ♘f1** [△ ♘g3-e2-f4-d3; 22. h3!?] **♘c5 23. dc5 b6 24. cb6 ♖8b6 25. ♘d2 ♕a3** [25... c5? 26. a4 ♖b4 27. ♕c5; 25... ♕b4 26. a4! ♕c3□ 27. ♖c3 ♖b4 28. ♖c5±] **26. ♘f3 c5 27. ♕d2± ♗e4 28. ♘e5 ♖e6** [28... c4!?] **29. ♘d3 g5?!** [29... ♗d3 30. ♕d3 c4±] **30. ♖c3!± ** [△ b4] **d4 31. ed4 cd4 32. ♖c8 ♔g7** [32... ♔h7 33. ♖c7]

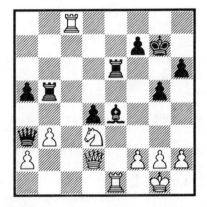

33. ♘f4! gf4 34. ♕d4 ♖be5 35. ♖e4 ♕d6 [35... ♕a2 36. ♖e5 ♕b1 37. ♖e1+−] **36. ♕a1** [36. ♕d6? ♖d6 37. f3 ♖e4 38. fe4 ♖d1 39. ♔f2 ♖d2=; 36. h3 ♕d4 37. ♖d4 ♖e1 38. ♔h2 ♖1e2! 39. ♖f4±] **♔h7 37. ♖e5 ♖e5** [♕ 9/e] **38. h3** [38. h4!?] **f3! 39. ♕b1 ♔g7 40. ♖c4 ♕e6?** [40... ♕d2!?; 40... h5] **41. ♖g4+− ♔f8 42. ♕d3 h5** [42... ♖e1 43. ♔h2 ♕e5 44. ♖g3 (44. g3?? ♖h1 45. ♔h1 ♕e1 46. ♔h2 ♕f2−+) fg2 45. ♕d8 ♕e8 46. ♕d6 ♕e7 47. ♕h6+−] **43. ♕d8 ♕e8 44. ♕d6 ♕e7 45. ♕b8 ♕e8 46. ♕d6 ♕e7 47. ♕h6 ♔e8 48. ♖g8! ♔d7 49. ♕d2 ♔c7 50. ♕f4 fg2**

51. ♖g7 ♔b6 52. ♖f7 ♕g5 53. ♖f6 ♔b7 [53... ♔c7 54. ♕c4 ♖c5 55. ♕f7+−] **54. ♕f3 ♔a7 55. ♖f7 ♔b6 56. ♖b7 ♔c5 57. ♖c7 ♔b4 58. ♕f8 1 : 0 [An. Karpov]**

496.*** **D 36**

LAUTIER 2450 – OLL 2510

Moskva (GMA) 1989

1. d4 d5 2. c4 c6 3. ♘f3 ♘f6 4. ♘c3 e6 5. cd5 ed5 6. ♗g5 ♗e7 7. ♕c2 g6 8. e4 de4 [RR 8... 0–0!? N 9. e5 ♘e4 10. ♗h6 ♖e8 11. h3 ♘c3 12. bc3 c5 13. ♗b5 ♘c6 14. 0–0 ♗f5 15. ♕d2 ♕a5 16. ♗c6 bc6 17. dc5 ♕c5 18. ♘d4 ♗d7= Tal' 2610 – Renet 2480, Cannes 1989] **9. ♗f6 ♗f6 10. ♕e4 ♔f8!** [RR 10... ♕e7 11. ♗c4 0–0 N (11... ♗e6 – 46/530; 11... ♗f5!? 12. ♕e7 ♗e7 13. 0–0 0–0 14. ♖fe1±⊥; 13. 0-0-0!?) *a)* 12. 0–0?! ♕b4! 13. ♗b3 ♗f5 14. ♕f4 ♘d7 15. ♖fe1 a5! 16. g4 ♗e6 17. ♗e6 (17. ♖e6?! fe6 18. ♗e6 ♔h8 19. ♗d7 ♕b2 20. ♕c1 ♕b4!↑ Ruban) fe6 18. ♕e3∞ Ruban 2420 – Dreev 2520, Tbilisi 1989; *b)* 12. ♕e7 ♗e7 13. 0–0 ♘d7 14. ♖fe1 ♗d8 15. h3 ♔g7 16. ♘e4⩲ Malanjuk 2520 – Gorelov 2445, Budapest (open) 1989] **11. ♗c4 ♔g7 12. 0–0** [12. 0-0-0!? ♖e8 13. ♕f4 ♗e6 14. ♗e6 (14. d5 cd5 15. ♘d5 ♘a6!) ♖e6 15. h4 ♕d6 16. ♕d2 ♘d7 17. h5 ♘f8] **♖e8 13. ♕f4 ♗e6 14. ♗e6 ♖e6 15. ♖fe1 ♕d6! N =** [15... ♖e1 – 44/490] **16. ♕d6 ♖d6 17. ♘e4 ♖d8 18. ♘f6 ♔f6 19. g4** [19. ♖e4 ♘a6 20. ♖ae1 ♖d7=] **h6 20. h4 ♘d7 21. g5 hg5 22. hg5 ♔g7 23. ♖e7 ♔f8 24. ♖ae1 ♖ab8 25. ♔g2 ♘b6 26. ♔g3 ♘d5 27. ♖7e4 ♔g7∓ 28. ♖h4! ♖h8 29. ♖h8 ♖h8** [♖ 9/h] **30. ♔g4 ♖d8 31. ♔g3 a5 32. ♖e2 a4 33. ♖c2 ♖a8 34. a3 ♖a6** [34... ♖a5! 35. ♘d2! (35. ♖c5?! ♖a6∓) ♖b5 36. ♘e4 ♖b3 37. ♔g4∓] **35. ♘e5 ♖b6 36. ♔f3!= ♖b3 37. ♔e4 ♘e7 38. ♘d3 ♘f5 39. ♘c5 ♖b5 40. ♘a4 ♖d5 41. ♖d2 ♘d6 42. ♔d3 ♖g5 43. ♘c5 ♖f5 44. ♖e2 ♖f3 45. ♔c2 ♖f4 46. ♔d3** [46... g5 47. a4! g4 48. a5 △ ♘b7] **1/2 : 1/2** **[Oll]**

497.* **D 36**

KOUATLY 2440 – P. BENKÖ 2420

Augsburg 1988/89

1. d4 d5 2. c4 e6 3. ♘c3 ♘f6 4. cd5 ed5 5. ♗g5 ♘bd7 6. e3 ♗e7 7. ♕c2 0–0 8. ♗d3 ♖e8 9. ♘ge2 c6 10. 0–0 h6 [RR 10... ♘f8 11. f3 ♘g6 12. e4 de4 13. fe4 ♗e6 14. h3 ♘h5 N (14... c5 – 45/473) 15. ♗e7 ♕e7 16. e5 ♕h4! 17. ♘e4 ♘hf4 18. ♘f4 ♘f4 19. ♘d6 ♘h3 20. gh3 ♕g3=∞ A. Petrosjan 2475 – Akopjan 2520, Erevan 1989] **11. ♗h4 b6 N** [△ c5; 11... ♘e4 12. ♗e7 ♕e7 13. ♖ae1 ♘df6 14. f3±] **12. f3** [△ e4] **c5 13. ♖ad1 ♗b7** [13... c4?! 14. ♗f5 g6 15. ♗g6 fg6 16. ♕g6 ♔h8 17. ♘f4 ♘f8 18. ♕h6 ♔g8 (18... ♘8h7 19. ♘g6 ♔g8 20. ♘e7 ♕e7 21. ♘d5+−) 19. ♘g6! ♘g6 20. ♕g6 ♔h8 21. e4!±→] **14. ♔h1!** [△ 15. dc5 ♗c5 16. e4 de4 17. ♘e4] **a6 15. ♗f5** [△ 16. dc5 bc5 17. ♗d7 ♕d7 18. ♘a4±] **cd4** [15... c4? 16. e4 de4 17. fe4 ♘e4 18. ♘e4 ♗h4 19. ♘d6+−] **16. ♘d4±** [×d5] **b5 17. e4** [17. ♗d7 ♘d7 (17... ♕d7? 18. ♘f5 ♗d8 19. e4!) 18. ♗e7 ♕e7 (18... ♖e7 19. ♘f5 ♖e5 20. f4) 19. ♘f5 ♕e5! (19... ♕c5 20. b4!±) 20. ♖fe1 ♖ac8∞] **de4 18. fe4 b4!** [18... ♘e4 19. ♘e4 ♗h4 20. ♘d6+−] **19. ♘e6?!** [19. ♗d7 ♕d7∓; 19. ♘a4!? ♘e4 20. ♘c6 (20. ♗d7 ♗h4! 21. ♗e8 ♕e8=∞) ♗c6 21. ♕c6 ♗h4 22. ♗e4 (22. ♖d7? ♘f2! 23. ♔g1 ♕g5!∓) ♖a7 23. ♘c5 (23. ♗f5 ♖c7!) ♖c7 24. ♖d7 ♖c6 25. ♖d8 ♖d8 26. ♗c6 ♖c8 27. ♘a6 ♖c6 28. ♘b4 ♖d6±] **fe6** [19... ♕b6 20. ♘g7! ♔g7 21. ♗d7 ♘d7 22. ♖d7+−] **20. ♗e6 ♔h8 21. ♗f6** [21. e5? ♕b6 22. ef6 ♕e6−+] **♗f6 22. ♖d7 ♕c8** [22... bc3! 23. ♖d8 ♖ad8 △ cb2∓] **23. ♗h3□** [23. ♖f6 ♖e6 (23... gf6 24. ♕c1!+−) 24. ♖ff7 ♖f6! △ 25. ♖b7 ♕b7!−+] **bc3?⊕** [23... ♗e4 24. ♕c1 ♗c3! 25. bc3 ♕c3−+] **24. ♖f6!+− ♗e4** [24... cb2 25. ♕b2+−; 24... gf6 25. ♕c1 ♕d7 26. ♗d7 ♖e4 27. ♕h6 ♔g8 28. ♕g6 ♔f8 29. ♕f6 ♔g8 30. ♗e6 ♔h7 31. ♗f5+−] **25. ♕f2?⊕** [25. ♕c1! ♗h7 (25... ♕c5 26. ♖h6 ♔g8 27. ♕f1! ♗d5 28. ♖g7!+−; 25... ♗g2 26. ♔g2 ♖e2 27. ♔f1

♕c4 28. ♖h6 ♔g8 29. ♖g7 ♔f8 30. ♖h8+−) 26. ♖g7 ♔g7 (26... cb2 27. ♖h7 ♔g8 28. ♖g6!+−) 27. ♗c8 ♖ac8 28. ♕h6 ♔h8 29. ♖f1! c2 30. ♕f6 ♔g8 31. ♕g5 ♔h8 32. h4 △ ♔h2, ♖f7+−] **♕d7! 26. ♗d7 c2 27. ♖h6** [27... gh6 28. ♕f6 ♔h7 29. ♕f7=; 27... ♔g8!? 28. ♕c5! gh6 29. ♗e8 ♖e8=] **1/2 : 1/2** **[Kouatly]**

498. **D 36**

SPEELMAN 2640 – BELJAVSKIJ 2640

Barcelona 1989

1. c4 e6 2. ♘c3 d5 3. d4 ♘f6 4. cd5 ed5 5. ♗g5 ♗e7 6. e3 0–0 7. ♗d3 ♖e8 8. ♘ge2 ♘bd7 9. 0–0 c6 10. a3 a5!? 11. ♖b1 ♘f8 12. b4 ab4 13. ab4 b5 14. ♕c2 ♗e6!? 15. ♘f4 ♘6d7 16. ♘e6 fe6 17. ♗e7 ♕e7 18. e4 ♘b6 19. ♖fe1 [19. f4!? ♘c4 20. ♗c4 dc4! 21. d5 ♖ad8⇆ ×d4] **♕f6 20. e5 ♕h4 21. ♖e3?!** [⌓ 21. ♘e2 ♘c4 22. ♖a1 ♕e7 23. ♕c3 △ ♖eb1, ♘c1-b3--c5=] **♘c4! 22. ♖h3 ♕d4 23. ♗h7 ♔f7 24. ♖d1! ♕e5 25. ♖f3 ♔e7 26. ♗d3 ♖eb8?!** [26... ♘d6 (△ ♔d7) 27. ♖e3 ♕f4 (×b4) 28. ♘d5 (28. ♗b5 ♘b5−+) cd5 29. ♕c7 ♘d7 30. ♖de1 ♕f6 31. ♖e6 (31. ♖f3 ♖ec8 32. ♖f6 gf6−+) ♕e6∓] **27. ♕c1!$\overline{\infty}$ ♘d7 28. ♖e1 ♕h5 29. ♗c4?!** [29. ♖h3 ♕f7 30. ♖f3 ♘f6 31. g4⇆] **bc4 30. b5 ♘e5! 31. ♖h3 ♕f5 32. ♕d2 ♘d3 33. g4 ♕g4 34. ♖g3 ♘e1−+ 35. ♕e1 ♕f5 36. ♖g7 ♔f8 37. ♖g3 d4 38. ♘e4 ♖b5 39. ♖g5 ♕g5?** [39... ♕f4 40. ♖b5 cb5 41. ♕b4 ♔g8−+] **40. ♘g5 ♖g5** [♕ 6/d] **41. ♔f1 ♔f7∓ 42. ♕c1 ♖f5 43. ♕c4 c5 44. ♕b3 ♖d8 45. ♕b7 ♔e8 46. ♔e1 d3 47. ♔d1 d2 48. f4 ♖d4 49. ♕c6 ♔e7 50. h4 ♖dd5?!** [50... ♖ff4 51. ♕c5 ♔d7 52. ♕b5 ♔d6 53. ♕b6 (53. ♕b8 ♔e7−+) ♔e5 54. ♕b5 (54. ♕c5 ♔e4 55. ♕c6 ♔f5 56. ♕c5 e5−+) ♖d5 55. ♕b8 ♔e4 56. ♕b4 ♖d4−+] **51. ♕c7 ♖d7 52. ♕b8 ♖fd5 53. ♕h8 ♖d8 54. ♕g7 ♔d6 55. f5 ef5 56. h5 ♖e8! 57. ♕f6 ♖e6 58. ♕d8 ♔e5 59. ♕g5 ♖dd6!−+ 60. h6 ♖h6 61. ♕e3 ♔d5 62. ♔d2 ♔c4 63. ♔c2 ♖h2 64. ♔c1 ♖hd2** **0 : 1** **[Beljavskij]**

499. **D 36**

MIRKOVIĆ 2395 – G. M. TODOROVIĆ 2425

Knjaževac 1988/89

1. d4 d5 2. ♘f3 e6 3. c4 ♘f6 4. cd5 ed5 5. ♘c3 c6 6. ♗g5 ♗e7 7. ♕c2 ♘bd7 8. e3 0–0 9. ♗d3 ♖e8 10. 0–0 ♘f8 11. h3 g6 12. ♘e5 N ♘e6 13. ♗h6 ♘g7 14. g4!± ♗d6 15. f4 ♘d7 16. ♖f3! ♘f8 [16... f6 17. ♗g6! fe5 (17... hg6 18. ♗g7!) 18. ♗h7 ♔h8 19. ♗g7 ♔g7 20. ♕g6 ♔h8 21. fe5+−] **17. ♖af1 f6 18. f5!+− fe5** [18... gf5 19. gf5 ♗e5 20. de5 ♖e5 21. ♖g3 ♖e7□ 22. ♕g2 ♕c7 23. ♔h1 △ ♖g1+−; 18... g5 19. ♗g5! ♗e5 20. de5 ♖e5 21. ♗h4! △ e4+−] **19. f6 ♗e6** [19... e4 20. f7 ♔h8 21. fe8♕ ♕e8 22. ♖f7+−] **20. fg7 ♘d7□ 21. ♗g6! e4** [21... hg6 22. ♕g6 △ ♖f8] **22. ♘e4! hg6** [22... de4 23. ♗e4 △ ♗h7#] **23. ♘d6 ♔h7 24. ♘e8** **1 : 0** **[Mirković]**

500. **D 36**

L. PORTISCH 2610 – BELJAVSKIJ 2640

Linares 1989

1. c4 e6 2. ♘c3 d5 3. d4 ♘f6 4. cd5 ed5 5. ♗g5 ♗e7 6. e3 0–0 7. ♗d3 ♘bd7 8. ♘f3 ♖e8 9. 0–0 c6 10. ♕c2 ♘f8 11. h3?! g6 12. ♗f6 ♗f6 13. b4 ♘e6 14. ♖fd1 [14. b5 c5 15. dc5 ♘c5 16. ♖ad1 ♗e6 17. ♗c4 ♗c3 18. ♕c3 ♘e4=] **a6 15. ♖ab1 N** [⌓ 15. a4 – 45/476] **♗e7?!** [⌓ 15... ♘g5] **16. a4 ♗d6 17. ♖e1?!** [17. b5 ab5 18. ab5 ♘g5 19. ♘g5 ♕g5 20. bc6 bc6 (20... ♗h3 21. f4 ♕g3 22. cb7 ♕e3 23. ♕f2+−; 20... ♖b8 21. ♘d5±) 21. ♔f1 △ ♘a4±] **♘g5 18. ♘g5 ♕g5 19. ♔f1 ♗e6= 20. ♘e2** [20. b5 ab5 21. ab5 c5 22. dc5 ♗c5 23. e4 ♗d4=] **♕h4 21. ♘g1 ♕e7 22. ♕c3 ♕f6 23. ♕c2** [23. ♘f3? ♗h3∓] **♖ac8 24. ♕d1 ♔g7 25. ♖b2 ♕e7 26. ♕b1 ♕f6 27. ♕d1 h5 28. ♕f3 ♕g5** [△ ♗g4] **29. ♕d1 ♗d7 30. b5 cb5!?** [30... ab5 31. ab5 c5 32. dc5 ♗c5 33. ♘f3 ♕f6=] **31. ab5 a5 32. ♖c2 ♕f6 33. ♖c8 ♖c8 34. ♖e2 ♕d8**

35. ♖b2 [35. ♖c2?! a4 36. ♘e2 ♖c2 37. ♕c2 ♕a5∓] a4 36. ♘e2 ♕a5 37. ♖b1? [37. ♕e1! ♕e1 38. ♔e1=] ♗b4 38. ♔g1 ♗b5 39. ♗b5 ♕b5 40. ♘f4 a3 41. ♘d3 ♖c4 42. ♘e5 [42. ♕b3 ♖c3 43. ♕b4 (43. ♕c3 ♗c3 44. ♖b5 a2−+) ♕d3 44. ♖a1 ♖b3 45. ♕d6 ♖b1 46. ♖b1 ♕b1 47. ♔h2 a2 48. ♕e5 ♔h7 49. ♕d5 ♔g8 50. ♕d8 ♔g7−+] ♖c3 [43. ♕f3 f6−+; 43. g4 hg4 44. ♕g4 a2 45. ♖a1 ♗d6 △ ♕b1−+]
0 : 1 **[Beljavskij]**

501. **D 36**

AN. KARPOV 2750
– LJUBOJEVIĆ 2580
Linares 1989

1. d4 ♘f6 2. c4 e6 3. ♘c3 d5 4. cd5 ed5 5. ♗g5 c6 6. e3 ♘bd7 7. ♗d3 ♗e7 8. ♕c2 0–0 9. ♘f3 ♖e8 10. 0–0 ♘f8 11. ♖ab1 ♘e4 12. ♗e7 ♕e7 13. b4 a6 14. a4 ♗f5 N [14... ♘g6 – 2/512] **15. ♘e5!?** [15. b5 ab5 16. ab5 ♖a3!? (16... ♘c3 17. ♕c3 ♖a3 18. ♖b3 ♖b3 19. ♕b3 ♗d3 20. ♕d3 c5=) 17. ♗e4 (17. ♖b3 ♖b3 18. ♕b3 ♘d2!) de4 18. ♘d2 c5∞] **♖ad8** [15... f6 16. ♗e4 (16. ♘e4 fe5∞) ♗e4 (16... de4 17. ♘c4±) 17. ♘e4 fe5 (17... de4 18. ♘c4±) 18. ♘g3!? (18. ♘c5) ed4 19. ♘f5±] **16. ♖fc1** [16. ♘e4 ♗e4 17. ♗e4 de4 18. b5 ab5 19. ab5 c5!] **♘g6 17. ♗e4 ♗e4 18. ♘e4 de4?!** [18... ♘e5!? 19. ♘d2 ♘g6 (19... ♘g4 20. ♘f3±) 20. b5 ab5 21. ab5 ♖d6±] **19. ♘g6 hg6 20. b5! cb5 21. ab5 ♖d6** [21... a5? 22. b6!] **22. ba6 ba6 23. ♕a4** [△ ♖b7] **♕d7?!** [23... ♖a8!? 24. ♖c5 ♕h4⇆] **24. ♕d7 ♖d7** [♖ 9/s] **25. ♖c5!± ♖a7 26. ♖a5 ♔f8 27. ♖b6 ♖ea8 28. h4 ♔e7 29. ♔h2** [29. ♖e5 ♔d7 30. ♖e4 a5⇆] **♔d7 30. ♔g3 ♔c7 31. ♖b2 ♖b7 32. ♖c5 ♔b8 33. ♖a2 ♖e7 34. ♔f4 ♔b7 35. ♖b2 ♔a7 36. ♖c6!** [△ ♖bb6] **♖h8 37. ♖a2!** [37. g3 ♖h5! △ a5] **a5** [37... ♖h4?? 38. ♔g3 △ ♖ca6+−] **38. ♖a5 ♔b7 39. ♖ca6 ♖h4 40. ♔g3 ♖h5 41. ♖a7 ♔c6 42. ♖5a6 ♔b5 43. ♖e7+− ♖g5 44. ♔h2 ♔a6 45. ♖f7** **1 : 0**
[An. Karpov]

502.* **D 37**

MILES 2520 – KORTCHNOI 2610
Lugano 1989

1. ♘f3 e6 2. c4 ♘f6 3. d4 d5 4. ♘c3 ♗e7 5. ♕c2 ♘c6!? N [RR 5... dc4 N 6. e3 a6 7. a4 (7. ♗c4 b5=) c5 8. dc5 ♗c5 9. ♗c4 ♕c7!? 10. ♘e4 (10. 0–0 ♗e3) ♘e4 11. ♕e4 ♘d7 (11... ♗b4 12. ♗d2±) 12. ♗d2! ♘f6 13. ♕h4 ♗d7 14. ♖c1! ♕d6 15. 0–0 ♗a4 (15... 0–0 16. ♗c3!±↑») 16. ♗e6! ♗b5 (16... ♗c6? 17. ♗f7+− Miles 2520 – Vaganjan 2600, Wijk aan Zee 1989) 17. ♗c4 0–0 (17... ♗c4 18. ♕c4 ♗a7 19. ♗b4) 18. ♗b5±8 Miles] **6. e3** [6. c5 b6∞; 6. ♗g5! dc4 7. e3 ♘b4 8. ♕d2 ♘d3 9. ♗d3 cd3 10. ♕d3±○] **0–0?** [6... ♘b4 7. ♕a4 (7. ♕b3 c5=) ♗d7 8. ♕b3 dc4 9. ♗c4 c5 10. 0–0 ♘c6 △ ♘a5=] **7. a3!** [7. c5 e5∞] **dc4** [7... a5 8. b3±] **8. ♗c4± ♗d6 9. b4** [9. ♗b5 e5 10. ♗c6 ed4∞̄] **e5 10. d5 ♘e7 11. ♗b2 a5 12. b5 ♗f5!?** [12... ♘g6] **13. e4 ♗g6** [13... ♗g4 14. ♘d2±○, ⇔c] **14. ♘h4** [14. 0–0±] **♘c8 15. ♘g6 hg6 16. ♘a4?!** [16. 0–0 ♘b6 17. ♗e2±] **♘b6 17. ♘b6 cb6 18. ♗e2?!** [18. 0–0 ♖c8 19. ♖ac1 ♕e7 20. a4 ♖c7=] **♖c8 19. ♕d3** [19. ♕b1=] **♕c7! 20. 0–0** [20. ♖c1 ♕c1 21. ♗c1 ♖c1 22. ♗d1 ♖fc8 23. 0–0 ♖1c3 24. ♕e2 ♖8c4 25. f3 ♗a3∓] **♕c2 21. ♖fb1** [⌓ 21. ♖ab1]

21... ♘e4! 22. ♕c2 ♖c2 23. ♗d3 ♖b2 24. ♖b2 ♘c5∞̄ 25. ♗c2 ♖c8 [25... f5!? 26. g4?! e4 27. ♖e1 ♔f7? 28. gf5 gf5 29. f3±; 27... ♘d7! △ ♘e5∓] **26. ♖e1 ♘d7 27. a4**

♔f8 28. g3 [28. g4?! ♖c4 29. ♖e4 ♖c5 30. ♖e1 ♘f6∓; 28. h4!?] **f5 29. f3 ♔f7 30. ♔g2** [30. g4!? ♔f6 31. h4 ♖c4 (31... ♖c3 32. ♔g2 e4 33. gf5 gf5 34. fe4 f4=∞) 32. h5 (32. ♖f1) fg4 (32... gh5 33. gf5 ♘c5 34. ♖a2∞) 33. ♖f1! g3 34. hg6 ♘c5 35. ♖a2 ♖d4∞] **♖c4∓ 31. ♖a2 ♘f6 32. ♖d1 ♔e7 33. ♖d3** [33. h3 ♘h5! △ e4∓] **♔d7 34. ♖d1 ♖c5 35. ♗b3 ♖c3 36. ♗c2 ♗c5 37. ♖d3 ♖c4 38. d6!□** [38. ♗b3 ♖c1 39. ♖d1 ♖c3 40. ♗c2 ♔d6∓] **e4** [38... ♗d4!? 39. ♗b3 ♖b4 40. ♖c2 ♔d6 41. ♖c4 (41. ♖c8) ♘d7 42. f4 ♘c5 43. fe5 ♔e5 44. ♖dd4 ♖b3∓] **39. fe4** [39. ♖d2 ♗b4 40. ♖d1 ef3 41. ♔f3 ♘g4 42. ♗d3 ♖c3∓] **fe4 40. ♗b3** [40. ♖d1!? g5 (40... ♘g4?! 41. ♗b3 ♘e3 42. ♔h3 ♖c3? 43. ♗e6 ♔e6 44. d7 ♗e7 45. d8♕±; 42... ♘d1 43. ♗d1 e3=) 41. ♗b3? ♖c3 42. ♗f7 ♘g4 43. ♗e6 (43. ♔h3 ♘e3 44. ♖dd2 ♗d6 45. ♗g6 ♖c8−+) ♔e6 44. d7 ♘e3 45. ♔h1 (45. ♔h3 g4 46. ♔h4 ♗e7−+) ♗e7−+; 41. h3!∞] **♖b4 41. ♖c3 ♔d6 42. h4?!** [42. ♖d2 ♔e5 43. ♖d8 g5∓] **♔e5** [42... ♗d4! 43. ♖d2 (43. ♖c4 ♘d5 44. ♖b4 ab4∓ Miles; 44. ♔h3 ♘c3∓) ♔e5 (43... ♘d5 44. ♖c8=) 44. ♖c4 *a)* 44... ♖b3 45. ♖dd4! (45. ♖cd4 ♖b4 46. ♖d6 e3 47. ♖2d3 ♖b2 48. ♔f3? ♖f2 49. ♔e3 ♘g4#) ♔f5 46. ♔h3 (46. ♖d6∞) ♔e5=; *b)* 44... ♗c5! 45. ♖c3 (45. ♖b4 ab4∓ Miles) e3 46. ♖e2 ♘e4 47. ♖d3 ♗d4 △ ♘c5∓] **43. ♗f7** [43. ♖d2 e3∓] **♖b1 44. ♗g6?** [44. ♖cc2 ♘d5∓; 44. ♔h3! ♘d5 45. ♖c4 (△ ♖e4) ♖h1 (45... ♖b4 46. ♖c1∞) 46. ♖h2 ♖h2 47. ♔h2 ♘e3 48. ♖c1 ♔f5∓] **♘d5∓ 45. ♖cc2 ♘e3 46. ♔h3 ♘c2 47. ♖c2** [♖ 9/j] **♖b4 48. ♖a2 ♗d4 49. ♔g2 ♗b2 50. h5 ♔d4 51. ♔f2 ♔c3 52. ♔e3 ♔b3** [52... ♗c1 53. ♔e2 ♗g5 △ ♖d4] **53. ♗f7 ♔c2 54. g4 ♔c3 55. ♗g6 ♗c1 56. ♔e2 ♗g5 57. ♗f5 ♖d4 58. ♗g6 ♔b4 59. ♗f5 ♖d3 60. ♔e1 ♖d4** [60... ♖a3! 61. ♖a3 ♔a3 62. ♗e4 ♔a4 63. ♔d1 ♔b3 64. ♗c2 ♔c3 65. ♗a4 ♔b4 66. ♗c2 a4−+] **61. ♔e2 e3 62. ♔f3 ♖f4 63. ♔g2 ♖d4 64. ♔f3 ♔b3 65. ♖a1** [65. ♗e6 ♔c3 66. ♖a3 (66. ♗f5 ♖d2−+) ♔b2 67. ♖a2 ♔b1 68. ♔e2 (68. ♖a3 e2−+) ♖f4 69. ♔d3 ♖f2 70. ♖f2 ef2 71. ♔e2 ♔b2 72. ♔f2 ♔a3 73. ♗d5 (73. ♔e2 ♔a4 74. ♔d3 ♔b5 75. ♗d5 ♔a6−+) ♔a4 74. ♗b7 ♔b3 75. ♗d5 ♔b2 76. ♔f3 a4 77. ♔e4 a3 78. ♗c4 a2 79. ♗a2 ♔a2 80. ♔d5 ♔b3 81. ♔c6 ♗e3 82. g5 ♔b4 83. g6 (83. h6 gh6 84. gh6 ♔a5−+) ♗d4 84. h6 gh6 85. g7 ♗g7 86. ♔b6 h5 87. ♔c6 h4−+] **♖f4 66. ♔g3 ♖f2−+ 67. ♗e6 ♔c3 68. ♖c1 ♔d4 69. ♔h3 e2 70. ♔g3 ♖f1 0 : 1** **[Kortchnoi]**

503.** **D 37**

M. GUREVIČ 2590 − M. SILVA 2315
Bern 1989

1. d4 ♘f6 2. c4 e6 3. ♘c3 d5 4. ♘f3 ♗e7 5. ♗f4 0−0 6. e3 c5 7. dc5 ♗c5 8. ♕c2 ♘c6 9. a3 ♕a5 10. 0-0-0 a6!? N [△ 11... dc4 12. ♗c4 b5↑⟪; RR 10... ♗e7 11. g4 ♖d8 12. h3 a6 13. ♘d2 ♕b6 N (13... e5 − 46/545) 14. ♗g2 d4 15. ♘a4 ♕a7 16. ♗c6 bc6 17. ed4 ♕d4 18. ♗e3 ♕d3 19. ♕d3 ♖d3 20. g5 ♘e8 21. ♔c2 ♖d8 22. ♘b3 e5 23. ♘a5 ♗f5 24. ♔c3± Vladimirov 2550 − Campora 2500, Moskva (GMA) 1989] **11. cd5 ♘d5** [RR 11... ed5!? 12. ♔b1 (12. ♗g5!? ♗e6 13. ♗f6 gf6 14. ♗d3 ♖fc8∞) ♗e6 13. ♕a4 (13. b4? ♘b4 14. ab4 ♗b4 15. ♘a2 ♖ac8 16. ♕b2 ♗a3 17. ♕d2 ♗f5 18. ♔a1 ♖c2!! 19. ♕a5 ♗b2 20. ♔b1 ♖d2−+; 13. ♗d3 ♖ac8 14. ♘g5 h6 15. ♘e6 fe6 16. ♕b3 b5∓ Conquest 2490 − Ubilava 2500, Tbilisi 1988) ♕a4 14. ♘a4 ♗a7 15. ♗d3 d4 16. ♖c1 de3 17. fe3= Ubilava] **12. ♘d5 ed5 13. ♔b1** [13. ♖d5? ♗e3∓] **♗e7 14. h4! ♗g4?!** [14... h6!? △ ♗g4∞] **15. ♘g5! g6** [15... ♗g5 16. hg5 g6 17. f3 ♗f5 18. ♗d3 ♗d3 19. ♕d3 ♖fd8 20. ♖h6+−] **16. f3 ♗f5 17. ♗d3 ♗d3 18. ♕d3 ♖ad8 19. h5↑ d4 20. hg6!** [20. ♘h7!?↑] **hg6** [20... ♗g5 21. ♖h7! (21. g7? ♔g7 22. ♕h7 ♔f6∞) ♘e5 22. ♕f5↑⟫] **21. ♘e6!± ♖d5□ 22. ♖h6** [△ 23. ♖g6, 23. ♖dh1] **♖f5□ 23. g4 ♖f6 24. ♘g5!** [△ ♖dh1] **♘e5□ 25. ♕d4+−** [25. ♖dh1? ♖f4! 26. ♖h8 ♔g7∓] **♖f4□** [25... ♖d8 26. ♖dh1 ♖f4 27. ♖h8 ♔g7 28. ♖1h7 ♔f6 29. ♕f4#] **26. ♕f4 ♘d3 27. ♕d4** [27. ♖d3? ♗g5] **♘e5 28.**

♖dh1 ♗f6□ 29. ♘h7 ♗g7 30. ♘f8 ♗h6 31. ♘g6 ♗g7 32. ♘e7 1 : 0
[M. Gurevič]

504. D 38

CEBALO 2505 – J. PIKET 2500

München 1989

1. d4 ♘f6 2. ♘f3 d5 3. c4 e6 4. ♘c3 ♗b4 5. ♗g5 h6 6. ♗f6 ♕f6 7. e3 c5 8. cd5 ed5 9. ♖c1 c4?! 10. ♘d2!? N [10. ♗e2 – 45/(480); 10. g3 ♗g4 11. ♗g2 0–0 12. 0–0 ♗c3 13. bc3 ♘c6∞] ♗e6 11. g3± [×d5] 0–0 12. ♗g2 ♗c3 13. bc3 ♘c6 14. 0–0 b5 15. e4 ♕d8 [15... de4 16. ♘e4 ♕d8 17. ♕h5 ♗d5□ (17... ♖b8 18. ♘c5±) 18. ♕d5 ♕d5 19. ♘f6 gf6 20. ♗d5±⊥] 16. ♕h5 f5! 17. ed5 [17. e5? b4∓] ♗d5 18. ♖fe1 ♗g2 19. ♔g2 ♕d5 20. ♕f3 ♖ad8! 21. a4 a6 22. ab5 ab5 23. h4! ♖d7□ 24. ♕d5 [24. h5!? ♖a8!⇆] ♖d5 25. ♖e6 ♖c8□ [25... ♘d8?! 26. ♖b6; 25... ♘a5?! 26. ♖a1] 26. ♖a1 ♔f7 [26... b4? 27. ♘c4 ♘d4 (27... bc3 28. ♘b6 ♘d4 29. ♘d5 ♘e6 30. ♘e7+–) 28. cd4 (28. ♘b6 ♘e6 29. ♘d5 ♖c5!=) ♖c4 29. ♖a7! ♖cd4 30. ♖ee7 ♖g4 31. f3 ♖g6 32. ♖e8 ♔h7 33. ♖aa8 △ h5+–] 27. ♖e3! ♖d7! [27... b4? 28. ♘c4 △ ♘b6+–] 28. ♖a6 [28. ♘f3 b4! 29. ♖a6 (29. ♘e5 ♘e5 30. de5 ♖b7=) ♔g8 30. ♖c6? ♖c6 31. ♘e5 ♖e6!–+] ♘e7 29. ♖e5 [29. ♘f3 ♖b7] b4= 30. cb4 c3 31. ♘b3 c2 32. ♖a1 [32. ♖c5? ♖c5 33. dc5 (33. bc5 ♖d4) ♖d1–+; 32. ♘c1 ♖c4=] ♖c3 33. ♘c1 ♖c4 34. ♖a2 ♖b4
1/2 : 1/2 [Cebalo]

505.* D 39

RIBLI 2625 – BELJAVSKIJ 2640

Barcelona 1989

1. c4 e6 2. ♘c3 d5 3. d4 ♘f6 4. ♘f3 dc4 5. e4 ♗b4 6. ♗g5 c5 7. ♗c4 cd4 8. ♘d4 ♗c3 9. bc3 ♕a5 10. ♗f6 ♕c3 11. ♔f1 gf6 12. ♖c1 ♕b4?! N [RR 12... ♕a5 13. h4 ♘c6 14. ♘c6 bc6 15. ♖h3 ♔e7 16. ♖d3 ♖d8 17. ♖d8 ♕d8 18. ♕h5 ♕d4 19. ♕h7! N (19. ♗e2 – 45/(483)) ♖b8 20. ♗b3 a5 21. ♔g1! a4 22. ♖d1 ♕a7 23. e5!! fe5 24. ♕g8 ♗d7 25. ♕g5 ♔e8 26. h5 ab3 27. h6 ♕c5 28. h7 ♕f8 29. ♕f6! ba2 30. h8♕ ♖b1 31. ♕d8!+– Sa. Nikolov 2215 – Popčev 2470, B”lgarija 1988] 13. ♗e6! ♘c6□ 14. ♘c6! bc6 15. ♗c8 ♖c8 16. h4!± 0–0 [16... ♕e4? 17. ♕d6+–] 17. ♕g4 ♔h8 18. ♖h3 c5 [18... ♕b2 19. ♕f4 ♖fe8 20. ♖hc3 ♖e6±] 19. ♖hc3 c4? [19... ♕d4 20. ♖c4 (20. ♕f5 c4) ♕e5 21. ♕f3±] 20. ♔g1!± [20. ♕e2 ♖fd8 21. ♖c4? ♖c4 22. ♕c4 (22. ♖c4 ♕b1 23. ♕e1 ♖d1–+) ♖d1 23. ♔e2 ♕d2 24. ♔f3 ♖c1–+] ♖fd8 21. ♕f5! ♕d6 [21... ♖c6 22. ♖c4+–] 22. ♖c4 ♖c4 23. ♖c4 ♕d1 24. ♔h2 ♕d6 25. g3 ♔g7 26. a4 ♕e5 27. ♕e5! fe5 28. ♖c5+– ♖d4 [28... ♖e8 29. ♖a5 ♖e7 30. ♖a6+–] 29. ♖e5 ♖a4 [♖ 6/e] 30. ♔h3 a5 31. ♔g4 ♖a2 32. f4 a4 33. ♖g5 ♔f8 34. ♖a5 ♖a3 35. f5!? [35. h5! h6 36. e5 ♔g7 37. ♖a7 ♔f8 38. ♔f5 ♖g3 39. ♔f6+–] f6 36. ♖a7 ♔g8 37. h5 h6 38. e5! fe5 39. f6 ♖b3 [39... e4 40. ♔f5 ♖g3 41. ♔e6 ♖f3 (41... e3 42. f7 ♔g7 43. ♔e7 ♖f3 44. ♔e8+–) 42. ♖a8 ♔h7 43. ♖a4! e3 44. ♖e4 ♔g8 45. ♔e7+–] 40. ♔f5 a3 41. g4 1 : 0
[Ribli]

506.* D 39

DREEV 2520 – G. GEORGADZE 2440

Tbilisi 1989

1. d4 d5 2. c4 e6 3. ♘f3 ♘f6 4. ♘c3 ♗b4 5. ♗g5 dc4 6. e4 c5 7. e5 h6 8. ♗d2! N [RR 8. ef6 hg5 9. fg7 ♖g8 10. dc5 ♕d1 11. ♔d1 N (11. ♖d1 – 46/550) ♖g7 12. ♘e4 ♘d7 13. ♘eg5 ♗c5 14. h4 b5 15. a4 ♖b8 16. ab5 ♖b5 17. ♗c4 ♖b2∓ Dohojan 2575 – Akopjan 2520, Moskva (GMA) 1989] ♗c3 9. bc3 [9. ♗c3 ♘e4∞] ♘e4 [9... ♘d5 10. ♗c4 cd4 11. cd4±] 10. ♗c4 ♘c6 11. 0–0 0–0 [11... ♘d2 12. ♕d2±; 11... cd4 12. cd4 ♘d4 13. ♗b4=∞] 12. ♗e1! [△ h4 ×e4] ♘g5?! [12... cd4 13. cd4 ♘g5 14. ♘g5±] 13. ♘g5 hg5 [×g5; 13... ♕g5 14. ♗d2! (14. f4 ♕e7 15. d5 ed5 16. ♗d5 ♖d8 17. ♕f3 ♗e6 18. ♗e4 ♗c4 19. ♖f2 ♖d7∞) ♕e7 15. ♕g4±] 14. ♕e2! cd4 15. ♖d1 ♕c7 16. cd4 ♖d8 17. ♗c3 ♘e7 [△ b5] 18. ♖c1 ♘f5 19. ♗d3

♕e7 20. f4?! [20. ♕g4 b6!; 20. ♕e4!? g6!; 20. g4!?; 20. ♕b2!?] ♘d4! 21. ♕b2! [21. ♕e4 ♘f5 22. g4 ♕c5 23. ♖f2 ♕e3!] ♘f5 22. ♗f5 ef5 23. e6 fe6 24. fg5∞ ♗d7 [24... ♕g5 25. ♖f3] 25. ♖ce1⊕ [25. g6 (△ 25... ♗c6? 26. ♕e2 ♕g5 27. ♕e6 ♔h8 28. ♗g7!+−) ♖ac8!] ♗c6! [25... ♕g5 26. ♖f3 f4 27. ♖e5↑] 26. ♗f5 ♖d5 27. ♖d5 ♗d5= 28. ♕d2 ♖d8 29. ♕e3 ♖c8 30. g6 ♕c5?⊕ [30... ♕h4!∞] 31. ♗d4 ♕c2 32. ♕g3 ♕a2 [32... ♕d2!?] 33. h4 a5?! 34. h5 ♕d2 35. ♗e3 ♕b2 36. ♖f1 e5 [△ ♖c2] 37. ♕g5! ♕c2? [○ 37... a4] 38. ♖f2 ♕b1 39. ♔h2 ♕e4 40. h6 a4 41. hg7 1 : 0 **[Dreev]**

507. D 39

POLUGAEVSKIJ 2575 − PÉTURSSON 2530
New York 1989

1. d4 ♘f6 2. c4 e6 3. ♘f3 d5 4. ♘c3 dc4 5. e4 ♗b4 6. ♗g5 c5 7. e5 h6!? 8. ♗d2! ♘d5 N [8... cd4 9. ef6 dc3 10. bc3 ♗f8 11. fg7 ♗g7 12. ♗c4±] 9. ♗c4 [9. ♘e4!? cd4 10. ♗b4 ♘b4 11. ♘d6 ♔e7 12. a3 ♘d5 13. ♕d4 ♘c6 14. ♕c5 (14. ♕e4?! ♕a5∞) ♕a5 15. ♕a5 ♘a5=] ♘b6!? [9... 0−0 10. ♘d5 ♗d2 11. ♕d2 ed5 12. ♗e2! cd4!? (12... ♘c6 13. dc5±; 12... c4 13. b3±) 13. ♘d4 ♘c6 14. f4 ♕b6 15. ♖d1 ♘d4 16. ♕d4 ♕a5 17. ♖d2 ♕a2 18. 0−0 ♗f5±] 10. ♗b5 ♗d7 11. ♗d7 ♘6d7!□ [11... ♘8d7 12. ♘e4±] 12. ♘e4 ♗d2 13. ♕d2 0−0 14. dc5 [RR 14. ♘c5! ♘c5 15. dc5 ♕d2 16. ♔d2 ♖c8 17. ♖ac1 ♘a6 18. c6± Lukács] ♕c7 15. ♕c3 ♕c6 16. ♘d6 [16. ♘fd2 ♕d5 17. f4 ♖c8 18. b4 b6∞] ♕c5 17. ♕c5 ♘c5 18. ♔e2 ♘c6 19. ♖ac1 b6 20. ♖c4 [20. ♘e4? ♘e5!] ♘e7!= [20... a5? 21. ♘e4±] 21. ♖hc1 ♘d5 22. ♘e1 a5 23. g3 1/2 : 1/2 **[Pétursson]**

508. D 39

LUKÁCS 2465 − CS. HORVÁTH 2445
Magyarország (ch) 1989

1. d4 ♘f6 2. c4 e6 3. ♘f3 d5 4. ♘c3 dc4 5. e4 ♗b4 6. ♗g5 c5 7. e5 h6 8. ♗d2! cd4! N 9. ef6 dc3 10. bc3 ♗f8 11. fg7 ♗g7 12. ♗c4 [12. ♕a4?! ♘c6 13. ♕c4 0−0∞] ♗d7?! [12... ♕c7 13. ♕e2±; 12... ♘d7 13. 0−0 ♘b6 14. ♗b3±; 13... ♘e5 14. ♘e5 ♗e5 15. ♖e1±; 13... 0−0!; 12... 0−0! 13. 0−0 ♘d7 14. ♖e1 (14. ♕c1 ♕f6) b6 15. ♘d4 ♗b7 (15... ♘e5?! 16. ♗h6! ♘c4 17. ♗g7 ♔g7 18. ♕g4 ♔h8 19. ♘c6!+−) 16. ♕h5!→] 13. 0−0 ♗c6 14. ♖e1! ♗d5?! [14... ♗f3 15. ♕f3 ♕d2? 16. ♕b7+−; 14... ♕d6 15. ♕e2 0−0 16. ♖ad1±; 14... ♘d7 15. ♘d4! 0−0! (15... ♘e5?! 16. ♕h5! ♘c4 17. ♘e6 ♕d2 18. ♖ad1!+−; 15... ♗d4 16. cd4 ♘f6 17. ♗f4!±) 16. ♕h5!→] 15. ♗h6! ♖h6 [15... ♗f3 16. ♕d8 ♔d8 17. ♗g7 ♖g8 18. ♗f6 ♔c7 19. ♗f1!+−; 15... ♗c4 16. ♕d8 ♔d8 17. ♗g7 ♖g8 18. ♗f6 ♔e8 19. ♘e5+−; 15... ♗c3 16. ♗g5 ♕a5 (16... f6 17. ♗d5+−) 17. ♗d5 ♗e1 18. ♗b7+−] 16. ♗d5 ♘c6 17. ♖b1 ♕c7 [17... ♖b8? 18. ♖b7!+−; 17... ♗c3 18. ♖e3! (18. ♕c1!? ♗e1 19. ♕h6 ♗b4! 20. ♗c6 bc6 21. h4±) ♗g7 19. ♖b7+−] 18. ♕a4 0-0-0!? [18... ♖c8 19. ♗c6 ♕c6 20. ♕c6 bc6 21. c4 △ ♖b7+−] 19. ♗c6 ♕c6 20. ♕a7 ♖g6 21. ♕e3 ♖d5 [21... ♗c3 22. ♖ec1+−] 22. g3 ♖g4 [22... ♖c5 23. ♘d4+−; 22... ♗c3 23. ♖ec1 ♖c5 24. ♘e5! ♖e5 25. ♕c3 ♕c3 26. ♖c3 ♔b8 27. ♖cb3+−] 23. ♖b6 [23. ♖b4 ♖c4!] ♕d7 [23... ♕c5? 24. ♖e6!+−] 24. ♖b4 ♖b4 25. cb4 ♔b8 26. ♖c1 e5 27. ♖c5 ♖d1 28. ♔g2 f6 29. ♖a5 ♗f8! 30. a3 ♖b1 31. ♕e2 ♕c6? [31... b6 32. ♕e4!+−] 32. ♕d3 1 : 0 **[Lukács]**

509. D 39

KASPAROV 2775 − RIBLI 2625
Barcelona 1989

1. d4 ♘f6 2. c4 e6 3. ♘f3 d5 4. ♗g5 dc4 5. ♘c3 ♗b4 6. e4 c5 7. e5 cd4 8. ♕a4 ♘c6 9. 0-0-0 ♗d7 10. ♘e4 ♗e7 11. ef6 gf6 12. ♗h4 ♖c8 13. ♔b1 ♘a5 14. ♕c2 e5 15. ♘d4 ed4 16. ♖d4 ♕b6 17. ♘f6 [17. ♖d7 − 45/(490)] ♗f6 18. ♕e4 ♔f8! N [18... ♔d8] 19. ♗f6 ♕f6 20. ♖d7 ♖e8 21. ♕d4 ♖e1 22. ♔c2 ♕d4 23. ♖d4 ♔e7 [23... ♔g7!?] 24. g3 [24. ♖d1 ♖d1 25.

♔d1 ♔d6=] **♖d8** [24... ♘c6? 25. ♖c4 ♖d8 26. ♗g2 ♖e2 27. ♔c1 ♖f2 28. ♗c6 bc6 29. ♖e1 ♔f8 30. ♖c2±] **25. ♗g2! ♖e2! 26. ♔d1 ♖d4 27. ♔e2 ♔d6 28. h4 b5 29. h5 h6 30. ♖d1 ♖d1 31. ♔d1 f5! 32. ♔d2 b4! 33. ♔e3 b3□ 34. ab3** [34. a3? c3−+] **♘b3 35. ♗h3 ♔e6** [35... ♔e5 36. f4 ♔e6 37. g4 ♔f6! 38. gf5 ♘c5 39. ♔d2 ♘d3 40. ♔c3 ♘f4 41. ♗f1 ♘d5 42. ♔d4 c3 43. bc3 ♘c3 44. ♔c3 ♔f5=] **36. f3** [36. ♗f1 ♔d5 37. ♗h3 ♔e6=] **a5 37. g4?⊕** [37. ♗f1! ♔d5 38. g4 fg4 39. fg4 ♘d4 40. g5 hg5 41. ♗h3! ♘e6 42. h6 ♘f8 43. ♗f5=] **♔e5! 38. f4** [38. ♗f1 f4 39. ♔f2 ♘d2−+] **♔f6! 39. ♗f1**

39... fg4? [39... c3! 40. g5 (40. bc3 a4 41. ♗c4 fg4 42. ♔f2 ♔f5 43. ♔g3 ♘c5−+) hg5 41. fg5 ♔g5 42. bc3 a4 43. ♗c4 (43. ♗d3 a3 44. ♗b1 f4−+) f4! 44. ♔d3 (44. ♔f2 ♔h5−+) ♔h5 45. ♔c2 f3 46. ♔b2 f2 47. ♔a3 ♘c5 48. ♔b4 ♔g4−+] **40. ♗c4 ♘c5 1/2 : 1/2** **[Ribli]**

510. **D 40**

PFLEGER 2500 − LOBRON 2555

BRD 1989

1. d4 e6 2. c4 c5 3. e3 ♘f6 4. ♘f3 d5 5. ♘c3 a6 6. dc5?! ♗c5 7. a3 0−0 8. b4 ♗a7 9. ♗b2 ♕e7 N [9... dc4] **10. cd5 ♖d8 11. ♗e2 ed5 12. 0−0?** [⌓ 12. b5!?] **♘c6∓ 13. ♘a4** [13. b5 d4∓] **♘e4 14. ♘d4 ♖d6! 15. ♖c1** [15. f3? ♘g3 16. hg3 ♕e3 17. ♖f2 ♘d4−+] **♖h6→» 16. ♗g4!□ ♕d6 17. g3?** [⌓ 17. h3 ♗g4 18. ♕g4 ♖g6 19. ♕d1 (19. ♕e2 ♗b8 20. g3 ♘g3 21. fg3 ♖g3 22. ♔f2 ♖g2! 23. ♔g2 ♕h2 △ ♘e5#; 19. ♕h5 ♖g5 △ ♕g6∓) ♖e8∓] **♕g6 18. ♗c8** [18. ♗f3 ♘e5→»] **♖c8 19. ♘c6 bc6 20. ♕d5?** [20. ♘c5□ ♗c5 21. bc5 ♕e6 22. ♖c2□ (22. ♕d4 f6 23. ♖c2 ♕h3 24. f3 ♘g3 25. hg3 ♕h1 26. ♔f2 ♕h2 △ ♕c2−+) ♕h3 23. f3 ♘c5 24. ♕d4 ♘e6 25. ♕a7 c5 26. ♕b7 (26. ♕a6? ♘d4−+) ♖d8 27. ♕a6 ♕f5 28. ♖d2 ♘g5 29. ♕a5 ♖hd6∓; 28. ♕e2∓] **♕g4!−+ 21. ♕e5□ f6** [21... ♗b8? 22. f3±] **22. ♕f4 ♕h3 23. ♖fd1 ♖e8! 24. ♘c5** [24. ♘c3 ♕h2 25. ♔f1 ♘f2 26. ♕f2 ♕f2 27. ♔f2 ♖h2 △ ♖b2−+] **♕h2 25. ♔f1 ♗c5 26. bc5 ♖g6!** [△ 27... ♘g3 28. fg3 ♕b2] **27. ♗d4 ♖g3 28. ♔e2⊕ ♘f2 0 : 1** **[Lobron]**

511.* **D 40**

L. PORTISCH 2610 − J. HJARTARSON 2615

Linares 1989

1. c4 ♘f6 2. ♘c3 c5 3. ♘f3 e6 4. e3 d5 5. d4 ♘c6 6. a3 ♘e4 [RR 6... a6 7. dc5 ♗c5 8. b4 ♗d6 9. ♗b2 0−0 10. cd5 ed5 11. ♗e2 ♖e8 N (11... ♗g4 − 40/516; 11... ♗c7; 11... ♗e6) 12. 0−0 ♗c7 13. ♖c1 ♕d6 14. b5!? (14. ♖e1? d4! 15. ed4 ♗g4 16. ♘e5 ♘e5 17. de5 ♕e5 18. g3 ♕h5∓↑»; 14. g3!?) ♘e5 15. ♘e5 ♕e5 16. g3 ♗h3 (Kállai 2430 − Pálkövi 2425, Magyarország (ch) 1989) 17. ba6 ♗f1 18. ♗f1 (18. ab7?? ♗e2 19. ba8♕ ♗d1−+) ba6! (18... ♖ab8? 19. a7 △ ♘b5±; 18... ♖eb8? 19. ♘a4! ♕d6 20. ♗f6 gf6 21. ♕g4 ♔h8 22. ♗d3± △ 22... ♖g8 23. ab7!) 19. ♘b5 (19. ♘a4? ♕d6 20. ♗f6 gf6 21. ♕g4 ♔h8 22. ♗d3 ♖g8 23. ♕f5 ♖g7∓) ♕b2 20. ♘c7 ♕a3 21. ♘e8 ♖e8 22. ♖a1= Pálkövi] **7. ♗d3 ♘c3 8. bc3 ♕a5?! N** [8... ♗e7 − 46/552] **9. ♗d2 dc4 10. ♗c4 ♗d6?!** [⌓ 10... ♗e7] **11. e4 0−0 12. 0−0 cd4 13. cd4 ♕h5 14. e5 ♗e7 15. ♕e2 ♗d7 16. h3?!** [⌓ 16. ♖ab1±] **♖ae8! 17. ♖fe1 ♔h8 18. ♖ab1 ♘d8 19. ♖b3?!** [⌓ 19. ♗b5! ♘c6□ (19... ♗b5 20. ♕b5 ♗a3 21. ♕a4 △ ♕a7±) 20. a4±] **♗c6 20. ♗b5 ♗d5!**

21. ♗c4 ♗c6 22. ♖e3 a6 23. ♕d1 [23. ♕d3!?] f5! 24. ef6 gf6 25. ♘h2 ♕d1 26. ♖d1 ♗d6 27. ♗a5 ♗d5 28. ♗d5 ed5 29. ♖b3 ♘c6 30. ♗b6 ♖f7? [30... ♗h2!±] 31. ♘g4!± [×f6, f5, d5] ♖e4 32. ♘e3 ♘e7 33. ♗c5! ♗c5 34. dc5 d4 35. ♘c4+− ♘f5 36. g4 ♖g7 37. ♔f1 ♘h4 38. ♘d6 ♖e5 39. ♘b7 ♖ge7⊕ 40. c6 ♖c7 41. ♘d8 1 : 0 [L. Portisch]

512. D 40

VAJSER 2525 − ANDRIANOV 2455
Budapest (open) 1989

1. d4 e6 2. ♘f3 c5 3. e3 ♘f6 4. c4 d5 5. ♘c3 ♘c6 6. a3 ♘e4 7. ♗d3 ♘c3 8. bc3 ♗e7 9. 0−0 0−0?! 10. ♕c2 g6 11. cd5 N [11. ♖d1; 11. ♗b2] **ed5 12. dc5** [12. ♖d1?! c4 △ ♗f5] **♘a5** [12... ♗c5 13. c4 d4; 13. ♗b2!? △ ♖ad1, c4] **13. ♗b2** [13. c4 dc4 14. ♗c4 ♘c4 15. ♕c4 ♗e6 16. ♕b5 ♕c7] **♘c4!** [13... ♗c5 14. c4! dc4 15. ♕c3 f6 16. ♗c4 ♔g7 17. ♖fd1±; 13... ♗e6 14. ♘d4!] **14. ♗c4 dc4 15. ♘d4** [15. ♕e2 ♕d5!?] **♗c5 16. ♕e2 ♕b6 17. a4** [17. ♕c4?? ♗d4 △ ♕b2−+; 17. ♖fb1 ♗e6!? 18. ♗c1 ♕a6; 17. e4!?] **♖e8 18. ♖fb1** [18. ♗a3 ♗d4 (18... ♗a3 19. ♖a3 ♕c5±) 19. cd4 ♕d4 20. ♖fd1∞] **♗d4** [18... ♕a6? 19. ♘b5!; 18... ♗e6? 19. ♗a3] **19. cd4** [19. ♗a3 ♗c3!? 20. ♖b6 ab6 21. ♖c1 ♗g7 22. ♕c4 (22. ♖c4 b5!) ♗d7∞; 19... ♕f6!?; 19... ♕c6!?] **♗f5 20. ♖c1** [20. ♖e1!?] **♗d3 21. ♕d2 ♖ad8 22. ♖e1** [22. f3?! ♖e3! 23. ♕e3 ♕b2∞] **♕b3** [△ ♕c2] **23. ♖ec1 ♕b6 24. ♗c3 ♖d5 25. f3** [△ e4, d5] **f5! 26. ♕f2 ♕d6 27. ♖a2 b6 28. ♖e1 a6** [△ b5] **29. ♕h4 ♕e7?!** [29... b5 30. ab5 ab5 (30... ♖b5 31. e4!?; 31. d5!?) 31. ♖a7! h5 32. e4 ♖d4 (32... fe4 33. fe4 ♕b6 34. ed5!?; 34. ♖e7!?) 33. e5 ♖h4 (33... ♖e5 34. ♖e5 ♖h4 35. ♖e8 ♕f8 36. ♖g7+−) 34. ed6 ♖e1 35. ♗e1 ♖d4 36. d7 △ ♖a8+−; 29... ♖e6!?] **30. ♕e7!** [30. ♕h6 ♕f8 31. ♕h3 △ g4; 30... b5!?] **♖e7 31. ♔f2 ♔f7 32. h3 ♖e6** [32... h5?! 33. h4 ♖e6 34. ♔g3 △ ♔f4±] **33. g4 b5 34. ♖ea1** [34. ab5 ♖b5 △ ♖b3] **ba4 35. ♖a4 ♖b5 36. g5** [36. ♖a6?! ♖a6 37. ♖a6 ♖b3⇄] **♖b3 37. ♖c1** [37. ♖4a3!?] **♖eb6 38. ♔g3 ♖b1 39. ♖a1⊕** [39. ♖b1!? ♖b1 40. ♖a3! ♖b3 41. ♖b3 cb3 42. ♔f4 △ e4±] **♖c1?!** [△ 39... ♖a1 40. ♖a1 ♖b3⇄] **40. ♖c1 ♔e6** [♖ 9/j] **41. ♔f4 ♔d5 42. ♖a1 ♖b3 43. ♖a5** [43. e4 fe4 44. fe4 ♗e4 45. ♖a5 ♔e6 46. ♔e4 ♖c3 47. ♖a6 ♔f7 48. ♖a7 ♔g8⇄] **♗d6!** [43... ♔c6 44. ♖c5 △ ♗a5±] **44. ♖a6 ♔c7 45. ♗a5 ♔b7 46. ♖e6 ♖a3!** [46... c3? 47. ♖e7 ♔a6 48. ♗c3 ♖c3 49. ♖h7; 46... ♖b5 47. ♖e5!] **47. ♗b4** [47. ♖e5 ♔a6] **♖b3 48. ♗a5 ♖a3 49. ♗e1⊕ ♖a1 50. ♗d2 ♖a2 51. ♗b4 ♖a4!** [51... ♖b2] **52. ♖e7 ♔a6!=** [52... ♔a8? 53. ♗c3 ♖a3 54. d5!! ♖c3 55. d6+−; 52... ♔c6? 53. ♗c3 ♖a3 54. d5! ♔d5 55. ♗e5 △ 55... c3? 56. ♖d7 ♔c4 (56... ♔e6 57. ♖d3 c2 58. ♖d6+−; 56... ♔c6 57. ♖d3 c2 58. ♖a3 c1♕ 59. ♖c3+−) 57. ♖d4 ♔b5 58. ♖d3 c2 59. ♖d5 ♔c6 60. ♖d8+−] **53. ♗c3** [53. ♗c5? c3 54. ♖a7 ♔b5; 53. ♗d6? c3 54. ♖c7 (54. ♖h7 c2 55. ♖c7 ♖a1∓) c2 55. ♖c3 ♔b5 (55... ♖a1? 56. ♖a3!+−) 56. e4 ♖a1!?; 56... ♖d4!?] **♖a3 54. ♖e6 ♔b7 55. ♖e7 ♔a6 56. ♗d2 ♖a2** [56... c3? 57. ♗c3 ♖c3 58. ♖h7±] **57. ♖e6 ♔b7 58. ♖e7 ♔a6 59. ♗e1 ♖a1 60. ♖e6** [60. ♗f2? ♖f1 61. ♔g3 c3 62. e4 (△ ♗e3) f4! 63. ♔g2 c2−+] **♔b7 61. ♖e7 ♔a6 62. ♗b4 ♖a4 63. ♖e6 ♔b7 1/2 : 1/2** [Andrianov]

513.** D 41

GLEK 2475 − GUTOP
corr. 1989

1. e4 [RR 1. ♘f3 c5 2. c4 ♘f6 3. ♘c3 e6 4. g3 d5 5. cd5 ♘d5 6. ♗g2 ♘c6 7. 0−0 ♗e7 8. ♘d5 ed5 9. d4 0−0 10. dc5 ♗c5 11. ♗g5 ♕d7! N (11... f6 — 41/481) 12. a3 h6 13. ♗f4 ♖d8 14. ♖c1 ♗b6 (Sirotanović 2270 − Ruban 2420, Bela Crkva 1989) 15. ♘e5 ♕e6 16. ♘d3 ♕e7 17. b4=; 12. ♕c2!? ♗b6 13. ♖ad1 h6 14. ♗c1 △ e3, b3, ♗b2 Ruban; 1. d4 ♘f6 2. c4 e6 3. ♘c3 d5 4. cd5 ♘d5 5. e4 ♘c3 6. bc3 c5 7. ♘f3 cd4 8. cd4 ♗b4 9. ♗d2 ♗d2 10. ♕d2 0−0 11. ♗c4 b6 (11... ♘c6

12. 0–0 ♘a5 13. ♖fc1!? ♘c4 14. ♖c4 b6 15. ♖ac1 ♗b7 16. ♕e3±) 12. d5 ♗a6 13. ♗a6 ♘a6 14. d6 e5!? N (14... ♘c5 15. e5 f6 16. 0–0 fe5 17. ♘e5 ♘e4 18. ♕b4! ♘f6 19. ♘c6±; 16... ♖f7 — 13/566) 15. 0–0 (15. ♘e5? ♕f6 16. f4 ♖ad8⇆ Moskalenko) f6 16. ♘h4!± Moskalenko 2490 — S. Đurić 2475, Holguin 1989] c6 2. d4 d5 3. ed5 cd5 4. c4 ♘f6 5. ♘c3 e6 6. ♘f3 ♗e7 7. cd5 ♘d5 8. ♗c4 0–0 9. 0–0 ♘c6 10. ♖e1 a6 11. a3 ♘c3 12. bc3 b5 13. ♗d3!? N [13. ♗a2 — 36/504] ♗b7 14. h4! ♘a5 [14... ♗h4?! 15. ♘h4 ♕h4 16. ♖e3→] 15. ♗c2! [15. ♘g5 h6! 16. ♕h5 ♘b3!∞] ♘c4 16. ♘g5 ♗g5! [16... h6? 17. ♕d3+–; 16... g6 17. ♕g4!±→] 17. hg5 [17. ♗g5!? ♕d7 (17... ♕d5 18. ♕g4 f5 19. ♕g3±) 18. h5 f5!∞] f5!□ 18. gf6 [18. ♕h5 g6 △ ♗d5∞] ♕f6 19. f4 [19. ♕e2 e5!] ♖ae8 [△ e5] 20. ♕h5 g6 21. ♕h3 e5! 22. de5 ♘e5?! [⌓ 22... ♕b6! 23. ♗e3 (23. ♔h2? ♕f2) ♘e3 24. ♕e3 ♕e3 25. ♖e3 ♖f4=] 23. ♗e3! [23. ♖e5 ♖e5 24. ♗b3 (24. fe5? ♕f2 25. ♔h2 ♗g2!–+) ♗d5 25. fe5 ♕f2 (25... ♕f1 26. ♔h2 ♗b3 27. ♗h6! ♕a1 28. ♕d7 ♗f7□ 29. ♕e7! ♖e8 30. ♕f6+–) 26. ♔h1 ♗b3 27. ♗e3∞; 24... ♖d5!?]

23... ♘f3!! [23... ♘c6 24. ♗c5±; 23... ♘c4 24. ♗d4 ♕f4 25. ♗g6!±] 24. gf3 ♕c3 25. ♗g6!? [25. ♗e4 ♕e4 26. fe4 ♖e4∞] hg6 26. ♖ac1 ♕f6□ [26... ♕g7? 27. ♗c5! ♖e1 28. ♖e1 ♖d8 29. ♖e7!+–; 26... ♖e3? 27. ♖c3 ♖e1 28. ♔f2 ♖fe8 29. ♖c7!±; 26... ♕a5? 27. ♖e2! △ 28.

♗d4!,* 28. ♖h2±] 27. ♗c5 ♖e1 28. ♖e1 ♕f5!= 29. ♕f5 ♖f5 30. ♖e8 1/2 : 1/2 [Glek]

514.   D 42

I. IVANOV 2515 – DLUGY 2570
Las Vegas 1989

1. c4 ♘f6 2. ♘f3 c5 3. ♘c3 e6 4. e3 ♘c6 5. d4 d5 6. cd5 ♘d5 7. ♗d3 cd4 8. ed4 ♗e7 9. 0–0 0–0 10. a3 ♘f6 11. ♗e4 ♕d6 12. ♕d3 h6 13. ♖e1 N [13. ♖d1 — 37/475] ♖d8!? [13... ♘ce7] 14. ♗d5 ed5 15. ♘b5 ♕d7! [15... ♕b8 16. g3 ♗g4 17. ♗f4 ♕c8 18. ♘e5±] 16. ♗f4 [16. h3 a6 17. ♘c3 ♕f5=; 16. ♘e5 ♗e5 17. de5 a6! 18. ♘d4 (18. ♘d6 ♘e5!) ♘d4 19. ♕d4 ♕g4=] ♕g4! 17. ♕e3?! [17. ♕d2 ♗f5 18. ♘d6 ♖d7=] ♗f5 18. h3? [18. ♘d6 ♗e4! 19. ♘e4 de4 20. ♕e4 ♘d4 21. ♘d4! ♗d4 (21... ♖d4 22. ♕b7!) 22. ♗e5!=] ♕g6 19. ♘e5 [19. ♗g3 ♗e4!∓] ♗e5 20. de5 [20. ♗e5 a6! 21. ♘c3 ♘e5!–+] d4 21. ♕g3 ♕g3 22. fg3 ♗c2!–+ 23. e6?! [23. ♘d6 g5 24. ♗d2 ♘e5 25. ♘b7 ♖d5–+] fe6 24. ♘c7 e5! 25. ♘a8 [25. ♗e5 ♘e5 26. ♘a8 ♘c4 27. ♘c7 d3–+] ef4 26. ♘c7 d3 27. ♘e6 [27. gf4 d2 28. ♖ed1 ♘a5! 29. ♘e6 ♖d5! 30. ♘c7 ♖d7–+] ♖d6 28. ♘c5 d2 29. ♖ed1 b6! 0 : 1   [Dlugy]

515.*   D 42

MORTENSEN 2450 – B. LARSEN 2580
Aalborg (m/4) 1989

1. e4 c6 2. c4 d5 3. ed5 cd5 4. d4 ♘f6 5. ♘c3 e6 6. ♘f3 ♗e7 7. cd5 ♘d5 8. ♗d3 0–0 9. 0–0 ♘c6 [RR 9... ♘f6 10. a3 b6 11. ♖e1 ♘c6 12. ♗c2 ♗a6! 13. b4?! ♖c8! N (13... ♗c4 — 31/461) 14. ♗b2?! (14. b5?! ♘a5 15. ba6 ♖c3∓) ♗c4∓ Lanka 2420 – Østenstad 2410, Trnava II 1989; ⌓ 14. ♘e4=; 13. ♗g5!?; 13. ♘e4!? Lanka] 10. ♖e1 ♕d6 11. a3 ♖d8 12. ♕c2 h6 13. ♗e3 [13. ♘d5 ed5!? △ ♗e6] ♗d7 [13... ♘e3!?] 14. ♘d5 ♕d5 [14... ed5 15. ♘e5! (△ f4) ♖ac8? 16. ♗h7

268

♔f8 17. ♘d7 ♕d7 18. ♗f5 ♘d4 19. ♕c8+−] **15. ♗h7 ♔h8 16. ♗e4 ♕h5 17. ♖ad1 N** [17. ♘e5 − 6/86] **♖ac8 18. ♕e2** [18. d5? ♘b4] **♗e8 19. b4!±** [19. h3 ♘a5 △ 20... ♗c6, 20... ♗b5] **a6 20. h3 ♔g8** [20... ♗f6 21. ♕f1 △ g4, h4, g5→] **21. ♗b1** [21. ♕f1!? △ 22. g4 ♕b5 23. ♕b5 ab5 24. d5] **♗f8** [△ ♘e7-d5] **22. ♗e4 b5?!** [22... a5 23. b5 ♘e7 24. a4 ♘d5 25. ♗d2 △ ♖c1, ♕f1] **23. ♕f1** [△ g4+−] **f5** [23... f6!?] **24. ♗b1 ♗d6** [24... ♘e7!? 25. ♗a2 ♘d5 26. ♗d2±] **25. ♗a2 ♗f7 26. ♗c1 ♕g6 27. ♕e2 ♖e8** [27... ♘e7!?] **28. ♘e5± ♘e5 29. de5 ♗f8 30. ♖d3 ♖c6 31. ♗e3 ♖ec8 32. ♗b3 ♕h5 33. ♕d2 ♔h7 34. f4 ♗e8 35. ♖d8 ♕f7 36. ♖c8 ♖c8 37. ♖c1 ♖c1 38. ♕c1 ♕d7 39. ♗c5 ♕c6 40. ♕e3 ♔g8 41. ♕d4 ♗c5 42. bc5 ♔f7 43. ♔f2 a5 44. ♕d6** [44. ♗d1 ♕e4 45. ♕e4 fe4 46. ♔e3 ♗c6 47. ♗c2 a4= 48. ♗e4? ♗e4 49. ♔e4 b4 50. c6 ♔e8 51. ♔d3 ba3! 52. ♔c2 ♔d8−+] **♕d6 45. cd6?** [45. ed6! ♗c6 46. ♔e3! ♔f6 47. ♔d4 ♗g2 48. h4 g6 49. ♗d1 ♗c6 50. ♗e2⊙ a4 51. ♔c3 e5 52. fe5 ♔e5 53. ♔b4 f4 54. ♗b5 ♗b5 55. ♔b5 f3 56. d7 f2 57. d8♕ f1♕ 58. ♔b6±] **a4! 46. ♗a2 ♗c6 47. ♔e3! b4!** [47... ♗g2 48. ♔d4 g5 49. ♔c5 gf4 50. ♔b6 f3 51. d7!+−; 47... ♗d5 48. ♗d5 ed5 49. ♔d4 b4 50. ♔d5 ba3 51. d7+−] **48. ab4 a3?** [48... ♗d5! 49. ♗d5 ed5 50. b5 a3 51. b6 a2 52. b7 a1♕ 53. b8♕ ♕c3=] **49. b5+− ♗g2** [49... ♗d5 50. b6; 49... ♗b5 50. ♔d4 ♗c6 51. ♔c5 ♗d5 52. ♗d5 ed5 53. d7+−] **50. h4 g6 51. b6 ♗c6 52. ♔d2 ♔e8 53. ♗e6** 1 : 0
[Mortensen]

516. D 44

DOHOJAN 2575 − M. KUIJF 2485
Wijk aan Zee II 1989

1. d4 d5 2. c4 c6 3. ♘f3 ♘f6 4. ♘c3 e6 5. ♗g5 dc4 6. e4 b5 7. a4 ♗b7 8. e5 h6 9. ♗h4 g5 10. ef6 gh4 11. ♗e2 N [11. ab5 − 39/522] **c5! 12. dc5** [12. ab5 ♘d7 13. d5 ♕f6 14. 0−0 ♔b6⇆] **♘d7 13. c6!? ♗c6 14. ♘d4 ♗g2 15. ♖g1** [15. ♘e6 ♕f6

△ 16. ♘d5? ♗b4; 15... ♕b6∞] **♗h3?!** [15... h3!? 16. ♘e6 ♕f6 (16... ♕b6!? 17. ♘g7 ♗g7 18. fg7 ♖g8 19. ♕b5 0-0-0 20. ♕d6 ♔b8 21. ♘c4) 17. ♘c7 (17. ♘d5 ♗b4) ♔d8 18. ♘7d5! ♕e5!? (18... ♕d6 19. ♕d4) 19. f4 ♕d6 20. ♗f3! ♕e6 21. ♔d2 b4 22. ♘b5∞] **16. ♕d2!?** [△ ♕e3 ×♗h3; 16. ab5 ♕f6 17. ♗f3 (17. ♘e4 ♗b4) ♘e5!? 18. ♗a8 ♘d3 19. ♔d2 ♕d4∞; 16. ♗f3!?] **b4** [16... ♕f6 17. 0-0-0!? ∞] **17. ♘e4 ♘f6 18. ♗c4!□ ♗e7□∞** [18... ♘e4? 19. ♗b5+−] **19. ♕e3 ♘e4 20. ♕e4 ♖c8□ 21. ♘e6!** [21. ♗e6 ♗e6 22. ♘e6 ♕d6!∓] **♖c4□** [21... ♗e6 22. ♗e6 ♖c5 (22... fe6? 23. ♖d1 ♗d6 24. ♖g6+−) 23. ♗f7 ♔f8 24. ♖d1 ♕c7 25. ♗d5; 21... fe6 22. ♖d1→] **22. ♘g7 ♔f8 23. ♕c4 ♖g8∞** [23... ♗g5?! 24. ♕b4 ♔g8 (24... ♔g7 25. ♕c3) 25. ♖d1 ♕f6 26. f4] **24. ♖d1 ♕b8 25. ♕e4 ♗g5** [25... ♗f6 26. ♖d3∞] **26. ♖d3!?⊕** [26. ♘f5 ♖g6 27. ♖g5 ♖e6 (27... ♗f5 28. ♖f5 ♖e6 29. ♕e6) 28. ♕e6 fe6 29. ♘h6 ♕f4 30. ♖g8=] **♕h2!?⊕ 27. ♖g5?** [27. ♖h1! ♕b8 (27... ♕g2 28. ♘e6! fe6 29. ♖f3 △ ♖hh3±) 28. ♖hh3±] **hg5 28. ♖d8??** [28. ♘h5 ♕g1 29. ♔d2 ♕f2 30. ♔c1 ♕c5 31. ♔d2=] **♕g7-+ 29. ♕d4 f6 30. ♕a7 ♔h8 31. ♖d5 ♕h1 32. ♔e2 ♕d5** 0 : 1
[Dohojan]

517.** D 44

KNAAK 2465 − VAN DER WIEL 2560
Lugano 1989

1. d4 d5 2. c4 c6 3. ♘f3 ♘f6 4. ♘c3 e6 5. ♗g5 dc4 6. e4 b5 7. e5 h6 8. ♗h4 g5 9. ♘g5 [RR 9. ef6 gh4 10. ♘e5 ♕f6 11. a4 *a)* 11... ♗b4 12. ♗e2 c5 *a1)* 13. ♗f3 ♘d7! 14. ♗a8 cd4 15. ♘c6 dc3 16. ♘b4 cb2 17. ♖b1 a5 18. ♘c6 b4 19. 0−0 c3 20. ♕d6? N (20. ♘a5 − 43/522) e5 21. ♕c7 0−0 22. ♕a5 ♘b6! 23. ♕b4 ♘d5! (23... ♗a6? 24. ♘e7 ♔g7 25. ♗e4 ♗f1 26. ♘f5 ♔g8 27. ♖f1+− Schröder) 24. ♕b3 ♗f5 25. ♖be1 ♖a8 26. ♕d5 c2!−+ Müller-Navarra − Schröder 2240, corr. 1989; *a2)* 13. 0−0 cd4?! N (13... ♗c3 −

44/(509); 13... ♘d7!?) 14. ♕d4 ♘d7 15. ♕e4! ♖b8? 16. ♘d7 ♗d7 (16... ♔d7 17. ♖fd1 ♔c7 18. ♘b5 ♔b6 19. ♕e3 ♗c5 20. ♖d6+−) 17. ♘d5 1 : 0 Novikov 2490 − Gy. Fehér 2410, Budapest II 1989; 15... ♕e5 16. ♕a8 ♗d6 17. f4 ♕e3 18. ♔h1± Novikov; *b)* 11... ♗d6 N 12. ♗e2!? ♗e5 13. de5 ♕e5 14. ab5 (14. 0−0 b4) ♗b7!? (14... cb5 15. 0−0↑) 15. 0−0 ♔e7! 16. ♗f3 a6 (16... ♖d8? 17. ♕a4) 17. ♖e1 ♕d6 18. ♕c2! ♘d7□ (18... ab5 19. ♖ad1 ♕c7 20. ♘e4 ♘d7 21. ♕c3!↑) 19. ♖ad1 ♕c7 20. ♕e4 ab5! 21. ♕h4 ♘f8 22. ♕d4 ♔e7 23. ♖d2!? (Moskalenko 2490 − Lugo 2340, Holguin 1989; 23. ♘e4 c5!; 23. ♖e6 ♔e6!) ♖ad8!?∞ Moskalenko] **hg5 10. ♗g5 ♘bd7 11. g3 ♖g8 12. h4 ♖g5 13. hg5 ♘d5 14. g6 fg6 15. ♕g4 ♕a5? N** [15... ♔f7? 16. ♖h8!+−; RR 15... ♕e7 16. ♕g6 ♕f7 17. ♕f7 ♔f7 18. 0-0-0 N (18. ♗g2 − 30/566) ♘c3 19. bc3 ♗a3 20. ♔c2 ♘f8 21. ♗g2 ♗d7 22. f4 ♖b8! (Arbakov 2400 − Savčenko 2480, SSSR 1989) 23. g4 b4 24. cb4 a5! 25. ♗e4 c5! 26. dc5 ♗a4 27. ♔c3 ab4 28. ♔c4 b3 29. ab3 ♗b3 30. ♔c3 ♗d1 31. ♖d1 ♗c5 32. f5∓ Savčenko] **16. ♕e6 ♔d8**

17. ♗g2!! ♘c3 ,18. ♔f1! ♘d5 19. ♕c6 ♘5b6 [19... ♘c7 20. e6] **20. ♖h8** [△ ♕d6] **♕b4 21. e6 ♖b8 22. ed7 ♘d7** [22... ♗d7 23. ♕c5!+−] **23. a3! ♕e7** [23... ♕b2 24. ♖f8! ♘f8 (24... ♔e7 25. ♖e1) 25. ♕f6 ♔c7 26. ♕f4!+−] **24. ♕g6!** [24. ♖e1 ♕g7] **♖b6 25. ♕h5 ♖f6 26. ♖e1 ♕d6 27. ♖e8 ♔c7 28. ♕h4 ♘b6 29. ♕e4 ♘d7**

[29... ♕g3 30. ♖h7 ♗g7 31. ♕e5!] **30. ♖h7 b4 31. ab4 ♕a6 32. ♕e5 ♕d6** [32... ♗d6 33. ♕f6 c3 34. ♔g1 cb2 35. ♖d7!] **33. ♗h3 1 : 0** [Knaak]

518.   **D 44**

RUBAN 2420 − SAVČENKO 2480
Tbilisi 1989

1. d4 d5 2. c4 c6 3. ♘f3 ♘f6 4. ♘c3 e6 5. ♗g5 dc4 6. e4 b5 7. e5 h6 8. ♗h4 g5 9. ♘g5 hg5 10. ♗g5 ♘bd7 11. g3 ♗b7 12. ♗g2 ♕c7 13. ef6 c5 14. 0−0! N [14. d5 − 44/510] **♗g2** [14... b4?! 15. ♗f4! (15. ♘e4!?) e5 (15... ♕b6 16. ♘a4) 16. ♘d5 ♗d5 17. ♗d5 0-0-0 18. de5 ♘e5 19. ♗e5 ♕e5 20. ♕g4±] **15. ♔g2 ♕b7 16. f3 0-0-0 17. dc5 ♘c5 18. ♕e2 ♘d3 19. ♘e4±** [19. a4!? b4 20. ♘e4 ×c4] **♗h6!** [19... ♗c5? 20. a4! △ 20... b4 21. ♘c5 ♘c5 22. ♕c4] **20. ♗h6** [20. h4!? ♗g5 21. hg5] **♖h6 21. b3! ♕b6?!** [21... ♖dh8 22. ♖h1!±; 21... ♖h5!] **22. bc4 bc4 23. ♕c2 ♕c6□** [23... ♕d4?! 24. ♖ab1! △ ♕a4] **24. ♖ab1 ♖h5 25. ♖b3!± ♖b5** [25... ♖dh8? 26. ♖h1?? ♘e1−+; 26. h4! △ ♕c4] **26. ♖b5** [26. ♖fb1 ♖b3? 27. ab3+−; 26... a6!] **♕b5 27. ♖b1 ♕a6 28. ♘d2?!** [28. h4!±] **♖d4 29. ♕c3 e5!** [29... ♕a2? 30. ♕d4 ♕d2 31. ♔g1 ♕c2 32. ♖a1+−] **30. a3 ♕c6!⇄ 31. ♕a5?** [31. ♘e4?? ♖e4! 32. fe4 ♕e4 33. ♔g1 (33. ♔h3 ♘f2#) ♕e3−+; 31. h4 e4! 32. ♘e4 ♖e4 33. fe4 ♕e4 34. ♔h2 ♕e2 35. ♔g1=] **c3! 32. ♕a7 ♘b4** [32... ♕c7!? 33. ♕a8 ♔d7 34. ♘b3□ (34. ♖b7? cd2 35. ♖c7 ♔c7 36. ♕a5 ♔c6 37. ♕d2 ♘f4−+) c2 35. ♖f1 ♖d6∓] **33. ♘b3! ♖d7!** [33... c2? 34. ♘d4! cb1♕ (34... ed4?? 35. ♖b4+−) 35. ♘c6 ♕c2 36. ♕f2! ♕f2 37. ♔f2+−⊥] **34. ♕g1!!□** [34. ♕f2? c2 35. ♖c1 ♘d3! 36. ♕c2 (36. ♖c2 ♘e1−+) ♘e1 37. ♖e1 ♕c2−+] **c2** [34... ♘d3!?] **35. ab4 ♖d3!= 36. ♖c1 ♕f3 37. ♔h3 ♕h5 38. ♔g2 ♕f3 39. ♔h3 ♕f5 40. ♔g2 ♕e4 41. ♔h3 ♕h7 42. ♔g2 1/2 : 1/2** [Ruban]

519. **D 44**

ŠABALOV 2425 – KA. MÜLLER 2265

Pula 1989

1. d4 d5 2. c4 e6 3. ♘f3 c6 4. ♘c3 ♘f6 5. ♗g5 dc4 6. e4 b5 7. e5 h6 8. ♗h4 g5 9. ♘g5 hg5 10. ♗g5 ♘bd7 11. ef6 ♗b7 12. g3 c5 13. d5 ♘f6 14. ♗c4 N [14. ♗g2 – 44/511] **bc4 15. ♗f6** [15. ♕a4!? ♕d7 16. ♗f6 ♕a4 17. ♘a4 ♖h6 (17... ♗d5 18. ♗h8 ♗h1 19. ♗f6±) 18. ♗g5 ♖g6 19. h4 ed5 20. 0–0∞] **♕f6 16. ♕a4 ♔d8** [16... ♔e7 17. d6+–] **17. 0-0-0 e5□ 18. f4?!** [18. d6? ♗h1 19. ♕a5 ♔d7 20. ♕c7 ♔e6 21. d7 ♕d8–+; 18. ♕c4!?; 18. ♖he1!?] **ef4□ 19. d6** [19. ♖he1 ♗d6 20. ♘e4 ♕e7 (20... ♕h6 21. g4 △ g5, ♘f6; 20... ♕g6 21. ♕b5) 21. ♘c5 ♕c7∓] **♗h1!** [19... ♗d6 20. ♘b5] **20. ♕a5 ♔d7 21. ♕c7 ♔e6 22. d7** [22. ♕c5 ♕e5! 23. ♕c4 ♔f6 24. ♖h1 ♗d6; 22. ♖h1 ♗d6; 22. g4 ♕e5] **♔f5?!** [22... ♕e5 23. d8♕ ♖d8 24. ♕d8 ♗f3 25. ♖d7 ♔f5 26. ♖f7 ♔g6 27. ♖f8 ♕e1–+] **23. ♖h1 ♕d6 24. ♕b7?** [24. d8♕□ ♖d8 25. ♕f7 ♔g4 26. h3! (26. ♘e4 ♖h2!∓) ♖h3 (26... ♔f3 27. ♕b7) 27. ♖d1∞] **♗h6∓ 25. gf4?** [25. ♕e4 ♔f6 26. ♘d5 ♔g7 27. gf4 ♖ad8–+] **♕d3 26. ♘d5 ♗f4 27. ♘f4 ♕e3! 28. ♔c2 ♕e4–+ 29. ♕e4 ♔e4 30. ♘e2 ♖ad8 31. ♘g3 ♔d5 32. h4 ♖d7 33. h5 ♖e7 34. h6 ♖e3 35. ♖h5 ♔e6 36. ♘f1 ♖e5 37. ♖h4 ♔f6 38. ♘d2 ♖f5 39. ♖c4 ♖h6 40. ♘e4 ♔e7 41. ♘c5 ♖h2 42. ♔c3 ♖ff2 43. ♖e4 ♔d6 44. ♘d3 ♖c2 45. ♔b4 ♖b2 46. ♘b2 ♖b2 47. ♔a3 ♖b7 48. ♔a4 f5 49. ♖e1 ♔d5 0 : 1** **[Šabalov]**

520. **D 45**

KUPREJČIK 2520 – HECTOR 2485

Torcy 1989

1. c4 c6 2. ♘f3 d5 3. e3 ♘f6 4. ♘c3 e6 5. d4 ♘e4 6. ♘e5!? N [6. ♘e4; 6. ♗d3] **♗b4 7. ♗d2 ♘d2 8. ♕d2 0–0 9. c5 ♘d7 10. ♘d3 ♗a5 11. ♗e2 ♗c7 12. f4!± b6 13. b4 bc5** [13... a5 14. b5 cb5 15. ♘b5 bc5 16. dc5±] **14. bc5 f6 15. 0–0 ♖b8 16. ♖ab1** [16. a3!? △ ♘b4] **♖b1 17. ♖b1 e5 18. ♗g4 ♖e8 19. ♗d1!** [△ ♗a4 ↗a4-e8] **♕e7 20. ♗a4 ed4 21. ed4 ♕e3 22. ♕e3 ♖e3 23. ♗c6! ♖d3 24. ♘d5 ♖d4** [24... ♗d8 25. ♗d7 ♗d7 (25... ♖d4 26. ♗c8+–) 26. ♖b8 ♔f7 27. ♖d8 ♔e6 28. f5+–; 24... ♘b8 25. ♗b5 ♖d4 26. ♘c7 ♖f4 27. ♖d1+–; 24... ♗f4 25. ♘f4 ♖d4 26. ♗d5!? (26. ♘e6 ♖d2 27. ♗b7 ♗b7 28. ♖b7 ♔f7 29. ♘f4 g5 30. c6! gf4 31. cd7 ♔e7 32. ♖a7±) ♔h8 27. ♗e6 g5 (27... ♖f4 28. ♗d7) 28. ♘h5 △ c6±] **25. ♘c7 ♔f7** [25... ♘c5 26. ♗d5 ♔f8 27. ♖b8+–; 25... ♖f4 26. ♗d5 ♔h8 27. ♗e6+–] **26. ♘b5** [△ ♘d6] **1 : 0** **[Kuprejčik]**

521. **D 45**

MAKARYČEV 2500 – G. SAHATOVA 2255

Pula 1989

1. c4 ♘f6 2. ♘c3 e6 3. ♘f3 d5 4. e3 ♗d6 5. b3 0–0 6. ♗b2 c6 7. d4 ♘bd7 8. ♗e2 [8. ♗d3] **dc4** [8... ♘e4!? △ f5] **9. ♗c4** [9. bc4 – 16/551] **e5 10. 0–0 e4! N** [10... ♕e7] **11. ♘g5?!** [11. ♘d2 ♖e8= 12. ♕c2? ♗h2 13. ♔h2 ♘g4 14. ♔g3 ♕c7!∓; 12. f3∞] **♕e7 12. f3□** [12. ♕c2?! ♗h2 13. ♔h2 ♘g4 14. ♔g1 ♕g5 15. ♕e4 ♘df6 (15... ♕h4 16. ♕f4) 16. ♕f3 ♕h4 17. ♕h3=; 16... ♘h5!?→»] **b5?!** [12... ♘d5? 13. ♘f7! ♖f7 14. fe4 ♕h4 (14... b5? 15. ♘d5!; 14... ♖f1 15. ♕f1±) 15. e5! ♘e5□ 16. g3!? (16. de5 ♗e5 17. g3 ♗g3 18. ♕d2!∞) ♕h6 17. de5 ♕e3 18. ♔g2! (18. ♔h1? ♖f1 19. ♕f1 ♗g4! △ ♗f3) ♖f1 (18... ♕h6 19. ♖f7!±) 19. ♕f1 ♗e5 (19... ♕d2 20. ♕e2□ ♕e2 21. ♘e2 ♗c7 22. ♘f4 ♗f5! 23. ♔f3!± △ 23... ♖d8 24. ♖d1) 20. ♘d5! (20. ♖e1 ♕h6! △ ♗h3∞) ♕d2 21. ♔h1! (21. ♕f2 ♗h3) cd5 22. ♗e5! dc4 23. ♖d1 ♕g5 (23... ♕a5 24. ♕c4 ♔h8 25. ♕c5) 24. ♕c4 ♔h8 25. h4 ♕e7 26. ♕c5! ♕e8 27. ♕c7+–; ⌓ 12... ♘g4!! *a)* 13. ♘f7? ♗h2 14. ♔h1 ♕h4?

15. ♘g5 (15. ♘h6 ♔h8 16. ♘g4 ♗g3 17. ♔g1 ♘f6−+ ×h2) ♔h8 16. ♘h3 ef3 (16... ♘e3? 17. ♕e1 ♕e1 18. ♖fe1±) 17. ♖f3 ♖f3 18. ♕f3 ♘df6∞; ⌓ 14... ♘e3!; *b)* 13. ♘ce4!? ♗h2 14. ♔h1 ♘e3 15. ♕e1!□ *b1)* 15... ♘c4 16. ♕h4! h6 17. bc4 ♗c7 18. d5! ♘e5 (18... f5? 19. ♗g7!!±; 18... ♗e5!?) 19. f4 ♘g6 20. ♕h5 ♘f4 21. ♖f4 ♗f4 22. d6 ♕d8 (22... ♗d6 23. ♘f6!) 23. ♘f6! gf6 24. ♘e4 ♗e5 25. ♗e5 fe5 26. ♕h6 f6 27. ♕g6 ♔h8 28. ♖f1→; *b2)* 15... ♘f1 16. ♕h4 h6 17. ♖f1 ♗c7 18. ♖e1! (18. d5 cd5 19. ♗d5 ♘e5 20. f4!→; 19... ♗e5!∓) b5 (18... ♘f6? 19. ♘f7! ♖f7 20. ♘f6 ♕f6 21. ♕f6 gf6 22. ♖e7+−) 19. d5!? bc4 20. ♗g7!□ (20. ♘f6 ♕f6−+) ♔g7 21. ♘e6 fe6 22. ♕e7 ♖f7 23. ♕h4!? cd5! (23... ed5 24. ♘g5!=) 24. ♘g5 hg5 25. ♕g5 ♔f8 26. ♕h6 ♖g7 27. ♖e6∓; 19. ♗d3∓; *c)* 13. fg4 ♕g5 14. ♕e2 ♘f6 15. h3 (15. ♖f6? ♗g4! 16. ♕g4 ♗h2!∓; 16. ♘e4 ♗h2!) ♕h4! (15... ♗g4?! 16. hg4 ♗g3 17. ♖f6! ♕h4 18. ♕c2±; 16... ♕h4 17. g3∞) 16. ♖f6□ ♕f6 17. ♘e4 ♕e7∓] **13. ♗f7!□** [13. ♗e2 ef3∓] **♖f7 14. ♘f7□ ♕f7!□** [14... ♔f7 15. ♘e4 (15. fe4? b4∓) ♗c7 16. ♕d3±○⊞] **15. fe4** [15. ♘e4∞] **♕e7! 16. e5□ ♘e5 17. de5 ♕e5 18. g3 ♕e3 19. ♔g2** [19. ♖f2? ♘g4 20. ♘e4! ♘f2∓] **♗b7! 20. ♕f3□** [20. ♕d6?? c5 21. ♔h3 ♕h6#] **♕e7?!** [20... ♕b6? 21. ♘e4! c5 22. ♗f6 gf6 23. ♘f6 △ ♘d5+−; ⌓ 20... ♕f3 21. ♔f3 c5 22. ♔f2□ (22. ♔e2 b4! △ ♗a6∓) ♗e5 23. ♘d1 ♘e4 24. ♔e3!□ (24. ♔g1? ♘g5!!→) ♖e8!±] **21. ♖ae1** [21. ♕e2!?±] **♕c7?** [⌓ 21... c5 22. ♖e7 ♗f3 23. ♖f3 ♗e7 24. ♘b5±⊥ ×c5] **22. ♕f5!± c5** [22... ♖f8!? 23. ♕e6 ♔h8 24. ♘e4! (△ ♖f6) ♘e4 25. ♖f8 ♗f8 26. ♖f1!! ♕e7 (26... ♘f6 27. ♖f6!+−) 27. ♕e7 ♗e7 28. ♖f7+−] **23. ♔g1 ♗g3** [23... ♕c6 24. ♘e4! △ 24... ♘e4 25. ♕f7+−] **24. ♕e6** [24. ♖e2?? ♗h2 25. ♖h2 ♕g3] **♔h8 25. ♖f6!+− ♗e1** [25... ♗h2 26. ♔f1 gf6 27. ♕f6 (27. ♘d5?! ♕g7 28. ♗f6 ♖f8) ♔g8 (27... ♕g7 28. ♕g7 ♔g7 29. ♖e7) 28. ♘d5 ♕f7□ 29. ♕f7! ♔f7 30. ♖e7+−] **26. ♘b5! ♕d8 27. ♘d6!** [△ ♘f7]

1 : 0 **[Makaryčev]**

522.* **D 45**

L. PORTISCH 2610 − TIMMAN 2610
Antwerpen (m/1) 1989

1. ♘f3 d5 2. d4 ♘f6 3. c4 c6 4. ♘c3 e6 5. e3 ♘bd7 6. ♗e2 dc4 [RR 6... ♗d6 7. 0−0 0−0 8. b3 dc4?! 9. bc4 e5 10. ♕b3! N (10. ♕c2 − 30/568) ♕e7 11. a4 ♖e8 12. ♖e1 e4 13. ♘d2 c5 14. ♘f1⩲ L. Portisch 2610 − Nogueiras 2575, Rotterdam 1989] **7. a4!? N** [7. ♗c4 − D 47] **♗d6 8. ♘d2! 0−0 9. ♘c4 ♗c7 10. b3⩲** [△ 10... e5 11. ♗a3 ♖e8 12. ♘d6±] **♘d5 11. ♗b2 b6** [11... b5?! 12. ab5 ♘c3 13. ♗c3 cb5 14. ♘a5!±] **12. 0−0 ♗b7 13. ♗f3 ♖b8 14. ♕d2?!** [14. e4 ♘f4=; 14. g3⩲] **♕g5! 15. ♖fd1 ♖fd8 16. ♕e2 ♘c3 17. ♗c3 e5= 18. de5** [18. d5?! cd5 19. ♗d5 ♗d5 20. ♖d5 ♘c5∓] **♘e5 19. ♗e5 ♗e5 20. h4 ♕e7 21. ♘e5 ♕e5 22. ♖d8 ♖d8 23. ♖d1 ♖d1 24. ♕d1 ♕c7?!** [24... ♕e7!=] **25. b4⩲ h6 26. ♕c2?!** [26. ♕b1! ♕e7 (26... ♗c8 27. ♕e4±; 26... a5!?⩲) 27. h5 ♔f8⩲] **c5 27. ♗b7 ♕b7 28. bc5 ♕c6 29. ♕d3** [29. ♕c4=] **bc5** [♕ 4/1] **30. ♕d8 ♔h7 31. ♕d3 ♔g8 32. ♕d8 ♔h7 33. ♕d3 g6 34. ♕c4 ♔g7 35. ♔f1 ♕b6 36. ♕c3 ♔g8 37. a5 ♕b5 38. ♔e1 c4 39. g3 ♕d5∓ 40. ♕b4 ♔g7 41. a6 ♕d3 42. ♕b5 ♕c3 43. ♔d1 h5 44. ♔e2 ♕c2 45. ♔f1 c3 46. ♕e5 ♔h7 47. ♕d5 ♕b1 48. ♔g2** [48. ♔e2! ♕b2 49. ♔f3=] **♕f5 49. ♕c4 ♕e6 50. ♕c3 ♕a6 51. ♕b3 ♔g7 52. ♕b2 ♕f6 53. ♕a3 ♕b6 54. ♕c3 ♔h7 55. ♕c4 ♕b7 56. e4 a5 57. ♔g1 ♕a7 58. ♕a4 ♕b6 59. ♕a2 ♔g8 60. ♕a4 ♔f8 61. ♕a1 ♕b5 62. ♕h8 ♔e7 63. ♕c8 ♕b1 64. ♔h2 ♕b6 65. ♕c2 ♕a7 66. ♕b2 ♔e6 67. ♕b3 ♔e5 68. ♕d5 ♔f6 69. ♕d6 ♔g7 70. ♔g1 a4 71. ♕a3 f6** [71... ♕d4 72. e5 ♕c4 73. ♕e7 ♕e6 74. ♕c5 ♕b3 75. ♕e7 a3 76. e6!=] **72. ♔g2 ♔f7 73. ♕a2 ♔f8 74. ♕a3 ♔g7 75. ♔g1 ♔f7 76. ♕a2 ♔f8 77. ♕a3 ♔f7 78. ♕a2 ♔e7 79. ♕a3 ♔e8 80. ♕a2 ♔e7 81. ♕a3 ♔d7 82. ♕d3 ♔e6 83. ♕d5 ♔e7 84. e5 fe5 85. ♕e5 ♔f7 86. ♕h8 ♕c5 87. ♕h7 ♔f6 88. ♕h8 ♔f7 89. ♕h7 ♔f6 90. ♕h8 ♔f5 91. ♕h6 ♕c2 92. ♕e3 ♕b1 93. ♔h2 ♕e4 94. ♕g5 ♔e6 95. ♕c5**

♔d7 96. ♕a7 ♔d6 97. ♕b6 ♕c6 98. ♕d4 ♔e6 99. ♕e3 ♔d5 100. ♕d3 ♔e5 101. ♕e3 ♕e4 102. ♕c5 ♔e6 103. ♕c8 ♔d6 104. ♕d8 ♔c5 1/2 : 1/2 [Timman]

523.** D 45

H. ÓLAFSSON 2520 – ŠABALOV 2425
Moskva (GMA) 1989

1. d4 d5 2. ♘f3 c6 3. c4 ♘f6 4. ♘c3 e6 5. e3 ♘bd7 6. ♕c2 ♗d6 7. ♗e2 0–0 8. 0–0 ♖e8 9. ♗d2 [RR 9. ♖d1 N ♕e7 10. e4 de4 11. ♘e4 (11. ♘g5?! e5 12. d5 cd5 13. ♘d5 ♘d5∓) ♘e4 12. ♕e4 e5 13. ♗g5 f6 (13... ♕f8?! 14. ♗d3 g6 15. ♕h4∞) 14. ♗e3 ed4 15. ♕e7 (15. ♕d4? ♗c5∓ Svešnikov) ♗e7 16. ♘d4 ♘c5! 17. ♗f3 a5 *a)* 18. h3 ♔f7 19. b3 g6 20. ♘e2 ♗e6 21. ♘f4 ♗c8 22. ♖ac1 ♗f8 23. ♖c2 ♗f5 24. ♖cd2 ♘e4∓ Ėjngorn 2570 – Svešnikov 2435, Moskva (GMA) 1989; *b)* 18. b3 ♔f7 19. h4 g6 20. g3 h5 21. ♔g2 ♗f8 22. ♖ac1 ♖d8 23. ♖d2= Wilder 2505 – Svešnikov 2450, Beograd 1988] **♕e7 N** [9... dc4 10. ♗c4 b5 11. ♗d3 a6 12. e4 e5 13. de5 ♘e5 14. ♘e5 ♗e5 15. f4±; 9... b6 – 46/(564)] **10. ♖ad1 e5?!** [10... h6!? 11. ♖fe1 (11. e4 de4 12. ♘e4 ♘e4 13. ♕e4 e5) dc4 12. ♗c4 e5 13. ♘h4 ♘f8 14. ♘f5? ♗f5 15. ♕f5 e4 ×♕f5] **11. cd5 cd5 12. de5 ♘e5 13. ♘b5 ♗g4** [13... ♗b8 14. ♗c3±; 13... ♘f3 14. ♗f3 ♗g4 15. ♗g4 ♘g4 16. h3 ♘f6 17. ♘d6 ♕d6 18. ♗c3±] **14. ♘d6 ♕d6 15. ♗c3 ♘f3 16. ♗f3 ♗f3 17. gf3± ♕e6!** [17... ♖ad8 18. ♕f5!±] **18. ♔h1!** [18. ♕b3 ♘e4! 19. ♕d5 ♕h3=] **♕h3?!** [18... ♖ac8 (△ 19... d4 20. ♖d4 ♘d5=) 19. ♕e2 ♘h5 20. ♖g1 g6±] **19. ♕e2 ♘h5** [△ ♘f4] **20. ♖g1!** [20. ♖d4?? ♖e3!–+] **♖ad8** [20... ♘f4 21. ♖g7 ♔f8 22. ♖dg1!! ♘e2 23. ♗b4 ♖e7 24. ♖g8#] **21. f4** [21. ♖d4!±] **g6 22. ♕f1?!** [22. ♕g4±⊥] **♕e6 23. ♕d3?** [23. ♗d4] **d4! 24. ♗d4 ♕d5 25. ♖g2 ♘f4 26. ef4 ♖e4∓ 27. f5□ ♕f5** [27... ♖d4 28. ♕d4 ♕d4 29. ♖d4 ♖d4 30. fg6 hg6 31. ♖g3!=] **28. ♖g5 ♖e1??** [28... ♕e6? 29. ♕c3 ♕d7 30. ♗h8!! ♕d1 31. ♖g1+–; 28... ♕f4! 29. ♕g3 ♖dd4∓] **29. ♖g1+– ♖g1⊕ 30. ♔g1 ♕g4 31. ♔h1 h5 32. f3 ♕f4 33. ♕e4 ♕d6 34. ♖d2 ♕a6 35. ♔g2 ♕b5 36. ♕f4 ♕b4 37. ♗c3! 1 : 0 [Šabalov]**

524.** D 47

TIMMAN 2610 – NOGUEIRAS 2575
Rotterdam 1989

1. d4 d5 2. c4 c6 3. ♘c3 ♘f6 4. e3 e6 5. ♘f3 ♘bd7 6. ♗d3 dc4 7. ♗c4 b5 8. ♗d3 [RR 8. ♗b3 b4 9. ♘e2 ♗b7 10. 0–0 c5 11. ♘f4 ♗d6 N (11... cd4?! – 23/567) 12. ♘g5 ♗f4 13. ef4 0–0 14. ♗e3 ♕e7 (14... h6?! 15. ♘f7 ♔f7 16. f5=∞→) 15. ♖c1 h6! 16. dc5 ♖ac8!= I. Sokolov 2580 – Hort 2580, Dortmund 1989; 13... h6!? I. Sokolov] **♗b7 9. e4 b4 10. ♘a4 c5 11. e5 ♘d5 12. 0–0 cd4** [RR 12... h6 13. a3 ♖c8! N (13... a6 – 44/(519)) 14. dc5 ♘c5 15. ♗b5 ♘d7 16. ab4 ♗b4 17. ♘c3! ♗c3 18. bc3 ♘c3 19. ♕d7 ♕d7 20. ♗d7 ♔d7 21. ♖a7 ♖c7= Aniţoaei 2345 – Breahnă 2295, România (ch) 1989] **13. ♘d4 ♘e5 14. ♗b5 ♘d7 15. ♖e1 ♖c8 16. ♕h5 g6 17. ♕e2! a6?! N** [17... ♕e7 – 46/(569); 17... ♖c7□] **18. ♗a6 ♗a6 19. ♕a6 ♖a8 20. ♕c4!±** [20. ♕c6?! ♘e7!=] **♖a4** [20... ♗e7 21. ♘c6 ♕c8 (21... ♕c7 22. ♕d5! ed5 23. ♖e7 ♔f8 24. ♗h6 ♔g8 25. ♖ae1+–) 22. ♗h6→] **21. ♕d5 ♗e7**

22. ♘e6! [22. ♕f3 ♕a8±] **fe6 23. ♕e6 ♖a5 24. ♗h6 ♖f8 25. ♗f8** [25. ♖ad1?! ♖f7∞] **♘f8 26. ♕c4 ♕d6 27. ♖ad1 ♖e5**

28. g3 ♕e6?! [28... ♕f6±] 29. ♕e6 ♖e6 30. ♖e6 ♘e6 [♖ 8/b5] 31. ♔f1+− ♔f7 [31... ♘c5 32. ♖d4 ♘a4 33. a3+−] 32. ♖d7 [32. ♔e2?! ♘c5 33. ♖d4 ♘a4 △ 34. a3 ba3!=] ♘c5 33. ♖a7 ♔e6 34. ♔e2 ♔d6 [34... h5 35. a4!+−] 35. ♔e3! [35. a4 ♗f6!] h5 36. ♔d4 ♗f6 37. ♔c4 ♗b2 38. ♔b4 ♘d3 39. ♔b5 ♘f2 40. ♖a6 ♔e5 41. ♖g6 ♔f5 42. ♖c6! ♘g4 43. a4 ♘e5 44. ♖c7 ♗d4 45. a5 ♗g1 46. a6 ♘f3 47. ♖c5 1 : 0 [Timman]

525.** D 47

PINTÉR 2550 − KAJDANOV 2535

Budapest 1989

1. d4 d5 2. c4 e6 3. ♘c3 c6 4. e3 ♘f6 5. ♘f3 ♘bd7 6. ♗d3 dc4 7. ♗c4 b5 8. ♗d3 ♗b7 9. e4 b4 10. ♘a4 c5 11. e5 ♘d5 12. 0−0 cd4 13. ♖e1 g6 14. ♗g5 ♕a5 15. ♘d4!? a6 [15... ♗g7? 16. ♗b5 a6 17. ♗d7 ♔d7 18. ♘b3!±] 16. a3! ba3 [16... ♗g7!? N 17. ♘f3 0−0 18. ♗d2 ♕c7 19. ♕e2 ♗c6! 20. ab4 ♖fb8 21. ♖ec1? ♗b4! 22. ♘d4 ♘d3 23. ♕d3 ♘e5 24. ♕c2 ♕d6!−+ Sakaev − Galjamova 2325, SSSR 1989; △ 17. ab4! ♘b4 (17... ♕b4 18. ♖e4!) 18. ♗c4!±] 17. ba3 ♗g7 18. ♗d2 ♕d8! 19. ♖b1 ♖b8 20. ♖b7! ♖b7 21. ♗a6 ♕a8 22. ♗b7 ♕b7 23. ♗b4! N [23. ♘c3 0−0 24. ♘f3 ♖a8 25. ♕a1 ♘5b6!= Dorfman 2520 − Novikov 2485, L''ov 1988] ♘b4 [23... ♗e5? 24. ♘c5! ♗h2 (24... ♘c5 25. ♖e5 ♘b4 26. ab4 ♕b4 27. ♘c6 ♕b6 28. ♖c5+−) 25. ♔h1! (25. ♔h2 ♘c5 26. ♗c5 ♕c7) ♘c5 26. ♗c5 △ ♕a4+−] 24. ab4 ♕b4! [24... 0−0 25. ♘c5 ♘c5 26. bc5 ♕c7 27. c6 ♗e5 28. ♘f3±; △ 25. ♘f3!] 25. ♘c6 ♕b7 26. ♕d6 ♗f8 27. ♘c5! ♗d6 [27... ♕c8 28. ♘e4! ♕a8 29. ♕c7!+−] 28. ♘b7 ♗c7 [28... ♗e7? 29. ♖a1!+−] 29. ♘d6 [29. ♖d1? ♘e5 30. ♘e5 ♗e5−+; 29. ♖c1? ♘e5 30. ♘b8 0−0!−+] ♗d6?! [△ 29... ♔f8! 30. ♖d1!? (30. ♖a1 ♘e5!) 31. ♘e5 ♗d6 32. ♖a8 ♔g7 33. ♖h8 ♗e5! 34. ♖a8 h5!=) ♗d6! (30... ♔g7? 31. ♘f7!+−; 30... ♘c5 31. ♖a1±) 31. ed6 (31. ♖d6 ♘c5) ♔g7 32. ♖a1 ♖c8=] 30.

ed6 [♖ 9/h] 0−0 31. ♖a1 ♘b8! [31... ♘f6 32. ♖a7+−] 32. ♘a7 ♖d8 33. ♘b5 ♘d7 34. f3 ♖b8 35. ♘c7 ♘f6?! [△ 35... ♔g7 △ ♔f6] 36. ♖a7 ♔f8⊕ [36... ♖b6? 37. ♖a8 ♔g7 38. ♘e8! ♘e8 39. d7+−] 37. ♖a5 ♖d8 [37... ♘e8 38. ♘b5 ♘f6±] 38. ♖a6 ♘e8 39. ♘b5 ♖b8 40. ♘a3! ♘f6 41. ♘c4! ♘d7 42. ♖a7 ♖b4 [42... ♔e8 43. ♔f2] 43. ♖c7 ♔g7 44. ♔f2 ♔f6? 45. ♘d2! ♘e5 46. ♘e4 ♔g7 47. ♔e3 h6 48. f4 ♘g4 49. ♔d3 e5 50. d7! ♖d4 51. ♔c3 ♖d5 52. ♘c5 ♘f6 53. ♘e6! [53... ♔h7 54. d8♕ ♖d8 55. ♖f7! ♔g8 56. ♘d8] 1 : 0 [Lukács]

526. D 48

SEIRAWAN 2610 − KORTCHNOI 2610

Barcelona 1989

1. d4 d5 2. c4 e6 3. ♘c3 c6 4. e3 ♘f6 5. ♘f3 ♘bd7 6. ♗d3 dc4 7. ♗c4 b5 8. ♗d3 a6 9. e4 c5 10. d5 c4 11. de6 cd3 12. ef7!? N [12. ed7 − 46/578] ♔f7 13. e5 ♕e7□ [13... b4 14. ♘g5 ♔e8 15. ef6 bc3 16. f7 ♔e7 17. ♕d3±] 14. ♘g5 [14. ♗f4!? a) 14... b4 15. 0−0 (15. ♕b3 ♔e8 16. 0−0 ♘c5 17. ♕b4 ♘h5 △ ♕b7∓) bc3 16. ♘g5 ♔e8 17. ef6 ♕f6 18. ♖e1 ♗e7 19. ♘e6 d2 20. ♖e3∞; b) 14... ♘c5! 15. 0−0 (15. b4?! ♘ce4 16. ef6 ♕b4 17. ♘e5 ♔f6 18. ♕f3 ♗f5∓) ♘h5 16. ♗e3∞] ♔e8 15. 0−0 [15. f4? ♘e5 16. 0−0 ♕a7−+] ♘e5 16. ♖e1 h6

17. f4? [17. ♗f4 hg5 18. ♗e5 ♗e6 19. ♕d3 ♔f7 20. ♕f3 ♖e8 21. ♘e4 g4 22.

♕f4 ♖h5 23. ♘d6 ♔g8 24. ♘e8 ♘e8∓; 17. ♘ge4! ♘e4 (17... ♗g4? 18. f3 ♗h5 19. g4? ♘fg4 20. ♗f4 ♕f7∓; 19. ♗f4! ♔f7 20. ♘f2 ♘f3 21. gf3 △ ♘d3-e5±) 18. ♘e4 (18. ♖e4?! ♗f5 19. ♖e3 g5∓; 19. ♖e1 ♗g4 20. f3 ♗f3∓; 20. ♕d2 g5∓) ♗g4 (18... g5? 19. ♕h5?! ♔d8 20. ♘g5 hg5 21. ♕h8 ♘f3 22. gf3 ♕e1 23. ♔g2 ♕e7 24. ♕d4 ♔e8∞; 19. f4 ♗g4 20. ♘f6! ♕f6 21. ♕g4 ♗c5 22. ♔h1 ♖f8 23. ♗d2 gf4 24. ♕h5 ♔d7 25. ♖e5±→) 19. f3 ♗e6 20. ♘f2 (20. ♗f4 ♘c4 21. b3=/∞) ♘c6 (20... ♘d7 21. f4→) 21. ♕d3=/∞; 21. ♘d3=/∞] **hg5 18. ♖e5 ♕e5∓ 19. fe5 ♗c5 20. ♗e3** [20. ♔h1 ♘g4–+; 20. ♔f1 ♖h2 21. ♕d3 ♖h1 22. ♔e2 ♗g4 23. ♔d2 ♖d8 24. ef6 gf6∓] **♗e3 21. ♔f1 ♘h5?** [21... ♖f8! 22. ♕d3 (22. ef6 ♖f6 23. ♔e1 d2 24. ♔e2 ♗g4 25. ♔e3 ♗d1–+) *a)* 22... ♘g4 23. ♔e1 ♗f2 24. ♔e2 (24. ♔d2 ♗f5 25. ♘e4 ♖d8–+) ♘e5 25. ♕e4 ♗g4 26. ♔d2 ♖d8–+; *b)* 22... ♘d5 23. ♔e1 ♗f2 24. ♔d2 ♗f5 25. ♘e4 (25. ♕f3 ♗g6–+) ♖d8 26. ♘d6 ♔e7 27. ♘f5 ♖f5 28. ♕f5 ♘e3 29. ♕d3 ♘c4 30. ♔e2 ♖d3 31. ♔d3 ♘b2 32. ♔e4 ♔e6 33. ♖f1 ♗c5–+] **22. ♕d3 ♖f8 23. ♔e1 ♗f2 24. ♔f1 ♗e3 25. ♔e1 ♘f4 26. ♕e4 ♖a7 27. g3** [27. ♕c6 ♗d7 28. ♕e4 ♖c7 △ ♗c6–+] **♗b7 28. ♕h7 ♘e6** [28... ♘g2?! 29. ♔d1 ♖f1? 30. ♔c2 ♖a1 31. ♕g8=] **29. ♘e4 ♗e4 30. ♕e4 ♗f2 31. ♔f1** [31. ♔e2 ♗c5! 32. b4 ♘d4 △ ♗b4–+] **♗g3 32. ♔g2 ♗f4 33. ♖d1 ♔e7 34. ♖d6 ♖d8 35. ♕d5** [35. ♖e6 ♔e6 36. ♕c6 ♔f7 37. e6 ♔g8–+; 35. ♖b6 ♖d2 36. ♔h3 ♖ad7 37. ♔g4 (37. ♕g6 g4–+) ♖2d4 38. ♕g6 ♗e5 39. ♔f5 ♘c5 40. ♕g5 ♗f6–+] **♖d6 36. ♕d6 ♔f7** [♕ 6/h2] **37. b4 ♖c7⊕** [⌓ 37... ♖e7 38. ♕a6 (38. h3 ♗e5–+) ♘d4 △ ♗e5–+] **38. ♕a6 ♖c2 39. ♔f3** [⌓ 39. ♔f1] **♗e5–+ 40. h3 ♔f6 41. ♔e4 ♖c4 42. ♔e3 ♖b4 43. ♕c6 ♗f4 44. ♔f2 ♖b2 45. ♔f1 ♖a2 46. ♕b5 ♗e3 47. ♕c6 ♖f2 48. ♔e1 ♔e5 49. ♕b5 ♘c5 50. ♕e8 ♔f4 51. ♕b8 ♔f3 52. ♕a8 ♔g3 53. ♕a3 ♖f3 54. ♔e2 ♘e6 55. ♕e7 ♘f4 56. ♔d1 ♘h3 57. ♕g7 g4 58. ♔c2 ♘f4 59. ♕g8 ♖f1 60. ♔c3 ♖e1 0 : 1** **[Kortchnoi]**

527. **D 49**

DOUVEN 2445 – VAN DER WIEL 2560

Wijk aan Zee 1989

1. d4 d5 2. c4 c6 3. ♘c3 ♘f6 4. e3 e6 5. ♘f3 ♘bd7 6. ♗d3 dc4 7. ♗c4 b5 8. ♗d3 a6 9. e4 c5 10. e5 cd4 11. ♘b5 ♘g4 12. ♕a4 ♗b7 13. ♘bd4 ♕b6 14. 0–0 ♗c5 15. ♗e3 ♘e3 16. fe3 h6! N [van de Oudeweetering; 16... 0–0 17. ♕d7 ♖ad8 18. ♕a4 ♗f3 19. ♗h7! ♔h7 20. ♘f3 (20. ♕c2) ♗e3 21. ♔h1±; 16... ♖d8 17. ♘g5!→] **17. ♔h1** [17. ♘d2 0–0! 18. ♘c4 ♕c7 19. b4?! ♗a7 20. ♖ac1 ♘e5 21. ♘a5 ♕e7∓] **♖d8 18. ♖ad1 0–0 19. ♕c2?!** [19. ♗b1!? ♕b2 20. ♘e6 (20. ♘b3?! ♗f3 21. gf3□ ♗e3! 22. ♖d7 ♗f4∓) fe6 (20... ♘b6 21. ♕g4!→) 21. ♖d7 ♗f3 22. gf3 ♕e5∓; 19. ♘b3 ♗e3 20. ♗e4=; 19. ♖d2!?] **♖c8 20. ♕f2 ♗e7?!** [⌓ 20... ♕c7! 21. ♕g3 ♗a7! (△ ♗b8∓) 22. ♕f4! (22. ♖d2 ♗b8 23. ♖c2 ♕a5∓) ♗b8 23. ♗e4∓] **21. ♗b1 ♘c5 22. ♕c2 ♘e4 23. ♕b3?!** [23. ♕e2⩲ △ ♘d2] **♗c5 24. ♕d3 ♖fd8!** [24... ♕b2? 25. ♘d2] **25. ♕e2** [25. ♘d2 ♗d4 26. ♘e4 ♗e5∓] **♖b8?** [⌓ 25... ♕c7∞; 25... ♖d7∞] **26. ♘d2! ♘g5?!** [26... ♕b2? 27. ♘e4 ♗d4 28. ♕f3→; 27. ♕h5→; ⌓ 26... ♘d2 27. ♖d2! (27. ♕d2 ♕c7! 28. ♕c2 ♕e5 29. ♕h7 ♔f8 30. ♗g6 f5□∞) ♗d4 (27... ♕c7 28. ♕h5 ♖d5 29. ♘e6! ♖e5 30. ♖f7!!+–; ⌓ 28... ♗d5; 27... ♖d7!?) 28. ed4 ♖d4 29. ♕f2! ♗g2□ 30. ♕g2 ♖d2 31. ♕d2 ♕b2±] **27. ♘c4 ♕c7 28. b3± ♗d5 29. ♖c1 ♕a7 30. ♖fd1** [30. ♖f4!] **♗a8 31. ♕g4 ♖bc8?** [31... ♕b7!?; 31... a5!?; 31... ♕d7] **32. h4! ♘h7 33. ♘d6! ♗d6** [33... ♖c7 34. ♘e6!+–] **34. ♖c8?** [34. ♘e6! ♗e5□ 35. ♖d8 ♖d8 36. ♘d8 ♕e3 37. ♗h7! ♔h7 38. ♖f1+–] **♖c8 35. ♗h7?!** [35. ♘e6!? ♗e5 36. ♘g7 (36. ♗h7!? ♔h7 37. ♘g5 hg5 38. ♕c8∞→) ♘f6! 37. ♕c8 ♔g7∞; 35. ed6 ♘f6 36. ♕g3±] **♔h7 36. ed6 ♖d8 37. ♕f4 ♕c5!↑⊕ 38. ♘f3** [38. ♕f7 ♕d5! 39. ♖g1 ♖d6=/∞] **♕c2 39. ♕d4** [39. ♖d2?? ♕c1–+] **♗f3 40. gf3 ♕f2= 41. ♕f4** [41. ♕e4 f5; 41. ♕d3 f5 42. ♖f1 ♕h4 43. ♔g2 ♕g5 44. ♔f2 ♕h4=] **♖d6! 42. ♖d6** [42...

♕f1=; 42. ♕d6 ♕f3 43. ♔g1 ♕e3 44. ♔g2 ♕e2 45. ♔g3 ♕e3=] **1/2 : 1/2**
[van der Wiel]

528. **D 49**

GEN. TIMOŠČENKO 2460 – GY. FEHÉR 2410

Budapest (open) 1989

1. d4 d5 2. c4 e6 3. ♘c3 c6 4. e3 ♘f6 5. ♘f3 ♘bd7 6. ♗d3 dc4 7. ♗c4 b5 8. ♗d3 a6 9. e4 c5 10. e5 cd4 11. ♘b5 ab5 12. ef6 ♕b6 13. fg7 ♗g7 14. ♕e2 0–0 15. 0–0 ♗a6 N [15... ♗b7; 15... ♘c5] **16. ♗f4** [16. ♘g5!?±] **b4 17. ♖fe1 e5?!** [17... ♖fe8! △ e5] **18. ♗a6** [18. ♘e5! ♘e5 19. ♗e5 ♗e5 (19... ♖fe8 20. ♕f3±) 20. ♗a6 ♗h2 21. ♔h2 ♖a6±] **♕a6 19. ♕a6 ♖a6 20. ♘e5 ♘e5 21. ♗e5 ♗e5 22. ♖e5** [♖ 9/q] **♖c8!= 23. h3! ♖c2 24. ♖d1 ♖b2** [24... ♖f6!=] **25. ♖d4 ♖aa2?** [♖ 9/s; 25... ♖ba2; 25... ♖f6!]

26. ♖e8!+– ♔g7 27. ♖g4 ♔h6 [27... ♔f6 28. ♖f4 ♔g7 (28... ♔g6 29. ♖g8+–) 29. ♖e7] **28. ♖eg8! ♖a5□ 29. ♖h4 ♖h5 30. ♖f4 ♖g5 31. ♖h4 ♖h5 32. ♖f4 ♖g5 33. ♖b8!** [33. ♖g5 ♔g5 34. ♖f7 b3∞] **f5** [33... ♔g6 34. ♖b6 ♔g7 35. ♖b7+–; 33... ♖g7 34. ♖b6 ♖g6 35. ♖b7 ♖g7 36. h4! (△ 37. ♖f6 ♔h5 38. ♖b5+–) f5! 37. ♖g7 ♔g7 38. ♖f5+–; 34. h4!+–] **34. g3!** [34. h4 ♖g4] **b3 35. h4 ♖g6** [35... ♖h5!? 36. ♖d4! (36. ♖b6 ♔g7 37. ♖d4 ♖e2 38. ♖d7 ♔f8 39. ♖b3 f4!=) ♔g7 (36... ♖e2 37. ♖d7! ♖e6□ 38. ♖b3 f4 39. ♖bb7+–)

37. ♖b7 ♔f6 38. f4! ♖e2 (38... ♔e6 39. ♖bd7 △ ♖4d6#) 39. ♖d6 ♖e6 40. ♖e6 ♔e6 41. ♖b3 ♔f7 42. ♖b6 ♔g7 43. ♔f2 ♖h6 44. ♖h6 ♔h6 45. ♔e3 ♔h5 46. ♔d4 ♔g4 47. ♔e5 h5 48. ♔f6 ♔g3 49. ♔g5!+–] **36. ♖f5 ♖c6 37. ♔g2 ♔g6 38. ♖f3 ♖cc2 39. ♖g8** **1 : 0**
[Gen. Timoščenko]

529. **D 49**

NOGUEIRAS 2575 – BELJAVSKIJ 2640

Barcelona 1989

1. d4 d5 2. c4 c6 3. ♘c3 ♘f6 4. e3 e6 5. ♘f3 ♘bd7 6. ♗d3 dc4 7. ♗c4 b5 8. ♗d3 a6 9. e4 c5 10. e5 cd4 11. ♘b5 ab5 12. ef6 ♕b6 13. fg7 ♗g7 14. 0–0 ♗b7 15. ♖e1 0–0 16. ♗f4 ♗d5 17. ♘e5 ♖a7 18. ♕g4 N [18. ♖c1 – 46/(581)] **♘c5 19. ♗c2 f5 20. ♕d1** [20. ♕g3!? ♘e4 (20... ♗e4!? 21. ♖ec1!±) 21. ♕d3±] **♘e4 21. ♗b3 ♖d8?!** [21... ♗e5! 22. ♗e5 ♗b3 23. ♕b3 d3 24. h3! (24. ♖e3? ♘f2∓) ♕f2 25. ♔h2∞] **22. ♘d3!± ♗e7 23. ♖c1 e5?** [23... ♕b7 24. f3 ♘f6 25. ♘c5±; △ 23... ♗b3 24. ♕b3 ♔h8] **24. ♗d5 ♗d5 25. ♕b3 ♕e6 26. f3!+– ♘d6** [26... ♖d6 27. ♖c8 ♔f7 28. ♗c1!+–] **27. ♗g5 ♘c4 28. ♗e7 ♕e7 29. a4 ♕f7 30. ab5 ♘d6 31. b6 ♖b5 32. ♖c8! ♗f8 33. ♕f7** **1 : 0**
[Nogueiras, P. J. García]

530. **D 52**

LEVITT 2495 – G. FLEAR 2500

Tel Aviv 1989

1. d4 d5 2. c4 e6 3. ♘c3 ♘f6 4. ♗g5 c6 5. e3 ♘bd7 6. ♘f3 ♕a5 7. ♘d2 dc4 8. ♗f6 ♘f6 9. ♘c4 ♕c7 10. a3! c5! [10... ♗d7 11. b4±] **11. ♘b5 ♕b8 12. ♕a4!? N** [12. dc5 – 41/(500)] **♘d7□** [12... ♗d7? 13. ♘b6!! ab6 14. ♕a8 ♕a8 15. ♘c7 ♔d8 16. ♘a8+– ×b6] **13. ♖d1** [13. ♘b6? ♘b6 14. ♘d6 ♔e7! 15. ♕e8 ♔d6 16. dc5 ♔c5–+] **cd4! 13... a6? 14. ♘b6!! ♘b6 15. ♘d6 ♔d8 (15... ♔e7 16. ♕e8 ♔d6 17. dc5 ♔e5 18. ♕f7!+–) 16. ♕e8 ♔c7 17. dc5 ♘d5 18. ♘f7±; 13... ♗e7 14. dc5

♗c5 (14... 0–0 15. b4+–) 15. ♘bd6±] **14. ♖d4 ♗c5 15. ♘bd6 ♔e7 16. ♖d2 ♖d8** [16... a6?! 17. ♕c2 b5 18. ♘a5 (×c6) ♕c7 19. ♘e4!?] **17. ♗e2 ♘f6 18. ♘c8 ♕c8** [18... ♖c8 19. ♕d1!?±] **19. ♖d8 ♕d8 20. 0–0±** [×b7, ♔e7] **♕c7 21. ♗f3** [21. b4 ♗b6 22. ♘b6 ♕b6=] **♖d8?** [21... ♖b8!?±] **22. ♘a5!± ♘d5** [22... ♖b8 23. ♖c1! ♕b6 (23... b5 24. ♕c2+–) 24. ♘b7? ♗e3!; 24. ♔h1!± △ ♘b7] **23. ♕h4 ♔e8** [23... ♔f8 24. ♘b7 ♗e7 25. ♕h7] **24. b4! ♗f8** [24... ♗b6 25. ♕h7 ♗a5 26. ba5 ♕a5 27. ♕g7 ♕a3 28. ♖d1!+– ♖d7 29. h4] **25. ♕h7 ♕c3 26. ♘b7 ♖d7 27. ♘c5 ♗c5 28. bc5 ♖c7 29. e4** [29. ♖d1!+–] **♘f4 30. ♕g8 ♔e7 31. ♖d1 ♘d3 32. ♗e2 ♖d7 33. ♕c8⊕** [33. ♗d3!+–] **♕c5** [33... ♕c2 34. c6!+–] **34. ♕c5 ♘c5 35. ♖d7 ♘d7 36. f3 e5 37. ♔f2 a5 38. ♔e3 ♘b6 39. ♗b5 ♘c8 40. ♔d3 ♔d6 41. ♗e8 ♔e7 42. ♗a4 ♘b6 43. ♗b3 f6 44. ♔e3 ♔d6 45. g3 ♔c5 46. f4 ♘c8** [46... ♘c4 47. ♗c4 ♔c4 48. f5! ♔b3 49. ♔d3+–] **47. h4 ♘d6 48. h5 ♘b5 49. g4 ♘d4?** [⌓ 49... ♔d6+–] **50. fe5** [50... fe5 51. g5 ♘c6 52. h6 gh6 53. gh6 ♘e7 54. ♗f7] **1 : 0**
[Levitt]

531. D 54

NOGUEIRAS 2575 – LJUBOJEVIĆ 2580
Rotterdam 1989

1. d4 ♘f6 2. c4 e6 3. ♘c3 d5 4. ♗g5 ♗e7 5. e3 h6 6. ♗h4 0–0 7. ♖c1 b6 8. cd5 ed5 9. ♗d3 ♗b7 10. ♘ge2 ♖e8 N [10... ♘bd7] **11. 0–0 a6 12. a3?!** [12. ♗g3 △ ♘f4] **♘bd7 13. ♗b1** [⌓ 13. f3!?] **♘f8 14. b4 ♘h5 15. ♗e7 ♖e7 16. ♕d3 ♕d6∓ 17. ♗a2 ♘h7 18. ♕f5?** [18. ♘b1 △ ♘d2] **g6 19. ♕d3 ♖ae8 20. ♖ce1 ♘7f6 21. h3 ♗c8 22. ♕d2 g5?! 23. ♘g3! ♘g7** [23... ♘g3 24. fg3 ♘e4 25. ♘e4 ♖e4 26. g4⇆] **24. ♗b1 h5 25. e4 ♕f4 26. ♕f4 gf4 27. ♘ge2 de4** [27... f3 28. gf3 de4 29. fe4 ♗h3 30. e5∞̄] **28. ♘f4 ♗b7 29. ♖e2 ♘f5 30. ♖d1 ♔g7 31. d5 ♔h6⊕ 32. g3 ♔g5 33. ♘g2 ♘d6 34. h4 ♔h6 35. ♘e3 ♗c8 36. ♖c1 ♖e5 37. ♗a2 ♗b7 38. ♖d2 ♖8e7 39. ♘cd1** [39. ♘e2!?; 39. ♗b3] **♖d7 40. ♗b3 ♔g7 41. ♘c3** [41. ♗a4! ♖de7 (41... ♘b5 42. ♗b5 ab5 43. ♘c3!; 41... b5 (×c5) 42. ♗b3) 42. ♗c6] **♘g4 42. ♖e2 ♖de7 43. ♖ce1 ♔f8 44. ♘g2 ♔g7 45. ♘f4 ♔h6 46. ♗c2 ♘f6 47. ♗b3 ♘f5 48. ♘d3 ♘d4 49. ♘e5 ♖e5 50. ♗a2 ♘e2 51. ♖e2 ♔g7 52. ♔f1 a5 53. ♗c4 ab4 54. ab4 ♔g6 55. ♔e1 ♔f5?!** [⌓ 55... ♗d5 56. ♗d5 ♘d5 57. ♘d5 ♖d5 58. ♖e4] **56. f3!= ♖e8 57. fe4 ♔e5 58. ♔d2** [58... ♖g8 59. ♖e3 ♗c8 △ ♗d7] **1/2 : 1/2**
[Nogueiras, Pérez-García]

532. D 55

JUSUPOV 2610 – VAGANJAN 2600
Rotterdam 1989

1. d4 ♘f6 2. ♘f3 d5 3. c4 e6 4. ♘c3 ♗e7 5. ♗g5 0–0 6. e3 h6 7. ♗f6 ♗f6 8. ♕b3 c6 [8... c5 *a)* 9. cd5 cd4 10. ♘d4 ed5 11. ♕d5 ♘c6!? 12. ♘c6 bc6 (12... ♗c3?! 13. bc3 ♕d5 14. ♘e7+–; 13... bc6 14. ♕d8±) 13. ♕c6 ♖b8∞; *b)* 9. dc5 ♘a6 10. cd5 ♘c5 11. ♕b4 ♕b6!? 12. ♕b6 ab6±; 11... ♕d6!] **9. ♖d1 a5 N** [9... ♘a6!? 10. cd5 cd5 11. ♗a6 ba6±; 9... ♕b6 – 45/(516)] **10. a3** [10. ♗e2 a4 11. ♕c2 a3=] **a4 11. ♕c2 ♕a5 12. ♗e2 ♘d7 13. 0–0 ♘b6!? 14. ♖c1!?** [14. c5 ♘d7 △ b6, e5=] **♘c4!?** [14... c5?! 15. dc5 ♕c5 16. cd5 ♘d5 (16... ed5 17. ♘e4±) 17. ♘e4 ♕c2 18. ♘f6 gf6 19. ♖c2±] **15. ♗c4 dc4 16. ♘e4 b5 17. ♘e5?** [17. ♘f6!? gf6 18. ♕e4 ♕d8!? (18... ♕c7?! 19. ♕h4! ♔g7 20. e4± △ ♖c3) 19. ♕c6 ♕d5 20. ♕d5 ed5 21. ♘e1 ♗f5 22. ♘c2 ♗c2 23. ♖c2 b4 24. ab4 ♖fb8 25. ♖a1=] **♕c7 18. f4 ♗e7!∓ 19. ♖cd1** [19. g4!? c5! 20. f5 cd4 21. ed4 ♗b7!∓ 22. f6 ♗e4] **♗b7 20. ♘c5** [20. f5 ef5! 21. ♖f5 ♗c8 22. ♖f4 f5 △ ♗d6∓] **♖ad8 21. ♘b7 ♕b7 22. ♕e4 ♖d5!?** [22... ♗d6 23. ♕c6 ♕c6 24. ♘c6 ♖c8 25. ♘e5 c3–+; 25. ♘a7=] **23. f5 ef5 24. ♖f5 ♗d6! 25. ♖df1 ♗e5 26. de5 ♕e7 27. ♕f4 ♖e8!–+ 28. h4** [28. ♖f7 ♕e5–+] **♕e6!** [28... ♖e5 29. ♖f7 ♕e6 30. ♕g3

♕f7 31. ♖f7 ♔f7 32. ♕f3 ♔g8 33. ♕c6∓] **29. ♖f3** [29. ♖f7 ♕e5–+] **♖e7 30. ♖g3 ♔f8 31. ♕g4** [31. ♖f6 ♕e5! (31... gf6?! 32. ef6) 32. ♖h6 gh6 33. ♕h6 ♔e8 34. ♕c6 ♖ed7–+] **g6 32. ♕g6 ♕g6 33. ♖g6 ♖de5 34. ♖e5** [34. ♖ff6!? ♖e3 35. ♖h6 ♖7e6 36. ♖e6 ♖e6 37. ♖h8 ♔g7 38. ♖c8 b4! 39. ab4 a3–+] **fg6 35. ♖c5 ♖e3 36. ♖c6 ♔f7 37. ♖d6 ♖e2 38. h5 gh5 39. ♖h6 ♖b2 40. ♖h5 b4 0 : 1**
[Vaganjan]

533.* **D 55**

JUSUPOV 2610 – K. SPRAGGETT 2575
Québec (m/1) 1989

1. d4 d5 2. ♘f3 ♘f6 3. c4 e6 4. ♘c3 ♗e7 5. ♗g5 h6 6. ♗f6 ♗f6 7. e3 0–0 8. ♕b3 c6 9. ♖d1 ♘d7 10. ♗d3 b6 11. 0–0 ♗b7 12. ♖fe1 [12. e4?!∞ c5! 13. e5 cd4 14. ef6 ♘c5 15. ♕c2 dc3 16. fg7 ♔g7 17. ♕c3 ♕f6 Kasparov] **♗e7 N** [RR 12... ♖e8 N 13. ♗b1 ♖c8 14. cd5 ed5 15. e4 ♘f8 16. e5 ♗e7 17. ♕c2 ♖c7 18. a3 ♗c8 19. h3 g6 20. ♕d2 ♔g7 21. ♘h2± Jusupov 2610 – N. Short 2650, Barcelona 1989; 12... ♖c8; 12... a6] **13. e4 dc4** [13... de4 14. ♘e4±] **14. ♗c4 b5 15. ♗d3 ♕b6 16. e5 ♖fd8 17. ♗e4!?** [17. ♗b1 a6 18. ♕c2 ♘f8 △ c5] **♖ac8 18. h4 a6 19. ♕c2** [19. h5 c5 20. d5 c4 21. ♕c2 ed5! 22. ♘d5 ♗d5 23. ♗d5 ♘c5 24. ♕f5 ♘e6⇆] **♘f8 20. h5 ♖d7! 21. ♖d2** [21. a3 c5 △ b4⇆] **♗b4!? 22. a3 ♗c3 23. ♕c3 c5 24. ♗b7 ♖b7 25. dc5** [25. d5 ed5 26. ♖d5 b4⇆] **♖c5 26. ♕e3 ♖c8 27. ♖d6 ♕e3 28. ♖e3 ♖a7!** [28... a5? 29. ♘d4±] **29. ♖ed3** [29. ♘d4 ♖d7!=] **g6!= 30. ♘d2** [30. g4 ♖c4 31. ♖3d4 ♖d4 32. ♘d4 gh5 33. gh5 ♖d7=] **gh5 31. ♘e4$\overline{\overline{\infty}}$ ♔g7 32. ♘f6 h4 33. ♖3d4** [33. f4 ♘h7! (33... ♖c4? 34. ♖d8! △ ♖f8; 33... ♔g6? 34. ♖h3 ♔f5 35. ♖h4 ♘g6 36. ♖h5 ♔f4 37. ♖d3!+–) 34. ♘h7 ♔h7∓] **♘g6 34. ♘h5 ♔h7 35. ♘f6** [35. f4?! ♘e7 △ ♘f5] **♔g7 36. ♘h5 ♔h7** [36... ♔f8?! 37. f4↑] **37. ♘f6**
1/2 : 1/2 **[Jusupov, Dvoreckij]**

534. **D 55**

ČETVERIK – KRYŠANOV
SSSR 1989

1. d4 d5 2. c4 e6 3. ♘f3 ♘f6 4. ♘c3 ♗e7 5. ♗g5 h6 6. ♗f6 ♗f6 7. e3 0–0 8. ♕c2 ♘a6 9. a3!? b6 N [9... dc4 – 45/(515)] **10. 0-0-0!?** [10. cd5 ed5 11. ♗b5±] **c6?** [10... c5 11. cd5 ed5 12. h4↑] **11. h4 dc4 12. g4!** [12. ♗c4?! b5 13. ♗d3 b4⇆] **♗e7** [12... g6] **13. ♘e5 ♕c7 14. g5 f6** [14... h5 15. g6 f6? 16. ♕e2!+–] **15. gh6!! fe5 16. hg7 ♖f6** [16... ♖f7 17. h5 ♖g7 18. h6↑] **17. ♗c4 ♖h6 18. ♖dg1 ed4** [18... b5 19. ♗d3 b4 20. ♗h7!+–] **19. ♖g6! ♖h5** [19... ♖g6 20. ♕g6 dc3 21. ♗d3+–] **20. ♖e6! ♗e6** [20... ♖d5 21. ♖e7 ♕e7 22. ♘d5 cd5 23. ♗d5+–] **21. ♗e6 ♔g7 22. ♖g1 ♗g5** [22... ♖g5 23. hg5 ♕e5 24. ♖h1 ♕e6 (24... ♖h8 25. ♖h8 ♔h8 26. ♕g6 ♕g7 27. ♕h5 ♕h7 28. ♕e8+–) 25. ♕h7 ♔f8 26. ♕h8 ♕g8 27. ♖h3 ♗g5 28. ♘e4±] **23. ♕d1!! ♖ah8** [23... ♖h4 24. ♖g5 ♔h6 25. ♕f3! ♔g5 (25... ♕e7 26. ♖f5+–) 26. ♕f5 ♔h6 27. ♕f6 ♔h5 28. ♘e2! ♖h1 29. ♔d2 de3 30. ♔e3+–] **24. ♕d4 ♔f8 25. ♖g5 ♕e7 26. ♕e5 ♖5h6** [26... ♖h4 27. ♖f5 ♔e8 28. ♖f7 ♕c5 29. ♗d5 ♔d8 30. ♕f6 ♔c8 31. ♕e6 ♔b8 32. ♕d7+–] **27. ♖g6! ♖h5?⊕** [27... ♖6h7 28. ♘e4+–; 27... ♘c7 28. ♕f4+–] **28. ♕h5**
1 : 0 **[Raeckij, Četverik]**

535.* **D 55**

GERŠKOVIČ – SAL'NEV
SSSR 1989

1. d4 d5 2. c4 e6 3. ♘c3 ♘f6 4. ♗g5 ♗e7 5. ♘f3 h6 6. ♗f6 ♗f6 7. e3 0–0 8. ♖c1 c6 9. ♗d3 ♘d7 10. 0–0 [RR 10. cd5 ed5 11. b4 ♗e7 12. b5 ♗a3 13. ♖c2 ♗d6 14. 0–0 ♘f6 15. bc6 bc6 16. ♘a4 ♘e4 17. ♘e5 ♕e8 18. f3 c5 19. fe4 cd4□ (19... ♕a4? 20. ♘f7!+–) 20. ♘g4!? (20. ♖c8!? ♖c8 21. ed4 ♗e5 22. de5 de4 23. ♗e4 ♕e5 ×♘a4) de4 21. ♗c4 ♗g4 22. ♕g4

♕a4 23. ♕e4?! N (23. ♖f7 – 26/573) ♖ae8 24. ♕f5 de3! (24... ♖e5?! 25. ♗f7 ♔h8 26. ♕g6∞; 24... ♖e3) 25. ♗f7 ♔h8 26. ♗e8 ♕d4!! 27. ♕f8□ ♗f8 28. ♖e2□ (28. ♖f8 ♔h7–+ Cebalo) ♗b4∓⊥ Cebalo 2505 – van der Sterren 2500, München 1989] **dc4 11. ♗c4 e5 12. h3 ed4 13. ed4 ♘b6 14. ♗b3 a5?! 15. a3 ♗f5 16. ♖e1 ♖e8 17. g4! ♗g6□ 18. ♖e8 ♕e8 19. ♕d2 a4?!** [19... ♕d7 – 46/(588)] **20. ♗a2 ♕d7 21. ♖e1 ♖d8** [21... ♖e8? 22. ♖e8 ♕e8 23. ♕d1± ×a4] **22. ♕f4 ♔h7 23. h4 h5□ 24. gh5 ♗h5 25. ♘e5! ♗e5 26. ♖e5 ♕g4 27. ♕g4 ♗g4 28. ♘e4 N** [28. ♗f7! ♖d4 29. ♘e4 (△ 30. ♘g5 ♔h6 31. ♖e8 △ ♖h8#) g6□ (29... ♖d8 30. f3+–) 30. ♖e7 ♔h6□±; 28. ♖e7 – 42/(572)] **♖d7?⊕** [28... f6!? 29. ♖e7 ♖d4 30. ♘f6 ♔h6∞; 28... ♖d4 29. ♗f7 – 28. ♗f7] **29. ♘g5 ♔g6** [29... ♔h6 30. ♘f7 ♔h7□ 31. f3+–] **30. ♗f7+– ♖f7 31. h5! ♔f6⊕** [31... ♗h5 32. ♘f7+–] **32. ♘e4#**

1 : 0 **[Gerškovič]**

536.*** **D 58**

DLUGY 2570 – H. ÓLAFSSON 2520

Moskva (GMA) 1989

1. d4 ♘f6 2. c4 e6 3. ♘f3 d5 4. ♘c3 ♗e7 5. ♗g5 h6 6. ♗h4 0–0 7. e3 b6 8. ♕b3 [RR 8. ♗e2 ♗b7 9. ♗f6 ♗f6 10. cd5 ed5 *a)* 11. b4 c5 12. bc5 bc5 13. ♖b1 ♕a5 14. 0–0 cd4 15. ♘d4 ♘c6 16. ♘d5 N (16. ♘db5 – 45/527) ♕d5 17. ♗f3 ♕a2 18. ♘c6 ♗c6 19. ♗c6 ♖ad8 20. ♕f3 ♖d6 21. g3 a5 22. ♖fd1 ♖fd8 23. ♔g2 ♖d1 24. ♖d1 ♖d1 25. ♕d1 ♕e6 26. ♕a4 g5= Seirawan 2610 – Beljavskij 2640, Barcelona 1989; *b)* 11. 0–0 ♕e7 12. ♕b3 ♖d8 13. ♖ad1 c5 14. dc5 ♗c3 15. ♕c3 bc5 16. ♖d2 N (16. ♖c1) ♘d7 17. ♖c1 *b1)* 17... ♖dc8?! 18. ♖dc2 ♕d6 19. ♗d3 g6 20. ♗b5 ♘f8 21. ♕e5 ♕b6 22. ♗a4± Pr. Nikolić 2605 – N. Short 2650, Barcelona 1989; *b2)* 17... a5 18. ♕a3 ♕f6 19. ♖cd1 ♕b6 20. ♘e1 ♘e5 21. ♕c3 ♖e8 22. ♘f3 ♘d7 23. ♖c2 ♖ac8= Timman 2610 – Jusupov 2610, Rotterdam 1989] **♗b7 9. ♗f6 ♗f6 10. cd5 ed5 11. ♖d1 c6 12. ♗d3 ♘a6!? 13. 0–0 ♘c7 14. e4 N** [14. ♖fe1 – 19/514] **♘e6** [14... de4 15. ♘e4 ♘d5 (15... ♗d4? 16. ♘d4 ♕d4 17. ♘d6!+–) 16. ♗c4±; 14... g6!?] **15. e5 ♗e7 16. ♗b1 ♖e8 17. ♕c2 g6 18. ♕d2 ♗f8 19. ♖fe1 ♖c8 20. ♘e2 ♖c7 21. h4! ♗g7?!** [21... h5 22. ♘f4! ♗c8 23. ♘e6 ♗e6 24. ♘g5±] **22. h5 g5 23. ♘g3 ♗c8 24. ♘f5 ♘f4 25. ♕c2 ♗f5 26. ♕f5 ♔f8** [26... ♘h5? 27. g3!+–] **27. g3** [27. ♘h2 c5! 28. dc5 bc5∞] **♘e6 28. ♖e3?!** [28. b4!±] **♕d7 29. ♕h7 ♔e7 30. b4 ♔d8 31. ♘h2 ♔c8 32. ♘g4 ♕e7**

33. ♘h6!? [33. a3±] **♖h8 34. ♘f5 ♕b4 35. ♘d6 ♔b8 36. ♕f5 ♘d4 37. ♕g5! ♘e6□** [37... ♗h6 38. ♕f6+–] **38. ♕f5 ♖e7** [38... ♘d4 39. ♕g4+–] **39. h6! ♖h6** [39... ♗h6 40. ♕f6+–] **40. ♘f7 ♘d4□ 41. ♖d4?** [41. ♕f4! ♘e2 (41... ♖he6 42. ♘d8! ♗e5 43. ♕f8!+–; 41... ♖h5 42. ♕d4 ♕d4 43. ♖d4 ♖f7 44. ♗g6+–) 42. ♖e2 ♕f4 43. gf4 ♖f7 44. f5!+–] **♕d4 42. ♘h6 ♗h6 43. ♔g2** [43. ♕f6 ♕d1 44. ♔g2 ♕b1 45. ♕h6? ♖h7!; 43. ♗d3 b5! 44. ♖e2 ♗g7 45. e6 ♕f6∞] **♗g7 44. ♕g5 ♕c5 45. ♕f4! ♔c7 46. ♖e2 b5 47. a4! a6 48. ♗d3** [48. ♖c2 ♕a3 49. ♕d4 ♗e5 50. ♕a7 ♔d6 51. ♕a6 (51. ♕b8 ♖c7∞) ♖c7 52. ab5 ♕a6=] **d4 49. e6 ♕d6 50. ♕g5! ♔b6 51. ab5?** [51. ♖b2! b4 (51... ♗e5 52. f4!) 52. a5 ♔a7 53. ♗c4±] **ab5 52. f4** [52... ♕a3!∞; 52. ♖b2 ♕c5!] **1/2 : 1/2** **[Dlugy]**

537. **D 58**

DOHOJAN 2575 – VAN DER STERREN 2500
Wijk aan Zee II 1989

1. d4 ♘f6 2. c4 e6 3. ♘f3 d5 4. ♘c3 ♗e7 5. ♗g5 h6 6. ♗h4 0–0 7. e3 b6 8. ♕b3 ♗b7 9. ♗f6 ♗f6 10. cd5 ed5 11. ♖d1 ♖e8 12. g3!? c5! N [12... c6 – 45/521] **13. ♗g2 c4** [13... ♗a6 14. ♕d5 ♘d7 15. ♗f1!; 13... cd4 14. ♘d4 ♗d4 15. ♖d4 ♘c6 16. ♖d5 ♕e7 17. 0–0±] **14. ♕c2 ♘c6?** [14... ♘a6! 15. 0–0 ♘c7 16. ♘e5!? (16. b3 b5 17. bc4 dc4!∞) ♗e5 17. de5 ♖e5 18. ♘d5 ♘d5 19. e4 ♖c8 20. ed5 ♕d6∞] **15. 0–0 ♖c8** [15... a6 16. ♘d2±] **16. ♘d2± ♘e7** [16... ♘b4 17. ♕b1 △ b3±; 16... ♘a5!?] **17. b3 b5?!** [17... cb3 18. ♕b3±] **18. ♘b5 ♗a6 19. a4 c3 20. ♘b1 ♗b5 21. ab5 ♕a5 22. ♗h3 ♖c7 23. ♖d3 ♕b5 24. ♖c3+– ♖b7 25. ♘d2!** [△ ♘f3-e1-d3] **♖eb8 26. ♖a1 g6 27. ♘f3 ♕b6 28. ♘e1 a5 29. ♘d3 ♖a7 30. ♖a3?⊕** [30. ♗g2! (×d5) g5 (30... ♗g7 31. ♘f4 △ ♖c5) 31. ♕e2!↑» ♗g7 32. ♕h5 △ h4, ♖ac1 ⇔c] **♗g7! 31. ♖a4 ♗f8 32. ♘e5 ♖bb7 33. ♗g2 ♔g7 34. h4 h5 35. ♘d3 ♖b8 36. ♘f4 ♕b5 37. ♗f3?!** [37. ♔h2!?] **♖d7 38. ♗d1?! ♘g8 39. ♘d3 ♘f6 40. ♘e5 ♖db7 41. ♗e2 ♕b6 42. ♗d3 ♔g8 43. ♖a2! ♖a8 44. ♕e2!** [△ 45. ♕f3↑», 45. ♖ac2 ⇔c] **♖c7 45. ♖c7 ♕c7 46. ♖c2 ♕b7 47. ♗b5 ♖b8** [47... ♖c8!?] **48. ♕f3! ♗g7 49. ♖c5 ♖f8 50. ♗c6 ♕b3 51. ♖a5+– ♕b4 52. ♖b5 ♕e1 53. ♔g2 ♘e4 54. ♗d5 ♘d2 55. ♗f7 1 : 0**
[Dohojan]

538.*** **D 58**

AN. KARPOV 2750 – N. SHORT 2650
Rotterdam 1989

1. d4 e6 2. c4 ♘f6 3. ♘f3 d5 4. ♘c3 ♗e7 5. ♗g5 h6 6. ♗h4 0–0 7. e3 b6 8. ♗d3 ♗b7 9. ♗f6 [RR 9. 0–0 ♘bd7 10. ♕e2 ♘e4 11. ♗g3 c5 *a)* 12. ♖fd1 cd4 13. ed4 ♘g3 14. hg3 ♘f6 15. ♘e5 ♗b4 N (15... ♖c8 – 39/545) 16. ♖ac1 ♗c3 17. bc3 ♖c8 18. f4! (△ g4-g5) dc4 19. ♗c4 ♖c7 20. ♗b3 ♕e7 21. g4 ♘e4 (I. Belov 2425 – Kotronias 2505, Moskva II 1989) 22. ♖d3± I. Belov; *b)* 12. cd5 N ed5 13. ♖ad1 ♗f6 14. ♗e4 de4 15. ♘e5 cd4 (15... ♗e5 16. de5 ♕e7 17. ♘d5±) 16. ♖d4?! ♘e5! 17. ♖d8 ♖fd8 18. ♗e5□ ♗e5 19. ♖d1 ♗c3 20. bc3 ♗a6 21. ♖d8 ♖d8 22. ♕c2 ♗d3 23. ♕b2 ♖e8 24. ♕a3 a6 25. ♕d6 ♖e6 26. ♕d8 ♔h7 27. f4± Vyžmanavin 2550 – Kotronias 2505, Moskva II 1989; 16. ed4 ♕e7 17. ♘e4 ♗e5 18. de5 ♘e5 19. ♘c3 ♖fe8 20. ♖fe1± B. Arhangel'skij, Vyžmanavin] **♗f6 10. cd5 ed5 11. ♖c1 c5 N** [11... c6 – 46/590] **12. 0–0 ♘d7 13. ♗b1 g6** [RR 13... ♖c8? 14. ♘b5± L. Portisch 2610 – N. Short 2650, Rotterdam 1989] **14. ♕a4 ♖e8 15. ♖fd1 cd4! 16. ed4** [16. ♘d4 ♘c5 17. ♕c2 ♕e7=] **♘f8 17. ♗d3± a6** [17... ♘e6 18. ♗b5 ♖e7 19. ♗c6 ♗c6! 20. ♕c6 ♖c8 21. ♕d5 ♖d7=; 18. ♗a6±] **18. ♕b3 ♖c8 19. ♘a4 ♖e6 20. ♗f1!** [△ g3, ♗h3] **♖d6 21. ♕e3! ♖c1 22. ♖c1 ♘e6 23. ♖d1 ♔g7 24. h4 b5?! 25. ♘c3** [25. ♘c5 ♘c5 26. dc5 ♖e6 △ ♖e4=] **b4?! 26. ♘e2 ♗c8 27. g3** [27. h5 ♘g5!?] **♕e7 28. ♘c1!± a5 29. ♘d3 h5 30. ♘de5 ♘d8 31. ♘g5 ♗f5 32. ♗g2 ♗g5** [32... ♔g8 33. ♖c1 △ ♖c5] **33. hg5 ♘e6 34. f4 ♕c7 35. ♖c1 ♕b6 36. ♖d1 ♖d8?!** [36... ♕c7 37. ♗f3 (37. ♔f2?! ♕c2 38. ♕d2 ♘d4!) ♕c2 38. ♕f2±] **37. ♔f2 a4 38. ♗f3 b3?! 39. ab3 ab3 40. ♖d2 ♕b5 41. ♗d1 ♖c8** [41... ♖b8 42. ♘d7!+–] **42. ♕b3 ♕a5 43. ♕e3 ♖c1 44. ♘d7 ♗e4□ 45. ♘f6 ♕a1 46. ♕b3 ♕a5! 47. ♕e3** [47. ♔e3? ♘d4!] **♕a1 48. ♘e4! de4 49. d5** [49. ♔e1!+– ♕b1 (49... ♕a8 50. d5 ♘c5 51. d6+– △ 51... ♘d3 52. ♖d3) 50. d5 ♘c5 51. d6 ♘d3 52. ♔e2+–] **♘c5** [49... ♖d1 50. ♖d1 ♕d1 51. de6 ♕c2 52. ♕e2+–] **50. ♕d4?!** [50. d6! ♔h7 (50... ♘d3 51. ♔e2 ♕a6 52. ♕d4 ♔h7 53. d7+–) 51. ♕e2 ♘d3 52. ♔g2 ♕a8 53. ♔h2] **♔h7 51. ♔e3?** [51. d6! ♘e6 (51... ♘d3 52. ♔e2+–) 52. ♕a4+–] **♕a6! 52. ♕f6 ♕a7 53. ♕d4 ♕a6 54. ♖f2** [54. ♗e2 ♕a5] **♘d3 55. ♗e2 ♖e1 56. ♕e4 ♕b6□ 57. ♔d3 ♕f2** [♕ 9/b] **58. ♔d2?** [58. d6!? ♕b6 59. d7 ♕d6 60. ♕d4

♕d4 (60... ♕a6 61. ♔c3 ♖e2 62. d8♕+−) 61. ♔d4 ♖e2 62. ♔d3+−] **♖a1 59. ♔c2?! ♕e1 60. ♔b3?? ♕g3−+ 61. ♔c2□ ♕g1 62. ♕e5 ♖c1** [62... ♕c5! 63. ♔d3 ♖a5! 64. ♔e4 (64. ♗f3 ♖b5−+) ♖a4−+] **63. ♔d3 h4 64. d6□ ♖c5! 65. ♕d4 ♕b1 66. ♔e3 ♕c1 67. ♔f3 ♖d5?** [67... ♕h1 68. ♔f2 ♖d5−+] **68. ♕f2! ♕h1 69. ♔g4 ♖d2 70. ♗f3! ♕c1 71. ♕h4 ♔g8 72. b3 ♕c8 73. ♔g3 ♕c5 74. ♕h1 ♕d6 75. ♕e1 ♖d4 76. ♕c1 ♖d3 77. ♕c8 ♔g7 78. ♕c4 ♖d4∓ 79. ♕c1 f6? 80. gf6 ♔f6 81. ♕c6= ♕c6 82. ♗c6 ♔f5 83. ♗b5! ♖d1 84. ♔f3 1/2 : 1/2**
[An. Karpov]

539. D 58

JUSUPOV 2610 – N. SHORT 2650
Rotterdam 1989

1. d4 ♘f6 2. c4 e6 3. ♘f3 d5 4. ♘c3 ♗e7 5. ♗g5 h6 6. ♗h4 0–0 7. e3 b6 8. ♖c1 ♗b7 9. ♗f6 ♗f6 10. cd5 ed5 11. ♗d3 c5 12. 0–0 ♖e8 N 13. ♖e1 [13. ♗b1 ♘a6=; 13. ♗b5!? ♖e6 14. dc5 bc5 15. ♘a4 c4 16. ♘d4 (16. ♘c5 ♖b6 ×b2) ♗d4 (16... a6 17. ♘e6 fe6 18. ♘c5? ab5 19. ♘b7 ♕e7−+; 18. ♗c4 dc4 19. ♕d8 ♗d8 20. ♖fd1±) 17. ♕d4 ♗c6 18. ♘c3 (18. ♗c4 ♗a4 19. ♕d5 ♘d7∓; 19. ♗d5 ♘c6∓) ♗b5 19. ♘b5 ♘c6=] **♘d7** [13... ♖e7 14. dc5 bc5 15. ♘a4 ♘a6 16. ♘c5 ♘c5 17. ♖c5 ♗b2⩲] **14. ♗b5 ♖e7** [14... a6?! 15. ♗d7 ♕d7 16. dc5 bc5 17. ♘a4] **15. dc5 ♘c5 16. ♘d4 ♖c8 17. ♗e2 ♕f8?** [17... ♘e4 18. ♘e4 de4=; ⌓ 17... ♗d4 △ 18. ♕d4 ♘e6 19. ♕a4 d4 20. ♖cd1 ♖d7 △ ♗c6] **18. ♘cb5! ♗a8 19. ♗g4 ♖d8 20. b4 ♘e4 21. f3** [21. ♘f5 ♖e5 22. f3 h5!] **♗d4□ 22. ♕d4±** [22. ♘d4 ♘d6 △ ♘c4⇆] **f5! 23. ♗h5** [23. fe4? ♖e4; 23. ♗h3? ♘g5] **♘d6 24. ♘c3 ♖e6** [24... ♖c7 25. ♘e2±] **25. ♘e2 ♖f6 26. ♘f4** [26. f4⩲] **♔h7 27. h4** [27. g4!±] **♘c4 28. g4 g6 29. g5 ♖fd6 30. ♔f2??** [30. ♗g6 ♖g6 31. ♘g6 ♔g6 32. gh6 ♔h6 33. ♔f2 ♗c6 34. ♖g1 (34. ♕f4!? ♔h7 35. ♖g1±) f4!? 35. ef4 ♕h8 36. ♕d3 ♕b2 37. ♖c2 ♕f6 38. ♖g5±] **gh5** [△ ♕g7] **31. ♘h5 ♕f7 32. ♘f6 ♖f6 33. gf6 ♖f8∓ 34. ♖g1 ♕f6 35. h5?! ♗c6 36. ♖g6 ♕d4 37. ed4 ♗e8 38. ♖e6 ♗h5−+ 39. ♖ce1 ♖f7 40. ♖c6 ♗g6 41. ♖e8 f4 42. ♖d8 ♘e3 43. ♖cc8** [△ 44. ♖h8 ♔g7 45. ♖hg8 ♔h7 46. ♖h8=] **♗f5 44. ♖h8 ♔g6 45. ♖hg8** [45. ♖c6 ♔g7 46. ♖hh6 ♘c2] **♔f6** [45... ♔h5?? 46. ♖c1 ♗h3 47. ♖h1 ♔h4 48. ♖gg1!+− △ ♖h3] **46. ♖c6 ♗e6 47. ♖e8 ♖e7 48. ♖f8 ♔g5 49. ♖c1 ♗f7 50. ♖fc8 ♘c4 51. ♖c6 h5 52. ♖g1 ♔f5 53. ♖g7 ♘b2 54. ♖h6 ♘d3 55. ♔g2 ♖e2 56. ♔f1 ♖e1 57. ♔g2 ♗e8 58. b5 ♖e2 59. ♔h3 ♘e1 60. ♖h8 ♔f6 61. ♖a7 ♗g6 0 : 1** **[N. Short]**

540.* D 63

WIEDENKELLER 2415 –
TH. THORSTEINSSON 2290
Saltsjöbaden 1988/89

1. d4 d5 2. c4 e6 3. ♘c3 ♘f6 4. ♗g5 ♘bd7 5. e3 ♗e7 6. ♘f3 0–0 7. ♖c1 a6 8. c5 c6 9. ♗d3 e5 10. ♗f6 [RR 10. de5 ♘e8 11. ♗f4 (11. ♗e7 ♕e7 12. b4 ♘e5 13. ♘e5 ♕e5 14. 0–0 ♘f6 15. h3 ♗f5=; 11. h4 ♘c5 12. ♗b1 f5? 13. ♘d5 cd5 14. ♖c5+−; 12... f6 13. ef6 ♘f6 14. ♘d4 △ ♕c2±) ♘c5 12. ♗b1 f5 13. ef6 ♘f6 14. ♘d4 N (14. 0–0 ♗g4!; 14. ♘g5) ♘e6 15. ♗g3! ♘d4 16. ♕d4 ♗e6 17. 0–0 ♗d6 (17... c5? 18. ♕d2 ♕d7 19. ♖fd1 ♖fd8 20. ♕c2 ♖ac8 21. ♗e5±) 18. ♘e2! ♗g3 19. ♘g3 a5 20. ♖fd1 ♕c7 21. a3 ♘d7 22. ♗a2!? ♕b6 (22... ♕e5?! 23. ♕e5 ♘e5 24. e4! ♖fd8 25. f4 ♘c4 26. f5 ♗f7 27. ♗c4 dc4 28. e5±) 23. ♘e4!? (Gol'din 2535 – Østenstad 2410, Trnava II 1989) ♕d4 24. ♖d4 ♔h8!⩲ Gol'din] **♗f6 11. de5 ♗e7 12. ♕c2 h6 13. ♘a4 ♕c7! N** [13... ♕a5?!] **14. ♕c3 ♖e8 15. ♗b1 ♗d8! 16. ♕c2 g6 17. h4?** [⌓ 17. ♘b6∓] **h5 18. ♘d4 ♕e5 19. ♖d1 ♕f6 20. ♕c3 ♘e5 21. ♖d2 ♘c4 22. ♖e2 ♗a5 23. b4 ♗c7 24. ♗d3 ♘e5 25. ♖d2 ♘g4 26. ♘f3 ♘e3! 27. fe3** [27. ♕f6 ♘g4−+] **♖e3 28. ♔f2** [28. ♖e2 ♕c3 29. ♘c3 ♖d3 30. ♖e8 ♔g7 31. ♘a4 ♖b8−+; 28. ♔d1 ♖f3−+; 28. ♔f1 ♖f3−+] **d4! 29. ♕c2 ♗g4 30. ♕d1 ♕f4**

31. ♗e2 ♖ae8 32. ♘b2 ♕g3 33. ♔f1 ♗f3 34. gf3 ♖e2! 35. ♖e2 ♕f3 [36. ♔e1 ♗g3 Δ ♕c3#; 36. ♔g1 ♖e2–+] **0 : 1**
[Th. Thorsteinsson]

541.** **D 71**

GOL'DIN 2535 – BÁŇAS 2410
Trnava II 1989

1. d4 ♘f6 2. c4 g6 3. g3 ♗g7 4. ♗g2 d5 5. cd5 ♘d5 6. e4 ♘b4 7. d5 [RR 7. a3 ♘4c6 8. d5 ♘d4 9. ♘e2 c5 10. 0–0 N (10. ♘bc3) 0–0 11. ♘d4 cd4 12. ♘d2 ♘a6 (12... e6 13. ♘b3 e5 14. f4 f6 15. ♘c5⩲; 12... e5 13. a4 ♘d7 14. b4⩲) 13. b4 ♘c7 *a)* 14. ♘b3 e6 15. ♗b2 (15. ♖e1?! ed5 16. e5 f6!∓) ed5 16. ♗d4 (16. ed5 ♘d5 17. ♘d4 ♘c7=) de4 17. ♗g7 ♔g7 18. ♕d8 (18. ♗e4 ♕f6=) ♖d8 19. ♗e4 ♘b5=; *b)* 14. ♗b2! *b1)* 14... e6 15. ♖e1 e5 (15... ed5 16. e5⩲) 16. a4±; *b2)* 14... ♘b5 15. ♘b3 ♕b6 16. ♖c1 e6 17. ♘c5 (17. ♖e1 e5= Širov – Gavrikov 2545, Klajpeda 1988) ed5 (17... a5 18. ♖e1 e5 19. a4±) 18. ed5 a5 19. ♖e1⩲ Širov] **c6** [RR 7... 0–0 8. a3 ♘4a6 9. ♘f3 N (9. ♘c3 – 44/549) c6 10. 0–0 cd5 11. ed5 ♘c7 12. ♘c3 ♘e8 13. ♖e1 ♘d6 14. ♗g5 ♖e8 15. ♕e2 ♗g4 16. ♘e4 ♘a6 17. ♘d6 ♕d6 18. ♖ad1± S. Đurić 2475 – Kudrin 2555, New York 1989] **8. a3 ♕a5 9. ♘c3 cd5 10. ♗e3 d4 11. ab4 ♕d8 12. e5! N** [12. ♗d4= – 1/406] **dc3□** [12... ♗e5? 13. ♘f3+–; 12... de3 13. ♕d8 ♔d8 14. f4! Δ ♘f3, ♔e2, ♖hd1±; RR *a)* 14... f6 15. 0-0-0 ♔e8 16. ♘d5 ♗f5 17. ♘c7 ♔f7 18. e6+–; *b)* 14... ♘c6 15. 0-0-0 ♔c7 16. ♘d5 ♔b8 17. b5 ♘a5 18. ♘e3 ♗e6 19. ♗d5±○ Štohl; *c)* 14... g5!? Veličković] **13. ♕d8 ♔d8 14. bc3 ♗e5 15. ♘e2± ♘d7** [15... a6 16. 0–0 ♔e8 17. b5 ♘d7 18. b6! ♖b8 19. ♖a5 Δ c4-c5⩲] **16. 0–0** [16. ♗a7? ♗b8; 16. ♖a7 ♖a7 17. ♗a7 b6 18. ♘d4 ♗d4 19. cd4 ♗a6 20. ♗c6 ♔c7 21. ♗d7 ♔d7 22. ♗b6 ♖b8 23. ♗c5 ♗b5 24. ♔d2 ♖a8=] **a6 17. ♖fd1 ♔c7** [RR 17... ♖b8 18. ♖a5 (18. b5 ♔c7!∞) ♗c7 19. ♖a2 e6 (19... ♗e5 20. b5 ♔c7 21. c4±) 20. c4 ♔e7 21. b5=∞; 21. ♘c3=∞ Štohl] **18. ♘f4! ♗f4?** [18... e6 19. ♘d3 ♗g7 20. ♖a5 Δ ♗f4±] **19. ♗f4 e5 20. ♗e3± f5 21. ♖a5 ♖e8 22. b5!? ♖e6** [RR ⌓ 22... b6 23. ♖a2 ♖a7 Štohl] **23. ♖a2!** [23. b6?! ♘b6 24. ♖c5 ♔b8 25. ♖d8 a5∞] **♖b8 24. c4 ♔d8?** [24... ab5? 25. cb5 b6 26. ♖a7+–; 24... ♖d6!? 25. b6 ♖b6 26. ♗b6 ♘b6 27. ♖a5! ♘d7 28. ♖ad5±] **25. ♗d5 ♖e8 26. b6+– ♔e7 27. f4! e4 28. ♖ad2 ♔f8 29. ♗d4 a5 30. ♖a2 ♖a8 31. ♖da1 e3 32. ♔f1! ♖a6 33. ♖a5 ♘b6 34. ♖a6 ♘d5 35. ♖6a3 e2 36. ♔e1 ♘e7 37. ♗c5 ♔f7 38. ♖e3 ♗e6 39. ♖a7 ♗c4 40. ♖b7 ♗e6 41. ♔e2 ♔f6 42. ♔f2 ♔f7 43. ♖c7 1 : 0** **[Gol'din]**

542. **D 72**

RUBAN 2395 – KOŽUL 2505
Šibenik 1988

1. d4 ♘f6 2. c4 g6 3. g3 ♗g7 4. ♗g2 d5 5. cd5 ♘d5 6. e4 ♘b6 7. ♘e2 0–0 8. ♘bc3 ♘c6 9. d5 ♘a5 10. 0–0 [⌓ 10. a4] **c6 11. b3 cd5 12. ed5 ♗g4! N** [12... e6 – 10/696] **13. ♗d2** [13. ♗b2? ♘ac4!] **e6! 14. de6 ♘c6! 15. ♕e1** [15. ♗e3!? ♕d1 16. ♖ad1 ♗c3 17. ♘c3 ♗d1 18. ef7 ♔f7! 19. ♖d1 ♖fd8∓] **♘e5** [15... ♘b4 16. ♘f4 ♘c2 17. e7; 15... fe6 16. h3!] **16. ♘f4 fe6 17. h3** [17. ♗b7? ♘d5!–+; 17. f3!? ♗f5 18. g4 ♘d3 19. ♘d3 ♗d3 20. ♖f2 (20. ♕e6 ♔h8 21. ♖fe1 ♗c4 22. bc4 ♕d2 23. ♘e4 ♕f4∓) ♗d4 21. ♗e3 ♖c8 22. ♖c1 e5∓] **♘f3 18. ♗f3 ♗f3 19. ♘e6?** [19. ♕e6□ ♔h8 (Δ ♖e8) 20. ♕e3 ♗c6=∞↑⊞] **♕d7 20. ♕e3** [20. ♘f8 ♖f8 21. ♔h2□ ♖e8! 22. ♕c1 (22. ♗e3 ♖e5 23. g4 ♖h5–+) ♖e5 23. g4 ♖c5!–+] **♖f6! 21. ♖ae1 ♖e8–+ 22. ♘c5 ♕h3 23. ♕f3 ♖e1!** [23... ♖f3 24. ♖e8 ♔f7 25. ♖fe1!∞] **24. ♕g2 ♖f1 25. ♕f1 ♕f1 26. ♔f1 ♖f7 27. ♘3e4 ♗d4 28. ♘e6 ♖e7 29. ♘d4 ♖e4** [♖ 9/b] **30. ♘b5 a6 31. ♘c3 ♖e6 32. ♗e3 ♖c6 33. ♗d4 ♘d7 34. ♔e2 ♔f7 35. ♔e3 ♘f6 36. ♔d3 g5 37. ♘a4 h5 38. ♘c5 b5 39. b4 h4 40. gh4 gh4 41. ♔e2 ♘d5 0 : 1** **[Kožul]**

543.*** **D 73**

KING 2500 – I. SOKOLOV 2580
Dortmund 1989

1. d4 [1. ♘f3 ♘f6 2. c4 g6 3. g3 ♗g7 4. ♗g2 d5 5. cd5 ♘d5 6. d4 ♘b6 7. ♘c3 ♘c6 8. e3 e5 9. 0–0 ♗g4 10. d5 N (10. h3 – 45/(536)) ♘e7 11. h3 ♗f3 12. ♗f3 0–0 13. ♕b3 (13. e4 – D 76) ♘f5 14. ♖d1 ♘d6 15. ♗d2 f5 16. ♖ac1± e4? 17. ♗e2 a6 18. a4 h5 19. ♗f1 h4 20. ♘e2 hg3 21. fg3 ♘d7 22. ♘f4± Ivančuk 2625 – I. Sokolov 2570, Reggio Emilia 1988/89] **♘f6 2. c4** [RR 2. ♘f3 g6 3. c4 ♗g7 4. g3 0–0 5. ♗g2 c6 6. ♘c3 d5 7. ♕b3 ♘e4 8. cd5 ♘c3 9. dc6! N (9. bc3) ♘e2 10. cb7 ♘c1 11. ♖c1 ♕a5 12. ♘d2 ♗b7 13. ♗b7 ♘d7 14. ♗a8 ♖a8 15. ♕c3 ♕a2 16. 0–0 ♘b6 17. ♘f3 ♕d5 18. ♕c6+– A. Greenfeld 2550 – J. Cooper 2380, Thessaloniki (ol) 1988] **g6 3. g3 c6 4. ♗g2 d5 5. cd5 cd5 6. ♘f3 ♗g7 7. ♘e5 ♘fd7?!** [RR 7... 0–0 8. ♘c3 e6 9. ♗g5 ♕b6 10. ♕d2 ♘fd7 11. ♗e3 ♘c6 12. ♘c6 bc6 13. ♖c1 N (13. h4 – 46/598) ♗a6 14. 0–0 ♖fc8 15. ♖c2 ♕b4 16. ♖fc1 ♘b6 17. b3± G. Dizdar 2505 – P. Benkö 2405, New York 1989] **8. ♗d5! N** [8. ♘d7 – 38/587] **♘e5 9. de5 e6** [9... ♗e5? 10. ♕b3 ×f7, b7] **10. ♗g2 ♕d1 11. ♔d1 ♗e5 12. ♘c3 ♘a6** [12... ♘c6?! 13. ♗c6 bc6 14. ♗d2±] **13. ♗e3 0–0 14. ♔c2 ♗d7! 15. a3!** [15. ♗b7? ♘b4 △ ♖ab8; 15. ♖ad1 ♗c6 16. ♗c6 ♘b4=] **♘c7** [15... ♖ac8 16. ♗b7 ♗a4 17. ♔b1?? ♖c3; 17. ♔c1!!±; 17. ♔d3!? King] **16. ♖hd1** [16. ♗b7 ♖ab8 17. ♗f3 ♘b5=∞] **♖ad8 17. ♖ac1** [17. ♗b7 ♘b5] **b6 18. ♔b3 ♗c8 19. ♗g5 ♖d1 20. ♖d1 ♔g7 21. a4 ♗f6 22. ♗f6 ♔f6 23. ♘b5?!** [23. ♖c1↑⊥ King; 23. a5 ba5 24. ♖a1 ♗b7!=] **♘b5 24. ab5** [♖ 9/k] **e5!= 25. ♗c6⊕** [25. ♖a1 ♗e6 26. ♔b4 ♖d8] **♗e6⊕ 26. ♔b4 ♖c8 27. ♖a1 ♖c7 28. ♖a3 ♔e7** [28... ♗d7=] **29. ♖e3 f6** [29... ♔d6=] **30. f4 ♗d7?!** [30... ef4 31. gf4 ♔d6=] **31. fe5 ♗c6** [31... f5 32. ♖c3] **32. ef6 ♔f6 33. ♖c3 a5?** [33... ♔e5] **34. ba6 ♔e5 35. a7 ♖a7 36. ♖c6 ♖a1! 37. ♖b6** [♖ 6/j] **♖h1 38. h4 ♖g1 39. ♖b7** [39. ♖b5 ♔f6 40. ♖g5 h6 41. ♖g4 g5 42. hg5 hg5 43. e4 ♔g6] **h6!** [39... h5?? 40. ♖b5 △ ♖g5+–] **40. ♖b5 ♔e4 41. ♖b6 ♖g3 42. h5 gh5 43. ♖h6 ♖h3 44. ♔a5 1/2 : 1/2** [**I. Sokolov**]

544.* **D 75**

RIBLI 2625 – LJUBOJEVIĆ 2580
Barcelona 1989

1. ♘f3 ♘f6 2. c4 g6 3. ♘c3 d5 4. cd5 ♘d5 5. g3 ♗g7 6. ♗g2 0–0 7. 0–0 c5 8. d4 cd4 9. ♘d4 ♘c3 10. bc3 a6?! [10... ♘c6!= – 45/537; RR 10... ♕a5 11. ♕b3 ♘c6 12. ♗e3 ♘d4 13. cd4 ♖b8!? N (13... ♖d8 – 12/600) 14. ♖ac1 ♗g4 (14... b5? 15. ♗f4+–; 14... ♖d8? 15. ♗f4 e5 16. ♖c5+–; 14... ♗d7 15. ♖c5±) 15. d5! ♗e2 16. ♖fe1 (Gol'din 2535 – Lanč 2410, Trnava II 1989) ♕a6 17. ♖c7 ♗f6 (17... ♖fe8 18. ♗f4 △ d6±) 18. ♖ec1!=∞ Gol'din] **11. ♗a3! N** [11. ♕b3] **♖a7?!** [11... ♕c7 12. ♕b3 ♖e8 13. ♖ab1±] **12. ♕b3 b5 13. ♗c5 ♖d7 14. a4! ♕c7 15. ♕b4!** [15. ♕a3!? ♗b7!? 16. ♗b7 ♕b7 17. ab5 ab5 18. ♖fb1±] **ba4** [15... a5 16. ♕b5 ♗a6 17. ♕b6 ♖c8 18. ♖fb1 ♕b6 19. ♗b6±] **16. ♖fb1!** [16. ♖a4 ♗b7!=] **a5 17. ♕a3 ♕e5** [17... ♗a6 18. ♗b6±] **18. ♖b5 ♗a6□ 19. ♖a5 ♗b7 20. ♗b7** [20. e4!±] **♖b7 21. ♕a4 ♖c8 22. ♗b4 ♕e4 23. e3 h5 24. h4 ♗f6 25. ♖b5** [△ ♕a8] **♖b5 26. ♕b5 ♔g7 27. ♕f1!** [27. ♖a7 ♗d4 28. ed4 ♘c6 29. ♖a1 ♖b8! 30. ♕c5 ♖b4 31. cb4 ♘d4=∞] **♘c6 28. ♕b1** [28. ♕g2 ♕g2 29. ♔g2 ♗d4 30. ed4 ♘b4 31. cb4 ♖c4 32. ♖b1 ♖d4 33. b5 ♖d7 34. b6 ♖b7=] **♕b1?** [28... ♕g4! 29. ♘c6 ♖c6 30. ♕d1 ♕c8 31. ♖a7±] **29. ♖b1 ♘b4 30. cb4 ♗d4 31. ed4 ♖c4 32. b5 ♖d4** [♖ 7/h] **33. b6 ♖d8 34. b7 ♖b8 35. ♔g2⊕ ♔f6±** [36. ♔f3 ♔e5 37. g4! f6 (37... hg4!? 38. ♔g4 f6 39. f4 ♔e6 40. ♖b2 ♔f7 41. ♖b6 ♔e8 42. h5 gh5 43. ♔h5 ♔d7 44. ♔g6 ♔c7 45. ♖e6 ♔d8!=; 42. f5!±) 38. gh5 gh5 39. ♔e3! e6 40. ♖b6 ♔d5 41. ♔f4 ♔c5 42. ♖e6 ♖b7 43. ♖f6 ♖g7! 44. f3 (44. ♖f5 ♔d6 45. ♖h5 ♖g2 46. f3 ♔e6 47.

♖e5 ♔f6 48. ♖f5 ♔e6 49. h5 ♖g1!=) ♔d5 45. ♔f5±] **1/2 : 1/2** **[Ribli]**

545.**** **D 76**

VAGANJAN 2600 – KASPAROV 2775
Barcelona 1989

1. ♘f3 ♘f6 2. c4 g6 3. g3 ♗g7 4. ♗g2 0–0 5. ♘c3 d5 6. cd5 ♘d5 7. 0–0 ♘c6 8. d4 ♘b6 9. e3 [RR 9. d5 ♘a5 10. ♕c2 c6 11. dc6 ♘c6 12. ♖d1 ♕c7 13. ♘b5 ♕b8 14. ♗f4 N e5 15. ♗e3 ♗f5 16. ♕c5 ♖c8 17. ♘a7 ♘a4 18. ♘c6 bc6 19. ♕e7 1/2 : 1/2 J. Plachetka 2450 – Smejkal 2515, Trnava 1989] **e5** [RR 9... ♖e8 10. d5 ♘a5 11. ♘d4 ♗d7 *a)* 12. b3 N c5 13. dc6 ♘c6 14. ♘c6 ♗c6 15. ♗c6 ♕d1 16. ♖d1 bc6 17. ♗d2 a5 1/2 : 1/2 Ljubojević 2580 – Kasparov 2775, Barcelona 1989; *b)* 12. e4 *b1)* 12... c6 13. b3 cd5 14. ed5 e6 15. de6 ♗e6 16. ♗e3 ♗d5 17. ♖c1 ♗g2 18. ♔g2 ♘d5 19. ♘d5 ♕d5 20. ♘f3 *b11)* 20... ♕e4 21. ♕d7! N (21. ♕c2 – 44/(553)) ♖e7 (21... ♖ad8 22. ♕c7±) 22. ♖c8 ♖c8 23. ♕c8 ♖e8 *b111)* 24. ♕c7 ♘c6 25. ♕b7 ♖e7! (25... ♖b8 26. ♕c7±) 26. ♕a8 (26. ♕a6? ♘e5 27. ♕e2 g5! 28. ♖d1 ♖e8∓) ♖e8= Gen. Timoščenko; *b112)* 24. ♕d7! ♘c6 25. ♖d1!± Cvitan 2525 – Gen. Timoščenko 2460, Pula 1989; *b12)* 20... ♕d1 N 21. ♖fd1 ♖e7 22. b4 ♘c6 23. b5 ♘e5 24. a4± Cvitan 2525 – Huzman 2480, Moskva (GMA) 1989; *b2)* 12... c5 13. dc6 N (13. ♘b3 – 40/(563)) ♘c6 14. ♘c6 ♗c6 15. ♕b3 ♕d3 16. ♗e3 ♖ac8 17. ♖fd1 ♕a6 18. ♗d4 ♕a5= J. Hjartarson 2615 – Kasparov 2775, Barcelona 1989] **10. d5 ♘a5 11. e4 c6 12. ♗g5 f6 13. ♗e3 cd5 14. ed5 ♗g4 15. ♗c5** [15. h3 – 43/572] **♖f7 16. b3 f5 17. ♗b4**

(diagram)

17... ♘ac4! N [17... ♘c8 18. ♕e1 ♗f3 19. ♗f3 ♘d6 20. ♗e2 b6 21. ♗a6± Vaganjan 2595 – Thorsteins 2430, København 1988; 20... e4!?] **18. bc4 e4 19. ♖c1!** [19. c5 a5!∓] **♕d7?!** [19... a5 20. ♗c5 ♘d7 (20... ♘c4 21. ♕b3! ef3 22. ♕c4 fg2 23. ♖fe1±) 21. ♗e3 (21. ♗d6 ♗c3! 22. ♖c3 ♕f6!∓) ef3 (21... ♘e5? 22. ♘e5! ♗d1 23. ♘f7±) 22. ♗f3 ♘e5 23. ♗g4 fg4 24. ♘e4 ♕d7 △ ♕f5-h5-h3∞̅; 19... ef3 20. ♗f3 ♗f3 (20... ♘c4? 21. ♗g4 fg4 22. ♘e4! ♘e5 23. d6 △ ♕d5±) 21. ♕f3 ♘c4 22. ♘e2□ ♘e5 23. ♕b3 a5 24. ♗a3 a4 25. ♕d1 g5!∞; 19... ♘c4 20. ♘e4 fe4 (20... ♘b2?! 21. ♕d2 fe4 22. ♘g5±) 21. ♖c4 ♗f3 22. ♕d2 ♕d7=] **20. ♘b1!** [20. ♘b5 ♘c4!; 20. ♖e1 ef3 21. ♗f1 f4∞] **ef3 21. ♗f3 ♗f3 22. ♕f3 f4□ 23. g4** [23. ♘d2 fg3 24. ♕g3 ♕f5∞̅] **♕a4 24. ♕b3** [24. ♗c3!? ♗c3 25. ♘c3 ♕c4 26. ♖fd1 ♖d8 27. d6⩲] **♕d7?!** [24... f3! 25. ♕a4 ♘a4 26. h3 ♖c8∞̅ △ 27. c5 ♖d7 28. ♖fd1 ♘b2! 29. ♖d2 ♗h6∓] **25. f3 h5 26. h3 ♖e8 27. ♕d3?!** [27. ♗c5 ♕c7 28. ♗f2 hg4 29. hg4 ♖e3! *a)* 30. ♗e3 fe3 31. ♔g2 (31. ♕c2 e2!–+) ♕f4∓; *b)* 30. ♕d1 ♕e5 31. ♘d2 ♘d7 32. c5! (32. ♗e3 fe3 33. ♘e4 ♘c5 34. ♕e2 ♘e4 35. fe4 ♖f1 36. ♖f1 ♕g3 37. ♕g2 ♗e5 38. ♖f3 e2 39. ♖g3 e1♕ 40. ♔h2 ♕e3∞̅) ♖d3 33. c6 ♘f8!∞̅] **hg4 28. hg4 ♖e3! 29. ♕g6 ♖f6 30. ♕g5 ♕f7 31. ♗c3** [31. ♗c5 ♖g6 32. ♕h4 ♖h6 33. ♕f2 ♕c7!∓] **♖g6 32. ♕d8** [32. ♕h5 ♘d7! △ ♘f6∞̅] **♖e8 33. ♕h4 ♗c3! 34. ♖c3 ♕g7! 35. ♖e1** [35. ♖c2 ♖h6 36. ♕f2 ♕h8 37. ♕g2 ♖h3–+] **♕d4 36. ♔g2 ♖e1 37. ♕e1 ♘c4 38. ♕e8 ♔g7 39. ♕e7 ♔h6 40. ♕h4 ♔g7 41. ♕e7 ♔h6 42. ♕f8** [42. d6 ♘e3 43. ♔h3 ♕d6∓] **♔h7 43. ♕f7 ♔h6** [44. ♔h3 b5!; 44. d6 ♘e3 (44... ♖g4 45. fg4 ♕e4=) 45. ♔h3 ♕d6 46. ♖c8 ♕e5=] **1/2 : 1/2**
[Kasparov]

546.* D 78**

ROMANIŠIN 2555 – HUZMAN 2480
Moskva (GMA) 1989

1. d4 ♘f6 2. ♘f3 g6 3. c4 [RR 3. g3 ♗g7 4. ♗g2 d5 5. 0–0 0–0 6. ♘e5 c6 7. c4 ♗e6 8. cd5 ♗d5 N (8... cd5?! – 14/600) 9. ♗h3 c5 10. dc5 ♘e4 11. ♘d3 ♘a6 12. ♗e3 ♗c6 13. ♕c2 ♗d4 14. ♗d4 ♕d4 15. ♗g2 ♖ac8 16. ♘c3 ♘c3 17. bc3 ♕f6 1/2 : 1/2 Speelman 2645 – Kasparov 2760, Reykjavík 1988] **♗g7 4. g3 c6 5. ♘c3** [RR 5. ♗g2 d5 6. 0–0 0–0 7. ♕a4 a5!? N 8. cd5 b5 9. ♕d1 cd5 10. ♘c3 ♗a6 11. ♘e5 e6 12. ♗f4 ♘fd7= Gol'din 2535 – Lechtýnský 2450, Trnava II 1989] **d5 6. ♕b3 0–0 7. ♗g2 dc4 8. ♕c4 ♘a6** [RR 8... ♗f5 9. 0–0 ♘bd7 10. ♖e1 N (10. e3) ♘b6 11. ♕b3 ♘e4 12. ♗f4 h6 13. h4 ♘c3 14. bc3 ♗e4 15. ♖ac1 ♘d5 16. ♗d2 ♕b6 17. ♕a3 ♖fe8 18. c4 ♘f6 19. ♗c3± Ribli 2625 – J. Hjartarson 2615, Barcelona 1989] **9. 0–0 ♗e6 10. ♕a4 ♘d5 N** [10... ♕b6 – 43/570] **11. h3** [△ ♘g5; 11. ♘g5 ♗g4⇆; 11. e4 ♘b6 12. ♕c2 ♗d4 13. ♖d1 c5 △ ♘b4-c6=] **c5?!** [11... ♘b6 12. ♕c2 c5 13. dc5 ♘c5 14. ♖d1 ♕c8 △ ♘ca4=] **12. dc5** [12. ♘g5!? cd4 13. ♘e6 fe6 14. ♘e4⩱] **♘c5 13. ♕h4 ♘c3 14. bc3 f6□ 15. ♗e3 ♖c8 16. ♕b4 b6 17. ♖fd1 ♕e8 18. ♗c5!** [18. ♘d4 ♗d7 ×a2, c3; 18. a4 ♘b3 19. ♖ab1 ♘a5 20. ♘d4 ♗c4 (20... ♖c4 21. ♘e6 ♖b4 22. cb4±) 21. ♘b5 ♗b5 22. ab5 e6 △ f5, ♖f7⇆] **♖c5** [18... bc5 19. ♕a5 ♗c4 20. ♕a7 e5 21. ♘d2 ♗e2 22. ♗d5 ♔h8 23. ♖db1±] **19. ♘d4 ♗f7 20. a4± ♕b8 21. a5 ♖fc8?** [21... ♕c7] **22. ab6?** [22. ♘c6! ♕c7!? (22... ♖5c6 23. ♗c6 ♖c6 24. ♕e7 ♖c8 25. ♖d7 ♖f8 26. a6!+–) 23. ab6 ab6 24. ♖a7 ♖c6 25. ♖c7 ♖6c7 26. ♕b6 ♖c3±] **♕b6= 23. ♕a3 ♗f8 24. ♕a7 1/2 : 1/2**
[Huzman, Vajnerman]

547. D 82**

ŠTOHL 2455 – ILINČIĆ 2430
Vrnjačka Banja 1989

1. d4 ♘f6 2. c4 g6 3. ♘c3 d5 4. ♗f4 ♗g7 5. ♖c1 ♘h5 6. ♗d2!? N [6. ♗g5 – 46/607] **c5!** [6... dc4 7. e3 *a)* 7... c6?! 8. ♗c4 0–0 9. ♘f3 ♘d7 10. ♗e2! ♘hf6 11. e4 ♘b6 12. h3 ♗e6 13. b3 ♘fd7 14. ♗e3 f6 15. 0–0 ♗f7 16. a4± Štohl 2455 – Báňas 2410, Trnava II 1989; *b)* RR 7... c5 8. dc5 ♘d7 9. ♕a4 0–0 10. ♕c4 ♘e5 11. ♕d5 ♗e6 12. ♕d8 ♖fd8 13. ♘f3 ♘c4 14. b3 ♘d2 15. ♘d2 ♖ac8 16. ♘ce4 ♗b2 17. ♖c2 ♗a3 18. ♗c4 ♗f5 1/2 : 1/2 Ph. Schlosser 2420 – Grószpéter 2500, München 1989] **7. e3** [7. cd5?! cd4 8. ♘b5 ♘a6 9. ♘d4 ♕d5○; 7. dc5 d4 8. ♘e4 0–0⩱; 8... a5!?⩱] **cd4 8. ed4 dc4** [8... ♘c6 9. cd5 ♘d4 10. ♘ge2⩲] **9. ♗c4** [9. d5 0–0 10. ♗c4 – 9. ♗c4] **0–0** [9... ♗d4? 10. ♘b5 ♗b6 11. ♕b3↑ △ 11... 0–0 12. ♗h6 ♘g7 13. ♕c3; 9... ♕d4?! 10. ♘b5 ♕e5□ (10... ♕d8? 11. ♘c7; 10... ♕e4 11. ♘e2 ♘a6 12. ♕a4 ♔f8 13. 0–0→) 11. ♗e2! ♘c6 12. ♗c3⩲] **10. d5** [10. ♘f3?! ♗g4 11. 0–0 ♘c6 12. d5 ♘d4; 10. ♘ge2 ♘c6 11. ♗e3 ♘f6 12. 0–0 (12. h3 b6=) ♘g4 13. h3 ♘e3 14. fe3 e6∞; 11... b6!?] **♘d7 11. ♘f3 a6!** [11... ♘b6 12. ♗b3 ♗g4 (12... ♘f6 13. ♗e3 ♗g4 14. h3 ♗f3 15. ♕f3 ♖c8 16. 0–0±; 12... e6 13. de6 ♕e7 14. 0–0±) 13. h3 ♗f3 14. ♕f3 ♖c8 15. ♕e2 ♘f6 16. 0–0 ♕d7 17. ♖cd1!±○ △ 17... ♘bd5 18. ♘d5 ♘d5 19. ♗b4] **12. a4** [12. 0–0 b5 13. ♗b3 ♘c5∓; 12. a3 b5 13. ♗a2 ♘b6 △ ♗b7, ♘f6 ×d5] **b5 13. ab5 ♘b6 14. b3□ ab5 15. ♘b5** [15. ♗b5 ♘d5 16. ♘d5 ♕d5 17. ♗c6 ♕e6∓] **♘d5 16. 0–0 ♘b6?!** [16... ♗b7 17. ♗d5 (17. ♗g5 ♘hf6=) ♗d5 18. ♘c7? ♗f3 19. ♕f3 ♖a7 20. ♘d5 ♖d7–+; 18. ♗c3=] **17. ♗b4!** [17. ♗g5!?] **♗d7 18. ♖e1** [18. ♕e1?! ♘c4 19. ♗e7 (19. bc4 ♖e8 20. ♘e5 ♗b5 21. cb5 ♘f4 22. ♘c6 ♕d5∓) ♖e8! 20. ♗d8 ♖e1 21. ♖fe1 ♘b2∓; 18. ♕e2 ♘c4 19. bc4 ♖e8 20. ♖fd1 (20. ♘e5? ♗b5 21. cb5 ♘f4 22. ♕e4 ♗e5∓) ♕c8∞] **♘c4 19. bc4** [19. ♗e7? ♘b2–+] **♖e8 20. ♕b3!?∞** [20. ♕e2 ♗c6 21. ♗e7?! ♕d7→; 20. ♘e5 ♗b5 21. cb5 ♕d1 22. ♖cd1 ♖eb8!=] **♗c6 21. ♖cd1 ♕c8 22. ♘e5?!** [22. ♗e7 ♘f4 (22... ♕g4? 23. h3) 23. ♗d6□ ♕g4 24. ♗f4

♕f4∞⊡] ♗e5!? [22... ♘f4 23. ♘c6 ♕c6 24. f3 ♘e6=] 23. ♖e5 ♘f4 24. ♕g3 [24. f3 ♘g2! 25. ♔g2 ♕g4 26. ♔f2 ♕f4 27. ♖e2 ♕h2 28. ♔e3 ♕g3∞↑] f6! [24... ♗b5 25. cb5? ♕c4!; 25. ♕f4=] 25. ♖ee1 [25. ♖e7 ♘e2!; 25. ♕f4 fe5 26. ♕e5 ♕f5∓] ♘g2 26. ♖e7 ♖e7 27. ♗e7 ♕e6 [27... ♕d7!? 28. ♗d6☐ (28. ♕d6 ♕g4 29. ♕c6 ♘f4-+) g5!? 29. ♘c7 (29. ♘d4 ♘h4∓) ♖d8 (29... ♖a2!? 30. ♕b3? ♘h4; 30. ♘d5∞) 30. ♘d5! ♗d5 31. ♖d5 ♘h4 32. h3 (32. ♗c7?! ♖e8) ♘f5 33. ♕d3=] 28. ♘d4!= [28. ♘c7 ♕e2-+] ♕e7 29. ♘c6 ♕e2 30. ♕d3? [30. ♖b1 ♖e1 (30... ♕e4 31. ♖b8 ♖b8 32. ♕b8 ♔g7 33. ♕b7 ♔h6 34. ♘d8) 31. ♖b8 ♖b8 32. ♕b8 ♔g7 33. ♕a7 ♔h6 34. ♕e3=] ♕d3 31. ♖d3 ♘f4 32. ♖d8 ♖d8 33. ♘d8 ♔f8 34. ♘c6 ♔e8 35. ♘d4 ♔d7 36. ♘c2?⊕ [36. ♔f1 ♔d6 37. ♘b3 f5! (37... ♘d3 38. ♔e2 ♘e5 39. ♘d2 ♔c5 40. ♘e4=) 38. f3 ♘d3 39. ♔e2 ♘e5 40. ♘d2 ♔c5 41. f4 ♘c4 42. ♘f3 ♔d5 43. ♔d3∓] ♔d6 37. ♘e3 ♔c5 38. f3 ♘d3 39. ♘d5?! [39. ♔f1 ♘e5 40. ♔e2 ♘c4 41. ♘g4∓] f5 40. ♘f6 h5 41. ♘d7 ♔c4 42. ♘f8 ♘f4-+ 43. ♔f2 ♔d4 [43... ♔d3!?] 44. ♔g3 [44. ♘d7 ♔d3 45. ♘c5 ♔d2 46. ♘b3 ♔c3] ♔e3 45. ♔h4 [45. h4 ♘d3! (45... ♘e2? 46. ♔g2 ♘d4 47. ♘g6 ♘f3 48. ♘e7!=) 46. ♘g6 f4 47. ♔g2 ♘e1-+] ♔f3 46. ♔g5 ♔e4 47. ♘d7 ♘d5 48. ♔g6 f4 49. ♘c5 ♔e3 50. ♔f5 ♘c3!
0 : 1 [Štohl]

548. D 82

A. MIHAL'ČIŠIN 2475
— P. POPOVIĆ 2535
Zenica 1989

1. d4 ♘f6 2. c4 g6 3. ♘c3 d5 4. ♗f4 ♗g7 5. e3 c5 6. dc5 ♕a5 7. ♕b3 ♘e4! 8. ♕b5 ♕b5 9. ♘b5 ♘a6 10. cd5 ♗b2 N [10... 0-0?! — 41/(526)] 11. ♖b1 ♗f6! 12. f3? [12. c6! bc6 13. dc6 g5 (13... ♘c3?! 14. ♘c3 ♗c3 15. ♔d1 0-0 16. e4!±) 14. ♗g3 0-0∞] ♘ec5 13. ♗c4? [13. e4 0-0 14. ♗c4 e6? 15. ♘e2 ed5 16. ♗d5 ♘d3 17. ♔d2±; 14... ♗d7! △ ♖fe8∓] ♗f5! 14.

♖d1 [14. e4 ♘e4-+] ♘a4 15. e4 ♗d7 16. ♗e2 0-0 17. ♘h3 ♘b4 [17... ♖fc8! △ ♖c5] 18. a3 ♘a2 19. ♔f2 ♘2c3 20. ♘c3 ♘c3 21. ♖d2 ♘e2 22. ♔e2 ♖fc8 23. e5 ♗g7 24. ♖b1 b6 25. ♘f2⊕ ♖c3 26. ♖d3 ♖ac8 27. ♘e4 ♖c2 28. ♖d2 f5! 29. ♘f2? [29. ef6 ef6∓] ♖d2 30. ♔d2 ♖c5-+ 31. ♘d3 ♖d5 32. ♔e3 h6 [32... g5! 33. ♗g5 f4!-+ Cvitan] 33. ♖c1? g5 0 : 1 [P. Popović]

549.* D 82

ZLOČEVSKIJ 2360
— KRASENKOV 2525
SSSR 1989

1. d4 ♘f6 2. c4 g6 3. ♘c3 d5 4. ♗f4 ♗g7 5. e3 c5 6. dc5 ♕a5 7. ♖c1 dc4 8. ♗c4 0-0 9. ♘e2?! ♕c5 10. ♕b3 ♘c6 11. ♘b5 ♕h5 12. ♘c7 ♖b8! N [12... ♕a5 — 45/547] 13. ♗f7 [13. ♘a6 ♕a5 14. ♘c3 ♖a8 15. ♘c7 e5!∓] ♖f7 14. ♖c6 ♕a5 15. ♘c3?! [15. ♕c3 ♕c3 16. ♖c3 ♘h5!∓] ♘e4? [15... e5 (△ 16... bc6, 16... ef4) 16. ♖f6 ♗f6 17. ♘e8 ef4 18. ♘f6 ♔f8-+] 16. ♘d5 ♘c3! [16... e6?! 17. ♖c7!] 17. ♘e7? [17. ♘c3 bc6! 18. ♕b8 (18. ♗b8? e6!-+ Ch. Toth — Krasenkov 2485, Mazatlan 1988) ♗c3 19. bc3 ♕c3 20. ♔e2 ♕c4 21. ♔f3 ♕e6! 22. ♔e2 ♕a2-+; 17. bc3 bc6 18. ♕b8 ♗c3!-+; 17. ♖c3! ♗c3 (17... ♗e6 18. ♗b8 ♗d5 19. ♕a3!=) 18. bc3 ♗e6 19. ♗b8 ♗d5 20. ♕b4!=] ♔f8 18. ♖c3 [18. ♘c8 ♖f4! 19. ef4 ♘e4 20. ♕e2 bc6 21. ♕b8 ♕d2 22. ♔f3 ♕d3-+; 18. ♖c8 ♖c8 19. ♘c8 ♘d5 20. ♔f1 (20. ♔d1 ♘f4 21. ef4 ♕d8-+; 20. ♔e2 ♘f4 21. ef4 ♕a6 22. ♔e1 ♖c7-+) ♘f4 21. ef4 ♕c5 22. ♕a3 ♕a3 23. ba3 ♖c7-+] ♗c3 19. bc3 [19. ♕c3 ♕c3 20. bc3 ♖f4 21. ♘g6 hg6 22. ef4 ♗e6-+⊥] ♖f4! 20. ef4 [20. ♕g8 ♔e7-+] ♔e7 21. 0-0 ♗e6-+ 22. ♖e1 ♕b6 23. ♕d5 ♔f7 24. ♕g5 ♖d8 25. ♕h4 ♔g8 26. h3 ♗a2 27. f5 ♗f7 28. ♖e7 ♖d1 29. ♔h2 ♕d6 30. f4 ♕c5 31. ♖e1 ♖e1 32. ♕e1 ♕f5 33. ♕e3 a5 34. ♕d4 ♗d5 35. ♕a4 ♕e4 0 : 1 [Krasenkov]

550.   **D 84**

LEVITT 2490 − LECHTÝNSKÝ 2455

Augsburg 1988/89

1. d4 ♘f6 2. c4 g6 3. ♘c3 d5 4. ♗f4 ♗g7 5. e3 0−0 6. cd5 ♘d5 7. ♘d5 ♕d5 8. ♗c7 ♗f5 9. ♘e2 ♘a6 10. ♘c3 ♕c6 11. ♗a5 e5 12. d5 ♕c5 13. ♕a4 b6 N [13... ♖ab8± − 22/684] **14. ♗a6 ba5 15. e4** [15. 0−0!? e4 16. ♘e4 ♕d5∞; 15... ♖ab8!?] **♕b4** [15... ♖ab8 16. ef5 ♖b2 17. ♘d1 ♖b4 18. ♕c6 ♕d4 19. ♖c1 ♗h6 20. ♖c2 ♖b1 (20... ♖b6 21. ♕c4) 21. ♗e2+−; 15... ♕b6 16. ♕b5±] **16. ♕b4!** [16. ♕c2 ♗e4! 17. ♕e4 ♕b2∓; 16. ef5 ♕b2=] **ab4 17. ef5 bc3 18. bc3 e4 19. ♖c1?!** [19. ♔d2! ♖fd8 20. c4! ♗a1 (20... gf5 21. ♖ab1±) 21. ♖a1±] **♖ab8 20. c4 ♗d4** [20... ♗c3 21. ♖c3+−] **21. 0−0 ♖b6 22. ♗b5 e3?!** [22... gf5±] **23. ♖fd1** [23. fe3 ♗e3 24. ♔h1 ♗c1 25. ♖c1 ♖c8 26. a4!? △ 26... a6 27. ♗c6 ♖cb8 28. c5 ♖b1 29. ♖g1!] **ef2 24. ♔f1 ♗c5 25. a4!** [△ 26. a5 ♖d6 27. ♖b1] **a5 26. ♖c2 ♔g7 27. ♖f2!+− ♖d8 28. ♖f3 ♖f6 29. g4 h6 30. ♔e2 gf5 31. gf5 ♔f8 32. ♖b1 ♖b8 33. ♖ff1 ♘e7 34. ♔d3 ♔d6 35. ♖b2 ♖b7 36. ♖e2 ♖b8 37. ♖g2 ♖c8 38. ♖f3 ♔e5 39. ♖h3 ♖b8 40. ♖e2 ♔d6 41. ♔e4** [△ ♖g3, ♖eg2, ♖g8] **♖g8 42. ♖g3 ♖g5 43. ♖g5 hg5** [♖ 9/j] **44. ♗e8!⊙ ♗a7** [44... ♔e7 45. ♔f3 ♔d6 46. ♔g4; 44... ♗a3 45. ♖e3 △ ♖h3] **45. ♖g2 ♔e7 46. ♗b5 ♖h6 47. ♖g5 ♖h2 48. ♖g8 ♖h4 49. ♔f3 ♖h3 50. ♔g4 ♖d3 51. ♖a8 ♗c5 52. ♖a5 ♗d6 53. ♖a6 ♖g3 54. ♔h4 ♖f3 55. ♖c6 ♗e5 56. a5 ♖f5 57. a6 ♖f4 58. ♔h3 ♖f3 59. ♔g2 ♖g3 60. ♔f1 ♖a3 61. c5 ♔d8 62. d6 ♖a1 63. ♔e2 ♖a2 64. ♔d3 f5 65. ♖b6 ♔c8 66. d7 ♔c7 67. ♖b8 1 : 0**   **[Levitt]**

551.****   **D 85**

M. GUREVIČ 2590 − MANOR 2425

Tel Aviv 1989

1. d4 ♘f6 2. c4 g6 3. ♘c3 d5 4. cd5 ♘d5 5. e4 ♘c3 6. bc3 ♗g7 7. ♕a4 ♗d7 [7... ♕d7 8. ♕d7 *a)* 8... ♗d7 *a1)* 9. ♖b1!? N (9. ♗a3 − 46/(613)) b6 *a11)* 10. ♗d3 0−0 11. ♘e2 f5! (11... c5 12. dc5±; 11... e5 12. f4!±) 12. e5 c5 (12... ♗e6? 13. ♘f4! ♗a2 14. ♖a1 ♗f7 15. e6 ♗e8 16. ♘d5±) 13. ♗c4 e6 *a111)* 14. d5 b5! 15. ♗b5 (15. de6 bc4 16. ed7 ♗e5∓) ed5∞; *a112)* 14. ♘f4 ♖e8 15. ♘d5? cd4 16. cd4 ♔f7! 17. ♘c7 ♖c8∓; 15. 0−0∞; *a113)* 14. f4 cd4 15. cd4 ♘c6 16. ♗d2 ♖fc8 17. ♗b3 (17. ♗a6 ♖d8 △ ♗c8∓) ♔f7 18. ♔f2 ♗f8 19. ♖hc1?! (M. Gurevič 2590 − Gobet 2415, Bern 1989) ♗a3! 20. ♖c2 ♘e7∓; 19. d5∞; 15... ♖c8!?∞; RR 9... c5!?; *a12)* 10. ♗c4 c5 11. ♘e2 cd4 (△ 11... ♘c6 12. ♗e3 ♘a5) 12. cd4 ♘c6 13. ♗e3 0−0 14. 0−0 ♘a5 15. ♗a6 *a121)* 15... f5 (Danner 2400 − Krasenkov 2525, Ptuj 1989) 16. e5!? (△ ♘f4) ♗c8 17. ♗d3 ♗e6 18. ♘f4 ♗a2 19. ♖bc1∞↑; *a122)* 15... ♗c8!? 16. ♗d3 ♗b7 17. d5 ♖ac8 Krasenkov; *a2)* 9. ♗e3 N c5 10. ♖b1?! ♘c6! 11. ♖b7 cd4 12. cd4 ♗d4∓ Tunik 2435 − Krasenkov 2525, Moskva (GMA) 1989; 10. ♖c1=; *b)* 8... ♘d7!? N 9. ♗d3 b6 10. ♗e3 ♗b7 11. ♘e2 0−0 12. 0−0 ♖fd8 13. ♖ad1 (13. ♖fd1 c5 △ 14. a4 cd4 15. cd4 ♘c5∓) c5 14. e5 ♖ac8 (14... ♗d5?! 15. ♘f4 ♗a2 16. ♖a1 ♗b3 17. ♖fb1 c4 18. ♗e4 ♖ac8 19. ♖a7±) 15. f4 e6 16. g4 (1/2 : 1/2 Piskov 2400 − Huzman 2480, Belgorod 1989) cd4 17. cd4 f5 (17... ♗d5 18. f5 ♗a2 19. ♗g5! ♖e8 20. ♗b5±) 18. gf5 gf5 19. ♖c1± ×♘d7; 16... ♗h6!∞⇆ Huzman, Vajnerman] **8. ♕a3 e5!?** N [8... b6 − 46/(613)] **9. ♗e3** [9. ♘f3 ed4 10. cd4 ♘c6 (10... ♗g4 11. ♗e3 ♗f3 12. gf3 △ 12... ♗d4? 13. ♗b5!±) 11. ♗e3±⊞] **ed4 10. ♗d4?!** [10. cd4±] **♗f6! 11. ♖d1 ♘c6 12. ♗c5 ♗e7** [12... b6 13. ♗b5±] **13. ♗c4 b6 14. ♗e7 ♕e7 15. ♕e7 ♔e7= 16. ♗f7!? ♗g4! 17. f3 ♔f7 18. fg4 ♖ae8?!** [18... ♖he8 19. ♖d7 ♔g8=] **19. ♖d7 ♔e6 20. ♖d2 ♔f6 21. ♘e2!± ♖e4 22. 0−0 ♔g7** [22... ♔e7 23. ♘f4 △ ♘d5±] **23. ♖d7 ♖e7 24. ♖e7 ♘e7** [♖ 9/h] **25. ♘d4 ♖e8 26. ♖e1!** [26. ♘e6 ♔g8 27. ♘c7 ♖c8 28. ♘b5 a6=] **♔f7** [△ 26... ♔f6] **27. ♘e6! c5 28. ♘g5 ♔g7 29. ♖e6! h6 30. ♘f3 ♔f7 31. ♖d6 ♘c8 32. ♖c6± ♘e7 33. ♘e5 ♔f8 34. ♖f6 ♔g7 35. ♖e6 b5!? 36.**

♘g6 ♔f7 37. ♘f4!? [37. ♖e7 ♖e7 38. ♘e7 ♔e7 39. ♔f2 ♔e6 40. ♔e3 ♔e5 41. h4 a5 42. g3±] **b4 38. cb4 c4!? 39. ♔f2 c3 40.** ♖e2 ♖c8 41. ♖c2 ♖c4 42. ♔e3 ♖b4 43. g3! ♖a4 44. ♔d3 ♘g6 45. ♔c3 ♘e5 [45... ♘f4 46. ♖f2±] **46. ♔b3 ♖a6 47. ♖c7 ♔f6 48. h3 ♘c6 49. ♖d7!+– ♖b6 50. ♔c3 ♔e5 51. ♖h7** 1 : 0
[M. Gurevič]

552. ** **D 85**

M. GUREVIČ 2590
– I. SOKOLOV 2580
Reggio Emilia 1988/89

1. d4 ♘f6 2. c4 g6 3. ♘c3 d5 4. cd5 ♘d5 5. e4 ♘c3 6. bc3 ♗g7 7. ♕a4 ♘d7 8. ♘f3 c5 9. ♗g5 0–0 10. ♖c1 h6 [RR 10... ♕c7! N 11. ♗d3 *a)* 11... e5 12. 0–0 a6 (Volžin – V. Zil'berštejn 2375, SSSR 1989) 13. ♘e5! ♘e5 14. de5 ♕e5 15. f4±; *b)* 11... a6! 12. ♕a3 (12. ♗e7?! ♘b6! 13. ♕a5 ♕e7 14. ♕b6 cd4 15. cd4 ♕a3 16. ♕b1□ ♗g4 17. d5 ♕a5 18. ♔e2 f5!∓↑; 12. 0–0?! b5! 13. ♕a3 ♗b7∓) e5! 13. 0–0 ♖e8! (13... b6 14. ♘e5±) 14. ♘e5! ♘e5 15. de5 c4! (15... ♕e5 16. f4 ♕c7 17. e5± Henkin) 16. ♗b1 ♗e5 17. f4 ♗g7 18. e5 b5 19. ♗e4 ♗b7 20. ♗b7 ♕b7 21. ♕d6 1/2 : 1/2 Henkin 2415 – Mark Cejtlin 2430, Belgorod 1989] **11. ♗e3 ♕c7 N** [11... cd4 – 45/(551)] **12. ♗d3 a6!?** [△ 13. 0–0 b5 14. ♗b5? ♘b6–+] **13. ♕a3! b6 14. e5!?** [△ h4-h5↑≫] **♗b7 15. h4 e6 16. ♕b3!** [16. h5 g5 17. ♘h2 f5!∓] **♗d5** [16... b5!? 17. ♕d1 ♘b6∞] **17. ♕d1** [17. ♕b1 b5 △ ♕a5-a2] **♖ad8?!** [△ 18. h5? ♗f3 19. ♕f3 (19. gf3 ♘e5 20. de5 c4) ♘e5] **18. ♕e2! ♖c8 19. 0–0** [△ h5↑≫; ×a6] **b5 20. h5 ♕b7** [20... g5 21. ♘h2 f5 22. f4 g4 23. ♘g4 fg4 24. ♕g4↖↑] **21. hg6 f6** [21... fg6 22. ♘h4!? g5 23. ♘g6 ♗g2 24. f4!↖] **22. ef6 ♖f6 23. ♘h4 e5 24. ♕h5!+– e4 25. ♗h6 ♗h6 26. ♕h6 ♘f8 27. ♗b1 ♖cc6 28. ♕g5 ♖ce6 29. dc5 ♗c6** [29... ♘g6 30. ♖fd1] **30. ♗c2 ♖g6 31. ♘g6 ♖g6 32. ♗b3 ♔h8 33. ♕e5 ♔h7 34. ♖fd1** [△ ♗d5] 1 : 0 **[M. Gurevič]**

553. * **D 85**

A. DEŽE 2370 – KOŽUL 2490
Jugoslavija 1989

1. d4 ♘f6 2. c4 g6 3. ♘c3 d5 4. cd5 ♘d5 5. e4 ♘c3 6. bc3 ♗g7 7. ♕a4 ♘d7 8. ♘f3 0–0 9. ♗g5 h6 10. ♗e3 c5 11. ♖c1 e5! N 12. dc5 [12. d5 f5∞; 12. de5 ♕e7=; RR 13. ♗d3 ♘e5 14. ♘e5 ♕e5 15. 0–0 b6 16. f4 ♕e7 17. ♕c2 ♗b7= Ftáčnik 2550 – S. Mohr 2530, Debrecen 1989; 12. ♘e5! cd4! 13. cd4 ♘e5 14. de5 ♗d7!∞ Ftáčnik] **♕c7 13. ♕b4 a5!?** [13... ♖d8 14. ♗b5 ♗f8 15. ♖d1!±; 13... b6!? 14. cb6 ab6↖] **14. ♕a3?!** [14. ♕b5 ♘f6 15. ♘d2 ♘g4 16. ♘c4 ♗e3 17. ♘e3 ♗d7! 18. ♕b6 ♖fc8∓] **♘f6! 15. ♘d2** [15. ♗d3 ♖d8 16. ♗b1 ♘g4 17. ♗d2 ♗f8∓] **♘g4 16. ♘c4 ♗e6 17. ♗d2** [17. ♘b6 ♖ad8 18. c4 ♘e3 19. ♕e3 ♖d4! 20. ♘d5 ♕c5 △ f5∓] **♖fd8 18. f3** [18. h3 ♘f2; 18. ♘d6 ♗f8 19. f3 ♘f6 20. ♗e3 ♘d7∓; 18. ♘b6 ♖d2 19. ♔d2 (19. ♘a8 ♕d8!–+) ♖d8 20. ♔e1 ♗f8 21. ♘d5 (21. ♘a4 ♕d7–+) ♗d5 22. ed5 ♗c5∓]

18... ♗f8! 19. fg4 [19. ♘d6 ♘f6 △ ♘d7, b6∓] **♕c6! 20. ♘e3?⊕** [20. ♘d6□ ♖d6 21. cd6 ♗d6 22. ♕b2 ♕e4 23. ♗e2 ♗g4 24. ♗h6 ♕g2 25. ♖f1 ♗a3 26. ♕c2 ♕h2 27. ♗e3 ♗c1 28. ♗c1 ♖d8∓→] **♖d2!–+ 21. ♔d2 ♗c5 22. ♕b2 ♕e4 23. ♗d3 ♖d8** [24. ♕b5 ♗e3 25. ♔c2 ♖d3! 26. ♕d3 ♕a4–+] 0 : 1 **[Kožul]**

554.***   **D 85**

KOŽUL 2490 − POLAJŽER 2345
Ptuj 1989

1. d4 ♘f6 2. c4 g6 3. ♘c3 d5 4. cd5 ♘d5
5. e4 ♘c3 6. bc3 ♗g7 7. ♗e3 c5 8. ♕d2
♕a5 9. ♖b1 [RR 9. ♘f3 ♘c6 10. ♖c1
cd4 11. cd4 ♕d2 12. ♔d2 0−0 13. d5 ♖d8
14. ♔e1 ♘a5 15. ♗g5 ♗d7 16. ♗d3 ♖dc8
17. ♔e2 e6 18. ♗d2 ed5 19. ed5 ♖e8 20.
♗e3 a6! N (△ ♗b5; 20... ♗a4 − 46/
(614)) 21. ♖c7 (21. ♖c5 b5 22. ♖c7 ♖ad8
23. ♖d1 ♘c4!) ♖ad8 22. ♖b1 ♗g4 (22...
♗a4 23. ♖b4 b5 24. ♖a7 ♖d5 25. ♖a6
♗d1! 26. ♔d1 ♖d3 27. ♔e2 ♖a3 28. ♘d4
♘c4! 29. ♖a3 ♘a3 △ ♖a8=; 22... ♗c8!?
△ 23. ♖bc1 ♗g4 Wł. Schmidt) 23. h3 ♗f3
24. ♔f3 ♖d5 25. ♗e4 ♖de5 26. ♗b7 ♖f5
27. ♔e2 ♘b7 28. ♖bb7 ♗d4 29. g4 ♖f6
30. ♖e7= Čehov 2480 − Wł. Schmidt
2460, Praha 1989] cd4 10. cd4 N [10.
♗b5] ♕d2 11. ♔d2 0−0 12. ♘f3 e6 [12...
♖d8 13. ♗d3 ♘c6! 14. d5 ♘a5 15. ♔e2
b6 16. ♗g5 f5!∞ Damljanović 2530 − Ko-
žul 2490, Beograd (m/1) 1989] 13. ♗d3
♘c6 14. ♖hc1 ♖d8 15. e5 f6!? [15... f5
16. h4 h6 17. ♔e2 ♗f8 18. g3 ♘b4 19.
♗c4 b6 20. ♘e1!± Damljanović 2530 −
Kožul 2490, Beograd (m/3) 1989] 16.
♔e2! fe5 17. de5 ♘e5 18. ♘e5 ♗e5 19.
♗e4!±⊥ ♖b8 20. ♖c5 ♗d6 [20... ♗d4
21. ♖a5 (21. ♖d1 e5 22. ♖e5? ♗g4−+)
e5 22. ♗d4 ♖d4 23. f3±] 21. ♖a5 a6 22.
♗b6 ♖d7 [22... ♖f8!?] 23. h4! ♗c7 24.
♔e3 ♗b6 25. ♖b6 ♖c7 26. g3? [26. ♖aa6
ba6 27. ♖b8 ♔f7 28. f4 △ g4-g5, ♖b6-
-c6±] ♔g7 27. h5 ♗d7 [27... gh5 28.
♖g5! ♔f6 (28... ♔h6 29. ♖g8+−) 29.
♖h5±] 28. hg6 hg6 29. ♖g5 ♗e8?⊕ [29...
♗c6! 30. ♖g6 ♔f7 a) 31. ♖h6 ♗e4 32.
♔e4 ♖c6! (32... ♖c2?! 33. ♔f3 ♖a2 34.
♖he6±) 33. ♖h7 ♔f6 34. ♖bb7 ♖b7 35.
♖b7 ♖c2=; b) 31. ♖g4!? ♗e4 32. ♖e4
♖e8 (32... ♖c6 33. ♖eb4!±) 33. ♖f4 ♔g6
34. ♖fb4 ♖ee7 35. a4±] 30. ♖e6 ♗f7 31.
♖b6 ♖e8 32. f3 ♔h6 33. ♔f4! ♖f8 34.
♔g4 ♖g8 35. ♖h5 ♔g7 36. ♖a5 ♖e8 37.
♔g5+− ♖e6 38. ♖b7 ♖b7 39. ♗b7 ♖e2
40. a3⊕   **1 : 0**   [Kožul]

---

555.   **D 85**

ŠIROV 2450 − AKOPJAN 2520
Tbilisi 1989

1. d4 ♘f6 2. c4 g6 3. ♘c3 d5 4. cd5 ♘d5
5. e4 ♘c3 6. bc3 ♗g7 7. ♘f3 c5 8. ♖b1
0−0 9. ♗e2 ♕a5 10. 0−0 ♕a2 11. ♗g5
♕e6 12. ♕d3 b6 13. d5 ♕d6 14. e5! ♗e5
15. ♘e5 ♕e5 16. ♕d2 [16. ♕e3? ♕e3
17. fe3 a) 17... f6 18. d6 ♘d7 (18... fg5?
19. de7 ♖e8 20. ♗c4 ♔g7 21. ♖f7 ♔h6
22. ♗d5±) 19. de7 ♖e8 20. ♗f3 ♖b8 21.
♗f4 ♖e7 22. ♗b8 ♘b8=; b) 17... ♖e8!
18. d6 e5! 19. ♗e7 ♗e6 20. ♗f3 ♘d7 21.
♗a8 ♖a8∓] ♕d6 [16... ♘d7!? 17. ♗f3
♕d6 18. ♖fe1 a) 18... ♘e5 19. ♖e5! ♕e5
(19... f6 20. ♖e6! ♗e6 21. ♗f4 ♕d7 22.
de6 ♕d2 23. ♗d2±) 20. ♖e1 ♕f5 21. d6
♗d7 22. de7 ♖fe8 23. ♗a8 ♖a8 24. h3±;
b) 18... f6 19. ♖e6 fg5 20. ♖d6 ed6 21.
♖e1 ♘e5? 22. ♖e5 de5 23. d6+−; 21...
a5!∞] 17. ♕e3!? [17. ♗f3 ♘d7 − 16...
♘d7] ♖e8 18. ♗f3 ♘d7 19. ♗f4!? N [19.
♖fe1 − 46/616] ♕f6 20. d6 ♖b8 21. ♖bd1
[21. de7? ♖e7 22. ♕d2 ♘e5 23. ♗g5 ♘f3
24. gf3 ♖d7! 25. ♕d7 ♕g5−+] e5? [21...
♗b7? 22. de7 ♖e7 (22... ♗f3 23. ♖d7
♗g4 24. ♖a7±) 23. ♖d7!! ♖e3 24. fe3
♗f3 (24... ♖d8 25. ♖b7 ♕c3 26. ♗g5+−)
25. ♗b8 ♕c3 26. ♖f3 ♕e1 27. ♖f1 ♕e3
28. ♔h1 ♕e8 29. ♖fd1+−; 21... e6! 22.
♗c6 (22. ♗g5? ♕e5) ♕d8 23. ♖fe1 a)
23... f6?! 24. ♕h3! ♗b7 (24... e5 25.
♗h6) 25. ♗b5 a6 26. ♗c4 ♗d5 27. ♗d5
ed5 28. ♖e7 ♖e7 29. de7 ♕e7 30. ♗b8
♘b8 31. ♕c8 ♕f8 32. ♕e6±; b) 23...
♗b7 24. ♗g5 f6 25. ♗d7 ♕d7 26. ♗f6
♗d5 27. ♗e5∞] 22. ♗g5 ♕g7 [22... ♕f5
23. ♗e4 ♕e6 24. ♗d5 ♕f5 25. f4±] 23.
♗h6 ♕f6 24. ♗c6± ♖e6? [24... ♕d8 25.
f4 ♗b7 26. ♗d7 ♕d7 27. fe5 f5 28.
♗g5±] 25. ♗g5 ♕g7 26. f4 h6 [26... f6
27. f5! gf5 28. ♗h6 ♕g6 29. ♗d5 ♘f8
30. ♖f3 f4 31. ♗f4! ef4 32. ♕f4 ♕f7 33.
d7! ♘d7 34. ♕g4+−] 27. ♗e7+− ef4 28.
♕f4 g5 29. ♕a4 ♘e5 30. ♗d5 ♗b7 31.
♕a7 ♘d7 32. ♗b7   **1 : 0**   [Širov]

556.*   **D 85**

GEL'FAND 2600 − FTÁČNIK 2550
Debrecen 1989

1. d4 ♘f6 2. c4 g6 3. ♘c3 d5 4. cd5 ♘d5 5. e4 ♘c3 6. bc3 c5 7. ♘f3 [RR 7. ♗b5 ♗d7 8. ♗e2 ♗g7 9. ♘f3 cd4 10. cd4 ♗c6 11. ♕d3 f5! N (11... ♘a6 − 46/613) 12. ef5 ♕a5 13. ♗d2 ♕f5 14. ♕f5 (14. ♕e3!?) gf5 15. ♖c1 (15. ♘e5!?) ♗d5! 16. ♖c5 e6 (16... ♗a2?! 17. ♗b5↑) 17. ♖c7 0−0 18. 0−0 ♘c6 (18... ♘a6!?) 19. ♖b7! a) 19... ♖fb8 20. ♗a6 ♖b7 (20... ♗a2 21. ♖c1 ♗d5 22. ♗f4 ♖d8 23. ♗c4 ♗c4 24. ♖c4 ♘a5? 25. ♖g7! ♔g7 26. ♖c7→; 24... ♖ac8) 21. ♗b7 ♖b8= 1/2 : 1/2 I. Sokolov 2580 − Ftáčnik 2550, Haninge 1989; b) △ 19... ♖ab8 20. ♗a6 ♗a2∓ I. Sokolov] **♗g7 8. ♖b1 0−0 9. ♗e2 ♘c6 10. d5 ♘e5 11. ♘e5 ♗e5 12. ♕d2 b6 13. f4 ♗g7 14. c4 e5 15. 0−0 f5!?** N [15... ef4 − 46/(615)] **16. ♗b2** [16. d6 ♗b7 17. ef5 (17. ♗b2 ♗e4 18. fe5 ♖e8! 19. ♕f4 g5∞) ef4 (17... ♖f5 △ 18. g4? ef4 19. gf5 ♕g5−+) 18. ♗b2=] **♕d6 17. ♕c3 ♖e8 18. ♗d3** [18. ♖be1 fe4 19. ♗d1 ♖e7 20. ♖e4 ef4 21. ♖ef4 ♕f4! (21... ♗c3 22. ♖f8 ♔g7 23. ♗c3 ♔h6 24. ♗d2 g5 25. ♖1f6∞; 21... ♗f5=) 22. ♕g7 ♖g7 23. ♖f4 ♖f7∓] ♖e7? [18... fe4 19. ♗e4 ♖e7 20. f5 gf5 21. ♗f5 e4∞] **19. ef5 gf5** [19... e4 20. f6 ed3 21. fe7!+−] **20. fe5!** [20. ♗c2 e4 21. ♕g3 ♕g6∞] ♗e5 **21. ♕d2** [21. ♕c2? ♗h2 22. ♔h1 ♕h6] ♗h2 [21... ♗b2 22. ♖b2± ×f5] **22. ♔h1 ♗e5** [22... ♗g3 23. ♗f5 ♗f5 24. ♖f5 ♗h4 25. ♕c3+−] **23. ♕g5 ♕g6□** [23... ♖g7 24. ♗e5 ♕e5 25. ♕d8 ♔f7 26. ♖be1 ♕g3 27. ♕e8 ♔f6 28. ♖e6 ♗e6 29. ♕e6 ♔g5 30. ♖f5+−; 23... ♗g7 24. ♖be1+−; 23... ♔h8 24. ♖be1 ♗d7 (24... ♖g7 25. ♖e5; 25. ♕g7!+−) 25. ♖e5 ♖e5 26. ♖e1+−] **24. ♕e7** [24. ♕g6 hg6 25. ♖fe1 ♖h7] ♕h6 **25. ♔g1 ♕e3 26. ♔h1 ♕h6 27. ♔g1 ♕e3 28. ♖f2! ♗h2 29. ♔h2 ♕e7 30. ♖f3!** [30. ♖e2 ♕h4 31. ♔g1 ♗d7 32. ♖be1 ♖f8 33. ♖e7 ♖f7 34. d6±; △ 30... ♕d6 31. ♔g1 ♗d7 32. ♖be1 ♖f8; 30. ♖bf1!? ♕h4 (30... ♗d7 31. ♖f3; 30... ♕d6 31.

♔g1 ♗d7 32. ♗f5 ♗f5 33. ♖f5 ♕g6±) 31. ♔g1 ♗d7 32. ♗f5 ♗f5 33. ♖f5 ♖e8 34. ♗f6 ♘c4 35. ♖g5 ♘f8 36. d6+−; △ 31... h6±] **♕d6** [30... h6 31. ♖g3 ♔h7 32. ♖f1 (32. ♖e1? ♕h4) h5 33. ♖f5! ♗f5 34. ♗f5 ♔h6 35. ♖g6+−; 30... h5 31. ♖g3 ♔h7 32. ♖f1 h4 (32... ♕d6 33. ♖f5 ♗f5 34. ♗f5 ♔h6 35. ♗g7♯) 33. ♖g4 ♗d7 (33... ♔h6 34. ♗c1 ♔h5 35. ♖g8+−) 34. ♖f5 ♗f5 35. ♗f5 ♔h6 36. ♗c1 ♔h5 37. ♔h3 ♕f6 38. ♗g6 ♕g6 39. ♖h4♯] **31. ♖g3 ♔f7 32. ♖f1 h5** [32... f4 33. ♗c1+−; 32... ♗e7 33. ♖e1 ♔d8 34. ♗e5 ♕h6 35. ♔g1 ♔f8 36. ♖g7 ♗d7 37. ♖h7 ♗e8 38. ♗c7 ♔c8 39. ♗d6+−; 32... ♗d7 33. ♗f5 ♔e7 (33... ♗f5 34. ♖f5 ♗e7 35. ♖e5 ♔f7 36. ♔g1!+−) 34. ♗d7 ♔d7 35. ♖f6 ♕e7 36. d6 ♕e8 37. ♖g7+−; 32... ♕h6 33. ♖h3 ♕g6 34. ♖ff3 △ ♖fg3+−] **33. ♗f5 h4 34. ♗g6** [34. ♗c8? ♗e8] ♔g8 [34... ♗e7 35. ♗f6! (35. ♖f7 ♗e8 36. ♖h7 ♔f8 37. ♖h4+−) ♔d7 36. ♗h4 ♔c7 37. ♖f7 ♔b8 38. ♗g5! △ ♗f4+−] **35. ♗h7!** [35. ♗f7 ♔f8 (35... ♔h7 36. ♗g8 ♔h6 37. ♗g7) 36. ♗h5 ♔e7 37. ♗f6+−] **♔h7 36. ♖f7 ♔h6 37. ♗c1 1 : 0**   **[Ftáčnik]**

557.*   **D 85**

CEBALO 2505 − ILINČIĆ 2430
Jugoslavija (ch) 1989

1. d4 ♘f6 2. ♘f3 g6 3. c4 ♗g7 4. ♘c3 d5 5. cd5 ♘d5 6. e4 ♘c3 7. bc3 0−0 8. ♗e2 c5 9. ♖b1 ♘c6 10. d5 ♘e5 11. ♘e5 ♗e5 12. ♕d2 e6 13. f4 ♗g7 14. c4 ed5 15. cd5 ♗d4 16. ♗b2 ♕b6 [RR 16... ♕e7 17. e5!? N (17. ♗d4 − 41/(528)) ♗f5 18. ♖d1 ♕h4 19. g3 ♕d8 20. ♗f3 (20. ♗d4 ♕d5 21. 0−0 ♕d4 22. ♕d4 cd4 23. ♖d4 ♖fd8= Partos) ♗b2 21. ♕b2 ♕b6 22. ♕c3 c4! 23. ♕c4 (23. ♔f1 ♕c5 24. g4 ♗d7 25. ♔g2 b5∞ Lautier 2450 − Šibarević 2365, Lugano 1989) ♖ac8 24. ♕d4 ♕a5 25. ♖d2 ♗c2 26. ♔e2 a) 26... ♖d2 27. ♕d2 ♕a6 28. ♔f2 ♖c8 29. ♗d1 (29. ♖c1 ♖c1 30. ♕c1 ♕a2= Partos) ♗e4 30. ♖e1 ♕b6 31. ♖e3 △ d6±; b) 26... ♕a6 27. ♔f2 ♕a2 28. ♖d1 ♖fc8∞; c) 26...

♕a2!? △ b5] **17. ♗d3 c4 18. ♗c4 ♖e8 19. ♕d4! ♕d4 20. ♗d4 ♖e4 21. ♔d2 ♖d4 22. ♔c3 ♖f4 23. d6±⊥♙ ♖f6!?** [23... b6 24. ♖hf1 ♖f1 25. ♖f1 ♗e6 26. ♗e6 fe6 27. ♔d4 ♖f8 28. ♖c1? ♖f5!; 28. ♖d1!+−] **24. ♖hd1 ♗e6 25. ♖b7 ♖d8** [25... ♖c8 26. ♖c7] **26. ♗e6 ♖e6 27. ♖a7 ♖ed6 28. ♖d6 ♖d6** [♖ 7/h] **29. a4 ♔f8** [29... ♖d1 30. ♖e7 (△ ♖e2-a2) ♖a1 31. ♔b3] **30. ♖b7** [30. a5?! ♖d1 31. ♖b7 ♖a1=] **♖d1 31. ♖b2 ♖a1 32. ♔b4?!** [32. ♔b3! ♔e7 33. ♖a2 ♖a2 (33... ♖b1 34. ♔c4+−) 34. ♔a2 ♔d6 35. ♔b3 ♔c5 (35... ♔d5 36. ♔b4) 36. ♔c3+−] **♔e7 33. ♔b5 ♔d6 34. a5 ♔c7 35. ♔a6□** [35. a6 ♔b8=] **h5!?** [35... ♔c8] **36. g3** [36. ♖b7 ♔c8 37. ♖f7 ♖a2 38. g3 ♖h2 39. ♖g7 ♖g2 40. ♖g6 h4=] **h4?!** [36... ♔c8±] **37. gh4 ♖a4 38. ♖b7 ♔c8 39. ♖f7 ♖h4** [♖ 5/e] **40. ♖f2 ♔b8 41. ♖b2 ♔a8 42. ♔b6 g5 43. ♖e2 ♖h6?** [43... ♖b4! 44. ♔c5 ♖a4 45. ♔b5 ♖g4! 46. ♔c5 (46. ♖a2 ♖g1 △ g4-g3=) ♖a4 47. ♔d5 ♖a5 48. ♔e6 ♔b7 49. ♔f6 ♔c7 50. ♖g2 ♔d7=] **44. ♔c5+− g4** [44... ♖a6 45. ♖a2 g4 46. ♔d4 ♖g6 47. ♖g2 ♖g5 48. ♔e4 ♖a5 49. ♖g4+−] **45. ♔d4 ♖h3** [45... ♖a6 46. ♖a2; 45... ♖g6 46. ♖g2] **46. ♖g2□ ♔a7 47. ♔e4 ♔a6 48. ♔f4 ♖h8** [48... ♔a5 49. ♔g4 ♖h8 50. h4 ♖g8 51. ♔h3 ♖h8 52. ♖b2] **49. ♖a2 ♖f8 50. ♔g3** [50. ♔g4] **♖h8 51. ♔g4** [♖ 4/f] **♖g8 52. ♔f3 ♖f8 53. ♔g2 ♖g8 54. ♔h1 ♖h8 55. ♖a3 ♖h7 56. h3 ♖h8 57. ♔h2 ♖h7 58. ♔g3 ♖g7 59. ♔f4 ♖h7 60. ♔g5 ♖h8 61. h4 ♖g8 62. ♔f6 ♖h8 63. ♖h3 1 : 0** **[Cebalo]**

558.***** **D 85**

NEMET 2430 − KOŽUL 2490
Liechtenstein 1989

1. d4 ♘f6 2. ♘f3 g6 3. c4 ♗g7 4. ♘c3 d5 5. cd5 ♘d5 6. e4 ♘c3 7. bc3 c5 8. ♖b1 0−0 9. ♗e2 cd4 10. cd4 ♕a5 11. ♗d2 [RR 11. ♕d2 ♕d2 12. ♗d2 *a)* 12... ♖d8!? N 13. d5 ♘d7 14. ♗b4 ♗f8 15. ♘d4?! (15. ♘d2; 15. 0−0) ♘f6 16. f3 e6!∞ Cebalo 2505 − J. Herzog, Bern 1989; 13. ♗e3⩲; *b)* 12... e6 13. 0−0 (13. ♖c1 ♗d7!? 14. ♘e5 ♗c6! Gavrikov) b6 14. ♖fc1 ♗b7 15. ♗b4 ♖d8 16. ♗b5 ♗e4 17. ♗e7 ♘d7!? N (17... ♗b1 − 44/(562)) 18. ♗d8 ♖d8 19. ♖b4 ♗f3 20. gf3 ♘f8 21. ♖c7! (21. ♖d1 e5 22. d5 ♘e6∞) a5 22. ♖bc4 g5! (22... ♖d4 23. ♖d4 ♗d4 24. f4± ×♘f8; 22... ♗d4 23. ♗e8!±) 23. ♖b7 ♗d4 *b1)* 24. ♗e8 ♖e8 (24... f5? 25. ♗f7 ♔h8 26. ♖c6±) 25. ♖d4 ♘g6 26. ♖b6 ♖c8 △ ♘f4⇆; *b2)* 24. ♖cc7 f5 25. ♗c4 ♗c5 26. ♖c6 ♖d1 27. ♔g2 ♖e1 28. ♖c8 g4 29. fg4 ♖e4! (29... fg4 30. ♔g3±) 30. ♗b3 a4 31. ♗d1 ♖d4 32. ♗e2 ♖d2 33. ♔f1 fg4 34. ♗g4 ♖f2 35. ♔e1 ♖f6± Cebalo 2505 − B. Lalić 2525, Jugoslavija (ch) 1989; 28. h3!? Cebalo] **♕a2 12. 0−0 ♘d7** [RR 12... ♗g4 N 13. ♗g5! (13. ♖b7 ♗f3 14. ♗f3 ♗d4 15. e5 ♘a6 16. ♖e7 ♖ad8⇆; 13. d5∞̄) ♕e6 14. d5! (14. ♖b7 ♕e4 15. ♖e7 ♕d5∓) ♕e4 (14... ♕d7 15. ♕b3 b6 16. ♕a3±) 15. ♕d2! *a)* 15... f6? 16. ♗e3 a5 17. ♖fc1! ♖c8 18. h3 ♗d7 19. ♖c8 ♗c8 20. ♗d3 ♕a4 (20... ♕d5 21. ♖c1 ♕d7 22. ♗c4 ♔h8 23. ♗e6! ♕e6 24. ♕d8 ♕g8 25. ♖c8+−) 21. ♗c5 ♕d7 22. ♕e2 ♗f8 23. ♗c4 ♔h8 24. ♖b6 ♘a6 25. ♗d4 ♘c7 26. ♘e5!⊕ fe5 (Sakaev − Buhman 2430, SSSR 1989) 27. ♕e5 ♔g8 28. d6 e6 29. dc7+−; *b)* 15... a5 16. ♖b7 f6 17. ♗e3∞̄ Sakaev, Lukin] **13. ♖a1 N** [RR 13. ♗b4 ♘b6 *a)* 14. ♗e7 N ♖e8 15. ♖a1 ♕e6 16. ♗c5 ♕e4 17. ♘e5 ♗e5 18. ♗f3 ♗h2 19. ♔h2 ♕f4 20. ♔g1 ♘d7 21. ♗a7 ♘f6 22. ♕c1 ♕f5 23. ♖e1 ♖e1 24. ♕e1 ♕f4 25. d5∞̄ Vajser 2525 − Kožul 2490, Ptuj 1989; *b)* 14. ♕d3 ♗e6! N (14... ♖e8 − 46/617) 15. ♖a1 (15. d5?? ♘d5! 16. ed5 ♗f5−+ Tukmakov 2590 − Gavrikov 2535, Moskva (GMA) 1989) ♕c4 16. ♗e7 ♕d3 17. ♗d3 ♖fe8 18. ♗c5 ♗c4 19. ♗c4 ♘c4 20. ♖fc1 b6! 21. ♖c4 (21. ♗b4? b5∓) bc5 22. ♖c5 ♖e4=; 15... ♕b3!?; *c)* 14. ♗b5 ♗d7 15. ♗d7 ♘d7 16. ♗e7 ♖fe8= Gavrikov] **♕e6** [13... ♕b2=] **14. ♕b1 ♕b6!? 15. ♕d3 ♕d8 16. ♖fc1 b6 17. ♗b4 ♘f6!** [17... ♗b7 18. e5! △ e6, ♘g5±] **18. ♘e5! ♗b7□ 19. ♘c6** [19. f3 a5! 20. ♗c3 (20. ♗a3 b5∓) ♘d7 21. ♘d7 ♕d7∓] **♗c6 20. ♖c6 a5 21. ♗d2** [21. ♗c3 b5∓; 21. ♗a3!? b5 22. e5 ♘d5

23. ♕b5 ♘f4 24. ♗c5 ♘e6! 25. ♕c4 (25. ♗b6? ♘d4; 25. ♖d1 ♘c5 26. dc5 ♕b8) ♘c5=] **♖c8 22. ♖ac1 ♖c6 23. ♖c6 ♕a8! 24. d5□ ♘d7∓ 25. ♕a3 ♗d4! 26. ♗h6!?** [26. ♕e7 a4! 27. ♕d7? a3 28. ♗c4 a2 29. ♗a2 ♕a2 30. ♗e3 (30. ♗e1 ♕b1 31. ♔f1 ♕d3 32. ♔g1 ♕e4 33. ♖c1 ♖e8∓) ♕e2 31. h3□ ♗e3 32. fe3 ♕e3 33. ♔h1 ♕e4∓; 27. ♕a3; 26... ♘c5!? (△ ♖e8) 27. ♗b5 a4!] **♖e8 27. ♗b5?** [27. ♕a4! ♗f6 28. ♗e3 ♖c8∓] **♘c5∓ 28. ♖c7 ♕d8! 29. ♖a7 ♕b8 30. ♗e8 ♕a7 31. ♕h3?⊕** [31. ♕f3 ♗f6 32. e5 ♕b8 33. ef6 ♕e8 34. fe7 ♕e7∓; 31... e6!?] **♕b8−+ 32. ♗c6 ♘e4 33. d6 ♘d6 34. ♕d7 ♘f5 35. ♗d2 ♕e5**
0 : 1 **[Kožul]**

559. **D 85**

GEL'FAND 2600 –
KINDERMANN 2515
Debrecen 1989

1. d4 ♘f6 2. c4 g6 3. ♘c3 d5 4. cd5 ♘d5 5. e4 ♘c3 6. bc3 ♗g7 7. ♘f3 c5 8. ♖b1 0–0 9. ♗e2 cd4 10. cd4 ♕a5 11. ♗d2 ♕a2 12. 0–0 ♕e6 13. ♕c2 ♕d6!? N [13... ♕d7 – 41/519] **14. d5!?** [14. ♖fc1 ♘c6!? 15. d5 ♘d4∞] **b6?!** [14... ♘a6∞] **15. ♗b4 ♕d8 16. ♖fd1! ♘a6** [16... ♗a6 17. e5 ♗e2 18. ♕e2±; 16... ♗g4 17. e5!? (17. ♘d4 ♗e2 18. ♕e2∞̿; 17. d6 ed6 18. ♗d6 ♖e8 19. ♗b5 ♘d7∞) ♗f3 (17... ♘d7 18. e6 fe6 19. de6 ♗e6 20. ♗c4+−) 18. ♗f3 ♘a6 19. ♗a3±] **17. ♗a3 ♘c5** [17... ♗b7 18. ♕a4!±] **18. ♘d4!** [18. ♗c5 bc5 19. ♕c5 ♗g4 20. ♖b7 ♕d6!=] **♗d4** [18... ♕d6 19. ♘b3; 18... ♗d7 19. ♗c5 bc5 (19... ♖c8 20. ♘c6+−) 20. ♕c5 △ ♘c6±] **19. ♖d4 ♕d6 20. ♕c3** [20. ♕d2?! ♘e4! 21. ♕e3 ♘c5∞; 20. ♕c1!? *a)* 20... e5 21. ♖c4 ♗a6 22. ♖c5 bc5 23. ♗c5 ♕f6 (23... ♖fc8 24. ♗d6 ♖c1 25. ♖c1 ♗e2 26. ♗e5+−) 24. ♗f8 ♖f8 25. ♗a6 ♕a6 26. ♕c3±; *b)* 20... f5 21. ♕h6 fe4 22. ♖e4→] **♕f4?!** [20... ♗d7 21. ♕e3 f6 22. f4±; 20... f5 21. ♗b2±] **21. ♗b5!?** [21. g3?! ♘e4 22. ♕e1 ♕e5 23. ♖db4 ♘c3! (23... ♕d5? 24. ♗f3 f5 25. ♖e4+−) 24. ♗f3 ♕e1 25. ♖e1 ♗b7∓; 23. ♗b2!?; 21. ♗c5 bc5 22. ♕c5 ♕d6 23. ♕c6 ♗d7 24. ♕d6 ed6 25. ♖b7 ♖fd8=] **♗d7** [21... e5 22. ♖c4±] **22. ♗d7 ♘d7 23. ♗e7 ♖fe8** [23... ♖fc8 24. ♖c4 ♖c4 25. ♕c4 ♘e5 26. ♕e2±] **24. g3?** [24. d6 ♖ac8 25. ♖c4!! ♕e4 (25... ♖c5 26. ♖c5 ♘c5 27. ♕d4+−) 26. ♖c8 ♕b1 27. ♕c1 ♕c1 28. ♖c1 f5 29. ♖c7 ♘f8 (29... ♘c5 30. ♖c5+−) 30. h4+−] **♕e5 25. ♗a3 ♖ac8 26. ♕d2** [26. ♕e3 ♖c2 △ ♖ec8⇆; 26. ♕d3!?⩲] **♖c2! 27. ♕c2 ♕d4 28. ♖e1 ♘c5 29. ♗c5** [29. ♗b2 ♕d3 30. ♕c1 ♘e4 (30... ♖e4 31. ♖d1±δ) 31. ♖e3 ♕d5 32. f3 ♘d6 33. ♕c3 f6 34. ♕f6 ♕d1 35. ♔g2 ♕c2=; 29. ♔g2!? ♘e4 30. f3 ♘f6 31. ♗b2 ♕b4!□ 32. ♖e8 ♘e8∞; 29... f5!?] **bc5** [**♕ 9/f**] **30. ♖d1** [30. ♔g2?! c4] **♕e4 31. ♕c5 ♕f3!= 32. ♖c1** [32. ♕d4? ♖e4∓] **♖d8 33. ♖e1 ♖d5** [33... ♕d5? 34. ♖e8+−] **34. ♖e8 ♔g7 35. ♕f8 ♔f6 36. ♕e7**
1/2 : 1/2 **[Gel'fand]**

560.* **D 85**

VAJSER 2525 – PEIN 2405
Budapest II 1989

1. d4 ♘f6 2. c4 g6 3. ♘c3 d5 4. cd5 ♘d5 5. e4 ♘c3 6. bc3 ♗g7 7. ♘f3 c5 8. ♖b1 0–0 9. ♗e2 cd4 10. cd4 ♕a5 11. ♗d2 ♕a2 12. 0–0 b6 13. ♕c1 ♕e6 14. ♗c4 ♕e4 15. ♖e1 ♕b7 16. ♗b4 ♗e6 17. ♖e6 fe6 18. ♘g5 ♘c6 N [18... ♔h8? 19. ♖b3!! N (19. ♘e6 – 42/(604)) ♘d7 20. ♖h3 ♘f6? 21. ♕b1! ♘h5 22. ♖h5 ♖f6 23. ♖h7 ♔g8 24. ♕b3 ♕c6 25. ♕h3!+− Vajser 2530 – Andrianov 2445, SSSR 1988; 20... h5□±→] **19. ♘e6! ♔h8□ 20. ♗c3** [20. ♗d5? ♖fc8 21. ♘g5 h6∓] **♗f6!** [20... ♖f6? 21. ♘g7 ♔g7 22. d5 ♘d8 (22... ♖c8? 23. dc6 ♕c6 24. ♕e3 ♕c4 25. ♕e7 ♔g8 26. ♗f6 ♕c1 27. ♕e1+−) 23. d6! ♖c8 (23... ♕d7? 24. de7 ♕e7 25. ♗f6 ♕f6 26. ♗d5 ♖b8 27. ♕c7+−) 24. ♕e3 e6! (24... ed6? 25. ♗f6 ♔f6 26. ♕d4 ♔g5 27. ♖b3+−) 25. ♗f6 ♔f6 26. ♕d4 ♔f7 (26... e5 27. ♕h4 ♔g7 28. ♖d1±) 27. ♖d1±] **21. ♕h6! ♖g8?** [21... ♖f7! 22.

♘c5 ♕c8 23. ♗f7 bc5 24. ♗g6 ♕g8 25. ♗e4∞] **22. ♖e1±**

22... ♖g7?! [22... ♘d8? 23. ♘f8! e6 (23... ♖g7 24. ♘g6+−) 24. ♘g6 ♖g6 25. ♕f8 ♖g8 26. ♕f6 ♕g7 27. d5+−; 22... ♕c8!? 23. ♖e3! (△ ♕h7!) ♖g7□ 24. d5 *a)* 24... ♗c3? 25. ♖c3 ♖f7 26. ♗b3!+−; *b)* 24... ♘d4 25. ♘g7! ♕c4 (25... ♗g7 26. ♗d4 ♗d4 27. ♖e7 ♕g8 28. d6 ♗g7 29. ♕h4 ♕f8 30. ♕e4±) 26. ♖h3 ♔g8 27. ♗d4! ♗d4 28. ♕h7 ♔f8 (28... ♔f7? 29. ♘f5!+−) 29. ♖f3 ♗f6 30. ♘e6 ♔e8 31. g3±; *c)* 24... ♘e5 25. ♘g7! (25. ♗e5? ♕c4) *c1)* 25... ♘c4? 26. ♖e7! ♕f8 (26... ♗c3 27. ♘e8!+−) 27. ♘f5!+−; *c2)* 25... ♕c4? 26. ♖h3 ♔g8 27. ♕h7 ♔f8 28. ♘e6 ♔e8 29. ♕g8 ♔d7 30. ♕a8+−; *c3)* 25... ♘f7 26. ♖e7!! ♘h6 (26... ♕c4? 27. ♗f6 ♘h6 28. ♘e6! ♔g8 29. ♖g7 ♔h8 30. ♖g6#) 27. ♗f6 ♔g8! (27... ♘g8? 28. ♘h5 ♘f6 29. ♘f6+−) 28. ♘e6 ♘f7 29. ♖c7±→; *c4)* 25... ♘g4 26. ♗f6!! ef6 27. ♕f4 ♘e3 28. ♘e6 (28. ♕f6? ♕f8) ♘f5 29. g4 b5 30. ♗f1±] **23. g4!+− ♘a5** [23... g5 24. ♗d3! ♖f7 (24... ♖ag8 25. ♘g7 ♖g7 26. ♗h7+−) 25. ♗g6 ♔g8 26. ♗f7 ♔f7 27. d5!+−] **24. ♗d3 ♕c6** [24... ♖f7 25. ♗g6 ♖g8 26. ♗f7 ♖g4 27. ♔f1 ♕g2 28. ♔e2 ♕e4 29. ♕e3!+−] **25. ♗a1 ♖f7** [25... ♕f3!? 26. g5 ♕h5 27. ♕h5 gh5 28. f4 ♖gg8 29. ♔f2 ♗g7 30. ♘g7 ♔g7 31. ♖e7 ♔f8 32. ♖h7+−] **26. g5** [26. ♗g6? ♖g8 27. ♗f7 ♖g4 28. ♔f1 ♕b5 29. ♖e2 ♕b1=] **♗g7 27. d5! ♕d5 28. ♗g7 ♔g8 29. ♗g6 1 : 0** **[Vajser]**

561. **D 86**

PISKOV 2400 − KRASENKOV 2525
Moskva (GMA) 1989

1. d4 ♘f6 2. c4 g6 3. ♘c3 d5 4. cd5 ♘d5 5. e4 ♘c3 6. bc3 ♗g7 7. ♗c4 c5 8. ♘e2 ♘c6 9. ♗e3 cd4 10. cd4 b5 11. ♗d5 ♗d7 12. ♖c1 [RR 12. ♗c6 ♗c6 13. d5 ♗d7 14. ♗d4 ♗d4 15. ♕d4 ♕a5= Bagirov] **♖c8 13. 0−0 ♘a5 14. ♖c8 ♕c8 N** [14... ♗c8 15. a4±] **15. ♕d2 ♕d8** [15... ♘c4 16. ♗c4 bc4 17. ♕b4 △ ♖c1±] **16. ♗g5! h6** [16... 0−0? 17. ♗e7 ♕e7 18. ♕a5±] **17. ♗e3** [×h6] **e6 18. ♗b3 ♗c6 19. d5!?** [19. f3!? h5 20. d5] **ed5 20. ♗c5 ♘b3 21. ab3 de4 22. ♕c1 ♕c8 23. ♖d1 f5 24. ♕a3! ♔f7** [24... a6?! 25. ♗d4!] **25. ♕a7 ♗b7□ 26. b4** [26. ♖d6! ♗f8 27. ♖b6 ♗c5 28. ♖b7 ♔f6 29. ♕a6 ♕e6 30. ♕b5±] **♗e5 27. ♗d4?** [27. h4=∞] **♖d8 28. h4** [28. ♖c1? ♖d4! 29. ♕d4 ♕c1 30. ♘c1 ♗d4−+] **♖d7 29. h5 ♕c2** [29... ♕c4 30. hg6 ♔g6 31. ♖d2 ♕b4?! 32. ♗e5! △ ♘f4=∞] **30. hg6 ♔g6 31. ♖a1⊕ ♕c7?!** [31... ♗d6 32. ♔f1? e3 33. f3 ♗f3−+; 32. ♖e1∞] **32. ♗e5 ♕e5 33. ♖c1± f4⊕ 34. ♕b6 ♔g7 35. ♖c5 ♗d5?!** [35... ♕a1 36. ♔h2 ♕a6 37. ♕a6 ♗a6 38. ♘f4±] **36. ♕b5 ♕d6 37. ♘f4 ♗f7 38. g3?! ♕d1 39. ♕f1 ♕b3?** [39... ♕f3? 40. ♕a1 ♔h7 41. ♖c1 e3 42. ♕b1 ♔g7 43. ♕b2 ♔h7 44. ♕c2 ♔g7 (44... ♔g8 45. ♕c8 ♔h7 46. ♕d7 ef2 47. ♔f1+−) 45. ♕c3 △ ♕e3±; 39... ♕f1! 40. ♔f1 ♖b7 41. b5 ♖b5 42. ♖b5 ♗c4=] **40. ♕a1 ♔h7 41. ♕f6 ♕d1 42. ♔h2 ♕d4**

43. ♘d5! 1 : 0 **[Piskov]**

562.** **D 86**

DOUVEN 2445 – I. SOKOLOV 2580
Wijk aan Zee 1989

1. d4 ♘f6 2. c4 g6 3. ♘c3 d5 4. cd5 ♘d5 5. e4 ♘c3 6. bc3 ♗g7 7. ♗c4 0–0 8. ♘e2 ♕d7 [8... b6 9. 0–0 ♗b7 10. ♕d3 ♘c6 11. ♖b1 N (11. ♕h3) ♘a5 12. ♗b3 (12. ♗a6 ♗a6 13. ♕a6 ♕c8 14. ♕d3 c5∓) c5 13. d5 e6 14. c4 ed5 15. ed5 (15. cd5 f5! 16. ♘f4 fe4 17. ♕e4 ♘b3 18. ♖b3 ♕d7 19. ♖d1 ♖ae8∓ Foişor 2475 – I. Sokolov 2570, Thessaloniki (ol) 1988) ♗c8∓; 15... b5!? 16. ♖d1 ♗c8 17. ♘g3 ♕h4; RR 8... ♘c6 9. 0–0 b6 10. ♗e3 ♗b7 11. ♕d2 ♕d6?! N (11... ♘a5 12. ♗d3 c5 – D 87) 12. ♖ad1 ♘a5 13. ♗d3 c5 14. d5 e5 15. f4 f5 16. fe5 ♗e5 17. ♗h6 ♖f6 18. ef5 (18. ♔h1? fe4 19. ♗e4 ♘c4∓ P. Cramling 2480 – Ftáčnik 2550, Haninge 1989) ♗h2 19. ♔h1 ♗e5 20. fg6 hg6 21. ♕g5± Ftáčnik] **9. 0–0 b6 10. ♕d3 ♘c6 11. a3!? N** [11. ♗b5 – 44/(563)] **♗b7 12. ♗g5 ♘a5** [12... e5!? 13. ♖ad1 (13. d5 ♘a5 14. ♗a2 c6⇆) ♘a5 14. ♗a2 ♕a4] **13. ♗a2 c5 14. ♖ad1** [14. d5?! e6 △ c4] **e6 15. h4 ♕a4!∓** [15... c4 16. ♕e3] **16. d5!** [16. ♗c1 c4 17. ♕b1□ ♘b3; 16... ♖ac8!? △ cd4 ⇔c] **c4 17. ♕d2 ed5** [17... ♕a3 18. de6 fe6 19. ♗b1 ♕c5!; 19. ♘d4!$\overline{\overline{\infty}}$ △ 19... ♗d4? 20. ♕d4! ♕a2 21. ♗h6 e5 22. ♕d7! ♖f7 23. ♕d8 ♖f8 24. ♕e7! ♖f7 25. ♖d8+–] **18. ed5 ♕a3 19. d6 ♕c5** [19... ♘b3 20. ♗b3 cb3 21. d7 (21. ♗e7?! ♖fe8 22. d7 ♕e7) f6 22. ♗h6!?$\overline{\overline{\infty}}$→ ♗h6 23. ♕h6 ♕e7 24. ♘f4 b2 25. ♖fe1 △ 25... b1♕? 26. ♖e7 ♕d1 27. ♔h2+–] **20. h5** [20. d7!? ♕c6 21. f3 (21. ♘f4!? f6 22. d8♕ ♖ad8 23. ♕d8 fg5 24. ♕d5 ♕d5 25. ♘d5 gh4) ♗f6; 20... ♗f6!? 21. ♗f6 ♕c6] **f6?** [20... ♘b3! 21. ♕e3! ♕e3?! 22. fe3!$\overline{\overline{\infty}}$ f6 23. ♗h4 (△ ♘d4) b5 24. ♗b3 cb3 25. ♘d4↑; 21... ♕c6∓] **21. ♗f4$\overline{\overline{\infty}}$ ♕h5?! 22. d7 ♕c5 23. d8♕!± ♖ad8 24. ♕d8 ♕c6□ 25. f3 ♖d8 26. ♖d8 ♔f7 27. ♖fd1 ♗c8** [27... ♕c5 28. ♘d4+–] **28. ♘d4 ♕a4□ 29. ♖e1!** [29. ♖d2 ♗d7 △ ♘b7∞] **♕a2** [29... ♗d7 30. ♗d6+–] **30. ♖c8⊕ g5 31. ♗d6! ♔g6 32. ♖g8** [32. ♖e7] **♔f7 33. ♖c8 ♔g6 34. ♖g8 ♔f7 35. ♖a8 ♔g6 36. ♖e7 ♕a1 37. ♔h2 ♕c3 38. ♖g8??** [38. ♘e6!+–] **♕d4= 39. ♖gg7 ♔h6 40. ♖h7 ♔g6 41. ♖hg7 ♔h6 42. ♖h7 1/2 : 1/2** **[I. Sokolov]**

563.*** **D 87**

POLUGAEVSKIJ 2575 – KUDRIN 2555
New York 1989

1. d4 ♘f6 2. c4 g6 3. ♘c3 d5 4. cd5 ♘d5 5. e4 ♘c3 6. bc3 ♗g7 7. ♗c4 c5 8. ♘e2 ♘c6 9. ♗e3 0–0 10. ♖c1 cd4 11. cd4 ♕a5 12. ♔f1 ♗d7 [RR 12... ♖d8 13. h4 h5 14. ♕b3 e6 15. d5 ♘e5 16. de6 ♘c4 17. ef7 ♔h7 18. ♕c4 ♗g4 19. f3 ♖ac8 20. ♕b3 ♖c1 21. ♗c1 ♗e6 22. ♕e6! ♖d1 23. ♔f2 ♖h1 24. ♕d6! ♕a2 25. ♕e7!± Dragomareckij; 12... ♕a3!? N 13. ♕b3 (13. h4 ♗g4!; 13. ♖c3 ♕d6!∞; 13. ♕d2!?) ♕b3 14. ♗b3 ♖d8 (14... ♗d7 15. ♗a4∞) 15. d5 ♘a5 16. ♗a4 *a)* 16... e6 17. ♗g5 f6 18. ♗f4 e5 19. ♗d2 b6∞ Savčenko 2480 – Dimov, Varna 1989) *b)* 16... b6 17. ♗b5 (17. ♘d4 ♗d4! 18. ♗d4 ♗a6 △ ♖ac8⇆) e6 18. ♗g5 f6 19. ♗f4 ed5 20. ♗c7 ♗d7∞; 17. f4!? Savčenko] **13. h4 ♖ac8** [13... ♖fd8!? △ ♗e8] **14. h5 e5?!** [RR 14... e6 N 15. hg6 hg6 *a)* 16. ♕d3 b5 17. ♗b3 ♘b4 18. ♕d2 ♖c1 19. ♘c1 ♘c6 20. ♕d3 b4 21. ♘e2 ♖d8 22. ♗h6? ♗d4! 23. ♕h3 ♗f6 24. ♗e3 ♗c8 25. ♘f4 ♘e7∓ Lputjan 2540 – Dvojris 2440, Simferopol' 1988; 22. ♔g1∞; *b)* 16. e5 ♘e7 17. ♕d3 ♖fe8 18. ♗d2 ♕a4 19. ♗b3 ♖c1 20. ♗c1 ♕b4 21. ♕h3 ♔f8 22. ♗h6 ♘g8 23. ♗g7 ♔g7 24. ♕h8 ♔f8 25. ♖h7 ♔e7 26. ♕g7 ♔d8 (26... ♖f8 27. ♘f4 ♔e8 28. ♘g6+–) 27. ♕f7+– H.-U. Grünberg 2475 – Gauglitz 2410, DDR 1989] **15. hg6 hg6 16. d5! N** [16. ♗d2 – 46/(620)] **♘d4** [16... ♘e7 17. ♗g5±] **17. ♘d4 ♖c4** [17... ed4 18. ♗d4 *a)* 18... ♖c4 19. ♖c4 ♗b5 (19... ♕a6 20. ♕d3!+– – 17... ♖c4) 20. ♕d3? ♕a2!–+; 20. ♗g7+– – *b)*; *b)* 18... ♗b5 19. ♗g7 ♖c4 (19... ♗c4 20. ♖c4+–) 20. ♖c4 ♗c4 21. ♔g1 ♔g7 22. ♕c1!! f6 (22... ♖c8 23. ♕h6 ♔f6 24. ♕f4 ♔e7 25. ♕e5 ♔d7 26.

♖h7 ♖f8 27. ♕e6 ♔d8 28. ♕d6 ♔e8 29. ♕b8 ♔e7 30. d6+−; 22... ♕c5 23. ♕b2!! f6 24. ♕b7 ♖f7 25. ♖h7 ♔h7 26. ♕f7 ♔h6 27. ♕f6+−) 23. ♖h3!! (23. ♕h6 ♔f7 24. ♕h7 ♔e8 25. ♕g6 ♔d8 26. ♖h7 ♕e1 27. ♔h2 ♕f2 28. ♕g7 ♕f4=) ♗a6 (23... ♕a2 24. ♕h6 ♔f7 25. ♕h7 ♔e8 26. ♕b7! ♕a1 27. ♔h2 ♕e5 28. g3 ♕d4 29. ♕c8 ♔f7 30. ♕d7+−) 24. ♕h6 ♔f7 25. ♕h7 ♔e8 26. d6! ♕e5 27. ♕c7 ♗b5 28. ♖h7+−] **18. ♖c4 ♕a6** [18... ed4 19. ♗d4 ♗b5□ 20. ♗g7+− — 17... ed4] **19. ♕d3! ed4 20. ♗d4 ♗b5 21. ♕h3! ♗c4 22. ♔g1 f6 23. ♕h7 ♔f7 24. ♖h6!** [△ ♖g6+−; 24... ♖h8 25. ♕g6 ♔f8 26. ♗c5+−]
1 : 0 **[Polugaevskij]**

564.* **D 87**

NOGUEIRAS 2575 – LJUBOJEVIĆ 2580

Barcelona 1989

1. d4 ♘f6 2. c4 g6 3. ♘c3 d5 4. cd5 ♘d5 5. e4 ♘c3 6. bc3 ♗g7 7. ♗c4 c5 8. ♘e2 ♘c6 9. ♗e3 0–0 10. ♖c1 cd4 11. cd4 ♕a5 12. ♔f1 ♗d7 13. h4 ♖fc8!? N 14. h5 ♘d8 [RR 14... e5! 15. hg6 hg6 16. d5 ♘d4 17. ♘d4 ed4 18. ♗d4 ♖c4! 19. ♖c4 (19. ♗g7 ♕a6!) ♕a6 20. ♕d3 ♗b5−+ Polugaevskij] **15. hg6 hg6 16. ♗d2?!** [16. f3 ♗b5 17. ♗b5 ♕b5 18. ♔f2 ♕b2 19. ♕d2 ♕d2 20. ♗d2=] **♕a4!** [RR 16... ♕b6 17. ♖b1 ♗a4! 18. ♕e1 *a)* 18... ♕c7?! 19. ♖c1 ♕d7 20. f3 ♘e6 (20... ♗d4? 21. ♕h4 ♕d6 22. ♗b4!+− Dragomareckij 2325 – Krasenkov 2525, SSSR 1989) 21. ♕h4 ♘f8±; *b)* 18... ♕f6 19. ♖c1 ♘e6= Dragomareckij] **17. ♗b3** [RR 17. ♕a4 ♗a4 18. ♖h3= Ochoa de Echagüen] **♕a6 18. ♔g1 ♕d3 19. ♖c8?** [19. ♗h6 *a)* 19... ♖c1 20. ♕c1 ♖c8 (20... ♗d4 21. ♘d4 ♕d4 22. ♗g5 △ 22... ♕e4? 23. ♕a1+−) 21. ♕f4 ♗d4 22. ♘d4 ♕d4 23. ♗g5$\overline{\overline{\infty}}$; *b)* 19... ♕d1 20. ♖d1 ♘c6 21. ♗g7 ♔g7 22. ♔h2 b5∓] **♖c8 20. e5 ♗e6! 21. ♔f1 ♗b3 22. ab3 ♖c2−+ 23. ♔e1 ♕b3 24. ♖h3 ♕c4 25. ♘c3 ♖b2 26. ♕c1 ♖b3 27. ♗h6 ♘e6! 28. ♗g7** [28. d5 ♗e5!] **♘g7 29. ♕h6 ♘h5 30. ♕d2 b5 31. ♘d1** [31. g4 ♘f4] **♖h3 32. gh3 ♕d5 33. ♕b4 ♘f4 34. ♕e7 ♕d4 35. ♕e8 ♔g7 36. ♕b5 ♕d3! 37. ♕d3 ♘d3 38. ♔d2 ♘e5 39. f4 ♘d7 40. ♔d3 ♔h6 41. ♔e4 f5 42. ♔d5 ♘f6 43. ♔e5 ♘e4 44. ♘e3 a5 45. ♔d4 ♘f2** **0 : 1**
[Nogueiras, P. J. García]

565. **D 87**

POLUGAEVSKIJ 2575 – FTÁČNIK 2550

Haninge 1989

1. d4 ♘f6 2. c4 g6 3. ♘c3 d5 4. cd5 ♘d5 5. e4 ♘c3 6. bc3 ♗g7 7. ♗c4 c5 8. ♘e2 ♘c6 9. ♗e3 0–0 10. ♖c1 cd4 11. cd4 ♕a5 12. ♔f1 ♗d7 13. h4 ♖fc8! 14. e5 N ♘d8 15. h5 ♗b5 16. ♗b5 ♕b5 17. hg6 hg6 18. ♔g1 [18. ♖b1 ♕c4 ×a2] **♖c1?!** [18... ♘e6 19. ♖b1 (19. ♘c3 ♕a5) ♕d5 20. ♕d2 ♖c7 21. ♗h6 ♗h8□ 22. ♘f4 ♕d4 (22... ♘f4 23. ♕f4 ♖d8 24. ♗f8! ♕d4 25. ♖h8+−) 23. ♘e6 ♕d2 24. ♗d2 fe6 25. f4∞ ×♗h8; 20... f5!?] **19. ♘c1 ♘e6 20. ♕g4 ♖c8 21. ♕h4?!** [21. ♕e4!?± Polugaevskij; 21. ♘b3 *a)* 21... ♖c2 22. ♘c5 (22. ♕h4 ♕e2) ♖a2 (22... ♘c5? 23. ♕c8 ♗f8 24. ♖h8! ♔h8 25. ♕f8 ♔h7 26. ♕f7 ♔h8 27. ♕f8 ♔h7 28. ♕h6 ♔g8 29. ♕g6+−) 23. ♘e6 ♖a1 24. ♔h2 ♖h1 25. ♔h1 ♕d7 26. d5 fe6 27. de6 ×♗g7; *b)* 21... b6! 22. ♕h4 ♕e2 23. ♕h7 ♔f8 24. ♗h6 ♔e8! 25. ♗g7 ♖c2⇆] **♕b1** [21... ♔f8 22. ♕h7 ♔e8! 23. ♕g8 ♔d7 24. ♕f7 ♕b1 25. ♔h2 ♖f8−+; ⌓ 22. ♕e4] **22. ♕h7** [22. ♔h2 ♕f5 23. ♘e2 g5] **♔f8 23. ♔h2 ♕f5** [23... ♔e8!?] **24. ♘e2** [24. ♗h6 *a)* 24... ♕h5 25. ♔g3 (25. ♔g1? ♕h6!−+) ♖c3 26. f3 ♕h6!! 27. ♖h6 ♘g5 28. ♘e2 ♖c2 29. ♘f4 ♘h7 30. ♖h7 e6∓⊥; *b)* 24... ♔e8! 25. ♗g7 ♕f4−+] **♖c2 25. ♖c1??** [25. ♘g3 ♕g4 26. ♗h6 ♔e8! 27. ♗g7 ♘g7 (27... ♖f2 28. ♖f1 ♖f1 29. ♘f1 ♕f4 30. ♔g1 ♕d4=) 28. ♕g7 ♕h4 29. ♔g1 ♖c1 30. ♘f1 ♖f1 31. ♔f1 ♕h1 32. ♔e2 ♕g2∓; 25. ♖e1!? ♘c7∞] **♖c1 26. ♘c1** [26. ♗c1 ♘d4 27. ♘d4 ♕e5−+] **♘d4 27. f4 ♕e4** [27... ♘e6 28. ♕h3□ ♕h3 29. ♔h3 b6 30. g4 ♔e8−+] **28. ♕h3**

♘f5?! [28... ♘e6 29. ♗d2 g5 30. ♕c3 ♔g8 31. g3 gf4 32. gf4 ♘f4 33. ♕c8 ♔h7 34. ♕g4 ♗e5–+] **29. ♗d2 g5 30. ♕c3!** [30. ♘d3 g4 31. ♘c5 g3!–+] **♔g8 31. ♕d3 ♕d3 32. ♘d3 gf4 33. ♗f4 b6** [33... e6 34. ♘c5 b6 35. ♘d7] **34. g4** [34. e6 fe6 35. ♗b8 a5 36. ♗c7 ♗d4 △ ♘d6, e5–+] **♘d4 35. ♔g2 ♔f8 36. ♔f2 ♔e8 37. ♔e3 ♘c6 38. ♔e4** [38. e6 fe6 39. ♔e4 ♔f7 40. ♘e5 ♗e5 41. ♗e5 ♘e5 42. ♔e5 b5 43. ♔d4 ♔f6–+] **♔d7 39. ♗e3 e6 40. a4 ♗f8 41. ♗d2 ♘d8! 42. ♔d4** [42. a5 ba5 43. ♗a5 ♘c6 44. ♗c3 a5–+; 42. ♗b4 ♗b4 43. ♘b4 ♘b7! 44. ♘d3 ♘c5 45. ♘c5 bc5 46. ♔d3 ♔c6 47. ♔c4 ♔b6! (47... a5? 48. g5=) 48. a5 ♔c6–+] **♘b7 43. ♔c4 a6** [43... ♘c5!? 44. ♘c5 (44. ♘b2 ♔c6 45. ♗e3 ♘a4 46. ♘a4 b5–+) ♗c5 45. ♔b5 ♗d4 46. ♗f4 ♔c7 47. ♔a6 ♔c6 △ 48. ♔a7 b5–+] **44. ♘e1!** [44. ♗b4 ♗b4 45. ♘b4 ♘a5 (45... ♘c5 46. a5 ba5–+) 46. ♔c3 ♘c6 47. ♘d3 b5–+; 44. ♘b4 ♗b4 45. ♗b4 ♔c6 46. g5 a5! 47. ♗a3 ♘c5–+] **♔c6** [44... ♘c5 45. ♗b4 ♔c6 46. ♘f3 △ ♘g5] **45. ♘f3 b5 46. ab5 ab5 47. ♔d4** [47. ♔c3 ♗e7 48. ♗g5 (48. ♘g5 ♗g5–+) ♗g5 49. ♘g5 ♘d8 50. ♔d4 ♔b6! 51. ♘h7 (51. ♔e4 ♔c5–+) ♘c6 52. ♔e4 b4 53. ♘g5 b3 54. ♔d3 ♘e5 55. ♔c3 ♔c6 56. ♔b3 ♔d5 △ f6, ♘g4–+] **♗c5 48. ♔e4 ♗e7 49. ♔d4** [49. ♘d4 ♔c5 50. ♔d3 ♗d8 51. g5 ♔d5! 52. ♘b5 ♘c5 53. ♔e2 ♔e5–+] **b4 50. g5** [50. ♗g5 ♗c5 51. ♔c4 (51. ♔e4 ♗f2! 52. ♗f6 ♘c5 53. ♔f4 b3–+) ♘a5 52. ♔d3 ♔d5 53. ♗f4 ♘c6 54. ♘g5 ♗d4 55. ♘f7 b3 56. ♗d2 ♗a1! 57. g5 ♘d4 58. ♗c3 b2–+; 54... ♘d8–+] **♘a5 51. ♔e4 ♘b3 52. ♗e3 ♘c5 53. ♔d4** [53. ♗c5 ♔c5 54. g6 fg6 55. ♘d4 ♔c4–+] **♔b5 54. ♘h4 ♘d7 55. ♗c1** [55. g6 ♗c5 56. ♔e4 fg6 57. ♘g6 b3] **♗c5** [55... ♘f8–+] **56. ♔e4 b3 57. g6 fg6 58. ♘g6 ♔a4 59. ♔d3 ♗a3 60. ♗e3** [60. ♔d2 ♘c5 61. ♘f4 ♘e4 62. ♔d1 ♗c1 63. ♔c1 ♔a3–+; 61... b2–+] **♗c5⊕ 61. ♗c1 ♗a3 62. ♗e3 ♘c5 63. ♔d2** [63. ♗c5 ♗c5 64. ♘f4 ♔a3 65. ♘e2 ♗b4!–+] **♘e4 0 : 1** **[Ftáčnik]**

566.* **D 87**

VYŽMANAVIN 2550 – A. MIHAL'ČIŠIN 2475
Moskva (GMA) 1989

1. d4 ♘f6 2. c4 g6 3. ♘c3 d5 4. cd5 ♘d5 5. e4 ♘c3 6. bc3 ♗g7 7. ♗c4 c5 8. ♘e2 0–0 9. 0–0 ♘c6 10. ♗e3 ♗d7 [RR 10... ♕c7 11. ♖c1 ♖d8 12. ♗f4 ♕d7 13. d5 ♘a5 14. ♗d3 e5 15. ♗e3 ♕e7 N (15... b6 – 39/568) 16. f4 ef4 17. ♘f4 c4 18. ♗b1 ♘c6 19. h3 ♘e5 20. ♕d2 f6 21. ♘e2 ♘f7 22. ♖ce1 ♗d7 23. ♘d4 ♖f8 24. ♘f3 ♕d6= Browne 2535 – Kamskij 2345, New York 1989] **11. ♖c1 ♖c8 12. ♕d2 N** [12. d5 – 44/(565)] **♕a5 13. d5 ♘e5 14. ♗b3 c4 15. ♗c2 e6! 16. ♖b1!** [16. ♘f4 ♘g4 17. de6 ♗e6 18. ♘e6 fe6∓; 16. ♖fd1 ed5 17. ♕d5 (17. ed5∞) ♕d5 18. ♖d5 ♗e6= △ ♘d3; 16. h3 ed5 17. ed5 ♘d3!?∞; 16. f4 – 47/(568)] **b6** [16... b5 17. de6] **17. f4 ♘g4** [17... ♘d3 18. de6 ♗e6 19. ♗d4 △ f5→] **18. de6 fe6□** [18... ♗e6 19. ♗d4±] **19. e5±»** [19. ♕d7 ♘e3 20. ♕e6 ♔h8 21. ♖fc1 ♖ce8=∞] **♗c6 20. ♘d4 ♗d5 21. h3 ♘e3 22. ♕e3 ♕c5 23. h4 ♕e7 24. ♕g3** [△ h5, f5] **♔h8 25. ♖be1 ♖fd8 26. ♕h3 ♕f7⊕ 27. h5 gh5 28. f5+– ♖g8 29. fe6 ♕e8 30. ♖f7 ♗h6 31. ♖h7#**
1 : 0 **[B. Arhangel'skij, Vyžmanavin]**

567. **D 87**

SEIRAWAN 2610 – FTÁČNIK 2550
Lugano 1989

1. d4 ♘f6 2. c4 g6 3. ♘c3 d5 4. cd5 ♘d5 5. e4 ♘c3 6. bc3 ♗g7 7. ♗c4 c5 8. ♘e2 0–0 9. 0–0 ♘c6 10. ♗e3 ♗g4 11. f3 ♗d7 12. ♖b1 ♕c7 13. ♗f4 N [13. ♗d3 – 46/622] **♕c8** [13... e5?! 14. ♗g3 △ 14... cd4 15. cd4 ♘d4? 16. ♕d4+–] **14. d5 ♘a5 15. ♗d3 e5 16. ♗e3** [16. de6 ♗e6; 16. ♗d2 b6 (16... c4 17. ♗c2 ♕c5 18. ♔h1 b5 19. f4∞) 17. c4 ♘b7 18. f4 ♘d6∞; 17. f4!?↑] **f5** [16... b6 17. f4] **17. ef5 gf5** [17... ♗f5? 18. ♘g3±] **18. c4** [18. g4 *a)* 18... fg4?! 19. ♘g3!→; *b)* 18... e4 19. fe4 fe4 20. ♗e4 ♖f1 (20... ♗g4 21. ♕d3) 21. ♕f1

♗g4 22. ♘f4→; *c)* 18... f4!? 19. ♗d2 (19. ♗f2 ♗g4 20. fg4 ♕g4=) c4 (19... h5 20. c4 b6 21. ♗a5 ba5) 20. ♗e4 h5!?⇆] **b6** [18... e4 19. fe4 fe4 20. ♖f8 ♕f8 21. ♗e4 ♘c4 22. ♗f4 ♗f5 23. ♕d3 ♗e4 24. ♕e4 ♘b6!∞] **19. ♗d2** [19. g4 e4 20. fe4 fe4 21. ♖f8 ♕f8 22. ♗e4 ♘c4 △ 23. ♗h7 ♔h7 24. ♕d3 ♔h8 25. ♕c4 ♕f3⇆] **♘b7 20. ♘g3 ♕e8 21. ♗c3 ♕g6 22. ♗e2** [22. f4 e4 23. ♗g7 ♕g7 24. ♗e2 ♘d6 △ ♕d4⇆; 22. ♖e1 ♖ae8 23. ♕c2 ♖e7 24. ♕b2 ♖fe8 25. ♖e2 h5 26. ♖be1 h4 27. ♘f1 ♕h6∞] **♘d6 23. f4** [23. ♕c2 ♕h6∞] **e4 24. ♕d2 ♗c3 25. ♕c3 ♕f6 26. ♕f6** [26. ♖fc1 ♕d4; 26. ♕e5 ♖ae8] **♖f6 27. ♖b2** [⌓ 27. ♖fc1 ♖h6 28. ♖c3 ♖h4 29. ♘f1= △ 29... ♖f4 30. g3] **♘e8?!** [27... ♖h6 28. ♖c1 ♔f7 29. ♖c3 ♔e7 30. ♘f1 ♖g8=⊥] **28. ♖c1 ♔f8 29. ♘f1 ♔e7** [29... ♘d6 30. ♖c3 ♖h6 31. ♖a3 ♘b7⩲] **30. ♖c3 ♘d6** [30... ♘c7!? △ a6, ♖b8, ♔d6, b5] **31. ♖h3 h6?!** [31... ♖h8] **32. ♖g3 ♔f8 33. ♖a3 ♘e8 34. ♗d1! ♘c7 35. ♘e3** [35. ♗a4 b5 36. ♗b5 (36. ♗b3 a5!; 36. cb5 ♘d5 37. ♖c2 ♖c8) ♗b5 37. cb5 ♘d5 38. ♖c2⩲↑] **♔e7?** [35... a6 36. ♗a4 (36. ♖ab3 ♖b8 △ b5⇆) b5 37. ♗b3 ♔e7 38. ♖a5 ♔d6⩲] **36. ♗a4!⩲ ♗a4 37. ♖a4 ♔d7** [37... a6? 38. d6! ♔d6 39. ♖b6 ♔e7 40. ♖b7 △ ♘d5+−] **38. ♖a3 ♘e8 39. ♔f2** [39. d6!? ♖d6 (39... ♘d6 40. ♖b6 ab6 41. ♖a8±) 40. ♘f5 ♖d1 41. ♔f2 ♘f6±⇆] **♔c8** [39... ♔c7 40. d6! ♖d6 (40... ♔c6 41. ♘d5 ♖d6 42. ♘e7±; 42. ♖b6!?) 41. ♘f5 ♖d1 42. ♖h3±] **40. ♘d1** [40. d6 ♔b7 41. d7 ♘c7] **♔c7** [40... ♘d6 41. ♖b6 ab6 42. ♖a8 ♔b7 43. ♖a4 △ ♘e3±] **41. ♖g3 ♖d8 42. ♘e3** [42. ♘c3 ♘d6 43. ♘b5 ♘b5 44. ♖b5±⊥] **♔d7 43. a4!** [43. d6 ♔c6! 44. ♘d5 ♖f7] **♔e7 44. a5** [44. d6 ♔f8!] **♔f8** [44... ba5 45. ♖b5±] **45. ab6 ab6 46. ♘c2!** [46. ♖a2 ♖b8 47. ♖a7 b5⇆] **♘c7** [46... ♖b8 47. ♖a3 ♘d6 48. ♘e3 b5 49. ♖a5+−; 46... ♘d6 47. ♖b6 e3 48. ♔e2!+−; 46... e3 47. ♔e3 ♘d6 48. ♔d3+−] **47. ♖a3 b5 48. ♖a7 ♖c8** [48... ♖f7 49. ♘e3 bc4 50. ♖bb7 ♖dd7 51. d6+−] **49. ♘e3 b4** [49... bc4 50. ♖bb7 ♘e8 51. ♘c4 ♘d6 52. ♖b6 ♖d8 53. ♖aa6 ♔e7 54. ♘e5+−] **50. ♖b7 ♘e8 51. ♖a2 ♖c7 52. ♖b8 ♔f7 53. ♔e2 ♘g7** [53... ♘d6 54. ♔d1 ♖b7 55. ♖b7 ♘b7 56. ♔c2! ♖b6 57. ♔b3+−] **54. ♔d2** [54. ♖a5+−] **♖d6 55. ♖aa8** [⌓ 55. ♖a5 ♖dd7 56. ♔c2+−] **♖dd7 56. ♖a5?!** [56. ♔c2+−] **♘e6 57. ♘f5 ♘f4?** [57... ♘d4! 58. ♘d4 cd4 59. ♖b4 ♖b7 (59... ♖a7 60. ♖aa4 ♖a4 61. ♖a4 ♖b7 62. ♔c2+−) 60. ♖ab5 ♖a7 (60... ♖b5 61. cb5! ♖d5 62. b6+−) 61. ♖b2 ♖a3±⇆] **58. ♔e3 ♘g2 59. ♔e4 ♖e7 60. ♘e7 ♖e7 61. ♔f5! ♘e3 62. ♔f4 ♘c4 63. ♖c5 ♘e5 64. d6! ♘d3 65. ♔f5 ♘c5 66. de7 ♔e7 67. ♖b4 1 : 0**
[Ftáčnik]

568.* **D 87**

PINTÉR 2550 – GRÓSZPÉTER 2500
Budapest 1989

1. d4 ♘f6 2. c4 g6 3. ♘c3 d5 4. cd5 ♘d5 5. e4 ♘c3 6. bc3 ♗g7 7. ♗c4 c5 8. ♘e2 ♘c6 9. ♗e3 0–0 10. 0–0 ♗g4 11. f3 ♗d7 12. ♖c1 ♕c7?! N [⌓ 12... ♖c8 13. ♕d2 ♕a5! 14. d5 ♘e5 15. ♗b3 c4 16. ♗c2 e6 17. f4 N (17. ♖b1 – 45/559) ♘d3 18. ♗d3 cd3 19. ♘d4 ed5 20. e5 ♕a6! 21. ♖f3 f6∞ Pál Petrán 2445 – Grószpóter 2500, Magyarország (ch) 1989; ⌓ 13. d5 – 46/623] **13. ♕d2 a6 14. h4!?** [14. ♗h6±] **b5 15. ♗d3 c4 16. ♗c2 e5** [16... e6 17. h5±] **17. d5 ♘a5 18. f4! ef4** [18... ♘b7 19. f5 f6 20. g4 ♘d6 21. ♘g3 △ ♖f2, ♖cf1±] **19. ♗f4 ♗e5 20. ♘d4** [20. d6? ♕c5!] **♘b7** [20... ♖ae8 21. ♗e5 ♕e5 *a)* 22. ♖f4 (△ ♘f3, e5) f6 23. ♖cf1±; *b)* 22. ♘f3!? ♕g3 23. ♕h6! ♗h3 (23... f6 24. e5! ♖e5 25. ♘e5 ♕e5 26. ♖ce1!+−) 24. ♖f2 ♗g2!; 24. ♕g5!±] **21. ♗e5 ♕e5 22. ♘f3 ♕c7!** [22... ♕g3 23. ♕h6!] **23. h5!** [23. ♕h6 ♗g4 24. ♘g5 f6!; 23. e5 ♗g4 24. ♖ce1 ♖ae8 25. d6 ♕c5 26. ♕d4 ♗f3 27. gf3 f6∞] **♗g4** [23... ♖ae8? 24. ♕h6! ♗g4 25. hg6 fg6 (25... hg6 26. ♘g5+−) 26. ♘g5] **24. ♘h2! ♗d7** [24... ♗h5? 25. g4 ♕g3 26. ♕g2+−] **25. ♕g5** [25. ♕h6 ♕e5!] **♖ae8 26. ♘f3 ♕d8** [26... ♘c5 27. e5!] **27. ♕g3** [27. ♕h6 ♕f6!] **♕b6 28. ♖f2!** [28. ♔h1 ♕e3!⇆] **♘c5** [28... ♕e3 29. ♖e1 ♕c3 30. e5→] **29.**

≡e1 ♘d3 30. ♗d3 cd3 31. ♘d4□ b4 32. ♕d3 bc3 33. ♕c3 ≡c8 34. ♕e3 ≡c4 35. ≡d2 ♕c5! [35... ≡e8 36. e5 ♕c5 37. hg6 hg6 38. e6! ♕d5 39. ♘f5!! ♕f5 (39... ♕e6 40. ≡d7 gf5 41. ♕g5+−) 40. ed7 ≡e3 41. d8♕ ♔g7 42. ≡e3 ≡c1 43. ≡d1+−] 36. ♕f2 ≡c1 37. ≡c1 ♕c1 38. ♔h2 ≡e8⊕ 39. ♘f3! ≡e4!? [39... f6 40. ♕d4 ♔g7 41. hg6 hg6 42. e5+−] 40. ♘g5 ≡h4 [40... ≡e7 41. d6] 41. ♕h4 ♕d2 42. hg6 h5 43. ♘e4! ♕a5 44. ♕e7 1 : 0   [Lukács]

569.   **D 87**

ZAHAROV 2390 − HENKIN 2415
SSSR 1989

1. d4 ♘f6 2. c4 g6 3. ♘c3 d5 4. cd5 ♘d5 5. e4 ♘c3 6. bc3 c5 7. ♗c4 ♗g7 8. ♘e2 ♘c6 9. ♗e3 0−0 10. 0−0 ♗g4 11. f3 ♘a5 12. ♗f7 ≡f7 13. fg4 ≡f1 14. ♔f1 ♕d6 15. ♕a4!? N ♕h2! [15... b6 16. ♔g1 (16. e5? ♕d5) cd4 (16... ♕e6 17. dc5 ♕g4 18. ≡e1±) 17. cd4 ♕e6 18. d5 ♕g4 19. ≡e1 △ h3±] 16. ♕a5 ≡f8 17. ♔e1□ [17. ♗f2? ♕h4! 18. g3 ♕h1 19. ♕g1 ♕h2−+] ♕h1! 18. ♘g1! [18. ♗g1? ♗h6! (18... ♕g2? 19. ♔d2! ♗h6 20. ♗e3 ≡f2 21. ♕b5!±) 19. ♕c5 ♕g2 △ ♕f1−+] ♕g2 [18... ♗h6!? 19. ♔d2! ≡f2 20. ♔d3 c4! 21. ♔c4 ♗e3∞] 19. ♕b5 ♗h6 [19... cd4 20. cd4 ♕e4 21. ♕e2! △ ≡d1±] 20. ♕e2 ♕g3 21. ♔d2 ≡f2 22. ♗h6 ≡e2 23. ♘e2 ♕h3!□ [23... ♕g4?? 24. ≡f1+−] 24. ♗e3! [24. g5?! c4!∓ ×♗h6; 24. ♗f4!?] ♕g4 25. ≡f1!

25... h6!! [△ g5; 25... cd4? 26. ♗h6! dc3 27. ♔c1 ♕c8 28. ♘d4 △ ♘e6, ≡f8+−; 25... h5? 26. ♘f4 △ ♕g1±; 25... ♔g7 26. ♘f4 (△ d5, ♘e6) g5 27. ≡g1 ♕h4 28. ≡g5!±] 26. ♗h6 ♕e4 27. ≡f8 ♔h7 28. ♗g5 ♕e6 29. a4 cd4 30. cd4 ♕a2 31. ♔e1 ♕a4 32. ≡f7 ♔g8 33. ≡e7 ♕b4! [33... ♕a5 34. ♗d2 ♕d5 35. ≡e5±] 34. ♔f2 a5 35. ♗f6 ♕b6! [35... ♕d6? 36. ≡g7 ♔f8 37. ♗e5 △ ♘f4→] 36. ♗e5 a4 [36... ♔f8 37. ≡h7! (37. ≡g7? a4 38. ♘f4 a3 39. ♘g6 ♔e8∓) a4 38. ♘f4=] 37. ♘f4 ♕b2!⊕ [37... ♔f8? 38. ♗g7!±; 37... a3? 38. ♘e6±] 38. ♔g1!⊕ ♕c1 39. ♔h2 ♕b2 40. ♔g1 ♕b1 41. ♔h2 ♕b2   1/2 : 1/2 [Henkin]

570.**   **D 87**

LJUBOJEVIĆ 2580 − TIMMAN 2610
Linares 1989

1. d4 ♘f6 2. c4 g6 3. ♘c3 d5 4. cd5 ♘d5 5. e4 ♘c3 6. bc3 ♗g7 7. ♗c4 0−0 8. ♘e2 c5 9. ♗e3 ♘c6 10. 0−0 ♗g4 11. f3 ♘a5 12. ♗f7 ≡f7 13. fg4 ≡f1 14. ♔f1 ♕d6 15. e5 ♕d5 16. ♗f2 ≡d8 [RR 16... ≡f8 17. g5!? N (17. ♔g1 − 44/568) ♕f7 (17... ♘c4 18. ♔g1 ♕e4 19. ♘g3 ♕f4 20. ♕e2±) 18. ♕e1 h6?! 19. gh6 ♗h6 20. ♔g1 ♘c4 21. ♘g3 ♗d2 22. ♕e2 ♗c3 23. ≡f1± A. Kuz'min 2465 − Henkin 2415, Moskva II 1989; 18... ♘c6± Zajcev] 17. ♕c2 [RR 17. ♕a4 b6 18. ♕c2 ≡c8 19. dc5!? N (19. ♕d1 − 46/627) bc5 (19... ≡f8? 20. cb6 ♘c4 21. ♔g1±) 20. ≡d1 a) 20... ♕e5?! 21. ♕a4 ≡f8 22. ≡d3 c4! (22... ♗h6 23. ≡f3±) 23. ≡f3 ♕d5 24. ≡f8 (24. ♘f4 ≡f4? 25. ≡f4 ♕d3 26. ♔g1 ♕b1 27. ♗e1 ♕e1 28. ≡f1+−; 24... ♕e4=) ♔f8 25. ♗a7 ♘c6 26. h3 ♕e4 27. ♕b5!± Tisdall 2460 − Thorsteins 2430, Reykjavík 1989; b) 20... ♕c4! b1) 21. ≡d7?! ≡f8! 22. ♔g1 (22. ≡a7 ♘c6 23. ≡a4 ♘b4!∓) ♗e5 23. ♕d3 ♕a2 24. ♕d5 ♕d5 25. ≡d5∓; b2) 21. ♗g3 ♕g4 22. h3∞ Thorsteins] ♕c4 18. ♕b2 ≡f8 N 19. ♔g1 ♗h6 [△ ♕d3] 20. ≡d1!± ♕a4 [20...

cd4 21. cd4 ♖c8 22. d5! ♕a4 23. ♕b1±] 21. ♖e1 cd4 22. ♘d4 [22. cd4? ♖c8∓] ♕c4 23. h3 b6 24. ♘f3 ♖d8 25. ♗d4 [25. g5!?±] ♗f4! [△ ♗g3] 26. ♔f2 ♕d5 27. ♕b1 ♘c4 28. ♕e4?! [28. ♖e2±] ♘b2!∞ 29. ♕c2 ♕b5 30. ♖b1 ♘d3 31. ♔f1 [31. ♔g1?! ♕c4 32. ♕e2 ♘e5∓] ♕c4 32. ♕e2 b5 33. ♘e1! ♘e5 34. ♖b5 ♕f7! 35. ♔g1 ♘c6 36. ♘f3 ♘d4 37. cd4 ♖c8 [37... ♗d6?! 38. ♘g5 ♕f4 39. ♕e6 ♔g7 (39... ♔f8?? 40. ♖f5!+−) 40. ♕e7!±] 38. ♖c5□ ♖b8 39. ♖b5 ♖c8 40. ♖c5 ♖b8 41. ♖b5 ♖c8 1/2 : 1/2 **[Timman]**

571. **D 87**

AN. KARPOV 2750 – TIMMAN 2610

Rotterdam 1989

1. d4 ♘f6 2. c4 g6 3. ♘c3 d5 4. cd5 ♘d5 5. e4 ♘c3 6. bc3 ♗g7 7. ♗c4 0–0 8. ♘e2 c5 9. 0–0 ♘c6 10. ♗e3 ♗g4 11. f3 ♘a5 12. ♗f7 ♖f7 13. fg4 ♖f1 14. ♔f1 ♕d6 15. e5 ♕d5 16. ♗f2 ♖d8 17. ♕c2 ♕c4 18. ♕b2 ♗h6 19. h4 ♖f8?! N [19... ♕f7 – 45/563] **20. g5 ♕d3**

21. ♕b1! ♕e3 22. ♕e1 ♗g7 23. ♔g1 ♕e4 24. ♘g3± ♕h4 25. ♘e4 [25. ♘f5!? ♕g5 26. ♘g7 ♕g4 (26... ♔g7 27. ♗h4+−) 27. d5 ♔g7 28. ♗c5 ♕d7±] **♖f2** [25... ♕g4 26. ♘c5±] **26. ♘f2 cd4 27. ♖d1! d3** [27... dc3 28. ♕c3 ♘c6 29. ♕b3+−] **28. ♕e3 ♘c6 29. ♘d3 ♕a4 30. ♕f3 ♕a5 31. e6 ♘d8 32. ♘f4 ♗e5 33. ♘d5+− ♕c5 34. ♔h1 1 : 0** **[Zajcev]**

572. **D 89**

BROWNE 2535 – NICKOLOFF 2420

New York 1989

1. d4 ♘f6 2. c4 g6 3. ♘c3 d5 4. cd5 ♘d5 5. e4 ♘c3 6. bc3 ♗g7 7. ♗c4 c5 8. ♘e2 ♘c6 9. ♗e3 0–0 10. 0–0 ♗g4 11. f3 ♘a5 12. ♗d3 cd4 13. cd4 ♗e6 14. ♕a4 a6 15. d5 b5 16. ♕b4 [16. ♕a3!?] **♘c6!? N** [16... ♗a1 – 45/(565)] **17. ♕c5!** [17. ♕a3? ♗a1 18. ♖a1 b4! 19. ♕b3 ♘e5 20. ♗h6 ♕b6 21. ♔f1 ♘d3 22. ♕d3 ♗d7 △ ♗b5∓] **♗a1 18. ♖a1 ♘e5 19. ♗h6!** [19. ♕d4 f6!] **♗d7** [19... ♖c8 20. ♕d4 f6 21. ♗f8±] **20. ♕d4 f6 21. ♗f8 ♔f8 22. ♖d1** [22. ♗c2?! ♖c8 23. ♗b3 a5! 24. a3 a4 25. ♗a2 ♖c2∓] **♕c7 23. f4! ♘d3** [23... ♘c4? 24. ♗c4 ♕c4 25. ♕c4 bc4 26. ♘c3±] **24. ♖d3 ♗g4 25. ♖c3 ♕b8** [25... ♕a7? 26. ♕a7 ♖a7 27. ♘d4±]

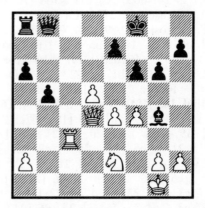

26. e5!! fe5?! [26... ♗e2 27. ef6 ef6 (27... ♕a7? 28. fe7 ♔e8 29. ♖c5! ♗g4 30. d6+−) 28. ♕f6 ♔g8 29. ♕e6 ♔g7 30. ♕e2 ♕f4= Byrne] **27. fe5 ♕a7** [27... ♗e2 28. ♕f2 ♔g7 29. ♕e2 ♕a7 30. ♕f2 ♕f2 31. ♔f2±] **28. ♖c5! ♔g8!** [28... ♗e2? 29. e6! ♔g8 30. ♖c8+−] **29. ♘c3 ♖d8 30. d6 ♗e6 31. a3 ed6** [31... ♕b6!? 32. ♘e4 ♗f5 33. de7! ♖d4 34. e8♕ ♔g7 35. ♕e7+−] **32. ed6 ♕g7 33. ♖e5! ♗f7 34. ♘e4 h6 35. ♘f6! ♔h8** [36. ♖e7+−] **1 : 0** **[Browne]**

573.*** D 89

KIŠNËV 2375 – FEL'DMAN 2340

Budapest (open) 1989

1. d4 ♘f6 2. c4 g6 3. ♘c3 d5 4. cd5 ♘d5 5. e4 ♘c3 6. bc3 ♗g7 7. ♗c4 c5 8. ♘e2 ♘c6 9. ♗e3 0–0 10. 0–0 ♗g4 11. f3 ♘a5 12. ♗d3 cd4 13. cd4 ♗e6 14. ♖c1 ♗a2 15. ♕a4 ♗e6 16. d5 ♗d7 17. ♕a3!? [RR 17. ♕b4 *a)* 17... b6 18. f4 e5 19. f5 (△ 19. ♖f2 ♖c8 20. ♖cf1 ♕c7∞) ♖e8 20. d6 N (20. ♗a6 – 45/567) ♗f8 21. ♗c4 ♘c4 22. ♕c4 ♕f6 (22... ♖c8 23. fg6!±; 22... gf5 23. ef5±; 22... g5 23. ♘c3±) 23. fg6 (23. ♘c3? ♖ec8 24. fg6 ♖c4! 25. gh7 ♔h7 26. ♖f6 ♗e6 27. ♘b5 ♖e4∓ Heinig 2305 – Gauglitz 2420, Berlin 1988) ♕g6 24. ♖f3 ♕e6∞ Gauglitz; *b)* 17... e6 18. ♖fd1 ed5 19. ed5 b6 N (19... ♖e8 – 46/628) 20. ♗a6 ♕f6 (20... ♗c8!? 21. ♗b5 ♗d7) 21. ♗d4 ♕g5 22. ♗g7 ♔g7 23. ♖c7 (23. ♘c3!? f5 24. d6=∞ ×♔g7) ♖fd8 (A. Brito 2360 – Krasenkov 2525, La Caja Canarias – T. Petrosjan 1989) 24. ♘c3=∞ Krasenkov] **e6** [RR 17... b5 18. ♖fd1 b4! N (18... ♖b8 – 46/(628)) 19. ♕b4 ♖b8 20. ♕e1 ♘b3 21. ♖b1 a5 22. ♗c2 (D. Ilić 2390 – Ferčec 2390, Kladovo 1989) a4∞ D. Ilić] **18. ♖fd1 N** [18. d6? – 46/(628); 18. ♗c5!? Fel'dman] **ed5** [18... ♖e8?! 19. de6] **19. ed5 ♖e8 20. ♗f2 ♗f8** [20... ♗f5!? 21. ♗b5 (21. ♗f5 ♖e2 22. ♗e4 ♗b2∓) ♗d7 22. ♗d3=] **21. ♕a2!?** [21. d6?! ♗c6 ×d6; 21. ♕b2] **b6** [21... b5!?] **22. ♘c3 ♘b7 23. ♘e4 ♘c5!?** [23... ♘d6 24. ♗g3 ♘e4 25. fe4=∞] **24. d6** [24. ♗c5 ♗c5 25. ♘c5 bc5 26. ♖c5 ♕b6 27. ♕a5 ♖ec8=] **♗e6** [24... ♘d3? 25. ♖d3↑ △ 25... ♖c8? 26. ♖c8 ♗c8 27. d7+–] **25. ♗c4** [25. ♕a3!?] **♘e4 26. fe4 ♗d6!** [26... ♕d7? 27. ♗e6 ♕e6 28. ♕e6 ♖e6 29. d7 ♖d8 30. ♖c8 ♗e7 31. ♗g3+–] **27. e5 ♗c4 28. ♖c4 ♖e5 29. ♖cd4 ♖e6** [29... ♖a5 30. ♕d2 (30. ♕e2? ♕e7) ♗h2 31. ♔h2 ♕c7∞] **30. ♕d2 ♖c8! 31. ♗h4!□** [31. ♔h1? ♕f6! 32. ♗h4 g5–+] **♗h2** [31... ♗c5!? 32. ♗d8 ♖d8 33. ♕f2 ♖d4 34. ♖d4 h5! (34... ♔g7 35. g4 ♖f6 36. ♕e3 ♖e6 37. ♕f4±) 35. ♔f1 ♗d4 36. ♕d4±] **32. ♔h2 ♕c7 33. ♗g3↑ ♕c6** [33... ♕c5 34. ♖d5↑] **34. ♕h6 ♕e8??⊕** [34... ♕c3] **35. ♖h4+– ♖c5 36. ♕h7 ♔f8 37. ♗d6 ♖d6 38. ♕h8 ♔e7 39. ♕e8 ♔e8 40. ♖d6 1 : 0** **[Kišnëv]**

574.*** D 91

SMYSLOV 2550 – GULKO 2590

Hastings 1988/89

1. d4 ♘f6 2. ♘f3 g6 3. c4 ♗g7 4. ♘c3 d5 5. ♗g5 ♘e4 6. cd5 [RR 6. h4?! N ♘g5 7. hg5 dc4 *a)* 8. ♕a4 c6 9. ♕c4 ♗e6 10. ♕d3 (10. ♕a4 b5; 10. ♕b4 ♕b6) ♘a6! 11. g3 (11. e3 0–0 △ ♕a5, ♖fd8, c5) ♘b4 12. ♕d2 c5! 13. ♘e4 ♗d4 14. a3 ♘c6 15. e3 ♗d5! 16. ♖h4 ♗g7 17. 0-0-0 ♕b6!∓ Granda Zuniga 2500 – I. Sokolov 2580, Wijk aan Zee 1989; *b)* 8. e3 c5 9. dc5 (9. ♗c4 cd4 10. ♘d4 0–0∓) ♕a5 10. ♕a4 ♕a4 11. ♘a4 ♗d7 12. ♘c3 ♘a6∓⊡; 9. d5!? I. Sokolov; 6. ♗h4 ♘c3 7. bc3 dc4 8. ♕a4 ♕d7 9. ♕c4 b6 10. ♗g3 c5 (10... ♘c6!? 11. e3 0–0 12. ♗e2 ♗b7 13. 0–0 ♘a5 14. ♕c7 ♕c7 15. ♗c7 ♖fc8 16. ♗e5 ♖c3∓) 11. e3 ♗a6 12. ♕b3 ♗f1 13. ♔f1 0–0 14. ♔e2 ♘c6 15. a4!? N (15. ♖hd1 ♘a5∓) ♖ac8 (15... ♖fc8!? 16. ♖hd1 ♘a5 17. ♕b5 ♕b5 18. ab5 cd4 19. cd4 ♖c2 20. ♖d2 ♖c3∓) 16. ♖hd1 ♘a5 17. ♕b5 ♕e6 18. ♔f1 ♕c4 (18... cd4 19. cd4 ♖c2 20. ♖dc1 ♖fc8 21. ♖c2 ♖c2 22. ♘e1!=) 19. ♕c4 ♘c4 20. ♘d2 ♘a5 21. ♔e2 (Bass 2430 – A. Mihal'čišin 2475, Budapest 1989) cd4 22. cd4 ♖c3 23. ♖dc1 ♖fc8∓ A. Mihal'čišin] **♘g5 7. ♘g5 e6 8. ♕d2** [RR 8. ♘f3 ed5 9. b4 ♕d6 10. ♕b3 ♘c6 11. ♖c1!? N *a)* 11... ♘d4?? 12. ♘d4 ♗d4 13. ♘b5 ♗f2 14. ♔d1!+–; *b)* 11... ♕b4? 12. ♕b4 ♘b4 13. a3 (13. ♖b1? c5!∓) ♘c6 14. ♘d5±; *c)* 11... 0–0?! 12. e3 ♗g4?! 13. ♗e2 ♗f3 14. ♗f3 ♕b4 (14... ♗d4 15. ♘d5!±) 15. ♗d5!± Langeweg 2365 – Hallebeek, Lugano 1989; 12... a6±; *d)* 11... a6! *d1)* 12. e3? ♘b4 13. a3 ♘c6 14. ♕d5 (14. ♘d5 ♗e6 15. ♗c4 b5–+) ♕a3–+; *d2)* 12. a3 ♘d4 13. ♘d4 (13. ♕d5? ♘c2!! 14. ♔d1 ♘a3∓) ♗d4 *d21)* 14. ♖d1? ♕f6!–+; *d22)* 14. ♘d5 c6

15. ♘e3 (15. ♘c3? ♗f2−+) ♗e6 16. ♕d3 0−0∓; *d23)* 14. e3 ♗g7 15. ♘d5 0−0!∓ Hallebeek] **♗h6!? N 9. f4** [9. h4!? f6 10. de6∞] **ed5 10. ♕e3 ♗f8 11. g3** [11. ♕e5 f6 12. ♕d5 ♕e7 13. ♘h3 ♘c6∓] **c6 12. ♗h3!? ♗h3** [12... ♗g5? 13. ♗c8 ♗f4 14. ♕f4 ♕c8 15. ♕f6 ♖g8 16. 0−0 ♕d7 17. e4±] **13. ♘h3 ♘d7 14. 0-0-0 ♘b6** [14... ♕e7!? 15. ♕f3 ♘f6=] **15. ♕f3 ♕e7 16. e4** [16. ♖he1 ♘c4! △ ♕b4] **de4 17. ♘e4?!** [17. ♕e4=] **♕e6! 18. ♕a3 ♔g7 19. ♘hf2 ♖he8 20. ♘c5 ♕c4 21. ♔b1 ♖e2 22. ♘fd3 ♕c2 23. ♔a1 ♖h2?** [23... ♘c4! 24. ♕c3 ♕c3 25. bc3 b6 26. ♘b3 g5! 27. ♘e5 ♘e3!∓]

24. **♕b3!!±** ♕b3 [24... ♕g2 25. ♖h2 ♕h2 26. ♘e5±] **25. ab3 ♖h1** [25... ♖g2 26. ♖h3 △ ♖dh1+−] **26. ♖h1 ♖d8 27. ♘b7!** [27. g4? ♖d4 28. g5 ♗g5 29. fg5 ♖d5 30. ♖g1 ♘c8 31. ♖g3 ♘d6∓] **♖d4 28. ♘e5 ♘d5 29. ♘d8!** [29. ♘g4? ♗f4∓ ♘b4! [×♔a1] 30. ♘df7 ♗f4 31. gf4 ♖f4 32. ♘d8 [32. ♘g5!? ♖f5! 33. ♘gf3 (33. ♖h7? ♔g8 34. ♘ef3 ♖f3−+; 33. ♘ef3 h6 34. ♘e6 ♔f6 35. ♘fd4 ♖f2 36. ♘c5 ♖f4∞) g5 34. ♖g1 (34. ♖h5?! h6 35. ♔b1 ♖f4 36. ♔c1 g4 37. ♖h4 h5! 38. ♔d2 ♔h6∓) ♔f6 35. ♘g4 (35. ♔b1?! h5∓) ♔g6 36. ♘ge5 ♔f6=] **♖f6 33. ♖c1?** [33. ♘d7! ♖d6 34. ♘c5∞; 33... ♖f5∞] h5 34. ♘ec6 ♘c6 35. ♘c6 [♖ 8/f6] g5! 36. b4 g4 37. b5 ♖f7?⊕ [37... g3! 38. ♖g1 h4 39. ♔a2! (39. ♘a7 ♖g6 40. ♘c8 h3 41. b6 h2 42. ♖b1 g2 43. b7 ♖a6#) ♖f7 40. ♔b3 ♔h6 41. ♔c4 ♔g5∓] **38. ♖g1 ♔h6 39. ♔a2 ♔g5 40. ♔b3 h4 41. ♘e5 ♖f4 42. ♘g4!□**

♖g4 43. ♖a1 h3 44. ♖a7 h2 45. ♖g7 ♔h6 46. ♖g4 h1♕ 47. ♖b4 1/2 : 1/2 [Gulko]

575.* **D 93**

LENSKIJ 2310 − ŠČEBENJUK
corr. 1989

1. d4 ♘f6 2. c4 g6 3. ♘c3 d5 4. ♘f3 ♗g7 5. ♗f4 0−0 6. e3 c5 7. dc5 ♕a5 [RR 7... ♘e4 8. ♖c1 ♘c3 9. bc3 dc4 10. ♕d8 ♖d8 11. ♗c4 ♘c6 12. e4!? N (12. ♘g5 − 46/ (638)) ♗d7 13. 0−0 ♖ac8 14. ♖fd1 ♗e8 15. ♖d8 ♘d8 16. ♗e3 b5! 17. ♗f1 ♘e6 18. ♘d4 ♘c5= Pintér 2550 − Illescas Cordoba 2525, León 1989; 15. e5!?] **8. ♖c1 ♘a6?! 9. cd5 ♘c5 10. ♕d2 ♗g4** [△ 10... ♕b6 − 44/581] **11. ♘e5 ♖ac8 12. f3** [12. ♘g4 ♘g4 △ 13. ♗e2? ♘f2! 14. ♔f2 ♗c3 △ ♘e4−+] **♗d7 13. e4! N** [13. ♗e2 − 42/(616)] **b5□** [13... ♘fe4 14. fe4 ♘e4 15. ♕e3+−; 13... ♘h5 14. ♘d7 ♘d7 15. ♗e3±] **14. ♘b5 ♕a2 15. ♗c4 ♕a4** [15... ♘b3 16. ♗b3 ♕b3 17. ♘d4 ♖c1 18. ♕c1 ♕b6 19. ♗e3±] **16. ♘d7 ♘fd7 17. ♕c2!±** [17. ♘d4?! ♘b6!∞] **♕a5** [17... ♕c2 18. ♖c2+−⊥; 17... ♕b4 18. ♗d2] **18. b4** [18. ♗d2 ♕b6∞] **♕b4 19. ♗d2 ♕b2 20. ♘a7 ♘d3** [20... ♖a8 21. ♘c6 ♕c2 22. ♖c2 ♖a1 23. ♖c1 ♖c1 24. ♗c1+−] **21. ♕d3 ♘e5 22. ♕b3 ♖c4 23. ♕b2 ♘d3 24. ♔e2 ♘b2 25. ♖c4 ♘c4 26. ♗b4+− ♖a8 27. ♘c6 ♖a2 28. ♔d3 ♘b2 29. ♔c2 1 : 0** [Lenskij]

---

576. **D 93**

SALOV 2630 − TIMMAN 2610
Amsterdam 1989

1. d4 d5 2. ♘f3 ♘f6 3. c4 c6 4. ♕c2 g6 5. ♗f4 ♗g7 6. e3 0−0 7. ♘c3 ♘a6 8. ♕b3 N [8. cd5 − 43/588] **♕a5 9. ♗e5** [×d5; 9. h3?! ♗f5! 10. ♗e2 ♘b4 11. 0−0 ♗c2 12. ♕a3 ♕a3 13. ba3 ♘d3!∓] **dc4 10. ♗c4 b5 11. ♗e2 ♗e6 12. ♕a3** [12. ♕c2 ♗f5!↑; 12. ♕d1 ♘e4!] **♕a3 13. ba3 ♘d5?!** [13... ♘b8 △ ♘bd7, a5, ♘b6=] **14. ♘d5 ♗d5 15. ♗g7 ♔g7 16. 0−0±**

♖ab8 17. ♖fc1 ♖fc8 18. a4 ♘c7 19. ♘e5?! [19. ab5 ♘b5 (19... cb5? 20. ♖c5±) 20. a4 (20. ♘e5 ♘a3!∞) ♘d6 21. ♗a6! ♖c7 22. ♘e5 ♖b6 23. ♗f1 ♖b2 24. f3 f5 25. ♘d3 ♖d2 26. ♘c5±] **ba4 20. ♘c6 ♗c6 21. ♖c6 ♘d5 22. ♖c5! ♖c5** [22... ♘c3 23. ♗a6! ♖c5 24. dc5 ♖b2 25. e4!+−] **23. dc5** [♖ 9/i] **♖b2 24. ♗c4 e6 25. ♖c1 ♔f6 26. g3** [26. ♗d5 ed5 27. c6 ♖b8 28. g3 (28. g4 ♔e6 29. ♖c5 ♔d6 30. ♖a5 ♖b4!=) ♔e6 29. ♖c5 ♖c8 30. ♔g2±] **♔e7 27. c6 ♔d8 28. e4** [28. ♗d5 ed5 29. ♖c5 ♔c7=] **♘f6 29. c7 ♔c7 30. e5 ♘d7□ 31. ♗e6 ♔d8 32. ♗f7 ♘e5 33. ♗g8 ♘g4 34. ♖c4 ♘f2 35. ♖a4 ♘h3= 36. ♔f1 ♖h2 37. ♖a7 ♘g5 38. a4 ♖d2** [38... ♘e4=] **39. a5 ♔c8?!** [39... ♖d7=] **40. a6 ♖d6 41. ♗c4± ♘e4 42. ♔g2 ♔b8! 43. ♖h7?** [43. ♖b7 ♔a8 44. ♖c7 ♖d2! 45. ♔f3 ♘d6 46. ♗f1±] **♖d2 44. ♔f3 ♘g5! 45. ♔e3 ♘h7 46. ♔d2 ♘f6 47. ♔e3 g5= 48. ♗e2 ♔a7 49. ♔f3** [49. ♔d4 g4!=] **♔b6 50. ♗f1 ♔a7 51. ♗d3 ♔b6 52. ♗c4 ♔a7 53. ♗b5 ♔b6 54. ♗e2 ♔a7 55. ♗f1 ♔b6 56. ♗d3 ♔a7 57. ♗c4 ♔b6 58. ♗b5 ♔a7 59. ♗e2 ♔b6 60. ♔e3 ♔a7 61. ♗c4 ♔b6 1/2 : 1/2** **[Salov]**

577.* **D 97**

G. GEORGADZE 2410
– ERMOLINSKIJ 2460
Simferopol' 1988

1. d4 ♘f6 2. c4 g6 3. ♘c3 d5 4. ♘f3 ♗g7 5. ♕b3 dc4 6. ♕c4 0–0 7. e4 [RR 7. ♗f4 c6 8. e4 a5!? N (8... ♗g4 – 42/(625)) 9. ♕b3 a4 10. ♕c2 ♗g4 11. ♖d1 ♕a5 12. ♗e2 ♘bd7 13. 0–0 ♖fe8 14. h3 ♗f3 15. ♗f3 e5 16. ♗e3 a3∓ Fauland 2450 – Bagirov 2460, Moskva (GMA) 1989] **a6 8. e5 ♘fd7 9. e6 fe6** [9... b5 10. ef7 ♖f7 11. ♕b3 c5 12. ♘g5 c4 13. ♘f7 ♔f7 14. ♕c2!? ♗d4 15. ♕e4±] **10. ♕e6 ♔h8 11. ♘g5 ♘c6** [11... ♕e8 12. ♕h3 ♘f6 13. ♕h4 e5 14. de5 ♕e5 15. ♗e3±; 11... ♘e5!?] **12. ♗e3!? N ♘c5** [12... ♘de5 13. ♕d5!? ♕d5 14. ♘d5 ♘f7 15. ♘c7 ♖b8 16. ♘ge6±; 12... ♘d4 13. ♗d4 ♗d4 14. ♘f7 ♖f7 15. ♕f7 ♘e5 16. ♕f4±] **13. ♘f7** [13. ♕c4! ♗d4 (13... ♘d4 14. 0-0-0!) 14. ♖d1 e5 15. ♕c5!±] **♖f7 14. ♕f7 ♘d4 15. ♗d4 ♗d4 16. ♗e2 e5 17. 0–0 ♗e6 18. ♕f3 ♕e7 19. ♖ad1 c6 20. ♕g3± ♗f5 21. ♔h1** [△ f4] **g5! 22. ♖fe1 ♖f8 23. ♗c4!? ♕g7 24. b4 ♘d7 25. ♘e2 ♗a7 26. f3** [△ ♖f1, ♕e1-c3±] **♘b6 27. ♗b3 ♘d7⊕ 28. ♖f1 h6 29. ♕e1 ♗g6 30. ♕c3 ♖e8 31. ♖d2 ♘f6 32. ♖fd1 ♗b6 33. a3 e4? 34. ♖d6!+− ef3 35. gf3 ♖e2** [35... ♘g4 36. ♖g6!+−] **36. ♕f6 ♕f6 37. ♖f6 ♔g7 38. ♖e6! ♖b2 39. ♖d7 ♔f8** [39... ♗f7 40. ♗c4!+−] **40. ♖g6 ♖b3 41. ♖h6 1 : 0** **[G. Georgadze]**

578.** **D 97**

G. FLEAR 2500 – J. PLACHETKA 2450
Paris 1989

1. d4 ♘f6 2. c4 g6 3. ♘c3 d5 4. ♘f3 ♗g7 5. ♕b3 dc4 6. ♕c4 0–0 7. e4 a6 8. ♗e2 b5 9. ♕b3 c5 [RR 9... ♗b7 10. e5 ♘d5 11. a4 N (11. 0–0 – 40/594) c5 *a)* 12. dc5 ♘d7! 13. c6! (13. ♘d5 ♘c5 14. ♘e7 ♕e7∓) ♗c6 14. ♘d5 ♘c5 15. ♕c2 ♕d5 16. ♗e3 ♘e6□ 17. 0–0 (1/2 : 1/2 Sideif-zade 2395 – Huzman 2465, Baku 1988) ♖ac8 18. ♖fd1 ♕e4 19. ♕e4 ♗e4 20. ab5 ab5 21. ♗b5 ♗f3 22. gf3 ♗e5 23. ♗d7 ♖b8=; *b)* 12. ab5 cd4 13. ba6 dc3 14. ♕b7 ♘a6 *b1)* 15. bc3 ♘c5 16. ♖a8 ♕a8 17. ♕a8 ♖a8∓; *b2)* 15. ♗a6 (Oll 2510 – Huzman 2480, Moskva (GMA) 1989) ♖b8 16. ♕c6 cb2 17. ♗b2 ♖b2= Huzman, Vajnerman] **10. dc5 ♗e6** [10... ♗b7 – 45/577] **11. ♕c2 ♕c7 12. b4!? N** [12. ♗e3 ♘bd7!? (12... ♘g4 13. ♘d5! ♗d5 14. ed5 ♘e3 15. fe3±) 13. ♖c1! (13. 0–0 ♘g4=) ♘g4 (13... ♘c5? 14. ♘d1+−) *a)* 14. ♘d5 ♗d5 15. ed5 ♘e3 16. fe3 ♗h6!? (16... ♘f6 17. e4 ♘g4∞) 17. ♕c3 ♘f6 18. d6 (18. ♕d4 ♖fd8! △ 19. d6? ♖d6∓) ♕d8 19. ♖d1 ♖c8∞; *b)* 14. b4 ♘e3 15. fe3 ♗h6 16. ♕d2 (16. ♘d1 a5!) ♘f6 17. ♘d4 ♖ad8! △ 18... ♖d4! 19. ♕d4 ♖d8; 12. ♘d4!? ♗c4∞ G. Flear; RR 13. ♗c4 (13. b4? e5! 14. ♘b3 ♘c6 15. a3 ♘d4−+) bc4=; 12. ♘d5?! ♘d5 13. ed5 ♗d5 14. 0–0 ♘c6!∓ Mark Cejtlin, Ščebenjuk]

♘e4□ 13. ♗b2 ♘c3 14. ♗c3 ♗f5! [14...
♘c6 15. ♗g7 ♔g7 16. ♕c3 △ 0−0±≪]
15. ♕b2 ♗c3 16. ♕c3 ♘c6 17. 0−0 [17.
a4 ♕f4! ×b4] a5!= 18. a3 ab4 19. ab4
♕f4 20. ♖a8 ♖a8 21. ♗b5 ♕b4 22. ♕b4
♘b4 23. ♘d4 ♗d3 24. ♗d3 ♘d3 25. c6
♖c8 26. f4!= [26. ♖d1 ♘b4 27. ♖c1 e5∓]
♘f4 27. ♖f4 e5 28. ♘f5!? gf5 29. ♖f5
♖c6 30. ♖e5   1/2 : 1/2   [J. Plachetka]

579.***   D 97

BAREEV 2555 − SMEJKAL 2515
Trnava 1989

1. d4 ♘f6 2. c4 g6 3. ♘c3 d5 4. ♘f3 ♗g7
5. ♕b3 dc4 6. ♕c4 0−0 7. e4 a6 8. ♕b3
c5 9. dc5 ♕a5 [RR 9... ♘bd7 10. c6 bc6
11. ♗e2 ♕c7 12. 0−0 c5!? N (12... ♖b8
− 42/621) 13. ♗g5 (13. ♘d2!? △ ♘c4,
♗g5) ♗b7 14. ♕c2 e6 15. ♖fd1 c4! 16.
♗h4 ♘h5 17. ♗g3 (17. ♗e7?! ♖fc8 18.
♗d6 ♕c6∓ Rom. Hernández 2430 −
Alonso 2325, Cuba 1988) ♘g3 18. hg3∞;
15. ♘d2! Alonso] 10. ♕b6 ♕b6 11. cb6
♘bd7 12. h3 [RR 12. e5 ♘g4 13. e6 ♘b6
14. ef7 ♖f7 15. h3 ♘f6 16. ♘g5 ♖f8 17.
♗e3 ♘fd5 18. ♘d5 ♘d5 19. ♗c4 e6 20.
0-0-0 ♘e3 N (20... ♖f5 − 44/587) 21. fe3
♗h6 22. ♘e6 ♗e6 23. ♗e6 ♔h8 24. ♔b1
♗e3 25. ♗d5 1/2 : 1/2 J. Piket 2495 −
Gulko 2590, Amsterdam II 1988] ♘b6 13.
♗e3 ♘bd7 14. a4 N [RR 14. ♗d3 e5 15.
♔e2 b5 16. a3 ♗b7 17. ♖ac1 ♖ac8 18.
b4 ♖c7 19. ♘d2 ♖fc8 20. ♘a2 ♘h5 21.
g3 f5= Winants 2465 − Krnić 2400, Wijk
aan Zee II 1988] b6 15. ♘d2 [15. ♗c4
♗b7 16. e5 ♘e4 17. ♘e4 ♗e4 18. e6 ♗b2
19. ♖a2 (19. ♖d1 ♘e5=) ♘e5! 20. ♘e5
♗e5 21. f3 ♖fc8 22. ef7 ♔g7=] ♗b7 16.
f3? [16. ♗e2 ♘c5 17. f3 ♘fd7=] ♘h5!
17. ♗c4 [17. ♔f2 ♗e5 △ ♗g3, ♘f4∓]
b5! 18. ♗d5 [18. ab5 ab5 19. ♖a8 ♖a8
20. ♗b5 ♗c3!−+] ♗d5 19. ♘d5 e6 20.
♘c3 [20. ♘e7 ♔h8 21. g4 ♗b2 22. ♖a2
♗f6−+; 20. ♘c7 ♖ac8 21. ♘a6 ♗b2 22.
♖b1 ba4−+] ♘e5−+ 21. 0−0 ♘d3 [21...
♘g3 22. ♖fb1 b4 23. ♘d1 ♘d3] 22. ab5
♘b2 [22... ♘g3 23. ♖a6 ♘f1 24. ♔f1
♘b2 25. ♘a2 ♖ab8 26. b6 ♖fd8 27. ♔e2

♗d4 28. ♘b4 ♗e3 29. ♔e3 ♖d6−+] 23.
♘e2 [23. ♘a4 ♘a4 24. ♖a4 ab5 25. ♖b4
♖a3!−+] ab5 24. ♖a8 ♖a8 25. ♖b1 ♘c4?
[25... ♖a3!−+] 26. ♘c4 bc4 27. ♔f2 ♘f6
28. ♖b7! ♘e8 29. ♖b6! [△ ♖c6 ×e8] ♖c8
30. ♔e1!∓ h5?! 31. ♔d2 ♗e5 32. ♗d4⊕
♗c7⊕ 33. ♖a6 ♘d6 34. ♘c3! ♘b7 35.
♔c2 ♗f4 [35... ♘a5? 36. ♗f6] 36. ♖a4
♘d6 37. ♖b4! [△ ♘e2] ♘e8 38. ♘b5 [△
♘a7] ♖b8 39. ♔c3 ♗g3 40. ♔c4 ♘d6
41. ♘d6 ♖b4   1/2 : 1/2   [Bareev]

580.****   D 97

ÉJNGORN 2570 − GAVRIKOV 2535
Tallinn 1989

1. d4 ♘f6 2. c4 g6 3. ♘c3 d5 4. ♘f3 ♗g7
5. ♕b3 dc4 6. ♕c4 0−0 7. e4 ♘a6 8.
♗f4 [RR 8. e5?! N ♘d7 9. e6 ♘b6! 10.
ef7 ♔h8 11. ♕b3 c5 12. dc5 ♘c5 13. ♕b5
♘ca4! 14. ♗d2 ♗d7 15. ♕b3 ♖c8∓ Bron-
štejn 2455 − Jaśnikowski 2425, Polanica
Zdrój 1988] c5 9. dc5 ♕a5 [RR 9...
♗e6!? N 10. ♕b5 ♗d7 11. ♕b7 ♘c5 12.
♕b4 a) 12... ♘e6 13. ♗e5 a5 14. ♕a3
a1) 14... ♗c6? 15. ♗c4! ♘e4 (15... ♕c8
16. 0−0! ♗e4 17. ♗e6 ♕e6 18. ♘e4 ♘e4
19. ♗g7 ♔g7 20. ♖ae1± J. Piket 2500 −
I. Sokolov 2580, Wijk aan Zee 1989) 16.
♗e6 fe6 (16... ♗e5 17. ♘e4) 17. ♘e4 (17.
♗g7 ♖f3!∞) ♗e4 18. ♗g7 ♔g7 19. ♘g5
♕d5 20. ♕e3±; a2) 14... ♕b6! (△ ♘g4)
15. ♘d5 (15. h3 ♘e4? 16. ♘e4 ♗e5 17.
♘e5 ♕d4 18. ♘d7 ♕e4 19. ♗e2; 15...
♗c6) ♘d5 16. ed5 ♘g5 (16... ♘f4!? 17.
♗f4 ♗b2 18. ♖b1 ♗c3 19. ♕c3 ♕b1 20.
♕c1 ♕a2 21. ♗c4 ♕a4 △ ♖fc8) 17. ♗g7
♘f3 18. ♕f3 ♔g7 19. ♕c3 ♔g8 △ ♖fc8∞∞
I. Sokolov; b) 12... ♖c8 13. e5! a5 14.
♕a3 ♘fe4 15. ♘e4 ♘e4 16. ♗e2 ♕b6
17. 0−0± Krasenkov 2525 − A. Mihal'či-
šin 2475, Moskva (GMA) 1989] 10. e5!
♘d7 [10... ♗e6 11. ef6? ♗f6→; 11.
♕b5±] 11. a3! N ♕c5 12. ♘d5 ♖e8?!
[12... e6; 12... ♘b6!? 13. ♕c5 ♘c5 14.
♘e7 ♔h8∞∞] 13. ♖d1± h6 14. h3 [14.
♕c5 ♘dc5 15. ♗e3 ♗g4! 16. ♗c5 ♘c5
17. ♘c7 ♗f3 18. gf3 ♗e5∞∞] g5?! [14...
♕c4 15. ♗c4 ♘b6 16. ♘b6 ab6 17. 0−0±

Ėjngorn 2570 – Ftáčnik 2550, Debrecen 1989] **15. ♕c5! ♘dc5 16. ♗e3+– e6 17. ♘f6 ♗f6 18. ef6 ♘e4 19. h4 ♘f6** [19... g4 20. ♘e5] **20. hg5 ♘g4** [20... hg5 21. ♗b5] **21. gh6 ♘e3 22. fe3 f6 23. g4→ ♘c5 24. g5 ♔f7 25. b4 ♘e4 26. g6 ♔g6 27. ♗d3 f5 28. ♗e4 fe4 29. h7 ♖h8 30. ♘e5 ♔f6 31. ♖h5 a5 32. b5 b6 33. ♔e2 ♖h7 34. ♖f1** [34... ♔g7 35. ♖f7] **1 : 0 [Ėjngorn]**

581.** **D 97**

LËGKIJ 2420 – ŠTOHL 2455
Vrnjačka Banja 1989

1. d4 ♘f6 2. c4 g6 3. ♘c3 d5 4. ♘f3 ♗g7 5. ♕b3 dc4 6. ♕c4 0–0 7. e4 ♘a6 8. ♕b3 c5 9. d5 e6 10. ♗a6 ba6 11. 0–0 ed5 12. ed5 ♗f5?! [12... ♕b6 – 45/(580); 12... ♖e8!? *a)* 13. ♗e3!? ♗g4 (13... ♕d6 14. ♕c4±) 14. ♗c5 ♖b8∞⇆; *b)* 13. ♗f4 ♘h5 14. ♗e3 ♗g4 15. ♘d2 ♖b8 16. ♕c4 (16. ♕a3 ♗d4 17. ♘c4 ♘f6) ♖b4 17. ♕c5 ♖b2 18. ♖ac1 *b1)* 18... ♕b8 19. d6 ♖c8 20. ♕g5 ♗e6 21. ♘ce4 f5 22. ♗a7!± Lëgkij 2420 – Ilinčić 2430, Vrnjačka Banja 1989; *b2)* 18... ♖b7!? 19. h3 ♖c7 20. ♕a3 ♗c8 21. ♘de4 ♖c4⇆] **13. ♗f4! N** [13. ♖d1 ♖b8 14. ♕c4 ♕b6; 13. ♕c4 ♕b6 14. ♗f4 ♕b4] **♗d3** [13... ♘e4 14. ♕c4 ♖e8 15. ♖fe1 ♘c3 16. bc3±; 13... ♕b6 14. ♖fd1 *a)* 14... ♘e4 15. ♗e5!⩲; *b)* RR 14... c4!? 15. ♕c4 ♕b2 16. ♗e5 ♘g4 17. ♗d4 ♘f2 18. ♗f2 ♖fc8 19. ♕a6 ♕c3 20. d6 ♖c6 21. ♕b7 ♖d8 22. ♗g3 ♖d7∞ G. Flear 2500 – Nen. Ristić 2465, Dortmund II 1989] **14. ♖fd1 c4 15. ♕b7 ♕c8** [15... ♕b6 16. ♕b6 ab6 17. ♘e5 ♗c2 (17... ♘h5 18. ♘d3 cd3 19. ♗e3) 18. ♖d2 ♘h5 19. ♖c2 ♘f4 20. ♘d7 (20. ♘c4 ♗c3) ♖fd8 21. ♘b6 ♖ab8 22. ♘c4 *a)* 22... ♖bc8 23. ♘b6! (23. ♘e3 ♘d5! 24. ♘ed5 ♖d5 25. ♖ac1 ♖dc5=∞) ♖b8 24. ♘ba4 ♘d5 25. ♘d5 ♖d5 26. ♖ac1 △ b3±⊥; *b)* 22... ♗c3 23. bc3 ♘d5 24. ♖ac1 ♖bc8 25. ♘b2±; 15... ♘h5!? 16. ♗e5 f6 17. ♗d4 ♖b8 18. ♕a6 ♖b2 19. ♕a7 ♘f4=∞; 17. ♗c7!?] **16. ♕c8 ♖ac8 17. ♘e5 ♘h5** [17... ♗c2 18. ♖d2 ♘h5 19. ♘c6! (19. ♖c2 ♘f4 20. ♘c6=) ♖fe8 20. ♗d6±] **18. ♘d3 cd3 19. ♗g5!±** [19. ♗e3 ♗c3 20. bc3 ♖c3 21. g4 (21. ♗d4 ♖c4 22. ♖d3? ♘f4 △ ♖d4–+) ♘g7 22. ♗d4 ♖c4 23. ♖d3 ♖d8 24. ♖b1 h5∞] **♗c3□** [19... f6 20. ♗e3] **20. bc3 ♖c3** [20... f6 21. ♗h6 ♖fd8 22. g4! (22. ♖d3 g5∞ ×♗h6) g5 (22... ♘g7 23. ♖d3+–) 23. gh5 ♖c3 24. h4±] **21. ♗e7?!** [21. g4 ♘g7 *a)* 22. ♗e7 ♖b8 23. d6 ♖b7 24. ♗f6 (24. ♖ab1 ♖b1 25. ♖b1 d2 26. ♗g5 ♖d3=) ♖c8 25. ♖d3 ♖d7 △ ♘e8, f6=; *b)* 22. ♗f6!? ♖c7 (22... ♖c4? 23. d6 ♖g4 24. ♔f1 ♘e8 25. ♗e5! f6 26. d7 ♘g7 27. ♖d3 ♘e6 28. ♗c7 ♘d8 29. ♖e1 ♔f7 30. ♖e8+–) 23. ♖d3±⊥] **♖b8 22. d6 ♖b7 23. ♔f1** [23. g4!? ♘f4 24. ♗f6 ♖c8□ (24... ♖c4 25. ♖ab1+–) 25. ♗e5 ♘e6 (25... g5 26. ♗f4 gf4 27. ♖d3± ×f4) 26. ♖d3 g5! △ h6, ♔h7-g6⩲] **f5!= 24. ♖ab1 ♖b1 25. ♖b1 ♔f7 26. ♔e1 ♘f6** [26... ♘f4? 27. ♗g5] **27. ♗f6** [27. ♖b7 ♘e4 28. ♗g5 ♔e6 29. d7 d2 30. ♗d2 ♖d3∓] **♔f6 28. ♔d2 ♖c2** [29. ♔d3 ♖c6 30. ♖b7 ♖d6 31. ♔e3 ♖e6 32. ♔d3 ♖e7 33. ♖e7=; 28... ♖c6 29. ♖b7] **1/2 : 1/2 [Štohl]**

582.*** **D 97**

NAUMKIN 2435 – HENKIN 2415
Moskva II 1989

1. d4 ♘f6 2. c4 g6 3. ♘c3 d5 4. ♘f3 ♗g7 5. ♕b3 dc4 6. ♕c4 0–0 7. e4 ♘a6 8. ♗e2 c5 9. d5 e6 10. 0–0 [RR 10. ♗g5 ed5 11. ♘d5 ♕a5 N (11... ♗e6 – 45/581) 12. ♗d2 ♕d8 13. ♗g5 ♕a5 14. ♗d2 ♕d8 15. ♘f6 ♗f6 16. e5 ♗g7 17. ♗c3 ♗e6 18. ♕b5 ♕e7 19. 0–0 ♘c7 20. ♕a4 ♗d7 21. ♕c2 ♗c6= I. Faragó 2480 – Dorfman 2540, Budapest 1988] **ed5 11. ed5 b6!?** [RR 11... ♖e8 12. ♗f4 ♗f5 13. ♖ad1 ♘e4 14. ♗d3 ♗c3 15. bc3 b5 16. ♕b5 ♘c3 17. ♕a6 ♗d3 18. ♕d3 ♘e2 19. ♔h1 ♘f4 20. ♕c4 ♕d6 *a)* 21. ♖fe1? ♖e1 22. ♘e1 (22. ♖e1 ♘d5 23. ♖d1 ♘b6 24. ♕f7 ♔f7 25. ♖d6 ♔e7∓) ♖b8! 23. a3 (23. ♘c2 ♕d5!–+; 23. g3 ♖b4!∓; 23. ♘d3 ♘d3 24. ♕d3 ♖b2∓) ♖b2 24. f3□ ♕e5∓ M. Gurevič 2630 – Kasparov 2760, SSSR (ch) 1988; *b)* 21. g3 ♘h5 22. ♖fe1 (22. ♘d2 ♘f6 23. ♘b3 ♖ac8∓) ♘f6 23. ♖e8 ♖e8 24. ♖c1 ♖c8 25. ♖d1 ♖b8∓; *c)* 21. ♘d2 ♘d5 22. ♘e4 (22. ♘b3 ♖ad8∓) ♕f4 23. ♕c5 ♖e4 24. ♕d5 ♖ae8= Kasparov] **12. ♘e5 N** [12. ♗g5?! h6!; RR 12. ♖d1 ♘b4 13. a3 ♗a6 14. ♕b3 ♗e2 15. ♘e2 ♘bd5 16. ♘f4 c4 17. ♕c4 ♕c7 18. ♕c7 ♘c7= Tukmakov 2590 – Čiburdanidze 2555, Biel 1988] **♘b4□ 13. ♘c6 ♘c6 14. dc6 ♗e6 15. ♕a4 ♕d4!∓** [15... ♘d5?! 16. ♖d1 △ ♗f3±] **16. ♕d4** [16. ♕a6 ♕h4!↑⟫] **cd4 17. ♘b5 ♘d5! 18. ♗d2** [18. ♖d1? ♘b4∓] **a6 19. ♘d6 ♖fd8 20. ♘b7!** [20. ♘e4? ♖dc8∓ ×c6] **♖dc8 21. ♖ac1** [21. ♖fc1? d3!–+] **♖c7** [21... ♘e7!? 22. ♗f3 ♗d5 (22... ♗a2 23. c7!? ♖a7! 24. ♖fe1 ♗e6 25. ♗f4⩱) 23. ♗d5 ♘d5∓] **22. a4!** [△ b4-b5] **♗f8 23. ♖fd1 ♖ac8** [23... ♗e7!? 24. ♗h6 ♖ac8 △ 25. ♖d4 ♖c6 26. ♖c6 ♖c6 27. ♗a6 g5!? ×♗h6, ♘b7] **24. ♗a6 ♖c6 25. ♖c6 ♖c6 26. ♘d8 ♖c2 27. ♘e6 fe6 28. ♗c1!□** [28. b3?! ♘c3∓] **♘b4 29. ♗b5 ♗c5?!** [29... ♘a2 30. ♗f4 ♖b2 (30... ♗c5 31. ♖d2 ♖c1 32. ♗f1) 31. ♖d4 ♖b1 32. ♗f1 ♘c3 33. ♖d2 ♘a4 34. g3∓ ⊞] **30. b3 ♘a2** [30... d3? 31. ♗d2; 30... e5 31. ♗d2] **31. ♗h6 ♘c3 32. ♗d3! ♖b2□ 33. ♖e1 ♔f7 34. g4?!⊕** [34. ♗c4 d3? 35. ♖e6!!; 34... ♘d5=] **♖b3 35. ♗c4 ♖b1 36. ♗e6 ♔f6 37. ♖b1 ♘b1 38. ♗c4! ♘c3 39. ♗b3 d3 40. ♔f1 g5 41. h4!** [41. f4? d2 42. fg5 ♔e7! 43. g6 d1♕ 44. ♗d1 ♘d1 45. gh7 ♗d4!] **gh4 42. ♗c4 ♘e4! 43. ♗d3** [43. f3? ♘f2!∓] **♘f2 44. ♗h7!** [44. g5? ♔e7! 45. ♗h7 h3 46. ♔g1 ♘g4∓] **♘g4 45. ♗f4= h3 46. ♗e4 ♗d4 47. ♗c7 ♘e3 48. ♔e2 ♘f5 49. ♔f3 ♗e5 50. ♗b6 h2 51. ♔g2 ♘g3 52. ♔h2 ♘e4 53. ♔g2 1/2 : 1/2** [Naumkin]

583. D 97

VLADIMIROV 2550
– P. POPOVIĆ 2535
Moskva (GMA) 1989

1. d4 ♘f6 2. c4 g6 3. ♘c3 d5 4. ♘f3 ♗g7 5. ♕b3 dc4 6. ♕c4 0–0 7. e4 ♘a6 8. ♗e2 c5 9. d5 e6 10. 0–0 ed5 11. ed5 ♗f5 12. ♗f4 ♕b6 13. ♗e5 ♖ad8 14. d6 N [14. ♖ad1 – 44/590] **♕b4! 15. ♖ad1 ♕c4 16. ♗c4 ♘b4** [16... ♘e4 17. ♗g7 ♔g7 18. ♘e4 ♗e4 19. ♖fe1 ♗f3 20. gf3±] **17. h3 a6** [17... ♘e4? 18. g4! (18. ♗g7 ♔g7 19. g4 ♘d6∞) ♘c3 19. bc3 ♗e4 20. ♗g7+–] **18. a3 ♘c6 19. g4 ♗d7** [19... ♗e6 20. ♗e6 fe6 21. ♖fe1 ♘g4 22. hg4 ♖f3 23. ♗g7 ♔g7 24. ♘e4 ♖f4 (24... ♘d4 25. ♘c5 ♖d6 26. ♖d4+–) 25. ♘c5 ♖g4 26. ♔f1±] **20. ♖fe1⩲ b5?!** [×⟪] **21. ♗d5! ♘e5** [21... b4 22. ab4 cb4 23. ♗f6! ♗f6 24. ♘a4 △ ♘c5±; RR 21... ♖fe8! Andrianov] **22. ♘e5 b4 23. ♘d7!** [23. ♘e4 ♘e4 24. ♖e4 (24. ♘d7 ♘f2!=) ♗e5! 25. ♖e5 ba3 26. ba3 ♗a4=] **♘d7** [23... bc3 24. ♘f8 c2 25. ♖d2 ♘d5 26. ♖d5 ♗b2 27. ♖c5 c1♕ 28. ♖cc1 ♗c1 29. ♖c1 ♔f8 30. ♖c6±; 23... ♖d7 24. ♘a4 *a)* 24... ♖fd8 25. ♘c5 ♖d6 26. ♘b7 ♘d5 27. ♘d8 ♖d8 28. ♖d3 ♗b2 29. ab4 △ ♖ed1+–; *b)* RR 24... ♘d5 25. ♖d5 ♖fd8 (25... ba3? 26. ♘c5!) 26. ♘c5 (26. ♖ed1 ♗d4 △ 27. ab4? ♖d6 28. ♖d6 ♖d6; 26. ab4 cb4 27. ♖ed1 ♗f8) ♖d6 27. ♖d6 ♖d6 28. ♖e8 (28. ab4 ♗b2=) ♗f8 29. ab4 ♔g7⩱ Andrianov] **24. ab4 cb4 25. ♘a4± ♗f6 26. ♖e4 a5 27. ♗c6 ♘e5 28. ♗b5 ♖b8 29. ♖d5 ♘f3 30. ♔g2 ♘g5 31. ♖c4 ♘e6 32. d7 g5 33. ♔f1 ♔g7 34. ♗c6 ♗d8 35. ♖f5 b3 36. ♗d5 ♘f4 37. ♖c8 ♗f6⊕ 38. ♖f8 ♖f8** [38... ♔f8 39. ♖f6 ♘d5 40. ♖d6+–] **39. ♗b3 ♖d8 40. ♘c5 ♖b8 41. ♘e4 ♗b2** [41... ♖b3 42. ♖f6 ♖b8 43. ♖d6 ♘e6 44. ♘g5+–] **42. ♖f7 ♔g6 43. ♘d6 1 : 0** **[Vladimirov]**

584. D 99

EHLVEST 2600 – ERNST 2460
Tallinn 1989

1. d4 ♘f6 2. ♘f3 g6 3. c4 ♗g7 4. ♘c3 d5 5. ♕b3 dc4 6. ♕c4 0–0 7. e4 ♗g4 8. ♗e3 ♘fd7 9. ♕b3 ♘b6 10. ♖d1 ♘c6 11. d5 ♘e5 12. ♗e2 ♘f3 13. gf3 ♗h5 14. a4!? ♕d7 N [14... ♕c8 15. ♘b5 ♕h3∞]

15. ♖g1 [15. a5 ♘c8 16. ♕b7 ♘d6 17. ♕c6 ♕h3 △ f5⇆] **♕h3!∞** [15... ♗c3 16. bc3 ♕a4 17. ♕a4 ♘a4 18. ♔d2∞] **16. f4!? ♕h2 17. ♔d2 ♗e2** [17... ♗c3 18. bc3 ♗e2 19. ♔e2 ♕h5 20. ♔d3 ♖ab8 21. ♖b1 ♘d7 22. ♕d1∞] **18. ♘e2 c6 19. a5 ♘d7 20. ♘g3 cd5 21. ♖h1 ♕g2 22. ♔e2! de4□ 23. ♖d7 e5! 24. f5! ♕f3?⊕** [24... gf5 25. ♗c5 f4 26. ♗f8 ♖f8 27. ♖f1 ♗h6!!∞ △ 28. ♖h1 ♗g7=] **25. ♔e1 gf5 26. ♖g1 f4** [26... ♖ac8 27. ♕d1+−; 26... ♖ad8 27. ♕d5 ♖d7 28. ♕d7 f4 29. ♘f5 fe3 30. fe3+−] **27. ♘f5 fe3 28. ♕e3! ♕f5 29. ♕h6 ♕g6□ 30. ♖g6 hg6 31. ♕h4!** [✕⇔a7-h7] **b6 32. a6 e3 33. fe3 e4 34. b3+− b5 35. ♔e2 ♗c3 36. ♕e7 ♗a5 37. ♖a7 ♖ae8 38. ♕a3 ♗c3 39. ♕c5 b4 40. ♖e7 ♖c8 41. ♕d5 1 : 0**   [Ehlvest]

E

585.* E 00

RAZUVAEV 2550 – G. DIZDAR 2505
New York 1989

1. d4 ♘f6 2. c4 e6 3. g3 ♗b4 4. ♗d2 c5 5. ♗g2 ♘c6?! N [⌓ 5... 0–0; 5... ♗d2 – 41/558; RR 5... ♕b6 N 6. d5 (6. ♘f3 – E 11) ed5 7. cd5 d6 (7... 0–0 8. ♘h3!?) 8. ♘c3 0–0 9. ♘f3 ♗g4 10. 0–0 ♖e8 (Razuvaev 2525 – Ken'gis 2470, SSSR 1988) 11. h3 ♗f3 12. ♗f3 ♘bd7± Ken'gis] **6. ♗b4 cb4** [6... ♘b4 7. d5±] **7. d5 ♘e5** [7... ed5 8. cd5 ♘e5 9. ♕d4±] **8. de6 fe6** [8... de6 9. ♕a4±] **9. ♘d2 0–0 10. ♘gf3 ♘f7!** [10... ♘f3 11. ♘f3± ×d6, ⚯] **11. 0–0?!** [11. ♘d4!?±] **b6 12. ♕b3 a5 13. ♘d4 ♖b8 14. a3 ba3 15. ♖a3 ♗a6 16. ♕c2! ♕e7 17. ♖c1 ♖fc8 18. ♖c3 ♘d6! 19. e3 ♖c7 20. ♕b3** [20. h3!? △ 20... ♖bc8 21. ♕b3±] **♖cc8□ 21. ♕a3 ♕f8 22. c5! bc5 23. ♖c5 ♖c5 24. ♖c5 ♘b5 25. ♘b5 ♗b5** [25... ♖b5 26. ♖b5 ♕a3 27. ba3 ♗b5 28. e4 d6 29. ♗f1 ♗c6 30. f3±] **26. h3 a4 27. ♕c3 ♕d6?⊕** [27... ♕d8±] **28. e4! ♘e8 29. e5 ♕b6 30. ♖c8 ♗a6?!** [30... ♖c8 31. ♕c8 ♔f7 32. ♘e4±↑] **31. ♖b8 ♕b8 32. ♕d4!+– ♗b5 33. ♘e4 ♗c6 34. ♘c5 ♗b5 35. ♘d7 ♗d7 36. ♕d7 ♘c7 37. ♗c6 h6 38. ♔g2 ♕b6 39. ♕d8 ♔f7 40. ♗e8 1 : 0**
[Razuvaev]

586.** E 04

KIR. GEORGIEV 2590 – ANAND 2525
Wijk aan Zee 1989

1. d4 ♘f6 2. c4 e6 3. g3 d5 [RR 3... ♗b4 4. ♘d2 d5 5. ♗g2 0–0 6. ♘f3 dc4 7. 0–0 c3 8. ♘c4 ♘c6 N (8... cb2 9. ♗b2 ♘c6 – 39/(587); 9... ♗e7!?) 9. ♕b3 cb2 10. ♗b2$\overline{\overline{\infty}}$ ♗e7 11. ♖fd1 ♖b8 12. ♘fe5! ♗d7 13. ♘d7 ♘d7 (13... ♕d7 14. ♘e5±) 14. ♗c6! bc6 15. ♕c2 (△ ♘a5, ×c6) ♖b5! 16. a4 ♖h5 17. ♕e4 (D. Gurevich 2480 – P. Székely 2420, Moskva (GMA) 1989) ♕a8!± D. Gurevich] **4. ♗g2 dc4 5. ♘f3 ♗d7 6. ♘e5 ♗c6 7. ♘c6 ♘c6 8. 0–0 ♕d7 9. e3 ♖b8 10. ♕e2 b5 11. a4** [RR 11. b3 cb3 12. ab3 ♖b6 13. ♖d1!? N (13. ♗b2 – 46/648) *a)* 13... ♗b4? 14. ♗b2 (△ d5) 0–0 (14... ♘a5?! 15. ♗c3!±) 15. d5! ed5□ 16. ♗f6 gf6 17. ♖d5 ♕e6 18. ♕h5! ±→ Glejzerov 2400 – Cs. Horváth 2445, Budapest (open) 1989; *b)* 13... ♗e7?! 14. d5! ed5 15. ♘c3 a6 16. e4! d4 17. e5±; *c)* 13... a6!? Glejzerov, Samarin] **a6 12. ab5 ab5 13. b3 cb3 14. ♘d2 ♗e7 15. ♘b3 0–0 16. ♗d2! N** [16. ♗b2 – 45/(592)] **♖fc8 17. ♖fc1 ♘d5 18. ♘c5?** [18. h4!± △ h5-h6, △ 18... ♘cb4 19. ♖a5] **♗c5 19. ♖c5 ♘ce7= 20. ♖a7 ♘c6 21. ♖a6 ♘ce7 22. h4?!** [22. ♖a7=] **c6 23. h5 h6 24. e4 ♘b6 25. ♕g4 ♔h8 26. ♖c1 ♘c4 27. ♗c3 f5!∓ 28. ♕e2** [28. ♕f4 fe4 29. d5 ♘d5! 30. ♕h6 ♔g8 31. ♗g7 ♕g7 32. ♕e6 ♕f7 33. ♖c6∓] **fe4 29. ♗e4 ♘d5 30. ♗b1 ♖a8 31. ♖a8 ♖a8 32. ♗e1 ♘f6 33. ♖d1 ♕d5 34. ♗g6 ♘d6?! 35. ♕e5! ♘c4□ 36. ♕e2 ♖d8! 37. ♖d3 ♘d6 38. ♗b4** [38. ♕e5 ♘f5∓] **♘f5 39. ♗c5 ♘e4!∓ 40. ♗f5?!** [40. ♗b6 ♖a8∓] **ef5–+ 41. ♗b6 ♖a8 42. ♕f1 ♖a2 43. f4 b4 44. ♕e1 ♘f6 0 : 1**
[Anand]

587.*** E 04

R. SIMIĆ 2485 – KRASENKOV 2525
Ptuj 1989

1. c4 ♘f6 2. g3 e6 3. ♘f3 d5 4. d4 dc4 5. ♗g2 ♘c6 6. 0–0 [RR 6. ♕a4 ♘d7 7.

♕c4 ♘b6 8. ♕d3 e5 9. ♘e5 ♘b4 *a)* 10. ♕b3 N ♗e6 11. ♕d1 ♕d4 12. ♕d4 ♘c2 13. ♔d1 ♘d4 14. ♗b7 ♖d8 15. ♘d2 f6 16. ♘c6 ♘c6 17. ♗c6 ♔f7 △ ♗c5∞̄ Krasenkov 2525 – Gol'din 2535, Moskva (GMA) 1989; *b)* 10. ♕c3 ♕d4 11. 0–0 ♕c3 12. ♘c3 f6 13. ♘f3 c6 N (13... ♗d7 – 45/(596)) *b1)* 14. a3 ♘4d5 15. ♘d5 ♘d5 16. ♘d4 ♗c5!? 17. ♖d1 0–0 (Dohojan 2575 – Gel'fand 2585, Klajpeda 1988) 18. ♘c6!? bc6 19. ♖d5 cd5 20. ♗d5 ♗e6∞; *b2)* 14. ♗d2! ♗g4 (14... ♘c4!? 15. ♗f4 ♘b2 16. ♘d2 g5 17. ♗c7 ♗e6 18. ♖ab1 ♘c4 19. ♘c4 ♗c4 20. a3 ♘d5 21. ♖b7!∞) 15. h3 ♗d7 16. ♖fc1! ♔f7 17. a3 ♘4d5 18. ♘e4 ♖e8 19. ♘d4! ♗h3!? (19... ♗c8 20. b4 a6 21. ♘c5 ♗d6 22. ♖ab1!± Smirin 2490 – Kišnëv 2375, SSSR 1989) 20. ♘f6! ♔f6□ 21. ♗h3 c5 22. ♘b5 ♖e2 23. ♖d1∞̄↑ Dohojan] **♖b8 7. a4 a6!? 8. ♗g5 N** [8. a5 – 30/(503)] **♗e7 9. ♘c3 0–0** [9... b5 10. ab5 ab5 11. ♘b5!? ♖b5 12. ♕a4 ♖b4 13. ♕c6 ♗d7 14. ♕a6 ♖b2 15. ♕c4 0–0∞] **10. e4 b5 11. ab5 ab5 12. ♖e1∞̄ ♘b4!?** [12... ♗d7] **13. b3! ♘d3?!** [13... c5! 14. bc4 bc4 15. d5! (△ d6!) ed5 16. e5∞̄] **14. ♖e2± ♗d7** [14... c5?! 15. ♘b5! ♖b5 16. bc4 ♘b2 17. ♕b1! ♖b4 18. ♖b2 ♖b2 19. ♕b2 ♘e4 20. ♗e7 ♕e7 21. ♖a8±] **15. bc4 bc4 16. ♘e5 ♗b5!** [16... ♘e5 17. de5 ♘e8□ (17... ♘g4?! 18. ♗f4 △ ♖d2+–) 18. ♗e3± ×♘e8; 16... ♗e8 17. ♘d3 cd3 (17... ♕d4? 18. ♘f4 ♕c3 19. e5+–) 18. ♕d3± ×♗e8] **17. ♘b5 ♖b5 18. ♘c6 ♕d7 19. ♘e7?!** [19. e5 ♘d5 20. ♗d5 ♗g5 21. ♗c4 ♘b2 22. ♕c2±; 19. ♗f6!? gf6 20. e5∞̄] **♕e7 20. e5 ♕d7! 21. ef6?** [21. ♗f6 gf6 22. ♖e4∞̄] **♖g5 22. fg7 ♖g7 23. ♖e4?** [23. ♕c2□ ♕d4 24. ♖a4 ♘e5∓] **f5! 24. ♖h4 f4–+** [♙c4, ×♖h4] **25. ♕e2 ♕d4 26. ♕e6 ♔h8 27. ♖f1 c3 28. ♕c6?!** [⌓ 28. ♕e2 c5!–+] **♘b4 29. ♕e6** [29. ♕e4–+⊥] **c2 30. ♗e4 fg3 31. hg3 ♖f2! 0 : 1**
[Krasenkov]

588.* **E 04**

KOŽUL 2490 – DAVIDOVIĆ 2425
Liechtenstein 1989

1. d4 ♘f6 2. ♘f3 e6 3. c4 d5 4. g3 dc4 5. ♗g2 a6 6. 0–0 ♘c6 [RR 6... b5 7. ♘e5 ♘d5 8. a4 ♗b7 9. b3 cb3 10. ab5 ab5 11. ♖a8 ♗a8 12. ♕b3 c6 13. ♘c3!? N (13. e4 – 38/(627)) ♗e7 14. ♘d5 ed5 15. ♕a2 ♗b7 16. ♕a7 ♕c7 17. ♗f4 ♗d6 18. ♖c1 ♕e7 19. ♖a1± Romanišin 2555 – S. Marjanović 2490, Erevan 1989] **7. ♘a3 ♗a3 8. ba3 ♖b8 9. ♗b2 b5 10. ♕c2 0–0 11. ♖ad1 N** [11. e4 – 39/(587)] **♘e7 12. e4 ♖b6! 13. ♘h4 ♗b7 14. ♖fe1** [14. ♗c3 ♕a8! 15. ♗a5 ♗e4 16. ♗e4 ♕e4 17. ♕e4 ♘e4 18. ♗b6 cb6∓] **♕a8 15. ♕e2!** [△ g4-g5→⟫] **♘g6 16. ♘g6 hg6 17. g4 a5!⇆⟪ 18. g5 ♘h5□ 19. ♗c1 c3 20. ♗f3 b4 21. ♗h5 gh5 22. ♗f4!** [22. d5 ed5! 23. ♕h5 de4 24. ♖e3 ♖d8! 25. ♖d8 (25. ♖de1 ♖d3!–+) ♕d8 26. ♖h3 ♔f8–+] **b3!** [22... ba3 23. ♖c1! ♖b2 24. ♕f3 c2□ (24... ♖a2 25. ♖c3 △ ♕h5+–) 25. ♕a3 ♖b1 26. f3±] **23. ab3 ♖b3 24. ♗e5! h4?** [24... a4! 25. d5 c2; 25. ♖c1∞] **25. ♖c1 h3** [25... a4 26. ♕g4 h3 27. f3!±] **26. a4!?** [26. ♕g4!] **♗c6 27. ♕f3?⊕** [27. d5 ed5 28. ♕h5 d4□ 29. ♗g7 ♔g7 30. ♕h6 ♔g8 31. g6 fg6 32. ♕g6=; 27. ♕g4! ♕b7 28. ♕h4 c2 29. d5! ed5 30. ♗g7! ♔g7 31. ♕h6 ♔g8 32. g6 fg6 33. ♕g6 ♔h8 34. ♔h1!+–] **♕b7 28. ♕g4?!** [28. d5 ed5 29. ♕h5 d4□ 30. ♗g7=] **c2!** [△ 29. ♖c2? ♗e4!] **29. f3?** [29. ♕h4□ △ ♗g7=] **♖b1 30. ♕h3 ♖c1 31. ♖c1 ♕b3!–+ 32. ♔f2 ♗e4 33. ♗g7 ♔g7 34. ♕h6 ♔g8 35. fe4 ♕d3 36. g6 fg6 37. ♔g1 ♕d4 0 : 1** **[Kožul]**

589.** **E 04**

KONOPKA 2405 – SMAGIN 2540
Dortmund (open) 1989

1. ♘f3 d5 2. d4 ♘f6 3. c4 e6 4. g3 dc4 5. ♗g2 c5 6. 0–0 ♘c6 7. ♘e5 [RR 7. dc5 ♕d1 8. ♖d1 ♗c5 9. ♘bd2 c3 10. bc3 ♗d7 11. ♘b3 ♗e7 12. ♘fd4 0-0-0 N (12... 0–0) 13. ♗e3 ♘e5 14. c4 ♗a4 15. ♖ab1 ♖d7 16. ♖dc1∞ ♘fg4?! 17. ♗f4 ♘g6 18. c5 ♘f4 19. gf4 ♗b3 20. ♘b3± Jusupov 2610 – A. Sokolov 2605, Linares 1989] **♗d7 8. ♘a3 ♘d5! N** [RR 8... cd4 9. ♘ac4 ♗c5 10. ♕b3 0–0 11. ♗f4 ♕c8 12. ♖fd1 ♘d5 13. ♘d7 ♕d7 14. ♘e5 ♕e7 N

(14... ♘e5 — 45/602) 15. ♘c6 bc6 16. ♗e5 ♖fd8 17. ♖ac1 ♖ac8 18. ♗d4 ♗d4 19. ♖d4 c5 20. ♖d2± Timman 2610 — A. Sokolov 2605, Linares 1989] **9. ♘c6** [9. ♘ac4!?; 9. ♘d7!?; 9. e4!?] **♗c6 10. ♘c4 ♗e7!** [10... ♘b6 11. ♗c6 bc6 12. ♘b6 ab6 13. dc5 ♗c5=] **11. ♘e5 ♗b5 12. ♕b3 ♕b6** [12... ♗e2? 13. ♖e1 ♗a6 14. ♕a4 ♔f8 15. ♘d7 ♔g8 16. ♘c5±] **13. ♕f3!?** [13. ♗d5?! ed5 14. ♕d5 0–0 15. dc5 ♗c5 16. ♘d7 ♗d7 17. ♕d7 ♖fd8∞↑] **0–0 14. a4! ♗e8□** [14... f6 15. dc5 ♗c5 16. ♘d3±] **15. e4 ♘b4 16. dc5 ♗c5 17. ♕b3 ♖c8** [△ 17... a5 △ ♕a6, b5] **18. ♗f4! a5 19. ♖ad1 ♕a6 20. ♘d7! ♗d7 21. ♖d7 ♖cd8 22. ♖d8?** [22. ♖fd1! ♖d7 23. ♖d7 ♕e2 24. ♕f3! ♕b2 25. ♖b7 e5!? (25... ♕a1 26. ♗f1 ♕a4?! 27. ♕c3! ♕c6 28. ♖c7 ♗f2 29. ♔f2 ♕e4±) 26. ♗e3 ♗d4!∓] **♖d8 23. ♖d1 ♖d1** [23... ♖d3? 24. ♗f1+−] **24. ♕d1 ♕d3! 25. ♕d2 h6!∓ 26. ♗f1** [26. h4 e5!−+] **♕e4 27. ♕d8 ♔h7 28. ♕a5 ♕c2 29. ♗e2?!** [29. ♗e3 ♗e3 30. fe3 ♕b2∓] **♕e2 30. ♕c5 ♘d3−+ 31. ♕a7 ♕b2 32. ♕e3 ♕b1 33. ♔g2 ♕b3 34. h4 ♕d5 35. ♔h2 e5 36. ♗g5 hg5 37. ♕g5 ♕f3 0 : 1** **[Smagin]**

590.* **E 05**

GULKO 2610 — A. SOKOLOV 2605
Linares 1989

1. ♘f3 ♘f6 2. c4 e6 3. ♘c3 d5 4. g3 ♗e7 5. ♗g2 0–0 6. d4 dc4 7. 0–0 [RR 7. ♘e5 c5 8. dc5 ♕d1 9. ♘d1 ♗c5 10. ♗d2 N (10. 0–0 — 46/(653); 10. ♘c4 — 46/653) ♘c6 11. ♗c6 bc6 12. ♖c1 ♗a6 13. ♘c4 ♖fd8= Kortchnoi 2595 — N. Short 2665, Hastings 1988/89] **♘c6 8. e3 ♖b8 9. ♕a4 b5?! N** [9... ♗d7 — 29/(420); 9... ♘b4 — 45/606] **10. ♘b5 ♗d7 11. ♘c3 ♘d4 12. ♕c4 ♖b4** [12... ♘f3 13. ♗f3 c5 14. b3 ♕c7 15. ♗b2 ♗c6 16. ♗c6 ♕c6±] **13. ♕a6** [13. ♕d3? ♗b5 14. ♘b5 ♘f3−+] **♘f3** [13... ♘b5 14. a3! ♘c3 (14... ♖b3 15. ♕a4+−) 15. ab4 ♗b5 16. ♕a7±] **14. ♗f3 ♕b8 15. b3 ♘g4 16. ♕e2 ♘f6 17. ♗d2!** [17. ♗b2? ♘e5 △ ♘c4] **♘e5 18. ♗g2 ♖d8 19. ♖fd1 ♗e8 20. ♗e1** [20. ♘e4 ♖e4 21. ♗e4 ♗b5 22. ♕e1 ♗d3∞]

♖b6 21. ♖ac1?! [21. ♘e4 ♗e7 22. ♗c3±] **♖d1 22. ♖d1 ♗e7 23. ♕c2 ♖d6 24. ♘e4 ♖d1 25. ♕d1 ♕b5 26. ♗c3 f6 27. a4** [27. ♗f1 ♕d5=] **♕d3 28. ♕d3 ♘d3 29. ♗f1 ♘c5 30. ♘c5** [30. ♗b4 ♘e4 31. ♗e7 ♘d2=] **♗c5 31. ♗c4 ♔f7 32. ♔f1 ♔e7 33. ♔e2 ♗a3!= 34. f4 ♔d6 35. g4 c5 36. h4 ♗b4 37. ♗b2 h6 38. e4 e5 39. fe5 fe5** **1/2 : 1/2** **[A. Sokolov]**

591.* **E 05**

KRASENKOV 2525 — ARBAKOV 2400
SSSR 1989

1. ♘f3 d5 2. d4 ♘f6 3. c4 e6 4. g3 ♗e7 5. ♗g2 0–0 6. 0–0 dc4 7. ♘a3 [RR 7. ♘e5 ♘c6 8. ♗c6 bc6 9. ♘c6 ♕e8 10. ♘e7 ♕e7 11. ♕a4 e5 12. de5 ♕e5 13. ♕c4 ♗e6 14. ♕d3 ♖ab8 15. ♘c3 ♖fd8 16. ♗f4! N (16. ♕e3 — 46/658) ♕h5 17. ♕c2 ♖d4 (△ ♗f4, ♘g4) a) 18. ♗c7!? ♖c8 19. ♖ad1 ♖d1 20. ♕d1 (20. ♖d1? ♘g4 21. h4 ♕c5−+) ♗h3 (20... ♘g4 21. h4 g5 22. ♘e4±) 21. ♖e1 ♕c5 22. ♗f4 ♘g4∞; b) 18. f3 ♖db4 19. b3 ♕c5 20. ♖f2 b1) 20... ♖f4!? 21. gf4 ♘d5 22. e4! (22. ♖c1 ♘f4∞) ♘c3 (22... ♕c3 23. ♕c3 ♘c3 24. f5! ♗d7 25. ♖c2±; 22... ♘f4 23. ♔h1±) 23. f5 (23. ♔g2!?) ♗d7 24. ♔g2!± Sr. Cvetković; b2) 20... ♘d5 21. ♗d2 ♖d4 22. ♖c1± Štohl 2455 — Sr. Cvetković 2460, Trnava II 1989] **♗a3** [RR 7... c5 8. dc5 ♗c5 9. ♘c4 ♘c6 10. a3! a5 11. ♗g5!? N (11. ♗f4; 11. ♕c2) h6 12. ♕d8 ♖d8 13. ♗f6 gf6 14. ♖fd1 ♗d7 15. ♘fd2!± Kožul 2490 — B. Ivanović 2530, Jugoslavija (ch) 1989; 7... ♗d7!? N a) 8. ♘e5!? ♗c6 9. ♘c6 ♘c6 10. e3 (10. ♗c6 bc6 11. ♘c4 Krasenkov) ♗a3 11. ba3 ♘d5 12. ♕a4 (12. ♕c2 b5∓) c3!? (12... ♘b6 13. ♕c2∞) 13. ♕b3 ♖b8 14. ♖d1 (△ e4) f5∞ Gorelov, Gagarin; b) 8. ♘c4 ♗c6 9. ♗f4 ♘bd7 10. ♖c1 ♘d5 11. ♘fe5 ♗g2 12. ♔g2 ♘e5 13. ♗e5 c5 (13... ♘d7!? 14. ♗f4 c6±) 14. dc5 ♗c5 15. ♕b3 b6 16. ♖fd1 ♕e7 17. ♕f3± Krasenkov 2525 — Gagarin, SSSR 1989] **8. ba3 b5 9. a4 a6 10. ♗a3 ♖e8 11. ♘e5 ♘d5 12. e4 ♘f6** [12... ♘e7 13. ♕h5 ♘g6 14. ♖ad1∞] **13. ♘f7 ♔f7 14. e5 ♘d5 15. ♕h5 ♔g8 16.**

309

♗e4 g6 17. ♗g6 hg6 N [17... ♖e7 — 44/605] **18. ♕g6 ♔h8 19. ♖fe1 ♘c3□ 20. ♖e3 ♗b7** [20... ♖e7 21. ♕f6+−; 20... ♘d7 21. ♖c3 ♘f8 22. ♕h5 △ ♖f3+−; 20... ♕d7 21. ♕h5 ♔g7 22. ♖f3 ♘d5 23. g4!+−] **21. ♖c3 ♘d7 22. ♕h6 ♔g8 23. ♕g6 ♔h8 24. ♕h6 ♔g8 25. g4 ♖e7□** [25... ♗e4 26. ♖e1! ♗h7 (26... ♗d3 27. ♖e3+−→) 27. g5 ♘f8 28. ♗f8 ♖f8 29. g6+−] **26. ♖h3 ♘f8?!** [26... ♗e4 27. g5! ♖h7! (27... ♖g7? 28. ♕e6) 28. ♕e6 ♔h8 29. ♗e7±] **27. ♕h8 ♔f7 28. ♖h6 ♔e8**

29. ♖e6! ♖e6 30. ♕f8 ♔d7 31. ♕f7 ♖e7 32. e6 ♔c6 [32... ♔c8 33. ♗e7+−] **33. ♕f6!!** [33. ♕e7 ♕d4; 33. ♗e7 ♕d4 34. ♕f3 ♔b6 35. ♕e3 (35. ♖d1 ♗f3 36. ♖d4 ♖e8=∞) ♕e3 36. fe3 ♖e8=∞ ♙c4; 33. ♕f3 ♕d5 34. ♕d5 ♔d5 35. ♗e7 ♖e8 △ ♖e6=∞] **♕d5** [33... ♕g8 34. ♕f3 ♔b6 35. ♗c5+−; 33... ♕f8 34. ♕e5! △ 35. ♕c5#, 35. ♕e4+−; 33... ♖f7 34. ♕d8 ♖d8 35. ef7+−] **34. ♗e7 ♔b6 35. f3 ♖g8** [⌓ 35... ♖e8] **36. ♗c5 ♔a5 37. ♕f4** [⌓ 37. ab5 ♖g4 38. ♔f2+−] **c3?!** [37... ♔a4 38. e7+−] **38. ab5 ab5 39. a4! ♖c8 40. ab5 ♔b5 41. ♖b1 ♔c4** [41... ♔c6 42. ♖e1+−] **42. ♕e3 1 : 0** **[Krasenkov]**

592.* **E 05**

TIMMAN 2610 –
J. HJARTARSON 2615
Amsterdam 1989

1. d4 ♘f6 2. c4 e6 3. ♘f3 d5 4. g3 ♗e7 5. ♗g2 0–0 6. 0–0 dc4 7. ♕c2 a6 8. ♕c4 b5 9. ♕c2 ♗b7 10. ♗d2 ♘c6 [RR 10... ♘bd7 11. ♗a5 ♖a7 N (11... ♖c8) 12. ♘bd2 ♕a8 13. b4 ♘b8 14. a3 ♘c6 15. ♘b3 ♘a5 16. ♘a5 ♗e4 17. ♕b3 c6 18. ♕e3 ♗d8 19. ♘b3 a5= Klinger 2475 – Zajcev 2390, Moskva (GMA) 1989] **11. e3 ♕b8 12. a3 ♖c8 13. ♖e1! N** [△ 13... ♘d8 14. e4 c5 15. d5±; 13. ♘c3 — 46/660] **a5 14. ♘c3 ♘d8 15. e4 b4 16. ♘a4 ♘d7 17. ♗f4 ♗d6 18. ♗e3 ♗c6 19. d5 b3 20. ♕c4** [20. dc6 bc2 21. cd7 ♕b5 22. dc8♕ ♖c8 23. ♘c3 ♕b2±] **♕b5 21. ♕b5 ♗b5 22. ♘c3 ♗d3 23. ♘d4!± ♘c5 24. ♖ad1 ♖ab8 25. de6 fe6 26. ♗h3 ♗c2?! 27. ♖d2 ♗e4 28. ♘db5?** [28. ♘e6! ♘de6 29. ♘e4 ♖d8 30. ♘d6 ♖d6 31. ♖d6 cd6 32. ♖d1+−] **♗c2!□** [△ 29. ♘a7 ♘d3] **29. ♗f1 ♘f7 30. ♘d4** [30... ♘e5 31. f4 ♘g4 32. ♘c2 bc2 33. ♖c2 ♘e3 34. ♖e3 ♖b6=] **1/2 : 1/2** **[Timman]**

593. **E 05**

SALOV 2630 – N. SHORT 2650
Amsterdam 1989

1. d4 e6 2. ♘f3 ♘f6 3. c4 d5 4. g3 ♗e7 5. ♗g2 0–0 6. 0–0 dc4 7. ♕c2 a6 8. ♕c4 b5 9. ♕c2 ♗b7 10. ♗d2 ♗e4 11. ♕c1 b4 12. ♗g5 ♘bd7 13. ♘bd2 ♗d5 14. ♘e5!? N [14. ♘b3 — 42/(642)] **♘e5** [14... c5!? 15. ♗d5 ed5 16. ♘c6 ♕e8 17. dc5 ♖c8 (17... ♗c5 18. ♗f6 ♖c8 19. ♘b3 ♖c6 20. ♗d4 △ 20... ♕e2? 21. ♗c5+−) 18. ♘e7 ♕e7 19. ♕d1 ♕e5 20. ♗e3±] **15. de5 ♘g4 16. ♗e7 ♕e7 17. ♘f3** [17. e4 ♗b7 18. ♘c4 ♕c5 19. ♘e3 ♕c1 20. ♖ac1 ♘e3 21. fe3 ♖ac8=] **c5** [17... ♖ad8!? 18. ♕f4 f5 19. ef6 ♘f6 20. a3±] **18. h3 ♘h6 19. ♕c2 ♖ac8 20. e4±** [×♘h6] **♗b7** [20... ♗c6!?] **21. ♘d2 a5 22. ♘c4 ♗a6 23. f4?** [⌓ 23. ♔h2] **♔h8?** [23... g5!→ △ 24. ♖ac1 ♗c4 (24... gf4 25. ♕d2) 25. ♕c4 gf4 26. gf4 ♔h8] **24. ♖ad1 ♖fd8** [24... g5 25. f5! ef5 26. ♖d6 ♗c4 27. ♕c4 ♔g7 28. ♕c1!!↑ △ 28... fe4 29. ♖h6! (29. ♖ff6? ♕e5 30. ♖h6 f6!−+) ♔h6 30. ♖f6 ♔g7 31. ♕g5 ♔h8 32. ♗e4 ♖g8 (32... ♕d7 33. ♕h4!+−) 33. ♕f5!+−] **25. ♖d8 ♖d8 26. ♖c1** [△ ♘d6]

♗c4 27. ♕c4 ♕c7 [27... ♖d2 28. ♕c5 ♕c5 29. ♖c5 ♖b2 30. ♖a5 b3 (30... g6 31. g4 ♔g7 32. ♖a7 △ g5, f5+−) 31. ab3 ♖b3 32. ♖a8 ♘g8 33. ♖a7±] **28. ♖c2?** [28. ♗f1!±] ♖c8 29. ♖d2 ♘g8 30. b3 [30. ♖d6 ♖d8! 31. ♖d8 (31. ♕d3 c4!) ♕d8 32. ♕c5 ♕d2!=]

30... g5!□= 31. ♖d6 gf4 32. gf4 ♕e7 33. ♕a6 ♕f8 34. ♖d7 [34. f5 ef5 35. ef5 ♖e8 36. ♖d5 f6!⇆] **c4! 35.** bc4 ♕c5 36. ♔h2 ♘h6 37. ♕d6 ♕e3 [37... ♕c4?? 38. ♕e7!+−] **38. ♕d2□ ♕d2 39.** ♖d2 ♖c4 40. ♖d8 ♔g7 41. ♖a8 ♖c5 42. ♖a7= ♔f8 43. ♖a8 ♔g7 44. ♖a7 ♔f8 45. ♖a8
1/2 : 1/2 [Salov, Ionov]

594.* E 05

HULAK 2515 − B. LALIĆ 2525
Jugoslavija 1989

1. d4 ♘f6 **2. c4 e6 3. g3 d5 4.** ♗g2 ♗e7 **5.** ♘f3 0−0 **6. 0−0 dc4 7.** ♕c2 a6 **8. ♕c4 b5 9. ♕c2** ♗b7 **10.** ♗g5!? ♘bd7 **11.** ♘bd2 ♖c8 [RR 11... c5!? N 12. dc5 ♘c5 13. ♗f6 gf6 14. ♘b3 ♖c8 15. ♖ad1 ♕b6 16. ♘c5 ♗c5 17. ♕d2 (17. ♕b1 ♖fd8 18. ♘e1 ♖d1 19. ♕d1 ♗g2 20. ♔g2 ♕c6 21. ♘f3 ♗f8∓ Halifman 2545 − Aseev 2485, Leningrad 1989) ♖fd8 18. ♕h6 ♗f2 19. ♔h1 ♗f3 20. ♗f3 ♗d4!? 21. g4!= Aseev] **12. ♗f6** ♘f6 **13.** ♘b3 c5 **14. dc5 a5 15. a4** ♗e4 **16. ♕c3 b4 17. ♕e3 ♕d5 18. ♖fd1 ♕h5 19. ♖dc1! N** [19. ♖ac1 − 46/(660)] **♗d5 20. h3** ♗b3 **21. ♕b3 ♗c5** [21... ♖c5 22. ♘d4 ♖fc8 23. ♘c6 ♗f8

24. ♕e3±] **22. e3!?** [22. ♖c4 ♕d5 23. ♖ac1±] ♘d7?! [22... ♗b6 23. ♘d2!±; 22... ♕d5 23. ♕d5 ed5 24. ♘e5±] **23. ♖c4** ♘e5?! [23... ♘b6] **24. ♘e5 ♕e5 25. ♖ac1** ♖c7 **26. ♕c2 ♖fc8 27. ♗b7! b3 28. ♕c3 ♕c3 29. ♖1c3 ♖b7 30. ♖c5 ♖c5 31. ♖c5 ♔f8 32. ♖a5 ♖b4** [♖ 6/f] **33. ♖a8!+− ♔e7 34. a5 ♖a4 35. a6 ♖a2 36. a7 ♔f6 37. ♔g2 h5** [37... ♔e5 38. ♔f3 f5 39. g4+−] **38. ♔f3 ♔e5 39. e4! ♖a4 40. ♔e3 ♖e4 41. ♔d3 ♖d4 42. ♔c3 ♖d7 43. ♔b3 ♔e4 44. ♔a4 ♖d1 45. b4 ♖a1 46. ♔b3 ♔f3 47. b5 ♔f2 48. ♔c2 e5 49. b6 e4 50. b7 1 : 0** [Hulak]

595.* * E 05

KAJDANOV 2535 − DAUTOV 2535
Lokomotiva − CSKA 1989

1. d4 ♘f6 **2. c4 e6 3. g3 d5 4.** ♗g2 ♗e7 **5.** ♘f3 0−0 **6. 0−0 dc4 7.** ♕c2 a6 **8. a4** ♗d7 **9. ♕c4** [RR 9. ♖d1 ♗c6 10. ♘c3 ♗f3 11. ♗f3 ♘c6 12. ♗c6 bc6 13. ♗g5 N (13. a5 − 43/(614)) c5 14. dc5 ♕b8 15. ♘e4 ♕b3 16. ♕b3 cb3 17. ♗f6 ♗f6 18. ♘f6 gf6 19. ♖d4 ♖fb8= Razuvaev 2550 − Kotronias 2505, Moskva (GMA) 1989] ♗c6 **10. ♗g5 a5** [RR 10... ♗d5 11. ♕d3 ♗e4 N (11... c5 − 38/633) 12. ♕e3 ♗c6 13. ♘c3 ♘bd7 14. ♕d3 ♗b4 15. ♖fe1 h6 16. ♗f4 ♖c8 17. ♕c2 b6 18. e4 ♗b7 19. ♖ad1 ♖e8 20. ♘e5 ♘e5 21. ♗e5 ♘d7 22. ♗f4 ♕e7 23. ♖e2 c5= Jusupov 2610 − L. Portisch 2610, Linares 1989] **11.** ♘c3 ♘a6 **12. ♖ac1** ♘b4 **N** [12... ♕d6 − 38/634; 12... ♗f3 − 44/(610); 12... ♗d5 − 46/(662)] **13. ♖fd1 ♖c8 14. ♗f6 ♗f6 15. e4 b6 16. e5** [16. d5!? ed5 17. ed5 ♗b7 18. ♘d4 ♗a6 19. ♘cb5 △ ♘c6±] ♗e7 **17. ♘e1** ♗g2 **18. ♘g2 ♕d7!?** [18... c6 19. ♘e3 ♕d7 (19... ♘d5?! 20. ♘cd5 cd5 21. ♕b5±) 20. ♕e2 (△ ♘c4, ♘e4, ♘cd6) ♘d5 21. ♘c4 ♘c3! 22. bc3 ♕c7 △ ♖b8, b5=] **19. d5 ed5 20. ♘d5 ♘d5 21. ♖d5 ♕f5 22.** ♘e3 [22. ♕c6 ♗c5 23. ♘f4 ♖cd8!□ (Dautov) 24. ♘d3 ♕e4 25. ♖dc5 ♕d3=] ♕e6 **23. ♕f4 c6 24. ♖dd1 ♖fd8 25. ♘f5 ♖d1** [25... ♗f8? 26. ♖d8 ♖d8 27. ♘d4 △ ♘c6] **26. ♖d1 ♗f8 27. ♕e4?⊕**

311

[27. ♘e3=] **♖e8 28. f4 f6 29. ♔g2 fe5 30. ♖e1** [△ ♘d4] **♗c5 31. fe5** [31. ♕e5 ♕e5 32. ♖e5 ♖e5 33. fe5 g6 △ ♗d4−+] **♕d5!** [△ ♖e5] **32. ♕d5 cd5** [♖ 9/i] **33. g4** [33. ♔f3 ♖f8; 33. ♘h4 ♔f7 34. ♘f3 h6 △ ♔e6∓] **g6 34. ♘d6!? ♗d6?⊕** [34... ♖e6?! 35. ♘b5 △ ♘c7; 34... ♖f8 35. ♖d1!□ (Dautov) ♖f2 36. ♔g3 ♖b2 37. ♖d5 ♖b3 38. ♔g2 ♖b4 39. ♔f3 △ ♘e4∓; 34... ♖e7!∓] **35. ed6 ♖d8 36. ♖e6= ♔f7 37. ♖e7 ♔f6 38. ♖h7 ♖d6 39. ♖c7 d4 40. ♔f2 ♔g5 41. h3 d3 42. ♔e1 d2 43. ♔d1 ♔f4 44. ♖e7 1/2 : 1/2**
[Kajdanov]

596. **E 06**

KORTCHNOI 2610 − SPEELMAN 2640
Barcelona 1989

1. d4 d5 2. ♘f3 ♘f6 3. c4 c6 4. ♕b3!? e6 5. g3 ♗e7 6. ♗g2 ♕a5!? N [6... 0−0 − 44/(612)] **7. ♘bd2** [7. ♗d2 ♕a6!; 7. ♘c3 dc4 8. ♕c4 b5] **0−0 8. 0−0 c5!? 9. cd5 ed5** [9... ♘d5!?] **10. dc5 ♘a6 11. ♕e3 ♗c5** [11... ♕d8!? △ 12. ♘b3 ♖e8 13. ♕d4 ♘e4] **12. ♘b3! ♗e3 13. ♘a5 ♗b6 14. ♘b3± ♖e8! 15. ♘bd4** [15. ♘fd4 ♘c5!] **♘b4 16. ♗g5 ♘c6!?** [16... ♘e4 17. ♗e3± ×d5] **17. ♗f6 gf6 18. e3 ♗g4** [18... ♘d4 19. ♘d4 ♗d4 20. ed4±] **19. ♘b3** [19. ♘e2] **♖ad8** [19... ♖ac8!?] **20. ♖fc1 ♗f3!?** [20... d4!? 21. ♘fd4 *a)* 21... ♗d4!? 22. ed4 (22. ♗c6 ♗b2 23. ♗e8 ♖e8) ♘d4 (△ 23. ♘d4 ♖d4± ×f2) 23. ♖c4!? ♘f3 24. ♔h1 ♘e5; *b)* 21... ♘d4!? 22. ed4 (△ 22... ♗d4?? 23. ♖c4!+−) ♖e2!] **21. ♗f3 ♘e5** [21... d4 22. ♗c6 bc6 23. ♘d4 ♗d4 24. ed4±] **22. ♗e2** [22. ♗g2 ♘d3!?] **d4 23. ed4 ♗d4** [23... ♘c6 24. ♗b5] **24. ♘d4 ♖d4 25. ♖d1 ♖b4?!** [25... ♖e4 26. ♗f1±; 26. ♗h5!? Kortchnoi] **26. b3 f5 27. ♖ac1 ♖e7?!** [27... f4] **28. f4! ♘g4 29. ♖d8! ♔g7 30. ♗d3 ♘e3 31. ♖c5** [×♖b4] **♖b6?** [31... a6!] **32. ♗f5! ♘f5 33. ♖f5 ♖e2 34. ♖d7 ♖c6** [34... ♖f6 35. ♖f6 ♔f6 36. a4 b6 37. ♖a7 ♖b2 38. ♖a6! ♖b3 39. a5!+−] **35. ♖ff7 ♔g8?⊕** [35... ♔g6+−] **36. ♖g7 ♔f8 37. ♖df7 ♔e8 38. ♖c7! 1 : 0**
[Speelman]

597. **E 06**

GULKO 2590 − KOSTEN 2510
Hastings 1988/89

1. d4 ♘f6 2. c4 e6 3. g3 d5 4. ♗g2 ♗e7 5. ♘f3 0−0 6. ♕c2 c6 7. 0−0 b6 8. b3!? ♗b7 9. ♘c3 ♘a6!? 10. ♖d1 N [10. ♗b2 − 45/613; 10. e4!?] **♖c8! 11. e4 c5! 12. dc5!?** [12. ed5 ed5 13. ♗b2 dc4 14. bc4 ♗f3!? 15. ♗f3 cd4 16. ♘b5±] **♗c5** [12... ♘c5? 13. ed5 ed5 14. ♘g5!±] **13. e5! ♘g4 14. ♘g5** [14. ♘e4? de4 15. ♖d8 ♖fd8−+] **g6** [14... ♗f2? 15. ♔f1 g6 16. ♕e2 h5 17. h3+−] **15. ♘ge4**

15... de4!! [15... ♘e5 16. ♗f4! (16. cd5 ed5 17. ♘d5 ♗d4! 18. ♘ec3 ♘b4!∓) f6 17. cd5 ♘b4 18. ♕b2 ♘d5 19. ♘d5 ♗d5 20. ♘c3±] **16. ♖d8 ♖fd8 17. ♗e4 ♘b4! 18. ♕e2 ♘f2!** [18... ♗f2 19. ♔g2+−] **19. ♗b7 ♘d1 20. ♔g2 ♘c3 21. ♕f3 ♖c7?** [21... ♖d3!? 22. ♕f6 (22. ♗c8 ♖f3 23. ♔f3 ♘c2 24. ♗b2 ♘a1 25. ♗c3 ♘c2 26. ♔e4 a5! 27. ♗d7 ♘b4 28. a3 ♘c2 29. a4=) ♖cd8 23. ♗h6 ♗f8 24. ♗f8 ♖f8±; 21... ♖b8!?±] **22. ♗h6!+− ♖d3 23. ♕f6 ♗f8 24. ♗f8 ♔f8 25. ♕h8 ♔e7 26. ♖f1 ♖d2** [26... ♖b7 27. ♕g8+−] **27. ♔h3 ♖d8 28. ♖f7 ♔f7 29. ♕h7 1 : 0**
[Gulko]

598.* **E 06**

GULKO 2590 − M. CHANDLER 2610
Hastings 1988/89

1. d4 ♘f6 2. c4 e6 3. g3 ♗b4 4. ♗d2 ♗e7 5. ♗g2 d5 6. ♘f3 0−0 7. 0−0 c6 8.

♕c2 b6 9. ♗f4 ♗b7 [RR 9... ♘h5 N 10. ♗b8 ♖b8 11. ♘e5 ♗b7 12. cd5 cd5 13. ♘c3 ♘f6 14. ♖ac1 ♖c8 15. ♖fd1 ♗d6 16. ♕d2 ♕e7= Jusupov 2610 − Salov 2630, Barcelona 1989] 10. ♖d1!? ♘a6 N [10... ♘bd7 − E 08] 11. ♘e5 c5?! [11... ♖c8!?; 11... ♘d7!?] 12. dc5! ♗c5 [12... ♘c5 13. ♘c3±; 12... bc5!? 13. ♘c3 ♕b6∞] 13. cd5 ed5 14. ♘c3 ♕e7 15. ♕f5!± ♕e6 [15... d4 16. ♗b7 ♕b7 17. ♘b5 ♕d5 (17... ♖fd8 18. ♗g5±) 18. e3±] 16. ♕e6 fe6 17. ♘d3! ♗b4 18. ♘c5! bc5 19. ♘b5!+− [×a7, c7, d6, e6, c5] ♘e8 20. ♖ac1 ♘a6 [20... a6 21. ♘d6+−] 21. ♗h3 ♗c8 [21... ♔f7 22. ♗d6+−; 21... ♖f6 22. ♗e5 ♖h6 23. ♗g4+− ×♖h6] 22. e4! ♗d7 [22... d4 23. ♘d4 cd4 24. ♖c8 ♖c8 25. ♗e6+−] 23. a4! d4 24. b4! ♘b4□ 25. ♖c5 d3 26. ♗d2 ♘a6 27. ♖c3 ♘f6 28. f3 e5 29. ♗f1! ♖fd8 30. ♗d3 ♗e6 31. ♗e3⊕ ♘b4 32. ♗e2 [32. ♘a7+−] ♖d1 33. ♗d1 ♖d8 34. ♗e2 a5 35. ♖c5 [35. ♔f2 △ ♔e1+−] ♗b3 36. ♘c3 ♘c2 37. ♔f2 ♖f8 38. h3□ ♘d7 39. ♖c7 [39. ♖a5+−] ♘f6 40. ♖c5 ♗e6 41. ♗f1 h5 42. ♖e5 ♖c8 43. ♖c5 ♖b8 44. ♘b5 ♘b4 45. ♘d4 ♗h3 46. ♖a5 ♗f1 47. ♔f1 ♖c8 48. ♖b5 ♘c2 49. ♘c2 ♖c2 50. a5 ♖a2 51. ♗d4 ♘h7 52. ♖b7 ♘f6 53. ♗f6 gf6 54. ♖b5 h4 55. gh4 ♔g7 56. h5 ♔h6 57. ♖f5 ♔g7 58. ♔e1 **1 : 0** [Gulko]

599.* **E 08**

KORTCHNOI 2595 −
M. CHANDLER 2610
Hastings 1988/89

1. d4 ♘f6 2. c4 e6 3. g3 ♗b4 4. ♗d2 ♗e7 5. ♗g2 d5 6. ♘f3 0−0 7. 0−0 c6 8. ♕c2 ♘bd7 9. ♗f4 ♘h5 [RR 9... b6 10. cd5 cd5 11. ♘c3 ♗b7 12. ♖fc1 N (12. ♘b5) ♖c8 13. ♕b3 a6 14. a4 ♖c6 15. ♘a2 ♕a8 16. ♖c6 ♗c6 17. ♘b4 ♗b7 18. ♘d3 ♖c8 19. ♘de5 h6= Smejkal 2515 − Jusupov 2615, Thessaloniki (ol) 1988] 10. ♗c1 f5 11. b3 ♘df6 N [11... ♗d6 − 45/616] 12. e3 ♗d7 13. ♗a3 ♗a3 14. ♘a3±

♘e4 [14... ♕e7] 15. ♘b1 [15. b4!?↑≪] ♗e8 16. ♘e5 ♕g5!? 17. ♘c3 ♘hf6 18. ♖ae1 ♕h6 19. f3 ♘g5 20. ♗d3!? [△ ♘f4, △ ♘c5] ♗d7 21. ♕c1 ♘f7 22. ♕a3 [22. e4 ♕c1 23. ♖c1 fe4 24. fe4 dc4 25. bc4 e5!∞] b6 23. ♘e5 [23. ♕b2!? △ a4-a5↑≪] ♗e8 24. f4 ♘e5 25. de5 ♘d7 26. ♖d1? [26. ♘e2!? (△ ♘d4) ♘c5 27. b4 ♘e4 28. ♗e4 fe4 29. c5±] ♘e5! 27. ♘d5□ ed5 28. fe5 ♕e3 29. ♔h1 ♕e5 30. cd5 c5∓ 31. ♕a6 ♕d6 32. ♖de1 ♗d7 33. a4 h6 34. ♖e3 f4 [△ 34... ♖f7 △ ♖af8, f4∓] 35. gf4 ♖f4 36. ♖f4 ♕f4 37. ♖e7?! [37. ♖e1] ♖f8 38. ♖e1 ♕d2 [38... ♕b4!∓] 39. ♖g1? [39. ♖f1∓] ♗f5? [39... ♖f2! (△ ♗h3) 40. ♕a7 ♖g2! 41. ♖g2 (41. ♕a8 ♔h7 42. ♖g2 ♕e1 43. ♖g1 ♕e4 44. ♖g2 ♗h3−+) ♕d1 42. ♖g1 ♕d5 43. ♖g2 ♕d1−+] 40. ♕a7 ♕d4 41. ♕e7= ♗c2 42. ♕e6 ♔h7 43. ♖e1 ♖f4 [△ ♗b3; 43... ♗b3? 44. ♗e4 ♔h8 45. ♕g6] 44. ♕b6 ♗e4 [44... ♕d2 45. ♕e6] 45. ♗e4 ♖e4 46. ♖e4 ♕e4 **1/2 : 1/2** [M. Gurevič]

600. **E 08**

TIMMAN 2610 − N. SHORT 2650
Amsterdam 1989

1. d4 ♘f6 2. c4 e6 3. ♘f3 d5 4. g3 ♗b4 5. ♗d2 ♗e7 6. ♗g2 c6 7. ♕c2 0−0 8. 0−0 b6 9. ♗f4 ♗b7 10. ♘bd2 ♘h5 11. ♗e3 ♘d7 12. ♖ad1!? N [12. ♖ac1] ♗d6 [12... f5!? (△ f4) 13. ♘b3 ♗a6=] 13. ♘b3 ♖c8 14. ♗g5 f6 15. ♗d2 f5 16. ♘c1 c5 17. ♘g5 ♕e7 18. cd5 ♗d5 19. ♗d5 ed5 20. ♕d3!? [△ ♕f3, ×d5, f5, ♘h5] cd4!? 21. ♕f3 ♘hf6 22. ♕f5 ♘c5∞ 23. ♘f3 ♘a4? [23... ♘e6!? 24. ♘d3 g6 25. ♕h3 ♘e4 △ ♖f5-h5⇆] 24. ♗g5 ♕e4 25. ♕h3!± ♗c5 26. ♗f6 gf6 27. ♘d3 ♖c7 28. ♖d2 ♖g7 29. ♖c1 f5 30. ♔f1 ♗d6 31. ♖c6 ♗b8 32. ♕h6 f4 33. ♖f6!+− ♖e8 [33... fg3 34. ♖f8 ♔f8 35. ♕f6+−; 33... ♖c8 34. ♖e6+−] 34. ♘f4 d3 35. ♘d3 ♘c5 36. ♘c5 bc5 37. ♕h5 ♖e5 38. ♕h3 d4 39. ♕c8 ♖e8 40. ♕c5 ♗e5 41. ♕c4 ♔h8 42. ♖e6 **1 : 0** [M. Gurevič]

601. **E 08**

GORELOV 2455 − BAGATUROV 2365

Belgorod 1989

1. d4 ♘f6 2. c4 e6 3. ♘f3 d5 4. g3 ♗e7 5. ♗g2 0−0 6. 0−0 c6 7. ♕c2 b6 8. b3 ♗b7 9. ♖d1 ♘bd7 10. ♘c3 ♖c8 11. e4 c5 12. ed5 ed5 13. ♗b2 ♖e8!? 14. cd5!? N [14. ♕f5 dc4!? (14... g6 − 45/(615)) 15. bc4 (15. d5 cb3 16. ab3 a6 17. d6 ♗f8∞; 15... g6!?) cd4∞; 15... g6!?; 14. ♘d5!?] **♘d5 **[14... cd4] **15. ♘d5 ♗d5 16. ♕f5** [16. dc5!? ♖c5 17. ♕d3] **♘f6** [16... ♗e6?! 17. ♕f4!±] **17. dc5 ♖c5 18. ♘h4** [18. b4 ♕c8!□=]

18... ♗g2!□ 19. ♖d8 ♖d8 20. ♕f4 [20. ♔g2 ♖f5 21. ♘f5 ♗c5=] **♗h3! 21. ♖e1 ♖cd5!⧢ 22. ♕f3 ♖d2 23. ♘f5! ♗c5!□** [23... ♗f5 24. ♕f5±] **24. ♗f6 ♖f2! 25. ♘h6!□ gh6** [25... ♔f8? 26. ♗e7! ♗e7 27. ♔f2+−] **26. ♕f2 ♗f2 27. ♔f2**

1/2 : 1/2 **[Gorelov]**

602. **E 11**

DREEV 2520 − DOLMATOV 2580

New York 1989

1. d4 e6 2. c4 ♗b4 3. ♘d2 d5 4. e3 [4. a3 ♗e7 5. e4 de4 6. ♘e4 ♘f6=] **♘f6 5. ♘f3 0−0 6. ♗d3 c5 7. a3 ♗d2 8. ♗d2 cd4 N** [8... ♘bd7?!] **9. ed4 dc4 10. ♗c4 h6** [10... ♘c6 11. ♗g5; 10... ♘d5!? 11. 0−0 b6∞] **11. 0−0 ♘c6** [11... b6 12. ♖c1 △ 12... ♗b7 13. ♗b4 ♖e8 14. ♗b5±] **12. ♖c1 ♘e7?!** [12... ♘d4! 13. ♗b4 (13. ♘d4 ♕d4 14. ♗b4 ♖d8 15. ♗e7 ♕d1

16. ♖fd1 ♖d1 17. ♖d1 ♘d5=) ♘f3 14. ♕f3 ♖e8 15. ♖fd1 ♘d5 16. ♗d5 ed5 17. ♖d5 ♕h4=]

13. ♘e5! ♘ed5 [13... ♕d4 14. ♗b4 ♕e5 15. ♗e7 ♖e8 16. ♖e1 *a)* 16... ♕b2? 17. ♖b1 ♕c3 18. ♗b5 ♘d7 19. ♕d6!+−; *b)* 16... ♕g5 17. h4! △ 17... ♕h4 18. ♗b5; *c)* 16... ♕f5 17. ♗d3 (17. ♕d6 b5! 18. ♗d3 ♕d5∓) ♕h5 18. ♗f6 (18. ♗e2 ♕f5!) ♕d1 19. ♖ed1 gf6 20. ♖c7 △ 20... e5 21. ♗c4 ♗e6 22. ♗e6 fe6 23. ♖dd7+−; *d)* 16... ♕h5 17. ♕d6!? ♘d5 18. ♗e2! (18. ♗d8 ♗d7!) ♕g6 19. ♗h4∞; 17. ♗e2] **14. ♕b3** [14. ♕f3!?] **b6** [14... ♕b6 15. ♕b6±; 15. ♕d3!?] **15. ♖fe1 ♗b7 16. ♕g3 ♘h5 17. ♕f3 ♘hf6** [17... ♕h4? 18. ♖e4] **18. ♕g3** [18. ♗b4 ♘b4 19. ♕b7 ♘bd5 20. ♘c6 ♕d6 21. ♘a7 ♕f4∞] **♗h8 19. ♕h3 ♖c8 20. ♗d3** [20. ♗h6?! gh6 21. ♕h6 ♘h7 22. ♗d3 f5 23. ♘g6 ♔g8 24. ♘f8 ♘f8∓] **♖c1 21. ♖c1 ♘h7?** [21... ♔g8] **22. ♕h5 ♕e8 23. ♕h4! f5?** [△ 23... ♔g8±] **24. ♕g3 ♖f6 25. h4 ♘f8 26. ♗e2! ♔g8 27. ♗f3?!⊕** [27. ♕b3! △ ♗f3+−] **♕d8 28. ♘c6?** [28. ♗e2 △ ♕b3±] **♗c6 29. ♖c6 f4 30. ♕g4 ♕d7 31. ♖c1 ♘g6 32. ♕h5?!** [32. ♗d5 ♕d5 33. h5↑] **♘ge7 33. ♕e5 ♘g6 34. ♕h5 ♘ge7 35. ♕e5 ♘g6 36. ♕h5 ♘ge7** **1/2 : 1/2** **[Dreev]**

603.** ** **E 11**

MIRALLÈS 2400 − SPASSKY 2580

Cannes 1989

1. d4 ♘f6 2. c4 e6 3. ♘f3 ♗b4 4. ♘bd2 d5 [RR 4... b6 5. a3 ♗d2 6. ♗d2 ♗b7

7. ♗g5 h6 8. ♗h4 d6 9. e3 ♘bd7 10.
♗d3 g5 11. ♗g3 h5 12. h3 ♖g8 13. ♖c1!?
N (13. ♕e2 — 43/622) a5! 14. b4 ab4 15.
ab4 ♖a3 (△ ♕a8) 16. c5! (16. 0—0 h4 17.
♗h2 g4) bc5 17. dc5 dc5 18. bc5 h4 19.
c6 (19. ♗h2 ♘c5! 20. ♖c5 ♗f3 21. gf3!
♕d3=) ♗c6 (Širov 2450 — Ulybin 2445,
Tbilisi 1989) 20. ♗h2 ♘c5= Ulybin, Volo-
vik] 5. a3 [RR 5. ♕a4 ♘c6 6. a3 ♗e7 7.
g3 0—0 8. ♗g2 ♘e4 9. ♕c2 f5 N (9...
♗f6 — 45/(621)) 10. 0—0 ♗f6 11. e3 ♔h8
12. b4 ♗d7 13. ♗b2 ♕e8 14. ♖ac1 ♖c8
15. ♖fe1 ♘e7 16. ♘e5 c6 17. ♘d3 ♖c7
18. ♘f3 a6 19. ♘fe5± Vaganjan 2600 —
Ljubojević 2580, Barcelona 1989] ♗e7 6.
♕c2 b6 7. e4 0—0 N 8. ♗d3 g6 9. 0—0
♗b7 10. ♖d1 a5 [10... c5 11. ed5 (11.
dc5? de4—+) ed5 12. dc5 bc5 (12... ♗c5
13. b4±) 13. cd5 ♕d5 14. ♘f1 ♕c6 15.
♗h6 ♖c8 16. ♘e3±; 10... de4±] 11. cd5
ed5 12. e5 ♘h5 13. ♘f1 c5 14. dc5 bc5
15. ♗h6 ♘g7 16. ♗c4!± d4□ 17. ♘1d2
♘d7 18. ♘e4 ♕b8 19. e6?! [19. ♖e1 ♘b6
20. ♗d3±] ♘e6?! [19... fe6 a) 20. ♘fg5
♘f6! a1) 21. ♗g7 ♘e4 22. ♗f8 (22. ♘e6
♖f2—+) ♗g5 23. ♗d3 ♘f2—+; a2) 21.
♘e6 ♗e4 22. ♘c5 ♗d5 23. ♗d5 ♘d5 24.
♕c4 ♕d6 25. ♘e4 ♕e6 26. ♕d4 ♘f5—+;
b) 20. ♘eg5 ♘e5 21. ♗g7 ♘f3 22. gf3
♔g7 23. ♘e6 ♔h8 24. ♘f8 ♕f8 25. ♕b3
♗f3 26. ♗d5⊜] 20. ♗f8 ♘df8 21. ♖e1
♕c7 22. ♖ad1 ♖d8 23. ♕c1 ♗d5? [23...
♔g7 24. h4 △ ♘fg5] 24. ♗d5 ♖d5 25.
♕c4± ♖d8 [25... ♕d8 26. ♘c3] 26. b4
ab4 27. ab4 ♘d7 [27... cb4 28. ♕c7 ♘c7
29. ♘d4 ♘fe6 30. ♘c6 ♖e8 31. ♘d6 ♗d6
32. ♖d6 b3 33. ♖d3 ♘c5 34. ♖e8 ♘e8
35. ♖d8 ♔f8 36. ♖b8+—] 28. ♘eg5!? [28.
bc5 ♘dc5 29. ♘d4±] ♘g5?! [28... ♗g5
29. ♖e6 fe6 (29... ♗f6 30. ♖a6±) 30.
♘g5 ♘e5 (30... ♘f8 31. bc5 ♕e5?! 32.
♘f3) 31. ♕e6 ♘f7 (31... ♔g7 32.
♕h3+—) 32. bc5±] 29. ♖e7 ♘f3 30. gf3
♕f4 31. ♕d5 ♘f8 [31... ♕f5 32. ♕f5 gf5
33. bc5+—] 32. ♕d8 ♕f3 33. ♖a1 ♕g4
34. ♔f1 ♕h3 35. ♔e2 ♕g4 36. ♔d2 ♕f3
37. ♖a8 ♕c3 38. ♔e2 ♕c2 39. ♔f1
1 : 0   [Mirallès]

604.   E 11

JUSUPOV 2610 — SPASSKY 2580
Barcelona 1989

1. d4 ♘f6 2. c4 e6 3. ♘f3 ♗b4 4. ♘bd2
d5 5. a3 ♗e7 6. ♕c2 b6 7. e4 de4 8. ♘e4
♗b7 9. ♗d3 ♘c6 N [9... ♘bd7; 9... c5]
10. ♗e3 ♘g4 11. 0—0 [11. 0-0-0 f5 12.
♘c3 0—0 13. h3 ♘e3 14. fe3 ♗g5!? 15.
♘g5 ♕g5 16. ♕d2 f4⇆] f5 12. ♘c3 0—0
13. ♖ad1 [13. h3 ♘e3 14. fe3 ♗d6!? 15.
♖ad1 (15. e4? ♘d4; 15. d5?! ♘e5 16.
♘e5 ♗e5 17. de6 ♕g5→) ♕f6=; 13. d5
♘ce5 14. ♘e5 ♘e5 15. ♗e2± Seirawan]

13... ♘d4!? [13... ♗d6!?=] 14. ♘d4 [◯
14. ♗d4 ♗f3 (14... ♗d6 15. h3 ♗f3 16.
gf3 ♘h2 17. ♗e3!) 15. gf3 ♘h2 16. ♔h2
♕d4 (16... ♗d6? 17. ♔h3!) 17. ♔g2 ♕f6
18. ♖h1 ♗d6⊜] ♗d6 15. g3 [15. h3 ♕h4!
(15... ♗h2? 16. ♔h1 ♕h4 17. ♘d5! △
♘f3±) 16. ♖fe1 (16. ♕e2? ♕h3!) f4→]
♘h2! [15... ♕h4? 16. f4 ♘e3 17. gh4 ♘c2
18. ♗c2 ♖f6 19. ♖f2 △ ♘cb5±] 16. ♗e2
[16. ♖fe1 f4! 17. ♘e6 ♕f6 18. ♘f8 fe3
19. ♖e3 ♘g4→] ♘f1 17. ♗f1 ♕f6 18.
♗g2 [18. f4!?∓] ♗g2 19. ♔g2 f4 20. gf4
♗f4 21. ♖h1!□ h6 [21... ♕g5 22. ♔f1
♗e3 23. ♕h7 ♔f7 24. fe3 ♕e3 25.
♘ce2!∞] 22. ♘e4 ♕g6 23. ♘g3 ♕c2 24.
♘c2 ♗e3∓ [24... ♖ad8?! 25. ♗d4!?] 25.
♘e3 ♖ad8 26. ♘e4 ♖d3 27. ♖e1! [×e3]
♖f4 28. f3 g5 29. ♖e2 ♔g7 30. c5 [30.
♘g3 ♖fd4!] ♖f8 31. c6 ♖f4 32. ♘f2⊕
♖d6 33. ♖c2 ♖fd4 34. ♘e4 ♖d8 35.
♘g4!? h5 36. ♘gf2 [×d3, d1] ♔g6 37. b3
♖8d5 38. ♖e2 ♖a5 39. a4 ♖e5 40. ♖e3

315

a6 41. ♔g3 ♖ed5 [41... b5?! 42. ♘d3 △ ♘dc5↑] **42. ♔g2** [42... b5 43. ♘c3 ×e6] **1/2 : 1/2** **[Jusupov]**

605.**** E 11**

MILES 2520 – PR. NIKOLIĆ 2605
Lugano 1989

1. d4 ♘f6 2. ♘f3 e6 3. c4 ♗b4 4. ♘bd2 0–0!? 5. a3 [RR 5. e3 d5 6. a3 ♗e7 7. ♗d3 c5 8. dc5 a5 9. cd5 ed5! N (9... ♕d5 – 37/555)) 10. 0–0 ♘bd7 11. ♘b3 a4 12. ♘bd4 ♘c5 13. ♗c2 ♘fe4 14. ♗d2 ♗f6∓ L. Portisch 2610 – Salov 2630, Rotterdam 1989] **♗e7 6. e4 d5 7. ♕c2** [RR 7. cd5 ed5 8. e5 ♘fd7 *a)* 9. ♗e2 N c5 10. dc5 a5 11. ♘b3 a4 12. ♘bd4 ♘c5 13. 0–0 ♘c6 14. ♗e3 ♗g4 15. ♘c6 bc6 16. ♖c1 ♘e6 17. ♘d4 ♗e2 18. ♕e2 ♘d4 19. ♗d4 ♖c8 20. ♕e3 ♕d7 21. ♖fd1 ♖fe8 22. f4 ♕f5 23. ♕f2 f6∞ Ruban 2420 – Ulybin 2445, Tbilisi 1989; *b)* 9. ♗d3 c5 10. h4 h6 11. ♗b1 ♖e8! N (11... ♘c6 – 46/672) 12. ♕c2 (12. ♘b3 cd4 13. ♕c2 ♘f8 14. ♘bd4 ♗g4∓ Sapis 2395 – P. Stempin 2395, Polska (ch) 1989) ♘f8 13. dc5 ♘c6=∞ Sapis] **c5!?** [RR 7... de4 8. ♘e4 *a)* 8... ♘c6 N 9. ♗d3 h6 10. ♗e3 ♘g4 11. ♖d1 f5 12. ♘c3 ♗f6 13. 0–0 ♗d4 14. ♗f5 ♖f5 15. ♗d4 ♖f3 16. gf3 ♘h2∞ Epišin 2465 – J. Árnason 2550, New York 1989; *b)* 8... ♘bd7 9. ♗d3 ♘e4 10. ♗e4 ♘f6 11. ♗d3 b6 12. ♗e3 c5! N (12... ♗b7 – 46/(671)) 13. 0-0-0 ♕c7 14. ♘e5 (14. ♘g5?! h6 15. ♘h7 ♖d8 16. ♘f6 ♗f6∓ Gausel 2365 – Mokrý 2500, Gausdal 1989) cd4 15. ♗d4 ♖d8 16. ♗c3 ♗b7∞ Mokrý] **8. dc5 N** [8. e5 – 46/671] **a5!? 9. cd5 ed5 10. ♗d3 h6 11. ♖b1** [RR 11. 0–0 ♘c6 *a)* 12. ♖d1 ♗g4 13. h3 ♘d4! 14. ♘d4 ♗d1 15. ♕d1 de4∓; *b)* 12. b3 de4!? (12... ♗g4?! 13. ♗b2 de4 14. ♗e4 ♘e4 15. ♕e4 ♗f3 16. ♘f3 ♗c5 17. ♕g4±) 13. ♘e4 ♗g4=; *c)* 12. h3 ♗e6 13. b3 ♘d7 14. ed5 ♗d5 15. ♘e4 ♗e4 16. ♗e4 ♘c5 17. ♖d1! (17. ♗c6 bc6 18. ♗e3 ♕d3= Dreev 2520 – Oll 2510, Tbilisi 1989) ♕b6 18. ♗d5± Stecko] **a4 12. 0–0 ♘c6! 13. h3** [13. ♖e1 ♗g4=∞] **♗e6 14. ♖e1** [14. e5 ♘d7=] **de4 15. ♘e4 ♗a2 16. ♖a1 ♗b3 17. ♕e2 ♖e8 18. ♗d2 ♗d5** [18... ♗f8!? 19. ♘f6 ♕f6 20. ♕e8 ♖e8 21. ♖e8 ♕b2∞; 19. ♕f1=] **19. ♗c3 ♘e4 20. ♗e4 ♗c5 21. ♕c2 ♗b3** [21... ♗e4 22. ♖e4±] **22. ♗h7 ♔h8 23. ♖e8 ♕e8 24. ♕f5 ♕f8 25. ♖e1 ♖d8 26. ♕b1 ♕d6** [26... ♘d4 27. ♘d4 ♗d4 28. ♗d4 ♖d4 29. ♗e4±] **27. ♗e4 ♕g3!?** [27... b5 △ b4±] **28. ♘d4 ♕h4 29. g3** [29. ♘b3!? ♗f2 30. ♔h1 ab3 31. ♖f1=∞] **♕h3 30. ♗f5 ♕h5 31. ♘b3 ab3 32. ♕e4=∞ ♔g8□** [32... ♘e7? 33. ♗g7! ♔g7 34. ♕e5+–] **33. ♔g2⊕ ♘e7 34. ♗h7!?** [34. ♗g4=∞] **♔h8** [34... ♔f8 35. ♕b7 ♕d5 (35... g6 36. ♖e5 ♘f5 37. ♖c5!+–) 36. ♗e4±] **35. ♖h1 ♕d5??** [35... ♕g5! 36. f4 ♕d5 37. ♖h6 ♗d4 38. ♗d4 ♕d4 39. ♕d4 ♖d4 40. ♖h5 g6! 41. ♗g6 ♔g7=] **36. ♖h6 ♗d4 37. ♗d4 ♕d4 38. ♖h5!+– ♘g8** [38... ♕e4 39. ♗e4 ♔g8 40. ♖b5+–; 38... ♘c6 39. ♗g6 ♔g8 40. ♗f7 ♔f7 41. ♖f5+–] **39. ♕d4 ♖d4 40. ♗g6! ♘h6 41. ♗f7 ♖d2 42. ♖d5!** [42... ♖b2 43. ♗g6 ♖e2 44. ♖d8 ♘g8 45. ♗f7 b2 46. ♗g8 ♖e1 47. ♗c4 ♔h7 48. ♗d3 ♔h6 49. ♖d6 △ ♖b6+–] **1 : 0** **[Miles]**

606. E 11

BARLOV 2490 – CEBALO 2505
Jugoslavija (ch) 1989

1. d4 ♘f6 2. c4 e6 3. ♘f3 ♗b4 4. ♗d2 c5 5. g3 ♕b6 6. ♗g2 ♘c6 7. d5 ed5 8. cd5 ♘d5 9. a3 N [9. 0–0 – 45/(623)] **♗a5** [9... ♗d2? 10. ♘bd2 ♕b2 11. ♘c4 ♕c3 12. ♘fd2±] **10. ♗a5 ♕a5 11. ♘fd2 ♘f6□** [11... ♘de7? 12. b4! cb4 13. ♘c4 ♕c5 14. ♘d6±] **12. ♘c3** [12. b4? cb4 13. ♘c4 ♕c5 14. ♘d6 ♔e7∓] **d5!□** [12... 0–0?! 13. ♘c4 ♕c7 14. 0–0 △ ♘d6±] **13. ♘b3** [13. ♘d5? ♘d5 14. ♗d5 ♗h3 △ ♖d8–+] **♕b6 14. ♘a4 ♕b5 15. ♘bc5** [15. ♘c3=] **0–0 16. ♕d3 ♕d3** [16... ♕a5 17. b4±] **17. ♘d3 ♘d4 18. ♖d1!± ♗f5 19. e3 ♘b3 20. 0–0 ♖ad8 21. ♘ac5 ♘c5 22. ♘c5 b6 23. ♘a6** [23. ♘d3 d4=; 23. ♘a4! ♗c2 24. ♖d4±] **♗g4 24. f3** [24. ♖d4? ♗e2–+; 24. ♖d2 ♘e4] **♗d7 25. ♘b4 ♗b5 26. ♖fe1 g6 27. ♖d2 a5 28. ♘c2 ♖c8 29. ♘d4 ♗a6 30. g4 h6 31. ♔f2 ♔g7 32. h4 ♖c7**

33. ♔g3 ♖e8 34. g5 ♘g8! 35. ♔f4 ♘e7 36. ♖dd1?! [36. ♗h3] **♘c6!** [36... ♖ec8? 37. ♗h3] **37. ♘c6** [37. ♖c1 ♘d4 38. ♖c7 ♘e6−+] **♖c6 38. ♖d2** [38. ♖d5 ♖c2∓] **hg5 39. hg5 ♖c5 40. ♗h3** [40. ♖ed1 d4! 41. ♖d4 ♖f5] **♖c4 41. ♔g3 ♖c5 42. f4 ♗c8 43. ♗c8 ♖ec8= 44. ♖ed1 ♖b5! 45. ♔f3 ♖b3 46. ♖d5 ♖b2 47. ♖d8 ♖d8 48. ♖d8 a4 49. ♔e4 b5 50. ♖b8 ♖b3 51. ♔d4 ♖a3 52. ♖b5 ♖a1 53. ♖a5 a3 54. ♔e5 ♖a2 55. e4 ♖a1 56. ♖a7 ♖a2 57. ♖a4 ♖a1 1/2 : 1/2** **[Barlov]**

607. **E 11**

SALOV 2630 – N. SHORT 2650
Rotterdam 1989

1. d4 ♘f6 2. c4 e6 3. ♘f3 d5 4. g3 ♗b4 5. ♗d2 ♗e7 6. ♗g2 0–0 7. 0–0 c6 8. ♕b3 a5 N [8... ♘e4 – 46/(677); 8... b6 – 46/678, 679] **9. ♖c1 ♘bd7 10. a4** [10. ♘c3? a4!] **♘e4 11. ♗e1 f5 12. ♘c3 ♔h8 13. e3 ♕e8!** [13... b6? 14. cd5 ed5 15. ♘e2 ♗b7 16. ♘f4±] **14. ♘e2 g5 15. ♘d2 ♕h5 16. f3** [16. ♕d1!?] **♘d6 17. ♕d1 ♘f6 18. b3 ♗d7 19. ♘f1 ♕g6 20. ♖a2!?** [20. ♖c2! △ ♘c1-d3] **h5?! 21. h4!** [×f4] **♘h7** [21... g4 22. f4±] **22. hg5 ♗g5 23. ♘f4 ♕h6 24. ♗h1!** [⇔h] **♖g8 25. ♖h2 ♗e8** [25... ♗f4? 26. ef4 ♕f4 27. ♖h5±] **26. ♕d3 ♗f7** [26... ♗f4? 27. ef4 ♕f4 28. ♗d2 ♖g3 29. ♗g2+−] **27. ♖cc2 ♖g7 28. ♖h3 ♘f6 29. ♖ch2 ♖h7 30. ♗c3 ♕g7?** [30... ♕f8 31. c5 ♘c8 32. ♕d2 ♕d8 33. ♘d3 ♘e7 34. ♘e5 ♗e8□ 35. ♕e1↑] **31. c5 ♘c8 32. ♕d2 ♘e7 33. ♗a5 ♖c8 34. ♕b4+− h4 35. ♕b7 ♖g8 36. ♗c7** [36. ♕e7 ♘g4 37. ♕g5 ♕g5 38. fg4+−] **♘g6 37. ♕b4 ♗f4 38. ♗f4 ♘h5 39. ♗g5 f4 40. ef4 ♘hf4 41. ♗f4 ♘f4 42. ♖h4 ♘h5 43. ♕e1 1 : 0** **[Salov]**

608. **E 11**

LJUBOJEVIĆ 2580 – JUSUPOV 2610
Rotterdam 1989

1. c4 e6 2. ♘f3 d5 3. d4 ♘f6 4. g3 ♗b4 5. ♗d2 ♗e7 6. ♗g2 0–0 7. 0–0 c6 8. ♕b3 ♘bd7 9. ♖c1 N [9. ♘c3 – 46/677] **♘e4** [9... ♘b6 10. c5 ♘c4 △ b6] **10. ♗b4 ♗b4 11. ♕b4 a5 12. ♕a3** [12. ♕b3!? a4 13. ♕c2] **b5!? 13. ♘e5!?** [13. c5=; 13. cb5=] **♘e5 14. de5 f5!** [14... bc4? 15. ♗e4±] **15. f3?!** [15. ♗e4!? fe4 16. cb5 cb5 17. ♕e3 ♗b7 18. ♕d4 b4 19. ♘d2 ♗a6 20. ♕e3 a4⇆] **b4 16. ♕d3** [16. ♕e3? d4 17. ♕d3 ♘c5 △ d3, ♖a7-d7→] **♕b6 17. e3** [17. c5? ♘c5 18. ♕d4 ♘d7 19. ♕b6 ♘b6 20. ♖c6 ♘c4∓] **dc4 18. ♕d4 c5 19. ♕d1!** [19. ♕c4? ♗a6 20. ♕c2 c4 21. fe4 ♕e3 22. ♔h1 ♖ad8−+] **c3** [19... ♖d8 20. ♕e2!?] **20. bc3 ♖d8 21. ♕e1** [21. ♕e2 ♗a6 22. c4 ♘g5 ×c4] **♘g5** [21... ♘c3 22. ♘c3 bc3 23. ♖ab1±] **22. f4 ♘e4 23. ♗e4 fe4 24. ♘d2 ♖d3 25. ♘e4** [25. ♘c4 ♕a7!? 26. ♘b2 ♖d8→] **c4 26. cb4** [26. ♘d6!?∞] **♖e3 27. ♕f2 ab4** [27... ♗b7?! 28. ba5±] **28. ♖c4 ♗b7** [28... b3!? 29. ♖c3? b2! 30. ♖b1 ♖e1! 31. ♖e1 b1♕ 32. ♖b1 ♕b1 33. ♕f1 ♕e4; 29. ♖b1!?; 29. ♘d2!?] **29. ♘c5?⊕** [29. ♘d6! ♖a2! (29... ♗d5 30. ♖ac1!) 30. ♖c8! ♗c8 31. ♖a2 ♖e1 32. ♔g2 ♗b7 33. ♘b7! ♕b7 34. ♔h3=] **♖f3?⊕** [⌓ 29... ♗d5∓] **30. ♕d4 ♖d8 31. ♖b4?** [31. ♘d7!=∞] **♕a5 32. ♕c4** [⌓ 32. ♘d7 △ ♕b6] **♗d5 33. ♕b5 ♕a3−+ 34. ♘b3 ♗b3??** [34... ♕b2−+] **35. ♖b3 ♖b3 36. ♕b3 ♕c5 37. ♔g2 ♕c6 38. ♔h3 ♖d2 39. ♖d1??** [39. ♖g1±] **♕g2 40. ♔h4 ♕h2 41. ♔g4 ♕e2 42. ♔h3 ♕h5# 0 : 1** **[Jusupov]**

609. **E 11**

GULKO 2590 – B. LARSEN 2560
Hastings 1988/89

1. d4 ♘f6 2. c4 e6 3. g3 ♗b4 4. ♗d2 ♗d2 5. ♕d2 0–0 6. ♗g2 d6 7. ♘f3 ♘c6 8. d5 ♘e7 9. ♘c3 e5 10. 0–0 a5 N [10... a6 11. e4 b5 – 13/587] **11. e4 ♘d7 12. ♘h4 ♘g6** [12... ♘c5 13. f4±] **13. ♘g6!?** [13. ♘f5!? ♘c5 14. ♘e3±] **hg6 14. f4 ♘c5 15. f5 ♗d7!?** [15... g5!? 16. ♖f2 ♗d7 17. ♖af1 f6 18. ♗f3 ♗e8 19. h4±] **16. h4! ♕e7 17. ♖ae1!** [17. ♖f2?! gf5 18. ef5 e4!∞] **♖fb8 18. ♘b5!** [18. ♖f2 b5!⇆] **♗b5**

19. cb5 a4 20. ☐f2 gf5 21. ☐f5!? [21. ef5 e4 22. f6 ♕e5!⇄] **☐f8** [21... g6!∞] **22. ☐ef1 f6!?** [22... g6!?] **23. h5!→ ♕e8 24. ♕e2 ☐a5 25. ♕g4 ♔h7 26. h6! ♕g6 27. ♕h4 ☐b5?!** [27... gh6! 28. ♗f3! (28. ♗h3 ♔g7∓; 28. ☐f6 ☐f6 29. ☐f6 ♕g5 30. ♕g5 hg5 31. b6 cb6 32. ☐d6 ☐b5∓) ☐g8! (28... ☐b5? 29. ♗h5 ♕g7 30. ☐f6 ☐f6 31. ☐f6 ♕g5 32. ☐f7 ♔g8 33. ♕h3 ♕e3 34. ☐f2 ♘e4 35. ♕c8 ♔h7 36. ♕f5 ♔h8 37. ♕f8 ♔h7 38. ♗g6 ♔g6 39. ♕f7 ♔g5 40. ♕f5#) 29. ♔h2 ☐b5 30. ♗h5 ☐b2 31. ♔h3 ♕g7 32. ♗f7! ♕g3! (32... ♕f7 33. ☐f6 ♕g7 34. ☐f7±; 32... ☐f8 33. ☐f6±; 32... ♘d7! 33. ♗g8 ♔g8 34. ☐c1 ♘c5 35. ☐cf1=) 33. ♕g3 ☐g3 34. ♔g3 ♘e4∞] **28. ♗h3 ♔g8?** [28... ☐b2 29. ☐h5+−; 28... ☐b4!□ 29. ☐e5 de5 30. ♗f5 ♕f5 31. ☐f5 ☐e4 32. hg7 ♔g7 33. ♕h5 ☐h8 34. ♕d1 (34. ♕f3? ☐e1 35. ♔g2 ☐hh1∓) ☐d4∞] **29. ♕h5 ♘e4**[29... ♕e4 30. ♗e6 ♔h8 31. hg7 ♔g7 32. ☐g5+−]

30. ☐f3!+− ☐b2 [30... ♘g5 31. ☐g5+−; 30... ♘d2 31. ☐f2! ♘e4 (31... ♕b1 32. ♔h2 ☐b2 33. ♗e6 ♔h8 34. hg7 ♔g7 35. ☐g5 fg5 36. ♕g5 ♔h7 37. ♗g8! ♔h8 38. ♕h6+−) 32. ♗e6 ♔h8 33. hg7 ♔g7 34. ♗f5 ♕g3 35. ♕g3 ♘g3 36. ☐g2+−] **31. ♗e6! ♔h8** [31... ☐f7 32. ♗f5 ☐b1 33. ♔g2 ☐b2 34. ♔f1! ☐f2! (34... ♘d2 35. ♔e2 ♘f3 36. ♔f3 e4 37. ♔e3+−) 35. ♔e1!+−] **32. ♗f5 ☐b1 33. ♔g2 ☐b2 34. ♔h3 ♕g3** [34... ♘g5 35. ☐g5 ♕g5 36. hg7 ♔g7 37. ♕h7#] **35. ♕g3 ♘g3 36. hg7 1 : 0** [Gulko]

610. **E 11**

VYŽMANAVIN 2550 −
A. PETROSJAN 2475
Moskva (GMA) 1989

1. d4 ♘f6 2. c4 e6 3. ♘f3 ♗b4 4. ♗d2 ♕e7 5. g3 ♘c6 6. ♘c3 ♗c3 7. ♗c3 ♘e4 8. ☐c1 0−0 9. ♗g2 d6 10. 0−0 ♘c3 11. ☐c3 e5 12. d5 ♘b8 13. ♘d2 ♘d7! [13... a5? − 44/626] **14. b4± f5** [14... a5 15. a3; 15. ☐a3] **15. c5! e4□** [15... dc5 16. ♕b3 ♔h8 17. bc5 ♘c5 18. ♕a3 b6 19. ♘b3±] **16. f3 a5!** [16... ef3 17. ♘f3 dc5 18. ♕b3 ♔h8 19. ☐e3] **17. cd6 cd6 18. b5** [18. a3] **ef3 19. ef3** [19. ♘f3 ♘c5] **♕f6** [19... ♘c5 20. ♘b3 ♘b3 21. ♕b3 △ b6, ☐c7] **20. ☐c7 ♘b6** [20... ♕d8 21. ♕c2 ♘c5 22. b6±; 20... ♕d4 21. ♔h1 ♕d5 22. ♘c4±; 20... ♘c5!] **21. f4 ♗d7** [21... ♕d4 22. ♔h1 ♘d5 23. ☐c4 ♕d3 24. ♕b3 ♕d2 25. ☐d1 ♕e2 26. ♗d5 ♗e6 27. ☐c7±] **22. ♘f3 ♕d8□** [22... ♗b5 23. ☐e1±] **23. ☐c1** [23. ♕c2 ☐c8 (23... ♘d5? 24. ☐d7 ♕d7 25. ♕c4; 23... ♗b5 24. ☐b1) 24. ☐c1±] **♗b5 24. ☐e1 ☐e8 25. ♘d4 ☐e1 26. ♕e1 ♗d7 27. ♘e6 ♕f6 28. ☐b1+− ♘a4** [28... ☐a6 29. ♘c7] **29. ☐b7 ♗e6 30. ♕e6 ♕e6 31. de6 ♘c5 32. ☐e7 ☐b8 33. ♗d5 ♘e4 34. ☐b7 ☐c8 35. e7 ♔h8 36. ♗e4 fe4 37. ☐d7 1 : 0**
[B. Arhangel'skij, Vyžmanavin]

611. **E 11**

HORT 2580 − SEIRAWAN 2610
Lugano 1989

1. d4 ♘f6 2. c4 e6 3. ♘f3 ♗b4 4. ♗d2 ♕e7 5. g3 ♘c6 6. ♗g2 ♗d2 7. ♘bd2 d6 8. 0−0 0−0 9. e4 a5!? 10. d5!? ♘e5 N [10... ♘b8!? − 42/(652)] **11. ♘e5 de5 12. ♕c2 ed5 13. cd5 c6 14. ♘c4** [14. dc6 bc6 15. ♕c6 ♗b7!∞] **♕c5! 15. ☐ac1 ☐e8 16. ☐fe1** [16. ☐fd1 ♗g4!=] **cd5 17. ed5 e4 18. ♕d2 h5?!** [△ 18... h6] **19. a3 ♗g4 20. h3! ♗d7** [20... ♗f3 21. ♘e5!±] **21. ♕f4** [△ ♘d6+−] **♘d5** [21... ☐a6!?∞] **22. ♕d6!±⊥ ♕d6 23. ♘d6 ☐e7** [23... ☐e6 24. ♘b7±] **24. ☐e4 ☐e4 25. ♗e4 ♗c6**

26. ♖c5! ♘e7 27. ♖h5 a4 28. ♖e5 ♘g6 29. ♖c5⊕ ♖a6 30. ♗c6 bc6 31. ♘c4 ♘e7 32. ♖a5 ♖a5 33. ♘a5 f5 34. ♘b7 ♘d5 35. ♔f1+− ♘b6 36. ♘d6 g6 37. ♔e2 ♔f8 38. ♔d3 ♔e7 39. ♘c4 ♘d7 40. ♔d4 ♔e6 41. ♘d2 ♔d6 42. f4 c5 43. ♔c4 ♔c6 44. ♘f3 ♘b6 45. ♔d3 ♔d5 46. ♘e5 g5 47. ♘g6!□ gf4 48. ♘f4 ♔e5 49. h4 ♘d7 [49... ♔f6 50. ♔c3! ♔e5 51. b3!+−] **50. ♔c4 ♔e4 51. h5 ♔f3 52. h6 ♔g3** [52... ♘f6 53. ♘h5 ♘h7 54. ♘g7+−] **53. h7 ♘e5 54. ♔c5 ♘f7 55. ♘g6 f4 56. ♘e5! ♘h8 57. ♔b4 ♔h4 58. ♔a4 ♔g5 59. b4 ♔f6 60. ♘d3 1 : 0** [Hort]

612.** **E 12**

MILES 2520 – ADAMS 2510
Cannes 1989

1. d4 ♘f6 2. ♘f3 e6 3. c4 b6 4. a3 ♗a6 5. ♘bd2 [RR 5. ♕b3 N d5 6. cd5 ed5 7. ♗g5 ♗e7 8. ♘c3 (8. ♗f6 ♗f6 9. ♘c3 ♗c4 10. ♕c2 0–0 11. 0-0-0 c5 12. e3 ♗f1 13. ♖hf1 ♘a6 14. ♔b1 c4 15. e4 de4 16. ♘e4 b5∞ Barlov 2490 – B. Maksimović 2425, Jugoslavija (ch) 1989) c6 9. ♗f6 ♗f6 10. e4 de4 11. ♘e4 0–0 12. ♗a6 ♘a6 13. 0–0 ♘c7 14. ♖ac1 ♖e8 15. ♘f6 ♕f6 16. ♕a4 ♖e6 17. ♖fe1 ♖d6 18. ♘e5 ♘b5∞ Barlov 2490 – Čabrilo 2480, Jugoslavija (ch) 1989] **♗b7 6. ♕c2 c5!? N** [6... d5 – 45/631] **7. e4! cd4 8. e5 ♘g4** [8... ♘g8] **9. h3 ♘h6 10. ♘e4!** [10. ♘d4 ♘c6⇆] **♘f5?!** [10... ♘c6 11. ♗h6 gh6 12. ♘f6 ♔e7∞; 11. ♗f4!±] **11. g4! ♘h4 12. ♘h4 ♕h4 13. ♗g5 ♗e4 14. ♕e4 ♕g5 15. h4!± ♕d8 16. ♕a8 ♕c7 17. ♕e4 ♘c6 18. f4 ♗e7** [18... a5!? △ ♗c5] **19. b4** [19. 0-0-0± △ ♔b1↑»] **h5 20. g5** [20. gh5!?] **g6 21. ♗g2 0–0 22. ♖h3 ♖c8 23. ♖c1 ♗f8 24. ♖d3 a5 25. b5 ♘e7 26. ♗h3!** [26. ♕d4 ♘f5 27. ♕d7 ♕c5⇆] **d5 27. ed6 ♕d6 28. ♕d4 ♕c7 29. ♕e4 ♘f5 30. ♗f5 ef5 31. ♕e5 ♕b7 32. ♔f2 ♕a8 33. ♔g3 ♖e8 34. ♕d5 ♕b8 35. ♖f1 ♗c5** [35... a4!?] **36. a4 ♔g7 37. ♕c6 ♖e6 38. ♕d7 ♕a8 39. ♖d5 ♗b4 40. ♔f2⊕ ♕b8 41. ♔g3 ♗d6 42. ♖d3 ♕a8 43. ♖d5 ♕b8 44. ♖d4 ♕a8 45. ♖f3 ♕b8 46. ♖fd3 ♗c7! 47. ♔f2** [47. ♔f3 ♕a8 (47... ♖e1 48. ♔f2 ♖e6 49. ♖e3+−) 48. ♖d5 (48. ♕d5 ♕e8⇆) ♕b8] **♗e5!□** [47... ♗f4? 48. ♕e6!+−; 47... ♔g8 48. ♖e3+−] **48. ♖d5** [48. fe5? ♕e5=] **♗b2 49. ♔g3** [49. ♕e6? ♕f4 50. ♔e2 fe6 51. ♖d7 ♔g8 52. ♖d8 ♔h7 △ ♗g7−+] **♖e4 50. ♕d6 ♕e8! 51. ♕b6 ♖e2?** [51... ♗d4!□ 52. ♖5d4 (52. ♕d4 ♖d4 53. ♖5d4 ♕e1=) ♖e3 53. ♔f2 ♖e2 54. ♔f3 ♖e1! 55. ♕f6 ♔h7 56. ♕e5□ ♖e5 57. fe5 ♕e5⇆] **52. ♖d7 ♖c2 53. ♕e3+− ♕a8 54. ♖d2 ♖c3 55. ♖7d3 ♖c4 56. ♖b2 ♕h1 57. ♖d8 ♔h7 58. ♖h2 ♕a1 59. ♖hd2 ♖e4 60. ♕f2 ♖e1 61. ♔g2 1 : 0** [Miles]

613.*** **E 12**

I. FARAGÓ 2495 – TUNIK 2435
Moskva (GMA) 1989

1. d4 ♘f6 2. c4 e6 3. ♘f3 b6 4. a3 ♗a6 5. ♕c2 ♗b7 6. ♘c3 c5 7. e4 cd4 8. ♘d4 ♗c5 [RR 8... d6 9. ♗g5 ♘bd7 10. ♖d1 a6 11. f4 ♕c7 12. f5 e5 13. ♘f3 h6 N (13... g6 – 42/655) 14. ♗h4 ♗e7 15. ♗d3 ♘c5 16. ♗f6 ♗f6 17. ♗e2 ♘d7 18. ♕d2 ♗e7 19. ♘d5 ♗d5 20. cd5 0–0 21. ♖c1 ♕b7 22. 0–0 ♖fc8= A. Petrosjan 2475 – I. Csom 2545, Moskva (GMA) 1989] **9. ♘b3 ♘c6 10. ♗d3** [RR 10. ♗g5 h6 11. ♗h4 ♘d4 12. ♘d4 ♗d4 13. ♗d3 ♕b8 14. ♗g3 ♗e5 *a)* 15. ♕d2 N (15. 0-0-0 – 46/(688)) d6 16. 0–0 (16. f4 ♗c3 17. ♕c3 0–0 18. ♕c2 ♘h5= Soloženkin) 0–0 17. ♖fe1 ♗g3 18. hg3 ♗c6= Kamskij 2345 – Soloženkin 2405, SSSR 1989; *b)* 15. ♘e2 N 0–0! 16. f4 ♗c7 17. 0–0 ♘h5 18. ♕d2 ♘g3 19. ♘g3! (19. hg3 ♕d8∓) ♕d8 20. ♖ad1 ♕h4□ 21. e5 d6 (21... f5 22. ♗e2 ♖ad8 23. ♕e3∞) 22. ♗e4 (22. f5?! de5 23. fe6 e4 24. ef7 ♔h8∓ Henkin) ♗e4 23. ed6 ♗d6= Henkin 2415 – Nagulehov, SSSR 1989] **♕b8!? N** [10... ♗e7 – 43/633; 10... d6 – 43/634; 10... 0–0 – 45/(633)] **11. ♘c5 bc5 12. f4 ♘d4 13. ♕d1 d5!? 14. cd5 ed5 15. e5 ♘e4 16. ♗e3 0–0 17. ♗d4 cd4 18. ♘e2 ♕d8 19. 0–0 ♕b6 20. ♔h1 ♖ad8 21. b4 f6 22. ef6 ♕f6 23. ♖c1 ♖f7 24. b5 ♖e7 25. ♕c2?⊕** [25. ♗b1

♘c3 26. ♘c3 dc3 27. ♕d3 d4 28. ♕h7 (28. ♖c3 ♗e4 29. ♗a2 ♔h8 30. ♕d2∞̅) ♔f7∞; 25... d3! △ d4∞̅] **♖c8!** [×c3] **26. ♕c8? ♗c8 27. ♖c8 ♔f7 28. ♘g1 ♕d6 29. ♘f3 g6 30. ♘d4 ♘d2! 31. ♖d1 ♕a3?** [31... ♕f4 32. ♘c6 ♖e3 33. ♘b4 ♖h3!−+] **32. ♘c6 ♕b3** [32... ♕d3 33. ♖c7!=] **33. ♗c2! ♕b5 34. ♘e7 ♔e7 35. ♖c3** [35. h3!?] **♕e2 36. ♖a3 ♘e4 37. ♖c1 ♕d2 38. ♖aa1 ♘f2 39. ♔g1 ♕d4 40. ♔f1 ♘g4 41. ♖e1 ♔f8 0 : 1 [Tunik]**

614. E 12

CEBALO 2505 – P. POPOVIĆ 2535

Jugoslavija (ch) 1989

1. d4 ♘f6 2. ♘f3 e6 3. c4 b6 4. a3 ♗a6 5. ♕c2 ♗b7 6. ♘c3 c5 7. dc5 ♗c5 N [7... bc5 – 46/687] **8. ♗f4 0–0 9. e3 ♗e7 10. h3** [10. ♖d1!? △ 10... ♘h5 11. ♗d6±] **♘a6!? 11. ♗e2** [11. b4 ♘b8! △ a5] **♘c5 12. 0–0 ♘ce4 13. ♖fd1 ♘c3 14. ♕c3 ♖c8= 15. ♕b3 d6** [15... d5 16. ♕a4] **16. ♖ac1 ♕c7 17. ♕a2! ♘e4 18. b4 e5!? 19. ♗h2 ♔h8 20. ♘d2 ♘d2 21. ♕d2⩲ f5 22. f3** [22. c5?! dc5 23. ♕d7 ♗f6□ 24. ♕f5 ♗h4!∓] **♖cd8 23. ♗d3 ♗c8 24. e4 f4 25. ♔f1 ♗e6 26. ♗g1 ♖c8 27. ♗f2 a5 28. ♔g1 ♖a8 29. ♖c2 ♖fc8 30. ♖dc1 h6 31. ♗e2 ab4 32. ab4 ♖a4 33. ♔h2 ♗g8 34. ♕c3 ♖ca8 35. c5= dc5 36. bc5 bc5 37. ♗c5 ♗h4** [37... ♗c5?! 38. ♕c5⩲] **38. ♗b5 ♖a2 39. ♖a2 ♖a2 40. ♔h1 ♗f6 41. ♗d3 1/2 : 1/2 [Cebalo]**

615.* E 12

LPUTJAN 2610 – ROMANIŠIN 2555

Erevan 1989

1. d4 ♘f6 2. c4 e6 3. ♘f3 b6 4. ♘c3 ♗b7 5. a3 g6 [RR 5... ♘e4 6. ♕c2 ♘c3 7. ♕c3 ♗e7 8. ♗f4 0–0 9. e3 N (9. h4) d6 10. ♗d3 f5 11. h4 ♗f6 12. ♕c2 ♕e7 13. ♗g5 ♘d7 14. 0-0-0 h6 15. ♗f6 ♕f6 16. h5 c5 17. ♘h4 cd4 18. ed4 b5 19. c5 ♕d4 20. ♘g6 ♕c5∞ Anastasjan 2475 – Krasenkov 2525, Moskva (GMA) 1989] **6. ♕c2 ♗f3 7. gf3 ♗g7 8. f4** [8. d5!?] **♘c6!? N** [8... 0–0 – 45/(634)] **9. e3 ♘e7 10. ♗g2** [10. e4!?] **d5** [10... c6!? △ ♘f5, d5] **11. cd5 ed5 12. 0–0 0–0 13. ♗h3** [13. ♖d1?! ♕d7] **♘e8** [13... c5 14. dc5 bc5 15. ♘a4 c4 16. ♖d1 ♘e4 (16... ♘c6 17. ♘c3 d4 18. ♘b5±) 17. ♗g2 f5 18. ♗d2 △ ♗c3±] **14. ♗d2 ♘d6 15. ♖ac1 c6 16. ♘e2** [16. ♖fd1 ♘ef5 17. ♘e2 ♕h4 18. ♗g2±] **a5 17. a4 ♖a7 18. ♖fd1 ♖e8 19. b4?!** [19. ♖b1!?] **♘c4 20. ba5** [20. ♕b3!?] **ba5 21. ♕a2 ♗f8** [21... ♘c8 22. ♖c4!? dc4 23. ♕c4±] **22. ♖b1 ♘c8 23. ♘c1 ♘8d6** [23... c5 24. dc5 ♗c5 25. ♖b5±] **24. ♘d3 ♕h4** [24... g5 25. ♔h1 ♘e4 26. ♗e1 gf4 27. ef4∞] **25. ♗g2 ♕h5 26. ♘e5 ♘e5 27. fe5** [27. de5!? ♘e4 (27... ♘c4 28. ♖dc1 ♕e2 29. ♖c2±) 28. ♗e1± △ f3] **♘c4 28. ♖dc1 ♕g4** [28... ♕e2 29. ♖c2] **29. h3⊕** [29. ♗e1!? c5? 30. h3 ♕g5 31. f4 ♕f5 32. ♕f2 cd4 33. e4 ♕d7 (33... de4 34. ♕d4±) 34. ed5 ♘e3 35. ♖b5±] **♕e6 30. ♗f1?** [30. ♗e1! f6 31. ♗f1 ♔h8 32. ♗c4 dc4 33. ♕c4 fe5 34. ♕e6 ♖e6 35. de5±] **♘d2⊕ 31. ♕d2 ♗b4 32. ♕e2 h5?** [32... ♖c7 △ c5=] **33. ♕f3 ♖c7 34. ♖c2 ♖ee7** [34... c5 35. ♖d1 ♖d8 36. e4±] **35. ♖bc1 ♗a3 36. ♖d1 ♔g7 37. e4 de4⊕** [37... ♗b4±] **38. ♕a3 1 : 0 [Lputjan]**

616.*** E 12**

BROWNE 2535 – M. GUREVIČ 2590

New York 1989

1. d4 ♘f6 2. c4 e6 3. ♘f3 b6 4. a3 ♗b7 5. ♘c3 d5 6. cd5 ♘d5 7. ♕c2 ♘c3 [RR 7... ♗e7 *a)* 8. e4 ♘c3 9. bc3 0–0 10. c4 ♘d7! N (10... c5 – 46/694) 11. ♗d3 e5 12. ♘e5 ♘e5 13. de5 ♗c5 14. ♗b2 ♕e7 15. 0–0 ♖ad8 16. ♖fe1 ♖d7 17. ♗f1 ♖fd8 18. ♗c3 a5 19. ♕b2 ♗c6 20. g3 ♕g5 21. ♕c1 ♕c1 22. ♖ec1 ♗e4∓ G. Georgadze 2440 – Anastasjan 2475, Tbilisi 1989; *b)* 8. ♗d2 0–0 9. e4 ♘c3 10. ♗c3 ♘d7 11. ♖d1 g6 N (11... ♕c8 – 44/(641)) 12. ♗c4 ♘f6 13. d5 ed5 14. ed5 ♘d5 15. 0–0 c6 16. ♕c1 ♖e8 17. ♘e5 ♗f6 18. ♘g4 ♗g7 19. ♘h6 ♗h6 20. ♕h6 f6 21. ♕h4 ♔g7

22., h3 ♕d6 23. ♗d5 1/2 : 1/2 Speelman 2645 — Kosten 2510, Hastings 1988/89] 8. ♕c3 h6 [RR 8... ♘d7 9. ♗g5 ♗e7 10. ♗e7 ♔e7 11. e3 N (11. g3 — 45/636) ♘f6 12. ♗e2 ♕d6 13. ♖c1 ♖hc8 14. 0—0 c5 15. dc5 ♖c5 16. ♕b4 a5 17. ♕a4 ♗c6 18. ♕d4 ♗f3 19. ♕d6 ♔d6 20. ♗f3 ♖ac8∓ L. Portisch 2610 — Ljubojević 2580, Rotterdam 1989] 9. b4 [RR 9. ♗f4 ♗d6 10. ♗g3 ♘d7 11. e3 0—0 12. ♗b5 ♗g3 (12... ♖c8 N 13. ♗h4 ♕e8 14. ♗c6 ♗c6 15. ♕c6 e5= P. Cramling 2480 — Wilder 2540, Haninge 1989) 13. hg3 c6! N (13... c5 — 44/639) 14. ♗a4 (14. ♗e2 c5=) ♖c8 15. b4 (15. 0—0 c5=; 15. ♖d1 ♕e7 16. 0—0 1/2 : 1/2 Vilela 2405 — Matamoros 2440, Bayamo 1989; 16. b4!?) c5 16. dc5 bc5 17. ♖d1 ♕f6= Vilela] ♗e7 10. ♗f4

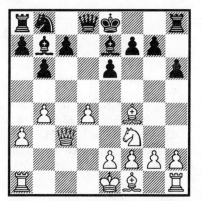

10... 0—0! N [10... c6 — 45/637] 11. ♖c1 [11. ♗c7 ♕d5∞; 11. ♕c7 ♕c7 12. ♗c7 ♖c8∞] c5! 12. dc5 bc5 13. bc5 ♕d5 [△ ♖c8◯] 14. e4!? ♕e4 15. ♗e3 ♖c8∞ 16. ♗d3 ♕c6!? [16... ♕g4 17. ♕b4!±; 16... ♕d5 17. ♗c4 ♕e4 18. ♗d3=] 17. ♕b3 [17. ♘e5!? ♕g2 18. ♔e2↑] ♗a6 18. 0—0 ♗d3 19. ♕d3 ♘d7 20. ♘d4?! [20. ♖c2!?; 20. ♖c4!?] ♕d5 21. c6 ♘e5 22. ♕a6 ♘g4!∞ 23. ♕b7 ♗a3 24. ♖cd1 ♖ab8 25. ♕d7⊕ ♕c4 26. ♗f4 ♘f6 27. ♕a7 ♖a8 28. ♕b7 ♗c5 29. ♗e3?? [29. ♖c1! ♕d4 30. ♗e3 ♕e3 31. fe3 ♗e3 32. ♔h1 ♗c1=] ♖ab8—+ 30. ♖c1 ♕d5 31. ♕a6 ♗d4 32. ♗d4 ♕d4 33. c7 ♖a8 34. ♕b7 ♕a7 35. ♕c6 ♘d5 0 : 1
[M. Gurevič]

617.   **E 12**

KRASENKOV 2525 — KIŠNĚV 2375
Moskva (ch) 1989

1. d4 ♘f6 2. ♘f3 e6 3. c4 b6 4. ♘c3 ♗b7 5. a3 d5 6. cd5 ♘d5 7. ♕c2 ♘c3 8. ♕c3 h6 9. b4 ♘d7 10. e3 ♗d6! N [10... ♗e7 11.. ♗b2 0—0 — 42/(662)] 11. ♗b2 0—0 12. ♗e2 [12. d5 e5 △ a5=; 12. ♗d3 ♖e8 △ e5] ♖e8 13. ♖d1 ♘f6 14. 0—0 a5 15. b5 [△ ♘e5] ♘e4 16. ♕c2 ♗d5! [16... a4?! 17. ♘e5] 17. ♘e5 ♕g5!= 18. ♗f3 [18. f4 ♕e7! (△ 19. ♗f3? ♗a3!) 19. ♗d3 f5 (19... ♗a3 20. ♗a3 ♕a3 21. ♖a1 ♕c3 22. ♕c3 ♘c3 23. ♖fc1 △ ♖c7±) 20. a4 g5!↑≫] f5 [18... ♕f5!?] 19. a4 ♖ac8 [19... ♗e5 20. de5 ♖ac8 21. ♗d4!=] 20. ♘c4 h5 [20... ♘c3? 21. ♗d5 ♘d1 22. ♘d6+−] 21. ♕e2 h4 22. h3 ♗b4 23. ♖c1 ♖f8 [23... ♗c4?! 24. ♖c4 ♘d2 25. ♗c6! ♘c4 (25... ♖e7? 26. ♖b4+−) 26. ♗e8 ♘b2 27. ♗d7 ♖f8 28. ♗e6 ♔h8 29. ♕b2±] 24. ♘e5 ♗d6 25. ♘c4 ♗b4 26. ♘e5 ♗d6 27. ♘c4 1/2 : 1/2 [Krasenkov]

618.   **E 12**

MILES 2520 — GRANDA ZUNIGA 2500
Wijk aan Zee 1989

1. d4 ♘f6 2. ♘f3 e6 3. c4 b6 4. a3 ♗b7 5. ♘c3 d5 6. cd5 ♘d5 7. ♕c2 ♘c3 8. bc3 c5 9. e4 ♘d7 10. ♗f4 cd4 11. cd4 ♖c8 12. ♕b3 ♗e7 13. ♗d3 ♘f6 14. ♕b5 ♕d7 15. ♘e5 ♕b5 16. ♗b5 ♔f8 17. f3 ♘h5? N [17... ♘e8! — 46/692] 18. ♗d2 [△ 18... ♗d6 19. ♘c4] g5 19. h4!± gh4 [19... ♘g3 20. ♖h3 gh4 21. ♗h6 ♔g8 22. ♔d2 △ 23. ♖c1 ♖c1 24. ♗e8!+−] 20. ♗h6 ♘g7 [20... ♔g8 21. ♔d2 △ ♖ac1] 21. ♘d7! ♔g8 22. ♔d2 f6 [22... ♖d8 23. ♖ac1 △ ♖c7; 22... a6 23. ♘b6! ab5 24. ♘c8 ♗c8 25. ♖hc1+−] 23. ♖h4 ♔f7 24. ♖f4? [24. ♖ah1! △ ♖f4+−] ♔g6! 25. ♖h4! [25. ♖h1? ♘h5∞] ♗c6 26. ♗c6 ♖c6 27. ♖ah1! ♘e8 28. ♖g4! ♔f7 29. ♖f4!+− [△ ♘e5] ♗d6 [29... ♔g6 30. ♖h3!] 30. e5 ♗a3 31. ♘f6 ♘f6 32. ♖f6 ♔e7 33. ♗g5 ♖g8 34. d5! 1 : 0 [Miles]

619. E 12

CEBALO 2505 – M. GUREVIČ 2590

Bern 1989

1. d4 ♘f6 2. ♘f3 e6 3. c4 b6 4. a3 ♗b7 5. ♘c3 d5 6. cd5 ♘d5 7. ♕c2 ♘c3 8. bc3 ♘d7 9. e4 c5 10. ♗f4 ♗e7 11. ♗d3 ♕c8!? N [11... cd4 – 44/(642); 11... 0–0 – 45/641; 11... ♖c8 – 45/642, 643] **12. ♕b1 0–0 13. 0–0 ♗a6!? 14. a4!?** [△ a5] **cd4 15. cd4 ♗d3 16. ♕d3 ♕b7 17. ♖fe1** [△ d5; 17. a5!?] **♘f6! 18. ♗g5?!** [18. a5!?∞] **♖fd8 19. ♖ad1 ♖ac8 20. ♘e5**

20... ♘d7!∓ 21. ♗f4 [21. ♘d7 ♗g5 22. ♘e5 ♗f6 23. ♘f3 ♗d4! 24. ♘d4 e5 25. ♕e3 ♕d7!∓; 21. ♗e7 ♘e5 22. ♕g3 ♕e7 23. ♕e5 ♕b4∓] **♗b4! 22. ♖e2 ♘e5 23. ♗e5 ♕c6!∓** [×a4, d4, ⇔c] **24. ♕g3 ♗f8 25. ♕b3 ♕c4 26. ♕b5** [26. ♕c4 ♖c4–+⊥] **f6 27. ♗f4** [27. ♗g3 ♖d4–+] **e5** [27... ♖d4 28. ♖d4 ♕c1? 29. ♗c1 ♖c1 30. ♖e1 ♖e1 31. ♕f1+–; 28... ♕d4∓] **28. ♗e3 ed4 29. ♖ed2 ♕b5 30. ab5 de3 0 : 1** **[M. Gurevič]**

620. E 12

MILES 2520 – LANGEWEG 2365

Lugano 1989

1. d4 ♘f6 2. ♘f3 e6 3. c4 b6 4. a3 ♗b7 5. ♘c3 d5 6. cd5 ♘d5 7. ♕c2 ♘c3 8. bc3 c5 9. e4 ♘d7 10. ♗f4 ♗e7 11. ♗d3 ♕c8 12. ♕a4! N 0–0 [12... cd4 13. cd4 ♕c3 14. ♔e2± △ ♖hc1; 12... ♗c6 13. ♕d1 ♗b7 (13... ♘f6 14. ♘d2±) 14. 0–0±] **13. 0–0 ♘f6 14. ♖fe1 cd4** [14... c4!? 15. ♗b1 △ ♕d1±] **15. cd4 ♕c3 16. ♕b5!±** [16. ♕d1 ♗a3 17. ♖e3 ♘g4] **♖ac8** [16... ♗e4? 17. ♗e4 ♘e4 18. ♖ac1+–; 16... ♗a3 17. ♗d2 ♕b2 18. ♕a4!+–] **17. ♕b1** [17. ♖ec1 ♕a5 18. ♕a5 ba5⇆⇔c, ×e4] **♘h5** [17... ♗a3 18. ♗d2 ♕b2 19. ♕d1 △ ♕e2, ♖eb1+–] **18. ♗e3 ♕c7 19. ♘e5** [19. ♗d2 ♘f4 20. ♗f1 △ a4±] **♘f6 20. h3 ♕b8 21. a4± ♖c3? 22. ♗d2 ♖a3?** [22... ♖cc8□±] **23. ♖a3 ♗a3 24. ♘c4+– ♗e7 25. e5 ♘d5 26. ♗h7 ♔h8 27. ♗d3 ♕e8 28. ♕d1 g6 29. ♗h6 ♖g8 30. ♕f3 ♗a8 31. ♘d6! ♗d6 32. ed6 ♕d7 33. ♖e4 ♖c8 34. ♖h4 ♔g8 35. ♕g3 ♖c3 36. ♕e5 f6 37. ♕g3 g5 38. ♗g5 fg5** [38... ♕g7 39. d7] **39. ♕g5 ♕g7 40. ♕d8 ♔f7 41. ♖h7 1 : 0** **[Miles]**

621.* E 12

JUSUPOV 2610 – A. SOKOLOV 2605

Rotterdam 1989

1. d4 ♘f6 2. c4 e6 3. ♘f3 b6 4. ♘c3 ♗b7 5. a3 d5 6. cd5 ♘d5 7. e3 ♗e7 8. ♗b5 c6 9. ♗d3 ♘c3 10. bc3 c5 11. 0–0 0–0 12. ♕e2 ♘c6 13, ♗b2 ♖c8 14. ♖ad1 cd4 15. cd4 ♗f6 16. e4 [RR 16. ♖fe1 ♘a5 17. e4 ♖e8 18. ♗b5 ♗c6 19. ♗a6 ♗a4 N (19... ♗b7 – 43/648) 20. ♗c8 ♗d1 21. ♖d1 ♕c8 22. ♖c1 ♕d7 23. ♕c2 h6= Dreev 2520 – Ehlvest 2600, New York 1989] **♘a5 17. h4 ♗h4** [17... g6 18. h5 ♗g7 19. d5±] **18. d5 ed5 19. ed5!** [19. e5 – 42/665] **♗f6 20. ♘e5 ♖c5 21. d6 ♗e5** [21... ♖e8 22. f4±] **22. ♗e5 ♖e8 23. f4 ♘c6** [23... f6? 24. ♕h5 h6 25. ♕g6+–] **24. ♕h5?!** [24. ♕g4 ♘e5 25. fe5 ♖ee5 26. ♗h7 ♔h7 27. ♖f7 ♕g5 28. ♕h3 (28. ♕g5 ♖g5 29. ♖b7 ♖c2=) ♔g6 29. ♖b7 ♖c1=; 24. ♕f2!? Jusupov] **g6 25. ♕h6 ♘e5 26. fe5 ♖ee5 27. ♖f7** [27. ♕f4!? ♕d7 28. ♖de1∞] **♔f7 28. ♕h7 ♔e6 29. ♕b7** [29. ♗c4 ♗d5 30. ♕g6 ♔d7–+; 29. ♕g6 ♔d7 30. ♕f7 ♔c8–+] **♕g5** [△ ♕e3] **30. ♕f3 ♕e3 31. ♕e3 ♖e3 32. ♗g6** [32. ♗b5 ♖c8 33. d7 ♖d8 34. a4 ♔e7 △

a6−+; 32. ♗e2 ♖e2 33. d7 ♖e1 34. ♖e1 ♔d7−+] **♔d7 33. ♖d4 ♖e6**
0 : 1 **[A. Sokolov]**

622.* **E 12**

KOŽUL 2490 – B. LALIĆ 2525
Jugoslavija (ch) 1989

1. d4 ♘f6 2. ♘f3 e6 3. c4 b6 4. ♘c3 ♗b7 5. a3 d5 6. cd5 ♘d5 7. e3 ♗e7 8. ♗b5 c6 9. ♗d3 ♘c3 10. bc3 c5 11. 0–0 0–0 12. ♗b2 ♘c6 13. ♕e2 ♗f6 14. ♖ad1 cd4 15. ed4!? ♖c8 16. c4 ♘a5 17. ♘e5 ♗e5! 18. de5 ♕h4!? N [18... ♕c7 19. ♕h5 g6 20. ♕h6 ♖fd8?! N (20... ♕c6! – 33/622) 21. ♗c1! (21. ♖fe1? ♘c4!∓ Kožul 2490 – Kohlweyer 2365, Liechtenstein 1989) ♕e5 22. ♗g5→] **19. f4! ♘b3** [19... g6?! 20. ♗c3 △ ♗e1, ♕g4, ♗h4→] **20. ♗c2** [20. f5 ♘d4!] **♘c5 21. f5 ♖fd8?!** [⌓ 21... ef5 22. ♖f5 g6! △ ♘e6] **22. f6! ♗a6 23. g3! ♕h3?** [23... ♗c4? 24. ♖d8 ♖d8 25. ♕d1!! ♖d1 26. ♖d1+−; 23... ♕c4□ 24. ♗h7! ♔f8! 25. ♕h5 (25. fg7 ♔g7 26. ♕h5 ♖d1 27. ♕f7 ♔h8 28. ♖d1 ♕e2 29. ♖d4 ♕e1=) ♖d1 26. ♖d1 ♕e2□ 27. ♕e2 ♗e2 28. ♖d2±⊥⊡] **24. ♖d8 ♖d8 25. ♖d1 ♖d7 26. ♕f3!+− gf6 27. ♕a8** [27... ♔g7 28. ef6 ♔h6 29. ♕f8 ♔h5 30. ♖d7 ♘d7 31. ♕f7 ♔g4 32. ♕e6 ♔f3 33. ♗d1#]
1 : 0 **[Kožul]**

623. **E 12**

VYŽMANAVIN 2550 – ANASTASJAN 2475
Moskva (GMA) 1989

1. d4 ♘f6 2. c4 e6 3. ♘f3 b6 4. a3 ♗b7 5. ♘c3 d5 6. cd5 ♘d5 7. ♕c2 ♘c3 8. bc3 ♗e7 9. e3 0–0 [9... ♕c8 – 46/691] **10. ♗d3 h6 11. ♕e2 c5 12. 0–0 ♘c6 13. ♗b2 ♖c8 14. ♖ad1 ♘a5 N 15. ♘e5** [15. e4 ♕c7 16. ♘e5 ♗d6 17. f4 f5∞] **♗d6 16. f4 f5 17. e4 fe4?!** [17... ♕c7] **18. ♗e4 ♗e4 19. ♕e4 ♗e5 20. de5 ♕e7 21. c4 ♖cd8 22. ♗c3 ♘b3!** [22... ♘b7±] **23. h3 ♕f7?** [23... ♘d4 24. ♔h2 ♖d7 (24... ♘f5 25. g4) 25. ♖d3 ♖fd8 26. ♖fd1±; 23... ♕h4=] **24. ♖d6! ♖d6 25. ed6 ♕d7 26. ♕e3!±** [26. ♗e5? ♘d2; 26. ♕e5 ♖f5] **♖d8** [26... ♕d6 27. ♗e5] **27. ♗e5 ♘d4 28. ♔h2 ♘f5 29. ♕d3 ♕f7 30. ♖d1 ♘d4 31. ♖d2 ♕f8 32. ♕e3 ♘c6 33. g4 ♕f7 34. ♗c3 ♖d7 35. ♕e4 ♘d8 36. ♗e5 ♕f8 37. ♔g3 ♘f7 38. ♕g6 ♘d8 39. h4 ♕f7 40. h5 ♕g6 41. hg6 ♘c6 42. ♗c3 ♘d8 43. f5 ef5 44. gf5+−⊙ ♘b7 45. ♔f4 h5** [45... ♖d6 46. ♖e2 ♔f8 47. ♗g7] **46. ♔e5 h4 47. ♔e6 ♖d8 48. d7 ♖f8 49. f6**
1 : 0 **[B. Arhangel'skij, Vyžmanavin]**

624.**** **E 12**

ILLESCAS CORDOBA 2525 – MIRALLÈS 2400
Las Palmas 1989

1. ♘f3 ♘f6 2. c4 b6 3. ♘c3 ♗b7 4. d4 e6 5. a3 d5 6. cd5 ed5 7. g3 [RR 7. ♕a4 c6 8. ♗g5 ♗e7 9. e3 0–0 10. ♗d3 c5 N (10... ♘bd7 – 46/(700)) 11. ♖d1 ♘bd7 12. ♘e5 h6 13. ♗f4 a6 14. ♗b1 ♖e8 15. ♘d7 ♘d7 16. dc5 ♘c5 17. ♕c2± Bareev 2555 – Gligorić 2505, Moskva (GMA) 1989] **♗e7** [RR 7... ♗d6 8. ♗g2 0–0 9. 0–0 ♘bd7 N (9... ♖e8 – 32/596) 10. ♘b5 ♗e7 11. ♗f4 c6 12. ♘d6 ♗d6 13. ♗d6 ♖e8 14. ♖c1 ♘e4 15. ♗f4 c5 (15... ♕e7 16. ♖e1 c5 17. ♘d2 ♘d2 18. ♕d2 ♖ad8= Anastasjan 2475 – Rozentalis 2485, Tbilisi 1989) 16. dc5 bc5 17. ♘d2 ♘df6! (17... d4 18. ♘e4 ♗e4 19. ♗e4 ♖e4 20. ♕d3±) 18. ♘e4 ♘e4 19. ♗e4 ♖e4 20. ♖c5 ♕b6 21. b4 ♖ae8 22. ♖e1 (22. e3 h6 23. h4 a5! 24. ♖a5 d4=̅∞→) d4 23. f3 ♖4e7 24. ♕d3 h6 25. ♗d2 (25... ♗a6 26. ♕d4 ♖e2= Rozentalis) 1/2 : 1/2 Dautov 2535 – Rozentalis 2485, Tbilisi 1989] **8. ♗g2** [RR 8. ♕a4 ♘bd7 9. ♘e5 c5 10. dc5 0–0 N (10... bc5 – 39/646) 11. c6 ♘c5 12. ♕d1 ♗a6 13. ♗g2 d4 14. ♘a2 ♕c7 15. ♘d3 ♘d3 16. ed3 ♕e5 17. ♕e2 ♕e2 18. ♔e2 ♖fe8=̅∞ Miles 2520 – Mirallès 2400, Cannes 1989] **0–0 9. 0–0 ♘a6?! 10. ♕c2 c5 11. ♗f4** [11. ♗e3 c4∞] **♘c7 12. ♖ad1 N** [12. ♖fd1 – 44/645] **♘e6 13. ♗c1 ♖c8 14. ♕b1** [14. dc5 bc5 15. ♘g5 ♘d4∓] **♕e8 15. dc5 bc5 16. ♘g5 h6 17. ♘h3?!**

[⌓ 17. ♘e6 fe6 18. e4 ♕f7∞] **♗a6!∓** [17... d4? 18. ♗b7 ♖b8 19. ♗d5! dc3 20. ♗e6 fe6 21. ♕c2±] **18. ♖fe1 d4 19. ♘d5□** [19. ♘e4 c4∓] **♗c4! 20. ♘e7 ♕e7 21. ♕c2 ♗d5?!** [21... ♗a6?! 22. ♕a4; 21... ♗b5 △ c4∓] **22. e4! ♗b7 23. f4?** [⌓ 23. b3±] **c4∓ 24. f5** [24. e5 ♘g4 25. ♕f5 (25. f5 d3 26. ♕c3 ♕c5 27. ♔h1 ♗g2 28. ♔g2 ♘d4−+; 25. ♕e2 h5 △ d3∓) ♗g2 26. ♔g2 ♕b7 27. ♔g1 ♘e3 28. ♗e3 de3∓] **d3 25. ♕c3** [25. ♕f2 ♘c5 26. e5 ♘fe4 27. ♕f4 d2 28. ♗d2 ♘d3−+] **♘c5 26. e5** [26. ♕c4 ♖fd8∓] **♘fe4 27. ♕c4 ♖fd8−+ 28. ♗e3 d2 29. ♖f1 ♗a6 30. ♗c5 ♘c5 31. ♕g4 ♕e5 32. ♖f2 ♕e1 33. ♗f1 ♘e4 34. f6 g6 35. ♖fd2 ♕e3 36. ♘f2 ♖d2 37. ♖d2 ♖c1 0 : 1 [Mirallès]**

625.* E 12

PÉTURSSON 2530 − B. LARSEN 2560
Næstved 1988

1. d4 ♘f6 2. c4 e6 3. ♘f3 b6 4. a3 ♗e7 5. ♘c3 d5 [5... 0−0 6. d5 ♖e8 7. e4 ed5 8. cd5 ♘e4 9. ♘e4 ♗h4!; 9. ♗e2!] **6. cd5 ed5 7. ♗f4 0−0 8. e3 c5 9. ♘e5** [9. ♗d3 ♗g4; 9. h3 ♘c6 10. ♗d3 cd4 11. ed4 ♗d6 12. ♗d6 ♕d6 13. 0−0 ♖e8 14. ♗b5 ♗d7 15. ♗c6 ♗c6 16. ♘e5± Schandorff 2435 − B. Larsen 2580, Danmark (ch) 1989] **♗b7 10. ♗d3 ♘c6 11. 0−0 cd4 12. ♘c6 ♗c6 13. ed4 ♕d7! N** [13... ♗d6 14. ♗g5± − 39/643] **14. ♕f3** [14. ♖e1!?] **♖ae8!?** [14... ♖fe8 15. ♖fe1 ♗d6 16. ♗g5! (16. ♗e5 ♗e5 17. de5 d4 18. ♘e4 ♘e4 19. ♗e4 ♗e4 20. ♕e4 ♖ad8=) ♘e4 17. ♘e4 de4 18. ♗e4 ♖e4? 19. ♖e4 ♕b7 20. ♖ae1] **15. ♖fe1 ♗d6 16. ♗e5** [16. ♗g5? ♘e4! 17. ♘e4? de4 18. ♗e4 ♖e4! 19. ♖e4 ♕b7−+] **♗e5 17. de5 d4 18. ♘e4** [18. ♕g3? ♘h5] **♘g4?!** [18... ♘e4 19. ♗e4 ♗e4 20. ♕e4 ♖e6] **19. ♕g3! ♖e5 20. h3 f5 21. hg4 ♖e4 22. gf5!±** [22. ♗e4 fe4∞] **♖e1 23. ♖e1 ♗b5!? 24. ♗b5 ♕b5 25. ♖e7 ♖f7 26. ♕b8 ♖f8 27. ♕g3 ♖f7 28. ♕b8 ♖f8 29. ♕c7** [29. ♕a7 ♕f5 30. ♖g7 ♔h8 31. f3 d3] **♕f5 30. ♕c4 ♔h8 31. ♕d4 ♕g5 32. ♕e3!?** [32. ♖a7 ♕c1=] **♕f6 33. b4⊕ a5⊕ 34. ♖e8 ab4 35. ab4 ♔g8 36. ♕b3 ♕f7 37. ♖f8 ♔f8 38. ♕d3 ♕e6 39. ♕d8 1/2 : 1/2 [B. Larsen]**

626.* E 12

J. PIKET 2500 − VAN DER WIEL 2560
Nederland (ch) 1989

1. d4 ♘f6 2. ♘f3 e6 3. c4 b6 4. ♘c3 ♗b7 5. a3 d5 6. ♗g5 ♘bd7!? 7. cd5 ed5 8. ♕a4! ♗e7 9. ♘e5 N [RR 9. ♗f6 ♗f6 10. g3 c5 11. ♗h3 a6!? N (11... cd4 − 40/647) 12. ♖d1 b5 13. ♕c2 cd4 14. ♘d4 0−0 15. 0−0 ♘b6 16. e3 ♕c7 17. ♖d3 ♖ad8 18. ♘e4 ♕c2 19. ♘f6 gf6 20. ♘c2 ♘c4∞ Dohojan 2575 − Gligorić 2505, Erevan 1989] **c5!** [9... h6] **10. e3** [10. ♗f6 ♗f6 11. ♘c6 ♗c6 12. ♕c6 ♗d4 13. ♘b5 ♗e5 14. ♖d1→] **0−0 11. ♘d7 ♘d7 12. ♗e7 ♕e7 13. ♗e2 c4?!** [13... ♘f6] **14. ♗f3 ♘f6 15. ♕b4□ ♕e6** [15... ♕b4 16. ab4 a6 17. ♘a4 ♘d7 18. ♔d2±] **16. a4 a5 17. ♕a3 ♘e4** [17... ♖fe8 18. 0−0 △ b4] **18. ♗e4 de4 19. h4!** [19. 0−0?! f5 20. ♘e2 g5∓] **♕g4** [19... f5 20. ♘e2 △ ♘f4±]

20. ♕e7!± ♖ab8 [20... ♕g2? 21. 0-0-0±] **21. ♕g5 ♕e6 22. d5 ♕d6 23. ♖d1 f5 24. 0−0 ♗a6!** [△ b5⇆] **25. f3 h6 26. ♕f4 ♕f4 27. ef4 ef3 28. ♖f3 b5 29. ab5 ♗b5 30. ♖e3 ♖b7?** [30... ♖fe8 31. ♖e5 ♗d7 32. ♖d2 a4 33. ♔f2 ♖b3 34. ♔e3? a3; 34. ♘e2±] **31. ♖a1± ♗d7?!⊕** [31... ♖a8 32. ♔f2±] **32. ♖a5 ♖b2 33. ♖c5 ♖b4** [33... ♖c8? 34. ♖c8 ♗c8 35. ♖e8+−] **34. ♖c7 ♖f7 35. ♖e5 ♖b6** [35... ♔f8 36.

h5+−] **36. ☐c4 ☐g6 37. ♘e2** [37. ♔f2+−] **☐g4 38. g3?!** [38. h5+−] **♗b5 39. ☐c8 ♔h7 40. ♘d4?⊕** [40. ♔f2 ♗e2 41. ☐e2 g5 (41... ☐g6 42. h5 △ ☐ee8+−) 42. hg5 hg5 43. d6 gf4 44. ☐e7 fg3 45. ♔g2 ☐gg7 46. ☐f7 ☐f7 47. ☐c7 ♔g6 48. d7+−] **☐g3! 41. ♔f2 ♗d7 42. ♔g3 ♗c8 43. ☐e8 ☐c7!** [43... ♗b7 44. d6 ☐d7 45. ♘f5 ♔g6 46. ☐e7+−; 43... ♗d7 44. ☐d8 △ ♘f3-e5±] **44. ♔f2?!** [44. d6 ☐c3 45. ♔f2 ♗d3 46. ☐c8 ☐d4=; 44. ♘c6 ♗d7 45. ☐e7 ♗c6 46. ☐c7 ♗d5=] **☐c4 45. ♔e3 ☐c3 46. ♔d2 ☐c4 47. ♔e3 ☐c3 48. ♔d2 ☐c4 49. ♔d3 ♗a6 50. ☐e5** [50. ☐a8 ☐c6 51. ♔d2 (51. ♔e3 ☐c3 △ ☐d3=) ☐d6=] **☐a4 51. ♔c3 ☐c4 52. ♔d3 ☐a4 53. ♔e3 ☐a3 54. ♔f2 ☐a2 55. ♔g3 ☐a3 56. ♔f2 ☐a2 57. ♔e1 ☐a4 58. ♘e6 ♗c8 59. ♘f8?⊕** [59. ♘c5 ☐f4 60. ☐e8 ☐d4 61. ☐c8 ☐d5±] **♔g8 60. ♘g6 ♔f7 61. h5 ♔f6 62. ☐e8** [62. ♔d2 ☐f4 63. ☐e8 ☐c4 64. ♔e3⯑⯑] **☐e4□ 63. ☐e4 fe4 64. ♔f2 ♗b7** [64... ♗g4?! 65. d6 ♔e6? 66. d7; 65... ♗f5=] **65. d6 ♔e6 66. ♘e7!♔d6 67. ♘f5 ♔e6** [67... ♔d5 68. ♔e3! ♔e6 (68... ♗c8 69. ♘e7) 69. ♘g7 ♔f6 70. ♘e8 ♔e7=] **68. ♘g7 ♔f6 69. ♘e8 ♔e6 70. ♔e3 ♗c6 71. ♘c7 ♔f5 72. ♘a6!= ♗a4** [72... ♔g4 73. ♘c5 ♔h5 74. ♘e4 ♔g4 75. ♘d6 h5 76. f5 h4 (76... ♔g5 77. ♘e4 ♔f5 78. ♘g3=) 77. f6 ♗d5 78. f7 ♗f7 79. ♘f7=] **73. ♘c5 ♗c2 74. ♔d2 ♔f4 1/2 : 1/2** **[J. Piket]**

627.***** E 12

GEL'FAND 2600 − EHLVEST 2600

Tallinn 1989

1. d4 ♘f6 2. c4 e6 3. ♘f3 b6 4. ♘c3 ♗b7 5. a3 d5 6. ♗g5 ♗e7 7. ♗f6 [RR 7. cd5 ♘d5 8. ♗e7 ♘e7 N (8... ♕e7 − 8/522) 9. e3 ♘d7 10. ♗e2 0−0 11. 0−0 c5 12. ☐c1 cd4 13. ♘d4 a6 14. b4 ☐c8 15. ♕b3 ♘g6 16. ♗f3 ♗f3 17. ♘f3 ♕c7 18. h3 ♘de5 19. ♘e5 ♘e5 20. ♘e2 ♕b7 21. ☐c8 1/2 : 1/2 U. Andersson 2620 − An. Karpov 2750, Marostica (m/3) 1989] **♗f6 8. cd5 ed5 9. g3** [RR 9. ♕b3 N 0−0 10. ☐d1 a) 10... ♕d6 11. g3 c5 12. ♗g2 ♘d7

13. 0−0 ☐fe8 14. e3 ☐ad8 15. ♕a2 ♘f8 16. ☐d2 ♘e6 17. ☐fd1 cd4 18. ♘b5± J. Piket 2500 − Douven 2445, Wijk aan Zee 1989; b) 10... ♕d7 11. g3 ☐d8 12. ♗g2 ♘c6 13. 0−0 ♕f5 14. h4 h6= J. Piket 2495 − Lautier 2365, Groningen 1988; c) 10... ☐e8 11. e3 ☐e7! (11... c6 12. ♗d3 ♘d7 13. 0−0 ♘f8 14. e4 g6 15. ♕a4 de4 16. ♗e4 ♕d6∓ J. Piket 2500 − Langeweg 2365, Nederland (ch) 1989; 14. ♕a4!? △ b4 J. Piket) 12. ♗e2 c6 13. 0−0 ♘a6 14. ☐fe1 ♘c7 15. ♗f1 g6 16. g3 ♗g7 17. ♗g2 ♕d6 18. h4 ☐d8∓ J. Piket 2500 − Pétursson 2530, München 1989] **0−0 10. ♗g2** [10. ♕b3!?] **♕e7 11. ♕b3 N** [11. 0−0 − 29/509] **☐d8 12. 0−0 c5 13. ☐ad1 ♘a6= 14. e3 ♗c6 15. ☐fe1 ☐ac8 16. ♕c2 ♘c7 17. ☐d2 ♘b5 18. ♘b5 ♗b5⯊ 19. ☐c1 ♕e8 20. ♕d1 c4!? 21. ♔h1!?** [△ ♘g1-e2] **♗a4 22. ♕e1 ♕b5 23. ☐e2 ☐d6 24. ♘d2 ♕d8 25. ♘b1 ☐b8 26. ♗h3 a5 27. b4! ab4** [27... cb3 28. ♘c3⯑⯑ ⤬d5] **28. ab4 ♗e7 29. ☐b2 ☐a6?** [29... ♕f8!∓ (⤬b4) 30. ♕c3 ♗b3 31. ♘d2 ☐h6∓] **30. ♕c3 h5∓ 31. ♗g2 h4 32. ♘d2 ☐h6?!⊕** [△ 32... ♕d7] **33. e4= ☐f6?! 34. ♔g1 hg3 35. hg3 de4 36. ♘e4 ☐h6 37. ♘c5 ☐d6! 38. ♘b7⊕** [38. ♘a4=] **☐b7 39. ♗b7 ♗f6⯑⯑ 40. ☐e2 ♗d4 41. ♕f3 ☐f6 42. ♕g2?!** [42. ♕h1!? △ 42... g6 43. ☐ce1+−; 42... ☐h6!=] **g5!∓ 43. ☐ce1 ♔g7 44. ♕d5? ♕d5 45. ♗d5 ☐d6⊥ 46. ♗e4 ♗c3 47. ☐b1 ♗d2 48. ♔f1 c3 49. f3 ☐d4 50. ♗f5 ♔f6 51. ♗h7 ☐d8 52. ♔f2 ☐c8 53. ♗d3 ☐h8 54. g4⊕ ☐d8−+** [⤬f4] **55. ♗f5 ♗f4 56. ♔g2 ☐d5 57. ♗h7 ☐d4 58. ♗f5 ☐d2 59. ♔f2 c2 60. ♗c2 ☐c2 0 : 1** **[Ehlvest]**

628. E 12

SEIRAWAN 2610 − DZINDZICHASHVILI 2540

New York 1989

1. d4 ♘f6 2. c4 e6 3. ♘f3 b6 4. ♘c3 ♗b7 5. ♗g5 ♗b4 6. ♕b3 c5 7. a3 ♗a5!? 8. e3 [8. dc5 ♗f3 9. gf3 bc5 10. e3 ♘c6 11. f4 ☐b8 12. ♕c2 ♕b6∞] **h6 N** [8... ♗f3

325

— 43/(649)] 9. ♗h4 0—0 10. ♗e2?! [△ 10. ♖d1] cd4! 11. ♘d4 [11. ed4 d5 12. c5 ♘bd7∓] ♗c3! 12. ♕c3 [12. bc3 ♘a6∓] ♘e4!? 13. ♗d8 ♘c3 14. ♗e7 ♘e2 15. ♔e2 ♖c8! [×c4; 15... ♖e8?! 16. ♗d6 ♗g2 17. ♖hg1 ♗b7 18. ♗e5∞] 16. ♖hc1□ [16. ♘b5 ♖c4! 17. ♘d6 ♖c2! 18. ♔d1 (18. ♔d3 ♖c7 19. ♗d8 ♗a6) ♖c7! 19. ♗d8 ♗g2!—+ 20. ♖g1 ♗f3 ♘c6! [16... ♗g2 17. ♘b5 △ f3; 16... ♖c4 17. ♖c4 ♗a6 18. ♖c1 d5 19. ♔d2∞] 17. ♘c6 ♖c6∓ 18. b3 ♖ac8 [△ d5] 19. ♔d2 [19. ♖d1 d5! 20. cd5 ♖c2∓ f6! [△ d6!] 20. ♗b4 a5 21. ♗c3 a4∓ 22. ba4 ♖c4 23. ♗d4? [23. f3!] ♗g2 24. ♗b6 [24. ♖c4 ♖c4 25. ♖g1 e5 26. ♗e5 fe5 27. ♖g2 ♖a4 28. ♖g6∓] ♗e4 25. a5 ♖c2 26. ♖c2 ♗c2 27. ♔e1 ♗d3—+ 28. ♖d1 ♖e2 29. ♔f1 ♗e3 30. ♔g1 ♗e2! [30... ♖f3?? 31. ♗e3 ♗a6 32. ♖d6±] 31. fe3 [31. ♖d2 ♖e4!; 31. ♖d7 ♖a3] ♗d1 32. ♔f2 ♔f7 33. a6 ♗a4 34. ♗c5 ♗c6 35. ♔e1 h5 36. ♔d2 g5 37. a7 e5 38. ♔d3 ♔e6 39. e4 d5 40. ed5 ♗d5 41. ♗b6 g4 42. ♗f2 f5 43. a4 f4 44. a5 ♗a8 45. ♔c4 ♔f5 46. ♔d3 e4 47. ♔d4 ♔g5 0 : 1 [Dzindzichashvili]

629. E 13

GEL'FAND 2600 —
JOEL BENJAMIN 2545
New York 1989

1. d4 ♘f6 2. ♘f3 e6 3. c4 b6 4. ♘c3 ♗b4 5. ♕c2 ♗b7 6. ♗g5 h6 7. ♗h4 ♗c3 N [7... c5 — 45/(651); 7... g5 — 46/(702); 7... ♗e4 — 46/702] **8. ♕c3!? g5 9. ♗g3 ♘e4 10. ♕c2 d6 11. e3** [11. ♘d2 ♘d2 12. ♕d2 ♘d7= Gel'fand; 11. d5!?] **♘d7 12. ♗d3 ♘df6 13. 0-0-0 ♕e7 14. d5 ♘c5!** [14... ed5 15. cd5 ♘g3 (15... ♗d5 16. ♗b5 ♔f8 17. ♖d5 ♘d5 18. ♕c6!+—) 16. hg3 ♘d5 17. ♗a6! c6□ 18. ♗b7 ♕b7 19. ♘g5±; 19. e4±] **15. e4 e5= 16. ♘d2 ♘h5** [16... ♘d3 17. ♕d3 c6 18. dc6±] **17. ♗f1 a5 18. f3 ♗c8 19. ♗f2 0-0!** [19... f5↑] **20. g4 ♘f4 21. h4 ♔g7 22. ♘b1! ♗d7 23. ♘c3 ♕f6 24. ♘e2 ♖h8 25. ♘g3** [25. h5=] **h5!⇄ 26. ♘f5** [26. gh5 g4∞; 26. hg5 ♕g5

27. gh5 ♘fd3! (27... ♘h5!? 28. ♔b1 ♘g3 29. ♖g1 ♖h2 30. ♖d2!∞) 28. ♔b1 ♘f2 29. ♕f2 (29. ♖g1 ♘d1!) ♖ag8 a) 30. ♗h3 ♔f8 31. ♖dg1 ♗h3 32. ♖h3 ♘d3 33. ♕f1 (33. ♕c2 ♘f4 34. ♖hh1 ♘h5) ♕d2 34. ♖g2 ♕e1! 35. ♕e1 ♘e1 36. ♖g1□ ♘f3 37. ♖d1 ♖g4 38. ♘f5 ♖f4—+; b) 30. ♗e2 ♔f8 31. ♖dg1 ♕f4∞ ×♗e2] **♗f5 27. gf5 g4! 28. ♖g1 ♖ag8 29. fg4 hg4 30. ♖g4 ♔f8 31. ♖g8 ♖g8 32. b3!? ♕h6 33. ♔b2 ♕h5 34. ♖e1 ♕f3 35. ♖e3 ♕h1 36. ♖e1 ♕h2! 37. ♔b1 ♖g4!⊙ 38. a3?!⊕ ♘fd3?!⊕** [38... ♘b3—+] **39. ♗d3 ♘d3 40. ♕d3 ♕f2** [×♔b1] **41. ♕e2!□ ♕h4 42. ♔a2 ♖g3** [42... ♖f4! 43. ♕d2□ ♖e4 44. ♖e4 ♕e4 45. ♕h6 ♔e8 46. f6 (46. ♕h8 ♘d7 47. ♕f6 ♕e2 48. ♔b1 ♕h5 49. ♔c2 ♔c8 50. ♔d3 ♔b7—+) a4!—+] **43. ♕c2?!** [43. a4! ♕h3 44. ♕b2∓] **♕h3 44. ♖e2?** [△ ♔b2] **♖c3** [44... a4!] **45. ♕b2** [△ 45. ♕b1 a4 46. ♖b2] **a4! 46. ba4 ♕d3!**
0 : 1 [Joel Benjamin]

630.* E 13

GEL'FAND 2600 — A. IVANOV 2470
New York 1989

1. d4 ♘f6 2. c4 e6 3. ♘f3 b6 4. ♘c3 ♗b4 5. ♗g5 ♗b7 6. ♕c2 [RR 6. e3 ♗c3 7. bc3 d6 8. ♘d2 ♘bd7 9. f3 h6 10. ♗h4 ♕e7 11. ♕a4 e5 12. e4 0—0 13. ♗e2 ♕e6 14. 0—0 ♘h5 15. ♖fe1 ♘f4 N (15... ♔h8 — 43/653) 16. ♗f1 (16. ♘f1 f5 A. Černin) c5 17. ♖ad1 ♘f6= Wiedenkeller 2430 — A. Černin 2580, Lugano 1989] **h6 7. ♗h4 ♗c3 8. ♕c3 g5 9. ♗g3 ♘e4 10. ♕c2 d6 11. d5!? N ed5 12. cd5 ♗d5 13. 0-0-0 ♗b7 14. ♘d4 ♘d7 15. f3** [15. ♘c6?! ♗c6 16. ♕c6 ♘g3 17. hg3 ♔f8] **♘g3 16. hg3 ♘c5** [16... ♕f6!? 17. ♘b5 0—0∞] **17. e4 ♕f6 18. ♗b5 c6 19. ♗e2** [19. ♘c6? a6 20. ♘a5 ab5 21. ♘b7 ♘b7 22. ♕c6 ♔f8 23. ♕b7 ♖a2 24. ♕c8 ♔g7 25. ♕c3 ♖c8—+; 19. ♗c6?! ♗c6 20. ♘c6 ♖c8 21. ♘a7 ♘b3 22. ab3 ♖c2 23. ♔c2 ♕e5 24. ♔b1 ♕g3 25. ♘b5 d5!? 26. ♖d5 (26. ed5 ♕g2 27. d6 ♔d7 28. ♖he1 ♖e8 29. ♖e8 ♔e8 30.

d7 ♔d8∓) 0–0 27. ♖d2=] **a5 20. ♘f5 0-0-0** [20... d5!? 21. ed5 cd5 22. ♗b5 ♔f8∞] **21. ♕c3 ♕c3 22. bc3 ♔c7** [22... d5?! 23. e5!] **23. ♘h6 f6 24. ♘g4 ♘d7 25. f4?! ♖de8 26. ♗f3 ♗a6 27. ♔b2 ♗c4∓ 28. ♖h8?!** [28. ♘e3] **♖h8 29. ♘e3 ♗e6 30. ♘f5 ♗f5 31. ef5 d5** [31... gf4! 32. gf4 ♖h4 33. g3 (33. g4) ♖h3∓] **32. ♖e1** [32. fg5! fg5 33. ♖e1] **♖h2?⊕** [32... gf4! 33. gf4 ♖h4!∓] **33. fg5! fg5 34. g4 ♔d6?** [34... b5 35. a4!? ba4 36. ♔a3 ♘c5 37. ♖e7 ♔d6 38. ♖g7 ♘e4 39. ♖g6 ♔d7!? 40. ♗e4 de4 41. ♖g5 ♖g2 42. f6=] **35. ♖e6 ♔c5 36. c4! ♔c4 37. ♖c6 ♘c5 38. ♖d6 ♘d3** [38... ♘e4 39. ♖b6 ♘d2 40. f6 ♘f3 41. f7!+–] **39. ♔a3 ♘f4 40. ♖b6 ♘g2 41. f6** [41. ♖b2? ♖h3!] **♘e3!** [41... ♖h3? 42. ♖b3 ♘f4 43. ♗e2+–; 41... ♘f4? 42. f7 ♖h8 43. ♖f6 ♖f8 44. ♔a4 ♘d3 45. ♖f5+–] **42. f7 ♘c2 43. ♔a4 ♘d4 44. a3** [44. f8♕ ♖a2 45. ♕a3 ♖a3 46. ♔a3 ♘f3=] **♖h8 45. ♗g2 ♖f8 46. ♖b7** [46. ♖f6? ♔c5 △ 47. ♔a5? ♖a8 48. ♖a6 ♘c6–+] **♘e6 47. ♖e7?!** [47. ♔a5!? d4 (47... ♖a8 48. ♔b6 ♖a3 49. ♖e7 ♘f8 50. ♖e8+–) 48. ♖d7 ♘f4 49. ♗f3!±] **♘f4 48. ♗f1** [48. ♗f3 ♔c5! 49. ♖a7 ♔b6] **♔c5 49. ♗b5 d4 50. ♖c7 ♔d6! 51. ♖d7 ♔c5! 52. ♖c7 ♔d6 53. ♖b7 ♔c5 54. ♔b3** [54. ♗e8 d3 55. ♔b3 ♘d5 56. ♖b5 ♔d4 △ 57. ♖a5? d2 58. ♔c2 ♘e3 59. ♔d2 ♘c4–+] **♘g6 55. ♗e8 ♘e5 56. a4** [56. ♖b5 ♔d6 57. ♖a5 ♘f7 58. ♗f7 ♖f7 59. ♖g5 ♖f3 60. ♔b4 d3 61. ♖g8 d2 62. ♖d8 ♔c7 63. ♖d2 ♖f4=] **♔d5 57. ♖b5 ♔e4 58. ♖a5 ♘f7 59. ♗f7 ♖f7 60. ♖g5 ♖c7 61. ♖g8 1/2 : 1/2** **[A. Ivanov]**

631.* **E 14**

JUSUPOV 2610 – PR. NIKOLIĆ 2605
Barcelona 1989

1. d4 ♘f6 2. c4 e6 3. ♘f3 ♗b4 4. ♘bd2 b6 [RR 4... 0–0 5. e3 c5 6. a3 ♗d2 7. ♗d2 b6 8. ♗d3 ♗b7 9. 0–0 ♘e4 10. b4 N (10. ♕c2 ♘d2 11. ♗h7 ♔h8 12. ♘d2 g6∓; 10. ♗e4) d6 11. ♕c2 f5 12. bc5 dc5 (12... bc5 13. ♖ab1± Se. Ivanov) 13. ♗c1 ♘d7 14. ♗b2± Se. Ivanov 2465 – Sokolin 2400, SSSR 1989] **5. a3 ♗d2 6. ♕d2 ♗b7 7. e3 0–0 8. ♗e2 ♘e4 9. ♕d3 d5 10. b3 N** [10. 0–0 – 41/584] **a5 11. ♗b2 a4 12. ♖c1** [⌓ 12. ba4 ♖a4 13. ♕c2] **♗a6 13. ♕c2** [13. 0–0?! ♘c6 △ ♘a5] **ab3 14. ♕b3 ♘c6 15. ♗c3!** [15. cd5 ♘a5 16. ♕c2 ♗e2 17. ♔e2 (17. ♕e2 ed5) ♕d5] **♕e7** [15... dc4?! 16. ♗c4 ♗c4 17. ♕c4 ♘a5 18. ♗a5 ♖a5 19. ♕c7 ♖a3 20. 0–0] **16. ♗b4** [16. 0–0? ♗c4 17. ♗c4 ♖a3] **♘b4 17. ab4 c5! 18. dc5** [18. cd5 ♗e2 19. ♔e2 cb4 20. de6 fe6 △ ♘c3; 18. bc5 bc5 19. cd5 ♗e2 20. ♔e2 ♖fb8 21. ♕c2 ed5 22. dc5 ♕f6!] **bc5 19. b5 ♗b7 20. 0–0= ♕f6 21. ♗d3** [21. ♖fd1] **♘d6 22. ♘d2 d4!?** [22... h6 23. ♕c2 △ ♘b3] **23. ♕c2** [23. ed4? ♕g5] **de3 24. ♗h7 ♔h8 25. ♘e4!** [25. fe3 ♕h6] **♕h4! 26. ♘d6** [26. g3?! ♗e4 27. gh4 ♗c2 28. ♗c2 ♘c4] **♗g2! 27. ♔g2** [27. ♗e4 ♗f1 28. ♖f1 (28. ♗a8 ♗h3 29. ♗g2 ♗g2 30. ♔g2 ♕g5 31. ♔f1 ef2 32. ♔f2 ♕f4) ♖ad8 29. ♖d1 ef2] **♕g4 28. ♔h1**
1/2 : 1/2 **[Pr. Nikolić]**

632.* **E 14**

SMYSLOV 2550 – KOSTEN 2510
Hastings 1988/89

1. d4 ♘f6 2. c4 e6 3. ♘f3 ♗b4 4. ♘bd2 b6 5. e3 ♗b7 6. ♗d3 c5 7. a3 ♗d2 8. ♗d2 d6 [RR 8... ♘e4 N 9. ♗e4 ♗e4 10. ♗c3 f6 11. ♘d2 ♗g6 12. dc5 bc5 13. b4 0–0 14. 0–0 ♕c7 15. ♖c1 d6 16. ♕g4 ♗f5 17. ♕g3 ♘d7 18. ♖fd1 ♖ac8 19. ♘b3 e5 20. f4± L. Portisch 2610 – Timman 2610, Rotterdam 1989] **9. 0–0 ♘bd7 10. ♗c3 0–0 11. b4 ♕e7 12. ♖e1 N** [12. ♗b2] **♗e4 13. ♗f1 ♖ac8 14. ♘d2 ♗b7 15. e4 cd4 16. ♗d4** [△ f3, ♗f2, a4-a5] **e5! 17. ♗b2 ♖c7 18. f3 ♕e6 19. ♖c1 ♖fc8 20. ♕b3?** [20. ♗e2 ♘h5 21. ♘f1 ♘f4 22. ♘e3 ♘e2 23. ♖e2±; 20. ♗d3] **♘h5! 21. ♕e3 ♘f4 22. g3 ♕g6 23. ♔h1 ♘e6 24. ♕d3 ♘f6 25. ♗g2 h5!↑» 26. ♘f1 ♖d8** [△ h4] **27. h4!?** [△ ♔h2, ♘e3]

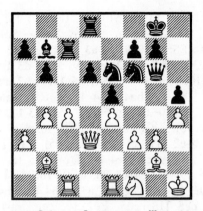

27... b5! [⟋h1-a8] **28. cb5 ☖c1 29. ☖c1 d5 30. ♕e3 de4 31. fe4 ♗e4 32. ♗e4 ♘e4 33. ☖e1 f5 34. ♗e5 ☖d3! 35. ♕a7** [35. ♕e2 ☖a3!] **♕g4 36. ♕g1 ☖d5 37. ♗a1** [37. ♗b8 ☖b5 38. ♗a7 ♕f3 39. ♕g2 ♕a3 40. ♗g1 ☖b4; RR 37. ♘e3! ♕h3 38. ♕h2 ♘f2 (38... ♕h2? 39. ♔h2 ☖e5 40. ♘f5) 39. ♔g1 ♕h2 40. ♔h2 ☖e5 41. b6 ♘d8 (41... ☖b5 42. ♘c4) 42. ♘c2 ☖e1 43. ♘e1] **♘f4! 38. ♕h2** [38. ☖e4 ♕h3 39. ♘h2 ☖d1 40. ☖e8 ♔f7−+; 38. gf4 ♕h4 39. ♘h2 ♘g3 40. ♔g2 ☖d2 41. ♔f3 ♕h3 (41... ☖h2 42. ♕g3 ☖h3−+) 42. ♕g3 (42. ♔e3 ♘f1♯) ☖d3 43. ☖e3 ☖e3 44. ♔e3 ♕g3 45. ♘f3 ♕g6−+] **♕f3 39. ♔g1 ♘h3 40. ♕h3 ♕f2 41. ♔h1 ♕e1**   **0 : 1**
[Seirawan]

633.   **E 14**

L. PORTISCH 2610 − A. SOKOLOV 2605
Linares 1989

1. d4 ♘f6 2. c4 e6 3. ♘f3 b6 4. e3 ♗b7 5. ♗d3 d5 6. 0−0 ♗d6 7. b3 0−0 8. ♗b2 c5 9. cd5 ed5 10. ♘c3 ♘c6 11. ♘e2 N [11. dc5 − 35/615] **☖e8?!** [△ 11... ♕e7] **12. ☖c1 ♘e4 13. ♘g3 cd4** [13... ♘b4 14. ♗b1 ♗a6 15. ☖e1 ♗g3 16. hg3 c4 17. bc4 dc4 (17... ♗c4 18. a3 ♘c6 19. ♗e4 ☖e4 20. ♘d2+−) 18. ♕a4+−] **14. ♘d4** [14. ♗b5!? ♘c3 (14... de3 15. ♗c6 ♘g3 16. hg3 e2 17. ♕d4+−) 15. ♗c3 dc3 16. ☖c3 ☖c8 17. ♘d4+−] **♘d4 15. ♗d4 ♕h4 16. ♗g7!** ☖e6 [16... f6 17. ♗e4 ☖e4 18. f4+−] **17. f4** [17. ♗e4 de4 18. ♗a1 ☖d8

---

19. ♕d4 ♗e5 20. ♕e5 (20. ♕a4 ☖h6 21. h3 ♗g3 22. fg3 ♕g3∞) ☖e5 21. ♗e5±] **♘g3 18. hg3 ♕g3 19. ♗d4 ☖e3□ 20. ♗e3?** [20. ♗h7! ♔f8 21. ♗e3 d4 (21... ♕e3 22. ♔h1 d4 23. ♕g4+−) 22. ♕d2 ♕e3 23. ♕e3 de3∞; 21. ♕h5!+−] **d4! 21. ☖c2 de3 22. ♕h5** [22. ♗h7 ♔h7 23. ♕d6 ♗e4↑] **♕g7** [22... ♗f4? 23. ♕h7 ♔f8 24. ♕h8 ♔e7 25. ☖c7!+−] **23. ♕f5 ♗c5 24. ♔h2 ☖e8** [24... ☖d8 25. ♗e4±] **25. ♕g5 ♕g5 26. fg5 ♔g7= 27. ♔g3 a5 28. ♗c4 ☖e7 29. ♗d3 ☖d7 30. ♗f5 ☖e7 31. ♗d3 ☖d7 32. ♗f5 ☖e7**   **1/2 : 1/2**
[A. Sokolov]

634.**   E 15**

PR. NIKOLIĆ 2605 − SAX 2610
Wijk aan Zee 1989

1. d4 ♘f6 2. c4 e6 3. ♘f3 b6 4. g3 ♗a6 5. b3 ♗b4 [RR 5... d5 6. ♗g2 dc4 7. ♘e5 ♗b4 8. ♔f1 ♘fd7 9. ♗a8 N (9. ♘c4 − 43/668) ♘e5 10. bc4 0−0 11. ♗a3 c5 12. ♗b4 cb4 13. a3 ♘bc6 14. ♗c6 ♘c6 15. ab4 ♗c4 16. ♘a3! ♗d5 17. f3 ♘b4 18. ♕d2 a5 19. ♔f2± van der Sterren 2500 − Langeweg 2365, Nederland (ch) 1989; 5... ♗b7 6. ♗g2 ♗b4 7. ♗d2 a) 7... a5 8. 0−0 0−0 9. ♕c2 d5 N (9... h6 − 46/714; 9... ☖e8 − 46/715; 9... c5 − 46/716) 10. ♗f4 a4 11. ♘bd2 ♘c6 12. ba4 ♕e7 13. a3 ♗d2 14. ♗d2 ☖fc8 15. ☖fc1 ♘e4 16. ♗e1 ♕f6 17. e3 h6 18. cd5 ed5 19. ♘d2± Pr. Nikolić 2605 − Salov 2630, Barcelona 1989; b) 7... c5 8. dc5 ♗c5 9. ♘c3 ♘e4 10. ♘e4 N (10. 0−0 0−0 11. ♕c2 − 45/657) ♗e4 11. ♗c3 0−0 12. 0−0 ♘c6 13. ♕d2 d5 14. cd5 ♕d5 15. ♕b2 f6 16. ☖ad1 ♕h5 17. b4 ♗e7 18. ♘h4 ♗g2 19. ♘g2 ☖ad8= J. Hjartarson 2615 − Kortchnoi 2610, Barcelona 1989; 5... b5 6. cb5 ♗b5 7. ♘c3 ♗b4 8. ♗d2 ♗c3 9. ♗c3 ♗c6 N (9... a5 − 38/(688)) 10. ♗g2 a5 11. 0−0 0−0 12. ☖c1 ♕c8 13. ♕c2 ♗e4 14. ♕b2 ♘d5 15. ♘e5 ♗g2 16. ♔g2 ♕b7 17. ♔g1 f5∞ Nickoloff 2420 − Rivas Pastor 2505, New York 1989] **6. ♗d2 ♗e7 7. ♘c3 0−0 8. ♕c2!? N d5** [8... c5 9. d5] **9. cd5 ♘d5 10. ☖d1** [10. ♗g2] **c5! 11.**

dc5 bc5 [11... ♗c5 12. ♘g5 g6 13. ♗g2] **12. ♗g2 ♘c6 13. 0–0 ♖c8 14. ♖fe1** [14. ♕b2!?] **♘d4 15. ♕b2 ♘c3** [15... ♗f6 16. ♘d4 ♗d4 (16... cd4 17. ♘d5 ed5 18. ♕a3±) 17. ♕a3!?] **16. ♗c3 ♗e2!** [16... ♘e2? 17. ♕e2] **17. ♘d4** [17. ♖e2? ♘f3] **♗d1** [17... cd4 18. ♖d4 ♕c7 19. ♗b4±] **18. ♘c6 ♖c6 19. ♗c6 ♗f6 20. ♗f6 gf6 21. ♕c3! f5!** [21... ♕d6 22. ♕f6 ♕c6 23. ♖d1±] **22. ♕c5 ♕d2 23. ♕e3 ♖d8 24. b4 ♖d3 25. ♕d2 ♖d2 26. a4** [26. a3!±] **♖d4 27. a5 ♔f8 28. b5 ♗a4 29. ♖b1** [29. a6 ♖b4] **a6!=** [29... ♔e7? 30. a6 △ b6] **30. f4 ♔e7 31. ♔f2 ♗b5 32. ♗b5 ab5 33. ♖b5 ♖d2 34. ♔e3 ♖h2 35. ♔d4 ♔d6 36. ♖b6 ♔c7 37. ♔e5 ♖a2 38. ♖a6 ♔b7 39. ♖b6 ♔c7 40. ♖a6 1/2 : 1/2**
[Pr. Nikolić]

635. E 15

LOBRON 2555 – M. GUREVIČ 2590
New York 1989

1. ♘f3 ♘f6 2. d4 e6 3. c4 b6 4. g3 ♗a6 5. b3 ♗b4 6. ♗d2 ♗e7 7. ♘c3 0–0 8. e4 d5 9. cd5 ♗f1 10. ♔f1 ed5 11. e5 ♘e4 12. ♔g2 ♕d7 13. ♕e2 ♘c3 14. ♗c3 ♘c6 15. ♖ae1 N [15. ♖ac1 – 40/(665); 15. ♖he1 – 44/663; 15. ♖hd1 – 45/661] **♘d8 16. h4 ♘e6 17. ♗d2?!** [17. ♘g5!? h6!?] **c5 18. ♕d3** [△ ♘g5] **h6 19. ♗e3 ♖ac8** [△ c4] **20. ♖c1 f5!∓** [△ f4] **21. ef6 ♗f6 22. ♖hd1 ♕f7 23. ♕f5 g6 24. ♕d3 ♗g7 25. ♕e2□** [25. ♘e5 ♗e5 26. de5 d4 27. ♗h6 ♕f2 28. ♔h3 ♕f5∓] **♖ce8 26. ♘e5□** [26. dc5? d4–+] **♘d4?!** [26... ♗e5!? 27. de5 ♔h7!∓] **27. ♗d4 cd4 28. f4 ♕f5 29. ♖d4 ♗e5 30. fe5** [30. ♖d5 ♗f4 31. ♕c4!∞; 30... ♗b2!–+] **♖e5 31. ♕g4!∓ h5 32. ♕f5 ♖ef5 33. ♖c7 ♖8f7 34. ♖f7⊕** [34. ♖c8 ♔g7 35. ♖d8∓] **♔f7 35. ♖a4! a5 36. b4 ab4 37. ♖b4 ♖f6 38. ♖b5 ♖d6 39. ♔f3 ♔e6 40. a4 ♔e5 41. ♔e3!= ♖c6 42. ♔d3 ♖e6 43. ♖b4! ♖c6 44. ♖b5 g5 45. hg5 ♖g6 46. ♔e3 ♖g5 47. ♖b6 ♖g3 48. ♔f2 ♖g5** [48... ♖a3 49. ♖h6=] **49. a5 ♔e4 50. ♖b4!** [50. a6 d4 51. a7 ♖a5∓] **d4 51. ♖a4 ♖g7**
1/2 : 1/2 [M. Gurevič]

636. E 15

SALOV 2630 – J. HJARTARSON 2615
Rotterdam 1989

1. d4 ♘f6 2. c4 e6 3. ♘f3 b6 4. g3 ♗a6 5. b3 ♗b4 6. ♗d2 ♗e7 7. ♗g2 0–0 8. 0–0 d5 9. cd5 ed5 10. ♘c3 ♗b7 11. ♕c2 ♘a6 12. ♗f4 ♖e8 N [12... c5 – 38/700] **13. ♖fd1 c6!? 14. ♕b2** [14. ♘e5!?±] **♘c7 15. b4 ♘e6 16. ♗e5** [16. ♘e5!? △ 16... ♗d6 17. b5! ♘d4 18. bc6 ♘c6 19. ♘c6 ♗c6 20. ♘d5 ♗d5 21. ♗d5 ♘d5 22. ♖d5 ♗a3□ 23. ♖d8 ♗b2 24. ♖a8 ♖a8 25. ♖d1±⊥] **♘h5 17. ♗h3 ♗f8** [17... ♗c8!? 18. b5 f6 19. ♗g4 g6 (19... fe5? 20. ♗h5 g6 21. ♗g4±) 20. ♗h5 gh5∞] **18. ♗g4 ♘f6 19. ♗f6 ♕f6 20. ♕b3 ♖ad8 21. ♗h3 ♗a8 22. ♗g2 c5 23. bc5 bc5 24. e3 cd4 25. ♘d4 ♘c5** [25... ♘d4!? 26. ed4 ♖b8 27. ♕a4 (27. ♕c2? ♖ec8↑) ♖b2 28. ♖f1 ♖d8=; 26. ♖d4!?] **26. ♕c2 ♘e4 27. ♘e4 de4 28. ♖ac1± ♗a3 29. ♖b1 ♖c8 30. ♕a4 ♗c5 31. ♖bc1 ♕e5** [31... ♗b6 32. ♗h3±] **32. ♗h3 ♖cd8?!** [⌓ 32... ♖b8±] **33. ♗d7! ♖f8□ 34. ♘c6 ♗c6 35. ♕c6 ♗b6 36. a4±** [✕e4○] **g6 37. ♖d5 ♕b2?! 38. ♖cd1** [△ a5+–] **♖b8 39. ♕c4!+– ♗d8 40. ♕e4 ♗f6 41. ♗b5 a6 42. ♖5d2** [42. ♗c4 ♖b4 43. ♖d7 ♕c3 44. ♖c7+–] **♕c3 43. ♖d3 ♕a5** [43... ♕b2 44. ♗a6] **44. ♗c6 ♖b6 45. ♖d7 ♕c3 46. ♗d5 ♖b4 47. ♖f7!** [47. ♗f7?? ♖f7 48. ♕e6 ♕c4!] **♖e4 48. ♖c7 ♔h8 49. ♖c3 ♖a4 50. ♖c7 ♖d8 51. ♔g2 a5 52. ♖a7 ♗c3 53. h4 ♗b2 54. ♖d3 ♗f6 55. f4** [55... ♖a1 56. e4 △ e5] **1 : 0**
[Salov]

637. E 15

ADORJÁN 2525 – SAX 2610
Magyarország 1989

1. d4 ♘f6 2. ♘f3 e6 3. c4 b6 4. g3 ♗a6 5. b3 ♗b4 6. ♗d2 ♗e7 7. ♗g2 c6 8. ♗c3 d5 9. ♘bd2 ♘bd7 10. 0–0 0–0 11. ♖e1 c5 12. e4 de4 13. ♘g5!? cd4 14. ♗d4 ♗b7 [14... ♗b4 15. ♖e2±] **15. ♘de4 ♕c7 16. ♘f6 ♗f6** [16... ♘f6 17. ♗e5 ♕c8 18. ♕c2 g6±] **17. ♗b7 ♕b7 18. ♕f3!? N** [18. ♘e4 – 42/693] **♕c7** [18... ♕f3 19. ♘f3 ♗e7!=; 18... ♕a6!?] **19. ♗f6 ♘f6 20. ♖ad1 ♖ad8 21. ♘e4 ♘e4 22. ♖e4 ♕c5?!** [22... ♕c6? 23. ♖d8 ♖d8 24. ♖d4! ♕e8 (24... ♕c8 25. ♕b7!) 25. ♕c6±; 22... ♖d1 23. ♕d1 ♖d8 24. ♖d4 ♖d4 25. ♕d4 ♕e7!=] **23. ♖d3!** [23. ♖f4!? f5! 24. ♕e2 ♖d1 25. ♕d1 e5 26. ♖f3 e4 27. ♖e3=] **♕a3 24. ♖e2 ♕c1** [24... h6 25. ♖ed2±] **25. ♔g2 g6 26. h4 h5 27. a4! ♖fe8 28. ♖ee3** [28. ♖ed2? ♕d2] **♕c2 29. ♕e4 ♔f8 30. ♖f3 f5** [30... ♔g8? 31. ♖d8!+–; 30... ♔g7? 31. ♖f7!+–; 30... ♖d3? 31. ♖d3±] **31. ♕e3 ♖d3 32. ♕d3 ♕d3 33. ♖d3** [♖ 7/g] **♔e7 34. ♔f3 ♖c8?⊕** [34... e5 35. ♖d5 ♔e6 36. ♔e3 ♖c8 37. ♔d3 (△ a5) a5 38. ♔c3 △ b4±] **35. ♔f4 ♔f6 36. ♖d7 a6** [36... a5 37. ♖d6 ♖b8 38. ♖c6 ♖b7 39. ♔e3 ♔e7 40. ♖c8±] **37. ♔e3! ♖c6** [37... b5 38. cb5 ab5 39. a5 ♖c3 40. ♔d4 ♖f3 (40... ♖b3 41. a6 ♖a3 42. a7 b4 43. ♔c4 b3 44. ♔c3+–) 41. a6 ♖f2 42. a7 ♖a2 43. ♔c5 e5 44. ♔b5 ♔e6 45. ♖c7 ♔d5 46. ♖c5 ♔e4 47. ♖c4 △ ♖a4+–] **38. ♔d4 e5 39. ♔d5 ♖c5 40. ♔d6 f4** [40... ♖c8 41. a5! ba5 42. c5+–] **41. gf4 ef4 42. ♖b7 ♖e5** [42... f3 43. ♖b6 ♖e5 44. ♖b8+–; 42... g5 43. ♖b6 ♖e5 (43... ♖f5 44. c5) 44. hg5 ♖g5 45. c5+–] **43. ♖f7** [43. ♖b6 ♖e2 44. f3! ♖e3 (44... g5 45. ♔d5 ♔f5 46. ♖h6+–) 45. ♔d5 *a)* 45... ♔f5 46. c5 ♖f3 (46... ♖d3 47. ♔c4 ♖f3 48. c6 ♖f1 49. ♖a6 f3 50. ♖a8 f2 51. ♔b5+–) 47. c6 ♖f1 (47... ♖c3 48. b4 f3 49. ♖b8+–; 47... ♖d3 48. ♔c4 ♖d8 49. c7 ♖c8 50. ♖c6 g5 51. hg5 h4 52. ♔d5 h3 53. ♔d6+–) 48. c7 ♖d1 49. ♔c6 ♖c1 50. ♔b7 f3 51. ♖c6+–; *b)* 45... ♔f7 46. c5 ♖f3 47. c6 ♖c3 (47... ♔e7 48. ♖b7 ♔d8 49. b4+–; 47... ♖d3 48. ♔e4) 48. ♖b4! ♔e7 49. ♖e4 ♔d8 50. b4+–; *c)* 45... ♔e7 46. a5 ♖f3 47. ♔e4+–] **♔f7 44. ♔e5 a5** [44... f3? 45. b4+–] **45. ♔f4 ♔f6 46. f3 g5□** [46... ♔e6 47. ♔g5 △ f4-f5] **47. hg5 ♔g6 48. ♔e5 ♔g5** [48... h4 49. ♔f4 ♔h5 50. g6+–] **49. f4 ♔g6** [49... ♔g4 50. f5+–; 49... ♔h6 50. ♔f5+–] **50. ♔e6 ♔g7 51. f5 ♔f8**

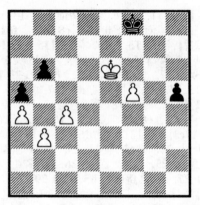

52. b4!! ab4 53. c5 bc5 [53... b3 54. c6+–] **54. a5 b3 55. a6 b2 56. a7 b1♕ 57. a8♕ ♔g7 58. f6 ♔h6 59. ♕h8 ♔g5 60. ♕g8⊕** [60. f7!+–; 60. ♕g7 ♔f4 (60... ♔h4 61. f7) 61. ♕c7! △ 61... ♔g5 62. ♕g3+–] **♔f4 61. f7 ♕f5 62. ♔d6 ♕e5 63. ♔c6 ♕e6 64. ♔b5?!** [64. ♔c5+–] **♕d7 65. ♔a6 ♕c6 66. ♔a5 ♕c7 67. ♔b5 ♕d7 68. ♔c5 ♕c7 69. ♔d5 ♕d7 70. ♔c4 ♕c6 71. ♔d3 ♕f3** [71... ♕e4 72. ♔d2 ♕e3 73. ♔d1 ♕d3 74. ♔e1 ♕e3 75. ♔f1 ♕f3 76. ♔g1 ♕e3 77. ♔h2 ♕f2 78. ♕g2 ♕h4 79. ♔g1+–] **72. ♔d4 ♕e4 73. ♔c5 ♕e7 74. ♔c6 ♕e6 75. ♔c7 ♕e7 76. ♔c8 ♕e6 77. ♔d8 ♕d6 78. ♔e8 ♕e5 79. ♔d7 ♕d5 80. ♔e7 ♕e5 81. ♔f8 h4 82. ♕g6 h3** [82... ♕h8 83. ♔e7 ♕e5 84. ♕e6 ♕c7 85. ♔f6 ♕d8 86. ♔g7 ♕g5 87. ♔h7+–] **83. ♔g8 ♕d5 84. ♔h7 ♕d7 85. ♕f6 ♔e3** [85... ♔g3 86. ♕g7] **86. ♔h8 1 : 0**
[Adorján]

638. E 15

AN. KARPOV 2750 –
L. PORTISCH 2610
Rotterdam 1989

1. d4 ♘f6 2. c4 e6 3. ♘f3 b6 4. g3 ♗a6 5. b3 ♗b4 6. ♗d2 ♗e7 7. ♗g2! [7. ♘c3 c6 8. e4 d5 9. e5 ♘e4 10. ♗d3 ♘c3 11. ♗c3 ♗b7! 12. ♕e2 a5!? △ ♘a6∞] **c6 8. ♗c3 d5 9. ♘e5 ♘fd7 10. ♘d7 ♘d7 11. ♘d2 0–0 12. 0–0 ♘f6 N 13. e4 b5 14. ♖e1** [14. e5?! ♘d7 15. c5 b4 16. ♗b4 ♗f1∓; 14. ed5 △ 14... cd5 15. c5! b4 16. ♗b4 ♗f1 17. ♗f1±; 14... ed5!=] **de4 15.**

♖c1! ♖c8 [15... bc4!? 16. bc4 c5 17. ♘e4⩲] **16. c5! ♘d5 17. ♖e4 ♘c3** [17... b4 18. ♗b2 △ ♘c4⩲] **18. ♖c3 f5** [18... b4 19. ♖ce3±] **19. ♖e6 ♕d4 20. ♖c1 ♗c5 21. ♕e2=/∞ ♗b6?** [21... ♗a3! △ 22. ♘f3 ♕b2=] **22. ♘f3± ♕g4 23. ♖d1 f4? 24. h3! b4** [24... ♕h5 25. g4+−; 24... ♕g3 25. ♔f1+−] **25. hg4 ♗e2 26. ♖e2 fg3 27. ♔f1 ♗f2 28. g5 ♖c7 29. ♖e4! c5 30. ♔e2 g6 31. ♖d6 ♔g7 32. ♖de6!+− ♖ff7 33. ♔d3 ♖fd7 34. ♔c4 ♖f7 35. ♖e8 ♖fd7 36. ♗h3 ♖f7 37. ♗e6 ♖f8** [37... g2!? 38. ♖g4! (38. ♗f7?! ♖f7 39. ♖4e7 g1♕ 40. ♘g1 ♗g1 41. ♖f7 ♔f7 42. ♖h8 ♔e6=/∞) h5□ 39. gh6 ♔h6 40. ♗f7 ♖f7 41. ♖g8 ♖f3 42. ♖8g6 ♔h7 43. ♖g2+−] **38. ♗d5 ♖e8 39. ♖e8 h6 40. ♖e2! hg5 41. ♘g5 ♖d7 42. ♘h3 ♗d4 43. ♖g2 ♗e5 44. ♘g5** [△ ♘e4] **1 : 0** **[L. Portisch]**

639.* **E 15**

L. HANSEN 2540 − SAX 2610

Lugano 1989

1. d4 ♘f6 2. c4 e6 3. ♘f3 b6 4. g3 ♗a6 5. b3 ♗b4 6. ♗d2 ♗e7 7. ♗g2 c6 8. ♗c3 d5 9. ♘e5 ♘fd7 10. ♘d7 ♘d7 11. ♘d2 0–0 12. 0–0 ♖c8 13. ♖e1 c5 14. cd5 ed5 15. ♕b1?! [15. a3! N ♘f6 16. b4 ♕d7 17. dc5 bc5 18. bc5 ♖c5 (18... ♗c5 19. ♗f6 gf6 20. e3!±) 19. ♗f6!± Dautov 2535 − Utasi 2345, Budapest (open) 1989] **cd4! N** [15... ♘f6 − 34/(634)] **16. ♗d4 ♘c5 17. ♕b2 ♘e6 18. ♘f3 ♗b4 19. ♖ec1 ♕e7 20. ♖c8□ ♖c8 21. ♖d1 ♘d4 22. ♘d4 ♗c3 23. ♕b1** [23. ♘f5?! ♕e5! 24. ♕a3 ♕e2 25. ♘e7 (25. ♖c1?! ♗f6!) ♔h8 26. ♖f1 (26. ♖c1 ♖e8! 27. ♗f1 ♕e7 28. ♕e7 ♖e7 29. ♗a6 d4∓) ♖e8 27. ♘d5 ♗d4!∓ △ 28. ♘c7? ♕f2!! 29. ♖f2 ♖e1 30. ♗f1 ♖f1 31. ♔g2 ♖f2 32. ♔h3 ♗f1−+] **♗d4 24. ♖d4 ♕a3!∓** [24... ♕e2 25. ♖d5=] **25. ♖d1□ ♗e2 26. ♖e1 d4** [26... ♖c5?? 27. ♗f1+−] **27. ♗h3!= ♖e8??** [27... ♖c7 28. ♗f1 (28. ♕e4? d3 29. ♕a8 ♕f8) d3 29. ♗e2 de2 30. ♕d3=] **28. ♗f1+− ♕a6 29. ♖e2** [29... ♖e2 30. ♕d1! d3 31. ♗e2 de2 32. ♕d8#] **1 : 0**

[L. Hansen, E. Pejčeva]

640.**** **E 15**

A. ČERNIN 2580 − BROWNE 2535

Lugano 1989

1. d4 ♘f6 2. ♘f3 e6 3. c4 b6 4. g3 ♗a6 5. b3 ♗b4 6. ♗d2 ♗e7 7. ♗g2 c6 8. 0–0 d5 9. ♘e5 [RR 9. ♗c3 ♘e4 10. ♕c2 N (10. ♗b2 − 26/627) ♘c3 11. ♘c3 ♘d7 12. ♖fd1 0–0 13. e3 dc4 14. ♕e2 b5 15. a4 b4 16. ♘e4 ♕a5 17. bc4 ♖ab8 18. ♕d3 ♖fd8 19. ♕b3 c5∓ Borges Mateos 2535 − Ehlvest 2600, Tallinn 1989; 9. ♕c2 ♘bd7 10. a4 0–0 11. ♖d1 ♘e4 (11... c5 N 12. ♘a3 ♘e4 13. ♗e3 ♗b7 14. ♘d2 ♘ef6 15. dc5 bc5 16. ♗f4 ♕c8 17. cd5 ♘d5 18. ♘e4 ♘f4 19. gf4 ♘f6 20. ♘c4 ♗e4 21. ♗e4 ♖b8 22. ♗f3 ♘d5∞ Ftáčnik 2550 − Wilder 2540, Haninge 1989) 12. ♗f4 ♗b4 N (12... ♖c8) 13. ♘bd2 ♘c3 14. ♖e1 ♖c8 15. e4 ♘f6 16. e5 ♘fe4 17. ♘e4 ♘e4 18. ♖e4 de4 19. ♕e4=/∞ Granda Zuniga 2500 − Sax 2610, Wijk aan Zee 1989] **♘fd7 10. ♘d7 ♘d7 11. ♗c3 0–0 12. ♘d2 ♖c8 13. e4 c5** [RR 13... de4 14. ♗e4 b5 (14... c5 − 44/664) 15. ♖e1 bc4 16. bc4 c5 17. d5 ed5 18. ♗d5 ♗f6 19. ♖c1 ♗c3 20. ♖c3 ♘f6 21. ♗f3 ♖c7 22. ♘b3 ♕d1 23. ♖d1⩲ Lputjan 2610 − Dohojan 2575, Erevan 1989] **14. ed5 ed5 15. dc5 dc4 16. c6 cb3!** [16... ♘b8?!] **17. ♖e1 ♗b5! N** [17... ♘b8? 18. ab3±; 17... b2 − 42/(699)] **18. ♘b3** [18. ♗g7?! ♔g7 19. ♕g4 ♔h8 20. ♕d7 (20. cd7 ♗d7 21. ♕h5 ♗b4−+) ♗b4!−+] **♗c6**

19. ♗g7!? ♔g7 20. ♘d4! [20. ♕g4? ♔h8 21. ♖ad1 f5 22. ♕d4 ♗f6–+] **♗g2** [20... ♘e5?! 21. ♖e5 ♗f6 (21... ♗g2 22. ♘f5 ♔h8 23. ♘e7) 22. ♘c6=] **21. ♘f5** [21. ♖e7?? ♗h3–+] **♔h8 22. ♖e7 ♗h3** [22... ♗c6? 23. ♕d4 f6 24. ♕h4+–] **23. ♕d4 ♘e5! 24. ♖e5 ♕d4 25. ♘d4 ♖fd8∓ 26. ♘f3! ♖d3?!** [26... h6!?; 26... ♖c2] **27. ♖e3 ♖e3 28. fe3 f6** [28... ♖c3? 29. ♘g5] **29. ♘d4 ♖c3 30. ♘b5! ♖e3 31. ♘a7 ♖e2 32. a4 ♖g2 33. ♔h1 ♖b2 34. ♔g1 ♖g2 35. ♔h1 ♖b2 36. ♔g1 f5?!** [36... ♗e6?! 37. ♖d1; 36... ♗g2 37. a5 ba5 38. ♖a5 ♗e4 39. ♖h5; 36... ♗d7!?] **37. ♘b5 ♔g7 38. ♘c7 ♔f7 39. a5= ba5 40. ♘d5 ♖g2 41. ♔h1 ♖d2 42. ♘f4 1/2 : 1/2 [Browne]**

641. E 15

JUSUPOV 2610 – SAX 2610

Rotterdam 1989

1. d4 ♘f6 2. c4 e6 3. ♘f3 b6 4. g3 ♗a6 5. b3 ♗b4 6. ♗d2 ♗e7 7. ♗g2 c6 8. 0–0 d5 9. ♘e5 ♘fd7 10. ♘d7 ♘d7 11. ♗c3 0–0 12. ♘d2 ♖c8 13. e4 c5 14. ed5 ed5 15. dc5 dc4 16. c6 cb3 17. ♖e1 ♗b5 18. ♘b3 [18. ♗g7 ♔g7 19. cd7 ♕d7∓] **♗c6 19. ♗g7 ♔g7 20. ♘d4 ♗g2** [20... ♗f6 21. ♘c6 ♖c6 22. ♗c6 ♗a1 23. ♕a1 (23. ♗d7±) ♘f6 24. ♖e4± △ 24... ♕d6 25. ♖g4 ♔h8 26. ♖f4] **21. ♘f5 ♔h8 22. ♖e7** [22. ♘e7 ♗h3! 23. ♕d4 f6 △ ♘e5] **♗h3 23. ♕d4** [23. ♖d7? ♕f6–+] **♘e5!** [23... f6 24. ♖d7 ♕e8 25. ♖h7 ♔h7 26. ♕h4 ♔g6 27. ♕h3± △ 27... ♕e4 28. ♕h6 ♔f5 29. ♕h7 ♔e5 30. f4 ♔d5 31. ♖d1 ♕d4 32. ♖d4 ♔d4 33. ♕a7+–] **24. ♕e5 N f6 25. ♕e2!** [△ ♖h7; 25. ♕e1? ♖c7 26. ♖c7 (26. ♖d1 ♕a8–+) ♕c7∓] **♗f5!** [25... ♖c7 26. ♕h5 ♗f5? 27. ♖c7 ♗g6 28. ♕h6+–; 26... ♖e7=; 26. ♖d1 ♕a8 27. f3±] **26. ♖d1 ♗g4!□** [27. ♖d8 ♗e2 28. ♖f8 ♖f8 29. ♖e2 ♖f7=; 27. ♖h7 ♔h7 28. ♕g4 ♕e8 29. ♖d7 ♖f7 30. ♖f7 ♕f7 31. ♕c8 ♕a2=; 26... ♗d3? 27. ♖d3 ♖c1 28. ♔g2 ♕a8 29. f3+–] **1/2 : 1/2 [Sax]**

642. E 15**

WELLIN 2395 – A. ČERNIN 2580

Lugano 1989

1. d4 ♘f6 2. ♘f3 e6 3. c4 b6 4. g3 ♗a6 5. ♘bd2 ♗b7 6. ♗g2 c5 [RR 6... ♗e7 7. 0–0 0–0 8. ♕c2 ♘a6 N (8... d5 – 44/665, 666) 9. a3 c5 10. b3 d5 11. ♗b2 dc4 12. ♕c4 ♕c8 13. ♕d3 ♖d8 14. ♖fc1 ♕b8 15. ♕c2± Jusupov 2610 – K. Spraggett 2575, Québec (m/7) 1989] **7. e4 cd4** [RR 7... ♘e4 N 8. ♘e5 d5 9. cd5 ♘d2 10. ♕a4 ♘d7 11. ♗d2 ♗d5 12. ♗d5 ed5 13. 0–0 f6 14. ♖fe1 fe5 15. ♖e5 ♗e7 16. ♗g5 b5 17. ♕b5 ♖b8 18. ♕c6 ♖b6 19. ♕a4 ♖b4 20. ♕c6 ♖b6 1/2 : 1/2 Gol'din 2535 – Smirin 2490, Moskva (GMA) 1989] **8. ♘d4 ♗c5! N** [8... ♗b4 – 45/(665)] **9. ♘b5** [9. ♘2b3 ♗e4; 9. ♘4b3 ♗e7=] **a6 10. ♘c3 ♕c7 11. ♕e2 ♗e7! 12. 0–0 d6 13. a4** [△ a5] **♘c6! 14. b3 0–0 15. ♗b2 ♘d7 16. ♖ac1 ♘c5 17. ♕e3 ♖fe8! 18. ♗a3 ♗f6! 19. b4?!** [19. ♘e2 ♖ac8∓] **♗d4 20. ♕e2 ♗c3! 21. ♖c3** [21. bc5!? ♗d2! 22. cb6 ♗c1 23. bc7 ♗a3 24. ♖b1 ♖a7! 25. e5 ♗a8!∓] **♘a4 22. ♖cc1 a5∓ 23. b5 ♘d4 24. ♕e3** [24. ♕d1 ♘c5 25. ♗b2 e5 26. ♗d4 ed4] **e5 25. f4□ f6 26. f5 ♘c5 27. ♖fd1 a4! 28. ♖c3 ♘cb3 29. ♘b1 g6! 30. fg6?!** [30. g4 gf5 31. gf5 ♔h8] **hg6 31. ♖f1** [31. ♕h6 ♕g7] **♔g7 32. g4 ♕e7** [32... ♖h8 33. g5] **33. h4 ♖h8–+ 34. ♕f2 ♖af8 35. ♖e3 ♗c8 36. ♘c3** [36. ♗h3 ♗e6] **♗g4 37. ♘d5 ♕d8 38. ♗h3 f5! 39. ♗b2⊕ ♕h4 40. ♘f4 ♕f2 41. ♖f2 a3 0 : 1 [A. Černin]**

643. E 15

FTÁČNIK 2590 – LAUTIER 2365

Groningen 1988

1. d4 ♘f6 2. ♘f3 e6 3. c4 b6 4. g3 ♗a6 5. ♘bd2 d5 6. cd5 ed5 7. ♘e5 N [7. ♗g2 – 46/721] **♗d6!** [7... ♗e7 8. ♕a4 c6 9. ♗g2 △ 9... 0–0 10. ♘c6] **8. ♗g2** [8. ♕a4 c6 9. ♗h3 0–0! △ 10. ♘c6? ♕e8–+] **0–0 9. 0–0 ♘bd7** [9... c5!? 10. ♘dc4 (10. ♘df3 cd4 11. ♖e1∞) ♗c7! (10... ♗e7 11.

dc5 bc5 12. ♗d2↑) 11. ♗f4 (11. b3? cd4 12. ♕d4 dc4) ♗c4 12. ♘c4 ♗f4 13. gf4 ♘c6 14. dc5 dc4 15. ♗c6 ♖c8=] **10. ♘df3** [10. ♘c6 ♕e8 11. ♖e1 ♘b8 12. ♘b8 ♖b8=] **♕e7** [10... c5 11. ♗f4 ♕c7 12. ♖c1] **11. ♗f4 ♗b7** [11... c5? 12. ♘c6 ♕e6 13. ♘g5+−; 11... ♘h5 12. ♖e1 (12. ♘d7 ♘f4 13. ♘f8 ♗e2) ♘f4 13. gf4±] **12. ♖c1 c5 13. ♕a4 ♖fd8** [13... ♗e5 14. de5 ♘h5 15. ♗g5 ♕e6 16. ♕h4!] **14. ♖fd1 ♘f8 15. dc5** [15. ♘g5 *a)* 15... ♘e6 16. ♘gf7 (16. ♘ef7 ♘f4 17. gf4 ♗f4) ♘d4 17. ♘d8 (17. ♖d4 ♗e5 18. ♘d8 ♗d4 19. ♘b7 ♕b7 20. e3 ♗b2 21. ♖c2 ♗a1∞) ♘e2 18. ♔f1 ♘c1 19. ♘b7 ♗e5 20. ♗e5 ♕e5 21. ♖c1 ♕c7∞; *b)* 15... ♗e5 16. de5 (16. ♗e5 ♘8d7) ♘h5 17. ♗f3 ♘f4 18. gf4 f6!⇆] **bc5 16. ♘d3 ♗f4?** [16... c4 17. ♗d6 ♕d6 18. ♘f4 ♕b6±; ⌓ 16... ♘e6! 17. ♗d6 ♕d6 18. ♕a3 ♖dc8⇆] **17. ♘f4 ♘8d7** [17... ♘e6 18. ♘e6 fe6 19. ♕a3 ♖dc8 20. ♘e5 △ ♖c2, ♖dc1] **18. ♕a3 ♖dc8 19. ♘e1 ♘b6** [19... ♕d6 20. e4 d4 21. e5+−; 19... ♕e5 20. ♘ed3 ♕d6 21. ♘d5! ♘d5 22. ♘f4+−] **20. b3** [20. ♘ed3 ♘c4 21. ♕c3 ♘e4!] **a5** [20... ♖c6 21. ♘ed3 (21. ♘d5? ♘bd5 22. ♗d5 ♘d5 23. ♖d5 ♖a6 24. ♕c5 ♕e4−+) ♖ac8 22. e3±] **21. ♘ed3 ♘fd7** [21... ♘e4 22. f3 ♘f6 23. ♖c5±] **22. ♘b2 ♘f6** [22... ♕e5 23. ♘c4!+−; 22... a4 23. ba4 △ a5] **23. e3** [23. ♘a4 ♘a4 24. ♕a4 d4!] **♕c7** [23... ♖c7 24. ♘a4 ♘a4 25. ♕a4 ♕e5 26. ♕a3±] **24. ♘a4 ♘a4 25. ♕a4 ♖d8 26. ♘d3 ♘d7 27. ♕f4!** [27. ♕a3 ♖ac8 28. ♘b2 ♘f6 29. ♘a4 c4!⇆] **♕b6** [27... ♖ac8 28. ♕c7 ♖c7 29. ♘f4 ♘f6 30. ♘d5! ♗d5 (30... ♖d5 31. ♗d5 ♗d5 32. e4 ♗c6 33. ♖c5+−) 31. e4 ♘e4 32. ♗e4 ♖cd7 33. ♖c5!+−] **28. ♘b2** [28. ♗h3 ♖ac8 29. ♘e5 ♘e5 30. ♗c8? ♘g6!] **♕e6 29. ♘a4 ♖ac8 30. h4** [30. ♖d2 ♗a8 31. ♖dc2 ♕e7] **♗a8 31. ♔h2 c4?** [31... g6 32. ♗h3 f5 33. g4±; 31... f5 32. ♗f1 (32. ♗h3 ♖f8) g6 33. ♗b5→] **32. bc4 ♖c4?** [32... dc4 33. ♗a8 ♖a8 34. ♕c4±] **33. ♖c4 dc4 34. ♘c5! ♕e8** [34... ♕e7 35. ♖d7 ♖d7 36. ♘d7+−] **35. ♖d7** [35. ♗a8 ♘c5 36. ♗c6 ♕e7 37. ♖d8 ♕d8 38. ♕c4±] **♖d7 36. ♘d7 ♗g2 37. ♔g2 c3 38. ♘c5?** [38. ♕e5 ♕d8 39. ♘c5 c2 40. ♕c3 ♕d1 (40... ♕d5 41. e4 ♕a2 42. ♘b3 h6 43. ♘d4+−) 41. ♘b3 h6 42. ♕a5+−; 38. ♘e5 h6 39. ♘d3 ♕c6 40. e4+−] **♕c6 39. ♔f1** [39. ♕f3 ♕c5 40. ♕a8 ♕f8 41. ♕c6 ♕d8 42. ♕c3±] **h6?**⊕ [39... ♕c5 40. ♕b8 ♕f8 41. ♕f8+−; 39... ♕b5! 40. ♔e1 ♕b1 41. ♔e2 ♕a2 (41... c2 42. ♕d4 h6 43. ♘b3) 42. ♔d3 ♕d2 43. ♔c4 h6±] **40. ♕c4 ♕h1 41. ♔e2 ♕c1 42. ♘b3 ♕b2 43. ♔f3 c2 44. ♕c8 ♔h7 45. ♕f5 ♔g8 46. ♕a5 1 : 0** **[Ftáčnik]**

644. E 15

TIMMAN 2610 — SALOV 2630
Rotterdam 1989

1. d4 ♘f6 2. c4 e6 3. ♘f3 b6 4. g3 ♗a6 5. ♘bd2 ♗b4 6. ♕c2 ♗b7 7. ♗g2 ♗e4 8. ♕b3 ♗d2 9. ♗d2 d6 10. 0–0 ♘bd7 11. ♖fd1 [11. ♕a3 0–0 — 39/666; 11. ♗g5 0–0 — 43/(678)] **0–0 12. ♖ac1 ♕e7 13. ♕a3 a5!? 14. ♗h3 ♖fe8 15. ♗e3** [15. ♘e1!? △ f3, e4±] **h6 16. ♘d2 ♗b7 17. c5** [17. ♘b1 e5!⇆] **dc5 18. dc5 ♗d5= 19. cb6 ♕a3 20. ba3 cb6 21. ♘c4 ♖ab8** [21... b5!? 22. ♘d6 ♖eb8] **22. ♘d6 ♖ed8 23. ♖c2 ♘c5 24. ♘b5 ♖bc8** [24... ♗c6?! 25. ♖d8 ♖d8 26. ♗c5 ♖d1 27. ♗f1 bc5 28. ♖c5 ♗b5 29. ♖b5 ♘e4 30. ♖a5 ♘d2 31. ♔g2±] **25. f3 ♘a4 26. ♖dc1 ♖c2 27. ♖c2 ♗b7 28. ♗f1 ♖d1 29. ♖c1 ♖c1 30. ♗c1 ♗d5 31. e4 ♗c6?!** [31... ♗a2 32. ♗e3 ♘d7 33. ♘d6 ♘c3!=] **32. ♗e3 ♔f8 33. ♘a7 ♗d7 34. ♔f2 ♔e7 35. ♗d4 ♘e8 36. ♘b5± f6 37. e5 f5 38. ♘d6 ♘d6?** [38... ♘c7 39. ♗c4] **39. ed6 ♔d6 40. ♗g7 h5 41. f4+− ♘c5 42. ♗e2 ♗e8 43. ♔g2 ♗c6 44. ♔h3 ♗d5 45. ♔h4 ♗a2 46. ♔h5 ♘e4 47. ♔g6 ♗d5 48. ♗d4 ♔c7 49. h4! ♘g3 50. h5 ♘h5** [50... ♘e2 51. ♗e5 ♔c6 52. h6 ♘f4 53. ♗f4 e5 54. h7+−] **51. ♔h5 ♔c6 52. a4 ♗b3 53. ♗b5 ♔d5 54. ♗b6 e5 55. ♔g5 ef4 56. ♔f4 ♗c2 57. ♗a5 ♔c5 58. ♔e5 ♗e4 59. ♗d2 ♗c2 60. ♗d7 ♔b6 61. a5 ♔a6 62. ♔d6 ♗e4 63. ♔c7 1 : 0** **[Timman]**

645.** E 15

TUNIK 2435 − DAUTOV 2535
Moskva (GMA) 1989

1. d4 ♘f6 2. c4 e6 3. ♘f3 b6 4. g3 ♗a6 5. ♕a4 ♗e7 [RR 5... ♗b7 6. ♗g2 ♘a6 7. ♘c3 (7. 0−0 − 45/667) ♗b4 8. ♗d2 0−0 9. 0−0 c5 (9... ♕c8?! 10. ♖fd1± M. Jukić 2475 − Klinger 2475, Bern 1989) 10. a3 ♗c3 (10... ♗a5 11. b4! cb4 12. ♘b5±) 11. ♗c3 ♘e4 12. ♗e1 cd4 13. ♘d4 ♘ac5 14. ♕c2 a5= M. Jukić; 5... c5 6. ♗g2 ♗b7 7. 0−0 cd4 8. ♘d4 ♗g2 9. ♔g2 ♕c7 10. f3 a6 11. ♖d1 ♕b7! N (11... ♗e7 − 46/(709)) 12. ♗g5 ♗e7 13. ♘c3 h6□ (13... 0−0 14. ♘e4±) 14. ♗f6 ♗f6 15. ♘e4 ♗e7 16. ♖d3 0−0 17. ♖ad1 ♖c8 18. ♕b3 ♖a7! 19. a4!? (19. ♘c2?! b5 20. cb5 ♕b5! 21. ♘d4 ♕b3 22. ♖b3 d5 23. ♖c3 ♖c3 24. ♘c3 ♖b7∓ Pein 2405 − Novikov 2490, Budapest II 1989) ♘c6 20. ♘c6 ♕c6= Novikov] **6. ♗g2 c6 7. ♘c3 0−0 8. 0−0 d5 9. ♘e5 b5 10. cb5 cb5 11. ♘b5 ♕e8 12. ♘c3 ♕a4 13. ♘a4 ♗e2 14. ♖e1 ♗b5 15. ♘c5 N** [15. ♘c3 − 45/666] **♖c8 16. ♗e3!?** [16. a4 ♗e8 An. Karpov] **♘fd7?!** [✕♘b8; 16... ♘bd7 17. ♘ed7 ♘d7 18. a4 ♗c6 (18... ♘c5 19. ab5± ♔ ✕a7) 19. b4±《] **17. a4!± ♘e5 18. ab5 ♘c4 19. b4 ♖d8 20. ♖ec1?** [20. ♖a2! △ ♖ea1±] **♘e3 21. fe3** [21. b6 ab6! 22. ♖a8 bc5 23. dc5 (23. fe3 cb4∞) ♘c4 24. ♗f1 ♘d2!∞] **♘d7 22. ♖a6 ♘b6 23. ♖ca1?** [23. h4!?] **♗g5∞ 24. ♔f2 ♘c4 25. ♔e2 ♘e3⊕** [25... ♗e3 26. ♔d3 ♖ab8 27. ♖a7 ♖b5 28. ♖d7 ♖f8 29. ♖aa7? ♖b4 30. ♘e6 ♖b3!−+; 29. ♖b7∞; 28. ♖b7!∞] **26. b6 ♘c2 27. ♖1a4 ♘d4 28. ♔d3 ♘b5 29. ♖6a5 ♘d6 30. ♖a7 ♖ab8 31. h4 ♗f6 32. ♘d7 ♖b7** [32... ♖bc8 33. b7 ♖c3 34. ♔e2 ♖c2 (34... ♖g3 35. ♔f2 ♖h4 36. b8♕±) 35. ♔f3±] **33. ♖b7 ♘b7 34. ♘f6 gf6 35. ♖a7 ♖d7** [35... ♖b8 36. ♔d4 △ ♗f1-a6] **36. ♔d2+− ♔f8 37. ♗f1 ♖e7 38. ♗a6 ♘d6 39. ♖e7 ♔e7 40. b7 ♘b7 41. ♗b7 ♔d6 42. ♗a6 e5 43. ♔e3 ♔c6 44. g4 h6 45. h5 ♔b6 46. ♗d3 ♔c6 47. ♗e2 ♔b6 48. ♔d3 ♔b5 49. ♔c3 ♔c6 50. ♗d3 ♔d6 51. ♗b5 ♔e7 52. ♗c6 ♔d6 53. ♗a8 ♔e6 54. b5 ♔d6 55. b6 d4 56. ♔c4 ♔d7 57. ♗e4 1 : 0** [Tunik]

646. E 16

GEL'FAND 2600 − GOL'DIN 2535
Moskva (GMA) 1989

1. d4 ♘f6 2. c4 e6 3. ♘f3 d5 4. g3 ♗b4 5. ♘bd2!? [5. ♗d2 − 46/665] **0−0 6. ♗g2 b6 7. 0−0 ♗b7 8. cd5 ed5 9. ♘e5 ♖e8!? 10. a3!? N** [10. ♘df3 − 45/669; 10. ♘dc4 h6! 11. ♘e3 ♗f8] **♗f8 11. b4 ♘bd7** [11... c5 12. bc5 bc5 13. ♖b1!] **12. ♗b2 c5 13. bc5** [13. b5 cd4!? 14. ♘d7 ♕d7∞; 13. ♘d7 ♘d7 14. dc5 bc5 15. ♘b3 cb4 16. ab4 a) 16... ♗b4 17. ♕d4 ♗f8 18. ♘a5±; 17. ♗g7!?; b) 16... ♕b6! 17. ♘a5 (17. ♗d5!? ♗b4 18. ♗f7 ♔f7 19. ♕d7 ♖e7∞) ♕b4 18. ♘b7 ♕b2 19. ♗d5 ♘f6 20. ♘d6!? (20. ♗f3 ♘e4!=) ♘d5 21. ♘e8∞] **bc5 14. ♖b1 ♕c7 15. e3!?** [15. ♘d7 ♘d7 16. dc5 ♘c5 17. ♗a1 ♘e4=; 15. ♗a1!? cd4 (15... ♖ab8!?) 16. ♘d7 ♘d7 17. ♘b3!? ♗a3 18. ♕d4∞; 17. ♗d4±] **♘e5** [15... c4 16. ♗c3±] **16. de5 ♘d7** [16... ♘e4?! 17. ♘e4 de4 18. ♕c2 ♕c6 19. ♗a1 △ ♖b7±] **17. f4** [17. ♗a1 (△ 17... ♘e5?! 18. ♗e5 ♖e5 19. ♘c4±) ♖ad8] **♖ad8 18. ♕c2** [18. a4 c4!? 19. ♗d4 ♘c5∞] **♘b6 19. a4** [19. ♘f3?! ♘c4 20. ♘g5 g6 21. ♗c1 ♗a6!∓; 19. f5 ♖e5! 20. ♗e5 ♕e5∞] **♗c6?!** [19... d4! 20. ♗b7 (20. ed4 ♗g2 21. ♔g2 ♕c6=) ♕b7 (20... d3 21. ♕b3 ♕b7 22. a5±; 20... de3 21. ♘e4 ♕b7 22. ♘g5 g6 23. f5→) 21. ed4 cd4 22. ♘e4∞] **20. a5 ♘a4 21. ♗a1 ♕a5?** [△ 21... c4 22. ♘f3 ♘c5±] **22. ♘f3 h6** [22... d4 23. ed4 ♗f3 24. ♗f3 cd4 25. ♗c6+−; 22... ♕c7 23. ♘g5 g6 24. f5+−] **23. g4!** [23. f5 ♘b6 24. e6 f6!] **♘b6 24. g5+− ♕a4 25. ♕f2 hg5 25... h5 26. g6!+−] 26. ♘g5 ♗e7 27. e6! f6 28. ♘f7 ♖b8?** [28... ♖f8] **29. ♕h4 1 : 0** [Gel'fand]

647. E 16

SALOV 2630 − SEIRAWAN 2610
Barcelona 1989

1. d4 ♘f6 2. c4 e6 3. ♘f3 b6 4. g3 ♗b4 5. ♗d2 c5 6. ♗g2 ♗b7 7. ♗b4 cb4 8.

0–0 0–0 9. ♕b3 a5 10. a3 ♘a6 11. ♘bd2 d6 12. ♖fd1 ♖c8!? [12... ♕e7 – 43/683] **13. ♘e1 ♗g2 14. ♘g2** [14. ♔g2?! d5! 15. cd5 ♕d5 16. ♕d5 ♘d5 17. e4 ♘f6⇆] **♕c7 15. ♘e3 e5?!** [⌓ 15... ♕c6 16. ♕d3 ♖fd8±] **16. ♕d3± ba3** [16... ♖fe8 17. ♘e4!; ⌓ 16... ♕c6 17. ♘f5 ♖fe8 18. ♕e3 h6] **17. ba3 ed4 18. ♕d4 ♘c5 19. ♖ab1 ♖fd8 20. ♖b5 ♖b8 21. ♘b1! ♕e7 22. ♘c3+–**[×b5, b6, d5, d6] **♕e6 23. ♖db1 ♘cd7 24. ♔g2** [24. ♘a4+–] **♖b7 25. ♖a5 h6 26. ♖ab5 ♖a7 27. a4 ♖aa8 28. ♖d1 ♘e8 29. ♖b4 ♖dc8 30. ♘cd5 ♖c5 31. ♘f4 ♕e5 32. ♕e5 ♘e5 33. ♘fd5 ♘d7 34. ♘b6 ♘b6 35. ♖b6 ♖a4 36. ♖b8 ♖e5 37. ♖d6 ♔h7 38. ♖d7 ♔g6 39. ♖bb7 f5 40. ♖e7 ♖e7 41. ♖e7 ♘f6 42. f3 ♖a5 43. ♔f2 h5 44. ♖b7** [△ ♖b5] **1 : 0** **[Salov]**

648.* **E 16**

S. AGDESTEIN 2595
– B. LARSEN 2560
Danmark 1988

1. d4 ♘f6 2. ♘f3 e6 3. c4 b6 4. g3 ♗b7 5. ♗g2 ♗b4 6. ♗d2 ♗d2 7. ♘bd2 [RR 7. ♕d2 0–0 8. ♘c3 d5 9. ♘e5 ♘bd7 10. 0–0 ♘e4!? N (10... ♘e5) 11. ♘e4 de4 12. ♖ad1 (12. ♘d7 ♕d7 13. ♕e3 ♖ad8 14. ♖ad1 f5 15. f3 ef3 16. ef3 f4! 17. gf4 ♖f6 △ ♕f7∞ Holmov) ♘e5 13. de5 ♕d2 14. ♖d2 ♖fd8 15. ♖fd1 ♖d2 16. ♖d2 ♔f8 17. ♖d4 ♖b8 18. ♖d7 ♖c8= Zlotnik 2420 – Holmov 2510, Warszawa 1989] **0–0 8. 0–0 d6 9. ♕c2 c5 10. e4 cd4 N** [10... ♘c6] **11. ♘d4 a6 12. ♖ac1 ♘bd7 13. b4 ♖c8 14. ♕d3 ♖c7** [△ ♕a8] **15. ♘4b3 ♕e7 16. a3 ♖fc8∞ 17. ♖fe1 h6 18. ♗f1 ♕f8 19. ♕d4 ♗c6!? 20. f3 ♗a4 21. ♕e3 a5! 22. ♘d4** [22. ba5 ba5 23. ♘a5 ♘c5∓] **b5! 23. ba5 ♘e5 24. ♕c3 bc4∓ 25. ♕b4? c3! 26. ♖c3?!** [26. ♘b1 ♖c4; 26. ♘2b3 ♗b3 27. ♕b3 d5! 28. ed5? ♕c5] **♖c3 27. ♕a4 d5 28. ed5 ♖a3 29. ♕b5 ♖c5 30. ♕b6 ♖d5–+ 31. ♖e5!? ♘d7 32. ♘e6 ♘b6 33. ♘f8 ♖e5 34. ab6 ♖e7 35. ♘c4 ♖a1 36. ♘d6 ♖ee1 37. b7 ♖f1 38. ♔g2 ♖fb1 39. ♘d7 ♖a6 0 : 1** **[B. Larsen]**

649.*** **E 17**

AN. KARPOV 2750 – SALOV 2630
Rotterdam 1989

1. d4 ♘f6 2. c4 e6 3. ♘f3 b6 4. g3 ♗b7 5. ♗g2 ♗e7 6. ♘c3 [RR 6. 0–0 0–0 7. ♘bd2 d5 N (7... c5) 8. b3 c5 9. ♗b2 ♘c6 10. e3 ♘e4 (10... cd4 11. ed4 ♖c8=) 11. cd5 ed5 12. ♘e5 ♘e5 13. de5 (G. Kuz'min 2505 – Halifman 2545, Moskva (GMA) 1989) f6! 14. ♕c2 ♘d2 15. ♕d2 fe5 16. ♗e5 ♕d7= Halifman] **♘e4 7. ♗d2 ♗f6 8. ♖c1** [RR 8. 0–0 d6 9. ♖c1 ♘d7 (9... 0–0 – E 18) 10. d5 ♘d2 11. ♘d2 e5 12. b4 0–0 13. ♘b3 ♗g5 14. f4 ♗h6 15. e3 ♗a6 16. ♘b5 ♖e8 17. ♖c2 g6 18. e4 ef4 19. gf4 ♘f6 20. e5!? ♗b5 (20... ♘h5? 21. e6! f5 22. ♕d4± Ėjngorn 2570 – I. Csom 2545, Debrecen 1989) 21. cb5 de5 22. fe5 (22. d6 e4) ♖e5 23. d6 cd6 24. ♖f6 (24. ♗a8 ♗e3 △ ♕a8∓) ♕f6 25. ♗a8 ♗e3∞ I. Csom] **♗d4 9. ♘d4 ♘c3 10. ♗b7** [RR 10. ♗c3 N ♗g2 11. ♖g1 ♗b7 12. ♕d3 0–0 13. g4 ♕g5 14. ♖d1 d6 15. ♕g3 ♘d7 16. f4 ♕e7 17. g5?! ♗e4 18. ♕e3 f5 19. gf6 ♘f6 20. f5 ♖ae8! 21. fe6 a6 22. ♕g5 ♗g6 23. ♖d3 c5 24. ♘f5 ♕e6 25. ♖e3 ♕f5 (25... ♘e4 26. ♕h6!) 26. ♕f5 ♗f5 27. ♗f6 g6∓ Douven 2445 – van der Wiel 2560, Nederland (ch) 1989; 17. ♘f5 ef5 18. ♗g7 ♖fe8 19. ♖d2!? Douven] **♘d1 11. ♖d1 c6 N** [11... e5 – 45/(671)] **12. ♗f4 0–0 13. ♗d6 ♖e8 14. ♗a8** [14. b4?! c5 15. ♘b5 a6!∓] **♕c8 15. b4 ♘a6 16. b5 ♕a8 17. ba6 c5 18. ♘f3 ♕e4 19. ♖c1 f6 20. a3! ♕c6** [20... e5?! 21. 0–0 ♕e2 22. ♘h4↑ ×f5, d5; 20... g5!? 21. h3 h5 22. g4 hg4 23. hg4 ♕g4 24. ♖g1 ♕e4∞] **21. ♖d1□** [21. ♗f4? g5–+] **♕a4 22. ♘d2□** [22. 0–0? ♕c4∓] **♕c6 23. ♘f3□ ♕a4 24. ♘d2 ♕a3 25. 0–0 ♕a6 26. e4 ♕a4!?** [26... ♕a3 27. e5 ♕d3 28. ♖fe1 f5 29. ♔g2 △ ♗c7, ♘f3±] **27. e5 ♕c6 28. ♖fe1 a6 29. ♖e3 h6 30. ♖c1?!** [⌓ 30. ♘e4 fe5 31. f3 (△ ♖ed3) b5!∞] **♖a8 31. ♘e4 fe5 32. f3 a5 33. ♖a3 a4 34. h4! ♖a5 35. ♔g2 b5 36. cb5 ♖b5 37. ♔h3 ♖b3?** [37... ♕a6! (△ ♖b3) 38. ♗e5! (38. ♖ca1 ♖b4 39. ♗c5 ♖c4 40. ♗f2 ♕c6∓)

d5 39. ♘c5 ♖c5 40. ♖c5 ♕f1 41. ♔g4 ♕b1 42. ♖c8!□ ♔h7 43. f4 h5 (43... ♕d1 44. ♔h3 ♕h1 45. ♔g4 h5?? 46. ♔h5 ♕h3 47. ♖f8) 44. ♔f3 d4!? 45. ♖c7!=; 38... c4!?∓] **38. ♖c5 ♕a6 39. ♖c3!□ ♕b5 40. ♔g4 ♔h7 41. h5= ♖a3 42. ♖a3 g6!**

43. ♗f8 [△ 43... ♕b1? 44. ♖a1! gh5 45. ♔h5 ♕a1 46. ♘f6 ♔h8 47. ♔h6 ♕h1 48. ♔g6 ♕b1 49. ♔f7+− An. Karpov] **♔g8! 44. ♗d6** [44. ♗h6 d5∓] **♔f7 45. ♖c3?** [45. hg6 ♔g6 46. ♔h3=] **gh5 46. ♔h5?** [△ 46. ♔h3!] **♕f1!−+ 47. ♔g4** [47. ♔h6 ♕h3 48. ♔g5 ♕f5 49. ♔h4 ♕h7 50. ♔g5 ♕g6 51. ♔h4 ♕h6 52. ♔g4 ♔g6−+] **♔g6 48. ♗e5 d5! 49. ♘c5** [49. ♘f6 ♕b1 50. ♔h4 (50. f4 ♕d1−+) h5!−+] **♕h1 50. ♔f4 ♕h5 51. ♔e3 ♕e5 52. ♔d2 d4 0 : 1** [Salov]

650. E 18

A. ČERNIN 2580 − BÖNSCH 2490
Lugano 1989

1. c4 e6 2. g3 d5 3. ♗g2 ♘f6 4. d4 ♗e7 5. ♘f3 0−0 6. ♘c3 b6 N 7. cd5 ♘d5 8. ♘e5 ♗b7 9. ♘d5 ♗d5 10. e4 [10. 0−0 ♗g2 11. ♔g2 ♕d5 12. ♘f3 (12. f3 ♖d8 △ c5∓) ♘d7 △ c5=] **♗b7 11. 0−0 ♘d7 12. ♘g4!?** [12. ♘d7 ♕d7 13. ♗e3±] **f5!** [12... c5 13. d5!±] **13. ef5 ♗g2 14. ♔g2 ♖f5** [14... ef5? 15. ♕b3 ♔h8 16. ♘e5±] **15. ♗f4 ♘f8 16. ♘e3 ♖f7 17. ♖c1 c5!=** [△ ♘g6, ↔f, ✕f2] **18. dc5 ♗c5 19. ♘c4 ♘g6 20. ♗e3 ♗e3 21. ♘e3 ♕f6 22. ♕e2 ♕e5 23. ♖c4 ♖d8 24. ♖e1 h5** [24... ♖fd7

25. ♘g4 ♕d5 26. ♕e4±] **25. f4 ♕a5 26. b4 ♕b5 27. ♖e4?** [△ 27. a4 ♕a4 28. ♕h5 ♖d2∞] **♕c6↑ 28. ♖c4 ♖d2 29. ♔h3**

29... ♕b7! [29... ♕c4 30. ♘c4 ♖a2 31. ♖e6±] **30. ♘f1** [30. ♕e6? ♘f8 31. ♕c4 b5 32. ♕c3 ♕d7 33. f5 ♖f5−+; 30. ♖e6! ♘f8 31. ♖e5 ♕d7 32. f5 ♘h7 33. g4 ♘g5 34. ♔g3 h4 35. ♔f4 ♘h3! (35... ♖d4? 36. ♔g5 ♖c4 37. ♘c4∞) 36. ♔e4 (36. ♔f3 ♖f2 37. ♔e4 ♘g5‡) ♖d4! 37. ♕d4 ♘f2 38. ♔f3 ♘d4 39. ♖e8 ♖f8 40. ♖f8 ♔f8 41. ♔f2 ♕f4 42. ♔g1 h3−+; 33. ♕h4!∞] **♖f2 31. b5** [31. ♕e6? ♘f8 32. ♕e8 ♕d5 33. ♕e5 ♕d7−+] **♘f8 32. a4?** [△ 32. ♕d4 ♖a2 33. ♖4e2∓] **♖c7! 33. ♕d4 ♖cc2 34. ♕e5 ♕f7 35. ♕g5 e5!−+ 36. ♖e5 ♕a2 37. g4 ♖h2⊕** [37... ♖f3 38. ♔h4 ♖h2 39. ♘h2 ♕h2‡] **38. ♔g3 ♖cg2 39. ♔f3 ♕f2** 0 : 1
[Bönsch]

651. E 18

RUBAN 2420 − OLL 2510
Budapest (open) 1989

1. d4 ♘f6 2. c4 e6 3. ♘f3 b6 4. g3 ♗b7 5. ♗g2 ♗e7 6. ♘c3 ♘e4 7. ♗d2 d5 [7... ♗f6 − 46/(729)] **8. cd5 ed5 9. 0−0** [9. ♕a4] **0−0 10. ♕c2 N** [10. ♘e5; 10. ♖c1] **♘a6** [10... ♘d2!? 11. ♕d2 ♘d7 △ ♘f6; 11. ♘d2!?] **11. ♖ad1! ♗f6 12. ♘e5** [12. ♘e4 de4 13. ♘e5 ♕d4?? 14. ♗c3 ♕c5 15. ♘d7+−; 13... ♕d5!∞] **♘d2** [12... ♘c3 13. ♗c3±] **13. ♖d2± c6** [13... c5 14. f4?! cd4 15. ♖d4 ♗e5 16. fe5 ♕e7=; 14.

e3!±] **14. f4!** [14. e4?! ♗e5! 15. de5 d4] **♗e7?! 15. e4 ♖c8 16. ♕b3 ♗b4 17. ♖dd1!** [17. a3?! ♗c3 18. bc3 de4 △ 19. ♗e4 ♘c5] **♗c3□ 18. bc3± ♔h8 19. f5! f6 20. ♘d3** [×e6] **de4 21. ♗e4** [21. ♘f4! ♖e8 22. ♘e6 ♕d7 23. ♗e4 ♘c7 24. c4!± ♘e6 25. fe6 ♕e6 26. ♗f5] **♖e8 22. ♗g2 ♖e3! 23. ♘f4 ♕e7 24. ♘e6 c5?** [24... ♘c7 25. ♖fe1 ♘d5!±] **25. d5 ♕d6** [25... c4 26. d6!+−] **26. ♕c4! ♘c7 27. ♕f4 ♖e5 28. ♖fe1!+− ♖e1 29. ♖e1 ♘e8 30. ♕g4 c4 31. ♕h5!** [△ ♘g5] **h6 32. ♘f4 ♘c7 33. ♕f7 1 : 0** **[Ruban]**

652.*** **E 18**

SPEELMAN 2645 – GULKO 2590
Hastings 1988/89

1. ♘f3 ♘f6 2. c4 b6 [RR 2... c5 3. ♘c3 e6 4. g3 b6 5. ♗g2 ♗b7 6. 0–0 ♗e7 7. d4 ♘e4 8. ♘e4 ♗e4 9. ♗f4 0–0 10. ♕d2 d5 N (10... ♘c6 – 35/(624)) 11. dc5 bc5 12. cd5 ed5 13. ♖fd1 ♕b6 14. ♘e5 ♗g2 15. ♔g2 ♖d8 16. ♕e3 ♘a6 17. ♕b3 ♕b3 18. ab3 ♘b4 19. ♗d2 f6= Timman 2610 – Ljubojević 2580, Rotterdam 1989] **3. g3 ♗b7 4. d4 e6 5. ♗g2 ♗e7 6. 0–0 0–0 7. ♘c3 ♘e4 8. ♗d2 ♗f6 9. ♖c1 c5** [RR 9... d5 10. cd5 ed5 11. ♗e3 ♘a6 12. ♕c2 N (12. ♕a4 – 46/737) c5 13. ♖fd1 ♕e7 14. ♗h3 ♖fd8 15. ♕b1 ♗c8= Jusupov 2610 – van der Wiel 2560, Rotterdam 1989] **10. d5** [RR 10. e3 N ♘a6 11. d5 ed5 12. cd5 ♘d6 13. ♕a4 ♘b4 14. e4 ♘d3 15. ♗f4 b5 16. ♕c2 ♘f4 17. gf4 ♗c3 18. bc3 ♘c4 19. e5 f6 20. ♖cd1 ♕e8 21. ♖fe1 ♕h5∞ Draško 2505 – Geo. Timošenko 2530, Tallinn 1989] **♘c3? N** [10... ed5 – 46/734; 10... ♗c3 11. ♗c3 ed5 12. cd5 d6] **11. ♗c3 ♗c3?!** [11... ed5 12. cd5 – 39/675] **12. ♖c3 ed5 13. ♘h4!±** [×d5] **♘a6 14. ♘f5 ♕f6 15. ♘e3 ♖ae8!** [15... ♘c7 16. ♘d5 ♘d5 17. ♗d5 ♗d5 18. ♕d5±] **16. ♗d5** [16. ♘d5] **♗c6!□ 17. ♗c6!? dc6! 18. ♕a4 ♘c7 19. ♖d1** [19. ♕a7 ♘e6⇆] **a6 20. ♖d7 b5 21. cb5 ab5** [21... cb5 22. ♕f4±; 22. ♕a5!? △ 22... ♘e6 23. ♕a6] **22. ♕f4! ♕f4 23. gf4 ♘a6!□** [23... ♘e6 24. f5] **24. ♖a3! ♘b4** [24... ♖a8 25. ♘f5!] **25. ♖aa7 ♘d5?!** [25... ♖a8? 26. a3 ♖a7 27. ♖a7 ♘d5 28. ♘d5 cd5 29. ♖b7±; 25... ♖e4!? 26. f5 h5!? △ 27. a3 ♘a2! 28. ♖d1? b4 29. ♖a1 b3 30. ♖b7? c4 31. ♘c4 ♖c4 32. ♖b3 ♖c1!] **26. ♘d5 cd5 27. ♔f1!?** [27. e3] **d4** [27... ♖d8 28. ♖ac7 c4 29. ♖b7] **28. ♖ac7!** [28. ♖ab7? b4 29. ♖bc7 *a)* 29... ♖c8 30. ♖f7 ♖c7 31. ♖c7 ♖a8 32. ♖c5 (32. a3 ba3 33. ba3 ♖a3 34. ♖c5 d3!=) ♖a2 33. ♖c4 ♖b2 34. ♖d4 ♖b1⇆ ♙b; *b)* 29... ♖a8 30. ♖c5 ♖a2 31. ♖c2 g6 △ 32. ♖b7 ♖d8 33. ♖b4 d3!, △ 32. ♖d4 b3! 33. ♖cd2 ♖c8!; 31... h6!?] **♖c8 29. ♖f7 ♖c7 30. ♖c7 ♖f5!** [30... c4 31. ♖c5 c3 32. ♖b5!? (32. bc3) *a)* 32... ♖f4 33. a3! (△ 34. bc3 dc3 35. ♖c5) d3 34. ed3? ♖c4!; 34. bc3+−; *b)* 32... ♖c8 33. bc3 dc3 34. ♖b1 ♔f7 35. e3 (35. ♖c1 ♔e6 36. e4 g5! 37. ♔e2 gf4 38. ♔d3 ♔e5 39. ♖c3 ♖d8 40. ♔e2 ♔e4 41. f3 ♔e5 42. a4±) ♔e6 36. ♔e2 ♖a8 37. ♖a1 ♔d5 (37... ♖d8? 38. ♖c1 ♖d2 39. ♔f3 c2 40. e4!+−) 38. ♔d3 ♖a3 39. h4+−] **31. b3 h6** [31... ♔f8!] **32. h4 b4?⊕** [32... c4? 33. bc4 bc4 34. ♖c4 ♖f4 35. e3 ♖h4 36. ♖d4+−△ ♖a4-a8, a4‖, e4‖; 32... ♔f8! △ 33. ♔g2 ♔e8! 34. ♔g3 (34. ♔f3 g5!) ♔d8! 35. ♖g7 c4!⇆] **33. e3! de3 34. fe3 g5!? 35. hg5 hg5 36. ♔f2!+−** [36. ♔e2?? gf4 37. e4 f3!] **gf4 37. e4! ♖h5 38. ♔f3 ♖h2** [38... ♔f8 39. ♔f4 ♔e8 40. e5 ♖h2 41. ♖c5 ♖a2 42. ♖b5 ♖h2 43. ♔f5 ♖h4 44. ♔e6] **39. ♖c5 ♖a2 40. ♖b5 ♔f7** [40... ♖h2 41. ♖b4 ♖h4 42. ♖b7 ♔f8 43. b4 ♔e8 44. b5 ♔d8 45. b6 (45. ♖f7) ♖h6 (45... ♔c8 46. ♖f7) 46. ♔f4?? ♔c8 47. ♖c7 ♔d8!=; 46. ♖b8!] **41. ♔f4** [41. ♖b4?! ♔e6 42. ♔f4 ♖f2] **♖b2** [41... ♔e6 42. ♖b6! ♔d7 43. ♖b4] **42. ♖b4** [♖ 4/e] **♔e6 43. ♖b6 ♔d7 44. ♔e5 ♖h2 45. ♖d6 ♔e7 46. ♖d5 ♖b2 47. ♖b5 ♔d7 48. ♖b7 ♔c6 49. ♖b4! ♔d7 50. ♖d4 ♔e7 51. b4 ♖b1 52. ♔d5 ♔d7 53. e5 ♖e1 54. b5 ♖e2 55. ♔c5 ♔c7 56. b6 ♔c8 57. ♔d6 1 : 0** **[Speelman]**

653. **E 18**

EHLVEST 2600 – GEO. TIMOŠENKO 2530
Tallinn 1989

1. d4 ♘f6 2. c4 e6 3. ♘f3 b6 4. g3 ♗b7 5. ♗g2 ♗e7 6. 0–0 0–0 7. ♘c3 ♘e4 8. ♗d2 ♗f6 9. ♖c1 c5 10. ♗e1!? N ♘a6 11. a3 ♘c7 12. ♘e4 ♗e4 13. ♗c3 cd4 14. ♗d4 d5 15. ♗f6 ♕f6 16. ♕d4! [×♘c7] **♖fc8 17. ♕f6 gf6 18. ♘d4 ♗g2 19. ♔g2±⊥ ♔f8 20. ♔f3 f5 21. h3!** [△ g4→⇔h] **♖d8 22. e3 ♔g7 23. g4 fg4 24. hg4 ♖d7 25. ♖h1 h6 26. ♖h5 dc4 27. ♖c4 ♘d5 28. ♖h1 ♘e7 29. ♖hc1 ♖ad8 30. ♖c7⊕** [30. ♔e4 △ f4○] **♔f6 31. ♖d7 ♖d7 32. ♔e4 ♘d5 33. f4 ♖c7?!⊕** [⌓ 33... ♖d8 △ ♖g8] **34. ♖c7 ♘c7 35. ♘c6** [⌓ 35. b4!±] **a5 36. ♔d4 ♘d5=** [×e3] **37. b4 ab4 38. ♘b4** [38. ab4 ♔g6=] **♘b4!=** [38... ♘c7 39. a4±] **39. ab4** [♙ 3/b1] **♔e7 40. e4 ♔d6 41. e5 ♔c6 42. ♔c4 b5 43. ♔d4 ♔b6 44. ♔e3 ♔c7 45. ♔f3 ♔d7 46. f5 ef5 47. gf5** [♙ 2/c2] **♔c6 48. ♔g4 ♔d5 49. e6 ♔d6□ 50. ♔h5 ♔e7 51. ♔h6 fe6 52. ♔g5 ef5 1/2 : 1/2** **[Ehlvest]**

654.** **E 20**

UBILAVA 2500 – NOVIKOV 2500
Tbilisi 1988

1. d4 ♘f6 2. c4 e6 3. ♘c3 ♗b4 4. ♘f3 c5 5. g3 cd4 6. ♘d4 0–0 7. ♗g2 d5 8. ♕b3 [RR 8. 0–0 dc4 9. ♕a4 ♘a6 10. ♘db5 ♘d5 11. ♖d1 *a)* 11... ♕e8 12. ♘d5 ed5 13. ♖d5 ♕e2 N (13... ♗d7 – 45/(679)) 14. ♕d1 ♕e7 15. ♗g5 f6 16. ♗f4 ♗e6 17. a3 ♗c5 18. ♕e2 ♖fe8 19. ♖e1 ♗d5 20. ♕e7 ♖e7 21. ♗d5 ♔f8 22. ♖e7 ♔e7 23. ♗b7 ♖d8 24. ♗a6 g5∞̅ Hébert 2420 – Hulak 2515, Toronto 1989; *b)* 11... ♗d7 12. ♘d5 ed5 13. ♗d5 N (13. ♖d5 – 45/(679)) ♕e8 (13... ♕b6!? 14. ♗c4 ♗c5!? 15. ♖d7 ♗f2 △ ♘c5∞̅) 14. ♗c4 ♗c6!? (△ ♕e4) 15. ♖d4 *b1)* 15... ♕e5? 16. ♕c2! ♗b5 (16... ♗c5 17. ♖h4 h6 18. ♘c3 ♘b4 19. ♕g6! ♗f2 20. ♔f2 ♕c5 21. ♔f1 ♕c4 22. ♕g7! ♔g7 23. ♗h6+–) 17. ♖d5 ♕c7 18. ♖b5± J. Piket 2500 – Sax 2610, Wijk aan Zee 1989; *b2)* 15... ♗c5 16. ♖h4 ♗e7! (16... ♖d8 17. ♕c2 g6 18. ♗g5± △ 18... ♘b4? 19. ♕g6! hg6 20. ♗f6+–; 16... ♘b4 17. a3 a6 18. ab4 ab5 19. ♕c2±) 17. ♖h5 ♗f6∞̅] **♗c3 9. ♕c3!? e5 10. ♘b3 N** [10. ♘b5 – 33/62] **d4** [10... ♘c6; 10... dc4] **11. ♕a5 ♕e7** [11... ♘c6 12. ♕d8 ♖d8 13. ♗g5∞] **12. 0–0** [12. ♕c5 ♕e6!] **♘c6 13. ♕c5 ♕e6!? 14. f4! ♘d7!** [14... ef4 15. ♗f4 ♕e2 16. ♘d4±] **15. ♕d5 ♘b6 16. ♕e6 ♗e6 17. ♗c6** [17. c5 ♘d7 18. fe5 ♗b3 19. ab3 ♘c5∞] **bc6 18. fe5 ♘c4?!** [18... ♗c4 19. ♘d4 c5 20. ♘b3 ♘d7 21. ♗f4 (21. ♗e3 ♖fe8=) ♗e2=] **19. ♘d4 ♗d5 20. e6! fe6 21. ♖f8 ♖f8 22. b3 ♘b6 23. ♗a3 ♖f6?!** [23... ♖c8 24. ♖c1 ♘d7 25. ♘b5 ♘f6; 25. ♘c2 △ ♘e3⩲] **24. ♖c1 e5 25. ♘c2± a5 26. ♘e3 a4 27. ♗c5 ♘d7** [27... ab3 28. ♗b6 ba2 29. ♗a5 △ ♗c3+–] **28. ba4 ♗a2 29. a5 ♘b8 30. ♖d1** [30. ♖a1 ♘a6 31. ♖a2 ♘c5 32. a6 ♖f8 33. a7 ♖a8 34. ♘c4 ♘d7±] **♘a6 31. ♖d8 ♔f7 32. ♗b6 ♘b4 33. a6+– ♘a6 34. ♖a8 ♘b4 35. ♗c5 ♘d3 36. ed3 ♗b1 37. ♘c4 ♖e6 38. ♖d8 ♔g6 39. ♘d2 ♗a2 40. ♘e4 1 : 0** **[Ubilava]**

655.* **E 20**

GUTMAN 2535 – TAJMANOV 2480
Paris 1989

1. d4 ♘f6 2. c4 e6 3. ♘c3 ♗b4 4. f3 d5 [RR 4... c5 5. d5 ♗c3 6. bc3 ♕a5 7. ♗d2 d6 8. e4 0–0 (8... ♘bd7 9. ♘e2 0–0 10. ♘g3 ♖e8 11. ♗e2) 9. ♘h3 N (9. ♗d3 ♘bd7 △ ♘e5) ed5 10. cd5 ♗h3 11. gh3 ♘h5 12. ♖g1 ♘d7 13. ♖g5 g6 14. ♕c2 ♘g7 15. 0-0-0 f6 16. ♖g2 f5∞ Dohojan 2575 – A. Petrosjan 2475, Erevan 1989] **5. a3 ♗e7 6. e4 de4 7. fe4 e5 8. d5 a5!? N 9. ♘f3 0–0!? 10. ♗d3** [10. ♘e5?! ♖e8∞̅↑] **♗g4 11. 0–0 ♘bd7= 12. ♗c2** [12. ♖b1 ♘e8 13. b4 ab4 14. ab4 c5!?] **♘e8 13. ♗a4 ♘c5 14. ♗e8 ♕e8 15. ♗e3 a4!? 16. h3 ♗h5 17. ♕c2** [17. g4 ♗g6 18. ♘e5 ♗e4!? △ ♗d6↑] **♘b3 18. ♖ad1 ♗c5 19. ♗c5 ♘c5 20. ♕f2 ♗f3 21. ♕f3 ♕e7**

22. ♕g3 ♖a6∓ 23. ♖f5 f6 24. ♖f2 ♖b6 25. ♖e1 ♖b3 26. ♖e3 ♕d6?! [26... c6!? 27. ♕g4 ♕f7∓] 27. ♕g4!? ♕b6 28. ♖g3⇆ g6 29. ♕e2!? [△ ♕c2, ♘a4] c6!? 30. ♖gf3 ♕d8 31. ♕c2 cd5 32. cd5 [32. ♘d5 ♖f3 33. ♖f3 ♔g7∓] b5 33. h4 ♘b7 34. h5 ♘d6 35. ♖g3 ♔g7 36. hg6 [36. ♕e2 g5!?] hg6 37. ♕e2 ♖h8!? 38. ♕g4 ♖h6 [△ ♕h8] 39. ♕e6!? ♘f7?! [39... b4!? 40. ab4 ♖b4↑] 40. ♖gf3 g5 41. ♘e2!? ♖f3 [41... ♖b2? 42. ♘g3→] 42. ♖f3 [42. gf3!? ♕c7 43. ♘g3 ♔f8 44. ♘f5 ♕c1 45. ♖f1 ♖h1 46. ♔h1 ♕f1=] ♕a5!? 43. ♘g3 [43. ♖c3?? ♕a7−+; 43. ♔f1!? ♖h1 44. ♘g1∞] ♕e1 44. ♘f1 ♕e4 45. ♘e3 ♕d4 46. d6!? e4 47. ♖g3 ♖h8 [47... ♘d6?? 48. ♕d6!] 48. d7 ♖d8 49. ♖h3 ♖d7 [49... ♕d7? 50. ♘f5 ♔g6 51. ♘e7 ♔g7 52. ♕e4→] 50. ♔h1 ♔f8 51. ♕c6!? [51. ♘f5 ♕d1 52. ♔h2 ♕d5 53. ♕f6 ♕e5∓; 51. ♖h7 (△ ♖f7!) ♕d2!∓] g4?! [51... ♖d8!? △ 52. ♕b5 ♖c8∓] 52. ♕c8 ♖d8 53. ♕g4 ♕b2 54. ♘f5 ♕c1 55. ♔h2 ♕c7 56. ♖g3?! [56. ♔h1 ♕c1 (56... ♘g5?? 57. ♖h8 ♔f7 58. ♖h7!+−) 57. ♔h2=] ♘g5 57. ♕h5 ♕h7! 58. ♖g5 ♖d7!! 59. ♔g1 [59. ♘g7 ♕h5 60. ♖h5 ♔g7 61. ♖b5 e3−+] fg5 60. ♕g5 ♕h8!?−+ 61. ♕f4 ♕a1 62. ♔h2 ♕f6 63. ♕b8 ♕d8 64. ♕f4 ♕c7 [65. ♘d6 ♖f7!] 0 : 1 [Tajmanov]

656. **E 20**

V. RAIČEVIĆ 2480 – RUBAN 2420
Pula 1989

1. d4 ♘f6 2. c4 e6 3. ♘c3 ♗b4 4. f3 d5 5. a3 ♗e7 6. e4 de4 7. fe4 e5 8. d5 ♘g4 9. ♘f3 ♗c5 10. ♘a4!? N [10. b4 – 46/745] ♗f2 11. ♔e2 b5! 12. h3 [12. cb5?! ♗d7! 13. ♕b3 a6⩱] ba4 13. hg4 ♗g3□ [13... ♗b6? 14. ♕a4 ♗d7 15. ♕c2!±; 13... ♗c5?! 14. ♕a4 ♗d7 15. ♕a5! ♕e7 (15... ♗b6 16. ♕c3) 16. ♕c7±; 13... ♗d4?! 14. ♘d4 ed4 15. ♕d4 ♗g4 16. ♔f2±] 14. ♖h3 [14. ♕a4 ♗d7 △ ♗g4] ♗f4 15. ♗f4 ef4 16. ♕d4!? 0–0 17. ♖h4 g5? [×♔g8; 17... f6! 18. ♔f2?! ♘d7 19. ♗d3 ♘e5 △ 20. ♖ah1 ♘g4 21. ♔g1 h6∓; 18. c5!?; 18. ♔d2!? △ c5] 18. ♖h6! [×c6] ♗g4 19. ♔f2 f6 [19... ♗f3 20. gf3 (20. e5!?→) f6 21. e5! fe5 (21... ♘d7 22. e6 ♘e5 23. ♕e4 ♕e7 24. ♗d3 △ ♖ah1) 22. ♕e4! (22. ♕e5 ♖f7! 23. ♗d3 ♘d7 24. ♕e4 ♘f8) ♖f7 23. ♗d3±] 20. e5! ♔g7 21. ♖h2 ♗f3 22. gf3 ♘d7□ [22... ♘c6? 23. ♕d3+−] 23. ♗d3 ♖h8 [23... h6?! 24. ♕e4 f5□ 25. ♕d4 ♕e7 26. e6±] 24. ♖ah1? [24. ♕e4! ♘f8□ 25. e6±↑○] h6!∞ [24... ♘e5 25. ♖h7 ♖h7 26. ♖h7 ♔g8 27. ♕e4! △ ♖h8] 25. e6 ♘e5 26. ♗c2 ♖b8! 27. ♔e2 [27. ♗a4? ♖b2] ♕d6 28. ♗a4 ♕a6! 29. b3□ [29. ♗b5?! ♖b5! 30. cb5 ♕b5] ♕d6! [×a3] 30. ♖a1 [30. c5 ♕a6; 30. b4 ♕a6] h5!⇆ 31. ♖g2 h4 32. ♕f4?! h3 33. ♖g3 h2 34. ♖h1 ♖h5 [34... ♕a3? 35. ♖g5 fg5 36. ♕e5; 34... ♖h3!?] 35. ♕d4 ♘c6!! 36. ♕g4 ♕e5 37. ♔d3□ ♖bh8−+ 38. ♖g2 [38. ♗c6 ♖h4−+] ♖h4 39. ♕g3 ♕f5 40. ♔d2 ♘e5 41. ♔c3? ♖h3 42. ♖gh2 ♕d3 [43. ♔b4 ♖b8; 43. ♔b2 ♖g3 44. ♖h8 ♖g2] 0 : 1 [Ruban]

657. **E 20**

SKEMBRIS 2455 –
SR. CVETKOVIĆ 2460
Vrnjačka Banja 1989

1. d4 ♘f6 2. c4 e6 3. ♘c3 ♗b4 4. f3 d5 5. a3 ♗e7 6. e4 de4 7. fe4 e5 8. d5 ♗c5 9. ♗g5 h6 10. ♗h4 c6!? N 11. ♕f3 g5 [11... ♘bd7±; 11... ♕b6!?∞ V. Raičević] 12. ♗f2 ♗g4 13. ♕g3 ♗f2 14. ♕f2 ♘bd7 15. ♗e2 [×f5; 15. c5!? a5 △ a4, ♕a5] ♕b6 16. ♕b6 ab6 [16... ♘b6±] 17. ♗g4 ♘g4 18. ♔e2 [△ ♖f1± ⇔f] f5!? 19. ef5 [19. h3 ♘gf6∞] 0–0 20. h3?! [20. ♖f1⩲] ♘gf6 [△ ♘h5⇆] 21. g4 e4! [×♘g1, ×e5; 21... h5 22. ♘f3±] 22. ♔e3 h5 [22... ♘e5 23. b3⩲] 23. ♘ge2 hg4 24. ♘d4!⩲ gh3 [24... ♘e5 25. b3± △ ♘e6] 25. ♖h3 [25. ♘e4!? cd5±; 25... g4!?] ♘e5 26. ♘e6!? [26. b3 ♘eg4⩱] ♘c4! [26... ♖f7 27. ♖g1±] 27. ♔d4 ♘b2?! [27... ♘d2 28. ♘f8±] 28. ♘f8 ♖f8 [28... c5 29. ♔e5±] 29. ♖g1 c5 30. ♔e5 ♘d3 [30... ♘c4 31. ♔e6±] 31. ♔d6 ♔f7! 32. ♖g5 ♖a8 [△ 33... ♘e8 34. ♔d7 ♘e5#; 32... ♘e8 33. ♔d7 ♘e5 34. ♔c8 ♘d6 (34... b5 35. ♔b7) 35. ♔c7±] 33. ♔c7± ♖a3 34. ♘b5 ♘d5□ [34... ♖a5 35. ♘d6+−] 35. ♔b7

♔f6□ [35... ♖a5 36. ♖g6! ♖b5 37. ♖h7 ♔f8 38. ♖c6 ♘e7□ (38... ♔g8 39. ♖d7+−) 39. ♖c7±; 35... ♘5f4 36. ♖h6 △ ♘d6+−] 36. ♖hh5! ♖a5?⊕ [36... ♖a1 37. ♖g6 ♔e5 38. ♖e6 ♔f4 39. f6+−; 36... ♘5f4□ 37. ♘a3 ♘h5 38. ♖h5 e3±] 37. ♖g6 ♔e5 38. f6 ♔e6 39. ♖d5+− ♖b5 [♖ 9/n; 39... ♔d5 40. f7+−; 39... ♘f4 40. ♘c7+−; 39... ♔f7 40. ♖h6+−] 40. f7! ♔f7 [40... ♔e7 41. ♖d7+−] 41. ♖c6 [×♔f7] c4□ [41... ♔e7 42. ♖h5+−; 41... ♘f4 42. ♖f5+−; 41... ♔b4 42. ♖d7 ♔e8 43. ♖cc7 △ ♖h7+−] 42. ♖b5 e3 43. ♔b6?? [43. ♖h5+− e2 44. ♖h7 ♔g8 45. ♖e7 e1♕ 46. ♖c8#] e2= 44. ♖f5 [44. ♖a5 e1♕ 45. ♖a7 ♕e7=] ♔e7 45. ♖h5 e1♕ 46. ♖h7 ♔d8□ 47. ♖h8 [47. ♖d6?? ♔e8−+] ♔e7 48. ♖h7 **1/2 : 1/2** [Skembris]

658. **E 20**

MALANJUK 2520 − KVEINYS 2345
SSSR 1989

1. d4 ♘f6 2. c4 e6 3. ♘c3 ♗b4 4. f3 d5 5. a3 ♗e7 6. e4 de4 7. fe4 e5 8. d5 ♗c5 9. ♗g5 h6 10. ♗h4 ♗d4!? N [Aseev] **11. ♘b5** [11. ♘ge2? ♘e4!−+; 11. ♕d2? ♘e4!; 11. ♗d3?! ♗c3 12. bc3 ♘a6∓; 11. ♘f3 ♗g4=; 11. ♕c2!? ♘bd7 12. ♗d3 △ ♘ge2] **♗b2 12. ♖b1 a6□ 13. ♗f6 gf6 14. ♕a4?!** [14. ♘c7 ♕c7 15. ♖b2 ♘d7! △ ♕a5, ♘c5∓; 14. ♖b2 ab5 15. cb5 ♖a3 16. ♘f3∞] **ab5 15. ♕a8** [15. ♕b5 c6 16. ♕b2 ♕a5 △ ♕a3∓] **♗c3 16. ♔d1 ♘a6 17. ♔c2**

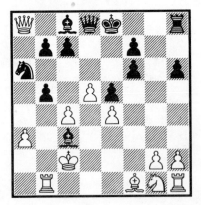

17... 0−0!! [17... ♗a5 18. cb5±; 17... b4 18. ab4 ♗b4 19. c5!±; 17... ♗d4 18. ♘f3∞] **18. ♔c3** [18. cb5 ♘c5! 19. ♔c3 ♘e4 △ ♘f2∓] **♕d6 19. ♖b5□** [19. ♖b3 ♕b6−+] **c6!** [19... ♕a3? 20. ♔d2∞] **20. ♖a5** [20. ♖b7? ♕a3 21. ♔d2 ♗b7 22. ♕b7 ♖b8−+; △ 20. ♖b3 f5! 21. ♕a7 ♘c5∞→] **cd5 21. ♖a6 ba6?!** [21... d4! 22. ♔b2 (22. ♔d2 ba6 23. ♕d5 ♕a3−+ Malanjuk) ba6 23. ♕a7 ♗e6 24. ♘f3 ♖b8 25. ♔a2 (25. ♔c2 ♖c8−+) ♖b5−+] **22. ♕d5 ♕b6** [△ ♖d8] **23. ♕d3 ♖d8 24. ♕g3 ♔h7 25. ♗d3 ♕a5 26. ♔c2 ♗d7 27. ♘e2 ♗a4 28. ♔c1 ♗b3 29. ♖f1?⊕** [29. ♕f3!∞] **♕a3 30. ♔d2 ♗c4 31. ♘c1 ♕b2 32. ♔d1** [32. ♔e3 ♗d3 33. ♘d3 ♖d3 34. ♔d3 ♕b5−+] **♗d3** [33. ♘d3 ♕b1 34. ♔e2 ♕c2−+] **0 : 1**

[Kveinys, Dautov]

659.* **E 21**

SMYSLOV 2550 − M. CHANDLER 2610
Hastings 1988/89

1. d4 ♘f6 2. ♘f3 e6 3. c4 b6 4. ♘c3 ♗b4 5. ♕b3 ♕e7 [RR 5... c5 6. a3 ♗a5 7. ♗g5 h6!? N (7... ♗b7 − E 12) 8. ♗h4 (8. ♗d2?! 0−0 9. e3 cd4 10. ed4 ♗a6! 11. ♕c2 ♗c3 12. ♗c3 d5 13. b3 ♕c7 14. ♖c1 ♖c8 15. ♗a1 ♕f4∓ Seirawan 2610 − van der Wiel 2560, Rotterdam 1989) g5 9. ♗g3 g4 10. ♘d2 cd4 11. ♘b5∞ van der Wiel] **6. a3 ♗c3 7. ♕c3 ♗b7 8. g3 0−0 9. ♗g2 d6 10. 0−0 ♘bd7 11. b4 ♘e4 N** [11... ♖ab8] **12. ♕c2 f5 13. ♗b2 ♘df6** [13... c5] **14. a4** [△ a5] **a5 15. b5 ♖ae8 16. ♘e1** [△ f3] **c6** [16... e5? 17. de5 de5 18. ♗a3 ♘c5 19. ♗b7] **17. bc6 ♗c6 18. f3 ♘g5 19. ♘d3 ♘f7 20. ♖fe1 ♖b8** [20... e5?! 21. de5 de5 (21... ♘e5 22. ♘e5 de5 23. ♗a3±) 22. ♗a3 ♘d6 23. c5±↑] **21. e4! fe4 22. fe4 ♖fc8 23. d5 ♗b7 24. ♕b3 ♘d7?** [△ 24... e5] **25. e5! de5 26. ♘e5 ♘fe5 27. ♗e5 ♕c5 28. ♔h1 ♘e5 29. ♖e5 ed5** [29... ♕c4 30. ♕c4 ♖c4 31. ♖e6±⊥] **30. cd5 ♔h8** [30... ♕c3?? 31. ♖e8] **31. ♖ae1 h6 32. h4 ♖d8 33. ♕d3 ♖bc8 34. ♕g6!+−** [△ ♖e7] **♖g8** [34... ♕f8 35. ♖e7 ♗a8 36. ♖f7 ♕g8 37. ♖ee7+−] **35. ♗e4 1 : 0**

[Andrianov]

660.* **E 25**

W. ARENCIBIA 2395 – AM. RODRIGUEZ 2515

Holguin 1989

1. d4 ♘f6 2. c4 e6 3. ♘c3 ♗b4 4. f3 d5 5. a3 ♗c3 6. bc3 c5 7. cd5 ♘d5 8. dc5 ♕a5 9. e4 ♘e7 10. ♗e3 0–0 11. ♕b3 e5 12. ♗c4 ♘a6 13. ♘e2 ♘c6 14. ♗d5 N [14. 0–0 – 46/(748); RR 14. ♖b1!? N ♕c7 (14... ♘c5 15. ♕b5) 15. ♕a2 ♘a5 16. ♗d5 ♘c5 17. 0–0 ♘d7? 18. c4 ♘f6 19. ♖fc1± Malanjuk 2520 – Komarov 2350, Warszawa 1989; 17... ♖b8 △ b6 Malanjuk] **♘c5 15. ♕c4 ♘e6** [15... ♘a4?! 16. 0–0; 16. ♖b1 △ 16... ♘b6 17. ♕c5±⊥] **16. 0–0 ♗d7 17. ♕a2!? ♕c7 18. ♖ab1! b6?!** [18... ♖ae8 △ 19. f4? ef4 20. ♘f4 b6∓; 18... ♖ac8!? 19. f4 ef4 20. ♘f4 ♘cd8∞] **19. f4 ef4 20. ♗f4** [20. ♘f4? ♖ae8∓] **♘f4 21. ♖f4 ♗e8□ 22. ♖bf1↑** [×f7] **♖d8?** [22... ♖c8±] **23. ♘d4!** [△ ♘e6+–] **♘d4□ 24. cd4± ♔h8** [△ ♗b5] **25. ♕b3 f6 26. e5?!** [26. ♕g3!→» △ 27. ♖f6, 27. e5] **♗a4! 27. ♕f3** [27. ♕a4 ♖d5 28. ef6 gf6 29. ♖f6 ♖f6 30. ♖f6 ♕c1 31. ♖f1 ♕e3 32. ♔h1 ♖f5!⇆; 28. ♕b3!?±] **♗b5 28. ♖d1?!** [28... ♖d5! 29. ♕d5 ♕c2 (△ ♗c6–+) 30. ♕b5□ ♕d1 31. ♕f1 ♕f1 32. ♖f1 ♖d8!= △ 33. e6? ♖d4 34. e7 ♖e4 35. ♖d1 ♔g8–+; 28. ♖e1!→»]
1/2 : 1/2 **[Am. Rodríguez]**

661. **E 25**

MALANJUK 2520 – KIŠNËV 2375

Budapest (open) 1989

1. d4 ♘f6 2. c4 e6 3. ♘c3 ♗b4 4. f3 d5 5. a3 ♗c3 6. bc3 c5 7. cd5 ♘d5 8. dc5 ♕a5 9. e4 ♘e7 10. ♗e3 ♕c3 11. ♔f2 ♘bc6 12. ♗d3! N [12. ♘e2] **f5!** [12... ♘e5? 13. ♗c2 ♘7c6 14. ♘e2↑] **13. ♘e2 ♕f6 14. ♖e1** [14. ef5 ♘f5 15. ♗f5 ef5 16. ♕b3 ♕e6 17. ♖ab1±; 14. ♕b3!?] **e5 15. ♔g1** [15. ♕b3?! f4 16. ♗d2 ♕h4 △ ♖f8-f6→] **f4 16. ♗f2 ♗e6! 17. ♘c3** [17. ♖b1 0-0-0 18. ♕c2 ♖d7 19. ♘c3 ♖hd8 20. ♖ed1 ♔b8 21. ♘b5 ♘c8∞] **♖d8 18. ♕e2 0–0 19. ♖ab1 ♖d7 20. ♘b5⩲ ♘c8** [20... ♖fd8? 21. ♘d6] **21. ♗c4 ♕f7** [21... ♖fd8?? 22. ♗h4!+–] **22. ♗e6 ♕e6 23. ♖ed1 ♖fd8 24. ♗h4 ♖d1 25. ♖d1 ♖d1 26. ♕d1 h6 27. ♕d5 ♕f7** [27... ♔f7? 28. ♘c7±] **28. h3 ♔f8 29. ♔h2 ♔e8= 30. ♘c3 a6 31. ♔h1 g5!? 32. ♗f2 h5⇆ 33. ♕d1?! ♕d7 34. ♕d5 ♘8e7 35. ♕a2 ♔f8** [35... g4?! 36. fg4 hg4 37. ♕e2] **36. ♕e2 ♔g7 37. ♔h2 ♘g8 38. ♘d5 ♘f6 39. ♘b6 ♕d8** [39... ♕e6!? 40. ♕c4=] **40. ♔h1 h4?⊕** [40... g4 41. fg4 (41. ♗h4? ♘e4!∓) hg4 42. ♗h4∞] **41. ♘c4 ♘h5 42. ♘d6?⊕** [42. ♔h2! ♘g3 43. ♕a2↑] **♘g3 43. ♗g3 hg3 44. ♕c4 ♕g8!** [44... ♕d7?! 45. ♕d5] **45. ♕g8 ♔g8 46. ♘b7 ♔f7 47. ♘d6 ♔e6 48. ♘c4 ♘e7! 49. ♔g1 ♘g6 50. ♘b6 ♔e7** [51. ♔f1 ♔d8 52. ♘c4 ♔c7 53. ♘a5=]
1/2 : 1/2 **[Kišnëv]**

662.*** **E 32**

SEIRAWAN 2610 – J. HJARTARSON 2615

Barcelona 1989

1. d4 ♘f6 2. c4 e6 3. ♘c3 ♗b4 4. ♕c2 0–0 5. a3 [RR 5. ♗g5 c5 6. e3 cd4 7. ed4 ♘c6 8. ♘f3 d5 9. a3 ♗e7 N (9... ♗c3 – 42/733) 10. ♖d1 h6 11. ♗c1 b6 12. cd5 ed5 13. ♗b5 ♗b7 14. 0–0 a6 15. ♗d3 ♖e8 16. ♖fe1 ♕c7 17. ♘e2 ♗d6 18. ♘g3 ♖ac8 19. ♗f5 ♘e7 20. ♕c7 1/2 : 1/2 Kortchnoi 2610 – N. Short 2650, Barcelona 1989] **♗c3 6. ♕c3 b6** [RR 6... b5 7. cb5 c6 8. bc6 ♘c6 9. b4! N (9. ♗g5 – 36/650) ♗b7 10. ♘f3 ♖c8 11. ♕b2 ♘e7 12. e3 ♗e4 13. ♗d2 (13. ♗e2) ♕b6 (13... ♖c2 14. ♕b3 ♕b6 15. ♗d3±) 14. ♘e5!? (14. ♗e2 ♖c2 15. ♕b3 ♖fc8 16. ♗d3±) ♖c2 15. ♕b3 ♖fc8 (Kouatly 2470 – Stangl 2375, Augsburg 1988/89) 16. ♘c4! ♕c6 17. f3 ♗f3 (17... ♗f5 18. ♘e5±) 18. gf3 ♕f3 19. ♕c2! (19. ♖g1? ♘e4 20. ♖g2 ♖2c4) ♕h1 20. ♕d3± Kouatly; 6... ♕e8 7. ♘f3 N (7. f3 – 15/520) d6 8. g3 b6 9. ♗g2 ♗b7 10. 0–0 ♘bd7 11. b4 ♘e4 12. ♕c2 f5 13. ♘g5 ♕g6 14. ♘h3 e5 15. f3 ♘ef6 16. ♘g5 ♖ae8 17. d5 c6 18. ♗h3!± Kortchnoi 2610 – Lerner 2535, Lugano

1989] **7. ♗g5** [7. e3 ♗b7 8. b3 d6 (8... d5 – 46/752) 9. f3?! N (9. ♘f3) c5 10. dc5 bc5 11. ♗d3 a5 12. ♘e2 (Seirawan 2610 – Ehlvest 2600, Rotterdam 1989) ♘c6!∓; RR 7. ♘f3 ♗b7 8. e3 d6 9. ♗e2 ♘bd7 10. 0–0 ♘e4 11. ♕c2 f5 *a)* 12. ♘e1 N (12. b4 – 40/702) ♕h4! 13. f3 ♘g5 14. d5!? (14. b4 ♖f6 △ ♖h6→) ♖ae8 (14... ed5 15. cd5∞ ×c7; 14... ♖f6!? 15. g3∞) 15. b4 ♘f6∞ Andruet 2420 – Dohojan 2575, Wijk aan Zee II 1989; 15... ♖f6!?∞; *b)* 12. d5!? ed5 13. ♘d4 (13. cd5!? ♗d5 14. ♖d1 ♘df6 15. ♘d4 c5 16. ♘f5 ♗e6 17. ♘g3 ♘g3 18. hg3 d5 △ ♘g4∞) ♕f6! 14. cd5 ♗d5 15. ♘b5 (15. ♗c4 ♗c4 16. ♕c4 ♕f7 17. ♕c7∞; 15. ♖d1 ♕f7! ×b3) ♕f7!?⇆∞ Dohojan] **c5!? 8. dc5!** [8. ♘f3 cd4 9. ♘d4 ♗a6=] **bc5 9. e3 ♘c6 10. ♗d3?** [△ 10... ♘e4 11. ♗e4 ♕g5 12. ♗c6± △ 0-0-0, ♗c2; 10. ♘f3! △ 10... ♖b8 11. ♗d3||] **♖b8?** [10... ♕a5! 11. ♕a5 ♘a5 12. b4 ♘c6= △ 13. b5 ♘e5] **11. ♘f3 N** [11. ♘e2 – 46/753; 11. 0-0-0! (△ ♘e2-f4-h5, △ ♘e2, ♕c2, ♘c3-e4→) ♕e7 (11... d5? 12. cd5 △ ♕c5) 12. ♘e2 (12. ♗c2!?) *a)* 12... d5 13. ♗f6 gf6 14. ♘f4 ♖d8 (14... d4 15. ed4 ♘d4 16. ♗h7 ♔h7 17. ♕h3 ♔g7 18. ♕g4 ♔h7 19. ♖d3 ♘f5 20. ♖h3 ♘h6 21. ♕h5+–) 15. ♕c2±; *b)* 12... d6 13. ♘f4→»] **h6 12. ♗h4 d6** [12... ♕a5 13. ♕a5 (13. ♗f6 gf6 14. b4!? cb4 15. ♕f6 ba3 16. ♔f1) ♘a5 14. b4±] **13. 0–0 ♕e7 14. ♖fd1 ♖b6?** [14... e5 15. ♘d2 g5 16. ♗g3 ♘h5±; 14... ♖d8±] **15. ♖ab1! a5 16. ♗c2** [△ ♗a4-c6, ♕a5] **♗a6?! 17. ♗f6 gf6 18. ♕d3 f5 19. ♕d6 ♗c4 20. ♘e5! ♗a2□** [20... ♗b5 21. a4+–; 20... ♗d5 21. ♕e7 △ ♘d7+–] **21. ♖bc1!** [21. ♘c6? ♕d6 22. ♖d6 ♗b1 23. ♗b1 ♔g7! △ 24... ♖c8, 24... ♖b2] **♖d8 22. ♘d7! ♕d6 23. ♖d6 ♖b2 24. ♗a4!+– ♖d7 25. ♖d7 ♘e5 26. ♖d8 ♔g7 27. ♖c5! ♗d5 28. h3 ♖a2 29. ♖c3 ♘c4 30. ♗b5?!⊕** [30. ♗b3? ♖a1 31. ♔h2 ♘d2! △ ♘f1=; 30. ♗c2! (△ a4) ♘a3 31. ♗f5+–] **♘a3 31. ♗d3 a4 32. ♖d7 ♗b3 33. ♖b7?** [33. ♖cc7 e5 34. ♗f5+–] **♖d2 34. f3 h5 35. h4** [△ ♔h2-g3, ♖cc7→] **♘c2 36. ♗c2 ♖c2 37. ♖c2 ♗c2** [♖ 2/j] **38. ♔f2 ♗b3 39. ♖a7 ♔g6 40. ♖a6 ♗c2 41. ♔g3 ♗b3 42. ♔f2!+– ♔g7 43. ♔e1 f6 44. ♖a7 ♔f8 45. ♔d2 ♔g8 46. ♔c3 ♔f8 47. ♔b4 ♔g8 48. ♔c5 ♔f8 49. ♔d6 ♔e8 50. ♖a8 ♔f7 51. ♔d7 ♗c2 52. ♔d6 ♗b3 53. f4!⊙ ♔g7 54. ♔e7 ♔g6 55. ♖g8 ♔h7 56. ♖g3! a3 57. ♔f6 a2 58. ♖g7 ♔h6 59. ♖a7 ♗d5 60. g3** [60... ♗b3 61. ♖a8 ♔h7 62. ♔g5]
1 : 0 [Seirawan]

663.** **E 32**

J. HJARTARSON 2615 – SALOV 2630
Amsterdam 1989

1. d4 ♘f6 2. c4 e6 3. ♘c3 ♗b4 4. ♕c2 0–0 5. a3 ♗c3 6. ♕c3 b6 7. ♗g5 ♗b7 8. f3 c5 N 9. dc5 bc5 10. e3 [RR 10. e4!? d6 (10... ♘e4 11. ♗d8 ♘c3 12. ♗e7 ♖e8 13. ♗c5 ♘a4 14. ♗d6!±) 11. ♖d1 ♘c6 12. ♗f6 gf6 13. ♗d3± Makarov] **♘c6** [RR 10... ♕e7!? 11. ♘h3! h6 12. ♗h4 a5 13. ♗e2 ♖e8 14. 0–0 ♘c6 (14... ♘e4 15. ♕e1!) 15. ♖fd1! (15. ♖ad1 ♖ad8 △ d5∞) ♖ad8 (15... d5 16. ♗f2! ♖ad8 17. cd5 ed5 18. ♗b5!±) 16. ♖ac1 d6 17. ♘f2 g5□ 18. ♗g3 e5 19. ♗d3± ♔g7 20. ♗c2 ♖h8 21. ♖d3! (21. ♖d2 d5! 22. cd5 ♘d5 23. ♕b3 a4 △ ♘e3) h5 22. h4! g4 23. f4 ef4 24. ♗f4 ♘e5 25. ♖d2± A. Černin 2580 – Şubă 2515, New York 1989; ⌓ 22... ♘h7 A. Černin] **11. ♘h3 h6 12. ♗h4 ♖c8** [RR 12... ♕a5!? 13. ♕a5 ♘a5±⊥; 12... d6 13. ♘f2 (13. 0-0-0 ♘e4 14. ♕e1 g5 15. ♘f2 ♘f2 16. ♗f2∞) ♘e5□ *a)* 14. 0-0-0? ♘d5! 15. ♗d8□ (15. cd5 ♕h4 16. ♘e4 ♕e7!∓) ♘c3 16. ♖d6! ♖ad8! (16... ♘a2 17. ♔c2 ♖ad8 18. ♖d8 ♖d8 19. ♗e2 △ ♖a1±) 17. ♖d8 ♖d8 18. bc3 ♗a6∓ Makarov 2475 – Ejsmont, SSSR 1989; *b)* 14. ♗g3! ♘g6 15. ♗d3± Makarov] **13. 0-0-0 d5** [13... g5 14. ♗g3 d5 15. ♘f2 d4 16. ♕e1 △ h2-h4±; 13... ♘e4 14. ♗d8? ♘c3 15. ♖d7 ♖fd8 16. ♖d8 (16. ♖b7 ♘d1! 17. e4 ♘e3∓) ♖d8 17. bc3 ♘e5∓; 14. ♕e1!±] **14. ♗f6 gf6 15. cd5 ed5 16. ♔b1! ♕d6□ 17. ♘f4** [17. ♘f2!? ♘e5□ 18. f4 ♘d7∞] **d4 18. ♕e1! ♕e5 19. ♕g3 ♕g5** [19... ♔h8 20. ♗c4! (△ ♗f7) ♖g8 21. ♕h3+–] **20. ♘d5?** [20. ed4! ♘d4 21. ♘h3! (21. ♗c4 ♘f5! 22. ♕g5 fg5 23. ♘g6 ♖fd8)

♕g3 22. hg3 ♘f3! 23. gf3 ♗f3 24. ♗c4
♗d1 25. ♖d1 ♖cd8 26. ♖f1 ♖d4 27. b3
♖e8!±] ♔g7 21. e4 ♖fd8 [△ f5!] 22. ♕f2
[22. f4? ♕g3 23. hg3 f5! 24. ♗d3 fe4 25.
♗e4 ♘e7!–+; 22. ♕e1 ♕e5 (22... f5 23.
h4 ♕g6 24. ♘f4 ♕d6 25. ♕g3 ♔h8 26.
ef5 ♖g8 27. ♕h2 ♘e5∞) 23. f4 ♕e6 24.
♗c4 ♘e7! (24... f5? 25. ♕g3! ♕g6 26.
ef5 ♕g3 27. f6!+–) 25. ♘e7 ♕e7 26. e5
fe5 27. ♕g3 ♔f8 28. fe5 ♗d5∓; 22. ♗b5
♘e5! (22... f5 23. ♗c6 ♕g3! 24. hg3 ♖c6
25. ♘e7 fe4 26. ♘c6 ♗c6 27. fe4 ♗e4
28. ♔c1 ♗g2 29. ♖h4=) 23. ♘e7 ♖b8↑]
♕e5 23. ♗d3 f5 24. f4 ♕e6 25. ef5? [25.
♕g3! ♕g6 (25... ♔f8!? 26. ♖he1 fe4 27.
♗e4 ♘e7! △ 28. ♕h4 ♘d5 29. ♗d5
♕g6!–+) 26. ef5 ♕g3 27. f6 ♔f8 28. hg3
♖d5 29. ♖h6 ♔e8 30. ♗e4 ♖d6∞] ♕d5
26. ♕g3 ♔f8 27. f6 ♖d6 28. ♕g7 ♔e8
29. ♖he1 ♔d8 30. ♗e4 ♕b3 31. ♗c2
♕d5 32. ♗e4 ♕e6!–+ 33. ♗c6 ♕f5 34.
♔a1 ♗c6 35. ♖e7 ♖d7 36. ♖e5⊕ [36.
♖f7 ♔c7 37. ♖d7 ♕d7 38. f7 ♕e7 △
♖f8–+] ♕c2 37. ♖e8 ♔c7   0 : 1
[Salov, Ionov]

664.   E 32

H. ÓLAFSSON 2520 – SMYSLOV 2560
New York 1989

1. d4 ♘f6 2. c4 e6 3. ♘c3 ♗b4 4. ♕c2
0–0 5. a3 ♗c3 6. ♕c3 b6 7. ♗g5 ♗b7
8. f3 c5 9. dc5 bc5 10. e3 d6?! N 11.
0-0-0 ♕e7 [△ ♘bd7] 12. ♗f6! gf6 13.
♘e2 ♘d7 14. ♘f4 ♖fd8 15. ♘h5! [△ 16.
♕e1 ♔h8 (16... ♘e5 17. ♕h4) 17. ♕g3]
d5 16. g4 [△ g5] d4 17. ed4 cd4 18. ♖d4
e5 19. ♕e3!+– [△ 20. ♖d7 ♖d7 21.
♕h6] ♔h8□ [19... ♕c5 20. ♘f6! ♔f8 21.
♕h6 ♔e7 22. ♖d7 ♖d7 23. ♕g5! h6 24.
♘d5 ♔e8 25. ♕e5+–] 20. ♗e2! ♕c5 21.
♕h6 ♕f8 22. ♕f8 ♘f8 23. ♖d8 ♖d8 24.
♖d1 ♖d1 25. ♗d1 ♘d7 26. ♔d2 ♔g8 27.
b4 ♔f8 28. ♔e3 ♔e7 29. ♘g3 ♘f8 30.
♘f5 ♔d7 31. ♗a4 ♔c7 32. ♗e8 ♘e6 33.
♗f7 ♘f4 34. ♗g8 h5 35. gh5 ♘h5 36.
♗f7 ♘f4 37. h4 ♗c8 38. ♔e4 ♗b7 39.
♗d5 ♗c8 40. ♘g3 ♔d6 41. c5   1 : 0
[H. Ólafsson]

665.   E 32

M. GUREVIČ 2590 – M. JUKIĆ 2475
Bern 1989

1. d4 ♘f6 2. c4 e6 3. ♘c3 ♗b4 4. ♕c2
0–0 5. a3 ♗c3 6. ♕c3 b6 7. ♗g5 ♗b7
8. f3 c5 9. dc5 bc5 10. e3 a5!? N 11. ♗d3
[11. ♖d1? ♘e4!∓] ♘c6 12. ♘h3 d6 13.
0–0 ♘e5 14. ♗e2 ♘g6 [△ h6] 15. ♖ad1
♖a6! 16. e4 [16. ♘f4 ♘e4! 17. ♗d8 ♘c3
18. bc3 ♘f4 19. ef4 ♖d8=] h6 17. ♗e3
♕e7 18. ♖d2?! [18. b4 ab4 19. ab4 ♖a2
20. ♖d2±] a4!∞ 19. ♗d1 [△ ♗c2, ♖e2,
♗c1, f4→》] ♖c8 [△ 20. ♗c2 d5!] 20.
♖e2 ♘e5! [△ ♘c6, e5, ♘d4] 21. ♗c2
♘c6 22. f4 e5 23. ♖ee1 ♘d4 24. ♗d2
♖b8 25. ♘f2 ♗c6 26. ♗d1 ♕b7!? [×b2,
e4; 26... ef4!?] 27. ♕e3 [27. fe5 ♘e4∓]
♕b2 28. fe5 de5 29. ♘d3 ♕a3 30. ♖f6!
gf6 31. ♕g3 ♔f8 [31... ♔h7 32. ♕h3↑]

32. ♗e3! [△ 33. ♘e5 fe5 34. ♗h6 ×♕a3]
♖b1! 33. ♘e5 ♘e2?⊕ [33... ♕a1! 34.
♗h6 ♔e7 35. ♘f7!□∞] 34. ♖e2 ♖d1 35.
♔f2 ♕a1?? [35... ♖f1□ 36. ♔f1 ♕a1 37.
♖e1±] 36. ♗c5   1 : 0   [M. Gurevič]

666.   E 32

J. HJARTARSON 2615 – SALOV 2630
Barcelona 1989

1. d4 ♘f6 2. c4 e6 3. ♘c3 ♗b4 4. ♕c2
0–0 5. a3 ♗c3 6. ♕c3 b6 7. ♗g5 ♗b7
8. f3 d6 9. e4 c5 10. d5 ♘bd7 11. ♘h3
h6 N [11... ed5?! – 46/754] 12. ♗f4± [12.

♗e3 ed5 13. cd5 ♗d5!⇆] **ed5 13. cd5**
♕e7 14. 0-0-0 a6 15. g4 ♘h7 16. ♘f2 [16.
♖g1! △ g5→] **b5 17. h4 ♖fc8 18. ♔b1**
♘hf8 19. g5 h5 20. ♗g3!? [20. ♗c1±; 20.
♗e3±] **c4 21. ♗h3 a5 22. ♖he1** [△ e5+−]
♖c5! [△ b4⇆; 22... b4? 23. ab4 ab4 24.
♕b4 c3 25. ♖c1! cb2 26. ♖c8 ♗c8 27.
♗d6+−] **23. ♖c1□** [23. e5 ♗d5! (23...
♖d5? 24. ed6 ♕d8 25. ♖e7+−; 23... de5?
24. ♗e5 ♘e5 25. ♖e5 ♕d8 26. ♘e4+−)
24. ed6 ♕d8 △ b4⇆] **♖a6 24. ♘d1 ♘e5**
25. ♗f1 ♕c7?? 26. ♗e2? [26. ♗e5 b4□
(26... de5? 27. b4! ab4 28. ab4+−) 27.
ab4 ab4 28. ♕b4 de5 29. ♖c4±] **♖b6?**
[26... ♘fd7∞; 26... b4!?∞] **27. ♗e5 de5??**
[27... b4□ 28. ab4 ab4 29. ♕e3 de5 30.
♖c4 ♖c4 31. ♗c4 ♘g6∞] **28. b4+− ab4**
29. ab4 ♘d7 30. ♘b2 ♖a6 31. f4? [31.
bc5 ♘c5 32. ♗c4!+−] **♗d5! 32. ed5□**
♖d5 33. ♖cd1? [33. ♗f3 ♖d4 34. fe5±]
♖d1 34. ♖d1 ef4 35. ♗h5 g6 36. ♗g4
♘e5? [36... ♕e5□ 37. ♖c1 (37. ♕e1
♖d6±) ♕c3 38. ♖c3 ♘e5±] **37. ♖e1!+−**
♘d7 [37... ♘g4 38. ♖e8] **38. ♖e7 ♖d6**
39. ♗d7 1 : 0 [J. Hjartarson]

667. E 32

SEIRAWAN 2610 − AN. KARPOV 2750
Rotterdam 1989

1. d4 ♘f6 2. c4 e6 3. ♘c3 ♗b4 4. ♕c2
0−0 5. a3 ♗c3 6. ♕c3 b6 7. ♗g5 ♗b7
8. f3 h6 9. ♗h4 d5 10. cd5?! ed5 11. e3
N [11. ♗f6 − 46/(754)] **♖e8 12. ♗f2 c5!∓**
13. ♗b5 cd4 [13... ♗c6 14. ♗d3 c4 15.
♗c2 b5 16. ♘e2 a5 17. 0−0 ♘a6 △ b4!?]
14. ♕d4 ♗c6 [14... ♘c6 15. ♗c6□ ♗c6
16. ♘e2 ♗b5 17. ♖c1] **15. ♗d3 ♘bd7**
16. ♘e2 ♘c5 17. ♗c2 [17. ♖d1? ♗a4]
♗b5 18. ♕d2 ♖c8 [18... ♗e2 a) 19. ♕e2
d4 20. ♖d1 de3! 21. ♖d8 (21. ♗e3 ♕e7
22. ♔f2 ♕e5∓) ef2 22. ♔f1 ♖ad8 23.
♕f2 ♘d5 24. h4 ♘f4!; b) 19. ♔e2! d4
20. e4∞] **19. ♘d4 ♗c4 20. ♗g3 ♘h5! 21.**
♔f2 ♕f6! 22. ♖ac1 ♘e4 23. ♗e4 de4 24.
♖c3 ef3∓ 25. gf3 ♗d5 26. ♖c8 [26. ♖hc1
♖cd8!∓] **♖c8 27. ♖c1 ♖d8 28. ♕e2 ♘g3**
29. hg3 h5 30. ♕a6? [30. ♖h1 g6 31. ♖h4

♖c8] **♗f3−+ 31. ♕a7** [31. ♘f3 ♕b2−+]
♗g4! 32. ♔e1 ♖d4! 33. ed4 ♕e6 34. ♔d2
♕e2 35. ♔c3 ♕e3 36. ♔c2 ♗f5 37. ♔d1
♕d4 38. ♔e1 ♕e3 39. ♔d1 ♕d3 40. ♔e1
♕g3 41. ♔d1 ♕g1 42. ♔d2 ♕f2 0 : 1
[An. Karpov]

668.** E 32

ŠABALOV 2425 − ULYBIN 2445
Tbilisi 1989

1. d4 e6 2. c4 ♘f6 3. ♘c3 ♗b4 4. ♕c2
0−0 5. a3 ♗c3 6. ♕c3 b6 7. ♗g5 ♗b7
8. f3 h6 9. ♗h4 d5 10. e3 N ♘bd7 11.
♘h3 [RR 11. ♗d3 ♖c8 12. cd5 ♘d5 13.
♗d8 ♘c3 14. ♗e7 ♖fe8 15. ♗h4 ♘d5
16. ♗f2 c5 17. ♘e2 a6 18. e4 ♘e7 19.
♖c1 ♘c6 20. dc5 ♘c5 21. ♗b1 a5 22.
♖d1 ♗a6 23. ♗g3 1/2 : 1/2 H. Ólafsson
2520 − Polugaevskij 2575, New York
1989] **c5** [11... ♖c8?! 12. c5 bc5 13. dc5
c6 14. ♗g3± Hort 2595 − Winants 2450,
Thessaloniki (ol) 1988] **12. cd5 ed5** [RR
12... ♘d5! 13. ♗d8 ♘c3 14. ♗e7 ♖fe8
15. ♗h4 ♘d5 16. ♗b5 g5! (16... ♘e3?
17. ♔f2+−) 17. ♗d7 ♖ed8= Oll] **13.**
♗b5 ♘e4! [13... ♕c7 14. ♗g3 ♕c8 15.
0−0 ♗a6 16. a4±] **14. ♗d8 ♘c3 15. bc3**
[15. ♗d7 ♖fd8 16. ♗f5 ♘b5 17. ♖d1
♘d6=] **♖fd8 16. ♔d2 ♘f6 17. ♗d3 ♘e8!**
18. ♘f4 [18. a4!?] **♘d6 19. h4 ♖ac8 20.**
♖hf1 [20. g4 cd4 21. cd4 (21. ed4 ♘c4
22. ♔c2 ♖e8 △ ♖e3) ♘c4 22. ♗c4 dc4
23. ♖hf1 c3 24. ♔c2 ♖c4⇆] **cd4 21. cd4**
♘c4= 22. ♗c4 ♖c4 [22... dc4?! 23. ♔c3!
△ e4, d5, ♘e2-d4±] **23. g4 ♖dc8 24. ♖a2**
[24. ♖fc1 ♖c1 25. ♖c1 ♖c1 26. ♔c1 g5=]
g5 [24... ♖c3 25. ♘e2 ♖b3?! 26. ♖c1!
♖c1 27. ♘c1 ♖b1 28. ♖c2±] **25. ♘d3**
♖4c7! [25... ♖c3?? 26. ♘c5!+−] **26. hg5**
hg5 27. ♖c1 ♖c1 28. ♘c1 ♔g7 [△ ♖h8]
29. ♖c2□= ♖c2 30. ♔c2 ♔f6 [30... ♗a6
31. ♘d3 ♗d3 32. ♔d3 ♔f6 33. e4=] **31.**
♘e2 ♔e6 32. ♘g3 a5 33. ♔c3 f6 34. f4
♗c6 35. ♔d2 ♔f7 36. f5 ♔e7 37. ♘e2
♗b5 38. ♘g3 ♗c4 39. ♔c3 b5 40. ♔c2
b4 41. ab4 ab4 42. ♔b2 1/2 : 1/2
[Ulybin, Volovik]

669.** **E 32**

OLL 2510 – DORFMAN 2565

Moskva (GMA) 1989

1. d4 ♘f6 2. c4 e6 3. ♘c3 ♗b4 4. ♕c2 0–0 5. a3 ♗c3 6. ♕c3 b6 7. ♗g5 ♗b7 8. f3 h6 9. ♗h4 d5 10. e3 ♘bd7 11. cd5 N ♘d5! 12. ♗d8 ♘c3 13. ♗c7 [13. ♗h4 ♘d5 14. ♗f2 c5=; RR 15. e4 ♘e7 16. ♗b5 ♘c6 17. ♘e2 ♖fc8 18. 0–0 cd4 19. ♘d4 ♘c5 20. ♘c6 1/2 : 1/2 M. Gurevič 2590 – Polugaevskij 2575, New York 1989] **♘d5 14. ♗d6 ♘e3 15. ♔f2 ♘c2! 16. ♖d1** [16. ♖c1 ♖fc8 17. ♗b5 ♘d4!] **♖fc8** [16... ♖fd8 17. ♗b5 ♘f6 18. ♗e5 ♘d5=] **17. ♗b5 ♘f6 18. ♘e2 a6!** [18... ♘d5 19. ♖d3!] **19. ♗a4** [RR 19. ♗d3 ♘d5 20. g4 ♘ce3 21. ♖c1 ♖d8 22. ♗e5 f6 23. ♗g3 f5 24. gf5 ♘f5 25. ♗e5 ♖d7 26. ♗f5 ef5 27. ♖hg1 ♔h7 28. h4 1/2 : 1/2 J. Hjartarson 2615 – Sax 2610, Rotterdam 1989] **b5 20. ♗b3 ♗d5 21. ♗d5** [21. ♖d3 ♗b3 22. ♖b3 ♖c4] **♘d5 22. ♖d3 ♖c6!** [22... b4 23. a4!] **23. ♗c5 e5 24. b4** [24. ♖c1 ♘d4 25. ♘d4 ♘f4! 26. ♖dd1 ed4 27. ♖d4 ♘e6 28. ♖d5=] **♘d4 25. ♘d4 ed4 26. ♖d4 ♘c7 27. ♖d6 ♖d6 28. ♗d6 ♘d5!= 29. ♗c5** [29. ♖d1 ♘b6!] **♖d8** [30. ♖d1 h5; 30. ♖a1 ♘f4] **1/2 : 1/2**
[Oll]

670. **E 32**

SALOV 2630 – SPEELMAN 2640

Barcelona 1989

1. d4 ♘f6 2. c4 e6 3. ♘c3 ♗b4 4. ♕c2 0–0 5. a3 ♗c3 6. ♕c3 d6 7. ♗g5 ♘bd7 8. e3 ♖e8 N [8... b6 – 27/591] **9. ♗d3 e5** [9... c5!?] **10. ♘e2 h6 11. ♗h4 ed4** [11... c6!? △ 12. f3 d5! 13. 0–0 ed4 14. ♕d4 ♕b6 15. cd5 c5!↑] **12. ed4 ♘f8 13. ♕c2 ♘g6?!** [13... ♗g4! 14. f3 ♗h5 15. 0-0-0 ♗g6 16. d5±] **14. ♗g6 fg6 15. ♕g6 ♕e7 16. 0–0** [16. 0-0-0? ♕e2 17. ♗f6 ♕c4 18. ♔b1 ♕f7∓] **♕e4 17. ♕e4 ♘e4** [17... ♖e4 18. ♗f6 ♖e2 19. ♗d8±] **18. ♖fd1** [×d2] **♗d7! 19. f3** [19. b3 b5! 20. f3 bc4 21. bc4 ♖ab8!=/∞; 19. ♖ac1!? ♗a4 20. ♖d3±] **♗a4 20. ♖e1 ♘d2 21. ♖ac1 ♗b3 22. c5 ♗d5?!** [22... dc5! 23. dc5 (23. ♖c5 c6 24. ♘c3 ♗f7!=) ♗f7 24. c6!±] **23. cd6 cd6 24. ♘c3 ♗c4?** [24... ♗f3? 25. ♖c2+–; ⌓ 24... ♗f7 25. ♘b5±] **25. ♘b1! ♘b1 26. ♖c4 ♘d2 27. ♖c7+– b5 28. ♖ee7 ♖e7 29. ♗e7 d5 30. ♔f2 a5 31. ♔e2 ♘b3 32. ♔d3 ♖e8 33. h4 h5 34. ♗d6 ♖e6 35. ♗e5 ♖g6 36. g3 a4 37. ♖b7 ♘a1 1 : 0** **[Salov]**

671. **E 32**

I. SOKOLOV 2580 – WILDER 2540

Haninge 1989

1. d4 ♘f6 2. c4 e6 3. ♘c3 ♗b4 4. ♕c2 0–0 5. a3 ♗c3 6. ♕c3 d6 7. ♗g5 ♘bd7 8. e3 h6 9. ♗h4 ♖e8 10. ♗d3 e5 11. ♘e2 ed4 12. ed4 [12. ♘d4; 12. ♕d4!? ♘c5 13. ♗f6 ♘d3 14. ♔d2!] **♘f8 13. ♕c2 ♗g4 N 14. f3 ♗h5 15. 0–0** [15. 0-0-0] **♗g6 16. ♘c3** [16. ♗e4!? ♗e4 17. fe4 g5 18. e5 de5 19. de5 ♘g4∞] **♗d3 17. ♕d3 ♘g6 18. ♗f6 ♕f6 19. f4!± c6** [19... ♘f4?? 20. ♕d2 g5 21. g3 ♘h3 22. ♔g2 ♕e6 23. ♘d5] **20. f5 ♘f8 21. ♘e4 ♕d8** [21... ♕e7 22. ♖ae1 f6 (22... d5? 23. f6 de4 24. ♕g3) 23. ♕g3] **22. f6 d5 23. ♕g3 ♘g6 24. ♘d6 ♖e6 25. ♘b7** [25. c5!? ♖f6 26. ♖ae1 ♖f1 27. ♖f1 ♘h8□ 28. ♘b7 ♕b8 29. ♕b8 ♖b8 30. ♘a5±⊥] **♕b6** [25... ♕b8 26. cd5 cd5 27. ♘c5±] **26. ♘c5 ♖f6 27. ♖f6 gf6 28. ♕f2! dc4 29. ♘d7 ♕d8** [29... ♕b5] **30. ♘f6 ♔h8 31. ♖f1 ♖b8 32. ♕d2!+– ♔g7 33. ♘h5 ♔g8 34. ♕h6 ♕d4 35. ♔h1 ♖e8!?** [35... ♖b2 36. h3+–] **36. ♕g5 ♖e6⊕ 37. ♕f5 ♖e7 38. h3! ♕d8 39. ♕f6⊕ ♕f8 40. ♕c3 ♘e5 41. ♘f6 ♔h8 42. ♖e1 ♕d8 43. ♘g4 f6 44. ♘f6 ♘d3 45. ♖f1 ♘e5 46. ♕g3 1 : 0**
[I. Sokolov]

672.** **E 32**

HUZMAN 2480 – BALAŠOV 2530

Moskva (GMA) 1989

1. d4 ♘f6 2. c4 e6 3. ♘c3 ♗b4 4. ♕c2 0–0 5. a3 ♗c3 6. ♕c3 d6 7. g3 ♕e7 [RR

7... ♘bd7 8. ♗g2 ♖e8 9. ♘f3 a5 10. b3 e5 11. de5!? de5 12. 0–0 ♕e7 13. ♗b2 ♘e4 14. ♕c2 ♘g5 15. ♕c3 ♘e4 (15... ♘f3 16. ef3! △ ♖fe1, f4±) 16. ♕e3! ♘ec5 17. ♖ad1 f6 18. ♘d2 ♘f8 19. ♘e4 ♘e4 20. ♗e4 (Cifuentes Parada 2465 – Panno 2495, Santiago 1989) a4! 21. b4 c6± Cifuentes Parada; 7... ♖e8 N 8. ♗g2 e5 9. de5 de5 10. b4 ♘c6 11. ♗b2 a5 12. ♘f3 ab4 13. ab4 ♖a1 14. ♗a1 ♘e4 15. ♕c2 ♘g5 16. ♘g5 ♕g5 17. ♗c3 ♘d4 18. ♕d2 ♕h5 19. ♗d4 ed4 20. 0–0± Marin 2495 – Ėjngorn 2570, Tallinn 1989] **8. ♘f3 ♖e8 9. ♗g2 e5 10. 0–0 c5** [10... e4!? 11. ♘e1 b5] **11. de5 de5 12. ♗g5** [12. b4!? ♘c6 13. bc5 ♘e4 14. ♕c2 ♘c5 15. ♘g5±] **♘c6 N** [12... h6] **13. ♘d2 ♘d4 14. ♖ae1 ♗g4 15. f3 ♗f5 16. e3 ♘c6 17. f4** [17. ♘e4 ♗e4 (17... ♘e4 18. fe4 ♕g5 19. ef5±) 18. fe4 ♖ad8 19. ♗f6 gf6∞] **♖ad8 18. ♗c6?!** [18. ♘e4! ♗e4 19. ♗e4 ♖d6 (19... ♘e4 20. ♗e7 ♘c3 21. ♗d8 ♘a4 22. b3!±) 20. ♗d5±] **bc6 19. e4 ♗h3 20. ♖f2 h6 21. ♗f6 ♕f6 22. f5 ♖d6 23. ♘b3 ♖ed8⇆ 24. ♘c5** [24. ♕c1!] **♖d1** [24... ♕g5! △ ♖d2∓] **25. ♖e2 ♕g5 26. ♕e3 ♕e3** [26... ♖e1 27. ♖e1 ♕e3 28. ♖e3 ♖d2 29. ♘d3±] **27. ♖e3 ♖e1 28. ♖e1 ♖d2 29. b4 h5** [29... g6!=] **30. ♘b3 ♖g2 31. ♔h1 ♖a2 32. c5!±** [×♗h3] **♖a3⊕ 33. ♘a5 f6 34. ♘c6 a6 35. ♘e7 ♔f7 36. ♘d5 ♖a2 37. ♘e3! ♔e7 38. ♖c1+– ♖d2 39. c6 ♖d8 40. c7 ♖c8 41. ♘d5 ♔d6 42. ♖a1 1 : 0** **[Huzman, Vajnerman]**

673. **E 32**

MARIN 2495 – PSAHIS 2585
Tallinn 1989

1. d4 ♘f6 2. c4 e6 3. ♘c3 ♗b4 4. ♕c2 0–0 5. a3 ♗c3 6. ♕c3 d6!? 7. g3

(diagram)

7... e5!? N 8. ♘f3 [8. de5 de5 9. ♕e5?! ♘c6 10. ♕c3 ♘e4 11. ♕c2 ♘d4!∞̄; 9. ♘f3!?] **ed4 9. ♘d4** [9. ♕d4 ♘c6 △ d5] **d5! 10. ♗g5 c5 11. ♘b3 d4 12. ♕f3** [12. ♕a5!?∞] **♘bd7** [△ ♘e5] **13. ♗f6 ♘f6!** [13... gf6?!] **14. ♘c5 ♗g4 15. ♕f4 ♖e8∞̄ 16. 0-0-0!?** [16. ♘b7? ♕b6; 16. h3? ♗e2! 17. ♗e2 d3] **♕b6! 17. ♘d3 ♕c6 18. f3 ♕c4 19. ♔b1! ♗e6 20. ♘b4!□** [20. ♘c1? ♖ac8–+] **a5** [20... ♖ed8!?] **21. ♖d4 ♕b5 22. e4?** [22. e3!□∞] **♕c5 23. ♘c2 ♗b3 24. ♖d2□ ♖ac8 25. ♗d3 ♖ed8!** [△ ♖d3] **26. ♖c1** [26. ♘a1? ♖d3! 27. ♖d3 ♗c2–+] **♖d3 27. ♖d3 ♕c2!** [27... ♗c2 28. ♔a1] **28. ♖c2 ♗c2 29. ♔a1** [29. ♔c1!?] **♗d3 30. ♕d2 ♗c4!⊕** [△ 31. ♕a5 ♗b3 32. ♔b1 ♘d7! △ ♘c5–+] **31. b3□ ♗b3 32. ♕a5 ♘d7! 33. ♕f5⊕ ♗e6 34. ♕b5 ♘c5 35. ♔b2 ♖c6** [△ ♖b6] **36. ♔a1 h6 37. h4 h5** [37... ♘b3!] **38. e5?! ♘b3 39. ♔b2 ♖c2! 40. ♔b1 ♖c1 41. ♔b2 ♖c2 42. ♔b1 ♘d4** [△ ♗a2] **0 : 1** **[Psahis]**

674. **E 33**

M. GUREVIČ 2590 –
JOEL BENJAMIN 2545
New York 1989

1. d4 ♘f6 2. c4 e6 3. ♘c3 ♗b4 4. ♕c2 ♘c6 5. ♘f3 d6 6. ♗g5 h6 7. ♗d2! N [7. ♗f6=] **e5 8. a3** [8. d5 ♗c3 9. ♗c3 ♘e7∞] **♗c3 9. ♗c3±⊡ ♕e7** [9... e4 10. d5!±] **10. d5 ♘b8 11. e4** [11. g3!?±] **0–0 12. ♗e2 ♘h7!?** [△ f5⇆] **13. g3!** [△ 13... f5 14. ♘h4 ♕f7 15. ef5 ♗f5 16. ♘f5 ♕f517. ♕f5 ♖f5 18. ♗g4±⊥] **♗h3 14. ♖g1!** [△ g4 ×♗h3; △ ♘h4, f4→»] **♗d7 15. ♘h4 c6 16. f4! ♘a6** [16... ef4 17. ♘f3!?→; 17. 0-0-0!?→] **17. dc6!** [×d6] **bc6 18. 0-0-0± ♖fe8?** [18... ♖fd8±] **19.**

♕d2!± ♘f6 **20. ♕d6 ♘e4 21. ♕e7** [21. ♕d7? ♘c3∞] **♖e7 22. ♗e5 ♖ae8 23. ♗f3 ♘f2 24. ♖d7!+− ♖d7 25. ♗c6 ♖e5⊕ 26. fe5 ♖e7 27. ♘f3 ♘d3 28. ♔b1!** [28. ♔c2 ♘db4 29. ab4 ♘b4±] **♘e5 29. ♘e5 ♖e5 30. b4 ♘c7 31. ♖d1 ♘e6 32. ♖d7 a5 33. ♗d5 ♖e1 34. ♔b2 ♖e2 35. ♔b3 ab4 36. ab4 ♖h2 37. ♗e6 fe6 38. c5 1 : 0**
[M. Gurevič]

675. **E 35**

GLEK 2475 − JUFEROV 2445
SSSR 1989

1. d4 ♘f6 2. c4 e6 3. ♘c3 ♗b4 4. ♕c2 d5 5. cd5 ed5 6. ♗g5 h6 7. ♗h4!? c5 8. dc5 ♘c6 9. e3 g5 10. ♗g3 ♕a5 11. ♘f3 ♘e4 12. ♘d2! ♘c3 13. bc3 ♗c3 14. ♖b1!? N [14. ♖c1 ♗b4 15. ♗d3 0−0∞] **a6?!** [14... ♗f5 15. ♕f5 ♗d2 16. ♔d1±; 14... ♕c5 15. ♖b5±; 14... ♗b4!? 15. ♗d6 *a)* 15... ♗e6 16. ♗e2 0-0-0 (16... d4 17. 0−0!? ♗d2 18. ♖b7=∞→) 17. a3! ♕a3 18. 0−0! ♕c3 19. ♕a4! *a1)* 19... ♕d2?! 20. ♗a6! ♖d6 (20... ♗d7 21. ♕b5! ♘a5 22. ♕a5!+−) 21. cd6 ♗d7 22. ♖fd1! ♕c3 23. ♖dc1+−; *a2)* 19... ♕a3 20. ♕d1=∞↑; *b)* 15... b6!? (△ 16. cb6 ♗d2∞) 16. h4!? g4 17. a3! ♕a3 (17... ♗d2 18. ♕d2±⊥) 18. ♗b5 ♗d7 19. 0−0=∞↑] **15. ♗d6± ♗e5 16. ♗e5 ♘e5 17. ♗e2 0−0 18. 0−0 ♕c7 19. ♖b6 ♘c6 20. ♘f3 ♖e8 21. ♖fb1 ♕e7 22. ♗d3 ♕f6 23. ♘d4! ♘d4 24. ed4 ♕d4** [24... ♗e6 25. ♕c3 △ ♖b7+−] **25. ♖h6 ♖e6 26. ♕d2!** [△ 26... ♖h6 27. ♗h7+−] **♕f4** [26... ♕g7 27. ♖h5 ♖e5 28. h4+−→] **27. ♕f4 gf4 28. ♖h5!+− ♖f6⊕ 29. ♖d5 ♗e6 30. ♖g5 ♔f8 31. ♖b7?!⊕** [31. ♗h7!+−] **♖d8□ 32. ♗e2 ♖d2 33. ♗f3 ♖a2 34. h4! ♖c2 35. c6 ♖f5 36. ♖f5 ♗f5** [♖ 9/k] **37. ♖b4 ♗e6 38. ♖f4 a5 39. ♖a4 ♖c5 40. ♖a3 ♔g7 41. g4 ♔f6 42. ♔g2 ♔e7 43. ♔g3 f6 44. h5 ♔f7 45. ♖e3!** [△ h6+−] **a4 46. h6 ♖e5 47. ♖e5 fe5 48. c7** [48... ♔g6 49. g5 a3 50. ♗e4 ♔g5 51. h7 a2 52. h8♕ a1♕ 53. ♕h4#] **1 : 0**
[Glek]

676.* **E 35**

J. HJARTARSON 2615
− A. SOKOLOV 2605
Linares 1989

1. d4 ♘f6 2. c4 e6 3. ♘c3 ♗b4 4. ♕c2 d5 5. cd5 ed5 6. ♗g5 h6 7. ♗f6 ♕f6 8. a3 ♗c3 9. ♕c3 0−0 10. e3 ♗f5 11. ♘e2 ♖c8 12. ♖c1 [RR 12. ♘g3 ♗e6 13. b4 a5 14. ♗e2 ab4 15. ab4 ♖a1 16. ♕a1 ♕e7 17. ♕c3 ♕d6 N (17... ♘c6 − 36/658) 18. 0−0 ♘c6 19. b5 ♘e7 20. ♖a1 g6 21. ♕c5± Seirawan 2610 − L. Portisch 2610, Rotterdam 1989] **♘d7 13. b4! a5 14. ♘g3 ab4 15. ab4 ♖a2 N** [⌓ 15... ♗g6 − 46/756] **16. ♗e2** [16. ♕b3? ♖f2] **c6 17. 0−0 ♖ca8 18. ♖a1 ♘b6?!** [18... ♗g6 19. ♖a2 ♖a2 20. f4±; 18... ♗e6 19. ♖a2 ♖a2 20. ♕b3 (20. ♖a1 ♖a1 21. ♕a1±) ♖a8 21. ♖c1 △ b5±] **19. ♖a2 ♖a2 20. ♕b3! ♖c2?!** [20... ♖a8 21. b5± ×♘b6, c6; 20... ♖d2!? 21. b5±] **21. b5!±** [21. e4 ♖e2 22. ♘e2 ♗e4 23. b5 ♘c4 24. bc6 bc6± − 21. b5; 22... de4!⩲] **♘c4 22. bc6 bc6 23. e4 ♖e2 24. ♘e2 ♗e4 25. ♕b8! ♔h7 26. ♕f4 ♕e7** [26... ♕f4 27. ♘f4 g5 28. f3! ♗f5 29. ♘h5±] **27. ♘g3 g5!?** [27... ♗g6 28. h4±] **28. ♕c1 ♗d3** [28... ♗g6 29. f4+−] **29. ♖e1 ♕f6 30. ♕c3 ♗g6 31. ♘f1!+− g4 32. ♘e3 ♘e3 33. ♕e3 ♗e4 34. ♖c1 h5 35. ♖c5!** [△ ♕c3] **♗f5 36. ♕f4 h4 37. ♖c3 ♔g6 38. f3! gf3 39. ♖f3 ♕g5 40. ♕g5 ♔g5** [♖ 2/j] **41. ♔f2 f6 42. ♖c3 ♗d7 43. ♖e3 ♔f4 44. ♖e7 ♗f5 45. ♖f7 ♔e4 46. ♖f6 ♗d7 47. ♖d6 ♗f5 48. ♖c6 h3 49. gh3 ♗h3 50. ♔g3 ♗d7 51. ♖c7 ♗b5 52. h4 1 : 0** **[J. Hjartarson]**

677. **E 37**

KASPAROV 2775 − PR. NIKOLIĆ 2605
Barcelona 1989

1. d4 ♘f6 2. c4 e6 3. ♘c3 ♗b4 4. ♕c2 d5 5. a3 ♗c3 6. ♕c3 ♘e4 7. ♕c2 e5 8. e3 ed4 9. cd5 ♕d5 10. ♘f3! ♕c6?! N [10... ♘d6 − 19/551] **11. ♘d4!** [11. ♗d3 ♘d6] **♕c2 12. ♘c2±⧉ ♘c6** [12... c5 13. f3] **13. b4** [13. f3!?] **♗e6 14. ♗b2 0−0 15. ♖c1 ♘d6 16. b5?** [16. f3 b5!? (16...

a5 17. b5±) 17. ♗c3 a5±] ♘a5 17. ♘d4
♗c4 18. ♗c3 ♗f1 19. ♖f1 ♘ac4 20. ♗b4
♖fc8! 21. ♔e2 a6 22. ♗d6 [22. a4 ab5
23. ab5 ♖a2 24. ♔f3 ♖e8! 25. ♗d6? ♘d2]
♘d6 23. a4 ab5 24. ab5 ♖a5!= 25. ♖b1
[25. ♖c5 b6 26. ♖d5 (26. ♖c2 ♘b5 27.
♘c6 ♖e8!) ♖e8 △ ♘e4, c5] ♖a2 26. ♔f3
♖e8 27. ♖a1 ♖b2 28. ♖fb1 ♖b1 29. ♖b1
♖e5 30. g4 h5 31. h3 hg4 32. hg4 g6 33.
♔e2 ♖c5 34. ♔d3 b6 35. f3 f5 36. gf5
gf5 37. e4   1/2 : 1/2   [Pr. Nikolić]

✓ 678.   E 37

A. ČERNIN 2580 − I. FARAGÓ 2495
Moskva (GMA) 1989

1. d4 ♘f6 2. c4 e6 3. ♘c3 ♗b4 4. ♕c2
d5 5. a3 ♗c3 6. ♕c3 ♘e4 7. ♕c2 c5 8.
dc5 ♘c6 9. cd5 ed5 10. ♘f3 ♕a5 11. ♗d2
♘d2 [11... ♕c5 − 46/757] 12. ♕d2 ♕c5
13. b4 N [13. ♖c1] ♕d6 14. e3 0−0 15.
♗e2 ♗e6 [15... ♕g6!? △ 16. 0−0 ♗h3]
16. 0−0± ♖fc8 17. ♕b2 a5! 18. b5 ♘b8
19. ♖fd1 ♘d7 20. ♘d4 ♘f6 [20... ♘b6!?]
21. h3 h6 22. ♗f3 ♖c4 23. ♖dc1 [23.
b6!?] ♖ac8 24. ♖c4 ♖c4 25. ♗e2 ♖c8 26.
♘b3 b6 27. ♘d4 ♗d7 28. ♗d3 ♕e5 29.
♖c1 ♖c5= [29... ♖c1 30. ♕c1 ♕d6=] 30.
♖c5?! bc5 31. b6 ♗c8? [31... cd4 32. b7
♕b8 33. ♕b6 (△ ♕a6) ♘e8! 34. ed4 ♘d6
35. ♗a6⊟] 32. ♕c3! ♕d6 [32... ♘d7 33.
♗b5! ♕d6 34. ♘f5] 33. ♕a5! cd4 [33...
♘d7 34. b7+−] 34. ♕a8 ♕f8 35. ed4
♘d7 36. b7 [36. ♕c6!?+−] ♗b7 37. ♕b7
♕a3 38. ♕d7 ♕d3 39. ♕d8 ♔h7 40. ♕d5
♔g6 41. g3 [△ 41. g4!+−] f6 42. ♔g2
♕e2 43. g4 ♕e7 44. h4! ♔h7 45. h5+−
♕e2 46. ♔g3 ♕d3 47. f3 ♕c3 48. ♕e4
♔g8 49. ♕e8 ♔h7 50. ♕e4 ♔g8 51. ♔f4
♔f7? [51... ♕c8] 52. ♕d5 [52... ♔e8□
53. ♕g8] 1 : 0   [A. Černin]

679.   E 39

I. SOKOLOV 2580 − PSAHIS 2585
Dortmund 1989

1. d4 ♘f6 2. c4 e6 3. ♘c3 ♗b4 4. ♕c2
0−0 5. ♗g5!? c5 6. dc5 ♕a5 N [6... ♘a6;

6... h6 − 46/759] 7. ♗f6 gf6 8. e4 [8.
e3!?] ♗c3 9. bc3 ♕c5 10. ♖b1! [10. ♘f3]
♕e7 11. ♘f3 [11. ♖b5! ♘a6 12. ♖h5↑]
♘a6!= 12. ♘d4 b6 13. ♗e2 ♗b7 14. 0−0
♘c5 15. f3 ♔h8 16. ♕d2 ♖g8 17. ♖fd1
♖g7 18. ♗f1 ♖ag8 19. ♘b5? [19. ♕f4
(△ ♘b5) ♗c6 20. ♕c7 ♗b7 △ 21... ♖c8
22. ♕f4 ♗c6=]

19... f5!→ [19... ♘e4? 20. fe4 ♗e4 21.
♖b2] 20. ef5 ♗f3 21. ♕f4□ ♖g2 22. ♗g2
♗g2! [22... ♖g2 23. ♔f1 ♗c6 24. ♘d6⇆]
23. f6 ♕f8⊕ 24. ♔f2 ♗e4 25. ♖a1⊕ [25.
♘d6?? ♗b1 26. ♖b1 ♕d6−+] d5 26. ♘d6
♖g2 27. ♔f1□ [27. ♔e3 e5!−+] ♕g8 28.
cd5 ed5 [28... ♖g1 29. ♔f2 ♕g2 30. ♔e3
♕h3 31. ♔d4+−] 29. c4? [29. ♘e4?
♘e4−+; 29. ♕e3!⇆ ♕g6 (29... ♖h2 30.
♕g5!; 29... ♘d3 30. ♖d2) 30. ♘e4 ♘e4
31. ♖d5] ♘d3? [29... ♖g1 30. ♔e2 ♕g2
31. ♔e3 (31. ♕f2 ♗f3−+) ♕h3 32. ♔f2
(32. ♔e2 ♗d3 33. ♔d2 ♕g2−+) ♖f1!−+]
30. ♘f7□ ♕f7 31. ♖d3 ♖g6! 32. ♔e2□
♖f6?? [32... ♗d3 33. ♔d3 dc4∓] 33. ♕b8
♔g7 34. ♖g1 ♗g6 35. ♕e5! ♔f8 36. ♖e3
♖f2?? [36... dc4] 37. ♔e1+− ♔g8 38.
♕e8 ♕e8 39. ♖e8 ♔f7 40. ♔f2 ♔e8
41. cd5 ♔e7 42. ♔e3 ♔d6 43. ♔d4 ♗f7
44. ♖g5 1 : 0   [I. Sokolov]

680.   E 39

MASCARINAS 2465 − SMAGIN 2540
Zenica 1989

1. d4 ♘f6 2. c4 e6 3. ♘c3 ♗b4 4. ♕c2
0−0 5. ♗g5 c5 6. dc5 ♕a5 7. ♗d2! N

♕c5 8. e3 ♕c6 [△ 8... ♕b6] 9. ♘f3 a6 10. ♗d3 ♕c7 [10... d6!? 11. ♘e4 ♗d2 12. ♘fd2 ♘bd7=] 11. g4! ♘g4! [11... g6 12. g5 ♘h5 13. 0-0-0↑; 11... h6 12. ♖g1 △ g5±] 12. ♗h7 ♔h8 13. ♗d3 ♘c6 14. ♖g1 ♘ce5 [14... f5 15. ♘h4!? ♕h2 (15... ♔g8 16. ♖g4!) 16. 0-0-0→] 15. ♘e5 ♘e5 16. ♗e2 f5 17. ♘b1 ♗d2 [△ 17... ♕a5 18. a3 ♗d2 19. ♘d2 b5 20. b4 ♕c7±] 18. ♘d2 ♕a5 19. 0-0-0! b5 [19... ♕a2? 20. ♕c3 d6 21. f4+−] 20. f4 ♘c6 21. ♔b1 ♖f6 22. ♘b3 ♕a4 23. ♘c5 ♕c2 24. ♔c2± ♖a7! 25. cb5 ab5 26. ♔b1 [26. ♗b5!? ♘b4 (26... ♖c7 27. ♔b3! ♘a7 28. ♔b4!±) 27. ♔b1 ♘d5±] b4 27. ♖d6 ♖h6 28. h4 ♖h4 29. ♗f3 ♘e7 [29... ♘d8!?] 30. ♖b6 ♖h3?! [△ 30... ♔g8] 31. ♖h1! ♖h1 32. ♗h1 ♔h7 33. ♖b4 ♖c7 [△ 33... d6] 34. ♘b3 ♗a6 35. a4 g5 36. fg5 ♔g6 37. ♖b6 ♗d3 38. ♔a2 ♗e4?⊕ [38... ♔g5 △ e5±] 39. ♗e4 fe4 40. ♖b4 ♔f5? [40... ♘d5 41. ♖e4 ♔g5±] 41. ♘d4+− ♔g5 42. ♘b5 ♖c5 43. ♘d6 ♖c6 44. ♘e4 ♔f5 45. ♘c3 ♖a6 46. ♖b7 ♖d6 47. a5 ♔g4 48. b4 ♔f3 49. e4 ♘c6 50. ♔b3 ♔e3 51. ♔a4 ♖d3 52. ♘b5 ♔e4 53. a6 ♖d2 54. a7 ♘a7 55. ♖a7 d5 56. ♖e7 e5 57. ♘c3 ♔f5 58. b5 d4 59. ♘d5 d3 60. b6 ♖a2 61. ♔b3 ♖a8 62. b7 ♖d8 63. ♖c7 d2 64. ♘c3 ♖b8 65. ♔c2 ♔e6 66. ♔d2 ♔d6 67. ♘b5 ♔d5 68. ♔d3 e4 69. ♔c3 ♔e5 70. ♔c4 ♔f4 71. ♔c5 1 : 0 [Smagin]

681.** **E 39**

LAUTIER 2450 — B. LARSEN 2580

Cannes 1989

1. d4 ♘f6 2. c4 e6 3. ♘c3 ♗b4 4. ♕c2 c5 5. dc5 0–0 6. a3 ♗c5 7. ♘f3 ♘c6 8. ♗f4 [RR 8. ♗g5 ♘d4 9. ♘d4 ♗d4 10. e3 ♕a5 11. ed4 ♕g5 12. ♕d2 ♕d2 13. ♔d2 b6 *a)* 14. b4 N d6 15. ♗e2 ♗b7 16. f3 ♖fc8 17. a4 a5! 18. ♖hb1 ♗c6 19. ba5 ba5 20. ♘b5 ♖d8 21. ♔e3 ♔f8 22. ♖a3 ♔e7 23. ♘c3 ♖db8 24. ♖ab3 ♖b3 25. ♖b3 ♘d7 26. ♗d3 1/2 : 1/2 Polugaevskij 2575 — U. Andersson 2620, Haninge 1989; *b)* 14. ♗d3 ♗a6 (14... ♗b7!? 15. f3 d6 16. b4 ♖fc8) 15. ♖hc1 ♖ac8 N (15... ♖fc8 — 46/(759)) 16. ♘d1 d6 17. ♘e3 ♖c7 18. b4 ♖b8 19. a4 ♗c8 20. ♖cb1! ♗d7 21. a5! (Jakovič 2455 — Zagrebel'nyj 2345, Belgorod 1989) ♔f8± Jakovič] **b6!? 9. ♖d1 ♗b7 10. e3 ♖c8 11. ♗e2 ♗e7 12. e4?! ♘h5!** [12... ♘a5 — 44/684] **13. ♗c1** [13. ♗e3 ♘a5!? (13... ♕c7 14. ♘b5 ♕b8 15. ♖d7 ♘f6∞) 14. ♘d2 ♗g5!?] **a6** [13... ♕c7 14. ♘b5 ♕b8 15. ♖d7∞ ♘f6 16. ♗f4!?] **14. 0–0 ♕c7 15. e5 g6** [15... ♖fd8 16. g4 ♘e5∞] **16. ♖fe1 ♖fd8∓ 17. ♘d5!? ed5 18. cd5 ♘d4! 19. ♕c7 ♘e2 20. ♖e2 ♖c7 21. d6 ♖c1 22. ♖c1 ♗f8 23. ♖c7 ♘f4!** [23... ♗f3 24. gf3 ♘f4 25. ♖e4] **24. ♖ec2 ♗f3 25. gf3 ♖e8! 26. ♖2c4 g5 27. ♖e4 ♘e6! 28. ♖a7 a5 29. b4 ab4 30. ab4 f5! 31. ♖e1?** [31. ef6 ♖d8∓] **♖d8 32. ♖b7 b5! 33. ♖d1** [33. ♖b5? ♘d4] **♘f4 34. ♔f1** [34. ♖b5? ♘e2] **♔f7 35. ♖b5 ♔e6−+ 36. ♖a5 ♗g7 37. b5 ♖b8 38. ♖b1 ♘d5 39. ♖a6 ♘b6 40. h4 h6 41. hg5 hg5 42. ♔e2 ♗e5 43. ♔d3 ♔d5 44. ♖a2 ♘c4 45. ♖b4 ♘b6 46. ♖b3 ♖h8 47. ♖ba3 ♖h1 48. ♖a6 ♗d4 49. ♔e2 ♖b1 50. ♖6a5 f4 51. ♖c2 ♖b3 52. ♖a7 ♖b5** [52... g4!] **53. ♖b7 ♗e5 54. ♔f1 ♔d6 55. ♔g2 ♔e6 56. ♔h3 ♔f5 57. ♖d2 ♖b3 58. ♖dd7 ♖f3 59. ♔g2 ♘d7 60. ♔f3 g4 61. ♔e2 f3 62. ♔e3 ♘f6 63. ♖b5 ♘e4 64. ♖d5 ♘c3 65. ♖d3** [65. ♖d8 ♗f6] **♗f4 66. ♔d4 ♘e4** **0 : 1**
[B. Larsen]

682.* **E 41**

VAGANJAN 2600 — JUSUPOV 2610

Barcelona 1989

1. c4 e6 2. d4 ♘f6 3. ♘c3 ♗b4 4. e3 c5 5. ♗d3 ♘c6 6. ♘f3 [6. ♘e2 cd4 7. ed4 d5 8. cd5 ♘d5 *a)* 9. ♗c2 N ♗d6 (9... 0–0?! 10. ♕d3 g6 11. h4→ I. Sokolov) 10. ♘e4 ♗b4! 11. ♘4c3 ♗d6 12. ♘e4 1/2 : 1/2 I. Sokolov 2580 — Joel Benjamin 2545, Wijk aan Zee 1989; *b)* 9. a3 *b1)* 9... ♗d6 10. ♘e4 (10. ♗e4 N ♘f6 11. ♗g5 0–0 — E 48) ♗e7 11. ♗c2!? N (11. 0–0 — 46/(675)) 0–0 — E 48; *b2)* 9... ♘c3! N 10. bc3 ♗d6 11. ♗e4 0–0 — E 48, 47/693] **♗c3 7. bc3 d6 8. 0–0 e5 9. ♘d2!? ♕e7?!** [9... 0–0!? 10. d5 ♘e7 11.

e4 (11. ♕c2 — 36/665) ♘e8 12. ♕c2 ♘g6 13. g3 ♗h3 14. ♖e1 ♕d7 15. ♘f1±] **10. d5 ♘b8 11. e4 ♘bd7 N** [11... 0–0 — 36/663] **12. ♖e1!?** [12. ♖b1!?] **0–0** [12... ♘f8?! 13. ♘f1 ♘g6 14. ♘g3±] **13. ♘f1 ♘e8 14. ♘g3 g6 15. ♗h6 ♘g7 16. ♕d2± f6 17. h4 ♖f7 18. ♖f1?!** [18. h5! ♘f8 19. hg6! (19. f3 ♘h5! 20. ♘h5 gh5 21. f4 ♗g4 22. f5 ♘d7 23. ♗e2 ♔h8 24. ♗g4 hg4 25. ♔f2∞̄) hg6 20. f3!? g5 21. ♔f2 ♘g6 22. ♖h1 ♘f4 23. ♗c2± △ ♘f5, ♖h2, ♖ah1, g3] **♘f8 19. ♖ae1 ♗d7 20. ♕b2!?± b6 21. ♗c2 ♗e8 22. a4 ♕d8 23. f3 ♖b8 24. ♖f2 a6 25. ♖b1 ♖fb7 26. ♕c1 b5?** [26... ♕e7! △ b5⩲] **27. cb5 ab5 28. ab5 ♖b5 29. ♖b5 ♗b5 30. f4 ♕e7** [30... ef4? 31. ♕f4+–] **31. f5!± ♗d7 32. ♕f1 ♖b2 33. ♕a1 ♖b8⊕ 34. ♕a5 ♗e8 35. ♕a6 ♗b5 36. ♕a1 ♗e8 37. ♗d3 ♘d7 38. ♖a2 ♘b6!? 39. ♖a7** [39. ♖a6!?± △ ♕f1, ♗b5, △ ♕a5] **♖b7 40. ♖a6 ♘c8! 41. ♗e2 ♖a7 42. ♖a7 ♕a7 43. ♕f1! ♕e7 44. ♗b5 ♗f7** [44... ♗b5 45. ♕b5 ♔f7 46. c4 (46. fg6 hg6 47. ♗g7 ♔g7 48. h5±) ♘e8 47. ♗d2±] **45. ♗c6 ♕d8 46. ♗b7 ♘e8 47. ♕a6 ♘c7 48. ♕f1 ♘e8 49. ♗c6 ♘c7?!** [49... ♘g7! ×f5] **50. ♕f3!+– ♘a7 51. ♗a4 ♘ab5 52. ♘f1! ♔h8** [52... gf5? 53. ♕g3] **53. fg6! hg6** [53... ♗g6 54. ♘g3! △ h5, ♘f5+–] **54. ♘h2+– ♗e8** [54... f5 55. ef5 ♕h4 56. fg6 ♕h6 (56... ♕e1 57. ♘f1+–) 57. gf7 ♕f8 58. ♘g4+–; 54... ♔h7 55. ♘g4 ♕e7 56. ♗d2! ♔g7 57. ♘f6+–] **55. ♘g4 ♔h7 56. ♗g5! fg5 57. ♕f8 ♘c3 58. ♘f6 ♕f6 59. ♕f6 ♗a4 60. ♕e7 ♔h6 61. ♕g5 ♔g7 62. ♕e7**

1 : 0 **[Vaganjan]**

683.* **E 42**

LAUTIER 2450 – PSAHIS 2585

Paris 1989

1. d4 ♘f6 2. c4 e6 3. ♘c3 ♗b4 4. e3 b6 5. ♘e2 c5?! 6. a3 ♗a5 7. ♖b1 ♘a6 8. ♗d2 [RR 8. ♕a4 ♗b7!? N (8... ♕e7 — 34/672) 9. f3 (9. b4 ♗c6 10. b5 ♗e4) ♖c8 10. ♗d2 ♗c6 11. ♕d1 d5 12. cd5 ed5= D. Gurevich 2480 – Romanišin 2555, New York 1989] **0–0 9. d5! N** [9. ♘g3 — 46/763] **♗b7** [9... ed5 10. ♘d5! ♘d5 (10... ♗d2 11. ♕d2±) 11. cd5 ♗d2 12. ♕d2 d6 13. g3! ♘c7 14. ♗g2 △ 0–0, ♘c3, e4, f4⩲⊞] **10. ♘f4** [10. e4! ed5 *a)* 11. cd5?! *a1)* 11... ♗c3 12. ♘c3 ♘e4 13. ♘e4 ♖e8 14. f3 f5 (14... ♕h4? 15. g3 ♖e4 16. ♔f2 ♕f6 17. ♗c3 ♕f5 18. ♗d3+–) 15. d6! fe4 16. ♗c4 ♔h8 17. 0–0∞̄; *a2)* 11... c4! 12. ♘g3 ♖e8∓; *b)* 11. ed5 ♖e8 (11... ♘g4 12. ♘f4 ♖e8 13. ♗e2±) *b1)* 12. g3 *b11)* 12... ♗c3 13. ♗c3 (13. bc3? ♘c7 14. ♗g2 d6 15. 0–0 ♗a6∓) *b111)* 13... ♕e7 14. ♗g2 d6 (14... ♘e4 15. 0–0 ♘d6 16. ♖e1 ♘c4 17. d6! ♘d6 18. ♘f4 ♕f8 19. ♖e8 ♖e8 20. ♗b7 ♘b7 21. ♘h5 f6 22. ♕d5+–) 15. ♗f6 gf6 16. ♖c1 △ ♖c2±; *b112)* 13... b5 *b1121)* 14. cb5? ♘d5 15. ba6 ♘c3 16. ab7 ♘d1 17. ba8♕ ♕a8–+; *b1122)* 14. ♗f6? ♕f6 15. cb5 ♘c7 16. ♗g2 ♕e5∓; *b1123)* 14. b3? ♘e4 15. ♕d3 b4! 16. ab4 ♘b4 (16... cb4?! 17. ♗d4 ♘ac5 18. ♕c2 △ ♗g2, 0–0) 17. ♗b4 cb4 18. ♗g2 ♘c5! (18... ♘c3 19. ♖b2 ♕f6 20. 0–0 ♘d5? 21. ♖d2+–) 19. ♕d4 (19. ♕d2 ♕e7 20. ♖b2 a5 21. 0–0 ♘b3–+) d6 (19... ♕e7? 20. 0–0!) 20. ♗f3 (20. ♖b2 a5 △ 21. 0–0 ♘b3) ♘e6! 21. ♕d2 (21. de6 ♗f3 22. ef7 ♔f7 23. ♕f4 ♕f6; 21. ♕d3 ♕f6! 22. 0–0 ♘c5–+) ♘g5∓; *b1124)* 14. ♗g2! bc4 (14... ♕e7? 15. cb5 ♘c7 16. d6+–) 15. 0–0±; *b12)* 12... ♘g4! 13. ♗g2 ♘e5 14. ♕b3! *b121)* 14... ♘d3 15. ♔f1 d6 (15... ♕f6? 16. ♘e4 ♖e4 17. ♕d3 △ b4+–) 16. ♗e3 △ ♖d1±; *b122)* 14... ♕f6! 15. ♘e4 (15. 0–0 ♘f3 16. ♗f3 ♕f3∓) ♗d2 *b1221)* 16. ♘d2? ♘c7! 17. ♘e4 (17. 0–0 ♘c4 18. ♕c4 ♗a6 19. ♕f4 ♖e2 20. ♕c7 ♖d2∓) ♕h6 18. 0–0 ♗a6 19. ♖bc1 f5 20. d6 ♘e6∓; *b1222)* 16. ♔d2 ♕h6 17. ♔c2 ♘c7 △ d6, b5↑; *b2)* 12. f3!!± △ ♔f2, ♘f4, ♗d3, ×♘a6, ♗b7] **♗c3□ 11. ♗c3 ♘e4 12. ♕c2 ♘c3 13. ♕c3 ♘c7 14. ♖d1** [14. d6?! ♘e8 15. ♖d1 ♖c8 (△ ♖c6) 16. ♗e2□ ♗a8! 17. 0–0 ♖c6 18. ♗f3 ♖d6 19. ♖d6 ♘d6 20. ♗a8 ♕a8 21. ♕d3 ♘e4 (21... ♕b8 22. ♖d1 ♘b7 23. ♕d7 ♖d8 24. ♕a4=) 22. ♕d7 ♖d8 23. ♕e7 ♖d2∓] **ed5?!** [14... d6! 15. ♗d3 (15. de6?! fe6 16. ♗e2 e5 17. ♘d5 ♘d5 18. cd5 ♕g5 19. 0–0 ♖f6∓) e5 16.

♘e2=] **15. cd5± d6 16. ♗e2** [16. g3?! ♘e6! 17. ♗g2 ♘f4 18. gf4 ♗a6∓] **♖e8** [16... ♕g5 17. ♗f3 ♗a6; 17. ♕d2±; 16... ♘e8!? 17. 0–0 ♘f6 18. f3! ♖e8 19. e4 ♘d7 20. ♖fe1±] **17. 0–0 ♕g5 18. ♗f3 ♕e5?!** [18... ♗c8! △ ♗g4±] **19. ♕d2 ♖ad8** [19.∴ a5 20. ♖fe1 b5 21. e4 b4 22. ♘d3 ♕e7 (22... ♕d4 23. ♕c1±) 23. ab4 ab4 24. e5± ♗d5? 25. ed6 ♕d6 26. ♖e8 ♖e8 27. ♘f4+–] **20. ♖fe1 ♗c8 21. g3! ♗f5 22. ♗g2** [22. e4? ♗d7 23. ♗g2 ♘b5 24. ♘e2 f5∓] **♗e4 23. f3 ♗f5 24. e4 ♗d7 25. ♘e2?** [25. g4!± ♘b5?! 26. ♘e2 h5 27. a4 ♘c7 28. f4! ♕e7 29. g5 ♗a4 30. ♖a1 ♕d7 31. ♘c3 b5 32. ♖e3! △ ♗h3+–] **f5!□ 26. ♘c3 ♘b5?** [26... fe4? 27. ♘e4±; 26... ♕f6=] **27. ♘b5 ♗b5 28. ♗h3! fe4 29. ♖e4 ♕h5 30. ♗g4 ♕g6 31. ♗e6 ♔h8 32. ♖de1± ♖f8 33. ♔g2 ♕f6 34. f4 ♗e8 35. g4! ♗d7 36. f5 ♕h4** [36... ♗e6 37. ♖e6 ♕h4 38. ♕f4±] **37. ♕f4 ♗b5 38. ♖1e3+– ♖de8⊕ 39. ♕d6** [39. ♖h3! ♕f6 40. ♖b3! ♗a6 41. g5 ♕d8 42. ♖h3+–] **♕f6 40. ♕e5 ♖d8 41. ♔g3 g5 42. ♕f6 ♖f6 43. h4 h6 44. ♖e1 ♔g7 45. ♖h1** [△ 46. hg5 hg5 47. ♖h5] **♗e8 46. ♖e2 gh4 47. ♔f4! ♗f748. ♔e5 b5 49. ♖h4 c4 50. g5! hg5 51. ♖h7 1 : 0**
[Lautier]

684. **E 42**

SEMKOV 2460 – SPASOV 2375
B"lgarija 1989

1. d4 ♘f6 2. c4 e6 3. ♘c3 ♗b4 4. e3 c5 5. ♘e2 cd4 6. ed4 0–0 7. a3 ♗e7 8. d5 ed5 9. cd5 ♖e8 10. d6 ♗f8 11. g3 ♖e6 12. ♗f4 ♕b6?! 13. ♗g2! N [13. ♗h3∞ – 39/(695)] **♘c6** [13... ♗d6?! 14. ♘a4 (14. 0–0!? ♗f4 15. ♘f4 ♖e8 16. ♖e1!=/∞↑) ♕c7 (14... ♕a6 15. ♖c1+–) 15. ♖c1 ♘c6 16. ♘c5 ♖e2 17. ♕e2 ♗f4 18. gf4 ♕f4 19. ♕e3!±⊥; 13... ♕b2 14. 0–0 ♕b6 (14... ♘a6 15. ♗e3 ♖d6 16. ♕a4 △ ♖ab1+–) 15. ♖b1±] **14. 0–0 h6 15. b4 g5 16. ♗e3 ♕d8 17. ♗c5!± b6 18. ♘d4 ♘d4** [18... bc5 19. ♘e6 fe6 20. b5+–; 18... ♖e8 19. ♘c6 dc6 20. ♗c6 ♗d7 21. ♗a8 ♕a8 22. ♗d4 ♗h3 23. f3 ♗f1 24. ♗f6 △ d7+–] **19. ♗d4 ♖b8 20. ♘d5 ♘d5** [20... ♗g7 21. ♘e7 ♔h8 22. ♘f5 ♗a6 23. ♖e1±] **21. ♗d5 ♖d6 22. ♕f3!+– ♖d5 23. ♕d5 d6 24. ♗b2 ♗e7 25. ♖fe1** [⌓ 25. ♕d4 f6 26. ♖fe1] **♗f6! 26. ♕d2! ♗b7 27. ♖e3 ♗b2 28. ♕b2 ♕d7 29. ♖ae1 ♕c6 30. f3 g4 31. ♖e4 h5 32. ♕f6 gf3 33. ♕g5 ♔f8 34. ♕h6⊕ ♔g8 35. ♕g5 ♔f8 36. ♕h5 f2 37. ♔f2 ♕c2 38. ♖1e2 1 : 0**
[Semkov]

685.* **E 42**

LEVITT 2495 – M. GUREVIČ 2590
Tel Aviv 1989

1. d4 ♘f6 2. c4 e6 3. ♘c3 ♗b4 4. e3 c5 5. ♘e2 cd4 6. ed4 d5 7. c5 ♘e4 8. ♗d2 ♘d2 9. ♕d2

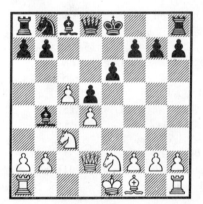

9... ♕d7!? N [△ ♗a5-d8⧉] **10. a3 ♗a5 11. g3 ♗d8 12. b4 0–0 13. ♗g2 b6 14. 0–0 ♗e7 15. ♖ab1 a5 16. ♖fc1!** [16. b5?! bc5 17. ♘a4 c4! 18. ♘b6 ♕a7 19. ♘a8 ♕a8=/∞ Nenašev 2445 – Aseev 2445, SSSR 1988] **ab4 17. ab4 ♖d8 18. h4** [18. b5! bc5 19. dc5 ♗c5 20. ♘d5 ♗f2 21. ♔f2 ♗b7 (21... ed5 22. ♕d5!±) 22. ♖c7 ♕c7 23. ♘c7 ♖d2 24. ♘a8 ♗g2 25. ♖c1=/∞↑] **♕e8!∞** [18... bc5 19. dc5 ♘a6 20. c6!±] **19. ♔h2 bc5 20. dc5 ♘a6 21. ♘f4 ♖b8** [21... g5!?] **22. ♘d3 ♘c7 23. ♗f1 ♗f6 24. f4 ♗b7 25. ♘e5** [25. ♗g2 ♗a6∞] **d4 26. ♘d1 ♗e5 27. fe5 ♕c6 28. ♗g2 ♕g2 29. ♕g2 ♗g2 30. ♔g2 ♖d5∓ 31. ♖b3** [31. ♘b2! ♖b4 (31... ♖e5 32. ♘c4=/∞↑) 32. ♘d3 ♖b1 33. ♖b1 ♖d8∓] **♖e5 32. ♘b2**

♔f8 33. ♘a4 [33. ♘c4? ♖c5] **♔e8!∓ 34. ♘b6 ♘b5 35. ♖a1⊕ ♖d8 36. ♔f3? d3−+ 37. ♔f2 ♖e2 38. ♔f1 ♖h2 39. ♔g1 ♖c2 40. ♖d1 ♘c3 0 : 1** **[M. Gurevič]**

686. **E 42**

KNAAK 2465 – LERNER 2535

Lugano 1989

1. d4 ♘f6 2. c4 e6 3. ♘c3 ♗b4 4. e3 c5 5. ♘ge2 cd4 6. ed4 d5 7. c5 ♘e4 8. ♗d2 ♘d2 9. ♕d2 a5 10. a3 ♗c3 11. ♘c3 a4 12. ♗d3 b6 13. cb6 ♕b6 14. 0–0 0–0 15. ♗c2 ♗d7 16. ♖fe1 ♖c8 17. ♖ad1 N [△ 17... ♖c4 18. ♗d3; 17. ♖e3 – 39/(698)] **♕d8?! 18. ♖e3 ♕f8** [△ 19. ♖g3 g6 △ ♕g7 ×d4] **19. h4! ♖c4 20. ♗d3 ♖c7 21. ♗b1 ♖b7** [21... ♘c6 22. ♕c2 g6 23. ♘a4] **22. h5 ♘c6 23. ♘a4! ♘d4□** [23... ♖a4 24. ♕c2 ♕a8 25. ♕h7 ♔f8 26. ♖g3+– ðh5] **24. ♕d4 ♖a4 25. b4 ♖c7?!** [25... g6□±] **26. ♖g3!** [×g7] **♖a8** [26... ♖c4 27. ♕b2; 26... g6 27. hg6 hg6 28. ♗g6] **27. ♗d3 ♗a4 28. ♖e1 ♗c2 29. ♖c1+– ♖ac8 30. ♕e5! ♖c6 31. b5 ♖c5 32. ♖c2 ♖c2 33. ♗c2 ♖c2 34. ♖c3! ♖c3** [34... ♖b2 35. h6! △ 35... g6 36. ♖c8] **35. ♕c3 h6 36. b6 ♕a8 37. ♕c7 ♕a4 38. g3 ♕a5 39. ♔g2 d4 40. ♕c8 ♔h7 41. b7 ♕d5 42. ♔g1 1 : 0** **[Knaak]**

687.* **E 43**

SEMKOV 2460 – CO. IONESCU 2485

Albena 1989

1. d4 ♘f6 2. c4 e6 3. ♘c3 ♗b4 4. e3 b6 5. ♗d3 ♗b7 6. ♘f3 0–0 7. 0–0 ♗c3 8. bc3 ♘e4 9. ♘e1 f5 10. f3 ♘f6 [10... ♘d6 11. ♗a3 ♘c6 N (11... c5) 12. c5 bc5 13. ♗c5 ♘e7 14. ♖b1 ♗c6 15. c4 a5 16. ♕c1 ♘f7 17. e4 d6 18. ♗a3 fe4 19. fe4 e5 20. d5± Semkov 2460 – Ink'ov 2470, B"lgarija 1989] **11. ♘c2 c5 12. ♕e2 N** [12. ♗d2 – 27/599] **♘h5!?** [12... ♗e4? 13. fe4 fe4 14. ♖f6!+–; 12... ♘e4 13. ♕e1] **13. e4 f4** [13... fe4 14. fe4 ♖f1 15. ♕f1 ♕h4 16. g3 ♘g3? 17. ♕f2+–] **14. ♗a3! ♘a6** [14... ♘g3? 15. hg3 fg3 16. ♖fd1 ♕h4 17. ♕e3+–; 14... d6 15. e5 ♘g3? 16. hg3 fg3 17. ed6!□ △ 17... ♕h4 18. ♕e6 ♔h8 19. ♕h3+–; 14... ♕h4 15. ♖fe1 ♖f6 16. ♕f2±] **15. ♕f2** [15. ♖fe1? e5! 16. de5 ♘c7∓; 15. e5? ♘g3! 16. hg3 fg3 17. ♖fd1 ♕h4 18. ♕e3 ♗f3!–+] **d6** [15... e5 16. dc5±; 15... ♖c8 16. e5±] **16. e5! de5 17. ♖fe1 ed4 18. cd4 ♖f6 19. ♖ad1 ♕c7 20. ♖e5 g6 21. ♕h4! ♖af8 22. ♖de1 ♘g7 23. d5 ♕d7 24. ♗b2 ♘c7 25. ♖g5! ♘f5** [25... ♖6f7 26. ♖g6! hg6 27. ♗g6+– ♖e8 28. ♕h7 ♔f8 29. ♗g7 ♖g7 30. ♕h8] **26. ♕h3 ♕d8** [26... ed5 27. ♗f5 ♖f5 28. ♖g6!+–; 26... ♖6f7 27. ♖g6+–] **27. ♗f5 ♖f5** [27... ef5 28. ♕h6!? △ h4-h5+–] **28. ♕h6 ♖5f6□ 29. de6 ♕e7 30. ♗f6⊕ ♖f6⊕ 31. ♖ge5 ♘e6 32. ♕h4+– ♕f7 33. ♕f2 ♗c6 34. ♕d2 ♔g7 35. a3 ♗a4 36. ♕c3 ♔h6 37. h3 ♗c2 38. ♕c2 ♘d4 39. ♕c1 ♕d7 40. ♖d5 ♕a4 41. ♖e4 g5 42. h4 gh4 43. ♕e1 ♔g6 44. ♕h4 1 : 0** **[Semkov]**

688. **E 43**

GLIGORIĆ 2505 – ROMANIŠIN 2555

Erevan 1989

1. d4 ♘f6 2. c4 e6 3. ♘c3 ♗b4 4. e3 b6 5. ♗d3 ♗b7 6. ♘f3 0–0 7. 0–0 ♗c3 8. bc3 c5 9. a4! N [9. ♖e1 – 40/(708); 9. ♘d2 – 39/700; 9. ♘e1 – 42/737] **d6** [9... ♘c6 10. e4] **10. ♘d2 ♘c6 11. ♘b3 ♖c8 12. a5** [12. e4!? cd4 13. cd4 ♘b4!] **♕c7 13. f3 ba5 14. e4 ♗a8?! 15. ♖f2!± ♖b8 16. d5 ed5 17. ed5** [17. cd5?! c4 18. ♗c4 ♘e5 19. ♗f1 ♕c3∞] **♘e5 18. ♗f1 ♖b6 19. ♘a5 ♗b7** [19... ♖a6 20. ♖fa2] **20. ♗g5 ♘fd7?!** [20... ♘ed7] **21. f4 ♘g6 22. f5 ♘ge5 23. f6 g6 24. ♘b3! ♖a6 25. ♖f4 ♖a1 26. ♕a1 ♗c8?!** [26... ♖e8 27. ♘d2 △ ♘e4] **27. ♕e1 ♕b6⊕ 28. ♘d2 ♖e8 29. ♕h4+–** [△ ♕h6] **h5□ 30. ♗h6?!** [30. g4! ♕b2 (30... ♘g4 31. ♖g4; 30... ♘f8 31. gh5 ♘h7 32. hg6 fg6 33. ♕h6 ♕c7 34. f7+–) 31. gh5 ♕d2 32. hg6 fg6 33. ♕h6 ♘f6 34. ♖f6 ♕c3 35. ♖g6 ♘g6 36. ♕g6 ♔f8 37. ♗h6 ♔e7 38. ♕h7! ♔d8 39. ♗g5+–] **♘f8□ 31. ♗f8** [31. ♗g7 ♘h7]

♔f8 [31... ♖f8 32. ♕g5 ♔h7 33. ♖h4 △
♖h5+−] 32. ♕g5 ♖d8□ 33. ♘f3 ♗f5!±
34. ♕h6 ♔e8 35. ♕g7 ♔d7!? 36. ♘e5
de5 37. ♕f7 ♔c8 38. ♖f2 ♕c7 39. ♕g7!?
[39. ♕e7 ♕e7 40. fe7 ♖e8 41. d6 ♔d7
42. ♖d2 a5!∞] ♕g7 40. fg7 ♖g8 41. ♗d3
♖g7 42. ♗f5 gf5 43. ♖f5 ♖g4 [43... a5!?]
44. ♖h5 ♖c4 45. ♖e5 ♔d7! 46. ♖e6! ♖c3
[♖ 6/d] 47. ♔f2 ♖c2!? [47... a5 48. ♖a6
♖a3 49. h4] 48. ♔f3 ♖c3 49. ♔e4 ♖c4
50. ♔e5 ♖c2 51. ♖g6 ♖e2! 52. ♔f4 a5
53. ♔f3 ♖d2 54. ♖a6 ♖d3 55. ♔e2 ♖d5
56. ♖a5 [♖ 5/h] ♖e5 57. ♔f3 ♖f5 58.
♔g4 ♖f2 59. ♔g3 ♖c2 60. h4 ♔e6 61.
♖a8 c4 62. ♖c8?! [62. h5!] c3?! [62...
♔d7 63. ♖f8 ♖c3 (63... c3 64. ♖f3!) 64.
♖f3?! ♖b3!] 63. h5 ♔f5 64. ♖c5 ♔f6
[64... ♔e4 65. h6] 65. ♔h3! ♔e6 66. g4
♔f6 67. ♔h4! [△ ♖c6, ♔g5+−] ♖h2 68.
♔g3 ♖c2 69. ♖f5!+− [69. g5?! ♔e6!]
♔e6 70. ♔h4 ♖d2 71. ♖c5 c2 72. h6 ♔f7
73. ♖c7 ♔g6 74. ♖c6 ♔f7 75. ♔h5 ♖h2
76. ♔g5 ♖d2 77. ♖c7 ♔g8 78. ♔g6 ♖d6
79. ♔h5 ♖d2 80. g5   1 : 0   [Gligorić]

689.*   E 46

RESHEVSKY 2450 − SMAGIN 2540
Moskva (GMA) 1989

**1. d4 ♘f6 2. c4 e6 3. ♘c3 ♗b4 4. e3 0−0
5. ♘e2 d5** [RR 5... ♖e8 6. a3 ♗f8 7. d5
ed5 8. cd5 a5!? N (△ ♘a6-c5; 8... c5 −
44/695) 9. ♘g3 ♘a6 10. ♗e2 (10. ♗c4
c6!? △ b5-b4⇆) ♘c5 11. 0−0 c6!? 12. ♗f3
(12. f3?! ♕b6⇆) a4 13. ♖b1 ♕c7 14. e4
♗d6 15. ♗g5 ♗e5 (M. Gurevič 2590 −
Shabtai 2335, Tel Aviv 1989; 15... ♗g3
16. hg3 ♘fe4 17. ♘e4 ♘e4 18. ♖e1∞↑)
16. ♖e1∞ M. Gurevič] **6. a3 ♗e7 7. cd5**
[7. ♘f4 − 45/694] **ed5 8. ♘f4 c6 9. ♗d3
♗d6 10. 0−0 ♖e8 11. b4 N** [11. ♕c2]
♘bd7 12. f3!? ♘b6 [12... a5!? 13. ♖b1
ab4 14. ab4 ♗f4! 15. ef4 ♘b6 △ ♘c4∓]
13. ♘fe2! [13. e4? de4 14. fe4 ♗f4 15.
♗f4 ♕d4−+] **a5 14. ♖b1 ab4 15. ab4
♕e7** [15... ♕c7 16. ♔h1!] **16. e4! ♘fd7**
[16... ♗b4? 17. ♗g5!±] **17. b5 c5□ 18. e5**

18... ♘e5?! [18... cd4 19. ed6 ♕f6 20.
♘e4! de4 21. ♗e4 ♕d6 22. ♕d4±] **19.
de5 ♗e5 20. f4?!** [20. ♗c2! d4 21. ♘e4±]
**♗f6!∞ 21. f5! d4 22. ♘e4 c4 23. ♘f6 ♕f6
24. ♗b2 cd3 25. ♕d3 ♖a2! 26. ♘d4** [26.
♗d4? ♖ee2!−+] **♖d8 27. ♖fd1 ♘a4! 28.
♗a1?!** [28. ♘c6! ♖d3 29. ♗f6 ♖d1 30.
♖d1 gf6 31. ♘e7 ♔g7 32. ♘c8 ♘c3 33.
♖d7=] **♕g5?!** [28... ♖a1! 29. ♖a1 ♘b2
30. ♕e4 ♘d1 31. ♖d1 h5! △ ♗f5∓] **29.
♕f3 h5 30. h3 ♘b6 31. f6 ♕f6?** [31...
♘c4! △ ♘e3↑] **32. ♕f6 gf6 33. ♘f3 ♖d1
34. ♖d1 ♗e6 35. ♗f6 ♘d5 36. ♗e5 f6**
[36... ♖g2 37. ♔g2 ♘e3 38. ♔f2 ♘d1
39. ♔e2±] **37. ♗f6! ♘f4!** [37... ♘f6 38.
♖d6 ♖e2 (38... ♔f7 39. ♘g5) 39. ♘d4±]
38. ♖d2 [38. ♘e1 ♗h3!] **♖d2 39. ♘d2
♗d5 40. ♗g5 ♘e2! 41. ♔h2** [41. ♔f2
♘c3 △ ♘e4=] **♔f7 42. ♗e3 b6**
1/2 : 1/2   **[Smagin]**

690.   E 48

I. SOKOLOV 2570 −
U. ANDERSSON 2625
Reggio Emilia 1988/89

**1. d4 ♘f6 2. c4 e6 3. ♘c3 ♗b4 4. e3 0−0
5. ♗d3 d5 6. cd5 ed5 7. ♘e2 ♘c6?!** N **8.
0−0** [8. a3 ♗d6 9. ♘b5 ♗e7 10. 0−0 a6
11. ♘bc3±] **♘e7 9. f3** [△ 9. a3 ♗d6 10.
♘b5±⊡] **♘g6 10. ♗c2 c6 11. ♔h1** [11.
e4] **♗e6 12. a3** [12. e4] **♗d6 13. h3** [13.
e4!? de4 14. fe4 △ 14... ♗h2 15. ♗g5!]
♘h5 14. e4 de4 15. fe4 ♘g3 [15... ♕h4
16. e5! ♗h3 17. ♕e1! ♗g2 (17... ♕g4
18. ♕f2) 18. ♔g2 ♕g4 19. ♘g3] **16. ♘g3**

♗g3 17. ♗e3 ♗c7 [17... ♕h4 18. ♕d2] **18. e5↑ ♗b6 19. ♕d2 ♕d7 20. ♖f3! ♖ad8 21. ♖d1 ♕c8 22. ♕f2 ♖d7 23. ♖g3!** [△ h4] **♗d8□** [23... ♖fd8 24. h4! ♘h4 25. ♖g7!+−] **24. ♗g5!±** [×d6] **♗g5 25. ♖g5 ♕d8 26. ♕e3 ♕e7 27. ♘e4 b6 28. ♖f1** [△ ♘f6] **♖fd8□ 29. ♘d6 ♖d6!□ 30. ed6 ♖d6± 31. ♖g3 ♕d7 32. ♖d1 ♘e7** [32... c5 33. ♕g1! cd4 34. ♗g6! hg6 35. ♖gd3 ♕c6 36. ♖d4 ♖d4 37. ♕d4 ♗h3? 38. ♕d8 △ ♕h4+−] **33. ♕e5 g6 34. ♗e4! ♗f5 35. ♖e3 h5 36. b4! ♗e4 37. ♖e4 ♘d5 38. ♕e8 ♔g7 39. ♖c1! ♕e8 40. ♖e8** [♖9/n] **♘f4! 41. ♖c8** [41. ♖a8 ♖d4 42. ♖a7 ♖d2⇆] **♘e2⊕ 42. ♖8c6 ♖d4 43. ♖1c2 ♖d1 44. ♔h2 ♘d4 45. ♖c1 ♖d2 46. ♖c7⊕ a5** [46... ♘b5? 47. ♖b7] **47. ba5 ba5 48. ♖a7 h4! 49. ♔h1 ♘e2 50. ♖b1 ♖d5 51. ♔h2 ♖f5 52. ♖ab7?!** [52. ♖e1!? ♘g3 53. ♖d1! g5?! 54. ♖ad7 △ ♖7d5+−] **♖f4 53. ♖7b5??** [53. ♖a7 ♖f5 54. ♖e1!?] **♘c3 54. ♖1b3 ♘b5 55. ♖b5** [♖ 6/e] **♖a4 56. ♖b3 g5 57. ♔g1 ♔g6 58. ♔f2 f6 59. ♔e3 ♖c4 60. ♔d3 ♖f4 61. ♔e3 ♖c4 62. ♔d3 ♖c5 63. a4?** [63. ♔d2] **♖f5−+ 64. ♔c4 ♖f2 65. g3 hg3 66. ♖g3 ♖b2 0 : 1 [I. Sokolov]**

691. **E 48**

J. HJARTARSON 2615 – B. LARSEN 2580

Íceland 1988

1. d4 ♘f6 2. c4 e6 3. ♘c3 ♗b4 4. e3 0−0 5. ♗d3 c5 6. ♘e2 d5 7. cd5 ed5 8. 0−0 ♖e8 N [8... ♘c6] **9. a3 cd4** [9... ♗c3?! 10. bc3±] **10. ed4** [10. ab4 dc3 11. ♘c3 ♗g4!?] **♗d6 11. f3 ♘bd7!?** [11... h6 12. ♖f2!? △ g4] **12. ♗g5 ♘b6 13. ♕c2 h6 14. ♗h4 ♗d7 15. ♖ae1?** [15. b3±] **♖c8 16. ♗h7 ♔f8 17. ♗f5 ♗f5 18. ♕f5 ♕d7 19. ♕d3 ♘g8∓ 20. ♘d1? ♕c7 21. ♗g3 ♗g3 22. ♘g3 ♖e1 23. ♖e1 ♕c2∓ 24. ♕e3 ♘c4 25. ♕e2 ♕e2 26. ♘e2 ♘e7 27. ♔f2 b5 28. g4 a5 29. ♘dc3⊕ b4!** [29... ♘b2? 30. ♖b1] **30. ♘a4** [30. ab4 ♘b2! 31. ♖b1 ♘d3 32. ♔e3 ♘b4] **ba3 31. ba3 ♖b8! 32. ♘c5 ♖b2 33. a4 g5 34. ♔g3 ♘g6 35. f4 ♔g7 36. f5 ♘h4 37. f6 ♔f6 38. ♘c3 ♔g7⊕** [38... ♖g2 39. ♔h3 ♖f2?? 40. ♘5e4; 39... ♔g7] **39. ♖f1?** [39. ♖e2] **♖g2 40. ♔h3 ♘e3 0 : 1 [B. Larsen]**

692. **E 48**

MARIN 2495 – GAVRIKOV 2535

Tallinn 1989

1. d4 ♘f6 2. c4 e6 3. ♘c3 ♗b4 4. e3 0−0 5. ♗d3 c5 6. ♘e2 d5 7. cd5 cd4 8. ed4 ♘d5 9. a3 ♗e7 10. ♗c2!? ♘c6 [10... ♘d7!? 11. ♘d5 ed5 12. ♕d3 ♘f6=] **11. ♕d3 g6 12. h4!?** [12. 0−0] **♘c3 N** [12... e5? − 46/765] **13. bc3** [13. ♕c3 ♗f6] **e5! 14. ♕g3** [14. h5 ♗f5 15. ♕d2 ♗c2 16. ♕c2 ed4; 14. d5 ♗f5] **ed4 15. h5 ♗d6! 16. ♗f4 ♗f4 17. ♘f4 g5!?** [17... ♕f6 18. hg6 hg6∞] **18. 0−0?!** [18. h6?!; ⌓ 18. 0-0-0!?∞] **♔h8 19. h6?** [19. ♕d3? f5 20. ♘e2 dc3 21. ♕c3 ♕f6∓; ⌓ 19. ♘e2 dc3 20. ♕c3 f6 21. ♖ad1 ♕e7 22. ♘g3=∞] **♕f6 20. ♘d5 ♕h6 21. f4** [21. cd4 ♘d4] **♕d6! 22. ♘f6?** [22. ♕g5 f5∓] **♕f6 23. fg5 ♕e5 24. ♕h4 d3!−+ 25. ♖ae1** [25. ♗d3 ♕e3; 25. g6 ♕c5 26. ♔h1 fg6] **♕c5 26. ♔h1 ♗f5** [26... dc2 27. g6 fg6 28. ♖e8 ♖e8? 29. ♕f6=; 28... ♗f5!−+] **0 : 1 [Gavrikov, Rastenis]**

693.** **E 48**

I. SOKOLOV 2580 – VAN DER WIEL 2560

Wijk aan Zee 1989

1. d4 e6 2. c4 ♘f6 3. ♘c3 ♗b4 4. e3 c5 5. ♗d3 ♘c6 6. ♘e2 cd4 7. ed4 d5 8. cd5 ♘d5 9. a3 ♘c3! N [9... ♗e7 − 46/765; RR 9... ♗d6 *a)* 10. ♗e4 N ♘f6 11. ♗g5 0−0 12. ♗c2 h6 13. ♗f6 ♕f6 14. ♘e4 ♕e7 15. ♕d3 g6 16. ♕e3 ♔g7 17. 0−0 ♗d7 18. ♖ad1± Joel Benjamin 2545 − Kir. Georgiev 2590, Wijk aan Zee 1989; *b)* 10. ♘e4 ♗e7 11. ♗c2!? N (11. 0−0 − 46/(675)) 0−0 12. ♕d3 f5 (12... g6 13. h4→) 13. ♘4c3 ♘c3 14. bc3 e5 (14... ♗d6 15. f4±) 15. 0−0 ♗d6 16. f4!? (16. ♖d1 ♕c7 17. ♕c4 ♔h8 18. d5 ♘d4 19. ♕c7 ♘e2 20. ♔f1 ♗c7 21. ♔e2 ♗d6 22. a4±

Martynov – Soloženkin 2405, SSSR 1989) e4 17. ♗b3 ♔h8 18. ♕c2 ♘a5 19. ♗a2 ♕c7 20. c4 △ c5± Tajmanov, Martynov] **10. bc3 ♗d6 11. ♗e4** [⌓ 11. c4 b6 12. ♗b2 0–0 13. 0–0 ♗b7∞] **0–0 12. ♕d3 h6 13. f4** [⌓ 13. 0–0 ♕c7∞] **♕c7 14. ♖b1 ♘a5 15. 0–0 f5!** [15... ♗d7 16. f5! ef5 17. ♗f5 ♗h2 18. ♔h1=∞] **16. ♗f3 ♕c4!∓ 17. ♕c4 ♘c4 18. ♗b7 ♖b8 19. ♗c8 ♖fc8 20. ♖a1!** [20. ♖b8 ♖b8∓] **♖b3 21. a4 ♗c7!? 22. ♖d1 ♗a5 23. ♔f1** [23. d5? ♖d8 24. ♘d4 ♖d5] **♘b6** [23... ♗c3 24. ♖d3∞] **24. ♗d2 ♖b2 25. ♗e1** [25. h3 ♘c4! 26. ♗c1 ♖c2∓] **♘d5 26. ♖db1 ♖cb8 27. ♖b2 ♖b2 28. h3□ ♘e3 29. ♔f2 ♘g2 30. ♔f3! ♘e1 31. ♖e1 ♖a2** [31... ♖b3! 32. ♖c1 ♖a3] **32. ♖b1 ♖a4 33. ♖b8 ♔h7 34. ♖a8 ♖a1** [34... ♗b6 35. ♖e8] **35. ♖a7=** [35. c4!?] **♗c3 36. ♖e7 ♖a3 37. ♔g2 ♖a2 38. ♔f3 ♖a3 39. ♔g2 ♖a2 40. ♔f3 ♖a3 1/2 : 1/2** [I. Sokolov]

694.* **E 48**

I. SOKOLOV 2580 – SAX 2610

Wijk aan Zee 1989

1. d4 ♘f6 2. c4 e6 3. ♘c3 ♗b4 4. e3 c5 5. ♗d3 ♘c6 6. ♘e2 cd4 7. ed4 d5 8. cd5 ♘d5 9. 0–0 0–0 10. ♗b1!? [RR 10. ♗c2 ♗d6 11. ♘d5 ed5 12. ♗f4 ♗e7! N (△ ♗f6, ×d4; 12... ♗g4 – 46/(766)) 13. ♗e3 (△ ♗b3, ♘f4) ♗g4! 14. f3 ♗h5 15. ♗b3 (15. ♘f4 ♗g5! △ ♖e8↑ A. Černin) f6! 16. ♘f4 ♗f7 17. ♗f2 ♗d6 18. ♘d3 ♕c7 19. g3 ♘a5 20. ♖c1 ♕d8 21. ♗c2 ♖c8 22. ♗b1 b6! 23. b3 ♘c6 24. ♕d2 ♗g6∓ Rivas Pastor 2505 – A. Černin 2580, New York 1989] **♗d6 11. ♘e4 ♗e7 12. a3 e5!? N** [12... ♖e8 – 46/(765)] **13. de5** [13. ♗a2!? *a)* 13... ♘f6 14. ♘g5! h6 (14... ed4 15. ♕b3) 15. ♘f7 ♖f7 16. ♕b3 ♕f8 17. de5 ♘e5 18. ♗f4↑; *b)* 13... ♗f5 14. de5! ♗e4 15. ♘g3↑; *c)* 13... ♗g4! 14. f3 (14. de5 ♘db4!∞) ♗e6 15. de5 (15. ♘c5? ed4) ♕b6 16. ♔h1 ♖fd8↑] **♘e5 14. ♕d4 ♘g6** [14... ♘c6 15. ♕d3 ♘e5 16. ♕g3±] **15. ♖d1 ♗e6 16. ♗a2** [16. ♘c5 ♘df4!] **♘c7 17. ♗e6 ♘e6 18. ♕a4 ♕b6** [18... ♕e8 19. ♕e8 ♖fe8 20. ♗e3 f5!?⇆] **19. b4** [19. ♗e3 ♕b2 20. ♘2c3 ♖fd8 (20... ♘c5?? 21. ♗c5 ♗c5 22. ♖db1 ♗f2 23. ♔h1+–) 21. ♖db1 b5!=] **♘e5 20. ♗e3 ♕c6 21. ♕c6 bc6** [21... ♘c6 22. ♖d7] **22. ♘d4!± a5 23. ♘e6 fe6 24. ♗c5 ♗c5 25. ♘c5** [25. bc5] **ab4 26. ab4 ♖a1 27. ♖a1** [♖ 9/h] **♖b8** [27... ♖f4?? 28. ♖a8 ♔f7 29. ♖f8! ♔f8 30. ♘e6] **28. f4 ♘g6 29. ♘e6 ♖b4 30. g3!?** [30. f5 ♘f4; 30. ♖a8 ♔f7 31. ♘g5±] **♘e7 31. ♖a7 ♘f5 32. g4?** [32. ♖a8 ♔f7 33. ♘d8 ♔g6±] **♘d4 33. ♘g7 ♘b5!= 34. ♖b7 1/2 : 1/2** [I. Sokolov]

695. **E 55**

BELJAVSKIJ 2640 –
AN. KARPOV 2750

Linares 1989

1. d4 ♘f6 2. c4 e6 3. ♘c3 ♗b4 4. e3 0–0 5. ♗d3 c5 6. ♘f3 d5 7. 0–0 dc4 8. ♗c4 ♘bd7 9. ♕e2 b6 10. a3 cd4 11. ab4 dc3 12. bc3 ♕c7 13. ♗b2 N [13. ♗d3] **♗b7** [△ ♘g4] **14. ♗a6⩲ ♗a6 15. ♖a6** [15. ♕a6 ♖fc8] **♖fc8 16. ♖d1** [16. e4 ♕c4 17. ♕c4 ♖c4 18. ♘d2⩲; 16... b5!?] **h6 17. h3 ♕b7 18. b5 ♘c5 19. ♖aa1 a6! 20. c4 ab5 21. ♗f6 gf6 22. ♖a8 ♕a8 23. cb5 ♘e4 24. ♕b2** [24. ♘d4?! ♘c3 25. ♕g4 ♔h8 26. ♖d3 ♖g8 27. ♕f3 ♕f3 28. ♘f3 ♘b5 29. ♖b3=] **♖c5!?** [△ 25. ♕d4 ♖d5] **25. ♘d4 ♕d5!? 26. ♖c1** [26. f3±] **♔g7= 27. ♖c5 bc5!** [♕ 8/c; 27... ♘c5 28. f3±] **28. ♘e2** [28. b6? cd4 29. b7 d3! 30. b8♕ d2–+] **♕d1 29. ♔h2 ♘d6?!** [29... ♘d2! 30. ♘g3 (30. ♘c3 ♕e1) ♕e1 31. b6 (31. ♘h5 ♔f8 32. ♕f6 ♘f1 33. ♔g1 ♘e3 34. ♔h2 ♘f1 35. ♔g1 ♘g3 36. ♔h2 ♘h5 37. ♕h6=; 31... ♔g8∓) ♕f2 32. ♘h5 ♔f8 (32... ♔g6? 33. ♕f6+–) 33. ♕f6 ♘f1 34. ♔h1 ♘g3=] **30. ♘g3** [30. b6? ♘c4∓; 30. ♘c3 ♕d3=] **h5 31. f3!⩲ ♕d5 32. h4 c4** [32... ♕e5 33. ♕e5 fe5 34. b6 ♔g6 35. ♘e4 ♘b7 36. g4 f5 37. ♘g3! fg4 38. fg4 hg4 39. ♔g2±] **33. b6 ♔g6** [33... ♘b5 34. e4 △ 34... c3 35. ed5 cb2 36. b7±] **34. ♕b4!±** [34. ♘e2 e5 35. ♘c3 (35. e4 ♕d1 36. ♘c3 ♕e1=) ♕d3 36. ♘b5 (36. ♕b1 f5=) ♕b3! (36... c3? 37. ♘c3 ♘c4

38. ♕b5 ♕c3 39. b7+−) 37. ♕b3 cb3 38. ♘c3 f5 39. g3 b2 40. ♔h3 e4=] f5

35. b7?⊕ [35. ♕b2! △ 35... f6 (35... e5 36. ♘f5 ♘f5 37. b7 c3 38. ♕b6+−) 36. ♘h5! ♔h5 (36... ♕e5 37. ♘f4; 36... e5 37. ♘g3±) 37. ♕f6+−] **♘b7 36. ♕e7?** [36. e4 fe4 37. fe4 ♕d8 38. ♔h3 ♕c7 39. ♕f8 ♕e5 40. ♘h5!? ♔h5? 41. g4 ♔g6 42. ♕g8 ♕g7□ 43. h5 ♔h6 44. g5 ♕g5 45. ♕h8#; 40... ♕h5∓] **♕d8!−+ 37. ♕b7 ♕h4 38. ♔g1 ♕g3 39. ♕b4 ♕c7 40. ♕f8 c3 41. f4 ♔f6** 0 : 1
[An. Karpov]

696. E 60

BARLOV 2490 − P. POPOVIĆ 2535
Jugoslavija (ch) 1989

1. c4 ♘f6 2. ♘f3 g6 3. b3 ♗g7 4. ♗b2 d6 5. d4 c5 [5... 0−0 − 37/639] **6. dc5 ♕a5** [6... dc5?! 7. ♕d8 ♔d8 8. ♘c3 △ 0-0-0±] **7. ♕d2 ♕d2** [7... ♕c5 8. ♘c3 0−0 9. e3 a6 10. ♗e2 ♕c7 11. 0−0 b6 12. ♖ac1 ♗b7 13. ♘d4 ♘bd7 14. ♘d5±] **8. ♘bd2 dc5 9. ♘e4 ♘bd7 10. g3** [10. 0-0-0? ♘e4 11. ♗g7 ♖g8 12. ♗b2 ♘f2−+] **0−0** [10... b6! 11. ♗g2 ♗b7=] **11. ♘f6 ♗f6 12. ♗f6 ♘f6 13. ♗g2 ♖d8?** [13... ♗f5 14. ♘e5 ♗e4 15. f3 ♗f5 16. e4 ♗e6 17. ♘d3 b6 18. ♘f4±] **14. ♘e5± ♔f8** [△ 14... ♖b8 15. 0−0 ♔f8] **15. ♘d3! ♘d7□ 16. 0-0-0 ♖e8** [16... ♔e8? 17. ♖d2+−] **17. f4 ♖b8 18. ♖d2 e6 19. ♖hd1 ♔e7 20. ♘f2** [20. e4 b6 21. e5 ♗b7 22. ♗b7 (22. ♘b4 ♗g2 23. ♖d7 ♔f8 24. ♘a6 ♖b7=) ♖b7 23. ♘f2 ♘b8 24. ♘e4 ♖c7 25. ♘f6 ♖h8 26. ♖d6±] **♘f6 21. e4?** [21. ♗f3! ♗d7 22. ♘g4±] **e5!□ 22. ♘d3** [22. fe5 ♘g4=] **♗g4 23. ♖f1 ef4 24. gf4 b6 25. ♘e5 ♖bc8 26. f5 gf5 27. ef5 ♔f8= 28. ♘d7 ♘d7 29. ♖d7 ♗e7 30. ♖d2 ♖e5?⊕** [30... ♖ce8=] **31. ♖f4!+− ♗e2** [31... ♗f5? 32. ♖f5 ♖f5 33. ♗h3] **32. ♗e4 ♗h5 33. ♖h4 ♔g7 34. ♗d3 ♔h6 35. ♗e2 ♖e2□** [35... ♖f5 36. ♖d5] **36. ♖e2 ♔g5 37. ♖h5** [37. ♖ee4? ♗f3 38. ♖ef4 h5=] **♔h5 38. ♖e7 ♖f8 39. ♖a7 ♔g5 40. ♖b7 ♔f5 41. ♖b6 ♔g4 42. ♖f6 h5 43. ♔b2 h4 44. a3 ♔g5 45. ♖f1 f5 46. b4 cb4 47. ab4 f4 48. b5 f3 49. ♔c3 ♔f4 50. c5 ♔e3 51. b6 ♔e2 52. ♖b1 f2 53. b7** 1 : 0
[Barlov]

697.** E 60

DORFMAN 2565 − SMEJKAL 2515
Moskva (GMA) 1989

1. d4 ♘f6 2. ♘f3 g6 3. c4 ♗g7 4. g3 0−0 5. ♗g2 d6 6. 0−0 ♘c6 [RR 6... ♘fd7 N 7. e4 e5 8. ♗g5 f6 9. ♗e3 ♘c6 10. ♘c3 ed4 11. ♘d4 ♘de5 12. c5 ♘g4 13. ♘c6 bc6 14. ♗d4 ♕e7 15. ♕a4 ♗d7 16. h3 ♘e5 17. f4 ♘f7 18. ♕a5 ♖fc8 19. ♖ad1± B. Lalić 2525 − D. Paunović 2460, Jugoslavija (ch) 1989; 6... c6 7. b3 ♕a5 N (7... a6 − 29/590; 7... e5 − 23/633) 8. ♕d2 ♕h5 9. ♘c3 e5 10. de5 de5 11. ♗a3 ♖e8 12. ♘g5 ♘a6 13. ♖ad1 ♗f5 14. ♘ce4 ♗e4 15. ♘e4 ♘e4 16. ♗e4 ♗f8 17. ♗b2 ♘c5 18. ♕c2 a5 19. ♗g2 ♗g7 20. a3 ♖e7= Pr. Nikolić 2605 − Speelman 2640, Barcelona 1989; 13. ♘ce4± Pr. Nikolić] **7. d5 ♘a5 8. ♘bd2 c5 9. ♘e1 b5 10. cb5 ♖b8** [10... a6!?] **11. ♘c2 ♖b5 12. ♖b1 ♗a6! N** [12... ♗f5 − 44/(705)] **13. ♖e1 c4** [13... ♘d7] **14. e4 ♘d7 15. b4!** [15. ♗f1!? ♖b6!] **cb3 16. ♘b3 ♘b3 17. ab3 ♖b7?!** [17... ♘c5!=] **18. ♘d4!± ♘c5 19. ♘c6 ♕e8!** [19... ♕d7 20. ♗a3!±] **20. ♗f1** [20. ♗a3? ♘d7=] **♗f1 21. ♔f1 ♘d7! 22. ♗b2** [22. b4? ♘b8! 23. b5 a6] **♗b2 23. ♖b2 ♘e5 24. ♘d4 ♕d7 25. ♔g2 e6?⊕ 26. f4+− ♘c4 27. ♖f2 ♘b6 28. de6 fe6 29. f5 ef5 30. ef5 gf5 31. ♘f5 ♕c6 32.**

♔h3 ♕c8 33. ♕g4 ♔h8 34. ♕d4 ♔g8 35. ♔g2 ♕c6 36. ♔g1 d5 37. ♘e7 ♖e7 38. ♖f8 ♔f8 39. ♕h8 1 : 0 [Dorfman]

698. E 60

CVITAN 2525 – S. TERZIĆ 2360
Zenica 1989

1. d4 ♘f6 2. c4 g6 3. ♘f3 ♗g7 4. g3 0–0 5. ♗g2 c5 6. 0–0 d6 7. b3 ♘c6 8. ♗b2 ♖b8 N [8... cd4 – 46/775; 8... ♘e4 – 35/669, 32/(652)] **9. ♘c3 ♗d7 10. ♖c1 ♕c8** [⌓ 10... cd4 11. ♘d4 ♘d4 12. ♕d4 a6±] **11. ♕d2 ♗h3 12. d5! ♗g2 13. ♔g2 ♘a5** [13... ♘e5 14. ♘e1 a6 15. a4±○] **14. e4** [14. ♘b5 *a)* 14... a6?! 15. ♕a5 ab5 16. ♗f6! (16. ♕b5? ♖a8 △ ♘e8) ♗f6 17. cb5±; *b)* 14... ♘e4□ 15. ♕a5 ♗b2 16. ♖b1 (16. ♖c2 ♗f6 17. ♘a7 ♕f5 △ 18... ♘g3, 18... g5↑) ♗f6 17. ♘a7 ♕f5 △ g5⇆ ×♕a5, ♘a7] **a6 15. ♖fe1 ♕c7 16. e5±○** [×♘a5] **de5 17. ♘e5 b5 18. cb5 ab5 19. ♘e4** [19. b4? cb4 20. ♘b5 ♕b7] **♘e4 20. ♖e4** [△ b4] **♕d6** [20... ♘b7 21. ♘c6 ♖be8 22. ♗g7 ♔g7 23. ♕g5!±] **21. ♖d1** [21. ♕a5!? ♕d5 22. f3 ♖a8 23. ♕c3 ♖a2 24. ♖c2 ♖d8 25. ♖ee2±] **♖a8 22. h4 ♖fd8** [⌓ 22... h5] **23. h5 e6**

24. h6! [24. ♘f7? ♔f7? 25. de6+–; 24... ♕d5!] **♕d5** [24... ♗f8 25. ♘g4! ♗e7 26. ♕c3+–; RR 24... ♗h8 25. ♘f7 (25. ♘g6? fg6 26. ♖e6 ♕e6–+) *a)* 25... ♔f7 26. de6 ♔e8 (26... ♔g8 27. ♕d6 ♖d6 28. ♖d6 ♗b2 29. e7 ♖e8□ 30. ♖f4 ♘b7□ 31. ♖d7+–; 26... ♕e6 27. ♕f4 ♕f5 28. ♕c7+–) 27. ♕d6 ♖d6 28. ♖d6 ♗b2 29. ♖d7+–; *b)* 25... ♕d5 26. ♘d8! (26. ♕d5 ♖d5!) ♕e4 (26... ♖d8 27. ♕d5 ed5 28. ♗h8+–) 27. f3 ♕d5 (27... ♕f5 28. ♗h8 ♔h8 29. ♕d7 ♕f8 30. ♘e6 ♕h6 31. ♖h1+–) 28. ♕e2 ♕f5 29. ♗h8 ♔h8 30. ♘e6 ♕f6 31. ♘d8!+– Veličković] **25. ♕f4!! ♗e5 26. ♗e5 ♕d1 27. ♕f6 ♔f8 28. ♖f4! ♕d5□ 29. f3 ♕b7 30. ♕g7 ♔e8 31. ♕g8 ♔d7 32. ♖f7 ♔c6 33. ♕h7 ♖d7** [33... ♕b6 34. ♕g6+–; 33... ♕a6 34. ♖c7 ♔b6 35. ♕e7! ♘b7□ 36. ♕e6 ♔a5 37. ♖c6 ♕a7 38. b4! cb4 39. ♗c7 ♔a4 40. ♕b3#] **34. ♕g6!+– ♖e8** [34... ♖d2 35. ♔h3 ♕c8 36. h7] **35. ♖f8! ♖ee7□ 36. h7! ♖d2 37. ♔f1 ♕d7 38. ♕e4 ♔b6 39. ♖b8 ♘b7 40. h8♕ ♖d1 41. ♔f2 ♕d2** [41... ♖d2 42. ♔e3 ♖a2 43. ♖b7] **42. ♕e2 ♕d5 43. ♗c3 b4 44. ♖a8 ♖d3 45. ♗f6 ♖d7 46. ♕b8 ♖h7 47. ♕a7 ♔c7 48. ♗e5 ♔d7 49. ♕b7 1 : 0 [Minić, Sindik]**

699.* E 61

BARBERO 2495 – UHLMANN 2515
Debrecen 1989

1. d4 ♘f6 2. c4 g6 3. ♘c3 ♗g7 4. ♘f3 0–0 5. ♗g5 [RR 5. ♗f4 d6 6. e3 c6 7. ♗e2 a6 8. 0–0 b5 9. a3! N (9. cb5 – 43/(721)) ♘bd7 10. cb5 ab5 (10... cb5 11. e4 ♗b7 12. ♗d3 ♘b6 13. ♕e2±) 11. e4 ♘b6 12. ♕c1 ♖e8 (12... ♗b7 13. ♗h6 ♘a4 14. ♗g7 ♘c3 15. ♕c3 ♔g7 16. ♗d3 ♕b6±) 13. ♖d1 ♗b7 14. ♗d3 ♕d7 (14... ♕c8? 15. ♗h6 ♗h8 16. e5! ♘fd5 17. ♘e4 ♕d7 18. ♘eg5 ♘c7 19. ♕f4± Pantev – Kolev 2425, Plovdiv 1989) 15. ♗h6 ♗h8 16. e5 ♘fd5 17. ♘e4±; ⌓ 13. ♗d3 Pantev] **c5 6. e3** [6. ♗f6 ♗f6 7. ♘e4 ♕b6=] **d6 7. ♗e2 h6 8. ♗h4 cd4 9. ♘d4** [9. ed4 ♗g4=] **♘c6 10. 0–0 ♗d7 11. ♕c2 N** [11. ♕d2; 11. a3] **a6 12. ♖fd1 ♖e8 13. ♖ac1 ♖c8 14. b3 g5! 15. ♗g3 ♕a5 16. ♕b2?!** [16. ♘c6 ♗c6 17. ♕d2 b5 18. ♘d5 ♕d2 19. ♘f6 ♗f6 20. ♖d2 b4=] **b5! 17. cb5 ♘d4 18. ed4 ab5 19. b4** [19. ♗f3?! b4 20. ♘e4 ♘d5∓ △ f5-f4] **♕b6 20. f3** [20. ♗f3

♖c4! 21. ♘d5 ♘d5 22. ♖c4 bc4 23. ♗d5 ♗b5∓] **♖c7! 21. ♗f2 ♕b7!** [21... ♖ec8 22. d5 ♕b7 23. ♗d4!=] **22. h4** [22. d5 ♘h5!∓] **♖ec8 23. hg5 hg5 24. ♕d2 g4! 25. ♗e3** [25. fg4 ♗g4!∓; 25. d5 ♗f5! 26. ♗d4 ♗g6∓ △ 27. ♘b5 ♖c2−+] **♗f5! 26. ♖f1** [26. ♘b5 ♖c2! 27. ♕e1 ♘d5 28. ♗f2 ♘f4 29. ♗f1 gf3−+] **g3! 27. ♘b5** [27. ♗f4 ♘d5! 28. ♘d5 ♕d5 *a)* 29. ♖c7 ♖c7 30. ♖c1 ♖c1 31. ♕c1 ♕d4! 32. ♗e3 (32. ♔h1 ♗h6!! 33. ♗h6 ♕h4−+; 32. ♕e3 ♕b4−+) ♕b4−+; *b)* 29. ♗g3 ♖c2 30. ♖c2 ♖c2 31. ♕d1 ♕a2 32. ♖f2 (32. ♖e1 ♖d2−+) ♖d2 33. ♗f1 ♗d4−+] **♖c2! 28. ♖c2 ♖c2 29. ♕d1 ♘d5 30. ♗c1** [30. ♗d2 ♕b6−+] **♘b4 31. a4** [31. a3 ♖e2! 32. ♕e2 ♗d3 33. ♕e1 ♕b5−+] **♕d5!** [△ ♕a2] **32. f4** [32. ♖e1 ♗d7! 33. ♗f4 ♗b5 34. ab5 (34. ♗b5 ♗d4 35. ♔f1 ♖f2#) ♗d4 35. ♔f1 ♗f2 36. ♕d5 ♘d5 37. ♖c1 ♖e2−+] **♗d3!! 33. ♗f3 ♕f5 34. ♗e3 ♕h7 0 : 1** **[Uhlmann]**

700. **E 62**

B. LARSEN 2560 − MORTENSEN 2470
Esbjerg 1988

1. c4 ♘f6 2. g3 g6 3. ♗g2 ♗g7 4. ♘c3 0−0 5. d4 d6 6. ♘f3 c6 7. h3 a6!? 8. 0−0 b5 9. c5!? N [9. cb5] **♘bd7 10. cd6** [10. ♗e3!? d5 11. b4 a5] **ed6 11. ♘g5 ♗b7 12. ♘ge4 ♘e8 13. ♗g5 f6 14. ♗f4 ♕e7 15. ♖c1** [15. h4!?] **♔h8 16. h4** [16. g4!?] **f5** [16... h6 17. g4 f5 18. gf5 gf5 19. ♘g3 ♕h4 20. e3=∞] **17. ♘g5 h6**

18. d5! hg5 19. ♗g5 ♘df6 20. dc6 ♗c8 21. ♘d5 [21. c7 ♘c7∞] **♕f7** [21... ♕e6? 22. c7 ♖a7 23. ♕d4 ♖b7 24. ♘f4+−; 21... ♘d5?! 22. ♗e7 ♘e7 23. h5] **22. c7 ♘e4 23. ♗e7 ♖g8 24. ♗d8** [24. ♘b6? ♕e7 25. ♘a8 ♗b2] **♗e6** [24... ♖a7 25. ♘b6 ♕e6 26. ♕d5!] **25. ♘b6 ♖c8 26. ♘c8 ♗c8∞ 27. ♕c2 ♘8f6 28. b3 ♖e8 29. ♕c6** [29. ♖fd1 ♘g4!] **♕e6** [29... ♘d5!?] **30. ♗f6 ♘f6 31. ♖fd1 ♗f8 32. e3 ♔g7 33. ♕b6 ♘e4 34. ♕d4 ♕e5 35. a4** [35. ♖c6!] **ba4 36. ba4 ♕d4 37. ♖d4⊕ ♘c5??⊕ 38. ♖c5 dc5 39. ♖d8 c4** [39... ♔f7 40. ♗c6] **40. ♔f1??** [40. ♖e8 c3 41. ♖c8 c2 42. ♖b8!] **c3 41. ♔e2 ♗b4∓** [41... ♖e7 42. ♖c8 ♖d7 43. ♖b8 ♖c7 44. ♖b7 ♖b7 45. ♗b7 ♗b4! 46. ♔d3 c2=] **42. ♔d1! ♖f8** [42... ♔f7? 43. ♗c6 ♖f8 44. ♗d7] **43. ♗c6 ♔f6??** [43... ♗e6 44. ♗d5! (44. ♗d7? ♗b3 45. ♔e2 ♗c4 46. ♔f3 c2!−+) ♗c8 45. ♗c6=; 43... f4!?] **44. ♗e8 ♗e6 45. c8♕ ♗c8 46. ♖c8 a5 47. ♖c6 ♔e5 48. ♗g6 ♖d8 49. ♔e2! ♖d2 50. ♔f3 c2 51. ♗f7! ♗a3 52. ♗b3 1 : 0**
[B. Larsen]

701.* **E 62**

M. JUKIĆ 2475 − PANDUREVIĆ 2340
Jugoslavija 1989

1. d4 ♘f6 2. c4 g6 3. ♘f3 ♗g7 4. g3 0−0 5. ♗g2 d6 6. 0−0 c6 7. ♘c3 a6 [RR 7... ♗f5 8. b3 ♘e4 9. ♗b2 ♘c3 10. ♗c3 ♗e4 11. ♖c1 N (11. ♕d2 − 44/707, 708) ♘d7 12. e3 ♖e8 13. ♗h3 e6 14. ♘e1 c5 15. ♕d2 cd4 16. ♗d4 ♘f6 17. ♗g2 ♗g2 18. ♘g2 ♕e7 19. ♖fd1 ♖ed8= Gulko 2590 − Speelman 2645, Hastings 1988/89] **8. e4 b5 9. e5 ♘e8 10. ♕e2 f6 11. ♖d1! ♘c7 12. h3 bc4 13. ed6! N** [13. ♕c4∞] **ed6 14. ♕c4 d5** [14... ♗e6 15. d5!! cd5□ 16. ♕a4± △ ♘d4] **15. ♕b3 ♘e6 16. ♘a4 ♘d7 17. ♕c2 ♗b7 18. b3 f5 19. ♗b2 ♖c8?!** [⌓ 19... ♕f6 △ ♖ae8] **20. ♖e1 ♘g5 21. ♘g5 ♕g5 22. h4! ♕f6** [22... ♕g4 23. ♔h2!] **23. ♖e2 ♖ce8 24. ♖ae1 ♖e2 25. ♕e2 ♕d6□ 26. ♗c3!** [△ ♕d2] **♖f7 27. ♕d2 ♗f8** [27... ♖e7 28. ♖e7 ♕e7 29. ♕f4!±] **28. ♖e8! ♘f6** [28... ♔g7 29.

♘c5!+—] **29. ♗b4! ♕c7** [29... ♘e8 30. ♗d6 ♗d6 31. ♕a5+—; 29... ♕d7 30. ♖f8 ♖f8 31. ♗f8 ♔f8 32. ♘c5 ♕e7 33. ♕b4+—] **30. ♗a5! ♕d6 31. ♖d8 ♕e7** [31... ♖d7 32. ♗b4+—] **32. ♘c5+— ♘e8?⊕** [32... ♘e4 33. ♗e4 fe4 34. ♖b8] **33. ♘b7 1 : 0** [M. Jukić]

702.* E 63

BAGIROV 2460 — ČEHOV 2480
Berlin 1989

1. ♘f3 ♘f6 2. c4 g6 3. g3 ♗g7 4. ♗g2 0—0 5. d4 d6 6. 0—0 ♘c6 7. ♘c3 a6 8. d5 [RR 8. b3 ♖b8 9. ♘d5 ♘h5!? N (9... e6 — 45/(712)) 10. ♗b2 e6 11. ♘c3 b5 12. cb5 ab5 13. ♖c1 b4 14. ♘a4 ♗d7 15. ♕c2 ♕e7 16. e3 ♖fc8 17. ♘e1 ♘a5 18. ♘d3 ♘f6 19. ♕d2 ♗a4 20. ba4 d5 21. ♘c5 ♘c4 22. ♕e2 ♘b2 (22... ♘d7?! 23. ♘a6 ♖b6 24. ♖c4! dc4 25. ♕c4 c6 26. a5 ♖b5 27. ♖c1!±↑≪ Savon 2425 — Lanka 2420, Trnava II 1989) 23. ♕b2 ♘d7= Lanka] **♘a5 9. ♘d2 ♘d7!?** N [Mejsner; 9... c6?±; 9... c5 — E 66] **10. ♕c2 ♘e5 11. b3 c6 12. ♗b2 b5** [RR 12... cd5 13. cd5± ×♘a5 Bagirov] **13. dc6** [13. cb5!? a) 13... ab5?! 14. b4 ♘ac4 15. ♘c4 ♘c4 16. dc6 ♗f5 17. ♕c1 (17. e4 ♗e6 △ ♖a6∞) d5 18. c7! (18. ♖d1?! e6 19. e4 ♗g4 20. f3 ♕b6 21. ♔h1 ♕f2 22. fg4 ♕b2 23. ♘b5 ♕a1 24. ♕a1 ♗a1 25. ♖a1 ♖fc8∓) ♕d7 19. ♗d5±; b) 13... cb5 14. a3 ♕b6 △ ♗d7, ♖fc8] **♘ac6 14. cb5 ab5 15. ♘b5 ♘b4 16. ♕e4** [16. ♕b1 ♗f5 17. ♗e4 (17. e4 ♗d7 18. ♘d4 ♘bd3∞) ♗e4 a) 18. ♕e4 ♖a2 19. ♖a2 ♘a2 20. ♕a4 (20. ♖a1 ♕a5!) ♕a8 21. ♖a1 (21. ♕a8 ♖a8 22. ♖a1 ♘f3 23. ♘f3 ♗b2=) ♕a4 22. ba4 ♘b4 23. a5 ♘a6 △ ♖b8=; b) 18. ♘e4 d5! 19. ♘d2 (19. ♘ec3?! d4 20. ♖d1 dc3 21. ♖d8 cb2∓; 19. ♖d1 ♕b6 20. ♘ec3 ♘g4 21. e3 ♘e3 22. fe3 ♕e3 23. ♔g2 d4∞ △ 24. ♖e1 dc3!) ♕b6 20. a4 (20. ♘d4 ♘ed3! 21. ed3 ♗d4∞; 20. ♘c3 d4 21. ♘a4 ♕b5∞) ♖fc8∞] **♖a2 17. ♕b4!** [17. ♖a2 ♘a2 18. ♕a4 ♗d7 19. ♕a2 ♗b5 20. ♘c4=] **♖b2 18. ♘d4 ♘d7□ 19. ♕c3?!** [19. ♘c6! ♕b6 (19... ♕e8? 20.

♖a8 ♔h8 21. ♘a7+—) 20. ♘e7 ♔h8 21. ♕b6 ♘b6 22. ♘c8 a) 22... ♖c8 23. ♖a6! (RR 23. ♖ad1 d5 24. e3± Bagirov) ♖d2 (23... ♖b8 24. ♘c4) 24. ♖b6; b) 22... ♘c8! 23. ♖ad1 ♘b6 24. ♘c4 (24. e3 d5 △ ♖c8-c2) ♘c4 25. bc4 ♖c2! 26. ♖d6 ♖c4±] **♗d4 20. ♕d4 ♖c2 21. ♕d3** [21. ♖a7!?] **♖c7 22. b4** [22. ♖a8 ♘b6 23. ♖b8 ♘d7=] **♗b7 23. ♖fb1 ♗g2 24. ♔g2 ♕b8 25. b5 ♖fc8 26. ♖a3 ♖b7?!** [26... ♕b7 27. ♕f3 (27. ♘f3 ♘e5; 27. ♔g1 ♖c1; 27. f3 ♖c2! △ 28. b6 ♘b6 29. ♖ab3 ♕d5) ♘e5 28. ♕b7 ♖b7=] **27. ♘f3 ♘c5 28. ♕e3 e5 29. ♕d2** [RR 29. ♕h6?! ♖b5 30. ♖b5 ♕b5 31. ♖a7 (31. ♘g5 ♕b7!) ♕b6 32. ♘g5!±; 31... ♘c6!∓ Bagirov] **♖b6 30. ♖a5 ♕b7?!** [30... ♘e6 △ ♘c7, ♕b7, ♖b8] **31. ♕a2! ♕d7 32. ♖a7 ♕e6 33. ♕e6 ♘e6 34. h4 h6** [34... ♖cb8 35. ♘g5! ♘g5 36. hg5 ♖b5 37. ♖b5 ♖b5 38. ♖d7 ♖b6 39. ♔f3=] **35. ♖d1 ♖c2 36. ♖d2!** [36. e3 ♖b5 37. ♖d6 ♖bb2—+] **♖d2 37. ♘d2 ♖b5** [37... d5 38. ♘f3 f6 39. ♖a6] **38. ♘e4 ♖b6 39. ♖d7 ♘c5 40. ♖d6 ♖d6 1/2 : 1/2** [Čehov]

703.** E 63

DREEV 2520 — M. GUREVIČ 2590
New York 1989

1. d4 d6 2. ♘f3 g6 3. g3 ♗g7 4. ♗g2 ♘f6 5. 0—0 0—0 6. c4 ♘c6 7. ♘c3 a6 8. h3 ♖b8 9. a3?! [RR 9. e4 b5 10. e5 de5 11. de5 ♕d1 12. ♖d1 ♘d7 13. e6 fe6 14. cb5 ab5 a) 15. ♗f4 b4 16. ♘a4 ♘b6 17. ♘b6 ♖b6 18. ♗c7 ♖b7 19. ♗f4 ♗b2 20. ♖ab1 ♗c3 21. ♘g5 ♖b6 22. ♘e4 N (22. ♗e3?! — 29/595) ♗d4 23. ♖bc1 e5 24. ♗h6 ♖d8 25. ♘c5 ♖d6 26. ♘e4 ♖d8= Gol'din 2535 — H.-U. Grünberg 2475, Moskva (GMA) 1989; b) 15. ♗e3 b4 16. ♘a4 ♘ce5 17. ♘e5 N (17. ♘d4 — 39/721) ♗e5 18. ♗c6! ♗d6! (18... ♘b6 19. ♘b6 cb6 20. ♗h6 ♗g7 21. ♗g7 ♔g7 22. ♖d4±) 19. ♗a7 ♖b7 (19... ♘e5?! 20. ♗b8 ♘c6 21. ♗c7! ♗c7 22. ♖ac1 ♗b7 23. ♖d7 ♖c8 24. ♘b6! ♗b6 25. ♖b7 ♗d4 26. ♖b4 e5 27. ♖bc4 ♖f8 28. ♖c6 ♖f2 29. ♔h1 ♖b2 30. ♖6c2± Lagunov — Isupov, SSSR 1988) 20. ♗b7 ♗b7∞ Lagunov; 9. ♗e3 b5 10. ♘d2 ♗d7 11. ♖c1 ♘a5 12. cb5 ab5 13. b4 ♘c4 14. ♘c4 bc4 15. b5 d5 16. a4 c6 N (16... e6 — 40/729) 17. ♗f4 ♖b7 18. ♖b1 ♕a5 19. ♕d2 ♖a8 20. ♖b2 e6 21. ♗e5! ♘e4!? (21... ♘e8 22. ♗g7 ♔g7 23. e4 ♘c7 24. ♖c1! cb5 25. ab5! ♖ab8 26. ed5 ed5 27. ♘d5 ♕d2' 28. ♖d2 ♘d5 29. ♗d5 ♖b5 30. ♗c4±) 22. ♗e4! (22. ♘e4 de4 23. ♕a5 ♖a5 24. ♗e4 ♗e5 25. de5 c3!□ 26. ♖b4! ♖b8! 27. ♖d1 ♗e8=) de4 23. ♘e4 ♕d2 24. ♖d2 cb5 25. ♖b1 ♖b6□ 26. ♘c5 (26. a5 ♖a5 27. ♗c7 ♖aa6 28. ♗b6 ♖b6∞) ♗e8 27. ♗g7 ♔g7 28. ♖db2 ♖bb8!! 29. ab5 c3 (Lagunov — Isupov, SSSR 1989) 30. ♖b3 ♖b5!□ 31. ♖b5 ♗b5 32. ♖b5 c2 33. ♘d3 ♖a1 34. ♔g2 c1♕ 35. ♘c1 ♖c1 36. g4± Lagunov] ♘a5! N [9... b5?!±] 10. ♘d2 ♘d7 11. e3 c5 12. b4!? [12. dc5 ♗c3! 13. bc3 ♘c5∓] cd4 13. ed4 ♘c6? [13... ♗d4∓ 14. ♘de4 ♘c6 15. b5 ♗c3 16. ♘c3 ♘ce5 17. ♗h6 ♖e8 18. f4? ♘c4 19. ♕d4 ♕b6—+] 14. ♘b3 ♘b6 15. c5 dc5 16. bc5± ♘c4 17. ♗f4 ♖a8 [△ 17... e5 18. de5 ♗e5±] 18. ♘d5 [18. ♖c1! (△ d5) ♘d4? 19. ♘d4 ♗d4 (19... ♕d4 20. ♕d4 ♗d4 21. ♘e2+—) 20. ♘d5+—] ♘b2! [18... ♗e6 19. ♘c7] 19. ♕c2 ♗e6 20. ♘e7 ♘e7 21. ♕b2 ♗d5∞ 22. ♗d6 ♗g2 23. ♔g2 ♖e8 24. ♘d2 ♘f5= 25. ♗e5!⊕ [25. ♕b7 ♘d6 26. cd6 ♕d6∓ 27. ♘f3? ♖ab8 28. ♕a7 ♖e7—+] ♘d4 26. ♗g7 ♕d5 27. ♔h2 ♔g7 28. ♘b3 ♕b3 29. ♕d4 ♔g8 30. ♖ab1 ♕f3 31. ♕g4?! ♕a3 32. ♖b7 ♕c5 33. ♕f3!= ♕c4 34. ♖c1! ♕e6 35. ♖cc7 ♖f8 36. ♖f7 ♖f7 37. ♖f7 ♕f7 38. ♕a8 ♔g7 39. ♔g2 ♕c4 40. ♕a7 ♔g8 41. ♕b8 1/2 : 1/2 [M. Gurevič]

704. E 66

ŠIROV 2450 — CEŠKOVSKIJ 2520

Moskva (GMA) 1989

1. d4 ♘f6 2. c4 g6 3. g3 ♗g7 4. ♗g2 c5 5. ♘f3 0—0 6. 0—0 d6 7. ♘c3 ♘c6 8. d5 ♘a5 9. ♘d2 a6 10. ♕c2 e6 11. b3 ed5 12. cd5 b5 13. ♗b2 ♖e8 14. e4 ♘d7 N [14... ♖a7 — 7/580] 15. h3 ♖c8 16. ♔h2

[16. ♖ae1!?] **h5** [16... ♖e5!? △ ♖h5↑»] **17. ♖ae1** [17. f4!? h4 18. g4 ♗g4 19. hg4 ♘g4 20. ♔h1 ♘e3 21. ♕d3 ♘f1 22. ♕f1!±] **♕c7 18. ♘d1 h4 19. g4 c4□ 20. b4 c3! 21. ♗c3 ♘c4∞ 22. ♘b1 ♘b6 23. ♕d2** [23. ♖e3 ♗g4 24. hg4 ♘g4 25. ♔h1 ♘e3 26. ♘e3 (26. fe3 ♘a4 27. ♗h3 ♗c3 28. ♗c8 ♖c8 29. ♘dc3 ♘c3 30. ♖c1 ♘d5—+) ♘a4 27. ♖c1 (27. ♗h3 ♘c3 28. ♖c1 f5 29. ef5 ♘d5—+) ♘c3 28. ♕b3 ♕e7 29. ♘c3 ♕f6 30. ♘ed1∓] **♘a4 24. ♗d4** [24. g5 ♘e4 25. ♖e4 ♘c3 26. ♘dc3 ♗c3 27. ♘c3 ♕c3∓] **♕c2∓ 25. ♕c2 ♖c2 26. ♔g1 ♖c4 27. ♗f6 ♗f6 28. a3 ♖c2 29. ♘e3 ♖b2 30. ♖c1 ♘b6 31. ♖c7 ♖c8 32. ♖b7⊕ ♗d4⊕ 33. ♖d1** [33. ♖e1 ♗e8∓] **♗e3 34. fe3 ♘c4 35. ♖d7 ♘e3—+ 36. ♖d2 ♖b1 37. ♔f2 ♘c4 38. ♖c2 ♖e8 39. ♖a7 ♖b3 40. ♖a6 ♘a3 41. ♖c7 ♖b2 42. ♔g1 ♘c4 43. ♖aa7 ♘e5 44. ♖a6 ♖d8 0 : 1** [Ceškovskij]

705.* E 68

DRAŠKO 2505 — BARLOV 2490

Jugoslavija (ch) 1989

1. ♘f3 ♘f6 2. c4 g6 3. g3 ♗g7 4. ♗g2 0—0 5. 0—0 d6 6. d4 ♘bd7 7. ♘c3 e5 8. e4 h6 9. ♕c2 N [RR 9. ♖b1 ♘h7 10. de5 de5 N (10... ♘e5 — 46/(783)) 11. ♗e3 c6 12. ♕d2 ♘b6 13. b3 ♕d2 14. ♘d2 ♗e6 15. ♖fd1 f5?! 16. ef5 gf5 17. a4 ♘g5 18. ♘e2 ♘d7 19. f4 ♘f7 20. ♘f3 ♖fe8 21. ♖d2± Bany 2440 — Volke 2380, Gliwice 1989; 15... ♖ad8=; 12. ♕c1!? Bany; 9. h3 ♘h7 10. ♗e3! N (10. d5 — 46/(783)) ♘g5 11. ♘g5 hg5 a) 12. ♕d2?! ed4 13. ♗d4 ♘e5 14. b3 c5 15. ♗e3 ♗h3 16. ♗g5 ♕d7 17. f4 (17. ♘d5!? f6 18. ♗e3∞) ♗g2 18. ♔g2 ♘g4 19. f5 ♗c3 20. ♕c3 f6 21. ♗d2 ♖ae8 22. ♖ae1 ♔g7 23. ♕f3 ♘e5 24. ♕e2 ♖h8 25. ♗c3 b5∞ Gauglitz 2420 — Čehov 2480, Berlin 1988; b) 12. d5! f5 13. ef5 gf5 14. g4! f4 (14... fg4 15. hg4±) 15. ♗d2± Gauglitz] **♘h7 10. d5 a6** [10... a5 11. ♗e3 f5!? 12. ef5 gf5 13. ♘h4 f4 14. ♗d2 ♘c5∞] **11. ♗e3** [11. ♖e1 f5? 12. ♘h4 ♕f6 13. ef5 gf5 14. ♘f5! ♕f5

15. ♗e4+−] **f5 12. ♕c1** [12. ♘h4 f4∞] **f4 13. gf4 ef4 14. ♗f4 g5 15. ♗e3** [15. ♗g3 g4 16. ♘h4 ♘e5∓] **g4 16. ♘d4 ♘e5**=/∞ **17. f4!**□ [17. ♗h6 ♗h6 18. ♕h6 ♘g5 △ ♖f7-h7] **gf3** [17... ♘c4?! 18. ♗f2±○] **18. ♘f3 ♘f3 19. ♖f3 ♖f3 20. ♗f3 ♘g5 21. ♗g2** [21. ♗g5 hg5=/∞⊡] **♕f6 22. ♔h1 ♗g4 23. ♕e1! ♗f3 24. ♕g3 ♖e8** [24... ♗g2 25. ♕g2±] **25. ♖f1 ♗g2 26. ♕g2 ♕g6 27. h4⊕ ♗c3 28. bc3** [28. hg5 ♖e4 29. gh6 ♖h4 30. ♔g1 ♖g4 31. ♖f2 ♗e1!! △ ♖g2, ♗g3−+] **♕e4** [28... ♖e4! 29. ♗f4 ♕h5 30. ♗g5 ♖e2!∓] **29. hg5 ♕g2 30. ♔g2 ♖e3 31. gh6 ♖c3 32. h7!**□ **♔h7 33. ♖f7 ♔g6 34. ♖c7= ♔f5 35. ♖b7 ♔e5 36. ♖e7 ♔d4 37. ♖d7!** [37. ♖a7? ♖a3∓] **♔e5** [37... ♔c5 38. ♖c7] **38. ♖e7 ♔d4 39. ♖d7 ♖c4 40. ♖d6 ♖a4 41. ♖d8**
1/2 : 1/2 **[Barlov]**

706.** **E 69**

ŠTOHL 2455 − J. REYES 2445
Vrnjačka Banja 1989

1. ♘f3 ♘f6 2. c4 g6 3. ♘c3 ♗g7 4. g3 0−0 5. ♗g2 d6 6. d4 ♘bd7 7. 0−0 e5 8. e4 [RR 8. h3 c6 9. e4 ed4 10. ♘d4 ♕b6 N (10... ♖e8 − 45/716) 11. ♘de2 ♕c7 12. ♗e3 ♖e8 13. ♖c1 ♘c5 14. f3 ♕e7 15. ♖c2 ♗e6 16. b3 ♖ad8 17. ♖d2 a5 18. ♔h2 ♗c8 19. ♕c1 b6 20. ♖fd1 ♗b7 21. ♘a4 ♕c7∞ Adorján 2525 − Lautier 2450, Moskva (GMA) 1989] **a6 9. ♕c2 c6 10. h3 b5?!** [10... ♖e8 11. ♗e3 N (11. ♖d1 − 46/(783)) b5 12. cb5 ab5 13. de5 de5 14. b3± ♕a5?! 15. a4± Štohl 2455 − I. Bilek 2410, Trnava II 1989] **11. c5 N** [11. ♖d1 − 17/651] **♘e8** [11... dc5 12. de5 ♘e8 13. ♗g5 ♕b6 (13... f6 14. ef6±) 14. ♗e7 ♘e5 15. ♘e5 ♗e5 16. ♗f8 ♔f8 17. f4 ♗d4 18. ♔h2±] **12. ♗g5!** [12. d5 ♗b7; 12. cd6 ed4 13. ♘e2 ♗b7!? 14. ♘ed4 c5∞] **f6** [12... ♗f6 13. ♗f6 ♕f6 14. cd6 ed4 (14... ♘d6 15. ♖ad1±) 15. ♘e2 ♕d6 (15... c5 16. e5± △ ♘fd4) 16. ♘fd4±⊞] **13. ♗e3 dc5 14. dc5±○ ♕e7?!** [14... a5 15. a4 b4 16. ♘b1 △ ♘bd2-b3, ♘fd2-c4 ×a5±] **15. a4! ♘c7** [15... ♘c5? 16. ab5] **16. b4** [△ 17. ab5 ab5? 18. ♖a8 ♘a8 19. ♕a2] **♖f7 17. ♘d2 ♘f8 18. ♘d5!** [18. ♘b3 ♗d7 19. ♘a5 ♖b8] **♕d8** [18... cd5 19. ed5 ♗f5 20. ♕c3 ♕d7 (20... ♕e8 21. d6 ♘ce6 22. ab5+−) 21. d6 ♗h3 22. ♗h3 ♕h3 23. dc7 ♖c8 24. ab5 ab5 25. ♘e4 △ ♘d6±] **19. ♘c7** [19. ♘b6 ♖b8 20. ♘b3 ♘fe6!?±] **♕c7 20. ab5 cb5 21. ♘b1! ♗b7 22. ♘c3 ♖d8 23. ♘d5 ♕c8 24. ♖fc1** [24. ♖fd1!? ♗c6? 25. ♕a2] **♕c6 25. ♖d1 ♘e6 26. f4 ef4** [26... ♔h8 27. f5 △ ♘b6] **27. ♘f4** [27. gf4!?] **♖d1 28. ♖d1 ♘f4 29. ♗f4 ♖d7** [29... ♗f8 30. ♖d8 ♔g7 (30... ♖d7 31. e5+−) 31. e5+−; 29... ♕e8 30. ♖d6 ♗f8 31. ♖b6!] **30. ♗d6 ♗f8** [30... ♕c8 31. e5 ♗g2 32. ♕g2 fe5 33. ♕d5 ♔h8 34. c6 ♖d8 35. c7 ♖e8 (35... ♖d7 36. ♗e5!! ♖d5 37. ♖d5+−) 36. ♕f7 △ ♗c5, ♕e8+−] **31. e5!+− ♕g2 32. ♕g2 ♗g2 33. e6 ♖d8 34. ♔g2 ♖e8 35. c6 ♖c8** [35... ♖e6 36. c7] **36. c7!** [36. e7 ♗e7 37. ♗e7 ♖c6] **♗d6 37. ♖d6 ♖c7 38. ♖d8**
1 : 0 **[Štohl]**

707. **E 69**

STECKNER 2300 − PRIEPKE
corr. 1988/89

1. d4 ♘f6 2. c4 g6 3. g3 ♗g7 4. ♗g2 d6 5. ♘f3 0−0 6. 0−0 ♘bd7 7. ♘c3 e5 8. e4 c6 9. b3 ed4 10. ♘d4 ♖e8 11. h3 ♘c5 12. ♖e1 d5! [12... a5 − 45/717] **13. ed5 ♖e1 14. ♕e1 cd5 15. ♗a3!?** [15. cd5 ♘d5 16. ♘d5 ♗d4 17. ♘e7 ♔g7 18. ♗e3 ♘d3 19. ♗d4 ♕d4 20. ♖d1 ♘e1 21. ♖d4 ♗h3∓] **♘d3** [15... ♘fe4 Steckner] **16. ♕e3** [16. ♕e7 ♕e7 17. ♗e7 ♘g4] **dc4 17. ♗e7 ♕b6** [17... ♕a5!? 18. ♗f6 ♗f6 19. ♘d5 ♗d4 20. ♕d4 ♕c5 21. ♕c5 (21. ♕f6 c3) ♘c5= Steckner, Priepke] **18. bc4 ♘d7?! N** [18... ♘g4 19. hg4 ♕d4 20. ♖d1 ♕e3 21. fe3±; 18... ♘f2!! 19. c5 (19. ♖b1 ♘h3! 20. ♗h3 ♘d5!∓; 19. ♘a4 ♘d5 20. ♘b6 ♘e3 21. ♘a8 ♗d4 22. ♖b1 ♘g2 23. ♔g2 ♗h3 24. ♔h2 ♗c8 25. ♘c7 ♗e5 26. ♘d5 ♘e4∓) ♘h3 20. ♗h3 ♕b2 21. ♖b1 ♘d5 22. ♖b2 ♘e3 23. ♗c8 ♗d4 24. ♖d2

♗c3 25. ♖d8 ♔g7 26. ♔h1 ♘f5 27. ♗b7 ♖d8 28. ♗d8 ♘g3 29. ♔g2 ♗e5 30. ♔f3 ♘f5∓ Steckner, Priepke] **19. c5! ♘7c5** [19... ♕b4!?] **20. ♖d1 ♗d7 21. ♘d5 ♕b2 22. ♘b3 ♘b3 23. ♖d3!?** [23. ab3 ♗b5 24. ♖d3 ♕b1 25. ♗f1 ♗d3 26. ♕d3 ♕d3 27. ♗d3±] **♘a5** [⌓ 23... ♘d4 24. ♘f6 ♗f6 25. ♗f6 ♘e2! 26. ♔h2 ♕f6 27. ♖d7 ♕e6 28. ♕e6 fe6 29. ♗f1 ♖f8 30. ♔g2 ♘c3 31. ♗c4 ♘d5 32. ♖b7 ♖f7 33. ♖b8± Steckner] **24. ♘c7± ♘c4 25. ♕e4!** [25. ♘a8? ♘e3 26. ♖d7=] **♗f5 26. ♘a8 ♕b1 27. ♔h2 ♗e4** [27... ♕d3 28. ♕b7 h5 29. ♘c7 ♕e2 30. ♘d5± Steckner] **28. ♗e4 ♗f8 29. ♗f8 f5** [29... ♔f8 30. ♖d8 ♔e7 31. ♗b1 ♔d8 32. h4 ♔c8 33. g4+−] **30. ♗c5!+−** [30. ♗d5 ♔f8 31. ♗c4 ♕c2 32. ♖d8 ♔e7 33. ♖c8 ♕f2−+] **fe4 31. ♖d8 ♔g7 32. ♘c7 g5** [32... ♔f6 33. ♖f8 ♔e5 34. ♖e8] **33. ♗d4 ♔f7 34. ♖d7 ♔g6 35. ♖g7 ♔h6 36. ♖f7! g4 37. ♘e6 1 : 0**
[Priepke]

708.* **E 70**

A. ČERNIN 2580 – LAUTIER 2450
Paris 1989

1. d4 ♘f6 2. c4 g6 3. ♘c3 ♗g7 4. e4 d6 [RR 4... 0–0 5. f3 c6 6. ♗e3 d5 7. cd5 cd5 8. e5 ♘fd7!? N (8... ♘e8±) 9. ♗d3? ♘e5 10. de5 d4 11. ♗d2 dc3 12. ♗c3 ♘c6 13. f4 ♕b6 14. ♕f3 ♘b4 15. ♘e2 ♖d8 16. ♗b1 ♗f5 17. a3 ♗c2 18. ♘d4 ♘d3 19. ♔d2 ♗b1 20. ♖ab1 ♘e5 0 : 1 Jajljan 2325 – Gutman 2535, Moskva (GMA) 1989; 9. f4] **5. ♘ge2 0–0 6. ♗g5 a6 7. ♕d2 ♘bd7** [7... b5 8. ♘g3 b4 9. ♘d1±] **8. ♘g3 c6 9. a4 N** [9. ♗e2 b5 10. b3 (10. 0–0 bc4 11. ♗c4 d5 12. ed5 ♘b6) b4 11. ♘a4 c5! △ 12. d5 ♘e4∓; 9. ♗h6] **♕a5?!** [⌓ 9... a5] **10. ♖a3 e5 11. d5 ♘c5 12. ♕c2** [△ ♗d2] **♕c7 13. b4 ♘cd7 14. a5 cd5** [14... c5 15. b5±] **15. cd5 b6** [15... b5±] **16. ♗d3 ba5 17. ♖a5 ♖b8** [17... ♘c5 18. bc5! ♕a5 19. c6∞̄ △ 19... ♘d5 20. ed5 e4 21. ♘e4 f5 22. 0–0 fe4 23. ♘e4] **18. ♘a2 ♘c5** [18... ♕c2 19. ♗c2±]

19. ♖c5! dc5 20. bc5 ♕a5□ 21. ♗d2 ♕a3 22. ♗c1 ♕a5 23. ♗d2 ♕a3 24. ♘c1! ♘d7□ [24... ♖b2 25. ♕c3±] **25. c6 ♘c5 26. 0–0 a5 27. ♗e3 ♘d3 28. ♘d3 ♗a6 29. ♖d1 ♖fc8** [29... ♖b3 30. ♗c1! ♗d3 31. ♖d3] **30. ♘c5 ♗b5** [△ ♗c6] **31. ♘d7! ♗a4** [31... ♖a8 32. ♘b6] **32. ♕c1 ♕b3 33. ♘b8!** [33. ♖e1 ♖b4 △ ♗c6, ♖c4] **♕d1 34. ♕d1 ♗d1 35. d6! ♗a4** [35... ♗g4! 36. ♘f5!! (36. h3 ♗e6 37. d7 ♗f8) ♗f5 (36... gf5 37. h3! f4 38. hg4 fe3 39. d7! ♖f8 40. fe3!+−) 37. ef5 ♗f8 (37... ♖b8 38. g4+−) 38. d7 ♖b8 39. g4 ♗d6 40. ♗b6! a4 41. c7 ♗c7 42. ♗c7 ♖a8 43. d8♕ ♖d8 44. ♗d8 a3 45. ♗f6 a2 46. ♗e5+−] **36. c7+− ♔f8 37. ♘e2 ♔e8 38. ♘c3 ♗d7 39. ♘d5 ♗e6 40. ♗b6?!⊕** [40. ♘b6] **a4 41. ♗c5 f5 42. f3** [42. ♘b6] **fe4 43. fe4 ♗f8 44. ♔f1!** [44. d7 ♗d7 45. ♗f8 ♔f8 46. ♘d7 ♔f7 47. ♘7b6? ♖c7 48. ♘c7 a3] **♔f7** [44... ♗d6 45. ♗d6 ♗d5 46. ed5 a3 47. ♗a3 ♖c7 48. d6] **45. ♘b6 ♖e8** [45... ♖c7 46. dc7 ♗c5 47. ♘6d7] **46. ♔e1 1 : 0** **[A. Černin]**

709.*** **E 73**

FEDOROWICZ 2505 – NIJBOER 2445
Wijk aan Zee II 1989

1. d4 ♘f6 2. c4 g6 3. ♘c3 ♗g7 4. e4 d6 5. ♗e2 0–0 6. ♗g5 c6 [RR 6... ♘c6 7. d5 ♘e5 8. ♘f3 N (8. ♕d2 – 26/711) h6 9. ♗f4 g5 10. ♘e5 gf4 11. ♘d3 e5 12. g3 ♘h7∞ Langeweg 2365 – Douven 2445, Nederland (ch) 1989; 12. ♕d2!? △ 0-0-0±;

○ 8... ♘f3; 6... ♘a6 7. ♕d2 e5 8. d5 c6 N (8... ♕e8 — 46/791) 9. h4 cd5 (9... ♘c5 10. f3 a5 11. ♘h3±) 10. cd5 ♗d7 (10... ♕a5 11. f3 ♘c5 12. ♖b1 ♕b4 13. a3±) 11. f3 *a)* 11... ♕e8 12. g4 h5 13. 0-0-0!? (13. ♗f6 ♗f6 14. gh5 ♔g7 15. hg6 fg6 16. h5 ♖h8∞) ♔h7 (13... hg4?! 14. h5!± Gyurkovics 2305 — A. Kuz'min 2465, Budapest (open) 1989; 13... ♖c8) 14. ♗f6 ♗f6 15. gh5 gh5∞ A. Kuz'min, Kimel'fel'd; *b)* 11... ♕a5 12. g4 h5! 13. ♗f6 ♗f6 14. gh5 ♔g7! 15. ♗a6 ba6 16. hg6 fg6 17. h5 ♖h8 18. h6 ♔h7∞ Byhovskij 2460 — Glek 2475, Moskva 1989] **7. f3 N** [7. f4 — 30/719] **a6 8. g4 b5 9. h4 h6** [9... bc4 10. h5 (10. ♕d2!?) h6 11. ♗e3 g5 12. ♕d2±] **10. ♗e3 h5?!** [10... e5!] **11. e5! de5 12. de5 ♕d1** [12... ♘fd7 13. f4 hg4 14. h5±] **13. ♖d1 ♘h7** [13... ♘fd7 14. f4 ×♘b8, ♘d7] **14. gh5 gh5?!** [14... ♗e5 15. hg6 fg6 16. h5 ♗f5 17. hg6 ♗g6 18. ♘h3±] **15. f4 f6 16. ♘f3 ♗g4 17. ♖g1! c5□** [17... ♗f3 18. ♗f3 fe5 19. fe5 ♖f3 20. ♗h6 ♖f7 21. e6+−] **18. ef6 ef6** [18... ♘f6 19. ♘e5!] **19. ♔f2 b4 20. ♘a4** [20. ♘d5!] **♘c6 21. ♖d6 ♘e7 22. ♗c5 ♖fe8 23. ♗d1!+− ♘f5 24. ♖d5 ♖ad8 25. ♘b6 ♘f8⊕ 26. ♗a4! ♖d5 27. ♘d5 ♖e4 28. ♗b4 ♘g6 29. ♗c2! ♖c4 30. ♗b3 ♖b4 31. ♘b4 ♔h8 32. ♘d3 ♘fh4 33. ♘h4 ♘h4 34. ♖h1 ♘g6 35. f5 ♘e7 36. ♘f4 ♘f5 37. ♘h5 ♘h6 38. ♘f6⊕** [38... ♗f6 39. ♖h6 ♔g7 40. ♖h2] **1 : 0**
[Fedorowicz]

710. E 73

JUSUPOV 2610 — NUNN 2620
Rotterdam 1989

1. d4 ♘f6 2. c4 g6 3. ♘c3 ♗g7 4. e4 d6 5. ♗e2 0-0 6. ♗g5 ♘bd7 7. ♕d2 a6 8. ♘f3 ♖b8 9. e5 N [9. 0-0 — 46/792] **de5 10. de5 ♘g4 11. e6** [11. ♘d5!? f6 12. ef6 ef6 13. ♗f4 ♘de5 14. ♘e5 ♘e5 15. ♖d1±] **fe6 12. ♖d1 ♕e8** [△ ♘de5] **13. 0-0** [13. ♗f4!? e5 14. ♗g3 ♗h6⇆] **♘ge5!** [13... ♕f7? 14. ♗h4! △ ♘g5, ♗g3] **14. ♕e3** [14. ♘d4 ♕f7 △ c5, ♘c6-d4; 14. ♗f4!?∞] **♘f3 15. ♗f3 ♘e5 16. ♗e2∞ ♘f7 17. ♗f4 e5 18. ♗g3 ♗f5 19. ♗f3**

[19. ♘d5?! e6!∓] **c6 20. ♘e4 ♖d8 21. ♘c5 ♖d1 22. ♖d1 ♕c8 23. h3!?** [23. ♕b3 ♘d6 24. ♖e1 e4 25. ♘e4?! ♕e6!∓ ♗c2 [23... ♕c7!?∞] **24. ♗g4** [24. ♖d2? ♗h6−+] **♗f5□ 25. ♗f3 ♗c2 26. ♗g4 ♗f5 1/2 : 1/2** **[Jusupov]**

711.* E 73

ČEHOV 2480 — UHLMANN 2515
Berlin 1989

1. d4 ♘f6 2. c4 g6 3. ♘c3 ♗g7 4. e4 d6 5. ♗e2 0-0 6. ♗g5 h6 7. ♗e3 e5 8. d5 c6 [RR 8... ♘bd7 9. ♕d2 ♘c5 10. f3 a5 11. ♗d1!? N (11. h4 — 34/705) ♘h5 12. ♘ge2 (12. ♗c2 f5 13. ef5!? gf5 14. 0-0-0 ♕h4∞) f5 13. ♗c2 ♕h4! 14. ♗f2 *a)* 14... ♕e7?! (Širov 2450 — Apicella 2400, Torcy 1989) 15. ef5 gf5 16. ♘g3±; *b)* 14... ♗g5! 15. ♕g5 hg5 16. ef5 gf5 17. ♗c5 dc5 18. g4!? fg4 19. fg4 ♗g4 20. ♖g1∞; 9. ♕c2± Širov] **9. ♕d2 h5 10. f3 a6!** [10... cd5 11. cd5 ♘bd7 12. ♘h3! △ ♘f2, g4±] **11. h4 cd5 12. cd5 ♘bd7** [12... b5! 13. ♘h3 (13. b4?! ♘bd7 14. a4 ba4 15. ♖a4 ♘b6∓) ♗h3!] **13. ♘h3 b5 14. ♘f2 ♘b6 N** [14... ♘h7 — 35/684] **15. g4 ♗d7** [15... ♕c7? 16. ♖c1 ♘c4 17. ♗c4 ♕c4 18. b3 ♕b4 19. ♗b6 ♘d7 20. ♘d3 ♕a3 21. ♘b1+−] **16. ♗g5!? ♕c7! 17. ♗f6 ♗f6 18. gh5 ♖ac8** [18... gh5? 19. ♕h6+−; 18... ♘c4!? 19. ♗c4 ♕c4 20. ♗e2 ♖ac8∞] **19. ♘cd1!** [19. ♘g4?! ♗g4 20. fg4 ♘c4 21. ♗c4 ♕c4 △ b4 ×e4∓; 19. ♖c1?! ♘c4! (19... b4 20. ♗a6 bc3 21. ♖c3∞) 20. ♗c4 (20. ♕c2 ♘e3 21. ♕d2 ♘g2 22. ♔d1 ♘f4∓) ♕c4 △ b4, ♕d4∓; 19. hg6 fg6 20. ♕h6 (20. ♖g1 ♔h7 21. h5 gh5∓) ♗e8!] **♘c4 20. ♗c4 ♕c4 21. hg6 fg6 22. h5! g5! 23. ♘e3 ♕d4! 24. ♘fg4 ♗d8?** [24... ♔h7! 25. ♖c1! (25. ♘f6 ♖f6 26. ♖f1 ♖cf8 27. ♔e2 ♗h3 28. ♖f2 g4∓; 25. ♘f5 ♗f5 26. ef5 ♗d8=) ♗d8! 26. ♖c8 ♗c8 27. ♖f1 ♗b6 28. ♔e2 a5!∞] **25. ♘f5!± ♕a4** [△ 25... ♕a7 26. ♘d6? ♗g4 27. fg4 ♗a5!! 28. ♕a5 ♕e3 29. ♔d1 ♖f2-+; 26. ♔e2±] **26. b3 ♕a3 27. ♔e2?** [27. 0-0!±; 27. ♔f2! ♔h8 28. ♖hc1 ♗f5 29. ef5 ♗a5 30. ♖c8!! ♗d2 (30... ♖c8 31. ♕g5 ♕b2 32.

♔g3 ♕a1 33. ♕h6 ♔g8 34. ♕e6+–) 31. ♖f8 ♔g7 32. ♖c8 ♕b2 33. h6 ♔h7 34. ♘f6! ♔h6 35. ♖h1 ♔g7 36. ♖h7 ♔f6 37. ♖f8#] **♔h8! 28. ♖hc1 ♗f5 29. ef5 ♗a5! 30. ♕d1** [30. ♖c8 ♖c8 31. ♕g5 ♕b2–+; 30. ♕g5 ♕b2 31. ♔f1 ♗d2! 32. ♖c8 ♗g5 33. ♖f8 ♔g7–+] **♗c3 31. ♖ab1 ♖f5 32. ♖c2?⊕** [32. ♕d3? ♕a2 33. ♖c2 ♕b1 34. ♕f5 ♕e1 35. ♔d3 ♕d1–+; 32. ♕c2! ♖f7 33. ♕g6 ♕a2 34. ♖c2 ♕b1 35. ♕h6 ♔g8 36. ♕g6 ♔f8 37. ♕h6 ♔e8 38. ♕e6 ♔d8 39. ♕d6= ♖d7? 40. ♕f8+–] **♖f4 33. ♘f2** [33. ♕d3 e4–+] **g4! 34. ♘g4 ♕c5 35. ♘f2** [35. ♕d3 e4–+] **b4! 36. ♕d3** [36. ♘e4 ♖e4! 37. fe4 ♖f8 38. ♕g1 ♕b5 39. ♔e3 ♗d4–+] **♖g8! 37. ♖f1 ♖g2 38. ♕e3 ♕b5! 39. ♕d3 ♕d3 40. ♔d3 ♖f3 41. ♔e2 e4 0 : 1** **[Uhlmann]**

712.* **E 76**

SEMKOV 2460 – HEBDEN 2470

Villeneuve Tolosane 1989

1. d4 ♘f6 2. c4 g6 3. ♘c3 ♗g7 4. e4 d6 5. f4 0–0 6. ♘f3 ♘a6 [RR 6... c5 7. dc5 ♕a5 8. ♗d3 ♕c5 9. ♕e2 ♘c6 10. ♗e3 ♕a5 11. 0–0 ♗g4 12. ♖ac1 ♘d7 13. ♕f2 ♗f3 14. ♕f3 N (14. gf3 – 42/778) ♗c3 15. ♖c3 ♕a2 16. ♕f2 ♕a5 17. g4 f6 18. ♔g2 e5? 19. f5 g5 20. h4 h6 21. hg5 hg5 22. c5! ♘c5 23. ♗c4 ♔g7 24. ♗g5! ♖h8 25. ♗f6 ♔f6 26. g5 ♔e7 27. f6 ♔d8 28. ♗d5 ♕b4 29. g6 ♘e4 30. g7 ♖g8 31. ♖b3! ♕a4 32. ♕h4! 1 : 0 Usačij – Kostezkij, corr. 1985/88; 18... ♘c5] **7. e5 N** [7. ♗e2 – 45/727; 7. ♗d3 – 45/(727)] **♘d7 8. c5!?** [8. h4!? c5 9. d5 de5 10. h5∞] **dc5 9. d5 ♘db8?!** [9... ♘b6! 10. a3 e6 11. ♗a6 (11. ♗e3? ed5 12. ♗a6 d4!) ba6 12. ♗e3 ♘d5 13. ♘d5 ♕d5 14. ♕d5 ed5 15. ♗c5∞̄; 12... c4!?] **10. h4!** [10. ♗e3 c6 11. dc6 b6!∓; 10. ♗e2 c6 11. d6 ed6 12. ed6 ♖e8 13. 0–0 ♖e6∓] **c6** [10... ♗g4? 11. h5 ♗h5 12. ♖h5!→] **11. h5 ♘b4** [11... cd5?! 12. hg6 hg6 13. ♘g5→ △ 13... f6 14. ♘d5! fg5 15. ♗c4 e6 16. ♕d3!] **12. hg6 hg6 13. e6! fe6 14. ♘e5 ed5** [14... ♗e5!? 15. fe5 ed5 16. ♕d2! (16. a3? ♕c7! 17. ab4 ♕e5↑; 16. ♖h6 ♗f5 17. g4 ♗c2 18. ♕d2 ♕d7!∞) ♕c7 (16... ♗f5 17. ♕h6 ♔f7 18. g4→) 17. ♖h8! ♔h8 18. ♕h6 ♔g8 19. ♕g6 ♔h8 20. ♕h5 ♔g8 21. ♗h6!? (21. ♕g6=) ♖f7 22. ♕g6 ♔h8 23. 0-0-0 ♕e5 24. ♕f7→] **15. ♘g6 ♗f5!**

16. ♕h5!! [16. ♘f8? ♘c2 17. ♔f2 ♗d4! 18. ♔f3 ♘a1 19. g4 ♗c2 20. ♕e2 ♔f8!∓] **♖f6! 17. ♕h7 ♔f7 18. ♘e5 ♔f8 19. ♕h8□ ♗h8 20. ♖h8 ♔g7 21. ♖d8 ♘c2 22. ♔f2 ♘a1 23. g4∞̄ ♖f8** [23... ♗h7?! 24. f5 ♗f5 (24... ♘c2 25. ♗g5 ♗f5 26. ♗f6 ♔f6 27. ♘c6±) 25. gf5 ♖f5 26. ♘f3 e5 27. ♗d3 e4 28. ♘e4 de4 29. ♗e4±; 23... ♗g4 24. ♘g4 ♖f8 25. ♖f8 ♔f8 26. ♘e5 ♘c2 27. ♗h3! (△ ♗c8) ♘a6 28. f5 ♘d4 29. ♗g5± △ ♘g6] **24. ♖f8 ♔f8 25. gf5 ♘c2 26. ♔g3!** [△ ♔h4-g5] **♔e8!** [26... ♘d4 27. ♗h3 ♘a6 28. ♗e3 ♔g7 29. ♔g4 ♖h8 30. ♗f2±] **27. ♗h3 ♘d7 28. ♘d7 ♔d7 29. f6 ♔d6 30. fe7 ♖g8 31. ♗g4 ♔e7 32. f5?!⊕** [32. ♘d1 ♘d4 33. ♗d2 ♘e2 34. ♔h3 ♖h8 35. ♔g2 ♖g8 36. ♘f2±] **♘d4 33. ♔f4 ♔f6 34. b3 ♘f5!!** [34... ♖g5 35. ♗b2 ♘f5 36. ♘e4+–] **35. ♗f5 ♖g1 36. ♗b2?!** [36. ♘e4 de4 37. ♗b2 ♔e7 38. ♗e4=] **♖f1 37. ♔g4 d4! 38. ♘e4 ♔e5 39. ♘g3 ♖f4 40. ♔g5 ♖f3 41. ♔g4 ♖g3 42. ♔g3 ♔f5 43. ♔f3 ♔e5 44. ♗c1 ♔d5 45. ♗g5!= b5** [45... c4!? 46. ♔e2□ cb3 (46... b5 47. b4) 47. ab3 c5 (47... b5 48. ♗d8) 48. ♔d3 b5 49. ♗d8 c4 50. bc4 bc4 51. ♔d2 ♔e4 52. ♗a5] **46. ♔e2 a5 47. ♔d3 c4 48. bc4 bc4 49. ♔d2 a4 50. ♗h6 ♔e4 51. ♗g5 c5 52. ♗h6 c3 53. ♔c2 1/2 : 1/2** **[Semkov]**

713. **E 77**

SKEMBRIS 2455 – M. POPOVIĆ 2255

Genova 1989

1. d4 ♘f6 2. c4 g6 3. ♘c3 ♗g7 4. e4 d6 5. ♗e2 0–0 6. f4 c5 7. d5 b5 8. cb5 ♕a5 9. ♗d2 a6 10. ba6 ♗a6 11. ♘f3 ♕b4!? N [11... ♕b6∞̄] **12. e5!** [12. ♕c2 ♗e2 13. ♔e2 e6!∞̄] **de5** [12... ♘fd7? 13. ♘b5 ♕e4 (13... ♕b2 14. ♗c3+−) 14. ♘g5 ♕g2 15. ♗f3+−; 12... ♘e4 13. a3±; 12... ♗e2 13. ♕e2±] **13. fe5 ♘g4** [13... ♘e4 14. a3 ♘c3 15. ab4 ♘d1 16. ♖d1±] **14. ♗a6 ♘a6** [14... ♖a6 15. ♕e2±] **15. ♕e2** [△ ♖b1, 0–0±] **♕b2** [15... ♕b8 16. ♗f4±] **16. ♖b1 ♕a3□** [16... ♕c2 17. 0–0 ♕f5 (17... ♘e5?? 18. ♘e1+−; 17... ♗h6 18. ♖fc1 ♕f5 19. h3 ♗d2 20. hg4+−; RR 18... ♗e3! Mihajlović) 18. ♘g5 ♕c2 19. ♘f7 ♘e5 20. ♘e5 ♖f1 21. ♖f1 ♗e5 22. ♕e5 ♕d2 23. ♕e6 ♔h8 24. ♕e7+−; 18... ♕c8±] **17. ♖b3 ♕a5 18. 0–0** [△ ♖b7±] **♖fb8?!** [18... c4!? 19. ♖b5 ♕c7 20. ♗f4±] **19. h3 ♖b3 20. ab3 ♘h6 21. d6!± ed6** [21... ♘f5 22. ♘d5 ♕d8 23. ♘g5! (△ ♖f5, ♕h5+−) ♘g3 (23... e6 24. ♖f5 ef5 25. ♘e7 ♔f8 26. ♕c4+−) 24. ♕f2 ♘f1 25. ♘e7+−] **22. ♘d5 ♘b4** [22... ♕a2 23. ♕e4] **23. ♘e7 ♔h8** [23... ♔f8 24. ♗h6 ♗h6 25. ed6 ♕a6 26. ♘e5!! (26. ♕e5 ♗g7) ♕e2 27. ♖f7 ♔e8 28. d7 ♔d8 29. ♘7c6 ♘c6 30. ♘c6 ♔c7 31. d8♕ ♔c6 32. ♕a8+−] **24. ♗h6 ♗h6 25. ed6 f6?!** [25... ♗g7? 26. ♘e5+−; 25... ♕a6 26. ♕b2 ♗g7 27. ♘e5 ♖f8 28. ♖f7+−; 26... f6±] **26. ♕e6 ♕b6** [26... ♔g7 27. ♘e5 ♖f8 28. ♘d7 ♖f7 29. ♘f6+−] **27. ♕f6?!⊕** [27. ♘e5!! c4 28. ♔h2 fe5 29. ♖f7 ♗g7 (29... ♖g8 30. ♖h7+−; 29... ♗f4 30. ♖f4+−) 30. ♘g6 hg6 31. ♕g6+−] **♗g7 28. ♕e6!?** [28. ♘g6?! hg6 29. ♕h4 ♔g8 30. ♕c4 (30. ♘g5? ♗d4 31. ♔h1 ♕b7!∓) ♔h8 31. ♘g5 (31. ♕h4=) ♗d4 32. ♔h1 ♕a6! 33. ♕f7 ♕f1 34. ♕f1 ♖a1 35. ♕a1 ♗a1 36. d7⩲] **c4 29. ♔h1** [29. ♔h2 (△ ♘e5) ♕c5±] **♖f8!** [29... cb3?? 30. ♘e5+−] **30. bc4 ♘d3 31. g3!!** [31. ♘g1 ♘f2 32. ♔h2 ♕d4⇆] **♘c5** [31... ♕b2 32. ♘d2! ♖d8 (32... ♖a8 33. ♕d5+−; 32... ♖b8 33. ♖b1+−) 33. ♘c6 ♕b7 34. ♕d5+−] **32. ♕d5 ♘b7 33. ♔g2 ♕d6⊕** [33... ♘d6? 34. c5+−; 33... ♕b2 34. ♖f2+−] **34. ♕b7 ♖f7 35. ♕a8 ♖f8 36. ♕e4+− ♖e8 37. ♖e1 ♗f8⊕** [38. ♘g6]
1 : 0 **[Skembris]**

714.* ** **E 81**

GHEORGHIU 2515 – M. PIKET 2355

Lugano 1989

1. d4 d6 2. c4 g6 3. ♘c3 ♗g7 4. e4 ♘f6 5. f3 0–0 6. ♗e3 c5 7. ♘ge2 [RR 7. dc5 dc5 8. ♕d8 ♖d8 9. ♗c5 ♘c6 *a)* 10. ♖d1 ♖d1 N (10... ♘d7 – 41/668) 11. ♘d1 (11. ♔d1?! ♘d7 12. ♗a3 ♗c3 13. bc3 ♘de5∓ △ ♗e6) ♗e6 12. ♘e3 ♘d7 13. ♗a3 a5 14. ♘e2 ♘b4 15. ♘c3 ♗d4 16. ♔d2 ♖d8 17. ♘ed5 ♗d5 18. cd5 (18. ed5 ♘c5 19. ♗e2 e6 20. de6 ♘e6 21. ♔c1 ♘f4=) ♘b6 19. ♗b5 e6 20. de6 fe6 21. ♔e2 (21. ♗b4 ab4 22. ♘e2 ♗b2= Murey 2560 – I. Belov 2425, Moskva 1989) ♖c8 22. ♗b4! (22. ♖c1 ♗e5 23. g3 g5∞̄) ab4 23. ♘a4 ♘a4 24. ♗a4 ♗b2 25. ♗b3 ♔f7 26. ♖d1 ♔e7 27. f4⩲; 13... ♘b6!? △ ♘a4∞ I. Belov; *b)* 10. ♘ge2 b6 11. ♗a3 e6 12. ♘b5 (12. ♖d1 – 45/(730)) ♘e8 N (12... a6 13. ♘d6 ♘d7 14. 0-0-0 ♘c5 15. g3 ♘e5 16. ♗c5 bc5∞̄ Zak) 13. ♘c1 ♗b7 (13... a6 14. ♘c3 ♘d4 15. ♗d3 b5!?∞) 14. ♘b3 a5! 15. ♗e2 ♘b4 16. ♔f2 ♘c2 17. ♖ad1 (17. ♖ab1!? a4 18. ♘a1 ♘a3 19. ♘a3 ♗d4∞̄) a4 (17... ♘a3!? 18. ba3 ♗c6∞̄ Glek) 18. ♘a1 ♘a3 19. ba3 ♗c6 20. ♘c2 ♗b5 21. cb5 ♖dc8!∞̄ Arbakov 2400 – Glek 2475, Belgorod 1989] **♘c6 8. ♕d2 a6 9. 0-0-0 N** [RR 9. dc5! N dc5 10. ♕d8 ♖d8 11. ♗c5 ♘d7 12. ♗e3 b5 (12... ♘de5 13. ♘f4 ♘b4 14. ♖c1 g5 15. ♘fd5 ♘bd3 16. ♗d3 ♘d3 17. ♔e2 ♘c1 18. ♖c1± Širov) 13. 0-0-0 bc4 14. ♘f4± Al'terman 2350 – Širov, SSSR 1988; 9. ♖d1 – 44/728] **♕a5 10. ♔b1 e6! 11. ♗h6!** [11. dc5?! dc5 12. ♕d6 ♘d7!∓; 11. d5 ed5 12. ♘d5 ♘d5! 13. ♕a5 ♘a5 14. cd5 ♗b2!? 15. ♗c5!∞; 14... ♘c4!∓] **b5 12. ♗g7 ♔g7 13. dc5 b4!∞** [13... dc5 14. ♘c1 ♖d8 (14... ♘d4?! 15. ♘3e2!±) 15. ♕e1=]

14. ♘d5! [14. cd6 bc3 15. ♕c3 (15. ♘c3 ♖d8!∓) ♕c5!∓] **ed5 15. cd5 dc5!?** [15... ♘d5 16. ed5 ♗f5 17. ♔a1 dc5 18. dc6 ♖ad8 19. ♕e1 b3! 20. ♘c3!!+−] **16. dc6 ♗e6→ 17. b3** [17. ♘c1?! c4!∓] **♖fd8 18. ♕c2 ♖d1 19. ♕d1 ♖d8 20. ♕c1!** [20. ♕c2 ♘d5!! 21. ed5 ♗f5 22. ♕f5 gf5 23. ♘f4 ♕c7 24. g3!∞] **♖d3!** [20... c4 21. bc4 (21. ♘f4 c3 22. ♗d3 △ ♖d1±) b3 22. ab3 ♖d2 23. ♘c3+−] **21. ♕c2 c4!** [21... ♕d8 22. c7! ♖d1 23. ♘c1 ♕d4 (23... ♕d6 24. e5!+−) 24. ♗c4!! ♖h1 25. ♗e6+−] **22. ♘f4!±** [22. bc4 b3 23. ab3 ♕e1 24. ♘c1 ♖d1!∞] **cb3! 23. ♘e6 fe6 24. ab3 ♖c3 25. ♕b2 ♖c6 26. ♗c4 ♕c7 27. ♖d1!↑ e5!** [27... ♕h2?? 28. ♖d7!+−; 27... a5 28. e5! ♘d7 (28... ♘e8 29. ♗b5+−) 29. ♗b5+−] **28. ♕d2 a5 29. ♕d8! ♕a7?!** [29... a4!⇆ △ 30. ♗b5?? ♖c1!−+] **30. g4!!+−** ♕e3 [30... g5 31. h4 h6 32. hg5 hg5 33. ♖h1] **31. h4! ♖c4** [31... ♘e4 32. ♕d7] **32. ♕e7! ♔h6 33. ♕f8#   1 : 0** [Gheorghiu]

✔**715.***   **E 82**

GHEORGHIU 2515 − ŠIROV 2450
Moskva (GMA) 1989

1. d4 ♘f6 2. c4 g6 3. ♘c3 ♗g7 4. e4 d6 5. f3 0−0 6. ♗e3 c5 7. ♘ge2 ♘c6 8. ♕d2!? b6! 9. ♖d1!? [9. d5 ♘e5 10. ♘g3 h5! 11. ♗e2 h4 12. ♘f1 a6 (Gen. Timoščenko 2455 − Lanka 2420, SSSR 1988) 13. ♗h6∞] **e6! N** [9... e5 10. dc5 dc5 11. ♘d5 (11. ♕d8) ♘d4 12. ♘ec3±] **10. g3 ♗a6!?** [10... ♖e8!? 11. dc5 dc5 12. ♕d8

♖d8 (12... ♘d8?! 13. ♘b5) 13. ♖d8 ♖d8 14. ♗g2=] **11. b3 ♖e8 12. ♔f2?!** [12. ♗g2?! d5!∓; 12. d5 ed5 *a)* 13. ♘d5 ♘d5 14. ♕d5 ♘b4 *a1)* 15. ♕d2? d5! 16. a3 de4 17. ab4 (17. ♕d8 ♘c2−+) ♕d2!−+; *a2)* 15. ♕d6 ♕d6 16. ♖d6 ♖ad8∓; *b)* 13. cd5 ♘e5 14. ♗g2 (14. ♘g1 ♗c8∞) ♘d3 15. ♔f1 c4∞; 12. dc5! dc5 13. ♗g2=] **d5! 13. e5** [13. dc5 de4∓; 13. cd5 ed5 14. ed5 (14. e5 ♗e2! 15. ♗e2 cd4 16. ♗d4 ♘d4 17. ♕d4 ♖e5!∓) ♗e2 15. ♗e2 ♘d4∓] **cd4 14. ♗d4 ♘d7 15. cd5 ♘ce5∓ 16. ♘f4!** [16. de6? fe6 ×f3] **♗b7!** [16... ♗f1 17. ♖hf1 ♘f3 18. ♔f3 e5 19. ♗e5 ♗e5∞] **17. ♗e2** [17. ♗b5 ♘f3! 18. ♔f3 e5 19. ♗e5 ♗e5!∓ △ 20. ♗c6?! ♖c8!] **ed5 18. ♘fd5?** [18. ♖he1∓; 18. ♖hf1∓] **♘f6!∓ 19. ♘f4** [19. ♗e5 ♖e5 20. ♗c4 b5! 21. ♘f6 ♕f6 22. ♗d5 ♖d8−+] **♕e7 20. ♖he1 ♖ad8 21. ♕c1** [21. ♗b5 ♖d4! 22. ♕d4 ♘fg4−+; 21. ♕e3 ♖d4−+] **g5! 22. ♗b5** [22. ♘h3 g4! 23. ♗b5 gf3! 24. ♗e8 ♘fg4 25. ♔f1 ♘h2 26. ♔g1 f2!−+]

22... ♖d4!−+ 23. ♖d4 ♘fg4 24. ♔f1 [24. fg4 ♘g4 25. ♔f1 ♘h2 26. ♔g1 ♕e1] **♘h2 25. ♔g2 ♘hf3 26. ♘fd5 ♘d4 27. ♗e8 ♕e6! 28. ♕e3 ♘c2   0 : 1**   [Širov]

716.*   **E 83**

SEIRAWAN 2610 − GUFEL'D 2490
Seattle (open) 1989

1. d4 ♘f6 2. c4 g6 3. ♘c3 ♗g7 4. e4 d6 5. f3 0−0 6. ♗e3 ♘c6 7. ♘ge2 a6 8. d5 [RR 8. a3 ♗d7 9. b4 ♕b8 10. ♘c1 b5

11. ♘b3 bc4 12. ♗c4 ♘b4! N (12... a5?! — 44/733) 13. ab4 ♕b4 14. ♕d3 (14. ♖c1 ♕c4 15. ♘d5 ♘d5! 16. ♖c4 ♘e3 17. ♕c1 ♘c4 18. ♕c4 ♗b5−+) d5! *a)* 15. ♗a6?! ♕b3 16. 0−0 de4 17. fe4 ♘g4! 18. ♗c4 (18. ♖ab1 ♕e6 19. ♗c4 ♕d6−+) ♕b8 19. ♖a8 ♕a8 20. h3 ♘e3 21. ♕e3 e6!∓ Mejzlík − Vlasák, corr. 1988; *b)* 15. ed5?! ♗f5!∓; *c)* 15. ♘c5! (Trapl) dc4 16. ♕c2 (16. ♕d2 ♗c6∞) ♗c6∞ Vlasák] **♘e5 9. ♘g3 c6!? 10. a4 cd5 11. cd5 e6 12. ♗e2 ed5 13. ed5 ♖e8 14. ♕d2** [△ a5±] **♕a5! N** [14... ♕e7?! — 45/732] **15. 0−0 ♗d7** [△ ♖ac8] **16. b4!? ♕b4!= 17. ♖ab1 ♕h4! 18. ♘ge4** [18. ♗g5 ♘c4] **♘e4 19. ♘e4 ♘g4!□ 20. fg4** [20. ♗f4 ♘f6!] **♖e4 21. ♗f3** [21. ♗g5? ♖e2] **♖e3! 22. ♕e3 ♗e5 23. g3 ♗g3 24. hg3 ♕g3 25. ♔h1 ♕h3 1/2 : 1/2** **[Gufel'd]**

717.** **E 84**

PÉTURSSON 2530 — GEN. TIMOŠČENKO 2460

Moskva (GMA) 1989

1. d4 ♘f6 2. c4 g6 3. ♘c3 ♗g7 4. e4 d6 5. f3 0−0 6. ♗e3 ♘c6 7. ♕d2 a6 8. ♘ge2 ♖b8 9. ♘c1 [RR 9. a4 e5 10. d5 ♘b4 N (10... ♘a5 — 18/655) 11. ♘c1 c5 12. ♘d3 a5 13. ♘b4 ab4 14. ♘b5 ♘h5 15. 0-0-0 ♕e7 16. ♖g1 ♖a8 17. b3 f5∞ Arbakov 2400 − A. Kuz'min 2465, Belgorod 1989; 9. ♗h6 b5 10. h4 bc4 11. ♗g7 N (11. 0-0-0; 11. h5 — 17/663) ♔g7 12. h5 ♘b4 13. ♘g3 c5 14. hg6 fg6 15. ♗c4!? cd4 (15... h5? 16. ♘h5! ♘h5 17. ♖h5 ♘d3 18. ♗d3 gh5 19. ♕g5 ♔f7 20. ♕h5 ♔e6 21. dc5! ♖b2 22. 0-0-0 ♖b4 23. ♕d5 ♔f6 24. e5 1 : 0 Jajljan 2325 − Ro. Gunawan 2440, Šibenik 1988) 16. e5! de5 (16... ♘g8 17. 0-0-0 dc3 18. ♖h7!! ♔h7 19. ♖h1 ♔g7 20. ♘h5!+−) 17. ♕h6$\overline{\overline{\infty}}$→ Jajljan] **e5 10. ♘b3 ed4 11. ♘d4 ♘d4 12. ♗d4 c6 13. ♗e2!?** [13. a4] **b5 14. 0−0 ♗e6 15. b3 N** [15. cb5 — 45/(734)] **bc4 16. bc4 c5 17. ♗e3 ♘d7 18. ♖ab1! ♕a5 19. ♘d5 ♕a3 20. ♗f2!? ♗d5 21. cd5 ♗c3?** [21... ♖fc8 22. ♕c2 ♖b1 23. ♖b1 c4 24. f4!⇆] **22. ♕c2 ♗d4 23. ♖b3 ♗f2 24. ♔f2! ♕a4 25. ♕c4!± ♕c4 26. ♗c4 a5 27. ♗b5 ♘e5 28. f4 c4 29. ♖bb1 ♘g4 30. ♔g3 ♘e3 31. ♖fc1 f5 32. ♔f3 ♘g4 33. h3 ♘f6 34. e5!?** [34. ef5 gf5 35. ♗c4] **♘e4 35. ♔e3 ♖fc8 36. g4! ♔f8 37. gf5 gf5 38. ♗d7 ♖b1 39. ♖b1** [♖ 9/i] **♖d8 40. ♗f5 ♘c3 41. ♖c1 ♘d5 42. ♔e4 ♘b4** [42... de5 43. ♔e5±] **43. ed6 ♘a2 44. ♖c4 ♖d6 45. ♔e5 ♖a6 46. ♗c8! ♖b6 47. ♗e6 ♘b4 48. f5 ♘c6 49. ♔f6 ♖a6 50. ♖h4!+− ♖a7 51. ♖g4 ♘e7 52. ♖d4 ♖a8 53. ♖d7 ♘g8 54. ♔g5 a4 55. ♖f7 ♔e8 56. ♖h7 a3 57. ♗g8 a2 58. ♗f7 1 : 0** **[Pétursson]**

718. **E 84**

J. HJARTARSON 2615 — NUNN 2620

Rotterdam 1989

1. d4 ♘f6 2. c4 g6 3. ♘c3 ♗g7 4. e4 d6 5. f3 0−0 6. ♗e3 ♘c6 7. ♕d2 a6 8. ♘ge2 ♖b8 9. ♘c1 e5 10. ♘b3 ed4 11. ♘d4 ♘d4 12. ♗d4 ♗e6 13. ♗e2 c6 14. 0−0 b5 15. b3!? bc4 16. bc4 ♕a5! N 17. ♖ac1 [17. ♖ab1 c5 △ ♘g4∓] **♖fd8** [17... ♖b4 18. ♖fd1 ♗c4? 19. a3 ♕a3 20. ♖a1 ♕b3 21. ♖db1+−] **18. ♔h1** [18. ♖fd1=] **c5 19. ♗e3 ♕a3** [19... ♘d7 20. ♘d5=] **20. ♖c2 ♘d7** [△ ♘b6 ×c4] **21. f4** [21. ♘d5 ♗d5 22. cd5 (22. ed5 ♖e8∓) ♖b4 △ ♖db8∓] **♘b6 22. ♘d5?** [22. f5?! ♗c4 (22... ♘c4? 23. ♕c1+−) 23. f6 ♗h8∓ (23... ♗f8? 24. ♗h6) 24. ♗c4 ♘c4 25. ♕e2 ♘e3 26. ♕e3 ♗f6! 27. ♖f6 ♖b1−+; 22. ♘b1! ♕a4 23. ♘c3=] **♘d5 23. cd5 ♗d7** [△ ♗a4] **24. e5** [24. ♕d3 ♕a4! △ ♗b5] **♗f5!∓ 25. ♖c3 ♕a5 26. ♗f3?!** [26. ♖d1∓] **de5 27. ♖c5** [27. fe5 ♗e5 28. ♖c5 ♕a4∓ △ ♖b2] **♕d2 28. ♗d2 e4** [28... ♗d3?! 29. ♖e1∓] **29. g4□** [29. ♗e2 ♗d4−+] **ef3 30. gf5 ♖b2!** [30... ♖e8 31. ♗c3!□; 30... ♗d4 31. ♖c4 ♖d5 32. fg6 hg6 33. ♖f3] **31. ♗c3** [31. ♗e3 ♖a2 32. fg6 hg6 33. ♖f3 ♗f8∓] **♗c3** [31... ♖c2? 32. ♖f3] **32. ♖c3 ♖d5−+ 33. f6** [33. fg6 ♖dd2] **h5 34. ♖cf3 ♖dd2 35. ♖h3** [35. ♖e1 ♖h2 36. ♔g1 ♖bg2 37. ♔f1 ♖a2] **♖a2 36. ♖g1 ♖f2 37. ♖h4 ♖a4** [37... ♔h7] **38. ♖h5 ♖ff4 0 : 1** **[Nunn]**

719.* E 87**

KASPAROV 2775 – SEIRAWAN 2610

Barcelona 1989

1. d4 d6 [RR 1... ♘f6 2. c4 g6 3. ♘c3 ♗g7 4. e4 d6 5. f3 0–0 6. ♗e3 e5 7. d5 c5 8. g4 h5 9. h3 ♘e8 N (9... ♘a6±) 10. ♕d2 ♘d7 11. 0-0-0 h4 12. g5! f6 13. ♕g2! ♔f7 14. f4 ef4 15. ♗f4 ♕a5 16. ♘f3 f5 17. ♗d2 ♘e5 18. ♘h4 ♔g8 19. ef5 gf5 (19... ♗f5? 20. ♘f5 ♖f5 21. h4 ♕b4 22. h5 ♖f1 23. ♖df1 ♘c4 24. ♗e1 ♗d4 25. hg6 ♘g7 26. ♖h8! 1 : 0 Knaak 2500 – Uhlmann 2505, Dresden 1988) 20. ♘f3 b5!∞̄; ⌓ 16. ♘ge2, 16. ♗d2] **2. e4 ♘f6 3. f3!? g6 4. ♗e3! ♗g7 5. ♕d2!? 0–0 6. c4 e5 7. d5 ♘h5 8. ♘c3 ♕h4!** [RR 8... f5 9. 0-0-0 f4 10. ♗f2 ♗f6 11. ♘ge2 ♗h4 12. ♗g1 ♘d7 13. ♔b1 a5 N (13... ♗e7±) 14. ♘b5!? b6 15. ♘ec3 ♖f7 16. ♗d3 ♘df6 17. a3 ♖g7 18. b4 ab4 19. ab4 g5 20. ♗f2 ♗f2 21. ♕f2 g4 22. ♔b2 ♔h8 23. ♖a1 ♖a1 24. ♖a1 ♕g8 25. ♔b3± Razuvaev 2550 – Bellia 2255, Roma 1989] **9. ♗f2 ♕f4** [RR 9... ♕e7 10. 0-0-0 f5 11. ef5 gf5 12. ♘h3 ♘a6 N (12... ♘d7 13. ♔b1 – 43/(737)) 13. ♗d3 ♗d7 14. ♖hg1 ♘c5 15. ♗c2 a5 16. ♖de1 ♔h8 17. g4 fg4 18. fg4 ♖f3 19. ♗c5 ♖h3 20. ♗e3 ♘f6 21. ♗d1 ♖g8 22. g5 ♘h5∞ Razuvaev 2550 – K. Spraggett 2575, Paris 1989; 21. ♗f5!?] **10. ♗e3 ♕h4 11. g3 ♘g3 12. ♕f2 ♘f1 13. ♕h4 ♘e3 14. ♔e2 ♘c4 15. ♖c1! ♘a6 16. ♘d1 ♘b6 17. ♘e3 ♗d7 18. ♘h3 f6 19. ♘f2!? N** [19. ♖hg1 ♖ad8? – 21/556; 19... ♖ae8 △ ♖e7, c6 And. Martin] **♘c8!!** [△ c5, ♘c7-b5-d4] **20. ♖c3!** [20. ♘fg4?! ♘e7 21. ♘h6 ♔h8 22. ♖hg1 g5!? 23. ♕h5 ♘g6! 24. ♘g2 f5!? 25. ♕g5 fe4 26. fe4 ♘c5∞; 25. ef5!?; 21... ♗h6!?; 20... h5!?] **♘e7?** [△ ♖f7, ♖af8, f5; 20... c5! 21. dc6 bc6 (21... ♗c6!?) 22. ♖d1 ♘c7 23. ♖cd3 ♘b5 24. a4 ♘d4 25. ♖d4 ed4 26. ♖d4 c5∓] **21. ♖hc1! ♖ac8?!** [21... c5! 22. dc6 (22. ♘c4? ♘c8!) ♘c6! 23. ♔f1 ♘d4 24. ♔g2 ♘c5] **22. ♖b3 ♖b8 23. ♘d3 ♖f7??** [23... c5!] **24. ♕e1! ♘c8 25. ♕a5 ♘b6 26. ♖c7! f5** [26... ♘c7 27. ♕a7] **27. ♖c2?** [27. ♖b7 ♖b7 28. ♕a6 ♖c7 29. ♖b6 ab6 30. ♕b6+–; 27. ♖c1+–] **fe4 28. fe4 ♖bf8 29. ♖b6!** [29... ab6 30. ♕b6 *a)* 30... ♗h6 31. ♕d6 ♗h3 (31... ♖f3? 32. ♘f5! gf5 33. ♕h6 fe4 34. ♘e1+–) 32. ♘f5!; *b)* 30... ♘c5 31. ♘c5 dc5 32. ♔d1!! (△ ♖e2 Kasparov; 32. ♕c5? ♗h6 △ ♖f2, ♗e3) ♗h6! △ ♖f3-h3] **1/2 : 1/2** **[Seirawan]**

720. E 90

L. PORTISCH 2610 –
J. HJARTARSON 2615

Rotterdam 1989

1. d4 ♘f6 2. c4 c5 3. d5 d6 4. ♘c3 g6 5. e4 ♗g7 6. ♘f3 0–0 7. ♗f4 e5 [7... ♘h5 – 28/707] **8. ♗g5!? h6 9. ♗d2 ♘h7 10. ♕c1 h5= 11. g3 f5?!** [11... ♘a6= 12. ♗g2 (12. ♗e2 ♗h3∓) ♘c7] **12. ♘h4!⇆ ♕f6 13. ef5 ♗f5 14. ♗g2 ♗d3!** [14... ♘a6 15. 0–0 ♗d3 16. ♘e4±] **15. ♗e3 ♘a6 16. ♘e4± ♗e4 17. ♗e4 ♘g5! 18. ♗g2** [18. ♗g5?? ♕f2 △ ♕d4-e4–+; 18. ♗g6 ♘f3 19. ♘f3 ♕g6 20. ♘h4 ♕d3∞̄] **e4 19. 0–0** [19. ♗g5? ♕f2 20. ♔d1 ♗b2→] **♘f3 20. ♘f3 ef3 21. ♗h3 ♖ae8 22. ♕d2** [22. ♗e6!? ♖e6 (22... ♔h7? 23. ♗g5±) 23. de6 ♕e6 24. ♔h1 ♗e5∞̄] **♖e4 23. b3 ♔h7 24. ♖ac1 b6** [24... ♘c7? 25. ♕a5±] **25. ♖fe1 ♖fe8 26. ♗f1 ♕f5! 27. ♗f4** [⌓ 27. h3 (△ ♔h2, ♗d3 L. Portisch) ♗e5⇆] **♘b4!= 28. ♖e4 ♖e4 29. a3 ♖d4 30. ♕e3 ♘d3 31. ♗d3 ♖d3 32. ♕e6 ♕e6 33. de6 ♗f6** [33... ♔g8 34. ♖e1] **34. ♖e1 ♔g8 35. h4! ♔f8 36. ♖e3 ♖d1** [36... ♖e3?? 37. ♗d6+–] **37. ♔h2 ♔e7 38. ♗g5 ♗g5 39. hg5 d5 40. cd5 ♖d5 41. ♖f3 ♖g5 42. ♖f7 1/2 : 1/2** **[J. Hjartarson]**

721.* E 90**

B. LARSEN 2580 – J. PIKET 2500

Lugano 1989

1. ♘f3 g6 2. d4 ♘f6 3. c4 ♗g7 4. ♘c3 0–0 5. e4 d6 6. ♗e3 ♘bd7 [RR 6... e5 7. de5 de5 8. ♕d8 ♖d8 9. ♘d5 ♘a6 10. 0-0-0 ♗e6! N (10... ♗g4 – 38/792) *a)* 11. ♘g5 ♘g4!∓; *b)* 11. ♗g5 ♗d5 12. ed5 (12. cd5 ♘c5 13. ♘d2 ♘ce4!∓) h6=; *c)* 11.

♘f6 ♗f6 12. ♖d8 ♖d8 (△ ♘b4-c6∓ Mortensen) 13. a3!= B. Larsen 2580 – Mortensen 2450, Aalborg (m/1) 1989] **7. h3 e5 8. d5 ♘c5 9. ♘d2 a5 10. g4** [10. a3 ♘e8 11. b4 ab4 12. ab4 ♖a1 13. ♕a1 *a)* 13... ♘d7 *a1)* 14. g4 f5! 15. gf5 gf5 16. ef5 e4!∓ Gelpke 2395 – J. Piket 2500, Nederland (ch) 1989; *a2)* 14. ♗e2 f5 15. 0–0!? f4 16. ♗a7; *a3)* RR 14. c5 f5 15. c6!⩲; *b)* 13... ♘a6 14. ♕a3 (14. ♕a4?! f5 15. ♘b3 ♗f6!∓) f5 *b1)* 15. ♘b3?! b6! 16. ♗e2?! ♖f7 17. ♕a4! (17. ♘b5? ♘f6!∓ Kajdanov 2535 – W. Watson 2505, Budapest 1989) ♕d7 18. ♕a3! ♕e7 19. ♕a4=; 16. c5=; *b2)* 15. ♘f3! ♘f6 16. c5 ♘e4 17. ♘e4 fe4 18. ♘d2 ♔h8 19. ♗c4 △ 0–0⩲ Kajdanov] **♘e8 11. ♕c2 ♔h8!? N** [11... ♗f6 – 34/727; 11... f5] **12. ♗e2!?** [△ h4-h5; 12. 0-0-0 f5 13. gf5 gf5 14. h4∞] **f5 13. ef5** [13. gf5!?] **gf5 14. 0-0-0 a4! 15. ♖dg1?** [15. ♗c5 dc5 16. ♘a4 ♘d6=∞; 15. a3 ×b3; 15. f3!?] **a3** [△ ♘a6] **16. b4□ ♘a6 17. b5 ♘b4** [17... f4 18. ba6 fe3 19. fe3 ♖a6 20. ♘de4 ♖b6 21. ♖f1⩲] **18. ♕b3 ♘d5** [18... ♘a2!? 19. ♕a2 f4 20. ♘de4 fe3 21. fe3∞] **19. ♘d5 f4 20. ♗b6! cb6 21. ♘e4** [△ f3±] **f3□ 22. ♗f3** [22. ♗d3 ♗e6 △ ♗d5] **♗e6 23. ♖d1 ♗d5 24. ♖d5 ♕c7!** [24... ♘f6 25. ♖d6 ♕e7 26. ♖f6±] **25. ♗e2** [25. ♖hd1 ♖f3 26. ♕f3 ♕c4 27. ♘c3 (27. ♔b1 ♕b4–+) e4!–+; 25. ♔b1 ♖f3 26. ♕f3 ♕c4 27. ♘d2 ♕b4 28. ♕b3±; 25... ♘f6∓] **♘f6 26. ♘f6 ♖f6 27. f3 e4** [27... ♖f4 △ e4∓] **28. fe4 ♖f2 29. ♔d1□** [29. ♕e3 ♖af8 30. ♖f5 (30. ♖hd1 ♖8f3–+) ♖2f5 31. gf5 (31. ef5 d5) ♕e7 △ ♕e5∓] **♕e7 30. ♕e3 ♕f6?⊕** [30... ♖af8∓] **31. e5! de5 32. g5 ♕f8□** [32... ♕f5 33. ♗d3 ♕f8 34. ♕e4 ♕f3 35. ♕f3 ♖f3 36. ♖d7±; 36. h4±; 32... ♕f4 33. ♕f4 ♖f4 (33... ef4 34. ♔e1±) 34. h4±] **33. h4 ♕f5 34. ♔d2?!** [34. ♗d3 ♕g4 35. ♗e2 ♕f5=] **♖g2?!** [34... ♖e8! 35. h5 ♗f8∓] **35. h5 ♕g5 36. ♕g5 ♖g5 37. ♖d7?!** [37. ♖d6=] **♗h6 38. ♔e1 ♖g7 39. ♖g7 ♔g7** [♖ 9/j] **40. ♗f3** [40. ♖h3∓] **♗e3?** [40... e4?? 41. ♗e4 ♖e8 42. ♖h4; 40... ♖a4! △ ♖b4∓] **41. ♔e2 ♗d4 42. ♗b7 ♖f8 43. h6 ♔g6 44. ♗e4 ♔g5 45. ♗h7** [45... ♖h8 △ ♖h6] **1/2 : 1/2**
[J. Piket]

722.** **E 90**

PÉTURSSON 2530 – GHEORGHIU 2515

Lugano 1989

1. d4 ♘f6 2. c4 c5 3. d5 g6 4. ♘c3 d6 5. e4 ♗g7 6. ♘f3 0–0 7. h3 e6 8. ♗d3 ♘a6 9. 0–0 ♘c7 10. a4 N [10. ♗g5 h6 11. ♗e3 N (11. ♗d2 – 24/634) ed5 12. ed5 b5! 13. b3 ♖e8 14. ♕c1 ♔h7 15. a3 ♖b8 16. ♕c2 ♗d7 17. ♖ab1 a5 18. ♗f4 ♖b6 19. ♘d2 b4 20. ♘a4 ♗a4 21. ba4 ♘a6 22. ♕b3 ♖b8∞ Ehlvest 2600 – Gheorghiu 2515, New York 1989] **e5!? 11. ♗g5** [△ g4] **♕d7?!** [11... ♕e8 12. g4!? h5 13. ♘h2 hg4 14. hg4 ♘h7 15. ♗e3 f5 16. gf5 (16. f3? f4 17. ♗f2 ♘g5∓) gf5 17. f4!?⇆; RR 11... h6! 12. ♗d2 ♘h5 13. ♖e1 a5 14. ♖a3 b6 15. ♗f1 ♘f6 16. ♕c1 ♔h7 17. ♗d3 ♘a6= Zsu. Polgár 2510 – Gheorghiu 2515, MTK Budapest – IT Bucureşti 1989] **12. ♘h2! ♘h5 13. ♕f3! ♘e8** [13... ♕e8 (△ f5) 14. g4 ♘f4 15. ♗f4 ef4 16. ♕f4±] **14. ♘e2 ♗f6 15. ♗f6 ♘hf6 16. ♕e3 ♕e7 17. a5! ♔g7 18. ♗c2!± ♘c7 19. f4** [19. ♖ae1; 19. ♖a3] **ef4 20. ♘f4 ♘d7 21. ♘f3 f6 22. ♗a4 ♘e5 23. ♘e5 fe5** [23... ♕e5 24. ♘d3 ♕e7 25. b4±] **24. ♘d3 ♖f1 25. ♖f1 ♗d7 26. ♗d7** [26. ♘c5? dc5 27. d6 ♕e6 28. ♗d7 ♕d6∓] **♕d7 27. b4 b6 28. ♖b1 ♘a6! 29. b5 ♘c7 30. ♖f1 ba5?** [30... ♖f8? 31. ♖f8 ♔f8 32. ♕f2 △ ♕a2±; 30... ♕e7] **31. ♘c5! dc5 32. ♕c5 ♖d8 33. ♕a7 ♘b5 34. ♕d7 ♖d7 35. cb5+– ♖b7 36. ♖b1 a4 37. ♔f2 a3 38. ♖a1 ♖b5 39. ♖a3 ♔f6 40. h4 ♖b6 41. g4 h5 42. g5 ♔e7 43. ♔e3 ♔d6 44. ♔d3 ♖b1 45. ♖a6 ♔c5 46. ♖c6 ♔b5 47. ♖e6 ♖b3 48. ♔c2 ♖h3 49. ♖e5 ♖h4 50. ♔d3 ♖g4 51. ♔d4 h4 52. ♖e8 ♖g5 53. ♖b8 ♔a6 54. ♖h8 ♖h5 55. ♖h5 gh5 56. ♔e3 h3 57. ♔f2 1 : 0** **[Pétursson]**

723. **E 90**

POLUGAEVSKIJ 2575 – GHEORGHIU 2515

New York 1989

1. d4 ♘f6 2. c4 c5 3. d5 d6 4. ♘c3 g6 5. e4 ♗g7 6. ♘f3 0–0 7. h3 e6 8. ♗d3 ♘a6

9. ♗e3 ♘c7 10. a4 ♕e7 N [10... ed5 – 34/728] **11. ♕d2 e5 12. ♗g5! ♖e8 13. g4 ♗d7 14. ♘g1!?** [△ ♘ge2-g3→] **♕f8! 15. ♘ge2 ♔h8! 16. ♘g3 ♘g8!** [△ ♗h6∓] **17. ♗e3 f6!** [17... ♗h6?! 18. g5 ♗g7 19. h4±] **18. 0–0 ♗h6!** [18... ♘h6 19. f3 ♘f7 20. h4!±] **19. f4 ef4 20. ♗f4 ♗f4 21. ♖f4 ♕e7! 22. ♖af1 ♖f8∓ 23. ♔g2 ♔g7 24. h4 ♘h6 25. ♗e2 ♕e5! 26. b3 ♖ac8 27. ♘d1 ♘a6! 28. ♘f2 ♘b4 29. ♘d3 ♘d3 30. ♕d3 a5?!** [30... b6 △ a6!∓] **31. ♕e3 ♖f7 32. g5 ♘g8!∓** [33. ♗g4! ♗g4 34. ♖g4 fg5! 35. ♖f7 ♔f7 36. ♖g5 ♕b2!↑; 36. hg5]
1/2 : 1/2 **[Gheorghiu]**

724.* **E 90**

M. GUREVIČ 2630 – DAMLJANOVIĆ 2565

Reggio Emilia 1988/89

1. d4 ♘f6 2. c4 c5 3. d5 g6 4. ♘c3 ♗g7 5. e4 d6 6. ♗d3 0–0 7. h3 e6 8. ♘f3 ed5 9. ed5 ♖e8 10. ♗e3 ♗f5 [RR 10... ♗h6 11. 0–0 ♗e3 12. fe3 ♘bd7 13. e4 a6 N (13... ♔g7 – 41/678) 14. ♖f2 ♔g7 15. ♕d2 ♘g8! 16. ♘g5 ♘e5 17. ♖af1 f6 18. ♘f3 (18. ♘e6 ♗e6 19. de6 ♖e6 20. ♘d5 b6 △ ♖a7∓) ♕e7 19. ♘e5 ♕e5 20. ♘a4 a5!? 21. ♘c3 ♗d7∞ (22. ♘e2 ♖f8 23. ♘f4 b6 Meulders) Meulders 2325 – Westerveld, Nederland 1989] **11. ♗f5 gf5 12. 0–0 ♘e4 13. ♘e4!? N** [13. ♘e2 – 46/805] **fe4 14. ♘d2 ♕f6** [14... ♘d7 15. ♕g4 ♘f6 16. ♕h4→»] **15. f3!⩲** [15. ♕g4 ♕g6=] **ef3** [15... ♕b2 16. ♖b1 ♕a3 17. ♖b3±] **16. ♖f3 ♕g6 17. ♗f4! ♘d7 18. ♖g3 ♕f6 19. ♕g4** [△ ♖f1, ♘f3↑»] **♘f8?** [19... h5□ 20. ♕f3 ♘e5 21. ♗e5 ♕e5 22. ♖f1±] **20. ♗d6 ♘g6 21. ♗c5 ♕b2 22. ♖d1 b6 23. ♗f2 ♕c2** [23... ♕a2 24. ♘e4 ♕c2 25. ♘g5↑] **24. ♕f3!±** [△ ♕b3] **♗e5** [24... ♕a2 25. ♘e4↑] **25. ♕b3 ♕b3** [25... ♕f5 26. ♕d3 ♕h5 27. ♕f3 ♕h6 28. ♖g4] **26. ♖b3 ♖ac8** [△ ♗f4] **27. c5! bc5 28. ♘c4 ♖ed8 29. ♖b7 ♗d4 30. d6** [30. ♗d4? ♖d5] **♘f4 31. ♔f1 ♘e6 32. ♗h4 ♖b8□** [32... f6 33. ♖e1+–] **33. ♖db1 ♖b7 34. ♖b7 ♖a8 35. ♔e2** [△ ♔d3-e4-d5-c6] **♔g7 36. ♔d3 ♗f6 37. ♗f2 h5!** [×g2] **38. ♗e3 ♗d4 39. ♗d2 ♘d8⊕** [⌓ 39... ♔f6 △ ♖g8] **40. ♖e7 ♘c6 41. ♖c7 ♘e5 42. ♘e5 ♗e5** [♖ 9/k] **43. ♖c5** [43. ♗c3 ♗c3 44. ♔c3 ♔f6±] **♗d6 44. ♖h5± ♗c7 45. ♖d5 ♗b6 46. a4! ♔f6 47. a5 ♔e6 48. ♔e4 ♗g1 49. ♗b4! ♔f6** [49... ♗h2 50. ♗c5±] **50. ♖d6 ♔g7 51. ♗c3 ♔f8 52. ♗f6+– ♖c8 53. ♖d8 ♖d8 54. ♗d8** **1 : 0**
[M. Gurevič]

725. **E 90**

SR. CVETKOVIĆ 2460 – VELIMIROVIĆ 2530

Jugoslavija 1989

1. c4 ♘f6 2. ♘c3 g6 3. e4 d6 4. d4 ♗g7 5. ♘f3 0–0 6. h3 c5 7. d5 e6 8. ♗d3 ed5 9. ed5 ♖e8 10. ♗e3 b5 11. ♘b5 ♘e4 12. 0–0 a6 13. ♘c3 ♘c3 14. bc3 ♗c3 15. ♖c1! N [15. ♖b1] **♗g7** [15... ♗f6!?] **16. ♗g5** [16. ♗f4!?] **♗f6** [16... ♕c7!? 17. ♖e1!±C] **17. ♗f4** [×d6] **♕c7** [17... ♖a7 18. ♖b1 ×♘b8] **18. ♖b1 ♘d7 19. ♕a4± ♖e7 20. ♕c6! ♕c6 21. dc6 ♘e5 22. ♘e5 de5 23. ♗e3 ♗f5 24. ♗f5 gf5 25. ♖fd1! ♖c7 26. ♖d6 ♔g7** [26... ♗e7 27. ♖d7 ♖d7 (27... ♖ac8 28. ♖b7+–) 28. cd7 △ ♖b7, ♗d2-a5+–] **27. ♖b7 ♖ac8** [27... ♖b7 28. cb7 △ ♖d7, ♗c5-a7+–] **28. ♖c7** [28. ♖d7? ♖c6 29. ♖f7 ♔g6 30. ♖h7 f4⇆] **♖c7 29. ♗c5 ♗e7□ 30. ♖d7 ♖d7 31. cd7 ♗d8 32. ♗a3! ♔f6 33. c5 ♔e6 34. c6+– f4** [34... ♔d5 35. ♗e7 ♗e7 36. c7] **35. ♔f1 e4 36. ♔e2 f5 37. ♗c5 h5 38. h4!⊙ ♗c7** [38... a5 39. a4] **39. ♗f8 ♗d8 40. ♗h6 ♗h4 41. ♗f4** **1 : 0**
[Sr. Cvetković]

726.** **E 90**

M. GUREVIČ 2590 – RECHLIS 2500

Tel Aviv 1989

1. d4 ♘f6 2. c4 c5 3. d5 g6 4. ♘c3 ♗g7 5. e4 d6 6. ♘f3 0–0 7. h3 e6 8. ♗d3 ed5 9. ed5 ♖e8 10. ♗e3 ♘h5 11. 0–0 ♘d7 12. ♕d2 ♘e5!? [12... f5 – 45/(738)] **13. ♗e2! N** [×h5; RR 13. ♘e5 ♖e5 14. ♖fe1 (14. g4? ♕h4! 15. ♔g2 ♗g4–+) ♗d7 15.

♘e4 f5 16. ♘c3 ♕f8 17. g3 ♖ae8 18. ♔h2 f4 19. gf4 ♘f4 20. ♗f1 ♘h3 21. ♗h3 ♗h3 0 : 1 Lautier 2450 − Murey 2560, Paris 1989] **♗d7 14. ♘g5! a6!** [14... f6 15. ♘e6!±; 14... h6 15. ♘ge4; RR 14... f5! 15. ♘e6 ♗e6 16. de6 ♖e6 17. ♗h5 gh5 18. ♕d5 ♕e7 19. ♘e2 ♕f7 20. ♖ad1 ♘g6 21. ♘f4 ♘f4 22. ♗f4 ♖d8 23. b3 ♗d4? 24. ♗e3! ♗e3 25. fe3 ♖f8 26. ♖f3= Wellin 2395 − Veličković 2435, Lugano 1989; 23... b6!∓ Veličković] **15. b3 ♗f5!?** [△ h6] **16. g4?** [16. ♖ac1! (△ g4) h6 17. ♘f3±] ♘g4! **17. hg4 ♖e3! 18. ♕e3 ♗d4 19. ♕c1 ♗c3 20. gf5** [20. ♕c3 ♕g5 21. ♕e3 ♘f4 △ h5∓] **♗a1 21. ♗h5 gh5∓ 22. ♔h1 ♗g7 23. ♖g1 h6** [23... ♕f6 24. ♕f4 △ ♘e4↑] **24. ♘f3 ♕f6 25. ♕f4 ♔h7⊕** [25... ♖e8∓] **26. ♘d2 b5?! 27. ♘e4∞ ♕e5 28. ♕e5 ♗e5** [♖ 9/i] **29. ♖f1!** [△ f4] **♗f4 30. ♘f6 ♔h8 31. ♘h5 ♗e5 32. ♖e1 ♖g8 33. f4 ♗c3 34. ♖e3 ♗d4 35. ♖g3 ♖e8 36. f6 bc4 37. bc4 ♖e1 38. ♔h2 ♖c1 39. ♖a3?! ♔h7! 40. ♖g3 ♔h8** [40... ♖c2 41. ♔h3 ♖c3=] **41. ♖g7 ♗f6 42. ♖f7 ♗a1! 43. ♔h3!** [△ ♔g4-f5→] **♖c4 44. ♔g4 ♖c2** [44... ♖d4? 45. ♘f6+−] **45. ♖d7 c4 46. ♔f5 ♖a2 47. ♖d6 ♔g8 48. ♖c6 ♖d2 49. ♘f6!? ♗f6** [49... ♔f7=] **50. ♔f6 ♖d5 51. ♔g6!± ♔f8** [51... ♖d8 52. f5+−] **52. f5 ♔e7 53. f6 ♔d7 54. ♖c4 ♖g5 55. ♔h6** [♖ 7/b6] **♖g1 56. ♖e4 ♖h1 57. ♔g7 ♖g1 58. ♔f8 ♖f1 59. f7 a5 60. ♖e5??** [60. ♖e7+−; 60. ♖g4+−] **a4 61. ♖a5 ♖a1??** [61... ♖f4 62. ♔g7 ♖g4 63. ♔f6 ♖f4 64. ♔g6 ♔e6! 65. ♖a6 ♔e7 66. ♖a7 ♔e6 67. ♔g7 ♖g4 68. ♔f8 ♔d6! 69. ♔e8 ♖e4 70. ♔d8 ♖f4 71. ♖a6 ♔c5 72. ♔e7 ♖f7=] **1 : 0** [M. Gurevič]

<hr>

727.****   **E 92**

GHEORGHIU 2515 − SPYCHER 2210

Lenk 1989

1. d4 ♘f6 2. c4 g6 3. ♘c3 ♗g7 4. e4 d6 5. ♘f3 0−0 6. ♗e2 e5 7. ♗e3 [RR 7. de5 de5 8. ♕d8 ♖d8 9. ♗g5 a) 9... ♖f8 10. ♘d5 (10. 0-0-0 ♘bd7 − 24/645; 10... ♘c6!=) ♘d5 11. cd5 c6 12. ♗c4 b5! 13. ♗b3 ♗b7 14. ♖c1 a5! N (14... h6? 15.

♗e3 a5 16. a3 a4 17. ♗a2 ♖c8 18. ♔e2!±) 15. a3 a4 16. dc6 ♘c6 (16... ♗c6 17. ♗a2!± △ 17... ♗e4 18. ♗e7 ♖e8 19. ♘g5 ♖e7 20. ♖c8 ♗f8 21. ♘e4± Gorelov, Gagarin) 17. ♗d5 ♘a5 18. ♗b7 ♘b7 19. ♔e2 ♖fc8 20. ♗e3 ♘a5 21. ♘d2 ♗f8= Gagarin − Lanka 2420, SSSR 1989; b) 9... c6 10. ♘e5 ♖e8 11. f4 (11. 0-0-0 − 45/(742)) ♘h5! N (11... h6?! − 45/742) 12. ♗h5 (12. ♘d3 h6! 13. ♗h4 ♘f4! 14. ♘f4 g5 15. ♘h5□ gh4 16. ♘g7 ♔g7 17. 0−0 ♘d7 18. ♖f4 ♘e5 19. ♖af1 h3 20. g3 ♗e6 21. b3 ♖ad8∓) gh5 13. ♗h4 ♘d7! 14. ♗g3 (14. ♘d7 ♗c3 15. bc3 ♗e4 16. ♔d2 ♗d7∓ Glek) ♘e5 15. fe5 ♗e5 16. ♗e5 ♖e5 17. 0-0-0 ♗e6 18. b3 b5! 19. cb5 cb5 20. ♖d4 a5 21. ♖hd1 ♔g7∓ Maljutin − Glek 2475, Moskva (ch) 1989] **♘c6** [7... ed4 8. ♘d4 c6 (8... ♖e8 − 24/646) 9. ♘c2! ♖e8 10. f3 ♕e7 11. ♕d2 ♘a6 12. 0−0 ♘c7 13. ♖ad1 ♖d8 14. ♖fe1 ♗e6 15. ♗g5! ♘ce8 16. ♗f1 ♕c7 17. ♘d4 ♗d7 18. ♖c1!± Gheorghiu 2515 − Zsu. Polgár 2510, IT București − MTK Budapest 1989; RR 7... h6 8. 0−0 ♘g4 9. ♗c1 ♘c6 10. d5 ♘e7 11. ♘d2 f5 (11... h5) 12. ♗g4 fg4 13. b4 ♗d7 N (13... b6 − 46/808) 14. c5 a5 15. ♗a3 ♘c8 16. ♘c4 ab4 17. ♗b4 ♖f6 18. a4 (18. c6?! bc6 19. dc6 ♗c6 20. ♘e5 ♗b7 21. ♘g4 ♖f7 22. ♖c1 ♘b6 23. ♘d5 ♘d5 24. ed5 ♕g5 25. ♘e3 ♖a2∓ Pritchett 2400 − Vogt 2485, Saltsjöbaden 1988/89; △ 22. ♕b3) dc5 19. ♗c5 ♖fa6∞ Vogt] **8. d5 ♘e7 9. ♘d2 ♘e8 10. f3!? N** [10. 0−0?! − 35/710; 10. g4∞; 10. c5±] **f5 11. ♗d3 c5! 12. ♕c2 ♘f6 13. 0-0-0 a6 14. a3 ♕a5 15. ♕a4 ♕c7!** [15... ♕a4?! 16. ♘a4 △ b4±] **16. b4 ♗d7 17. ♕b3 fe4 18. ♘de4 ♘f5 19. ♘f6! ♖f6 20. ♗f2 ♗h6 21. ♔b1 ♘e3 22. ♘e4 ♖f7 23. bc5! dc5** [23... ♘d1 24. ♖d1±] **24. ♗e3 ♗e3 25. ♔a2 b5→** [25... ♖b8 26. ♖b1± △ ♕b6] **26. cb5 ab5 27. ♗b5 ♗b5 28. ♕e3!** [28. ♕b5 c4!→] **♗c4 29. ♔a1 ♖a5 30. ♖c1 ♕a7 31. ♖c3 ♗d5 32. ♖d1! ♗e4 33. fe4 ♕a6 34. ♔a2 ♕e6 35. ♖d5!±** ♖fa7 [35... ♖d7?! 36. ♖c5 ♖d5 37. ed5!; 35... ♕g4] **36. ♕g3 ♕a6?** [36... ♖d7] **37. ♖d8+−** ♔f7 [37... ♔g7 38. ♕e5 ♔h6 39. ♖h3♯] **38. ♖f3** [38... ♔e6 39. ♕g4 ♔e7 40. ♕g5]   **1 : 0**   [Gheorghiu]

728. **E 92**

I. SOKOLOV 2580 – P. CRAMLING 2480
Haninge 1989

1. d4 ♘f6 2. ♘f3 g6 3. c4 ♗g7 4. ♘c3 0–0 5. e4 d6 6. ♗e2 e5 7. ♗e3 ♘g4 8. ♗g5 f6 9. ♗h4 ♘c6 10. d5 ♘e7 11. ♘d2 ♘h6 12. f3 g5 13. ♗f2 f5 14. c5 N [14. ♕c2 ♘g6 15. 0-0-0 g4∞; 14. 0–0 – 31/699] **♘g6 15. cd6 cd6 16. ♘c4** [16. g3!? g4 17. fg4 ♘g4 18. ♗g4 fg4 19. ♗e3±] **♘f4 17. 0–0** [17. ♘e3] **g4** [17... ♖f6!? 18. ♘b5 b6!∞] **18. fg4⩲ ♘e2** [18... ♘g4 19. ♗g4 fg4 20. ♘b5 ♖f6 21. ♗h4 ♘h3 22. gh3 ♖f1 23. ♕f1 ♕h4 24. ♘bd6] **19. ♕e2 ♘g4 20. ef5** [20. ♘b5] **♘f2** [20... ♗f5] **21. ♖f2 ♗f5 22. ♖af1** [22. ♘b5 e4! 23. ♘cd6 ♕b6=∞] **♗g6 23. ♘e4** [23. ♖f8 ♗f8 24. ♘e4 ♖c8] **♖f2 24. ♖f2 ♕c7!? 25. ♘cd6 ♖d8 26. ♘b5** [26. ♘f5 ♖d5 27. h4 ♕d7!?] **♕b6 27. ♘bc3 ♔h8** [27... ♗e4 28. ♕e4? ♖f8 29. ♕e2 e4; 28. ♘e4±] **28. d6** [28. h4! ♗e4 29. ♘e4±] **♕d4! 29. ♔h1** [29. h3 ♖f8 △ 30... ♗e4 31. ♘e4 ♖f2 32. ♘f2 ♕d6] **b5!⇆ 30. a3 a5 31. ♖f1! b4 32. ♖d1!** [32. ab4? ab4 33. ♖d1 bc3=] **bc3⊕ 33. ♖d4 ed4 34. bc3 dc3** [34... ♖b8!? 35. h4±] **35. ♕c4! ♗e4** [35... ♗f5 36. ♘g5] **36. ♕e4** [♕ 5/h] **♗f6 37. ♕c6+– ♔g7 38. ♕c7⊕ ♔g6 39. g4! ♖e8⇆ 40. d7 ♖e1 41. ♔g2 ♖d1 42. h4! ♖d2 43. ♔f3 ♖d3 44. ♔e2 ♖d2 45. ♔e3 ♗h4□ 46. ♕c3 ♖d6 47. ♕e5! ♗g5 48. ♔e2 ♖d2 49. ♔e1** [△ ♕g5] **1 : 0**
[I. Sokolov]

729.** **E 92**

LERNER 2535 – UHLMANN 2515
Berlin 1989

1. d4 ♘f6 2. c4 g6 3. ♘c3 ♗g7 4. e4 d6 5. ♗e2 0–0 6. ♘f3 e5 7. d5 a5 [RR 7... c5 8. 0–0 ♘h5 *a)* 9. g3 ♗h3 10. ♖e1 ♘f6 N (10... ♗g4±) 11. ♗g5 h6 12. ♗d2 ♘h7 13. ♕c1 h5 14. ♘h4 ♕e7 15. ♘d1 ♗f6 16. ♘g2 ♗g5 17. f3 ♗d2 18. ♕d2 ♔g7 19. ♘f2 ♗g2 20. ♔g2 h4 21. ♘g4 ♖h8 22. f4 ♘d7∞ Barlov 2490 – S. Đurić 2475, Jugoslavija (ch) 1989; *b)* 9. ♘e1!? N ♘f4 10. ♘d3 ♘d3 11. ♗d3 ♘d7 12. ♕c2 ♘f6 13. ♖b1 ♘h5 14. b4 cb4 15. ♖b4 f5 16. ♘b5 a6 17. ♘c3 ♘f4 18. f3 ♕a5 19. ♖b3 fe4 20. ♘e4 ♗f5 21. ♖b7 ♘d3 22. ♕d3 ♕a2 23. ♗e3± Tisdall 2460 – Høi 2460, Gausdal 1989; ◠ 16... b6△ ♖f7, ♗f8] **8. ♗g5** [RR 8. 0–0 ♘a6 9. ♕c2 ♗d7 10. ♘e1 c6 N (10... c5? – 13/719) 11. ♗g5 h6! (11... ♕b8?! 12. ♕d2 ♘c5 13. f3 cd5 14. cd5 ♘h5 15. ♘d3 ♘d3 16. ♗d3 b5 17. ♘e2!± Vaganjan 2600 – Douven 2445, Wijk aan Zee 1989) 12. ♗h4 ♕b8= Vaganjan; 8. ♗e3 ♘g4 9. ♗g5 f6 10. ♗h4 ♘h6 11. ♘d2 ♘a6 12. 0–0 (12. f3 – 9/596; 12. a3!? ♗d7 13. ♖b1 △ b4) ♕e8 13. f3 f5 14. a3 ♗d7 15. b3 (15. b4!? ab4 16. ab4 ♘b4 17. ♕b3 ♘a6 18. ♕b7 ♕b8 19. ♕b8 ♖fb8 20. ♘b5⩲) ♘f7 16. ♖b1 ♗h6! 17. ♗f2!? (17. b4?! ab4 18. ab4 ♗e3= Ruban 2420 – Cvitan 2525, Bela Crkva 1989) ♕e7 18. ♕c2 ♘g5 19. ♔h1! ♘c5 20. b4 ab4 21. ab4 ♘a4 22. ♘d1⩲ Ruban] **h6 9. ♗h4 ♘a6 10. ♘d2 h5!? N** [10... ♕e8 – 46/813] **11. ♗g5** [11. 0–0 ♗h6 12. f3 ♗e3 13. ♔h1 g5↑»] **♕e8 12. a3 ♗d7 13. b3** [13. 0–0 ♘h7 14. ♗e3 h4 △ f5, ♗f6-g5∓] **♘h7 14. ♗e3 h4!** [14... f5? 15. ef5 gf5 16. ♗h5±; 14... ♗f6 15. h4!±] **15. ♕c2 f5 16. f3 ♗f6! 17. 0-0-0 ♗g5∓ 18. ♗g5 ♘g5 19. ef5** [19. g3 ♘h3!∓] **♗f5! 20. ♗d3** [20. ♘ce4 ♘c5∓] **♘c5!** [20... ♗d3 21. ♕d3 ♘c5 22. ♕e3∓] **21. ♗f5 ♖f5 22. ♘de4 ♘ge4 23. ♘e4 ♘e4!** [23... a4 24. ♘c5 dc5 25. d6!∞] **24. fe4** [24. ♕e4? a4 25. b4 ♖f4∓] **♖f6! 25. ♖he1** [25. ♖hf1 ♕f7 26. ♕e2 ♖f8 27. ♖f6 ♕f6∓] **♕f7 26. ♖e2 ♖f8 27. h3** [27. ♔b2 ♖f1 △ ♕f4] **♖f1 28. ♔b2 b6! 29. ♕d2 ♖d1 30. ♕d1** [♕ 9/f] **♔g7 31. ♕e1 ♕f4 32. ♔c2** [32. b4 a4! 33. ♕d1 ♕f1! 34. ♕c2 (34. ♕f1 ♖f1 35. c5 b5! 36. cd6 cd6 37. ♖c2 ♔f6!∓) ♖f4 35. ♖d2 ♔h6∓○ △ ♕g1-e3] **♔h6 33. ♖d2 ♔g5! 34. ♕e2** [34. ♖e2 ♕g3! 35. ♕g3 hg3 36. ♔d2 ♖f1 37. b4 ab4 38. ab4 ♖f2 39. ♔d3 ♔f4 40. ♖f2 gf2 41. ♔e2 ♔e4 42. ♔f2 b5! 43. cb5 ♔d5–+] **♕g3 35. ♔b2 ♖f4 36. ♖c2** [36.

b4 a4∓] **♔h6! 37. ♖d2 g5! 38. a4 g4 39. hg4 ♖g4! 40. ♖c2** [40. ♔c2 ♕f4 41. ♔d3 ♖g3 42. ♔c2 ♖e3−+] **♕f4∓ 41. c5 dc5** [41... bc5!] **42. ♕b5 ♕e4 43. ♕e8** [43. ♕c6 ♖g6 44. ♕c7 ♕d5∓] **♕d5! 44. ♕h8 ♔g6 45. ♖f2** [45. ♕e8 ♕f7 46. ♕e5 ♕f6−+] **♕d4! 46. ♔a3 ♕f2!** [46... ♕a1! 47. ♖a2 ♖a4!! 48. ♔a4 (48. ba4 ♕c3#) ♕a2−+] **47. ♕g8 ♔h5 48. ♕h8 ♔g5 49. ♕e5 ♕f5 0 : 1** [Uhlmann]

730.**** **E 92**

JUSUPOV 2610 − KASPAROV 2775
Barcelona 1989

1. ♘f3 ♘f6 2. c4 g6 3. ♘c3 ♗g7 4. e4 d6 5. d4 0−0 6. ♗e2 e5 7. d5 a5 8. ♗g5 h6 9. ♗h4 ♘a6 10. ♘d2 ♕e8 11. 0−0 [RR 11. a3 ♗d7 12. b3 ♘e4 N 13. ♘ce4 f5 14. f3 fe4 15. ♘e4 ♗f5 16. ♗f2 b6 17. ♗d3 ♘c5 18. 0−0 ♘d3 19. ♕d3 g5 20. ♗e3 ♗h7 21. h3 ♕h5 22. ♗d2 ♖f7 23. b4 ab4 24. ab4 ♖af8 25. ♕e2 ♕h4 26. ♖fe1 ♗f6 27. ♕f2 ♕h5 28. ♕e2 ♗d8∞ Bischoff 2505 − Kožul 2490, Ljubljana/Rogaška Slatina 1989] **♘h7** [RR 11... ♗d7 12. a3 ♘h7 (12... a4 13. b4 ab3 14. ♘b3 ♗a4!?=) *a)* 13. ♖b1 N *a1)* 13... f5 14. f3 (14. ef5? ♗f5 15. ♖c1 g5 16. ♗g3 ♘f6∓↑ Dautov 2535 − Magerramov 2440, Warszawa 1989) a4 15. ♘b5 ♗b5 16. cb5 ♘c5∞; *a2)* 13... h5! 14. f3 a4 15. ♘b5 ♗h6! 16. b4 ab3 17. ♘b3 f5∓; *b)* 13. b4 ab4 14. ab4 ♘b4 15. ♕b3 c5 16. dc6 ♘c6 17. ♕b7 ♖a1 18. ♖a1 ♘d4∞ Magerramov] **12. a3 ♗d7 13. b3 f5!?** [RR 13... h5 14. f3 ♗h6 15. ♖b1 ♗e3 *a)* 16. ♗f2 ♗f2 17. ♖f2 ♕e7!? (17... ♘c5) 18. b4 ab4 19. ab4 c5! 20. dc6 (20. bc5 ♘c5 21. ♘b3 ♗a4! 22. ♘a4 ♘a4∓) bc6 21. ♘a4! N (21. b5 ♘c5 22. ♘b3 ♘b3 23. ♖b3 ♘g5 24. ♗f1 ♘e6 25. ♖b1 ♖fb8 26. ♖d2 ♘d4∓ A. Kuz'min, Kimel'fel'd) ♖fb8 22. c5! dc5 23. ♗a6 ♖a6 24. ♘c5 ♖ab6 25. ♘d7 ♕d7 26. ♘c4 ♕d1 27. ♖d1 ♖b5! 28. ♖c2 ♘f8= Zlotnik 2420 − A. Kuz'min 2465, Budapest (open) 1989; *b)* 16. ♔h1 ♗c5 17. ♕c1 c6 18. ♕b2 N (18. ♘a4?! − 45/747) ♗d4! (18... f6 19. ♗f2 ♗f2 20. ♖f2 c5 21. ♘b5! ♕e7 22. f4 ef4 23. ♖f4 ♖ad8 24. ♖bf1 ♗e8±) 19. b4 ab4 20. ab4 c5 21. bc5 ♘c5 22. ♕c2 g5 23. ♗f2 ♗f2 24. ♖f2 ♘f6? 25. ♘b3 b6 26. ♘c5 bc5 27. h4!! gh4 28. ♕d2 ♘h7 29. ♕h6 ♕e7 30. f4± Enders 2490 − Rossmann 2255, Leipzig 1989; 24... ♕e7± Enders] **14. ef5 gf5! N** [14... ♗f5 − 45/745, 746]

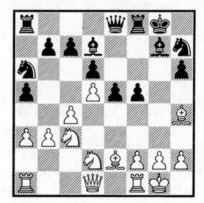

15. ♗h5 ♕c8 [15... ♕b8 16. ♗e7 ♖c8 17. g4!±] **16. ♗e7 ♖e8! 17. ♗e8** [17. ♗h4 ♖f8 18. ♗e7=] **♕e8 18. ♗h4 e4 19. ♕c2** [19. ♘e2? ♗a1 20. ♕a1 ♕h5−+; 19. ♖c1 ♘c5 20. ♔h1 ♘d3 21. ♖c2 ♕g6∓] **♕h5 20. ♗g3 ♖f8** [20... ♘c5!?] **21. ♗f4?** [21. f4□ ♘c5 22. ♖fd1! ♘d3 23. ♘f1 ♗d4 24. ♔h1 ♘f6 25. ♖d3 ed3 26. ♕d3 ♗c5∞̄] **♕g4 22. g3 ♘g5 23. ♔h1** [23. ♗g5 hg5 24. f3 ♕h3 25. fe4 f4!→] **♘f3 24. ♖ac1 ♘c5 25. ♘f3** [25. ♕d1 ♘d3 26. ♖c2 ♘fe1!∓] **♕f3 26. ♔g1 ♘d3 27. ♕d2** [27. ♕e2 ♘c1 (27... ♘f4 28. gf4□ ♕f4 29. ♕e3∞) 28. ♖c1 ♕e2 29. ♘e2 ♗b2 30. ♖b1 ♗a3 31. ♗h6 ♖a8∓; 27. ♘e2 ♗b2!] **♗d4! 28. ♖c2 ♔h7 29. h3** [29. ♕e2 ♘f4 30. ♕f3 ♘h3 31. ♔g2 ef3 32. ♔h3 f4 33. g4 h5 34. ♘e4 hg4 35. ♔h4 ♔g6 △ ♖h8#] **♖g8 30. ♔h2 ♕h5!** [30... ♘f4 31. ♕f4 ♕d3 32. ♘e2! ♗c5! (32... ♕c2 33. ♘d4 ♕d3 34. ♘f5!; 32... ♗e5 33. ♖d2! ♕b3 34. ♕e3!∞) 33. ♕d2 ♗a3∞̄] **31. ♘d1** [31. ♕d1 ♘f4 32. gf4 ♕h4 33. ♕d2 e3!−+; 31. ♖cc1 ♘f4 32. gf4 ♕f3 33. ♖g1 ♖g1 34. ♔g1 ♕g3 35. ♔f1 ♕h3 36. ♔e1 (36. ♔g1 ♗c5 37. ♘d1 ♗e8 38. ♖c3 ♕g4 39. ♔f1 ♗h5 40. ♘e3 ♕h3 41. ♔e1 ♗e3−+) ♕h1 37. ♔e2 ♕f3

38. ♔e1 ♗c5 △ ♗e8-h5∓] **♘e5⊕** [31... ♘f4 32. ♕f4 (32. gf4 ♕g6 33. ♘e3 ♗e3 34. fe3 ♕g3−+) ♗e5 33. ♕e3 f4−+] **32. f3 ♘d3?!** [32... ♕f3! 33. ♗e5□ ♕f1 34. ♗d4 (34. ♕d4 de5−+) f4 35. g4 ♗g4! 36. hg4 ♖g4 37. ♕f2 ♕d1 38. ♖d2 ♕b3! (38... ♖h4 39. ♕h4 ♕d2 40. ♗f2□ e3 41. ♕e7 ♔g6 42. ♔h3!! ef2 43. ♕e6 ♔g5 44. ♕g4=) 39. ♖b2 ♕c4 40. ♖b7 ♕d5 41. ♖c7 ♔g8 42. ♖c8 ♔f7 43. ♖c7 ♔e8 △ ♕h5#] **33. ♘e3?** [33. fe4 ♘f4 (33... fe4 34. ♕g2 ♘f4 35. ♖f4 ♕d1 36. ♕e4 ♖g6 37. ♖f7±) 34. ♖f4 ♗e5 35. ♘f2∞] **♘f4 34. gf4 ♗b6??**[34... ♕h4 35. ♕d4 ♖g3! 36. ♖g2 ♖h3 37. ♔g1 ♖h1#] **35. ♕f2 ♕g6** [35... ♖e8∞] **36. ♖e2 ♗c5?** [36... ♖e8! 37. ♖g1 ♕f7∞] **37. fe4 fe4** [37... ♖e8!? 38. ef5 ♗f5⩲] **38. f5 ♕h5 39. ♖d2 ♖g5 40. ♕f4 ♕e8?** [40... ♗e3 41. ♕e3 ♗f5 42. ♖df2 ♗g6 △ ♖e5-e7±] **41. ♘g4 1 : 0 [Kasparov]**

731. E 92

NAUMKIN 2435 – A. KUZ'MIN 2465

Moskva II 1989

1. d4 ♘f6 2. c4 g6 3. ♘c3 ♗g7 4. e4 d6 5. ♘f3 0–0 6. ♗e2 e5 7. d5 a5 8. ♗g5 h6 9. ♗h4 ♘a6 10. ♘d2 ♕e8 11. 0–0 ♘h7 12. a3 ♗d7 13. b3 f5 14. ef5 gf5!? 15. ♗h5 ♕c8 16. ♗e7 ♖e8 17. ♗e8 ♕e8 18. ♗h4 e4=∞ 19. ♖c1 N ♘c5 20. ♖c2! ♘f8 [20... f4?! ×e4] **21. ♘e2 ♘g6 22. ♗g3 ♘d3** [△ f4] **23. f3! e3□ 24. ♘b1 ♘b2 25. ♖b2** [25... ♕c1 ♘d3 26. ♕d1 ♘b2=] **♗b2 26. ♖e1!?⩲** [×e3] **h5 27. h3 ♕f7 28. f4** [28. ♘f4? ♗e5 29. ♘h5 f4−+] **h4 29. ♗h2 ♗g7?!** [29... ♕g7!? △ ♔h7, ♖g8] **30. ♕d3 ♖e8 31. ♘bc3± c6 32. ♔h1** [32. dc6?! ♗c6 33. ♕d6 ♗f8!?⇆] **a4?! 33. ba4** [33. b4!? b5 34. cb5 cd5 35. ♘d5±] **cd5 34. cd5 ♕f6 35. ♖b1!** [35. ♗g1? ♘f4!] **♗c8 36. ♘d1 ♕e7 37. ♖b3** [37. ♖b4?! ♗h6!; 37. ♗g1?! ♕e4! (37... ♘f4? 38. ♘f4 e2 39. ♘e3) 38. ♕e4 ♖e4 39. ♖b4 ♘f4! 40. ♖e4 (40. ♘f4 e2) ♘e2!] **♕e4 38. ♘e3?!⊕** [38. ♕e4 ♖e4 39. ♖e3! ♘e7! (39... ♖e3 40. ♘e3 △ ♘c4+− ×b6, d6) 40. ♖e4 fe4 41. ♘e3±] **♕a4 39. ♖b4 ♕a6 40. ♘c4!?** [40. ♕a6 ba6 41. ♗g1 ♗d7 △ ♗b5=∞⊡] **♖e4 41. ♘c3!?** [△ ♖a4] **♖e1 42. ♗g1 ♘f4 43. ♕d2 ♗c3** [43... ♖f1 44. ♘e2!] **44. ♕f4** [44. ♕c3? ♖g1!−+] **♗b4** [44... ♕a7?! 45. ♖b6!] **45. ab4=∞ ♕a1! 46. ♕g5 ♔f8□ 47. ♕d8 ♔g7 48. ♕c7?** [48. ♕b6! △ ♔h2, ♘d6±] **♔g6 49. ♕d6** [49. ♕b6 ♕a6!] **♗e6! 50. ♔h2! ♔h5! 51. ♕c5 ♖g1 52. ♕g1 ♕g1 53. ♔g1 ♗d5 54. ♘e5= 1/2 : 1/2 [Naumkin]**

732.*** E 94**

DREEV 2495 – GEL'FAND 2585

Arnhem 1988/89

1. d4 ♘f6 2. ♘f3 g6 3. c4 ♗g7 4. ♘c3 0–0 5. e4 d6 6. ♗e2 e5 7. 0–0 ♕e8!? [RR 7... ed4 8. ♘d4 c6 9. f3 ♘bd7 10. ♔h1 ♖e8 11. ♗g5 a5!? 12. ♕d2 a4 13. ♖fd1 ♕a5 14. ♘c2 ♘e5?! N (14... ♘b6 – 46/(816)) 15. ♗h6!? (15. b4!?) *a)* 15... ♗h8? 16. b4! ♕c7 (16... ♕a6 17. ♘e3 ♗e6 18. ♘cd5!±) 17. ♖ac1 ♗e6 (17... ♖d8 18. ♘e3 ♕e7 19. c5 ♘e8 20. f4 ♗e6 21. ♕c2! dc5 22. bc5+− Cebalo 2505 – Todorčević 2535, Jugoslavija 1989) 18. ♘e3 ♖ed8 19. ♘cd5!±; *b)* 15... ♗h6 16. ♕h6 ♕c5 17. ♖d4 △ ♖ad1⩲ Cebalo; 7... c6 8. de5 de5 9. ♕d8 ♖d8 10. ♘e5 ♘e4 11. ♘e4 ♗e5 12. ♗g5 ♖e8 13. ♗f3 ♗e6 14. ♖ae1! N ♘d7 15. b3 ♗f5 16. ♖d1 ♗e4 17. ♖d7⩲ Skembris 2455 – P. Cramling 2480, Genova 1989] **8. de5 de5 9. ♗e3** [9. ♘d5] **b6** [RR 9... ♘a6 N 10. ♘d2 c6 11. a3 h5 12. f3 h4 13. c5 ♘h5 14. ♘c4 ♘f4 15. g3 ♘e6 16. ♘d6 ♕e7 17. ♗a6 ba6 18. ♕a4 ♘d4 19. f4 hg3 20. hg3 ♗h3 21. ♖f2 ♕d7 22. ♔h2 ♗g4 23. ♖af1± D. Gurevich 2480 – Mark Cejtlin 2430, Moskva (GMA) 1989] **10. ♘d5 ♘a6 11. ♘d2!? N** [RR 11. ♕c2 ♘g4 12. ♗d2 c6∞ Gostiša 2415 – Kuprejčik 2445, Beograd 1988; 11. ♗g5 ♘e4!? 12. ♗e7 c6 13. ♗f8 ♕f8=∞ Vučićević 2370 – Kuprejčik 2445, Beograd 1988] **♘d7!?** [11... c6 12. ♘f6 ♗f6 13. c5!⩲] **12. ♕a4** [12. c5 c6 13. ♗a6 cd5 14. ♗c8 ♖c8 15. ed5 ♘c5 16.

♗c5 ♖c5 17. ♘e4 ♖c7=] **♗b7 13. ♕a3** [13. b4 c6 14. ♘c3 ♘c7=] **f5?!** [13... c6? 14. ♘e7 ♔h8 15. ♘c6±; 13... ♕d8!? 14. ♖fd1 ♖e8 △ ♗f8, c6⇆] **14. c5!?** [14. f3 c6 15. ♘e7 ♔h8 16. ♘c6 ♖f6 17. ♘b4 ♗f8 18. c5 ♘ac5∞; 14. ef5!? gf5 15. ♗g5 ♔h8 16. ♕h3↑] **♗d5 15. ♕a6** [15. ♗a6 fe4!? 16. ♗c4 ♗c4 17. ♘c4 ♘f6⇆] **f4!?** [15... fe4 16. ♗c4!±; 15... ♗e6 16. f3±] **16. ed5 fe3 17. fe3 ♘c5 18. ♕c4 ♗h6 19. ♕c3** [19. d6!? ♔g7 20. dc7 ♗e3 21. ♔h1 ♗d2 22. ♖f8 ♕f8 23. ♗g4!±; 21... ♖c8!?±] **a5 20. ♗c4 ♔h8 21. ♖f8 ♗f8= 22. ♘f3 ♗g7?!** [22... ♗d6=] **23. ♕c2?!** [23. ♘g5!? △ ♘e6±] **♕e7 24. e4 ♖f8 25. a3??** [25. ♖e1 ♖f4∓] **♘e4! 26. ♕e4 ♕c5** [26... ♖f4? 27. d6!+−] **27. ♔f1 ♖f4 28. b4 ♕f8??** [28... ♕c4 29. ♕c4 ♖c4 30. ba5 ba5 31. ♖e1 ♖c5−+] **29. ♕c2 e4 30. ♖e1 ef3 31. g3 ♖d4?** [31... ♕c8? 32. gf4 ♕h3 33. ♔g1 ♗d4 34. ♔h1 f2 35. ♖e8 ♔g7 36. ♕e2+−; 31... ♖f6∓] **32. ♗b5 ♕f6 33. ♖e6! ♕f7 34. ♖e8 ♗f8 35. ♕c3 ♕d5?** [35... c5! 36. dc6 ♕e8 37. ♕d4 ♗g7 38. ♕d5 ♗c3 39. ♕f3 ab4 40. ab4 ♗e5±] **36. ♖f8 ♔g7 37. ♗c6 ♕c4 38. ♕c4 ♖c4 39. ♖f7!+− ♔f7 40. ♗d5 ♔f6 41. ♗c4 ♔e5 42. ba5 ba5 43. ♔f2 ♔d4 44. ♗b5 ♔c5 45. ♗e8 ♔c4 46. ♗c6 ♔c5 47. ♗f3 1 : 0 [Gel'fand]**

733. E 94

G. FLEAR 2500 − KUPREJČIK 2520

Torcy 1989

1. d4 ♘f6 2. c4 g6 3. ♘c3 ♗g7 4. e4 d6 5. ♗e2 0−0 6. ♘f3 e5 7. 0−0 ♕e8!? 8. d5 N [8. ♖e1] **♘h5** [RR 8... a5 9. ♘e1 ♘a6 10. ♘d3± Andrianov] **9. g3 f5 10. ef5 ♗f5 11. ♘g5 ♘f6** [11... ♘a6!? 12. g4 h6 13. gf5 (13. ♘h3 ♗d7) hg5 14. ♗g5 (14. fg6 ♘f4) ♖f5∞] **12. ♗d3! ♗d7?!** [12... ♘a6!?±] **13. ♕e2± ♘a6 14. ♗e3** [14. ♗c2!?; 14. a3] **♘g4 15. ♘ge4 ♗h6! 16. a3** [16. ♗h6 ♘h6 △ ♘f5-d4∞] **♕e7 17. b4 ♘b8 18. ♔g2** [18. c5!?] **♗f5 19. h3 ♘e3 20. fe3 ♘d7 21. ♘f2!?** [21. g4 ♗e4 22. ♘e4 ♘f6=] **e4!? 22. ♗e4 ♖ae8** [22... ♗g7!?] **23. ♖ae1 ♗e4** [23... ♗g7; 23... ♘e5] **24. ♘ce4** [24. ♘fe4 ♖f5!?∞] **♘e5** [24... ♖f5] **25. ♘d2 ♕d7** [25... ♕g7!?] **26. ♘d3 ♖f1 27. ♕f1 ♘f7** [27... b5∞] **28. ♘f4 ♕f5 29. ♘e6 ♕c2 30. ♖e2 c6∞ 31. ♕f3** [△ ♘e4] **♘e5 32. ♕e4 ♕c3 33. ♕h4 ♗g7** [33... ♕d3 34. ♖f2 ♗e3? 35. ♕e7!!+−; 33... ♗e3 34. ♘e4 ♕c4 35. ♘f6 ♔f7 36. ♕c4! ♘c4 37. ♘e8 ♔e8 38. dc6 bc6 39. ♘d4±; 33... cd5 34. ♕h6 (34. cd5? ♕d3∓) ♖e6 35. cd5 ♕d3 36. ♖f2 ♖e8∞] **34. ♘g7 ♔g7 35. ♕d4⊕ ♕a3 36. dc6 bc6** [36... ♕b4] **37. ♘e4 ♕d3□** [37... ♕b4 38. ♘d6 ♖e6 39. c5±] **38. ♕d3 ♘d3** [♖ 9/h] **39. ♘d6 ♖e6 40. ♘c8 a6 41. b5** [41. e4 ♘b4∓] **ab5 42. cb5 cb5 43. ♖d2! ♖e3 44. ♘d6 b4 45. ♘c4 ♘e1?** [45... ♖e4 46. ♖d3 ♖c4 47. ♖d7 ♔f6 48. ♖h7 ♔e5! 49. ♖g7 ♔d4 50. ♖g6 b3−+] **46. ♔f2 ♖e4** [46... ♖e7] **47. ♘e3! b3 48. ♖d1 ♘c2 49. ♘c2 bc2 50. ♖d7 1/2 : 1/2 [Kuprejčik]**

734. E 94

A. ČERNIN 2580 − CVITAN 2525

Moskva (GMA) 1989

1. d4 ♘f6 2. c4 g6 3. ♘c3 ♗g7 4. e4 d6 5. ♘f3 0−0 6. ♗e2 e5 7. 0−0 ♕e8!? 8. d5 ♘h5 9. g3 f5 10. ef5 gf5 N 11. ♘e5 [11. ♘h4 ♘f6 12. f4 ef4 13. ♗f4 ♘e4 14. ♘e4 fe4∞] **♘g3 12. fg3 ♕e5** [12... de5 13. c5↑] **13. ♕c2** [RR 13. ♗f4 ♕d4 14. ♕d4 ♗d4 15. ♔g2 ♗c3!? 16. bc3 ♘d7 △ ♘c5 Andrianov] **♘a6 14. ♗f4 ♕f6 15. ♖f2** [△ →⇔f] **♘c5 16. ♖af1 ♗d7 17. ♗e3 ♖ae8 18. ♗c5 dc5 19. ♗d3 ♕d4** [⌓ 19... ♖e5 20. ♘e2 △ ♘f4±] **20. ♔g2 ♖e3** [RR 20... ♖e5? 21. ♖f4 ♕e3 22. ♘d1+−; 20... ♗h6 21. ♘e2 ♕e5 22. ♘g1± Andrianov] **21. ♗f5 ♗f5 22. ♖f5 ♖fe8** [22... ♕c4? 23. ♖f8 ♗f8 24. ♖f8+−; ⌓ 22... ♖f5 23. ♕f5 h6 24. ♖f4! ♕e5 25. ♕e5 ♗e5 26. ♖e4±] **23. ♖1f4! ♕d3 24. ♕d3 ♖d3 25. ♘e4± ♖d4 26. ♘c5 ♖f4 27. ♖f4 ♖e2 28. ♔h3 ♖b2 29. ♘e6 h5 30. ♖f5 ♗c3 31. ♘c7 ♖a2 32. d6** [32... ♖d2 33. ♘d5 ♗a5 34. ♘e7] **1 : 0 [A. Černin]**

735.****** **E 94**

MILES 2520 –
GEN. TIMOŠČENKO 2460
Moskva (GMA) 1989

1. d4 ♘f6 2. c4 g6 3. ♘c3 ♗g7 4. e4 d6 5. ♗e2 0–0 6. ♘f3 e5 7. 0–0 ♘a6 8. ♗e3 [RR 8. ♖e1 c6 *a)* 9. ♖b1 ed4! N (9... ♕e7) 10. ♘d4 ♖e8 11. f3 ♘h5! 12. ♗e3 f5 13. ♗f1 f4 14. ♗f2 ♗e5 15. b4 ♕f6! 16. ♕d2 ♔h8!?∓ Utemov 2395 – Glek 2475, Moskva (ch) 1989; 12. f4!?; 11. ♗f3!? Glek; *b)* 9. h3!? N ♕e7 10. ♗f1 ♘d7 11. a3 ed4 12. ♘d4 ♘dc5 13. ♖b1 ♘c7 14. b4 ♘5e6 15. ♗e3 ♘d4 16. ♗d4 ♗e5 17. ♕d2 ♕f6 18. ♘e2 ♘e6 19. ♗e3 g5 20. g3! (Aseev 2485 – Volke 2380, Kecskemét 1989) ♕g6 21. ♗g2 ♔h8± Aseev] **♘g4** [RR 8... ♕e8 9. de5 ♘g4! 10. ed6 (10. ♗g5!? García-Palermo) ♘e3 11. fe3 cd6 12. ♘d4! N (12. ♕d6 ♗c3 13. bc3 ♕e4 14. ♕d4 ♖e8=) ♘c5 13. ♕c2! ♕e5 14. ♖ad1 a5 15. ♘db5! (15. ♗f3? ♗d7 16. ♖d2 ♗c6 17. ♘db5 ♖ad8 18. a3 h5!∞ García-Palermo 2470 – Ermolinskij 2480, Forli 1989) ♖a6 (15... ♕g5 16. ♘d5 ♗e5 17. ♘d6!± García-Palermo) 16. ♗f3± Ermolinskij] **9. ♗g5 ♕e8** [RR 9... f6 N 10. ♗c1 ♕e8 11. h3 ♘h6 12. de5 de5 13. b3 ♗e6 14. ♗a3 ♖f7 15. ♕c2 ♗f8 16. ♗f8 ♕f8 17. a3 ♖d7 18. ♖fd1 ♖d1 19. ♘d1 ♘f7 20. ♘e3 c6 21. b4 ♘c7 22. c5 ♖d8 23. a4 ♗c8 24. ♗c4 ♘e6 25. ♗e6 ♗e6= Cebalo 2505 – I. Sokolov 2580, Jugoslavija 1989] **10. h3** [RR 10. de5 N *a)* 10... de5 11. ♘e1 h6! 12. ♗d2 ♘f6 13. ♘d3 c6 14. ♗e3 ♘d7 15. b4 (Šnejder 2465 – Glek 2475, Budapest (open) 1989) ♘c7 16. c5 ♕e7 17. ♘b2 ♖d8 18. ♘c4 ♘f6 19. ♕c1 ♔h7 20. ♘d6 ♘e6∞; *b)* 10... h6!? 11. ♗h4 (11. ♗d2 ♘e5!?∞) de5 12. ♘e1 ♘f6 13. ♘d3 c6 14. b4 ♘c7∞ Bönsch 2490 – Glek 2475, Budapest (open) 1989; 12. ♗g3!? Glek] **h6 11. ♗c1! N** [11. ♗h4 – 46/(815)] **♘f6 12. de5 de5 13. ♗e3± ♘h5 14. c5 ♘f4 15. ♗a6 ba6 16. ♘d5 ♘d5 17. ♕d5 ♗e6 18. ♕d2 ♖d8 19. ♕c3** [19. ♕c1!? ♔h7 20. c6] **♕c6 20. ♖fe1** [20. ♘d2 ♖d7 ⇔d] **f6 21. ♘d2 ♖f7 22. ♘b3 ♕e4 23. ♗h6 ♕c4 24. ♕c4 ♗c4 25. ♗g7 ♔g7 26. ♘a5 ♗e6 27. ♘c6** [27. ♖ed1!? ♖fd7 28. ♖d7 ♖d7 29. ♘c6] **♖d2 28. b3 g5 29. ♔f1?!** [29. ♘a7±] **♗d5 30. ♘b4** [30. ♘a7? ♖f8] **a5 31. ♘d5 ♖d5** [♖ 9/s] **32. ♖ac1± c6 33. ♖e4 ♖b7 34. ♔e2 ♖b5 35. ♖ec4 ♔f7 36. ♖1c3 ♔e6 37. g3 ♖b4 38. ♖c2 ♔f5 39. ♔e3 ♔e6 40. f3 ♖b5 41. h4 gh4 42. gh4 ♖b4 43. h5 ♔f5 44. ♖b4 ab4** [♖ 7/h] **45. ♖h2! ♖d7 46. h6 ♖h7??** [46... ♔g6 47. f4 ef4 48. ♔f4 ♖h7 49. ♖h1 ♖h6 50. ♖h6 ♔h6 51. ♔f5 ♔g7 52. ♔e6 f5! (52... ♔g6 53. ♔d6±) 53. ♔f5 ♔f7=] **47. ♖h1!+–⊙ a5 48. ♖h2 ♔e6** [48... ♔g6 49. ♔e4 ♖h6 50. ♖h6 ♔h6 51. ♔f5 ♔g7 52. ♔e6+–] **49. f4 ♔d5 50. ♖h5 a4 51. fe5 fe5 52. ba4 ♔c5 53. ♖e5 ♔c4 54. ♖h5 c5 55. ♔e4??** [55. ♔d2 b3 (55... ♔d4 56. a5+–) 56. ♖h4+–] **b3!⊕ 56. ab3 ♔b3 57. a5 c4 58. ♔f5 c3 59. ♔g6 c2 60. ♖c5 ♖a7!=** [60... ♖h8? 61. h7 ♖a8 62. ♖c7!+–] **61. h7 ♖a6 62. ♔f7** [62. ♔h5 ♖a5 63. ♖a5 c1♕ 64. h8♕? ♕h1–+; 64. ♔g6; 62. ♔g5 ♖a5; 62. ♔f5 ♖h6] **1/2 : 1/2** **[Miles]**

736.* **E 94**

L. HANSEN 2540 – J. PIKET 2500
München 1989

1. c4 g6 2. ♘c3 ♗g7 3. d4 ♘f6 4. e4 d6 5. ♘f3 0–0 6. ♗e2 e5 7. 0–0 ♘bd7 8. ♕c2 c6 9. ♖d1 [9. d5 ♕c7 10. ♗e3 N (10. ♗d2 – 42/788) ♘g4 11. ♗d2 f6 12. b4 ♘h6 13. ♖fd1 ♘f7 14. ♖ab1 ♔h8 15. ♘e1± van der Sterren 2500 – J. Piket 2500, Nederland (ch) 1989] **♕e7 10. d5 a5?! N** [10... c5 – 46/(820)] **11. b3 ♘c5?** [11... h6 12. dc6 (12. ♗a3?! c5∞) bc6 13. ♗a3 ♘c5∞; 12. a3] **12. ♗g5! ♖d8** [12... h6 13. ♗e3 ♘g4 (13... ♘fd7 14. dc6 bc6 15. ♕d2±) 14. ♗c5 dc5 15. d6 △ ♘a4±; 13... ♖e8] **13. ♘d2 h6 14. ♗e3 ♘g4** [14... ♘fd7 15. a3 △ b4±] **15. ♗g4 ♗g4 16. f3 ♗d7?!** [16... ♗c8 17. a3 f5 18. b4 ab4 19. ab4 ♖a1 20. ♖a1 ♘d7 (20... f4 21. ♗c5 dc5 22. b5±) 21. dc6 (21. ef5? gf5 22. ♕f5 e4 23. ♘de4 ♘f6$\overline{\overline{\infty}}$) bc6 22. b5±;

20... ♘a6!?] **17. a3 ♗e8 18. b4 ♘d7 19. ♘b3 ab4 20. ab4 ♖a1 21. ♖a1 ♘f6** [21... f5 22. ef5 e4 23. fe4 gf5 24. ♘d4 f4 25. ♗f2 ♘e5 26. ♘e6] **22. ♕d2!± cd5** [22... g5 23. ♖a7] **23. ♘d5 ♘d5 24. ♕d5 ♖c8 25. ♖a7 ♕h4□** [25... ♗c6 26. ♕d3 △ ♘a5, b5+−] **26. ♗f2 ♕f4 27. b5! ♗d7 28. ♕b7 ♖c4 29. ♖a1** [29. ♕d7?? ♖c1−+] **♗e6 30. b6 ♖c2 31. ♕a8 ♔h7 32. b7! ♗b3 33. h3** [33. b8♕?? ♖c1−+] **♕d2 34. ♕a7?⊕** [34. ♖f1+−] **d5?!** [34... ♖c7 35. b8♕ ♖a7 36. ♖a7±] **35. b8♕!** [35. ed5 ♖c7! 36. b8♕ ♖a7 37. ♖a7 ♗d5±] **d4 36. ♖f1 ♗c4 37. ♕aa8 f6** [37... h5? 38. ♕g8 ♔h6 39. ♕h8 ♗h8 40. ♕h8 ♔g5 41. h4 ♔f4 42. ♕f6#] **38. ♕e8?** [38. ♔h2! h5 39. ♕aa7 ♗f1 40. ♕f7 ♕f4 41. ♔g1+−] **♖a2?⊕** [38... ♕e2!? 39. ♕a1 d3! (39... ♕f1 40. ♕f1 ♗f1 41. ♔f1 d3 42. ♗e3□ ♖e2 43. ♗b6 ♖b2 44. ♗a5!+−) *a)* 40. ♕d7?! ♖a2! (40... d2 41. ♕aa7 ♕f1 42. ♔h2+−) 41. ♕b1 ♖b2 42. ♕a1 ♖a2 43. ♕d1 (43. ♕c1 d2) d2=; *b)* 40. ♔h2! ♖a2 (40... d2?! 41. ♕a7 △ ♕ee7+−) 41. ♕c3 d2 42. ♖d1!] **39. ♕ac8 ♕e2 40. ♕c4??** [40. ♕g4 ♕f1 41. ♔h2+−] **♕c4−+ 41. h4 h5 42. g4 ♕a4 43. ♕e6 ♕a6 44. ♕d7 ♕a7 45. ♕e6 ♖a6 46. ♕c8 ♕a8 47. ♕a8 ♖a8** [♖ 9/k] **48. ♖b1 hg4 49. fg4 ♖a2 50. ♔f1 ♗h6 51. ♖b3?!** [51. ♖b7] **♗f4 52. ♖f3 ♖d2 53. ♔e1 d3! 54. ♖h3** [54. ♖f4 ♖e2] **f5 55. gf5 gf5 56. ef5 e4 57. f6 ♖c2 0 : 1**
[J. Piket]

737. E 94

I. BELOV 2425 − STRIKOVIĆ 2490

Pula 1989

1. ♘f3 g6 2. c4 ♗g7 3. d4 d6 4. ♘c3 ♘d7 5. e4 e5 6. ♗e2 ♘gf6 7. 0−0 0−0 8. ♗e3 h6 9. de5 ♘g4 10. ♗d2 [10. ed6! ♘e3 11. dc7 ♕c7 12. fe3 *a)* 12... ♗c3 13. bc3 ♘b6 (13... ♘c5 14. e5 ♖d8 15. ♕e1+−) 14. ♕d4 ♖d8 15. ♕f6±; *b)* 12... ♘b6 13. ♘d5 ♘d5 14. cd5 ♕b6 (14... ♗b2 15. ♖b1 ♗g7 16. ♘d4+−) 15. ♘d4±] **de5** [10... ♘de5 11. ♘e5 de5 (11... ♘e5 12. ♗e3±) 12. h3 ♘f6 13. ♕c1 ♔h7 14. ♗e3±] **11. ♕c1 h5 12. h3 ♘gf6 13. ♗e3 N** [13. ♖d1 c6 − 46/(821)] **c6 14. c5± ♕e7 15. b4 ♘h7 16. ♗c4 ♔h8 17. ♘g5!** [17. ♖d1 f5 18. ♗h6 f4 19. ♗g7 ♕g7∞] **♘g5 18. ♗g5 f6 19. ♗e3 ♖d8** [19... f5 20. ♗g5 ♗f6 21. ♗f6 ♘f6 22. ♕g5±] **20. ♖d1 ♘f8 21. ♖d8 ♕d8 22. ♕f1! ♗e6 23. ♖d1 ♕e8 24. ♖d6 ♖d8 25. ♗e6 ♘e6** [25... ♖d6 26. cd6 ♕e6 27. ♕d3 b6 (27... a6 28. ♘a4 ♘d7 29. ♘c5 ♘c5 30. bc5±) 28. b5 c5□ 29. ♕d5! ♕d5 30. ♘d5 ♘d7 31. ♘e7 ♔h7 32. ♘c8±] **26. ♕d3 ♕f8** [26... ♘d4 27. ♗d4 ed4 28. ♕d4 ♖d6 29. cd6 f5 30. d7 ♕d8 31. e5+−] **27. b5! ♔g8** [27... cb5 28. ♕b5 ♖d6 29. cd6 ♕d6 30. ♕b7 a6 31. ♘d5±] **28. bc6 bc6 29. ♕c4! ♖d6 30. cd6 ♕d6 31. ♗a7± ♔f7 32. ♗e3 ♗f8 33. a4 ♕c7 34. g3 ♗d6 35. ♔g2 ♔e7 36. a5!+− ♔d7** [36... ♕a5 37. ♕c6 ♘c7□ 38. ♗b6 ♕a6 39. ♘d5 ♘d5 40. ♗d8] **37. ♗b6?!⊕** [37. ♘a4! ♕a5□ 38. ♘b6 ♔e7 39. ♕c6+−] **♕b8 38. ♘a4 ♗c7 39. ♘c5 ♘c5 40. ♗c5** [♕ 8/i] **♕b5 41. ♕f7 ♔c8 42. ♗e3 ♕d3?!** [42... ♗a5 43. ♕f6] **43. ♗b6! ♕d8** [43... ♕d7 44. ♕f6 ♗b6 45. ab6 ♔b7 46. ♕g6] **44. a6!** [44... ♗b6 45. ♕b7#] **1 : 0**
[I. Belov]

738. E 95

LERNER 2535 − VOGT 2505

Berlin 1989

1. d4 ♘f6 2. c4 g6 3. ♘c3 ♗g7 4. e4 d6 5. ♗e2 0−0 6. ♘f3 e5 7. 0−0 ♘bd7 8. ♖e1 c6 9. ♗f1 ed4 10. ♘d4 ♘g4 11. h3 ♕b6 12. ♕g4!? ♗d4 [12... ♕d4?! 13. ♖d1 ♕c5 14. ♕g3 ♗e5 (14... ♘e5 15. b3±) 15. ♕d3 ♕b6 16. ♕c2±] **13. ♕e2 ♘c5 14. ♗h6 ♖e8 15. ♕d2 ♗e5 16. ♔h1 f5 N** [16... ♘e6? − 46/822] **17. ♖ad1!** [17. f4 ♗h8 18. ♕d6 *a)* 18... fe4? 19. ♘e4! ♘e4 20. ♖e4 ♗f5 21. c5+−; *b)* 18... ♕b2 19. e5! (19. ♕c5 ♗c3∞) ♕c3 20. ♕c5±; *c)* 18... ♗e6! 19. ♕d2 (19. ♗g5? ♗c3 20. bc3 ♘e4∓; 19. ef5 ♖ad8 20. ♕d8 ♕d8 21. fe6 ♖e6∞) ♖ad8 20. ♕c2 fe4∞] **♘e4** [17... ♗e6 18. ef5 ♗f5 19. f4 ♗h8 20. ♖e8 ♖e8 21. ♕d6 ♕b2 22. ♖e1!+−] **18.**

♘e4 fe4 19. ♖e4 ♗f5 20. ♖e2± c5?! [20... ♕c7!?] **21. g4! ♗e6** [21... ♗d7!? 22. ♗g2 ♗c6 23. ♗d5 ♔h8 24. ♖de1±] **22. ♗g2 ♗f7□** [22... ♗c4? 23. ♗d5 ♗d5 24. ♕d5 ♔h8 25. ♖e5 de5 26. ♕f7 ♖g8 27. ♖d7+−] **23. ♖de1± ♕c7 24. ♗d5 ♕d7 25. ♕e3 ♖e7?** [25... ♗d5 26. cd5 ♖e7±] **26. ♕d3** [26. ♕e4! ♖ae8 (26... ♗d5 27. ♕d5 ♖f7 28. f4 ♗f6 29. ♖e6+−; 26... ♗f6 27. ♗f7 ♖f7 28. ♕e8+−) 27. f4 ♗f6 28. ♗f7 ♔f7 29. ♕d5 ♖e6 30. f5+−] **♖ee8 27. ♕f3 ♖ab8 28. ♔g2 ♗e6?⊕ 29. ♕e4! ♗d5** [29... ♗f7 30. f4 ♗f6 31. ♕e8+−] **30. ♕d5** [30... ♕f7 31. f4+−; 30... ♔h8 31. ♖e5+−] **1 : 0 [Lerner]**

739.* E 95

D. GUREVICH 2480 – FISHBEIN 2490

Las Vegas 1989

1. d4 ♘f6 2. c4 g6 3. ♘c3 ♗g7 4. e4 d6 5. ♗e2 0–0 6. ♘f3 e5 7. 0–0 ♘bd7 8. ♖e1 c6 9. ♗f1 ed4 10. ♘d4 ♖e8 11. ♘b3!? a5! N [11... ♕c7; RR 11... ♘e5 *a)* 12. f4?! N ♘fg4! 13. fe5 (13. g3? ♕b6 14. c5 dc5 15. ♘a4 ♕b4 16. ♘c3 c4 17. fe5 cb3 18. ♖e2 ba2 19. ♖a2 ♗e6 20. ♖a3 ♘e5 21. ♕a4 a5−+ Pintér 2550 – P. Székely 2420, Magyarország 1989) ♕h4 14. h3 ♕f2 15. ♔h1 ♕g3 16. hg4 ♗e5 17. ♔g1 ♕h2 18. ♔f2 ♕h4! (18... ♕g3=) 19. ♔e3 ♗g4 20. ♗e2 (20. ♘e2 ♗g3∓) ♗c3 21. bc3 ♖e4! 22. ♔d2 ♕f2∓; *b)* 12. h3 ♗e6 13. ♘d2 ♘h5∞; 13... g5!?∞ Zsu. Polgár, P. Székely] **12. a4** [12. ♕d6 a4 13. ♘d2 a3↑] **♘e5** [12... ♘b6?! 13. ♗f4! ♗e6 14. c5!] **13. f4!?** [13. c5? dc5 14. ♕d8 ♖d8 15. ♘c5 b6 16. ♘b3 ♗e6∓; 13. h3] **♘eg4** [RR 13... ♘fg4!?] **14. c5□ ♘h2 15. ♔h2 ♘g4 16. ♔g3 ♗f6 17. ♕g4! ♗g4 18. ♔g4 h5 19. ♔f3! ♕d7 20. ♔f2 ♕e6 21. ♖a3 dc5 22. e5 ♗e7 23. ♗e3** [23. ♘e4!?] **c4?!** [23... ♕f5!∓ ×♖a3, f4] **24. ♘d4 ♕g4 25. ♘e4 ♖ed8** [25... g5?! 26. ♔g1! gf4 27. ♗f2 △ ♖h3, ♗e2; 25... ♔h8 26. ♖c3 ♗b4 27. ♘f6 ♗c3∞; 25... f5!?] **26. ♖c3 g5! 27. ♘f3! gf4 28. ♗b6 ♗h4! 29. ♘h4 ♕h4 30. g3 fg3 31. ♖g3 ♔h8 32. ♗g2** [32. ♗d8 ♖d8 33. ♘f6 ♕f4 34. ♔g2 h4 35. ♖g4 h3! 36. ♔h3 ♕f2!] **♖g8 33. ♖h1 ♕f4 34. ♗f3 ♖g3 35. ♖h5 ♔g8?** [35... ♔g7! 36. ♘g3 ♕d2 △ ♖h8=] **36. ♘f6?** [36. ♘g3± △ 36... ♖e8?? 37. ♗e3+−] **♔g7 37. ♖h7 ♔g6 38. ♖g7 ♔g7 39. ♘h5 ♔f8 40. ♘f4 ♖g5= 41. e6 ♖f5 42. ♔e3 fe6 43. ♘e6 ♔e7 44. ♘c5 ♖af8 45. ♗e4 ♖f1 46. ♗a5** [⌓ 46. ♘b7 ♖e1! 47. ♔d4 ♖e4! 48. ♔e4 ♖b8 49. ♗c5 ♔e6 50. ♘a5 ♖b2 51. ♘c4 (51. ♘c6 c3=) ♖c2 52. ♔d3 ♖c4=] **b5! 47. ♗b4 ♖c8 48. a5 ♔d8 49. a6 ♖a1 50. ♗c3 ♔c7 51. b4 ♖a3 52. ♔d2 ♔b6 53. ♔c2 1/2 : 1/2 [Fishbein]**

740. E 97

KORTCHNOI 2610 – KASPAROV 2775

Barcelona 1989

1. ♘f3 ♘f6 2. c4 g6 3. ♘c3 ♗g7 4. e4 d6 5. d4 0–0 6. ♗e2 e5 7. 0–0 ♘c6 8. d5 ♘e7 9. a4 N a5! [9... ♘h5 10. a5!○] **10. ♘e1 ♘d7 11. ♗e3 f5 12. f3 ♘c5!** [12... f4 13. ♗f2 b6 14. ♘d3 ♘c5 15. b4!±] **13. ♘d3 b6 14. b4! ♘d3! 15. ♕d3 ab4 16. ♘b5 ♔h8 17. ♕b3** [17. ♗d2!? c5! 18. dc6 ♘c6 19. ♕d5! ♗d7!? (19... ♗b7 20. ♘d6 ♖a5 21. ♘b7 ♖d5 22. cd5 ♕d7 23. ♗b5±; 20... ♕e7; 20... ♘d4!) 20. ♕d6 ♘d4! 21. ♘d4 ed4 22. ♕b4 fe4 23. fe4 d3! 24. ♗d3 ♗a1 25. ♖a1 ♗e6 26. ♕c3 ♔g8 27. ♗h6 ♕f6∓] **♘g8 18. ♕b4 ♘f6?!** [18... fe4! 19. fe4 ♖f1 20. ♖f1 ♗h6! 21. ♗f2 (21. ♗h6 ♘h6 22. ♕d2 ♔g7∓) ♘f6!∓ 22. ♗h4 ♗e3 23. ♔h1 g5 24. ♕c3 ♗f4 25. g3 (25. ♖f4 gf4 26. ♘c7 ♕c7 27. ♗f6 ♔g8∓) ♘e4 26. ♕c2 ♗f5 27. ♗d3 ♘d2 28. ♖f2 ♗d3 29. ♕d3 e4 30. ♕e2 ♗e5!∓] **19. ef5 gf5 20. ♗g5** [20. a5? ba5 21. ♖a5 c5!∓] **h6** [20... ♗d7] **21. ♗h4 ♗d7 22. ♖a3** [22. a5 ♗b5 (22... ba5 23. ♖a5 c5 24. ♖a8 ♕a8 25. ♕b1 ♗b5∓) 23. ♕b5 ba5 24. ♖a5 ♖b8∓] **♕b8 23. ♗f2 ♖g8 24. ♖b1 ♘h5 25. ♔h1 ♕d8! 26. a5?!** [26. ♗f1!?] **♗b5 27. ♕b5 ba5 28. g3** [28. ♖a5?! ♖b8 29. ♕b8 ♕b8 30. ♖b8 ♖b8 31. ♖b5 ♖a8!∓] **f4 29. g4**

29... e4! 30. fe4 [30. ♖a5 ♖a5 31. ♕a5 ♗e5!↑; 30. gh5 e3 31. ♗g1 ♕g5 32. ♗d3 ♕h5 33. ♖f1 *a)* 33... ♗d4 34. ♕d7 ♖g7 (34... ♖g1 35. ♖g1 ♕f3=) 35. ♕f5 ♕f5 36. ♗f5 ♖ag8! 37. ♖aa1∞; *b)* 33... ♕h3 34. ♖a2 ♖ab8 (34... a4!? 35. ♕b1 ♖gb8!∞) 35. ♕a4 (35. ♕a5? ♖b2−+) ♖b2! 36. ♖b2 ♗b2 37. ♕c2 ♗d4 38. ♕e2 a4 39. ♗b1 a3 40. ♕c2 ♖g7$\overline{\infty}$] **♘f6 31. ♗h4** [31. ♗f3 ♘d7!∓ 32. ♖a5 ♖b8−+] **♕e7 32. ♗f3 ♕e5 33. ♖e1** [33. ♖a5? ♕c3−+] **♘h7 34. ♕d7 ♗f6 35. ♗f6 ♘f6 36. ♕f5 ♕f5 37. ef5** [37. gf5?! ♘d7!∓] **♘g4 38. ♗g4 ♖g4** [♖ 9/q] **39. ♖h3?!** [39. c5!?; 39. ♖e6!?∓] **♔g7! 40. ♖e7 ♔f6 41. ♖e6** [41. ♖c7? ♖ag8 42. ♖h6 ♔f5 43. ♖f7 ♔e4 44. ♖e7 ♔f3! 45. ♖e1 ♔f2 46. h3! ♔e1 47. hg4 ♖g4 48. ♖d6 f3 49. ♔h2 ♔f2! 50. ♔h3 ♖g3 51. ♔h4 ♔g2 52. ♖f6 f2 53. d6 ♖h3 54. ♔g4 ♖d3 55. c5 ♖d5−+] **♔f5 42. ♖hh6 ♖f8! 43. ♖h5** [43. c5 f3 44. ♖e1 f2 45. ♖f1 ♔e4−+] **♖g5 44. ♖g5 ♔g5 45. c5 a4! 46. cd6 cd6 47. ♖d6** [♖ 7/f] **♖a8! 48. ♖e6 a3 49. ♖e1 ♔f5** [49... f3 *a)* 50. ♔g1 a2 51. ♖a1 ♔f4 52. d6 (52. ♔f2 ♖g8−+; 52. ♔f1 ♔e3 53. ♖e1 ♔d4 54. ♖a1 ♔c3 55. ♔f2 ♔b2−+) ♔e3 53. d7 f2 54. ♔g2 ♖g8−+; *b)* 50. d6 ♔f4 51. ♔g1 (51. d7 a2 52. ♖a1 f2 53. ♔g2 ♔e3 54. ♖a2 ♖g8!−+) a2 52. ♖a1 ♔e3 53. ♖e1 ♔d2 54. ♔f2 a1♕ 55. ♖a1 ♖a1 56. d7 ♖a8 57. ♔f3 ♔d3 58. ♔f4 ♔d4 59. ♔f5 ♔d5 60. h4 ♔d6 61. h5 ♔d7 62. ♔f6 ♔e8−+] **50. h4** [50. ♔g2 a2 51. ♖a1 ♔e5 52. ♔f3 ♖a4−+] **f3! 51. d6** [51. ♔g1 ♔f4 52. ♔f2 a2 53. ♖a1 ♖g8−+] **a2** [51... f2 52. ♖a1 (52. ♖f1 a2−+) ♖e8−+] **52. ♖a1 ♔f4 53. ♔h2 f2! 54. d7 ♔f3 55. ♖c1 a1♕** [56. ♖a1 ♖a1 57. d8♕ ♖h1! 58. ♔h1 f1♕ 59. ♔h2 ♕g2#] **0 : 1** **[Kasparov]**

741*. **E 97**

M. GUREVIČ 2630 − IVANČUK 2625

Reggio Emilia 1988/89

1. d4 ♘f6 2. c4 g6 3. ♘c3 ♗g7 4. e4 d6 5. ♘f3 0−0 6. ♗e2 e5 7. 0−0 ♘c6 8. d5 ♘e7 9. ♘d2 a5 10. a3 ♗d7 11. b3 [11. ♖a2!? c5 N (11... a4 12. b4 ab3 13. ♘b3±; 11... ♘e8 − 46/(825)) *a)* 12. dc6?! bc6 13. b4 ab4 14. ab4 ♖a2 15. ♘a2 ♕a8!? 16. ♘c3 d5 17. ♘f3 (17. cd5? cd5 18. ed5 ♘fd5 19. ♘d5 ♘d5 20. ♘e4 ♗a4! 21. ♕e1 ♖b8 22. ♗d2 ♘b4 23. ♘c5 ♘c2 24. ♕d1 ♘e3 0 : 1 G. Flear 2500 − M. Gurevič 2590, Tel Aviv 1989) ♕b8!∓; 17. ♘b3!?∞; *b)* 12. b4!? ab4 13. ab4 cb4 14. ♖a8 ♕a8 15. ♘b5$\overline{\infty}$] **c5 N** [11... ♘c8 − 18/668] **12. ♖b1 ♘e8 13. b4 b6! 14. bc5** [14. ba5 ♖a5 15. ♘b3 ♖a7 16. a4 f5⇆] **dc5!?** [△ ♘d6, f5→»] **15. ♘f3!? ♘d6 16. ♗g5 ♖b8 17. ♘d2 f6 18. ♗h4 h5?!** [18... f5∞] **19. ♗g3** [△ f4] **♗h6 20. h3** [20. f4? h4] **♘f7 21. ♗d3!** [△ ♘e2, f4; 21. f4 ef4 22. ♗f4 ♗f4 23. ♖f4 f5∞] **♘c8 22. ♘e2 ♗a4?!** [22... ♘cd6 23. f4 ef4 24. ♘f4±] **23. ♕a4 ♗d2 24. ♖b2 ♗h6 25. ♖fb1±** [△ ♕c2, ♘c3-a4 ×b6] **♖b7 26. ♕c2 ♖e8 27. ♘c3 ♖a7!□ 28. ♘a4 ♖a6 29. ♖b3 ♘fd6 30. ♗e2 ♔h7 31. ♔h1** [31. f3!? △ ♗f2 ×b6, c5] **♖e7 32. ♗h2 ♖f7 33. ♗d3 ♔g8 34. ♕e2 ♖e7 35. ♗c2 ♗g5 36. ♕f1 ♔g7 37. ♗d3 ♗h6 38. ♖3b2 ♖e8 39. ♘c3** [△ ♗c2-a4] **♖a7 40. ♗c2 ♖f8 41. ♘a4 ♖a6 42. ♗d3 ♖e8 43. ♕e2 ♗g5 44. ♗g3 f5?!** [44... ♗h6⩲] **45. f3 f4 46. ♗f2** [△ ♘c5] **♕c7 47. ♕e1 ♗d8 48. ♕g1 ♘b7 49. g4! h4?!⊕** [49... ♔h6±] **50. ♕d1 g5 51. ♗c2 ♘bd6 52. ♕d3** [△ ♘c3, ♗a4] **♖e7 53. ♘c3 ♔f7 54. ♗a4 ♘a7 55. ♘e2!±** [△ ♕c3, ♘c1-d3, ×b6, c5, e5]

♕c8 56. ♘c1 ♖b7 57. ♕c3 ♗f6 58. ♘d3 ♔g7 59. ♔h2 ♕c7 60. ♖g1⊕ [60. ♘f4!?; 60. ♗h4!?] ♘f7?⊕ [60... ♔g8±] 61. ♗c5! [61... bc5 62. ♖b7 ♕b7 63. ♘c5 ♕b6 64. ♘a6 ♕a6 65. c5+−]   1 : 0
[M. Gurevič]

742.***   E 97

SALOV 2630 − NUNN 2620
Rotterdam 1989

1. d4 ♘f6 2. c4 g6 3. ♘c3 ♗g7 4. e4 d6 5. ♘f3 0−0 6. ♗e2 e5 7. 0−0 ♘c6 8. d5 ♘e7 9. ♘d2 a5 10. a3 ♘d7 11. ♖b1 f5 12. b4 ♔h8 [RR 12... ab4 13. ab4 ♘f6 14. ♕c2 N (14. c5 − 27/685) fe4!? 15. ♘ce4 ♘e4 16. ♘e4 ♘f5 17. ♗b2 ♘d4 18. ♗d4 ed4 19. ♗d3 ♗f5 20. ♘g3 ♗d7 21. ♖a1 ♕h4 22. ♖a2 ♗e5 23. ♖fa1 ♖ae8 24. ♖a7 ♗c8 25. ♖a8 1/2 : 1/2 Gen. Ti-moščenko 2460 − D. Paunović 2460, Pula 1989] 13. f3 [RR 13. ♕c2 ♘f6 N (13... b6 − 46/(826)) 14. f3 ab4 15. ab4 f4 16. c5 g5 17. ♘b5 dc5 18. bc5 c6 19. d6 cb5 20. de7 ♕e7 21. ♖b5 g4 22. ♗b2 gf3 23. ♗f3 ♘g4 24. ♗g4 ♗g4 25. ♘f3 ♖fc8 1/2 : 1/2 Ftáčnik 2590 − Nunn 2625, Gro-ningen 1988] f4 [RR 13... b6 14. ♘a4!? N (14. ♘b3 − 38/804) ab4 15. ab4 ♗h6 16. c5!? bc5 17. bc5 ♘c5 (17... ♗e3 18. ♔h1 ♗c5 19. ♘c5 ♘c5 20. f4!∞) 18. ♘c5 ♗e3 19. ♔h1 ♗c5 20. f4! fe4? 21. ♗b2 ♗d4!? (21... ♘f5?! 22. fe5 ♘e3 23. ♕b3 ♘f1 24. e6!+− Bönsch 2490 − H.-U. Grünberg 2475, DDR 1989) 22. ♗d4 ed4 23. ♘e4 ♘d5! 24. ♕d4 ♘f6 25. ♗f3∞; 20... ♔g8!∞ Bönsch] 14. ♘a4 ab4 15. ab4 c6! N [15... g5 − 46/(826)] 16. c5!? [16. ♘c3 ♘f6 △ g5∞] cd5 [16... dc5!? 17. d6 cb4 18. de7 ♕e7 (△ b5) 19. ♘b2 b5 ·(△ ♖b8, c5) 20. ♘b3 ♖b8∞ △ 21. ♘a5? ♕c5 22. ♔h1 ♕b6 △ c5] 17. cd6 ♘c6 18. ed5 ♘d4∞ 19. ♘c3?! [19. ♘c5 ♘c5! 20. bc5 ♕a5 21. ♘e4 ♗f5 22. ♗d2 ♕a3= △ 23. ♗b4? ♕e3 24. ♖f2 ♗e4 25. fe4 ♖a2−+] ♘b6 [19... ♘f6? 20. ♘c4] 20. ♘de4 ♗f5 21. ♗d3 ♖c8 [21... ♗e4 22. fe4 ♕d6 23.

♘e2=] 22. ♗b2 [22. ♘c5 ♗d3 23. ♕d3 ♕d6 24. ♘b7? ♖c3−+; 24. ♕e4=; 22... ♖f7∓] ♗e4 23. ♗e4? [23. fe4 ♕d6∓ △ 24. ♘e2 ♘e2 25. ♕e2 ♕b4∓] ♘c4 24. ♕d3 ♘d6∓ [×e3] 25. ♗a1 ♘e3 26. ♖f2! [26. ♖fc1 ♖c4! △ ♖fc8] ♖f7 [26... ♖c4 27. ♘d1 ♖b4 28. ♖b4 ♕b4 29. ♘e3 ♕e1 30. ♖f1 ♕e3 31. ♕e3 fe3 32. ♖b1∓] 27. ♘b5 ♕b6 28. ♘d4 ed4 29. ♖d2 ♖c4 [29... fc7? 30. ♗d4; 29... ♖c3!? 30. ♗c3 dc3 31. ♖e2!□ c2 32. ♖c1 ♗b2 33. ♖cc2 ♘c2 34. ♔h1∓] 30. ♕a3 ♕d6? [30... ♗e5! 31. ♕a5 ♕f6 △ ♖fc7∓] 31. ♕a8= ♕f8 [31... ♖f8 32. ♕b7 ♖fc8 33. ♗d4∞] 32. ♕f8 ♖f8 33. ♗d3□ ♖c7 34. ♗e4 [34. ♗b5? ♘d5 35. ♗d4 ♗d4 36. ♖d4 ♘c3−+] ♖c4 35. ♗d3 ♖c7 36. ♗e4 1/2 : 1/2   [Nunn]

743.***   E 97

ŠIROV 2450 − LANKA 2420
SSSR 1989

1. d4 ♘f6 2. c4 g6 3. ♘c3 ♗g7 4. e4 d6 5. ♘f3 0−0 6. ♗e2 e5 7. 0−0 ♘c6 8. d5 ♘e7 9. ♘d2 c6! N 10. b4 [10. a3 cd5 11. cd5 ♘e8 12. b4 f5∞; 10. dc6 − 45/(759); RR 10. ♖b1 b5 11. dc6 b4 12. ♘d5 ♘c6 13. ♘f6 ♗f6 14. ♘f3 ♗g4 15. ♗e3 ♗f3 16. ♗f3 ♘d4= Gligorić 2505 − A. Kuz'min 2465, Moskva (GMA) 1989] a5! [10... ♘e8; 10... b5] 11. ba5 [11. dc6 ab4 12. cb7 ♗b7 13. ♘d5 ♘ed5 14. cd5 ♘d7! 15. ♕b3 ♘c5! 16. ♕b4 ♖a4 17. ♕b1 ♕a8∓ Širov 2450 − Lanka 2420, SSSR 1989] ♕a5 12. ♕c2 c5 13. ♘b3 [13. a4 ♘d7] ♕d8 14. a4 [14. f4!? ef4 15. ♗f4 h6!= 16. ♖ae1 g5 17. e5?! ♘fd5!∓ Širov − Lanka 2390, SSSR 1988] ♘d7!∞ 15. ♗e3 [15. ♗d2 f5 16. a5 ♖a6∞; RR 15. ♘b5 ♖a6∞ Geo. Timošenko] f5 16. f3 f4 17. ♗f2 g5 18. a5 h5 19. ♘a4 [19. ♘b5!? ♖f6 (19... ♖a6 20. ♘d6!? ♖d6 21. ♘c5∞) 20. ♖fb1∞ △ ♘d6!?] ♔h8 20. ♖fb1 [20. ♘b6 ♘b6 21. ab6 ♖a1 22. ♖a1 g4∓] ♖g8 21. ♕b2 ♘g6 22. h3?! [22. ♘ac5! dc5 23.

♘c5 ♘c5 24. ♗c5 g4 25. ♕b6!⩱] **♗f6** [22… ♖a6!?∓] **23. ♘b6 ♘b6 24. ab6 ♖a1 25. ♕a1 g4 26. hg4** [⌓ 26. fg4] **hg4** [26… ♗h4 27. gh5 ♗f2 28. ♔f2 ♕h4 29. ♔g1 ♕h5 30. ♗f1 ♘h4 31. ♔f2∞] **27. fg4 ♗h4 28. ♗f3 ♗g3** [28… ♗g4! 29. ♗g4? ♗f2∓; 29. ♕c3!∞] **29. ♔f1 ♔g7** [29… ♕h4? 30. ♔e2!; 29… ♘h4 30. ♔e2 ♗f2 31. ♔f2 ♗g4 32. ♖h1 ♗f3 33. gf3 ♖g2 34. ♔f1∞] **30. ♕a7! ♕h4 31. ♗g1 ♕h1 32. ♕b8! ♘h4 33. ♘d2 ♗g4 34. ♕c7!□** [34. ♕d6? ♗f3 35. ♕e5 ♔h7−+] **♔h8 35. ♕d6 ♘f3** [35… ♗f3?? 36. ♕h6#] **36. ♘f3 ♗f3 37. ♕f6** [37. ♕e5? ♖g7 38. ♕b8 ♔h7] **♔h7 38. ♕f7 ♖g7 39. ♕f5 ♔h6 40. ♕f6 ♔h5 41. ♖b2!!= ♗h2** [41… ♗e4? 42. ♕e5 ♖g5 43. ♕e4+−] **42. ♕f5 ♔h4 43. ♕h3 ♔g5 44. ♕f5** [44. ♕h2?! ♕h2 45. ♗h2 ♗e4∓] **♔h4 45. ♕h3** **1/2 : 1/2**
[Širov]

744. **E 97**

DREEV 2520 –
GEO. TIMOŠENKO 2530
Tbilisi 1989

1. d4 ♘f6 2. ♘f3 g6 3. c4 ♗g7 4. ♘c3 d6 5. e4 0–0 6. ♗e2 e5 7. 0–0 ♘c6 8. d5 ♘e7 9. ♘d2 c6!? 10. b4 a5 11. ba5 ♕a5 12. ♕c2 [12. ♘b3 ♕c3 13. ♗d2 ♕b2 14. ♗c1=] **c5! 13. a4 ♕d8 14. ♘b3 ♘e8 N 15. ♗d2 f5 16. f3 f4 17. a5!** [×b6] **h5 18. ♘a4 g5 19. ♘b6± ♖a6 20. ♔f2?!** [20. ♖fb1 ♖f7 21. ♘c1 ♘g6 22. ♖a3 g4 23. ♘c8 ♕c8 24. ♖ab3±] **g4 21. ♔e1?!** [21. ♘c8±] **gf3 22. gf3** [22. ♗f3 ♗g4∞] **♗h3 23. ♖g1 ♘c8= 24. ♘c8 ♗c8 25. ♔d1 ♔h8?!** [25… ♕h4?! 26. ♕d3 ♕h2 27. ♔c2 ♕h4 28. ♖h1 ♕g5 29. ♖ag1 ♕h6 30. ♗f1±; 25… ♔h7 △ ♖a8, ♘c7-a6=] **26. ♕b1 ♗f6 27. ♔c2 ♔h7 28. ♗d3** [×f4] **♗h4 29. ♕f1 ♕c7 30. ♘c1 ♕f7 31. ♘e2** [△ ♘c3-b5] **♗d8! 32. ♕b1 ♖a8 33. ♕b2 ♘c7 34. ♖ab1 ♘a6 35. ♖g2** [35. ♔d1 ♘b4! 36. ♗b4 cb4 37. ♕b4 ♕c7⩱] **♗h3 36. ♖gg1** [36. ♕b7? ♗c7∓] **♖a7?!** [36… ♗c8=] **37. ♔d1! ♕e7?!** [37… ♖g8±]

38. ♘f4! ef4 [38… ♘b4 39. ♘h3 ♘d3 40. ♕b3+−] **39. e5 ♗f5 40. ed6 ♕d7 41. ♕e5!** [41. ♗c3?! ♗d3! 42. ♖g7 ♕g7 43. ♗g7 ♖g8∓; 41. ♗f5 ♖f5 42. ♗c3 (42. ♕c2 ♘b4 43. ♕e4 ♗f6 44. ♕e6 ♕e6 45. de6 ♖e5!±) ♕a4 43. ♔d2 ♕c4 (43… b6 44. ab6 ♖b7 45. ♕b5! ♕b5 46. ♖b5±) 44. ♖g7 ♔h6 45. ♖bg1 ♖d5 46. ♔c1 h4□ 47. ♖g8! (47. ♕c2 ♖d3) ♗f6! (47… b5? 48. ♕c2! ♖d3 49. ♖h8 ♖h7 50. ♗g7+−) 48. ♖8g6 ♔h5 49. ♖f6 ♘b4 50. ♖f7 ♘a2 51. ♕a2□ ♕c3 52. ♔b1 ♕b4 53. ♕b2 ♕b2 54. ♔b2 ♖d6±] **♖f6** [41… ♘b4 42. ♖b4 cb4 43. ♕f4 ♖f6 44. ♕g5! ♕a4 45. ♔e1 ♕a1! (45… ♖e6 46. de6 ♗g5 47. ♗f5 ♔h8 48. ♖g5 ♕a1 49. ♔f2 ♕d4 50. ♗e3 ♕h4 51. ♔e2±) 46. ♔f2 ♕d4 47. ♗e3 ♕b2= 48. ♗e2? ♗g4!; 42. ♗e4!! △ 43. ♗c3, △ 43. ♕f4 ♖f6 44. ♕g5+−] **42. ♗c3?!** [42. ♗e4!! ♗e4 (42… ♕f7 43. ♖g5 ♗e4 44. ♖h5 ♔g8 45. fe4 f3 46. ♖b3+−) *a)* 43. ♕e4 ♕f5 44. ♗c3 ♕e4 45. fe4 ♖d6 46. ♖g7 ♔h6 47. ♖bb7 ♖b7 48. ♖b7 ♘b4! 49. e5 (49. ♗b4 cb4 50. c5 ♖a6 51. c6 ♖a5 52. d6 f3 53. c7 ♗c7 54. dc7 ♖c5 55. e5 f2=) ♖a6 50. e6 ♖a5 51. e7 (51. d6 ♗h4! 52. ♖f7! ♖a6 53. ♗e5 ♔g6! 54. ♖g7 ♔f5 55. e7 ♖a8 56. d7 ♗e7 57. ♖e7 ♘c6 58. ♖e8 ♖a7!=) ♗e7 52. ♖e7 ♖a3! 53. ♗d2 (53. ♗b4 cb4 54. ♖e4 f3 55. ♖f4 ♖c3=) ♔g5 54. ♖f7 ♘d3 55. d6 (55. ♔e2 ♔g6=) ♖a6 56. d7 ♖d6=; *b)* 43. fe4! ♘b4 (43… ♕h3 44. ♕e8 ♕f3 45. ♔c2 b5 46. d7+−; 43… ♕f7 44. ♖b3! f3 45. ♖g5+−; 43… ♖g6 44. ♖g6 ♔g6 45. ♔c2! ♗g5 46. ♖g1 ♕a4 47. ♔d3 ♕b3 48. ♔e2

♕c4 49. ♔e1+−; 43... ♖h6 44. ♖b3 ♘b4 45. ♗f4 ♗f6 46. ♕e6 ♕e6 47. de6 ♖g6 48. ♖g6 ♔g6 49. ♖g3 ♔h7 50. e5 ♗h4 51. ♗g5!+−) 44. ♖b3! ♖a5 (44... h4 45. ♕g5 ♕f7 46. ♕h4+−; 44... ♖a6 45. ♗f4 ♖ad6 46. ♖bg3 ♕a4 47. ♔e1 ♘c2 48. ♔f2 ♖f4 49. ♕f4 ♖f6 50. ♖g7+−) 45. ♕h5!! (45. ♗f4 ♖a1! 46. ♕a1 ♖f4 47. ♖bg3 ♗f6 48. ♕a8 ♖g4=) ♖h6 46. ♖h3 ♖a1 47. ♔e2 f3 48. ♔f2 ♖f1! 49. ♔e3! ♘c2 50. ♔d3+−] **♗d3 43. ♕h5 ♖h6 44. ♕e8!□ ♕e8 45. ♖g7 ♔h8 46. ♖g6 ♔h7 1/2 : 1/2** **[Geo. Timošenko]**

745. E 97

ŞUBĂ 2515 − I. SOKOLOV 2580

Manchester 1989

1. c4 ♘f6 2. ♘c3 g6 3. e4 d6 4. d4 ♗g7 5. ♘f3 0−0 6. ♗e2 e5 7. 0−0 ♘c6 8. d5 ♘e7 9. ♘d2 c6!? 10. b4 a5 11. ba5 ♕a5 12. ♕c2 c5 13. ♘b3 ♕d8 14. ♖d1!? N ♘d7 [⌓ 14... ♘e8 15. a4 f5 16. a5 ♘f6 17. f3 f4 18. ♘a4 g5→] **15. ♘b5 ♖a6 16. ♗e3!** [△ ♘d6 ×c5] **f5 17. f3 f4 18. ♗f2 g5 19. a4! ♖f7** [19... ♘f6 20. ♘d6 ♖d6 21. ♗c5 ♖d7 22. a5±↑] **20. a5 ♗f8 21. ♘d6 ♖d6 22. ♘c5 ♘c5 23. ♗c5 ♖g6** [△ ♘f5; 23... ♘g6!? 24. ♗d6 ♗d6 (24... ♕d6 25. c5! ♕c5 26. ♕c5 ♗c5 27. ♔f1↑) 25. c5 ♖c7 26. c6 h5∞] **24. ♗b6 ♕e8 25. c5 ♗d7** [⌓ 25... g4] **26. a6 ba6 27. ♖a6 g4** [27... ♘c8 28. d6!? (28. ♖a8) ♘b6 29. ♖b6 ♗a4 30. ♕d2 ♗d1 31. ♕d1⩱→] **28. ♕a2!** [↗a2-g8] **♘c8 29. ♖a8 gf3 30. ♗f3 ♕e7⊕ 31. d6 ♕h4** [31... ♘d6? 32. ♗d8!] **32. ♕f2!⊕** [32. ♖c8?? ♗c8 33. d7 ♗d7 34. ♖d7 ♕e1#] **♕g5 33. ♗c7!** [△ c6] **♔g7 34. c6** [34. h4!] **♘d6 35. ♖f8** [35. cd7 ♖d7] **♖f8 36. ♗d6 ♗c6 37. ♗f8 ♔f8 38. ♖a1 ♖d6 39. ♕c5 ♕e7 40. ♕c3 ♗e8 41. ♖a5 ♖c6! 42. ♕a1** [42. ♕e5?? ♖c1 △ ♕h4] **♖c5 43. ♖a8 ♖c2 44. h3 ♕c5 45. ♔h2 ♖c1 46. ♕a7 ♕a7 47. ♖a7** **[♖9/k]** **♗g6 48. ♖a5 ♖c7** [48... ♔f7 49. ♖e5 ♖e1 50. g3; 49... ♖c4 △ ♔f6=] **49. ♖e5 ♖e7 50. ♖g5** [50. ♖e7 ♔e7 51. g3 fg3 52. ♔g3 ♗e4=] **♗e4 51. ♖g4 ♗f3 52. ♖f4 ♔g7 53. gf3** **[♖ 5/c]** **♔g6 54. ♖e4 ♖a7 55. ♔g3 ♖a6 56. ♖g4 ♔f6 57. h4 ♖a1 58. ♖b4 ♖a6** [58... ♔g6=] **59. ♔g4 ♔g6 60. h5 ♔f6?!** [60... ♔h6] **61. ♖b7 ♖a4! 62. f4 ♖a1 63. ♖h7** [**♖ 4/d**; 63. ♖b6 ♔g7 64. h6 ♔f7 65. ♔g5 ♖a5 66. f5 ♖a8 67. ♖b7 ♔g8=] **♖g1 64. ♔h3 ♖h1 65. ♔g2 ♖h4 66. ♔g3 ♖h1 67. ♖h6 ♔f5 68. ♖h8 ♔f6 69. ♔g4** [69. ♖f8 ♔g7 70. ♖f5 ♔h6=] **♖g1 70. ♔f3 ♔g7** [70... ♖h1=; 70... ♖f1 71. ♔g2! ♖f4?? 72. ♖f8+−] **71. ♖d8 ♔h6 72. ♔e4 ♖a1! 73. ♔f5 ♖b1! 74. ♖h8 ♔g7 75. ♖e8 ♔h6 76. ♔f6** [76. ♖e5 ♔h5 77. ♔e6 ♔h6=] **♔h5 77. f5 ♖b6 78. ♖e6 ♖b7! 79. ♖e7** [79. ♖a6 ♔h6=] **♖b6 80. ♔g7 ♔g5 81. ♖f7 ♖b5 82. f6 ♖b6 83. ♖f8 ♖a6 1/2 : 1/2** **[I. Sokolov]**

746.** E 99

J. PIKET 2500 − NIJBOER 2445

Nederland (ch) 1989

1. d4 ♘f6 2. ♘f3 g6 3. c4 ♗g7 4. ♘c3 0−0 5. e4 d6 6. ♗e2 e5 7. 0−0 ♘c6 8. d5 ♘e7 9. ♘e1 ♘d7 10. ♗e3 f5 11. f3 f4 12. ♗f2 g5 13. b4 ♘f6 14. c5 ♘g6 15. cd6 cd6 16. ♖c1 ♖f7 17. a4 b6 [17... h5 18. a5 ♗d7 19. ♘b5 ♗b5 20. ♗b5 g4 21. ♔h1 g3 22. ♗g1 gh2 23. ♗f2 h4 24. ♔h2 ♘h5 25. a6!? N (25. ♖g1 — 46/(832)) b6 26. ♘d3 ♗f6 27. ♖g1 ♖g7 28. ♗e1 h3 29. gh3 ♗h4 30. ♗h4 ♘h4 31. ♖g7 ♔g7 32. ♘f2 ♔h8 33. ♘g4 ♘g6 34. ♕c2 ♕h4 35. ♖g1 ♘e7 36. ♗d7!+− J. Piket 2500 − Pieterse 2415, Nederland 1989] **18. a5! ba5 19. ba5 h5** [19... ♕a5?! N 20. ♘b5 ♕d8 21. ♕c2! ♘e8 22. ♘a7 ♗d7 23. ♘c6 ♕f6 24. ♘d3 h5 25. ♖a1 ♖c8 26. ♖fb1± J. Piket 2500 − Douven 2445, Nederland (ch) 1989] **20. ♘b5 g4 21. ♖c6 g3 22. hg3 fg3 23. ♗g3 ♘e8! N** [23... ♗f8] **24. ♘d3** [24. ♕c1!? *a)* 24... ♔h7 25. ♘d3 (25. f4 ef4 26. ♗h5 ♕g5∞) h4 26. ♗h2 ♗h6 27. f4 ♗b7 (27... ♖b8 28. ♗h5) 28. ♗h5 ♗c6 29. ♕c6 △ 29... ♖c8 30. ♗g6 ♔g6 31. ♘e5; *b)* 24... h4 25. ♗h2 ♘f4 26. ♖f2 ♗h6 27. ♕a3∞ van der Vliet] **♖b8** [24...

♗h6 25. f4 ef4 26. ♗h5 fg3 27. ♖f7 ♔f7 (27... ♗e3? 28. ♔f1 ♔f7 29. ♕f3 ♕f6 30. ♘d6! ♘d6 31. ♖c7 van der Vliet) 28. ♕f3 ♔g7 29. ♗g6 ♔g6 30. ♘d6 (30. ♘e5 ♔h7 31. ♕f7 ♗g7 32. ♕h5= van der Vliet) ♘d6 31. ♕g3 (31. e5 ♕g5 32. ♖d6 ♔g7 33. e6 ♕e3 34. ♕e3 ♗e3 35. ♔f1∞ van der Vliet) ♔h7 32. ♖d6 ♕g5 33. ♕g5 ♗g5 34. ♖c6 (34. g3 △ ♘f4∞) ♗d8!∞]

25. f4!! h4 [25... ef4 26. ♗h5] **26. ♗h2 ♖b5 27. ♗h5 ♖f6 28. fe5 ♖f1** [28... ♘e5 29. ♘e5 de5 30. ♗e8+−] **29. ♕f1 ♘h8 30. e6! ♗e6□** [30... ♘f6 31. e7 ♕d7 32. ♕f6 ♗f6 33. e8♕ ♕e8 34. ♗e8+−; 30... ♗b7 31. ♕f7! ♔h7 32. ♕e8 ♕e8 33. ♗e8 ♗c6 34. dc6+−] **31. ♘f4! ♗d5 32. ♘d5 ♖a5 33. ♖c8?⊕** [33. ♕f5!+−] **♕c8?⊕** [33... ♖a1□ 34. ♕a1 (34. ♗d1 ♕d7 35. e5 ♘g6!) ♕c8 35. ♘e7 ♔f8 36. ♕g7 ♘g7 37. ♘c8 ♘h5=] **34. ♘e7 ♔h7 35. ♘c8 ♖h5 36. ♘d6 ♖a5?** [36... ♘d6 37. ♗d6 ♘g6±] **37. e5 ♘d6 38. ♕d3 ♘g6 39. ed6+− ♖a1 40. ♔f2 ♖a2 41. ♔f3 ♗f6 42. d7 ♗d8 43. ♕b3 ♖d2 44. ♕f7 ♔h6 45. ♗f4 ♗g5** [45... ♘f4 46. ♕f4 ♗g5 47. ♕d2] **46. ♗g5 ♔g5 47. ♔e3 ♖d3 48. ♔e4 1 : 0** **[J. Piket]**

747.** **E 99**

L. HANSEN 2540 − LOGINOV 2485

Starozagorski Bani 1989

1. d4 ♘f6 2. c4 g6 3. ♘c3 ♗g7 4. e4 d6 5. ♘f3 0−0 6. ♗e2 e5 7. 0−0 ♘c6 8. d5 ♘e7 9. ♘e1 ♘d7 10. ♘d3 f5 11. ♗d2 [RR 11. f3 f4 12. ♗d2 g5 13. ♖c1 ♘g6 14. c5 ♘f6 15. cd6 cd6 16. ♘b5 ♖f7 17. ♕c2 ♘e8 18. a4 h5 19. ♘f2 ♗f8 20. h3 ♖g7 21. ♕b3 ♘h4 22. ♖c2 a6 23. ♘a3 ♘f6 24. ♗e1 g4 25. hg4 hg4 26. ♘g4 ♘h5 27. ♘c4! N ± (27. a5?! − 40/773) ♘g3 28. ♗g3! fg3 29. ♕b6 (29. ♖fc1? ♘f3 30. gf3 ♕h4⩱) ♕e7 (29... ♕g5? 30. ♕e3 ♕g6 31. ♕h6!) 30. ♘ce3 ♖h7 31. ♖fc1 ♘g6 32. ♖c7 *a)* 32... ♕h4?! 33. ♖h7 ♔h7 34. ♘f5 ♕g5 35. ♖c7 ♔g8 36. ♘g3 ♘f4 37. ♗f1! ♗g4 38. fg4 ♕g4 39. ♕e3 ♖c8 1 : 0 van Dyck − R. Chapman, corr. 1989; *b)* 32... ♕g5!? 33. ♖h7 ♔h7 34. ♖c7 ♔g8 35. ♘f1!? (35. ♕a5!? ♘f4 36. ♗d1) ♕h4 36. ♕e3 ♘f4 37. ♗d1 van Dyck] **♔h8** [RR 11... ♘f6 12. f3 f4 13. g4 fg3 14. hg3 c6 15. ♔g2 N (15. a4 − 45/(761)) b5 16. b3 a5 17. ♖h1 bc4 18. bc4 ♗a6 19. ♘f2 ♖b8 20. ♖c1 ♕b6 21. ♖c2 ♖fc8 22. ♗g5 cd5? 23. ♗f6 ♗f6 24. ♘d5 ♘d5 25. ♕d5 ♔f8 26. c5+− Wilder 2540 − Hellers 2565, Haninge 1989; 22... ♕d4] **12. ♖c1 ♘g8 13. b4 ♘df6 14. f3 f4** [14... ♗h6!?] **15. ♘f2 h5 16. c5 g5 17. h3 ♘h6 18. cd6 cd6 19. ♘b5 ♖f7 20. ♕c2 ♘e8 21. a4** [21. ♘a7?! ♖c7 22. ♘c6 (22. ♕a4 ♗d7 △ b6−+) bc6 23. dc6 ♖ca7! 24. ♗c4 ♕b6 △ g4∓] **♗f8 22. a5 N** [22. ♘a7 − 39/757] **♗d7 23. ♕b2 ♖g7 24. ♖c3! a6!?** [24... ♔g8] **25. ♘a3 b5!** [25... g4? 26. fg4 hg4 27. hg4 ♘g4 28. ♘g4 ♗g4 29. ♗g4 ♖g4 30. ♗f4! ♘f6! 31. ♖h3 ♔g8 32. ♗e5!±] **26. ab6 ♕b6 27. ♖fc1 ♘f6 28. ♖c6! ♗c6 29. ♖c6 ♕d8 30. ♕c3! ♔g8!** [30... g4? 31. fg4 hg4 32. hg4 ♘fg4? 33. ♘g4 ♘g4 34. ♕h3+−] **31. ♗a6⊕ g4 32. ♔f1! gf3 33. gf3 ♘h7!** [△ ♕g5-g2] **34. ♘c2 ♕g5 35. ♔e2 ♕g2!** [35... ♕g1?! 36. ♕a1!±] **36. ♗c8! ♗e7 37. ♗e6 ♔h8 38. ♘e1 ♕h2?** [×♕h2; 38... ♕g1!∞] **39. ♖c8 ♖c8 40. ♕c8 ♘g8 41. ♗g8 ♖g8 42. ♕e6?** [42. ♕c7! ♗h4 43. ♘d3 ♖d8 44. b5 ♕g1 45. b6 ♕g7 (45... ♕b1? 46. ♘f4!+−) 46. ♗b4±] **♗h4 43. ♘d3 ♖d8 44. ♕h6! ♕g1 45. ♕h5 ♗f2!?** [45... ♕g5

46. ♕f7 (46. ♕g5?! ♘g5 47. b5 ♖b8 48. ♗b4 ♘f7∓) ♕g7 47. ♕h5 ♕g5=] **46. ♘f2 ♖a8 47. ♕f7 ♕a1 48. ♕d7 ♕a6 49. b5⊕ ♕b6 50. ♘g4?!** [50. ♕c6! ♖b8 51. ♕b6 ♖b6 52. ♗a5! (E. Pejčeva) ♖b5 53. ♗c7 ♖b2 54. ♔f1 ♘g5 55. ♗d6 ♘f3 (55... ♘f7 56. ♗e7 ♔g7 57. ♘g4 △ ♗f6±) 56. ♘d3 ♘h2=] **♘g5 51. h4 ♘h3?⊕** [51... ♘f3!! (Loginov) 52. ♔f3 ♕g1 53. ♗a5!!□· ♕g3 54. ♔e2 f3 55. ♔d2 *a)* 55... f2 56. ♕f5! f1♘ (56... f1♕ 57. ♕h5=) 57. ♔e2!=; *b)* 55... ♖g8!? 56. ♗b6!! ♕g4 (56... ♖g4 57. ♕d6!∞) 57. ♕g4 ♖g4 58. ♔e3=; *c)* 55... ♕g2!? 56. ♔c3 ♕a2! 57. ♗b4! ♕a1 58. ♔b3! ♕b1 59. ♔c3 ♕a1=] **52. ♕c6!±
♘g1 53. ♔f1 ♖a1 54. ♔g2 ♕d8 55. ♗c3! ♖c1?** [55... ♖b1 56. ♘e5! de5 57. ♗e5 ♔h7 58. ♕b7+−] **56. ♗e5+− de5 57. ♕c1 ♕h4 58. ♕g1 ♕g3 59. ♔f1 ♕f3 60. ♘f2 ♕b3 1 : 0** [L. Hansen]

registar • *индекс* • *index* • *register* • *registre* • *registro* •
registro • *register* • 棋譜索引 • الفهرس

A

ABRAMOVIĆ [2/(3)] — Kovačević, Vlado 352; Plachetka, J. (483); Štohl (209); Tajmanov 208; Vuruna (209)
ADAMS [1/(3)] — Larsen, B. (49), (187); Miles 612; van Wely (170)
ADAMSKI, J. [(1)] — Maciejewski, M. (53)
ADORJÁN [4/(1)] — Csom, I. 83; Glek 149; Keitlinghaus 84; Lautier (706); Sax 637
AGADŽANJAN [(1)] — Nadanjan (92)
AGDESTEIN, S. [1] — Larsen, B. 648
AHMYLOVSKAJA [(2)] — Gheorghiu (81); Şubă (128)
AKOPJAN [3/(4)] — Anastasjan 309; Dohojan (506); Petrosjan, A. (497); Serper 387, (387); Širov 555; Vajser (99)
ALBURT [(1)] — Romanišin (10)
ALEKSANDRIJA [1] — Šabalov 104
ALONSO [(1)] — Hernández, Rom. (579)
AL'TERMAN [(2)] — Maljutin (261); Širov (714)
ALVAREZ, A. [(1)] — Zapata (201)
ANAND [13/(6)] — Benjamin, Joel 245; Ceškovskij (444); Ehlvest 175; Georgiev, Kir. (268), 586; Gobet 232; Ivančuk (389); Lau, R. (399); Mihal'čišin, A. 415; Miles 184; Plaskett (232); Ribli 20; Sax 276; Sokolov, I. 411; Spassky 441; Tal' 63; Tivjakov 268; Vaganjan (21); van der Wiel 214
ANASTASJAN [2/(5)] — Akopjan 309; Carev (308); Georgadze, G. (616); Krasenkov (615); Razuvaev (24); Rozentalis (624); Vyžmanavin 623
ANDERSSON, U. [3/(6)] — Árnason, J. (10); Gurevič, M. 490; Ivančuk (69); Karpov, An. (49), (627); Ljubojević (62); Polugaevskij (681); Sokolov, I. 690; van der Wiel 457
ANDRIANOV [1/(2)] — Gorelov (52); Vajser 512, (560)
ANDRUET [(3)] — Armaş, I. (104); Dohojan (662); Fedorowicz (101)
ANIŢOAEI [1/(1)] — Breahnă (524); Văsieşiu 375
ANKA [1] — Novikov 284
ANNAGEL'DYEV [1] — Glek 99
ANTUNES [(1)] — Rodríguez, Am. (401)
APICELLA [(1)] — Širov (711)
ARAHAMIJA [(1)] — Gligorić (161)
ARBAKOV [2/(5)] — Glek (99), (714); Kišnëv 468; Krasenkov 591; Kuz'min, A. (717); Piskov (99); Savčenko (517)
ARENCIBIA, W. [2] — Moskalenko 136; Rodríguez, Am. 660

ARHIPOV [(3)] — Filipenko (184); Gola (205); Naumkin (45)
ARMAŞ, I. [2/(2)] — Andruet (104); Dohojan 348; Nijboer (322); Rogers, I. 340
ÁRNASON, J. [(5)] — Andersson, U. (10); Epišin (605); Polugaevskij (301); Timman (378); Wilder (245)
ASEEV [(3)] — Halifman (594); Nenašev (685); Volke (735)
ASHLEY [(1)] — Thorsteins (109)
ATANASOV, B. [1] — Pasev 325
AZMAJPARAŠVILI [3/(3)] — Csom, I. (78); Dreev 170; Ivančuk (463); Lerner 28; Petrosjan, A. (483); Uhlmann 33

B

BABURIN [(2)] — Belousov (138); Grigorov (141)
BADŽARANI [2] — Rybincev 282; Šur 96
BAGATUROV [1] — Gorelov 601
BAGIROV [3/(4)] — Čehov 702; Dorfman 156; Fauland (577); Knaak (361); Popović, P. 159; Ščerbakov, R. (3); Zajčik (12)
BAJKOV [1] — Glek 243
BALAŠOV [1/(1)] — Huzman 672; Tunik (233)
BÁNAS [2/(2)] — Gol'din 541; Lanka (398); Savon 36; Štohl (547)
BANGIEV [(1)] — Becker, Ma. (229)
BANY [(2)] — Löffler (79); Volke (705)
BARBERO [1/(1)] — Csom, I. (78); Uhlmann 699
BAREEV [7/(2)] — Gligorić (624); Klinger 141; Pigusov 8; Plachetka, J. 174, 361; Petrosjan, A. 483; Smejkal (137), 579; Ubilava 172
BARLOV [4/(4)] — Čabrilo (612); Cebalo 606; Damljanović (13); Draško 705; Đurić, S. (729); Kožul 118; Maksimović, B. (612); Popović, P. 696
BARUA [(1)] — Murugan (294)
BAŞIN [(1)] — Zagrebel'nyj (263)
BAŠKOV [(1)] — Endžievskij (316)
BASS [(1)] — Mihal'čišin, A. (574)
BECKER, MA. [(1)] — Bangiev (229)
BELJAVSKIJ [18/(3)] — Gulko 484; Hjartarson, J. 222, 440; Ivančuk 402; Jusupov 148, 389; Karpov, An. 695; Kasparov 303; Ljubojević 491; Nikolić, Pr. 338; Nogueiras 529; Portisch, L. 500; Ribli 505; Salov 248; Short, N. 150, 418; Seirawan (536); Sokolov, A. (442); Spassky 433; Speelman 498; Timman (442)
BELLIA [(1)] — Razuvaev (719)
BELLON LOPEZ [(1)] — Skembris 461

BELOUSOV [(1)] — Baburin (138)
BELOV, I. [1/(4)] — Kotronias (538); Makaryčev (64); Murey (714); Striković 737; Terteranc (58)
BENJAMIN, JOEL [10/(4)] — Anand 245; Ceškovskij (167); Dončev (171); Dorfman 443; Douven 190; Gel'fand 629; Georgiev, Kir. (693); Gufel'd 253; Gurevič, M. 674; Miles 2; Mirallès 37; Nikolić, Pr. 168; Ribli 62; Sokolov, I. (682)
BENKÖ, P. [1/(1)] — Dizdar, G. (543); Kouatly 497
BERDIČEVSKIJ [1] — Gavrilov 92
BEULEN [(1)] — Tajmanov (202)
BIELCZYK [(1)] — Marinšek (212)
BILEK, I. [(1)] — Štohl (706)
BIRNBOIM [(1)] — Černin, A. (463)
BISCHOFF [(3)] — Geller, E. (234); Kindermann (333); Kožul (730)
BISTRJAKOVA [(1)] — Har'kova (115)
BLAGOJEVIĆ, D. [1/(2)] — Gavrikov 138; Kožul (134); Lerner (27)
BLATNÝ, P. [2] — Malanjuk 399; Vladimirov 370
BLUMENFELD [(1)] — West, J. (311)
BODOR [1] — Mann 331
BOERSMA [1] — Gurevich, D. 105
BOJKIJ [1] — Jakobson 458
BOKAN [(1)] — Svešnikov (215)
BÖNSCH [3/(2)] — Černin, A. 650; Glek (735); Grünberg, H.-U. (742); Lerner 26, 95
BORGES MATEOS [2/(1)] — Ehlvest (640); Ernst 355; Rodríguez, Am. 356
BORIK [(1)] — Maus, Sö. (164)
BORKOWSKI [(1)] — Wojtkiewicz (311)
BREAHNĂ [(1)] — Anițoaei (524)
BRENNINKMEIJER [(1)] — Prié (272)
BRITO, A. [(1)] — Krasenkov (573)
BRODSKIJ [(1)] — Novik (367)
BRONŠTEJN [(1)] — Jaśnikowski (580)
BROWNE [6/(1)] — Černin, A. 640; Christiansen 34; Gurevič, M. 616; Kamskij (566); Kovačević, S. 87; Lerner 27; Nickoloff 572
BRYSON [(1)] — Handel (377)
BUHMAN [(1)] — Sakaev (558)
BYHOVSKIJ [(1)] — Glek (709)

C

ČABRILO [(1)] — Barlov (612)
CAMPORA [2/(4)] — Dohojan (334); Dreev 337; Judasin 272; Kramnik (394); Veličković (201); Vladimirov (503)
CANDA [1] — Vilela 342
CAREV [(1)] — Anastasjan (308)
CARLESON [(1)] — Stefánsson (382)
CASTELLANOS [1] — Herrera, I. 330
CEBALO [7/(5)] — Barlov 606; Gurevič, M. 619; Herzog, J. (558); Ilinčić 557; Kindermann 257; Kožul 15; Lalić, B. (558); Piket, J. 504; Popović, P. 614; Sokolov, I. (735); Todorčević (732); van der Sterren (535)
ČEHOV [5/(4)] — Bagirov 702; Gauglitz (705); Knaak 152; Malanjuk 453; Mnacakanjan (219); Schmidt, Wł. (554); Uhlmann 711; Vogt 219; Vyžmanavin (140)
CEJTLIN, MARK [(3)] — Čiburdanidze (397); Gurevich, D. (732); Henkin (552)

CEJTLIN, MIH. [4/(1)] — Judasin 395; Ljubomirov (191); Lputjan 486; Lutz, H.-R. 194; Schrancz 112
ČERNIN, A. [12/(8)] — Birnboim (463); Bönsch 650; Browne 640; Cvitan 734; Faragó, I. 678; Hort (365); Ivanov, I. 69; Lautier 708; Levitt (32); Miles (29); Polgár, Zsó. 305; Rivas Pastor (694); Sandić (121); Smejkal 473; Spraggett, K. 5; Şubă (663); Weindl 3; Wellin 642; Wiedenkeller (630); Wolff, P. 68
CEŠKOVSKIJ [5/(7)] — Anand (444); Benjamin, Joel (167); Georgiev, Kir. (444); Glek 116; Klarić (399); Mačul'skij (444); Malanjuk 407; Miles (266); Nikolić, Pr. 369; Savon (147); Sax 447; Širov 704
ČETVERIK [1] — Kryšanov 534
CHANDLER, M. [6/(3)] — Conquest (446); Gulko 598; Knox, D. 414; Kortchnoi 599; Kosten (248); Larsen, B. 314; Smyslov 659; Speelman 43, (192)
CHAPMAN, R. [(1)] — van Dyck (747)
CHRISTIANSEN [4/(3)] — Browne 34; de la Villa García (161); London (161); Nunn 421; Pfleger (62); Shirazi 93; Silman 100
ČIBURDANIDZE [(2)] — Cejtlin, Mark (397); Tukmakov (582)
CIFUENTES PARADA [1/(1)] — Milos 66; Panno (672)
CONQUEST [1/(2)] — Chandler, M. (446); Mokrý 246; Ubilava (503)
COOPER, J. [(1)] — Greenfeld, A. (543)
CRAMLING, P. [1/(6)] — Ftáčnik (562); Polugaevskij (127); Romero Holmes (461); Skembris (732); Sokolov, I. 728; van der Wiel (231); Wilder (616)
CSOM, I. [3/(4)] — Adorján 83; Azmajparašvili (78); Barbero (78); Ėjngorn (649); Kindermann 31; Petrosjan, A. (613); Uhlmann 21
CSONKICS [(1)] — Varga, Z. (482)
CUIJPERS [(2)] — Kuijf, M. (172); Nijboer (175)
CVETKOVIĆ, SR. [5/(7)] — Kontić, V. (30); Lëgkij (450); Marinković, I. (55); Miles (490); Østenstad (30); Raičević, V. 30; Šahović (493); Sikora-Lerch 201; Skembris 657; Štohl 493, (591); Velimirović 725
CVITAN [3/(5)] — Černin, A. 734; Huzman (545); Mojseev 224; Piskov (137); Plaskett (226); Ruban (729); Terzić, S. 698; Timoščenko, Gen. (545)

D

DAMLJANOVIĆ [3/(7)] — Barlov (13); Gallagher (305); Gurevič, M. 724; Ivančuk (13); Kožul (554), (554); Ribli (207); Smagin 241, (241); Velimirović 299
DANNER [(2)] — Krasenkov (551); Vajser (76)
DARGA [1] — Jansa 416
DAUTOV [2/(5)] — Kajdanov 595; Magerramov (730); Rozentalis (624); Šabalov (249); Timošenko, Geo. (15); Tunik 645; Utasi (639)
DAVIDOVIĆ [1] — Kožul 588
DAVIES [1/(3)] — Gavrikov (163); Larsen, B. 386; Speelman (403); Tolnai (62)
DE FIRMIAN [5/(6)] — Dreev (360); Ernst (266); Gomez Esteban 313; Huzman 316; Kortchnoi (196); Pigusov (221); Polgár, Zsu. 121; Rogers, I. (382); Spiridonov (192); Wolff, P. 329; Ubilava 165
DE LA VILLA GARCIA [(2)] — Christiansen (161); Miles (24)
DEMINA [(1)] — Makaryčev (151)
DEŽE, A. [1] — Kožul 553

DIAZ, J. C. [(1)] — Dorfman (449)
DIMOV [(1)] — Savčenko (563)
DITZLER [(1)] — Gheorghiu (67)
DIZDAR, G. [1/(1)] — Benkö, P. (543); Razuvaev 585
DIZDAR, S. [(1)] — Mihal'čišin, A. (397)
DLUGY [5/(1)] — Fishbein 133; Gurevich, D. 67; Ivanov, I. 514; Ólafsson, H. 536; Oll 189; Wolff, P. (313)
DOBREV, I. [1] — Jakovič 125
DOHOJAN [4/(10)] — Akopjan (506); Andruet (662); Armaş, I. 348; Campora (334); Fedorowicz 334; Gel'fand (587); Gligorić (626); Hodgson (73); Kuijf, M. 516; Lputjan (640); Nijboer (348); Oll (367); Petrosjan, A. (655); van der Sterren 537
DOLMATOV [11/(3)] — Dreev 602; Gel'fand (337); Georgiev, Kir. 146, 260; Haritonov 445; Henley 379; Lautier (409); Lein 173, 357; Ólafsson, H. 143; Polgár, Zsu. 446; Stefánsson (382); Ubilava 317; Vladimirov 147
DONČEV [1/(2)] — Benjamin, Joel (171); Georgiev, Kir. 281; Ruban (249)
DORFMAN [6/(6)] — Bagirov 156; Benjamin, Joel 443; Díaz, J. C. (449); Faragó, I. (582); Fedorowicz 223; Fishbein 302; Novikov (525); Oll 669; Smejkal 697; Thorsteins (59); Timošenko, Geo. (167); Vajser (11)
DOUVEN [3/(5)] — Benjamin, Joel 190; Langeweg (709); Piket, J. (746), (627); Sokolov, I. 562; Vaganjan (729); van der Wiel 527, (649)
DRAGOMARECKIJ [(1)] — Krasenkov (564)
DRAŠKO [4/(1)] — Barlov 705; Gel'fand 462; Mačul'skij 451; Šabalov 465; Timošenko, Geo. (652)
DREEV [8/(5)] — Azmajparašvili 170; Campora 337; de Firmian (360); Dolmatov 602; Ehlvest (621); Gel'fand 398, 732; Georgadze, G. 506; Gurevič, M. 703; Oll (605); Ruban (496); Šabalov (120); Timošenko, Geo. 744
DROZDOV [(1)] — Gerškovič (229)
ĐURIĆ, S. [3/(3)] — Barlov (729); Kovačević, P. 206; Kudrin (541); Moskalenko (513); Sariego 393; Tatai 362
DVOJRIS [(1)] — Lputjan (563)
DZINDZICHASHVILI [2/(1)] — Fishbein (294); Polugaevskij 57; Seirawan 628

E

EFIMOV, I. [(3)] — Iašvili (465); Karpman (126); Löffler (465)
EFIMOV, O. [(1)] — Vasenev (374)
EHLVEST [18/(10)] — Anand 175; Borges Mateos (640); Dreev (621); Epišin 163; Ernst 584; Fedorowicz 103; Gel'fand 627; Georgiev, Kir. 469; Gheorghiu (722); Hjartarson, J. 42; Jusupov (389); Karpov, An. (394); Lein (334); Ljubojević 349; Marin (418); Nogueiras (380); Nunn 278; Portisch, L. 308; Salov 394; Sax 287, 358; Seirawan (662); Short, N. 274; Sokolov, A. (424); Sokolov, I. 75; Timman 380; Timošenko, Geo. 653; van der Wiel 300
ÉJNGORN [4/(6)] — Csom, I. (649); Ftáčnik (580); Gavrikov 580; Gel'fand 467; Hodgson 89; Kuz'min, A. 225; Marin (672); Oll (367); Svešnikov (523); Timošenko, Geo. (225)
EJSMONT [(1)] — Makarov (663)

ENDERS [(2)] — Rossmann (730); Štohl (328)
ENDŽIEVSKIJ [(1)] — Baškov (316)
EPERJESI [(1)] — Murey (52)
EPIŠIN [1/(1)] — Árnason, J. (605); Ehlvest 163
ERMENKOV [1] — Georgiev, Kir. 97
ERMOLINSKIJ [1/(2)] — García-Palermo (735); Georgadze, G. 577; Tringov (249)
ERNST [3/(4)] — Borges Mateos 355; de Firmian (266); Ehlvest 584; Marin (419); Renet (53); Rogers, I. 346; Wedberg (446)
ESTEVEZ [(2)] — Hernández, Rom. (221); Real (221)

F

FARAGÓ, I. [2/(1)] — Černin, A. 678; Dorfman (582); Tunik 613
FAULAND [(1)] — Bagirov (577)
FEDOROV [1] — Sakaev 307
FEDOROWICZ [6/(3)] — Andruet (101); Dohojan 334; Dorfman 223; Ehlvest 103; Gurevič, M. 45; Murey 101; Nijboer 709; Razuvaev (433); Smyslov (172)
FEHÉR, GY. [1/(1)] — Novikov (517); Timoščenko, Gen. 528
FEL'DMAN [1] — Kišněv 573
FERČEC [(1)] — Ilić, D. (573)
FETTE [(2)] — van der Wiel (196); van Mil (196)
FILIPENKO [1/(1)] — Arhipov (184); Jakovič 312
FINNLAUGSSON [(1)] — Jónsson, M. (154)
FISHBEIN [4/(2)] — Dlugy 133; Dorfman 302; Dzindzichashvili (294); Gurevich, D. 739; Polgár, J. 227; Vyžmanavin (223)
FLEAR, G. [3/(2)] — Gurevič, M. (741); Kuprejčik 733; Levitt 530; Plachetka, J. 578; Ristić, Nen. (581)
FOIŞOR [(1)] — Sokolov, I. (562)
FONSECA [(1)] — Herrera, I. (330)
FRIAS [1] — Polgár, Zsó. 226
FRIES-NIELSEN, J. [(1)] — Larsen, B. (171)
FROLOV [1/(2)] — Maljutin 229; Minich (156); Taborov (164)
FTÁČNIK [6/(9)] — Cramling, P. (562); Éjngorn (580); Gel'fand 556; Hellers (175); Lautier 643; Mohr, S. (553); Nunn (742); Polugaevskij 565; Romanišin (206); Sax (54); Seirawan 567; Sokolov, I. (556); Torre 94; van der Wiel 169; Wilder (640)

G

GAGARIN [(2)] — Krasenkov (591); Lanka (727)
GALJAMOVA [(1)] — Sakaev (525)
GALLAGHER [(1)] — Damljanović (305)
GAPRINDAŠVILI [1] — Mádl 228
GARCIA-PALERMO [(1)] — Ermolinskij (735)
GAUGLITZ [1/(3)] — Čehov (705); Grünberg, H.-U. (563); Heinig (573); Šulava 478
GAUSEL [(1)] — Mokrý (605)
GAVRIKOV [4/(5)] — Blagojević, D. 138; Davies (163); Lautier (66); Lukov 102; Marin 692; Schneider, A. (255); Širov (541); Tolnai 283; Tukmakov (558)
GAVRILOV [1] — Berdičevskij 92
GDAŃSKI, J. [(1)] — Polgár, Zsu. (118)
GEBHARDT [(1)] — Nagel, H. (183)

GEL'FAND [13/(4)] — Benjamin, Joel 629; Dohojan (587); Dolmatov (337); Draško 462; Dreev 398, 732; Ehlvest 627; Éjngorn 467, 580; Ftáčnik 556; Gol'din 646; Hector (463); Ivanov, A. 630; Kindermann 559; Ólafsson, H. (108); Oll 323; Rogers, I. 11

GELLER, E. [2/(4)] — Bischoff (234); Hickl, J. 161; Kindermann (347); Smagin 423; Sokolov, I. (422); Vyžmanavin (224)

GELPKE [(1)] — Piket, J. (721)

GEORGADZE, G. [2/(2)] — Anastasjan (616); Dreev 506; Ermolinskij 577; Timošenko, Geo. (398)

GEORGIEV, KIR. [9/(3)] — Anand (268), 586; Benjamin, Joel (693); Ceškovskij (444); Dolmatov 146, 260; Dončev 281; Ehlvest 469; Ermenkov 97; Lukov 140; Sax 277; Sokolov, I. 16

GERŠKOVIČ [2/(1)] — Drozdov (229); Kozin 108; Sal'nev 535

GHEORGHIU [7/(5)] — Ahmylovskaja (81); Ditzler (67); Ehlvest (722); Pétursson 722; Piket, M. 714; Piskov 81; Polgár, Zsu. (722), (727); Polugaevskij 723; Širov 715; Spycher 727; Sznapik, A. 233

GHINDĂ, M. [1] — Ivančuk 297

GLEJZEROV [1/(1)] — Horváth, Cs. (586); Judasin 335

GLEK [10/(7)] — Adorján 149; Annagel'dyev 99; Arbakov (99), (714); Bajkov 243; Bönsch (735); Byhovskij (709); Ceškovskij 116; Gutop 513; Juferov 675; Jurtaev 114; Kiselev 212; Lanka 341; Maljutin (727); Šabalov 160; Šnejder (735); Utemov (735)

GLIGORIĆ [1/(5)] — Arahamija (161); Bareev (624); Dohojan (626); Kuz'min, A. (743); Romanišin 688; Savon (4)

GOBET [1/(1)] — Anand 232; Gurevič, M. (551)

GODYŠ [(1)] — Zvonickij (184)

GÖKE [(1)] — Lorenz, M. (156)

GOLA [(1)] — Arhipov (205)

GOL'DIN [3/(6)] — Báñas 541; Gel'fand 646; Grünberg, H.-U. (703); Kotronias 430; Krasenkov (587); Lanč (544); Lechtýnský (546); Østenstad (540); Smirin (642)

GOMEZ ESTEBAN [1] — de Firmian 313

GONZALEZ, J. A. [(1)] — Rodríguez. E. (330)

GORELOV [1/(3)] — Andrianov (52); Bagaturov 601; Majerić (92); Malanjuk (496)

GOSTIŠA [(2)] — Kuprejčik (732); Martić (111)

GRANDA ZUNIGA [1/(2)] — Miles 618; Sokolov, I. (574); Sax (640)

GREENFELD, A. [1/(1)] — Cooper, J. (543); Tolnai 53

GRIGOROV [(1)] — Baburin (141)

GRINFELD [(1)] — Šabalov (465)

GRÓSZPÉTER [3/(2)] — Kajdanov 200; Petrán, Pál (568); Pintér 568; Schlosser, Ph. (547); Watson, W. 321

GRÜNBERG, H.-U. [(5)] — Bönsch (742); Gauglitz (563); Gol'din (703); Judasin (327); Knaak (187)

GUFEL'D [4] — Benjamin, Joel 253; Seirawan 716; Smyslov 448; Zajčik 86

GULKO [8/(10)] — Beljavskij 484; Chandler, M. 598; Karpov, An. (53); Kortchnoi 51; Kosten 597; Larsen, B. 23, 609; Ljubojević (67); Piket, J. (579); Rohde, M. (350); Short, N. (133), (360), (402); Smyslov 574; Sokolov, A. 590; Sokolov, I. (23); Speelman 652, (701); Timman (454)

GUNAWAN, RO. [(1)] — Jajljan (717)

GUREVIČ, M. [16/(5)] — Andersson, U. 490; Benjamin, Joel 674; Browne 616; Cebalo 619; Damljanović 724; Dreev 703; Fedorowicz 45; Flear, G. (741); Gobet (551); Gurevich, D. 12; Ivančuk 741; Jukić, M. 665; Kasparov (582); Levitt 685; Lobron 635; Manor 551; Polugaevskij (669); Rechlis 726; Shabtai (689); Silva, M. 503; Sokolov, I. 552

GUREVIČ, D. [5/(4)] — Boersma 105; Cejtlin, Mark (732); Dlugy 67; Fishbein 739; Gurevič, M. 12; Holmov (683); Székely, P. (586); Tukmakov 124; Wedberg (171)

GUTMAN [1/(1)] — Jajljan (708); Tajmanov 655

GUTOP [1] — Glek 513

GYURKOVICS [(1)] — Kuz'min, A. (709)

H

HÁBA [1] — Pekárek 476

HALIFMAN [2/(4)] — Aseev (594); Ink'ov 401; Kuz'min, A. 463; Kuz'min, G. (649); Popčev (171); Smirin (192)

HALLEBEEK [(1)] — Langeweg (574)

HANDEL [(1)] — Bryson (377)

HANSEN, C. [2/(3)] — Makaryčev 151; Nogueiras (121); Prandstetter 294; Stefánsson (73); Züger (43)

HANSEN, L. [5] — Kindermann 373; Loginov 747; Nunn 364; Piket, J. 736; Sax 639

HARDICSAY [1/(1)] — Hector (176); Rajna 129

HARITONOV [1/(2)] — Dolmatov 445; Piskov (137); Rodríguez, Am. (419)

HAR'KOVA [(1)] — Bistrjakova (115)

HASIN, AL. [1/(1)] — Lysenko (75); Mikac 72

HAWEŁKO [1] — Schmidt, Wł. 363

HAZAI [2] — Tolnai 266, 267

HEBDEN [2/(1)] — Kudrin (423); Levitt 98; Semkov 712

HÉBERT [(1)] — Hulak (654)

HECTOR [3/(6)] — Gel'fand (463) ; Hardicsay (176); Kindermann (398); Kuprejčik 520; Oll (323); Širov (312); Skembris 383; Uhlmann 455; Veingold (383)

HEINIG [(1)] — Gauglitz (573)

HELLERS [1/(4)] — Ftáčnik (175); Polugaevskij 326; Sax (418); Sokolov, I. (425); Wilder (747)

HENAO [(1)] — Kudrin (253)

HENKIN [3/(3)] — Cejtlin, Mark (552); Kuz'min, A. (570); Nagulehov (613); Naumkin 582; Zagrebel'nyj 295; Zaharov 569

HENLEY [2] — Dolmatov 379; Kovačević, Vlado 90

HERNANDEZ, ROM. [(2)] — Alonso (579); Estévez (221)

HERRERA, I. [1/(2)] — Castellanos 330; Fonseca (330); Leyva, H. (330)

HERTNECK [(1)] — Levitt (98)

HERZOG, J. [(1)] — Cebalo (558)

HESS, R. [1] — Hübner 403

HICKL, J. [1] — Geller, E. 161

HJARTARSON, J. [30/(9)] — Beljavskij 222, 440; Ehlvest 42; Hübner 197; Ivančuk (42); Jusupov (49); Karpov, An. 41, 47, 434, 437, 439, (473); Kasparov (545); Kortchnoi (634); Larsen, B. 691; Ljubojević 177, 285, 396; Nunn 718; Portisch, L. 511, 720; Ribli (546); Salov 122, 636, 663, 666; Sax (669); Short, N. (442); Seirawan 662; Sokolov, A. 60, 676, Timman 196; (257); 328, 390, 592; Vaganjan 61, 123; van der Wiel 419

HMEL'NICKIJ [(1)] — Solomčenko (100)
HODGSON [4/(5)] — Dohojan (73); Ėjngorn **89;** Jonsson, B. **85;** Lau, R. (163); Levitt (98); Pétursson **207;** Rogers, I. **88;** Sandler (98); Watson, W. (326)
HOFFMANN, M. [(1)] — Timoščenko, Gen. **(243)**
HØI [1/(1)] — Sax **354;** Tisdall (729)
HOLMOV [(3)] — Gurevich, D. (683); Širov **(248);** Zlotnik (648)
HOPERIJA [(1)] — Svešnikov (154)
HORT [2/(4)] — Černin, A. **(365);** King 145; Seirawan **661;** Sokolov, I. (524); Winants **(668);** Yrjölä **(139)**
HORVÁTH, CS. [1/(2)] — Glejzerov (586); Lukács 508; van Wely **(272)**
HORVÁTH, JÓ. [(1)] — Szalánczy **(120)**
HORVÁTH, T. [1] — Lukács 126
HOVDE [1] — Sarink 242
HÜBNER [12/(7)] — Hess, R. **403;** Hjartarson, J. **197;** Jusupov 477; Kasparov (461); Kortchnoi 210; Ljubojević **(316);** Maus, Sö. (368); Nikolić, Pr. 466; Nogueiras **343;** Pfleger **(166);** Piket, J. **247;** Salov 6; Short, N. 372; Smejkal **442;** Spassky **408, (442), (442),** 472; Speelman (475)
HULAK [2/(2)] — Hébert (654); Lalić, B. **594;** Nickoloff 130; Wolff, P. (225)
HUZMAN [5/(5)] — Balašov **672;** Cvitan (545); de Firmian **316;** Oll (578); Piskov (551); Pogorelov 54; Romanišin 546; Sifeif-zade (578); Taborov **164;** Zajcev (352)

I

IAŠVILI [(1)] — Efimov, I. **(465)**
ILIĆ, D. [(1)] — Ferčec **(573)**
ILIJIN [1] — Kajdanov **221**
ILINČIĆ [2/(1)] — Cebalo 557; Lëgkij (581); Štohl 547
ILLESCAS CORDOBA [4(6)] — Kasparov **296;** Kortchnoi **19;** Ljubojević **(62);** Mirallès **624;** Nikolić, Pr. 480; Pintér (575); Salov (92); Seirawan (480); Sisniega (275); Speelman (486)
INK'OV [2/(3)] — Halifman 401; Lobron **487;** Martin, And. (401); Schmittdiel (401); Semkov (687)
IONESCU, CO. [2] — Semkov 687; Vilela 131
IŠEVSKIJ [(1)] — Saltaev (232)
ISUPOV [(2)] — Lagunov (703), (703)
IVANČUK [7/(9)] — Anand **(389);** Andersson, U. (69); Azmajparašvili (463); Beljavskij 402; Damljanović (13); Ghindă, M. **297;** Gurevič, M. 741; Hjartarson, J. (42); Jusupov 91, **(418);** Karpov, An. **435;** Marjanović, S. **488;** Sax **306;** Short, N. (399); Sokolov, I. **(543);** Timman **(171)**
IVANOV, A. [1] — Gel'fand 630
IVANOV, I. [2] — Černin, A. 69; Dlugy **514**
IVANOV, SE. [(1)] — Sokolin **(631)**
IVANOVIĆ, B. [1/(1)] — Popović, P. 405; Kožul (591)
IZETA [1] — Sznapik, A. 195
IZQUIERDO [(1)] — Skembris (115)

J

JAJLJAN [(2)] — Gunawan, Ro. **(717);** Gutman **(708)**
JAKOBSON [1] — Bojkij **458**
JAKOVIČ [2/(4)] — Dobrev, I. 125; Filipenko **312;** Kalegin **(230);** Karpov, Al. (205); Kramnik (394); Zagrebel'nyj **(681)**
JANSA [2/(1)] — Darga **416;** Pfleger **166;** Westerinen **(407)**
JAŚNIKOWSKI [(1)] — Bronštejn (580)
JONSSON, B. [1] — Hodgson 85
JONSSON, M. [(1)] — Finnlaugsson (154)
JUDASIN [4/(4)] — Campora 272; Cejtlin, Mih. **395;** Glejzerov **335;** Grünberg, H.-U. **(327);** Luther 324; Petrosjan, A. (104); Popčev **(166);** Šabalov (250)
JUFEROV [2] — Glek 675; Zločevskij 211
JUKIĆ, M. [2/(1)] — Gurevič, M. 665; Klinger **(645);** Pandurević **701**
JURTAEV [1/(2)] — Glek 114; Klarić **(399);** Šabalov (266)
JUSTIN [1] — Podlesnik 263
JUSUPOV [22/(17)] — Beljavskij 148, 389, Ehlvest (389); Hjartarson, J. **(49);** Hübner **477;** Ivančuk **91,** (418); Karpov, An. (142), 495; Kasparov **730;** Ljubojević (390), 608; Nikolić, Pr. **631;** Nogueiras (135); Nunn **710;** Portisch, L. (495), **(595);** Salov **(598);** Sax **641;** Seirawan **(161), 470;** Short, N. **(533), 539;** Smejkal (599); Sokolov, A. **(589), 621;** Spassky **604;** Speelman **464;** Spraggett, K. (3), 9, 14, **489, 533, (642);** Timman **454,** (536); Vaganjan **532,** 682; van der Wiel **(652)**

K

KAJDANOV [5/(1)] — Dautov **595;** Grószpéter 200; Ilijin 221; Pintér 525; Reshevsky **56;** Watson, W.
KALEGIN [(1)] — Jakovič (230)
KÁLLAI [(1)] — Pálkövi **(511)**
KAMSKIJ [(3)] — Browne (566); Miles **(182);** Soloženkin **(613)**
KANCLER [1] — Purgin 79
KARKLINS [1] — Nance **412**
KÁROLYI jr. [1] — Pintér 139
KARPMAN [(1)] — Efimov, I. **(126)**
KARPOV, AL. [(1)] — Jakovič **(205)**
KARPOV, AN. [23/(6)] — Andersson, U. **(49);,** (627); Beljavskij 695; Ehlvest (394); Gulko **(53);** Hjartarson, J. **41, 47,** 434, 437, 439, **(473);** Ivančuk 435; Jusupov **142, 495;** Ljubojević **460, 501;** Nogueiras **365;** Nunn 432; Portisch, L. **485, 638;** Salov **649;** Sax 431; Seirawan 667; Short, N. 427, **538;** Sokolov, A. 436, (436); Timman **475, 571**
KASPAROV [13/(5)] — Beljavskij 303; Gurevič, M. (582); Hjartarson, J. (545); Hübner **(461);** Illescas Cordoba 296; Jusupov 730; Kortchnoi 740; Ljubojević (545); Nikolić, Pr. **677;** Nogueiras 113; Ribli **509;** Salov **55;** Seirawan **719;** Short, N. **22;** Spassky **494;** Speelman **78,** (546); Vaganjan 545
KEITLINGHAUS [1] — Adorján **84**
KELEČEVIĆ [(1)] — Semkov (494)
KEN'GIS [1/(1)] — Razuvaev (585); Šabalov 155
KINDERMANN [7/(5)] — Bischoff **(333);** Cebalo **257;** Csom, I. 31; Gel'fand 559; Geller, E. (347); Hansen, L. **373;** Hector **(398);** Kotronias 347; Maus, Sö. 350; Miles 48; Mohr, S. **(174);** Psahis **(368)**
KING [2/(1)] — Hort **145;** Larsen, B. **(211);** Sokolov, I. **543**
KISELEV [1] — Glek 212

389

KIŠNĖV [4/(1)] — Arbakov 468; Fel'dman **573;** Krasenkov 617; Malanjuk 661; Smirin (587)
KLARIĆ [(2)] — Ceškovskij (399); Jurtaev (399)
KLINGER [1/(3)] — Bareev **141;** Jukić, M. (645); Mainka, R. **(414);** Zajcev **(592)**
KLOVANS [(1)] — Šabalov (437)
KNAAK [3/(3)] — Bagirov (361); Čehov 152; Grünberg, H.-U. **(187);** Lerner **686;** Uhlmann **(719);** van der Wiel **517**
KNOX, D. [1] — Chandler, M. 414
KOBAŠ [1/(1)] — Mihal'čišin, A. **(397);** Vogt **237**
KOCH [(6)] — Kosten (253); Lautier (62); Mainka, R. (268); Pintér **(423);** Ristić, Nen. **(269);** Wahls (266)
KOHLWEYER [(1)] — Kožul (622)
KOLEV [(1)] — Pantev (699)
KOMAROV [1/(2)] — Malanjuk (660); Sakaev 107; Ubilava (461)
KONOPKA [1] — Smagin **589**
KONTIĆ, V. [(1)] — Cvetković, Sr. (30)
KORONGHY [(1)] — Paksa **(235)**
KORTCHNOI [12/(8)] — Chandler, M. **599;** de Firmian (196); Gulko **51;** Hjartarson, J. (634); Hübner **210;** Illescas Cordoba 19; Kasparov **740;** Lerner **(662);** Ljubojević (236); Miles 502; Nikolić, Pr. **162;** Pétursson **44;** Ribli 10; Sax (360); Seirawan 526; Short, N. **(590), (662);** Speelman 1, **596;** Tal' (344)
KOSTEN [5/(3)] — Chandler, M. (248); Gulko 597; Koch **(253);** Kuprejčik 333; Larsen, B. **239;** Short, N. 376; Smyslov 632; Speelman (616)
KOSTEZKIJ [(1)] — Usačij (712)
KOTRONIAS [4/(5)] — Belov, I. (538); Gol'din **430;** Kindermann **347;** Psahis 244; Razuvaev (595); Romanišin **(444);** Sokolov, I. **(419);** Vladimirov **339;** Vyžmanavin (538)
KOUATLY [1/(1)] — Benkö, P. **497;** Stangl **(662)**
KOVAČEVIĆ, P. [1] — Đurić, S. **206**
KOVAČEVIĆ, S. [1] — Browne **87**
KOVAČEVIĆ, VLADO [4/(2)] — Abramović 352; Henley **90;** Kristensen, B. **(450);** Kuprejčik 332; Nikolić, Pr. **450;** Sokolov, I. (133)
KOVALEV [(1)] — Naumkin **(371)**
KOZIN [1] — Gerškovič 108
KOZLOV, V. N. [1/(1)] — Krasenkov 58; Krasnov (211)
KOŽUL [10/(7)] — Barlov **118;** Bischoff (730); Blagojević, D. **(134);** Cebalo 15; Damljanović (554), (554); Davidović **588;** Deže, A. 553; Ivanović, B. **(591);** Kohlweyer **(622);** Lalić, B. **622;** Nemet 558; Polajžer **554;** Popović, P. 261; Ruban 542; Schneider, B. **76;** Vajser (558)
KRAMNIK [2/(4)] — Campora **(394);** Jakovič **(394);** Kuporosov (219); Miles (141); Sakaev 135; Zajčik 132
KRASENKOV [8/(10)] — Anastasjan (615); Arbakov **591;** Brito, A. (573); Danner (551); Dragomareckij (564); Gagarin **(591);** Gol'din **(587);** Kišněv **617;** Kozlov, V. N. **58;** Lanka 216; Mihal'čišin, A. **(580);** Piskov **(133);** 561; Rajković, D. 17; Simić, R. 587; Toth, Ch. (549); Tunik (551); Zločevskij 549
KRASNOV [(1)] — Kozlov, V. N. **(211)**
KRISTENSEN, B. [(1)] — Kovačević, Vlado (450)
KRNIĆ [(1)] — Winants (579)
KRUPPA [(1)] — Serebrjanik **(330)**
KRYŠANOV [1] — Četverik 534
KUCZYŃSKI [(1)] — Wojtkiewicz **(296)**
KUDRIN [1/(3)] — Đurić, S. (541); Hebden **(423);** Henao (253); Polugaevskij 563
KUIJF, M. [1/(2)] — Cuijpers **(172);** Dohojan 516; Rogers, I. (214)
KUKLIN [1] — Vyžmanavin **217**
KUPOROSOV [1/(2)] — Kramnik **(219);** Mejster, Ja. 310; Vyžmanavin **(219)**
KUPREJČIK [5/(5)] — Flear, G. 733; Gostiša (732); Hector **520;** Kosten **333;** Kovačević, Vlado **332;** Larsen, B. **(257);** Nikolić, Pr. **(333);** Pigusov **255;** Ulybin **(334);** Vučićević (732)
KUZ'MIN, A. [3/(6)] — Arbakov (717); Ėjngorn **225;** Gligorić (743); Gyurkovics (709); Halifman **463;** Henkin **(570);** Naumkin 731; Tivjakov **(263);** Zlotnik (730)
KUZ'MIN, G. [(1)] — Halifman **(649)**
KVEINYS [3] — Malanjuk 658; Savčenko **265;** Tončev **298**

L

LAGUNOV [(2)] — Isupov **(703), (703)**
LALEV [(1)] — Saltaev (232)
LALIĆ, B. [2/(2)] — Cebalo (558); Hulak 594; Kožul 622; Paunović, D. **(697)**
LANČ [(2)] — Gol'din (544); Schmidt, Wł. **(366)**
LANGEWEG [1/(5)] — Douven **(709);** Hallebeek **(574);** Miles 620; Piket, J. (627); van der Sterren (634); van der Wiel **(162)**
LANKA [4/(11)] — Báñas **(398);** Gagarin (727); Glek **341;** Krasenkov **216;** Østenstad **(515);** Popović, Đ. **(316);** Prié (313); Reprincev **153;** Savon (702); Schlosser, M. **(174);** Širov 743, (743); (743); Smirin **(268);** Timoščenko, Gen. (715)
LANZANI [(1)] — Şubă **(128)**
LARSEN, B. [17/(13)] — Adams **(49),** (187); Agdestein, S. 648; Chandler, M. 314; Davies **386;** Fries-Nielsen, J. **(171);** Gulko **23,** 609; Hjartarson, J. 691; KIng (211); Kosten 239; Kuprejčik (257); Lautier 681; Mirallès **38;** Mortensen 515, **700, (721);** Motwani 258; Pétursson 625; Piket, J. **721;** Renet (64); Sax **(60);** Schandorff (625); Short, N. **(6),** 191; Smyslov **(8);** Speelman (222); van der Wiel 291; Watson, W. (211), 256
LAU, R. [1/(3)] — Anand **(399);** Hodgson **(163);** Rogers, I. 70; Vajser (71)
LAUTIER [5/(7)] — Adorján (706); Černin, A. 708; Dolmatov **(409);** Ftáčnik 643; Gavrikov **(66);** Koch **(62);** Larsen, B. **681;** Murey **(726);** Oll **496;** Piket, J. (627); Psahis **683;** Šibarević **(557)**
LECHTÝNSKÝ [1/(1)] — Gol'din (546); Levitt 550
LËGKIJ [2/(2)] — Cvetković, Sr. **(450);** Ilinčić **(581);** Štohl **581;** Vujadinović **77**
LEIN [2/(1)] — Dolmatov 173, 357; Ehlvest **(334)**
LENSKIJ [1] — Ščebenjuk **575**
LERNER [9/(2)] — Azmajparašvili 28; Blagojević, D. **(27);** Bönsch 26, 95; Browne **27;** Knaak 686; Kortchnoi (662); Maus Sö. **128;** Thorsteins **59;** Uhlmann **729;** Vogt **738**
LEV, R. [1] — Miles **25**
LEVČENKOV [(1)] — Svešnikov (205)
LEVITT [4/(4)] — Černin, A. (32); Flear, G. **530;** Gurevič, M. **685;** Hebden **98;** Hertneck **(98);** Hodgson **(98);** Lechtýnský **550;** Teske **(97)**

LEYVA, H. [(1)] – Herrera, I. (330)
LINDEMANN [(1)] – Wedberg (256)
LIN TA [1] – Lin Weiguo 474
LIN WEIGUO [1] – Lin Ta 474
LJUBOJEVIĆ [19/(15)] – Andersson, U. (62); Beljavskij 491; Ehlvest 349; Gulko (67); Hjartarson, J. 177, 285, 396; Hübner (316); Illescas Cordoba (62); Jusupov (390); 608; Karpov, An. 460, 501; Kasparov (545); Kortchnoi (236); Nogueiras 531, 564; Nunn 315; Portisch, L. (364), (616); Ribli 544; Salov 400; Sax 252; Seirawan 179, 492; Short, N. (379), 420; Spassky (433); Speelman 178; Timman 570; (652); Vaganjan (379), (603); van der Wiel (318)
LJUBOMIROV [(1)] – Cejtlin, Mih. (191)
LOBRON [6/(1)] – Gurevič, M. 635; Ink'ov 487; Nikolić, Pr. 29; Ólafsson, H. 50; Pfleger 510; Stefánsson (153); Torre 397
LÖFFLER [(2)] – Bany (79); Efimov, I. (465)
LOGINOV [1] – Hansen, L. 747
LONDON [(2)] – Christiansen (161); Ochoa de Echagüen (217)
LORENZ, M. [(1)] – Göke (156)
LPUTJAN [3/(3)] – Cejtlin, Mih. 486; Dohojan (640); Dvojris (563); Marjanović, S. 209; Romanišin 615; Svešnikov (332)
LUGO [(1)] – Moskalenko (517)
LUKÁCS [2] – Horváth, Cs. 508; Horváth, T. 126
LUKOV [2/(1)] – Gavrikov 102; Georgiev, Kir. 140; Šabalov (8)
LUTHER [2] – Judasin 324; Stoica 238
LUTZ, H.-R. [1] – Cejtlin, Mih. 194
LYSENKO [(1)] – Hasin, Al. (75)

M

MACIEJEWSKI, M. [(1)] – Adamski, J. (53)
MAČUL'SKIJ [2/(1)] – Ceškovskij (444); Draško 451; Smirin 71
MÁDL [1] – Gaprindašvili 228
MAGERRAMOV [(2)] – Dautov (730); Malanjuk (139)
MAINKA, R. [1/(2)] – Klinger (414); Koch (268); Miles 186
MAJERIĆ [(1)] – Gorelov (92)
MAKAROV [(2)] – Ejsmont (663); Vasenev (135)
MAKARYČEV [3/(2)] – Belov, I. (64); Demina (151); Hansen, C. 151; Razuvaev 385; Sahatova, G. 521
MAKSIMOVIĆ, B. [1/(1)] – Barlov (612); Popović, P. 336
MALANJUK [6/(9)] – Blatný, P. 399; Čehov 453; Ceškovskij 407; Gorelov (496); Kišněv 661; Komarov (660); Kveinys 658; Magerramov (139); Pein (463); Piskov (139); Šabalov (139); Savon (140); Širov (140); Thorsteins (138); Ulybin 413
MALIŠAUSKAS [(1)] – Psahis (409)
MALJUTIN [2/(2)] – Al'terman (261); Frolov 229; Glek (727); Piskov 374
MALYŠEV [(1)] – Szálánczy (228)
MANN [1] – Bodor 331
MANOR [1] – Gurevič, M. 551
MARIN [3/(3)] – Ehlvest (418); Ejngorn (672); Ernst (419); Gavrikov 692; Psahis 673; Timošenko, Geo. 137

MARINELLI, [(1)] – van der Wiel (315)
MARINKOVIĆ, I. [(1)] – Cvetković, Sr. (55)
MARINŠEK [(1)] – Bielczyk (212)
MARJANOVIĆ, S. [4/(1)] – Ivančuk 488; Lputjan 209; Mokrý 230; Romanišin (588); Sermek 410
MARTIĆ [1/(2)] – Gostiša (111); Poleksić 111; Topolsky (111)
MARTIN, AND. [(1)] – Ink'ov (401)
MARTIN DEL CAMPO, R. [(2)] – Rodríguez, Am. (329); Vera, R. (290)
MARTYNOV [(1)] – Soложenkin (693)
MASCARINAS [1] – Smagin 680
MATAMOROS [(1)] – Vilela (616)
MAUS, SÖ. [2/(2)] – Borik (164); Hübner (368); Kindermann 350; Lerner 128
MAJSTER, JA. [1] – Kuporosov 310
MEJZLÍK [(1)] – Vlasák (716)
MEULDERS [(2)] – Stefánsson (234); Westerveld (724)
MIHAL'ČIŠIN, A. [5/(5)] – Anand 415; Dizdar, S. (397); Kobaš (397); Krasenkov (580); Popović, P. 548; Smagin 417; Smirin (418); Tibenský (148); Vukić, M. 7; Vyžmanavin 566
MIKAC [1] – Hasin, Al. 72
MILES [18/(12)] – Adams 612; Anand 184; Benjamin, Joel 2; Černin, A. (29); Ceškovskij (266); Cvetković, Sr. (490); de la Villa García (24); Granda Zuniga 618; Kamskij (182); Kindermann 48; Kortchnoi 502; Kramnik (141); Langeweg 620; Lev, R. 25; Mainka, R. 186; Minasjan 182; Mirallès (624); Nikolić, Pr. 4, 605; Renet (196); Ribli (62); Sax 176, 185; Sokolov, I. 171; Täger 73; Timoščenko, Gen. 735; Tivjakov 198; Vaganjan (502); van der Wiel (96); Wojtkiewicz (48)
MILOS [2] – Cifuentes Parada 66; Morović Fernández 459
MINASJAN [1/(1)] – Miles 182; Psahis (122)
MINICH [(1)] – Frolov (156)
MIRALLÈS [5/(2)] – Benjamin, Joel 37; Illescas Cordoba 624; Larsen, B. 38; Miles (624); Psahis (245); Spassky 603; Tal' 32
MIRKOVIĆ [1/(1)] – Paunović, T. (470); Todorović, G. M. 499
MNACAKANJAN [(1)] – Čehov (219)
MOHR, S. [(2)] – Fťáčnik (553); Kindermann (174)
MOJSEEV [1/(2)] – Cvitan 224; Vasjukov (224); Vyžmanavin (224)
MOKRÝ [2/(2)] – Conquest 246; Gausel (605); Marjanović, S. 230; Smejkal (24)
MOLLOV [(1)] – P"devski (96)
MONIN [(1)] – Uhlmann (113)
MOROVIĆ FERNANDEZ [1/(1)] – Milos 459; Spassky (428)
MORTENSEN [2/(2)] – Larsen, B. 515, 700, (721); Sokolov, I. (420)
MOSKALENKO [2/(2)] – Arencibia, W. 136; Đurić, S. (513); Lugo (517); Rodríguez, Am. 359
MOTWANI [1] – Larsen, B. 258
MÜLLER, KA. [1] – Šabalov 519
MÜLLER-NAVARRA [(1)] – Schröder (517)
MUREY [1/(5)] – Belov, I. (714); Eperjesi (52); Fedorowicz 101; Lautier (726); Rivas Pastor (164); Saidy (181)
MURUGAN [(1)] – Barua (294)

N

NADANJAN [(1)] — Agadžanjan (92)
NAGEL, H. [1/(1)] — Gebhardt **(183);** Wouters **183**
NAGENDRA [(1)] — Neelakantan (217)
NAGULEHOV [(1)] — Henkin (613)
NANCE [1] — Karklins 412
NAUMKIN [2/(3)] — Arhipov (45); Henkin **582;** Kovalev (371); Kuz'min, A. **731;** Vajser **(101)**
NEELAKANTAN [(1)] — Nagendra **(217)**
NEMET [1] — Kožul **558**
NENAŠEV [(1)] — Aseev **(685)**
NEVEROV [1/(1)] — Svešnikov 203; Ulybin (319)
NICKOLOFF [2/(1)] — Browne 572; Hulak **130;** Rivas Pastor **(634)**
NIJBOER [2/(3)] — Armaş, I. **(322);** Cuijpers **(175);** Dohojan **(348);** Fedorowicz 709; Piket, J. 746
NIKOLENKO [1] — Suhanov 270
NIKOLIĆ, B. [1] — Plchut **377**
NIKOLIĆ, N. [2] — Pétursson 471; Torre 220
NIKOLIĆ, PR. [14/(8)] — Beljavskij 338; Benjamin, Joel 168; Ceškovskij 369; Hübner **466;** Illescas Cordoba **480;** Jusupov 631; Kasparov 677; Kortchnoi 162; Kovačević, Vlado 450; Kuprejčik (333); Lobron 29; Miles 4, 605; Nogueiras **456;** Ribli (20); Salov **(634);** Sax **634;** Seirawan **(450);** Short, N. **(536);** Spassky (472); Speelman **(697);** Vaganjan (34)
NIKOLOV, SA. [(1)] — Popčev **(505)**
NOGUEIRAS [13/(6)] — Beljavskij **529;** Ehlvest (380); Hansen, C. **(121);** Hübner 343; Jusupov **(135);** Karpov, An. 365; Kasparov **113;** Ljubojević **531, 564;** Nikolić, Pr. 456; Nunn 351; Portisch, L. (522); Salov (187); Short, N. (378); Speelman 344; Timman 524; Vaganjan 49, **64;** van der Wiel 345
NOVIK [(3)] — Brodskij **(367);** Ščerbakov, R. **(239);** Serper (42)
NOVIKOV [2/(4)] — Anka 284; Dorfman (525); Fehér, Gy. **(517);** Pein (645); Rosić **(463);** Ubilava 654
NUNEZ [1] — Salgado Allaria 392
NUNN [15/(4)] — Christiansen 421; Ehlvest **278;** Ftáčnik (742); Hansen, L. **364;** Hjartarson, J. 718; Jusupov 710; Karpov, An. **432;** Ljubojević **315;** Nogueiras **351;** Salov 742; Sax **279;** Seirawan (64); Short, N. 384; Smejkal **406;** Sokolov, A. 424; Thorsteins **286;** Timman **353;** Vaganjan (452); van der Wiel **(230)**
NÜSSLE [1] — Roth, E. **409**

O

OCHOA DE ECHAGUEN [(1)] — London (217)
ODEEV, H. [1/(1)] — Šakarov (323); Ulybin 318
OHOTNIK [(1)] — Sapis **(181)**
ÓLAFSSON, H. [5/(2)] — Dlugy 536; Dolmatov **143;** Gel'fand **(108);** Lobron 50; Polugaevskij **(668);** Šabalov **523;** Smyslov **664**
OLL [7/(5)] — Dlugy 189; Dohojan **(367);** Dorfman **669;** Dreev (605); Ėjngorn **(367);** Gel'fand **323;** Hector (323); Huzman **(578);** Lautier 496; Ruban **250,** 651; Ulybin **367**
ORSÓ, M. [(1)] — Szalánczy (283)
ØSTENSTAD [(3)] — Cvetković, Sr. (30); Gol'din (540); Lanka (515)
OSTERMAN [(1)] — Veličković (402)

P

PAKSA [(1)] — Koronghy (235)
PALAC [(1)] — Skembris **(187)**
PALATNIK [2] — Polgár, Zsó. 157; Svešnikov 154
PÁLKÖVI [1/(1)] — Kállai (511); Szalánczy **120**
PANDUREVIĆ [1] — Jukić, M. 701
PANČENKO [(1)] — Sokolov, I. **(16)**
PANNO [(1)] — Cifuentes Parada (672)
PANTEV [(1)] — Kolev **(699)**
PARED ESTRADA [1/(1)] — Pecorelli García **(231);** Pollan **231**
PASEV [1] — Atanasov, B. 325
PAUNOVIĆ, D. [(2)] — Lalić, B. (697); Timoščenko, Gen. (742)
PAUNOVIĆ, T. [(1)] — Mirković **(470)**
P"DEVSKI [1/(1)] — Mollov (96); Smagin 13
PECORELLI GARCIA [(1)] — Pared Estrada (231)
PEIN [1/(2)] — Malanjuk (463); Novikov **(645);** Vajser 560
PEKÁREK [1] — Hába 476
PEREL'ŠTEJN [(1)] — Suėtin (195)
PETRAKOV [(1)] — Stoljarov (99)
PETRÁN, PÁL [(1)] — Grószpéter **(568)**
PETROSJAN, A. [2/(5)] — Akopjan **(497);** Azmajparašvili (483); Bareev 483; Csom, I. **(613);** Dohojan (655); Judasin **(104);** Vyžmanavin 610
PÉTURSSON [8/(3)] — Gheorghiu **722;** Hodgson 207; Kortchnoi 44; Larsen, B. **625;** Nikolić, N. **471;** Piket, J. (627); Polugaevskij 507; Romanišin (449); Timoščenko, Gen. **717;** Watson, W. **80;** Ye Jiangchuan (255)
PFLEGER [2/(3)] — Christiansen **(62);** Hübner (166); Jansa 166; Lobron **510;** Popović, P. (167)
PIETERSE [(1)] — Piket, J. (746)
PIGUSOV [2/(1)] — Bareev **8;** de Firmian (221); Kuprejčik 255
PIKET, J. [7/(11)] — Cebalo 504; Douven **(627), (746);** Gelpke (721); Gulko **(579);** Hansen, L. 736; Hübner 247; Langeweg **(627);** Larsen, B. 721; Lautier **(627);** Nijboer **746;** Pétursson **(627);** Pieterse **(746);** Sax **(654);** Sokolov, I. **(580);** van der Sterren (736); van der Wiel 254, **626**
PIKET, M. [1] — Gheorghiu 714
PINTÉR [3/(3)] — Grószpéter **568;** Illescas Cordoba **(575);** Kajdanov **525;** Károlyi jr. **139;** Koch (423); Székely, P. **(739)**
PISKOV [4/(6)] — Arbakov **(99);** Cvitan (137); Gheorghiu **81;** Haritonov (137); Huzman **(551);** Krasenkov (133), **561;** Malanjuk **(139);** Maljutin 374; Utemov **115**
PLACHETKA, J. [5/(3)] — Abramović **(483);** Bareev 174, **361;** Flear, G. 578; Prandstetter 444; Psahis **(24);** Schmidt, Wł. **381;** Smejkal **(545)**
PLASKETT [(2)] — Anand (232); Cvitan **(226)**
PLCHUT [1] — Nikolić, B. 377
PODLESNIK [1] — Justin **263**
POGORELOV [1] — Huzman **54**
POLAJŽER [1] — Kožul 554
POLEKSIĆ [1] — Martić **111**
POLGÁR, J. [1/(1)] — Fishbein 227; Zapata (289)
POLGÁR, ZSÓ. [3/(1)] — Černin, A. **305;** Frías **226;** Palatnik **157;** Şubă **(296)**
POLGÁR, ZSU. [2/(3)] — de Firmian **121;** Dolmatov 446; Gdański, J. **(118);** Gheorghiu **(722),** (727)
POLLAN [1] — Pared Estrada 231

392

POLUGAEVSKIJ [9/(5)] — Andersson, U. **(681)**; Árnason, J. (301); Cramling, P. **(127)**; Dzindzichashvili 57; Ftáčnik **565**; Gheorghiu **723**; Gurevič, M. **(669)**; Hellers 326; Kudrin **563**; Ólafsson, H. (668); Pétursson **507**; Sax 288; Sokolov, I. **449**; van der Wiel 304
POPČEV [(4)] — Halifman (171); Judasin (166); Nikolov, Sa. (505); Vilela (78)
POPOVIĆ, Đ. [(1)] — Lanka (316)
POPOVIĆ, M. [1] — Skembris 713
POPOVIĆ, P. [11/(1)] — Bagirov **159**; Barlov 696; Cebalo 614; Ivanović, B. **405**; Kožul **261**; Maksimović, B. **336**; Mihal'čišin, A. 548; Pfleger **(167)**; Smagin 236; Smirin **264**; Ulybin 292; Vladimirov 583
PORTILHO [(1)] — van Osmael (26)
PORTISCH, L. [15/(9)] — Beljavskij **500**; Ehlvest 308; Hjartarson, J. **511, 720;** Jusupov **(495),** (595); Karpov, An. 485, 638; Ljubojević (364), **(616)**; Nogueiras **(522)**; Salov **(605)**; Seirawan (676); Short, N. **(538)**; Sokolov, A. 311, **633**; Timman **39, 74,** 199, 275, 438, **522, (632)**; van der Wiel 327
PRANDSTETTER [2/(1)] — Hansen, C. **294**; Plachetka, J. **444**; Zajčik **(167)**
PRASAD [1] — Ravi **382**
PRIÉ [1/(2)] — Brenninkmeijer **(272)**; Lanka **(313)**; Psahis **273**
PRIEPKE [1/(1)] — Siedler (111); Steckner 707
PRITCHETT [(1)] — Vogt **(727)**
PSAHIS [7/(6)] — Kindermann (368); Kotronias **244**; Lautier 683; Mališauskas (409); Marin 673; Minasjan **(122)**; Mirallès **(245)**; Plachetka, J. (24); Prié 273; Sokolov, I. 679; Timošenko, Geo. (407); Tolnai **259**; Zapata **234**
PURGIN [1] — Kancler **79**

R

RAIČEVIĆ, V. [2] — Cvetković, Sr. 30; Ruban **656**
RAJKOVIĆ, D. [1] — Krasenkov **17**
RAJNA [1] — Hardicsay **129**
RANTANEN [1] — Vasjukov 422
RAVI [1] — Prasad 382
RAVIČ-ŠČERBA [(1)] — Wystrach **(195)**
RAZUVAEV [4/(6)] — Anastasjan (24); Bellia **(719)**; Dizdar, G. **585**; Fedorowicz (433); Ken'gis **(585)**; Kotronias **(595)**; Makaryčev 385; Smirin 289; Spraggett, K. **(719)**; Ubilava 35
REAL [(1)] — Estévez **(221)**
RECHLIS [1] — Gurevič, M. 726
RENET [(5)] — Ernst **(53)**; Larsen, B. **(64)**; Miles **(196)**; Tal' (496); Velimirović **(269)**
REPRINCEV [1] — Lanka 153
RESHEVSKY [2] — Kajdanov 56; Smagin **689**
REYES, J. [1] — Štohl 706
RIBLI [8/(7)] — Anand **20**; Beljavskij **505**; Benjamin, Joel **62**; Damljanović (207); Hjartarson, J. **(546)**; Kasparov 509; Kortchnoi **10**; Ljubojević **544**; Miles **(62)**; Nikolić, Pr. **(20)**; Salov 479; Short, N. 271; Sokolov, I. **(35)**; Timman (233); Vaganjan (463)
RIEMERSMA [(1)] — Tolnai (266)
RISTIĆ, NEB. [1] — Vilela 119
RISTIĆ, NEN. [(3)] — Flear, G. (581); Koch (269); Wahls (266)
RIVAS PASTOR [(3)] — Černin, A. **(694)**; Murey (164); Nickoloff (634)
RODRIGUEZ, AM. [4/(4)] — Antunes **(401)**; Arencibia, W. 660; Borges Mateos 356; Haritonov **(419)**: Martin del Campo, R. **(329)**; Moskalenko **359**; Sariego **391**; Vilela (56)
RODRIGUEZ, E. [(1)] — González, J. A. (330)
ROGERS, I. [5/(2)] — Armaş, I. 340; de Firmian (382); Ernst 346; Gel'fand **11**; Hodgson 88; Kuijf, M. **(214)**; Lau, R. **70**
ROHDE, M. [(1)] — Gulko **(305)**
ROTH, E. [1] — Nüssle 409
ROMANIŠIN [3/(6)] — Alburt (10); Ftáčnik **(206);** Gligorić 688; Huzman **546**; Kotronias (444); Lputjan 615; Marjanović, S. **(588)**; Pétursson **(449)**; Shamkovich (43)
ROMERO HOLMES [(1)] — Cramling, P. (461)
ROSIĆ [(1)] — Novikov (463)
ROSSMANN [(1)] — Enders (730)
ROZENTALIS [(2)] — Anastasjan (624); Dautov (624)
RUBAN [8/(5)] — Cvitan **(729)**; Dončev (249); Dreev **(496)**; Kožul **542**; Oll 250, **651**; Raičević, V. 656; Šabalov 249; Savčenko **518**; Sirotanović (513); Timošenko, Geo. 301; Ulybin **(605)**; Uhlmann **371**
RYBINCEV [1] — Badžarani 282

S

ŠABALOV [8/(10)] — Aleksandrija 104; Dautov **(249)**; Draško **465**; Dreev (120); Glek 160; Grinfeld **(465)**; Judasin **(250)**; Jurtaev **(266)**; Ken'gis **155**; Klovans **(437)**; Lukov (8); Malanjuk **(139)**; Müller, Ka. **519**; Ólafsson, H. 523; Ruban **249**; Savčenko **(354)**; Timoščenko, Gen. (118); Ulybin **668**
SADLER [(1)] — Hodgson **(98)**
SAHATOVA, G. [1] — Makaryčev 521
ŠAHOVIĆ [(1)] — Cvetković, Sr. **(493)**
SAIDY [(1)] — Murey (181)
SAKAEV [3/(3)] — Buhman **(558)**; Fedorov 307; Galjamova **(525)**; Komarov **107**; Kramnik **135**; Soloženkin (274)
ŠAKAROV [(1)] — Odeev, H. **(323)**
SALGADO ALLARIA [1] — Nuñez **392**
SAL'NEV [1] — Gerškovič 535
SALOV [23/(6)] — Beljavskij 248; Ehlvest 394; Hjartarson, J. **122, 636,** 663, 666; Hübner **6**; Illescas Cordoba **(92)**; Jusupov (598); Karpov, An. 649; Kasparov 55; Ljubojević 400; Nikolić, Pr. (634); Nogueiras **(187)**; Nunn **742**; Portisch, L. (605); Ribli **479**; Sax 213; Seirawan **46, 647**; Short, N. **(152)**, 388, **593, 607**; Speelman **670**; Timman 280, **576,** 644; Vaganjan **452**
SALTAEV [(2)] — Iševskij **(232)**; Lalev **(232)**
SANDIĆ [(1)] — Černin, A. (121)
SANDLER [1] — Savčenko 109
SANDSTRÖM [(1)] — Wedberg (286)
SAPIS [(4)] — Ohotnik (181); Schneider, L.-Å. (194); Stempin, P. **(605)**; Woda (192)
SARIEGO [2] — Đurić, S. **393**; Rodríguez, Am. 391
SARINK [1] — Hovde **242**
SAVČENKO [4/(3)] — Arbakov (517); Dimov **(563)**; Kveinys 265; Ruban 518; Šabalov (354); Sandler **109**; Ulybin 262
SAVON [2/(4)] — Báñas 36; Ceškovskij **(147)**; Gligorić **(4)**; Lanka **(702)**; Malanjuk **(140)**; Štohl **24**

393

SAX [24/(13)] — Adorján 637; Anand 276; Ceškovskij **447**; Ehlvest **287, 358**; Ftáčnik (54); Georgiev, Kir. 277; Granda Zuniga (640); Hansen, L. 639; Hellers **(418)**; Hjartarson, J. (669); Hǿi 354; Ivančuk 306; Jusupov 641; Karpov, An. **431**; Kortchnoi **(360)**; Larsen, B. (60); Ljubojević **252**; Miles **176, 185**; Nikolić, Pr. 634; Nunn 279; Piket, J. (654); Polugaevskij **288**; Salov **213**; Short, N. (279); Sokolov, I. **(421), 425**, 694; Timman **360**; Torre **404**; Vaganjan 106, **(366)**; van der Wiel **(248)**, 290 **(429)**; Wilder **(245)**

ŠČEBENJUK [1] — Lenskij 575

ŠČERBAKOV, R. [1/(2)] — Bagirov (3); Novik (239); Svešnikov 202

SCHANDORFF [(1)] — Larsen, B. **(625)**

SCHLOSSER, M. [(1)] — Lanka (174)

SCHLOSSER, PH. [(1)] — Grószpéter **(547)**

SCHMIDT, WŁ. [2/(3)] — Čehov (554); Hawełko 363; Lanč (366); Plachetka, J. 381; Wojtkiewicz (363)

SCHMITTDIEL [(1)] — Ink'ov **(401)**

SCHNEIDER, A. [1/(1)] — Gavrikov (255); Varga, Z. **482**

SCHNEIDER, B. [1] — Kožul 76

SCHNEIDER, L.-Á. [(1)] — Sapis **(194)**

SCHARNCZ [1] — Cejtlin, Mih. **112**

SCHRÖDER [(1)] — Müller-Navarra (517)

SEIDLER [(1)] — Priepke **(111)**

SEIRAWAN [15/(9)] — Beljavskij **(536)**; Dzindzichashvili **628**; Ehlvest **(662)**; Ftáčnik **567**; Gufel'd **716**; Hjartarson, J. **662**; Hort 611; Illescas Cordoba **(480)**; Jusupov (161), 470; Karpov, An. **667**; Kasparov 719; Kortchnoi **526**; Ljubojević 179, **492**; Nikolić, Pr. (450); Nunn **(64)**; Portisch, L. **(676)**; Salov 647; Savon 46; Short, N. 180, 181; van der Wiel **(659)**; Zak **(419)**

SĘK, Z. [(1)] — Zieliński (238)

SEMKOV [3/(2)] — Hebden **712**; Ink'ov **(687)**; Ionescu, Co. **687**; Kelečević **(494)**; Spasov **684**

SEREBRJANIK [(2)] — Kruppa (330); Vajnerman **(474)**

SERMEK [1] — Marjanović, S. 410

SERPER [1/(2)] — Akopjan **387, (387)**; Novik **(42)**

SHABTAI [(1)] — Gurevič, M. (689)

SHAMKOVICH [(1)] — Romanišin **(43)**

SHIRAZI [1] — Christiansen 93

SHORT, N. [24/(20)] — Beljavskij 150, **418**; Ehlvest **274**; Gulko (133), **(360), (402)**; Hjartarson, J. **(442)**; Hübner **372**; Ivančuk **(399)**; Jusupov (533), 539; Karpov, An. **427**, 538; Kasparov 22; Kortchnoi (590), **(662)**; Kosten **376**; Larsen, B. (6), **191**; Ljubojević **(379), 420**; Nikolić, Pr. (536); Nogueiras **(378)**; Nunn **384**; Portisch, L. (538); Ribli **271**; Salov (152), **388**, 593, 607; Sax **(279)**; Seirawan **180, 181**; Smyslov **(389)**; Sokolov, A. (348); Speelman 18, **193**; Timman (348), **(352)**, 378, 600; Vaganjan 366, **(366)**; van der Wiel **429**

ŠIBAREVIĆ [(1)] — Lautier (557)

SIDEIF-ZADE [(1)] — Huzman **(578)**

SIEGLEN — Wessein **144**

SIKORA-LERCH [1/(1)] — Cvetković, Sr. **201**; Štohl **(180)**

SILMAN [1] — Christiansen **100**

SILVA, M. [1] — Gurevič, M. 503

SIMIĆ, R. [1] — Krasenkov **587**

SIROTANOVIĆ [(1)] — Ruban **(513)**

ŠIROV [5/(11)] — Akopjan **555**; Al'terman (714); Apicella **(711)**; Ceškovskij **704**; Gavrikov **(541)**; Gheorghiu 715; Hector (312); Holmov (248); Lanka **743, (743), (743)**; Malanjuk **(140)**; Timošenko, Geo. 251, (251); Ulybin **(603)**; Vajser (76)

SISNIEGA [(1)] — Illescas Cordoba **(275)**

SKEMBRIS [4/(4)] — Bellón Lopez 461; Cramling, P. **(732)**; Cvetković, Sr. **657**; Hector 383; Izquierdo **(115)**; Palac (187); Popović, M. **713**; Vuruna **(113)**

ŠLJAPKIN [1] — Trostjaneckij 110

SMAGIN [8/(2)] — Damljanović **241, (241)**; Geller, E. **423**; Konopka 589; Mascariñas 680; Mihal'čišin, A. **417**; P''devski **13**; Popović, P. **236**; Reshevsky 689; Vukić, M. (5)

SMEJKAL [6/(4)] — Bareev **(137)**, 579; Černin, A. **473**; Dorfman 697; Hübner 442; Jusupov **(599)**; Mokrý **(24)**; Nunn 406; Tukmakov **481**; Vyžmanavin **(43)**

SMIRIN [4/(5)] — Gol'din (624); Halifman **(192)**; Kišněv **(587)**; Lanka (268); Mačul'skij 71; Mihal'čišin, A. **(418)**; Popović, P. 264; Razuvaev 289; Vogt 293

SMITH, P. [(1)] — Woodford (423)

SMYSLOV [5/(5)] — Chandler, M. **659**; Fedorowicz (172); Gufel'd **448**; Gulko **574**; Kosten **632**; Larsen, B. (8); Ólafsson, H. 664; Short, N. (389); Speelman **(171)**; Wedberg (161)

ŠNEJDER [(1)] — Glek **(735)**

SOKOLIN [(1)] — Ivanov, Se. (631)

SOKOLOV, A. [9/(7)] — Beljavskij **(442)**; Ehlvest **(424)**; Gulko 590; Hjartarson, J. 60, 676; Jusupov (589), 621; Karpov, An. **436, (436)**; Nunn **424**; Portisch, L. **311**, 633; Short, N. **(348)**; Timman 235, (589); van der Wiel **(214)**

SOKOLOV, I. [19/(18)] — Anand 411; Andersson, U. **690**; Benjamin, Joel **(682)**; Cebalo (735); Cramling, P. **728**; Douven 562; Ehlvest **75**; Foişor (562); Ftáčnik **(556)**; Geller, E. (422); Georgiev, Kir. 16; Granda Zuniga (574); Gulko (23); Gurevič, M. 552; Hellers (425); Hort **(524)**; Ivančuk (543); King 543; Kotronias (419); Kovačević, Vlado **(133)**; Miles **171**; Mortensen (420); Pančenko (16); Piket, J. (580); Polugaevskij 449; Psahis **679**; Ribli (35); Sax (421), 425, **694**; Şubǎ 745; Todorčević 82; Tolnai **117**; Vaganjan (16); van der Wiel 428, **693**; Wilder **671**

SOLOMČENKO [(1)] — Hmel'nickij **(100)**

SOLOV'EV [1] — Vaulin **205**

SOLOŽENKIN [(3)] — Kamskij (613); Martynov (693); Sakaev **(274)**

SPASOV [1] — Semkov 684

SPASSKY [7/(5)] — Anand 441; Beljavskij 433; Hübner 408, **(442)**, (442), **472**; Jusupov 604; Kasparov 494; Ljubojević (433); Mirallès 603; Morović Fernández (428); Nikolić, P. **(472)**

SPEELMAN [12/(10)] — Beljavskij **498**; Chandler, M. **43**, (192); Davies (403); Gulko **652**, (701); Hübner **(475)**; Illescas Cordoba **(486)**; Jusupov 464; Kasparov 78, **(546)**; Kortchnoi **1**, 596; Kosten **(616)**; Larsen, B. **(222)**; Ljubojević 178; Nikolić, Pr. (697); Nogueiras 344; Salov 670; Short, N. **18**, 193; Smyslov (171)

SPIRIDONOV [2/(1)] — de Firmian (192); Tukmakov **134**; Zapata 192

SPITZ [(1)] — Walker **(183)**

SPRAGGETT, K. [5/(3)] — Černin, A. **5**; Jusupov **(3), 9, 14**, 489, 533, (642); Razuvaev (719)

SPYCHER [1] — Gheorghiu 727
STANGL [(1)] — Kouatly (662)
STECKNER [1] — Priepke **707**
STEFANIŠIN [1] — Zvonickij 158
STEFÁNSSON [(7)] — Carleson **(382);** Dolmatov **(382);** Hansen, C. **(73);** Lobron (153); Meulders **(234);** Thorsteins (70) Vyžmanavin (121)
STEMPIN, P. [(1)] — Sapis (605)
ŠTOHL [5/(6)] — Abramović (209); Báñas **(547);** Bilek, I. **(706);** Cvetković, Sr. **493, (591);** Enders (328); Ilinčić **547;** Lëgkij 581; Reyes, J. **706;** Savon 24; Sikora-Lerch (180)
STOICA [1/(1)] — Luther 238; Striković **(226)**
STOLJAROV [(1)] — Petrakov **(99)**
STRIKOVIĆ [1/(1)] — Belov, I. 737; Stoica (226)
ŞUBĂ [2/(4)] — Ahmylovskaja (128); Černin, A. (663); Lanzani (128); Polgár, Zsó, (296); Sokolov, I. **745;** Thorsteins **40**
SUÈTIN [(1)] — Perel'štejn **(195)**
SUHANOV [1] — Nikolenko **270**
ŠULAVA [1] — Gauglitz 478
SUNYE NETO [1] — Svešnikov 204
ŠUR [1] — Badžarani 96
SVEC [(1)] — Wason **(391)**
SVEŠNIKOV [6/(6)] — Bokan (215); Ėjngorn (523); Hoperija **(154);** Levčenkov **(205);** Lputjan **(332);** Neverov **203;** Palatnik **154;** Ščerbakov, R. **202;** Sunye Neto **204;** Timošenko, Geo. 215; Vajser 188; Wilder (523)
SZALÁNCZY [(3)] — Horváth, Jó. (120); Malyšev **(228);** Orsó, M. **(283);** Pálkövi 120
SZÉKELY, P. [(2)] — Gurevich, D. (586); Pintér (739)
SZNAPIK, A. [2/(1)] — Gheorghiu **233;** Izeta **195;** Wahls (161)

T

TABOROV [1/(1)] — Frolov (164); Huzman 164
TÄGER [1] — Miles **73**
TAJMANOV [2/(2)] — Abramović 208; Beulen (202); Gutman 655; Vajser (202)
TAL' [2/(3)] — Anand **63;** Kortchnoi **(344);** Mirallès 32; Renet **(496);** Timman **(457)**
TATAI [2] — Đurić, S. 362; Tolnai 269
TERTERANC [(1)] — Belov, I. (58)
TERZIĆ, S. [1] — Cvitan 698
TESKE [(1)] — Levitt (97)
THORSTEINS [4/(7)] — Ashley **(109);** Dorfman (59); Lerner 59; Malanjuk **(138);** Nunn 286; Stefánsson **(70);** Şubă 40; Tisdall (570); Vaganjan (545); Zajčik 65; Zapata **(95)**
THORSTEINSSON, TH. [1] — Wiedenkeller 540
TIBENSKÝ [(1)] — Mihal'čišin, A. (148)
TIMMAN [24/(14)] — Árnason, J. (378); Beljavskij **(442);** Ehlvest 380; Gulko (454); Hjartarson, J. 196, **(257), 328, 390, 592;** Ivančuk (171); Jusupov 454, **(536);** Karpov, An. 475, 571; Ljubojević 570, **(652);** Nogueiras **524;** Nunn 353; Portisch, L. 39, 74, **199, 275, 438,** 522, (632); Ribli **(233);** Salov 576, **644;** Sax 360; Short, N. **(348);** (352), **378, 600;** Sokolov, A. **235, (589);** Tal' (457); Vaganjan (456); van der Wiel 240
TIMOŠČENKO, GEN. [3/(5)] — Cvitan (545); Fehér, Gy. **528;** Hoffmann, M. (243); Lanka **(715);** Miles 735; Paunović, D. **(742);** Pétursson 717; Šabalov **(118)**
TIMOŠENKO, GEO. [8/(7)] — Dautov (15), Dorfman **(167);** Draško (652); Dreev 744; Ehlvest 65; Ėjngorn **(225);** Georgadze, G. **(398);** Marin 137; Psahis **(407);** Ruban **301;** Salov **280;** Širov **251, (251);** Svešnikov **215;** Ubilava **320**
TISDALL [(2)] — Høi **(729);** Thorsteins **(570)**
TIVJAKOV [2/(1)] — Anand 268; Kuz'min, A. (263); Miles **198**
TODORČEVIĆ [1/(1)] — Cebalo (732); Sokolov, I. **82.**
TODOROVIĆ, G. M. [1] — Mirković 499
TOLNAI [7/(3)] — Davies (62); Gavrikov **283;** Greenfeld, A. 53; Hazai 266, 267; Psahis 259; Riemersma **(266);** Sokolov, I. 117; Tatai **269;** Vujović, Milo. **(283)**
TONČEV [1] — Kveinys 298
TOPOLSKY [(1)] — Martić **(111)**
TORRE [4] — Ftáčnik 94; Lobron 397; Nikolić, N. **220;** Sax 404
TOTH, CH. [(1)] — Krasenkov **(549)**
TRINGOV [(1)] — Ermolinskij **(249)**
TROSTJANECKIJ [1] — Šljapkin **110**
TUKMAKOV [4/(2)] — Čiburdanidze **(582);** Gavrikov **(558);** Gurevich, D. **124;** Smejkal 481; Spiridonov 134; Zajčik **52**
TUNIK [2/(2)] — Balašov (233); Dautov **645;** Faragó, I. 613; Krasenkov **(551)**

U

UBILAVA [6/(2)] — Bareev 172; Conquest (503); de Firmian 165; Dolmatov 317; Komarov **(461);** Novikov **654;** Razuvaev **35;** Timošenko, Geo. 320
UHLMANN [8/(2)] — Azmajparašvili **33;** Barbero 699; Čehov 711; Csom, I. **21;** Hector **455;** Knaak (719); Lerner 729; Monin (113); Ruban 371; Vogt 368
ULYBIN [8/(4)] — Kuprejčik (334); Malanjuk **413;** Neverov **(319);** Odeev, H. **318;** Oll 367; Popović, P. **292;** Ruban (605); Šabalov 668; Savčenko **262;** Širov (603); Vajser **218;** Zagrebel'nyj **319**
USAČIJ [(1)] — Kostezkij **(712)**
UTASI [(1)] — Dautov (639)
UTEMOV [1/(1)] — Glek **(735);** Piskov 115

V

VAGANJAN [11/(14)] — Anand **(21);** Douven **(729);** Hjartarson, J. 61, **123;** Jusupov 532; **682;** Kasparov **545;** Ljubojević (379), **(603);** Miles (502); Nikolić, Pr. **(34);** Nogueiras **49;** 64; Nunn **(452);** Ribli **(463);** Salov 452; Sax **106;** (366); Short, N. 366, (366); Sokolov, I. **(16);** Thorsteins **(545);** Timman **(456);** van der Wiel **(9), 187**
VAJNERMAN [(1)] — Serebrjanik (474)
VAJSER [4/(9)] — Akopjan (99); Andrianov **512; (560);** Danner **(76);** Dorfman (11); Kožul **(558);** Lau, R. **(71);** Naumkin (101); Pein **560;** Širov **(76);** Svešnikov **188;** Tajmanov **(202);** Ulybin 218
VAN DER STERREN [1/(5)] — Cebalo (535); Dohojan 537; Langeweg **(634);** Piket, J. **(736);** van der Wiel (316); Ye Jiangchuan (443)

VAN DER WIEL [20/(14)] — Anand 214; Andersson, U. 457; Cramling, P. **(231)**; Douven 527, 649; Ehlvest **300**; Fette **(196)**; Ftáčnik **169**; Hjartarson, J. **419**; Jusupov (652); Knaak 517; Langeweg (162); Larsen, B. **291**; Ljubojević **(318)**; Marinelli **(315)**; Miles **(96)**; Nogueiras 345; Nunn (230); Piket, J. **254**, 626; Polugaevskij **304**; Portisch, L. **327**; Sax (248); **290**, (429); Seirawan (659); Short, N. 429; Sokolov, A. (214); Sokolov, I. **428**; 693; Timman **240**; Vaganjan (9), 187; van der Sterren **(316)**

VAN DYCK [(1)] — Chapman, R. **(747)**

VAN MIL [(1)] — Fette (196)

VAN OSMAEL [(1)] — Portilho **(26)**

VAN WELY [(2)] — Adams (170); Horváth, Cs. (272)

VASENEV [(2)] — Efimov, O. **(374)**; Makarov (135)

VĂSIEŞIU [1] — — Aniţoaei 375

VASJUKOV [1/(1)] — Mojseev (224); Rantanen **422**

VARGA, Z. [1/(1)] — Csonkics (482); Schneider, A. 482

VAULIN [1] — Solov'ev 205

VEINGOLD [(1)] — Hector (383)

VELIČKOVIĆ [(3)] — Campora (201); Osterman **(402)**; Wellin (726)

VELIMIROVIĆ [2/(1)] — Cvetković, Sr. 725; Damljanović **299**; Renet (269)

VERA, R. [1/(2)] — Martin del Campo, R. (290); Verduga **(131)**; Vilela 127

VERDUGA [(1)] — Vera, R. (131)

VILELA [4/(3)] — Canda 342; Ionescu, Co. **131**; Matamoros **(616)**; Popčev **(78)**; Ristić, Neb. **119**; Rodríguez, Am. **(56)**; Vera, R. **127**

VLADIMIROV [4/(1)] — Blatný, P. 370; Campora **(503)**; Dolmatov **147**; Kontronias 339; Popović, P. **583**

VLASÁK [(1)] — Mejzlik (716)

VOGT [7/(1)] — Čehov **219**; Kobaš 237; Lerner 738; Pritchett (727); Smirin 293; Uhlmann **368**; Womacka **322**; Zajčik **167**

VOLKE [(2)] — Aseev (735); Bany (705)

VOLŽIN [(1)] — Zil'berštejn, V. **(552)**

VREEKEN [(1)] — Zajcev (415)

VUČIĆEVIĆ [(1)] — Kuprejčik **(732)**

VUJADINOVIĆ [1] — Lëgkij 77

VUJOVIĆ, MILO. [(1)] — Tolnai (283)

VUKIĆ, M. [1/(1)] — Mihal'čišin, A. **7**; Smagin **(5)**

VURUNA [(2)] — Abramović (209); Skembris (113)

VYŽMANAVIN [4/(8)] — Anastasjan **623**; Čehov (140); Fishbein (223); Geller, E. (224); Kotronias **(538)**; Kuklin 217; Kuporosov (219); Mihal'čišin, A. **566**; Mojseev (224); Petrosjan, A. **610**; Smejkal (43); Stefánsson **(121)**

W

WAHLS [(3)] — Koch **(266)**; Ristić, Nen. **(266)**; Sznapik, A. **(161)**

WALKER [(1)] — Spitz (183)

WASON [(1)] — Svec (391)

WATSON, W. [3/(3)] — Grószpéter **321**; Hodgson **(326)**; Kajdanov (721); Larsen, B. **(211)**, **256**; Pétursson 80

WEDBERG [(5)] — Ernst (446); Gurevich, D. **(171)**; Lindemann **(256)**; Sandström **(286)**; Smyslov **(161)**

WEINDL [1] — Černin, A. **3**

WELLIN [1/(1)] — Černin, A. **642**; Veličković **(726)**

WESSEIN [1] — Sieglen 144

WEST, J. [(1)] — Blumenfeld **(311)**

WESTERINEN [(1)] — Jansa (407)

WESTERVELD [(1)] — Meulders (724)

WIEDENKELLER [1/(1)] — Černin, A. **(630)**; Thorsteinsson, Th. **540**

WILDER [1/(6)] — Árnason, J. (245); Cramling, P. (616); Ftáčnik (640); Hellers **(747)**; Sax (245); Sokolov, I. 671; Svešnikov **(523)**

WINANTS [(2)] — Hort (668); Krnić **(579)**

WODA [(1)] — Sapis **(192)**

WOJTKIEWICZ [(4)] — Borkowski (311); Kuczyński (296); Miles (48); Schmidt, Wł. **(363)**

WOLFF, P. [2/(2)] — Černin, A. 68; de Firmian **329**; Dlugy **(313)**; Hulak **(225)**

WOMACKA [1] — Vogt 322

WOODFORD [(1)] — Smith. P. **(423)**

WOUTERS [1] — Nagel, H. 183

WYSTRACH [(1)] — Ravič-Ščerba (195)

Y

YE JIANGCHUAN [(2)] — Pétursson **(255)**; van der Sterren **(443)**

YRJÖLÄ [(1)] — Hort (139)

Z

ZAGREBEL'NYJ [2/(2)] — Basin **(263)**; Henkin **295**; Jakovič (681); Ulybin 319

ZAHAROV [1] — Henkin 569

ZAJCEV [1/(3)] — Huzman **(352)**; Klinger (592); Vreeken **(415)**; Zapata 426

ZAJČIK [5/(2)] — Bagirov (12); Gufel'd **86**; Kramnik **132**; Prandstetter (167); Thorsteins **65**; Tukmakov 52; Vogt 167

ZAK [(1)] — Seirawan (419)

ZAPATA [3/(3)] — Alvárez, A. (201); Polgár, J. **(289)**; Psahis 234; Spiridonov **192**; Thorsteins (95); Zajcev **426**

ZIELIŃSKI [(1)] — Sęk, Z. **(238)**

ZIL'BERŠTEJN, V. [(1)] — Volžin (552)

ZLOČEVSKIJ [2] — Juferov **211**; Krasenkov 549

ZLOTNIK [(2)] — Holmov **(648)**; Kuz'min, A. **(730)**

ZÜGER [(1)] — Hansen, C. (43)

ZVONICKIJ [1/(1)] — Godyš **(184)**; Stefanišin **158**

ABRAMOVIĆ [1]
396

ADORJÁN [4]
83, 84, 149, 637

AKOPJAN [2]
309, 387

ANAND [7]
63, 184, 232, 245, 276, 441, 586

ANDRIANOV [2]
512, 659

ANIŢOAEI [1]
375

ARHANGEL'SKIJ, B.; VYŽMANAVIN [4]
217, 566, 610, 623

ARMAŞ. I. [1]
340

AZMAJPARAŠVILI [2]
28, 33

BADŽARANI [2]
96, 282

BAREEV [6]
8, 79, 141, 174, 483, 579

BARLOV [4]
118, 606, 696, 705

BELJAVSKIJ [10]
148, 150, 222, 248, 418, 433, 484, 491, 498, 500

BELOV, I. [1]
737

BENJAMIN, JOEL [5]
2, 168, 190, 443, 629

BLAGOJEVIĆ, D. [1]
138

BLATNÝ, P. [1]
370

BOERSMA [1]
105

BOJKIJ [1]
458

BÖNSCH [2]
95, 650

BOTTLIK [2]
331, 409

BROWNE [4]
27, 87, 572, 640

BYRNE; MEDNIS [2]
69, 313

ČABRILO [4]
161, 181, 299, 402

CEBALO [5]
15, 257, 504, 557, 614

ČEHOV [3]
152, 219, 702

CEJTLIN, MIH. [4]
112, 194, 395, 486

ČERNIN, A. [8]
3, 5, 68, 473, 642, 678, 708, 734

CEŠKOVSKIJ [2]
407, 704

CHANDLER, M. [1]
414

CHRISTIANSEN [4]
34, 93, 100, 421

ĆIRIĆ, DRAGOLJUB [1]
144

CSOM, I. [1]
31

CVETKOVIĆ, SR. [4]
30, 201, 493, 725

DLUGY [4]
133, 189, 514, 536

DOHOJAN [4]
182, 348, 516, 537

DOLMATOV; DVORECKIJ [10]
143, 146, 147, 173, 260, 317, 357, 379, 445, 446

DORFMAN [2]
156, 697

DRAŠKO [1]
462

DREEV [4]
170, 337, 506, 602

ĐURIĆ, S. [2]
362, 393

DZINDZICHASHVILI [2]
57, 628

EHLVEST [13]
42, 75, 163, 175, 308, 349, 358, 380, 394, 469, 584, 627, 653

ĖJNGORN [2]
89, 580

ERNST [1]
355

FEDOROWICZ [6]
45, 101, 103, 223, 334, 709

FISHBEIN [3]
227, 302, 739

FTÁČNIK [7]
94, 169, 347, 556, 565, 567, 643

GAVRIKOV; ČEBANENKO [1]
102

GAVRIKOV; RASTENIS [1]
692

GEL'FAND [6]
323, 398, 467, 559, 646, 732

GEORGADZE, G. [1]
577

GEORGIEV, KIR. [5]
16, 97, 140, 277, 281

GERŠKOVIČ [2]
108, 535

GHEORGHIU [4]
81, 714, 723, 727

GLEK [9]
99, 114, 116, 160, 212, 243, 341,
513, 675

GLIGORIĆ [1]
688

GOL'DIN [1]
541

GORELOV [1]
601

GRÓSZPÉTER [2]
200, 321

GUFEL'D [3]
253, 448, 716

GUFEL'D; ZAJČIK [2]
65, 86

GULKO [6]
23, 51, 574, 597, 598, 609

GUREVIČ, M. [17]
12, 490, 503, 551, 552, 599, 600,
616, 619, 635, 665, 674, 685, 703,
724, 726, 741

GUREVICH, D. [1]
67

HÁBA [1]
476

HALIFMAN [2]
401, 463

HANSEN, L. [2]
364, 747

HANSEN, L.; PEJČEVA, E. [1]
639

HARDICSAY [1]
129

HASIN, AL. [1]
72

HELLERS [1]
326

HENKIN [2]
295, 569

HERRERA, I. [1]
330

HJARTARSON, J. [8]
177, 285, 390, 419, 440, 666, 676,
720

HORT [2]
145, 611

HOVDE [1]
242

HÜBNER [8]
197, 210, 372, 403, 408, 466, 472,
477

HULAK [2]
130, 594

HUZMAN; VAJNERMAN [5]
54, 164, 316, 546, 672

ILIJIN [1]
221

IVANČUK [3]
91, 297, 488

IVANOV, A. [1]
630

IVANOV, J. [1]
325

JAKOVIČ [2]
125, 312

JANSA [2]
166, 416

JUDASIN [3]
272, 324, 335

JUKIĆ, M. [1]
701

JUSTIN [1]
263

JUSUPOV [9]
9, 14, 389, 454, 464, 489, 604,
608, 710

JUSUPOV; DVORECKIJ [1]
533

KAJDANOV [2]
56, 595

KARKLINS [1]
412

KARPOV, AN. [11]
142, 431, 435, 439, 460, 485, 495,
501, 538, 667, 695

KASPAROV [8]
22, 55, 78, 296, 494, 545, 730, 740

KIMEL'FEL'D [1]
225

KIMEL'FEL'D; MALJUTIN [1]
229

KINDERMANN [3]
48, 350, 373

KIŠNĚV [3]
468, 573, 661

KNAAK [2]
517, 686

KOČIEV; SOLOV'EV [1]
205

KOROLĚV [1]
270

KORTCHNOI [4]
1, 162, 502, 526

KOTRONIAS [2]
244, 430

KOUATLY [1]
497

KOVAČEVIĆ, P. [1]
206

KOVAČEVIĆ, VLADO [5]
90, 352, 353, 420, 450

KOŽUL [7]
76, 542, 553, 554, 558, 622

KRAMNIK; LJUBARSKIJ [1]
132

KRASENKOV [6]
17, 58, 549, 587, 591, 617

KUPOROSOV [1]
310

KUPREJČIK [4]
332, 333, 520, 733

KVEINYS [2]
265, 298

KVEINYS; DAUTOV [1]
658

LANKA [2]
153, 216

LARSEN, B. [11]
38, 239, 256, 258, 314, 386, 625, 648, 681, 691, 700

LAUTIER [1]
683

LËGKIJ [1]
77

LENSKIJ [1]
575

LERNER [4]
26, 59, 128, 738

LEVITT [3]
98, 530, 550

LIN TA [1]
474

LOBRON [4]
50, 397, 487, 510

LPUTJAN [2]
209, 615

LUKÁCS [4]
126, 508, 525, 568

MAČUL'SKIJ [2]
71, 451

MAKARYČEV [3]
151, 385, 521

MALANJUK [2]
399, 453

MALYŠEV [1]
228

MARIN [1]
137

MARTIĆ [1]
111

MIHAL'ČIŠIN, A. [3]
7, 415, 417

MILES [12]
4, 25, 73, 171, 176, 185, 186, 605, 612, 618, 620, 735

MILOS [2]
66, 459

MINIĆ; SINDIK [5]
85, 180, 191, 329, 698

MIRALLÈS [4]
32, 37, 603, 624

MIRKOVIĆ [1]
499

MOJSEEV [1]
224

MOKRÝ [2]
230, 246

MORGADO; SALGADO ALLARIA [1]
392

MORTENSEN [1]
515

MOSKALENKO [1]
136

NAGEL, H. [1]
183

NAUMKIN [2]
582, 731

NIKOLIĆ, N. [2]
220, 471

NIKOLIĆ, PR. [8]
29, 338, 369, 456, 480, 631, 634, 677

NOGUEIRAS [2]
345, 365

NOGUEIRAS; GARCIA, P. J. [4]
113, 343, 529, 564

NOGUEIRAS; PEREZ-GARCIA [1]
531

NOVIKOV [1]
284

NUNN [9]
278, 279, 286, 315, 351, 384, 432, 718, 742

OCHOA DE ECHAGÜEN [1]
19

ODEEV, H. [1]
318

ÓLAFSSON, H. [1]
664

OLL [4]
250, 367, 496, 669

PÁLKÖVI [1]
120

PARED ESTRADA [1]
231

PÉTURSSON [6]
44, 80, 207, 507, 717, 722

PIGUSOV [1]
255

PIKET, J. [5]
247, 626, 721, 736, 746

PINTÉR [1]
139

PISKOV [3]
115, 374, 561

PLACHETKA, J. [3]
361, 381, 578

PLCHUT [1]
377

POLGÁR, ZSÓ. [1]
305

POLGÁR, ZSU. [1]
121

POLGÁR, ZSU.; POLGÁR, ZSÓ. [2]
157, 226

POLUGAEVSKIJ [2]
449, 563

POPOVIĆ, P. [7]
159, 261, 264, 292, 336, 405, 548

PORTISCH, L. [3]
39, 511, 638

PRANDSTETTER [2]
294, 444

PRASAD [1]
382

PRIEPKE [1]
707

PSAHIS [3]
234, 273, 673

RAECKIJ; ČETVERIK [1]
534

RAZUVAEV [3]
35, 289, 585

RIBLI [7]
10, 20, 62, 479, 505, 509, 544

RODRIGUEZ, AM. [4]
356, 359, 391, 660

ROGERS, I. [4]
11, 70, 88, 346

RUBAN [5]
301, 371, 518, 651, 656

ŠABALOV [6]
104, 155, 249, 465, 519, 523

SAKAEV [1]
107

SAKAEV; LUKIN [2]
135, 307

SALOV [9]
6, 213, 400, 576, 607, 636, 647,
649, 670

SALOV; IONOV [3]
122, 593, 663

SANDLER; BERDIČEVSKIJ [1]
92

SAVČENKO [1]
109

SAVON [2]
24, 36

SAX [3]
106, 252, 641

SAX; HAZAI [7]
287, 288, 290, 306, 354, 404, 447

ŠČERBAKOV, R. [1]
202

SCHMIDT, WŁ. [1]
363

SCHNEIDER, A. [1]
482

SEIRAWAN [8]
46, 179, 303, 470, 492, 632, 662,
719

SEMKOV [3]
684, 687, 712

SERMEK [1]
410

SHORT, N. [6]
271, 274, 376, 388, 427, 539

ŠIROV [3]
555, 715, 743

SKEMBRIS [4]
383, 461, 657, 713

SMAGIN [7]
13, 236, 241, 423, 589, 680, 689

SMEJKAL [2]
406, 442

SOKOLOV, A. [7]
60, 311, 424, 436, 590, 621, 633

SOKOLOV, I. [13]
82, 117, 411, 425, 543, 562, 671,
679, 690, 693, 694, 728, 745

SPEELMAN [7]
18, 43, 178, 193, 344, 596, 652

ŠTOHL [3]
547, 581, 706

STOICA [1]
238

ŠULAVA [1]
478

SVEŠNIKOV [4]
154, 203, 204, 215

SZNAPIK, A. [2]
195, 233

TAJMANOV [2]
208, 655

THORSTEINS [1]
40

THORSTEINSSON, TH. [1]
540

TIMMAN [17]
74, 196, 199, 235, 240, 275, 280,
328, 360, 378, 438, 475, 522, 524,
570, 592, 644

TIMOŠČENKO, GEN. [1]
528

TIMOŠENKO, GEO. [2]
251, 744

TIVJAKOV [2]
198, 268

TOLNAI [4]
53, 266, 267, 269

TOLNAI; SZALÁNCZY [2]
259, 283

TROSTJANECKIJ [1]
110

TUKMAKOV [4]
52, 124, 134, 481

TUNIK [2]
613, 645

UBILAVA [4]
165, 172, 320, 654

UHLMANN [5]
21, 455, 699, 711, 729

ULYBIN; VOLOVIK [4]
262, 319, 413, 668

VAGANJAN [9]
49, 61, 64, 123, 187, 366, 452,
532, 682

VAJSER [3]
188, 218, 560

VAN DER WIEL [10]
214, 254, 291, 300, 304, 327, 428,
429, 457, 527

VASJUKOV [1]
422

VERA, R. [1]
127

VILELA [3]
119, 131, 342

VLADIMIROV [2]
339, 583

VOGT [4]
237, 293, 322, 368

ZAJCEV [5]
41, 47, 434, 437, 571

ZAJČIK [1]
167

ZAPATA [2]
192, 426

ZLOČEVSKIJ [1]
211

ZVONICKIJ [1]
158

kombinacije • комбинации • combinations •
kombinationen • combinaisons • combinaciones •
combinazioni • kombinationer • 手 筋 • التضحيـــات

I Kombinacije sa matnim napadom
Комбинации на мат
Combinations with mating attack
Mattkombinationen
Combinaisons avec attaque de mat
Combinaciones con ataque mate
Combinazioni con attacco di matto
Mattkombinationer
攻撃の手筋
خطة لامـاتة الشـاه

II Kombinacije za postizanje remija
Комбинации на ничью
Combinations to reach the draw
Remiskombinationen
Combinaisons pour faire nulle
Combinaciones para la obtencion de tablas
Combinazioni di patta
Remikombinationer
引分の手筋
خطة التـوصل الى تعـادل

III Kombinacije za postizanje materijalnog preimućstva
Комбинации для достижения материального перевеса
Combinations leading to material advantage
Kombinationen zwecks Materialgewinn
Combinaisons pour obtenir avantage matériel
Combinaciones para la obtencion de ventaja material
Combinazioni con guadagno materiale
Kombinationer som leder fill materiel fördel
駒得の手筋
خطة تحقيق أفضلية مـادية

IV Sve ostale kombinacije
Все остальные комбинации
All the other combinations
Weitere Kombinationstypen
Autres combinaisons
Todas las demas combinaciones
Altre combinazioni
Alla övriga kombinationer
その他の手筋
سـائر الخطط الاخرى

1. POGORELOV –
JANOCHA 2350
Praha 1988

I

1. ?   +−

2. FISHBEIN 2490 –
JELLISON 2255
USA 1988

I

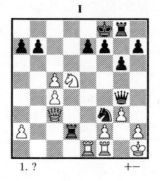

1. ?   +−

3. LANKA 2420 –
PISKOV 2415
SSSR 1988

I

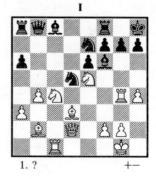

1. ?   +−

4. ERNST 2450 –
K. BERG 2385
Malmö 1988/89

I

1... ?   −+

5. Z. HÁBA – JEŘÁBEK
corr. 1988/89

I

1. ?   +−

6. LOPEZ –
PLASKETT 2450
Hastings (open) 1988/89

I

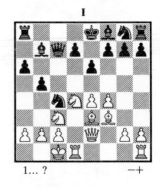

1... ?   −+

7. RUDOLPH –
PRIEPKE
corr. 1988/89

I

1... ?   −+

8. KAMIŃSKI 2345 –
Z. VARGA 2425
Budapest (open) 1989

I

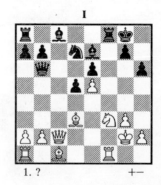

1. ?   +−

9. SERPER 2435 –
BARSOV 2305
SSSR 1988

I

1. ?   +−

10. J. PLACHETKA 2450 — PSAHIS 2585
Paris 1989

I

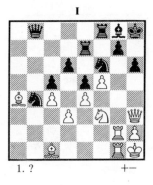

1. ?   +−

11. ČUDINOVSKIH 2365 — MILJUKOVSKIJ
SSSR 1989

I

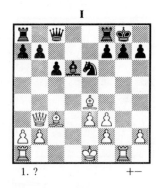

1. ?   +−

12. VOKÁČ 2445 — VAN DER VEEN 2235
Dortmund (open) 1989

I

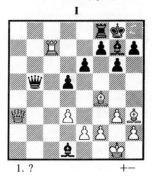

1. ?   +−

13. SICK 2330 — GORELOV 2455
Budapest (open) 1989

I

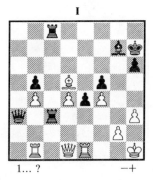

1... ?   −+

14. VARAVIN — BABI
SSSR 1989

I

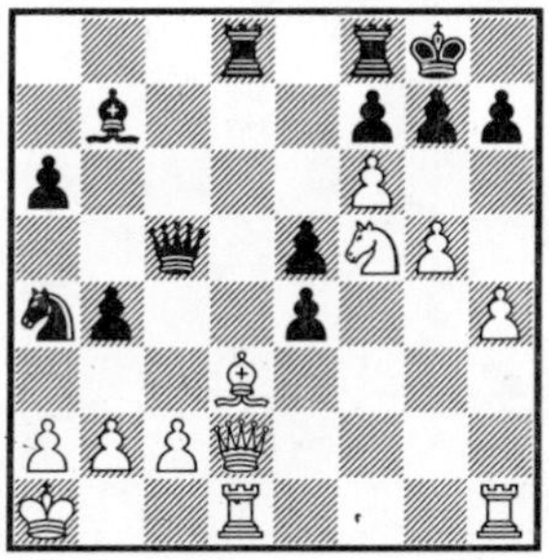

1. ?   +−

15. R. ŠČERBAKOV 2350 — NEUMANN 2220
Budapest (open) 1989

I

1. ?   +−

16. SKROBEK 2425 — O. KALININ 2315
Warszawa 1989

I

1... ?   −+

17. GEJZERSKIJ — MAŠČBIC
SSSR 1989

I

1... ?   −+

18. I. MOLNÁR — BOTTLIK
Magyarország 1989

I

1... ?   −+

19. HELLERS 2565 – ĐUKIĆ 2395
Malmö (open) 1989

I

1. ?   +−

20. MINIĆ 2360 – M. SAVIĆ
Poreč 1989

II

1... ?   =

21. PEREZ-GARCIA 2270 – R. KUIJF
Den Haag 1988

III

1. ?   +−

22. VASJUKOV 2490 – RO. GUNAWAN 2440
Bela Crkva 1988

III

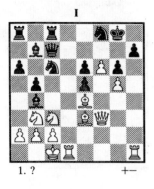

1. ?   +−

23. BRAŽKO – KOTKOV 2390
corr. 1988

III

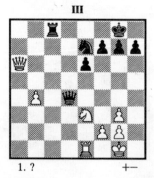

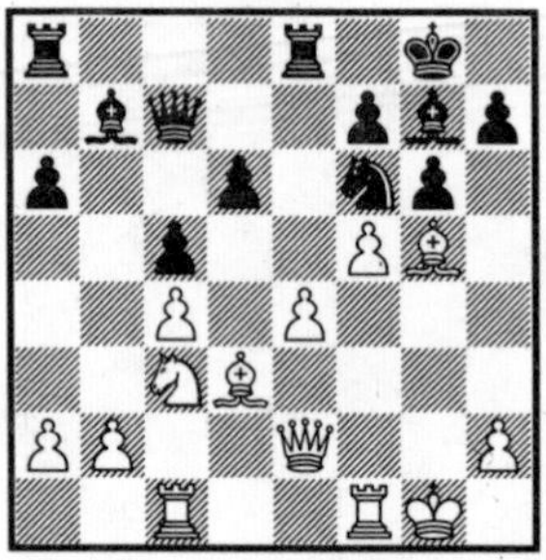

1... ?   −+

24. G. FLEAR 2470 – FTÁČNIK 2590
Beograd 1988

III

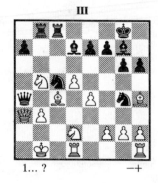

1... ?   −+

25. M. KUIJF 2485 – HODGSON 2545
Wijk aan Zee II 1989

III

1... ?   −+

26. HMEL'NICKIJ – KABJATANSKIJ
SSSR 1989

III

1. ?   +−

27. B. MARJANOVIĆ 2290 – KAPETANOVIĆ 2405
Jugoslavija 1989

III

1... ?   −+

28. MOROVIĆ FERNAN-
DEZ 2540 –
PANNO 2495
Santiago 1989

III

1. ?   +−

29. KRAMNIK –
V. A. KOZLOV 2420
SSSR 1989

III

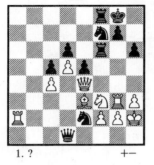

1. ?   +−

30. LUTHER 2415 –
GAUGLITZ 2420
DDR (ch) 1989

III

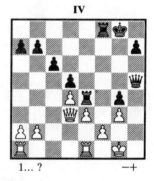

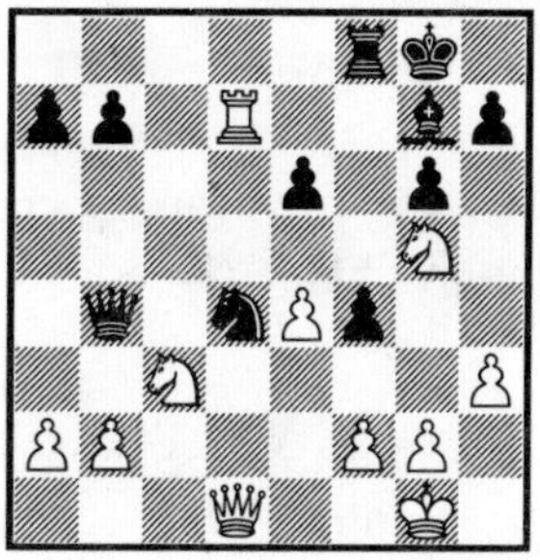

1. ?   +−

31. S. ĐURIĆ 2475 –
MARINELLI 2260
Forli 1989

III

1. ?   +−

32. ŠIROV 2450 –
G. GEORGADZE 2440
Tbilisi 1989

III

1. ?   +−

33. MALYŠEV 2320 –
KAJDANOV 2535
Bled 1989

IV

1... ?   −+

34. PONOMAREV –
PUGAČEV
SSSR 1989

IV

1... ?   −+

35. VARAVIN –
MOSKVIN
SSSR 1989

IV

1. ?   +−

36. GILES 2345 –
BROWNE 2515
USA 1988

IV

1. ?   +−

405

1. POGORELOV – JANOCHA

1. ♘g5!! [△ ♕d5+−] fg5 2. ♕d4 ♕d7 3. ♖e8! ♔f7 4. ♕g7 ♔e8 5. ♕f8#   1 : 0
[Pogorelov]

2. FISHBEIN – JELLISON

1. ♖e7! ♖d5 [1... ♕h3 2. ♖f7 ♔e8 3. ♕e3+−] 2. ♕f6 ♖g7 3. ♖b7! [3. cd5?? ♕h3−+] ♕c8 4. cd5 ♕b7 5. ♕d8#
1 : 0   [Fishbein]

3. LANKA – PISKOV

1. ♘c6!! ♕c7 [1... ♘c6 2. ♖g7!!+−] 2. ♖g7!! ♘g6 [2... ♗g7 3. ♕h6+−; 2... ♔g7 3. ♘e7! ♘f4 (3... ♕f4 4. ♘d5!+−; 3... ♕e7 4. ♕g5 ♔h8 5. ♕h6+−) 4. ♘e5! ♕e7 5. ♕f4 △ ♘c6+−] 3. ♕h6   1 : 0
[Glek]

4. ERNST – K. BERG

1... ♗h3!! [2. gh3 ♖e3!−+]   0 : 1

5. Z. HÁBA – JEŘÁBEK

1. ♖c6! [1... ♗b8 2. ♕a4+−; 1... bc6 2. ♖a7 ♔b8 (2... ♔c8 3. ♕a2+−; 2... ♔d8 3. ♕d2 ♔c8 4. ♕d6+−) 3. ♕a4! (3. ♕a2 ♕b1∞) ♖e5 4. ♕a6+−]   1 : 0
[Z. Hába, P. Hába]

6. LOPEZ – PLASKETT

1... ♘b2! 2. ♔b2 ♗a3! 3. ♔a3 ♕c3 4. ♘b3 ♗c6! [△ b4#] 5. ♗c5 a5   0 : 1

7. RUDOLPH – PRIEPKE

1... ♘f3! 2. ♔h1 [2. ef3? ♕e1 3. ♔g2 ♕f1!! 4. ♔f1 ♗h3 5. ♔g1 ♖e1#] ♘e1 3. ♕d1 ♗c3 4. ♘e8 ♗e6 5. ♗f4 ♗d5 6. cd5 ♖e8−+ [7. ♖c1 ♗a5 8. d6 ♕e2 9. ♕e2 ♖e2 10. ♖c5 ♖f2 11. h3 ♗b6 12. d7 ♔g7 13. ♖c7 ♖f1 14. ♔h2 ♘f3 15. ♔g2 ♖f2 16. ♔h1 ♖h2#]   [Priepke]

8. KAMIŃSKI – Z. VARGA

1. ♕e7!! ♔e7 2. ♗b4 ♔e8 3. ♖he1 ♗e6 [3... ♕e5 4. ♘c7#] 4. ♖e6 ♔f7 5. ♖e7 ♔g6 6. ♖g1 ♔h6 [6... ♔f5 7. ♘d4 ♔f4 8. ♗d2#] 7. ♖eg7 [△ ♖1g6#]   1 : 0

9. SERPER – BARSOV

1. ♗h6! gh6 [1... ♖f3? 2. ♗h7! ♔h8 3. ♗g7+−] 2. ♗h7 ♔h8 3. ♕g6 [△ 4. ♕h6, 4. ♗g8!] ♕b2 4. ♔h1 ♘f6□ 5. ♘g5! [5. ♕h6? ♘h7 6. ♘g5 ♕c2! 7. ♘f7 ♔g8] hg5⊕ [△ 5... ♕e5 6. ♕h6 ♗d7 7. ♗g6! (7. ♖ae1? ♘g4!) ♔g8 8. ♖ae1 (△ ♖f6) ♕c3 9. ♖e6! ♗e6 10. ♗h7 ♔h8 11. ♗f5+−] 6. ef6 ♗f6 7. ♗g8!! [7... ♖g8 8. ♕h6#; 7... ♖f7 8. ♗f7 ♗g7 9. ♕h5+−]   1 : 0   [Serper]

10. J. PLACHETKA – PSAHIS

1. ♖g7!! ♖g7 2. ♖g7 ♔g7 3. ♕h6 ♔f7 4. ♗g5! [4. ♘g5? ♔e7 5. ♕g7 ♗f7] ♗h7 [4... ♔e7 5. ♕g7 ♖f7 6. ♗f6#] 5. ♗f6 ♖g8 6. ♘g5 ♖g5 7. ♗g5   1 : 0
[J. Plachetka]

11. ČUDINOVSKIH – MILJUKOVSKIJ

1. ♕e6!! fe6 [1... ♕e6 2. ♖g7 ♔h8 3. ♖h7 ♔g8 4. ♖h8#] 2. ♖g7 ♔h8 3. ♖h7 ♔g8 4. ♖g7 ♔h8 5. 0-0-0! ♗h2 6. ♖g3
1 : 0   [Čudinovskih]

12. VOKÁČ – VAN DER VEEN

1. ♗e6! ♗e2 [1... fe6 2. ♕e7 ♕b2 3. ♕e6 ♔h8 4. ♖g7! ♗e2 5. ♖g8 ♖g8 6. ♗e5+−] 2. ♕f8!! [2. ♕e7 ♕b1 3. ♗c1 ♕d3 4. ♗f7 ♔h8 △ ♕d1−+] ♔f8 [2... ♗f8 3. ♗f7 ♔g7 (3... ♔h8 4. ♗e5 ♗g7 5. ♖c8+−) 4. ♗e8+−] 3. ♗d6 ♔g8 [3... ♔e8 4. ♖c8#] 4. ♗f7 ♔h8 5. ♖c8 ♗f8 6. ♗e5#   1 : 0   [Vokáč]

13. SICK – GORELOV

1... ♖h3! 2. gh3 [2. ♔g1 ♕g3!−+] ♕h3 3. ♔g1 ♖c2!!−+ 4. ♖e2 [4. ♕c2 ♗d4 5. ♕f2 ♕g3−+] ♖e2 [5. ♕e2 ♗d4 6. ♕f2 ♕g3−+]   0 : 1   [Gorelov]

14. VARAVIN – BABI

1. g6! ed3 [1... fg6 2. ♗c4 ♕c4 3. ♕d8 gf5 (3... ♖d8 4. ♖d8 ♔f7 5. ♘d6+−) 4. ♕d7 a) 4... ♖f7 5. ♕a4 ♖f6 (5... ♗d5 6. b3 ♕c3 7. ♔b1 ♗c6 8. ♖d8 ♖f8 9. ♖f8 ♔f8 10. fg7 ♔g7 11. ♖g1+−) 6. ♖d8 ♖f8

7. ♖hd1+−; *b)* 4... ♕f7 5. fg7 ♔g7 6. ♖hg1 ♔h6 (6... ♔h8 7. ♕f7 ♖f7 8. ♖d8+−) 7. ♖d6 ♔h5 8. ♖g5 ♔h4 9. ♖g7! ♕d7 10. ♖h6#] **2. ♕h6!!** [2... gh6 3. ♘h6 ♔h8 4. g7#] **1 : 0** **[Varavin]**

15. R. ŠČERBAKOV – NEUMANN

1. ♕d8!! ♕f1 2. ♔h2 ♖d8 3. ♖e7 [3... ♔h8 4. ♗e5 ♔g8 5. ♘h6 ♔f8 6. ♖f7#; 3... ♔g8 4. ♘h6 ♔h8 5. ♗e5#] **1 : 0** **[R. Ščerbakov]**

16. SKROBEK – O. KALININ

1... ♘e1!!−+ [△ ♕f1] **2. ♗e1 ♕f1 3. ♗h4 f4 4. ♗f6 ♔h6 5. h4 ♔h5!** [6. g4 fg3 7. ♔g3 ♗f4#] **0 : 1** **[O. Kalinin]**

17. GEJZERSKIJ – MAŠČBIC

1... ♕g3!! 2. ♕e2 [2. hg3 ♖h5#] **♖h5 3. h3□ ♗f4 4. ♔g1 ♖h3** [△ ♖h1, ♕h2#] **0 : 1** **[Maščbic]**

18. I. MOLNÁR – BOTTLIK

1... ♕d7!! 2. gf4 ♘f4 3. ♔g3□ ♕h3! [3... g5 4. ♖h1 h5 5. ♕f1] **4. ♔f4 g5 5. ♔g5** [5. ♔e5 f6 6. ♔e4 ♖ae8#] **♔h8! 6. ♘e4** [⌓ 6. ♔f4! ♖g8! 7. f3! ♖ae8! (△ ♕h6) 8. ♔e3! ef3 9. ♘e4 (9. ♔d3 ♕f5 10. ♘e4 ♕e4 11. ♔d2 ♖g2 12. ♔d1 ♕e2−+) ♖e4! 10. ♔e4 (10. ♔d2 ♖e2−+) ♖e8 11. ♔d3 (11. ♔f4 f5!−+) ♕f1 12. ♔c2 ♖e2 13. ♔b1 f2 △ ♕c1!−+] **♖g8 7. ♔f4 ♖g4 8. ♔f5** [8. ♔e5 ♖e8] **♕f3** [9. ♔e5 ♖e8#] **0 : 1** **[Bottlik]**

19. HELLERS – ĐUKIĆ

1. ♘d5! ed5 [1... ♕f7 2. ♘b4 ♘b4 3. ♗b7+−] **2. ♗d5 ♔h8 3. f7** [△ ♕f6#] **♕d6 4. ♖h7! ♘h7** [4... ♔h7 5. ♕h3 ♔g7 6. ♕h6#] **5. ♖h1 ♔g7 6. ♖h7 ♔f8** [6... ♔h7 7. ♕h3 ♔g7 8. ♕h6#] **7. ♕f6!!** [7... ♕f6 8. gf6 △ ♖h8#] **1 : 0**

20. MINIĆ – M. SAVIĆ

1... ♖c6! [2. ♕c6 ♕d5 3. ♕d5 b3=; 2. ♗f7 ♖g6 3. ♗g6 ♕d5=; 2. ♕f7 ♖e6 3. ♕e6 ♕d5=] **1/2 : 1/2** **[M. Savić]**

21. PEREZ-GARCIA – R. KUIJF

1. ♘g6! fg6 [1... hg6 2. ♖h4 f6 3. ♖f6+−] **2. ♗d5! ♗d5** [2... ♕d7 3. ♖f8!! ♖f8 4. ♗e6+−] **3. ♕d5 ♔g7** [3... ♔h8 4. d7+−] **4. ♕f7 ♔h8 5. ♖h4 h5 6. d7** **1 : 0** **[Dragoljub Ćirić]**

22. VASJUKOV – RO. GUNAWAN

1. ♘d5!! ed5 2. e6! ♘f8 [2... fe6 3. ♖e6 △ 4. ♖c6, 4. ♕d5+−] **3. ef7 ♔h8 4. ♕d5 ♗b7** [4... ♘d4 5. ♗e3 ♘fe6 6. ♗d4 ♘d4 7. ♕a8!+−] **5. ♖e8!! ♖e8** [5... a4 6. ♖ae1 ♘a5 7. ♕d6+−] **6. fe8♕ ♖e8 7. ♕f7! ♕d8** [7... ♖c8 8. ♖e1+−⊙ △ 9. ♗d5 ♘g6 10. ♖e8] **8. ♕b7+−** **[Vasjukov]**

23. BRAŽKO – KOTKOV

1... ♘e4! 2. ♘e4 ♗d4 3. ♔h1 ♖e4! 4. ♗e4 ♖e8 5. ♖f4 ♗e4 6. ♖e4 ♕b7! [6... ♕c6?? 7. ♖e1 gf5 8. ♕g2 ♖e4 9. ♗f6 △ ♕g7-g8-d8-e7#] **7. ♖e1 gf5 8. ♕g2 ♖e4 9. ♖f1** [9. ♖g1 ♖g4!! (9... ♗g1 10. ♗h6+−) 10. ♕b7 ♖g1#; 9. ♗f6 ♔f8 10. ♕g7 ♔e8 11. ♕g8 ♔d7 12. ♕d8 (12. ♕f7 ♖e7−+) ♔e6−+] **♕b2** **0 : 1** **[Kotkov]**

24. G. FLEAR – FTÁČNIK

1... ♗b5! [2. ba4 ♗c4 3. ♔c2 ♗b3 4. ♘b3 ♘b3 5. ♔d3 (5. ♔b1 ♘c1+−) ♖c3 6. ♔e2 ♘d4−+] **0 : 1**

25. M. KUIJF – HODGSON

1... ♕b3! 2. ♗d3 [2. ♘c3 ♕a2!−+] **♕a2 3. ♕b4 ♖e2! 4. ♗e2□ ♘b3 5. ♕b3 ♕b3 6. ♖d2 ♕e3** **0 : 1**

26. HMEL'NICKIJ – KABJATANSKIJ

1. ♘f5! [1... ef5 2. ♕c8+−] **1 : 0** **[Hmel'nickij]**

27. B. MARJANOVIĆ – KAPETANOVIĆ

1... ♘e5! 2. fe5 [2. gf5 ♘f3 3. ♘f3 ♕f3 4. ♖g3 ♕h1 5. ♘g1 0–0!−+→] **♕e5 3. ♗g3□** [3. ♘f1 f4−+ ×♔e1, ♖a1] **f4!?** [3... ♗h4!−+] **4. ♗f4 ♗h4 5. ♗g3** [5.

♖g3 ♗g3 6. ♗g3 ♕d5 △ ♕h1, 0–0→] **0–0! 6. ♘f1 ♕f6** [△ ♕f2!] **7. ♗h4 ♕h4 8. ♖g3 ♖f1! 9. ♗f1 ♖f8** [10. ♗h3 ♕h3! 11. ♕e3 ♕f1 12. ♔d2 de3–+] **0 : 1** **[Kapetanović]**

28. MOROVIĆ FERNANDEZ – PANNO

1. ♗g6! hg6□ 2. f5 g5 3. ♖dd3 b5 [4. ♕h8! ♔f7 5. ♖h6!! (△ ♖dh3, ♖h7) ♕d7 6. ♖h7 ♔e8 7. ♖e3! bc4 8. ♕g8+–] **1/2 : 1/2** **[Cifuentes Parada]**

29. KRAMNIK – V. A. KOZLOV

1. ♖e2! ♕e2 2. ♖g7! ♔g7 [2... ♔h8 3. ♕h7#] **3. ♗h6 ♘h6 4. ♕e2+–** **[Kramnik, Ljubarskij]**

30. LUTHER – GAUGLITZ

1. ♖g7! ♔g7 2. ♕d4! ♕d4 3. ♘e6 ♔f6 4. ♘d4+–

31. S. ĐURIĆ – MARINELLI

1. ♘e5!! ♗a4 [1... ♕e5 2. ♕f7 ♔h8 3. ♗f4+–] **2. ♗e6 fe6** [2... ♗d1 3. ♗f7 ♔h8 4. ♘g6 hg6 5. ♕h4 ♗h5 6. ♗g6 ♕e5 7. ♖f5+–] **3. ♖d7!! ♕d7** [3... ♗d7 4. ♕f7 △ ♕f8] **4. ♘d7 ♖d7 5. ♕a2 ♗b5 6. ♕e6 ♔h8 7. c4 ♖d3** [7... ♗a4 8. ♕b6 ♖dd8 9. ♕a5 ♖a8 10. ♗a7+–] **8. cb5 ♖e3 9. ♕e5 ♖a8 10. ♕f4 1 : 0** **[S. Đurić]**

32. ŠIROV – G. GEORGADZE

1. ♖g6!+– ♘g6 [1... ♕g6 2. ♕h8#] **2. ♖g2 ♖c7** [2... ♕e5 3. ♖g6 ♔f8 4. e7! ♔e7 5. ♕h7 ♔f8 6. ♖g8#; 4... ♕e7 5. ♕h8+–] **3. ♖g6 ♖f8 4. ♖g7 ♖g7 5. ♗f3 ♖h7 6. ♕h7 ♔h7 7. ♗h5! 1 : 0** **[Širov]**

33. MALYŠEV – KAJDANOV

1... ♖f2!!–+ [1... ♖f6 2. ♕f1 ♖h6 3. ♕g2] **2. ♔f2 ♕h2 3. ♔f1 ♖e7 4. ♕f5** [4. ♖e2 ♕h1 5. ♔f2 ♖f7; 4. ♖ec1 ♖f7 5. ♔e1 ♖f2! 6. ♕f1□ ♖f1 7. ♔f1 h5!–+] **♖f7 5. ♕f4 h5 0 : 1** **[Malyšev]**

34. PONOMAREV – PUGAČEV

1... ♗e4!! 2. fe4 [2. ♘d6 ♗d3!–+] **♘e4 3. ♕e1 ♘g3! 4. ♔g1** [4. hg3 hg3–+] **♘h3! 5. gh3 ♘e2 6. ♔h1 ♕g1# 0 : 1** **[Pugačev]**

35. VARAVIN – MOSKVIN

1. ♗h6!! ♘d4!□ [1... gh6 2. ♘h6 ♔g7 3. ♘f7+–; 1... ♘b4 2. ♕e2 ♘d3 3. ♖ed1 c4 4. ♗e3+–] **2. ♕f4 ♘c2** [2... ♗f3 3. ♗f3 ♘f5 4. ♗e4! gh6 5. ♗f5 ef5 6. ♘h6 ♔g7 7. ♘f5 ♔h8 8. ♘h6 ♖f8 9. ♘f7 ♔g7 10. ♕g4 ♔f7 11. ♕g6#; 2... ♘f5 3. ♗g5 ♗f3 4. ♗e7 ♗g2 5. ♗d8 ♕b7 6. ♗a5 ♗h1 7. f3 ♕f3 (7... ♗f3 8. ♔f2+–) 8. ♕f3 ♗f3 9. ♘h2 ♗h5 10. g4+–] **3. ♗g7! ♔g7** [3... ♘e1 4. ♘h6 ♔g7 5. ♕f7 ♔h8 6. ♘h4+–; 3... ♗f3 4. ♗f3 ♘g5! (4... ♗g5 5. ♘f6 ♔g7 6. ♕g4 ♘e1 7. ♖e1+–) 5. h6!! ♘h3 6. ♔g2 ♘f4 7. gf4 ♘e1 8. ♖e1 f5 (8... ♖ac8 9. ♘f6 ♗f6 10. ♗f6 △ ♗e4+–) 9. ef6 ♗d6 10. h7 ♔f7 11. ♘e5 ♗e5 12. ♗h5#] **4. ♘f6! ♖h8** [4... ♗f3 5. ♗f3 ♘e1 6. ♖e1 ♖h8 7. h6 ♔f8 8. ♘h7 ♖h7 9. ♗a8+–; 4... ♘e1 5. ♘g5 ♘g2 6. ♘e8! ♔h8 7. ♘f7 ♔g8 8. ♕g4 ♔f7 9. ♕g6 ♔f8 10. ♘c7 ♘g5 11. h6 ♘f3 12. ♔h1+–] **5. ♖ed1 ♘a1** [5... ♖ad8 6. ♖d8 ♕d8 7. ♖c1 ♕d3 8. ♘g5 ♗g2 9. h6 ♔f8 10. ♘fh7 ♖h7 11. ♘h7 ♕h7 12. ♔g2+–] **6. ♘g5! ♖ad8** [6... ♘g5 7. ♕g5 ♔f8 8. ♖d7 ♕d7 (8... ♗f6 9. ef6 ♕d7 10. ♕g7 △ ♕h8#) 9. ♘d7 ♔e8 10. ♘f6 ♗f6 11. ♕f6 ♖h5 12. ♗b7 ♖b8 13. g4 ♖h3 14. ♔g2 ♖h7 15. ♗e4+–] **7. ♘e8!** [7... ♔h6 8. ♘f7 ♔h5 9. ♕h6 ♔g4 10. ♕h3#] **1 : 0** **[Varavin, Moskvin]**

36. GILES – BROWNE

1. ♘e6!! fe6 2. ♗e6!+– ♘f8 3. ♗b3! ♗e6 4. e5! de5 5. fe5 ♗g5 6. ♔b1 ♖d8 7. h4 ♗e7 8. ♗a4! ♘d7 [8... ♗d7 9. ♖hf1 ♕g6 10. h5] **9. ♘d5 ♕a5** [9... ♗d5 10. ♕d5 ♕c7 11. e6 b5 12. ♕h5] **10. ♖hf1 ♖f8 11. ♕h5 ♖f7** [11... ♗f7 12. ♖f7] **12. ♗b3! g6□ 13. ♕g6 ♘f8 14. ♘c7! ♕c7 15. ♕f7!** [15... ♗f7 16. ♗f7#] **1 : 0** **[Byrne, Mednis]**

registar • индекс • index • register • registre • registro • registro • register • 棋譜索引 • الفهرس

BABI — Varavin 14
BARSOV — Serper 9
BERG, K. — Ernst 4
BOTTLIK — Molnár, I. 18
BRAŽKO — Kotkov **23**
BROWNE — Giles 36
ČUDINOVSKIH — Miljukovskij **11**
ĐUKIĆ — Hellers 19
ĐURIĆ, S. — Marinelli **31**
ERNST — Berg, K. **4**
FISHBEIN — Jellison **2**
FLEAR, G. — Ftáčnik **24**
FTÁČNIK — Flear, G. 24
GAUGLITZ — Luther 30
GEJZERSKIJ — Maščbic **17**
GEORGADZE, G. — Širov 32
GILES — Browne **36**
GORELOV — Sick 13
GUNAWAN, RO. — Vasjukov 22
HÁBA, Z. — Jeřábek **5**
HELLERS — Đukić **19**
HMEL'NICKIJ — Kabjatanskij **26**
HODGSON — Kuijf, M. 25
JANOCHA — Pogorelov 1
JELLISON — Fishbein 2
JEŘÁBEK — Hába, Z. 5
KABJATANSKIJ — Hmel'nickij 26
KAJDANOV — Malyšev 33
KALININ, O. — Skrobek 16
KAMIŃSKI — Varga, Z. **8**
KAPETANOVIĆ — Marjanović, B. 27
KOTKOV — Bražko 23
KOZLOV, V. A. — Kramnik 29
KRAMNIK — Kozlov, V. A. **29**
KUIJF, M. — Hodgson **25**
KUIJF, R. — Perez-Garcia 21
LANKA — Piskov **3**
LOPEZ — Plaskett **6**
LUTHER — Gauglitz **30**
MALYŠEV — Kajdanov **33**
MARINELLI — Đurić, S. 31
MARJANOVIĆ, B. — Kapetanović **27**
MAŠČBIC — Gejzerskij 27
MILJUKOVSKIJ — Čudinovskih 11
MINIĆ — Savić, M. **20**
MOLNÁR, I. — Bottlik **18**
MOROVIĆ FERNANDEZ — Panno **28**
MOSKVIN — Varavin 35
NEUMANN — Ščerbakov, R. 15
PANNO — Morović Fernández 28
PEREZ-GARCIA — Kuijf, R. **21**
PISKOV — Lanka 3
PLACHETKA, J. — Psahis **10**
PLASKETT — Lopez 6
POGORELOV — Janocha **1**
PONOMAREV — Pugačev **34**
PRIEPKE — Rudolph 7
PSAHIS — Plachetka, J. 10
PUGAČEV — Ponomarev 34
RUDOLPH — Priepke **7**
SAVIĆ, M. — Minić 20
ŠČERBAKOV, R. — Neumann **15**
SERPER — Barsov **9**
SICK — Gorelov **13**
ŠIROV — Georgadze, G. **32**
SKROBEK — Kalinin, O. **16**
VAN DER VEEN — Vokáč 12
VARAVIN — Babi **14;** Moskvin **35**
VARGA, Z. — Kamiński 8
VASJUKOV — Gunawan, Ro. **22**
VOKÁČ — van der Veen **12**

komentatori • комментаторы • commentators • kommentatoren • commentateurs • comentaristas • commentatori • kommentatorer • 棋譜解說 • المعلقون

BOTTLIK [1] 18
BYRNE; MEDNIS [1] 36
CIFUENTES PARADA [1] 28
ĆIRIĆ, DRAGOLJUB [1] 21
ČUDINOVSKIH [1] 11
ĐURIĆ, S. [1] 31
FISHBEIN [1] 2
GLEK [1] 3
GORELOV [1] 13
HÁBA, Z.; HÁBA, P. [1] 5
HMEL'NICKIJ [1] 26
KALININ, O. [1] 16
KAPETANOVIĆ [1] 27
KOTKOV [1] 23
KRAMNIK; LJUBARSKIJ [1] 29
MALYŠEV [1] 33
MAŠČBIC [1] 17
PLACHETKA, J. [1] 10
POGORELOV [1] 1
PRIEPKE [1] 7
PUGAČEV [1] 34
SAVIĆ, M. [1] 20
ŠČERBAKOV, R. [1] 15
SERPER [1] 9
ŠIROV [1] 32
VARAVIN [1] 14
VARAVIN; MOSKVIN [1] 35
VASJUKOV [1] 22
VOKÁČ [1] 12

završnice • окончания • endings • endspiele • finales • finales • finali • slutspel • 收 局 • المرحلة النهائية

klasifikacija • классификация • classification • klassifizierung • classification • clasificación • classificazione • klassifikation • 大分類 • التصنيف

♙

♙ **0**	1, 2, 3 ‖ ♙ : ♔ 1 ♙ : 1 ♙ 2 oo ♙ : 2 ♙
♙ **1**	‖ 2 ♙ : 2 ♙
♙ **2**	3 ♙ : 3 ♙
♙ **3**	4 ♙ : 4 ♙ 5 ♙ : 5 ♙ 6 ♙ : 6 ♙ 7 ♙ : 7 ♙ 8 ♙ : 8 ♙
♙ **4**	2 ♙ : 1 ♙
♙ **5**	3 ♙ : 2 ♙
♙ **6**	4 ♙ : 3 ♙
♙ **7**	5 ♙ : 4 ♙
♙ **8**	6 ♙ : 5 ♙ 7 ♙ : 6 ♙ 8 ♙ : 7 ♙
♙ **9**	‖ ♙

♖

♖ **0**	♖ : ♔ ♖ : ♙
♖ **1**	♖ : ♘
♖ **2**	♖ : ♗
♖ **3**	♖ (┘♙) : ♖ (┘♙) ♖ + 1 ♙ : ♖ (┘♙)
♖ **4**	♖ + 2, 3, 4, ‖ ♙ : ♖ (┘♙)
♖ **5**	♖ + 2 ♙ : ♖ + 1 ♙
♖ **6**	‖ ♖ : ♖ └ >
♖ **7**	♖ (└ ♙) : ♖ (└ ♙) ┘ >
♖ **8**	♖ : ♘♘ / ♘♗ / ♗♗ ♖ : ♘♘♘ / ♘♘♗ / ♘♗♗ / ♗♗♗ ♖♘ / ♖♗ : ♙ ♖♘ / ♖♗ : ♘ / ♗ ♖♘ / ♖♗ : ♖
♖ **9**	‖ ♖

♕ 0	♕ : ♔
	♕ : ♙
♕ 1	♕ : ♘
	♕ : ♗
♕ 2	♕ : ♖
♕ 3	♕ (⌐♙) : ♕ (⌐♙)
	♕ (∟♙) : ♕ (⌐♙)
♕ 4	♕ (∟♙) : ♕ (∟♙)
♕ 5	♕ : ♘♘ / ♘♗ / ♗♗
	♕ : ♖♘ / ♖♗
♕ 6	♕ : ♖♖
	♕ : ♘♘♘ / ♘♘♗ / ♘♗♗ / ♗♗♗
	♕ : ♖♘♘ / ♖♘♗ / ♖♗♗
	♕ : ♖♖♘ / ♖♖♗
	♕ : ♖♖♖
♕ 7	♕♘ / ♕♗ : ♙
	♕♘ / ♕♗ : ♘ / ♗
	♕♘ / ♕♗ : ♖
	♕♘ / ♕♗ : ♕
♕ 8	♕♘ / ♕♗ : ♘♘ / ♘♗ / ♗♗
	♕♘ / ♕♗ : ♖♘ / ♖♗
	♕♘ / ♕♗ : ♖♖
	♕♘ / ♕♗ : ♕♘ / ♕♗
♕ 9	∥ ♕

1. ČEHOV 2480 –
ZLOTNIK 2420
Warszawa 1989

⬜ 1/e

1... ?   =

2. BAGIROV 2460 –
VOGT 2505
Berlin 1989

⬜ 1/h

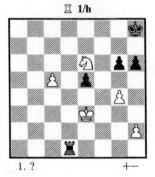

1. ?   +−

3. KLATT – DOBSA
corr. 1988

⬜ 2/g1

1... ?   −+

4. NADANJAN –
BABAJAN
SSSR 1989

⬜ 2/j

1. ?   +−

5. JANDEMIROV 2315 –
S. IVANOV 2465
SSSR 1989

⬜ 5/d

1. ?   +−

6. BRUNNER 2425 –
ČEHOV 2480
Praha 1989

⬜ 5/k

1... ?   =

7. ROZENTALIS 2485 –
SAVČENKO 2480
Tbilisi 1989

⬜ 6/f

1... ?   =

8. SERPER 2435 –
MUHIN 2450
SSSR 1988

⬜ 6/j

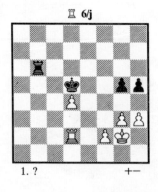

1. ?   +−

9. UBILAVA 2500 –
MATULOVIĆ 2425
Beograd 1988

⬜ 7/b2

1... ?   =

10. P. WOLFF 2500 −
FISHBEIN 2490
USA 1988

♖ 7/b5

1... ?   =

11. IVANČUK 2625 −
ĖJNGORN 2560
SSSR (ch) 1988

♖ 9/h

1... ?   −+

12. D'AMORE 2425 −
ZSÓ. POLGÁR 2295
Roma 1989

♖ 9/h

1... ?   −+

13. ŠRAMOV −
LAGUNOV
SSSR 1989

♖ 9/i

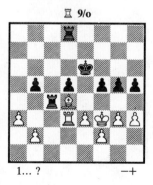

1... ?   −+

14. S. ĐURIĆ 2475 −
VAJSER 2525
Forli 1989

♖ 9/i

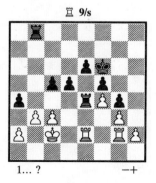

1. ?   +−

15. GLEK 2475 −
PH. SCHLOSSER 2420
Budapest (open) 1989

♖ 9/k

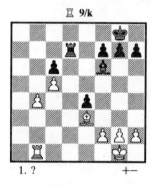

1. ?   +−

16. ANASTASJAN 2475 −
ROZENTALIS 2485
Tbilisi 1989

♖ 9/o

1... ?   −+

17. BRYCHTA 2355 −
ŠTOHL 2455
ČSSR 1989

♖ 9/s

1... ?   −+

18. ZÜGER 2445 −
KINDERMANN 2515
München 1989

♕ 2/n

1. ?   =

19. KALINIČEV 2425 −
G. GEORGADZE
2440
Warszawa 1989

♕ 4/j

1. ?   +−

20. TIVJAKOV −
ARBAKOV 2400
Belgorod 1989

♕ 4/e

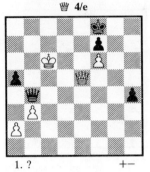

1. ?   +−

21. BOUDRE 2380 −
J. PLACHETKA 2450
Paris 1989

♕ 5/f

1... ?   −+

22. STOICA 2440 −
PA. ŞTEFANOV 2390
Eforie-Nord 1989

♕ 6/d

1. ?   +−

23. S. MOHR 2530 −
CONQUEST 2490
Gausdal 1989

♘♗

1... ?   −+

24. ZUBČENKO −
GUDOK
SSSR 1989

♘♗

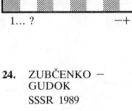

1... ?   −+

25. DUDKIN −
GOFMAN
SSSR 1989

♘♗

1... ?   =

26. BORN −
SR. CVETKOVIĆ 2460
Seefeld 1989

♘♗

1. ?   =

27. DJURHUUS 2305 −
GEL'FAND 2585
Arnhem 1988/89

♘♗

1... ?   −+

28. SUĖTIN 2370 – HALILOVIĆ
Bela Crkva 1989

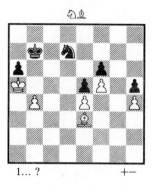

♘♗

1... ? +–

29. JURTAEV 2485 – SERPER 2435
SSSR 1988

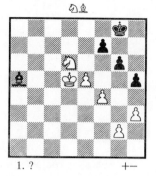

♘♗

1. ? +–

30. GEO. TIMOŠENKO 2530 – ANASTAŞJAN 2475
Tbilisi 1989

♘♗

1. ? =

31. DOHOJAN 2575 – R. LAU 2475
Wijk aan Zee II 1989

♘♗

1... ? =

32. JAGST – LIEBAU
BRD 1989

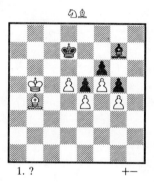

♘♗

1. ? +–

33. HUZMAN 2480 – MILOV
SSSR 1989

♘♗

1. ? +–

34. J. STOJNOV 2300 – SANDLER
Primorsko 1989

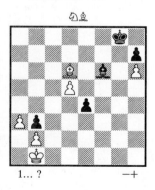

♘♗

1... ? –+

35. ŠABANOV 2385 – RAECKIJ
SSSR 1989

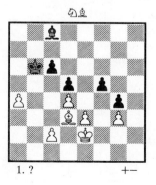

♘♗

1. ? +–

36. MASTERNAK 2215 – J. PŘIBYL 2405
Mariánské Lázně 1989

♘♗

1... ? –+

1. ČEHOV – ZLOTNIK

1... ♔f8! 2. ♘c4 [2. ♘c6 ♔e8! (2... ♖g4 3. a5+–) 3. h5! (3. a5 ♔d7 4. ♘e5 ♔e6=) ♖g4 (3... ♔d7? 4. h6+–) 4. a5 ♖g1! 5. h6 ♔d7 6. ♘e5 ♔c7 7. ♘f7 ♖h1 8. b4 ♔c6 9. ♔a4 ♖a1 (9... ♖h4) 10. ♔b3 ♖h1 11. ♔c4 ♖h4=] **♖g4 3. a5 ♔e8 4. ♘b6 ♖g6 5. ♔b4 ♔d8 6. ♔c5 ♔c7 7. b4 ♖c6 1/2 : 1/2** [Zlotnik]

2. BAGIROV – VOGT

1. c6!+– ♖c1 [1... ♖d6 2. c7 ♖c6 3. ♔e4 ♔g8 4. ♔d5; 1... ♖a1 2. c7 ♖a8 3. ♔e4 ♔g8 4. ♔e5 ♔f7 5. ♔d6 ♔e8 6. ♘c5] **2. c7 ♔g8 3. ♔e4 ♔f7 4. ♔d5!** [△ 4... ♔e7 5. ♘c5 ♖c5 6. ♔c5 ♔d7 7. ♔d5 ♔c7 8. ♔e5] **1 : 0** [Bagirov]

3. KLATT – DOBSA

1... ♖c7! 2. ♗a1 [2. ♔g4 ♔e6 3. ♔h5 ♖c2 4. ♗f6 (4. ♗d4 ♔f5 5. ♔h6 ♖h2 6. ♔g7 ♔g5; 4. ♗g7 ♔f5 5. ♔h4 ♖c4 6. ♔h5 ♖c1 7. ♔h4 ♖h1 8. ♔g3 ♔g5) ♖h2 5. ♔g4 h5–+] **♔e6 3. ♗d4 ♔f5 4. ♗e3** [4. ♗f6 h6!] **♖c3! 5. ♔f2 ♔e4 6. ♗b6 ♔f4 7. ♗d8 ♖c2 8. ♔g1 ♔f5 9. ♔f1 ♖c8** [10. ♗e7 ♖e8 11. ♗f6 h6!; 10. ♗b6 ♔g5 11. ♔g2 ♔g4 12. ♗d4 ♖c2 13. ♔g1 ♔h3 14. ♗e5 ♖g2–+ – ♖ 2/b4 (659.)] **0 : 1** [Bottlik]

4. NADANJAN – BABAJAN

1. ♖d2! [1. ♖d5? ♗d4 2. ♖d4 cd4 3. c5 g4 4. fg4 d3! 5. ♔d3 f3 6. c6 ♔g3 7. c7 f2=] **♗c3 2. ♖g2! ♗a5 3. ♖g4 ♔h5 4. ♔f5 ♗d8 5. ♔e6 ♗a5□** [5... ♔g6 6. ♔d6 ♗b6 7. ♔c6+–] **6. ♔f6 ♗d8 7. ♔g7! ♗a5 8. ♖g1 ♔h4 9. ♔g6 ♗d8 10. ♖g4 ♔h3 11. ♔f5 ♔h2 12. ♔e5 ♔h3 13. ♔d6 1 : 0** [Nadanjan]

5. JANDEMIROV – S. IVANOV

1. ♖h2!□ [1. h6? ♔b3 2. h7 ♖h8 3. ♔d2 (3. ♔b1 ♖f8 4. ♖h1 ♖h8=) ♖d8 4. ♔e2 (4. ♔e3? ♖d3) ♖h8 5. ♔e3 ♔c3=] **♖b3** [1... ♖h8 2. ♔c2 ♖b8 3. ♖h4+–] **2. h6** [2. ♖c2 ♖b6=] **♖c3 3. ♔d1!□** [3. ♔b1

♖b3 4. ♔c1 ♖b8=; 3. ♔d2 ♔b3! 4. ♖h4 ♖d3 △ ♖d8=] **♖b3** [3... ♖d3 4. ♔c2 ♖d8 5. h7 ♖h8 6. ♔c3+–] **4. ♖h4!□ ♖b8** [4... ♖b1 5. ♔c2 ♖b2 6. ♔c1+–] **5. ♖c4+– ♔b3 6. ♖c7 ♖b6 7. h7 ♖h6 8. ♔e2 ♔b4 9. ♔f3 ♔b5 10. ♔g4 ♔b6 11. ♖f7 1 : 0** [Kuporosov]

6. BRUNNER – ČEHOV

1... ♔e5 2. ♖d3 ♔e4 3. ♖c3 [3. ♔b6 ♔d3 4. ♔c5 ♔c2 5. b4 ♔b3!=] **♔d4 4. ♖h3 ♖c2 5. ♔d6 ♖b2?** [5... c5! 6. ♖h4 ♔d3 *a*) 7. ♔d5 ♔d2! (7... ♖b2 8. ♔h3 ♔c2 9. ♔c4!+–⊙) 8. b4 (8. ♖h3 ♔c1=; 8. ♖h2 ♔c1 9. ♖c2 ♔c2 10. ♔c5 ♔b3=) cb4 9. ♖b4 ♔c1 10. b3 ♔b2=; *b*) 7. b4!? cb4 8. ♖b4 ♖c4! 9. ♖b8 ♔c2 10. ♔d5! ♖h4!=] **6. ♔c6 ♖c2 7. ♔b5 ♖c8 8. ♖h4! ♔d5 9. ♖h6 ♖b8 10. ♖b6 ♖c8 11. b4 ♖a8 12. ♖b7 ♔d6 13. ♔b6 ♖g8 14. b5 ♖g6 15. ♖c7 ♔d5 16. ♔b7 1 : 0** [Vokáč]

7. ROZENTALIS – SAVČENKO

1... ♖c3! [1... ♖c4? 2. f4+–⊙] **2. f4** [2. ♖e6 ♔f7 3. ♖d6 ♔g6=; 2. ♖d7 ♖c6 3. ♖a7 ♖c4 △ ♖a4=] **♖c4 3. ♖e6** [3. ♔f3 gf4 4. gf4 ♔f5 5. ♔e3 ♖c1□ 6. ♔d2 ♖c5 7. ♔d3 ♖c1 8. ♔d4 ♖d1 9. ♔c5 ♖c1 10. ♔b4 ♖b1 11. ♔c3 ♖c1 12. ♔d2 ♖c5=] **gf4 4. gf4 ♔f7 5. ♖d6 ♔g6 6. ♖d7 ♖c6 7. ♖a7** [7. f5 ♔h6 8. ♖a7 ♖c4 9. ♔f3 ♔g5=] **♖c1! 8. f5** [8. ♖b7 ♖a1 9. a7 ♖a4 10. ♔f3 ♔f5 11. ♖b5 ♔g6 12. ♖b7 ♔f5=; 8. ♖a8 ♖g1! 9. ♔f3 ♔f5 10. a7 ♖a1=] **♔h6 9. ♖a8 ♖c4 10. ♔f3 ♖a4** [△ ♔g5; 11. a7 ♔g7=] **1/2 : 1/2** [Savčenko]

8. SERPER – MUHIN

1. ♖a2!□ [1. g4? h4! 2. f4 (2. ♖d3 ♔f6! 3. ♖f3 ♔g6 4. ♖f5 ♔d4 5. ♔f3 ♖g8=) gf4 3. ♔f3 ♔b3 4. ♔f4 ♖h3 5. ♔g5 ♖h1 6. ♔g6 h3 7. g5 ♖g1 8. ♖h2 ♖g3 9. ♔h6 (9. ♔h5 ♔e6!! 10. ♔h4 ♖d3=) ♔d4 10. g6 ♔e3 11. g7 ♔f3 △ ♖g7, ♔g3=] **♔d4** [1... ♖b5 2. ♖a4!⊙ ♔e4 3. ♖c4!+–] **2.

♖a5 ♖g6 3. h4! gh4 4. ♖a4! ♔d5 [4... ♔e5 5. ♖h4 ♖h6 6. g4+−] **5. ♖h4 ♖g5 6. ♖f4!** [6. ♔h3? ♖f5!=] **♔e6 7. ♔h3 ♖a5 8. ♔h4 ♔e7 9. ♖e4 ♔f6 10. f4** [△ ♖e5] **1 : 0** **[Serper]**

9. UBILAVA – MATULOVIĆ

1... **♔c6?** [1... g3 2. ♔e3 ♔b6! 3. ♖g7 ♔c6 4. ♔f3 ♔d6 5. ♔g3 ♖h1 6. ♔f4 ♔e6 7. ♔g5 ♖g1 8. ♔h6 ♖h1=] **2. ♔e4 ♔d6** [2... g3 3. ♔f3 ♔d6 4. ♔g3 ♖h1 5. ♔g4 ♔e6 6. ♔g5 △ ♔g6-g7+−] **3. ♔f4** [3... ♔e6 4. ♔g5 ♖h1 5. ♖a6 ♔f7 6. ♖h6+−] **1 : 0** **[Ubilava]**

10. P. WOLFF – FISHBEIN

1... **♔g5!** [1... ♖c1? 2. ♔d8! ♔g5 (2... h5 3. ♖a5+−) 3. ♖a5 ♔g4 4. ♖d5! ♖a1 5. ♔e7 ♖a8 6. d8♕ ♖d8 7. ♖d8 h5 8. ♔f6+−] **2. d8♕** [2. ♖a5 ♔g4 3. ♔c6 ♖d7 4. ♔d7 h5 5. ♔e6 h4 6. ♖a4 ♔g3!=] **♖d8 3. ♔d8 [♖ 0/b2] h5 4. ♔e7 h4 5. ♔e6 h3 6. ♔e5 ♔g4 7. ♔e4 h2 8. ♖h7 ♔g3 9. ♔e3 ♔g2 10. ♖h2 1/2 : 1/2 [Fishbein]**

11. IVANČUK – ĖJNGORN

1... **♔f8?** [1... ♖h4! 2. ♘g1□ ♖f4!! (2... ♖h1 3. ♔g2) 3. ♔e3□ (3. ♔e2 ♖g4 4. ♘h3 ♖h4 5. ♖d3 ♖h3−+) ♖g4! 4. ♘h3□ (4. ♘f3 h4!−+) ♖h4! 5. ♘g1 ♖h1 6. ♘f3 (6. ♘e2? ♖b1−+) h4! 7. ♘d4□ ♘c7! 8. ♖d7 h3 9. ♘f3 (9. ♔f3 ♖g1−+) ♘e6 △ h2, ♖e1−+] **2. ♖e5 ♔e7 3. ♖e4**
1/2 : 1/2 **[Pugačev]**

12. D'AMORE – ZSÓ. POLGÁR

1... **♘f5 2. ♔f1** [2. a3 ♘d4 3. ♔g2 (3. ♖b1 ♘f3 4. ♔g2 e2−+) ♖c8 4. ♖b1 ♘f3 5. ♖b2 ♖d8 6. ♖e2 ♖d2 7. ♔f1 ♘h2 8. ♔e1 ♘f3 9. ♔f1 ♖d1 10. ♔g2 ♖g1 11. ♔h3 ♖h1 12. ♔g2 ♖h2 13. ♔f1 ♘d2 14. ♔e1 ♖h1#; 2. a4 ♘d4 3. a5 e2 4. ♔f2 ♘c6 5. a6 ♘b4 6. a7 ♘d3−+; 2. ♘d3 ♖c8 3. ♘e1 ♘d4 4. ♔f1 (4. ♖b1 ♘f3 5. ♔g2 ♖a8! 6. ♖a1 ♖b8−+) ♖c1 5. a4 e2 6. ♖e2 (6. ♔f2 e3−+) ♘e2 7. ♔e2 ♖a1−+] **♘d4 3. a3** [3. ♘d3 ed3!−+; 3. ♖b1 e2 4. ♔f2 ♖b4 5. ♖b4 e1♕ 6. ♔e1 ♘c2 7. ♔d2 ♘b4−+] **♖c8! 4. ♘a2** [4. ♖b1 ♖c3 5. ♘d5 e2 6. ♔g2 ♖c2 7. ♔f2 e1♕! 8. ♔e1 ♘f3−+] **♔g7 5. a4 ♔f6 6. a5** [6. g4 g5! 7. ♖b6 ♔f7−+] **♔f5 7. a6** [7. h3 e2 8. ♔e1 e3 9. a6 ♔e4 10. a7 ♔f3−+] **♔g4 8. ♔g2** [8. a7 ♔f3 9. ♔e1 ♘c2 10. ♖c2 ♖c2 11. a8♕ ♖h2! 12. ♔d1 ♖h1 13. ♔c2 e2 14. ♕a3 ♔g2−+] **e2 9. h3** [9. ♔f2 e3−+] **♔f5 10. ♔f2 e3 11. ♔e1 ♔e4 12. ♖b4 ♔d3 13. ♖d4 ♔d4 14. ♘b4 ♔c4 15. ♘c2 ♔c3! 16. ♔e2** [16. ♘e3 ♔d3−+] **♔c2 17. f5 gf5 18. ♔e3 ♖a8 19. ♔f4 ♖a6 20. ♔f5 ♖g6 21. ♔f4 ♔d3 0 : 1 [Zsu. Polgár, J. Polgár]**

13. ŠRAMOV – LAGUNOV

1... **♖b2 2. ♔c5** [2. ♔c3 ♘d1#; 2. ♔a3 ♘c4 3. ♔a4 ♖a2−+] **♖c2 3. ♔d6** [3. ♔b4 ♘c4 △ ♔d3−+] **♘c4!** [3... ♘f5? 4. ♔d5 ♘h6 5. ♖a3=] **4. ♔e6 ♘b6!!−+ 5. ♖a3 ♖c6 6. ♔e5 ♖h6 7. ♖b3 ♖h5 8. ♔d6 ♘c4 9. ♔c5 ♘e3 0 : 1 [Lagunov]**

14. S. ĐURIĆ – VAJSER

1. b5 [1. ♔e4 ♖e2 2. ♔f5 ♗d4 3. ♔g6 ♖e6 4. ♔h7+− Vajser] **♖b2 2. ♖d6 ♗g1 3. ♖h6 ♖b5 4. ♖f6 ♔g7 5. ♖g6 ♔f7** [5... ♔h7 6. ♘f6 ♔h8 7. ♖g8#] **6. ♖g5 ♗d4 7. ♔e4 ♗b2 8. ♖f5 ♔g7 9. g5 ♖b7 10. ♘f4 ♖e7 11. ♔d5 ♖f7 12. h6 ♔g8 13. ♔e6 ♖f5 14. ♔f5 ♔h7 15. ♘d5 ♗c1 16. ♘f6 ♔h8 17. ♔g6 a5 18. ♘e4 ♗a3 19. h7 ♗f8 20. ♘f6 a4 21. ♘g4 ♗g7 22. ♘h6 ♗h6 23. ♔h6 1 : 0 [S. Đurić]**

15. GLEK – PH. SCHLOSSER

1. b5! cb5 2. **♗f4!** [2. c6 ♖c7 3. ♖b5 ♔f8± △ 4. ♗c5?! ♔e8 5. ♖b8? ♗d8 6. ♗b6 ♖c6!∓] **g5** [2... ♖d4 3. c6 ♖c4 4. c7 △ ♖c1+−] **3. c6 ♖d8 4. c7 ♖a8□ 5. ♗d6 ♗c3 6. g3** [6. g4+−] **b4 7. ♗b4 ♗e5 8. ♗a5!** [△ ♖d1; 8... ♖c8 9. ♖d1 ♗c7 10. ♖c1 ♗a5 11. ♖c8 ♔g7 12. ♖e8+−] **1 : 0** **[Glek]**

16. ANASTASJAN – ROZENTALIS

1... g4 2. **♔g2** [2. hg4 fg4 3. ♔g2 ♖c2 △ ♖f8–+ ×f2] **♖c1! 3. ♖b3 ♖dc8 4. ♗c3** [4. ♖b5 ♖8c2 △ ♖d2, ♖dd1–+] **♖b1! 5. h4** [5. ♖b5? ♖c3–+; 5. ♖b4 ♖c4] **♖c4⊙ 6. ♔h2** [6. f3 ♔d7 △ ♔c6, ♖c1-c2] **♔d7 7. ♔g2 ♔c6 8. ♔h2 ♖f1!** [8... ♖d1 9. ♔g2 ♖d3 10. ♔f1 d4 11. ed4 ♖cd4 12. ♗d4 ♖b3 13. ♗c3=] **9. ♔g2 ♖d1 10. ♔h2 ♖d3 11. ♔g2 d4** [12. ed4 ♖cd4 13. ♗d4 ♖b3 14. ♗c3 ♖c3 15. bc3 ♔d5–+] **0 : 1** **[Rozentalis]**

17. BRYCHTA – ŠTOHL

1... **♔e7! 2. ♖gf2 ♔d6 3. ♖g2 ab3 4. ab3 d4 5. ♖d2** [5. cd4 cd4 △ ♔d5, ♖e3–+; 5. c4 e5 6. fe5 ♔e5–+] **♔d5** [△ ♖e3] **6. ♖ge2 ♖b7!⊙** [6... e5?! 7. fe5 ♔e5 8. ♖f2 ♖e3 9. cd4 cd4 10. ♖f4! ♖c3 11. ♔d1 d3 12. ♖df2=⇆; 10... ♖e4∓] **7. ♔b2** [7. c4 ♔d6 △ e5–+; 7. b4 ♔c4! △ d3–+] **e5 8. fe5 ♔e5** [8... ♖e2? 9. ♖e2 d3 10. ♖e3 (10. ♖d2? c4) c4 11. b4 ♖h7 12. e6 ♖h2 13. ♔c1∞] **9. ♔c2** [9. cd4 cd4 10. ♖f2 ♖e3 11. ♖f4 ♖eb3–+; 9. b4 d3! 10. ♖f2 c4–+⊙; 9. ♖f2 ♖e3 10. ♖de2 ♔e4! (10... dc3 11. ♔c2) 11. ♖f4 ♔d3 12. ♖c2 ♖f3! 13. cd4 ♖f4 14. gf4 cd4–+] **♖e3** [△ d3] **10. ♖e3** [10. cd4 cd4 11. ♖e3 de3 12. ♖d8 ♔e4–+] **de3 11. ♖d8 ♔e4 12. ♖e8 ♔f3 13. ♖e5** [13. ♖f8 e2 14. ♖f5 ♔e4 15. ♖f8 e1♘ 16. ♔d1 ♘f3! 17. ♖f4 ♔d3 18. ♖g4 ♖e7 19. ♔c1 ♔c3 20. ♖c4 ♔b3–+] **f4!** [13... e2–+] **14. gf4 e2–+ 15. ♔d3 ♖d7 16. ♔c4 ♖d1 17. f5⊕ e1♕ 18. ♖e1 ♖e1 19. ♔d5 ♔g2** **0 : 1** **[Štohl]**

18. ZÜGER – KINDERMANN

1. f3? [1. ♔g1? ♕e1! (1... ♕a2 2. f3 ♔d4 3. ♖b4) 2. ♔h2 ♕f2 3. a3 ♕e3!–+; 1. a3!□ ♕f2 2. ♖f3 ♕e3 (2... ♕f3 3. gf3 ♔f3 4. a4=) 3. ♖h3□ ♔d3 4. ♖f3 (4. a4? ♔e4) ♔d2 5. ♖h3 ♔e2 6. ♖f3 ♕e5 7. a4!? (7. ♔g1=) ♕e3 (△ 8. ♖e3? fe3 9. a5 ♔f2 10. a6 e2 11. a7 e1♕ 12. a8♕ ♕e5 △ ♕h5#) 8. a5=] **♔d4 2. ♔g1 ♕e1!** [2... ♕a2 3. ♖b4 △ ♖e4=] **3. ♔h2 ♕a1! 4. ♖b4 ♔e3 5. ♖e4 ♔f2 6. ♔h3 ♕g7** **0 : 1** **[I. Armaş]**

19. KALINIČEV – G. GEORGADZE

1. **♕e6! ♔f2** [1... ♔f4? 2. g3 ♔f3 3. ♕g4] **2. g4 ♕d8 3. g5 a5** [3... ♔f3 4. ♔h5!] **4. f5 ♔f3 5. ♔h5 ♔f4 6. f6 a4** [6... ♕d1 7. ♔h6 ♕h1 8. ♔g7 ♔g5 9. f7] **7. ♔g6 a3 8. ♕c4 ♔e5 9. f7 ♕f8 10. ♕e2 ♔f4 11. ♕f2 ♔g4 12. ♕f5** [12. ♕b6] **♔g3 13. ♕e5 ♔g4 14. ♕e4 ♔h3 15. ♕e3 ♔g4 16. ♕b6 ♔h4 17. ♕e6 ♔g3 18. ♔h7 ♕a8 19. ♕e1 ♔g2 20. g6 a2 21. g7** **1 : 0** **[Kaliničev]**

20. TIVJAKOV – ARBAKOV

1. a3! [1... ♕a3 2. ♕b8#; 1... ♕b3 2. ♕c5! ♔g8 3. ♕g5 ♔f8 4. ♕g7 ♔e8 5. ♕g8#] **1 : 0** **[Tivjakov, Postovskij]**

21. BOUDRE – J. PLACHETKA

1... **♕a3??** [1... ♕d3! 2. ♘f3□ ♕a3 △ ♕d3, a4-a3–+] **2. ♘f5!+– ♕c1** [2... ♕f8 3. ♖e5+–] **3. ♖e5 ♕f4 4. ♔e2 a4 5. e7 ♕e5** [5... ♕h2 6. ♔f3 ♕h3 7. ♔f4 ♕h2 8. ♔g5 ♕g2 9. ♔f6+–] **6. de5 b4** [6... a3 7. ♘d4! a2 8. ♘b3 ♔e7 9. ♔d3+–] **7. ♔d3 b3 8. ♔c3 ♔d7 9. ♘d4!** [9. e6?? ♔e8=] **♔e7 10. ♘b5 b2 11. ♘a3 ♔e6 12. ♔d4** **1 : 0** **[J. Plachetka]**

22. STOICA – PA. ŞTEFANOV

1. **♔g4! ♖a6 2. ♕d7 ♔h8!** [2... ♔g6 3. ♕e6 ♔g7 4. ♔h5+–] **3. ♔h5 ♖6a7** [3... ♖a4!? 4. g3! (4. ♔h6? ♖h4 5. ♔g5 ♖h7 6. ♕d6 ♖g8=) ♖4a7 5. ♕d6 ♖g7 6. ♕f6 ♖a7 7. ♔h6 ♖f7 8. ♕e5 ♔g8 9. ♕e8 ♖f8 10. ♕e6 ♖ff7 11. d6 ♖h7□ 12. ♔g6! (12. ♔g5? ♖g7=) ♖g7 13. ♔h5 ♔h8 (13... ♖h7 14. ♔g4 △ d7+–) 14. ♕e8! ♔h7 15. g4! ♖d7 16. ♕e6 △ h4!+–] **4. ♕d6 ♖g7 5. ♕f6! ♖a7 6. ♔h6 ♖f7 7. ♕e5 ♔g8** [7... ♖e7 8. ♕b8 ♖g8 9. ♕b2 ♖gg7 10. d6! ♖e6 (10... ♖d7 11. ♕e5+–) 11. ♔h5 ♔g8 (11... ♔h7 12. ♕c2 ♔g8 13. ♕c8+–) 12. ♕b3! ♔f7 13. ♕b7 ♔f6 (13... ♔f8 14. d7+–) 14. ♕f3 ♔e5 15.

♕c3+−] **8. ♕e8 ♖f8 9. ♕e6 ♖ff7 10. d6!** ♖h7□ [10... ♔f8 11. ♕c8#; 10... ♔h8 11. ♕e8+−] **11. ♔g5 ♖g7 12. ♔h4 ♖h7** [12... ♖g2 13. d7 ♖d2 14. ♕e8 ♖f8 15. ♕g6 ♔h8 16. ♕h6+−] **13. ♔g3** [13... ♖g7 14. ♔h2 ♔h7 15. g4 ♖f2 16. ♔g3 ♖d2 17. ♔h4 ♖g6 18. ♕f7+−] **1 : 0** [Stoica]

23. S. MOHR − CONQUEST

1... ♔c1? [1... ♘d5! 2. ♔d5 ♔c1 3. g7 b1♕ 4. g8♕ ♕b3−+] **2. g7 b1♕ 3. g8♕ 0 : 1**

24. ZUBČENKO − GUDOK

1... **♔g4! 2. ♔b3 ♗d2! 3. ♔c4 ♗c3 4. ♔b3** [4. ♔d3 ♔g3−+] **♔f3! 5. ♔c4 ♔e3!! 6. h5 ♔d2 7. ♔b3 ♔d3 8. h6 ♔d4 9. g4 ♔c5 10. g5 ♗d2 11. h7 ♗c3 0 : 1** [Gudok]

25. DUDKIN − GOFMAN

1... ♔d1 [1... e1♕? 2. ♘e1 ♔e1 3. ♔c3 ♘d5 (3... ♘a4 4. ♔c4 ♘b6 5. ♔b5 ♘c8 6. ♔a5 ♔e2 7. ♔b5 ♔e3 8. ♔c6 ♔f4 9. ♔d7 ♘a7 10. ♔e7=) 4. ♔c4 ♘c7 5. ♔c5 ♔e2 (5... ♘e6 6. ♔b6 ♘g5 7. ♔a5 ♘e4 8. ♔b6 ♘d2 9. ♔c5=) 6. ♔b6 ♘d5 7. ♔a5 ♘c3 (7... ♔e3 8. ♔b5 ♘c3 9. ♔c6 ♘a4 10. ♔d6 ♔f4 11. ♔e7=) 8. ♔b6! ♘a4 9. ♔c6 ♘c3 10. ♔d6 ♘e4 11. ♔e7 ♘g5 12. ♔f6=] **2. ♘e3 ♔c1 3. ♘g2 ♔d2⊙ 4. ♘h4□ ♔c1** [4... ♔e1! 5. ♘g2 (5. ♘f3 ♔d1!−+⊙) ♔f1! 6. ♘e3 ♔g1! 7. ♘c2 ♔f2⊙ 8. ♔c3 ♘d5 9. ♔c4 ♘c7 10. ♔c5 ♘e6 11. ♔b6 ♘d4−+] **5. ♘g2 ♔d1 6. ♘e3 ♔e1? 7. ♘d5= ♘c8 8. ♘f4 ♘b6** [8... ♔d2 9. ♘e2 ♔e2 10. ♔c4 ♔e3 11. ♔b5 ♔d4 (11... ♔f4 12. ♔a5 ♔g5 13. ♔a6 f5 14. ♔b7=) 12. ♔c6! (12. ♔a5? ♔c5) ♔e5 13. ♔d7 ♘a7 14. ♔e7=] **9. ♘d5 1/2 : 1/2** [Vladimirov]

26. BORN − SR. CVETKOVIĆ

1. ♔e5 [1. ♘e6? ♔d6! 2. ♘f8 ♘h4−+] ♘e3 [1... ♘h4 2. ♔f6 ♘g2 (2... ♔b5 3. ♘e6 ♔b4 4. ♘f4 ♔c4 5. ♘g6 ♘g6 6. ♔g6 h4 7. ♔f5 h3 8. g6 h2 9. g7 h1♕ 10. g8♕=; 2... ♘f3 3. ♘e6!□ h4 4. ♘f4=) 3. ♔g6 h4 4. ♔f6 h3 5. g6 h2 6. g7 h1♕ 7. g8♕ ♕h6 8. ♔f7 ♕h5 9. ♔f6 (×♔c6) ♕h6=] **2. ♔f6 ♘f5** [2... ♘g2 3. ♔g6 e3 4. ♔h6!! (4. ♔h5? e2 5. ♘d3 ♘f4−+; 4. ♔f6? e2 ,5. ♘d3 ♘h4 6. g6 ♘g6 7. ♔g6 h4−+) e2 5. ♘d3 ♔b5 (5... ♘h4 6. ♔h5=) 6. g6 *a)* 6... ♔c4 7. g7 ♔d3 8. g8♕ ♘e3 (8... e1♕ 9. ♕g2=) 9. ♕g3 ♔d2 10. ♔h5!=; *b)* 6... ♘h4 7. ♔h5 ♘g6 8. ♔g6 ♔c4 9. ♘e1 ♔d4 10. ♔f5 ♔e3 11. ♘c2!! (11. ♘g2 ♔f2 12. ♘f4 d4−+; 11. ♔e5 d4−+) ♔d3 (11... ♔d2 12. ♘d4!=) 12. ♘e1 ♔d2 13. ♘g2 d4 14. ♔e4 d3 15. ♔d4=] **3. ♔g6 ♘d4 4. ♘a4! e3** [4... ♔b5 5. ♘b2=] **5. ♘b2! ♘f3 6. ♘d3 ♔d6 7. ♔h5 e2 8. g6 ♔e7 9. ♔h6 ♘h4 1/2 : 1/2** [Sr. Cvetković]

27. DJURHUUS − GEL'FAND

1... ♗f6 [1... ♔e5! 2. ♘c3 ♔f4 3. ♘a4 ♔g3 4. ♘c5 (4. ♔e4 ♔h3 5. ♔f3 ♗d4−+) ♔h3 5. a4 ♔g4 6. a5 h3 7. a6 h2 8. ♘e4 ♔f3−+] **2. ♘d2 ♔e5 3. ♘e4 ♗e7 4. ♘c3 ♗a3 5. ♘a4 ♔f4 6. ♘c3 ♔g3 7. ♔e2 ♔h3 8. ♔f3 ♗h2! 9. ♘e2** [9. ♘e4 ♗e7 10. ♔f2 h3 11. ♔f1 ♗h4−+] ♗b4 **10. ♘f4** [10. ♔f2 h3 11. ♔f1 ♗c5−+⊙] **g5 11. ♘e2 ♗e1! 12. ♘d4 h3 13. ♘e2 ♗h4 14. ♘d4 ♔h1!!** [15. ♘e2 h2 16. ♘d4 ♔g1 17. ♘e2 ♔f1 18. ♘g3 ♗g3 19. ♔g3 h1♖!−+; 14... ♔g1 15. ♘e2 ♔f1 16. ♘g3] **0 : 1** [Gel'fand, Kapengut]

28. SUĖTIN − HALILOVIĆ

1... **♘b8 2. ♗c5 ♘c6 3. ♔a4 ♗c7 4. ♔b3** [△ ♔c4-d5] **♘b8 5. ♔c4 ♔c6 6. ♗e7 ♘d7 7. ♗d8⊙ ♔d6□ 8. b5 ab5 9. ♔b5 ♘b8** [9... ♘c5 10. ♗e7+−] **10. ♗f6 ♘c6 11. ♔c4 ♘d4 12. ♔d3 ♘b3** [12... ♘f3 13. ♔e3+−] **13. ♗d8 ♘d4 14. ♗b6 ♘f3 15. ♗f2 ♘h2 16. ♔c4! ♘g4 17. ♗c5 ♔c6 18. ♗e7 ♔d7** [18... ♘f2 19. f6 ♔d7 20. ♔d5 ♘g4 21. ♗a3 ♘f6 22. ♔e5+−] **19. ♗g5 ♔d6!□ 20. f6! ♔e6□ 21. f7! ♔f7 22. ♔d5 ♔g7 23. ♔e6 ♔g6 24. ♗d8 ♘f2** [24... ♔g7 25. ♗c7+−] **25. ♔e5 ♘d3 26. ♔d6 ♘f2 27. ♔d5 ♘d1 28. ♗b6! ♘c3□**

29. ♔e5 ♘e2 30. ♗a5 ♘g1 31. ♔d5 ♘e2 32. ♗d2 ♘g1 33. ♗e3 ♘f3 34. ♗f2 ♘h2 35. ♔d6! ♘g4 36. ♗d4 ♘h2 37. e5! ♘f3 38. ♗f2 ♘d2 39. e6! ♘f3 40. ♗g3! [40. e7 ♔f7 41. ♔d7 ♘e5=] **♘d2 41. e7 ♘e4 42. ♔e6 1 : 0** **[Suėtin]**

29. JURTAEV – SERPER

1. **♘e4!**+– **♗b6** [1... ♔g7 2. ♔d6 ♗b6 3. ♔e7 ♗e3 4. ♘d6+–] **2. f5 gf5 3. ♘f6 ♔g7 4. ♘h5 ♔g6 5. ♘f6 ♔g5 6. ♘e8!** [6. ♔d6?! ♗d8!□ 7. ♘d5 f4! △ ♔f5⇆] **♗f2 7. ♘d6 ♔g6 8. ♔c6** [8. e6?! fe6 9. ♔e6 f4 10. ♔e5 ♗e3 11. ♘f5 ♔g5 12. ♔e4 ♗c1 13. ♘d4 ♔h4 14. ♔f3 (14. ♘e2 ♗d2 15. ♘f4 ♔g3=) ♔g5±] **♗d4 9. ♘c4 ♗c3 10. ♔d5** [10. ♔d7 ♗d4 11. ♔e8 ♗c3 12. ♔f8 ♗d4 13. ♔g8 ♗c3 14. h4 ♗d4 15. h5 ♔h5 16. ♔f7 ♔g4 17. e6 ♗c5=] **♔g5 11. ♘d6 ♔g6 12. ♘b5** [12. e6? fe6 13. ♔e6 f4] **♗b2** [12... ♗a5 13. ♘d4 ♔g5 14. g3!; 12... ♗e1 13. ♘d4 ♗f2 14. ♘f3 ♗g3 15. ♔d6 ♗f2 (15... f6? 16. ♔e6! fe5 17. ♘e5 ♔g5 18. ♘f3 ♔g6 19. ♘d4 f4 20. ♘e2!+–) 16. ♔e7 ♗g3 17. h4! ♗f2 18. h5! ♔h5 19. ♔f7 ♔g4 20. e6 ♗c5 21. e7 ♗e7 22. ♔e7 ♔g3 23. ♘e1 ♔f2 24. ♔f6+–] **13. ♘d4 ♔g5** [13... ♗c3? 14. ♘f3!+–] **14. g3!□+– ♗c3** [14... f4?! 15. ♘f3 ♔f5 16. g4] **15. ♘f3 ♔g6 16. ♔d6 ♗b4 17. ♔d7 ♗c3** [17... ♗c5 18. ♔e8 ♗f2 19. ♘h4 ♔g5 20. ♔f7 ♗g3 21. ♘f3!+–] **18. ♔e7** [18. e6!+–] **♔g7 19. ♔d7** [19. e6?? ♗b4! 20. ♔d7 ♔f6!=] **♔g6 20. e6! fe6 21. ♔e6 ♗f6** [21... ♗a5 22. ♘e5 (22. ♘h4? ♔g5 23. ♘f5 ♗e1! 24. g4 ♗c3 25. ♔d5 ♔f4 26. ♔c4 ♗f6) ♔g5 23. h4+–] **22. ♘e5 ♗e5 23. ♔e5 ♔g5 24. h4 ♔g4 25. h5 1 : 0** **[Serper]**

30. GEO. TIMOŠENKO – ANASTASJAN

1. **♘e8!** [1. bc6 g4 2. ♘b5 g3 3. ♘d4 (3. ♘c7 g2 4. ♔f2 ♔h3 5. ♔g1 ♔g3–+) ♔h3 4. ♔f1 ♔h2 5. ♘f3 ♔h1 6. ♘e1 ♗b8 7. ♘f3 g2 8. ♔f2 ♗e5!⊙ 9. ♘g1 ♗d4 10. ♔f3 ♔g1 11. c7 ♔h2! 12. c8♕ g1♕–+] **♗e5!?** [1... ♗b8 2. bc6 ♔g4=] **2. bc6 g4 3. c7** [3. ♘d6 f3 4. ♔f2 (4. ♔e3 ♗d6 5. cd6 ♔g3=) ♗d4 5. ♔f1 ♔h3! 6. c7? g3 7. c8♕ ♔h2 8. ♕g4 g2 9. ♔e1 f2! 10. ♔d2 f1♕ 11. ♕h4 ♔g1 12. ♕d4 ♕f2–+; 6. ♘f5=] **f3 4. ♔e3 ♗c7! 5. ♘c7 ♔g5!= 6. ♘b5 ♔f6 7. ♘c3 ♔e6 8. ♘e4 ♔d5 9. ♘f6 ♔c5 10. ♘g4 1/2 : 1/2** **[Geo. Timošenko]**

31. DOHOJAN – R. LAU

1... **♘f7?** [1... ♘h3 2. ♔h7 ♔f7 (2... ♘f2 3. ♗c8 ♘e4 4. ♗f5 ♘c3 5. ♔h6+–) 3. ♔h8 (3. ♗d5 ♔f6 4. ♔g8 ♘f2=) ♔f6! (3... ♔f8? 4. ♗g2 ♘g5 5. ♗d5+–) 4. ♔g8 ♘f2 5. ♗c8 ♘e4=] **2. ♔h7 ♘g5 3. ♔g8 ♘h3 4. ♔f8 ♘g5** [4... ♘f2?! 5. g5 ♔g5 6. ♔e7 ♘d1 7. ♔d6 ♘c3 8. ♔c5 ♘a2 9. ♔b5+–] **5. ♔e8 ♔e6 6. ♗g2!⊙ ♘h7 7. ♗d5 ♔e5 8. ♔e7 ♘g5 9. ♗g2⊙ ♘e6 10. ♗b7! ♘g5 11. ♗c8!!** [×f3, h3] **♘h7 12. ♔f7 ♘g5 13. ♔g6 ♘f3** [13... ♘h3? 14. g5+–] **14. ♗b7+– ♘d4 15. g5 ♘e6 16. ♗c8 ♘f4 17. ♔f7 ♔d4 18. g6 ♘g6 19. ♔g6 ♔c3 20. ♔f6 ♔b2 21. ♔e6 ♔a2 22. ♔d6 1 : 0** **[Dohojan]**

32. JAGST – LIEBAU

1. **♔b6 ♗h6 2. ♔b7 ♗g7 3. ♗e7!!□ ♔e7 4. ♔c7 ♔f7 5. d6 ♗f8 6. d7 ♗e7 7. d8♕ ♗d8 8. ♔d8** [8... ♔f8 9. ♔d7 ♔f7 10. ♔d6 ♔f8 11. ♔e6 ♔g7 12. ♔e7+–] **1 : 0**

33. HUZMAN – MILOV

1. **h4! ♗d4!** [1... d4 2. h5 ♔h7 3. ♗g5 d3 4. ♔f3 ♗d4 5. ♗f4 (△ ♔e4) ♗c3 6. ♔e3 d2 7. ♔e2 ♔g7 8. ♗e3 ♗e5 9. ♗b6 ♗c3 10. ♗e3 ♗e5 (10... f5 11. ♗d2 ♗d2 12. ♔d2 ♔h6 13. b4! ab4 14. a5+–) 11. ♗d2 ♗c7 12. ♔f3+–; 1... ♗e3 2. h5 ♔h7 3. ♗d8⊙ ♔g7 4. ♔f5! ♔h6 5. e6!+– ×b6, a5] **2. h5 ♔h7** [2... ♔h6 3. ♗g5 ♔h7 4. ♔f5+–] **3. ♔f5 ♔h6 4. ♗d8 ♔h5?!** [4... ♗c3 5. ♗b6 ♔h5 6. ♗f2!!⊙ ♔h6 (6... ♗d2 7. ♗d4+– △ e6) 7. ♔f6 d4 (7... ♔h7 8. ♔f7 ♗e5 9. ♔e6+–) 8. ♔f7 d3 9. ♗e3 ♔h5 10. e6+–; 4... ♗c5 5. ♔g4 (△ ♗g5, ♔f5) ♗e3 6. ♗e7 *a)*

6... d4 7. ♗f8 ♔h7 8. ♔f3 ♗h6 9. ♗h6 ♔h6 10. ♔e4 ♔h5 11. ♔d4 ♔g5 (11... ♔g6 12. ♔e4 ♔g7 13. ♔d5+−) 12. e6+−; *b)* 6... ♔h7 7. ♗h4⊙ ♔h6 8. ♗d8; *c)* 6... ♗c1 7. ♗f6! ♗d2 8. ♗h4+− − 6... ♗d2; *d)* 6... ♗d2 7. ♗h4 (△ ♗f2) d4 8. ♗d8 d3 9. ♗b6 ♗f4 10. ♗a5 d2 11. ♗d2 ♗d2 12. ♔f5 ♔g7 13. h6 ♔h6 14. ♔f6 ♗c3 15. a5 ♗a5 16. ♔f7+−] **5. e6!** [×b6, a5] **fe6 6. ♔e6 ♔g6 7. ♔d5+−**
[Huzman, Vajnerman]

34. J. STOJNOV − SANDLER

1... **♗g5!!** [1... e3 2. ♔c1 e2 3. ♔d2 ♗b2 4. ♔e2 ♗c1 5. ♔d3=] **2. a4 e3 3. ♗g3 e2 4. a5 ♔f7 5. a6 ♗e3 6. ♗h4 ♔e8 7. ♗g3** [7. d6 ♔d7 8. ♗g3 ♔c6 9. ♔a1 ♔b6! (9... ♗f4? 10. a7! ♔b7 11. d7! ♗g5 12. ♗f2!=) 10. d7 ♗g5−+] **♔d7 8. ♔a1 ♔c8 9. ♔b1 ♗f4! 10. ♗e1 ♔b8 11. ♗f2 ♗e3! 12. a7 ♗a7 0 : 1** **[Sandler]**

35. ŠABANOV − RAECKIJ

1. **c3!!** [1. c4? ♔a5 2. cd5 cd5 3. ♗c2 (3. ♗b5 ♗a6!=) ♔b4! 4. ♔d2 ♗e6 5. ♔c1 ♗c8 6. ♔b2 ♗e6 7. ♗b3 ♗f7=] **♗a6** [1... ♔a5 2. ♗c2 ♗a6 3. ♔d2 ♗c8 4. ♔c1 ♗e6 5. ♔b2 ♗c8 6. ♔b3 ♗e6 7. ♗d3 ♗d7 8. c4 ♗e6 − 1... ♗a6] **2. c4!! ♗c8** [2... ♗c4 3. ♗c4 dc4 4. ♔d2+−] **3. ♔d2 ♗d7 4. ♔c3 ♔a5 5. ♔b3 ♗e6 6. cd5 cd5 7. ♗b5 ♗c8 8. ♗c6 ♗e6 9. ♗e8⊙ 1 : 0** **[Raeckij]**

36. MASTERNAK − J. PŘIBYL

1... **d3! 2. ♔f1 g3!! 3. fg3 ♗g3 4. h5 ♔d4 5. h6 ♔c3 6. h7 ♗e5 7. ♔e1 ♔c2 8. b4** [8. ♗h5 d2!−+] **d2 9. ♔f2 ♔c1!** [9... d1♕? 10. ♗b3 ♔d2 11. ♗d1 ♔d1 12. bc5+−] **10. ♗b3 c4!** [11. ♗a4 c3 12. b5 c2 13.♗c2 ♔c2 14. b6 d1♕−+]
0 : 1 **[J. Přibyl]**

registar • индекс • index • register • registre • registro • registro • register • 棋譜索引 • الفهرس

ANASTASJAN — Rozentalis **16** Timošenko, Geo. 30
ARBAKOV — Tivjakov 20
BABAJAN — Nadanjan 4
BAGIROV — Vogt **2**
BORN — Cvetković, Sr. **26**
BOUDRE — Plachetka, J. **21**
BRUNNER — Čehov **6**
BRYCHTA — Štohl **17**
ČEHOV — Brunner 6; Zlotnik **1**
CONQUEST — Mohr, S. 23
CVETKOVIĆ, SR. — Born 26
D'AMORE — Polgár, Zsó. **12**
DJURHUUS — Gel'fand **27**
DOBSA — Klatt **3**
DOHOJAN — Lau, R. **31**
DUDKIN — Gofman **25**
ĐURIĆ, S. — Vajser **14**
ĖJNGORN — Ivančuk 11
FISHBEIN — Wolff, P. 10
GEL'FAND — Djurhuus 27
GEORGADZE, G. — Kaliničev 19
GLEK — Schlosser, Ph. **15**
GOFMAN — Dudkin 25
GUDOK — Zubčenko 24
HALILOVIĆ — Suėtin 28
HUZMAN — Milov **33**
IVANČUK — Ėjngorn **11**
IVANOV, S. — Jandemirov 5
JAGST — Liebau **32**
JANDEMIROV — Ivanov, S. **5**
JURTAEV — Serper **29**
KALINIČEV — Georgadze, G. **19**
KINDERMANN — Züger 18
KLATT — Dobsa **3**
LAGUNOV — Šramov 13
LAU, R. — Dohojan 31
LIEBAU — Jagst 32
MASTERNAK — Přibyl, J. **36**
MATULOVIĆ — Ubilava 9
MILOV — Huzman 33
MOHR, S. — Conquest **23**
MUHIN — Serper 8
NADANJAN — Babajan **4**
PLACHETKA, J. — Boudre 21
POLGÁR, ZSÓ. — d'Amore 12
PŘIBYL, J. — Masternak 36
RAECKIJ — Šabanov 35
ROZENTALIS — Anastasjan 16; Savčenko **7**
ŠABANOV — Raeckij **35**
SANDLER — Stojnov, J. 34
SAVČENKO — Rozentalis 7
SCHLOSSER, PH. — Glek 15
SERPER — Jurtaev 29; Muhin **8**
ŠRAMOV — Lagunov **13**
ŞTEFANOV, PA. — Stoica 22
ŠTOHL — Brychta 17
STOICA — Ştefanov, Pa. **22**
STOJNOV, J. — Sandler **34**
SUĖTIN — Halilović **28**
TIMOŠENKO, GEO. — Anastasjan 30
TIVJAKOV — Arbakov **20**
UBILAVA — Matulović **9**
VAJSER — Đurić, S. 14
VOGT — Bagirov 2
WOLFF, P. — Fishbein **10**
ZLOTNIK — Čehov 1
ZUBČENKO — Gudok **24**
ZÜGER — Kindermann **18**

komentatori • комментаторы • commentators • kommentatoren • commentateurs • comentaristas • commentatori • kommentatorer • 棋譜解說 • المعلقون

ARMAŞ, I. [1] 18
BAGIROV [1] 2
BOTTLIK [1] 3
CVETKOVIĆ, SR. [1] 26
DOHOJAN [1] 31
ĐURIĆ, S. [1] 14
FISHBEIN [1] 10
GEL'FAND; KAPENGUT [1] 27
GLEK [1] 15
GUDOK [1] 24
HUZMAN; VAJNERMAN [1] 33
KALINIČEV [1] 19
KUPOROSOV [1] 5
LAGUNOV [1] 13
NADANJAN [1] 4
PLACHETKA, J. [1] 21
POLGÁR, ZSU; POLGÁR, J. [1] 12
PŘIBYL, J. [1] 36

PUGAČEV [1] 11
RAECKIJ [1] 35
ROZENTALIS [1] 16
SANDLER [1] 34
SAVČENKO [1] 7
SERPER [2] 8, 29
ŠTOHL [1] 17
STOICA [1] 22

SUÉTIN [1] 28
TIMOŠENKO, GEO. [1] 30
TIVJAKOV; POSTOVSKIJ [1] 20
UBILAVA [1] 9
VLADIMIROV [1] 25
VOKÁČ [1] 6
ZLOTNIK [1] 1

---

završnice u partijama • окончания из партий • endings in the games •
endspiele in den partien • finales dans les parties • finales en las partidas •
finali nelle partite • slutspelen från partierna • 收局索引 •
المرحلة النهائية للاشواط

♙ **2/c2** 653
♙ **3/b1** 653
♙ **3/c4** 201

♖ **0/h** 384
♖ **2/b2** 328
♖ **2/h** 105, 130
♖ **2/j** 662
♖ **2/k** 288
♖ **2/l** 384
♖ **2/n** 252
♖ **3/c5** 349
♖ **3/e** 57
♖ **4/e** 652
♖ **4/f** 557
♖ **5/c** 745
♖ **5/e** 557
♖ **5/h** 339, 469, 688
♖ **6/a** 469
♖ **6/c** 243
♖ **6/d** 163, 688
♖ **6/e** 469, 505, 690
♖ **6/f** 122, 594
♖ **6/h** 56
♖ **6/j** 543
♖ **7/b6** 726
♖ **7/f** 740
♖ **7/g** 343, 637
♖ **7/h** 248, 254, 544, 557, 735
♖ **7/i** 73, 363
♖ **7/j** 254
♖ **8/a** 330
♖ **8/b5** 239, 284, 524

♖ **8/f3** 137
♖ **8/f6** 304, 574
♖ **9/a** 160, 528, 740
♖ **9/b** 542
♖ **9/c** 380
♖ **9/e** 229, 346
♖ **9/g** 85, 192
♖ **9/h** 112, 137, 397, 490, 496, 525, 551, 694, 733
♖ **9/i** 21, 132, 176, 444, 456, 576, 595, 717, 726
♖ **9/j** 23, 131, 279, 296, 303, 329, 341, 391, 464, 502, 512, 550, 721
♖ **9/k** 147, 179, (221), 275, 293, 317, 349, 543, 675, 724, 736, 745
♖ **9/n** 116, 188, 657, 690
♖ **9/o** 231, 288
♖ **9/q** 1
♖ **9/s** 339, 485, 501, 523, 735

♕ **4/b** 71
♕ **4/f** 196
♕ **4/l** 522
♕ **5/h** 728
♕ **6/b** 457
♕ **6/d** 498
♕ **6/e** 215
♕ **6/h2** 526
♕ **8/c** 180, 196, 695
♕ **8/f** 199
♕ **8/h** 31
♕ **8/i** 340, 737
♕ **9/b** 538
♕ **9/f** 559, 729
♕ **9/e** 219, 308, 495

turniri • турниры • tournaments • turniere • tournois • torneos • tornei • turneringar •

競技会 • دورة مباريات

ARNHEM, XII 1988 − I 1989
European Junior's Championship
(32 players, 13 rounds)

1−2. Dreev (URS), Gel'fand (URS) 10½, 3. Lev (ISD) 8½, 4−7. Djurhuus (NOR), Comas Fabrego (ESP), Cs. Horváth (HUN), Wessman (SVE) 8, 8−10. Delčev (BLG), Degraeve (FRA), Topakjan (URS) 7½, 11−12. Wahls (FRG), van Wely (NLD) 7, 13−21. Mrva (CSR), Adams (ENG), Kula (POL), Manca (ITA), McKay (SCO), Aschwanden (SWZ), van der Werf (NLD), Ryan (IRL), Daniilidis (GRC) 6½, etc.

MALMÖ, XII 1988 − I 1989   cat. VII (2411)   g=7, m=5½

1−2. Hellers, Wedberg 6½, 3. Brynell 6, 4. K. Berg 5½, 5. Hector 5, 6. Westerinen 4½, 7. Ernst 4, 8. Schön 3, 9−10. Forintos, Sandström 2

SALTSJÖBADEN, XII 1988 − I 1989
(48 players, 9 rounds)

1. Smirin 7, 2−4. Vogt, Raškovskij, L. Karlsson 6½, 5−7. Winsnes, Rivas Pastor, Thorsteinsson 6, 8−12. Tisdall, D. Cramling, Hausner, Stefánsson, R. Bator 5½, 13−22. Sehner, Sigfusson, Schlemermeyer, Wiedenkeller, Pritchet, J. Johansson, L.-Å. Schneider, Berkell, Ward, Kotronias 5, etc.

REGGIO EMILIA, XII 1988 − I 1989   cat. XIV (2598)   g=5, m=3

			1	2	3	4	5	6	7	8	9	10		
1	M. GUREVIČ	g	2630	●	½	1	½	1	½	½	1	½	1	6½	1
2	KIR. GEORGIEV	g	2595	½	●	½	½	½	½	½	½	1	1	5½	2−3
3	U. ANDERSSON	g	2625	0	½	●	½	½	½	½	1	1	1	5½	2−3
4	EHLVEST	g	2580	½	½	½	●	½	½	1	½	0	1	5	4−5
5	IVANČUK	g	2625	0	½	½	½	●	1	0	1	½	1	5	4−5
6	RIBLI	g	2630	½	½	½	½	0	●	1	½	½	½	4½	6
7	ANAND	g	2555	½	½	½	0	1	0	●	0	1	½	4	7−8
8	DAMLJANOVIĆ	m	2565	0	½	0	½	0	½	1	●	1	½	4	7−8
9	SAX	g	2600	½	0	0	1	½	½	0	0	●	½	3	9
10	I. SOKOLOV	g	2570	0	0	0	0	0	½	½	½	½	●	2	10

TEL AVIV, XII 1988 − I 1989   cat. VII (2423)   g=8½, m=6½

1−2. I. Csom, Kosashvili 7, 3−4. Pein, Y. Grünfeld 6½, 5−7. Sh. Kagan, Kraidman, Soffer 6, 8−9. Davidović, Davies 5½, 10. Shvidler 4½, 11. Lahav 3, 12. Carmel 2½

AUGSBURG, XII 1988 − I 1989   cat. VIII (2426)   g=7, m=5

1. Kouatly 7, 2. Levitt 6, 3−6. Hertneck, P. Benkö, Lechtýnský, Schmittdiel 5, 7. Stangl 4½, 8. Meduna 4, 9. Röder 3, 10. Clever ½

HASTINGS (open), XII 1988 − I 1989
(102 players, 10 rounds)

1. J. Polgár 8, 2. Sadler 7½, 3−7. McDonald, Plaskett, Lima, Wojtkiewicz, K. Arkell 7, 8−17. Şubă, Gufel'd, G. Flear, And. Martin, Rowley, Lane, McNab, A. Whiteley, Fayard, Morawietz 6½, etc.

HASTINGS, XII 1988 — I 1989

cat. XIV (2596) g=7½, m=5

				1	2	3	4	5	6	7	8		
1	N. SHORT	g	2665	● ●	½ ½	½ 0	½ ½	1 1	1 ½	½ 1	½ 1*	9	1
2	KORTCHNOI	g	2595	½ ½	● ●	0 1	½ ½	½ ½	½ 1	1 ½	½ 1*	8½	2
3	SPEELMAN	g	2645	½ 1	1 0	● ●	½ ½	1 ½	½ ½	0 ½	½ ½	$7^2/_2$	3—5
4	SMYSLOV	g	2550	½ ½	½ ½	½ ½	● ●	½ ½	0 ½	½ ½	1 1*	7½	3—5
5	GULKO	g	2590	0 0	½ ½	0 ½	½ ½	● ●	½ 1	1 1	1 ½	7½	3—5
6	KOSTEN	m	2510	0 ½	½ 0	½ ½	1 ½	½ 0	● ●	1 0	0 1*	6	6—7
7	B. LARSEN	g	2560	0 ½	0 ½	1 ½	½ ½	0 0	0 1	● ●	½ 1*	6	6—7
8	M. CHANDLER	g	2610	½ 0*	½ 0*	½ ½	0 0*	0 ½	1 0*	½ 0*	● ●	4	8

PRAHA, I 1989

cat. VIII (2447) g=9½, m=7

1. Brunner 9, 2. C. Hansen 8½, 3—5. Hába, J. Plachetka, Lanč 7½, 6—7. Wł. Schmidt, Pekárek 6½, 8—12. Vokáč, Kosić, Prandstetter, Züger, Čehov 6, 13. Danner 4½, 14. Polášek 3½

WARSZAWA, I 1989
(79 players, 11 rounds)

1. H.-U. Grünberg 8½, 2—3. Savon, Belhodja 8, 4—7. Š. Gross, J. Adamski, J. Bożek, Holmov 7½, 8—14. Rotštejn, Kaplun, Weglarz, Sarwiński, Spasov, Stojnev, I. Nowak 7, 15—21. Suėtin, Kostyra, Flis, Kamiński, R. Bernard, Nisman, Zieliński 6½, etc.

WIJK AAN ZEE, I 1989

cat. XIII (2552) g=7½, m=5

				1	2	3	4	5	6	7	8	9	10	11	12	13	14		
1	ANAND	g	2525	●	½	½	½	1	½	0	1	1	0	½	1	½	½	7½	1—4
2	PR. NIKOLIĆ	g	2605	½	●	½	½	½	1	½	½	1	0	½	0	1	1	7½	1—4
3	RIBLI	g	2625	½	½	●	½	0	1	½	½	½	1	½	½	½	1	7½	1—4
4	SAX	g	2610	½	½	½	●	½	0	1	0	½	1	1	½	1	½	7½	1—4
5	KIR. GEORGIEV	g	2590	0	½	1	½	●	½	½	½	0	1	½	1	½	½	7	5—6
6	J. PIKET	m	2500	½	0	0	1	½	●	½	1	0	1	½	½	½	1	7	5—6
7	VAN DER WIEL	g	2560	1	½	½	0	½	½	●	½	½	½	1	½	0	½	6½	7—8
8	MILES	g	2520	0	½	½	1	½	0	½	●	0	0	1	1	1	½	6½	7—8
9	JOEL BENJAMIN	g	2545	0	0	½	½	1	1	½	1	●	½	0	½	½	0	6	9—11
10	CEŠKOVSKIJ	g	2520	1	1	0	0	0	0	½	1	½	●	½	1	0	½	6	9—11
11	VAGANJAN	g	2600	½	½	½	0	½	½	0	0	1	½	●	½	½	1	6	9—11
12	I. SOKOLOV	g	2580	0	1	½	½	0	½	½	0	½	0	½	●	1	½	5½	12—13
13	GRANDA ZUNIGA	g	2500	½	0	½	0	½	½	1	0	½	1	½	0	●	½	5½	12—13
14	DOUVEN	m	2445	½	0	0	½	½	0	½	½	1	½	0	½	½	●	5	14

WIJK AAN ZEE II, I 1989

cat. X (2482) g=7½, m=5½

				1	2	3	4	5	6	7	8	9	10	11	12		
1	DOHOJAN	g	2575	●	½	0	0	1	1	1	1	½	½	1	1	7½	1—2
2	NIJBOER	m	2445	½	●	0	1	0	½	1	1	1	1	½	1	7½	1—2
3	FEDOROWICZ	g	2505	1	1	●	½	0	½	0	½	1	1	½	1	7	3—4
4	M. KUIJF	m	2485	1	0	½	●	½	0	1	1	1	1	1	0	7	3—4
5	CAMPORA	g	2500	0	1	1	½	●	0	½	½	1	1	½	½	6½	5—6
6	HODGSON	g	2545	0	½	½	1	1	●	½	½	½	0	1	1	6½	5—6
7	R. LAU	g	2475	0	0	1	0	½	½	●	½	1	0	1	1	5½	7
8	VAN DER STERREN	m	2500	0	0	½	0	½	½	½	●	0	1	1	1	5	8—9
9	I. ARMAŞ	m	2455	½	0	0	0	0	½	0	1	●	1	1	1	5	8—9
10	I. ROGERS	g	2505	½	0	0	0	0	1	1	0	0	●	½	½	3½	10
11	BOSBOOM	f	2375	0	½	½	0	½	0	0	0	0	½	●	1	3	11
12	ANDRUET	m	2420	0	0	0	1	½	0	0	0	0	½	0	●	2	12

KLADOVO (Jugoslavija ½ Final ch), I 1989
(46 players, 13 rounds)

1. Abramović 10, 2–4. Barlov, Kožul, Ž. Nikolić 8½, 5–9. Striković, Ilinčić, Sr. Cvetković, D. Paunović, Dragoljub Ćirić 8, 10–13. Palac, I. Marinković, T. Paunović, D. Blagojević 7½, 14–18. V. Raičević, Ferčec, Jerič, Kiroski, D. Ilić 7, etc.

VENEZIA, I 1989

			1	2	3	4	5	6	
HÜBNER	g	2600	1	½	½	1	½	½	4
SPASSKY	g	2580	0	½	½	0	½	½	2

GAUSDAL, I 1989
(37 players, 9 rounds)

1. Høi 7, 2. Ink'ov 6½, 3–5. Westerinen, Gausel, I. Faragó 6, 6–11. Schmittdiel, Jansa, And. Martin, Tisdall, Haugli, Kohlweyer 5½, 12–17. Østenstad, Carlier, P. Fossan, Johanessen, Enquist, Reite 5, etc.

SEATTLE, I–II 1989

			1	2	3	4	5	
AN. KARPOV	g	2750	½	1	1	½	½	3½
J. HJARTARSON	g	2615	½	0	0	½	½	1½

ANTWERPEN, I–II 1989

			1	2	3	4	5	6	
TIMMAN	g	2610	½	½	0	½	1	1	3½
L. PORTISCH	g	2610	½	½	1	½	0	0	2½

TBILISI, I–II 1989 cat. IX (2468) m=7½

				1	2	3	4	5	6	7	8	9	10	11	12	13	14	15	16		
1	NEVEROV	m	2430	●	½	½	½	½	1	1	1	½	1	1	½	½	1	1	½	11	1
2	DAUTOV	m	2535	½	●	1	½	1	½	1	½	1	0	0	1	½	½	1	1	10	2
3	DREEV	f	2520	½	0	●	½	½	1	½	½	½	1	1	½	1	½	1	½	9½	3
4	ROZENTALIS	m	2485	½	½	½	●	½	1	½	½	½	½	½	½	½	1	1	½	9	4
5	OLL	m	2510	½	0	½	½	●	0	½	½	1	1	½	1	½	½	0	1	8	5–7
6	ANASTASJAN	m	2475	0	½	0	0	1	●	1	½	½	½	1	0	1	½	1	½	8	5–7
7	AKOPJAN	m	2520	0	0	½	½	½	0	●	0	1	½	½	1	½	1	1	1	8	5–7
8	ŠIROV		2450	0	½	½	½	½	½	1	●	½	½	½	½	½	0	1	½	7½	8
9	EPIŠIN	m	2395	½	0	½	½	0	½	0	½	●	½	1	1	0	1	½	½	7	9–11
10	RUBAN		2420	0	1	0	½	0	½	½	½	½	●	½	½	½	½	1	½	7	9–11
11	ŠABALOV		2425	0	1	0	½	½	0	½	½	0	½	●	½	1	½	½	1	7	9–11
12	ULYBIN		2445	½	0	½	½	0	1	0	½	0	½	½	●	½	½	½	1	6½	12
13	SERPER	m	2435	½	½	0	½	½	0	½	½	1	½	0	½	●	½	0	½	6	13–14
14	GEO. TIMOŠENKO		2530	0	½	½	0	½	½	0	1	0	½	½	½	½	●	0	1	6	13–14
15	G. GEORGADZE		2440	0	0	0	0	1	0	0	0	½	0	½	½	1	1	●	½	5	15
16	SAVČENKO		2480	½	0	½	½	0	½	0	½	½	½	0	0	½	0	½	●	4½	16

MARIBOR, I–II 1989 cat. VII (2418) g=8½, m=6½

1. Lukov 7, 2–3. Cigan, G. Mohr 6½, 4–5. Klarić, Barle 6, 6–9. Radulov, Podlesnik, Supančič, Sellos 5½, 10. Gostiša 4½, 11. Grosar 4, 12. Danner 3½.

QUÉBEC, II 1989

			1	2	3	4	5	6	7	8	9	
JUSUPOV	g	2610	½	0	1	½	½	½	½	½	1	5
K. SPRAGGETT	g	2575	½	1	0	½	½	½	½	½	0	4

VILLENEUVE TOLOSANE, II 1989
(144 players, 9 rounds)

1–3. Dončev, Hector, Kosten 7½, 4–8. Todorčević, Antunes, Bricard, L. Bass, Santo-Roman 7, 9–12. Semkov, K. Pytel, J. Reyes, Tozer 6½, 13–20. S. Mohr, Hebden, Izeta, Me. Sharif, Urday, Šulava, Csonkics, Zarrouati 6, etc.

BERN, II 1989 cat. VII (2402) g=8½, m=6½

1. M. Gurevič 8½, 2. Judasin 8, 3. Campora 7½, 4. Cebalo 7, 5. Klinger 6½, 6. M. Jukić 6, 7–8. Gobet, M. Silva 5½, 9. Landenbergue 4½, 10–11. Flückiger, Jakob 3, 12. J. Herzog 1

BERN (open), II 1989
(118 players, 9 rounds)

1. Gallagher 8½, 2. V. Raičević 7½, 3–4. Damljanović, Schulze 7, 5–9. Gavrikov, Gheorghiu, M. Ruf, Lukasiewicz, Trepp 6½, 10–20. King, Fauland, Gy. Forgács, M. Pavlović, Känel, Ditzler, Joshari, J. Gast, Giertz, S. Kovačević, Robert 6, etc.

BAD WÖRISHOFEN, II 1989
(247 players, 9 rounds)

1. Kindermann 8, 2–5. Miles, Brunner, Gutman, Lobron 7½, 6–8. Thesing, St. Nikolić, Høi 7, 9–21. Meduna, Keitlinghaus, Reefschläger, Reeh, Heyken, Kraut, Sö. Maus, P. Blatný, B. Lalić, R. Lau, Bischoff, Komljenović, Schandorff 6½, etc.

ROMA, II 1989
(66 players, 9 rounds)

1. Zsó. Polgár 8½, 2–5. A. Černin, Dolmatov, Wojtkiewicz, Levitt 6½, 6–10. Dragojlović, Razuvaev, Şubă, Ioseliani, F. Braga 6, 11–13. Palatnik, Mrđa, d'Amore 5½, etc.

STAROZAGORSKI BANI, II 1989 cat. VIII (2429) g=9, m=6½

1. Loginov 9, 2–4. Conquest, B. Hansen, Velikov 8, 5–7. Karapčanski, Kirov, Pl. Stefanov 6½, 8–9. Sa. Nikolov, Ninov 5, 10. Mollov 4½, 11. P"devski 4, 12–13. P. Orlov, Bančev 3½

REYKJAVÍK, II 1989 cat. IX (2470) g=9½, m=6½

				1	2	3	4	5	6	7	8	9	10	11	12	13	14		
1	BALAŠOV	g	2530	●	½	½	1	½	1	1	½	1	½	½	½	1	1	9½	1
2	PÉTURSSON	g	2530	½	●	½	½	½	0	½	1	½	1	1	1	1	1	9	2
3	H. ÓLAFSSON	g	2520	½	½	●	½	½	½	1	½	½	½	1	½	1	1	8½	3
4	J. ÁRNASON	g	2550	0	½	½	●	1	½	½	1	1	½	0	1	½	1	8	4–5
5	ĖJNGORN	g	2570	½	½	½	0	●	½	½	1	1	½	½	1	½	1	8	4–5
6	THORHALLSON	m	2415	0	1	½	½	½	●	0	½	0	½	½	1	½	1	6½	6–8
7	TISDALL	m	2460	0	½	0	½	½	1	●	½	½	½	0	½	1	1	6½	6–8
8	THORSTEINS	m	2430	½	0	½	0	0	½	½	●	½	½	1	½	1	1	6½	6–8
9	STEFÁNSSON	m	2480	0	½	½	0	0	1	½	½	●	1	1	0	½	½	6	9–10
10	W. WATSON	m	2505	½	0	½	½	½	½	½	½	0	●	½	0	1	1	6	9–10
11	HODGSON	m	2545	½	0	0	1	½	½	1	0	0	½	●	1	½	0	5½	11
12	SIGFUSSON		2310	½	0	½	0	0	0	½	½	1	1	0	●	1	0	5	12
13	B. JÓNSSON	f	2405	0	0	0	½	½	½	0	0	½	0	½	0	●	½	3	13–14
14	BJARNASON	m	2335	0	0	0	0	0	0	0	0	½	0	1	1	½	●	3	13–14

DDR (ch), II 1989 — cat. VII (2404) g=10, m=7½

1. H.-J. Grünberg 10½, 2. Luther 9½, 3. Knaak 8½, 4. Bönsch 8, 5—7. U. Kaminski, Vogt, L. Espig 7½, 8—9. Teske, Böhnisch 6, 10. Gauglitz 5½, 11. Pähtz 5, 12. Tischbierek 4, 13. Grottke 3½, 14. K. Schulz 2

CAPELLE LA GRANDE, II 1989
(137 players, 9 rounds)

1—2. Raškovskij, Hebden 7, 3—5. Hába, Tompa, Pet. Petran 6½, 6—20. Kr. Georgiev, V. Dimitrov, Ohotnik, Jadoul, Spasov, Łuczak, B. Jacobs, A. Dunnington, Manca, Tibenský, Pigott, Maskowiak, Votruba, Lukez, Bernei 6, etc.

CANNES, II 1989
"Seniors" — "Juniors" 28½ : 21½

"SENIORS"			J1	J2	J3	J4	J5	
S1 U. ANDERSSON	g	2620	1 ½	½ ½	1 ½	1 ½	1 1	7½
S2 TAL'	g	2610	0 —	½ —	½ —	½ —	0 —	1½
S3 SPASSKY	g	2580	0 ½	½ 1	1 ½	½ 1	½ 0	5½
S4 B. LARSEN	g	2580	0 0	½ 0	½ 0	1 1	1 1	5
S5 MILES	g	2520	— ½	— 1	— 1	— ½	— 0	3
S6 I. CSOM	g	2545	½ ½	0 ½	½ 1	½ 1	½ 1	6

28½

"JUNIORS"			S1	S2	S3	S4	S5	S6	
J1 ANAND	g	2525	0 ½	1 —	1 ½	1 1	— ½	½ ½	6½
J2 ADAMS	m	2510	½ ½	½ —	½ 0	½ 1	— 0	1 ½	5
J3 RENET	m	2480	0 ½	½ —	0 ½	½ 1	— 0	½ 0	3½
J4 LAUTIER	m	2450	0 ½	½ —	½ 0	0 0	— ½	½ 0	2½
J5 MIRALLÈS	m	2400	0 0	1 —	½ 1	0 0	— 1	½ 0	4

21½

CANNES (Open), II 1989
(113 players, 9 rounds)

1—4. Joel Benjamin, Dorfman, Ivkov, Samovojska 7, 5—9. Dončev, Kosten, Wilder, Klarić, Haïk 6½, 10—22. Hector, Koch, Kelečević, Palac, Santo-Roman, Me. Sharif, Polaczek, Šulava, Levačić, Andruet, Ciganović, S. Kovačević, Röder 6, etc.

LINARES, II—III 1989 — cat. XVI (2628) g=5

			1	2	3	4	5	6	7	8	9	10	11		
1	IVANČUK	g	2635	●	½	½	1	1	½	1	½	1	½	1	7½	1
2	AN. KARPOV	g	2750	½	●	1	0	½	1	1	1	½	½	1	7	2
3	LJUBOJEVIĆ	g	2580	½	0	●	0	½	½	1	1	½	1	1	6	3
4	N. SHORT	g	2650	0	1	1	●	½	0	½	½	½	½	1	5½	4—5
5	TIMMAN	g	2610	0	½	½	½	●	½	½	½	½	1	1	5½	4—5
6	JUSUPOV	g	2610	½	0	½	1	½	●	0	½	1	½	½	5	6
7	BELJAVSKIJ	g	2640	0	0	0	½	½	1	●	1	½	1	0	4½	7
8	L. PORTISCH	g	2610	½	0	0	½	½	½	0	●	½	½	1	4	8
9	A. SOKOLOV	g	2605	0	½	½	½	½	0	½	½	●	½	0	3½	9—10
10	GULKO	g	2610	½	½	0	½	0	½	0	½	½	●	½	3½	9—10
11	J. HJARTARSON	g	2615	0	0	0	0	0	½	1	0	1	½	●	3	11

BLED, II—III 1989
(102 players, 9 rounds)

1—4. V. Raičević, S. Marjanović, Kajdanov, Zil'berman 7, 5—7. I. Marinković, G. Mohr, Vasjukov 6½, 8—21. Sermek, S. Grünberg, Osterman, Malyšev, Ghițescu, Ilijin, Gostiša, D. Rajković, Šer, Podlesnik, Mukić, Plesec, Mikac, Mencinger 6, etc.

SANTIAGO, II–III 1989 cat. XI (2503) g=8, m=5½

				1	2	3	4		
1	MILOS	g	2510	● ● ● ●	½ ½ ½ 0	½ 1 ½ ½	1 0 1 1	7	1
2	PANNO	g	2495	½ ½ ½ 1	● ● ● ●	½ ½ ½ ½	1 0 ½ ½	6½	2–3
3	MOROVIĆ FERNANDEZ	g	2540	½ 0 ½ ½	½ ½ ½ ½	● ● ● ●	½ 1 1 ½	6½	2–3
4	CIFUENTES PARADA	m	2465	0 1 0 0	0 1 ½ ½	½ 0 0 ½	● ● ● ●	4	4

JUGOSLAVIJA (ch), II–III 1989 cat. X (2493) g=11½, m=8

				1	2	3	4	5	6	7	8	9	10	11	12	13	14	15	16	17	18		
1	KOŽUL	m	2490	●	1	½	0	½	1	1	0	1	1	½	1	0	½	½	1	1	1	11½	1–2
2	DAMLJANOVIĆ	m	2530	0	●	1	½	½	1	½	½	1	0	½	1	1	½	1	½	1	1	11½	1–2
3	BARLOV	g	2490	½	0	●	1	1	½	1	½	½	0	½	1	1	1	1	1	0	½	11	3
4	P. POPOVIĆ	g	2535	1	½	0	●	0	1	0	½	1	1	0	1	½	½	½	1	1	1	10½	4
5	ČABRILO	m	2480	½	½	0	1	●	0	½	1	½	1	½	1	1	1	0	½	1	0	10	5–6
6	B. IVANOVIĆ	g	2530	0	0	½	0	1	●	1	½	0	1	½	1	1	½	1	½	½	1	10	5–6
7	B. LALIĆ	g	2525	0	½	0	1	½	0	●	½	½	½	½	½	1	½	1	1	1	½	9½	7
8	CEBALO	g	2505	1	½	½	½	0	½	½	●	1	0	½	0	1	½	½	0	1	1	9	8–9
9	ILINČIĆ	m	2430	0	0	½	0	½	1	½	0	●	½	½	1	½	½	½	1	1	1	9	8–9
10	S. ĐURIĆ	g	2475	0	1	1	0	0	0	½	1	½	●	1	½	0	½	½	½	½	½	8	10
11	DRAŠKO	m	2505	½	½	½	1	½	½	½	½	½	0	●	0	0	½	½	½	½	½	7½	11–13
12	TODORČEVIĆ	m	2535	0	0	0	0	0	0	½	1	0	½	1	●	1	½	1	1	1	0	7½	11–13
13	VL. KOVAČEVIĆ	g	2545	1	0	0	½	0	0	0	0	½	1	1	0	●	½	1	0	1	1	7½	11–13
14	Ž. NIKOLIĆ	m	2450	½	½	0	½	0	½	½	½	½	½	½	½	½	●	½	½	0	½	7	14
15	D. PAUNOVIĆ	m	2460	½	0	0	½	1	0	0	½	½	½	½	0	0	½	●	½	½	1	6½	15–16
16	STRIKOVIĆ	m	2490	0	½	0	0	½	½	0	1	0	½	½	0	1	½	½	●	½	½	6½	15–16
17	ABRAMOVIĆ	g	2485	0	0	1	0	0	½	0	0	0	½	½	0	0	1	½	½	●	1	5½	17
18	B. MAKSIMOVIĆ	m	2425	0	0	½	0	1	0	½	0	0	½	½	1	0	½	0	½	0	●	5	18

POLSKA (ch), II–III 1989 cat. VII (2411) m=8½

1. Wojtkiewicz 9½, 2. Kuczyński 9, 3–4. A. Sznapik, Jaśnikowski 8½, 5–7. P. Stempin, Wł. Schmidt, Woda 8, 8–10. Cichocki, Borkowski, Siekański 7½, 11–12. Hawełko, Matłak 7, 13–14. J. Adamski, Sapis 6½, 15. Szymczak 6, 16. Zołnierowicz 5

LUGANO, III 1989
(184 players, 9 rounds)

1–2. Kortchnoi, Pétursson 8, 3–15. Lautier, de Firmian, Gheorhiu, Miles, A. Černin, King, Knaak, Douven, I. Rogers, B. Hansen, J. Piket, Marinelli, Mascariñas 6½, 16–29. Hort, Lerner, Bönsch, Manca, Barbero, Wedberg, Browne, Wilder, Høi, Medančić, Prié, Klinger, Renet, Franco 6, 30–53. Sax, Nunn, Crawley, Brenninkmeijer, Ftáčnik, Sibilio, Pr. Nikolić, Welin, Ekström, Wirthensohn, Torre, Sö. Maus, Gavrikov, Čiburdanidze, Züger, Fette, Seirawan, van Mil, G. Dizdar, Dam, Arlandi, Haîk, Simon, Anić 5½, etc.

GENOVA (open), III 1989
(206 players, 9 rounds)

1–3. Paloš, I. Marinković, Klarić 7, 4. V. Raičević 6½, 5–12. Palac, Z. Vuković, Skembris, Hector, Bellón Lopez, Žaja, R. Milovanović, N. Aleksić 6, etc.

TRNAVA, III 1989 cat. XI (2507) g=6½, m=4½

				1	2	3	4	5	6		
1	BAREEV	m	2555	● ●	½ ½	½ ½	1 ½	½ 1	1 ½	6½	1
2	SMEJKAL	g	2515	½ ½	● ●	½ ½	½ ½	½ 1	1 ½	6	2
3	BALAŠOV	g	2530	½ ½	½ ½	● ●	½ ½	0 1	½ ½	5	3
4	S. MARJANOVIĆ	g	2490	0 ½	½ ½	½ ½	● ●	½ ½	½ ½	4½	4
5	J. PLACHETKA	g	2450	½ 0	½ 0	1 0	½ ½	● ●	½ ½	4	5–6
6	MOKRÝ	g	2500	0 ½	0 ½	½ ½	½ ½	½ ½	● ●	4	5–6

TRNAVA II, III 1989 cat. VIII (2436) g=9½, m=7

1. Gol'din 9½, 2. Østenstad 8½, 3. Savon 8, 4—5. Štohl, Basin 7½, 6—7. I. Bilek, Lanka 7, 8. Lechtýnský 6½, 9. Lanč 6, 10—11. P. Blatný, Sikora-Lerch 5½, 12—13. M. Schlosser, Sr. Cvetković 4½, 14. Báñas 3½

DORTMUND, III 1989 cat. XI (2524) g=7, m=5

				1	2	3	4	5	6	7	8	9	10	11	12		
1	E. GELLER	g	2585	●	½	1	½	½	½	½	½	½	1	1	1	7½	1
2	TOLNAI	m	2480	½	●	1	0	1	1	½	½	1	½	0	1	7	2
3	J. HICKL	g	2500	0	0	●	1	½	1	½	1	½	½	½	½	6	3
4	I. SOKOLOV	g	2580	½	1	0	●	½	0	½	½	1	½	½	½	5½	4—6
5	BISCHOFF	m	2505	½	0	½	½	●	½	½	½	½	1	½	½	5½	4—6
6	KOTRONIAS	m	2505	½	0	0	1	½	●	½	0	1	½	1	½	5½	4—6
7	HORT	g	2580	½	½	½	½	½	½	●	½	½	0	½	½	5	7—10
8	KING	m	2500	½	½	0	½	½	1	½	●	0	½	½	½	5	7—10
9	PSAHIS	g	2585	½	0	½	0	½	0	½	1	●	1	1	0	5	7—10
10	S. MOHR	m	2530	0	½	½	½	0	½	1	½	0	●	½	1	5	7—10
11	SCHMITTDIEL	m	2425	0	1	½	½	½	0	½	½	0	½	●	½	4½	11—12
12	KINDERMANN	g	2515	0	0	½	½	½	½	½	½	1	0	½	●	4½	11—12

DORTMUND II, III 1989 cat. IX (2451) g=8, m=5½

				1	2	3	4	5	6	7	8	9	10	11	12		
1	RENET	m	2480	●	1	0	1	½	½	½	1	½	½	1	1	7½	1—2
2	WAHLS	m	2515	0	●	1	1	½	½	½	½	1	1	½	1	7½	1—2
3	R. MAINKA	m	2410	1	0	●	½	½	½	1	1	½	½	0	1	6½	3—4
4	KLINGER	g	2475	0	0	½	●	1	½	½	½	1	1	½	1	6½	3—4
5	JI. NUN	m	2475	½	½	½	0	●	½	½	½	1	0	1	1	6	5
6	IVKOV	g	2460	½	½	½	½	½	●	½	½	½	½	½	½	5½	6—8
7	G. FLEAR	g	2500	½	½	0	½	½	½	●	½	½	½	½	1	5½	6—8
8	KOCH	f	2390	0	½	0	½	½	½	½	●	0	1	1	1	5½	6—8
9	A. SZNAPIK	m	2455	½	0	½	0	0	½	½	1	●	½	½	1	5	9
10	NEN. RISTIĆ	m	2465	½	0	½	0	1	½	½	0	½	●	1	0	4½	10
11	LAUTIER	m	2450	0	½	1	½	0	½	½	0	½	0	●	0	3½	11
12	BÜCKER	m	2335	0	0	0	0	0	½	0	0	0	1	1	●	2½	12

DORTMUND (open), III 1989
(216 players, 11 rounds)

1—7. van der Sterren, Smagin, Wł. Schmidt, I. Armaş, Vokáč, P"devski, Martinović 8½, 8—13. Ninov, Rechmann, Davidović, Halász, Ott, Tamm 8, 14—21. Bukal, Pirisi, Priehoda, D. Ilić, Eperjesi, Modr, Orev, Becker 7½, etc.

BAYAMO, III 1989 cat. VIII (2435) g=9, m=6½

1—2. Haritonov, R. Vera 7½, 3—4. Sariego, R. Martin del Campo 7, 5—7. W. Arencibia, García González, Am. Rodríguez 6½, 8—9. Vilela, Gild. García 6, 10—11. Canda, Verduga 5, 12. Matamoros 4, 13. Gutierrez 3½

AMSTERDAM, III 1989 cat. XVI (2626)

				1	2	3	4		
1	TIMMAN	g	2610	● ●	½ 1	1 ½	1 ½	4½	1
2	N. SHORT	g	2650	½ 0	● ●	½ 1	1 1	4	2
3	SALOV	g	2630	0 ½	½ 0	● ●	1 1	3	3
4	J. HJARTARSON	g	2615	0 ½	0 0	0 0	● ●	½	4

TARRASA, III 1989 cat. VII (2411) g=7, m=5½

1–2. O. Rodriguez, B. Ivanović 6, 3–4. Bellón Lopez, Campos Moreno 5, 5. P. Cramling 4½, 6–8. Gil González, Pablo Marin, Romero Holmes 4, 9. Pomes 3½, 10. Vehi Bach 3

NEW YORK, III 1989
(91 players, 9 rounds)

1. Fedorowicz 7, 2–5. Gulko, Polugaevskij, Lobron, H. Ólafsson 6½, 6–15. M. Gurevič, Smyslov, Christiansen, Gufel'd, de Firmian, Pétursson, Romanišin, Dreev, Dolmatov, Epišin 6, 16–23. Vlado Kovačević, I. Ivanov, J. Polgár, Kudrin, Dzindzichashvili, Ehlvest, Gel'fand, A. Černin 5½, 24–45. Alburt, Joel Benjamin, Browne, Campora, Dorfman, Fishbein, Gheorghiu, D. Gurevich, Hulak, Kamskij, Lein, Miles, Murey, Razuvaev, M. Rohde, Rivas Pastor, Salzman, Seirawan, Torre, Wedberg, Wojtkiewicz, Zapata 5, 46–51. Dlugy, Şubă, A. Ivanov, Hébert, Brooks, Denker 4½, etc.

BUDAPEST (open), III 1989
(533 players, 9 rounds)

1–5. Glek, Šnejder, Kišnëv, Bönsch, Hector 7½, 6–17. Judasin, G. Orlov, Kovalev, Pigusov, Karpman, Bagirov, Mih. Cejtlin, Gorelov, Andrianov, Rozentalis, Glejzerov, I. Karpov 7, 18–31. Vajser, Dautov, Dvojris, Kapengut, Loginov, Malanjuk, Mališauskas, Svešnikov, Gen. Timoščenko, Ubilava, Holmov, Ceškovskij, C. Hansen, Jó, Horváth 6½, etc.

MAROSTICA, III 1989

			1	2	3	4	
AN. KARPOV	g	2750	½	½	½	1	2½
U. ANDERSSON	g	2620	½	½	½	0	1½

MAR DEL PLATA, III–IV 1989
South American Team Championship

1. Argentina 7½, 2. Brasil 6, 3. Chile 5½, 4. Uruguay 5

BUDAPEST, III–IV 1989 cat. XI (2501) g=6½, m=4½

1–3. Jó. Horváth, Pintér, Grószpéter 6½, 4–6. Károlyi jr., A. Greenfeld, W. Watson 5, 7–8. Tolnai, Pál Petrán 4½, 9–10. King, van der Sterren 4, 11. Kajdanov 3½

BUDAPEST II, III–IV 1989 cat. VIII (2443) g=8, m=6

1. Malanjuk 8½, 2–3. Vajser, Novikov 7½, 4. B. Schneider 7, 5. Cs. Horváth 6½, 6–7. L. Espig, Anka 5½, 8. A. Kiss 5, 9. Fehér 4½, 10. Z. Varga 4, 11. Pein 3, 12. S. Faragó 1½

BARCELONA (World Cup), III–IV 1989 cat. XV (2615) g=8, m=5

				1	2	3	4	5	6	7	8	9	10	11	12	13	14	15	16	17			World Cup Points
1	KASPAROV	g	2775	●	½	1	1	½	1	½	½	0	½	1	1	1	½	½	1	½	11	1–2	**26,5**
2	LJUBOJEVIĆ	g	2580	½	●	½	½	½	½	½	1	½	½	½	1	1	1	1	½	1	11	1–2	**28**
3	SALOV	g	2630	0	½	●	½	1	1	½	0	1	½	½	½	1	0	1	1	1	10	3	**23,5**
4	KORTCHNOI	g	2610	0	½	½	●	0	½	1	½	½	1	½	1	1	1	1	0	½	9½	4	**25**
5	HÜBNER	g	2600	½	½	0	1	●	½	1	½	½	½	½	½	½	1	½	½	½	9	5–6	**22**
6	N. SHORT	g	2650	0	½	0	½	½	●	½	1	1	1	½	½	0	0	1	1	1	9	5–6	**20,5**
7	PR. NIKOLIĆ	g	2605	½	½	½	0	0	½	●	½	½	½	½	½	½	½	½	1	1	8	7	**16,5**
8	VAGANJAN	g	2600	½	0	1	½	½	0	½	●	1	½	½	½	½	0	½	0	1	7½	8–12	**19**
9	JUSUPOV	g	2610	1	½	0	½	½	0	½	0	●	½	½	½	½	½	½	1	½	7½	8–12	**13,5**
10	RIBLI	g	2625	½	½	½	0	½	0	½	½	½	●	½	1	½	½	½	½	½	7½	8–12	**16,5**
11	SPASSKY	g	2580	0	½	½	½	½	½	½	½	½	½	●	0	½	½	½	1	½	7½	8–12	**13,5**
12	BELJAVSKIJ	g	2640	0	0	½	0	½	½	½	½	½	0	1	●	1	1	1	½	0	7½	8–12	**16,5**
13	SPEELMAN	g	2640	0	0	0	0	½	1	½	½	½	½	½	0	●	½	½	1	1	7	13	**10,5**
14	J. HJARTARSON	g	2615	½	0	1	0	0	1	½	1	½	½	½	0	½	●	0	½	0	6½	14–15	**10,5**
15	SEIRAWAN	g	2610	½	0	0	0	½	0	½	½	½	½	½	0	½	1	●	½	1	6½	14–15	**10,5**
16	ILLESCAS-CORDOBA	g	2525	0	½	0	1	½	0	0	1	0	½	0	½	0	½	½	●	½	5½	16–17	–
17	NOGUEIRAS	g	2575	½	0	0	½	½	0	0	0	½	½	½	1	0	1	0	½	●	5½	16–17	**7,5**

TORONTO, III–IV 1989 cat. VIII (2432) g=8, m=6

1–2. Hulak, P. Wolff 8½, 3–4. Vlado Kovačević, Norwood 8, 5. Nickoloff 6½, 6. Dlugy 5½, 7–8. L. Day, Hébert 5, 9. Stone 4, 10. I. Findlay 3½, 11. Vranešić 3, 12. Bailey ½

BEOGRAD [Jugoslavija (ch) – Play-Off], IV 1989

			1	2	3	4	
KOŽUL	m	2490	0	1	½	1	2½
DAMLJANOVIĆ	m	2530	1	0	½	0	1½

VAL MAUBUÉE, IV 1989 cat. IX (2455) g=6½, m=4½

1–2. Širov, Kuprejčik 6½, 3. Kosten 6, 4. G. Flear 5, 5. Abramović 4½, 6–8. Andruet, Hector, Boudre 3½, 9–10. Sellos, Apicella 3

METZ, IV 1989
(150 players, 9 rounds)

1–3. P. Cramling, Kohlweyer, Miles 7½, 4. Sadler 7, 5–15. B. Ivanović, Mednis, K. Pytel, Bellón Lopez, Forintos, Haîk, L. Popov, Mirallès, D. Roos, Berthelot, Gallagher 6½, etc.

SALAMANCA, IV 1989 cat. IX (2463) g=8, m=5½

				1	2	3	4	5	6	7	8	9	10	11	12		
1	RIVAS PASTOR	g	2505	●	½	½	½	1	½	½	1	1	1	1	0	7½	1–3
2	T. GEORGADZE	g	2510	½	●	½	½	1	½	½	1	1	1	½	½	7½	1–3
3	KUDRIN	g	2555	½	½	●	½	½	½	1	1	½	1	1	½	7½	1–3
4	ZSU. POLGÁR	g	2510	½	½	½	●	0	½	½	1	1	1	1	½	7	4
5	DE LA VILLA GARCIA	m	2430	0	0	½	1	●	½	½	1	½	½	1	½	6	5–6
6	LIMA		2380	½	½	½	½	½	●	½	0	½	½	1	1	6	5–6
7	SANZ ALONSO	m	2420	½	½	0	½	½	½	●	0	½	½	1	1	5½	7–8
8	FRANCO	m	2490	0	0	0	0	0	1	1	●	1	½	1	1	5½	7–8
9	M. GÓMEZ	m	2460	0	0	½	0	½	½	½	0	●	½	0	1	3½	9–11
10	SIÓN CASTRO	f	2315	0	0	0	0	½	½	½	½	½	●	0	1	3½	9–11
11	GIL. GARCIA	m	2430	0	½	0	0	0	0	0	0	1	1	●	1	3½	9–11
12	J. POLGÁR	g	2555	1	½	½	½	½	0	0	0	0	0	0	●	3	12

BERLIN, IV 1989 cat. X (2499) g=6, m=4½

				1	2	3	4	5	6	7	8	9	10		
1	AZMAJPARAŠVILI	g	2560	●	½	½	½	½	½	½	1	1	1	6	1
2	ZAJČIK	g	2500	½	●	1	0	½	1	½	0	1	1	5½	2–3
3	BÖNSCH	g	2490	½	0	●	½	½	0	1	1	1	1	5½	2–3
4	BAGIROV	g	2460	½	1	½	●	0	½	½	½	½	1	5	4–5
5	TISCHBIEREK	m	2475	½	½	½	1	●	½	0	½	½	1	5	4–5
6	ČEHOV	g	2480	½	0	1	½	½	●	1	½	0	½	4½	6–7
7	KNAAK	g	2465	½	½	0	½	1	0	●	½	1	½	4½	6–7
8	LERNER	g	2535	0	1	0	½	½	½	½	●	0	1	4	8
9	UHLMANN	g	2515	0	0	0	½	½	1	0	1	●	0	3	9
10	VOGT	g	2505	0	0	0	0	0	½	½	0	1	●	2	10

BELGOROD, IV 1989
(64 players, 9 rounds)

1. Tivjakov 6½, 2–10. Minasjan, Kramnik, Galdunc, Piskov, Karpman, A. Kuz'min, Huzman, Tunik, Anastasjan 6, 11–20. Jajljan, Glek, Mark Cejtlin, Titov, Šabalov, Henkin, Ken'gis, Zil'berštejn, Godes, Nikolenko 5½, etc.

TALLINN, IV 1989 — cat. XII (2532) g=6, m=4

				1	2	3	4	5	6	7	8	9	10	11		
1	GEO. TIMOŠENKO	m	2530	●	½	½	½	1	½	1	1	½	1	½	7	1–3
2	OLL	m	2510	½	●	½	1	½	½	1	½	½	1	1	7	1–3
3	EHLVEST	g	2600	½	½	●	½	½	½	½	1	1	1	1	7	1–3
4	ĖJNGORN	g	2570	½	0	½	●	½	1	½	½	½	1	1	6	4–5
5	PSAHIS	g	2585	0	½	½	½	●	½	½	1	1	1	½	6	4–5
6	GAVRIKOV	g	2535	½	½	½	0	½	●	½	½	1	½	1	5½	6
7	DRAŠKO	m	2505	0	0	½	½	½	½	●	1	1	½	½	5	7
8	GEL'FAND	m	2600	0	½	0	½	0	½	0	●	1	1	1	4½	8
9	MARIN	m	2495	½	½	0	½	0	0	0	0	●	½	½	2½	9–10
10	ERNST	m	2460	0	0	0	0	0	½	½	0	½	●	1	2½	9–10
11	BORGES MATEOS	m	2535	½	0	0	0	½	0	½	0	½	0	●	2	11

ZENICA, IV 1989 — cat. X (2481) g=7½, m=5½

				1	2	3	4	5	6	7	8	9	10	11	12		
1	P. POPOVIĆ	g	2535	●	½	0	½	½	1	½	1	½	1	½	1	7	1
2	VELIMIROVIĆ	g	2530	½	●	1	1	½	½	½	½	½	0	1	½	6½	2–6
3	SMAGIN	g	2540	1	0	●	1	½	0	½	½	½	1	½	1	6½	2–6
4	DAMLJANOVIĆ	m	2530	½	0	0	●	1	1	½	½	½	1	1	½	6½	2–6
5	DIZDAREVIĆ	g	2510	½	½	½	0	●	½	½	½	½	1	1	1	6½	2–6
6	MASCARIÑAS	m	2465	0	½	1	0	½	●	½	½	½	1	1	1	6½	2–6
7	CVITAN	g	2525	½	½	½	½	½	½	●	½	½	0	1	1	6	7–8
8	A. MIHAL'ČIŠIN	g	2475	0	½	½	½	½	½	½	●	1	½	½	1	6	7–8
9	M. VUKIĆ	g	2495	½	½	½	½	½	½	½	0	●	½	½	½	5	9
10	RENET	m	2480	0	1	0	0	0	0	1	½	½	●	½	1	4½	10
11	S. TERZIĆ	f	2360	½	0	½	0	0	0	0	½	½	½	●	½	3	11
12	S. DIZDAR	f	2325	0	½	0	½	0	0	0	0	½	0	½	●	2	12

VRNJAČKA BANJA, IV 1989 — cat. VII (2414) g=11½, m=8½

1. Štohl 10, 2. I. Marinković 9½, 3–5. Abramović, Hebden, Ilinčić 9, 6–7. Sr. Cvetković, D. Rajković 8½, 8. Ž. Nikolić 8, 9–11. V. Kontić, Lëgkij, J. Reyes 7½, 12–14. A. Hoffman, Šahović, Skembris 6, 15. Vuruna 4, 16. Gulicevski 2½

NEDERLAND (ch), IV 1989 — cat. VIII (2440) m=6

1. M. Kuijf 7, 2–3. van der Wiel, van der Sterren 6½, 4–6. J. Piket, Blees, Vanheste 6, 7–8. Langeweg, Brenninkmeijer 5½, 9–11. Nijboer, Douven, Cuijpers 4½, 12. Gelpke 3½

TEL AVIV, IV 1989 — cat. IX (2459) g=8, m=5½

				1	2	3	4	5	6	7	8	9	19	11	12		
1	M. GUREVIČ	g	2590	●	1	1	1	½	1	1	1	1	1	1	1	10½	1
2	J. HICKL	g	2500	0	●	1	½	1	½	1	1	½	½	½	½	7½	2
3	MANOR	m	2425	0	0	●	1	1	1	1	0	½	½	1	1	7	3
4	R. LEV	m	2415	0	½	0	●	1	0	0	½	1	1	1	1	6	4
5	BRUK	f	2415	½	0	0	0	●	1	1	0	½	1	½	1	5½	5–7
6	DAVIES	m	2485	0	½	0	1	0	●	½	½	½	1	1	½	5½	5–7
7	LEVITT	m	2495	0	0	0	1	0	½	●	1	1	0	1	1	5½	5–7
8	SHVIDLER	m	2410	0	0	1	½	1	½	0	●	0	0	½	1	4½	8–9
9	WINANTS	m	2435	0	½	½	0	½	½	0	1	●	½	½	½	4½	8–9
10	RECHLIS	m	2500	0	½	½	0	0	0	1	1	½	●	0	0	3½	10
11	SHABTAI	f	2335	0	½	0	0	½	0	0	½	½	1	●	0	3	11–12
12	G. FLEAR	g	2500	0	0	0	0	0	½	0	0	½	1	1	●	3	11–12

PTUJ, IV 1989 cat. VIII (2426) g=8, m=6

1. Kožul 8½, 2–3. Krasenkov, Vajser 8, 4. R. Simić 6, 5–7. B. Schneider, Zysk, D. Rajković 5, 8–9. Danner, Polajžer 4½, 10–11. Mencinger, Podvrsnik 4, 12. Brglez 3½

GAUSDAL, IV 1989
(32 players, 9 rounds)

1–3. Mokrý, Tisdall, Høi 6½, 4. Conquest 6, 5–9. W. Watson, Jansa, K. Berg, Pekárek, Ziegler 5½, 10–16. S. Mohr, Westerinen, Schön, Gausel, And. Martin, R. Mainka, Haugli 5, etc.

WARSZAWA, IV–V 1989
(140 players, 9 rounds)

1. Kaličinev 8, 2. Magerramov 7½, 3–5. Zlotnik, P. Blatný, Glek 7, 6. Janvarjov 6½, 7–17. Malanjuk, Ceškovskij, Čehov, Rozentalis, Mališauskas, Wojtkiewicz, A. Sznapik, Kuczyński, G. Georgadze, Mnacakanjan, Komarov 6, 18–30. Holmov, Titov, A. Petrosjan, Kveinys, Romanišin, Dautov, Juferov, Avšalumov, Kalinin, Ubilava, Skrobek, Thorsteins, G. Orlov 5½, etc.

LIECHTENSTEIN, IV–V 1989
(164 players, 9 rounds)

1. R. Mainka 7½, 2–6. Gy. Horváth, M. Kuijf, Dizdarević, Brunner, Pekárek 7, 7–18. Keitlinghaus, Antonio, Báñas, Pieper-Emden, Fauland, Kelečević, Kožul, Mascariñas, Kohlweyer, Nemet, Marinelli, Röder 6½, 19–27. Klinger, I. Faragó, Mokrý, Pieterse, Teichmann, Haist, Sö. Maus, Steinfl, Reissmann 6, etc.

MÜNCHEN, IV–V 1989 cat. X (2498) g=7½, m=5½

				1	2	3	4	5	6	7	8	9	10	11	12		
1	VAN DER STERREN	m	2500	●	½	½	1	½	1	½	½	1	1	½	½	7½	1–2
2	J. PIKET	m	2500	½	●	1	½	1	½	½	½	½	½	1	1	7½	1–2
3	PH. SCHLOSSER	f	2420	½	0	●	0	½	½	½	½	1	1	½	1	6	3
4	WAHLS	m	2515	0	½	1	●	½	½	½	1	½	0	½	½	5½	4–6
5	BISCHOFF	m	2505	½	0	½	½	●	½	½	½	½	1	½	½	5½	4–6
6	KINDERMANN	g	2515	0	½	½	½	½	●	½	½	0	½	1	1	5½	4–6
7	GRÓSZPÉTER	g	2500	½	½	½	½	½	½	●	½	0	1	½	0	5	7–10
8	J. HICKL	g	2500	½	½	½	0	½	½	½	●	½	½	½	½	5	7–10
9	CEBALO	g	2505	0	½	0	½	½	1	1	½	●	0	½	½	5	7–10
10	PÉTURSSON	g	2530	0	½	0	1	0	½	0	½	1	●	½	1	5	7–10
11	B. HANSEN	m	2540	½	0	½	½	½	0	½	½	½	½	●	½	4½	11
12	ZÜGER	m	2445	½	0	0	½	½	0	1	½	½	0	½	●	4	12

BENIDORM, IV–V 1989
(128 players, 9 rounds)

1. Gil Reguera 7½, 2–6. Hodgson, Bass, Campos Moreno, Martín González 7, 7–11. Corbi, Sonntag, Fernández García, Carlier, Urday 6½, 12–24. Sanchez Guirado, Dunnington, A. Hofman, J.C. Díaz, Vasallo, K.J. Schulz, Teyssou, Lane, Zsó. Polgár, García Trobat, Bevia, Tozer, Muñoz 6, etc.

EFORIE-NORD, IV–V 1989 cat. VIII (2430) m=5½

1. Vokáč 6½, 2–6. Co. Ionescu, Navrotescu, Stoica, M. Šer, B. Takacs 5½, 7. Negulescu 5, 8–9. Luther, S. Grünberg 4½, 10–11. Dumitrache, P. Ştefanov 3½

PARIS, V 1989
(24 players, 9 rounds)

1. K. Spraggett 6½, 2–4. Jansa, Murey, Fedorowicz 6, 5–7. A. Černin, Sellos, Lautier 5½, 8–11. Boudre, Razuvaev, Tajmanov, Mirallès 5, 12–15. Ch. Bernard, Joel Benjamin, Psahis, Koch 4½, 16–17. Gutman, J. Plachetka 4, 18–23. G. Flear, Prié, Giffard, Abramović, Andruet, Apicella 3½, (Birmingham 0/2)

HANINGE, V 1989 cat. XIII (2558) g=6½, m=4

				1	2	3	4	5	6	7	8	9	10	11	12		
1	FTÁČNIK	g	2550	●	½	½	½	½	½	1	½	½	1	½	1	7	1
2	VAN DER WIEL	g	2560	½	●	½	½	½	1	½	½	½	1	½	½	6½	2–4
3	U. ANDERSSON	g	2620	½	½	●	½	½	½	½	½	1	½	1	½	6½	2–4
4	WILDER	g	2540	½	½	½	●	½	0	1	½	1	½	1	½	6½	2–4
5	SAX	g	2610	½	½	½	½	●	½	0	1	½	½	½	1	6½	5–6
6	I. SOKOLOV	g	2580	½	0	½	1	½	●	0	½	½	½	1	1	6	5–6
7	POLUGAEVSKIJ	g	2575	0	½	½	0	1	1	●	½	½	1	0	½	5½	7
8	SMYSLOV	g	2560	½	½	½	½	0	½	½	●	1	0	½	½	5	8–9
9	J. ÁRNASON	g	2550	½	½	0	0	½	½	½	0	●	½	1	1	5	8–9
10	WEDBERG	m	2505	0	0	½	½	½	½	0	1	½	●	½	½	4½	10
11	HELLERS	m	2565	½	½	0	0	½	0	1	½	0	½	●	½	4	11
12	P. CRAMLING	g	2480	0	½	½	½	0	0	½	½	0	½	½	●	3½	12

PULA, V 1989
(519 players, 11 rounds)

1. Malanjuk 8, 2–7. Mikac, Novković, Makaryčev, I. Belov, Jakovič, Ruban 7½, 8–20. Cvitan, Smirin, Stojnev, M. Pavlović, B. Ivanović, Lanka, Antić, Sofieva, Deže, Zijatdinov, Hasin, N. Kostić, Rukavina 7, 21–49. D. Ilić, Šnejder, Kapengut, M. Lazić, Mikanović, Saibalović, Gezeljan, Nenedović, Kancler, D. Paunović, Sturua, Vul', Đ. Kontić, Bilić, M. Marković, T. Paunović, Pandurević, Bogdanovski, Šabalov, V. Raičević, Movsesjan, D. Stanković, Tomić, Basin, Baryšev, Nikolaev, Šale, Ladavac, Gliksman 6½, etc.

AALBORG, [Danmark (ch) – Play-Off], V 1989

			1	2	3	4	5	6	
MORTENSEN	m	2450	½	0	½	1	½	1	3½
B. LARSEN	g	2580	½	1	½	0	½	0	2½

MAGYARORSZÁG (ch), V 1989 cat. VIII (2433) g=11, m=8

1. A. Schneider 10, 2. Lukács 9½, 3. Tolnai 9, 4–5. Gy. Horváth, Pálkövi 8½, 6–7. Grószpéter, M. Orsó 8, 8–10. Hazai, Kállai, Szalánczi 7½, 11–12. Fehér, Jó. Horváth 7, 13–14. Cs. Horváth, Z. Varga 6½, 15. Pál Petrán 5½, 16. Anka 3½

VINA DEL MAR, V 1989

			1	2	3	4	5	6	
MOROVIĆ FERNANDEZ	g	2540	½	½	½	½	½	½	3
SPASSKY	g	2580	½	½	½	½	½	½	3

LUXEMBOURG, V 1989
(116 players, 9 rounds)

1. Sö. Maus 7½, 2–4. Schmittdiel, R. Mainka, Cladouras 7, 5–10. Brunner, Mathonia, Hartoch, van Baarle, Brendel, Spaček 6½, 11–18. Bischoff, Wahls, K. Pytel, Možný, J. Hickl, Bellin, Dolgener, Schulz 6, etc.

LAS PALMAS, V 1989
(46 players, 9 rounds)

1. Kudrin 7½, 2–3. Hebden, Granda, Zuniga 6½, 4–9. Fernandes, García Padron, Fernández García, Ivkov, Illescas Cordoba, Gild. García 6, 10–16. Mirallès, Magem, Lima, J.C. Díaz, A. Brito, Rubio, Dončević 5½, etc.

MOSKVA (GMA), V 1989
(127 players, 9 rounds)

1. Dolmatov 7, 2–7. Akopjan, Gavrikov, Vladimirov, Halifman, de Firmian, Geo. Timošenko 6½, 8–10. Pigusov, A. Černin, Vyžmanavin 6, 11–40. Azmajparašvili, Dreev, Kajdanov, Piskov, Svešnikov, Minasjan, Cvitan, Anastasjan, Dorfman, Tunik, Raškovskij, Pétursson, Jurtaev, C. Hansen, Judasin, Širov, P. Popović, Ubilava, Gol'din, Dautov, Gel'fand, Gen. Timoščenko, Lerner, Tukmakov, Bareev, Tivjakov, Romanišin, Smagin, Vajser, Razuvaev 5½, 41–50. Smejkal, Lobron, G. Kuz'min, Haritonov, Panno, Makaryčev, Psahis, Titov, Dlugy, Lein 5, 51–77. Murey, Miles, Smirin, Ėjngorn, Adorján, Zajčik, Balašov, Campora, Malanjuk, H. Ólafsson, Stefánsson, Šabalov, Spiridonov, Dohojan, Krasenkov, R. Lau, Kramnik, A. Mihal'čišin, Vasjukov, D. Gurevič, Kočiev, Huzman, Ceškovskij, Karpman, Holmov, Lautier, A. Kuz'min 4½, etc.

LONDON, V–VI 1989 cat. X (2484) g=9, m=6½

				1	2	3	4	5	6	7	8	9	10	11	12	13	14		
1	B. LARSEN	g	2580	●	1	½	½	1	0	½	1	1	1	½	1	½	1	9½	1
2	KING	g	2500	0	●	0	1	½	½	½	1	1	1	½	½	1	1	8½	2
3	ŞUBĂ	g	2515	½	1	●	0	1	½	1	½	0	1	1	½	0	1	8	3
4	P. WOLFF	m	2485	½	0	1	●	0	1	1	0	0	½	1	1	1	0	7	4–5
5	DAVIES	m	2485	0	½	0	1	●	½	1	½	½	½	½	½	½	1	7	4–5
6	K. ARKELL	m	2445	1	½	½	0	½	●	½	½	½	½	0	½	½	1	6½	6–10
7	HODGSON	g	2545	½	½	0	0	0	½	●	1	½	1	½	½	½	1	6½	6–10
8	MOTWANI	m	2490	0	0	½	1	½	½	0	●	1	½	½	½	½	1	6½	6–10
9	ADAMS	m	2510	0	0	1	1	½	½	½	0	●	0	½	½	1	1	6½	6–10
10	SADLER	m	2430	0	0	0	½	½	½	0	½	1	●	1	1	½	1	6½	6–10
11	W. WATSON	m	2505	½	½	0	0	½	1	½	½	½	0	●	½	1	½	6	11
12	WILDER	g	2540	0	½	½	0	½	½	½	½	½	0	½	●	1	½	5½	12
13	McNAB	m	2435	½	0	1	0	½	½	½	½	0	½	0	0	●	1	5	13
14	S. ARKELL	g	2310	0	0	0	1	0	0	0	0	0	0	½	½	0	●	2	14

HOLGUIN, V–VI 1989 cat. VIII (2436) g=9, m=6½

1. Am. Rodríguez 8, 2. S. Đurić 7½, 3–5. Moskalenko, Ortega, W. Arencibia 7, 6–7. Sariego, Borges Mateos 6½, 8–9. Siero-González, Antunes 5½, 10. Velikov 5, 11–12. Andrés, R. Martin del Campo 4½, 13. Lugo 3½

HOLGUIN II, V–VI 1989 cat. VII (2405) g=9½, m=7

1. Šnejder 10, 2. L. Espig 9, 3. R. Vera 8, 4. Rom. Hernández 6½, 5–7. J. Armas, Gavrilakis, Dejkało 6, 8. Henao 5½, 9–12. Estévez, I. Herrera, A. Gomez, Calderin 4½, 13. Paneque 3

MOSKVA, V–VI 1989 cat. XI (2503) g=7, m=5

				1	2	3	4	5	6	7	8	9	10	11	12		
1	DREEV	f	2520	●	½	1	1	½	½	½	½	1	1	1	0	7½	1
2	VYŽMANAVIN	m	2550	½	●	½	1	½	½	½	1	½	1	½	½	7	2
3	KOTRONIAS	m	2505	0	½	●	½	0	1	1	1	0	½	1	1*	6½	3–4
4	E. GELLER	g	2480	0	0	½	●	1	1	½	½	½	1	½	1*	6½	3–4
5	HARITONOV	m	2520	½	½	1	0	●	½	½	1	1	½	0	½	6	5–6
6	GOL'DIN	m	2535	½	½	0	0	½	●	1	½	1	½	½	1*	6	5–6
7	H.-U. GRÜNBERG	m	2475	½	½	0	½	½	0	●	½	1	½	½	1*	5½	7
8	FISHBEIN	m	2490	½	0	0	½	0	½	½	●	1	½	1	0	4½	8–10
9	ČEHOV	g	2480	0	½	1	½	0	0	0	0	●	½	1	1*	4½	8–10
10	I. BELOV		2425	0	0	½	0	½	½	½	½	½	●	½	1	4½	8–10
11	CAMPORA	g	2500	0	½	0	½	1	½	½	0	0	½	●	½	4	11
12	MUREY	g	2560	1	½	0*	0*	½	0*	0*	1	0*	0	½	●	3½	12

MOSKVA II, V–VI 1989 cat. VII (2406) g=7, m=5½

1. Svešnikov 6½, 2–3. A. Kuz'min, Neverov 5½, 4. Westerinen 5, 5–6. Henkin, Naumkin 4½, 7. Gola 4, 8–9. Arhipov, Zajcev 3½, 10. Bokan 2½

EREVAN, V–VI 1989 cat. XII (2527) g=7, m=4½

				1	2	3	4	5	6	7	8	9	10	11	12		
1	IVANČUK	g	2635	●	½	½	1	0	1	1	½	1	1	1	1	8½	1
2	LPUTJAN	g	2610	½	●	½	½	1	½	1	½	½	½	1	1	7½	2
3	AZMAJPARAŠVILI	g	2565	½	½	●	0	½	1	1	1	½	½	1	½	7	3–5
4	AKOPJAN	m	2520	0	½	1	●	½	½	½	½	1	1	½	1	7	3–5
5	ROMANIŠIN	g	2555	1	0	½	½	●	0	1	½	½	1	1	1	7	3–5
6	GLIGORIĆ	g	2505	0	½	0	½	1	●	½	½	½	½	0	1	5	6–7
7	S. MARJANOVIĆ	g	2490	0	0	0	½	0	½	●	1	½	½	1	1	5	6–7
8	A. PETROSJAN	g	2475	½	½	0	½	½	½	0	●	½	½	½	½	4½	8–9
9	DOHOJAN	g	2575	0	½	½	0	½	½	½	½	●	½	½	½	4½	8–9
10	I. CSOM	g	2545	0	½	½	0	0	½	½	½	½	●	½	½	4	10
11	ANASTASJAN	m	2475	0	0	0	½	0	1	0	½	½	½	●	½	3½	11
12	SPIRIDONOV	g	2390	0	0	½	0	0	0	0	½	½	½	½	●	2½	12

GENOVA, VI 1989 cat. VIII (2427) g=8, m=6

1. Lerner 8½, 2. P. Cramling 8, 3. V. Raičević 7½, 4–5. I. Faragó, Skembris 7, 6. Krogius 6½, 7. Klarić 6, 8. Bellón Lopez 5½, 9. Hector 3½, 10. Guido 3, 11. Cirabisi 2, 12. Grassi 1½

LENK, VI 1989
(44 players, 7 rounds)

1–3. Meduna, Zlatilov, Gallagher 5½, 4–7. Kállai, Gheorghiu, Kolev, Barlov 5, 8–12. Cvitan, Š. Gross, Klauser, Gobet, M. Böhm 4½, 13–20. Ruf, Erdélyi, M. Wüst, Wirthensohn, Spycher, Giertz, Beimfohr, Habibi 4, etc.

ROTTERDAM (World Cup), VI 1989 cat. XV (2615) g=7½, m=4½

				1	2	3	4	5	6	7	8	9	10	11	12	13	14	15	16			World Cup Points
1	TIMMAN	g	2610	●	0	½	1	½	1	½	1	1	1	½	1	½	½	½	1	10½	1	**28**
2	AN. KARPOV	g	2750	1	●	½	0	½	0	½	½	½	1	1	1	1	0	1	1	9½	2	**26**
3	VAGANJAN	g	2600	½	½	●	½	1	½	½	½	½	1	0	1	1	½	½	½	9	3	**23**
4	NUNN	g	2620	0	1	½	●	½	½	½	½	½	½	½	½	½	1	½	1	8½	4	**23**
5	VAN DER WIEL	g	2560	½	½	0	½	●	0	1	½	1	½	½	½	½	½	1	½	8	5–8	–
6	SALOV	g	2630	0	1	½	½	1	●	0	½	1	0	1	½	0	½	½	1	8	5–8	**18**
7	EHLVEST	g	2600	½	½	½	½	0	1	●	½	0	½	1	0	½	1	½	1	8	5–8	**23**
8	A. SOKOLOV	g	2605	0	½	½	½	½	½	½	●	0	½	½	½	1	½	1	1	8	5–8	**20**
9	N. SHORT	g	2650	0	½	½	½	0	0	1	1	●	1	½	0	1	½	½	½	7½	9	**20**
10	SEIRAWAN	g	2610	0	0	0	½	½	1	½	½	0	●	½	½	½	1	1	½	7	10	**16,5**
11	SAX	g	2610	½	0	1	½	½	0	0	½	½	½	●	½	½	½	½	½	6½	11–13	**13,5**
12	NOGUEIRAS	g	2575	0	0	0	½	½	½	1	½	1	½	½	●	½	½	0	½	6½	11–13	**13,5**
13	JUSUPOV	g	2610	½	0	0	½	½	1	½	0	0	½	½	½	●	1	½	½	6½	11–13	**13,5**
14	LJUBOJEVIĆ	g	2580	½	1	½	0	½	½	0	½	½	0	½	½	0	●	½	½	6	14–15	**10,5**
15	L. PORTISCH	g	2610	½	0	½	½	0	½	½	0	½	0	½	1	½	½	●	½	6	14–15	**13,5**
16	J. HJARTARSON	g	2615	0	0	½	0	½	0	0	0	½	½	½	½	½	½	½	●	4½	16	**8**

ALBENA, VI 1989 cat. VIII (2430) g=8, m=6

1. P"devski 8, 2. Štohl 7½, 3. Balašov 6½, 4. Semkov 6, 5–7. Spasov, A. Hofman, Vilela 5½, 8–9. Pähtz, Tinkov 5, 10–11. Co. Ionescu, A. Fernandes 4½, 12. Popčev 2½

BUDAPEST (Open), VI 1989
(103 players, 11 rounds)

1–2. Uhlmann, Ruban 8½, 3–11. Přibyl, Nei, Monin, Károlyi Honfi, Enders, Cesarskij, Z. Varga, Fogarasi, Al. Karpov 7½, 12–20. Fehér, Tibenský, Orev, Hevér, J. Adamski, Ročagov, Keschitz, Z. Nemeth, Treybal 7, etc.

BUDAPEST, VI 1989 cat. IX (2473) g=7, m=5

				1	2	3	4	5	6	7	8	9	10	11		
1	GAVRIKOV	g	2535	●	½	½	1	½	1	½	½	1	½	1	7	1–2
2	KRASENKOV	m	2525	½	●	½	½	½	1	½	½	1	1	1	7	1–2
3	A. MIHAL'ČIŠIN	g	2475	½	½	●	½	½	½	½	1	½	1	1	6½	3
4	BASS	m	2430	0	½	½	●	1	1	½	½	1	½	½	6	4–5
5	JÓ. HORVÁTH	m	2510	½	½	½	0	●	½	½	½	1	1	1	6	4–5
6	BÖNSCH	g	2490	0	0	½	0	½	●	1	1	½	1	½	5	6
7	BRUNNER	m	2425	½	½	½	½	½	0	●	½	½	½	½	4½	7–8
8	TOLNAI	m	2480	½	½	0	½	½	0	½	●	0	1	1	4½	7–8
9	KOSTEN	m	2505	0	0	½	0	0	½	½	1	●	0	½	3	9–10
10	VAN MIL	m	2370	½	0	0	½	0	0	½	0	1	●	½	3	9–10
11	HØI	m	2460	0	0	0	½	0	½	½	0	½	½	●	2½	11

B"LGARIJA (ch), VI 1989 cat. VII (2412) g=11½, m=8½

1. Kir. Georgiev 12½, 2. Ink'ov 10, 3–4. Ninov, V. Dimitrov 9½, 5. Kr. Georgiev 9, 6–7. Dončev, Topalov 8½, 8–9. Lukov, Grigorov 8, 10. Ermenkov 7, 11. Danailov 6½, 12. Janev 6, 13–14. Zahariev, Panbukčjan 4½, 15–16. P. Popov, Simeonov 4

LJUBLJANA / ROGAŠKA SLATINA, VI 1989 cat. XI (2503) g=8½, m=6

				1	2	3	4	5	6	7	8	9	10	11	12	13	14		
1	PR. NIKOLIĆ	g	2605	●	½	1	0	½	1	½	1	½	1	1	1	½	1	9½	1
2	Y. GRÜNFELD	g	2535	½	●	½	½	1	0	1	1	½	½	½	1	1	1	9	2
3	BAREEV	m	2555	0	½	●	½	½	1	½	1	½	½	1	1	1	½	8½	3
4	V. KOVAČEVIĆ	g	2545	1	½	½	●	0	½	1	½	½	1	1	½	½	½	8	4–5
5	KUPREJČIK	g	2520	½	0	½	1	●	0	1	0	1	½	½	1	1	1	8	4–5
6	LOBRON	g	2555	0	1	0	½	1	●	½	0	½	0	1	1	1	½	7	6
7	TODORČEVIĆ	m	2535	½	0	½	0	0	½	●	1	1	1	0	0	1	1	6½	7–8
8	DAMLJANOVIĆ	m	2530	0	0	0	½	1	1	0	●	½	1	0	1	1	½	6½	7–8
9	BISCHOFF	m	2505	½	½	½	½	0	½	0	½	●	½	½	½	½	½	5½	9–10
10	KOŽUL	m	2490	0	½	½	0	½	1	0	0	½	●	1	0	½	1	5½	9–10
11	PODLESNIK	f	2415	0	½	0	0	½	0	1	1	½	0	●	½	0	½	4½	11–13
12	GROSAR	m	2365	0	0	0	½	0	0	1	0	½	1	½	●	½	½	4½	11–13
13	G. MOHR	f	2450	½	0	0	½	0	0	0	0	½	½	1	½	●	1	4½	11–13
14	GOSTIŠA	m	2420	0	0	½	½	0	½	0	½	½	0	½	½	0	●	3½	14

FORLI, VI 1989
(36 players, 9 rounds)

1. Ermolinskij 7½, 2. S. Đurić 6½, 3–6. Tajmanov, Kosten, García-Palermo, Delčev 6, 7–12. Vajser, Meduna, Tringov, Forintos, M. Pavlović, Belotti 5½, 13. Tatai 5, 14–16. St. Nikolić, Marinelli, Vezzosi 4½, etc.

MANCHESTER, VI 1989 cat. X (2488) g=6, m=4½

				1	2	3	4	5	6	7	8	9	10		
1	ADAMS	m	2510	●	½	½	½	½	½	1	1	1	1	6½	1
2	P. WOLFF	m	2485	½	●	½	0	½	1	½	1	1	½	5½	2–3
3	I. SOKOLOV	g	2580	½	½	●	½	½	½	½	½	1	1	5½	2–3
4	TISDALL	m	2460	½	1	½	●	½	½	½	½	½	½	5	4–5
5	WILDER	g	2540	½	½	½	½	●	½	½	½	½	1	5	4–5
6	HODGSON	g	2545	½	0	½	½	½	●	½	½	1	½	4½	6–7
7	ŞUBĂ	g	2515	0	½	½	½	½	½	●	0	1	1	4½	6–7
8	DAVIES	m	2485	0	0	½	½	½	½	1	●	½	½	4	8
9	LUND		2270	0	0	0	½	½	0	0	½	●	1	2½	9
10	LEVITT	m	2495	0	½	0	½	0	½	0	½	0	●	2	10

DEBRECEN, VI 1989   cat. XII (2530) g=6, m=4

				1	2	3	4	5	6	7	8	9	10	11		
1	GEL'FAND	m	2600	●	½	½	0	1	½	1	½	1	1	1	7	1
2	OLL	m	2510	½	●	½	1	½	1	½	½	½	1	½	6½	2—3
3	KINDERMANN	g	2520	½	½	●	½	½	1	½	0	1	1	1	6½	2—3
4	EJNGORN	g	2570	1	0	½	●	1	0	½	1	½	1	½	6	4
5	FTÁČNIK	g	2550	0	½	½	0	●	0	1	½	1	1	1	5½	5
6	S. MOHR	m	2530	½	0	0	1	1	●	½	½	½	0	1	5	6—7
7	UHLMANN	g	2515	0	½	½	½	0	½	●	½	1	1	½	5	6—7
8	I. CSOM	g	2545	½	½	1	0	½	½	½	●	½	0	½	4½	8
9	BARBERO	g	2495	0	½	0	½	0	½	0	½	●	1	½	3½	9
10	HECTOR	m	2485	0	0	0	0	0	1	0	1	0	●	1	3	10
11	KOTRONIAS	m	2505	0	½	0	½	0	0	½	½	½	0	●	2½	11

XI WORLD CORR. CHAMPIONSHIP (Final — 1983/88)

1—3. Baumbach (DDR), Nesis (URS), Mihajlov (URS) 10½, 4—5. Kosenkov (URS), Zago-rovskij (URS) 9, 6. A.J. Hasin (URS) 7, 7—8. M. Pereirra (ARG), Blockx (BEL) 6½, 9. Buj (ARG) 6, 10—11. Sande (NOR), Thiele (DDR) 5½, 12—14. V. Zajcev (URS), Danner (OST), Weisenburger (FRG) 5, 15. Anton (ROM) 3½

VII EUROPEAN CLUB CUP

Round 1:

1. Radnički (JUG) — **Univerzitet (CSR)**   4 : 8   (2 : 4, 2 : 4)
2. IT Bucuresti (ROM) — **MTK Budapest (HUN)**   4 : 8   (1 : 5, 3 : 3)
3. La Caja Canarias (ESP) — **Tigran Petrosjan (URS)** 3 : 9   (2 : 4, 1 : 5)
4. Anderlecht (BEL) — **Reykjavík S.K. (ISD)**   4½ : 7½   (3½ : 2½, 1 : 5)
5. Skolerne (DEN) — **Wood Green (ENG)**   5½ : 6½   (3½ : 2½, 2 : 4)
6. Allschwil (SWZ) — **Beer-Sheva (ISL)**   4½ : 7½   (3 : 3, 1½ : 4½)
7. Wandering Dragons (SCO) — **Honvéd (HUN)**   ½ : 11½   (0 : 6, ½ : 5½)
8. Glasgow Polyt. (SCO) — **C.S.K.A. (URS)**   ½ : 11½   (0 : 6, ½ : 5½)
9. Matinkylan S.K. (FIN) — **Wasa S.K. (SVE)**   4½ : 7½   (2 : 4, 2½ : 3½)
10. A.T.S.V. Ranshofen (OST) — **Goša (JUG)**   5 : 7   (2½ : 3½, 2½ : 3½)
11. **Lokomotiva (URS)** — C.S.K.A. (BLG)   8½ : 3½   (5 : 1, 3½ : 2½)
12. M.Z.K.S. Pocztowicz (POL) — **S.O. Kallithea (GRC)** 5½ : 6½

Exempted by draw: Vektor (URS), Bayern (FRG), C.E. Gambit Bonne Voie (LUX), Solingen (FRG)

ALMA-ATA, VI 1989   cat. VIII (2447) g=11, m=8

1—2. Vladimirov, Ubilava 11, 3. Mačul'skij 10, 4. Ceškovskij 8½, 5—6. Asanov, Murugan 8, 7—9. Raškovskij, Malanjuk, Temirbaev 7½, 10. Dzjuban 7, 11—12. P. Blatný, Conquest 6½, 13—14. Douven, Kuczyński 6, 15. Ilinčić 5½, 16. Seredenko 3½

LEON, VI 1989   cat. VIII (2436) g=8, m=6

1—2. Zsu. Polgár, Pintér 8, 3. Illescas Cordoba 7½, 4. Rivas Pastor 6½, 5—7. Franco, Sanz Alonso, Romero Holmes 5½, 8—11. Sion Castro, de la Villa García, Estremera Panos, Zsó. Polgár 4, 12. Campos Moreno 3½

registar • *индекс* • *index* • *register* • *registre* • *registro* • *registro* • *register* • 棋譜索引 • الفهرس

partije; *kombinacije;* **završnice** • партии; *комбинации;* **окончания** • games; *combinations;* **endings** • Partien; *Kombinationen;* **Endspiele** • parties; *combinaisons;* **finales** • partidas; *combinaciones;* **finales** • partite; *combinazioni;* **finali** • partier; *kombinationer;* **slutspel** •
収局索引 • الاشواط ، التضحيات ، المراحل النهائية

ADELAIDE 1988 [(2)]
(118), (387)

ALBENA 1989 [2/(1)]
(78), 131, 687

ALMA-ATA 1989 [2/(1)]
370, 407, (444)

AMSTERDAM 1989 [9/(2)]
122, 196, 280, (352), 388, (442), 576, 592, 593, 600, 663

AMSTERDAM II 1988 [(1)]
(579)

ANDERLECHT – S. K. REYKJAVÍK 1989 [(2)]
(234), (378)

ANDERSSON, U. – KARPOV, AN. (m) 1989 [(2)]
(49), –, (627), –

ARNHEM 1988/89 [1/(2); **1**]
(170), (272), 732; **27**

AUGSBURG 1988/89 [2/(2)]
(98), 497, 550, (662)

BAD WÖRISHOFEN 1989 [4]
48, 73, 186, 350

BAKU 1988 [(1)]
(578)

BARCELONA 1989 [58/(29)]
6, 10, 18, 19, 22, (34), 55, (62), 64, 78, (92), 113, 123, (152), (161), 162, 178, 180, (187), 197, 210, 222, (236), 248, 271, 285, 296, 303, (316), 338, 343, 344, (366), 372, (378), 389, 390, 418, 433, (433), (450), 452, 456, (461), 464, 466, (472), (475), 477, 479, 480, (480), (486), 492, 494, 498, 505, 509, 526, 529, (533), (536), (536), 544, 545, (545), (545), (546), 564, 596, (598), (603), 604, 631, (634), (634), 647, 662, (662), 666, 670, 677, 682, (697), 719, 730, 740

BARNAUL 1988 [(1)]
(118)

BAYAMO 1989 [(5)]
(56), (131), (290), (419), (616)

BELA CRKVA 1988 [*1*]
22

BELA CRKVA 1989 [1/(3); **1**]
(92), 119, (513), (729); **28**

BELGOROD 1989 [7/(11); **1**]
79, 109, (126), 160, (184), (263), (263), 265, 295, (308), 312, (394), (551), (552), 601, (681), (714), (717); **20**

BEOGRAD 1988 [2/(7); *1;* **1**]
(16), (76), (121), 154, (201), 422, (523), (732), (732); *24;* **9**

BERLIN 1988 [(2)]
(573), (705)

BERLIN 1989 [11/(2); **1**]
(12), 28, 33, 95, 152, 167, 219, (361), 368, 702, 711, 729, 738; **2**

BERN 1989 [3/(4)]
(305), 503, (551), (558), 619, (645), 665

BERN (open) 1989 [(1)]
(67)

BIEL 1988 [(3)]
(23), (206), (582)

BIEL II 1988 [1]
232

BLED 1989 [2; *1*]
221, 410; *33*

B"LGARIJA 1988 [(3)]
(232), (232), (505)

B"LGARIJA 1989 [1/(1)]
684, (687)

B"LGARIJA (ch) 1989 [3]
97, 140, 281

BOSTON 1988 [(1)]
(294)

BRD 1988/89 [1]
84

BRD 1989 [7/(5); **1**]
(62), 144, (164), 166, (166), (167), 406, 416, 421,
442, (446), 510; **32**

BRUXELLES 1988 [(2)]
(62), (344)

BUDAPEST 1988 [(3)]
(62), (163), (582)

BUDAPEST 1989 [6/(3)]
53, 139, 283, 321, 525, 568, (574), (721), (730)

BUDAPEST II 1989 [2/(3)]
284, (463), (517), 560, (645)

BUDAPEST (open) 1989 [17/(17); *3;* **1**]
(3), (101), (113), 116, 126, (176), 194, 200, 202, 217,
(229), 237, (243), (248), 269, 319, 324, 371, (371),
(383), (397), 413, (482), (496), 512, 528, 573, (586),
(639), 651, 661, (709), (735), (735); *8, 13, 15;* **15**

CANNES 1989 [8/(6)]
32, 38, (49), 63, (64), (187), (196), 441, 443, (496),
603, 612, (624), 681

CANNES (open) 1989 [(4)]
(52), (171), (253), (494)

CAORLE 1989 [(1)]
(266)

CHINA (ch) 1989 [1]
474

COLOMBIA (ch) 1989 [(1)]
(201)

Corr. 1985/88 [1/(1)]
112, (712)

Corr. 1986/88 [2]
392, 409

Corr. 1987/88 [(1)]
(191)

Corr. 1988 [3/(5); *1;* **1**]
(111), (111), 183, (183), 270, 331, (377), (716); *23;* **3**

Corr. 1988/89 [3/(4)]
(26), 110, 111, (111), (154), (156), 707

Corr. 1989 [6/(9); *2*]
(99), (183), (195), (221), 242, (323), 325, 377, (391),
(423), 458, 513, (517), 575, (747); *5, 7*

ČSSR 1989 [2; **1**]
444, 476; **17**

CUBA 1988 [(1)]
(579)

CUBA 1989 [2/(2)]
231, (231), 330, (330)

DAMLJANOVIĆ − KOŽUL (m) 1989 [(2)]
(554), −, (554), −

DANMARK 1988 [1]
648

DANMARK (ch) 1989 [(2)]
(171), (625)

DDR 1989 [1/(2)]
322, (563), (742)

DDR (ch) 1989 [(1); *1*]
(187); *30*

DEBRECEN 1988 [(1)]
(255)

DEBRECEN 1989 [8/(9)]
21, 31, (78), (174), 323, (323), 347, (367), (398),
455, (463), (553), 556, 559, (580), (649), 699

DEBRECEN (open) 1989 [1/(1)]
153, (313)

DEN HAAG 1989 [*1*]
21

DORTMUND 1989 [6/(6)]
117, 161, (234), 244, 259, (347), (368), (419), (422),
(524), 543, 679

DORTMUND II 1989 [(8)]
(62), (161), (266), (266), (268), (269), (414), (581)

DORTMUND (open) 1989 [2; *1*]
13, 589; *12*

DRESDEN 1988 [(1)]
(719)

EFORIE-NORD 1989 [1; **1**]
238; **22**

ENGLAND 1989 [1]
414

EREVAN 1989 [4/(8)]
(78), 209, (463), (483), 488, (497), (588), 615, (626),
(640), (655), 688

ESBJERG 1988 [2/(1)]
256, (257), 700

FORLI 1989 [1/(4); *1;* **1**]
(202), (202), (249), 362, (735); *31;* **14**

FRANCE 1989 [1/(1)]
228, (423)

GAUSDAL 1989   [1/(5); **1**]
246, (401), (401), (407), (605), (729); **23**

GENÈVE 1988   [(1)]
(226)

GENOVA 1989   [3/(2)]
(187), 383, 461, 713, (732)

GLIWICE 1989   [(1)]
(705)

GÖTEBORG 1989   [(1)]
(194)

GREAT BRITAIN (ch) 1988   [(1)]
(232)

GRONINGEN 1988   [2/(2)]
105, (627), 643, (742)

HANINGE 1989   [11/(17)]
(10), (54), (127), (161), 169, (175), (231), (245),
288, (301), 304, 326, (418), 425, (425), 428, (429),
449, 457, (556), (562), 565, (616), (640), 671, (681),
728, (747)

HASTINGS 1988/89   [17/(13)]
1, (6), (8), 23, 43, 51, (133), (171), 191, (192), 193,
(222), 239, (248), 314, (360), 376, (389), (403), 574,
(590), 597, 598, 599, 609, (616), 632, 652, 659, (701)

HASTINGS (open) 1988/89   **[1]**
6

HJARTARSON, J. — KARPOV, AN. (m) 1989   [3/(1)]
—, 41, 437, (473), 434

HOLGUIN 1988   [(1)]
(330)

HOLGUIN 1989   [6/(4)]
136, (329), 356, 359, 391, 393, (401), (513), (517),
660

HOLGUIN II 1989   [(1)]
(221)

HRADEC KRÁLOVÉ 1988/89   [(1)]
(465)

HÜBNER — SPASSKY (m) 1989   [2/(2)]
408, 472, (442), —, (442), —

ÍSLAND 1988   [1]
691

ÍSLAND (ch) 1988   [(1)]
(70)

INDIA 1988   [(1)]
(217)

INDIA (ch) 1989   [1/(1)]
(294), 382

IT BUCUREŞTI — MTK BUDAPEST 1989   [(2)]
(722), (727)

JUGOSLAVIJA 1989   [7/(5); *1*]
(55), 82, (133), (134), 206, 263, 553, 594, 701, 725,
(732), (735); 27

JUGOSLAVIJA (ch) 1988   [(1)]
(402)

JUGOSLAVIJA (ch) 1989   [11/(7)]
(13), 15, 261, 336, 352, 405, 557, (558), (591), 606,
(612), (612), 614, 622, 696, (697), 705, (729)

JUSUPOV — SPRAGGETT, K. (m) 1989   [4/(2)]
533, 9, 489, (3), —, —, (642), —, 14

KAŠTEL STARI 1988   [(1)]
(226)

KECSKEMÉT 1989   [(2)]
(328), (735)

KLADOVO 1989   [1/(1)]
118, (573)

KLAJPEDA 1988   [(4)]
(367), (418), (541), (587)

KNJAŽEVAC 1988/89   [1]
499

KØBENHAVN 1988   [(1)]
(545)

LA CAJA CANARIAS — T. PETROSJAN 1989   [(1)]
(573)

LA HABANA 1988   [(1)]
(449)

LARSEN, B. — MORTENSEN (m) 1989   [1/(1)]
(721), —, —, 515, —, —

LAS PALMAS 1989   [1/(1)]
(423), 624

LAS VEGAS 1989   [3]
34, 514, 739

LEIPZIG 1989   [(1)]
(730)

LENINGRAD 1989   [(1)]
(594)

LENK 1989   [1]
727

LEON 1989   [(1)]
(575)

LIECHTENSTEIN 1989   [2/(1)]
558, 588, (622)

LINARES 1989   [24/(18)]
(42), (49), (53), (67), 142, 148, 150, (171), 328,
(348), (348), (364), 396, (399), 402, (402), (418),
420, 427, 435, (436), 439, 440, (442), (442), 454,
(454), 475, 484, 485, 491, 500, 501, 511, 570, (589),
(589), 590, (595), 633, 676, 695

LJUBLJANA / ROGAŠKA SLATINA 1989   [3/(2)]
29, 332, (333), 450, (730)

LOKOMOTIVA − CSKA 1989   [2]
147, 595

LONDON 1988   [1/(2)]
98, (98), (98)

LONDON 1989   [2/(2)]
(211), (211), 258, 386

LOS ANGELES 1989   [1]
100

LUGANO 1989   [36/(20)]
3, 25, 26, 27, 44, (53), 59, (66), 87, 94, 128, 134,
145, 176, (192), (196), (196), (196), 220, (245), 247,
(266), (272), 286, 291, (315), 346, 354, 364, (365),
(368), 403, 404, (419), (446), (463), 471, 502, 517,
(557), 567, (574), 605, 611, 620, (630), 639, 640,
642, 650, (662), 686, 714, 721, 722, (726)

L'VOV 1988   [(1)]
(525)

MAGYARORSZÁG 1989   [4/(2); 1]
83, 129, (235), 266, 637, (739); 18

MAGYARORSZÁG (ch) 1989   [4/(4)]
120, (120), 267, (283), 482, 508, (511), (568)

MALMÖ 1988/89   [(1); 1]
(286); 4

MALMÖ (open) 1989   [1]
19

MANCHESTER 1989   [1]
745

MARIÁNSKÉ LÁZNĚ 1989   [(1); 1]
(181); 36

MARSEILLE 1988   [(1)]
(409)

MAZATLAN 1988   [(1)]
(549)

MOROVIĆ FERNANDEZ − SPASSKY (m) 1989
[(1)]
−, −, (428), −, −, −

MOSKVA 1989   [(5)]
(140), (223), (224), (709), (714)

MOSKVA II 1989   [3/(5)]
203, (205), (215), (538), (538), (570), 582, 731

MOSKVA (ch) 1989   [7/(2)]
58, 115, 216, 243, 341, 468, 617, (727), (735)

MOSKVA (GMA) 1989   [80/(68)]
(4), 8, (8), 11, (11), (24), (29), 35, (43), (45), 52,
56, (71), (73), 81, (99), 102, (104), 114, (121), (122),
124, 132, 133, (137), (137), (139), (139), (140),
(140), 141, (141), 143, (147), 149, 151, (153), 156,
159, (161), 165, (166), (167), 170, (171), 172, 182,
188, 189, 192, (192), 198, 204, 215, 218, (221), 225,
(233), 234, (251), 255, 264, (266), 268, 272, 289,
292, 316, 317, 320, (327), (332), (334), 337, (337),
339, (352), 357, (382), 385, (394), 395, (397), 398,
(399), (399), (399), 401, (409), 415, (415), 417, 423,
426, 430, (444), 445, 463, 473, 481, 483, 486, 487,
496, (503), (506), 523, (523), 536, (545), 546, (551),
(558), 561, 566, (577), (578), (580), 583, (586),
(587), (592), (595), 610, 613, (613), (615), 623,
(624), (642), 645, 646, (649), 669, 672, 678, 689,
697, (703), 704, (706), (708), 715, 717, (732), 734,
735, (743)

MÜNCHEN 1989   [4/(4); 1]
257, (333), 373, 504, (535), (547), (627), 736; 18

NEDERLAND 1989   [(2)]
(724), (746)

NEDERLAND (ch) 1989   [2/(11)]
(162), (172), (175), (316), 626, (627), (634), (649),
(709), (721), (736), 746, (746)

NÆSTVED 1988   [1/(2)]
(60), (256), 625

NEW YORK 1989   [40/(38)]
(10), 12, (24), 40, (43), 45, (48), 50, 57, (59), 67,
68, 69, (81), 90, 93, (95), 103, (108), (109), 121,
(128), 130, (161), (161), 163, (164), (171), 173,
(181), (182), (217), 223, 226, 227, 253, (253), (289),
302, (311), 313, 329, (334), (350), (360), 379, (382),
(382), 397, (433), 446, 448, (449), 507, (543), (543),
563, (566), 572, 585, 602, 616, (621), 628, 629, 630,
(634), 635, (663), 664, (668), (669), 674, (683),
(694), 703, (722), 723

NICARAGUA 1988   [(1)]
(330)

PARIS 1989   [9/(5); 1; 1]
5, (24), 37, 101, 208, (245), 273, (483), 578, 655,
683, 708, (719), (726); 10; 21

PLOVDIV 1989   [(1)]
(699)

POLANICA ZDRÓJ 1988   [(2)]
(97), (580)

POLSKA (ch) 1989   [1/(6)]
(53), (192), (296), (311), 363, (363), (605)

POREČ 1989   [1]
20

443

PORTISCH, L. — TIMMAN (m) 1989 [6]
522, 199, 39, 438, 74, 275

PRAHA 1988 [1/(1)]
(27), 138

PRAHA 1989 [2/(3); 1; 1]
(43), 294, (366), 381, (554); 1; 6

PRIMORSKO 1989 [1]
34

PROTVINO II 1988 [1]
65

PTUJ 1989 [4/(2)]
17, 76, (76), (551), 554, 587

PULA 1989 [8/(9)]
(64), 71, 72, (75), (151), (212), (316), 451, 465,
(465), (470), 519, 521, (545), 656, 737, (742)

REGGIO EMILIA 1988/89 [13/(8)]
(13), 20, (35), (69), 75, 175, (207), (268), 276, 277,
287, 306, (389), (421), 469, 490, (543), 552, 690,
724, 741

REYKJAVÍK 1988 [(3)]
(233), (257), (546)

REYKJAVÍK 1989 [4/(2)]
80, 85, 89, 207, (326), (570)

ROMA 1989 [2/(4); 1]
(32), (128), 157, (296), 305, (719); 12

ROMÂNIA (ch) 1989 [1/(1)]
375, (524)

ROTTERDAM 1988 [(1)]
(360)

ROTTERDAM 1989 [65/(28)]
42, 46, 47, 49, 60, 61, (64), (135), 177, 179,
181, 187, 213, (214), (230), 235, 240, (248), 252,
274, 278, 279, (279), 300, 308, 311, 315, (318), 327,
345, 349, 351, 353, 358, 360, 365, 366, 378, (379),
(379), 380, (380), 384, (389), 390, 394, (394), 400,
419, 424, (424), 429, 431, 432, 436, (452), (456),
460, 470, 495, (495), (522), 524, 531, 532, (536),
538, (538), 539, 571, (605), 607, 608, (616), 621,
(632), 636, 638, 641, 644, 649, (652), (652), (659),
(662), 667, (669), (676), 710, 718, 720, 742

SAGUA LA GRANDE 1989 [1]
342

SALAMANCA 1988 [1]
195

SALTSJÖBADEN 1988/89 [2/(1)]
293, 540, (727)

SANTIAGO 1989 [2/(1); 1]
66, 459, (672); 28

SEATTLE (open) 1989 [1]
716

SEEFELD 1989 [(1); 1]
(490); 26

ŠIBENIK 1988 [2/(3)]
224, (224), (249), 542, (717)

SIMFEROPOL' 1988 [1/(1)]
(563), 577

SLAVIJA — MOŠK 1989 [2]
146, 260

SOČI 1988 [(1)]
(241)

SSSR 1988 [1/(10); 2; 2]
(154), 205, (205), (316), (330), (560), (585), (685),
(703), (714), (715), (743); 3, 9; 8, 29

SSSR 1989 [28/(41); 7; 7]
(42), (52), 54, (58), 92, (92), 96, 99, (99), (99),
(100), 104, 107, 108, (115), (133), 135, (135), (138),
155, 158, 164, (164), (184), 211, (211), 212, (219),
(219), (224), 229, (229), (230), (239), (250), (261),
(268), (274), 282, 307, 310, 318, 335, (367), 374,
(374), (465), (474), (517), (525), 534, 535, 549,
(552), (558), (564), 569, (587), 591, (591), (613),
(631), 658, 675, (693), (703), (727), 743, (743); 11,
14, 17, 26, 29, 34, 35; 4, 5, 13, 24, 25, 33, 35

SSSR (ch) 1988 [1/(1); 1]
91, (582); 11

STAROZAGORSKI BANI 1989 [3/(3)]
(96), 125, (141), (205), 298, 747

SZEGED 1989 [1]
478

TAL' — TIMMAN (m) 1988 [(1)]
(457), —, —, —, —, —

TALLINN 1989 [10/(7)]
137, (225), 355, (407), (418), (419), 462, 467, 580,
584, 627, (640), (652), 653, (672), 673, 692

TARRASA 1989 [(1)]
(461)

TBILISI 1988 [(2)]
(167), (503)

TBILISI 1989 [15/(12); 1; 3]
(15), 86, (120), 249, (249), 250, 251, 262, 301, 309,
(319), (354), 367, 387, (398), (496), 506, 518, 555,
(603), (605), (616), (624), (624), 654, 668, 744; 32;
7, 16, 30

TEL AVIV 1989 [4/(2)]
530, 551, 685, (689), 726, (741)

THESSALONIKI (ol) 1988 [2/(12)]
  (115), (121), (139), 233, (255), (275), 297, (420), (443), (450), (543), (562), (599), (668)

TORCY 1989 [3/(2)]
  (312), 333, 520, (711), 733

TORONTO 1989 [(3)]
  (225), (313), (654)

TRNAVA 1989 [4/(3)]
  (24), (137), 174, 230, 361, (545), 579

TRNAVA II 1989 [4/(13)]
  24, (30), 36, (148), (174), (180), 201, (398), (515), (540), 541, (544), (546), (547), (591), (702), (706)

TRNAVA III 1989 [(1)]
  (156)

TUZLA 1989 [(1)]
  (463)

USA 1988 [2; 1]
  2, 36; 10

USA 1989 [1]
  412

VARNA 1989 [(1)]
  (563)

VERA, R. – VILELA (m) 1989 [1]
  –, –, –, 127

VILLENEUVE TOLOSANE 1989 [1]
  712

VRNJAČKA BANJA 1989 [6/(7)]
  30, (30), (113), (209), (209), (450), 493, (493), 547, 581, (581), 657, 706

VRNJAČKA BANJA (open) 1989 [1]
  77

WARSZAWA 1989 [2/(10); 1; 2]
  (79), (138), (139), (195), (219), (238), 399, 453, (461), (648), (660), (730); 16; 1, 19

WIJK AAN ZEE 1989 [23/(21)]
  2, 4, (9), 16, (16), (20), (21), 62, (62), (96), (167), 168, 184, 185, 190, 214, 245, 254, (266), 290, 340, (366), 369, 411, (444), (444), 447, (463), (502), 527, 562, (574), (580), 586, 618, (627), 634, (640), (654), (682), 693, (693), 694, (729)

WIJK AAN ZEE II 1989 [7/(10); 1; 1]
  70, (73), 88, (101), (104), (163), (214), (322), 334, (334), 348, (348), 516, 537, (579), (662), 709; 25; 31

ZALAKAROSZ 1989 [(1)]
  (228)

ZENICA 1989 [7/(3)]
  (5), 7, 236, 241, (269), 299, (397), 548, 680, 698

ZÜRICH 1988 [(1)]
  (283)

fide information

Editor *B. Kažić*

FIDE

ADDRESS LIST OF NATIONAL CHESS FEDERATIONS

AFGHANISTAN
Afghan Natl. Chess Fed.
Afghan Natl. Olympic
Committee,
Kabul
Tel: 20579
Tlg: OLYMPIC

ALBANIA
Com. des Echecs RPS
d'Albanie,
Rruga „Dervish Hima" No. 31
Tirana
Tel: 7256, 7411
Tlx: (0604)2142 ATSH AB
Tlg: ALBSPORT

ALGERIA
Fed. Algerienne des Echecs
7 rue Omar Amimour
Alger
Tel: (213)2-667165
Tlx: (0408)65194 FAC DZ,
Attn: L. Mazouz

ANDORRA
Federacio d'Escacs Valls
d'Andorra,
c/o Mr. Benet Pantebre
Av. Meritxell, 42
Andorra la Vella
Tel: (33)628-22725

ANGOLA
Fed. Angolana de Xadrez
C.P. 5278
Luanda
Tel: (24)1-30404
Tlx: (0991)3163 INDUVE AN

ANTIGUA & BARBUDA
Antigua & Barbuda Chess
Federation
P.O. Box 993
St. John's
Tel: (500)809-4622787

ARGENTINA
Fed. Argentina de Ajedrez
Carlos Calvo 1134 - P.B. "1"
RA-1102 Buenos Aires
Tel: (54)1-266967
Tlx: (033)17499 COARG AR

AUSTRALIA
Australian Chess Federation
20 Sycamore Grove
East St. Kilda, VIC 3183
Tel (61)3-5259420
Tlx: (071)AA30625 Attn.
ME3821

AUSTRIA
Oesterreichischer
Schachbund,
Herrengasse 16,
A-8010 Graz
Tel: (43)316-8772169
Tlx: (047)311838 LRGGR A
Fax: (43)316-8773641

BAHAMAS
Bahamas Chess Federation
P.O. Box SS-6154
Nassau N.P.
Res: (500)809-3256210
Fax: (500)809-3267467
(public fax)
Tlg: BACHESS

BAHRAIN
Bahrain Chess Federation
P.O. Box 26717
Manama
Tel: (973)742470
Tlx: (0490)8805 FROGHI BN
Fax: (973)713986
Tlg: SHATRANJ

BANGLADESH
Bangladesh Chess Federation
Krira Kakkha

62/3, Purana Paltan
Dhaka 1000
Tel: (880)2-280528
Tlx: (0780)642927 HTPUR BJ
Tlg: DABAFED

BARBADOS
The Barbados Chess
Federation,
P.O. Box 71 B
Brittons Hill
St. Michael
Res: (500)809-4268877

BELGIUM
Federation Royale Belge des
Echecs,
c/o Jacques Bossuyt
H. Pitterylaan 12
B-8420 De Haan
Tel: (32)59-234291

BERMUDA
Bermuda Chess Association
P.O. Box HM 1705
Hamilton HM GX
Tel: (500)809-2954274
Res: (500)809-2363865
Tlx: (0290)3628 AMSER BA
Tlg: BERMUDACHESS

BOLIVIA
Fed. Boliviana de Ajedrez
5.piso
Estadio Olimpico de La Paz
Pres: Merida Bello, Carlos
Tel: (591)2-311262
Res: (591)2-790438

BOTSWANA
Botswana Chess Federation
Attn. Mr. R.W. Jones
P.O. Box 41090
Gaborone
Tel: (267)31-371343

BRAZIL

Confed. Brasileira de Xadrez
Rua Cruz Machado
66/12. andar
Caixa Postal 1224
BR-80001 Curitiba
Parana

BRUNEI

Brunei Chess Association
P.O. Box 2023
Bandar Seri Begawan

BULGARIA

Fed. Bulgare des Echecs
8, boul. Tolboukhine
BG-1040 Sofia
Tel: (359)2-874291, 8651 ext.
462
Tlx: (067)22723, 2724
CSBSFS BG
Fax: (359)2-879670
Tlg: BESEFESE SOFIA

CANADA

Chess Federation of Canada
Box 7339
Ottawa, ONT K1L8E4
Tel: (1)613-7414242

CHILE

Fed. de Ajedrez de Chile
Serrano 14, Oficina 102
Casilla 2001
Santiago de Chile
Tel: (56)2-331400
Tlx: (034)645330 BOOTH CT
Attn. FEDAJ

CHINA

Chess Association of the
People's Republic of China,
9 Tjyugan Road, Beijing
Tel: (86)1-753110
Tlx: (085)22323 CHOC CN
Tlx: (085)22034 ACSF CN
Fax: (86)1-7015858
Tlg: SPORTSCHINE BEIJING

COLOMBIA

Fed. Colombiana de Ajedrez
Calle 16 no. 9-64, piso 4
Apartado Postal 5375
Bogota DE
Tel: (57)1-2818541
Tlx: (035)41275 ICJD CO
Fax: (57)2-258826
Tlg: FECODAZ

COSTA RICA

Fed. Costarricense de Ajedrez
Av. Central; CS 12/14
Altos Joyeria Chanel
Apto. 6922

CR-1000 San Jose
Tel: (506)218795
Tlx: (0376)3394 DIDER

CUBA

Fed. Cubana de Ajedrez
Com. Olimpico Calle 13
601 Esq. C, Zona Postal 4
Habana/Vedado
Tel: (53)7-328441, 37955
Tlx: (028)511332 INDER CU
Tlg: OLIMPICUBA

CYPRUS

Cyprus Chess Association
43 Themist Dervis St.
Nicosia
Tel: (357)2-444485

CZECHOSLOVAKIA

Ceskoslovensky Sachovy
Svaz,
Stdion E. Rosickeho Strahov
CS-160 17 Prague 6
Tel: (42)2-357756
Tlx: (066)122650 CSTV C
Tlg: SPORTSVAZ CHESS

DENMARK

Dansk Skak Union
c/o Steen Juul Mortensen
Marievej 7, Snejbjerg
DK-7400 Herning
Tel: (45)7-162167

DOMINICAN REPUBLIC

Federacion Dominicana de
Ajedrez,
C/16 de Agosto No. 39
San Cristobal
Tel: (500)809-5282813
Tlx: RCA(0326) 4297 CODOM

ECUADOR

Fed. Ecuatoriana de Ajedrez
Casilla 155
Guayaquil
Tel: (593)4-300622, 303660
Tlx: (0308)43817 COE ED
Tlg: FEDENADOR

EGYPT

Egyptian Chess Association
Roxy-Osman Tower Bldg.
2 Flat 152, 15th Floor
Cairo
Tel: (20)2-2578794, 80600
Tlx: (091)21198 TASTE UN
Fax: (20)2-3925728

ENGLAND

British Chess Federation
9a Grand Parade

St. Leonards-on-Sea
East Sussex TN38 ODD
Tel: (44)424-442500
Tlx: (051)265871 MONREF G
quote "ref: mag 96212"
Fax: (44)424-435439 Attn. BCF

FAROE ISLANDS

Talvsamband Foroya
c/o Mr. Christiansen, Smal
FR-420 Hosvik
Tel: (298) 15680
Res: (298)22368

FIJI

Fiji Chess Federation
G.P.O. Box 14117
Suva
Tel: (679)23856
Res: (679)391379
Tlx: (0701)2348 FJ
Fax: (679)301312

FINLAND

Soumen Keskusshakkiliitto
Mellstenintie 17 A 3
SF-02170 Espoo 17
Tel: (358)0-428320
Tlx: (057)1000654 INPLAN
TTX SF
Tlg: FINNCHESS HELSINKI

FRANCE

Féd. Française des Echecs
Direction Technique et
Administrative,
B.P. 107
F-90002 Belfort Cedex
Tel: (33)84-221133
Tlx:(042)360660 Attn. tel.
84-221133
Fax: (33)84-220627 Attn

GAMBIA

The Gambia Chess Federation
P.O. Box 697
65, Leman Road
Banjul

**GERMAN DEMOCRATIC
REPUBLIC**

Deutscher Schachverband
Generalsekretariat
Storkower Strasse 118
DDR-1055 Berlin
Tel: (37)2-54692355
Tlx: (069)114919 DTSB DD

**GERMAN FEDERL
REPUBLIC**

Deutscher Schachbund e. V.
Breitenbachplatz 17/19
D-1000 Berlin 33

Tel: (49)30-8249901, 8248979
Tlx: (041)186156 DSCHB D
Fax: (49)30-8608701 Attn. DSB

GHANA

Ghana Chess Association
c/o National Sports Council
P.O. Box 1272
Accra

GREECE

Elliniki Skakistiki Omospondia
Kapodistriou St. 38, 2nd floor
GR-104 32 Athens
Tel: (30)1-5222069, 5224712
Tel: (30)1-5232779 (Pres.)
Tlx: (0601)224083 SKAK GR
Tlg: CHESFED ATHENS

GUATEMALA

Fed. Nac. Ajedrez de
Guatemala,
Gimnasio Nuevo ≠ 2,
Ciudad de los Deportes, Z. 4.
Apartado Postal 1452
Guatemala
Tel: (502)2-310560 ext. 239
Tlx: (0372)6077 COG GU
Attn. FENADA
Tlg: FENADA

GUERNSEY & JERSEY

Guernsey & Jersey Chess
Federation,
c/o Paul Wojciechowski
4, Clifton Place
Rue de l'Eglise
St. Peter, Jersey
Tel: (44)534-37770
Res: (44)534-83582
Tlx: (051)4192020 TRJRSY G
Fax: (44)534-34037 Attn.
Wojciechowski

GUYANA

Guyana Chess Federation
55 Main St.
P.O. Box 10310, Georgetown
Tlx: (0295) 2211, 1113 GX
Attn: Chervington
Fax: (592)-2-68826, 54084
Attn: Shervington

HAITI

Fed. Haitienne des Echecs
B.P. 797
Port-au-Prince
Tel: (509)1-22049

HONDURAS

Fed. Dep. Extraescolar
Honduras,
Apartado Postal 331,
Tegucigalpa DC

HONG KONG

Hong Kong Chess Federation
1202, Luk Hoi Tong Bldg.
31 Queen's Road, Central
Hong Kong
Tel: (852)5-226081
Tlx: (0802)86594 PANKU HX
Tlg: CHESSFED
Pres & Del:
Pearce, David Sydney
(Addr: see federtion)
Tel: (852)3-7506818 ext 330

HUNGARY

Magyar Sakkszovetseg
Nephadsereg utca 10
H-1055 Budapest-V
Tel: (36)1-116616
Tlx: (061)225105 AISH H
Tlx: (061) 227553 AISHK H
Tlg: COMSPORT ECHECS

ICELAND

Skaksamband Islands
P.O. Box 1674
Laugavegi 71
IS-121 Reykjavik
Res: (354)1-27570
Tlx: (0501)3000 Attn. Icechess
Tlg: ICECHESS

INDIA

All India Chess Federation
c/o Mr. Manuel Aaron
14 Fifth Cross St.
Shastrinagar
Madras 600020
Tel: 91)44-515135
Res: (91)44-411607
Tlx: (081)417203 IBFX IN
Fax: 44-513211 Attn: Aaron
Tlg: CHESSFED

INDONESIA

Persatuan Catur Seluruh
Indonesia (PERCASI),
Kanselary KONI Pusat,
Pintu I Stadium Utama
Senayan,
Jakarta Pusat
Tel: (62)21-582033 ext 43
Tel: (62)21-581399 (direct)
Tlx: (073)45214 KONI IA
Tlg: PERCASI PUSAT
JAKARTA

IRAQ

Iraqi Chess Federation
P.O. Box 441
Baghdad-Kherbandha
Tel: (964)1-7748261
Tlx: (0491)213409 IROC IK
Tlg: IROC BAGHDAD

IRELAND

Irish Chess Union
c/o Mr. Eddie O'Reilly
115 Sandyhill Gardens
Ballynum, Dublin 11
Res: (353)1-420225

ISRAEL

Israel Chess Federation
8 Hashoftim Street
P.O. Box 21143
Tel Aviv 64355
Tel: (972)3-287670
Tlg: ISRACHESS

ITALY

Fed. Scacchistica Italiana
Via dei Piatti, 10
I-20123 Milano
Tel: (39)2-874646

JAMAICA

Jamaica Chess Federation
43 University Crescent
Kingston 6
Tel: (500)809-9272197

JAPAN

Japan Chess Association
Kamata 2-17-7, Ohta-ku
Tokyo 144
Tel: (81)3-7382063
Fax: (81)3-7359712
Tlg: NIHONCHESS

JORDAN

The Royal Jordan Chess
Federation,
P.O. Box 2269.,
Amman
Res: (962)6-810091
Tlx: (0493)23222 KYSO JO

KENYA

Kenya Chess Association
P.O. Box 60513
Nairobi
Tel: (254)2-502211/9, 793798
Tlx: (0987)25252 VIWANGO

KUWAIT

Kuwaiti Chess Federation
c/o Rashed A. Al-Rahmani
P.O. Box 16095
Al Qadisia
Tel: (965)5319332
Tlx: (0496)46788 OULOUM KT
Faxd (965)5323424
Tlg: OULOUM KUWAIT

LEBANON

Federation Libanaise des
Echecs,

B.P. 14-5951, c/o Succar,
Beyrouth Mazraa
Tel: (961)1-316639
Res: (961)1-305912

LIBYA

General Libyan Chess Fed.
P.O. Box 879
Tripoli 3993
Tel: (218)21-35578
Tlx: (0901)20420 OLYMPIC

LIECHTENSTEIN

Liechtensteiner
Schachverband,
Schlosstr. 6,
Fl-9490 Vaduz

LUXEMBOURG

Fed. Luxembourgeoise des
Echecs,
B. P. 738, L-2017 Luxembourg
Pres: Recking, Rene
Boite Postale 110
L-9202 Diekirch
Tel: (352)803565

MALAYSIA

Persekutuan Catur Malaysia
c/o Mr. Laurence How-Chess
Royal Selangor Club
P.O. Box 10137
50704 Kuala Lumpur
Tel: (60)3-7577892
Correspondence:
Lawrence How
Res: (60)3-7743958
Tlx: (084)37685 srac ma
Fax: (60)3-7550115 c/o How

MALI

Fed, Malienne de Jeu
d'Echecs,
Boite Postale 2206,
Bamako

MALTA

Il Federacione Tac-Cess
P.O. Box 301 Valletta
Tel: (356)496826/222461
Tlx: (0406)1415 DELTA MW
Tlx: (0406)1446 INNMALTA

MAURETANIA

Fed des Echecs R.I.
Mauretanie,
Boite Postale 1050,
Nouakchott
Tlx: (0974) MATEMA 834 MTN
Fax: (222)253546

MAURITIUS

Mauritius Chess Federation
Morcellement Avrillon
Beau Bassin
Tlx: (0966)4492

MEXICO

Fed. Mexicana de Ajedrez AC
Eugenia No. 182
Col Independencia
Apartado Postal 86-016
Mexico 7 D.F.
Tel: (52)5-5321091

MONACO

Fed. Monegasque des Echecs
25 Boulevard des Moulins
MC-98000 Monte Carlo
Tel: (33)93-307722
Pres: Roger-Clement, Guy
(Address: see federation)

MONGOLIA

Mongolian Chess Federation
Baga Toirog 55
Ulan Bator

MOROCCO

Fed. Royale Marocaine
d'Echecs,
19, rue Oqba,
Agdal Rabatt
Tel (212)7-70555
Tlx: (0407) JVM 31878 M

MOZAMBIQUE

Federaçao Moçambicana de
Xadrez
Caixa Postal 4038, Maputo
Tel: (258)743798

NEPAL

Nepal Baghchal and Chess
Association,
c/o National Sports Council,
P.O. Box 2090,
Dasharath Rangashala,
Tripureswor, Kathmandu
Tel: (977)2-11732, 15712

NETHERLANDS

Koninklijke Nederlandse
Schaakbond,
Paleisstraat 1,
Postbus 11950,
NL-1001 GZ Amsterdam
Tel: (31)20-228520

NETHERLANDS ANTILLES

Ned.-Antilliaanse Schaakbond
c/o J.M. Bet
Periclesstr. 11
Curacao NA
Res: (599)9-55750

NEW ZEALAND

New Zealand Chess Assoc.
P.O. Box 2185
Wellington
Tel/Res: (64)4-848882
Fax: (64)4-724462
Tlg: CHESS WELLINGTON

NICARAGUA

Fed. Nicaraguense de Ajedrez
Apartado Posal 3376
Managua
Tel: (505)2-74678
Tlg: FENICA

NIGERIA

Nigeria Chess Federation
Natl. Sports Commission
P.O. Box 145, Lagos
Tel: (234)1-830649
Tlx: (0905)26559 GAMES
Tlx: (0905)26570 NFA NG
Tlg: NATSPORTS LAGOS

NORWAY

Norges Sjakkforbund
Frennings vei 3
N-0588 Oslo 5
Tel: (47)2-151241

PAKISTAN

Chess Federation of Pakistan
B-7, Block "Q"
North Nazimabad
Karachi — 33
Tel: (92)21-522851
Tlx: (082)2779 SLIC PK
Tlg: STATELIFFE Attn. S.
Nawaz

PALESTINE

Palestine Chess Federation
17 rue Bilal
El Menzah 6
Tn-1004 Tunis, Tunisia
Tel: (216)1-238730

PANAMA

Fed. de Ajedrez de Panama
Apartado 8394
Panama 7
Tel: (507)643333

PAPUA NEW GUINEA

Papua New Guinea Chess
Federation,
P.O.Box 808, Boroko
Tel: (675)258788, 258545
Fax: (675)258516

PARAGUAY

Fed. Paraguaya de Ajedrez
Narciso Lopez No. 875
Asuncion
Tel: (595)21-83830

Tlx: (0305)411 PY SUBINFOR
Fax: (595)21-93154

PERU

Fed. Peruana de Ajedrez
Estadio Nacional Puerta 4
2 pisco, Apartado Postal 10063
Lima
Tel: (51)14-322011
Tlg: FEPEJEDREZ

PHILIPPINES

Philippine Chess Federation
Rm 301, Campos Rueda Bldg.
101 Tindalo St.
Makati
Metro Manila
Tel: (63)2-877481
Tlx: (075)66594 PN

POLAND

Polski Zwiazek Szachowy
Ul. Czerniakowska 126 A
PL-00-454 Warszawa
Tel: (48)22-414192
Tlx: (063)816572 CHESS PL
Tlg: PZ-SZACH

PORTUGAL

Fed. Portuguesa de Xadrez,
R. Sociedade Farmaceutica
56-2,
P-1199 Lisboa Codex
Tel: (351)1-563141
Tlx: (0404)62600 FD P

PUERTO RICO

Fed. de Ajedrez de Puerto
Rico,
Apartado Postal 3182
San Juan, PR 00904
Tlx: (0207)9134 PR PETROL

QATAR

Qatar Chess Federation
P.O. box 22012
Doha
Tel: (974)351589, 453247
Tlx: (0497)4590 SHABAB DH
Tlg: RYATSHABAB

ROMANIA

Federatia Romana de Sah
Str. Vasili Conta 16
R-70139 Bucarest
Tel + Fax: (40)0-119787
Tlx: (065)11180 SPORT R
Tlg: SPORTROM-SAH

EL SALVADOR

Fed. Salvadorena de Ajedrez
Final Pasaje Union Nr. 6, av
Olimpica y 69 Av Col Escalon
San Salvador

SAN MARINO

Federazione Sammarinese
degli Scacchi,
Casa del Castello
RSM-47031 Domagnano
Tel: (39)549-991508
Res: 549-903571, 999391

SCOTLAND

Scottish Chess Association
c/o J.M. Glendinning
40 Criffell Road
GB-Glasgow G32 0SB
Tel: (44)41-7762422
Pres: Smerdon, W.S.
20 Braid Mount

SENEGAL

Fed. Senegalaise des Echecs
Boite Postale 2518
Dakar

SEYCHELLES

Seychelles Chess Federation
P.O. Box 713
Victoria, Mahe

SINGAPORE

Singapore Chess Federation
19 Adam Road
Singapore 1128
Tel: (65)7347796
Tlx: (087)RS25941 ANTINT
Fax: (65)2732497

SPAIN

Fed. Espanola de Ajedrez
C/. Coslada, 10-4 Dcha.
E-28028 Madrid
Tel: (34)1-2452159
Tel + Fax: (34)1-2556963
Tlg: FEDAJEDREZ

SRI LANKA

Chess Federation of Sri Lanka
c/o Gamini S. Dissanayake
36/4 Perera Place
Dehiwala
Tel: (94)1-22438
Res: (94)1-714899

SUDAN

Sudan Chess Federation
c/o Dr. Ahmed Sir El-Khatim
P.O. Box 194 Khartoum
Tel: (249)11-72640
Tlx: (0984)22329 MCCS SD
Tlg: TIJARA

SURINAM

Surinaamse Schaakbond
Steenbakkery Straat 56
P.O. Box 873

Paramaribo
Tel: (597)97797

SWEDEN

Sveriges Schackforbund
Horngatan 3
S-602 34 Norrkoping
Tel: (46)11-107420
Fax: (46)11-182341
Tlg: SUEDECHECS

SWITZERLAND

Schweizerischer
Schachverband,
c/o Dr. Martin Christoffel
Ahornweg 21
CH-5022 Rombach
Res: (41)64-373248

SYRIA

Syrian Arab Chess Federation
P.O. Box 967
Damascus-Baramkeh
Tel: (963)11-225052, 225026
Tlx: (0492)411578 SPOFED

THAILAND

Thailand Chess Federation
2207 Charoen Krung Road
Yanawa, Bangkok 10120
Tel: (66)2-2891121
Tlx: (086)82714 VIVA TH
Fax: (66)2-2911017
Tlg: THAIKEE BANGKOK

TRINIDAD & TOBAGO

Trinidad & Tobago Chess
Association,
P.O. Box 1202, Port of Spain,
Trinidad
Pres: Tavares, Shawn Dr,
≠278 Bregon Park

TUNISIA

Fed. Tunisienne des Echecs
Boite Postal 234
Av. Mohamed V.
TN-1049 Tunis-Hached
Tel: (216)1-247103

TURKEY

Turkiye Satranc Federasyonu
Sakizagaci Cad. 19/4
Beyoglu
TR-80070 Istanbul
Tel: (090)1-1456457, 1442735
P.K. 159, Beyoglu
RT-80072 Istanbul

UGANDA

Chess Federation of Uganda
P.O. Box 975

Kampala
Tel: (256)41-231914
Res: (256)41-256849

UNITED ARAB EMIRATES

UAE Chess Federation
P.O. Box 11.110, Dubai
Tel: (971)4-665293
Fax: (971)4-665036
Tlx: (0893)46116 CHESS EM

UNITED STATES OF AMERICA

United States Chess Federation,
Attn: Al Lawrence
186 Route 9W,
New Windsor, NY 12550-7698
Tel: (1)914-5628350
Tlx: (023)150116 US CHESS

URUGUAY

Fed. Uruguaya de Ajedrez,
Casa De Los Deportes "Artigas",
Canelones 978, Montevideo
Tel: (598)2-3822789

USSR

USSR Chess Federation
Luzhnetskaya Nab. 8
Su-119871 Moscow
Tel: (7)095-2010237
Tlx: (064)411287 PRIZ SU
Fax: (7)095-2480814
Tlg: GOSKOMSPORT SSSR

VENEZUELA

Fed. Venezolana de Ajedrez
c/o Dr. Rafael Tudela
Apto. 47021, Caracas 1041-A
Tel: (58)2-2833133

VIETNAM

Chess Federation of Vietnam
36 Tran Phu St., Hanoi
Tel: 54868, 53272

BRITISH VIRGIN ISLANDS

British Virgin Is. Chess. Fed.
P.O. Box 21, Road Town
Tortola
Tlg: BVICHESS

US VIRGIN ISLANDS

US Virgin Islands Chess Fed.
P.O. Box 1116, Kingshill
St. Croix, USVI 00850
Tel: (500)809-7730491
Tlx: 3471046 Attn. CHESSFED

WALES

Welsh Chess Union
c/o Frank G. Hatto
"Furzeland", Trimsaran Rd.
Llanelli, Dyfed SA15 4RN
Tel: (44)554-810731

YEMEN ARAB REPUBLIC

Yeman Chess Federation
c/o Olympic Committee
Hada St., P.O. Box 2701
Sana'a
Tel: (967)2-74449
Tlx: (0895)2710 YOUTH YE
Tlg: C/O OLYMPIA

YEMEN PEOPLE'S DEMOCRATIC REPUBLIC

Yemen Federation of Chess-Aden,
P.O. Box 933, Crater-Aden
Tel: 51898
Tlg: MAR-ADEN

YUGOSLAVIA

Sahovski Savez Jugoslavije
Nusiceva 25/II
Postanski fah 504
YU-11 000 Belgrade
Tel: (38)11-322585, 329322
Tlx: (062)12595 SKFJ YU
Tlg: YUGOCHESS

ZAMBIA

Chess Federation of Zambia
c/o Capt. David M. Hamoonga
P.O. Box 36113, Lusaka
Tel: (260)1-210739
Tlx: (0902)40228 ZA

ZIMBABWE

Zimbabwe Chess Federation
P.O. Box A 500, Avondale
Harare
Tel: (263)4-706661
Tlx: (0907)26088 LONRHO
Tlx: (0907)26225 INDEP ZW
Fax: (263)4-730909, 704777

FEDERATION INTERNATIONAL DES ECHECS – F I D E

Secretariat:
Abendweg 1, P.O. Box 2841
CH–6002 LUCERNE
Tel: (041)41-513378, 53379.
Tlx: (0845)862845 FIDECH
Fax: (041)41-515846.
Tlgr: FIDECHECS-Lucerne

chess informant information

CORRECTIONS

In **Chess Informant 46,** game № **150** should be: **Anand 2555 – L. Schmidt, Thessaloniki (ol) 1988** (erroneous: Wł. Schmidt 2465).

Game № **275** should be: **Sherzer 2350 – Tolnai 2485, Thessaloniki (open) 1988** (erroneous: Thessaloniki (ol) 1988).

The result of game № **586, Kortchnoi 2595 – N. Short 2665, Rotterdam 1988,** should be: **1 : 0** (erroneous: 0 : 1).

Fragment № **(649)** should be: **Razuvaev 2535 – Feller, Mužina 1988** (erroneous: E. Geller 2465, SSSR 1988).

FIDE INTERNATIONAL RATING LIST FOR MEN AND WOMEN, July 1, 1989

EVENTS RATED

GENERAL

Zone 1A

ENG Hastings, 12/28/88, F&C Challenge
Hastings, 12/29/88, Foreign & Colon
Muswell Hill, 04/03/89, Mus. Hill
Southend, 03/24/89, Southend Open
SCO Edinburg, 03/24/89, Save & Prosper

Zone 1B

BEL Antwerp, 08/13/88, 2nd Steinweg
Antwerp, 01/30/89, Timman-Portisch
FRA Aubervillier, 01/27/89, Match FRA-HUN
Cannes, 02/16/89, Generations Tn.
Cannes, 02/18/89, 4 Intl. Open
Cappelle, 02/13/89, 5 Cappelle Intl.
Challes, 05/04/89, Chateau Open
Douai, 03/25/89, 12 Douai Intl. Open
Frans, 01/01/89, Natl. Inter Club
Frans, 01/01/89, Natl. Inter Club (corr.)
Le Havre, 02/01/89, Le Havre WGM
Le Havre, 02/03/89, Open Intl.
Metz, 04/01/89, 7 Metz Int. Open
Paris, 05/04/89, Paris Ch. Open
Paris, 05/04/89, Paris Open (corr.)
Paris, 05/04/89, Ladies Rtng. Tn.
Paris, 05/05/89, Paris Ch. Men
Paris, 05/25/89, Paris 15 Rtng.
Toulouse, 02/04/89, 2 Toulouse Intl.
Val Maubuee, 04/01/89, 3rd Intl. Open
Val Maubuee, 04/01/89, 3rd Intl. GM
LUX Luxembourg, 03/25/89, National Ch.
Luxembourg, 05/13/89, 28 LUX Open
NLD Amsterdam, 03/16/89, M Euwe Mem GM
Amsterdam, 04/23/89, OHRA Student Ch.
Arnhem, 12/19/88, European Juniors
Eidhoven, 11/05/88, Dutch Semifinal
Groningen, 12/21/88, Casino Groningen
Groningen, 12/21/88, Casino Groningen
Hilversum, 12/16/88, KRO Match
Hilversum, 03/23/89, Dutch Junior Ch.
Hilversum, 04/10/89, Dutch Chess Ch.
Wijk aan Zee, 01/13/89, Hoogovens GM A
Wijk aan Zee, 01/13/89, Hoogovens Master
Wijk aan Zee, 01/16/89, Hoogovens GM B
Wijk aan Zee, 01/19/89, Hoogovens Reserve
Wijk aan Zee, 01/21/89, Playoff-Semifinal

Zone 1C

ESP Barcelona, 03/30/89, World Cup
Benidorm, 04/29/89, Benidorm Intl.
Canary Is., 03/19/89, Canari Is. Ch.

Dos Hermanas, 04/20/89, 1st Intl. Tn.
Las Palmas, 12/04/88, 4th J.W. Intl.
Las Palmas, 05/14/89, X Open Intl. Corte Ingles
Linares, 02/18/89, 7 Intl. Tn.
Salamanca, 04/26/89, 3 Salamanca U.
San Fernando, 07/16/88, San Fernando Open
San Sebastian, 03/18/89, 12 Intl. Open
Sevilla, 12/12/88, 17th Sevilla
Terrassa, 03/19/89, 1 Terrassa Intl.
Valencia, 04/17/89, Valencia Intl.
Zaragoza, 03/27/89, 5 Open
ITA Aosta, 12/03/88, Citta Di Aosta
Asti, 10/05/88, Citta Di Asti
Castello, 11/19/88, 49th ITA Catego
Cellele Ligure, 03/18/89, Cellele Ligure
Gaeta, 03/18/89, Gaeta Festival
Genova, 03/04/89, Genova Festival
Lecce, 07/31/88, Lecce Festival
Mazara Del V, 12/03/88, 2nd Festival Int.
Milano, 04/01/89, 9 Milano Festival
Naples, 10/30/88, Golfo Di Napoli
Ragusa, 12/29/88, 3rd Intl. Fest
Reggio Emilia, 12/27/88, 31st Capodano A
Reggio Emilia, 12/27/88, 31st Capodano B
Rome, 02/10/89, Giornate Romane
Vicenza, 03/24/89, Karpov—Andersson

Zone 2

FRG Augsburg, 12/30/88, 4th Holiday Inn
Augsburg, 12/30/88, 4th Holiday Itt.
Bad-Orber, 03/30/89, 1 Bad-Orber A
Bad-Orber, 03/30/89, 1 Bad-Orber B
Badische, 05/12/89, Badische Ch.
Berlin, 10/09/88, Lasker-Steglitz
Berlin, 01/18/89, Steglitz Ch.
Berlin, 03/22/89, Berlin Title
Dortmund, 03/15/89, Dortmund GM B
Dortmund, 03/15/89, Dortmund GM A
Dortmund, 03/15/89, Dortmund IM
Dortmund, 03/15/89, Dortmund Open
Dortmund, 03/15/89, Dortmund Women
FRG cities, 10/01/88, Bundesliga
Frankfurt, 05/04/89, 2nd Intl. Tn.
Hamburg, 05/13/89, Hamburg Ch. '89
Hofheim, 09/16/88, 5th Hofheim Elo
Hofheim, 09/16/88, 5th Hofheim Elo 'B
Hofheim, 01/13/89, Rating Tournament A
Hofheim, 01/13/89, Rating Tournament B
Koln, 01/06/89, KSC Inv. Tn.
Koln-Porz, 12/06/88, Intl. GM Tn.
Munchen, 04/29/89, Memphisto GM
Neukolln, 02/27/89, Neukolln Ch.
Steinbach, 03/16/89, Hessische Ind.
Tubingen, 12/27/88, DSJ Intl. Ladies

ISL Beer-Sheva, 03/16/89, Beer-Sheva Festival
Haifa, 02/01/89, Women Zonal
Tel Aviv, 10/05/88, Tel Aviv Univer.
Tel Aviv, 01/02/89, Intl. Tn.
Tel-Aviv, 04/10/89, Flear – Podrajanskaya
Tel-Aviv, 04/10/89, ISL Open Ch.
Tel-Aviv, 04/10/89, 4th Intl. Tn.
LIH Schellenberg, 04/28/89, 7 LIH Intl. Open
OST Gleisdorf, 03/17/89, Intl. Jubile
Lienz, 02/11/88, 5th Intl. Open
Wien, 10/28/88, 7th Wien Intl.
SWZ Bad Ragaz, 03/24/89, Intl. Open
Berne, 02/06/89, Volksbank GM
Berne, 02/09/89, Volksbank Open
Geneva, 01/21/89, Geneva Int.
Lugano, 03/03/89, 14 Lugano Open
Sion, 12/27/88, Intl. De La Villa
Zurich, 12/26/88, 12th Weihnachts

Zone 3

BLG Bankja, 04/08/89, Bankja Festival
Burgas, 04/02/89, Neftohim
Elchovo, 11/11/88, Men Swiss Tn.
Elchovo, 11/11/88, Swiss Tn. Women
Elchovo, 04/17/88, Semifinal
Kanzanluk, 04/19/88, Semifinal
Kjustendil, 03/10/89, 1/2 Final BLG
Neftohim, 04/02/88, Neftohim
Plovdiv, 02/02/89, Chess Festival
Sofia, 01/16/89, 1/4 Final BLG
Stara Zagora, 01/16/89, 1/4 Final BLG
Stara Zagora, 02/11/89, Chess Festival
Stara Zagora, 02/11/89, Energetik 89
Tambol, 05/03/89, BLG Semifinal
Varna, 11/24/88, Varna Intl. Open
Veliko Tarnovo, 02/18/89, Women Open (corr.)
Veliko Tarnovo, 02/26/89, Women Open
CSR Hradec Kralove, 12/27/88, Intl. Christmas
Prague, 08/31/88, Metro 88 Intl.
Prague, 01/06/89, Bohemian GM
Prague, 01/06/89, Bohemian Master
Prague, 01/06/89, Bohemian Women
Tirnavia, 03/11/89, Tirnavia Intl. B
Tirnavia, 03/14/89, Tirnavia Intl. A
Tirnavia, 03/11/89, Tirnavia Intl. C
Trinec, 12/26/88, 24th Christmas Tn.
Zbrojovka Brno, 12/25/88, Pratetsvi Festival
DDR Berlin, 04/06/89, 2 Ernst Thalman
Potsdam, 12/26/88, 17th Potsdam Intl.
Zittau, 02/11/89, DDR Men Ch.
Zittau, 02/11/89, DDR Women Ch.
HUN Budapest, 06/11/88, Juniors Tn.
Budapest, 06/23/88, Scheveningen
Budapest, 01/07/89, 12 Cooptourist
Budapest, 01/07/89, Schneider-Miklos
Budapest, 01/20/89, EVM Open '89
Budapest, 01/20/89, EVM Open (corr.)
Budapest, 01/30/89, 2 HUN Intl. Tn.
Budapest, 01/30/89, 3 Postat 89
Budapest, 02/27/89, MAFC
Budapest, 03/18/89, Intl. Spring Festival
Budapest, 03/28/89, Perenyi Mem. B
Budapest, 03/28/89, Perenyi Mem. A
Felsotarkany, 01/07/89, Hopehely Open
Harkany, 11/01/88, Tenkes Kupa
Kecskemet, 01/16/89, DUTEP SC
Kecskemet, 03/03/89, Intl. Open
Kecskemet, 03/19/89, DUTEP Schev. A
Kecskemet, 03/19/89, DUTEP Schev. B
Kecskemet, 04/10/89, DUTEP Intl. A
Kecskemet, 04/10/89, DUTEP Intl. B
Szekszard, 10/07/88, Szekszard Open
Zalaegerszeg, 01/14/89, Zala Megye Tn.
Zalakaros, 04/11/89, Zalakaros Open
POL Chorzow, 03/11/89, Konstal '89
Gdynia, 01/03/89, Ozszach Ch.
Glogow, 12/28/88, Glogow's Chil.
Katowice, 01/30/89, Katowice Cup
Koscian, 01/29/89, Girls U-20
Krakow, 02/25/89, 19 Korona Open
Kudowa Zdroj, 12/03/88, 2nd OTS Kudowa
Lancut, 11/29/88, 19th ITT Rzeszo
Leszczyny, 12/08/88, Leszczyny Intl.
Leszczyny, 12/08/88, Leszczyny Intl. (corr.)
Leszczyny, 01/29/89, Juniors U-20
Leszczyny, 01/29/89, Junior U-16
Lodz, 04/03/89, Prezes Ozszach
Lodz, 04/03/89, Makarczyk's Mem
Mielec, 01/29/89, POL Juniors Open
Piotrkow, 04/03/89, 2nd TKNO 89
Plock, 04/05/89, U-18 Natl. Elim.
Poznan, 02/25/89, POL Ladies Ch.
Slupsk, 02/25/89, POL Men's Ch.
Slupsk, 03/02/89, Slupsk TKNO 89
Warszaw, 01/12/89, 7 Liberation
Warszaw, 04/23/89, POL Intl. '89
Warszaw, 04/23/89, POL Intl. Open (corr.)
ROM Caciulata, 04/03/89, Vilcean Women
Calimanesti, 07/03/88, Chess Festival
Calimanesti, 04/02/89, Vilcean Men
Eforie-Nord, 09/06/88, Centrocoop
Eforie-Nord, 04/27/89, TIT Men
Herculane, 10/17/88, TIT Hercules
Predeal, 02/26/89, Women March Cup
Sibil, 12/06/88, Women T.I.
Tusnad, 04/27/89, TIT Women

Zone 4

URS Belgorod, 04/12/89, World Cup Qual.
Klaipeda, 11/03/88, 56th URS Ch.
Klaipeda, 11/03/88, 56th URS Ch. (corr.)
Maikop, 03/10/89, RSFSR Women Ch.
Minsk, 02/04/89, Ladies Intl.
Moscow, 02/15/89, Women Ch.
Moscow, 03/19/89, Women Tn.
Moscow, 04/11/89, European Clubs Cup

Moscow, 05/16/89, Moscow Qualif. Open
Novosibirsk, 03/15/89, RSFSR Semifinal
Simferopol, 11/03/88, 56th URS Ch.
Tallinn, 01/25/89, Ledis Intl.
Tallinn, 04/03/89, Paul Keres Masters
Tallinn, 04/03/89, Paul Keres Main
Tbilisi, 12/28/88, Ladies Joung
Tbilisi, 02/08/89, Nat. Junior Ch.
Voronezh, 03/15/89, RSFSR Semifinal

Zone 5

GRC   Athens, 10/15/88, Intl. Women Tn.
      Athens, 12/03/88, Pigasos Christmas Open
      Athens, 01/09/89, Athens Ch. Men
      Athens, 03/10/89, 1st Women Intl.
      Athens, 05/13/89, European Team
      Crete, 12/22/88, 3rd Individual Ch. of Crete
      Iraklio, 05/02/89, Easter in Iraklio
      Pireas, 12/28/88, Pireas Ch.
      Preveza, 10/15/88, Intl. Women
      Thessaloniki, 10/22/88, Lefkos Pirgos
      Thessaloniki, 03/04/89, Kazinaris Mem.

JUG   Banja Vrucica, 11/26/88, 6th Mem. Edo Blazek
      Belgrade, 12/04/88, GMA — JAT Open
      Belgrade, 02/03/89, Obilic Rating
      Belgrade, 02/11/89, Women Open
      Belgrade, 02/18/89, 3 Energoprojekt
      Belgrade, 03/01/89, JRB Masters
      Belgrade, 03/07/89, 23 Intl. Women
      Belgrade, 03415/89, 7 SK Partizan
      Belgrade, 04/14/89, EEC — JUG vs CSR
      Belgrade, 05/24/89, Invitation Rating Tn.
      Bled, 02/23/89, Intertrade Women
      Bled, 02/23/89, Intertrade Men
      Bugojno, 07/14/88, Bosnia & Her. Ch.
      Divcibare, 12/15/88, Serbian Ch.
      Kladovo, 01/15/89, 44 Men Semifinal
      Kladovo, 01/15/89, 42 Wom. Ch.-Semifinal
      Knjazevac, 12/27/88, Intl. Chess Tn.
      Kostolac, 11/18/88, Kostolac Rtn.
      Mali Losinj, 04/06/89, Mali Losinj '89
      Maribor, 01/31/89, Maribor '89
      Novi Sad, 12/05/88, Semifinal 60 Ch.
      Novi Sad, 02/13/89, 60 City Ch.
      Novi Sad, 03/13/89, Detalinara '89
      Obrenovac, 04/04/89, Open Rating Tn.
      Pancevo, 01/20/89, Senior Ch.
      Pljevlja, 02/20/89, 44 JUG Ch.
      Porec, 04/15/89, „Porec 89"
      Prijedor, 02/23/89, Rade Koncar Mem.
      Ptuj, 04/11/89, 2 Intl. Tn.
      Pula, 11/10/88, Croatia Senior Ch.
      Pula, 05/05/89, Arenaturist '89
      Pula, 05/15/89, JUG Ladies Cup
      Pula, 05/15/89, M. Tito's Cup
      Sibenik, 12/17/88, 2nd Grand Prix
      Soko Banja, 05/25/89, Open Rating Tn.
      Split, 04/06/89, 42 Jug Women Ch.

Vinkovci, 11/21/88, Vinkovci 1988
Vrnjacka Banja, 03/24/89, Intl. Qual. Open
Vrnjacka Banja, 04/10/89, '89 GM Tn.
Zagreb, 10/14/88, 8th Men Open
Zemun, 03/09/89, Zemun '89
Zenica, 04/08/89, Zenica 89
TRK   Istambul, 01/28/89, Istambul Master

Zone 6

USA   Columbus, 01/06/89, Cardinal Open
      Lincolnwood, 03/03/89, Midwest Masters
      Long Beach, 11/24/88, Software Toolwo
      New York, 12/10/88, N.Y. Dec. Kongres
      New York, 12/14/88, Alekhine Open
      New York, 01/14/89, Carnegie Hall
      New York, 03/04/89, New York March Congress
      Philadelphia, 11/25/88, National Chess
      Philadelphia, 03/11/89, Atlantic Open
      Seattle, 01/27/89, Karpov-Hjartarson
      Washington, 02/18/89, Washington Ch.
      Watertown, 12/10/88, Pillsbury Mem.

Zone 7

CAN   Mississauga, 03/31/89, Croatia Club I
      Quebek City, 01/21/89, Yusupov-Spraggett
      Toronto, 12/30/88, Oakham Invitational
      Toronto, 02/15/89, Toronto Closed

Zone 8A

BER   Paget, 02/03/89, BER Intl. Open
CUB   Bayamo, 03/16/89, C M de CESPEDES
      Camaguey, 04/27/89, Migoya Mem.
      Ciego de Avila, 10/17/88, Tomas Jimenez
      Ciego de Avila, 04/01/89, VI „Tomas Jimenez
            in Mem."
      Cotorro, 12/07/88, Antillana De Ac
      Santa Clara, 02/28/89, Natl. Tn.
      Santiago de Cuba, 11/01/88, Copa Bacona
      Villa Clara, 04/05/89, VII Torneo „9 De Abril"
PRO   San Juan, 03/01/89, National Ch.
      San Juan, 04/07/89, Ignacio Loyola

Zone 9

ARG   Buenos Aires, 10/26/88, GEBA Anniversario
      Buenos Aires, 11/08/88, Equipos
            Metropolitano
      Buenos Aires, 12/16/88, FMDA 1988
      Buenos Aires, 02/17/89, Superior Torre Blanca
      Buenos Aires, 04/03/89, Metro 1st
      Buenos Aires, 04/06/89, IRT Torre Blanca
      Buenos Aires, 04/08/89, ITT Torre Blanc
      Mar del Plata, 03/18/89, Intl. Open
      Mar del Plata, 03/27/89, Sud American I
      Mar del Plata, 03/27/89, Sud American II

BRS Fortaleza, 11/11/88, Capablanca Mem.
Rio De Janeiro, 05/05/89, IV Masters Tn.
Sao Paulo, 04/23/89, Torneo Intl.
CHI Santiago, 11/17/88, Club Chile Ch.
Santiago, 04/24/89, Berti vs Puelma
Santiago, 05/03/89, Corties vs Pinto
Santiago, 05/08/89, Maestros

Zone 10

BAN Chittagong, 01/10/89, B. Amina Mem.
Dhaka, 12/07/88, 7th Q.M. Hussai
Dhaka, 12/24/88, Prantik Intl.
Dhaka, 02/23/89, 10 Women Ch.
Dhaka, 03/04/89, 15 Nat. Ch.
Dhaka, 03/13/89, 15 Nat. Ch. Final
IND Bikaner, 02/09/89, 26 National A
Calcuta, 02/09/89, Women's Open
Hyderabad, 01/21/89, Linca Allo IND
Lucknow, 11/14/88, RP Shukla Mem.
Madras, 03/24/89, C.R.S.B. Tn.
KUW Kuwait, 12/30/88, 6th Arab Women
Kuwait, 12/30/88, 6th Arab Individual
MON Ulan-Bator, 10/04/88, Women's Intl.
Ulan-Bator, 10/04/88, Men's Intl.
QTR Doha, 03/03/89, 3rd Doha Festival
AUS Melbourne, 02/11/89, AUS Masters 89
SIP Singapore, 04/24/89, 41st National Ch.
ANG Luanda, 10/08/88, 8th Premio Noca

Zone 14

DEN Aalborg, 03/17/89, Danish Ch.
Aalborg, 03/21/89, Danish Ch. Cand.
Aalborg, 05/12/89, Danish Ch.-Final Match
Aarhus, 01/19/89, Aarhus Ch.
Horsholm, 02/25/89, Horsholm 89
FIN Helsinki, 07/02/88, Finnish Ladies CH
Helsinki, 12/27/88, Helsingin Mesta
Helsinki, 03/16/89, Finnish CF Ch.
Helsinki, 03/23/89, FIN Workers Ch.
ISD Isafjordur, 08/14/88, Isafjordur Intl.
Reykjavik, 02/14/89, Fjarki Intl.
Reykjavik, 04/15/89, Round 1. European Club
Cup
NOR Gausdal, 01/19/89, Troll Masters (corr.)
Gausdal, 01/19/89, Troll Masters
Gausdal, 04/19/89, Arnold Cup '89
Oslo, 09/27/88, Autumn Tn.
SVE Goteborg, 02/10/89, Goteborg Jubilej
Haninge, 05/03/89, SVE Chess Tn.
Karlstad, 03/18/89, Open SVE Ch.
Linkoping, 09/30/88, Ostgota-Elit
Lund, 01/31/89, Masterskapet '89
Malmo, 12/27/88, Chess Festival GM
Malmo, 12/27/88, Chess Festival
Malmo, 01/19/89, Masterkapet '89
Saltsjobaden, 12/27/88, 18th Rillton Cup
Stockholm, 04/07/89, SK Rockaden ELO

INTERNATIONAL RATING LIST, MEN

A

m Aaron, M. (IND)	0	2375	
f Abarca Aguirre, M. (CHI)	0	2375	
Abayasekera, R. (ENG)	0	2280	
Abbas, B.H. (IRQ)	0	2210	
m Abdel, M.N. (EGY)	0	2370	
Abdul S.M.A. (IRQ)	6	2240	
Abdulla, H. (UAE)	0	2205	
f Abdulla, M. (UAE)	15	2240	
Abdullah, A.H. (MRC)	0	2220	
Abdullah, M.K. (MAL)	0	2205	
Abdulrahman, A. (YAR)	0	2205	
f Abel, L. (HUN)	0	2325	
Abichaaya, (LEB)	0	2220	
Abou el Zein, E. (EGY)	0	2330	
g Abramovic, B. (JUG)	71	2465	
Abramson, H. (ARG)	5	2255	
Abravanel, Ch. (FRA)	9	2265	
Abregu, M. (ARG)	0	2220	
m Abreu, J.D. (DOM)	0	2385	
Abuchamala, (PAL)	0	2210	
Ac, M. (CSR)	0	2220	
Acebal, A. (ESP)	1	2285	
Acebal, J.M. (ESP)	0	2320	
f Acevedo, A. (MEX)	0	2330	
Acimovic, S. (JUG)	13	2345	

Acosta, A. (COL)	0	2320	
Acosta, T. (ARG)	0	2260	
m Adams, M. (ENG)	35	2505	
m Adamski, A. (POL)	2	2240	
m Adamski, J. (POL)	39	2405	
f Adelman, Ch.D. (USA)	4	2250	
Ademi, S. (JUG)	0	2215	
g Adianto, U. (RIN)	0	2525	
f Adla, D. (ARG)	0	2335	
Adler, J. (SWZ)	0	2265	
Adok, J. (HUN)	0	2230	
g Adorjan, A. (HUN)	24	2530	
f Adrian, C. (FRA)	14	2250	
f Ady, J.J. (ENG)	0	2310	
f Adzic, S. (JUG)	1	2275	
f Afek, Y. (ISL)	0	2360	
m Afifi, A.A.R. (EGY)	15	2405	
Afriany, V. (HAI)	0	2205	
Again, V. (BLG)	0	2285	
Agapov, K. (URS)	0	2395	
Agarwal, B. (IND)	0	2270	
f Agdestein, E. (NOR)	0	2335	
g Agdestein, S. (NOR)	0	2605	
Ageichenko, G. (URS)	0	2340	
Agh, M. (HUN)	0	2205	
f Agnos, D. (ENG)	1	2375	
Agudelo, A. (COL)	4	2335	

Aguila, G. (ARG)	0	2265	
f Agusto, O. (NIG)	0	2210	
f Agustsson, J. (ISD)	0	2300	
f Ahlander, B. (SVE)	0	2415	
Ahmed, F. (BAN)	6	2230	
Ahmed, H. (PAK)	0	2270	
Ahmels, V. (FRG)	6	2275	
Aidarov, N. (URS)	0	2340	
Ajanski, J.S. (BLG)	0	2365	
Ajvazi, R. (JUG)	0	2215	
Akeel, M. (SYR)	0	2270	
m Akesson, R. (SVE)	0	2445	
m Akopian, V. (URS)	33	2525	
Al Othman, A.-L. (KUW)	0	2205	
f Al-Khateeb, A. (QTR)	0	2245	
Al-Kubaisi, R. (QTR)	0	2255	
Al-Ostath, M. (KUW)	15	2245	
Al-Qallaf, A.J. (KUW)	15	2235	
Alaan, V. (PHI)	0	2330	
Alayola, J.E. (MEX)	0	2240	
Albano, M. (ITA)	0	2230	
f Alber, H. (FRG)	51	2325	
Alberston, B. (USA)	0	2280	
g Alburt, L. (USA)	4	2525	
f Aldrete, J. (MEX)	0	2400	
Aleksandrov, G. (BLG)	35	2235	
Aleksic, M. (JUG)	0	2235	

m	Aleksic, N. (JUG)	19	2460
	Alexakis, D. (GRC)	18	2240
	Alghasra, A. (BAR)	6	2255
	Ali, I. (BRU)	0	2205
	Ali, M. Z. (BRU)	0	2205
f	Allan, D. (CAN)	0	2285
	Allegro, V. (SWZ)	12	2350
f	Allen, B. L. (USA)	4	2330
	Allen, E. J. (USA)	0	2240
	Allen, K. (IRL)	0	2320
	Almada, E. (URU)	0	2280
	Almeida, M. A. (ESP)	11	2315
f	Almeida, R. D. (POR)	15	2375
	Almeida Saez, A. (MEX)	0	2270
f	Alonso, R. (CUB)	10	2345
	Alpern, A. (ARG)	0	2260
	Alpern, D. (ARG)	0	2210
	Alsharfi, S. S. (YPR)	0	2205
	Alsharhan, F. (UAE)	0	2205
f	Alster, L. (CSR)	3	2245
	Altamirano, B. (ARG)	3	2225
f	Alterman, V. (ISL)	0	2360
f	Alvarez, Fi. (CUB)	20	2315
	Alvarez, Fr. (DOM)	0	2240
m	Alvarez Ibarra, D. R. (ESP)	6	2360
	Alvas, P. (GRC)	0	2240
f	Alvir, A. (JUG)	3	2295
m	Alzate, D. (COL)	0	2380
	Ambarcumjan, A. (URS)	0	2350
m	Ambroz, J. (CSR)	4	2425
	Amendola, K. (GRC)	0	2255
	Amer, M. (LIB)	0	2205
	Amer, S. (LIB)	0	2205
	Amil Meilan, H. (ARG)	0	2290
	Amir, K. (PAK)	8	2260
f	Ammann, P. (SWZ)	0	2280
m	Amos, B. M. (CAN)	0	2355
	Amovilli, M. (ITA)	0	2275
g	Anand, V. (IND)	48	2555
m	Anastasian, A. (URS)	31	2495
	Anastasovski, N. (JUG)	7	2225
	Anbuhl, E. (FRG)	0	2230
	Anceschi, V. (ITA)	11	2280
	Andersen, D. (DEN)	0	2280
	Andersen, I. (DEN)	0	2215
	Andersen, O. (NOR)	0	2225
	Anderson, J. (ENG)	0	2210
f	Anderson, R. (USA)	8	2265
f	Andersson, B. (SVE)	11	2330
	Andersson, G. (SVE)	0	2245
	Andersson, M. (SVE)	0	2325
	Andersson, T. (SVE)	0	2215
g	Andersson, U. (SVE)	34	2635
	Anderton, D. W. (ENG)	0	2265
	Andonov, B. (BLG)	17	2380
f	Andonovski, Lj. (JUG)	0	2285
	Andre, W. (FRG)	0	2230
	Andreasen, P. (DEN)	1	2230
	Andrijasevic, M. (JUG)	12	2315
	Andreasson, I. (SVE)	11	2375
	Andreev, D. (BLG)	2	2285
	Andreoli, R. (ITA)	0	2230
m	Andres, M. (CUB)	10	2375
m	Andrianov, N. (URS)	8	2465
	Andric, Z. (JUG)	0	2260
m	Andrijevic, M. (JUG)	27	2400
m	Andruet, G. (FRA)	50	2360
f	Anelli, A. (ARG)	6	2320
	Ang, C.-Y. (SIP)	11	2205
m	Angantysson, H. (ISD)	0	2300
	Angelov, A. (BL)	14	2245
	Angelov, G. (BLG)	1	2335
m	Angelov, K. (BLG)	12	2355
	Angelov, R. (BLG)	4	2230
	Angqvist, Th. (SVE)	11	2285
	Anguix Garrid, J. (ESP)	23	2320
f	Anic, D. (JUG)	28	2370
m	Anikaev, Y. (URS)	0	2445
	Anilkumar, N. R. (IND)	0	2240
	Anino, S. (ARG)	0	2290
f	Anitoaei, D. (ROM)	11	2360
	Anka, E. (HUN)	42	2370
	Annageldiev, O. (URS)	6	2365
	Anquandah, (GHA)	0	2205
	Antanaskovic, P (JUG)	9	2310
	Antic, D. (JUG)	23	2315
	Antic, Z. (JUG)	20	2290
	Antkowiak, G. (POL)	6	2245
m	Antonio, R. Jr. (PHI)	26	2440
m	Antonov, V. (BLG)	0	2405
	Antoshik, A. (CSR)	4	2220
g	Antoshin, V. S. (URS)	5	2295
m	Antunes, A. (POR)	23	2450
f	Aparicio, A. (ARG)	0	2290
	Apatoczky, P. (HUN)	3	2285
	Apel, S. (DDR)	0	2265
m	Apicella, M. (FRA)	60	2395
	Apostolou, A. (GRC)	0	2205
	Appel, R. (FRG)	8	2340
m	Arapovic, V. (JUG)	25	2410
	Araujo, R. (BRS)	4	2215
	Araya, C. (CRA)	0	2205
	Araya, R. (CHI)	0	2330
	Arbakov, V. (URS)	6	2405
f	Arbouche, M. (MRC)	0	2225
f	Ardaman, N, (USA)	0	2415
f	Ardeleanu, A. (ROM)	2	2325
	Ardeleanu, C. (ROM)	0	2245
g	Ardiansyah, H. (RIN)	0	2460
f	Arduman, C. (TRK)	7	2330
f	Arencibia, J. J. (CUB)	13	2395
m	Arencibia, W. (CUB)	48	2420
	Arikok, E. (SWZ)	0	2270
	Arjona F. (MEX)	0	2205
m	Arkell, K. (ENG)	21	2450
	Arkhipkin, Y. (URS)	0	2325
m	Arkhipov, S. (URS)	23	2450
m	Arlandi, E. (ITA)	8	2395
m	Armas, I. (ROM)	31	2480
m	Armas, J. (CUB)	13	2385
	Arnason, A. T. (ISD)	0	2265
g	Arnason, J. L. (ISD)	34	2520
	Arnason, Th. (ISD)	0	2230
	Arnaudov, P. (BLG)	13	2255
	Arndt, S. (FRG)	11	2215
f	Arnold, F. (HUN)	12	2325
f	Arnold, L. (FRG)	0	2275
	Arrata, P. (ECU)	0	2210
	Arsovic, G. (JUG)	20	2270
	Arsovic, Z. (JUG)	25	2380
	Arussi, A. H. (EGY)	15	2330
	Asaturoglu, R. (TRK)	0	2280
	Aschwanden, F.-B. (SWZ)	4	2205
f	Ascic, A. (JUG)	0	2350
	Ascic, P. (JUG)	11	2265
	Aseev, K. N. (URS)	33	2520
f	Asfora, M. (BRS)	2	2320
	Ashley, M. (USA)	5	2410
	Ashok, A. (IND)	0	2250
	Asmah, F. (GHA)	0	2205
f	Asmundsson, I. (ISD)	0	2360
	Assem, M. (EGY)	3	2295
	Astrom, G. (SVE)	9	2295
	Astrom, R. (SVE)	8	2285
	Atakisi, F. (TRK)	0	2285
	Atala, J. (CUB)	0	2265
m	Atalik, S. (TRK)	0	2415
f	Atanasijadis, A. (JUG)	9	2300
	Atanasov, G. (BLG)	0	2295
m	Atanasov, P. (BLG)	25	2340
	Atanasov, R. (BLG)	0	2265
f	Athala, J. (MEX)	0	2285
	Atia, J. A. (IRQ)	0	2220
f	Aturupane, Hari. (SRI)	5	2320
f	Aturupane, Harsha (SRI)	0	2385
	Auchenberg, P. (DEN)	1	2245
	Auer, M. (FRG)	0	2250
m	Augustin, J. (CSR)	0	2385
	Aurel, J. L. (FRA)	0	2320
f	Autenrieth, M. (FRG)	0	2270
	Autowicz, Z. (POL)	11	2245
	Averahami, R. (ISL)	7	2285
g	Averbakh, Y. (URS)	0	2470
m	Avekin, O. (URS)	0	2465
	Avgerinos, H. (GRC)	0	2215
	Avner, U. (ISL)	0	2245
f	Avni, A. (ISL)	8	2375
	Avramov, A. (BLG)	17	2320
	Avramov, B. (JUG)	0	2275
	Avshalumov, A. (URS)	18	2435
	Awate, A. S. (IND)	0	2285
	Axamit, R. (CSR)	0	2230
	Ayas, A. (ESP)	0	2305
	Aybe, M. (IND)	15	2235
f	Ayza Ballester, J. (ESP)	2	2335
f	Azaric, S. (JUG)	15	2345
g	Azmayparashvili, Z. (URS)	27	2575

B

f	Babault, P. (FRA)	2	2290
	Babev, A. (BLG)	0	2310
	Babic, D. (JUG)	27	2350
	Babic, T. (JUG)	0	2245
	Babits, A. (HUN)	0	2260
	Babos, C. (ROM)	0	2215
	Babovic, N. (JUG)	0	2215
	Babu, N. S. (IND)	18	2410
m	Babula, M. (CSR)	12	2315
	Babur, M. T. (IND)	0	2230
	Baburin, A. (URS)	18	2415
	Baccelliere Pena, M. (CHI)	0	2280
	Bach, A. (ROM)	0	2225
	Bachchevanski, H. (BLG)	0	2315

	Bachler, R. (OST)	0	2340
	Bachmann, A. (FRG)	11	2240
m	Bachtiar, A. (RIN)	0	2285
	Baciu, S. (ROM)	11	2260
	Backe, P. (SVE)	0	2280
	Backelin, R. (SVE)	20	2220
f	Backwinkel, P. (FRG)	12	2340
f	Bacso, G. (HUN)	0	2305
f	Baczynskyj, B. (USA)	5	2335
f	Bademian, J. (URU)	0	2300
	Badii, M. (FRA)	2	2220
	Bagaturov, (URS)	7	2370
g	Bagirov, V. K. (URS)	36	2475
	Bagonyai, A. (GUN)	24	2275
	Baikov, V. A. (URS)	0	2345
	Bailey, D. (CAN)	11	2250
	Baja, V. (USA)	0	2250
f	Bajovic, M. (JUG)	9	2335
	Baka, G. (GUN)	0	2210
	Bakalar, P. (CSR)	0	2325
	Bakalarz, L. (POL)	2	2270
	Bakalarz, M. (FRG)	2	2240
	Baker, B. (USA)	0	2265
	Baker, Ch. W. (ENG)	1	2265
f	Bakic, D. (JUG)	11	2350
f	Bakic, R. (JUG)	13	2380
	Bako, L. (HUN)	0	2245
	Bakos, S. (HUN)	0	2245
g	Balashov, Y. S. (URS)	48	2535
f	Balcerowski, W. (POL)	13	2280
f	Baldauf, M. (FRG)	5	2265
f	Balenovic, Z. (JUG)	0	2325
	Balev, K. (BLG)	2	2295
f	Balicki, C. (POL)	0	2285
g	Balinas, R. C. (PHI)	0	2390
	Balinov, I. (BLG)	28	2270
	Ball, S. (CAN)	0	2225
	Ballester Sanz, J. (ESP)	0	2250
f	Ballicora, M. (ARG)	0	2280
	Ballmann, M. (SWZ)	5	2270
f	Ballon, G. J. (NLD)	6	2300
f	Balogh, B. (HUN)	10	2275
	Balun, A. (POL)	1	2205
	Balzar, A. (FRG)	0	2335
f	Bammoune, A. E. (ALG)	0	2245
m	Banas, J. (CSR)	35	2405
	Banasek, M. (POL)	27	2325
	Banasik, H. (POL)	12	2230
	Banaszek, M. (POL)	0	2295
m	Banchev, B. (BLG)	41	2300
	Bang, A. (DEN)	11	2320
	Bangiev, A. (URS)	13	2345
	Banhazi, I. (HUN)	0	2220
	Bank, M. (ISL)	0	2245
	Bank Friis, C. (DEN)	0	2305
m	Bany, J. (POL)	9	2435
	Baquero, L. A. (COL)	8	2320
f	Baragar, F. (CAN)	0	2290
	Baranyai, K. (HUN)	0	2315
	Barash, D. (ISL)	3	2230
f	Barba, E. (MEX)	0	2285
f	Barbeau, S. (CAN)	0	2385
f	Barber, H. J. (AUS)	10	2325
	Barbera Estelles, R. (ESP)	0	2280
g	Barbero, G. F. (ARG)	21	2475

	Barboza, N. (URU)	0	2225
m	Barbulescu, D. (ROM)	11	2420
	Barbulescu, V. (ROM)	0	2240
f	Barbulovic, S. (JUG)	0	2320
	Barcenilla, R. (PHI)	0	2355
g	Barczay, K. (HUN)	21	2375
m	Bareev, E. (URS)	28	2580
	Barenbaum, A. (ARG)	0	2235
	Barkovsky, E. (URS)	0	2280
	Barlay, I. (USA)	0	2280
m	Barle, J. (JUG)	18	2430
g	Barlov, D. (JUG)	39	2520
	Barouty, D. (USA)	0	2235
	Barraza, S. (PAN)	0	2205
	Barredo, L. (CUB)	0	2250
m	Barreras, A. (CUB)	0	2355
	Barreto, L. N. M. (BRS)	0	2280
	Barria, B. (PAN)	0	2205
	Barrientos, V. (MEX)	0	2240
	Barros, R. (COL)	0	2280
	Barry, C. (IRL)	0	2255
	Barsov, Y. (URS)	12	2395
	Barstatis, R. (URS)	0	2240
	Barta, S. (HUN)	11	2230
	Bartelborth, T. (FRG)	9	2225
	Bartels, A. (NLD)	7	2400
	Barth, J. (USA)	0	2295
	Barth, R. (DDR)	7	2275
	Bartsch, B. (FRG)	0	2275
m	Barua, D. (IND)	31	2470
	Barus, C. (RIN)	0	2335
	Barwinski, D. (POL)	9	2230
m	Basagic, Z. (JUG)	6	2375
	Basanta, G. (CAN)	0	2260
	Basin, L. (URS)	41	2445
m	Basman, M. J. (ENG)	0	2385
m	Bass, L. (USA)	31	2470
	Basta, E. (AUS)	0	2245
f	Bastian, H. (FRG)	15	2340
	Bastian, M. (FRG)	3	2210
	Batchelder, W. (USA)	0	2240
m	Bator, R. (SVE)	15	2375
	Bator, Z. (POL)	0	2330
	Batruch, K. (POL)	7	2250
	Battikhi, H. (JRD)	0	2205
	Baudot, D. (LUX)	11	2290
	Baudrier, J. (FRA)	0	2260
f	Bauer, Peter (FRG)	1	2285
	Bauer, Peter (HUN)	0	2245
	Bauer, Ra. (DDR)	11	2310
	Bauer, Ri. N. (USA)	1	2235
f	Bauer, T. (HUN)	15	2350
	Bauk, S. (JUG)	0	2310
	Baum, B. (DDR)	11	2265
f	Baumbach, F. (DDR)	10	2315
f	Baumgartner, H. (OST)	0	2365
f	Baumhus, R. (FRG)	17	2245
	Bauza, A. (URU)	0	2240
f	Bayer, E. W. (FRG)	32	2355
	Bayramicli, M. (TRK)	0	2270
	Bazan, O. (ARG)	0	2220
	Beake, B. (ENG)	9	2315
	Beaumont, Ch. (ENG)	4	2460
	Bebcuk, E. (URS)	9	2350
	Becher, H. (FRG)	6	2260
	Beck, G. (FRG)	0	2260

f	Beckemeyer, W. (FRG)	13	2335
	Becker, Ma. (FRG)	0	2300
f	Becker, Mi. (DDR)	16	2320
f	Becx, C. (NLD)	6	2300
	Bednarek, S. (POL)	11	2305
m	Bednarski, B. (POL)	4	2335
	Beelby, M. A. (USA)	3	2245
	Begnis, N. (GRC)	8	2220
m	Begovac, F. (JUG)	0	2390
	Behar, E. (ARG)	11	2210
f	Behle, K. W. (FRG)	0	2315
f	Behling, R. (FRG)	0	2290
	Behrens, H. (FRG)	0	2305
f	Behrensen, J. (ARG)	3	2325
f	Behrhorst, F. (FRG)	7	2270
	Behrmann, J. (FRG)	0	2225
	Beider, A. (URS)	0	2315
m	Beil. Z. (CSR)	11	2365
	Beilfuss, W. (FRG)	14	2240
f	Beitar, H. (SYR)	0	2295
f	Bekefi, L. (HUN)	6	2305
	Belani, M. (JUG)	0	2260
	Belfiore, D. (ARG)	19	2205
g	Beliavsky, A. G. (URS)	26	2620
	Belik, D. (CSR)	8	2260
m	Belkadi, R. (TUN)	0	2345
	Belke, F. (DDR)	0	2230
m	Belkhodja, S. (FRA)	19	2395
	Bell, S. (ENG)	0	2385
	Bellia, F. (ITA)	9	2265
m	Bellin, R. (ENG)	6	2385
	Bellini, F. (ITA)	6	2330
g	Bellon Lopez, J. M. (ESP)	28	2450
f	Belloti, B. (ITA)	19	2330
f	Belopolsky, B. (USA)	0	2285
	Belov, I. (URS)	9	2435
	Belov, L. A. (URS)	0	2330
	Beltran, S. (ESP)	3	2315
	Ben-Menachem, I. (ISL)	0	2285
f	Bencze, K. (GUN)	3	2260
	Benderac, S. (JUG)	0	2260
	Benedetti, f. (ITA)	0	2250
	Benedictsson, B. (ISD)	0	2285
	Benesko, A. (ARG)	0	2275
	Benev, B. (BLG)	0	2355
f	Bengtsson, B. (SVE)	0	2300
m	Benhadi, M. (ALG)	0	2205
	Beni, A. (OST)	0	2235
g	Benjamin, Joel (USA)	30	2530
	Benjamin, Joch C. (ENG)	0	2265
	Benko, F. (ARG)	3	2295
g	Benko, P. C. (USA)	8	2405
	Bennett, G. H	0	2310
	Bense, J. (HUN)	9	2230
	Beran, J. (CSR)	0	2270
	Berebora, F. (HUN)	21	2275
f	Berechet, O. (ROM)	2	2345
	Berecz, A. (HUN)	0	2260
	Berend, F. (LUX)	2	2210
	Berenyi, G. (HUN)	6	2225
	Berezjuk, S. (URS)	0	2300
m	Berg, K. (DEN)	41	2420
	Berg, Michael (FRG)	0	2265
	Berg, Michael (SVE)	2	2215
	Berg, S. (NOR)	0	2290
	Berg, Th. (FRG)	2	2260

	Berger, Th. (FRG)	0	2275
	Berghoefer, G. (OST)	0	2215
	Bergmann, J. (DEN)	0	2235
	Bergmann, Th. (ISD)	0	2250
m	Bergstrom, Ch. (SVE)	0	2420
	Bergstrom, M. (SVE)	0	2245
f	Berkell, P. (SVE)	18	2320
	Berkovich, M. A. (URS)	8	2315
m	Berlinsky, V. (URS)	0	2205
	Bern, I. (NOR)	8	2355
	Bernal, E. (PHI)	0	2375
	Bernal, Luis (CUB)	0	2240
	Bernal, Luis J. (ESP)	0	2360
f	Bernard, Ch. (FRA)	34	2340
	Bernard, N. (BEL)	2	2245
f	Bernard, R. (POL)	10	2335
	Bernat, M. (POL)	0	2280
f	Bernei, A. (HUN)	4	2375
	Bernschutz, (BER)	0	2205
	Bernstein, D. (ISL)	0	2380
f	Berrocal, J. (BOL)	0	2275
f	Berry, J. (CAN)	0	2265
f	Bersutzki, G. (ISL)	0	2230
	Bertaccini, D. (ARG)	0	2230
f	Berthelot, Y. (FRA)	13	2355
	Berti, L. (CHI)	16	2325
m	Bertok, M. (JUG)	8	2350
	Bertona, F. (ARG)	10	2255
	Berube, R. (CAN)	0	2260
	Besdan, T. (HUN)	10	2305
	Besztercsenyi, T. (HUN)	0	2305
	Beszterczey, K. (HUN)	0	2275
	Betancort Curbelo, J. (ESP)	5	2255
	Betancourt, D. (COL)	0	2235
	Betkowski, A. (POL)	0	2275
f	Betza, R. (USA)	0	2330
	Beuchler, H. (FRG)	1	2295
	Beulen, M. (NLD)	7	2225
	Beutelhoff, J. (FRG)	0	2215
	Bevia, L. M. (ESP)	4	2290
f	Bewersdorff, O. (FRG)	22	2335
	Bex, P. A. (SWZ)	3	2245
	Beyen, R. (BEL)	0	2270
	Bezdan, T. (HUN)	3	2265
	Bezsilko, Ph. (FRA)	0	2210
	Bhagwat, M. (IND)	3	2220
	Bharti, S. C. (IND)	0	2225
m	Bhend, E. (SWZ)	0	2315
	Biaggi, E. (ARG)	2	2260
f	Bialas, W. (FRG)	13	2370
	Bialolenkier, P. (ARG)	10	2320
f	Bianchi, G. (ARG)	10	2345
	Bianco, V. (ITA)	4	2275
f	Bichsel, W. (SWZ)	0	2310
	Biebinger, G. (FRG)	14	2290
	Biehler, Th. (FRG)	0	2225
m	Bielczyk, J. (POL)	45	2350
m	Bielicki, C. (ARG)	0	2315
	Bierenbroodspot, P. (NLD)	0	2275
g	Bilek, I. (HUN)	13	2420
f	Bilek, M. (FRG)	0	2345
	Bilic, M. (JUG)	18	2260
f	Bilobrk, F. (JUG)	0	2340
m	Binham, T. F. (FIN)	0	2340
	Biocanin, Goran (JUG)	0	2230
	Birer, A. (ROM)	0	2240
m	Biriescu, I. (ROM)	0	2340
	Birke, A. (DDR)	0	2255
	Birke, M. (FRG)	0	2290
f	Birmingham, E. (FRA)	23	2365
m	Birnboim, N. (ISL)	14	2395
f	Biro, A. (HUN)	0	2290
	Biro, Gy. (HUN)	0	2210
	Biro, J. (HUN)	9	2300
	Biro, K. (CSR)	0	2250
f	Biro, S. (ROM)	0	2320
m	Bischoff, K. (FRG)	45	2500
g	Bisguier, A. B. (USA)	3	2410
f	Bistric, F. (JUG)	5	2340
	Bitman, A. R. (URS)	0	2330
g	Biyiasas, P. (USA)	0	2450
m	Bjarnason, S. (ISD)	18	2325
	Bjarnehag, P. (SVE)	0	2285
	Bjazevic Montalvo, P. (ECU)	0	2220
m	Bjelajac, M. (JUG)	9	2395
	Bjelanovic, A. (JUG)	11	2210
f	Bjelica, D. (JUG)	0	2380
f	Bjerke, R. (NOR)	0	2335
f	Bjerring, K. (DEN)	19	2315
	Bjertrup, M. (DEN)	5	2350
f	Bjork, C. M. (SVE)	8	2325
	Bjornsson, T. (ISD)	0	2285
	Blackstock, L. S. F. (SCO)	0	2260
	Blackstone, J. (USA)	0	2260
m	Blagojevic, D. (JUG)	49	2400
	Blagojevic, N. (JUG)	0	2225
	Blankenau, M. (USA)	7	2215
	Blasco, D. (ITA)	2	2280
	Blasek, R. (FRG)	1	2290
	Blaskowski, J. (FRG)	0	2260
	Blasovszky, I. (HUN)	1	2250
f	Blatny, F. (CSR)	0	2290
m	Blatny, P. (CSR)	33	2470
	Blauert, J. (FRG)	8	2295
	Blazi, J. (FRG)	0	2260
m	Blees, A. (NLD)	25	2355
m	Bleiman, Y. (ISL)	0	2430
f	Bletz, H. (FRG)	14	2285
m	Blocker, C. (USA)	3	2380
	Blodig, R. (FRG)	8	2225
	Blodstein, A. (URS)	0	2355
	Blokhuis, E. (NLD)	0	2250
	Blucha, D. (CSR)	0	2305
	Bluhm, G. (FRG)	0	2335
f	Blumenfeld, R. (USA)	0	2365
	Bobak, S. (HUN)	0	2220
	Bobanac, M. (JUG)	0	2280
	Bochev, K. (BLG)	4	2295
	Bockius, A. (FRG)	0	2260
	Bockowski, R. (POL)	0	2230
	Boctor, W. (USA)	0	2210
	Bode, U. (FRG)	8	2250
	Bodic, D. (JUG)	0	2280
	Boehm, J. (FRG)	5	2245
	Boehm, M. (FRG)	0	2210
	Boehm, U. (FRG)	0	2225
g	Boensch, U. (DDR)	40	2525
m	Boersma, P. A. (NLD)	14	2395
	Boesken, C. P. (FRG)	5	2270
m	Boey, J. (BEL)	3	2345
f	Bofill, F. (ESP)	14	2365
	Bogaerts, J. (BEL)	2	2300
	Bogdanov, V. (URS)	4	2400
m	Bogdanovic, R. (JUG)	0	2315
	Bogdanovici, G. (URS)	12	2310
m	Bogdanovski, V. (JUG)	51	2390
	Bogic, S. (JUG)	5	2230
	Bogner, H. (USA)	0	2245
	Bogoevski, J. (JUG)	0	2290
	Bogumil, P. (URS)	23	2390
	Boguszlavszky, J. (HUN)	0	2355
	Bogza, R. (ROM)	0	2230
	Bohak, J. (JUG)	0	2215
m	Bohm, H. (NLD)	3	2390
	Bohn, Th. (FRG)	5	2230
	Bohnisch, M. (DDR)	13	2315
m	Bohosjan, S. (BLG)	0	2365
	Boim, I. (ISL)	0	2255
m	Boissonet, C. P. (ARG)	13	2340
f	Bojczuk, Z. (POL)	31	2405
	Bojic, D. (JUG)	0	2300
f	Bojkovic, S. (JUG)	15	2335
	Bokan, D. (JUG)	11	2250
	Bokelbrink (FRG)	2	2295
	Bokor, I. (HUN)	9	2270
g	Bolbochan, J. (ARG)	0	2485
f	Boljos, L. (JUG)	0	2310
	Bolzoni, V. (BEL)	0	2270
	Bombardiere Rosas, E. (CHI)	0	2260
	Bonaldi, P. (ARG)	0	2260
	Bonati, G. (ITA)	0	2285
	Bonchev, K. S. (BLG)	2	2315
	Bonchev, S. (BLG)	0	2215
	Bondoc, D. (ROM)	4	2215
m	Bonin, J. R. (USA)	12	2390
	Bonne, M. (BEL)	0	2235
	Boog, A. (SWZ)	0	2220
	Booij, J. (NLD)	10	2285
	Booth, S. A. (USA)	1	2300
	Booth, S. (AUS)	9	2235
	Borcz, J. (POL)	0	2220
	Bordas, G. (HUN)	19	2230
	Bordell Rosell, R. (ESP)	0	2280
	Borg, A. (MLT)	0	2205
f	Borg, G. (MLT)	0	2365
	Borge, N. (DEN)	0	2245
	Borges, W. (BRS)	0	2265
m	Borges Mateos, J. (CUB)	16	2500
f	Borghi, H. (ARG)	0	2320
	Borgo, G. (ITA)	0	2300
	Borgstaedt, M. (FRG)	8	2270
	Boric, M. (JUG)	3	2320
	Boricsev, O. (URS)	9	2335
m	Borik, O. (FRG)	12	2355
	Borkovic, V. (JUG)	2	2280
m	Borkowski, F. (POL)	24	2415
m	Borm, F. W. M. (NLD)	0	2400
f	Borngaesser, R. (FRG)	3	2365
	Borocz, I. (HUN)	27	2285
	Boronyak, A. (HUN)	16	2210
	Borriss, M. (DDR)	0	2270
	Borsavolgyi, T. (HUN)	9	2250

	Borsi, I, (HUN)	0	2215
	Borsos, B. (URS)	13	2350
	Borysiak, B. (POL)	7	2250
	Bosbach, G. (FRG)	8	2260
f	Bosboom, M. (NLD)	15	2345
	Bosch, J. (NLD)	5	2305
	Boschetti, C. (SWZ)	0	2215
	Bosco, R. (ARG)	7	2295
	Boskovic, Z. (JUG)	15	2290
	Bosman, M. (NLD)	3	2315
f	Botez, C. (ROM)	0	2300
	Boto, Z. (JUG)	3	2300
	Botos, F. (HUN)	13	2220
	Bottema, T. (NLD)	15	2240
m	Botterill, G. S. (WLS)	0	2360
m	Bouaziz, S. (TUN)	0	2345
	Boudiba, M. (MRC)	15	2320
	Boudiba, N. (ALG)	0	2345
m	Boudre, J. P. (FRA)	28	2400
m	Boudy, J. (CUB)	10	2305
	Bouhallel, R. (FRA)	0	2240
	Boulard, E. (FRA)	12	2250
	Bounena, N. (MAU)	0	2205
	Bousios, H. (GRC)	0	2235
	Bouton, Ch. (FRA)	21	2260
	Boutquin, P. (CAN)	0	2270
	Boutteville, C. (FRA)	0	2275
	Bowden, K. (ENG)	3	2365
	Boyd, S. (CAN)	0	2265
	Bozanic, I. (JUG)	10	2255
	Bozek, A. (POL)	20	2405
	Bozic, M. (JUG)	7	2250
	Bozovic, N. (JUG)	0	2300
	Bracken, C. (IRL)	3	2225
	Bradaric, R. (JUG)	0	2220
m	Bradbury, H. (ENG)	0	2360
f	Bradford, J. M. (USA)	0	2425
	Bradlow, H. B. (USA)	0	2220
f	Braga, C. (BRS)	9	2385
m	Braga, F. (ITA)	28	2470
f	Brajovic, R. (JUG)	0	2275
	Braely, J. (USA)	3	2230
	Branca, S. (SWZ)	0	2230
m	Brandics, J. (HUN)	8	2330
	Brandner, S. (OST)	15	2305
	Branford, W. (ENG)	0	2235
	Brankov, K. D. (BLG)	6	2315
f	Brasket, C. J. (USA)	0	2305
	Bratu, N. (ROM)	0	2220
	Brauer, G. (MEX)	0	2305
	Braun, L. (USA)	0	2285
	Braun, M. (FRG)	8	2350
f	Braun, W. (OST)	0	2245
	Brdicko, P. (CSR)	0	2270
	Breahna, R. (ROM)	0	2295
	Brekke, O. (NOR)	0	2215
	Brekken, E. (NOR)	0	2225
	Bremond, E. (FRA)	5	2300
f	Brendel, O. (FRG)	32	2385
	Brendel, V. (FRG)	0	2285
m	Brenninkmeijer, J. (NLD)	33	2445
	Brestak, J. (CSR)	0	2300
m	Brestian, E. (OST)	0	2465
	Bretsnajdr, V. (CSR)	23	2320
f	Breutigam, M. (FRG)	12	2320
f	Breyther, R. (FRG)	7	2380
f	Brglez, R. (JUG)	22	2245
m	Bricard, E. (FRA)	13	2375
	Briem, S. (ISD)	0	2215
	Briestensky, R. (CSR)	0	2240
	Briffel, F. (ANG)	23	2240
f	Brigljevic, M. (JUG)	0	2225
m	Brinck-Claussen, B. (DEN)	4	2390
f	Brito, A. (ESP)	27	2350
	Brito, L. J. (BRS)	9	2340
	Britt, Th. (USA)	0	2215
f	Britton, R. (ENG)	3	2240
	Brkic, Dj. (JUG)	8	2250
f	Brkljaca, A. (JUG)	58	2385
f	Brkovic, Z. (JUG)	4	2355
	Bromel, R. (DDR)	0	2240
	Brondum, E. (DEN)	0	2260
	Bronnum, J. (DEN)	4	2260
g	Bronstein, D. I. (URS)	28	2430
m	Bronstein, L. (ARG)	5	2405
f	Brooks, A. (USA)	11	2445
	Brown, D. (USA)	0	2225
	Brown, Si. D. (ENG)	0	2265
	Brown, St. C. (ENG)	0	2230
	Brown, T. G. (USA)	1	2265
g	Browne, W. S. (USA)	21	2555
f	Brueckner, Th. (FRG)	0	2410
	Brujic, B. (JUG)	34	2270
f	Bruk, O. (ISL)	18	2430
	Brumen, D. (JUG)	25	2280
	Brumm, C. (FRG)	0	2210
m	Brunner, K. (SWZ)	53	2505
	Bruno, F. (ITA)	0	2245
	Brunski, I. (JUG)	8	2250
	Brustkern, J. (FRG)	0	2315
	Brychta, I. (CSR)	7	2330
m	Brynell, S. (SVE)	18	2485
	Bryson, D. M. (SCO)	0	2275
	Brzezicki, D. (POL)	0	2305
f	Buchal, S. (FRG)	14	2335
	Buchenau, F. (FRG)	0	2350
	Buchenthal, D. (FRG)	0	2265
	Buckley, G. (ENG)	16	2240
	Buckmire, R. (BRB)	2	2305
f	Budde, V. (FRG)	0	2325
	Budinszky, A. (HUN)	0	2255
	Budovic, E. (URS)	0	2230
f	Buecker, P. (FRG)	11	2360
f	Buecker, S. (FRG)	11	2325
	Bueder, Th. (DDR)	0	2260
f	Buela, D. V. (CUB)	0	2300
f	Bueno, A. (CUB)	0	2265
m	Bueno-Perez, L. (CUB)	13	2290
	Bugajski, R. (POL)	15	2330
	Buha, M. (JUG)	0	2210
	Bujisic, V. (JUG)	0	2225
	Bujupi, B. (JUG)	3	2235
	Bujupi, F. (JUG)	4	2240
m	Bukal, V. (JUG)	34	2400
	Bukhman, E. (URS)	12	2435
g	Bukic, E. (JUG)	0	2445
	Bulajic, R. (JUG)	13	2230
f	Bulat, A. (JUG)	4	2375
	Bulatovic, D. (JUG)	2	2280
f	Bulcourf, C. (ARG)	11	2280
m	Buljovcic, I. (JUG)	29	2430
	Buljubasic, S. (JUG)	0	2225
	Bunis, V. (BLG)	0	2295
m	Burger, K. (USA)	7	2340
f	Burgess, G. (ENG)	8	2350
f	Burgess, M. R. (SCO)	0	2260
	Burkart, P. (FRG)	0	2270
	Burmakin, V. (URS)	0	2345
	Burnazovic, E. (JUG)	0	2315
	Burnett, J. (ENG)	0	2225
	Burnett, K. (USA)	0	2295
	Bus, M. (POL)	29	2305
f	Busch, K. (FRG)	16	2255
f	Busch, R. (FRG)	3	2320
f	Busquets, L. (USA)	0	2320
	Busumtwi, K. (GHA)	0	2205
f	Butnaru, C. (ROM)	0	2300
m	Butnoris, A. J. (URS)	0	2410
	Butorac, I. (JUG)	3	2265
	Butt, D. (PAK)	0	2345
	Butt, R. (PAK)	0	2240
	Butt, S. A. (PAK)	0	2310
	Buturin, V. (URS)	13	2395
	Buxade Roca, G. (ESP)	0	2270
	Buza, A. (ROM)	0	2225
f	Buzbuchi, (FRG)	0	2320
	Bykhovsky, A. (URS)	9	2485
	Byrka, M. (POL)	5	2280
g	Byrne, R. E. (USA)	0	2465
f	Byway, P. (ENG)	1	2325
	Bzowski, B. (POL)	13	2280

C

m	Cabarkapa, M. (JUG)	13	2310
f	Cabarkapa, S. (JUG)	5	2260
m	Cabrilo, G. (JUG)	31	2510
	Cacic, S. (JUG)	0	2245
	Cacorin, S. (URS)	0	2280
	Caessens, R. (NLD)	17	2315
	Cajzler, H. (JUG)	11	2345
	Calderin, R. (CUB)	33	2365
f	Calinescu, G. (ROM)	0	2325
	Callergard, R. (SVE)	6	2390
	Calogridis, M. (USA)	0	2245
m	Calvo Minguez, R. (ESP)	1	2380
	Camacho, G. (CUB)	0	2210
m	Camara, H. (BRS)	20	2325
	Camaton, C. (ECU)	0	2305
g	Campora, D. H.	44	2495
f	Campos, A. (MEX)	5	2335
	Campos, J. (ARG)	5	2250
	Campos, Luis (ARG)	6	2235
	Campos, Luis F. (MEX)	0	2225
m	Campos Lopez, M. (MEX)	0	2330
m	Campos Moreno, J. B. (CHI)	28	2440
m	Canda, D. (NCG)	25	2320
	Candan, G. (URU)	9	2205
f	Candea, Gh. (ROM)	11	2350
	Canfell, G. (AUS)	9	2215
	Canonne, A. (FRA)	10	2225
m	Capelan, G. (FRG)	0	2385
	Capella, R. (NLA)	0	2205
	Capo, J. (CHI)	19	2335
	Caposciutti, M. (ITA)	17	2290

m	Cardon, H. (NLD)	7	2395
f	Carleson, C. (SVE)	0	2355
	Carless, D. (HKG)	0	2270
	Carlhammar, M. (SVE)	30	2265
m	Carlier, B. (NLD)	18	2390
f	Carlson, M. (SVE)	0	2310
f	Carmel, E. (ISL)	23	2325
	Carmona, J. L. (CHI)	0	2205
	Carnic, S. (JUG)	18	2250
f	Carr, N. L. (ENG)	0	2315
	Carreras, F. (ESP)	0	2270
	Carrillo, A. (MEX)	0	2275
	Carrion, M. (DOM)	0	2240
	Carstens, A. (FRG)	0	2340
	Cartagena, O. (PHI)	0	2280
	Carton, N. (IRL)	0	2275
	Carton, P. (IRL)	9	2275
	Caruana, M. (MNC)	0	2205
	Caruhana, M. (MNC)	0	2205
	Carvalho, H. A. (BRS)	0	2250
	Carvallo Avario, M. (CHI)	0	2265
	Cary, F. (POR)	0	2230
	Casadei, M. (SMA)	0	2205
f	Casafus, R. (ARG)	14	2375
f	Casagrande, H. (OST)	0	2365
	Casas, F. (ARG)	0	2245
m	Casper, Th. (DDR)	0	2415
	Castagna, R. (SWZ)	0	2265
	Castagnetta, G. (ITA)	0	2305
	Castaneda, A. (MEX)	0	2245
f	Castaneda, B. (MEX)	0	2320
	Castellanos, C. (CUB)	10	2260
	Castillo, J. (NCG)	0	2295
	Castro, A. (BRS)	0	2375
m	Castro, O. H. (COL)	0	2320
f	Catalan, T. (SYR)	0	2325
	Cativelli, G. (ARG)	0	2250
	Caturla, C. (PHI)	0	2255
	Cavendish, J. (ENG)	0	2390
g	Cebalo, M. (JUG)	53	2485
f	Cecconi, G. A. (ITA)	3	2270
	Cecilia, Ortiz, L. (ESP)	0	2285
	Ceko, J. (JUG)	6	2255
	Cekro, E. (JUG)	0	2445
	Centgraf, J. (HUN)	7	2245
	Cerisier, Ph. (FRA)	9	2280
	Certek, P. (CSR)	7	2330
f	Certic, B. (JUG)	5	2295
	Cervenka, I. (CSR)	0	2215
	Cesal, J. (CSR)	9	2320
f	Ceschia, I. (ITA)	0	2340
	Cetkovic, B. (JUG)	4	2255
m	Cetkovic, M. (JUG)	15	2270
	Chabanon, J.-L. (FRA)	21	2250
	Chabot, R. (CAN)	0	2225
	Chachaj, T. (POL)	35	2330
	Chachere, L. (USA)	2	2315
	Chachkarov, S. (BLG)	7	2250
f	Chaivichit, S. (TAI)	0	2335
	Chakravarty, K. (IND)	0	2215
	Chalupnik, M. (POL)	14	2275
	Chan, Peng-Kong (SIP)	0	2270
	Chandler, C. R. (ENG)	0	2255
g	Chandler, M. G. (ENG)	24	2585
	Chankov, Ch. (BLG)	0	2320

m	Chaourar, N.-E. (ALG)	0	2280
	Chapa, E. (USA)	1	2230
	Chapman, A. (BRB)	0	2205
	Chapman, M. (AUS)	0	2360
f	Charpentier, W. (CRA)	0	2310
	Chase, Ch. (USA)	0	2280
	Chatalbashev, B. (BLG)	0	2365
	Chaudry, A. (PAK)	0	2280
	Chavez, R. (BOL)	0	2220
	Chaviano, M. (CUB)	0	2230
	Cheah, E. (MAL)	0	2280
g	Chekhov, V. A. (URS)	31	2480
	Chemin, V. (BRS)	0	2300
f	Chen, De. (PRC)	0	2325
	Chen, Yu-Shuin (HKG)	0	2250
m	Cherepkov, A. V. (URS)	26	2425
m	Chernikov, O. L. (URS)	0	2390
g	Chernin, A. (URS)	34	2580
	Chernin, O. (USA)	9	2290
m	Chevaldonnet, F. (FRA)	0	2295
	Chevallier, D. (FRA)	8	2290
f	Chia, Alphonsus (SIP)	0	2310
f	Chia, Chee-Seng (SIP)	0	2260
	Chia, Soon-Keat (MAL)	0	2235
	Chin Alein, H. (SUR)	0	2205
	Chin, F. (MAL)	0	2310
f	Chinchilla, E. (CRA)	0	2295
	Chiong, L. (PHI)	0	2380
	Chiricuta, M. (ROM)	2	2225
	Chmiel, P. (CSR)	0	2240
	Chochulski, A. (POL)	0	2290
	Chola, S. (ZAM)	0	2235
	Choleva, Z. (CSR)	13	2240
	Chomet, P. (FRA)	15	2265
	Chomu, C. (KEN)	0	2210
	Chong, D. (SIP)	11	2205
	Choudhry, A. (IND)	0	2230
f	Chow, A. (USA)	12	2355
f	Chow, R. (USA)	0	2320
	Chrapkowski, G. (POL)	0	2300
	Christen, P. (SWZ)	0	2255
	Christensen, J. (DEN)	0	2255
	Christensen, T. (DEN)	6	2305
	Christian (ANT)	0	2205
g	Christiansen, L. M. (USA)	26	2550
f	Chubook, K. (USA)	0	2345
	Chuchelov, V. (URS)	0	2315
	Chudinovskih, A. (URS)	5	2345
f	Cibulka, V. (CSR)	0	2280
	Cicak, S. (SVE)	14	2325
f	Cichocki, A. (POL)	23	2335
	Cicmil, V. (JUG)	6	2240
	Cicovacki, P. (JUG)	0	2230
f	Cid, M. A. (ARG)	28	2285
	Ciechanski, J. (POL)	0	2220
m	Cifuentes Parada, R. (CHI)	7	2470
f	Cigan, S. (JUG)	22	2410
	Ciganovic, D. (JUG)	12	2370
	Ciglic, B. (JUG)	1	2265
	Cilia Vincenti, V. (MLT)	0	2205
	Cioara, A. (ROM)	0	2280
f	Ciolac, Gh. (ROM)	0	2335
	Ciric, Dragan (JUG)	0	2240

g	Ciric, Dragoljub (JUG)	20	2405
	Ciruk, J. (POL)	16	2260
	Ciszek, M. (POL)	9	2320
f	Ciurezu, M. (ROM)	33	2280
	Civric, Z. (JUG)	3	2240
	Cizek, An. (CSR)	18	2370
m	Cladouras, P. (FRG)	14	2425
	Claesen, P. (BEL)	0	2260
	Clark, G. M. (ENG)	0	2285
	Clarke, Th. (IRL)	5	2220
	Clausen, S. (DEN)	0	2245
	Clayton, K. R. (USA)	0	2240
f	Clemance, Ph. A. (NZD)	0	2355
	Clement, J. (ESP)	12	2325
	Clever, G. (FRG)	3	2385
	Cline, J. (USA)	0	2265
f	Cmiel, Th. (FRG)	19	2290
	Cnaan, M. (ISL)	0	2255
	Coakley, J. (CAN)	19	2220
	Cobic, V. (JUG)	0	2230
f	Cocozza, M. (ITA)	6	2340
	Cojocaru, C. (ROM)	0	2220
	Colas, R. P. (ESP)	2	2240
	Coleman, D. (ENG)	8	2295
	Colias, B. (USA)	5	2225
	Colindres, D. (HON)	0	2215
	Collado, J. (ESP)	0	2270
	Collantes, D. (ARG)	11	2205
	Collinson, A. (ENG)	9	2325
	Colombo, B. F. (ARG)	4	2205
	Colombo, P. (ITA)	5	2215
	Colon, A. (PRO)	0	2220
	Colure, S. T. (USA)	0	2250
	Comai, O. (ISL)	0	2295
f	Comas Fabrego, L. (ESP)	11	2335
m	Condie, M. L. (SCO)	9	2445
	Conejares, (PNG)	0	2205
f	Conover, W. (USA)	0	2310
m	Conquest, S. (ENG)	39	2515
	Constantin, A. (ROM)	3	2210
	Contin, D. (ARG)	0	2310
	Contini, L. (ITA)	0	2330
	Cooley, Ch. M. (ENG)	0	2270
	Cools, G. (BEL)	5	2265
m	Cooper, J. G. (WLS)	0	2390
f	Cooper, L. (ENG)	0	2300
	Copeland, G. (ENG)	0	2350
	Coppini, G. (ITA)	6	2265
	Cordara, M. (ITA)	0	2210
	Cordaro, J. (VUS)	0	2205
f	Cordes, H. J. (FRG)	0	2320
f	Cording, H. (FRG)	0	2310
	Cordon, I. (BER)	0	2205
f	Cordovil, J. (POR)	0	2305
	Coret Frasquet, J. (ESP)	0	2300
	Corgeron, J. (FRA)	0	2225
	Corgnati, M. (ITA)	2	2220
f	Cornelis, F. B. (BEL)	0	2305
	Cornelius, P. (USA)	0	2215
	Cornford, L. H. (NZD)	0	2210
f	Corral Blanco, J. A. (ESP)	0	2365
	Correa, A. A. (BRS)	10	2310
	Cortes Moyano, J. (CHI)	39	2305
	Cortinas, V. (CUB)	0	2225

m	Cortlever, N. (NLD)	0	2390
f	Cosic, M. (JUG)	0	2270
	Cosma, I (ROM)	0	2280
	Cosovic, M. (JUG)	0	2220
	Costa, C. (ARG)	11	2235
f	Costa, J. L. (SWZ)	9	2365
m	Costigan, R. (USA)	0	2375
	Costigan, Th. J. (USA)	0	2240
	Covic, D. (JUG)	0	2335
f	Cox, J. J. (ENG)	0	2305
m	Cramling, D. (SVE)	8	2425
	Cranbourne, C. (ARG)	4	2290
m	Crawley, G. (ENG)	26	2380
f	Crepan, M. (JUG)	29	2380
f	Crepinsek, Lj. (JUG)	2	2320
f	Crisan, A. (ROM)	36	2315
	Crisan, I. (ROM)	0	2260
	Cristobal, R. (ARG)	5	2225
	Crouch, C. S. (ENG)	0	2325
f	Cruz-Lima, J. M. (CUB)	0	2235
	Csaba, A. (HUN)	9	2330
f	Csala, I. (HUN)	7	2305
f	Csapo, Z. (HUN)	1	2300
	Cseh, A. (HUN)	0	2255
	Cselotei, I. (HUN)	12	2250
m	Cserna, L. (HUN)	0	2400
g	Cseshkovsky, V. (URS)	49	2515
g	Csom, I. (HUN)	30	2530
f	Csulits, A. (DDR)	5	2325
	Csuri, L. (HUN)	0	2235
	Cuadras, J. (ESP)	0	2310
m	Cuartas, C. (COL)	0	2355
f	Cuasnicu, O. (ARG)	0	2375
	Cubrak, S. (JUG)	0	2275
	Cuellar, J. (VEN)	0	2215
f	Cuesta Navarro, S. (CUB)	10	2240
	Cuibus, J. (HUN)	0	2230
m	Cuijpers, F. A. (NLD)	12	2400
	Culic, B. (JUG)	0	2235
	Cullip, S. (ENG)	12	2300
m	Cummings, D. H. (ENG)	0	2410
	Cunningham, P. (WLS)	0	2245
	Curdo, J. (USA)	2	2315
	Curi, G. (URU)	0	2225
	Curtin, E. (IRL)	0	2280
	Curtis, J. (AUS)	0	2265
	Cusi, R. (PHI)	0	2320
	Cutter, P. (GCI)	0	2205
m	Cvetkovic, Sr. (JUG)	48	2460
g	Cvitan, O. (JUG)	42	2515
f	Cvorovic, D. (JUG)	0	2365
	Cybulak, A. (POL)	9	2280
	Cylwik, Z. (POL)	0	2235
	Czajka, Z. (POL)	0	2210
	Czarkowski, D. (POL)	8	2275
	Czarnik, D. (POL)	5	2215
	Czarnowski, A. (POL)	21	2225
	Czegledi, Z. (HUN)	20	2310
	Czeniawski, M. (POL)	1	2260
	Czeripp, G. (HUN)	0	2255
	Czerniakow, W. (POL)	0	2225
	Czerwonski, A. (POL)	38	2360
	Czesakov, Z. (ISL)	0	2245
	Czibulka, Z. (HUN)	9	2215

D

m	D'Amore, C. (ITA)	6	2410
	D'Apa, S. (ITA)	0	2260
f	D'Arruda, R. D. (ARG)	2	2350
	Dabek, R. (POL)	17	2335
f	Dabetic, R. (JUG)	0	2315
	Dabkov V. (BLG)	0	2215
	Dabrowski, W. (POL)	2	2225
	Daels, M. (BEL)	0	2230
	Daeubler, H. (FRG)	0	2250
	Dahl, B. (NOR)	0	2210
f	Dahlberg, I. A. (USA)	0	2310
	Daillet, E. (FRA)	9	2300
g	Dake, A. W. (USA)	0	2325
f	Dam, R. (NLD)	14	2305
g	Damjanovic, M. (JUG)	0	2340
g	Damljanovic, B. (JUG)	58	2555
	Damm, F. (FRG)	0	2240
m	Danailov, S. (BLG)	54	2375
	Dancevski, O. (JUG)	11	2310
	Dandridge, M. (USA)	0	2215
	Danek, L. (CSR)	11	2360
	Danielsen, H. (DEN)	0	2375
	Daniilidis, A. (GRC)	7	2210
f	Danilovic, M. (JUG)	12	2350
f	Dankert, P. (FRG)	7	2245
m	Danner, G. (OST)	42	2360
	Darakorn, P. (TAI)	0	2230
f	Darcyl, T. (ARG)	16	2355
g	Darga, K. V. (FRG)	6	2470
m	Dautov, R. (URS)	40	2535
	Dauvergne, P. (CAN)	0	2270
	Davcevski, D. (JUG)	0	2300
	Dave, S. (IND)	0	2225
f	David, Ad. (FRG)	19	2295
f	David, Al. (LUX)	0	2315
	David, P. (CSR)	9	2450
m	Davidovic, A. (JUG)	32	2420
m	Davies, N. R. (ENG)	22	2465
	Davilla, J. (PRO)	0	2235
	Dawidow, J. (POL)	34	2320
	Dawson, C. R. (ENG)	0	2250
m	Day, L. A. (CAN)	21	2380
	De Blasio, M. (ITA)	4	2240
m	De Boer, G.-J. (NLD)	14	2360
	De Dovitiis, A. (ARG)	5	2285
f	De Eccher, S. (ITA)	8	2285
g	De Firmian, N. E. (USA)	21	2585
f	De Fotis, S. (USA)	0	2385
m	De Greif, B. (COL)	0	2255
m	De Guzman, R. (PHI)	0	2350
f	De Jong, T. (NLD)	8	2350
f	De Jonghe, P. (BEL)	0	2320
	De La Cruz Lopez, J. (ESP)	0	2305
f	De La Vega, H. (ARG)	0	2365
m	De La Villa Garcia, J. M. (ESP)	11	2440
	De Roode, P. (NLD)	0	2270
	De Savornin Lohman, A. (NLD)	0	2235
	De Valliere, V. (SWZ)	0	2205
f	De Winter, W. (MEX)	0	2250
f	De Wit. J. S. (NLD)	0	2405
	De la Cruz, A. (CUB)	0	2205

f	Deak, S. (HUN)	6	2255
m	Debarnot, B. (ARG)	3	2360
f	Dedes, N. (GRC)	0	2280
m	Deev, A. (URS)	0	2405
f	Defize, A. (BEL)	0	2305
	Degen, V. (FRG)	0	2215
	Degenhardt, H. (FRG)	13	2355
f	Degerman, L. (SVE)	0	2385
f	Degraeve, J.-M. (FRA)	26	2365
f	Dehmelt, K. (USA)	2	2310
	Dejeanne, F. (ARG)	0	2210
m	Dejkalo, S. (POL)	28	2390
	Dekic, J. (JUG)	13	2250
	Del Castillo, G. (ARG)	13	2290
	Del Faro, Ch. (USA)	0	2270
	Del Rey, D. (ARG)	7	2290
	Del Rio, R. (FRG)	9	2245
	Delaney, J. (IRL)	0	2315
f	Delaune, R. K. (USA)	0	2375
m	Delchev, A. (BLG)	38	2395
	Delebarre, X. (FRA)	0	2255
	Delekta, P. (POL)	20	2285
	Deleon, A. (ARG)	11	2210
f	Deleyn, G. (BEL)	0	2305
	Delithanasis, D. (GRC)	2	2225
	Delitzsch, J. (FRG)	0	2270
	Demarre, J. (FRA)	12	2325
	Demeny, A. (HUN)	0	2215
f	Demeter, I. (HUN)	0	2310
	Den Boer, B. (NLD)	9	2280
	Den Broeder, G. (NLD)	0	2355
f	Dena, B. (JUG)	3	2270
	Deng, K. (PRC)	0	2370
f	Denijs, A. (BEL)	0	2300
	Denk, A. (OST)	0	2255
g	Denker, A. S. (USA)	0	2295
f	Denny, K. (BRB)	0	2235
	Deno, D. (JUG)	0	2260
	Denot, M. (SWZ)	16	2285
f	Depasquale, Ch. (AUS)	9	2300
	Derieux, Ch. (FRA)	16	2270
	Derikum, A. (FRG)	12	2285
	Derlukiewicz, J. (POL)	7	2230
	Dermann,G. (FRG)	11	2295
	Desancic, M. (JUG)	0	2405
m	Despotovic, M. (JUG)	10	2340
	Dessau, A. (FRA)	7	2280
	Deutsch, L. (OST)	0	2265
	Devide, Z. (JUG)	6	2230
	Dewan, M. A. (BAN)	13	2205
	Dextre, E. (FRA)	0	2225
	Dezan, P. (FRA)	12	2240
m	Deze, A. (JUG)	26	2375
	Deze, V. (JUG)	4	2220
	Dezelin, M. (JUG)	17	2350
	Di Clerico, D. (ARG)	0	2215
	Diaz, A. (CUB)	0	2265
	Diaz, J. (CUB)	0	2340
m	Diaz, J. C. (CUB)	13	2415
	Dichev, N. (BLG)	26	2230
	Dickenson, N. F. (ENG)	0	2250
m	Didishko, V. I. (URS)	0	2470
	Dienavorian, M. (URU)	0	2285
f	Diesen, B. (NOR)	11	2350
	Dietze, F. (FRG)	0	2245
	Dietze, W. (DDR)	0	2315

	Dietzsch, H. (FRG)	0	2210
g	Diez Del Corral, J. (ESP)	0	2415
	Diker, M. (ISL)	0	2275
f	Dimitriadis, G. (GRC)	0	2305
f	Dimitriadis, K. (GRC)	0	2310
f	Dimitrijevic, D. (JUG)	0	2305
	Dimitrijevic, M. (JUG)	0	2315
	Dimitrov, A. (BLG)	44	2295
	Dimitrov, K. (BLG)	6	2235
m	Dimitrov, V. (BLG)	35	2435
	Dimitrovski, J. (JUG)	0	2210
f	Dimovski, N. (JUG)	0	2390
	Dinic, C. (JUG)	0	2235
	Dinic, D. (JUG)	24	2315
	Dinis de Souse, J. (POR)	0	2275
	Dinner, L. (MEX)	0	2215
	Dircks, J. (SVE)	0	2215
	Dischinger, F. (FRG)	12	2365
f	Ditt, E. (FRG)	3	2310
	Dittmar, P. (FRG)	13	2225
	Ditzler, J. (SWZ)	12	2290
	Dive, R. (NZD)	15	2255
m	Dizdar, G. (JUG)	29	2495
f	Dizdar, S. (JUG)	20	2285
g	Dizdarevic, E. (JUG)	42	2495
f	Djantar, Dj. (JUG)	0	2260
	Djeno, D. (JUG)	0	2295
	Djerfi, K. (JUG)	19	2240
	Djipa, N. (JUG)	0	2325
f	Djokic, N. (JUG)	0	2315
	Djonev, S. (BLG)	1	2300
f	Djoric, D. (JUG)	8	2360
	Djosic, S. (JUG)	9	2265
m	Djukanovic, M. (JUG)	23	2220
m	Djukic, Z. (JUG)	11	2405
	Djurdjevic, M. Petar (JUG)	5	2280
f	Djurdjevic, Petar (JUG)	0	2305
	Djurhuus, R. (NOR)	12	2415
g	Djuric, S. (JUG)	23	2470
	Djuric, V. (JUG)	25	2305
	Djuric, Z. (JUG)	0	2240
	Djurovic, D. (JUG)	11	2270
	Djurovic, S. (JUG)	0	2360
	Dlaykan, F. (COL)	13	2245
	Dlugosz, K. (POL)	0	2230
g	Dlugy, M. (USA)	24	2530
	Dluzniewski, M. (POL)	13	2230
f	Dobos, J. (HUN)	22	2325
m	Dobosz, H. (POL)	0	2415
	Dobosz, J. (POL)	0	2255
	Dobren, N. (BLG)	34	2250
	Dobrev, D. (BLG)	0	2345
	Dobrev, I. (BLG)	34	2385
	Dobric, Z. (JUG)	0	2305
	Dobroteanu, E. (ROM)	0	2245
m	Dobrovolsky, L. (CSR)	21	2415
f	Dobrzynski, W. (POL)	9	2295
	Dobson Aguilar, L. F. (CHI)	0	2250
m	Doda, Z. (POL)	0	2340
	Dodu, P. (ROM)	3	2290
m	Doery, J. (HUN)	19	2360
	Doghri, N. (TUN)	0	2280
g	Dokhoian, Y. (URS)	45	2570
f	Doleschall, G. (URS)	3	2270
	Dolezal, M. (CSR)	23	2295
	Dolgener, T. (FRG)	2	2260
f	Dolgitser, K. (USA)	0	2270
f	Doljanin, T. (JUG)	0	2240
	Dolmadjan, A. (BLG)	33	2390
g	Dolmatov, S. (URS)	42	2610
	Dolovic, D. (JUG)	5	2290
	Dominguez Sanz, J. (ESP)	4	2265
	Dominiguez, J. M. (DOM)	0	2235
f	Domont, A. (SWZ)	20	2315
	Domosud, M. (POL)	0	2255
	Domotor, J. (HUN)	10	2215
m	Donaldson, J. W. (USA)	2	2400
m	Doncevic, D. (FRG)	32	2335
	Donchenko, A. G. (URS)	11	2345
m	Donchev, D. I. (BLG)	24	2520
	Donev, I. (BLG)	5	2345
	Doniec, A. (POL)	5	2235
	Donka, P. (HUN)	0	2230
m	Donnely, B. (ZIM)	0	2205
f	Donoso Velasco, P. H. (CHI)	0	2370
g	Dorfman, I. D. (URS)	26	2585
	Doric, N. (JUG)	5	2210
	Dorin, M. (ARG)	0	2280
	Dorner, M. (FRG)	0	2305
	Dornieden, M. (FRG)	0	2285
	Doroftei, N. (ROM)	0	2245
	Doroshkievich, V. K. (URS)	7	2375
	Dors, R. (POL)	5	2220
	Dos Ramos, R. (SUR)	0	2205
	Dos Santos, H. C. (BRS)	0	2285
	Dostan, J. (JUG)	2	2260
	Dotta, J. C. (ARG)	11	2280
m	Douven, R. C. (NLD)	50	2475
	Dovzski, J. (URS)	11	2330
f	Dozorets, A. (USA)	0	2495
	Dragojlovic, A. (JUG)	20	2340
	Dragomarezkij, E. (URS)	4	2340
	Dragomirescu, C. (ROM)	0	2205
	Dragos, D. (ROM)	0	2260
f	Dragovic, M. (JUG)	13	2335
m	Drasko, M. (JUG)	46	2485
	Draskovic, D. (JUG)	0	2255
	Drazic, S. (JUG)	22	2300
	Drcelic, J. (JUG)	2	2380
f	Dreev, A. (URS)	53	2570
	Drei, A. (ITA)	0	2245
	Drepaniotis, P. (GRC)	0	2210
f	Dresen, U. (FRG)	0	2280
	Dreyer, M. (FRG)	0	2215
m	Drimer, D. (ROM)	0	2350
	Drogou, G. (FRA)	0	2230
	Droletz, J. (BLG)	0	2220
	Droulers, D. (FRA)	0	2305
f	Drozd, R. (POL)	6	2230
	Drtina, M. (CSR)	13	2265
	Druckenthaner, A. (OST)	6	2295
	Drumev, A. (BLG)	0	2225
	Drvodelic, M. (JUG)	0	2210
f	Drvota, A. (CSR)	0	2300
	Drzemicki, D. (POL)	18	2285
	Du Chattel, Ph. J. (NLD)	0	2265
f	Duarte, M. R. (CHI)	0	2360
	Dubisch, R. (USA)	0	2270
f	Dubois, J. M. (FRA)	9	2285
	Duch, M. (POL)	15	2250
f	Duckworth, M. (USA)	5	2305
	Dudakov, Sh. (ISL)	0	2225
	Dudas, J. (HUN)	1	2265
	Dudek, A. (POL)	12	2225
	Dudek, R. (POL)	0	2300
m	Dueball, J. (FRG)	13	2435
m	Dueckstein, A. (OST)	11	2355
m	Duer, A. (OST)	0	2390
	Duer, W. (OST)	0	2290
	Duester, Th. (FRG)	4	2335
	Dugandzic, B. (JUG)	11	2330
	Duhayon, Y. (BEL)	0	2210
	Duhr, S. (FRG)	0	2285
	Dujkovic, S. (JUG)	13	2260
	Dukaczewski, P. (POL)	14	2285
	Dulic, G. (JUG)	11	2225
m	Dumitrache, D. (ROM)	10	2395
	Dumont, S. G. (BRS)	0	2250
f	Dumpor, A. (JUG)	13	2280
	Duncan, Ch. (ENG)	14	2215
	Dunn, A. (ENG)	2	2245
f	Dunne, D. J. (IRL)	0	2335
	Dunnington, A. J. (ENG)	42	2380
	Dupuis, S. (CAN)	0	2230
m	Durao, J. (POR)	0	2220
f	Durham, D. (USA)	0	2315
	Duriga, S. (CSR)	13	2270
	Durnik, St. (CSR)	5	2235
f	Dusper, H. (JUG)	7	2335
	Dussol, P. (FRA)	5	2240
f	Dutreeuw, M. (BEL)	0	2400
m	Dvoirys, S. I. (URS)	34	2520
m	Dvorietzky, M. I. (URS)	0	2470
	Dybala, M. (POL)	21	2230
	Dybowski, J. (POL)	2	2300
	Dymerski, H. (POL)	9	2250
	Dzera, V. (CAN)	0	2225
m	Dzevlan, M. (JUG)	12	2450
	Dzhandzhava, L. (URS)	26	2470
f	Dzieniszewski, A. (POL)	7	2365
g	Dzindzihashvili, R. (USA)	6	2540
	Dziuban, O. (URS)	0	2395

E

	Ebalard, M. (FRA)	0	2235
f	Ebeling, M. (FIN)	0	2255
	Ebenfelt, A. (SVE)	0	2305
	Eberlein, R. B. (USA)	0	2295
	Ebner, H. (OST)	0	2275
	Echevarria, R. (CUB)	0	2235
f	Eckert, D. D. (USA)	0	2305
f	Edelman, D. (USA)	0	2355
	Edwards, P. (ENG)	9	2285
	Effert, K. (FRG)	3	2325
m	Efimov, I. (URS)	17	2395
	Efstathiou, D. (GRC)	3	2230
f	Egedi, I. (HUN)	0	2320
	Egger, Th. (FRG)	0	2255
	Egin, V. (URS)	9	2330
	Eglezos, H. (GRC)	0	2250

	Egyed, A. (HUN)	0	2210
g	Ehlvest, J. (URS)	19	2620
f	Ehrenfeucht, W. (POL)	10	2265
	Ehrke, M. (FRG)	0	2225
	Einarsson, A. (ISD)	9	2235
	Einarsson, H. (ISD)	0	2250
g	Eingorn, V. S. (URS)	41	2560
f	Eising, J. (FRG)	0	2315
f	Eisterer, H. (OST)	23	2325
	Eke, M. (ENG)	0	2290
	Eklund, L. G. (SVE)	1	2275
m	Ekstorm, R. (SVE)	7	2445
	El Arousy, A. (EGY)	0	2350
	El Ghagah, Y. (EGY)	0	2255
m	El Ghazali-Yousef, M. (EGY)	9	2255
	El Kreni, N. (LIB)	0	2205
	El Taher, F. (EGY)	0	2340
	Elguezabal Varela, D. (ARG)	0	2285
	Elizakov, A. (URS)	13	2265
f	Elizart Cardenas, H. (CUB)	9	2265
	Eljanov, V. (URS)	9	2310
	Elsen, M. (FRG)	0	2215
f	Elseth, R. (NOR)	6	2320
	Elssauid, A. (SUD)	0	2205
f	Elyoseph, H. (ISL)	8	2320
m	Emma, J. (ARG)	0	2400
f	Emms, J. M. (ENG)	8	2300
f	Emodi, Gy. (HUN)	12	2320
	Enders, P. (DDR)	36	2455
m	Eng, H. (FRG)	0	2325
	Eng, K. (USA)	0	2210
	Engel, B. (FRG)	3	2275
f	Engqvist, Th. (SVE)	23	2300
	Engsner, J. (SVE)	9	2295
	Engstrom, K. (SVE)	0	2250
m	Enklaar, B. F. (NLD)	0	2400
m	Eolian, L. S. (URS)	0	2440
m	Eperjesi, L. (HUN)	39	2370
	Epishin, V. (URS)	24	2460
f	Eppinger, G. (FRG)	9	2260
m	Erdelyi, T. (HUN)	24	2365
m	Erdeus, Gh. (ROM)	23	2340
	Erenski, P. (POL)	0	2275
	Eric, D. (JUG)	0	2235
	Erikalov, A. (URS)	5	2275
f	Eriksson, A. (SVE)	0	2275
	Eriksson, Mag. (SVE)	0	2225
	Eriksson, Mats (SVE)	5	2280
	Erker, E. (FRG)	0	2250
g	Ermenkov, E. (BLG)	14	2500
m	Ernst, Th. (SVE)	37	2425
	Ersek, E. (HUN)	9	2225
f	Ervin, R. C. (USA)	0	2395
	Escalante, R. (VEN)	0	2205
	Escandell, J.C. (ARG)	0	2310
	Escofet, J. (URU)	0	2235
f	Escondrillas, C. (MEX)	0	2355
m	Eslon, J. (SVE)	19	2350
g	Espig, L. (DDR)	33	2460
	Espig, Th. (DDR)	0	2270
m	Espinoza, R. (MEX)	4	2355
m	Estevez, G. (CUB)	13	2425
	Estrella, J. (ESP)	0	2295
f	Estremera Panos, S. (ESP)	13	2290
	Etchegarray, P. (FRA)	11	2300
f	Etmans, M. D. (NLD)	5	2270
	Ettinger, A. (ISL)	0	2225
	Eustache, B. (FRA)	0	2260
	Evangelisti, C. (ITA)	0	2265
g	Evans, L. M. (USA)	0	2470

F

	Faase, R. (NLD)	0	2310
	Fabbri, M. (ITA)	3	2245
	Fabian, L. (HUN)	0	2255
	Fabisch, Ch. (OST)	16	2235
	Fabrega, B. (PAN)	0	2250
	Fabrega, E. (PAN)	0	2245
	Fabri, F. (HUN)	0	2265
f	Fahnenschmidt, G. (FRG)	15	2405
	Faibisovich, V. Z. (URS)	7	2410
	Fairclough, N. (JAM)	0	2285
	Falchetta, G. (ITA)	3	2250
	Falcon Martin, C. (ESP)	0	2260
	Falcon, R. (PRO)	0	2210
	Falk, U. (FRG)	12	2245
	Fancsy, I. (HUN)	11	2300
	Fang, J. (USA)	0	2280
g	Farago, I. (HUN)	32	2495
m	Farago, S. (HUN)	26	2295
	Farias, S. A. (BRS)	2	2205
f	Farkas, Gy. (HUN)	0	2305
f	Farkas, J. (HUN)	2	2280
	Farooqui, Z. (PAK)	0	2250
m	Fatin, T. (EGY)	0	2325
m	Fauland, A. (OST)	33	2455
	Fauzi, A. (RIN)	0	2225
	Fayard, A. (FRA)	15	2255
	Fecht, H.-P. (FRG)	19	2265
m	Fedder, (DEN)	0	2390
f	Federau, J. M. (FRG)	14	2300
	Federl, A. R. (USA)	0	2225
	Fedorov, V. V. (URS)	24	2410
g	Fedorowicz, J. P. (USA)	52	2535
	Feher, A. (HUN)	5	2220
m	Feher, Gy. (HUN)	23	2385
	Fehling, M. (FRG)	0	2275
	Feick, S. (FRG)	10	2380
	Feigelson, J. (URS)	11	2380
	Feistenauer, F. (OST)	4	2300
	Fejzulahu, A. (JUG)	12	2305
	Fekete, Al. (HUN)	13	2270
	Feldman, S. (USA)	0	2340
f	Felegyhazi, L. (HUN)	0	2255
	Felix, V. (CSR)	0	2265
	Feller, J. (LUX)	2	2260
f	Felsberger, A. (OST)	4	2315
f	Fercec, N. (JUG)	48	2410
	Ferenc, P. (CSR)	0	2245
	Ferguson, B. (USA)	0	2235
	Fernandes, Al. (POR)	3	2230
m	Fernandes, An. M. (POR)	19	2405
m	Fernandez, A. (VEN)	0	2345
	Fernandez, B. (USA)	0	2335
m	Fernandez, C. A. (CUB)	0	2265
	Fernandez, G. (CUB)	9	2285
	Fernandez, Jor. (ARG)	0	2235
	Fernandez, Jose (ARG)	0	2210
m	Fernandez, Juan C. (CUB)	0	2395
	Fernandez, Juan L. (ESP)	17	2360
	Fernandez, M. E. (ESP)	0	2335
	Fernandez, R. (CUB)	0	2240
f	Fernandez Aguado, E. (ESP)	7	2370
g	Fernandez Garcia, J. L. (ESP)	14	2445
	Fernando, L. (SRI)	0	2265
	Ferraez, J. (MEX)	0	2245
f	Ferreira, A. (POR)	0	2295
	Ferreira, N. (ANG)	12	2210
	Ferrer, M. (ESP)	0	2265
f	Ferris, D. (AUS)	0	2335
	Ferry, R. (FRA)	0	2250
f	Fette, M. (FRG)	39	2360
	Feuerstein, A. (USA)	0	2250
	Fiala, J. (CSR)	13	2240
m	Fichtl, J. (CSR)	0	2235
	Figiel, M. (POL)	8	2365
	Figueroa, M. (CUB)	0	2220
f	Filep, T. (HUN)	0	2320
	Filgueira, H. (ARG)	22	2290
m	Filguth, R. A. (BRS)	0	2395
g	Filip, M. (CSR)	0	2470
	Filipenko, A. V. (URS)	8	2380
m	Filipovic, B. (JUG)	27	2450
	Filipovich, D. (CAN)	0	2240
m	Filipowicz, A. (POL)	0	2405
	Findlay, D. J. (SCO)	0	2240
f	Findlay, I. T. (CAN)	32	2340
f	Finegold, B. (USA)	19	2375
	Fink, S. (USA)	0	2320
	Finkenzeller, A. (FRG)	0	2275
f	Fioramonti, H. (SWZ)	15	2360
f	Florito, F. (ARG)	28	2330
	Firt, S. (CSR)	0	2355
f	Fischer, I. (ROM)	0	2340
	Fischer, Je. (DEN)	10	2250
	Fischer, Johann (OST)	0	2315
	Fischer, Johannes (FRG)	34	2300
	Fischer, Th. (FRG)	0	2290
m	Fishbein, A. (USA)	15	2460
f	Flatow, A. (AUS)	0	2285
g	Flear, G. C. (ENG)	81	2430
f	Fleck, J. (FRG)	25	2415
	Fleger, H. (FRG)	0	2240
f	Flis, J. (POL)	17	2330
	Flogel, U. (FRG)	14	2260
	Flores, P. (CHI)	0	2220
	Floresvillar, L. M. (MEX)	0	2250
	Florezabihi, A. (USA)	9	2235
f	Flueckiger, Ch. (SWZ)	11	2245
	Fobmeier, U. (FRG)	9	2310
	Fodor, L. (JUG)	0	2270
	Fodor, M. (HUN)	0	2290
	Fodre, S. (HUN)	17	2280
f	Fogarasi, T. (HUN)	27	2395
	Foguenne, M. (BEL)	0	2205
	Foigel, I. (URS)	0	2370
m	Foisor, O. (ROM)	0	2465
	Fokin, S. (URS)	0	2380
f	Foldi, I. (HUN)	0	2350
	Foldi, J. (HUN)	0	2280
	Fominikh, A. (URS)	34	2490

	Name		
	Fonseca, A. (SEN)	0	2205
	Foo, Boon-Poh-Paul (MAL)	0	2210
	Fordan, T. (HUN)	4	2205
	Forgacs, F. (HUN)	11	2205
m	Forgacs, Gy. (HUN)	22	2340
f	Forgacs, J. (HUN)	10	2290
g	Forintos, Gy. V. (HUN)	22	2355
m	Formanek, E. W. (USA)	5	2335
	Forster, A. (FRG)	0	2215
	Fossan, E. (NOR)	0	2250
	Fossan, P. (NOR)	7	2320
	Foster, N. (ENG)	0	2205
	Fox, N. (ENG)	22	2210
	Foyo, R. (CUB)	0	2305
	Fraczek, D. (POL)	0	2275
	Fradkin, B. (URS)	6	2405
m	Fraguela Gil, J. M. (ESP)	0	2280
m	Franco, Z. (PAR)	24	2475
f	Franic, M. (JUG)	0	2345
	Frank, J. (HUN)	0	2290
	Frank, V. (JUG)	10	2260
m	Franke, H. (FRG)	12	2370
	Franke, J. (FRG)	0	2220
	Frankle, J. (USA)	4	2240
f	Franklin, M. J. (ENG)	8	2320
	Fransson, P. (SVE)	0	2255
m	Franzen, J. (CSR)	22	2340
m	Franzoni, G. (SWZ)	0	2460
	Fraschini, M. (ARG)	23	2315
	Frederick, R. C. (FRA)	0	2210
	Freeman, M. J. (SCO)	0	2230
	Freisler, P. (CSR)	11	2320
f	Frendzas, P. (GRC)	0	2295
	Frenkel, F. (USA)	0	2225
	Frenkel, O. (USA)	0	2290
m	Frey, K. (MEX)	0	2405
	Freynik, Th. (FRG)	0	2260
	Freyre, J. (PRO)	7	2240
m	Frias, J. (USA)	5	2515
	Friberg, H. (SVE)	0	2265
	Frick, Ch. (FRG)	12	2235
	Fridh, A. (SVE)	12	2235
	Fridjonsson, J. (ISD)	0	2235
	Friedel, T. (USA)	0	2295
f	Friedgood, D. (ENG)	0	2290
f	Friedman, A. (ISL)	7	2345
	Friedman, E. (USA)	0	2345
f	Friedrich, N. (FRG)	0	2325
	Friedrich, U. (FRG)	0	2270
m	Fries-Nielsen, J. O. (DEN)	26	2425
	Fries-Nielsen, N. J. (DEN)	18	2340
	Fritsche, L. (FRG)	0	2285
f	Fritz, R. (FRG)	5	2370
	Fritze, B. (FRG)	0	2240
	Fritzinger, D. (USA)	0	2215
	Froeschl, F. (OST)	0	2235
	Frog, I. (URS)	0	2225
f	Frois, A. (FOR)	19	2330
	Frolov, A. (URS)	13	2460
	Fromme, E. (FRG)	0	2335
	Frommelt, H.-J. (DDR)	0	2255
	Fronczek, B. (POL)	0	2205
f	Fronczek, H. (POL)	15	2310
g	Ftacnik, L. (CSR)	38	2550
f	Fucak, E. (JUG)	6	2290
	Fuchs, B. (USA)	0	2265
	Fuentes, M. (CUB)	0	2285
	Fuesthy, Zs. (HUN)	5	2270
	Fufuengmongkolk (TAI)	0	2215
	Fulgenzi, E. (ARG)	0	2360
	Fullbrook, N. (CAN)	0	2265
	Fuller, K. (ENG)	0	2260
f	Fuller, M. L. (AUS)	0	2325
	Fulton, T. (GCI)	0	2205
	Furio, P. (MEX)	0	2225

G

	Name		
	Gabriel, Ch. (FRG)	6	2285
	Gachon, L. (FRA)	5	2280
	Gaertner, G. (OST)	4	2240
	Gagliardi, P. (ITA)	2	2265
	Gajadin, D. (SUR)	0	2205
	Gajic, Dj. (JUG)	12	2305
f	Gajic, Z. (JUG)	0	2290
	Gal, A. (ISL)	0	2225
	Gal. G. (HUN)	0	2205
	Galagovsky, C. (ARG)	0	2220
	Galakhov, S. (URS)	0	2310
	Galdunts, S. (URS)	17	2440
f	Galego, L. (POR)	24	2345
	Galic, V. (JUG)	0	2245
	Galindo, R. (ARG)	0	2300
	Galje, H. (NLD)	10	2205
m	Gallagher, J. G. (ENG)	51	2445
	Gallego, R. (ARG)	0	2260
	Gallego, V. (ESP)	0	2385
m	Gallego Eraso, F. (ESP)	0	2400
	Gallinnis, N. (FRG)	19	2265
	Gallmeyer, P. (DEN)	0	2210
	Gallo, E. (ITA)	0	2230
	Gallo, J. (FRG)	0	2235
	Gallus, G. (FRG)	8	2210
	Galunov, T. (BLG)	4	2305
f	Gamarra Caceres, C. (PAR)	0	2280
	Ganchev, G. (BLG)	7	2315
f	Ganesan, S. (IND)	18	2275
f	Gara, Gy. (HUN)	0	2270
m	Garbarino, R. (ARG)	9	2340
	Garbett, P. A. (NZD)	0	2295
	Garces, N. (ECU)	0	2235
	Garcia, Al. (COL)	0	2210
	Garcia, D. (ESP)	0	2275
m	Garcia, Gild. (COL)	31	2420
	Garcia, H. (ARG)	0	2270
	Garcia, P. J. (CUB)	0	2305
m	Garcia, Rai. (ARG)	0	2380
	Garcia, Raul (AND)	0	2245
	Garcia, Ri. (ESP)	4	2275
	Garcia, W. (CUB)	0	2245
	Garcia Callejo, J. (ESP)	0	2300
f	Garcia Conesa, G. (ESP)	0	2270
f	Garcia Fernandez, C. (ESP)	11	2335
g	Garcia Gonzales, G. (CUB)	20	2510
	Garcia Larrouy, J. L. (ESP)	0	2255
g	Garcia Martinez, S. (CUB)	0	2415
	Garcia Molla, V. (ESP)	9	2305
m	Garcia Padron, J. (ESP)	14	2420
g	Garcia Palermo, C. (ITA)	15	2465
	Garcia Trobat, F. (ESP)	17	2265
	Garcija Luque, A. (ESP)	16	2370
m	Garkov, M. (BLG)	31	2360
	Garma, Ch. (PHI)	0	2280
	Garmendez, F. (MEX)	0	2325
	Garriga Nvalart, J. (ESP)	0	2350
	Gasic, B. (JUG)	5	2245
	Gasiorowski, R. (POL)	0	2290
f	Gast, J. (SWZ)	4	2295
	Gast, U. (SWZ)	4	2240
	Gatlin, M. J. (USA)	0	2255
m	Gauglitz, G. (DDR)	38	2420
m	Gausel, E. (NOR)	14	2375
	Gavedon, A. (CUB)	0	2210
f	Gavela, D. (JUG)	0	2350
f	Gavric, M. (JUG)	3	2380
g	Gavrikov, V. N. (URS)	44	2555
	Gavrila, Gh. (ROM)	11	2290
m	Gavrilakis, N. (GRC)	0	2400
	Gavrilov, A. (URS)	0	2370
	Gawarecki, L. (POL)	0	2210
f	Gawehns, K. (FRG)	18	2325
	Gawronski, M. (POL)	17	2220
	Gayson, P. (ENG)	0	2250
f	Gazarek, D. (JUG)	9	2315
	Gazda, I. (HUN)	2	2280
m	Gazik, I. (CSR)	27	2405
	Gazis, E. (GRC)	6	2265
m	Gdanski, J. (POL)	22	2405
	Gdanski, P. (POL)	0	2350
	Gedevanishvili, D. (AUS)	0	2410
f	Geenen, M. (BEL)	5	2290
	Gefenas, V. Y. (URS)	0	2295
	Geisler, J. (URS)	0	2320
	Geisler, R. (FRG)	1	2245
	Gekas, Sl. (GRC)	0	2255
	Geleta, J. (JUG)	0	2270
m	Gelfand, B. (URS)	47	2590
f	Gelfer, I. (ISL)	0	2325
	Geller, A. (JUG)	2	2270
g	Geller, E. P. (URS)	28	2505
f	Gelpke, P. (NLD)	17	2390
	Gemmell, P. (ENG)	0	2305
	Genov, Peter (BLG)	24	2330
	Genov, Petko (BLG)	44	2260
	Gentes, K. (CAN)	0	2235
	Georgadze, G. (URS)	41	2470
g	Georgadze, T. V. (URS)	11	2520
f	Georgandzis, K. (GRC)	0	2305
	Georgescu, G. (ROM)	0	2280
f	Georgescu, V. (ROM)	0	2360
	Georgiev, B. (BLG)	5	2340
g	Georgiev, Kir. (BLG)	24	2590
g	Georgiev, Kr. (BLG)	19	2480
	Georgievski, S. (JUG)	11	2305
	Georgievski, V. (JUG)	9	2260
f	Gerber, R. (SWZ)	7	2260
	Gerencer, J. (JUG)	10	2305
	Gerenski, H. (BLG)	0	2320
	Gerer, J. (FRG)	0	2280
m	German, E. (BRS)	0	2315

f	Gerogiannis, Ch. (GRC)	0	2295
	Gerstenberger, H. (FRG)	0	2225
	Gerstner, W. (FRG)	9	2350
f	Gertler, D. (USA)	0	2210
m	Gerusel, M. (FRG)	0	2355
f	Gervasi, G. (ITA)	0	2350
	Gervasio, R. C. (BRS)	0	2230
	Geselschap, R. (NLD)	0	2205
	Gesicki, J. (POL)	11	2285
m	Gesos, P. (GRC)	2	2390
f	Getz, Sh. D. (USA)	3	2305
f	Geveke, M. (FRG)	0	2320
	Gezaljan, T. (URS)	6	2360
	Gheiadi, I. (LIB)	0	2205
	Ghenzer, Ch. (AUS)	0	2220
g	Gheorghiu, F. (ROM)	22	2495
	Ghica, R. (USA)	0	2225
m	Ghinda, M.-V. (ROM)	0	2445
g	Ghitescu, Th. (ROM)	11	2390
	Ghosh, A. K. (IND)	0	2235
m	Giam, Choo-Kwee (SIP)	0	2225
m	Giardelli, S. C. (ARG)	6	2435
	Gibbons, B. F. (USA)	0	2250
	Gibbons, R. (NZD)	0	2205
	Gibiec, E. (CSR)	0	2320
	Gibson, F. (BHM)	0	2205
	Gicev, B. (JUG)	0	2295
f	Gicov, Z. (JUG)	0	2265
	Giemsa, S. (FRG)	18	2240
	Gieruszynski, J. (POL)	0	2310
m	Giffard, N. (FRA)	18	2335
	Gikas, B. (FRG)	8	2230
f	Gil, J. (ESP)	12	2365
f	Gil Gonzales, J. M. (ESP)	9	2365
m	Gil Reguera, J. C. (ESP)	19	2415
f	Giles, M. (USA)	0	2355
	Gillam, S. R. (SCO)	0	2235
	Gilruth, P. (KEN)	0	2205
	Ginat, M. (AUS)	9	2220
	Ginsberger, A. (ISL)	0	2275
m	Ginsburg, M. (USA)	3	2400
	Ginting, N. (RIN)	0	2400
f	Ginting, S. (RIN)	0	2355
g	Gipslis, A. P. (URS)	13	2480
	Girard, R. (CAN)	0	2215
	Girinath, P.D.S. (IND)	13	2270
	Giulian, Ph. M. (SCO)	8	2270
f	Giurumia, S. (ROM)	0	2320
	Gizynski, T. (POL)	31	2355
f	Glatt, G. (HUN)	5	2275
f	Glauser, H. (SWZ)	7	2325
	Glavan, S. (JUG)	3	2260
f	Glavica, Z. (JUG)	10	2270
f	Glavina, P. (ARG)	26	2380
	Gleizerov, E. (URS)	8	2420
m	Glek, I. V. (URS)	45	2505
f	Glienke, M. (FRG)	15	2280
g	Gligoric, S. (JUG)	18	2485
m	Gliksman, D. Dar. (JUG)	4	2310
	Gliksman, Dav. N. (USA)	4	2255
	Glisic, V. (JUG)	29	2220
	Glodeanu, I. (ROM)	5	2220
	Gloria, E. (PHI)	0	2245
f	Glueck, D. (USA)	6	2385
	Glyanets, A. (URS)	4	2355
	Gmeiner, P. (OST)	9	2230
m	Gobet, F. (SWZ)	14	2395
	Gochev, M. (BLG)	16	2380
	Goczan, L. (HUN)	0	2235
m	Godena, M. (ITA)	14	2405
m	Godes, A. D. R. (URS)	6	2415
	Godinez, G. (MEX)	0	2220
	Godoy, C. (ARG)	0	2255
	Godoy, D. A. (CHI)	9	2315
f	Geohring, K.-H. (FRG)	15	2310
	Goetz, R. (FRG)	12	2315
	Goetze, J. (USA)	0	2225
	Goffin, P. (NZD)	0	2205
	Gofstein, L. D. (URS)	16	2415
	Gogel, D. (USA)	0	2255
f	Goh, Sheng-Hong (SIP)	0	2325
	Gojceta, T. (JUG)	0	2310
	Gojkovic, P. (JUG)	5	2315
	Gola, M. (CSR)	0	2375
f	Goldberg, A. (DDR)	0	2335
	Goldberger, E. (SWZ)	0	2225
f	Goldenberg, R. (FRA)	0	2335
m	Goldin, A. (URS)	27	2525
	Goldschmidt, B. (ARG)	1	2210
f	Goldstern, F. (NLD)	0	2310
	Golikov, A. (URS)	20	2310
	Gollogly, D. (NZD)	0	2215
	Golota, A. (POL)	11	2210
	Golubovic, Z. (JUG)	5	2310
f	Gomez, A. (CUB)	0	2385
	Gomez, C. (PAN)	0	2205
	Gomez, Carlos (NCG)	0	2225
	Gomez, F. (CUB)	0	2330
m	Gomez Baillo, J. H. (ARG)	24	2430
m	Gomez Esteban, J. M. (ESP)	11	2440
f	Gonsior, E. (CSR)	0	2315
	Gonzales, E. (DOM)	0	2255
	Gonzales, S. (COL)	0	2320
	Gonzales Anta, D. (MEX)	0	2220
	Gonzales Mata, J. (MEX)	0	2335
	Gonzales Mateos, R. (ESP)	0	2245
m	Gonzalez, J. A. (COL)	0	2310
	Gonzalez, J. D. (USA)	0	2270
	Gonzalez, M. (CUB)	0	2210
	Gonzalez, N. (CUB)	0	2260
f	Gonzalez, R. (ARG)	7	2300
f	Gonzalez-Maza, R. (ESP)	0	2320
m	Goodman, D. S. C. (ENG)	0	2405
	Goonetilleke, L. C. (SRI)	0	2260
f	Goormachtigh, J. (BEL)	0	2300
f	Gordan, N. (ROM)	0	2340
	Gordero Montoya, F. (ESP)	0	2220
f	Goregliad, S. (USA)	0	2260
	Gorelov, S. G. (URS)	14	2450
	Gorgs, A. (FRG)	5	2235
	Goric, E. (JUG)	11	2260
	Gorisnic, E. (ARG)	0	2280
	Gorman, D. (USA)	5	2335
	Gorniak, T. (POL)	0	2245
	Gosic, B. (JUG)	7	2310
	Gospodinov, I. (BLG)	10	2325
m	Gostisa, L. (JUG)	42	2395
f	Gottardi, G. (SWZ)	0	2305
f	Gottesman, J. (USA)	0	2330
	Gouret, Th. (FRA)	12	2255
	Gouveia, C. (BRS)	0	2390
m	Govedarica, R. (JUG)	34	2445
	Goy, U. (FRG)	0	2285
	Grabarczyk, B. (POL)	31	2320
	Grabarczyk, M. (POL)	21	2285
m	Grabczewski, R. (POL)	0	2275
	Grabowski, A. (POL)	28	2340
	Gracin, D. (JUG)	9	2275
	Gracs, P. (HUN)	10	2225
	Gradstein, M. (ISL)	0	2250
	Graf, G. (FRG)	14	2240
m	Graf, J. (FRG)	15	2425
f	Gralka, J. (POL)	0	2315
	Granat, R. (ENG)	0	2265
g	Granda Zuniga, J. E. (PER)	21	2505
f	Gransky, M. (ISL)	0	2300
	Grathwohl, R. (FRG)	9	2360
	Grbovic, V. (JUG)	0	2285
	Green, D. P. (ARG)	0	2240
	Green, E. M. (NZD)	0	2290
	Green, P. (NZD)	0	2300
	Greenberg, R. (USA)	0	2245
m	Greenfeld, A. (ISL)	19	2535
m	Grefe, J. A. (USA)	0	2390
	Gregory, V. (MAL)	0	2245
f	Gretarsson, A. A. (ISD)	11	2315
	Grguri, M. (JUG)	0	2205
	Grguric, D. (JUG)	22	2205
	Grguric, Z. (JUG)	0	2270
f	Griego, D. W. (USA)	0	2335
	Griffin, D. (SCO)	11	2295
	Grigore, G. (ROM)	11	2280
m	Grigorian, A. (URS)	5	2400
m	Grigorov, J. N. (BLG)	48	2380
	Grillitsch, K. (OST)	0	2255
	Grimaldi, R. A. (SAL)	0	2255
f	Grimberg, G. (FRA)	41	2315
	Grinberg, N. (ISL)	0	2385
f	Grinberg, R. (ARG)	0	2360
f	Grinza, A. (ITA)	0	2295
m	Grivas, E. (GRC)	4	2445
	Grizou, R. (FRA)	8	2230
	Groborz, M. (POL)	9	2275
	Groenegress, W. (FRG)	0	2205
	Gronn, A. (NOR)	9	2205
f	Grooten, H. (NLD)	5	2345
m	Grosar, (JUG)	52	2385
f	Grosic, D. (JUG)	0	2310
	Gross, G. (FRG)	4	2240
	Gross, R. J. (USA)	3	2205
m	Gross, S. (CSR)	16	2435
	Grossmann, R. (POL)	9	2260
g	Groszpeter, A. (HUN)	30	2515
	Grotnes, N. (NOR)	0	2320
	Grottke, H. J. (DDR)	20	2260
m	Gruchacz, R. (USA)	0	2325
m	Gruen, G.-P. (FRG)	22	2360
m	Gruenberg, H.-U. (DDR)	33	2510
f	Gruenberg, R. (FRG)	0	2310
f	Gruenenwald, J. (FRG)	11	2330
g	Gruenfeld, Y. (ISL)	34	2530
	Grujic, Z. (JUG)	0	2230
m	Grunberg, S. H. (ROM)	16	2390
f	Grushka, C. (ARG)	13	2365

	Gruz, Janos (HUN)	0	2225
	Gruzmann, B. (URS)	9	2320
	Gryciuk, W. (POL)	0	2235
f	Grynszpan, M. (ARG)	13	2395
	Grzesik, F. (FRG)	0	2260
f	Grzesik, Th. (FRG)	1	2285
f	Gschnitzer, O. (FRG)	13	2405
	Gual, A. (ESP)	0	2375
f	Gudmundsson, E. (ISD)	0	2320
	Gudmundsson, K. (ISD)	0	2210
	Gundmundur, G. (ISD)	11	2250
	Gueci, R. (ITA)	12	2245
	Gueldner, K. (FRG)	10	2280
	Gueneau, Ch. (FRA)	7	2215
	Guenthner, O. (FRG)	3	2335
f	Guerra, J. L. (VEN)	0	2360
	Guerra, P. (CUB)	13	2270
f	Guevara, M. (NCG)	26	2330
	Gueye, G. (SEN)	0	2215
g	Gufeld, E. Y. (URS)	20	2470
	Gugler, E. (OST)	0	2300
	Guido, F. (ITA)	7	2335
	Guigonis, D. (FRA)	8	2335
	Guillen, R. J. (HON)	0	2330
f	Guimaraes, J. (POR)	0	2260
g	Guimard, C. E. (ARG)	0	2365
	Gulicovski, K. (JUG)	42	2225
g	Gulko, B. F. (USA)	24	2605
m	Gunawan, Ro. (RIN)	22	2410
f	Gunawan, Ru. (RIN)	0	2265
	Gundersen, H. (NOR)	0	2260
	Guner, B. (TRK)	15	2205
	Gunev, Z. (BLG)	0	2220
	Gunnarsson, G. K. (ISD)	0	2290
	Gupta, M. (FRG)	9	2225
f	Gupta, R. S. (IND)	18	2240
g	Gurevich, D. (USA)	43	2480
f	Gurevich, I. (USA)	4	2385
g	Gurevich, M. (URS)	40	2640
	Gurevich, V. (URS)	0	2395
g	Gurgenidze, B. I. (URS)	7	2360
	Guseinov, A. (URS)	16	2375
	Gutierrez, J. (CRA)	0	2320
m	Gutierrez, J. A. (COL)	12	2345
	Gutkin, B. (ISL)	0	2245
g	Gutman, L. (ISL)	54	2455
f	Guyot, Ph. (FRA)	3	2320
	Guzijan, M. (JUG)	16	2290
m	Gyorkos, L. (HUN)	20	2360
	Gyurkovics, M. (HUN)	4	2290

H

m	Haag, E. (HUN)	0	2380
	Haag, M. (FRG)	0	2405
	Haag, W. (FRG)	0	2265
	Haakert, J. (FRG)	0	2315
	Haapasalo, J.-P. (FIN)	2	2250
	Haas, C. (ISL)	3	2225
	Haas, F. (FRG)	0	2240
f	Haas, G. (LUX)	2	2315
m	Haba, P. (CSR)	24	2485
	Haberer, M. (FRG)	0	2215
	Habibi, A. (FRG)	22	2245
	Hachaj, A. (POL)	0	2275
	Hackel, M. (DDR)	7	2360
	Hadraba, V. (CSR)	0	2255
	Hadzic, H. (JUG)	30	2300
f	Hadzimanov, Lj. (JUG)	0	2285
	Hadzovic, I. (JUG)	6	2305
f	Haefner, Th. (FRG)	0	2345
	Haessler, C. (USA)	0	2245
f	Hager, F. (OST)	0	2315
	Haidrah, J. A. (YPR)	0	2205
m	Haik, A. (FRA)	22	2410
f	Haist, W. (FRG)	7	2305
	Hait, A. (URS)	0	2320
	Hajek, M. (CSR)	9	2300
m	Hakki, I. (SYR)	0	2335
m	Halasz, T. (HUN)	3	2405
f	Haliamanis, G. (GRC)	23	2300
f	Hall, E. C. (USA)	0	2355
	Hall, J. (SVE)	9	2275
	Halldorsson, B. (ISD)	0	2250
	Halldorsson, G. (ISD)	11	2260
	Halpin, P. (AUS)	0	2215
	Halsegger, H. (OST)	0	2245
	Halser, W. (OST)	0	2210
	Hamacher, A. (FRG)	0	2285
m	Hamann, S. (DEN)	0	2395
	Hamark, J. (SVE)	9	2205
	Hamdan, I. (RIN)	0	2285
	Hamdouchi, H. (MRC)	19	2385
m	Hamed, A. (EGY)	0	2325
f	Hamilton, D. G. (AUS)	0	2300
f	Hamilton, R. (CAN)	0	2300
f	Hammar, B. (SVE)	8	2360
	Hammargren, P. (SVE)	0	2225
f	Hammer, P. (SWZ)	0	2285
	Hamori, And. (HUN)	2	2225
	Hamori, Ant. (HUN)	0	2255
	Hanasz, W. (POL)	0	2295
	Hancas, M. (ROM)	11	2235
	Hancu, A. (USA)	0	2255
	Handley, M. (ENG)	5	2205
m	Handoko, E. (RIN)	0	2370
f	Hanel, R. (OST)	0	2375
	Hangweyrer, M. (OST)	4	2240
	Hanko, P. (CSR)	0	2225
f	Hanreck, A. E. (ENG)	0	2280
g	Hansen, C. (DEN)	27	2525
m	Hansen, L. B. (DEN)	47	2525
	Hansen, M. S. (DEN)	7	2280
	Hansen, Soren Bech (DEN)	4	2270
	Hansen, Sune Berg (DEN)	2	2250
	Hansson, D. (ISD)	0	2280
f	Happel, H. A. (NLD)	4	2300
	Har-Zvi, Shai (ISL)	0	2245
	Haragos, K. (HUN)	3	2205
m	Harandi, K. (ENG)	0	2430
	Harari, Z. (USA)	0	2285
f	Hardarson, R. (ISD)	0	2290
m	Hardicsay, P. (HUN)	4	2350
	Harding, T. D. (IRL)	0	2230
	Harestad, Th. G. (NOR)	0	2255
	Hargens, Th. (FRG)	0	2255
	Haridass, K. (IND)	0	2220
	Hariharan, V. (IND)	33	2260
f	Haritakis, Th. (GRC)	15	2330
	Harley, A. (ENG)	8	2280
	Harmatosi, J. (HUN)	7	2275
	Harmon, C. (USA)	3	2250
	Haro, P. C. (BRS)	17	2255
	Harris, D. J. E. (BER)	0	2215
	Harris, W. (USA)	2	2205
	Harrison, K. (AUS)	0	2225
	Hartlieb, J. (FRG)	5	2275
f	Hartman, B. (CAN)	0	2345
m	Hartman, Ch. (SVE)	8	2355
	Hartmann, G. (FRG)	10	2275
f	Hartmann, W. (FRG)	0	2285
	Hartmut, M. (FRG)	0	2255
m	Hartoch, R. G. (NLD)	6	2365
m	Hartston, W. R. (ENG)	0	2430
	Hartung-Nielsen, J. (DEN)	0	2275
	Hartvig, O. W. (DEN)	0	2225
f	Hasan, Y. (BAN)	48	2215
m	Hase, J. C. (ARG)	0	2345
f	Hasecic, S. (JUG)	0	2310
f	Haskamp, S. (FRG)	0	2285
	Hass, R. (POL)	24	2320
	Hassan, H. (IND)	11	2225
	Hassan, M. (IND)	1	2270
	Hassan, T. A. (USA)	0	2235
f	Hatlebakk, E. (NOR)	6	2300
	Haubt, G. (FRG)	14	2295
	Hauchard, A. (FRA)	23	2345
m	Haugli, P. (NOR)	12	2365
m	Hausner, I. (CSR)	39	2440
	Hauwert, N. (NLD)	0	2215
	Havansi, E. E. T. (FIN)	0	2275
f	Havas, L. (JUG)	0	2280
	Havasi, J. (JUN)	0	2245
m	Hawelko, M. (POL)	24	2440
f	Hawkes, R. (CAN)	0	2300
m	Hawksworth, J. C. (ENG)	0	2370
	Hawthorne, J. (ENG)	0	2330
	Hay, T. (AUS)	0	2340
m	Hazai, L. (HUN)	11	2460
	Hazelton, M. (ENG)	0	2230
m	Hebden, M. (ENG)	75	2520
m	Hebert, J. (CAN)	16	2410
g	Hecht, H.-J. (FRG)	9	2435
	Heckler, M. (FRG)	8	2285
m	Hector, J. (SVE)	53	2500
f	Hedke, F. (FRG)	4	2290
	Hedman, J. A. (CUB)	0	2275
f	Heemskerk, W. (NLD)	0	2300
m	Hegde, R. G. (IND)	0	2345
f	Hegedus, I. (ROM)	1	2310
	Hegeler, F. (FRG)	0	2240
	Heggheim, B. (NOR)	0	2210
	Heidenfeld, M. (FRG)	0	2290
f	Heidrich, M. (FRG)	0	2310
	Heigl, R. (FRG)	9	2245
f	Heil, S. (FRG)	0	2370
	Heiligermann, G. (HUN)	0	2205
	Heiling, Th. (FRG)	0	2205
	Heim, B. (FRG)	0	2215
	Heim, C. (ROM)	0	2235
f	Heim, S. (NOR)	0	2405
	Heimberger, R. (OST)	0	2285
	Heinatz, Th. (DDR)	6	2355
m	Heinbuch, D. (FRG)	0	2350
	Heinig, W. (DDR)	12	2290
	Heinsohn, W. (DDR)	0	2205
	Helbig, P. (ENG)	5	2245
	Helenius, M. (FIN)	0	2255

	Helgason, R. (SVE)	6	2275
	Hellborg, T. (SVE)	7	2295
g	Hellers, F. (SVE)	20	2560
f	Hellmazr, A. (OST)	0	2300
	Helmer, I. (ROM)	0	2240
m	Helmers, K. J. (NOR)	0	2465
	Helmertz, P.-I. (SVE)	0	2285
	Helmrich, J. (HUN)	16	2315
	Hempson, P. W. (ENG)	0	2280
m	Henao, R. F. (COL)	0	2420
	Hendriks, W. (NLD)	0	2320
	Heng, D. (SIP)	0	2265
g	Henley, R. W. (USA)	7	2505
	Hennig, D. (FRG)	5	2345
	Hennigan, M. (ENG)	0	2345
m	Hennings, A. (DDR)	0	2330
f	Henttinen, M. I. O. (FIN)	0	2300
	Hentunen, A. (FIN)	0	2265
f	Herb, P. (FRA)	7	2395
f	Herbrechtsmeier, Ch. (FRG)	9	2310
	Herczeg, T. (HUN)	3	2205
f	Hergott, D. (CAN)	17	2375
f	Hermann, M. (FRG)	13	2360
	Hermansson, T. (ISD)	0	2260
	Hermesmann, H. (FRG)	0	2245
	Hermlin, A. (URS)	11	2355
f	Hernandez, A. (CUB)	10	2330
	Hernandez, E. (MEX)	0	2250
	Hernandez, G. (DOM)	0	2205
	Hernandez, Ga. (ESP)	0	2265
f	Hernandez, Gi. (MEX)	0	2300
f	Hernandez, Je. (CUB)	0	2305
m	Hernandez, Jo. J. (CUB)	0	2280
	Hernandez, Rod. (CUB)	0	2245
g	Hernandez, Rom. (CUB)	8	2450
f	Hernando Pertierra, J. C. (ESP)	0	2360
	Herndl, H. (OST)	4	2275
	Heroic, D. (JUG)	22	2295
f	Herrera Perez, J. (CUB)	0	2240
	Herrera, F. (ARG)	0	2280
f	Herrera, I. (CUB)	32	2380
	Herrera, M. (MEX)	0	2265
f	Herrmann, M. (FRG)	4	2295
f	Hertan, Ch. E. (USA)	0	2345
m	Hertneck, G. (FRG)	22	2475
f	Hertzog, P. (FRG)	0	2320
f	Herzog, A. (OST)	7	2375
	Herzog, H. (OST)	0	2325
	Hess, Ch. (FRG)	0	2255
m	Hess, R. (FRG)	21	2295
f	Hesse, P. (DDR)	0	2360
	Hetenyi, G. (HUN)	0	2205
f	Hever, M. (HUN)	0	2295
	Hewageegane, D. (SRI)	0	2250
m	Heyken, E. (FRG)	16	2425
g	Hickl, J. (FRG)	47	2495
	Hickl, Th. (FRG)	11	2350
	Hidalgo, J. J. (ESP)	14	2275
m	Hill, Sh. M. (AUS)	0	2245
	Hillery, J. (USA)	0	2275
	Hin, B. (JUG)	0	2255
f	Hindle, O. M. (ENG)	0	2355
	Hirsch, S. (FRG)	0	2230
	Hirzel, R. (SWZ)	6	2225

	Hjartarson, B. (ISD)	0	2230
g	Hjartarson, J. (ISD)	37	2555
	Hjelm, N. (SVE)	13	2315
m	Hjorth, G. (AUS)	0	2390
	Hlusevich, S. (URS)	0	2360
m	Hmadi, S. (TUN)	0	2290
g	Hodgson, J. M. (ENG)	54	2535
	Hodot, Y. (FRA)	0	2240
	Hoeckendorf, H. (DDR)	0	2230
	Hoeksema, E. (NLD)	15	2345
	Hoellmann, L. (FRG)	0	2280
m	Hoelzl, (OST)	12	2360
f	Hoen, R. (NOR)	0	2330
f	Hoensch, M. (FRG)	0	2345
	Hofbauer, M. (OST)	0	2275
m	Hoffman, A. (ARG)	51	2390
f	Hoffmann, A. (USA)	0	2315
	Hoffmann, Ha. (FRG)	8	2300
	Hoffmann, M. (FRG)	5	2345
	Hofman, R. (NLD)	0	2235
	Hofmann, Max. (OST)	0	2250
	Hofmann, Mi. (SWZ)	0	2265
f	Hohler, P. (SWZ)	0	2315
m	Hoi, C. (DEN)	45	2510
	Hoidahl, E. (NOR)	0	2205
	Holfelder, J. (FRG)	0	2300
	Holland, Ch. (ENG)	2	2265
	Holland, E. (ENG)	5	2310
	Hollermann, Th. (FRG)	0	2240
	Holm, S. (DEN)	0	2345
	Holmes, D. A. (SCO)	5	2310
	Holmes, R. F. (ENG)	0	2270
	Holzapfel, D. (FRG)	8	2275
f	Holzhaeuer, M. (FRG)	0	2315
	Hommel, G. (FRG)	0	2295
f	Hon Kah Seng, Sh. (MAL)	0	2240
	Honfi, Gy. (HUN)	0	2255
m	Honfi, Karoly (HUN)	0	2370
f	Honos, A. (HUN)	0	2305
	Hook, W. (VGB)	0	2225
	Hooz, T. (HUN)	0	2235
	Horak, J. (CSR)	0	2360
f	Horn, Pa. (SWZ)	6	2335
	Horn, Pe. (FRG)	0	2285
f	Horner, J. (ENG)	0	2355
	Hornicek, J. (CSR)	0	2330
	Horodyski, R. (POL)	0	2300
	Horstmann, M. (FRG)	0	2240
g	Hort, V. (FRG)	32	2570
f	Horton, J. (CAN)	0	2305
m	Horvath, Cs. (HUN)	38	2470
	Horvath, D. (HUN)	1	2260
	Horvath, E. (HUN)	0	2220
m	Horvath, Gy. (HUN)	14	2425
f	Horvath, Im. (HUN)	8	2275
	Horvath, Is. (HUN)	9	2245
m	Horvath, Jo. (HUN)	39	2505
f	Horvath, Mi. (HUN)	15	2270
	Horvath, P. (HUN)	16	2375
f	Horvath, S. (HUN)	17	2320
m	Horvath, T. (HUN)	20	2415
f	Horvath, Z. Z. (HUN)	0	2345
	Hosticka, F. (CSR)	0	2235
	Hoszu, E. (ROM)	2	2215
	Hottes, D. (FRG)	0	2240

	Houna, M. (MLI)	0	2205
	Houston, D. (IRL)	0	2260
	Hovde, F. (NOR)	0	2285
m	Howell, J. C. (ENG)	9	2440
	Hracek, Z. (CSR)	2	2390
f	Hradeczky, T. (HUN)	17	2275
	Hrafn, L. (ISD)	0	2235
	Hrapin, V. (URS)	15	2265
m	Hresc, V. (JUG)	6	2330
	Hrisanthopoulos, D. (GRC)	0	2260
	Hristopoulos, R. (GRC)	0	2235
	Hrivnak, V. (CSR)	0	2270
	Hsu, Li-Yang (SIP)	11	2315
	Huang, Zheng-Yuan (PRC)	0	2210
	Hudecek, J. (CSR)	0	2215
g	Huebner, R. (FRG)	35	2605
	Huelsmann, J. (FRG)	0	2220
	Huemmer, B. (FRG)	12	2265
	Huenerkopf, H. (FRG)	0	2230
f	Huergo, J. R. (CUB)	0	2225
m	Huerta, R. (CUB)	0	2365
m	Hug, W. (SWZ)	0	2445
	Hughes, Ph. (ENG)	0	2230
f	Huisl, W. (FRG)	0	2335
	Huismann, Th. (BEL)	0	2230
g	Hulak, K. (JUG)	25	2550
	Humer, W. (OST)	0	2310
f	Huque, R. (BAN)	51	2285
	Hurelbator, Ch. (MON)	11	2290
f	Hurme, H. M. (FIN)	0	2250
f	Hurtado, M. (MEX)	0	2270
	Husain, S. M. (PAK)	0	2250
	Husek, Z. (CSR)	11	2260
m	Huss, A. (SWZ)	27	2355
	Hutcheson, J. (BSW)	0	2255
	Hutters, T. (DEN)	0	2235
m	Huzman, A. (URS)	25	2475
	Hvenekilder, J. (DEN)	0	2300
	Hybl, J. (CSR)	0	2290
	Hynes, K. A. (IRL)	0	2235

I

	Ianiello, R. (ITA)	2	2295
f	Iannacone, E. (ITA)	0	2360
	Ibaflez, D. (CUB)	9	2295
	Ibanez, D. (CUB)	0	2225
	Ibar, M. (ARG)	9	2230
	Ibrahim, A. (CAN)	0	2215
	Icklicki, W. (BEL)	0	2255
	Idelstein, M. (ISL)	8	2265
	Idrovo, F. (ECU)	0	2225
	Iglesias, Ale. (ARG)	0	2265
	Iglesias, Alf. (MEX)	0	2215
	Ikonic, B. (JUG)	5	2255
	Ilandzis, S. (GRC)	2	2250
	Ilczuk, J. (POL)	0	2235
	Ilic, B. Dragan (JUG)	7	2235
m	Ilic, Dragan (JUG)	42	2400
f	Ilic, Lj. (JUG)	5	2230
	Ilic, M. S. (JUG)	3	2240
	Ilic, V. (JUG)	13	2295
m	Ilic, Z. (JUG)	22	2380
f	Ilijc, M. (JUG)	25	2290
	Ilijev, M. (BLG)	3	2320

	Ilijevski, B. (JUG)	0	2210
f	Ilijevski, D. (JUG)	26	2330
m	Ilijin, N. (ROM)	6	2270
m	Ilincic, Z. (JUG)	63	2485
	Ilinsky, V. (URS)	0	2340
	Illecko, J. (CSR)	0	2255
g	Illescas Cordoba, M. (ESP)	39	2510
	Imanaliev, T. (URS)	0	2345
	Imocha, L. (IND)	6	2315
m	Indjic, D. (JUG)	21	2360
f	Ingbrandt, J. (SVE)	8	2360
	Ingenerf, S. (FRG)	0	2275
g	Inkiov, V. (BLG)	31	2475
f	Ioakimidis, G. (GRC)	0	2305
m	Ionescu, Co. (ROM)	10	2480
f	Ionescu, Cr. (ROM)	8	2320
	Ionov, S. (URS)	24	2475
	Ipek, A. (TRK)	0	2320
	Iriaji, B. (RIN)	0	2205
	Isachievici, F. (ROM)	1	2205
m	Iskov, G. (DEN)	0	2325
	Ismail, M. J. (IND)	0	2265
	Istvandi, L. (HUN)	7	2215
	Iten, P. (SWZ)	0	2265
	Iten, R. SWZ)	0	2260
	Itkis, B. (URS)	0	2310
	Ivacic, V. (JUG)	0	2300
	Ivan, A. (HUN)	9	2260
	Ivan, Z. (HUN)	2	2290
g	Ivanchuk, V. (URS)	19	2660
m	Ivanov, A. V. (USA)	11	2460
	Ivanov, D. (BLG)	10	2240
	Ivanov, E. (BLG)	0	2215
m	Ivanov, I. V. (CAN)	5	2505
m	Ivanov, J. (BLG)	47	2300
	Ivanov, Se. (URS)	0	2465
m	Ivanov, Sp. (BLG)	0	2365
m	Ivanov, St. (BLG)	0	2395
g	Ivanovic, B. (JUG)	55	2545
	Ivanovic, M. (JUG)	1	2290
f	Ivanovic, Z. (JUG)	0	2305
	Ivekovic, M. (JUG)	0	2230
	Ivell, N. W. (ENG)	0	2335
g	Ivkov, B. (JUG)	43	2490
f	Ivkovic, D. (JUG)	11	2255
	Ivkovic, L. (JUG)	0	2205
m	Izeta, F. (ESP)	8	2340
f	Izquierdo, D. (URU)	0	2285
	Izsak Gy. (HUN)	5	2210

J

	Jabbar, A. (IND)	0	2230
f	Jablan, M. (JUG)	14	2275
	Jablonicky, F. (CSR)	0	2210
	Jablonski, M. (POL)	11	2270
	Jachym, M. (FRA)	0	2255
f	Jacimovic, D. (JUG)	19	2400
f	Jackelen, Th. (FRG)	12	2355
	Jackson, O. A. (ENG)	1	2210
f	Jacobi, S. (USA)	0	2385
m	Jacobs, B. A. (ENG)	23	2350
f	Jacobs, J. N. (USA)	0	2300
	Jacobsen, B. (DEN)	18	2320
	Jacoby, G. (FRG)	0	2275
m	Jadoul, M. (BEL)	13	2395
	Jadrzyk, Cz. (POL)	0	2290
	Jaeckle, M. (FRG)	15	2295
	Jaeschke, B. (FRG)	0	2270
	Jagodzinski, W. (POL)	0	2255
	Jahr, U. (FRG)	0	2235
	Jailjan, M. (URS)	25	2395
	Jakat, Th. (DDR)	0	2230
	Jakobetz, L. (HUN)	1	2275
m	Jakobsen, O. (DEN)	11	2380
	Jakovljev, Z. (JUG)	14	2240
	Jakovljevic, M. (JUG)	0	2300
	Jakovljevic, V. (JUG)	0	2275
	Jakubiec, A. (POL)	24	2220
	Jakubowski, J. (POL)	17	2210
	Jaldin, J. (BOL)	0	2205
	Jallow, A. (GAM)	0	2205
	James, G. H. (ENG)	0	2220
f	Jamieson, P. M. (SCO)	0	2300
	Jamroz, Z. (POL)	0	2240
	Janahi, K. (BAR)	0	2205
m	Janakiev, I. (BLG)	22	2300
	Jancu, J. - M. (FRA)	0	2315
	Jandovsy, V. (CSR)	0	2220
f	Janetschek, K. (OST)	0	2345
	Janev, E. (BLG)	22	2375
f	Jankovec, I. (CSR)	10	2245
	Jankovic, D. (JUG)	11	2260
	Jankovic, M. (JUG)	4	2225
	Jankowski, J. (POL)	9	2310
	Janocha, W. (POL)	11	2380
g	Janosevic, D. (JUG)	22	2340
	Janota, H. (POL)	6	2230
	Janovsky, S. (URS)	11	2365
g	Jansa, V. (CSR)	40	2505
f	Janssen, H. (NLD)	0	2335
f	Jansson, J. (NOR)	0	2340
	Jaracz, P. (POL)	11	2230
	Jarecki, J. (VGB)	0	2220
	Jarzynski, A. (POL)	0	2275
m	Jasnikowski, Z. (POL)	24	2435
	Jaster, R. (DDR)	0	2205
	Jauregui, C. (CAN)	0	2260
	Jaworski, M. (POL)	20	2280
	Jayaprakash, S. (IND)	0	2210
	Jelen, Ig. (JUG)	0	2305
m	Jelen, Iz. (JUG)	13	2410
	Jell, K. (FRG)	0	2240
	Jelling, E. (DEN)	18	2355
	Jellison, D. (USA)	0	2255
	Jenei, F. (HUN)	7	2250
	Jensen, A. (DEN)	0	2205
	Jensen, V. (DEN)	0	2250
	Jepson, Ch. (SVE)	9	2265
	Jerabek, P. (CSR)	11	2290
f	Jeremic, S. (JUG)	0	2325
	Jeric, S. (JUG)	19	2375
	Jesenski, T. (JUG)	2	2295
	Jetzl, J. (OST)	0	2240
f	Jevtic, M. (JUG)	25	2340
	Jezek, J. (CSR)	0	2235
	Jezierski, P. (POL)	0	2320
f	Jhunjhnuwala, K. (HKG)	0	2340
	Jhunjhnuwala, N. (HKG)	0	2240
	Jhunjhnuwala, R. (HKG)	0	2260
	Jhunjhnuwala, S. (HKG)	0	2205
m	Jigzhidsuren, P. (MON)	11	2355
	Jocic, S. (JUG)	24	2265
f	Joecks, Ch. (FRG)	20	2295
m	Johannessen, S. (NOR)	7	2355
m	Johansen, D. K. (AUS)	9	2415
	Johansson, G. (SVE)	0	2315
f	Johansson, J. (SVE)	20	2390
	Johansson, M. (SVE)	3	2235
	Johnsen, G. (NOR)	0	2250
	Johnson, J. F. (USA)	2	2220
	Johnstone, G. (CAN)	0	2320
f	Joita, P. (ROM)	0	2340
	Jokovic, D. (JUG)	1	2215
m	Joksic, S. (JUG)	0	2320
f	Joksimovic, S. (JUG)	0	2265
f	Jonasson, B. (ISD)	0	2290
	Jonczyk, W. (POL)	5	2220
	Jones, A. (WLS)	0	2240
	Jones, I. C. (WLS)	0	2245
	Jones, K. E. (USA)	1	2215
	Jones, L. (AUS)	0	2235
	Jongsma, A. (NLD)	0	2295
f	Jonsson, B. (ISD)	13	2385
	Jonsson, H. (SVE)	8	2315
	Jorgensen, P. D. (DEN)	0	2310
	Joseph, Y. (MNC)	0	2205
	Joserhans, D. (USA)	0	2215
	Joshi, G. B. (IND)	11	2320
	Joshi, S. G. (IND)	5	2265
f	Joshi, S. (USA)	0	2405
	Jost, C. (FRA)	4	2230
	Josteinsson, L. (ISD)	0	2230
	Jovancic, M. (JUG)	0	2230
	Jovanovic, Mil. (JUG)	0	2280
	Jovanovic, N. (JUG)	0	2325
	Jovanovic, Sasa (JUG)	20	2215
	Jovanovic, Sasa (JUG)	16	2250
f	Jovcic, M. (JUG)	0	2280
f	Jovic, A. (JUG)	14	2300
	Jovic, C. (JUG)	0	2255
m	Jovic, Lj. (JUG)	11	2325
	Jovic, S. (JUG)	3	2310
m	Jovicic, M. (JUG)	12	2350
	Juan, G. A. (COL)	0	2270
f	Juarez, A. (ARG)	0	2260
m	Juarez Flores, C. A. (GUA)	4	2365
	Juarez Flores, J. G. (GUA)	0	2235
	Juarez Flores, R. (GUA)	0	2210
	Judycki, W. (POL)	3	2225
	Juergensen, M. (FRG)	0	2240
	Juglard, E. (FRA)	9	2205
	Juhasz, J. (HUN)	9	2210
f	Juhnke, K. (FRG)	5	2305
	Jukic, B. (JUG)	0	2345
m	Jukic, M. (JUG)	25	2440
	Julia, E. (ARG)	4	2285
	Junco, C. (CUB)	0	2220
	Jung, H. R. (CAN)	0	2255
	Junge, K. (FRG)	0	2265
f	Junge, R. (FRG)	13	2360
	Juracsik, J. (HUN)	10	2245
	Juraczka, F. (OST)	0	2280
m	Jurek, J. (CSR)	10	2335
	Juric, S. (JUG)	5	2250

	Jurka, M. (CSR)	22	2335
	Jurkiewicz, K. (POL)	0	2235
	Jurkovic, A. (JUG)	27	2380
	Jurkovic, H. (JUG)	2	2285
	Juroszek, T. (POL)	18	2405
	Jusiak, G. (POL)	17	2255
	Justin, M. (JUG)	0	2330
	Juswanto, D. (RIN)	0	2260

K

m	Kaabi, M. (TUN)	0	2330
	Kabisch, Th. (FRG)	7	2290
	Kachur, A. (URS)	9	2300
	Kaczorowski, P. (POL)	14	2215
f	Kadar, G. (HUN)	18	2315
	Kadas, G. (HUN)	7	2255
	Kadlicsko, J. (HUN)	0	2215
	Kadzinski, W. (POL)	11	2230
f	Kaenel, H. (SWZ)	7	2365
	Kaeser, U. (FRG)	9	2270
	Kagambi, W. (KEN)	0	2205
	Kagan, N. (URS)	0	2335
m	Kagan, Sh. (ISL)	18	2390
f	Kaganovski, M. (ISL)	4	2275
	Kahn, E. (HUN)	14	2240
g	Kaidanov, G. S. (URS)	36	2500
	Kaikamdzozov, Z. (BLG)	0	2285
	Kaim, P. (POL)	11	2255
f	Kaiser, W. (FRG)	5	2345
m	Kaiszauri, K. (SVE)	7	2340
	Kaiumov, D. D. (URS)	5	2385
	Kajganovic, M. (JUG)	7	2220
	Kajnih, D. (JUG)	6	2205
	Kakageldyev, A. (URS)	0	2345
m	Kaldor, A. (ISL)	6	2285
	Kalegin, E. (URS)	4	2380
	Kalinichev, S. L. (URS)	16	2455
	Kalinin, O. (URS)	22	2405
	Kalinin, V. (WLS)	0	2270
	Kaliszewski, T. (POL)	16	2230
m	Kallai, G. (HUN)	11	2405
f	Kaloussis, E. (GRC)	0	2275
	Kalunga, W. (ZAM)	0	2205
	Kamaras, P. (HUN)	0	2260
f	Kamber, B. (SWZ)	19	2260
f	Kaminker, H. (CAN)	0	2320
	Kaminski, J. (POL)	0	2240
	Kaminski, M. (POL)	42	2315
f	Kaminski, U. (DDR)	28	2405
f	Kaminsky, O. M. (USA)	0	2330
	Kamp, Ch. (FRG)	0	2235
	Kamsky, G. (URS)	0	2345
	Kamuhangire, S. (UGA)	0	2275
	Kamys, S. (POL)	0	2205
	Kanamori, A. (USA)	9	2265
	Kanani, S. (KEN)	0	2245
	Kanefsck, G. (ARG)	0	2315
	Kaner, R. (USA)	0	2270
f	Kanko, I. (FIN)	20	2290
m	Kantsler, B. (URS)	13	2425
f	Kapelan, M. (JUG)	0	2295
	Kapengut, A. Z. (URS)	16	2460
f	Kapetanovic, A. (JUG)	29	2375
	Kaplan, L. (USA)	0	2240
	Kaplun, L. (URS)	23	2380
m	Kaposztas, M. (HUN)	37	2260
	Kappler, J. M. (FRA)	4	2280
	Kapstan, A. (CAN)	0	2255
	Karadimov, M. (BLG)	12	2315
f	Karadzic, B. (JUG)	0	2330
	Karafidis, S. (GRC)	0	2210
m	Karaklajic, N. (JUG)	38	2370
	Karapanos, N. (GRC)	7	2250
	Karapchanski, D. (BLG)	12	2340
m	Karasev, V. I. (URS)	0	2370
	Karason, A. O. (ISD)	0	2235
	Karbowiak, A. (POL)	0	2255
	Kardys, Z. (POL)	0	2205
f	Kargl, K. (OST)	0	2305
	Kargoll, P. (FRG)	0	2220
	Karim, W. (MAL)	0	2210
f	Karkanaque, I. (ALB)	0	2375
f	Karklins, A. (USA)	5	2300
f	Karl, H. (SWZ)	7	2280
	Karlik, J. (CSR)	10	2300
f	Karlik, V. (CSR)	7	2335
f	Karlovic, D. (JUG)	0	2365
	Karlsson, A. S. (ISD)	0	2265
	Karlsson, H. (ISD)	0	2290
g	Karlsson, L. (SVE)	14	2510
m	Karner, H. (URS)	15	2350
m	Karolyi Jr., Tibor (HUN)	23	2430
f	Karolyi, Sr. Tibor (HUN)	0	2335
	Karp, M. (ISL)	4	2235
	Karpik, T. (POL)	0	2285
	Karpman, V. (URS)	35	2525
	Karpov, Al. (URS)	30	2375
g	Karpov, An. (URS)	19	2755
m	Karsa, L. (HUN)	33	2425
	Karsai, I. (HUN)	0	2260
	Karwatt, L. (FRG)	0	2360
g	Kasparov, G. (URS)	16	2775
	Kasperek, R. (POL)	7	2305
	Kasperek, W. (POL)	0	2205
	Kaspret, G. (OST)	3	2300
f	Kassabe, E. (SYR)	0	2275
	Kastek, Th. (FRG)	0	2255
f	Kastner, J. (USA)	0	2330
	Kataev, S. (URS)	0	2300
	Katavic, B. (JUG)	0	2260
	Katdare, Jayant C. (IND)	0	2265
	Katona, F. (HUN)	0	2210
m	Kaufman, L. C. (USA)	0	2430
	Kaukiel, P. (POL)	11	2335
	Kaula, R. (POL)	5	2290
	Kaulfuss, H. (FRG)	25	2225
	Kaunas, K. (URS)	8	2280
	Kauppala, P. (FIN)	0	2235
	Kauppinen, M. (FIN)	0	2230
	Kauschmann, H. (FRG)	11	2235
f	Kaushansky, L. (USA)	0	2255
	Kausu, C. (ZAM)	0	2205
	Kavakul, M. (TAI)	0	2255
g	Kavalek, L. (USA)	6	2560
f	Kavnatsky, V. (USA)	6	2305
	Kawczynski, L. (POL)	0	2250
	Kazakov, N. (BLG)	11	2230
	Kazek, K. (POL)	5	2275
	Kctrba, T. (CSR)	0	2260
	Kearns, J. (USA)	0	2255
	Kebbekus, Th. (FRG)	0	2240
	Keca, D. (JUG)	1	2250
	Kecic, S. (JUG)	1	2265
	Kedem, M. (ISL)	0	2235
g	Keene, R. D. (ENG)	0	2455
f	Keglevic, P. (JUG)	5	2305
	Keilhack, H. (FRG)	0	2340
f	Keipo, G. (CUB)	13	2315
m	Keitlinghaus, L. (FRG)	31	2405
	Kekki, J. (FIN)	7	2245
f	Kekki, P. (FIN)	20	2325
m	Kelecevic, N. (JUG)	26	2400
m	Keller, D. (SWZ)	0	2420
	Keller, Man. (FRG)	9	2235
	Keller, R. (SWZ)	10	2265
	Kelson, R. (USA)	4	2340
	Kemp, P. (ENG)	0	2300
	Kempys, M. (POL)	25	2315
	Kende, Gy. (HUN)	4	2265
m	Kengis, E. (URS)	8	2465
	Kennaugh, Ch. (ENG)	0	2325
f	Kent, J. A. (USA)	0	2390
	Kenworthy, G. (ENG)	0	2270
	Keong, Chan-Kwai (HKG)	0	2215
	Ker, A. F. (NZD)	9	2305
	Kerchev, Z. (BLG)	0	2265
	Kerekes, A. (HUN)	0	2260
	Kerkhof, Ph. (BEL)	0	2240
	Kerkmeester, H. (NLD)	0	2210
	Kerman, D. J. (USA)	0	2230
	Kern, J. (FRG)	3	2240
	Kerr, S. G. R. (AUS)	0	2280
	Kersten, U. (FRG)	12	2215
m	Kertesz, A. (ROM)	22	2345
f	Kertesz, F. (HUN)	0	2310
	Kertesz, I. (HUN)	0	2225
	Keschitz, Gy. (HUN)	8	2240
	Keserovic, M. (JUG)	0	2205
	Kessler, D. (FRG)	0	2290
m	Kestler, H. G. (FRG)	11	2355
	Kettler, B. (FRG)	0	2295
	Kgatsche, S. (BSW)	0	2205
	Khaled, A. (YAR)	0	2275
	Khaled, M. (EGY)	0	2320
m	Khalifman, A. (URS)	35	2545
	Khan, Mah. O. (PAK)	0	2275
f	Khan, Moh. O. (PAK)	0	2325
f	Khan, Moh. R. (IND)	0	2330
m	Kharitonov, A. Y. (URS)	38	2505
	Kharlamov, V. (URS)	4	2340
	Khasin, A. (URS)	21	2445
	Khavsky, S. V. (URS)	0	2350
	Khechen, N. E. (LEB)	0	2255
	Khenkin, I. (URS)	21	2445
g	Kholmov, R. D. (URS)	54	2485
m	Kiedrowicz, J. (POL)	15	2320
	Kiefer, G. (FRG)	0	2240
	Kiernan, M. (HKG)	0	2215
	Kiersz, L. (POL)	10	2310
	Kies, M. (POL)	17	2205
	Kijk, K. (URS)	20	2355
f	Kileng, B. (RIN)	0	2350
	Kimpinsky, F. (DDR)	13	2300
	Kincs, I. (HUN)	16	2250
g	Kindermann, S. (FRG)	36	2510
f	Kindl, P. (FRG)	3	2325

g	King, D. J. (ENG)	37	2495
	Kinnmark, O. (SVE)	0	2365
f	Kinsman, A. P. H. (ENG)	7	2335
	Kiran, P. R. (IND)	15	2235
	Kirilov, R. (BLG)	0	2315
g	Kirov, N. (BLG)	27	2460
	Kirovski, T. (JUG)	20	2350
	Kirszenberg, M. (FRA)	4	2225
	Kiselev, S. (URS)	0	2445
	Kishnev, S. (URS)	7	2415
	Kislov, M. (URS)	16	2420
m	Kiss, A. (HUN)	36	2355
	Kiss, I. (HUN)	11	2225
f	Kiss, L. (HUN)	25	2260
f	Kiss, P. (HUN)	16	2315
	Kittler, Th. (FRG)	0	2225
	Kivipelto, K. E. (FIN)	5	2270
	Kivisto, M. (FIN)	0	2270
f	Kizov, R. (JUG)	0	2210
	Kjurkchiiski, G. (BLG)	8	2295
g	Klaric, Z. (JUG)	43	2445
f	Klauser, M. (SWZ)	5	2315
	Klebel, M. (FRG)	9	2360
	Kleeschaetzky, R. (DDR)	26	2290
f	Klein, L. (USA)	3	2275
	Klein, M. G. (FRG)	0	2280
	Klemanic, E. (CSR)	0	2225
	Klemencic, G. (JUG)	0	2255
	Klevitzki, Y. (ISL)	0	2305
	Klimaszewski, D. (POL)	0	2245
	Klimes, J. (CSR)	11	2340
	Kling, A. (SVE)	0	2260
g	Klinger, J. (OST)	70	2475
	Kljako, D. (JUG)	35	2300
	Klostermann, M. (FRG)	2	2285
m	Klovan, Y. Y. (URS)	0	2355
	Klubis, V. (URS)	11	2250
m	Kluger, Gy. (HUN)	3	2260
	Klugman, R. (USA)	0	2225
m	Klundt, K. (FRG)	18	2390
	Kluss, K. (FRG)	11	2240
	Kluth, C. (FRG)	0	2210
g	Knaak, R. (DDR)	30	2485
f	Kneselac, A. (JUG)	0	2300
g	Knezevic, M. (JUG)	0	2445
f	Knezevic, S. (JUG)	0	2315
	Knobel, R. (SWZ)	5	2260
	Knoedler, D. (FRG)	4	2255
	Knopik, K. (POL)	15	2240
f	Knoppert, E. G. J. (NLD)	0	2300
	Knott, S. J. B. (ENG)	5	2350
	Knox, D. (ENG)	0	2260
	Knox, V. W. (ENG)	0	2335
	Knudsen, O. S. (NOR)	0	2230
f	Knudsen, P. (DEN)	0	2305
f	Kobas, A. (JUG)	11	2300
	Kobe, U. (DDR)	0	2270
f	Kober, M. (JUG)	10	2355
f	Koch, J.-R. (FRA)	48	2420
g	Kochiyev, A. (URS)	36	2480
f	Kocovski, I. (JUG)	26	2300
	Kocsis, Gy. (HUN)	5	2245
	Kocsis, J. (ROM)	0	2265
	Kocsis, L. (ROM)	11	2280
	Kocur, A. (POL)	0	2270
	Koczka, Z. (HUN)	9	2305
	Koelle, A. (AUS)	0	2260
	Koepf, U. (FRG)	11	2260
	Koerholz, L. (FRG)	0	2260
f	Kofidis, A. (GRC)	0	2270
	Kofidis, S. (GRC)	0	2245
	Kogan, A. (ISL)	15	2235
m	Kogan, B. M. (USA)	0	2445
	Kogan, I. (URS)	0	2345
	Koh, Kum-Hong (SIP)	0	2275
f	Kohlweyer, B. (FRG)	32	2420
m	Kojder, K. (POL)	0	2310
	Kokanovic, Radenko (JUG)	11	2310
	Kokanovic, Radenko (JUG)	0	2285
f	Kokeza, M. (JUG)	15	2295
	Kolar, S. (JUG)	15	2340
m	Kolarov, A. S. (BLG)	0	2415
	Kolasinski, M. (POL)	22	2295
	Kolesar, M. (CSR)	11	2355
m	Kolev, A. (BLG)	35	2425
	Komarov, D. (URS)	0	2390
	Komic, I. (JUG)	7	2280
	Komliakov, V. (URS)	9	2400
m	Komljenovic, D. (JUG)	12	2470
f	Komnenic, B. (JUG)	7	2265
	Konate, I. (MLI)	0	2205
	Koncz, Z. (HUN)	3	2210
	Konguvel, P. (IND)	15	2225
	Konieczka, F. (FRG)	6	2215
f	Konikowski, J. (FRG)	0	2380
	Konings, L. (NLD)	9	2210
f	Konjevic, Dj. (JUG)	31	2330
m	Konopka, M. (CSR)	36	2385
	Konstantinov, V. (BLG)	0	2225
f	Kontic, Dj. (JUG)	27	2335
	Kontic, V. (JUG)	76	2395
	Kool, G. (NLD)	3	2260
m	Kopec, D. (USA)	0	2415
	Kopfer, M. (DDR)	10	2235
	Koploy, P. (USA)	4	2295
	Kopp, B. (FRG)	14	2265
	Kopszorus, P. (HUN)	0	2280
	Koraksic, Lj. (JUG)	0	2225
f	Kordsachia, T. (FRG)	0	2300
	Korhonen, H. (FIN)	0	2225
f	Kormanyos, Z. (HUN)	21	2310
f	Kornasiewicz, S. M. (POL)	28	2315
	Korneev, O. (URS)	0	2280
	Koronghy, Gy. (HUN)	0	2235
g	Kortchnoi, V. (SWZ)	37	2655
	Korzubov, P. (URS)	0	2455
	Kos, E. (JUG)	0	2220
	Kosa, J. (JUG)	0	2215
f	Kosa, L. (HUN)	3	2290
	Kosanovic, D. (JUG)	17	2220
m	Kosanovic, G. A. (JUG)	28	2410
m	Kosanski, S. (JUG)	23	2405
f	Kosashvili, Y. (ISL)	17	2425
	Kosciuk, J. (POL)	0	2295
	Koshy, V. (IND)	18	2365
m	Kosic, D. (JUG)	27	2445
	Kosic, E. (JUG)	12	2295
	Koskinen, H. (FIN)	1	2255
	Kosowski, T. (DDR)	11	2235
	Kostadinov, A. (BLG)	0	2295
	Kostadinov, R. (BLG)	5	2240
	Kostadinov, T. (BLG)	7	2230
	Kostakiev, D. (BLG)	0	2300
m	Kosten, A. C. (ENG)	66	2500
f	Kostic, B. (JUG)	3	2305
f	Kostic, M. (JUG)	0	2315
	Kostic, Ne. (JUG)	20	2340
	Kostic, Ni. (JUG)	9	2275
f	Kostic, V. Vladimir (JUG)	0	2325
f	Kostic, Vladimir (JUG)	12	2350
m	Kostro, J. (POL)	0	2305
m	Kostyra, S. (POL)	33	2325
	Koszegi, L. (HUN)	2	2240
	Kot, J. (POL)	5	2290
	Kotan, L. (CSR)	0	2345
	Kotevski, D. (JUG)	0	2285
f	Kotliar, M. (ISL)	3	2280
	Kotre, J. (JUG)	0	2210
m	Kotronias, V. (GRC)	29	2475
g	Kouatly, B. (FRA)	16	2495
f	Kourkounakis, I. (GRC)	6	2355
	Kourtesis, G. (GRC)	0	2270
f	Kovacevic, D. (JUG)	5	2285
f	Kovacevic, P. (JUG)	31	2405
m	Kovacevic, S. (JUG)	47	2375
	Kovacevic, Ve. (JUG)	0	2305
	Kovacevic, Vladimir (JUG)	0	2270
g	Kovacevic, Vlado (JUG)	42	2510
	Kovacs, G. (HUN)	8	2225
	Kovacs, I. (HUN)	0	2280
f	Kovacs, Laj. D. (HUN)	0	2230
m	Kovacs, Lasz. M. (HUN)	0	2355
	Kovacs, Z. (HUN)	0	2275
	Koval, A. (CSR)	0	2225
	Koval, D. W. (USA)	0	2245
	Kovalev, A. (URS)	44	2505
	Kozarov, P. (BLG)	0	2355
	Koziarski, A. (POL)	0	2220
	Kozirev, A. (URS)	9	2405
	Kozlov, V. E. (URS)	6	2420
m	Kozlov, V. N. (URS)	0	2380
	Kozlowski, W. (POL)	11	2345
	Kozma, K. (HUN)	24	2290
g	Kozul, Z. (JUG)	71	2560
	Kradolfer, G. (SWZ)	0	2220
	Kraehenbuehl, G. (SWZ)	14	2275
	Kraft, V. (FRG)	0	2275
g	Kraidman, Y. (ISL)	11	2425
	Krainski, A. (POL)	0	2285
	Krajcsovits, M. (HUN)	0	2215
	Krajina, A. (CSR)	0	2240
	Krajina, D. (JUG)	5	2290
	Kral, P. (HUN)	0	2230
	Kramer, M. (FRG)	9	2215
	Kramnik, V. (URS)	17	2490
	Kranzl, P. (OST)	15	2315
m	Krasenkov, M. (URS)	20	2530
f	Krason, J. (POL)	10	2355
	Krastev, K. (BLG)	6	2205
f	Kratochwil, Ch. (FRG)	0	2310
	Krause, Ch. (FRG)	0	2235
	Krauss, H.-P. (FRG)	0	2215
	Krauss, He. (FRG)	9	2305

m	Kraut, R. (FRG)	22	2380
	Krcmar, Z. (CSR)	0	2255
m	Kremenietsky, A. M. (URS)	7	2390
	Kremer, M. (NLD)	0	2260
	Kreutzkamp, R. (FRG)	0	2250
	Kreuzer, M. (FRG)	0	2280
	Kribben, J. (FRG)	0	2295
m	Kristensen, B. (DEN)	0	2385
	Kristensen, K. (DEN)	0	2245
	Kristensen, L. (FAI)	0	2290
f	Kristiansen, E. (NOR)	0	2320
m	Kristiansen, J. (DEN)	22	2430
	Kristiansen, T. (NOR)	0	2235
	Kristiansson, I. (SVE)	9	2360
	Kristinsson, J. (ISD)	0	2335
	Kristjansson, B. (ISD)	0	2295
	Kristjansson, O. (ISD)	0	2215
	Kristovic, M. (JUG)	5	2250
	Krivokapic, R. (JUG)	0	2245
	Kriz, M. (CSR)	0	2275
	Krizsany, L. (HUN)	10	2250
	Krnavek, L. (CSR)	0	2270
m	Krnic, Z. (JUG)	9	2445
	Kroll, O. (DEN)	7	2315
	Krouzel, J. (CSR)	0	2270
	Krsnik, B. (JUG)	0	2310
	Krstic, M. (JUG)	0	2280
	Krstic, R. (JUG)	7	2210
	Kruczek, K. (POL)	0	2305
	Krudde, F. (NLD)	10	2270
	Krumpacnik, D. (JUG)	0	2340
	Kruppa, Y. (URS)	0	2440
m	Kruszynski, W. (POL)	19	2345
	Kruza, P. (POL)	20	2275
m	Krylov, S. (URS)	0	2205
	Krzywicki, D. (POL)	9	2280
m	Ksieski, Z. (POL)	22	2365
	Kuba, S. (CSR)	0	2315
	Kubacsny, L. (HUN)	0	2295
	Kuban, G. (FRG)	0	2260
	Kubasta, W. (OST)	0	2250
f	Kubien, J. (POL)	3	2255
f	Kucinar, I. (JUG)	0	2280
m	Kuczynski, R. (POL)	33	2470
g	Kudrin, S. (USA)	36	2570
	Kuehn, M. (FRG)	0	2270
	Kuenzner, F. (FRG)	0	2275
	Kuijf, H. (NLD)	0	2265
m	Kuijf, M. (NLD)	39	2530
m	Kuijpers, F. A. (NLD)	0	2405
	Kujala, A. (FIN)	0	2285
	Kujawski, A. (POL)	31	2315
	Kujawski, R. (POL)	2	2275
f	Kukic, I. (JUG)	0	2305
f	Kuklin, A. (HUN)	14	2325
	Kula, R. (POL)	28	2320
	Kulak, D. (JUG)	11	2205
	Kulcsar, T. (HUN)	0	2245
	Kulesza, K. (POL)	0	2250
g	Kuligowski, A. (POL)	0	2430
	Kuljic, G. (JUG)	5	2230
	Kulon, B. (POL)	0	2205
	Kuma, B. (POL)	0	2215
	Kumaran, D. (ENG)	20	2205
	Kummer, H. (OST)	0	2265
	Kun, S. (HUN)	0	2255
	Kunovac, D. (JUG)	7	2260
f	Kunsztowicz, U. (FRG)	6	2310
	Kunze, M. (FRG)	8	2290
	Kupka, S. (CSR)	23	2375
m	Kuporosov, V. (URS)	6	2445
g	Kupreichik, V. D. (URS)	26	2520
g	Kurajica, B. (JUG)	0	2480
	Kurcubic, A. (JUG)	0	2320
	Kure, A. (FRG)	9	2235
	Kurlenda, A. (POL)	11	2260
	Kurr, G. (FRG)	0	2225
m	Kurtenkov, A. (BLG)	29	2360
	Kurucsai, I. (HUN)	10	2250
f	Kurz, A. (FRG)	18	2285
	Kurz, E. (FRG)	13	2285
	Kusnierz, R. (POL)	0	2275
	Kustar, S. (HUN)	0	2285
	Kutschenko, R. (FRG)	0	2245
f	Kutuzovic, B. (JUG)	16	2375
	Kuzev, J. (BLG)	14	2310
	Kuzmak, T. (URS)	17	2245
	Kuzmanovic, M. (JUG)	11	2235
m	Kuzmin, A. (URS)	26	2475
g	Kuzmin, G. P (URS)	14	2495
f	Kuznecov, A. (CAN)	0	2300
	Kvamme, J. A. (NOR)	0	2240
	Kveinis (URS)	20	2400
	Kwasniewski, Z. (POL)	0	2250
f	Kwatschewsky, L. (OST)	0	2355
	Kwiatkowski, F. J. (ENG)	2	2265
	Kwiatkowski, L. (POL)	11	2230
	Kwiecien, Z. (POL)	1	2310
	Kwiecinski, M. (POL)	0	2260
	Kwiecinski, R. (POL)	0	2220
	Kyhle, B. (SVE)	0	2235
	Kyriakides, S. (ZIM)	0	2235
	L		
	La Flair, R. (USA)	0	2290
f	La Rota, F. (COL)	0	2290
	Laato, A. (SVE)	9	2260
	Lacayo, R. (NCG)	0	2205
	Lachev, D. (BLG)	0	2295
	Lacko, P. (SVE)	0	2245
	Laclau, D. (FRA)	3	2235
	Laco, G. (ITA)	0	2265
	Lacrosse, M. (BEL)	0	2215
	Laczo, G. (HUN)	0	2235
	Ladisic, A. (FRA)	3	2240
	Lados, P. (POL)	33	2250
	Lagopatis, N. (GRC)	26	2210
	Lagua, B. (PHI)	0	2255
	Lagua, Ch. (FRG)	9	2230
	Lagumina, G. (ITA)	14	2280
f	Lahav, E. (ISL)	17	2340
	Lahoz, J. A. (USA)	0	2265
	Lahtinen, M. (FIN)	9	2265
f	Laird, C. (AUS)	0	2315
	Lajos, J. (HUN)	0	2365
f	Lakdawala, C. (USA)	4	2345
	Lake, P. (CAN)	0	2250
m	Laketic, G. (JUG)	27	2405
f	Lakic, N. (JUG)	9	2285
	Lako, L. (HUN)	0	2310
m	Lalev, D. (BLG)	22	2370
g	Lalic, B. (JUG)	38	2500
f	Lalic, D. (JUG)	0	2325
f	Lalic, N. (JUG)	1	2330
	Lamas, P. (URU)	0	2225
	Lamford, P. A. (WLS)	0	2280
	Lamm, S. (DDR)	0	2280
f	Lamorelle, Y. (FRA)	0	2210
	Lamoureux, Ch. (FRA)	7	2220
f	Lamza, N. (JUG)	11	2340
	Lamza, Z. (POL)	0	2220
m	Lanc, A. (CSR)	33	2425
f	Landenbergue, C. (SWZ)	28	2345
	Landez, G. (NCG)	0	2240
m	Lane, G. W. (ENG)	17	2385
	Lang, J. (DDR)	0	2315
m	Langeweg, K. (NLD)	25	2400
	Langner, L. (CSR)	29	2395
m	Lanka, Z. F. (URS)	19	2445
f	Lanzani, M. (ITA)	2	2310
	Lanzendoerfer, J. (FRG)	23	2255
	Laor, A. (ISL)	10	2215
	Lapicki, R. (ARG)	2	2255
	Lares, M. (MEX)	13	2205
m	Large, P. G. (ENG)	0	2340
	Larion, Gh. (ROM)	0	2340
	Larouche, D. (USA)	0	2215
	Larrachea, E. (CHI)	24	2255
	Larrosa, J. (ESP)	0	2275
g	Larsen, B. (DEN)	54	2530
f	Larsen, K. (USA)	0	2315
	Larsen, S. S. (DEN)	10	2390
f	Larsson, P. (SVE)	14	2310
	Lastovicka, J. (CSR)	6	2270
	Lastovicka, Z. (CSR)	0	2325
	Laszewicz, P. (POL)	3	2275
	Laszlo, J. (HUN)	0	2225
	Latas, B. (POL)	15	2270
	Latinov, G. (BLG)	3	2235
	Lau, C. (NCG)	0	2245
g	Lau, R. (FRG)	31	2465
	Laube, B. (OST)	0	2275
	Lauren, M. (FIN)	0	2285
	Lauri, J. (MLT)	0	2230
m	Lautier, J. (FRA)	71	2465
	Lauvas, D. (NOR)	3	2220
	Lauvsnes, A. (NOR)	0	2270
	Lavie, A. (ISL)	0	2265
	Lavin, D. (CAN)	0	2225
f	Law, A. P. (ENG)	0	2325
m	Lawton, G. W. (ENG)	0	2375
f	Lazar, D. (ROM)	0	2275
	Lazaridis, S. (GRC)	0	2275
	Lazarov, A. (BLG)	0	2280
	Lazic, D. (JUG)	11	2340
	Lazic, Lj. (JUG)	10	2245
m	Lazic, Mi. (JUG)	34	2485
f	Le Blancq, S. (GCI)	0	2260
f	Leal, A. (MEX)	0	2240
	Lebel, P. (FRA)	1	2270
m	Lebredo, G. (CUB)	0	2320
g	Lechtynsky, J. (CSR)	29	2430
f	Lecuyer, Ch. (FRA)	2	2290
m	Lederman, L. (ISL)	5	2345
	Ledger, A. (ENG)	2	2240
	Ledwon, E. (POL)	0	2250

	Lee, C. (MAL)	0	2205
	Lee, D. (ENG)	0	2235
f	Lee, G. D. (ENG)	0	2315
	Lee, Soi-Hock (MAL)	0	2210
	Legky, N. A. (URS)	51	2465
	Lehikoinen, P. I. (FIN)	9	2230
m	Lehmann, H. (FRG)	14	2280
f	Lehmann, K. (FRG)	13	2305
	Lehtivaara, P. (FIN)	0	2225
	Lehtivaara, R. (FIN)	0	2295
	Lehto, V. (FIN)	10	2315
	Leiber, B. (FRG)	4	2235
g	Lein, A. (USA)	24	2485
	Leinov, G. (ISL)	5	2235
	Leitl, M. (CSR)	0	2245
	Leitner, M. (FRG)	0	2245
	Lejlic, S. (JUG)	0	2240
	Lekander, R. (SVE)	0	2290
	Lekic, D. (JUG)	0	2305
	Lekic, M. (JUG)	0	2240
f	Lenart, E. (HUN)	19	2295
f	Lendwai, R. (OST)	19	2330
m	Lengyel, B. (HUN)	14	2370
f	Lengyel, F. (ROM)	0	2230
g	Lengyel, L. (HUN)	0	2385
	Lenskij, I. (URS)	0	2310
	Lentze, I. (FRG)	1	2265
	Lenz, J. (FRG)	14	2305
	Lenz, Th. (FRG)	0	2260
	Leonardo, J. (POR)	0	2240
	Leong, I. (SIP)	0	2240
	Leonidov, V. (URS)	0	2295
f	Leontxo-Garcia, O. (ESP)	0	2295
m	Leow, L. M. (SIP)	0	2445
	Lepen, D. (ISL)	0	2305
	Lepeshkin, V. (URS)	0	2350
	Leriche, E. (FRA)	7	2235
g	Lerner, K. Z. (URS)	53	2530
	Lesic, G. (JUG)	11	2285
	Lesiege, A. (CAN)	6	2295
m	Leski, M. (FRA)	0	2415
f	Leskovar, M. (ARG)	0	2345
	Letay, Gy. (HUN)	2	2260
m	Letelier, R. (CHI)	0	2320
f	Letzelter, J. C. (FRA)	0	2295
f	Leuba, D. (SWZ)	10	2285
	Lev, A. (ISL)	0	2265
m	Lev, R. (ISL)	29	2410
f	Levacic, D. (FRA)	22	2340
	Levacic, P. (JUG)	8	2250
	Levasseur, Ph. (FRA)	3	2230
	Leveille, F. (CAN)	3	2300
	Levene, M. (NZD)	0	2225
	Leventic, I. (JUG)	14	2285
	Leverett, B. W. (USA)	3	2250
	Levi, E. (AUS)	17	2340
	Levic, M. (JUG)	0	2285
f	Levin, D. (USA)	0	2290
	Levin, F. (URS)	6	2305
m	Levitt, J. (ENG)	32	2475
f	Levnajic, P. (JUG)	0	2215
f	Levtchouk, G. (CAN)	0	2305
f	Levy, L. (USA)	0	2300
	Lewandowski, M. (POL)	3	2220
	Lewicki, B. (POL)	0	2265
	Lewinski, D. (POL)	12	2215
f	Lewis, A. P. (ENG)	8	2285
	Lewis, J. E. (DOM)	0	2285
	Lex, Ch. (FRG)	0	2290
	Leyva, R. (CUB)	0	2260
	Lezcano Montalvo, P. (ESP)	0	2250
f	Lhagva, G. (MON)	11	2335
f	Lhagvasuren, C. (MON)	0	2360
	Li, M. (CUB)	9	2295
	Li, Shongjian (PRC)	0	2300
m	Li, Zunian (PRC)	0	2440
f	Liabotro, P.-O. (NOR)	0	2310
m	Liang, Jinrong (PRC)	21	2455
	Liangov, P. (BLG)	7	2235
m	Liao, Yuan Eu (DOM)	0	2420
	Liarokapis, V. (GRC)	0	2230
	Libeau, R. (FRG)	0	2340
	Liberus, M. (POL)	0	2235
g	Liberzon, V. M. (ISL)	0	2480
	Lichtenstein, P. (SVE)	0	2320
	Licina, Z. (JUG)	0	2250
	Lida, F. (ARG)	6	2360
	Lieb, H. (FRG)	11	2250
m	Liebert, H. (DDR)	6	2380
	Liebhart, E. (OST)	0	2230
	Liebowitz, E. (USA)	0	2240
	Lief, A. (USA)	4	2265
	Lieff, H. (FRG)	0	2270
m	Liew, Chee-Meng-Jimmy (MAL)	0	2355
	Ligeza, J. (POL)	2	2220
	Ligoure, G. (FRA)	12	2255
m	Ligterink, G. (NLD)	3	2415
	Lijedahl, L. (SVE)	0	2310
	Lim, Chye-Lye (SIP)	0	2205
	Lim, Hoon-Cheng (SIP)	11	2300
	Lim, J. (SIP)	0	2370
	Lim, Kok-Ann (SIP)	0	2205
	Lim, Mark (SIP)	0	2255
	Lima, D. (BRS)	36	2455
	Limp, E. (BRS)	0	2325
f	Lin, Ta (PRC)	8	2415
	Lin, Weiguo (PRC)	0	2465
	Lind, J.-O. (SVE)	4	2215
f	Lindberg, B. (SVE)	0	2365
	Lindeboom, J. (SUR)	0	2220
	Lindemann, S. (SVE)	5	2295
	Lindgren, M. (SVE)	8	2240
	Lindsay, F. (USA)	0	2300
f	Lindstedt, J. (FIN)	20	2290
	Link, U. (FRG)	0	2235
	Linker, Th. (FRG)	6	2330
	Linnemann, R. (FRG)	0	2315
f	Lipnowski, I. (CAN)	0	2375
	Lipski, T. (POL)	25	2245
m	Liptay, L. (HUN)	0	2405
f	Lirindzakis, T. (GRC)	2	2250
	Lisenko, A. V. (URS)	12	2355
	Lisko, F. (CSR)	0	2330
	Liss, A. (ISL)	0	2215
	Liss, E. (ISL)	12	2330
	Liss, G. (ISL)	4	2225
	Listewnik, Z. (POL)	0	2250
	Liszka, Z. (POL)	0	2320
f	Littlewood, J. E. (ENG)	0	2320
m	Littlewood, P. E. (ENG)	0	2460
f	Litvinchuk, J. (USA)	0	2300
	Litvinyenko, A. (URS)	0	2345
m	Liu, Wenze (PRC)	8	2385
f	Liverios, Th. (GRC)	0	2290
	Ljaneov, P. (BLG)	0	2295
	Ljubicic, F. (JUG)	0	2335
m	Ljubisavljevic, Z. (JUG)	21	2330
g	Ljubojevic, Lj. (JUG)	26	2635
	Ljuca, M. (JUG)	0	2210
	Llanos, G. (ARG)	0	2235
	Lloret Ramis, J. J. (ESP)	0	2205
	Lobo, R. (ENG)	3	2305
g	Lobron, E. (FRG)	31	2560
	Lochte, T. (FRG)	4	2245
	Lockl, L. (OST)	2	2235
m	Lodhi, M. (PAK)	21	2410
f	Loeffler, S. (FRG)	36	2305
	Loginov, V. A. (URS)	45	2510
	Loheac-Amoun, F. (LEB)	0	2240
	Lokasto, A. (POL)	16	2295
g	Lombardy, W. J. (USA)	0	2465
	Loncar, R. (JUG)	28	2350
	Loncarevic, S. (JUG)	0	2270
m	London, D. (USA)	0	2380
	Long, P. (MAL)	0	2245
	Lopez, A. (CUB)	0	2245
	Lopez, C. M. (CUB)	0	2275
	Lopez, J. C. (ESP)	9	2250
	Lopez, Man. (MEX)	1	2285
	Lopez, Mar. (CHI)	0	2235
	Lopez Trujillo, A. (COL)	0	2215
	Lorcher, H. (FRG)	3	2270
	Lorentz, N. (ROM)	11	2280
	Lorenz, G. (DDR)	0	2275
	Lorenz, S. (FRG)	0	2250
	Loret, S. (FRA)	21	2225
f	Lorincz, I. (HUN)	0	2325
	Lorscheid, G. (FRG)	9	2235
	Los, S. (NLD)	6	2325
	Loureiro, L. (BRS)	11	2315
	Lovas, D. (HUN)	3	2300
f	Lovass, I. (HUN)	13	2265
	Lovass, L. (HUN)	0	2305
	Love, A. (NZD)	0	2205
	Lovric, B. (JUG)	0	2265
	Low, Pe-Yeow (SIP)	0	2210
	Lower, S. (USA)	0	2245
	Lowy, W. (ROM)	15	2275
g	Lputian, S. G. (URS)	35	2540
	Lubienski, T. (POL)	0	2205
f	Luce, S. (FRA)	3	2340
	Lucena, L. (BRS)	7	2270
m	Luczak, A. (POL)	7	2330
	Ludgate, A. (IRL)	0	2255
	Ludvigsen, F. (NOR)	0	2330
	Ludwig, W. (FRG)	0	2260
	Ludwikowski, D. (POL)	0	2305
	Luecke, N. (FRG)	11	2415
	Luetke, J. (FRG)	17	2330
f	Lugo, B. (CUB)	9	2315
	Lugones, R. (CUB)	0	2235
f	Luk, Luen-Wah (HKG)	0	2270
g	Lukacs, P. (HUN)	8	2480
	Lukasiewicz, G. (POL)	29	2340
f	Lukez, F. (SVE)	3	2330
f	Lukic, D. (JUG)	11	2325

	Name		
	Lukic, M. (JUG)	0	2225
	Lukic, Z. (JUG)	31	2280
m	Lukin, A. M. (URS)	16	2445
g	Lukov, V. (BLG)	49	2435
	Luminet, D. (BEL)	0	2285
f	Lumper, Th. (FRG)	13	2315
	Lund, D. B. (ENG)	0	2270
	Lundin, A. (SVE)	0	2230
	Lundquist, R. (AUS)	0	2280
	Lunna, T. W. (USA)	0	2260
m	Lupu, M.-S. (ROM)	14	2365
m	Luther, Th. (DDR)	51	2410
g	Lutikov, A. S. (URS)	0	2355
	Lutovac, M. (JUG)	0	2230
f	Lutz, Sh. (FRG)	32	2410
	Lutz, H.-R. (FRG)	0	2250
	Luyk, H. (URS)	9	2335
	Lyell, M. (ENG)	5	2290
	Lys, J. (CSR)	6	2225

M

	Name		
	Ma, Hong-Ding (PRC)	0	2275
	Maass, A. (MEX)	0	2275
f	Maass, G. (MEX)	0	2295
f	Macagno, S. (ARG)	0	2330
f	Macarie, E. (ROM)	0	2310
	Machado, H. A. (BRS)	0	2335
f	Machado, R. (CUB)	9	2205
	Machaj, A. (POL)	0	2280
	Machius, M. (FRG)	0	2280
m	Machulsky, A. D. (URS)	16	2465
m	Maciejewski, A. (POL)	69	2315
	Maciejewski, M. (POL)	24	2310
	Mack, A. (ENG)	9	2295
	Mack, P. (FRG)	5	2305
	Mackay, I. D. (SCO)	10	2335
	Mackowiak, M. (POL)	5	2245
f	Macles, J. (FRA)	7	2360
	Macskasy, E. (CAN)	0	2210
	Madebrink, L. (SVE)	3	2245
	Madhavan, C. (MAL)	0	2240
	Madi, T. (HUN)	0	2320
	Madsen, J. (DEN)	0	2220
	Maga, M. (PHI)	0	2330
	Magaldi, N. (URU)	0	2235
	Magalotti, A. (SMA)	9	2205
	Magbanua, R. (PHI)	6	2285
	Magdan, C. (ROM)	0	2240
m	Magem Badals, J. (ESP)	12	2430
	Magen, A. (ISL)	2	2220
m	Magerramov, E. (URS)	32	2470
	Magnusson, G. (ISD)	0	2245
f	Magnusson, J. (SVE)	25	2255
f	Magrini, R. (ITA)	0	2300
f	Magyar, O. (HUN)	18	2285
m	Mahdi, S. A. (IRQ)	0	2220
	Mahdy, Kh. (EGY)	7	2360
f	Mahia, G. (ARG)	7	2355
	Mahmud, S. (RIN)	0	2320
f	Maier, Ch. (FRG)	8	2335
	Mainka, G. (FRG)	15	2345
m	Mainka, R. (FRG)	37	2450
m	Maiorov, V. (URS)	9	2440
f	Majeric, Z. (JUG)	3	2320
	Majzik, L. (HUN)	12	2220

	Name		
	Makaganov, V. (URS)	0	2205
g	Makarichev, S. (URS)	25	2510
	Makarov, M. (URS)	21	2505
f	Maki, J. (USA)	6	2280
m	Maki, V. (FIN)	4	2415
	Makoli, P. (JUG)	0	2275
m	Makropoulos, G. (GRC)	0	2455
m	Maksimovic, B. (JUG)	41	2350
	Malachi, A. (ISL)	5	2225
	Malachowski, T. (POL)	9	2235
g	Malaniuk, V. (URS)	63	2560
f	Malbran, G. (ARG)	3	2285
f	Malesevic, N. (JUG)	5	2300
	Malevinsky, A. (URS)	0	2385
g	Malich, B. (DDR)	7	2440
	Malinarski, Y. (ISL)	0	2220
	Malishauskas, V. (URS)	36	2520
	Malysev, V. (URS)	16	2385
	Mamuzic, M. (JUG)	0	2245
	Man Yee, Chow (BRS)	8	2295
	Manasterski, L. (POL)	0	2255
	Manca, F. (ITA)	20	2360
	Mancic, C. (JUG)	9	2250
	Mandel, A. (FRG)	0	2325
	Mandl, Ro. (FRG)	7	2285
	Mandl, Ru. (FRG)	0	2280
	Manfred, J. (FRG)	0	2205
m	Manic, J. (JUG)	0	2360
	Manievich, V. (ISL)	0	2280
	Manikandaswamy, S. (IND)	2	2255
m	Maninang, R. (PHI)	0	2325
	Maniocha, A. (POL)	14	2270
	Manni, M. (FIN)	0	2260
	Mannin, M. (FIN)	9	2225
	Mannion, S. R. (SCO)	6	2300
	Mannke, M. (POL)	0	2235
	Manoj Kumar, P. (IND)	0	2260
m	Manolov, I. (BLG)	14	2380
m	Manor, I. (ISL)	19	2445
m	Manouck, Th. (FRA)	0	2275
	Mansoor, J. (MRT)	0	2205
	Mansoor, M. (MRT)	0	2205
m	Mantovani, R. (ITA)	15	2370
f	Mar, C. (USA)	0	2420
m	Marangunic, S. (JUG)	5	2455
f	Marantz, M. (ISL)	0	2420
	Maras, M. (JUG)	4	2280
m	Marasescu, I. (ROM)	11	2365
	Marchand, E. W. (USA)	4	2240
	Marcia, G. (ROM)	3	2265
f	Marciano, D. (FRA)	10	2325
	Marcinkowski, K. (POL)	9	2265
	Marcovici, A. (ROM)	12	2240
f	Marcus, J. (NLD)	0	2300
	Marcussi, B. (ARG)	2	2240
	Marholev, D. (BLG)	10	2230
f	Maric, D. (JUG)	46	2315
m	Maric, R. (JUG)	6	2350
	Maric, V. (JUG)	1	2285
m	Marin, M. (ROM)	10	2475
	Marinelli, T. (ITA)	30	2375
m	Marinkovic, I. (JUG)	73	2475
f	Marinkovic, M. (JUG)	0	2345
f	Marinkovic, S. (JUG)	37	2320
	Marinovic, B. (JUG)	0	2335
	Marinsek, T. (JUG)	25	2215

	Name		
g	Mariotti, S. (ITA)	0	2445
f	Maris, I. (GRC)	0	2250
	Marishi, K. (IND)	0	2215
f	Marjan, D. (JUG)	0	2325
f	Marjanov, Z. (JUG)	12	2290
	Marjanovic, B. (JUG)	20	2320
g	Marjanovic, S. (JUG)	46	2465
f	Markeluk, S. (ARG)	2	2345
	Markiewicz, J. (POL)	7	2280
	Marko, H. (PNG)	0	2205
	Markotic, B. (JUG)	0	2245
f	Markotic, G. (JUG)	25	2360
	Markov, J. (URS)	0	2405
	Markovic, B. (JUG)	2	2270
	Markovic, D. (JUG)	0	2310
f	Markovic, I. (JUG)	0	2370
f	Markovic, L. (JUG)	0	2300
f	Markovic, Mil. (JUG)	22	2270
f	Markovic, Mirolj. (JUG)	9	2300
f	Markovic, Mirosl. (JUG)	36	2255
	Markovic, S. (JUG)	11	2270
f	Markovic, V. (JUG)	26	2310
	Markovic, Z. (JUG)	26	2280
	Markowski, D. (POL)	11	2270
	Markula, F. (OST)	0	2230
f	Markzon, G. (USA)	6	2235
f	Maroja, H. (JUG)	0	2325
	Marosi, Cs. (HUN)	0	2300
	Marosi, Gy. (HUN)	19	2355
g	Marovic, D. (JUG)	0	2470
	Marquet, G. (MEX)	0	2310
	Marquez, R. (ECU)	0	2250
f	Marszalek, R. (POL)	10	2300
	Marszk, K. (POL)	3	2290
	Mart, A. (ISL)	0	2210
	Martens, M. (NLD)	15	2325
f	Martic, Z. (JUG)	0	2320
f	Martidis, A. (CYP)	0	2285
m	Martin, And. D. (ENG)	37	2425
	Martin, B. (NZD)	0	2280
	Martin, O. (CUB)	23	2210
	Martin, Th. (FRG)	0	2240
m	Martin Del Campo, J. (MEX)	0	2220
	Martin Del Campo, R. (MEX)	38	2475
m	Martin Gonzalez, A. (ESP)	4	2380
	Martincevic, N. (FRG)	0	2245
	Martineau (HAI)	0	2210
	Martinez, A. (ARG)	0	2270
	Martinez, C. (HON)	0	2210
f	Martinez, C. A. (ARG)	14	2370
	Martinez, G. (BOL)	0	2205
f	Martinez, I. (MEX)	0	2325
	Martinez, M. A. (MEX)	0	2215
	Martinez, N. (CUB)	0	2225
	Martinez Cardenas, D. E. (MEX)	0	2275
m	Martinovic, S. (JUG)	37	2460
f	Martinovsky, E. (USA)	9	2330
	Marton, J. (HUN)	9	2245
	Marton, Z. (HUN)	3	2230
f	Martorelli, A. (ITA)	11	2250
	Marttala, Th. (SVE)	5	2265
	Marxen, P. (FRG)	0	2225
	Mascarenhas, A. (BRS)	0	2280

m	Mascarinas, R. (PHI)	33	2485
	Masculo, J. (BRS)	0	2225
	Mashian, Y. (ISL)	0	2245
m	Masic, Lj. (JUG)	6	2315
	Maslak, S. (JUG)	0	2230
	Maslanka, R. (POL)	11	2290
	Maslesa, B. (JUG)	4	2280
	Maslowski, T. (POL)	0	2245
	Massana, J. (PRO)	3	2215
	Masternak, A. (POL)	9	2225
	Masternak, G. (POL)	31	2355
	Mastoras, I. (GRC)	13	2215
	Mastrokoukos, G. (GRC)	11	2240
m	Matamoros, C. S. (ECU)	12	2420
g	Matanovic, A. (JUG)	0	2490
	Matas, S. (CSR)	0	2220
	Mate, L. (HUN)	4	2285
	Matejic, Z. (JUG)	0	2265
m	Mateo, R. (DOM)	0	2430
	Mateu, X. (ESP)	0	2285
	Matews, M. (ANG)	0	2285
f	Mathe, G. (HUN)	34	2270
	Mathonia, C. (FRG)	11	2355
	Matic, B. (JUG)	2	2275
	Matic, R. (JUG)	0	2215
	Matijasevic, M. (JUG)	5	2320
	Matkowski, W. (POL)	7	2240
m	Matlak, M. (POL)	24	2410
	Matousek, M. (CSR)	0	2235
	Matsuura, E. (BRS)	0	2365
	Matsuura, H. (BRS)	9	2230
	Matthews, S. (JAM)	0	2255
	Matthias, H. (FRG)	7	2245
g	Matulovic, M. (JUG)	9	2425
	Matzner, S. (USA)	0	2215
	Maunard, F. (CRA)	0	2325
	Mauquoy, A. (BEL)	0	2205
	Maus, Si. (FRG)	9	2305
m	Maus, So. (FRG)	31	2395
	Mautalen, J. G. (ARG)	0	2325
	Mavridis, G. (GRC)	13	2205
	Maxion, D. (FRG)	39	2210
	Maya, H. (MEX)	0	2250
	Mayer, I. (HUN)	0	2255
	Mayer, J.-M. (FRA)	0	2215
	Mazalon, M. (POL)	8	2255
f	Mazi, L. (JUG)	9	2295
f	Mazul, W. (POL)	14	2360
	Mazuran, M. (JUG)	23	2245
m	Mc Cambridge, V. (USA)	6	2480
	Mc Cann, K. (IRL)	0	2235
	Mc Carthy, B. (USA)	6	2250
	Mc Carthy, J. (USA)	0	2310
f	Mc Clintock, D. (USA)	0	2380
m	Mc Donald, N. R. (ENG)	9	2360
m	Mc Kay, R. M. (SCO)	6	2390
	Mc Kenna, G. (USA)	0	2260
	Mc Mahon, E. (IRL)	0	2205
m	Mc Nab, C. A. (SCO)	14	2435
	Mechkarov, V. (BLG)	3	2285
m	Medancic, R. (JUG)	20	2345
	Medar, Z. (JUG)	15	2230
	Mederos, A. (CUB)	0	2245
f	Medic, M. (JUG)	7	2295
	Medina, G. (MEX)	0	2220
	Medina, J. (CUB)	0	2265
	Medina, M. (CUB)	19	2295
m	Medina-Garcia, A. (ESP)	0	2370
g	Mednis, E. J. (USA)	21	2430
g	Meduna, E. (CSR)	20	2470
	Meeres, M. (USA)	0	2285
	Meetei, A. B. (IND)	0	2275
	Mehmedovic, M. (JUG)	0	2275
	Meier, Th. (FRG)	9	2295
	Meier, V. (FRG)	8	2240
f	Meinsohn, F. (FRA)	4	2285
f	Meinsohn, P. (FRA)	0	2295
	Meissner, H. J. (DDR)	3	2265
f	Meister, P. (FRG)	22	2425
	Meister, Y. (URS)	15	2395
	Mejia, R. (COL)	0	2220
f	Mejic, P. (JUG)	0	2350
	Melaxasz, V. (HUN)	0	2250
m	Meleghegyi, Cs. (HUN)	18	2405
	Mellado, J. (ESP)	0	2400
	Melnikov, A. (URS)	0	2340
f	Mencinger, V. (JUG)	22	2380
	Mendez, G. (ARG)	0	2310
	Mendez, R. S. (MEX)	0	2280
	Mendoza, L. (ESP)	9	2295
	Mendoza, R. (COL)	0	2275
	Mendrinos, N. (GRC)	0	2250
	Mengarini, A. A. (USA)	1	2225
f	Menvielle Lacourrelle, A. (ESP)	0	2380
	Menyhart, T. (HUN)	2	2275
	Mephisto, A. (OST)	9	2210
	Mercier, J. P. (FRA)	5	2215
	Mercuri, L. A. (USA)	0	2205
m	Merdinjan, A. (BLG)	6	2260
	Merqui, Y. (MNC)	0	2205
	Mertins, K. (FRG)	3	2230
	Mesiarik, R. (CSR)	0	2280
m	Messa, R. (ITA)	0	2305
m	Messing, H. (JUG)	0	2400
	Messmer, M. (FRG)	5	2290
g	Mestel, A. J..(ENG)	0	2520
	Mestre, P. (CUB)	0	2230
m	Mestrovic, Z. (JUG)	0	2395
m	Meszaros, A. (HUN)	15	2370
	Meszaros, B. (JUG)	3	2310
	Metge, J. N. (NZD)	0	2230
	Metrick, A. (USA)	0	2240
f	Meulders, R. (BEL)	2	2330
	Meurrens, P. (BEL)	0	2290
f	Meyer, C. D. (FRG)	0	2335
m	Meyer, E. B. (USA)	9	2480
f	Meyer, H. (FRG)	7	2310
f	Meyer, J. C. (USA)	0	2335
f	Meyer, P. (FRG)	0	2315
m	Miagmasuren, L. (MON)	11	2290
	Miana, E. (ARG)	0	2260
	Micalizzi, G. (ITA)	15	2270
m	Micayabas, M. (PHI)	0	2325
f	Michaelsen, N. (FRG)	23	2345
	Michalet, G. (FRA)	32	2215
	Michel Yunis, Ch. D. (CHI)	0	2370
f	Micheli, C. (ITA)	5	2310
	Michenka, J. (CSR)	13	2310
	Micic, C. (JUG)	16	2305
	Micov, V. (JUG)	0	2225
f	Middleton, E. R. (USA)	0	2295
	Mielczarski, M. (POL)	11	2270
	Mielniczek, K. (POL)	0	2230
	Migl, D. (FRG)	2	2235
f	Mihajlovic, M. (JUG)	30	2250
	Mihaljcic, K. (JUG)	0	2230
m	Mihaljcisin, M. (JUG)	3	2295
	Mihalko, J. (HUN)	12	2235
	Mihevic, I. (JUG)	0	2235
	Mihojlic, M. (JUG)	0	2255
	Mihos, Th. (GRC)	13	2245
	Mijailovic, Z. (JUG)	21	2325
	Mijatovic, D. (JUG)	5	2210
f	Mikac, M. (JUG)	14	2375
	Mikac, T. (JUG)	16	2350
	Mikanovic, M. (JUG)	16	2305
	Mikavica, M. (JUG)	4	2245
f	Mikenda, W. (OST)	0	2270
g	Mikhalchishin, A. (URS)	62	2475
	Miladinovic, I. (JUG)	8	2350
	Milanov, M. (BLG)	0	2210
f	Milanovic, S. (JUG)	3	2295
	Milanovic, V. (JUG)	26	2230
	Milasin, M. (JUG)	0	2290
	Milenkovic, I. (JUG)	0	2270
	Milenkovic, J. (JUG)	6	2215
g	Miles, A. J. (USA)	73	2570
	Miletic, D. (JUG)	9	2220
	Milicevic, A. (JUG)	14	2210
f	Milicevic, M. (JUG)	0	2320
	Milicevic, P. (JUG)	0	2235
m	Miljanic, B. (JUG)	26	2410
f	Miljevic, B. (JUG)	0	2305
	Miller, R. (USA)	0	2330
	Miller, T. Q. (USA)	0	2255
f	Milocco, F. (ITA)	0	2370
	Milonjic, M. (JUG)	0	2250
g	Milos, G. (BRS)	15	2510
	Milosavac, Lj. (JUG)	0	2305
f	Milosavljevic, R. (JUG)	2	2300
	Miloseski, N. (JUG)	0	2205
f	Milosevic, G. (JUG)	28	2365
	Milosevic, R. (JUG)	3	2215
	Milosevic, S. (JUG)	15	2260
	Milosevic, V. (JUG)	0	2275
	Milosijev, T. (JUG)	0	2230
	Milovanović, N. (JUG)	18	2255
m	Milovanovic, R. (JUG)	7	2420
f	Miltner, A. (FRG)	0	2320
f	Milut, M. (ROM)	0	2295
	Milutinovic, I. (JUG)	0	2220
	Milutinovic, Lj. (JUG)	0	2210
	Minasjan, A. (URS)	18	2485
f	Minaya, J. (COL)	0	2280
	Minero, S. (CRA)	0	2240
	Minescu, D. (ROM)	0	2225
m	Minev, N. N. (USA)	0	2370
	Minguell, F. X. (ESP)	0	2295
f	Miniboeck, G. (OST)	0	2325
m	Minic, D. (JUG)	1	2355
	Minich, P. (CSR)	13	2230
	Miolo, E. E. (RIN)	0	2295
m	Miralles, G. (FRA)	39	2445
	Miranda, M. M. C. (BRS)	11	2280
	Miranovic, R. (JUG)	0	2305
	Mirchev, V. (BLG)	18	2290

	Name		
	Mircic, I. (JUG)	0	2275
m	Mirkovic, S. (JUG)	52	2405
m	Mirza, Sh. (PAK)	6	2300
f	Misailovic, N. (JUG)	15	2325
	Mischustov, M. (FRG)	0	2370
	Miserendino, A. (ARG)	11	2235
	Mishra, N.-K. (IND)	46	2360
	Misic, D. (JUG)	12	2225
	Misojcic, M. (JUG)	12	2275
m	Mista, L. (CSR)	0	2345
	Mitelman, G. (ISL)	13	2220
	Mitenkov, A. (URS)	0	2350
	Mitev, G. (BLG)	37	2340
f	Mithrakanth, P. (IND)	18	2360
f	Mititelu, Gh. (ROM)	0	2360
	Mitkov, M. (JUG)	13	2315
	Mitkov, N. (JUG)	7	2275
	Mitov, B. (BLG)	7	2235
	Mitra, S. (IND)	18	2225
	Mitrev, E. (BLG)	0	2205
	Mitric, B. (JUG)	0	2245
	Mitrovic, P. (JUG)	4	2355
	Mitrovic, S. (JUG)	0	2295
f	Miulescu, G. (ROM)	2	2330
	Mladenov, S. (BLG)	0	2230
	Mlechev, H. (BLG)	5	2240
m	Mnatsakanian, E. A. (URS)	9	2415
f	Modr, B. (CSR)	2	2335
	Modzelan, A. (POL)	6	2250
	Moe, M. (DEN)	0	2305
m	Moehring, G. (DDR)	21	2370
f	Moen, O.-Ch. (NOR)	0	2295
	Mohammed, A. (IRQ)	0	2255
	Mohammed, E. W. (IRQ)	6	2240
	Mohanty, P. M. (IND)	0	2250
	Mohiuddin, G. (PAK)	9	2280
f	Mohr, G. (JUG)	42	2460
g	Mohr, S. (FRG)	47	2485
	Mohsin, B. A. (BAR)	0	2205
	Moingt, J. C. (FRA)	7	2300
	Moise, D. (ROM)	4	2250
	Moiseev, V. (URS)	12	2370
f	Mojzis, J. (CSR)	9	2225
g	Mokry, K. (CSR)	44	2500
	Moldobaev, E. (URS)	8	2360
f	Moldovan, D. (ROM)	0	2335
	Molinaroli, M. (FRG)	0	2285
m	Mollov, E. (BLG)	34	2360
	Molnar, B. (HUN)	29	2225
	Molnar, Z. (HUN)	0	2245
	Monaville, G. (BEL)	6	2260
	Monclus, A. (ESP)	0	2230
	Monda, L. (HUN)	0	2300
f	Monier, R. (ARG)	0	2350
	Monin, N. (URS)	7	2355
	Monostori, L. (HUN)	0	2240
	Monroy, E. (MEX)	0	2245
f	Montecatine, R. (ESP)	0	2305
	Montero-Martinez, C. (CHI)	0	2305
	Montiel, P. (CUB)	0	2215
	Mooney, D. P. (ENG)	0	2240
	Moore, V. (VGB)	0	2205
	Moors, H. (FRG)	0	2275
	Moosa, I. (QTR)	0	2250
	Mora, F. (ITA)	9	2280
	Moracchini, F. (FRA)	9	2265
	Morais, V. (POR)	0	2250
	Morales, C. (CUB)	13	2235
	Morales, H. (MEX)	0	2345
	Morales, J. (ESP)	14	2225
	Moran, B. (ECU)	0	2335
	Morawietz, D. (FRG)	10	2295
	Moraza, M. (PRO)	0	2205
	Morchat, M. (POL)	0	2285
	Moreira, J. C. (ARG)	0	2225
	Moreno, A. (CUB)	28	2250
f	Morgado, J. J. (ARG)	0	2280
	Morin, Y. (CAN)	0	2205
	Morkisz, B. (POL)	16	2230
	Morosov, S. (URS)	0	2250
g	Morovic Fernandez, I. (CHI)	8	2525
	Moroz, A. (URS)	9	2380
	Morris, Ch. F. (WLS)	0	2205
	Morris, C. (AUS)	0	2265
	Morris, Ph. (ENG)	0	2345
	Morrison, Ch. (SCO)	0	2250
f	Morrison, G. (SCO)	6	2325
f	Morrison, R. (CAN)	0	2330
	Mortazavi, A. (ENG)	0	2325
m	Mortensen, E. (DEN)	17	2475
	Morvay, J. (HUN)	0	2240
f	Morvay, M. (HUN)	7	2290
	Moscatelli, P. (USA)	0	2210
	Moser, G. (OST)	0	2265
m	Moskalenko, V. (URS)	26	2500
	Mossong, H. (LUX)	9	2325
m	Motwani, P. (SCO)	0	2490
	Moulin, P. (BEL)	3	2280
	Moulton, P. (ENG)	0	2220
	Mousa, A. E. (PAL)	0	2205
f	Moutousis, K. (GRC)	9	2330
	Movsesian, M. (URS)	16	2365
	Moyano Morales, E. (ESP)	0	2250
	Moyano, F. J. (ESP)	1	2225
m	Mozes, E. (ROM)	14	2405
	Mozes, Z. (HUN)	12	2245
m	Mozny, M. (CSR)	16	2360
f	Mrdja, M. (JUG)	41	2440
	Mrkonjic, N. (JUG)	0	2265
f	Mrksic, B. (JUG)	0	2295
	Mrsevic, M. (JUG)	8	2270
	Mrva, M. (CSR)	7	2315
	Mrva, V. (CSR)	0	2320
m	Muco, F. (ALB)	0	2425
f	Mudelsee, M. (FRG)	11	2265
	Mudrak, J. (CSR)	9	2310
	Muehl, Th. (FRG)	0	2280
f	Mueller, G. (FRG)	0	2335
	Mueller, H.-G. (FRG)	4	2320
f	Mueller, Hei. (FRG)	4	2295
	Mueller, Hel. (FRG)	0	2295
	Mueller, Ka. (FRG)	26	2365
f	Mueller, Kl. (DDR)	0	2345
f	Mueller, O. (FRG)	14	2355
	Mueller, W. (DDR)	0	2210
f	Muender, M. (FRG)	0	2270
f	Mufic, Go. (JUG)	6	2275
	Mufics, I. (HUN)	0	2265
	Muhvic, D. (JUG)	9	2245
	Muir, A. J. (SCO)	7	2250
f	Mujagic, R. (JUG)	22	2265
f	Mujic, H. (JUG)	0	2320
	Mujkic, N. (JUG)	0	2215
	Mukic, J. (JUG)	24	2345
	Mullner, I. (HUN)	0	2265
	Munck Mortensen, P. (DEN)	4	2245
	Munoz, F. J. (ESP)	0	2235
	Munoz, F. (COL)	0	2215
	Munoz, L. G. (MEX)	0	2245
	Muraleedharan, M. B. (IND)	0	2265
	Muratov, V. A. (URS)	0	2410
g	Murey, Y. (FRA)	35	2535
	Murin, J. (HUN)	0	2255
	Muron, M. (CSR)	0	2245
g	Murshed, N. (BAN)	4	2475
m	Murugan, K. (IND)	37	2450
m	Muse, M. (FRG)	31	2415
	Musil, M. (JUG)	0	2255
m	Musil, V. (JUG)	0	2345
	Musitz, L. (HUN)	2	2295
	Muyambo, D. (ZIM)	0	2205
	Muzzafar, A. (MAL)	0	2205

N

	Name		
	Nad, V. (JUG)	6	2245
	Nadyrhanov, S. (URS)	0	2460
	Nagel, H. (OST)	0	2280
	Nagendra, R. (IND)	0	2270
	Nagl, F. (OST)	0	2255
m	Nagy, Ervin (HUN)	13	2360
	Nagy, J. (HUN)	15	2240
	Nagy, L. (HUN)	0	2210
g	Najdorf, M. (ARG)	0	2465
	Najdoski, T. (JUG)	0	2210
	Najjar, A. (LEB)	19	2245
	Namyslo, H. (FRG)	8	2235
	Nandakumar, Y. (IND)	0	2235
	Narancic, V. (JUG)	13	2340
	Nardini, D. (ARG)	0	2245
	Narva, J. (URS)	19	2335
	Nasir Ali, S. (IND)	0	2325
	Natarajan, S. V. (IND)	0	2320
	Natri, A. (FIN)	0	2250
	Natsis, T. (GRC)	0	2290
	Naumann, F. (FRG)	24	2310
m	Naumkin, I. (URS)	17	2470
f	Nautsch, W. (FRG)	0	2340
m	Navarovszky, L. (HUN)	0	2320
f	Navarro, R. (MEX)	0	2340
	Navinsek, Th. (JUG)	10	2285
f	Navrotescu, C. (ROM)	22	2385
	Nazarov, A. (URS)	9	2255
f	Neamtu, S. (ROM)	0	2355
m	Neckar, L. (CSR)	11	2350
	Necoechea, E. (MEX)	0	2230
	Nedeljkovic, A. (JUG)	0	2225
	Nadev, G. (BLG)	17	2340
	Needleman, A. (ARG)	0	2280
	Neelanantan, N. (IND)	0	2230
	Negele, A. (FRG)	0	2265
	Negri, S. (ARG)	0	2280

m Negulescu, A. (ROM) 10 2440
Negureanu, D. (ROM) 0 2225
Neidhardt, C. (FRG) 0 2305
f Neiman, E. (FRA) 8 2245
Nemec, P. (CSR) 0 2225
g Nemet, I. (JUG) 11 2420
f Nemeth, G. (HUN) 0 2280
f Hemeth, Z. (HUN) 12 2345
Nemety, L. (FRA) 4 2210
Nemirowski, S. (FRA) 12 2365
Nenadovic, Lj. (JUG) 21 2245
Nenashev, A. (URS) 0 2435
Nenkov, Lj. (BLG) 0 2285
Nepomnishay, M. I. (URS) 0 2325
Nerlev, C. (DEN) 0 2245
f Nestorovic, D. (JUG) 73 2250
Neto, H. (POR) 0 2215
Netusil, M. (CSR) 0 2320
Neuberger, G. (FRG) 0 2235
Neukirch, D. (DDR) 0 2335
Neulinger, M. (OST) 0 2210
Neumann, J. (FRG) 0 2220
Neumark, Th. (FRG) 0 2285
Neunhoeffer, H. (FRG) 11 2265
f Neurohr, S. (FRG) 16 2325
f Nevanlinna, R. (FIN) 0 2325
m Neverov, V. (URS) 15 2475
m Ney, I. (URS) 15 2410
Neyhort, D. (SUR) 0 2205
Ng. EK Leong (MAL) 0 2205
Nicevski, D. (JUG) 14 2325
m Nicevski, R. (JUG) 19 2390
f Nicholson, J. G. (ENG) 8 2295
Nickel, R. (FRG) 0 2255
Nickl, K. (OST) 9 2235
m Nickoloff, B. (CAN) 21 2435
f Nicolaide, V. (ROM) 0 2355
Niedermayr, H. (OST) 0 2235
Nielsen, J. (DEN) 0 2260
Nielsen, P. E. (DEN) 3 2255
Nielsen, Th. B. (DEN) 8 2255
Nieminen, K. (FIN) 0 2260
f Nieuwenhuios, P. (NLD) 6 2315
Nieves, K. (PRO) 0 2225
m Nijboer, F. (NLD) 27 2475
Nikac, P. (JUG) 0 2255
Nikcevic, N. (JUG) 24 2295
Nikcevic, Z. (JUG) 0 2230
m Niklasson, Ch. (SVE) 0 2375
g Nikolac, J. (JUG) 11 2475
Nikolaev, S. (URS) 12 2320
Nikolaiczuk, L. (FRG) 0 2290
Nikolaidis, K. (GRC) 0 2235
Nikolaidis, Th. (GRC) 0 2215
Nikolenko, O. (URS) 6 2405
Nikolic, D. (JUG) 0 2295
Nikolic, E. (JUG) 0 2210
f Nikolic, G. (JUG) 5 2330
Nikolic, I. (JUG) 13 2205
Nikolic, N. (JUG) 23 2390
Nikolic, Pe. (JUG) 0 2290
g Nikolic, Pr. (JUG) 38 2600
f Nikolic, Sava (JUG) 35 2315
Nikolic, Si. (JUG) 12 2275
g Nikolic, St. (JUG) 23 2320

f Nikolic, V. (JUG) 15 2315
Nikolic, Ze. (JUG) 0 2245
m Nikolic, Zi. (JUG) 58 2450
Nikolov, N. (BLG) 10 2310
m Nikolov, Sa. (BLG) 35 2420
Nikolov, St. (BLG) 30 2210
Nikov, N. (BLG) 17 2325
Nikovits, T. (HUN) 6 2280
Nilsson, N. (DEN) 4 2205
Nindl, G. (OST) 0 2265
m Ninov, K. (BLG) 53 2460
Ninov, N. (BLG) 21 2260
Niono, O. (MLI) 0 2205
Nishimura, H. (JAP) 0 2205
Nisman, B. I. (URS) 19 2365
Nizialek, R. (POL) 12 2270
Nizynski, M. (POL) 9 2270
Njie, M. (GAM) 0 2205
Noel, L. (ROM) 0 2245
Noev, N. (BLG) 0 2235
Nogrady, V. (HUN) 10 2300
g Nogueiras, J. (CUB) 16 2560
Nokka, R. (FIN) 3 2245
Nokso-Koivisto, A. (FIN) 4 2320
Nolting, A. (FRG) 0 2275
f Nonnenmacher, E. (FRG) 7 2300
f Nordstrom, F. (SVE) 8 2225
Norgaard, J. (DEN) 0 2305
Noria, J. (ESP) 0 2345
Norman, K. I. (ENG) 0 2215
Norregaard, Ch. (DEN) 0 2235
Norri, J. (FIN) 11 2370
Norris, A.J. (SCO) 0 2285
m Norwood, D. (ENG) 20 2485
f Notaros, K. (JUG) 26 2370
Novacan, M. (JUG) 9 2355
f Novak, I. (CSR) 0 2270
Novak, L. (HUN) 6 2205
Novakovic, D. (JUG) 0 2285
Novakovic, N. (JUG) 10 2220
f Novicevic, M. (JUG) 0 2315
Novik, M. (URS) 0 2380
m Novikov, I. A. (URS) 11 2500
Novkovic, M. (JUG) 41 2325
m Novoselski, Z. (JUG) 45 2360
Novotny, J. (CSR) 0 2205
f Nowak, I. (POL) 2 2405
Nowak, K. (POL) 20 2225
Nowotny, H. (OST) 0 2235
m Nun, Ji. (CSR) 11 2475
m Nun, Jo. (CSR) 0 2370
Nunez, A. (CUB) 0 2270
Nunez, J.L. (MEX) 0 2205
g Nunn, J. (ENG) 29 2575
m Nurkic, S. (JUG) 13 2355
Nute, G. A. (USA) 0 2210
Nykopp, J.-M. F. (FIN) 0 2250
Nylen, A. (SVE) 9 2260

O

O'Donnell, M. (VUS) 0 2205
f O'Donnell, T. (CAN) 10 2415
O'Reilly, E. (IRL) 0 2240
Obierak, W. (POL) 4 2205
Obradovic, A. (JUG) 0 2290

Obradovic, B. (JUG) 19 2255
Obralic, E. (JUG) 5 2375
f Ocampo, R. (MEX) 0 2255
m Ochoa De Echaguen, F. (ESP) 0 2435
Ochsner, Th. (DEN) 7 2280
Ocytko, A. (POL) 3 2230
m Odendahl, S. M. (USA) 0 2415
Oei, H. I. (NLD) 5 2285
Oesterle, P. (FRG) 4 2275
Ofek, R. (ISL) 9 2260
Ofstad, P. (NOR) 6 2225
m Ogaard, L. (NOR) 0 2415
Oggier, C. (ARG) 0 2225
Ohri, T. K. (IND) 0 2210
m Ojanen, K. S. (FIN) 0 2340
Ojanen, P. (FIN) 0 2230
m Okhotnik, V. (URS) 25 2395
Okrajek, A. (DDR) 0 2225
Olaffson, D. (ISD) 0 2260
g Olafsson, F. (ISD) 0 2485
g Olafsson, H. (ISD) 44 2545
Olah, Zs. (HUN) 2 2240
Olesen, M. (DEN) 4 2225
Oliveira, P. S. C. (BRS) 0 2205
Oliver, N. R. (ENG) 0 2235
Olivera, H. (ARG) 0 2270
Olivier, J.-Ch. (FRA) 13 2260
Olivier, P. (FRA) 16 2255
Olivieri, M. (ARG) 7 2250
m Oll, L. (URS) 67 2550
Olsen, H. (FAI) 0 2205
Olsson, A. (SVE) 0 2285
Olszewski, A. (POL) 0 2280
m Oltean, D. (ROM) 0 2415
f Oltean, L.-I. (ROM) 0 2285
Olthof, R. A. J. A. (NLD) 7 2255
Oltra Caurin, R. (ESP) 7 2435
Olzem, L. (FRG) 0 2225
Omuku, E. (NIG) 0 2205
m Onat, I. (TRK) 0 2360
Ondi, Gy. (HUN) 0 2265
f Onev, F. (TRK) 0 2295
Ong, Alvin (SIP) 0 2225
Ong, Chong-Chee (SIP) 0 2285
f Opl, K. (OST) 0 2290
Oppitz, P. (FRG) 0 2265
Orak, Lj. (JUG) 3 2205
Orel, O. (JUG) 0 2335
Oreopoulos, K. (GRC) 13 2215
m Orev, P.(BLG) 7 2320
Organdziev, O. (JUG) 0 2255
m Orgovan, S. (HUN) 12 2315
Orlov, G. (URS) 35 2515
f Orlov, K. (JUG) 0 2270
f Orlov, P. (JUG) 15 2385
Orlowski, J. (FRG) 2 2310
m Ornstein, A. (SVE) 0 2460
Orosz, A. (HUN) 0 2280
Orpinas, C. (CHI) 0 2290
m Orr, M. J. L (IRL) 0 2375
Orsag, M. (CSR) 0 2300
f Orso, J. (HUN) 0 2290
m Orso, M. (HUN) 8 2360
m Ortega, L. (CUB) 36 2395
f Ortel, E. (HUN) 10 2295

	Name		
	Ortiz, E. (PAN)	0	2205
	Orton, W. R. (USA)	4	2250
	Osiecki, S. (POL)	1	2305
	Osieka, U. (FRG)	0	2235
	Oskulski, J. (POL)	0	2230
	Osmanagic, M. (JUG)	0	2260
	Osmanbegovic, S. (JUG)	0	2240
m	Osmanovic, K. (JUG)	0	2350
m	Osnos, V. (URS)	0	2430
	Osolin, M. (JUG)	0	2275
	Ossowski, A. (POL)	0	2225
f	Ost-Hansen, J. (DEN)	0	2430
	Ostberg, P. (SVE)	0	2285
m	Ostenstad, B. (NOR)	21	2430
f	Ostergaard, D. (SVE)	11	2270
	Ostergaard, J. (DEN)	2	2295
	Osterman, G. (FIN)	10	2305
f	Osterman, R. (JUG)	4	2340
m	Ostermeyer, P. (FRG)	23	2465
f	Ostl, A. (FRG)	15	2335
	Ostojic, D. (JUG)	2	2245
	Ostojic, G. (JUG)	9	2260
	Ostojic, N. (JUG)	23	2265
g	Ostojic, P. (JUG)	8	2360
m	Ostos, J. (VEN)	4	2290
	Ostrovsky, A. (URS)	0	2390
f	Ostrowski, L. (POL)	17	2400
	Oswald, G. (ENG)	0	2240
f	Otero, E. (CUB)	0	2325
	Ott, F. (FRG)	2	2315
	Ott, R. (SWZ)	0	2255
f	Ott, W. (FRG)	0	2285
	Ovales, (VEN)	0	2260
	Overgaard, Ch. M. (DEN)	0	2245
	Owosina, T. (NIG)	0	2205
	Oyeneyin, T. (NIG)	0	2205
f	Ozsvath, A. (HUN)	0	2305

P

	Name		
	Paavilainen, J. (FIN)	4	2280
f	Pablo Marin, A. (ESP)	9	2390
	Pacal, M. (JUG)	0	2250
	Pacey, K. (CAN)	11	2270
	Pacheco, D. (ARG)	2	2245
	Pacheco Vega, J. E. (MEX)	0	2205
g	Pachman, L. (FRG)	4	2380
	Pachow, J. (DDR)	0	2245
	Pacis, A. (PHI)	0	2310
	Packo, K. (POL)	19	2310
f	Pacl, V. (CSR)	12	2275
f	Pacsay, L. (HUN)	0	2285
g	Padevsky, N. (BLG)	28	2415
m	Paehtz, Th. (DDR)	30	2430
	Paganik, P. (CSR)	0	2225
	Pagden, M. A. (ENG)	0	2255
	Paglietti, N. (ITA)	12	2335
m	Paglilla, C. (ARG)	16	2400
	Pahl, R. (USA)	0	2230
	Paidousis, A. (GRC)	0	2210
	Pajak, J. T. (CAN)	0	2275
f	Pajkovic, V. (JUG)	4	2415
	Paksa, R. (HUN)	9	2260
	Pal, G. (HUN)	4	2215

	Name		
	Pal, I. (HUN)	0	2230
	Pala, L. (CSR)	0	2210
	Pala, V. (CSR)	0	2275
	Palac, M. (JUG)	43	2460
m	Palacios, A. (VEN)	0	2330
f	Palacios De La Pride, E. (ESP)	13	2280
g	Palatnik, S. (URS)	27	2460
	Paldanius, P. (FIN)	0	2280
f	Palermo, V. (ARG)	4	2330
m	Palkovi, J. (HUN)	37	2385
	Pallos, L. (HUN)	0	2250
	Palma, J. A. (MEX)	0	2365
m	Palos, O. (JUG)	20	2385
f	Palosevic, A. (JUG)	12	2215
	Palosz, A. (POL)	6	2260
	Palvolgyi, I. (HUN)	0	2260
	Panait, M. (ROM)	9	2330
	Panajotov, J. (BLG)	1	2285
m	Panbukchian. V. (BLG)	28	2310
g	Panchenko, A. N. (URS)	17	2430
	Panchev, P. (BLG)	10	2365
m	Panczyk, K. (POL)	9	2400
m	Pandavos, E. (GRC)	0	2385
f	Pandavos, P. (GRC)	17	2295
	Pandurevic, M. (JUG)	15	2240
f	Paneque, P. (CUB)	13	2365
	Pang, Kwok-Leong (SIP)	0	2235
	Pangrazzi, M. (ITA)	0	2260
	Paniagua, R. (PAN)	0	2285
	Panic, N. (JUG)	6	2235
g	Panno, O. (ARG)	10	2500
	Pantaleev, D. (BLG)	1	2235
	Pantaleoni, C. (ITA)	22	2270
	Pantev, V. (BLG)	23	2300
	Pantos, N. (JUG)	2	2270
f	Panzalovic, S. (JUG)	0	2325
	Panzer, P. (FRG)	4	2270
f	Panzeri, C. (ARG)	0	2335
	Paoli, E. (ITA)	25	2205
m	Paolozzi, M. (BRS)	0	2410
	Papacek, S. (CSR)	0	2320
	Papadopulos, D. (ARG)	0	2205
	Papagorasz, T. (HUN)	9	2295
	Papai, J. (HUN)	9	2255
f	Pape, J. (FRG)	0	2365
	Papp, Cs. (HUN)	22	2250
	Pappier, C. (ARG)	0	2210
	Parakrama, A. (SRI)	0	2225
m	Parameswaren, T. N. (IND)	36	2360
	Parera, J. (ESP)	1	2245
f	Pares Vives, J. (ESP)	0	2340
	Parezanin, D. (JUG)	0	2255
	Parkanyi, A. (HUN)	4	2290
	Parkes, T. (ENG)	0	2220
g	Parma, B. (JUG)	0	2480
	Parmentier, X. (FRA)	10	2250
	Paronjan, A. (URS)	9	2370
	Parsons, D. (USA)	6	2300
	Partanen, J. (FIN)	0	2250
m	Partos, Ch. (SWZ)	0	2390
	Pasalic, H. (JUG)	2	2240
	Pasic, E. (JUG)	0	2285
	Pasic, S. (JUG)	0	2250
f	Pasman, M. (ISL)	0	2310

	Name		
	Passager, P. (FRA)	9	2250
f	Passerotti, P. (ITA)	4	2340
	Pastircak, M. (CSR)	0	2375
	Pastorini, M. (ITA)	0	2270
	Paszek, A. (POL)	0	2315
	Pasztor, F. (HUN)	13	2205
	Patriarca, L. (PAR)	0	2290
	Patzl, K. (OST)	0	2205
	Paulic, B. (JUG)	42	2255
f	Paulsen, D. (FRG)	15	2295
m	Paunovic, D. (JUG)	66	2455
m	Paunovic, T. (JUG)	48	2420
	Paunovic, V. (JUG)	12	2345
f	Pavanasam, A. (IND)	0	2265
	Pavicic, Z. (JUG)	0	2420
	Pavlik, R. (JUG)	0	2225
	Pavlin, V. (JUG)	11	2325
m	Pavlov, Mircea (ROM)	7	2365
	Pavlov, Miron (BLG)	19	2205
	Pavlovic, Dragan (JUG)	10	2250
	Pavlovic, Dragoljub (JUG)	16	2330
m	Pavlovic, M. (JUG)	28	2385
f	Pavlovic, S. (JUG)	7	2300
	Payen, A. (FRA)	8	2240
	Paz, V. J. (ARG)	0	2275
m	Pazos, P. (ECU)	0	2315
m	Pecorelli Garcia, H. (CUB)	10	2345
m	Pedersen, E. (DEN)	0	2410
	Pedersen, F. (DEN)	12	2310
	Pedersen, K. (DEN)	0	2305
	Pederzoli, S. (ITA)	0	2205
	Pedzich, D. (POL)	36	2365
f	Peek, M. (NLD)	18	2350
f	Peelen, P. (NLD)	9	2385
m	Peev, P. (BLG)	35	2320
m	Pein, M. L. (ENG)	42	2385
	Peires, T. D. R. (SRI)	0	2205
	Peist, J. (FRG)	14	2255
m	Pekarek, A. (CSR)	29	2470
	Pekovic, D. (JUG)	0	2210
	Pelc, Z. (POL)	0	2255
	Pelitov, D. (BLG)	4	2280
	Pellant, T. (USA)	0	2265
	Pelts, P. (USA)	9	2300
f	Pelts, R. (CAN)	0	2430
	Penson, Th. (BEL)	0	2280
	Penzias, M. (ISL)	1	2240
	Peovic, M. (JUG)	0	2210
	Pepic, R. (JUG)	13	2255
	Peranic, D. (JUG)	0	2245
	Perdek, M. (POL)	5	2290
	Perdikis, C. (CYP)	0	2205
f	Perecz, L. (HUN)	0	2355
	Peredy, F. (HUN)	9	2230
	Pereira, Al. (POR)	0	2245
	Pereira, Au. (ARG)	0	2260
	Pereira, R. S. (POR)	0	2260
	Perelstein, M. (URS)	15	2325
m	Perenyi, B. (HUN)	0	2375
	Perera, P. (ESP)	10	2290
	Perera, V. (SRI)	0	2295
	Peretz, Malkiel (ISL)	4	2340
f	Perez, J. C. (CUB)	19	2245
	Perez, J. J. (VEN)	0	2240

	Perez, Y. (CUB)	0	2215
	Perez Cascella, Julio (ARG)	0	2265
	Perez Nivar, Marco T. (DOM)	0	2295
	Perez-Garcia, H. (ARG)	11	2235
f	Pergericht, D. (BEL)	9	2325
	Peric, S. (JUG)	44	2250
f	Perisic, R. (JUG)	12	2310
	Perkovic, M. (JUG)	0	2230
	Pernishki, L. (BLG)	0	2210
	Pernutz, H.-G. (FRG)	0	2245
f	Perovic, D. (JUG)	0	2345
	Perry, R. (PNG)	0	2205
	Perschke, U. (FRG)	0	2235
	Persowski, S. (POL)	0	2220
	Perus, D. (JUG)	0	2345
	Pervan, T. (JUG)	17	2245
f	Pesantes, C. (PER)	0	2335
	Pesek, R. (OST)	0	2215
m	Peshina, G. (URS)	32	2400
f	Pessi, E. (ROM)	2	2355
	Pesztericz, L. (HUN)	6	2245
	Petakov, U. (JUG)	5	2260
f	Pete, J. (JUG)	0	2295
	Petek, P. (JUG)	0	2225
	Peter, A. (HUN)	10	2280
	Peters, D. L. (USA)	0	2230
m	Peters, J. A. (USA)	5	2495
	Petersen, F. (DEN)	0	2275
	Petit, E. (FRA)	15	2270
m	Petkevich, J. I. (URS)	17	2445
	Petkov, V. (BLG)	5	2240
	Petkovic, R. (JUG)	0	2255
f	Petkovski, V. (JUG)	13	2370
m	Petran, Pal (HUN)	18	2455
f	Petran, Pe. (CSR)	5	2340
	Petranovich, J. (USA)	10	2250
	Petre, M. (ROM)	0	2235
	Petrienko, V. (URS)	0	2420
f	Petrik, K. (CSR)	0	2290
	Petrik, S. (CSR)	0	2240
	Petrone, O. (ARG)	0	2255
f	Petronic, J. (JUG)	57	2360
	Petronijevic, Z. (JUG)	6	2310
g	Petrosian, A. B. (URS)	27	2490
	Petrov, M. (BLG)	12	2230
	Petrov, V. (BLG)	0	2290
	Petrovic, Dr. (JUG)	0	2245
	Petrovic, Dusan K. (JUG)	0	2265
	Petrovic, Dusan M. (JUG)	0	2215
	Petrovic, M. (JUG)	4	2305
f	Petrovic, P. (JUG)	15	2240
f	Petrovic, Sla. (JUG)	4	2290
	Petrovic, Slo. (JUG)	0	2305
	Petrovic, Vl. (JUG)	1	2230
f	Petrovic, Vo. (JUG)	6	2260
	Petrovic, Zo. (JUG)	9	2245
f	Petrovic, Zv. (JUG)	0	2300
	Petrovikis, D. (GRC)	0	2220
	Petrushin, A. I. (URS)	0	2360
	Petryk, H. (POL)	0	2370
f	Petschar, K. (OST)	0	2290
f	Pettersson, L.-E. (SVE)	0	2325
g	Petursson, M. (ISD)	53	2580
f	Pfeifer, T. (HUN)	1	2315
g	Pfleger, H. (FRG)	12	2505
	Pfretzschner, R. (DDR)	0	2265
	Pfrommer, Ch. (FRG)	9	2315
	Phelps, L. J. (USA)	0	2290
	Phuah, Eng-Chye (MAL)	0	2205
m	Piasetski, L. (CAN)	0	2400
	Picanol, A. (ESP)	0	2210
f	Piccardo, M. (ITA)	7	2260
f	Pichler, J. (FRG)	10	2325
	Pickles, S. (AUS)	0	2210
	Piechocki, F. (POL)	3	2250
	Piedra, A. (ARG)	0	2205
	Pieniazek, An. (POL)	6	2260
	Pieniazek, Ar. (POL)	9	2345
	Pieper, Th. (FRG)	0	2250
f	Pieper-Emden, C. (FRG)	29	2390
m	Pieterse, G. (NLD)	8	2400
f	Pigott, J. C. (ENG)	4	2370
g	Pigusov, E. (URS)	27	2560
g	Piket, J. (NLD)	53	2540
f	Piket, M. (NLD)	8	2360
	Pikula, D. (JUG)	0	2260
f	Pilarte, R. (NCG)	13	2230
	Pilgaard, K. (DEN)	1	2270
	Pilnick, C. (USA)	0	2265
	Pilot, J. (POL)	3	2235
m	Pils, W. (OST)	0	2355
	Pilz, D. (OST)	0	2300
f	Pina, A. (MEX)	0	2295
m	Pinal, N. B. (CUB)	9	2330
	Pinchuk, S. T. (URS)	6	2385
	Pineau, J. (JAP)	0	2280
	Pineda, B. (SAL)	0	2225
f	Pinheiro, J. (POR)	0	2255
m	Pinkas, K. (POL)	17	2350
	Pinnel, P. (FRG)	10	2215
g	Pinter, J. (HUN)	18	2560
	Pinto, Marc. (CHI)	2	2250
	Pinto, Mark A. (USA)	0	2210
f	Pioch, Th. (FRG)	7	2245
	Pioch, Z. (POL)	9	2245
	Piorecki, M. (POL)	8	2230
	Piper, M. (ENG)	15	2305
f	Pira, D. (FRA)	4	2330
m	Pirisi, G. (HUN)	23	2390
	Piroska, I. (HUN)	4	2270
f	Pirrot, D. (FRG)	5	2355
f	Pirttimaki, T. (FIN)	12	2290
m	Pisa Ferrer, J. (ESP)	0	2350
f	Piscicelli, D. (ARG)	3	2290
	Piskorz, H. (POL)	0	2225
	Piskov, Y. (URS)	33	2440
	Pismany, V. (ISL)	7	2240
	Pisulinski, J. (POL)	33	2365
	Piwowarczyk, P. (POL)	0	2230
	Pla, S. (ARG)	0	2215
g	Plachetka, J. (CSR)	54	2430
	Plachetka, T. (CSR)	13	2215
g	Planinc, A. (JUG)	0	2415
	Plank, F. (OST)	0	2255
g	Plaskett, J. (ENG)	19	2460
	Platt, I. (ISL)	3	2255
	Plecsko, Z. (HUN)	3	2210
	Plesec, D. (JUG)	22	2335
	Plewe, T. (FRG)	0	2205
m	Pliester, L. (NLD)	16	2380
	Plinta, E. (POL)	0	2295
	Ploetz, W. (FRG)	0	2265
	Ploner, F. (OST)	0	2250
f	Pocuca, B. (JUG)	0	2280
m	Podgaets, M. (URS)	0	2450
	Podkrajsek, J. (JUG)	0	2225
f	Podlesnik, B. (JUG)	40	2400
	Podvrsnik, M. (JUG)	19	2310
m	Podzielny, K. H. (FRG)	0	2430
f	Poecksteiner, J. (OST)	2	2215
	Poeltl, Th. (OST)	11	2250
	Poettinger, H. (OST)	0	2265
f	Pogats, J. (HUN)	0	2305
	Pogorelov, R. (URS)	6	2365
	Pohl, J.-U. (FRG)	1	2245
f	Pojedziniec, W. (POL)	0	2280
	Pokhla, G. A. (URS)	7	2340
m	Pokojowczyk, J. (POL)	10	2360
	Pokorny, Z. (CSR)	0	2305
	Polacek, J. (CAN)	0	2235
f	Polaczek, R. (BEL)	19	2400
m	Polajzer, D. (JUG)	15	2355
m	Polasek, J. (CSR)	13	2365
	Poldauf, D. (DDR)	26	2375
	Poleksic, M. (JUG)	16	2235
f	Polgar, I. (HUN)	9	2430
f	Pollard, A. (USA)	0	2320
	Polo, V. (ESP)	0	2215
m	Poloch, P. (CSR)	0	2390
	Polovina, N. (JUG)	0	2225
m	Polovodin, I. A. (URS)	0	2430
g	Polugaevsky, L. (URS)	20	2585
f	Polyak, I. (HUN)	0	2305
	Polyakin, V. (USA)	10	2260
g	Pomar Salamanca, A. (ESP)	0	2350
	Pomes, J. (ESP)	25	2385
	Pons, S. (ESP)	0	2310
	Poor, I. (HUN)	0	2240
	Poor, S. (HUN)	2	2275
m	Popchev, M. (BLG)	52	2425
	Popela, P. (CSR)	0	2255
	Popescu, D. (ROM)	0	2225
	Popiolek, H. (POL)	16	2240
m	Popov, L. (BLG)	5	2435
m	Popov, P. (BLG)	23	2380
f	Popov, S. (JUG)	0	2350
	Popov, Ve. (JUG)	14	2310
	Popov, Vl. (BLG)	0	2260
	Popovic, Dj. (JUG)	9	2270
	Popovic, M. (JUG)	12	2275
g	Popovic, P. (JUG)	43	2550
	Popovic, Z. (JUG)	0	2230
f	Popovych, O. (USA)	11	2280
f	Porfiriadis, S. (GRC)	0	2325
	Portenschlager, P. (OST)	0	2240
m	Portisch, F. (HUN)	33	2395
f	Portisch, G. (HUN)	9	2315
g	Portisch, L. (HUN)	16	2600
	Posa, N. (HUN)	14	2285
	Posch, W. (OST)	0	2250
	Poschel, P. (USA)	0	2260
	Posnik, K. (POL)	0	2210
	Potick, C. (ARG)	0	2280
	Potts, A. (ENG)	0	2290
	Potts, K. (USA)	4	2285

f	Poulsen, A. (DEN)	0	2310
f	Poulsson, E. (NOR)	0	2340
f	Pountzas, H. (GRC)	0	2310
m	Povah, N. E. (ENG)	0	2380
	Powell, J. (JAM)	0	2205
	Pozarek, S. J. (USA)	0	2235
	Pozzi, E. (ITA)	0	2295
	Prahov, V. (BLG)	0	2320
m	Prandstetter, E. (CSR)	19	2405
m	Prasad, D. V. (IND)	37	2395
	Praszak, M. (POL)	44	2245
	Praud, J. L. (FRA)	9	2265
	Praznik, A. (JUG)	0	2290
	Preiss, M. (FRG)	9	2270
f	Preissmann, E. (SWZ)	9	2310
	Preker, H.-J. (FRG)	0	2225
	Prentos, K. (GRC)	13	2240
	Presznyak, I. (HUN)	0	2205
m	Pribyl, J. (CSR)	24	2400
	Pribyl, M. (CSR)	3	2220
f	Prie, E. (FRA)	41	2405
	Priehoda, V. (CSR)	13	2365
	Primavera, R. (ITA)	0	2280
	Pripis, F. (URS)	0	2310
m	Pritchett, C. W. (SCO)	12	2360
	Privara, I. (CSR)	0	2260
	Privman, B. (USA)	0	2285
f	Prizmic, M. (JUG)	0	2295
	Probola, G. (POL)	0	2245
	Prochownik, F. (POL)	0	2295
m	Prodanov, D. (BLG)	0	2330
	Prohorov, V. (JUG)	0	2230
	Proost, D. (BEL)	0	2275
	Prosev, G. (JUG)	0	2240
	Prosser, F. (ITA)	10	2250
	Prundeanu, H. (ROM)	0	2205
	Prymula, R. (CSR)	9	2270
	Przedmojski, R. (POL)	17	2260
m	Przewoznik, J. (POL)	23	2390
	Przybylski, P. (POL)	0	2260
	Przyrek, T. (POL)	0	2210
	Przysiecki, K. (POL)	0	2230
g	Psakhis, L. (URS)	64	2565
	Psaras, S. (GRC)	4	2265
g	Puc, S. (JUG)	0	2255
	Pucheta, R. (ARG)	0	2275
	Puelma, R. (CHI)	8	2225
	Puhm, A. (FRA)	12	2220
	Pulkkinen, K. (FIN)	0	2255
	Pupols, V. (USA)	7	2210
	Purba, D. (RIN)	0	2205
	Purdy, J. S. (AUS)	0	2250
	Purgin, N. (URS)	8	2305
f	Puri, V. (CAN)	0	2285
f	Puscasiu, O. (ROM)	0	2350
f	Puschmann, L. (HUN)	0	2340
	Putanec, V. (JUG)	3	2215
	Pyda, Z. (POL)	7	2280
	Pyernik, M. (ISL)	5	2230
f	Pyhala, A. (FIN)	20	2385
m	Pytel, K. (FRA)	19	2390

Q

m	Qi, Jinguan (PRC)	0	2405
	Qian, Ji-Fu (PRC)	0	2220
	Quendro, L. (ALB)	0	2295
	Quigley, L. (USA)	0	2210
	Quillan, G. (ENG)	0	2280
	Quist, J. (NLD)	2	2270
	Qureshi, A. (PAK)	4	2230

R

m	Raaste, E. J. (FIN)	20	2375
	Rabiega, R. (FRG)	0	2345
	Rabovszky, Gy. (HUN)	0	2255
	Rabrenovic, V. (JUG)	24	2270
f	Rachels, S. (USA)	0	2385
	Rade, M. (JUG)	0	2240
	Radenkovic, D. (JUG)	3	2285
m	Radev, N. (BLG)	11	2350
f	Radibratovic, P. (JUG)	11	2305
	Radlovacki, J. (JUG)	21	2260
	Radmilovic, R. (JUG)	0	2415
f	Radnoti, B. (HUN)	12	2290
	Radocaj, D. (JUG)	8	2280
	Radoja, Dj. (JUG)	16	2300
f	Radonjanin, V. (JUG)	4	2285
f	Radosavljević, S. (JUG)	31	2285
	Radosevic, N. (JUG)	11	2230
	Radovanovic, R. (JUG)	0	2240
	Radovic, V. (JUG)	0	2255
m	Radovici, C. (ROM)	0	2365
m	Radulescu, C. (ROM)	19	2315
	Radulov, D. (BLG)	0	2270
g	Radulov, I. (BLG)	22	2450
	Radulovic, B. D. (JUG)	9	2260
	Radulovic, D. (JUG)	0	2335
	Radulski, J. (BLG)	2	2245
f	Radusin, B. (JUG)	5	2330
	Radwan, L. (POL)	0	2230
	Radziejewski, D. (POL)	0	2300
	Ragats, J. (HUN)	15	2225
	Ragozin, E. (URS)	5	2325
	Rahman, A. (BAN)	14	2225
f	Rahman, J. (BAN)	29	2220
f	Rahman, T. (BAN)	28	2260
f	Rahman, Z. (BAN)	51	2340
	Rahmani, Ch. (TUN)	0	2325
	Raiano, A. (ITA)	1	2245
f	Raicevic, I. (JUG)	19	2325
f	Raicevic, M. (JUG)	34	2375
g	Raicevic, V. (JUG)	70	2450
	Rajevic, G. (JUG)	3	2280
	Rajic, D. (JUG)	20	2250
g	Rajkovic, D. (JUG)	24	2465
	Rajkovic, Lj. (JUG)	6	2285
m	Rajna, Gy. (HUN)	39	2395
	Rajovic, M. (JUG)	0	2290
f	Rakic, B. (JUG)	0	2310
m	Rakic, T. (JUG)	22	2355
f	Rakowiecki, T. (POL)	29	2315
	Ralis, P. (CSR)	0	2325
	Ramas, L. (CUB)	0	2245
m	Ramayrat, C. (PHI)	0	2320
	Ramirez, B. (MEX)	0	2235
f	Ramirez, E. (ARG)	0	2300
f	Ramirez, J. M. (MEX)	0	2280
m	Ramos, D. (PHI)	9	2330
	Ramos, S. L. (USA)	0	2260
	Ramos Suria, F. (ESP)	3	2275
	Rangel, G. (MEX)	0	2220
g	Rantanen, Y. A. (FIN)	29	2380
f	Rao, V. (USA)	0	2360
	Rapatinski, K. (FRG)	15	2280
	Raphael, J. (TTO)	0	2220
	Rappa, D. (ARG)	0	2300
	Rasheed, A. (BAR)	0	2205
g	Rashkovsky, N. N. (URS)	44	2520
	Rasic, G. (JUG)	4	2225
	Rasidovic, S. (JUG)	8	2365
	Rasik, V. (CSR)	0	2365
	Rasmussen, K. (DEN)	0	2465
	Rasmussen, L. B. (LUX)	17	2280
	Raszka, J. (POL)	27	2295
	Rathore, S. K. (IND)	11	2265
f	Ratti, R. (ITA)	0	2325
	Rattinger, F. (OST)	0	2250
f	Raupp, Th. (FRG)	0	2345
	Rausch, R. (FRG)	10	2265
	Rausch, W. (FRG)	0	2255
	Rausis, I. (URS)	6	2450
	Rausz, A. (HUN)	16	2240
m	Ravi, L. (IND)	33	2410
m	Ravikumar, V. (IND)	0	2325
m	Ravisekhar, R. (IND)	37	2380
	Ravishankar, S. N. (IND)	0	2220
	Rayner, E. (SVE)	0	2310
g	Razuvaev, Y. S. (URS)	37	2545
	Re, L. (ARG)	0	2225
	Readey, J. (USA)	0	2285
m	Rechlis, G. (ISL)	11	2470
	Rechmann, P. (FRG)	13	2355
	Raddmann, H. (FRG)	6	2295
m	Redzepagic, R. (JUG)	17	2345
g	Ree, H. (NLD)	0	2460
m	Reefschlaeger, H. (FRG)	16	2395
m	Reeh, O. (FRG)	15	2430
m	Regan, K. (USA)	0	2405
f	Reichenbach, W. (FRG)	11	2280
f	Reicher, E. (ROM)	0	2315
	Reichman, A. (USA)	0	2235
	Reichmann, E. (OST)	0	2290
	Reilein, Ch. (FRG)	0	2320
	Reilly, T. (AUS)	9	2240
	Reinartz, G. (FRG)	0	2245
	Reinert, M. (DEN)	0	2310
	Reinhardt, B. (FRG)	0	2260
	Reissman, W. (FRG)	4	2215
f	Remlinger, L. (USA)	0	2380
m	Remon, A. (CUB)	26	2375
	Renaze L. (FRA)	9	2245
m	Renet, O. (FRA)	55	2515
	Rengarajan, S. (IND)	1	2245
m	Renman, N.-G. (SVE)	0	2410
f	Renna, T. (USA)	2	2365
f	Renner, Ch. (FRG)	9	2340
	Reprintsev, A. (URS)	7	2275
	Reschke, S. (FRG)	21	2265
	Resende, A. C. (BRS)	9	2315
g	Reshevsky, S. H. (USA)	21	2430
	Restas, P. (HUN)	0	2230
	Restifa, H. (ARG)	18	2330
	Reta, M. (ARG)	0	2220
	Reuther, E. (FRG)	9	2250
	Rewitz, P. (DEN)	7	2240
m	Rey, G. (USA)	0	2355

m	Reyes, J. (PER)	35	2420
	Reyes, R. (PHI)	5	2290
	Reyes Najera, C. A. (GUA)	0	2220
f	Reynolds, R. (USA)	4	2335
	Reynoso, R. (CUB)	0	2220
	Reznicek, J. (CSR)	0	2255
	Rezsek, Gy. (HUN)	1	2215
	Rhodin, B. (FRG)	0	2210
f	Rhodin, Ch. (FRG)	0	2255
	Ribeiro, J. M. (POR)	0	2290
g	Ribli, Z. (HUN)	50	2605
m	Ricardi, P. (ARG)	15	2375
	Ricetto, A. (URU)	0	2230
	Richagov, M. (URS)	11	2425
	Richard, R. (USA)	0	2210
	Richards, B. (USA)	0	2220
	Richmond, P. (WLS)	0	2210
	Rihter, D. (FRG)	4	2225
	Richter, K. (FRG)	9	2285
f	Riedel, W. (FRG)	0	2290
	Rieke, Th. (FRG)	0	2250
m	Riemersma, L. (NLD)	38	2360
	Rigan, J. (HUN)	17	2255
m	Rigo, J. (HUN)	13	2390
	Riha, V. (CSR)	0	2305
	Riis, S. (DEN)	0	2300
f	Rimawi, B. T. (JRD)	0	2230
m	Rind, B. (USA)	0	2380
	Riquelme Valero, D. (ESP)	0	2205
f	Ristic, Neb. (JUG)	23	2325
m	Ristic, Nen. (JUG)	37	2430
	Ristic, P. (JUG)	0	2210
	Ristoja, Th. W. (FIN)	11	2270
f	Ritter, M. (USA)	0	2255
	Rittiphunyawong, A. (TAI)	0	2240
g	Rivas Pastor, M. (ESP)	19	2520
	Rivello, R. (ITA)	0	2225
f	Rivera, A. (CUB)	10	2325
	Rivera, D. (URU)	21	2310
	Rivera, Y. (CHI)	0	2215
m	Rizzitano, J. (USA)	4	2425
	Robak, Z. (POL)	11	2280
g	Robatsch, K. (OST)	0	2400
	Robert, A. (SWZ)	6	2215
	Robovic, S. (JUG)	7	2365
f	Roca, A. (ARG)	7	2345
	Roca, P. (PHI)	0	2335
m	Rocha, A. (BRS)	46	2340
f	Rodas Martini, P. (GUA)	0	2295
	Rodgaard, J. (FAI)	0	2360
	Rodriguez, A. (URU)	19	2295
f	Rodriguez, Al. (ARG)	0	2315
g	Rodriguez, Am. (CUB)	21	2505
	Rodriguez, An. (ESP)	16	2335
	Rodriguez, Ar. (CUB)	0	2240
m	Rodriguez, D. M. (COL)	0	2445
f	Rodriguez, J. (ARG)	0	2265
g	Rodriguez, O. (PER)	16	2465
f	Rodriguez, P. (CUB)	10	2325
m	Rodriguez, R. (PHI)	0	2425
m	Rodriguez Cordoba, J. R. (CUB)	0	2295
f	Rodriguez Talavera, J. C. (ESP)	12	2385
	Rodriguez (VEN)	0	2235
	Roe, S. J. (ENG)	0	2275
f	Roeder, F. (FRG)	9	2355
f	Roeder, G. (FRG)	9	2300
m	Roeder, M. (FRG)	24	2435
f	Roehri, K. (OST)	0	2300
f	Roemer, U. (FRG)	3	2275
	Roepert, A. (FRG)	0	2460
	Roesch, A. (DDR)	13	2335
	Roeschlau, B. (FRG)	50	2290
	Roese, O. (FRG)	11	2345
	Roesler, M. (DDR)	0	2270
	Rogalewicz, J. (POL)	0	2290
	Rogemont, A. (FRA)	0	2235
g	Rogers, I. (AUS)	46	2470
	Rogers, J. (ENG)	0	2335
	Rogic, D. (JUG)	15	2270
	Rogowski, J. (POL)	0	2300
m	Rogulj, B. (JUG)	26	2395
g	Rohde, M. A. (USA)	8	2550
	Rohde, U. (FRG)	0	2280
f	Rojas Sepulveda, E. (CHI)	0	2315
	Rojas Sepulveda, J. (CHI)	4	2310
	Rojo, G. (ESP)	0	2330
	Rolletschenk, H. (USA)	5	2405
	Rolston, A. (BRB)	0	2205
	Rolvag, M. (NOR)	3	2260
	Roman, F. (ARG)	0	2220
g	Romanishin, O. M. (URS)	44	2515
	Rombaldoni, A. (ITA)	0	2285
	Romero, R. (MEX)	0	2265
m	Romero Holmes, A. (ESP)	19	2430
	Romm, M. (ISL)	4	2305
	Roofdhooft, M. (BEL)	2	2295
m	Roos, D. (FRA)	16	2380
f	Roos, J. L. (FRA)	12	2305
m	Roos, L. (FRA)	8	2325
	Roos, Th. (FRG)	0	2270
f	Roose, J. (BEL)	0	2365
m	Root, D. (USA)	7	2450
	Rosch, H. (PAN)	0	2205
f	Rosen, B. (FRG)	0	2305
	Rosen, W. (FRG)	0	2265
f	Rosenberger, B. (FRG)	9	2300
	Rosenlund, Th. (DEN)	0	2310
m	Rosentalis, E. (URS)	49	2505
	Rosenthal, D. (DDR)	0	2280
	Rosenthal, J. (SWZ)	0	2215
	Rosiak, A. (POL)	26	2365
	Rosic, S. (JUG)	3	2280
	Rosich, A. (ESP)	0	2220
	Rosin, W. (FRG)	0	2230
f	Rosino, A. (ITA)	0	2320
f	Rosito, J. (ARG)	6	2270
	Roska, B. (JUG)	4	2235
f	Ross, D. (CAN)	1	2340
	Ross, P. (CAN)	0	2260
f	Rosseli, M. B. (URU)	0	2290
	Rossetti, M. (ARG)	0	2235
g	Rossetto, H. (ARG)	0	2310
f	Rossi, C. (ITA)	8	2330
f	Rossiter, Ph. J. (ENG)	0	2320
f	Rossmann, H. (DDR)	7	2265
	Rosta, S. (HUN)	7	2235
f	Rostalski, W. (FRG)	2	2270
	Roszczenda, P. (POL)	0	2260
	Roth, J. (FRG)	0	2305
f	Roth, P. (OST)	2	2355
f	Roth, R. (SWZ)	8	2290
f	Rother, Ch. (FRG)	0	2360
	Rotstein, A. (URS)	26	2340
	Rottstaedt, W. (FRG)	0	2265
f	Rovid, K. (HUN)	0	2305
f	Rowley, R. (USA)	7	2400
	Rozental, D. (DDR)	0	2305
	Rozental, M. (ISL)	0	2345
	Rozsa, S. (HUN)	0	2265
	Ruban, V. (URS)	57	2515
	Rubensan, H. (DDR)	0	2270
	Rubin, D. (USA)	0	2270
m	Rubinetti, (ARG)	0	2460
	Rubio Purrinos, H. (ESP)	4	2240
	Ruckschloss, K. (CSR)	0	2255
m	Rudenskij, N. (URS)	0	2205
	Rueetschi, U. (SWZ)	0	2245
f	Ruefenacht, M. (SWZ)	0	2315
f	Ruehrig, V. (FRG)	14	2325
	Ruf, M. (FRG)	25	2330
	Rufer, M. (FRG)	9	2250
	Ruisinger, W. (FRG)	0	2225
	Ruiz, A. (COL)	0	2240
	Ruiz, G. J. (MEX)	0	2275
	Ruiz, J. H. (ESP)	9	2315
	Ruiz Gutierrez, M. (ESP)	0	2230
m	Rukavina, J. (JUG)	39	2455
f	Rumens, D. E. (ENG)	0	2255
f	Runau, R. (FRG)	2	2335
	Runnby, J. (SVE)	0	2250
	Rupf, I. (FRG)	0	2250
	Ruppaner, J. (HUN)	0	2255
	Rush, J. (PNG)	0	2205
	Rusomanov, A. (JUG)	4	2230
	Russek, G. (MEH)	0	2300
	Rustler, M. (FRG)	13	2230
	Ruthenberg, H. (FRG)	13	2285
	Ruxton, K. (SCO)	9	2325
	Rybak, M. (CSR)	0	2305
	Rychagov, M. (URS)	0	2385
	Rumaszewski, D. (POL)	0	2230
	Rzasa, J. (POL)	1	2270

S

f	Saacke, B. (FRG)	0	2300
	Sabao, R. (ARG)	0	2275
	Sabas, J. (ARG)	0	2255
	Sabi, Y. (ISL)	6	2315
	Sack, B. W. (FRG)	0	2320
m	Sadiku, B. (JUG)	4	2280
m	Sadler, M. (ENG)	16	2455
	Saeed, Naj. M. (UAE)	0	2205
m	Saeed, Nass. A. (UAE)	0	2350
m	Saeed, S.-A. (UAE)	0	2435
	Safin, S. (URS)	0	2365
	Safiye, Y. (JUG)	11	2250
	Sahlender, F. (FRG)	0	2235
g	Sahovic, D. (JUG)	35	2370

	Sahu, S. Ch. (IND)	22	2225
	Said, M. (PAL)	0	2245
m	Saidy, A. F. (USA)	0	2405
	Sajko, Cz. (POL)	0	2255
	Sakac, D. (JUG)	0	2235
	Sakho, D. (SEN)	0	2205
	Salai, L. (CSR)	0	2350
f	Salanki, E. (HUN)	23	2270
m	Salazar, H. (CHI)	9	2345
	Sale, S. (JUG)	10	2335
	Saleh, N. (UAE)	15	2215
f	Salgado, R. R. (USA)	4	2305
	Salinas, J. (USA)	11	2255
	Salman, N. (USA)	0	2370
	Salo, H. (FIN)	0	2235
g	Salov, V. (URS)	22	2645
	Saltaev, M. (URS)	24	2415
	Saltzberg, M. (USA)	0	2215
	Samardzic, I. (JUG)	0	2300
	Samarian, S. (FRG)	0	2260
	Samarin, I. (URS)	0	2370
	Samborski, H. (POL)	8	2235
	Samer, M. I. (IRQ)	0	2330
	Samimi, A. (USA)	0	2255
	Sammut Briffa, P. (MLC)	0	2205
f	Samovojska, D. (JUG)	21	2415
	Samuelsson, S.-G. (SVE)	1	2205
	Samur, A. (ARG)	0	2305
	San Claudio, F. (ESP)	0	2215
	San Marco, B. (FRA)	15	2305
f	San Segundo, P. (ESP)	13	2375
f	Sanchez, F. (ARG)	0	2305
f	Sanchez Almeyra, J. (ARG)	4	2350
m	Sanchez Guirado, F. (ESP)	15	2350
	Sander, J. (FRG)	0	2285
f	Sandic, V. (JUG)	34	2385
	Sandkamp, R. (FRG)	0	2220
	Sandmeier, T. (FRG)	0	2255
	Sandor, T. (HUN)	0	2230
	Sends, D. (ENG)	4	2265
	Sandstrom, L. (SVE)	18	2320
f	Sanna, G. (ITA)	0	2370
	Sansonetti, G. (ITA)	11	2260
	Santa Torre, J. (PRO)	29	2235
	Santacruz, C. S. (PAR)	0	2255
f	Santacruz, F. (PAR)	0	2315
	Santamaria, V. (AND)	0	2225
m	Santo-Roman, M. (FRA)	14	2375
	Santos, A. P. (POR)	0	2280
f	Santos, J. P. (POR)	0	2370
m	Santos, L. (POR)	0	2395
m	Sanz Alonso, F. J. (ESP)	16	2410
	Sapi, J. (HUN)	0	2255
m	Sapi, L. (HUN)	12	2340
	Sapis, W. (POL)	37	2385
m	Sarapu, O. (NZD)	11	2330
f	Sarfati, J. D. (NZD)	0	2325
m	Sariego, W. (CUB)	22	2395
	Saripov, S. (URS)	0	2350
	Sarkosy, L. (CSR)	0	2285
	Sarmiento, B. A. (ESP)	15	2225
f	Sarno, S. (ITA)	14	2295
f	Sarosi, Z. (HUN)	16	2270
	Sarsam, S. A. (IRQ)	0	2270

	Sartori, S. (ITA)	0	2230
	Sarwar, T. (PAK)	0	2205
m	Sarwinski, M. (POL)	19	2370
	Sass, V. (HUN)	0	2305
	Sastru, V. V. (IND)	0	2220
f	Sasvari, Z. (JUG)	0	2315
	Satyanarayanan, V. (IND)	0	2215
f	Savage, A. G. (USA)	0	2315
	Savcenko, S. (USA)	56	2395
	Savic, Dragan (JUG)	19	2210
	Savic, Dragoljub (JUG)	4	2285
	Savic, M. (JUG)	10	2260
f	Savin, D. (ROM)	0	2325
g	Savon, V. A. (URS)	41	2465
	Savovic, D. (JUG)	0	2280
	Savva, A. (CYP)	0	2205
	Sawadkuhi, M. A. (FRG)	0	2240
g	Sax, Gy. (HUN)	42	2580
	Scepanovic, L. (JUG)	0	2215
	Schaack, H. (FRG)	12	2290
f	Schacht, H. (FRG)	0	2305
	Schadler, M. (LIH)	0	2205
	Schaefer, M. (FRG)	8	2345
	Schaefer, N. (FRG)	20	2265
	Schaerer, H. P. (SWZ)	0	2215
	Schalfarth, P. (FRG)	16	2225
	Schain, R. (USA)	3	2285
	Schall, A. (FRA)	14	2270
m	Schandorff, L. (DEN)	33	2455
f	Schaufelberger, H. (SWZ)	0	2305
f	Schauwecker, M. (SWZ)	0	2380
	Schea, R. (USA)	0	2270
	Schebler, G. (FRG)	13	2300
m	Scheeren, P. (NLD)	0	2435
f	Scheipl, R. (FRG)	0	2315
	Schellhorn, W. (FRG)	0	2220
	Schenker, M. (SWZ)	0	2205
	Schepel, K. (HKG)	0	2240
	Schepp, Z. (HUN)	4	2250
	Schienmann, B. (FRG)	13	2250
f	Schifferdecker, W. (FRG)	0	2310
	Schiller, E. (USA)	0	2270
	Schindler, W. (FRG)	0	2295
	Schinis, M. (CYP)	0	2230
m	Schinzel, W. (POL)	0	2380
	Schirm, F. (FRG)	0	2285
	Schlagenhauf, M. (NOR)	0	2250
	Schlamp, R. (FRG)	0	2235
	Schlaugat, M. (FRG)	0	2230
	Schlehoefer, R. (FRG)	0	2310
	Schleifer, M. (CAN)	0	2210
	Schlemermeyer, W. (FRG)	31	2385
	Schlenker, J. (FRG)	9	2205
	Schlenker, R. (FRG)	0	2260
	Schlesinger, O. (FRG)	0	2215
	Schlichtmann, G. (FRG)	10	2250
	Schlick, V. (FRG)	9	2295
m	Schlosser, M. (OST)	20	2430
f	Schlosser, Ph. (FRG)	30	2475
	Schlueter, W. (FRG)	0	2275
	Schmeidler, M. (FRG)	9	2215
	Schmid, G. (FRG)	0	2315
f	Schmid, W. (FRG)	5	2240
f	Schmidt, B. (FRG)	1	2315

	Schmidt, G. (FRG)	0	2270
	Schmidt, K. (DEN)	0	2330
	Schmidt, L. (JAP)	0	2260
	Schmidt, S. (FRG)	0	2285
g	Schmidt, Wl. (POL)	54	2465
	Schmidt, Wolfgang (FRG)	0	2225
f	Schmidt, Wolfgang (FRG)	0	2340
	Schmieke, M. (FRO)	0	2280
	Schmitt, A. (FRG)	0	2220
m	Schmittdiel, E. (FRG)	52	2435
	Schmitz, M. (FRG)	0	2245
f	Schmitzer, H. (FRG)	0	2310
	Schmitzer, K. (FRG)	25	2305
	Schmoelzing, M. (FRG)	0	2320
m	Schneider, A. (HUN)	21	2395
m	Schneider, Bernd (FRG)	49	2475
f	Schneider, Bernd (FRG)	9	2280
	Schneider, Bernhard (FRG)	32	2230
	Schneider, F. (DDR)	0	2240
m	Schneider, L.-A. (SVE)	19	2420
	Schneider, M. (OFT)	6	2265
	Schneiders, A. (NLD)	6	2230
	Schoch, H. (SWZ)	0	2235
	Schoebel, W. (FRG)	11	2300
m	Schoen, W. (FRG)	58	2360
	Schoene, R. (DDR)	0	2310
f	Schoeneberg, M. (DDR)	0	2320
f	Schoentier, F. (FRG)	0	2340
f	Schoeppl, E. (OST)	0	2315
	Scholseth, T. K. (NOR)	0	2285
f	Scholz, G. S. (FRA)	9	2385
	Schoof, M. (FRG)	0	2280
	Schorr, L. (VEN)	0	2235
	Schrancz, I. (HUN)	7	2270
	Schreiner, R. (FRG)	0	2255
	Schroeder, Ch. (FRG)	14	2255
m	Schroer, J. (USA)	2	2395
f	Schroll, G. (OST)	9	2250
	Schubert, Ch. (FRG)	0	2285
	Schueller, E. (OST)	0	2220
	Schuermann, Th. (FRG)	0	2255
	Schuermans, R. (BEL)	4	2290
f	Schuetz, Th. (FRG)	11	2310
f	Schuh, F. (OST)	11	2290
f	Schuh, H. (FRG)	9	2375
f	Schulien, Ch. (USA)	0	2320
f	Schulte, O. (FRG)	22	2405
	Schulte-Bartold, C. (FRG)	0	2305
	Schulz, Jan. (FRG)	0	2255
	Schulz, Ju. (FRG)	0	2275
m	Schulz, K.-J. (FRG)	29	2350
	Schulze, U. (FRG)	7	2370
	Schumacher, H. (BEL)	2	2220
	Schumi, M. (OST)	20	2260
	Schunk, Th. (FRG)	0	2235
f	Schurade, M. (DDR)	0	2385
g	Schussler, H. (SVE)	2	2540
	Schwaegli, B. (SWZ)	4	2260
f	Schwamberger, M. (FRG)	0	2315
f	Schwanek, C. (ARG)	9	2385
	Schwartz, A. J. (NLD)	0	2225
	Schwartzman, G. (ROM)	37	2210
	Schwarz, A. (ISL)	0	2230
m	Schweber, S. (ARG)	3	2375

Schwicker, F. (FRA)	3	2245
f Schwiep, J. (CUB)	0	2330
Sciborowski, M. (POL)	9	2260
Seba, K. (ALG)	0	2205
Seberry, R. (AUS)	0	2205
Sebez, M. (JUG)	0	2280
Secheli, Gh. (ROM)	0	2260
Sedlak, I. (JUG)	0	2220
Seegers, H. (FRG)	0	2405
Seelinger, L. (FRG)	0	2275
m Segal, A.S. (BRC)	10	2370
Segers, R. (NLD)	3	2250
f Segi, L. (JUG)	0	2325
m Sehner, N. (FRG)	16	2410
Seibold, H. (FRG)	13	2210
f Seifert, H. (POL)	20	2285
f Seifert, M. (CSR)	6	2285
Seils, J. (DDR)	0	2255
g Seirawan, Y. (USA)	25	2585
f Seitaj, I. (ALB)	0	2365
Sek, J. (POL)	2	2230
f Sek, Z. (POL)	18	2285
Sekelj, G. (JUG)	1	2250
f Sekulic, D. (JUG)	55	2335
f Sekulic, V. (JUG)	2	2320
Sel, C. (TRK)	7	2265
m Sellos, D. (FRA)	35	2425
Selvermoser, B. (FRG)	9	2310
Semakoff, A. (NOR)	6	2230
Semczuk, J. (POL)	0	2230
Semeniuk, A.A. (URS)	6	2350
Semenov, A. (JUG)	0	2335
Semenov, V. (URS)	0	2300
m Semkov, S. (BLG)	36	2430
Sendera, J. (POL)	22	2380
Senkiewicz (VGB)	0	2270
Senner, P. (FRG)	9	2270
Sepp, O. (URS)	11	2370
Seppelt, A. (FRG)	4	2220
Seppeur, R. (FRG)	0	2265
Sepulveda, L. (CHI)	9	2245
f Sequeira, J.F.A. (POR)	0	2285
Serdarovic, M. (JUG)	2	2300
Seredenko, V. (URS)	0	2370
Seres, B. (HUN)	10	2315
m Seret, J.-L. (FRA)	18	2380
Sergyan. O. (HUN)	4	2215
f Sermek, D. (JUG)	19	2320
m Serper, G. (URS)	19	2420
Serpi, A. (ITA)	0	2230
Serrano Marhuenda, S. (ESP)	0	2255
Serrer, Ch. (FRG)	8	2245
Sertic, D. (USA)	0	2260
f Servat, R. (ARG)	17	2445
Serwinski, B. (POL)	0	2300
f Setterqvist, K. (SVE)	0	2315
f Seul, G. (FRG)	10	2355
Sevcik, V. (CSR)	2	2285
m Sevillano, E. (PHI)	0	2355
f Sevo, D. (JUG)	0	2315
f Seyb, D. (FRG)	0	2300
Seyffer, B. (FRG)	0	2220
Shabalov, A. (URS)	47	2470
Shabanov, Y. (URS)	0	2385
Shaboian, V. (URS)	0	2245
f Shabtai, R. (ISL)	17	2335
f Shadarevian, M. (SYR)	0	2335
f Shahade, M. (USA)	2	2315
Shahin, J. (LIB)	0	2205
Shahtahtinskij, A. (URS)	15	2365
g Shamkovich, L. (USA)	18	2425
Shantharam, K.V. (IND)	40	2305
f Shapiro, D.E. (USA)	4	2345
Sharafuldin, B. (IND)	0	2235
m Sharif, Me. (FRA)	12	2420
Sharif, Mo. (UEA)	0	2240
Sharma, R.L. (IND)	21	2220
Sharma, Sh.P. (IND)	12	2210
m Shaw, T.I. (AUS)	0	2285
Shcherbakov, R. (URS)	7	2360
Shcherbakov, V. (URS)	5	2300
Shemer, Y. (ISL)	9	2290
Shenoy, B. (IND)	0	2325
Sher, B. (PAK)	0	2205
Sher, M.N. (URS)	40	2470
Sherf, R. (ISL)	3	2220
f Sherzer, A. (USA)	0	2360
Shetty, R. (IND)	0	2260
Shibut, M. (USA)	0	2270
Shikerov, S. (BLG)	0	2255
Shintani, S. (JAP)	0	2205
m Shipman, W. (USA)	5	2330
m Shirazi, A. (USA)	9	2395
Shirov, K. (URS)	57	2495
Shishkin, V. (URS)	16	2250
Shlekis, E. (URS)	10	2295
m Shneider, A. (URS)	25	2495
Shocron, R. (USA)	0	2275
g Short, N.D. (ENG)	45	2660
Short, Ph.M. (IRL)	0	2310
f Shovel, K. (ENG)	0	2270
Shpilker, B. (URS)	0	2360
m Shrentzel, I. (ISL)	0	2390
f Shrentzel, M. (ISL)	0	2325
Shterenberg, P. (ISL)	0	2335
f Shtern, I. (USA)	0	2280
Shukin, E. (BLG)	9	2250
Shulman, V. (URS)	2	2295
m Shvidler, E. (ISL)	30	2400
Si, Ignatius. (MAL)	0	2215
f Sibarevic, M. (JUG)	17	2380
f Sibilio, M. (ITA)	13	2325
f Sick, O. (FRG)	5	2345
Sideif-Sade, F. (URS)	5	2385
Sidhoum, J. (FRA)	10	2250
f Siegel, G. (FRG)	0	2285
f Sieglen, J. (FRG)	12	2350
m Sieiro-Gonzalez, L. (CUB)	23	2360
Siekanski, J. (POL)	15	2365
Siem, B.-D. (FRG)	10	2220
Siemers, J. (FRG)	0	2235
Sievers, S. (FRG)	13	2255
f Sifrer, D. (JUG)	0	2355
Sigfusson, S.D. (ISD)	21	2370
g Sigurjonsson, G. (ISD)	0	2465
Sihadinovic, A. (JUG)	6	2285
f Siklosi, Z. (HUN)	26	2375
m Sikora-Lerch, J. (CSR)	13	2380
m Silman, J.D. (USA)	14	2395
m Silva, F. (POL)	0	2265
Silva, M. (COL)	0	2315
Silva Nazzari, R. (URU)	0	2220
f Silva Sanchez, C. (CHI)	0	2370
Silva-Morales, A. (COL)	16	2335
Simango, G. (ZAM)	0	2205
Simanjuntak, S. (RIN)	0	2285
Simeonov, S. (BLG)	34	2390
Simic, D. (JUG)	0	2245
Simic, M. (JUG)	6	2210
g Simic, R. (JUG)	30	2460
f Simic, S. (JUG)	16	2270
Simic, Z. (JUG)	0	2255
Simoli, S. (ITA)	0	2225
Simon, R.-A. (FRG)	52	2300
Simon, S. (JUG)	0	2275
Simonovic, A. (JUG)	0	2265
f Simonyi, Z. (JUG)	6	2305
Simuncic, M. (JUG)	0	2225
Sinadinovic, A. (JUG)	9	2340
Sinanovic, M. (JUG)	6	2335
m Sindik, E. (JUG)	0	2355
Sindjic, M. (JUG)	0	2320
f Singer, H. (OST)	2	2275
Singh, R. (IND)	0	2315
Singh, S.D. (ENG)	0	2225
Singh, S.J. (ENG)	9	2300
Singla, H. (IND)	0	2245
Sinha, A.K. (IND)	0	2225
Sinica, J. (POL)	0	2250
m Sinkovics, P. (HUN)	22	2330
Sinowjew, J. (URS)	8	2250
Sinprayoon, P. (TAI)	0	2245
Sinulingga, M. (RIN)	0	2295
f Sion Castro, M. (ESP)	11	2320
Sirias, D. (NCG)	0	2260
Sirotanovic, O. (JUG)	21	2270
m Sisniega, M. (MEX)	0	2440
f Sitanggang, S. (RIN)	0	2390
Sixtensson, M. (SVE)	0	2210
f Sjoberg, M. (SVE)	0	2365
Sjodahl, P. (SVE)	4	2280
Skalik, P. (POL)	30	2260
m Skalkotas, N. (GRC)	9	2340
f Skalli, K. (MRC)	0	2235
m Skembris, S. (GRC)	27	2420
Sket, D. (JUG)	0	2210
Skiadopoulos, N. (GRC)	0	2235
Skoko, M. (JUG)	8	2245
Skora, W. (POL)	0	2250
Skoro, S. (JUG)	3	2205
Skoularikis, F. (GRC)	0	2205
Skrcevski, G. (JUG)	0	2245
m Skrobek, R. (POL)	20	2430
Skrzypczak, J. (POL)	0	2245
Skudnov, S. (URS)	9	2330
Slak, M. (JUG)	0	2210
Slavov, D. (BLG)	3	2265
Sledziewski, J. (POL)	0	2260
Slimani, A. (ALG)	0	2240
f Slipak C.S. (ARG)	5	2360
m Sliwa, B. (POL)	0	2265
Slogar, D. (JUG)	3	2330
f Sloth, J. (DEN)	0	2360
Slutzkin, U. (ISL)	0	2245
g Smagin, S. (URS)	46	2535
Small, S. (ENG)	0	2245

m	Small, V. A. (NZD)	0	2390
	Smart, L. (ENG)	0	2235
m	Smederevac, P. (JUG)	0	2245
g	Smejkal, J. (CSR)	34	2545
	Smirin, I. (URS)	42	2530
	Smith, A. A. (ENG)	0	2275
	Smith, R. W. (NZD)	0	2250
	Smoczynski, M. (POL)	0	2205
	Smuga, S. (POL)	3	2265
g	Smyslov, V. (USR)	24	2565
	Snorri, B. (ISD)	0	2225
	Soares, C. (BRS)	0	2270
	Sobek, J. (CSR)	0	2285
	Sobolewski, P. (POL)	3	2305
	Sobura, H. (POL)	23	2330
	Socha, Cz. (POL)	4	2245
f	Socha, K. (POL)	0	2315
	Soffer, R. (ISL)	27	2415
m	Sofrevski, J. (JUG)	5	2400
	Sogaard, S. (DEN)	0	2340
	Sokol, D. (JUG)	0	2255
	Sokol, Z. (POL)	0	2215
	Sokolin, L. (URS)	5	2395
g	Sokolov, A. (URS)	10	2595
g	Sokolov, I. (JUG)	56	2525
	Sokolov, S. M. (JUG)	0	2370
f	Sokolov, V. (JUG)	0	2310
	Sokolowski, R. (POL)	0	2240
	Sokolowski, S. (POL)	9	2230
	Solak, Z. (JUG)	6	2230
f	Solana, E. (ESP)	9	2310
	Sollars, C. (MLT)	0	2255
	Solmundarsson, M. (ISD)	0	2270
	Solomon, A. (ROM)	0	2235
f	Solomon, S. J. (AUS)	9	2385
	Solonar, S. (URS)	0	2315
	Solorzano, R. (MEX)	0	2275
	Solozhenkin, E. (URS)	0	2405
g	Soltis, A. E. (USA)	22	2410
	Soluch, L. (OST)	0	2260
	Solymosi, I. (HUN)	11	2230
	Somborski, N. (JUG)	2	2280
	Somlai, L. (HUN)	26	2305
	Sommerfeld, A. (FRG)	0	2265
	Somogyi, I. (HUN)	3	2310
	Sompisha, J. (KEN)	0	2205
	Sonnet, J.-P. (FRA)	10	2245
m	Sonntag, H.-H. (FRG)	20	2365
	Soos, A. (HUN)	15	2290
m	Soppe, G. (ARG)	18	2425
	Sopur, L. (POL)	11	2255
	Sorensen, B. (DEN)	0	2325
f	Sorensen, H. (DEN)	3	2295
	Sorensen, J. (DEN)	19	2335
	Sorensen, T. (DEN)	0	2345
m	Sorin, A. (ARG)	25	2425
f	Sorm, D. (OST)	0	2400
	Sorokin, M. (URS)	6	2420
	Sorri, K. J. (FIN)	11	2300
	Sosa, L. (PRO)	0	2205
g	Sosonko, G. (NLD)	2	2540
	South, R. (CAN)	0	2230
	Southam, D. (CAN)	0	2255
	Southam, T. (CAN)	11	2275
	Souza, I. (BRS)	0	2285
	Sowizdrzal, D. (POL)	0	2275

f	Sowray, P. J. (ENG)	0	2330
f	Soylu, S. (TRK)	0	2330
m	Spacek, P. (CSR)	27	2415
	Spangenbreg, H. (ARG)	14	2330
	Spasenovski, S. (JUG)	3	2285
	Spasojevic, M. (JUG)	0	2245
	Spasojevic, Z. (JUG)	0	2285
	Spasov, V. (BLG)	34	2430
g	Spassky, B. V. (FRA)	35	2580
g	Spassov, L. (BLG)	36	2370
	Speckner, R. (FRG)	0	2235
	Speed, G. (ENG)	0	2210
g	Speelman, J. S. (ENG)	30	2615
	Spiegel, M. (USA)	0	2205
g	Spiridonov, N. (BLG)	64	2400
	Spiridonski, M. (POL)	0	2275
	Spirik, J. (CSR)	0	2310
	Spirov, T. (BLG)	0	2370
	Spodzieja, K. (POL)	13	2245
	Sponheim, O. (FRG)	0	2290
	Spraggett, G. (CAN)	0	2320
g	Spraggett, K. (CAN)	18	2585
f	Sprecic, M. (JUG)	0	2360
	Spreng, S. (FRG)	0	2265
f	Sprenkle, D. (USA)	0	2320
	Sprotte, N. (FRG)	6	2245
f	Spulber, C. (ROM)	4	2325
	Spycher, B. (SWZ)	5	2220
	Spyra, W. (POL)	8	2310
	Srch, J. (OST)	11	2240
	Srebrnic, V. (JUG)	4	2235
	Sribar, P. (JUG)	2	2255
	Sridhar, C. S. (IND)	0	2230
	Sridharan, R. (IND)	0	2230
	Srimannar-Ayana,		
	A. K. S. (IND)	9	2245
	Srinivas, G. V. (IND)	30	2210
	Ssentongo, E. (UGA)	0	2205
	Stajcic, N. (OST)	36	2270
f	Staller, P. (FRG)	0	2355
	Stamenkov, V. (JUG)	0	2325
	Stamenkovic, Z. (JUG)	9	2275
	Stamnov, A. (JUG)	3	2240
f	Stanciu, (ROM)	0	2335
	Stanev, V. (BLG)	12	2340
m	Stangl, M. (FRG)	17	2375
f	Stanic, B. (JUG)	0	2245
	Stanic, Z. (JUG)	12	2285
f	Stanisic, Lj. (JUG)	0	2290
	Stanisic, M. (JUG)	4	2245
m	Staniszewski, P. (POL)	18	2410
	Stankovic, B. (JUG)	15	2300
	Stankovic, De. (JUG)	6	2250
f	Stankovic, Dr. (JUG)	32	2280
f	Stanojevic, B. (JUG)	9	2385
f	Stanojoski, Z. (JUG)	0	2295
f	Starcevic, G. (JUG)	11	2275
f	Starck, G. (DDR)	0	2300
	Starke, D. (FRG)	11	2315
	Starosta, J. (HUN)	0	2240
	Stavanja, M. (JUG)	0	2290
	Stawowski, G. (JUG)	0	2310
g	Stean, M. F. (ENG)	0	2500
	Stebbings, A. (ENG)	0	2215
	Stecki, W. (POL)	0	2270
f	Steckner, J. (FRG)	0	2300

m	Steczkowski, K. (FRA)	3	2325
	Stefaniak, J. (POL)	13	2235
m	Stefanov, K. (BLG)	33	2360
m	Stefanov, Pa. (ROM)	22	2395
	Stefanov, Pl. (BLG)	0	2310
	Stefanovic, Dj. (JUG)	6	2260
	Stefanovski, D. (JUG)	18	2310
m	Stefansson, H. (ISD)	41	2470
f	Stehouwer, C. (NLD)	0	2310
	Steil, J. J. (FRG)	0	2245
m	Stein, B. (FRG)	25	2380
	Stein, K. W. (USA)	0	2320
f	Steinbacher, M. (FRG)	22	2325
f	Steiner, D. (JUG)	1	2300
f	Steiner, U. A. (OST)	3	2240
	Steinfl, A. (ITA)	18	2250
	Steininger, F. (OST)	0	2225
	Stelting, Th. (FRG)	0	2265
	Stelzer, D. (OST)	0	2220
	Stelzer, H. (FRG)	9	2240
	Stempin, A. (POL)	11	2315
m	Stempin, P. (POL)	24	2405
	Stentebjerg-Hansen, P.		
	(DEN)	5	2270
f	Stepak, Y. (ISL)	6	2335
	Stern, R. (DDR)	17	2335
	Stertenbrink, G. (FRG)	0	2280
	Stettler, M. (DDR)	0	2375
	Stevanovic, V. (JUG)	5	2305
	Stevenson, Ph. (ENG)	0	2250
	Stevic, Z. (JUG)	0	2290
	Stickler, A. (FRG)	11	2280
	Stielfried, M. (FRG)	0	2285
	Stierhof, R. (FRG)	0	2260
f	Stigar, P. (NOR)	6	2290
f	Stipic, A. (JUG)	0	2315
	Stirenkov, V. (USR)	14	2365
	Stisis, Y. (ISL)	7	2270
	Stobik, D. (FRG)	6	2225
	Stoeckmann, H. (FRG)	1	2215
m	Stohl, I. (CSR)	46	2500
m	Stoica, V. (ROM)	10	2445
	Stoinev, M. (BLG)	15	2380
	Stoinov, I. (BLG)	0	2310
	Stoinov, J. (BLG)	4	2310
f	Stojakovic, B. (JUG)	0	2320
	Stojanovic, D. (JUG)	10	2325
	Stojanovic, N. (JUG)	11	2245
	Stojanovic, Z. (JUG)	13	2220
	Stojkovic, M. (JUG)	23	2215
f	Stokic, Z. (JUG)	0	2245
	Stoliar, E. S. (URS)	0	2420
	Stoll, F. (FRG)	0	2245
f	Stone, R. (CAN)	27	2355
	Stopa, J. R. (USA)	10	2270
f	Stoppel, F. (OST)	3	2235
	Storland, K. H. (NOR)	0	2235
	Storm, R. (FRG)	0	2315
f	Stoyko, S. E. (USA)	0	2335
	Straat, E.-J. (NLD)	7	2230
	Stranz, R. (OST)	0	2290
m	Stratil, L. Jr. (CSR)	6	2385
	Stratil, L. Sr. (CSR)	0	2210
	Strauss, A. (OST)	0	2205
m	Strauss, D. J. (USA)	0	2410
	Streitberg, P. (CSR)	13	2270

m	Strikovic, A. (JUG)	57	2470
	Stromer, A. (FRG)	0	2310
	Strowsky, Y. (FRA)	5	2210
	Strzelecki, K. (POL)	10	2365
	Strdenetzky, M. (ARG)	0	2230
	Stull, N. (LUX)	12	2245
	Stummer, A. (OST)	17	2315
	Stupica, J. (JUG)	0	2290
m	Sturua, Z. (URS)	12	2465
	Styblo, M. (CSR)	0	2310
	Stypka, M. (POL)	24	2280
	Suarez, Je. (CUB)	0	2245
	Suarez, Jo. L. (ARG)	9	2275
	Suarez, L. A. (COL)	0	2220
g	Suba, M. (ENG)	16	2500
f	Subasic, I. (JUG)	11	2245
f	Subit, J. L. (CUB)	10	2345
	Subramanian, S. (USA)	0	2230
	Subramanian, V. (IND)	0	2215
	Sudaric, D. (JUG)	0	2260
	Suder, R. (POL)	0	2255
g	Suetin, A. S. (URS)	25	2350
	Sugar, K. (HUN)	0	2205
	Sugaya, S. (JAP)	0	2205
	Sugden, J. N. (ENG)	3	2255
f	Sula, Z. (ALB)	0	2365
m	Sulava, N. (JUG)	34	2380
	Sulckisz, S. (URS)	0	2300
	Sulipa, A. (URS)	9	2320
	Suljic, F. (JUG)	0	2230
	Suljovic, S. (JUG)	0	2290
f	Sulman, R. M. (USR)	2	2295
	Sulyok, S. (HUN)	5	2280
f	Summermatter, D. (SWZ)	25	2385
	Sun, Qinan (PRC)	0	2235
	Sunthornpongsathorn, V. (TAI)	0	2340
g	Sunye Neto, J. (BRS)	8	2480
f	Supancic, D. (JUG)	11	2355
g	Suradiradja, H. (RIN)	0	2300
	Suresh, M. (IND)	0	2215
	Surinder, K. (IND)	0	2220
	Sursock, S. (LEB)	9	2260
	Suta, M. (ROM)	0	2240
	Sutterer, R. (FRG)	0	2215
g	Suttles, D. (CAN)	0	2420
	Svec, J. (CSR)	0	2215
f	Svenn, G. (SVE)	11	2330
	Svenn, M. (SVE)	0	2205
f	Svensson, B. (SVE)	11	2405
g	Sveshnikov, E. (URS)	33	2485
f	Swic, W. (POL)	0	2300
	Swierczewski, M. (POL)	9	2245
f	Swoboda, E. (OST)	0	2305
	Sy, A. (MLI)	0	2205
m	Sydor, A. (POL)	0	2330
m	Sygulski, A. (POL)	0	2350
m	Sygulski, B. (POL)	32	2390
	Symbor, P. (POL)	0	2235
	Syre, Ch. (DDR)	7	2285
	Szabo, Gy. (ROM)	25	2240
	Szabo, Ja. (HUN)	1	2280
	Szabo, Ju. (ROM)	0	2265
	Szabo, Laslo (FRG)	9	2300
g	Szabo, Laszlo (HUN)	0	2460
	Szabo, Z. (HUN)	5	2265
m	Szabolcsi, J. (HUN)	19	2450
	Szafranek, J. (ARG)	0	2225
	Szajna, W. (POL)	0	2300
	Szakolczai, P. (HUN)	15	2220
	Szalajdewicz, J. (POL)	0	2290
m	Szalanczy, E. (HUN)	26	2385
	Szczepaniec, S. (POL)	3	2275
	Szegedi, P. (HUN)	16	2245
	Szekely, Cs. (HUN)	0	2245
m	Szekely, P. (HUN)	26	2405
	Szekeres, T. (HUN)	0	2230
f	Szeles, K. (HUN)	0	2335
f	Szell, Lajos (HUN)	12	2350
	Szendroi, R. J. (USA)	0	2220
	Szenetra, W. (FRG)	0	2210
	Szidon, P. (HUN)	0	2215
	Szieberth, A. (HUN)	12	2230
	Szigetvari, J. (HUN)	3	2205
m	Szilagyi, Gy. (HUN)	3	2275
m	Szilagyi, P. (HUN)	0	2390
	Szilardfy, Gy. (HUN)	16	2300
	Sziraki, T. (HUN)	6	2305
	Szirmai, E. (HUN)	14	2265
	Szitkey, M. (CSR)	0	2330
	Szkatula, L. (POL)	0	2340
m	Szmetan, J. (ARG)	6	2425
f	Szmetan, R. (ARG)	0	2300
	Szmyd, M. (POL)	0	2205
m	Sznapik, A. (POL)	35	2450
	Sznapik, K. (POL)	11	2245
	Szollosi, L. Jr. (HUN)	3	2205
	Szollosi, L. Sr. (HUN)	0	2270
	Szopka, D. (POL)	0	2300
	Szucs, I. (JUG)	3	2240
	Szuhai, B. (HUN)	11	2240
	Szumilo, W. (POL)	0	2210
f	Szurovszky, E. (HUN)	0	2255
	Szydlowski, E. (POL)	0	2225
	Szymanski, A. (POL)	9	2225
m	Szymczak, Z. (POL)	50	2370
m	Szypulski, A. (POL)	9	2390
	Szyszko, I. (POL)	0	2295

T

	Tabatadze, T. (URS)	8	2365
m	Tabor, J. (HUN)	8	2305
	Taborov, B. (URS)	6	2390
	Tachkov, R. (BLG)	0	2240
f	Tadic, K. (JUG)	12	2260
f	Taeger, W. (FRG)	0	2365
	Tagas, G. (ROM)	0	2255
g	Taimanov, M. E. (URS)	18	2495
	Takac, Z. (JUG)	10	2255
m	Takacs, B. (ROM)	10	2505
f	Takacs, L. (HUN)	0	2325
	Taksrud, V. (NOR)	0	2205
g	Tal, M. N. (URS)	16	2585
	Tamas, L. (JUG)	0	2230
	Tamassy, Z. (HUN)	0	2275
	Tamm, U. (FRG)	5	2320
	Tammert, G. (FRG)	1	2220
	Tan, Changxuan (PRC)	0	2355
	Tan, Chen Xuan (PRC)	9	2315
	Tan, Chin-Ho (SIP)	0	2225
	Tan, Jonathan (PHI)	0	2255
m	Tan, Lian-Ann (SIP)	0	2375
	Tan, Oscar (PHI)	3	2265
f	Tancev, Lj. (JUG)	0	2310
	Tanev, R. (BLG)	0	2320
f	Tangborn, E. (USA)	9	2365
	Tapaszto (VEN)	0	2370
g	Tarjan, J. E. (USA)	0	2525
	Tasev, M. (USA)	0	2220
	Tashkhodzhaev, A. (URS)	0	2325
	Taskovits, I. (HUN)	7	2255
f	Tassi, O. (ITA)	0	2320
m	Tatai, S. (ITA)	20	2385
f	Tate, E. (USA)	7	2365
	Tatisic, M. (JUG)	15	2235
	Tauber, M. (FRG)	0	2275
	Tavadian, R. (URS)	0	2290
	Tawbeh, M. (LEB)	0	2205
f	Taylor, G. (CAN)	21	2335
	Taylor, S. (USA)	0	2275
m	Taylor, T. (USA)	0	2455
f	Teaca, A. (ROM)	0	2310
	Tedy, S. (RIN)	0	2300
	Teichmann, E. O. M. C. (ENG)	7	2310
	Teixeira, R. S. (BRS)	11	2370
f	Telecki, I. (JUG)	0	2270
	Telgeltia, B. (JUG)	0	2235
	Temanlis, Y. (ISL)	0	2220
	Temirbaev, S. (URS)	0	2390
m	Tempone, M. (ARG)	0	2440
	Tenjinbaya (JAP)	0	2205
	Tennant, S. (USA)	0	2240
	Teo, Kok-Cheng (SIP)	0	2210
f	Teo, Kok-Siong (SIP)	11	2335
	Teodorescu, S. (ROM)	0	2275
	Terreaux, G. (SWZ)	0	2275
	Terrie, H. L. (USA)	0	2250
f	Terzic, G. (JUG)	0	2330
	Terzic, I. (JUG)	5	2290
f	Terzic, S. (JUG)	16	2350
m	Teschner, R. (FRG)	0	2290
f	Tesic, D. (JUG)	20	2335
	Tesinszky, Gy. (HUN)	0	2235
m	Teske, H. (DDR)	20	2390
	Teyssou, D. (FRA)	6	2275
	Thal, O. (DDR)	0	2325
	Tham, Tick-Hong (MAL)	0	2235
	Thebault, B. (FRA)	5	2245
	Theodoulidis, Th. (GRC)	13	2215
m	Thesing, M. (FRG)	23	2370
	Theuretzbacher, K. (OST)	11	2210
	Thibault, J. (USA)	0	2255
	Thiede, L. (FRG)	2	2245
f	Thiel, K. (FRG)	2	2315
	Thiel, Th. (FRG)	13	2220
f	Thinnsen, J. A. (USA)	3	2355
m	Thipsay P. M.(IND)	24	2415
	Thomas, I. (ENG)	0	2345
	Thomas, N. (ENG)	0	2235
f	Thomson, C. S. M. (SCO)	8	2335
m	Thorhallsson, Th. (ISD)	26	2400
	Thorman, W. (DDR)	13	2320
	Thornally, F. (USA)	0	2320
	Thorne, P. (ZIM)	0	2205

m	Thorsteins, K. (ISD)	31	2445
	Thorsteinsson, A. (ISD)	0	2240
	Thorsteinsson, Th. (ISD)	10	2325
	Thuesen, M. (DEN)	4	2295
m	Tibensky, R. (CSR)	6	2395
	Tiberkov, I. (BLG)	7	2295
m	Tichy, V. (CSR)	9	2380
	Tierney, M. (USA)	0	2255
m	Tilak, Sh. S. (IND)	18	2265
m	Tiller, B. (NOR)	0	2390
	Tilmatine, A. (ALG)	0	2205
	Timm, J. C. (USA)	0	2275
g	Timman, J. H. (NLD)	30	2635
f	Timmer, R. (NLD)	27	2305
f	Timmerman, G. J. (NLD)	0	2300
g	Timoshchenko, Gen. A. (URS)	30	2500
	Timoshenko, Geo. (URS)	43	2535
f	Timpel, K. (FRG)	0	2275
	Tinkov, T. (BLG)	2	2265
f	Tirabassi, M. (ITA)	3	2340
m	Tischbierek, R. (DDR)	29	2445
	Tischendorf, M. (FRG)	0	2260
f	Tischer, G. (FRG)	0	2340
m	Tisdall, J. D. (NOR)	37	2465
	Titkos, J. (HUN)	0	2245
	Titov, G. (URS)	34	2480
f	Titz, H. (OST)	19	2240
	Tiviakov, S. (URS)	25	2480
	Tkebughava, G. (URS)	0	2395
	Tobing, E. (RIN)	0	2205
	Toczek, G. (POL)	37	2220
	Todic, Z. (JUG)	0	2205
m	Todorcevic, M. (JUG)	50	2530
	Todorov, I. (BLG)	12	2250
	Todorov, O. (BLG)	10	2340
	Todorovic, J. (JUG)	14	2275
f	Todorovic, M. G. (JUG)	67	2410
f	Todorovic, N. G. (JUG)	37	2415
	Todorovic, S. (JUG)	0	2215
	Toirac, H. (CUB)	0	2220
	Tokaji Nagi (HUN)	12	2240
	Tokovic, S. (JUG)	0	2245
	Toledo, J. M. (BRS)	28	2260
	Toledo, R. (PHI)	0	2270
	Tolhuizen, L. (NLD)	11	2305
	Tolk, P. (NLD)	4	2300
m	Tolnai, T. (HUN)	29	2470
	Tomalczyk, T. (POL)	9	2270
	Tomanovics, J. (HUN)	0	2330
m	Tomaszewski, R. (POL)	9	2350
f	Tomczak, R. (FRG)	0	2315
	Tomerlin, S. (JUG)	14	2215
	Tomic, D. (JUG)	3	2210
	Tomik, L. (JUG)	0	2235
	Tomkins, K. (USA)	3	2285
m	Tompa, J. (HUN)	30	2400
m	Tonchev, M. (BLG)	14	2260
	Tonkov, B. (BLG)	10	2350
	Tonoli, J. (BEL)	0	2255
	Tonoli, W. (BEL)	2	2305
	Tonsingh, O. (JAM)	0	2205
	Topakian, R. (OST)	8	2285
	Topalov, V. (BLG)	22	2460
	Torbica, M. (JUG)	3	2260
	Toria, G. (URS)	0	2305
	Tornai, I. (HUN)	10	2265
f	Tornblom, N. (SVE)	0	2275
	Torok, F. (ROM)	1	2225
g	Torre, E. (PHI)	8	2560
	Torrecillas, A. (ESP)	0	2360
	Torres, L. (PRO)	3	2285
	Tortarolo, M. (ITA)	16	2290
m	Toshkov, T. (BLG)	11	2450
m	Tosic, M. (JUG)	53	2375
m	Toth, B. (ITA)	0	2385
	Toth, Ch. E. (BRS)	3	2290
	Toth, Cs. (HUN)	9	2305
	Toth, J. (HUN)	0	2295
	Toth, P. (BRS)	11	2260
	Toth, T. (HUN)	0	2205
f	Tovillas, D. R. (ARG)	13	2330
	Townsend, M. P. (ENG)	0	2225
f	Tozer, R. (ENG)	30	2235
f	Trabattoni, F. (ITA)	0	2295
	Traito, K. (URS)	0	2245
	Trajkovic, D. (JUG)	2	2215
	Trajkovic, M. (JUG)	0	2270
	Trajkovski, M. (JUG)	3	2225
m	Trapl, J. (CSR)	11	2400
f	Tratatovici, M. (ROM)	0	2300
	Trauth, M. (FRG)	8	2255
	Travnicek, P. (CSR)	0	2270
	Treffert, P. (FRG)	0	2275
m	Trepp, M. (SWZ)	4	2375
f	Treppner, G. (FRG)	3	2320
	Trettin, U. (FRG)	1	2260
	Treybal, D. (CSR)	0	2300
f	Triana, J. (CUB)	0	2280
f	Triantafillidis, A. (GRC)	0	2280
	Trichkov, V. (BLG)	34	2290
	Trickovic, B. (JUG)	2	2265
	Trifunov, D. (BLG)	0	2345
	Trifunov, M. (JUG)	0	2275
f	Trifunovic, M. (JUG)	36	2350
f	Trikaliotis, G. (GRC)	0	2215
f	Trincado, J. F. (ARG)	21	2340
	Trincardi, T. (ITA)	0	2235
m	Trindade, S. (BRS)	0	2325
g	Tringov, G. P. (BLG)	10	2410
	Tripathy, B. (IND)	0	2220
f	Trisa-Ard, N. (TAI)	0	2265
	Trkaljanov, V. (JUG)	0	2250
	Troeger, P. (FRG)	0	2225
m	Trois, F. R. T. (BRS)	0	2385
	Troltenier, D. (FRG)	14	2300
f	Trosclair, W. (USA)	0	2335
	Trumic, E. (JUG)	9	2235
f	Truong, H. (USA)	0	2335
	Truta, S. (JUG)	5	2255
	Trylski, A. (POL)	19	2240
	Tsarev, V. (URS)	10	2415
m	Tseitlin, Mark D. (URS)	9	2435
g	Tseitlin, Mikh. S. (URS)	57	2445
	Tsekov, I. (BLG)	0	2205
	Tsesarsky, I. (URS)	30	2440
	Tsorbatzoglou, Th. (GRC)	0	2220
	Tsourinakis, P. (GRC)	0	2235
	Tsuboi, E. K. (BRS)	25	2275
m	Tsvetkov, A. K. (BLG)	0	2255
	Tsvetkov, G. (BLG)	0	2220
	Tsvetkov, I. (BLG)	12	2365
g	Tukmakov, V. B. (URS)	35	2565
f	Tumurbator, P. (MON)	0	2355
m	Tumurhuyag, N. (MON)	20	2385
	Tunik, G. (URS)	22	2470
	Tuomala, T. (FIN)	5	2225
	Turci, S. (ITA)	11	2245
f	Turunen, E. O. (FIN)	0	2270
	Tuteja, A. (IND)	0	2285
	Tutic, R. (JUG)	9	2210
f	Twardon, M. (POL)	21	2275
	Typek, K. (POL)	0	2335
	Tyrtania, M. (FRG)	38	2255
	Tyszkiewicz, Z. (POL)	8	2260

U

g	Ubilava, E. (URS)	36	2525
	Udvari, T. (HUN)	12	2265
	Ueter, H. D. (FRG)	12	2280
	Ueti (BRS)	0	2290
f	Ugrinovic, D. (JUG)	0	2380
g	Uhlmann, W. (DDR)	9	2495
	Ujhazi, I. (JUG)	10	2320
	Ujma, J. (POL)	10	2230
m	Ujtumen, T. (MON)	11	2315
	Ukajlovic, B. (JUG)	6	2240
	Ulak, S. (POL)	0	2265
	Ulibin, M. (URS)	47	2495
f	Ulker, A. (TRK)	0	2320
	Ullrich, F. (FRG)	0	2225
f	Ulrichsen, J. H. (NOR)	6	2290
	Unander, M. (SVE)	0	2215
	Ungur, O. (ROM)	11	2285
m	Ungureanu, E. (ROM)	0	2365
	Unrath, H. (FRG)	0	2355
	Unterfrauner, A. (ITA)	10	2270
g	Unzicker, W. (FRG)	10	2475
	Upton, I. J. (ENG)	6	2245
f	Upton, T. J. (SCO)	0	2280
	Urban, K. (POL)	2	2330
f	Urday, H. (PER)	34	2415
f	Urosevic, R. (JUG)	3	2285
	Urosevic, Z. (JUG)	0	2320
m	Urzica, A. (ROM)	0	2375
	Usmani, M. S. (PAK)	0	2205
m	Utasi, T. (HUN)	31	2330
	Utemov, V. (URS)	5	2405
	Uzelac, B. (JUG)	0	2235

V

f	Vachev, V. (BLG)	0	2260
	Vaczi, I. (HUN)	4	2265
g	Vadasz, L. (HUN)	32	2315
	Vafiadis, K. (GRC)	13	2205
g	Vaganian, R. A. (URS)	29	2585
	Vaglio, J. (CRA)	0	2235
m	Vaidya, A. B. (IND)	0	2325
	Vainerman, I. (URS)	0	2400
g	Vaiser, Anatoly V. (URS)	49	2555
m	Vaisman, Volodia (FRA)	11	2370
	Vajdic, N. (JUG)	0	2210
	Vakhidov, T. (URS)	0	2320
f	Valdes, L. E. (CUB)	10	2315

f	Valdes-Castillo, A. (CUB)	0	2250
	Valdettaro, N. (ITA)	0	2230
	Valdez, A. (USA)	0	2260
f	Valdivia, M. (CUB)	9	2285
	Valenti, G. (ITA)	27	2265
	Valerga, D. (ARG)	15	2320
f	Valiente, R. C. (PAR)	0	2315
f	Valkesalmi, K. (FIN)	11	2395
f	Vallifuoco, Gia. (ITA)	14	2370
	Vallifuoco, Gio. (ITA)	13	2275
m	Valvo, M. J. (USA)	6	2395
f	Van Baarle, C. J. (NLD)	4	2325
f	Van Buskirk, Ch. (USA)	0	2280
	Van De Bourry, D. (BEL)	0	2250
f	Van De Oudeweetering, A. (NLD)	16	2330
	Van Den Berg, J. (NLD)	5	2210
	Van Den Broeck, H. (BEL)	0	2230
	Van Der Ploe (NLA)	0	2205
m	Van Der Sterren, P. (NLD)	52	2515
	Van Der Vaeren, S. (BEL)	10	2335
	Van Der Veen, H. (FRG)	3	2230
f	Van Der Vliet, F. (NLD)	0	2330
	Van Der Werf, M. (NLD)	15	2320
	Van Der Wiel, J. T. H. (NLD)	52	2545
	Van Der Wijk, W. (NLD)	0	2210
f	Van Dop, A. J. (NLD)	0	2310
	Van Hasselt, F. (HKG)	0	2205
	Van Herck, M. (BEL)	0	2265
	Van Houtte, Th. (BEL)	0	2225
	Van Manen, G. M. (NLD)	0	2210
f	Van Meter, L. (USA)	0	2320
m	Van Mil, J. A. J. (NLD)	24	2385
	Van Riemsdijk, D. D. (BRS)	11	2240
m	Van Riemsdijk, H. C. (BRS)	21	2355
	Van Schaardenburg, M. (NLD)	5	2220
m	Van Scheltinga, Th. D. (NLD)	7	2335
f	Van Tilbury, C. (VUS)	0	2310
	Van Voorthuijsen, P. W. (NLD)	0	2290
	Van Wely, L. (NLD)	22	2320
m	Van Wijgerden, C. (NLD)	0	2430
	Vancini, E. (ITA)	11	2260
	Vancsura, V. (HUN)	0	2215
	Vancsura, Z. (HUN)	8	2225
	Vanczak, A. (HUN)	9	2350
	Vandevoort, P. (BEL)	1	2215
	Vandoros, D. (GRC)	16	2260
	Vanheirzeele, D. (BEL)	0	2235
f	Vanheste, J. (NLD)	45	2410
	Vanka, M. (CSR)	13	2260
	Vanman, K. (SVE)	0	2255
	Vannay, J. (HUN)	2	2225
	Varadhana, T. K. (IND)	0	2295
	Varaljai, A. (HUN)	0	2270
	Varaljai, I. (HUN)	0	2205

	Varas, C. (CHI)	0	2215
m	Varasdy, I. (HUN)	12	2370
f	Vareille, F. (FRA)	4	2255
f	Varga, M. (ARG)	2	2250
	Varga, Z. (HUN)	49	2355
	Vargas, A. (CRA)	0	2285
	Vargyas, Z. (HUN)	0	2255
	Varhegyi, M. (HUN)	3	2240
	Varlamov, V. (URS)	0	2305
	Varlan, H. (ROM)	0	2245
f	Varnusz, E. (HUN)	0	2360
	Vasallo, M. (ARG)	16	2310
	Vasic, V. (JUG)	10	2205
	Vasiesu, D. (ROM)	0	2250
f	Vasile, C. (ROM)	1	2305
f	Vasilescu, L. (ROM)	0	2315
	Vasiljev, N. (BLG)	42	2325
	Vasiljevic, B. (JUG)	0	2225
f	Vasiljevic, D. (JUG)	28	2315
g	Vasiukov, E. (URS)	36	2515
f	Vasovski, N. (JUG)	17	2325
	Vasquez, E. (SAL)	0	2205
	Vasta, E. (ARG)	0	2360
m	Vatnikov, J. E. (URS)	0	2455
f	Valter, H.-J. (FRG)	19	2345
	Vaulin, A. (URS)	4	2365
	Vavpetic, V. (JUG)	0	2250
	Vavruska, A. (CSR)	0	2300
	Vavruska, D. (CSR)	0	2300
	Vazquez, R. (CHI)	0	2300
	Veach, J. (USA)	0	2395
	Vebic, K. (JUG)	7	2300
	Vechif, S. (CSR)	9	2225
	Vega Garcia, J. A. (MEX)	0	2235
	Vega Granillo, A. (MEX)	0	2245
m	Vegh, E. (HUN)	9	2370
m	Vehi Bach, V. M. (ESP)	18	2385
f	Veinger, I. (ISL)	0	2410
m	Veingold, A. (URS)	6	2440
	Vekshenkov, N. (URS)	0	2295
	Velasquez, C. (CHI)	9	2315
	Velasquez, H. (HON)	0	2290
	Velasquez, M. (SAL)	0	2205
	Velcev, N. (BLG)	8	2315
m	Velez, N. (CUB)	0	2330
	Velicka, P. (CSR)	10	2335
m	Velickovic, S. (JUG)	16	2430
g	Velikov, P. (BLG)	29	2480
g	Velimirovic, D. (JUG)	20	2535
	Veljic, N. (JUG)	11	2275
	Veljkovic, M. (JUG)	0	2305
	Vella, B. (MLT)	0	2205
f	Vencl, R. (JUG)	0	2315
g	Vera, R. (CUB)	19	2480
	Verat, L. (FRA)	18	2265
m	Verduga, D. (MEX)	12	2410
	Veres, A. (JUG)	0	2245
	Verstraeten, R. (BEL)	0	2250
	Veselovsky, S. (URS)	0	2415
	Vetemaa, Y. (URS)	7	2400
	Vetter, H. (FRG)	0	2220
f	Vezzosi, P. (ITA)	13	2335
	Viadiu Ilarazza, H. (MEX)	0	2270
	Vianin, P. (SWZ)	13	2210

	Viatte, R. (FRA)	0	2235
f	Vidarsson, J. G. (ISD)	0	2295
	Videki, S. (HUN)	33	2410
	Vidoniak, R. (URS)	11	2280
	Vieten, S. (FRG)	0	2265
f	Vigh, B. (HUN)	4	2330
	Viksni, I. (URS)	0	2285
	Viland, B. (JUG)	0	2230
	Vilchez, V. (PER)	0	2225
m	Vilela, J. L. (CUB)	25	2420
	Villalba, H. (ARG)	0	2220
	Villamayor, B. (PHI)	0	2260
f	Villavicencio, A. (ESP)	22	2300
m	Villeneuve, A. (FRA)	6	2330
	Villing, D. (FRG)	9	2280
	Vincent, S. (FRA)	12	2275
	Vincze, I. (HUN)	5	2305
m	Vinje (Gulbrandsen), A. (NOR)	6	2335
	Vinke, D. (FRG)	0	2260
f	Visier Segovia, F. (ESP)	6	2330
	Visnjic, D. (JUG)	3	2220
f	Visser, Y. (NLD)	16	2335
	Vistinietzki, I. (ISL)	0	2305
	Vitic, I. (JUG)	3	2235
	Vitko, G. (USA)	0	2295
m	Vitolinsh, A. A. (URS)	0	2425
m	Vizantidis, L. (GRC)	0	2245
	Vlad, D. (ROM)	0	2215
m	Vladimirov, E. (URS)	9	2565
	Vlahos, K. (GRC)	0	2250
	Vlahov, D. (JUG)	6	2275
	Vlahovic, B. (JUG)	16	2225
	Vlahovic, S. (JUG)	15	2275
	Vlajkovic, S. (JUG)	0	2250
	Vlam, H. (NLD)	0	2220
f	Vlaovic, Dj. (JUG)	1	2250
f	Vlasic, N. (JUG)	0	2355
	Vlassis, G. (GRC)	12	2305
f	Vlatkovic, S. (JUG)	0	2350
	Voboril, P. (CSR)	0	2240
	Vodep, O. (OST)	0	2280
f	Vogel, J. (NLD)	14	2310
f	Vogel, R. (FRG)	0	2320
	Vogler, T. (FRG)	0	2240
g	Vogt, L. (DDR)	40	2470
	Voiculescu, P. (ROM)	0	2245
	Voigt, M. (FRG)	2	2245
	Vojinovic, G. (JUG)	14	2330
m	Vokac, M. (CSR)	32	2465
	Vokoun, J. (CSR)	0	2270
f	Volke, K. (DDR)	9	2395
	Volman, H. (ISL)	5	2210
	Volman, Y. (NLD)	0	2310
	Vologyin, V. (URS)	17	2260
	Volosin, V. (URS)	0	2335
f	Volovich, A. A. (USA)	6	2400
	Von Gleich, A. (FRG)	16	2280
	Von Herman, U. (FRG)	4	2245
	Vonthron, H. (FRG)	14	2385
	Vooremaa, A. S. (URS)	11	2380
	Voormans, J. (NLD)	0	2235
m	Vorotnikov, V. V. (URS)	7	2405
f	Voscilla, A. (JUG)	10	2305
	Votava, J. (CSR)	10	2340
f	Votruba, P. (CSR)	16	2345

f	Vragoteris, A. (GRC)	4	2315
	Vrana, F. (CSR)	0	2250
m	Vranesic, Z. (CAN)	11	2345
	Vratonjic, S. (JUG)	54	2385
f	Vrban, M. (JUG)	0	2320
f	Vrban, S. (JUG)	0	2250
	Vrbata, Z. (CSR)	0	2335
f	Vucic, M. (JUG)	49	2385
	Vucicevic, M. (JUG)	31	2320
f	Vucinic, P. (JUG)	0	2320
f	Vujacic, B. (JUG)	0	2330
f	Vujadinovic, G. (JUG)	24	2370
m	Vujakovic, B. (JUG)	14	2400
	Vujic, B. (JUG)	2	2210
f	Vujicic, M. (JUG)	17	2345
	Vujmilovic, N. (JUG)	6	2220
	Vujosevic, G. (JUG)	0	2250
f	Vujosevic, V. (JUG)	28	2335
f	Vujovic, Mili. (JUG)	0	2305
m	Vujovic, Milo. (JUG)	30	2295
	Vujovic, P. (JUG)	17	2245
	Vukanovic, S. (JUG)	10	2280
	Vukelic, T. (JUG)	0	2345
	Vukevic, I. (JUG)	0	2310
	Vukic, A. (JUG)	0	2255
g	Vukic, M. (JUG)	32	2500
	Vukic, R. (JUG)	0	2295
f	Vukoje, V. (JUG)	1	2315
	Vukosavljevic, Lj. (JUG)	0	2210
	Vukotic, J. (JUG)	0	2255
	Vukovic, I. (JUG)	11	2320
	Vukovic, M. (JUG)	11	2275
m	Vukovic, Z. (JUG)	40	2410
	Vul, A. E. (URS)	6	2355
	Vuletic, P. (JUG)	4	2265
f	Vulevic, V. (SWZ)	8	2320
	Vulicevic, N. (JUG)	12	2320
	Vulovic, R. (JUG)	0	2240
f	Vuruna, M. (JUG)	62	2320
	Vykydal, F. (CSR)	3	2260
m	Vyzmanavin, A. (URS)	18	2555

W

	Waagener, U. (FRG)	0	2285
	Wach, M. (OST)	13	2245
	Wach, S. (POL)	0	2280
f	Wachinger, G. (FRG)	3	2285
	Wada, D. R. (USA)	0	2270
f	Waddingham, G. A. (ENG)	0	2345
m	Wade, R. G. (ENG)	0	2305
	Wademark, H. (SVE)	7	2210
f	Wagman, S. (USA)	17	2295
	Wagner, A. (FRG)	9	2320
	Wagner, C. (FRA)	0	2280
f	Wagner, H. (FRG)	0	2275
	Wahib, J. (UAE)	0	2205
g	Wahls, M. (FRG)	52	2535
f	Waldmann, I. (HUN)	0	2320
	Walendowski, T. (POL)	0	2270
	Walicki, D. (ARG)	3	2260
	Walker, D. (ENG)	0	2300
	Wallach, K. T. (USA)	2	2215
f	Waller, H. (OST)	10	2275
	Wallner, A. (OST)	3	2250
	Wallner, W. (OST)	14	2265
	Wallyn, A. (FRA)	3	2275
	Walther, G. (DDR)	0	2260
	Wang, Yuemin (PRC)	0	2280
m	Wang, Zili (PRC)	9	2550
	Waqar, M. (PAK)	0	2225
	Ward, Ch. (ENG)	8	2380
	Warlick, J. (VUS)	0	2205
	Warwaszynski, Z. (POL)	2	2320
	Wasmuth, M. (FRG)	0	2225
	Watanabe, R. (BRS)	0	2265
	Waters, G. (USA)	0	2220
m	Watson, J. L. (USA)	4	2400
m	Watson, W. N. (ENG)	40	2495
	Watts, D. (ENG)	0	2270
f	Watzka, H. (OST)	0	2330
	Wauters, A. (FRA)	2	2255
	Wawrowski, Z. (POL)	0	2280
	Waxman, J. L. (USA)	0	2240
m	Webb, S. (ENG)	0	2410
	Weber, M. (FRG)	7	2305
	Weber, P. (FRG)	0	2215
	Weber, R. (FRG)	0	2325
f	Weber, S. (FRG)	15	2270
	Webster, A. (ENG)	0	2235
m	Wedberg, T. (SVE)	29	2515
	Weeks, M. (USA)	0	2250
m	Weemaes, R. (BEL)	0	2370
	Weerakoon, I. (SRI)	0	2225
f	Weeramantry, S. (SRI)	2	2260
	Wegerer, F. (OST)	11	2260
	Weglarz, L. (POL)	47	2345
f	Wegner, H. (FRG)	14	2365
	Wehbe, R. (ARG)	0	2255
f	Weidemann, J. (FRG)	11	2300
	Weider, D. (POL)	11	2220
	Weierman, A. (FRG)	0	2245
	Weiler, D. (FRG)	0	2245
	Weill, R. (FRA)	4	2235
f	Weinberger, T. (USA)	5	2255
f	Weindl, A. (FRG)	19	2350
	Weiner, O. (FRG)	0	2255
m	Weinstein, N. (USA)	0	2450
f	Weinzettl, E. (OST)	14	2270
	Weisbuch, U. (ISL)	11	2205
f	Weiss, L. (OST)	0	2285
	Weiss, R. (FRG)	0	2240
	Weiss-Nowak, Ch. (FRG)	14	2255
	Weissbein, Th. (USA)	0	2280
f	Weldon, Ch. (USA)	8	2280
m	Welin, Th. (SVE)	16	2400
f	Welling, G. (NLD)	12	2350
m	Wells, P. K. (ENG)	31	2400
	Welz, Th. (FRG)	9	2355
	Wendel, S. (FRG)	14	2255
	Werner, C. (FRG)	0	2265
m	Werner, D. (FRG)	19	2390
f	Werner, M. (FRG)	15	2360
f	Wesseln, K. (FRG)	14	2315
	Wessendorf, Th. (FRG)	0	2285
	Wessman, R. (SVE)	6	2350
f	West, G. (AUS)	9	2335
g	Westerinen, H. M. J. (FIN)	46	2435
	Weyrich, M. (DDR)	3	2285
	Wharton, W. (USA)	0	2235
	Wheeler, M. (ENG)	0	2295
m	Whitehead, J. E. (USA)	0	2440
f	Whitehead, P. A. (USA)	0	2350
m	Whiteley, A. J. (ENG)	10	2340
	Wians, C. (LUX)	6	2205
m	Wibe, T. (NOR)	0	2335
f	Wicker, K. J. (ENG)	0	2275
	Widera, J. (POL)	24	2270
	Wiech, G. (POL)	20	2295
m	Wiedenkeller, M. (SVE)	23	2440
	Wielecki, Z. (POL)	0	2270
f	Wiemer, R. (FRG)	0	2300
	Wiesniak, T. (POL)	17	2250
	Wijesurija, G. L. (SRI)	0	2270
	Wilde, P. (FRG)	1	2290
g	Wilder, M. (USA)	45	2575
	Wildi, M. (SWZ)	0	2215
	Wiley, T. E. (ENG)	6	2250
	Wilke, M. (FRG)	9	2205
	Wilke, W. (OST)	0	2275
	Willemsen, J. (NLD)	5	2305
f	Williams, A. H. (WLS)	0	2335
	Williams, L. (CAN)	0	2240
	Williams, W. (SIP)	0	2220
	Wilson, J. (ENG)	9	2260
	Wimmer, H. (FRG)	0	2295
m	Winants, L. (BEL)	11	2425
	Wind, M. A. (NLD)	0	2235
	Winge, S. (SVE)	6	2275
m	Winslow, E. C. (USA)	0	2280
	Winsnes, R. (SVE)	22	2385
	Winterstein, W. (FRG)	7	2245
	Wintzer, J. (FRG)	15	2320
	Wirius, J. (OST)	0	2270
f	Wirius, S. (OST)	0	2230
	Wirth, G. (FRG)	3	2230
m	Wirthensohn, H. (SWZ)	7	2405
f	Witke, Th. (FRG)	0	2330
m	Witkowski, S. (POL)	13	2295
m	Witt, L. (CAN)	0	2290
	Witt, R. (NLD)	0	2330
m	Wittmann, W. (OST)	0	2400
f	Wittwer, M. (SWZ)	5	2260
m	Wockenfuss, K. (FRG)	0	2405
f	Woda, J. (POL)	37	2385
	Wohl, A. H. (AUS)	0	2265
	Wojcieszyn, J. (POL)	0	2235
	Wojtczak, M. (FRG)	0	2295
m	Wojtkiewicz, A. (POL)	52	2475
	Wojton, K. (POL)	5	2220
	Wolberg, E. (ARG)	0	2220
f	Wolf, V. (FRG)	12	2340
	Wolf, W. (FRG)	0	2245
m	Wolff, P. G. (USA)	25	2505
	Woller, R. (FRG)	0	2235
	Wolny, R. (POL)	13	2255
f	Womacka, M. (DDR)	13	2395
	Wong, Foong-Yin (SIP)	11	2275
m	Wong, Meng-Kong (SIP)	11	2410
	Wong, Meng-Leong (SIP)	11	2250
	Woo, Beng-Keong (MAL)	0	2205
	Wood, D. A. (ENG)	6	2245
	Wood, S. (ENG)	9	2260
	Wu, Xibin (PRC)	0	2250
	Wueest, A. (SWZ)	0	2220

	Wunsch, R. (FRG)	0	2295
	Wurdits, R. (OST)	1	2245

X

m	Xu, Jun (PRC)	9	2510

Y

m	Yakovich, Y. (URS)	37	2450
	Yandemirov, V. (URS)	5	2345
f	Yang, Xian (PRC)	0	2345
g	Yanofsky, D. A. (CAN)	0	2420
	Yanvarjov, I. (URS)	14	2400
m	Yap, A. (PHI)	0	2450
	Yasin, H. (TRK)	7	2240
	Yasseen, A. (EGY)	0	2260
m	Ye, Jiangchuan (PRC)	9	2500
f	Ye, Rongguang (PRC)	9	2480
	Yedidia, J. (USA)	0	2260
	Yedlin, I. (ARG)	2	2220
	Yeo, M. J. (ENG)	4	2235
m	Yepez, O. (ECU)	0	2340
	Yermolinsky, A. (URS)	17	2470
m	Yilmaz, T. (TRK)	0	2325
f	Yoffie, M. (USA)	0	2335
	Young, A. (PHI)	0	2205
	Young, R. (USA)	2	2280
	Younglove, D. (USA)	0	2255
f	Youngworth, P. (USA)	0	2375
	Ypsarides, (CYP)	0	2205
m	Yrjola, J. (FIN)	4	2460
m	Yudasin, L. (URS)	35	2555
m	Yuferov, S. N. (URS)	17	2440
	Yuha, H. (PAL)	0	2205
	Yuja, H. (HON)	0	2205
m	Yurtaev, L. (URS)	24	2505
f	Yurtseven, C. (TRK)	0	2345
g	Yusupov, A. (URS)	35	2610

Z

	Zabarski, Z. (ISL)	0	2310
	Zabystrzan, P. (CSR)	0	2290
	Zach, A. (FRG)	0	2245
	Zachowski, R. (USA)	0	2225
	Zadrima, A. (ALB)	0	2235
	Zafar, S. - U. (PAK)	0	2270
	Zagema, W.(NLD)	6	2320
	Zagrebelny (URS)	16	2400
	Zahariev, Z. (BLG)	27	2365
	Zahn, J. (DDR)	0	2225
	Zaid, L. D. (URS)	0	2395
	Zaikov, N. (BLG)	0	2230
	Zair, A. K. (MRC)	0	2205
g	Zaitsev, I. A. (URS)	17	2390
g	Zaitshik, G. (URS)	27	2500
	Zaja, I. (JUG)	12	2385
f	Zak, U. (ISL)	16	2350
	Zakharevich, I. (URS)	0	2255
m	Zakharov, A. (URS)	7	2390
f	Zakic, S. (JUG)	48	2315
m	Zaltsman, V. F. (USA)	3	2425
	Zaltz, D. (ISL)	0	2235
f	Zamariev, P. (JUG)	0	2340
	Zamfirescu, B. (ROM)	0	2350
	Zamora, C. (CHI)	0	2205
	Zamora, R. (HON)	0	2205
	Zamruk, A. (URS)	0	2375
g	Zapata, A. (COL)	18	2485
	Zapuzek, M. (MNC)	0	2205
	Zarak, D. (JUG)	4	2270
	Zarcula, A. (ROM)	0	2235
f	Zarcula, I. (ROM)	0	2275
m	Zarkovic, J. (JUG)	3	2395
f	Zarnescu, C. (ROM)	0	2310
f	Zarnicki, P. (ARG)	21	2390
	Zaura, V. (URS)	0	2250
	Zbikowski, W. (FRG)	0	2260
	Zdravkovic, D. (JUG)	5	2285
	Zdrojewski, W. (POL)	11	2235
	Zecevic, Dean (JUG)	0	2240
	Zecevic, Dejan (JUG)	5	2300
	Zecevic, D. J. (JUG)	0	2205
f	Zecevic, M. (JUG)	8	2245
	Zelcic, R. (JUG)	52	2315
	Zelenika, S. (JUG)	4	2285
	Zeleznik, A. (JUG)	5	2280
	Zelic, B. (JUG)	0	2330
	Zelic, M. (JUG)	0	2275
m	Zelic, Z. (JUG)	11	2395
	Zell, M. (FRG)	11	2300
	Zetocha, C. (ROM)	0	2335
	Zhachev, A. (URS)	0	2410
f	Zhang, Weida (PRC)	0	2320
	Zhelnin, V. V. (URS)	0	2320
	Zhu, Dinglong (PRC)	0	2310
	Ziatdinov, R. (URS)	6	2355
m	Zichichi, A. (ITA)	0	2310
	Ziegler, A. (SVE)	24	2315
	Zieher, H. (FRG)	0	2225
	Zielinski, M. (POL)	33	2370
	Ziembinski, M. (POL)	0	2230
	Zier, L. (FRG)	3	2235
	Zierke, O. (FRG)	3	2275
	Zifroni, D. (ISL)	11	2205
	Ziger, S. (JUG)	13	2215
	Zilberberg, A. (USA)	2	2235
m	Zilberman, N. R. (URS)	21	2445
	Zilberstein, D. (URS)	9	2275
m	Zilberstein, V. I. (URS)	7	2380
f	Zildzic, K. (JUG)	2	2300
f	Zillur, R. (BAN)	36	2370
	Zimmerman, C. (FRG)	0	2265
	Zimmermann, F. (FRG)	0	2235
	Zimmermann, H. (OST)	0	2300
	Zimuto, N. (ZIM)	0	2205
	Zinic, T. (JUG)	1	2285
f	Zivanic, S. (JUG)	8	2315
f	Zivanovic, I. (JUG)	0	2320
	Zivanovic, N. (JUG)	4	2260
f	Zivic, D. (JUG)	16	2305
	Zivkovic, B. (JUG)	0	2235
	Zivkovic, Lj. (JUG)	0	2380
f	Zivkovic, M. (JUG)	0	2320
f	Zivkovic, Ne. (JUG)	0	2340
	Zivkovic, Ni. (JUG)	0	2240
	Zivkovic, Z. (JUG)	0	2330
m	Zlatilov, I. (BLG)	30	2345
	Zlochevskij, A. (URS)	15	2395
	Zlotnik, B. A. (URS)	23	2445
m	Zlotnikov, M. (USA)	0	2315
	Zmijanac, D. (JUG)	12	2270
f	Znamenacek, K. (CSR)	22	2350
	Zoebisch, H. (OST)	6	2215
	Zoler, D. (ISL)	6	2245
	Zollberecht, J. (FRG)	0	2260
m	Zolnierowicz, K. (POL)	48	2370
	Zolotic, Z. (JUG)	9	2215
f	Zoltek, T. (POL)	16	2345
	Zoric, G. (JUG)	0	2205
	Zoric, S. (JUG)	0	2220
	Zorko, B. (JUG)	0	2315
	Zorman, V. (JUG)	15	2275
	Zowada, K. (POL)	17	2280
	Zpevak, P. (CSR)	0	2350
f	Zschaebitz, K. (FRG)	4	2320
	Zsekov, Zs. (BLG)	0	2325
m	Zsinka, L. (HUN)	13	2395
	Zubac, M. (ROM)	0	2245
m	Zuckerman, B. (USA)	0	2460
	Zucotti, E. (ARG)	0	2205
f	Zude, A. (FRG)	25	2325
	Zude, E. (FRG)	15	2325
m	Zueger, B. (SWZ)	32	2435
f	Zuk, R. D. (CAN)	0	2310
f	Zukerfeld, A. (ARG)	0	2285
	Zundiu, C. (MON)	0	2225
f	Zupe, M. (JUG)	4	2330
	Zurek, M. (CSR)	0	2415
	Zusek, P. (FRG)	14	2305
	Zvolanek. L. (CSR)	0	2230
	Zyla, J. (POL)	34	2255
m	Zysk, R. (FRG)	22	2450

INTERNATIONAL RATING LIST, WOMEN

A

	Abbasi, R. (SYR)	12	2010
m	Abhyankar, A. G. (IND)	4	2160
	Acevedo, H. (MEX)	0	2070
	Adoamnei, R. (ROM)	0	2050
	Agic, A. (JUG)	0	2025
f	Agrawal, K. (IND)	4	2120
	Airapetian, S. H. (URS)	0	2120
g	Akhmilovskaya, E. B. (URS)	0	2430
m	Akhsharumova, A. M. (USA)	9	2395
	Al Akraa, I. (SYR)	0	2005
f	Aladjova, K. (BLG)	8	2090
g	Albulet, M. (ROM)	0	2100
m	Alekhina, N. V. (URS)	0	2215
	Aleksieva, S. (BLG)	13	2110
g	Alexandria, N. G. (URS)	0	2375
	Alieva, E. (URS)	0	2190
f	Amura, C. N. (ARG)	3	2310
m	An, Jang-Feng (PRC)	0	2250
m	Angelova-Chilingirova, P. (BLG)	7	2245
m	Ankerst, M. (JUG)	5	2230
g	Arakhamia, K. (URS)	20	2405
	Arbatskaia, N. (URS)	17	2170
m	Arbunic Castro, G. (CHI)	0	2185
g	Arkell, S. (ENG)	19	2345
	Armas, A. (CUB)	0	2060
f	Aronoff, I. (USA)	0	2165
	Arriba, M. (CUB)	0	2210
	Artamonova, V. (URS)	0	2070
	Aseeva, M. (URS)	0	2065
	Autowicz, B. (POL)	0	2035

B

	Babaeva, F. (URS)	0	2030
m	Badulescu, Ch. (ROM)	13	2305
	Baez, S. (DOM)	0	2005
m	Baginskaite, K. (URS)	9	2300
	Bajkovic, M. (JUG)	0	2010
	Bakalarz, G. (FRG)	15	2060
	Balaban, N. (JUG)	5	2025
	Balashova, E. (URS)	0	2165
	Balvianu, M. (ROM)	0	2025
	Baron, I. (POL)	0	2010
	Barta, Z. (HUN)	0	2040
	Barthel, B. (FRG)	6	2060
m	Basagic, V. (JUG)	36	2260
	Basta-Sohair, F. (EGY)	12	2015
	Battsetseg, T. (MON)	11	2140
	Bauer, F. (OST)	0	2005
	Baumann, C. (SWZ)	11	2080
m	Baumstark, G. (ROM)	17	2235
	Bayarma, G. (MON)	11	2095
	Bazaj, S. (JUG)	5	2240
	Bazhina, E. (URS)	0	2105
	Belakovskaya, A. (URS)	13	2195
m	Belamaric, T. (JUG)	3	2225
m	Belle, E. (NLD)	0	2125
g	Bellin, J. (ENG)	0	2240
	Belova, T. (URS)	0	2055
	Bener, A. (SVE)	4	2085
	Bennett, C. (JAM)	0	2005
	Berezina, I. (URS)	0	2195
	Berg, T. (DEN)	0	2095
	Bilinski, V. (SWZ)	0	2030
m	Bilunova, R. I. (URS)	15	2240
	Biocanin, Gord. (JUG)	6	2085
	Birr, B. (FRG)	10	2030
	Bistrikova, E. V. (URS)	13	2230
m	Bjelajac, O. (JUG)	0	2125
	Bogumil, T. (URS)	12	2075
	Bogumil, T. (URS)	13	2015
m	Boicu, S. (ROM)	9	2115
m	Bojkovic, N. (JUG)	46	2275
	Borek, J. (OST)	13	2045
	Borges, D. (PRO)	0	2010
	Borik, A. (FRG)	0	2045
m	Borisova, B. (SVE)	0	2180
	Borisova, L. (URS)	0	2030
	Borulia, E. (URS)	6	2205
	Boskovic, M. (JUG)	13	2120
	Bosnic, Lj. (JUG)	7	2010
f	Botsaris, A.-M. (GRC)	18	2220
	Botvinnik, I. (URS)	0	2010
	Bratimirova, D. (BLG)	9	2095
m	Broeder, I. (DDR)	13	2195
m	Bruce, R. M. (ENG)	0	2025
f	Bruinenberg, C. (NLD)	0	2090
f	Brustman, (POL)	20	2305
	Brustman-Gawarecka, E. (POL)	11	2070
	Buechle, R. (FRG)	11	2030
	Bukowska, K. (POL)	11	2050
m	Burchardt-Hofman, B. (DDR)	13	2220
f	Burijovich, L. (ARG)	0	2190
	Burjan, A. (HUN)	0	2055

C

	Caels, V. (BEL)	0	2015
	Cameron, A. (NLD)	0	2040
	Campos De Ocampo, A. (MEX)	0	2020
f	Candea, I. (ROM)	11	2135
m	Canela, T. (ESP)	0	2160
	Caplar, L. (ROM)	0	2060
	Capo, O. (CHI)	0	2145
	Caravan, M. (ROM)	0	2065
	Carbajal, A. L. (CUB)	0	2005
m	Cardoso, R. (BRS)	0	2040
m	Cejic, D. (JUG)	15	2225
	Cejkova, M. (CSR)	15	2125
	Cesarov, Lj. (JUG)	10	2010
m	Chaves, J. (BRS)	0	2075
m	Chaves, J. (BRS)	0	2115
m	Chekhova-Kostina, T. M. (URS)	0	2300
m	Chelushkina, I. (URS)	9	2315
g	Chiburdanidze, M. G. (URS)	14	2495
m	Chiricuta Kantor, I. (ROM)	9	2165
	Chis, E. (ROM)	11	2060
	Chkaidze, H. (URS)	0	2225
	Christopher, S. (ENG)	0	2100
	Chua-Depasquale, C. (AUS)	0	2050
	Cicovacki, J. (JUG)	0	2020
	Ciechocinska-Miecko, Z. (POL)	0	2020
	Ciprianova-Kubikova, H. (CSR)	0	2140
	Clarke, C. (JAM)	0	2005
	Clementi, J. (AUS)	0	2005
f	Cohn, I. (FRG)	0	2085
	Condie, A. (SCO)	0	2035
	Connolly, S. (IRL)	0	2020
	Coudray, C. (FRA)	10	2030
	Craig, C. (AUS)	0	2005
g	Cramling, P. (SVE)	45	2480
	Crespo, S. (CUB)	0	2005
	Cronin, A. (IRL)	0	2055
m	Crotto, R. (USA)	0	2135
	Csom, E. (HUN)	5	2100
	Csom, K. (HUN)	0	2050
m	Csonkics, T. (HUN)	18	2280
m	Cuevas-Rodriguez, L. (ESP)	0	2170
	Cvetkovic, St. (JUG)	0	2235
	Cynolter-Bogar, E. (HUN)	6	2005

D

	Dabrowska, K. (POL)	24	2135
	Dahl, I. (NOR)	10	2085
m	Dahlgruen, A. (FRG)	24	2225
f	Dahlin, J. (SVE)	0	2140
	Dalmau, A. (SVE)	0	2045
	Dan, S. (ROM)	11	2045
	Danova, T. (BLG)	9	2140
	Darmayanti, T. D. (RIN)	0	2015
	Daskalova, M. (BLG)	9	2005
m	De Armas, P. A. (CUB)	13	2235
	De Castaneda, M. (COL)	0	2025
m	De Greef, H. (NLD)	0	2165
	De Kleuver, E. (NLD)	3	2130
	De Linde, A. (NOR)	0	2020
	De Los Santos, I. (URU)	0	2005
m	De Oliveira, M. C. (BRS)	0	2095
f	Debowska, T. (POL)	0	2005
	Dekic-Novakovic, B. (JUG)	0	2140
	Delaney, A. T. (IRL)	0	2110
m	Demina, J. (URS)	15	2300
	Demovioova, A. (CSR)	0	2060
	Derera, M. (HUN)	10	2185
	Derlich, K. (FRG)	11	2165
	Didenko, L. (URS)	0	2030
	Dimitriadi, A. (GRC)	14	2070
	Dimitrova, L. (BLG)	9	2080
	Dobos, D. (ROM)	0	2010
	Dodson, C. S. (USA)	0	2065
	Doikova, G. (BLG)	10	2030
	Domaradzka, A. (POL)	0	2045
	Domarkaite, L. (URS)	13	2070
	Dombovari, A. (HUN)	0	2010

Domkute, V. (URS)	6	2065
Doncheva, M. (BLG)	13	2075
Donnelly, R. A. (USA)	0	2065
m Dragasevic-Georgieva, A. (JUG)	13	2215
Dragovic, N. (JUG)	6	2015
Drewes, M. (NLD)	0	2080
Dubois-Schall, M. (FRG)	2	2060
f Duminica, M. (ROM)	24	2110
Dyczka, K. (POL)	0	2035
Dzhandzhava, N. (URS)	13	2180

E

f Egerland, E. (HUN)	0	2235
Eichner, A. (FRG)	0	2025
m Eidelson, R. (URS)	13	2205
Emperado, M. (PHI)	0	2005
m Epstein, E. D. (URS)	0	2250
Eremina, N. (URS)	0	2050
g Erenska-Radzewska, H. (POL)	37	2265
g Eretova, K. (CSR)	11	2150
Erneste, I. (URS)	11	2140
Eruslanova, I. (URS)	0	2230
Eshenko, D. (URS)	0	2180
Espig-Camin, G. (DDR)	0	2135
Etokowo, I. (NIG)	0	2005
Evtouchenko-Boulongne, N. (FRA)	0	2005

F

Fandino, R. (CUB)	0	2115
g Fatalibekova, E. (URS)	0	2265
Fati, F. M. (IRQ)	0	2005
Feofanovene, R. (URS)	0	2040
m Ferrer-Lucas, P. (ESP)	0	2120
m Feustel, P. (FRG)	0	2250
Filichkina, S. (URS)	17	2040
Finegold, G. L. (BEL)	1	2035
Fink, P. (FRG)	0	2105
Finta, E. (HUN)	0	2040
m Fischdick, G. (FRG)	4	2285
m Flear, Ch. (ENG)	38	2195
Florova, O. (URS)	0	2150
Fogel, U. (FIN)	0	2005
m Fomina, T. V. (URS)	15	2225
m Fontanilla, G. (PHI)	0	2035
Forbes, C. (ENG)	0	2055
f Forgo, E. (HUN)	5	2165
Fornal, A. (POL)	1	2175
Foster, F. (NZD)	0	2020
Foulon, G. (BEL)	0	2010
Frenkel, V. (USA)	0	2120
Fridthjofsdottir, S. (ISD)	0	2005
Frmesk, W. (IRQ)	0	2010
m Frometa, Z. (CUB)	23	2180

G

Gagloshvili, R. (URS)	0	2085
Gallego, J. (ESP)	0	2060
m Galliamova, A. (URS)	18	2370
m Gant, O. (ROM)	30	2240

g Gaprindashvili, N. T. (URS)	11	2435
Garcia, A. (DOM)	0	2005
Garcia, Ana (URU)	0	2005
m Garcia, Nieves (ESP)	4	2215
Garcia-Padron, M. P. (ESP)	0	2225
f Garwell, J. (WLS)	0	2180
Gasiunas, N. (URS)	0	2110
Gaso, D. (JUG)	11	2065
Gatine, A. (FRA)	10	2030
Gavrila, E. (ROM)	0	2055
Geissler, G. (DDR)	0	2050
Gencs, E. (HUN)	0	2030
Geneciran, G. (PHI)	0	2025
m Genova (Tsvetkova), R. (BLG)	4	2210
Geofroy, M. (TTO)	0	2005
Gepstein, G. (URS)	0	2035
Gere, V. (JUG)	0	2075
Gerelma, U. (MON)	11	2185
Gheorghe, M. (ROM)	9	2025
Gherghe, D. (USA)	0	2060
m Ghinda, E. (ROM)	20	2200
Gibiecova, B. (CSR)	0	2020
Giulian, R. (SCO)	0	2050
m Glaz, Lena (ISL)	0	2200
Glinska, I. (POL)	0	2025
m Gocheva (Bojadgieva), R. (BLG)	25	2190
Gogalea, E. (ROM)	0	2045
Gostovic (Bozovic), M. (JUG)	0	2130
Grabuzova, T. (URS)	12	2120
Gramignani, R. (ITA)	0	2035
Grek, J. (JUG)	0	2050
m Gresser, G. K. (USA)	0	2090
m Grinfeld, A. B. (URS)	34	2170
Grochot, Cz. (POL)	16	2045
m Grosch, M. (HUN)	3	2135
Groves, C. A. (ENG)	0	2065
f Gruenberg, R. (FRG)	0	2115
Grunvald, I. (URS)	0	2005
m Guggenberger, I. D. (COL)	0	2055
g Gurieli, N. D. (URS)	13	2355
Guskova, E. (URS)	17	2125
Gutkina, E. (URS)	25	2080
Guzman, P. (DOM)	0	2020

H

Haahr, M. (DEN)	0	2010
Hajkova, P. (CSR)	0	2100
m Hajkova-Maskova, J. (CSR)	0	2230
m Hamid, R. (BAN)	35	2165
Hamm, K. (DDR)	0	2085
m Handsuren, S. (MON)	11	2065
Hankova, J. (CSR)	0	2075
Hanna, D. M. (IRQ)	0	2005
m Haring, R. I. (USA)	0	2120
m Harmsen, J. (NLD)	4	2245
Harwar, J. (ENG)	0	2050
Haslinger, C. (ENG)	0	2070
Hausner, A. (OST)	0	2010

Hazim, E. (DOM)	0	2005
Hebisch, I. (POL)	0	2005
g Heemskerk, F. (NLD)	8	2020
m Heintze, M. (DDR)	13	2225
Hennings, M. (OST)	0	2045
Hepworth, M. (ENG)	0	2085
Hernandez, Am. (VEN)	0	2020
Hernandez, T. (CUB)	0	2130
f Ho, Yin Ping (HKG)	0	2045
Hoffmann, He. (FRG)	0	2015
m Hoiberg, N. (DEN)	7	2195
m Honfi, Karolyne (HUN)	0	2095
f Horvath, Ju. (HUN)	31	2195
f Horvath, M. (OST)	0	2055
Hulgana, G. (MON)	0	2105
g Hund, B. (FRG)	0	2310
Hund, I. (FRG)	0	2065

I

Ilieva, H. (BLG)	11	2060
Ionescu, L. (ROM)	0	2025
Ionescu, O. (ROM)	0	2085
m Ionescu-Ilie, V. (ROM)	15	2110
f Ionita, M. (ROM)	0	2125
g Ioseliani, N. M. (URS)	6	2470
Ipek, N. (TRK)	0	2045
Isusova, N. (BLG)	9	2025
g Ivanka-Budinsky, M. (HUN)	9	2270
m Izrailov, I. (USA)	4	2210

J

m Jackson, Sh. (ENG)	8	2195
m Jagodzinska, J. (POL)	28	2150
f Jahn, C. (DDR)	17	2150
Jahn, G. (DDR)	13	2040
Jakus, K. (HUN)	5	2100
f Jalowiec, H. (POL)	0	2165
James, Ga. D. (WLS)	0	2005
Janiste, K. (URS)	15	2125
Janus, E. (FRG)	0	2115
Jarmolinskaia, M. (URS)	13	2200
Jensen, Ch. (DEN)	1	2040
f Jezierska, I. (USA)	0	2085
m Jicman, L. (ROM)	3	2105
Johnputra, G. (MAL)	0	2005
Johnsen, S. (NOR)	0	2005
Jovanovic, Mir. (JUG)	7	2065
Jovanovic, Sanja (JUG)	6	2110
Jovcevska, P. (JUG)	0	2080
Jovkova-Draganova, P. (BLG)	24	2105
Juarez, R. M. (GUA)	0	2005
m Jurczynska, A. (POL)	1	2115
m Justo, V. (ARG)	0	2285

K

Kaczmarek, E. (POL)	15	2170
m Kaczorowska, B. (POL)	15	2225
Kahabrishvili, Z. (URS)	0	2185
Kajumova, I. (URS)	0	2095
m Kakhiani, K. (URS)	28	2330
Kalcheva, N. (BLG)	10	2080

	Name		
	Kalinicheva, V. (URS)	0	2125
	Kantorovich, A. (URS)	12	2060
g	Karkas-Kertesz, E. (HUN)	0	2075
	Karim, A. (UAE)	0	2005
	Karim, F. (UAE)	0	2005
	Karolny, L. (HUN)	0	2120
	Kartanaite, R. (URS)	0	2090
m	Kas, R. (FRG)	11	2210
f	Kasioura, F. (GRC)	0	2010
m	Kasoshvili, T. E. (URS)	13	2230
f	Kasprzyk, I. (POL)	0	2115
m	Keller, M. (DDR)	0	2160
f	Kereszturi, S. (HUN)	15	2185
m	Khadilkar, J. (IND)	0	2120
m	Khadilkar, R. (IND)	0	2215
	Khalafian, E. (URS)	8	2145
	Kharkova, E. (URS)	24	2225
	Khasanova, E. (URS)	0	2035
	Kholomogordova, S. (URS)	0	2160
	Khorovets-Aiedinova, E. (URS)	0	2225
m	Khugashvili, T. N. (URS)	0	2215
	Khvedelidze, Z. (URS)	0	2030
	Kientzler, I. (FRA)	0	2035
	Kim, O. (URS)	0	2085
	Kinsigo (Sammul), M. (URS)	0	2200
	Kiseleva, N. (URS)	0	2115
	Kislova, V. (URS)	0	2160
g	Klimova-Richtrova, E. (CSR)	0	2370
	Klusek, D. (POL)	19	2190
	Kobaidze, Ts. G. (URS)	0	2110
	Koen, M. (BLG)	14	2080
	Kogan, T. (URS)	0	2245
	Kokanovic, K. (JUG)	16	2165
	Kokmanova, J. (CSR)	0	2065
	Kolar, J. (JUG)	4	2090
	Kolchakova, J. (BLG)	7	2045
g	Konarkowska, H. (JUG)	0	2085
m	Kondou, E. (GRC)	16	2205
g	Konopleva, N. (URS)	5	2145
	Kosanovic, O. (JUG)	0	2045
	Koskoska, G. (JUG)	0	2020
	Kovacevic, R. (JUG)	29	2110
	Kovacs-Mathe, E. (HUN)	0	2060
m	Kovacs-Pinter, M. (HUN)	7	2220
	Kovats-Sax, B. (HUN)	0	2085
	Kowalewski, K. (DDR)	0	2025
	Kowalska, E. (POL)	10	2120
g	Kozlovskaya, V. (URS)	17	2160
f	Kozma, E. (ROM)	11	2065
f	Kristol, L. (ISL)	11	2245
m	Krizsan-Bilek, Gy. (HUN)	0	2100
	Krumova, V. (BLG)	0	2115
	Krzisnik-Bukic, V. (JUG)	0	2180
	Krzyzanowska, L. (POL)	0	2010
	Kuenzner, E. (FRG)	0	2190
	Kulikova, L. (URS)	0	2240
	Kulish, J. (URS)	17	2170
f	Kun, I. (ROM)	13	2145
	Kunze, K. (DDR)	26	2215
	Kurucsai, I. (HUN)	5	2100
	Kurucsai, M. (HUN)	0	2085
	Kuzmina, C. C. (URS)	0	2100
	Kuznetsova, E. (URS)	0	2115

L

	Name		
	La Rosa, G. (VEN)	0	2005
f	Laakmann, A. (FRG)	0	2185
	Ladner, K. (OST)	11	2070
	Laesson, T. (URS)	15	2185
	Lagvilava (URS)	13	2235
	Laitinen, L. (FIN)	0	2005
	Lalova, V. (BLG)	11	2085
	Lanchava, T. (URS)	13	2070
	Landry-Vuorenpaa, S. (FIN)	7	2010
	Lanni, D. (USA)	0	2040
	Laszewska, I. (POL)	0	2065
m	Lauterbach, I. (FRG)	26	2155
g	Lazarevic, M. (JUG)	17	2240
	Lazarevska, L. (JUG)	0	2010
	Lazic, Ma. (JUG)	1	2135
m	Lebel-Arias, J. (FRA)	22	2075
	Lee, L. (PHI)	0	2005
g	Lelchuk, Z. (URS)	7	2325
g	Lematschko, T. (SWZ)	25	2340
	Leon, E. (CUB)	0	2060
	Leszczynska, J. (POL)	0	2130
m	Leszner, L. (POL)	3	2175
g	Levitina, I. S. (URS)	16	2370
	Limberg, T. (URS)	0	2060
	Lissowska, A. (POL)	25	2160
g	Litinskaya-Shul, M. I. (URS)	0	2365
	Litwinska, A. (POL)	0	2005
g	Liu, She-Lan (PRC)	0	2260
	Lomakina, O. (URS)	0	2095
	Lopatina, O. (URS)	13	2130
	Lorentz, Elisabeta (ROM)	0	2050
	Lorentz, Elisabeta (ROM)	9	2050
	Lorenz, B. (FRG)	17	2060
	Lowy, M. (ROM)	9	2025
	Lubarskaya, L. A. (URS)	0	2145
	Lumongdong, L. (RIN)	0	2005
	Lutskane, A. (URS)	0	2155

M

	Name		
m	Macek-Kalchbrenner, V. (JUG)	4	2225
g	Madl, I. (HUN)	29	2310
	Maeckelbergh, A. (BEL)	0	2005
	Majul, I. (COL)	0	2035
m	Makai, Zs. (HUN)	0	2260
	Makarycheva-Ostrovskaya, M. (URS)	25	2150
g	Makropoulou, M. (GRC)	16	2255
m	Maksimovic, S. (JUG)	35	2230
f	Malajovich, S. (ARG)	0	2180
	Mamedova, R. (URS)	0	2025
	Manger, C. (DDR)	0	2110
m	Mansilla, B. (CHI)	14	2185
g	Maric, A. (JUG)	32	2355
m	Maric, M. (JUG)	33	2290
	Marinova, E. (BLG)	8	2070
f	Markov, S. (JUG)	14	2135
f	Markov, V. (JUG)	9	2120
m	Markovic, G. (JUG)	15	2230
	Martin, A. P. (AUS)	0	2025
	Martinez, V. (MEX)	0	2005
	Martinez, Virginia (MEX)	0	2025
	Mary, K. (USA)	0	2100
m	Masariego, C. (GUA)	0	2065
	Masenaite, I. (URS)	0	2120
	Maseyczik, I. (BEL)	0	2030
	Masnjak, R. (JUG)	0	2030
m	Matveeva, S. (URS)	16	2315
	Mazariegos, C. (GUA)	0	2005
	Mc Lure, A. (SCO)	0	2010
	Mednikova, S. (URS)	0	2065
	Medvedeva, E. (URS)	0	2025
	Melashvili, K. (URS)	0	2120
	Melashvili, N. (URS)	0	2155
	Mendoza, P. (MEX)	0	2005
	Menshikova, L. (URS)	13	2170
	Mereklishvili, Ts. (URS)	0	2085
	Merlini-Cirovic, M. (FRA)	0	2035
	Meshjerina, T. (URS)	13	2080
m	Meyer, S. (FRG)	0	2220
f	Micic, J. (JUG)	3	2215
	Micic, S. (JUG)	19	2100
	Mihevc, N. (JUG)	17	2150
	Mijatovic, A. (JUG)	3	2145
	Milicic, T. (JUG)	4	2050
	Milivojevic, S. (JUG)	10	2080
	Milligan Scott, H. (SCO)	0	2035
m	Minogina, T. (URS)	12	2150
f	Mira, H. (OST)	3	2120
	Misic, G. (JUG)	0	2005
	Mistry-Kennedy, Sh. (USA)	0	2010
f	Mitescu, N. (ROM)	20	2140
	Miteva, D. (BLG)	10	2020
	Modoi, I. (ROM)	0	2010
	Modrova, H. (CSR)	15	2095
	Mohammed, A. (IRQ)	0	2005
	Moheni, A. E. (TTO)	0	2005
m	Mongeau, D. (CAN)	0	2020
	Monterroso (GUA)	0	2005
	Morosova, T. V. (URS)	0	2140
	Morrison, L. G. P. (SCO)	0	2010
	Mott-Mc Grath, M. E. (AUS)	0	2015
	Moukhbatt, J. (LEB)	0	2005
	Mourouti, M. (GRC)	9	2055
f	Mozna-Hojdarova, E. (CSR)	11	2105
	Muchnik, L. I. (URS)	0	2185
	Mufic, Gr. (JUG)	1	2040
	Mujika, (VEN)	0	2070
g	Muresan-Juncu, M. (ROM)	18	2215
	Muslimova, A. E. (URS)	0	2245

N

	Name		
	Nagel, Y. (NLD)	0	2085
f	Nagrocka, E. (FRG)	3	2115
f	Nagy, Ervinne (HUN)	3	2175

	Nagy, H. (HUN)	0	2095
	Nakagawa, E. (JAP)	0	2005
f	Nechifor, M. (ROM)	0	2125
m	Needham, T. (ENG)	0	2250
m	Neely, E. (USA)	0	2140
	Nehse, G. (DDR)	13	2185
	Nekrasova, E. (URS)	0	2045
	Nemcova, D. (CSR)	13	2105
	Nemcova, V. (CSR)	11	2065
	Nemeth, M. (HUN)	2	2175
	Nestorova-Petrova, L. (BLG)	9	2055
f	Nicoara, M. (ROM)	0	2115
	Niklesova, H. (CSR)	0	2055
	Nikolic-Kovacevic, D. (JUG)	0	2020
m	Nikolin, Z. (JUG)	29	2225
	Nirmala, P. V. (IND)	5	2030
	Nizhegorodova, M. (URS)	0	2140
	Norman (Wright), D. M. (ENG)	0	2085
	Novakovic, N. (JUG)	0	2030
	Nowik, U. (POL)	0	2045
	Nuenchert, E. (DDR)	13	2125
g	Nutu, D. (ROM)	20	2340

O

	O'Siochru, M. (IRL)	0	2105
	Ogloblina, L. (URS)	17	2105
	Olarasu, I. (ROM)	11	2060
f	Olteanu, G. (ROM)	11	2045
m	Ostry, I. (URS)	0	2200
	Otovic, Lj. (JUG)	0	2065
	Ovchinikova, Y. (URS)	17	2100
	Ovezova, M. (URS)	0	2020

P

	Paizis, A. (ITA)	0	2115
m	Palao, M. (CUB)	0	2165
	Palatkova, E. (CSR)	11	2120
	Paramentic, M. (JUG)	16	2090
	Parvin, S. (BAN)	5	2055
	Pastukhova, L. (URS)	17	2025
	Pavlova, M. (BLG)	6	2075
	Pedko, O. S. (URS)	0	2120
	Peicheva, E. (BLG)	19	2205
m	Peicheva, V. (BLG)	10	2230
	Pejic, D. (JUG)	7	2065
	Pejic, M. (JUG)	0	2075
	Peng, Zhaoqin (PRC)	0	2305
m	Perevoznic, M. (ROM)	0	2155
	Perez, E. (DOM)	5	2110
	Perovic, S. (JUG)	1	2030
	Pesiguna, S. (URS)	0	2080
	Petek, F. (JUG)	4	2030
m	Petek, M. (JUG)	48	2205
	Petek, R. (JUG)	0	2120
	Petraki, M. (GRC)	20	2055
	Petrascu, R. (ROM)	9	2055
	Petrova-Kalmukova, M. (BLG)	4	2180
m	Petrovic, M. (JUG)	28	2295
	Petrushina, N. (URS)	17	2065
	Peyman, J. (IRQ)	0	2005
	Piarnpuu, L. (URS)	15	2205
m	Pihajlic, A. (JUG)	34	2185
f	Pinter (Kurucsai), J. (HUN)	0	2150
	Pionova, S. (BLG)	18	2060
	Piquemal, Ch. (FRA)	10	2070
	Plhalova-Augustinova, M. (CSR)	0	2015
	Ploner, M. (OST)	0	2005
	Pluymert, C. (NLD)	0	2030
m	Podrazhanskaya, O. (ISL)	17	2150
	Polakova-Kisova, P. (CSR)	0	2105
g	Polgar, J. (HUN)	22	2555
m	Polgar, Zso. (HUN)	11	2335
g	Polgar, Zsu. (HUN)	13	2520
	Poliakova, N. (URS)	0	2075
g	Polihroniade, E. (ROM)	22	2170
m	Polnarieva, L. (URS)	0	2205
	Pomyjova-Chmielova, H. (CSR)	15	2085
	Popescu, L. (ROM)	9	2045
	Popivoda, R. (URS)	0	2135
	Popova, K. (BLG)	1	2015
m	Porubszky-Angyalosine, M. A. (HUN)	6	2195
	Powell, L. (WLS)	0	2010
	Powell, M. (JAM)	0	2005
	Prochazkova, D. (CSR)	0	2025
m	Prudnikova, S. (URS)	15	2315
	Pudkova, T. N. (URS)	0	2140
m	Puljek, Z. (JUG)	43	2180
	Putjatina, N. (URS)	0	2125
m	Pytel, B. (POL)	4	2070

R

	Radha, S. R. (IND)	1	2015
f	Radu, L. (ROM)	0	2145
	Radu, S. (ROM)	0	2045
g	Radzikowska, K. (POL)	1	2055
	Raeva, O. (BLG)	5	2055
	Rainer, V. (JUG)	0	2080
	Rakhmatullaeva, Sh. (URS)	0	2005
	Rakic-Serianc, B. (JUG)	0	2080
	Ramic, F. (JUG)	1	2100
m	Ramon, V. (CUB)	0	2190
	Ramzina, N. (URS)	0	2095
m	Ranniku, M. (URS)	15	2160
	Rause, O. (URS)	0	2175
	Razinger, T. (JUG)	1	2010
m	Reicher, R. (ROM)	0	2060
	Reimer, E. (SWZ)	0	2090
	Rendon, M. L. (COL)	0	2050
	Repkova, E. (CSR)	0	2045
m	Ribeiro, R. (BRS)	3	2050
	Ridjicki, N. (JUG)	0	2085
m	Riedel, A. (DDR)	18	2160
	Riemslag, A. (NLD)	0	2115
	Ristic, E. (JUG)	0	2095
	Ristoja, A. (FIN)	13	2045
	Rizzo, M. (ARG)	11	2040
	Rodic-Kures, G. (JUG)	4	2050
	Rodriguez, V. (CUB)	0	2015
m	Roos, C. (CAN)	0	2145
	Rozenblat-Zakroiski, P. (ISL)	0	2010
	Rubene, I. (URS)	7	2095
g	Rubzova, T. (URS)	17	2210
m	Ruchieva, N. (URS)	0	2190
	Ruck-Petit, M. (FRA)	0	2030
	Rudikova-Prymulova, R. (CSR)	0	2055
	Rudolph, A. W. (USA)	0	2055
	Rufa, G. (ROM)	0	2085
	Rzeczycka, B. (POL)	15	2075

S

	Sabirova, S. (URS)	0	2075
	Saburova, T. (URS)	0	2040
	Sadilkova, V. (CSR)	11	2015
	Sadunashvili, L. (URS)	13	2150
	Safariants, L. (URS)	0	2100
	Safranska, A. (URS)	0	2160
	Sajter, Cs. (ROM)	0	2045
	Sakhatova, E. (URS)	0	2140
m	Sakhatova, G. (URS)	23	2215
f	Salazar, A. (COL)	0	2115
	Samardzic, J. (JUG)	11	2150
	Santos, C. (PHI)	0	2005
	Santos, I. (POR)	0	2005
	Saric, N. (JUG)	9	2050
m	Saunina, L. (URS)	28	2240
m	Savereide, D. (USA)	0	2250
m	Savova, S. (BLG)	6	2240
	Schmidt, R. (FRG)	0	2005
	Sebestyen, M. (HUN)	0	2050
	Sederias, F. (ROM)	9	2025
	Sedina, E. (URS)	13	2205
	Seidemann, U. (DDR)	0	2080
	Sekulovic, D. (JUG)	4	2030
	Selmeier, F. (NLD)	0	2015
g	Semenova, L. K. (URS)	13	2290
	Semina, S. (URS)	25	2145
	Sergeeva, T. (URS)	0	2230
f	Seto, Wai Ling (MAL)	0	2055
	Sheremetieva, M. (URS)	0	2170
	Shestoperova, A. (URS)	4	2100
	Sheveleva, N. (URS)	0	2085
m	Shikova, V. W. (BLG)	8	2170
	Shour, J. (URS)	0	2080
m	Shterenberg, N. (CAN)	0	2200
	Shumiakina, T. (URS)	30	2215
m	Sikora-Gizynska, B. (POL)	26	2220
	Silva, C. (POR)	0	2005
	Sinka, B. (HUN)	0	2045
m	Sitnikova, N. (URS)	0	2225
	Skacelikova, M. (CSR)	4	2090
	Skacelova-Zaharovska, J. (CSR)	4	2160
m	Skegina, K. (URS)	0	2210
	Skulj, K. (JUG)	0	2010
m	Slavotinek, A. (AUS)	0	2075
	Smiechowska, J. (POL)	11	2035
	Smolenskaya, V. (URS)	0	2020
	Sobierajewicz, K. (POL)	0	2045
m	Sofieva, A. (URS)	20	2340
	Sofrevska, L. (JUG)	0	2130

	Sokolova, M. (URS)	13	2165
	Sokolovic-Bertok, S. (JUG)	0	2040
	Sommaro, K. (DDR)	13	2135
	Son, I. (URS)	0	2170
	Sorescu, M. (ROM)	0	2050
f	Sosnowska, E. (POL)	25	2150
	Sotonyi, Zs. (HUN)	0	2105
	Spaete, U. (FRG)	0	2080
	Spielmann, J. (DDR)	13	2080
	Stadler, B. (JUG)	0	2095
g	Stadler, T. (JUG)	0	2155
f	Stanica, C. (ROM)	20	2240
m	Stanciu, G. (ROM)	17	2215
	Starck, I. (DDR)	22	2135
	Stefanova, A. (BLG)	9	2165
	Stegaroiu, R. (ROM)	0	2040
m	Stepovaia (Dianchenko), T. (URS)	17	2245
	Sternina, V. E. (URS)	0	2105
f	Strizak, N. (JUG)	4	2110
f	Stroe, M. (ROM)	0	2190
	Struchkova, S. (URS)	0	2095
	Strutinskaya, G. N. (URS)	30	2225
	Strzalka, J. (POL)	26	2145
m	Sunnucks, P. A. (ENG)	0	2045
	Susnea, L. (ROM)	11	2060
	Svarcer, H. (JUG)	0	2115
	Svarcova, J. (CSR)	0	2005
f	Swiecik, I. (POL)	20	2220
	Szaday, L. (HUN)	0	2070
f	Szalai, I. (HUN)	4	2155
	Szalay, Sz. (HUN)	0	2045
	Sziksai, I. (ROM)	0	2030
f	Sziva, E. (HUN)	17	2250
m	Szmacinska, G. (POL)	15	2210
	Szmigielska, A. (POL)	11	2055
	Szulnis, M. (POL)	0	2070
	Szymanska, J. (POL)	0	2025

T

f	Tagnon, N. (FRA)	20	2120
f	Takemoto, N. (JAP)	0	2030
m	Tamin, U. D. (RIN)	0	2140
	Tazhieva, L. (URS)	0	2185
	Te, R. (URS)	17	2130
m	Teasley, D. O. (USA)	0	2185
g	Teodorescu, M. (ROM)	0	2135
	Tereladze, S. (URS)	13	2045
f	Tesic, M. (JUG)	11	2085
	Theander, M. (DEN)	0	2035
m	Thipsay, B. S. (IND)	9	2225
	Thorsteinsdottir, G. (ISD)	0	2135
	Threinsdottir, O. (ISD)	0	2070
	Timoshchenko, V. I. (URS)	0	2160
m	Titorenko, N. I. (URS)	13	2090
	Titova, E. (URS)	5	2210
f	Todorovic, O. (JUG)	4	2155
	Togtokhbayar, M. (MON)	1	2135
f	Tolgyi, V. (ROM)	11	2075
	Toma, D. (ROM)	20	2060
f	Tomasevic, T. (JUG)	5	2170
m	Trabert, B. (FRG)	15	2200
	Trajcevic, G. (JUG)	0	2095
	Trojanska, E. (BLG)	4	2070
	Trosic, G. (JUG)	10	2040
	Tsereteli, M. (URS)	0	2205
	Tsifanskaya, L. A. (URS)	0	2230
	Tsiganova, M. (URS)	15	2155
	Tungalag, S. (URS)	11	2075
	Turczynowicz, L. (POL)	0	2090
	Tust, D. (POL)	0	2075
	Tverskaya, J. (URS)	13	2040

U

	Umanskaya, I. (URS)	38	2215
m	Unni, V. (IND)	0	2125
	Ushakova, I. (URS)	0	2265
m	Uskova, F. (URS)	13	2250
	Uysal, F. (TRK)	0	2005

V

	Valdes, M. (CUB)	0	2070
	Van Der Giessen, A. L. (NLD)	0	2045
g	Van Der Mije, A. (NLD)	0	2185
	Van Elst, M. (NLD)	0	2005
f	Van Parreren, H. (NLD)	1	2150
	Vandevoort (BEL)	0	2010
	Vardi, Sh. (ISL)	11	2035
	Varga, A. (HUN)	0	2070
	Vaschetti, A. (ARG)	0	2025
	Vasilevska, T. (JUG)	0	2045
	Vasiliu, R. (ROM)	0	2070
	Vasilj, T. (JUG)	0	2005
	Vavpotic-Kosanski, T. (JUG)	0	2065
	Velikhanli, F. (URS)	18	2235
	Veloso, P. (BRS)	0	2025
f	Velvart, P (HUN)	2	2220
	Vera, I. (URU)	0	2005
g	Veroci-Petronic, Zs. (HUN)	37	2340
f	Verus, B. (JUG)	0	2130
	Vilas Boas, L. (POR)	0	2005
	Vimalavathy, K. (MAL)	0	2005
	Vitanova, R. (BLG)	7	2045
	Vogel-De Graaf, E. (NLD)	0	2005
	Voinescu, G. (ROM)	9	2040
g	Voiska, M. (BLG)	25	2335
	Voronova, T. V. (URS)	0	2195
	Vospernik, M. (JUG)	3	2140
m	Vreeken, C. (NLD)	8	2180
	Vujanovic, T. (JUG)	0	2080
	Vujic-Katanic, B. (JUG)	42	2215
m	Vujosevic, S. (CAN)	0	2095
	Vuksanovic, S. (JUG)	26	2150
	Vulovic, D. (JUG)	4	2040

W

m	Wagner-Michel, A. (DDR)	13	2190
	Walta, P. (FIN)	7	2025
	Walther, D. (DDR)	0	2040
	Wasnetsky, U. (FRG)	0	2090
	Weiss, M. (ISL)	0	2070
	Weiss, U. (OST)	0	2005
	Wenzel, S. (DDR)	0	2025
	Wesolowska, H. (POL)	0	2105
	Whitehead, C. E. (ENG)	0	2075
	Wierzbicka, E. (POL)	21	2015
m	Wiese-Jozwiak, M. (POL)	15	2240
	Wijaya, N. (RIN)	0	2090
	Wilkie, B. (AUS)	0	2005
	Winkler, C. (FRA)	0	2050
	Winter, I. (DDR)	0	2025
f	Wohlers, R. (FRG)	33	2120
	Wood, S. (ENG)	0	2010
	Wright, J. H. (AUS)	0	2050
g	Wu, Ming-Qien (PRC)	0	2205

X

m	Xie, Jun (PRC)	0	2310

Y

	Yilmaz, G. (TRK)	0	2015
	Yudasina, I. (URS)	11	2250
	Yuneeva, N. (URS)	12	2090
	Yurieva, A. (URS)	0	2115

Z

	Zagorskaya, T. (URS)	13	2120
	Zahn, N. (FRG)	15	2010
	Zahonova, N. (CSR)	0	2065
	Zahorovska, R. (CSR)	0	2080
	Zainetdinova, S. (URS)	0	2085
g	Zaitseva, L. G. (URS)	13	2350
	Zaitseva, M. (URS)	12	2165
	Zakaria, A. (ISL)	0	2005
	Zaloudkova, M. (CSR)	0	2010
	Zamora, L. (CUB)	0	2060
g	Zatulovskaya, T. (URS)	0	2120
	Zawadzka, A. (POL)	11	2075
m	Zayac, E. (URS)	13	2360
	Zboron, H. (POL)	0	2095
	Zelenaja, G. (URS)	0	2085
	Zelic, M. (JUG)	2	2050
	Zeljkovic, S. (JUG)	0	2005
m	Zhao, Lan (PRC)	0	2130
	Zimmersmann, R. (HUN)	3	2170
	Zinina, N. (URS)	0	2195
f	Zivkovic, V. (JUG)	29	2165
m	Zivkovic-Jocic, Lj. (JUG)	0	2075
m	Zlatanova, E. (BLG)	23	2135
	Zontek, K. (POL)	0	2065
	Zsigmond, V. (ROM)	0	2035
	Zsogony, I. (HUN)	0	2045

Tehnički urednik • Технический редактор • Technical editor • Technischer Redakteur • Rédacteur technique • Redactor técnico • Redattore tecnico • Teknisk redaktör • 割付 • المحرر الفني

Đuro Crnomarković

Korice • Перплёт • Cover • Pärm • Couverture • Cubiertas • Copertina • Pärmar • 表紙 • الغلاف

Đorđe Simić

Oslobođeno od plaćanja poreza na promet na osnovu Mišljenja Republičkog sekretarijata za kulturu SR Srbije br. 413-965/77-02a od 28. 9. 1977.

Štampa:

Beogradski izdavačko-grafički zavod, Beograd, Bulevar vojvode Mišića 17

Printed in Yugoslavia 1989